S0-BKA-045

METHODEN DER
ORGANISCHEN CHEMIE

METHODEN DER ORGANISCHEN CHEMIE

(HOUBEN-WEYL)

VIERTE, VÖLLIG NEU GESTALTETE AUFLAGE

BEGRÜNDET VON

EUGEN MÜLLER
1905–1976

OTTO BAYER 1902–1982 · HANS MEERWEIN 1879–1965 · KARL ZIEGLER 1898–1973

FORTGEFÜHRT VON

HEINZ KROPF
HAMBURG

BAND XIII/3b

ORGANOBOR-VERBINDUNGEN II

GEORG THIEME VERLAG STUTTGART · NEW YORK

ORGANOBOR-VERBINDUNGEN II

HERAUSGEGEBEN VON

ROLAND KÖSTER

MAX-PLANCK-INSTITUT FÜR KOHLENFORSCHUNG

MÜLHEIM AN DER RUHR

BEARBEITET VON

ROLAND KÖSTER
MÜLHEIM AN DER RUHR

GÜNTER SCHMID
ESSEN

MIT 125 TABELLEN

1983

GEORG THIEME VERLAG STUTTGART · NEW YORK

In diesem Handbuch sind zahlreiche Gebrauchs- und Handelsnamen, Warenzeichen u. dgl. (auch ohne besondere Kennzeichnung), Patente, Herstellungs- und Anwendungsverfahren aufgeführt. Herausgeber und Verlag machen ausdrücklich darauf aufmerksam, daß vor deren gewerblicher Nutzung in jedem Falle die Rechtslage sorgfältig geprüft werden muß. Industriell hergestellte Apparaturen und Geräte sind nur in Auswahl angeführt. Ein Werturteil über Fabrikate, die in diesem Band nicht erwähnt sind, ist damit nicht verbunden.

CIP-Kurztitelaufnahme der Deutschen Bibliothek

Methoden der organischen Chemie / (Houben-Weyl).
Begr. von Eugen Müller . . . Fortgef. von Heinz Kropf. – Stuttgart ; New York : Thieme
Teilw. ohne Angabe d. Begr. – Teilw. nur mit Erscheinungsort: Stuttgart
NE: Müller, Eugen [Begr.]; Houben, Josef [Begr.]
Bd. 13.
3b. → Organobor-Verbindungen

Organobor-Verbindungen / hrsg. von Roland Köster.
– Stuttgart ; New York : Thieme
NE: Köster, Roland [Hrsg.]
2. Bearb. von Roland Köster ; Günter Schmid. –
4., völlig neu gestaltete Aufl. – 1983.
(Methoden der organischen Chemie ; Bd. 13,3b)

Erscheinungstermin 14. 7. 1983

Satz und Druck: Tutte Druckerei GmbH, 8391 Salzweg-Passau

ISBN 3-13-213604-2

Allgemeines Vorwort

Die Methoden der organischen Chemie, 1909 von THEODOR WEYL begründet und 1913 von HEINRICH J. HOUBEN fortgeführt, haben sich zu einem wichtigen Standardwerk des chemischen Schrifttums entwickelt. Dies ist vor allem dem Einsatz des Herausgeber-Kollegiums der 1952 neubegründeten 4. Auflage

OTTO BAYER 1902–1982	EUGEN MÜLLER 1905–1976
HANS MEERWEIN 1879–1965	KARL ZIEGLER 1898–1973

zu verdanken.

Seit Erscheinen des ersten Bandes dieser Auflage hat sich die Situation sehr stark verändert. Durch das Anschwellen der chemischen Literatur, besonders der Publikationen über Syntheseverfahren der organischen Chemie, war es nicht möglich, das ursprüngliche Konzept – 16 Bände – einzuhalten. Damit wuchsen aber auch die Anforderungen an die Autoren hinsichtlich der Literaturbeschaffung und der kritischen Durchsicht und Auswahl des Stoffes sehr erheblich. Sie verdienen für ihren Idealismus und ihre Tätigkeit den Dank der gesamten Fachwelt. Ebenso gebührt für die Förderung des Werkes der Deutschen chemischen Industrie Dank, insbesondere der Bayer AG.

Während der langen Dauer der Herausgabe der 4. Auflage verstarben 1965 Herr Professor Dr. HANS MEERWEIN und 1973 Herr Professor Dr. KARL ZIEGLER. 1976, kurz vor dem Tod von Herrn Professor Dr. EUGEN MÜLLER, hat der Unterzeichnende dessen Aufgaben übernommen. 1982 ist auch Herr Professor Dr. OTTO BAYER verstorben. Die großen Verdienste der Senior-Herausgeber um den „Houben-Weyl" sind besonders zu würdigen.

Hervorzuheben ist, daß der „Houben-Weyl" nicht durch ein eigens geschaffenes Institut zustande gekommen ist, sondern durch die freie unternehmerische Zusammenarbeit zwischen dem Georg-Thieme-Verlag und einer großen Zahl von nur nebenberuflich literarisch tätigen Wissenschaftlern. Zu danken ist insofern auch Herrn Dr. BRUNO HAUFF, Herrn Dr. GÜNTHER HAUFF, Herrn Dr. ALBRECHT GREUNER und besonders Herrn Dr. H.-G. PADEKEN, für dessen wertvolle Arbeit als Lektor und Redakteur.

Das Gesamtwerk wird in wenigen Jahren mit einem Generalregister vorliegen. Es wird durch Erweiterungs- und Folgebände fortgeführt werden.

Für alle, die am „Houben-Weyl" mitgewirkt haben, ist es sicher eine große Befriedigung, ein internationales Standardwerk geschaffen zu haben, das aus der Laboratoriumspraxis nicht mehr wegzudenken ist.

HEINZ KROPF

Vorwort zu Band XIII/3b

Die in den drei Teilbänden XIII/3a–3c erscheinenden Methoden der Organobor-Chemie werden in Band XIII/3b mit den Organobor-Stickstoff-Verbindungen fortgeführt, die dreifach koordinierte Bor-Atome enthalten. Zwei weitere umfangstarke Kapitel des Teilbandes fassen die Herstellungsmethoden neutraler und ionischer Organobor-Verbindungen mit vierfach koordinierten Bor-Atomen zusammen. Im Band XIII/3c werden der „Herstellungsteil" abgeschlossen und die Kapitel „Umwandlung" und „Analytik", zusammen mit dem Autoren- und Sach-Register aller drei Teilbände, aufgenommen.

Die Grobunterteilung der Organobor-Verbindungen nach der Koordinationszahl des Bor-Atoms erweist sich als sehr nützlich. Trotzdem müssen zur Wahrung einer guten Übersicht auch Ausnahmen zugelassen werden. Beispielsweise sind dimere bzw. dimerisierende Organobor-Verbindungen mit vierfach koordinierten Bor-Atomen, wie z.B. einige Organobor-Stickstoff- und die Organobor-Phosphor-Verbindungen, im Teil A_2 unter die Verbindungen mit trigonal koordinierten Bor-Atomen eingeordnet worden. Bereits im Band XIII/3a waren aus dem gleichen Grund die dimeren Organobor-Wasserstoff-Verbindungen sowie auch einige dimerisierende heteroatomhaltige Triorganoborane bei den Organoboranen(3) besprochen worden.

Die Stoffülle kann übersichtlich nur durch Ordnungsprinzipien bewältigt werden, deren Hauptkriterien außerhalb der eigentlichen Stoffumwandlungen liegen. Außer der Zahl ist die Art der nächsten (und übernächsten) Nachbaratome eines Zentral-Atoms (oder einer Zentral-Funktion) unter Berücksichtigung bestimmter, jeweils spezifischer Prioritätsregeln (vgl. S. LXI) für die Einteilung des Gesamtgebiets von besonderer Bedeutung. Das Stoffraster wird dann durch Einbeziehen der Reaktionen nach dem „aus/mit"-Prinzip (vgl. S. LXII) prioritätsgemäß verfeinert. Die so gewonnene Systematisierung ermöglicht auch im immens angewachsenen Stoff ein rasches Zurechtfinden.

Fachkundige halfen mir beim Teilband XIII/3b. Herr Professor Dr. Peter Paetzold in Aachen unterstützte mich bei der Abfassung des umfangreichen Organobor-Stickstoff-Kapitels. Dafür und für seine zahlreichen, wertvollen Ratschläge danke ich ihm vielmals. Herr Hans Schmitz, Herr Günter Seidel und Herr Professor Dr. Mohamed Yalpani wirkten bei der Korrektur mit, wofür ich ebenfalls sehr danke. Dem Georg Thieme Verlag danke ich für Verständnis und Entgegenkommen.

Mülheim an der Ruhr, Mai 1983 — Roland Köster

Organobor-Verbindungen

Bd. XIII/3 a

Bd. XIII/3 b

Bd. XIII/3 c

Zeitschriftenliste

Die Abkürzungen entsprechen der Sigelliste des „Beilstein“, nur die mit * bezeichneten Abkürzungen sind der 2. Auflage der Periodica Chimica entnommen, die mit ○ bezeichneten den Chemical Abstracts.

A.	Liebigs Annalen der Chemie
Abh. dtsch. Akad. Wiss. Berlin, Kl. Chem., Geol. Biol.	Abhandlungen der Deutschen Akademie der Wissenschaften zu Berlin. Klasse für Chemie, Geologie und Biologie, Berlin
Abh. dtsch. Akad. Wiss. Berlin, Kl. Math. allg. Naturwiss.	Abhandlungen der Deutschen Akademie der Wissenschaften zu Berlin. Klasse für Mathematik und Allgemeine Naturwissenschaften (seit 1950)
Abstr. Kagaku-Kenkyū-Jo Hōkoku	Abstracts from Kagaku-Kenkyū-Jo Hōkoku (Reports of the Scientific Research Institute, seit 1950)
Abstr. Rom. Tech. Lit.	Abstracts of Roumanian Technical Literature, Bukarest
Accounts Chem. Res.	Accounts of Chemical Research, Washington
A. ch.	Annales de Chimie, Paris
Acta Acad. Åbo	Acta Academiae Åboensis, Finnland Turku
Acta Biochim. Pol.	Acta Biochimica Polonica, Warszawa
Acta chem. scand.	Acta Chemica Scandinavica, Kopenhagen, Dänemark
Acta chim. Acad. Sci. hung.	Acta Chimica Akademiae Scientiarum Hungaricae, Budapest
Acta Chim. Sinica	Acta Chimica Sinica (Ha Hsüeh Hsüeh Pao; seit 1957), Peking
Acta Cient. Venez.	Acta Cientifica Venezolana, Caracas
Acta crystallogr.	Acta Crystallographica [Copenhagen] (bis 1951: [London])
Acta crystallogr., Sect. A	Acta Crystallographica, Section A, London
Acta crystallogr., Sect. B	Acta Crystallographica, Section B, London
Acta Histochem.	Acta Histochemica, Jena
Acta Histochem., Suppl.	Acta Histochemica (Jena), Supplementum
Acta Hydrochimica et Hydrobiologica	Acta Hydrochemica et Hydrobiologica, Berlin
Acta latviens. Chem.	Acta Universitatis Latviensis, Chemicorum Ordinis Series, Riga
Acta pharmac. int. [Copenhagen]	Acta Pharmaceutica Internationalia [Copenhagen]
Acta pharmacol. toxicol.	Acta Pharmacologica et Toxicologica, Kopenhagen
Acta Pharm. Hung.	Acta Pharmaceutica Hungarica, Budapest (seit 1949)
Acta Pharm. Suecica	Acta Pharmaceutica Suecica, Stockholm
Acta Pharm. Yugoslav.	Acta Pharmaceutica Yugoslavica, Zagreb
Acta physicoch. URSS	Acta Physicochimica URSS
Acta physiol. scand.	Acta Physiologica Scandinavica
Acta physiol. scand. Suppl.	Acta Physiologica Scandinavica, Supplementum
Acta phytoch.	Acta Phytochimica, Tokyo
Acta polon. pharmac.	Acta Poloniae Pharmaceutica (bis 1939 und seit 1947)
Advan. Alicyclic Chem.	Advances in Alicyclic Chemistry, New York
Advan. Appl. Microbiol.	Advances in Applied Microbiological, New York
Advan. Biochem. Engng.	Advances in Biochemical Engineering, Berlin
Advan. Carbohydr. Chem. and Biochem.	Advances in Carbohydrate Chemistry and Biochemistry, New York
Advan. Catal.	Advances in Catalysis and Related Subjects, New York
Advan. Chem. Ser.	Advances in Chemistry Series, Washington
Advan. Food Res.	Advances in Food Research, New York
Adv. Biol. Med. Phys.	Advances in Biological and Medical Physics, New York
Adv. Carbohydrate Chem.	Advances in Carbohydrate Chemistry
Adv. Chromatogr.	Advances in Chromatography, New York
Adv. Colloid Int. Sci.	Advance in Colloid and Interface Science, Amsterdam
Adv. Drug Res.	Advance in Drug Research, New York
Adv. Enzymol.	Advances in Enzymology and Related Subjects of Biochemistry, New York
Adv. Fluorine Chem.	Advances in Fluorine Chemistry, London

Adv. Free Radical Chem.	Advances in Free Radical Chemistry, London
Adv. Heterocyclic Chem.	Advances in Heterocyclic Chemistry, New York
Adv. Macromol. Chem.	Advances in Macromolecular Chemistry, New York
Adv. Magn. Res.	Advances in Magnetic Resonance, England
Adv. Microbiol. Phys.	Advances in Microbiological Physiology, New York
Adv. Organometallic Chem.	Advances in Organometallic Chemistry, New York
Adv. Org. Chem.	Advances in Organic Chemistry: Methods and Results, New York
Adv. Photochem.	Advances in Photochemistry, New York, London
Adv. Protein Chem.	Advances in Protein Chemistry, New York
Adv. Ser.	Advances in Chemistry Series, Washington
Adv. Steroid Biochem. Pharm.	Advances in Steroid Biochemistry and Pharmacology, London/New York
Adv. Urethane Sci. Techn.	Advances in Urethane Science and Technology, Westport, Conn.
Afinidad	Afinidad [Barcelona]
Agents in Actions	Agents in Actions, Basel
Agr. and Food Chem.	Journal of Agricultural and Food Chemistry, Washington
Agr. Biol.-Chem. (Tokyo)	Agricultural and Biological Chemistry, Tokyo
Agr. Chem.	Agricultural Chemicals Baltimore
Agrochimica	Agrochimica, Pisa
Agrokem. Talajtan	Agrokémia és Talajtan (Agrochemie und Bodenkunde), Budapest
Agrokhimiya	Agrokhimiya i Gruntoznavslvo (Agricultural Chemistry and Soil Science), Kiew
Agron. J.	Agronomy Journal, United States (seit 1949)
Aiche J. (A.I.Ch.E.)	American Institute of Chemical Engineers Journal, New York
Allg. Öl- u. Fett-Ztg.	Allgemeine Öl- und Fett-Zeitung, Berlin (1943 vereinigt mit Seifensieder-Ztg., Abkürzung nach Periodica Chimica)
Am.	American Chemical Journal, Washington
A.M.A. Arch. Ind. Health	A.M.A. Archives of Industrial Health (seit 1955)
Am. Dyest. Rep.	American Dyestuff Reporter, New York
Amer. ind. Hyg. Assoc. Quart.	American Industrial Hygiene Association Quarterly, Chicago
Amer. J. Physics	American Journal of Physics, New York
Amer. Petroleum Inst. Quart.	American Petroleum Institute Quarterly, New York
Amer. Soc. Testing Mater.	American Society for Testing Materials, Philadelphia, Pa.
Amino-acid, Peptide Prot. Abstr.	Amino-acid, Peptide and Protein Abstracts, London
Am. Inst. Chem. Engrs.	American Institute of Chemical Engineers, New York
Am. J. Pharm.	American Journal of Pharmacy (bis 1936) Philadelphia
Am. J. Physiol.	American Journal of Physiology, Washington
Am. J. Sci.	American Journal of Science, New Haven, Conn.
Am. Perfumer	Americ. Perfumer and Essential Oil Reviews (1936–1939: American Perfumer, Cosmetics, Toilet Preparations)
Am Soc.	Journal of the American Chemical Society, Washington
Anal. Abstr.	Analytical Abstracts, Cambridge (seit 1954)
Anal. Biochem.	Analytical Biochemistry, New York
Anal. Chem.	Analytical Chemistry (seit 1947), Washington
Anal. chim. Acta	Analytica Chimica Acta, Amsterdam
Anales Real Soc. Espan. Fis. Quim. (Madrid)	Anales de la Real Sociedad Española de Fisica y Química, Madrid (seit 1936)
Analyst	The Analyst, Cambridge
An. Asoc. quím. arg.	Anales de la Asociación Química Argentina, Buenos Aires
An. Farm. Bioquím. Buenos Aires	Anales de Farmacia y Bioquímica, Buenos Aires
An. Fis.	Anales de la Real Sociedad Española de Fisica y Química, Serie A, Madrid
Ang. Ch.	Angewandte Chemie (bis 1931: Zeitschrift für angewandte Chemie); engl.: Angew. Chem. Intern. Ed. Engl. Angewandte Chemie Internationale Edition in Englisch (seit 1962), Weinheim, New York, London
Angew. Makromol. Chem.	Angewandte Makromolekulare Chemie, Basel
Anilinfarben-Ind.	Анилинокрасочная Промышленность (Anilinfarben-Industrie), Moskau
Ann. Acad. Sci. fenn.	Annales Academiae Scientiarum Fennicae, Helsinki
Ann. Chim. anal.	Annales de Chimie Analytique (1942–1946), Paris
Ann. Chim. anal. appl.	Annales de Chimie Analytique et de Chimie Appliquée (bis 1941), Paris

Ann. Chim. applic.	Annali di Chimica Applicata (bis 1950), Rom
Ann. chim. et phys.	Annales de chimie et de physique (bis 1941), Paris
Ann. chim. farm.	Annali di chimica farmaceutica (1938–1940), Rom
Ann. Chimica	Annali di Chimica (seit 1950), Rom
Ann. Fermentat.	Annales des Fermentations, Paris
Ann. Inst. Pasteur	Annales de l'Institut Pasteur, Paris
Ann. Med. Exp. Biol. Fennicae (Helsinki)	Annales Medicinae Experimentalis et Biologiae Fennicae, Helsinki (seit 1947)
Ann. N. Y. Acad. Sci.	Annals of the New York Academy of Sciences, New York
Ann. pharm. Franç.	Annales Pharmaceutiques Françaises (seit 1943), Paris
Ann. Phys. (New York)	Annals of Physics, New York
Ann. Physik	Annalen der Physik (bis 1943 und seit 1947), Leipzig
Ann. Physique	Annales de Physique, Paris
Ann. Rep. Med. Chem.	Annual Reports in Medicinal Chemistry, New York
Ann. Rep. NMR Spectr.	Annual Reports of NMR Spectroscopy, London
Ann. Rep. Org. Synth.	Annual Reports on Organic Synthesis, New York
Ann. Rep. Progr. Chem.	Annual Reports on the Progress of Chemistry, London
Ann. Rev. Biochem.	Annual Review of Biochemistry, Stanford, Calif.
Ann. Rev. Inf. Sci. Techn.	Annual Review of Information Science and Technology, Chicago
Ann. Rev. phys. Chem.	Annual Review of Physical Chemistry, Palo Alto, Calif.
Ann. Soc. scient. Bruxelles	Annales de la Société Scientifique des Bruxelles, Brüssel
Annu. Rep. Progr. Rubber	Annual Report on the Progress of Rubber Technology, London
Annu. Rep. Shionogi Res. Lab. [Osaka]	Annual Reports of Shionogi Research Laboratory [Osaka]
An. Quím.	Anales de la Real Española de Física y Química, Serie B, Madrid
An. Soc. españ. [A] bzw. [B]	Anales de la Real Española de Fisica y Química (1940–1947 Anales de Física y Química). Seit 1948 geteilt in: Serie A-Física. Serie B-Química, Madrid
An. Soc. cient. arg.	Anales de la Sociedad Cientifica Argentina, Santa Fé (Argentinien)
Antibiot. Chemother.	Antibiotics and Chemotherapy, New York
Antibiotiki (Moscow)	Антибиотики, Antibiotiki (Antibiotika), Moskau
Antimicrob. Agents Chemoth.	Antimicrobial Agents and Chemotherapy, Bethesda, Md.
Appl. Microbiol.	Applied Microbiology, Baltimore, Md.
Appl. Physics	Applied Physics, Berlin
Appl. Polymer Symp.	Applied Polymer Symposia, New York
Appl. scient. Res.	Applied Scientific Research, Den Haag
Appl. Sci. Res. Sect. A u. B	Applied Scientific Research, Den Haag A. Mechanics, Heat, Chemical Engineering, Mathematical Methods B. Electrophysics, Acoustics, Optics, Mathematical Methods
Appl. Spectrosc.	Applied Spectroscopy, Chestnut Hill, Mass.
Ar.	Archiv der Pharmazie (und Berichte der Deutschen Pharmazeutischen Gesellschaft), Weinheim/Bergstr.
Arch. Biochem.	Archives of Biochemistry and Biophysics (bis 1951: Archives of Biochemistry), New York
Arch. des Sci.	Archives des Sciences (seit 1948), Genf
Arch. Environ. Health	Archives of Environmental Health, Chicago (seit 1960)
Arch. Intern. Physiol. Biochim.	Archives Internationales de Physiologie et de Biochimie (seit 1955), Liège
Arch. Math. Naturvid.	Archiv for Mathematik og Naturvidenskab, Oslo
Arch. Mikrobiol.	Archiv für Mikrobiologie (bis 1943 und seit 1948), Berlin
Arch. Pharm. Chemi	Archiv for Pharmaci og Chemi, Kopenhagen
Arch. Phytopath. Pflanzensch.	Archiv für Phytopathologie und Pflanzenschutz, Berlin
Arch. Sci. phys. nat.	Archives des Sciences Physiques et Naturelles, Genf (bis 1947)
Arch. techn. Messen	Archiv für Technisches Messen (bis 1943 und seit 1947), München
Arch. Toxicol.	Archiv für Toxikologie, Berlin, Göttingen, Heidelberg (seit 1954)
Arh. Kemiju	Arhiv za Kemiju, Zagreb (Archives de Chimie) (seit 1946)
Ark. Kemi	Arkiv för Kemi, Mineralogie och Geologi, seit 1949 Arkiv för Kemi (Stockholm)
Arm. Khim. Zh.	Армлнский Химический Журнал Armyanskii Khimicheskii Zhurnal (Armenian Chemical Journal) Erewan, UdSSR
Ar. Pth.	(NUUNYN-SCHMIEDEBERGS) Archiv für Experimentelle Pathologie und Pharmakologie, Berlin-W.
Arzneimittel-Forsch.	Arzneimittel-Forschung, Aulendorf/Württ.

ASTM Bull.	ASTM (American Society for Testing Materials) Bulletin, Philadelphia
ASTM Spec. Techn. Publ.	ASTM (American Society for Testing Materials), Technical Publications, New York
Atti Accad. naz. Lincei, Mem., Cl. Sci. fisiche, mat. natur., Sez. I, II bzw. III	Atti della Accademia Nazionale dei Lincei. Memorie. Classe di Scienze Fisiche, Matematiche e Naturali. Sezione I (Matematica, Meccanica, Astronomia, Geodesia e Geofisica). Sezione II (Fisica, Chimica, Geologia, Paleontologia e Mineralogia). Sezione III (Scienze Biologiche) (seit 1946), Turin
Atti Accad. naz. Lincei, Rend., Cl. Sci. fisiche, mat. natur.	Atti della Accademia Nazionale dei Lincei. Rendiconti. Classe di Scienze Fisiche, Matematiche e Naturali (seit 1946), Rom
Aust. J. Biol. Sci.	Australian Journal of Biological Sciences (seit 1953), Melbourne
Austral. J. Chem.	Australian Journal of Chemistry (seit 1952), Melbourne
Austral. J. Sci.	Australian Journal of Science, Sydney
Austral. J. scient. Res., [A] bzw. [B]	Australien Journal of Scientific Research. Series A. Physical Sciences. Series B. Biological Sciences, Melbourne
Austral. P.	Australisches Patent, Canberra
Azerb. Khim. Zh.	Азербайджанский Химический Журнал Azerbaidschanisches Chemisches Journal
B.	Berichte der Deutschen Chemischen Gesellschaft; seit 1947: Chemische Berichte, Weinheim/Bergstr.
Belg. P.	Belgisches Patent, Brüssel
Ber. Bunsenges. Phys. Chem.	Berichte der Bunsengesellschaft, Physikalische Chemie, Heidelberg (bis 1952).
Ber. chem. Ges. Belgrad	Berichte der Chemischen Gesellschaft Belgrad (Glassnik Chemisskog Druschtwa Beograd, seit 1940), Belgrad
Ber. Ges. Kohlentechn.	Berichte der Gesellschaft für Kohlentechnik (Dortmund-Eving)
Biochem.	Biochemistry, Washington
Biochem. biophys. Acta	Biochimica et biophysica Acta, Amsterdam
Biochem. Biophys. Research Commun.	Biochemical and Biophysical Research Communications, New York
Biochem. J. (London)	The Biochemical Journal, London
Biochem. J. (Kiew)	Biochemical Journal, Kiew, Ukraine
Biochem. Med.	Biochemical Medicine, New York
Biochem. Pharmacol.	Biochemical Pharmacology, London
Biochem. Prepar.	Biochemical Preparations, New York
Biochem. Soc. Trans.	Biochemical Society Transactions, London
Biochimiya	Биохимия(Biochimia)
Biodynamica	Biodynamica, Normandy, Mo., USA
Biofizika	Биофизика (Biophysik), Moskau
Biopolymers	Biopolymers, New York
Bios Final Rep.	British Intelligence Objectives Subcommittee, Final Report
Bio. Z.	Biochemische Zeitschrift (bis 1944 und seit 1947)
Bitumen, Teere, Asphalte, Peche	Bitumen, Teere, Asphalte, Peche und verwandte Stoffe, Heidelberg
Bl.	Bulletin de la Société Chimique de France, Paris
Bl. Acad. Belgique	Académie Royale de Belgique: Bulletins de la Classe des Sciences, Brüssel
Bl. Acad. Polon.	Bulletin International de l'Académie Polonaise des Sciences et des Lettres, Classe des Sciences Mathématiques et Naturelles, Krakau
Bl. agric. chem. Soc. Japan	Bulletin of the Agricultural Chemical Society of Japan, Tokio
Bl. am. phys. Soc.	Bulletin of the American Physical Society, Lancaster, Pa.
Bl. chem. Soc. Japan	Bulletin of the Chemical Society of Japan, Tokio
Bl. Soc. chim. Belg.	Bulletin de la Société Chimique de Belgique (bis 1944), Brüssel
Bl. Soc. Chim. biol.	Bulletin de la Société de Chimie Biologique, Paris
Bl. Soc. Chim. ind.	Bulletin de la Société de Chimie Industrielle (bis 1934), Paris
Bl. Trav. Pharm. Bordeaux	Bulletin des Travaux de la Société de Pharmacie de Bordeaux
Bol. inst. quím. univ. nal. auton. Mé.	Boletin del instituto de química de la universidad nacional autonoma de México
Boll. chim. farm.	Bolletino chimico farmaceutico, Mailand
Boll. Lab. Chim. Prov. Bologna	Bolletino dei Laboratori Chimici, Provinciali, Bologna
Bol. Soc. quím. Perú	Boletin de la Sociedad Química del Perú, Lima (Peru)
Botyu Kagaku	Bulletin of the Institute of Insect Control (Kyoto), (Scientific Insect Control)

B. Ph. P.	Beiträge zur Chemischen Physiologie und Pathologie
Brennstoffch.	Brennstoff-Chemie (bis 1943 und seit 1949), Essen
Brit. Chem. Eng.	British Chemical Engineering, London
Brit. J. appl. Physics	British Journal of Applied Physics, London
Brit. J. Cancer	British Journal of Cancer, London
Brit. J. Industr. Med.	British Journal of Industrial Medicine, London
Brit. J. Pharmacol.	British Journal of Pharmacology and Chemotherapy, London
Brit. P.	British Patent, London
Brit. Plastics	British Plastics (seit 1945), London
Brit. Polym. J.	British Polymer Journal, London
Bul. inst. politeh. Jasi	Buletinul institutuluí politehnic din Jasi (ab 1955 mit Zusatz [NF])
Bul. Laboratorarelor	Buletinul Laboratorarelor, Bukarest
Bull. Acad. Polon. Sci., Ser. Sci. Chim. Geol. Geograph. bzw. Ser. Sci. Chim.	Bulletin de l'Académie Polonaise des Sciences, Serie des Sciences, Chimiques, Geologiques et Géographiques (seit 1960 geteilt in ... Serie des Sciences Chimiques und ... Serie des Sciences Geologiques et Géographiques), Warschau
Bull. Acad. Sci. URSS, Div. Chem. Sci.	Izwestija Akademii Nauk. SSSR (Bulletin de l'Académie des Sciences de URSS), Moskau, Leningrad (bis 1936)
Bull. Environ. Contamin. Toxicol.	Bulletin of Environmental Contamination and Toxicology, Berlin/New York
Bull. Inst. Chem. Research, Kyoto Univ.	Bulletin of the Institute for Chemical Research, Kyoto University (Kyoto Daigaku Kagaku Kenkyûsho Hôkoku), Takatsoki, Osaka
Bull. Research Council Israel	Bulletin of the Research Council of Israel, Jerusalem
Bull. Research Inst. Food Sci., Kyoto Univ.	Bulletin of the Research Institute for Food Science, Kyoto University (Kyoto Daigaku Shokuryô-Kagaku Kenkyujo Hôkoku), Fukuoka, Japan
Bull. Soc. roy. Sci. Liège	Bulletin de la Société Royale des Sciences de Liège, Brüssel
C.	Chemisches Zentralblatt, Weinheim/Bergstr.
C. A.	Chemical Abstracts, Washington
Canad. chem. Processing	Canadian Chemical Processing, Toronto, Canada
Canad. J. Chem.	Canadian Journal of Chemistry, Ottawa, Canada
Canad. J. Physics	Canadian Journal of Physics, Ottawa, Canada
Canad. J. Res.	Canadian Journal of Research (bis 1950), Ottawa, Canada
Canad. J. Technol.	Canadian Journal of Technology, Ottawa, Canada
Canad. P.	Canadisches Patent
Cancer (Philadelphia)	Cancer (Philadelphia), Philadelphia
Cancer Res.	Cancer Research, Chicago
Can. Chem. Process.	Canadian Chemical Processing, Toronto (seit 1951)
Can. J. Biochem.	Canadian Journal of Biochemistry, Ottawa
Can. J. Biochem. Physiol.	Canadian Journal of Biochemistry and Physiology, Ottawa (seit 1954)
Can. J. Chem. Eng.	Canadian Journal of Chemical Engineering, Ottawa (seit 1957)
Can. J. Microbiol.	Canadian Journal of Microbiology, Ottawa
Can. J. Pharm. Sci.	Canadian Journal of Pharmaceutical Sciences, Toronto
Can. J. Plant. Sci.	Canadian Journal of Plant Science, Ottawa (seit 1957)
Can. J. Soil Sci.	Canadian Journal of Soil Science, Ottawa (seit 1957).
Carbohyd. Chem.	Carbohydrate Chemistry, London
Carbohyd. Chem. Metab. Abstr.	Carbohydrate Chemistry and Metabolism Abstracts, London
Carbohyd. Res.	Carbohydrate Research, Amsterdam
Catalysis Rev.	Catalysis Review, New York
Cereal Chem.	Cereal Chemistry, St. Paul, Minnesota
Česk. Farm.	Čechoslovenska Farmacie, Prag
Ch. Apparatur	Chemische Apparatur (bis 1943), Berlin
Chem. Age India	Chemical Age of India
Chem. Age London	Chemical Age, London
Chem. Age N. Y.	Chemical Age, New York
Chem. Anal.	Organ Komisjii Analitycznej Komitetu Nauk Chemicznych PAN, Warschau
Chem. Brit.	Chemistry in Britain, London
Chem. Commun.	Chemical Communications, London
Chem. Econ. & Eng. Rev.	Chemical Economy and Engineering Review, Tokyo

Chem. Eng.	Chemical Engineering with Chemical and Metallurgical Engineering (seit 1946), New York
Chem. Eng. (London)	Chemical Engineering Journal, London
Chem. eng. News	Chemical and Engineering News (seit 1943) Washington
Chem. Eng. Progr.	Chemical Engineering Progress, Philadelphia, Pa.
Chem. Eng. Progr., Monograph Ser.	Chemical Engineering Progress. Monograph Series, New York
Chem. Eng. Progr., Symposium Ser.	Chemical Engineering Progress. Symposium Series, New York
Chem. eng. Sci.	Chemical Engineering Science, London
Chem. High Polymers (Tokyo)	Chemistry of High Polymers (Tokyo) (Kobunshi Kagaku), Tokio
Chemical Ind. (China)	Chemical Industry [China], Peking
Chemie-Ing.-Techn.	Chemie-Ingenieur-Technik (seit 1949), Weinheim/Bergstr.
Chemie in unserer Zeit	Chemie in unserer Zeit, Weinheim/Bergstr.
Chemie Lab. Betr.	Chemie für Labor und Betrieb, Frankfurt/Main
Chemie Prag	Chemie (Praha), Prag
Chemie und Fortschritt	Chemie und Fortschritt, Frankfurt/Main
Chem. & Ind.	Chemistry & Industry, London
Chem. Industrie	Chemische Industrie, Düsseldorf
Chem. Industries	Chemical Industries, New York
Chem. Inform.	Chemischer Informationsdienst, Leverkusen
Chemist-Analyst	Chemist-Analyst, Philipsburg, New York, New Jersey
Chem. Letters	Chemistry Letters, Tokyo
Chem. Listy	Chemické Listy pro Vědu a Průmysl. Prag (Chemische Blätter für Wissenschaft und Industrie); seit 1951 Chemické Listy, Prag
Chem. met. Eng.	Chemical and Metallurgical Engineering (bis 1946), New York
Chem. N.	Chemical News and Journal of Industrial Science (1921–1932), London
Chemorec. Abstr.	Chemoreception Abstracts, London
Chemosphere	Chemosphere, London
Chem. pharmac. Techniek	Chemische en Pharmaceutische Techniek, Dordrecht
Chem. Pharm. Bull. (Tokyo)	Chemical & Pharmaceutical Bulletin (Toyko)
Chem. Process Engng.	Chemical and Process Engineering, London
Chem. Processing	Chemical Processing, London
Chem. Products chem. News	Chemical Products and the Chemical News, London
Chem. Průmysl	Chemický Průmysl, Prag (Chemische Industrie, seit 1951), Prag
Chem. Rdsch. [Solothurn]	Chemische Rundschau [Solothurn]
Chem. Reviews	Chemical Reviews, Baltimore
Chem. Scripta	Chemical Scripta, Stockholm
Chem. Senses & Flavor	Chemical Senses and Flavor, Dordrecht/Boston
Chem. Soc. Rev.	Chemical Society Reviews, London (formerly Quarterly Reviews)
Chem. Tech. (Leipzig)	Chemische Technik, Leipzig (seit 1949)
Chem. Techn.	Chemische Technik, Berlin
Chem. Technol.	Chemical Technology, Easton/Pa.
Chem. Trade J.	Chemical Trade Journal and Chemical Engineer, London
Chem. Umschau, Gebiete, Fette, Öle, Wachse, Harze (ab 1933: Fettchemische Umschau)	Chemische Umschau auf dem Gebiete der Fette, Öle, Wachse und Harze (bis 1933)
Chem. Week	Chemical Week, New York
Chem. Weekb.	Chemisch Weekblad, Amsterdam
Chem. Zvesti	Chemické Zvesti (tschech.). Chemische Nachrichten, Bratislawa
Chim. anal.	Chimie analytique (seit 1947), Paris
Chim. Anal. (Bukarest)	Chimie Analitica, Bukarest
Chim. Chronika	Chimika Chronika, Athen
Chim. et Ind.	Chimie et Industrie, Paris
Chim. farm. Ž.	Chimiko-farmazevtičeskij Žurnal, Moskau
Chim. geterocikl. Soed.	Химия гетеродиклиьнских соединий (Die Chemie der hetero-cyclischen Verbindungen), Riga
Chimia	Chimia, Zürich
Chimica e Ind.	Chimica e L'Industria, Mailand (seit 1935)
Chim. Therap.	Chimica Therapeutica, Arcueil
Ch. Z.	Chemiker-Zeitung, Heidelberg
CIOS Rep.	Combinde Intelligence Objectives Sub-Committee Report
Clin. Chem.	Clinical Chemistry, New York

Clin. Chim. Acta	Clinica Chimica Acta, Amsterdam
Clin. Sci.	Clinical Science, London
Collect. czech. chem. Commun.	Collection of Czechoslovak Chemikal Communications (seit 1951), Prag
Collect. Pap. Fac. Sci., Osaka Univ. [C]	Collect Papers from the Faculty of Science, Osaka University, Osaka, Series C, Chemistry (seit 1943)
Collect. pharmac. suecica	Collectanea Pharmaceutica, Suecica, Stockholm
Collect. Trav. chim. Tchécosl.	Collection des Travaux Chimiques de Tchécoslovaquie (bis 1939) und 1947–1951; 1939: ... Tschèques), Prag
Colloid Chem.	Colloid Chemistry, New York
Comp. Biochem. Physiol.	Comparative Biochemistry and Physiology, London
Coord. Chem. Rev.	Coordination Chemistry Reviews, Amsterdam
C. r.	Comptes Rendus Hebdomadaires des Séances de l'Académie des Sciences, Paris
C. r. Acad. Bulg. Sci.	Доклады Болгарской Академии Наук (Comptes rendus de l'académie bulgare des sciences)
Crit. Rev. Tox.	Critical Reviews in Toxicology, Cleveland/Ohio
Croat. Chem. Acta	Croatica Chemica Acta, Zagreb
Curr. Sci.	Current Science, Bangalore
Dän. P.	Dänisches Patent
Dansk Tidsskr. Farm.	Dansk Tidsskrift for Farmaci, Kopenhagen
DAS.	Deutsche Auslegeschrift = noch nicht erteiltes DBP. (seit 1. 1. 1957). Die Nummer der DAS. und des später darauf erteilten DBP. sind identisch
DBP.	Deutsches Bundespatent (München, nach 1945, ab Nr. 800000)
DDRP.	Patent der Deutschen Demokratischen Republik (vom Ostberliner Patentamt erteilt)
Dechema Monogr.	Dechema Monographien, Weinheim/Bergstr.
Delft Progr. Rep.	Delft Progress Report (A: Chemistry and Physics, Chemical and Physical Engineering), Groningen
Die Nahrung	Die Nahrung (Chemie, Physiologie, Technologie), Berlin
Discuss. Faraday Soc.	Discussions of the Faraday Society, London
Dissertation Abstr.	Dissertation Abstracts Ann Arbor, Michigan
Doklady Akad. SSSR	Доклады Академии Наук СССР (Comptes Rendus de l'Académie des Sciences de l'URSS), Moskau
Dokl. Akad. Nauk Arm. SSR	Доклады Академии Наук Армянской ССР / Doklady Akademii Nauk Armjanskoi SSR (Berichte der Akademie der Wissenschaften der Armenischen SSR), Erewan
Dokl. Akad. Nauk Azerb. SSR	Доклады Академии Наук Азербайджанской ССР/ Doklady Akademii Nauk Azerbaidshanskoi SSR (Berichte der Akademie der Wissenschaften der Azerbaidschanischen SSR), Baku
Dokl. Akad. Nauk Beloruss. SSR	Д. А. Н. Белорусской ССР/ Doklady Akademii Nauk Belorusskoi SSR (Berichte der Akademie der Wissenschaften der Belorussischen SSR), Minsk
Dokl. Akad. Nauk SSSR	Д. А. Н. Советской CCR / Doklady Akademii Nauk Sowjetskoi SSR (Berichte der Akademie der Wissenschaften der Vereinigten SSR), Moskau
Dokl. Akad. Nauk Tadzh. SSR	Д. А. Н. Таджикской ССР / Doklady Akademii Nauk Tadshikskoi SSR (Berichte der Akademie der Wissenschaften der Tadshikischen SSR)
Dokl. Akad. Nauk Uzb. SSR	Д. А. Н. Узбекской ССР / Doklady Akademii Nauk Uzbekskoi SSR (Berichte der Akademie der Wissenschaften der Uzbekischen SSR), Taschkent
Dokl. Bolg. Akad. Nauk	Доклады Болгарской Академии Наук / Doklady Bolgarskoi Akademii Nauk (Berichte der Bulgarischen Akademie der Wissenschaften), Sofia
Dopov. Akad. Nauk Ukr. RSR, Ser. A u. B	Доповиди Академии Наук Украинской РСР / Dopowidi Akademii Nauk Ukrainskoi RSR (Berichte der Akademie der Wissenschaften der Ukrainischen SSR), Kiew Serie A und B
DOS	Deutsche Offenlegungsschrift (ungeprüft)
DRP.	Deutsches Reichspatent (bis 1945)
Drug Cosmet. Ind.	Drug and Cosmetic Industry, New York

Dtsch. Apoth. Ztg.	Deutsche Apotheker-Zeitung (1934–1945), seit 1950: vereinigt mit Süddeutsche Apotheker-Zeitung, Stuttgart
Dtsch. Farben-Z.	Deutsche Farben-Zeitschrift (seit 1951), Stuttgart
Dtsch. Lebensmittel-Rdsch.	Deutsche Lebensmittel-Rundschau, Stuttgart
Dyer Textile Printer	Dyer, Textile Printer, Bleacher and Finisher (seit 1934; bis 1934: Dyer and Calico Printer, Bleacher, Finisher and Textile Review), London
Electroanal. Chemistry	Electroanalytical Chemistry, New York
Endeavour	Endeavour, London
Endocrinology	Endocrinology, Boston, Mass.
Endokrinologie	Endokrinologie, Leipzig (1943–1949 unterbrochen)
Environ. Sci. Technol.	Environmental Science and Technology, England
Enzymol.	Enzymologia (Holland), Den Haag
Erdöl, Kohle	Erdöl und Kohle (seit 1948), Hamburg
Erdöl, Kohle, Erdgas, Petrochem.	Erdöl und Kohle – Erdgas – Petrochemie, Hamburg, (seit 1960)
Ergebn. Enzymf.	Ergebnisse der Enzymforschung, Leipzig
Ergebn. exakt. Naturwiss.	Ergebnisse der exakten Naturwissenschaften, Berlin
Ergebn. Physiol.	Ergebnisse der Physiologie, Biologischen Chemie und Experimentellen Pharmakologie, Berlin
Europ. J. Biochem.	European Journal of Biochemistry, Berlin, New York
Eur. Polym. J.	European Polymer Journal, Amsterdam
Experientia	Experientia (Basel)
Experientia, Suppl.	Experientia, Supplementum, Basel
Farbe Lack	Farbe und Lack (bis 1943 und seit 1947), Hannover
Farmac. Glasnik	Farmaceutski Glasnik, Zagreb (Pharmazeutische Berichte)
Farmacia (Bucharest)	Farmacia (Bucuresti), Bukarest
Farmaco. Ed. Prat.	Farmaco Edizione Pratica, Pavia
Farmaco (Pavia), Ed. sci.	Il Farmaco (Pavia), Edizione scientifica
Farmac. Revy	Farmacevtisk Revy, Stockholm
Farmakol. Toksikol. (Moscow)	Фармакология и Токсикология (Farmakologija i Tokssikologija) Pharmakologie und Toxikologie, Moskau
Farmatsiya (Moscow)	Farmatsiya (Фармация), Moskau
Farm. sci. e tec. (Pavia)	Il Farmaco, scienza e tecnica (bis 1952), Pavia
Farm. Zh. (Kiev)	Фармацевтичний Журнал (Киёв), Farmazewtischni Žurnal (Kiew) (Pharmazeutisches Journal, Kiew)
Faserforsch. u. Textiltechn.	Faserforschung und Textiltechnik, Berlin
FEBS Letters	Federation od European Biochemical Societies, Amsterdam
Federation Proc.	Federation Proceedings, Washington, D.C.
Fette, Seifen, Anstrichmittel	Fette, Seifen, Anstrichmittel (verbunden mit „Die Ernährungsindustrie") (früher häufige Änderung des Titels), Hamburg
FIAT Final Rep.	Field Information Agency, Technical, United States Group Control Council for Germany, Final Report
Fibre Chem.	Fibre Chemistry, London
Fibre Sci. Techn.	Fibre Science and Technology, Barking/Essex
Finn. P.	Finnisches Patent
Finska Kemistsamf. Medd.	Finska Kemistsamfundets Meddelanden (Suomen Kemistiseuran Tiedonantoja), Helsingfors
Fiziol. Zh. (Kiev)	Физиологичний Журнал (Киёв) Fisiologitschnii Žurnal (Kiew) (Physiologisches Journal (Kiew)
Fiziol. Zh. SSSR im. I. M. Sechenova	Физиологический Журнал СССР имени И. М. Сеченова, (Fisiologitschesskii Žurnal SSSR imeni I. M. Setschenowa, Setschenow Journal für Physiologie der UdSSR, Moskau
Fluorine Chem. Rev.	Fluorine Chemistry Reviews, New York
Food	Food, London
Food Engng.	Food Engineering (seit 1951), New York
Food Manuf.	Food Manufacture (seit 1939 Food Manufacture, Incorporating Food Industries Weekly), London
Food Packer	Food Packer (seit 1944), Chicago
Food Res.	Food Research, Champaign, Ill.
Formosan Sci.	Formosan Science, Taipeh
Fortschr. chem. Forsch.	Fortschritte der Chemischen Forschung, New York, Berlin

Fortschr. Ch. org. Naturst.	Fortschritte der Chemie Organischer Naturstoffe, Wien
Fortschr. Hochpolymeren-Forsch.	Fortschritte der Hochpolymeren-Forschung, Berlin
Frdl.	Fortschritte der Teerfarbenfabrikation und verwandter Industriezweige. Begonnen von P. FRIEDLÄNDER, fortgeführt von H. E. FIERZ-DAVID, Berlin
Fres.	Zeitschrift für Analytische Chemie (von C. R. FRESENIUS), Berlin
Fr. P.	Französisches Patent
Fr. Pharm.	France-Pharmacie, Paris
Fuel	Fuel in Science and Practice; ab 1948: Fuel, London
G.	Gazzetta Chimica Italiana, Rom
Gas Chromat.-Mass.-Spectr. Abstr.	Gas Chromatography – Mass-Spectrometry Abstracts, London
Gazow. Prom.	Газовая Промышленность, Gasowaja Promyschlenost (Gas-Industrie), Moskau
Génie chim.	Génie chimique, Paris
Gidroliz. Lesokhim. Prom.	Гидролизная и Лесохимическая Промышленность / Gidrolisnaja i Lessochimitscheskaja Promyschlennost (Hydrolysen- und Holzchemische Industrie), Moskau
Gmelin	GMELIN Handbuch der anorganischen Chemie, Verlag Chemie, Weinheim
Helv.	Helvetica Chimica Acta, Basel
Helv. phys. Acta	Helvetica Physica Acta, Basel
Helv. Phys. Acta Suppl.	Helvetica Physica Acta, Supplementum, Basel
Helv. physiol. pharmacol. Acta	Helvetica Physiologica et Pharmacologica Acta, Basel
Henkel-Ref.	Henkel-Referate, Düsseldorf
Heteroc. Sendai	Heterocycles Sendai
Histochemie	Histochemie, Berlin, Göttingen, Heidelberg
Holl. P.	Holländisches Patent
Hoppe-Seyler	HOPPE-SEYLERS Zeitschrift für Physiologische Chemie, Berlin
Hormone Metabolic Res.	Hormone and Metabolic Research, Stuttgart
Hua Hsueh	Hua Hsueh, Peking
Hung. P.	Ungarisches Patent
Hydrocarbon. Proc.	Hydrocarbon Processing, England
Immunochemistry	Immunochemistry, London
Ind. Chemist	Industrial Chemist and Chemical Manufactorer, London
Ind. chim. belge	Industrie Chimique Belge, Brüssel
Ind. chimique	L'Industrie Chimique, Paris
Ind. Corps gras	Industries des Corps Gras, Paris
Ind. eng. Chem.	Industrial and Engineering Chemistry, Industrial Edition, seit 1948: Industrial and Engineering Chemistry, Washington
Ind. eng. Chem. Anal.	Industrial and Engineering Chemistry, Analytical Edition (bis 1946), Washington
Ind. eng. Chem. News	Industrial and Engineering Chemistry. News Ediion (bis 1939), Washington
Indian Forest Rec., Chem.	Indian Forest Records. Chemistry, Delhi
Indian J. Appl Chem.	Indian Journal of Applied Chemistry (seit 1958), Calcutta
Indian J. Biochem.	Indian Journal of Biochemistry, Neu Delhi
Indian J. Chem.	Indian Journal of Chemistry
Indian J. Physics	Indian Journal of Physics and Proceedings of the Indian Association for the Cultivation of Science, Calcutta
Ind. P.	Indisches Patent
Ind. Plast. mod.	Industrie des Plastiques Modernes (seit 1949; bis 1948: Industrie des Plastiques), Paris
Inform. Quim. Anal.	Informacion de Quimica Analitica, Madrid
Inorg. Chem.	Inorganic Chemistry
Inorg. Synth.	Inorganic Syntheses, New York
Insect Biochem.	Insect Biochemistry, Bristol
Interchem. Rev.	Interchemical Reviews, New York

Intern. J. Appl. Radiation Isotopes	International Journal of Applied Radiation and Isotopes, New York
Int. J. Cancer	International Journal of Cancer, Helsinki
Int. J. Chem. Kinetics	International Journal of Chemical Kinetics, New York
Int. J. Peptide, Prot. Res.	International Journal of Peptide and Protein Research, Copenhagen
Int. J. Polymeric Mat.	International Journal of Polymeric Materials, New York/London
Int. J. Sulfur Chem.	International Journal of Sulfur Chemistry, London/New York
Int. Petr. Abstr.	International Petroleum Abstracts, London
Int. Pharm. Abstr.	International Pharmaceutical Abstracts, Washington
Int. Polymer Sci. & Techn.	International Polymer Science and Technology, Boston Spa, Wetherby, Yorks.
Intra-Sci. Chem. Rep.	Intra-Science Chemistry Reports, Santa Monica/Calif.
Int. Sugar J.	International Sugar Journal, London
Int. Z. Vitaminforsch.	Internationale Zeitschrift für Vitaminforschung, Bern
Inzyn. Chem.	Inzynioria Chemíczina, Warschau
Ion	Ion (Madrid)
Iowa Coll. J.	Iowa State College Journal of Science, Ames, Iowa
Iowa State J. Sci.	Iowa State Journal of Science, Ames, Iowa (seit 1959)
Israel J. Chem.	Israel Journal of Chemistry, Tel Aviv
Ital. P.	Italienisches Patent
Izv. Akad. Azerb. SSR, Ser. Fiz.-Tekh. Mat. Nauk	Известия Академии Наук Азербайджанской ССР, Серия Физико-Технических и Химических Наук Izvestija Akademii Nauk Azerbaidschanskoi SSR, Sserija Fisiko-Technitscheskichi Chimitscheskich Nauk (Nachrichten der Akademie der Wissenschaften der Azerbaidschanischen SSR, Serie Physikalisch-Technische und Chemische Wissenschaften), Baku
Izv. Akad. SSR	Известия Академии Наук Армянской ССР, Химические Науки (Bulletin of the Academy of Science of the Armenian SSR), Erevan
Izv. Akad. SSSR	Известия Академии Наук СССР, Серия Химическая (Bulletin de l'Académie des Sciences de l'URSS, Classe des Sciences Chimiques, Moskau, Leningrad
Izv. Sibirsk. Otd. Akad. Nauk SSSR	Известия Сибирского Отделения Академии Наук СССР, Серия химических Наук, Izvesstija Ssibirskowo Otdelenija Akademii Nauk SSSR, Sserija Chimetscheskich Nauk (Bulletin of the Sibirian Branch of the Academy of Sciences of the USSR), Nowosibirsk
Izv. Vyssh. Ucheb, Zaved., Neft. Gaz	Известия Высших Учебных Заведений (Баку), Нефть и Газ /Izvestija Wysschych Utschebnych Sawedjeni (Baku), Neft i Gas (Hochschulnachrichten [Baku], Erdöl und Gas), Baku
Izv. Vyss. Uch. Zav., Chim. i chim. Techn.	Известия Высших Учебных заведений [Иваново], Химия и химическая технология (Bulletin of the Institution of Higher Education, Chemistry and Chemical Technology), Swerdlowsk
J. Agr. Food Chem.	Journal of Agricultural and Food Chemistry, Washington
J. agric. chem. Soc. Japan	Journal of the agricultural Chemical Society of Japan. Abstracts (seit 1935) (Nippon Nogeikagaku Kaishi), Tokyo
J. agric. Sci.	Journal of Agricultural Science, Cambridge
J. Am. Leather Chemist's Assoc.	Journal of the American Leather Chemist's Association, Cincinnati (Ohio)
J. Am. Oil Chemist's Soc.	Journal of the American Oil Chemist's Society, Chicago
J. Am. Pharm. Assoc.	Journal of the American Pharmaceutical Association, seit 1940 Practical Edition und Scientific Edition; Practical Edition seit 1961 J. Am. Pharm. Assoc.; Scientific Edition seit 1961 J. Pharm. Sci., Easton, Pa.
J. Anal. Chem. USSR	Журнал Аналитической химии / Shurnal Analititscheskoi Chimii (Journal für Analytische Chemie), Moskau
J. Antibiotics (Japan)	Journal of Antibiotics (Japan)
Japan Analyst	Japan Analyst (Bunseki Kagaku)
Jap. A. S.	Japanische Patent-Auslegeschrift
Jap. Chem. Quart.	Japan Chemical Quarterly, Tokyo
Jap. J. Appl. Phys.	Japanese Journal of Applied Physics, Tokyo
Jap. P.	Japanisches Patent
Jap. Pest. Inform.	Japan Pesticide Information, Tokyo
Jap. Plast. Age	Japan Plastic Age, Tokyo

J. appl. Chem.	Journal of Applied Chemistry, London
J. appl. Elektroch.	Journal of Applied Elektrochemistry, London
J. appl. Physics	Journal of Applied Physics, New York
J. Appl. Physiol.	Journal of Applied Physiology, Washington, D.C.
J. Appl. Polymer Sci.	Journal of Applied Polymer Science, New York
Jap. Text. News	Japan Textile News, Osaka
J. Assoc. Agric. Chemists	Journal of the Association of Official Agricultural Chemists, Washinton, D.C.
J. Bacteriol.	Journal of Bacteriology, Baltimore, Md.
J. Biochem. (Tokyo)	Journal of Biochemistry, Japan, Tokyo
J. Biol. Chem.	Journal of Biological Chemistry, Baltimore
J. Catalysis	Journal of Catalysis, London, New York
J. Cellular compar. Physiol.	Journal of Cellular and Comparative Physiology, Philadelphia, Pa.
J. Chem. Educ.	Journal of Chemical Education, Easton, Pa.
J. chem. Eng. China	Journal of Chemical Engineering, China, Omei/Szechuan
J. Chem. Eng. Data	Journal of Chemical and Engineering Data, Washington
J. Chem. Eng. Japan	Journal of Chemical Engineering of Japan, Tokyo
J. Chem. Physics	Journal of Chemical Physics, New York
J. chem. Soc. Japan	Journal of the Chemical Society of Japan (bis 1948; Nippon Kwagaku Kwaishi), Tokyo
J. chem. Soc. Japan, ind.	Journal of the Chemical Society of Japan, Industrial Chemistry Section (seit 1948; Kogyo Kagaku Zasshi), Tokyo
J. chem. Soc. Japan, pure Chem. Sect.	Journal of the Chemical Society of Japan, Pure Chemistry Section (seit 1948; Nippon Kagaku Zasshi)
J. Chem. U. A. R.	Journal of Chemistry of the U.A.R., Kairo
J. Chim. physique Physico-Chim. biol.	Journal de Chimie Physique et de Physico-Chimie Biologique (seit 1939)
J. chin. chem. Soc.	Journal of the Chinese Chemical Society
J. Chromatog.	Journal of Chromatography, Amsterdam
J. Clin. Endocrinol. Metab.	Journal of Clinical Endocrinology and Metabolism, Springfield, Ill. (seit 1952)
J. Colloid Sci.	Journal of Colloid Science, New York
J. Colloid Interface Sci.	Journal of Colloid and Interface Science
J. Color Appear.	Journal of Color and Appearance, New York
J. Dairy Sci.	Journal of Dairy Science, Columbus, Ohio
J. Elast. & Plast.	Journal of Elastomers and Plastics, Westport, Conn.
J. electroch. Assoc. Japan	Journal of the Electrochemical Association of Japan (Denkikwagaku Kyookwai-shi), Tokio
J. Electrochem. Soc.	Journal of the Electrochemical Society (seit 1948), New York
J. Endocrinol.	Journal of Endocrinology, London
J. Fac. Sci. Univ. Tokyo	Journal of the Faculty of Science, Imperial University of Tokyo
J. Fluorine Chem.	Journal of Fluorine Chemistry, Lausanne
J. Food Sci.	Journal of Food Science, Champaign, Ill.
J. Gen. Appl. Microbiol.	Journal of General and Applied Microbiology, Tokio
J. Gen. Appl. Microbiol., Suppl.	Journal of General and Applied Microbiology, Supplement, Tokio
J. Gen. Microbiol.	Journal of General Microbiology, London
J. Gen. Physiol.	Journal of General Physiology, Baltimore, Md.
J. Heterocyclic Chem.	Journal of Heterocyclic Chemistry, Albuquerque (New Mexico)
J. Histochem. Cytochem.	Journal of Histochemistry and Cytochemistry, Baltimore, Md.
J. Imp. Coll. Chem. Eng. Soc.	Journal of the Imperial Chemical College, Engineering Society
J. Ind. Eng. Chem.	The Journal of Industrial and Engineering Chemistry (bis 1923)
J. Ind. Hyg.	Journal of Industrial Hygiene and Toxicology (1936–1949), Baltimore, Md.
J. indian chem. Soc.	Journal of the Indian Chemical Society (seit 1928), Calcutta
J. indian chem. Soc. News	Journal of the Indian Chemical Society; Industrial and News Edition (1940–1947), Calcutta
J. indian Inst. Sci.	Journal of the Indian Institute of Science, bis 1951 Section A und Section B, Bangalore
J. Inorg. & Nuclear Chem.	Journal of Inorganic & Nuclear Chemistry, Oxford
J. Inst. Fuel	Journal of the Institute of Fuel, London
J. Inst. Petr.	Journal of the Institute of Petroleum, London
J. Inst. Polytech. Osaka City Univ.	Journal of the Institute of Polytechnics, Osaka City University

J. Jap. Chem.	Journal of Japanese Chemistry (Kagaku-no Ryoihi), Tokio
J. Label. Compounds	Journal of Labelled Compounds, Brüssel
J. Lipid Res.	Journal of Lipid Research, Memphis, Tenn.
J. Macromol. Sci.	Journal of Macromolecular Science, New York
J. makromol. Ch.	Journal für makromolekulare Chemie (1943–1945)
J. Math. Physics	Journal of Mathematics and Physics
J. Med. Chem.	Journal of Medicinal Chemistry, New York
J. Med. Pharm. Chem.	Journal of Medicinal and Pharmaceutical Chemistry, New York
J. Mol. Biol.	Journal of Molecular Biology, New York
J. Mol. Spectr.	Journal of Molecular Spectroscopy, New York
J. Mol. Structure	Journal of Molecular Structure, Amsterdam
J. Nat. Cancer Inst.	Journal of the National Cancer Institute, Washington, D.C.
J. New Zealand Inst. Chem.	Journal of the New Zealand Institute of Chemistry, Wellington
J. Nippon Oil Technologists Soc.	Journal of the Nippon Oil Technologists Society (Nippon Yushi Gijitsu Kyo Laishi), Tokio
J. Oil Colour Chemist's Assoc.	Journal of the Oil and Colour Chemist's Association, London
J. Org. Chem.	Journal of Organic Chemistry, Baltimore, Md.
J. Organometal. Chem.	Journal of Organometallic Chemistry, Amsterdam
J. Petr. Technol.	Journal of Petroleum Technology (seit 1949), New York
J. Pharmacok. & Biopharmac.	Journal of Pharmacokinetics and Biopharmaceutics, New York
J. Pharmacol.	Journal of Pharmacologie, Paris
J. Pharmacol. exp. Therap.	Journal of Pharmacology and Experimental Therapeutics, Baltimore, Md.
J. Pharm. Belg.	Journal de Pharmacie de Belgique, Brüssel
J. Pharm. Chim.	Journal de Pharmacie et de Chemie, Paris (bis 1943)
J. Pharm. Pharmacol.	Journal of Pharmacy and Pharmacology, London
J. Pharm. Sci.	Journal of Pharmaceutical Sciences, Washington
J. pharm. Soc. Japan	Journal of the Pharmaceutical Society of Japan (Yakugakuzasshi), Tokio
J. phys. Chem.	Journal of Physical Chemistry, Baltimore
J. Phys. Chem. Data	Journal of Physical and Chemical Data, Washington
J. Phys. Colloid Chem.	Journal of Physical and Colloid Chemistry, Baltimore, Md.
J. Phys. (Paris), Colloq.	Journal de Physique (Paris), Colloque, Paris
J. Physiol. (London)	Journal of Physiology, London
J. phys. Soc. Japan	Journal of the Physical Society of Japan, Tokio
J. Phys. Soc. Japan, Suppl.	Journal of the Physical Society of Japan, Supplement, Tokio
J. Polymer Sci.	Journal of Polymer Science, New York
J. pr.	Journal für Praktische Chemie, Leipzig
J. Pr. Inst. Chemists India	Journal and Proceedings of the Institution of Chemists, India, Calcutta
J. Pr. Roy. Soc. N.S. Wales	Journal and Proceedings of the Royal Society of New South Wales, Sidney
J. Radioakt. Elektronik	Jahrbuch der Radioaktivität und Elektronik, 1924–1945 vereinigt mit Physikalische Zeitschrift
J. Rech. Centre nat. Rech. sci.	Journal des Recherches du Centre de la Recherche Scientifique, Paris
J. Res. Bur. Stand.	Journal of Research of the National Bureau of Standards, Washington, D.C.
J.S. African Chem. Inst.	Journal of the South African Chemical Institute, Johannesburg
J. Scient. Instruments	Journal of Scientific Instruments (bis 1947 und seit 1950), London
J. scient. Res. Inst. Tokyo	Journal of the Scientific Research Institute, Tokyo
J. Sci. Food Agric.	Journal of the Science of Food and Agriculture, London
J. sci. Ind. Research (India)	Journal of Scientific and Industrial Research (India), New Delhi
J. Soc. chem. Ind.	Journal of the Society of Chemical Industry (bis 1922 und seit 1947), London
J. Soc. chem. Ind., Chem. and Ind.	Journal of the Society of Chemical Industry, Chemistry and Industry (1923–1936), London
J. Soc. chem. Ind. Japan Spl.	Journal of the Society of Chemical Industry, Japan. Supplemental Binding (Kogyo Kwagaku Zasshi, bis 1943), Tokio
J. Soc. Cosmetic Chemists	Journal of the Society of Cosmetic Chemists, London
J. Soc. Dyers Col.	Journal of the Society of Dyers and Colourists, Bradford/Yorkshire, England
J. Soc. Leather Trades' Chemists	Journal of the Society of Leather Trades' Chemists, Croydon, Surrey, England
J. Soc. West. Australia	Journal of the Royal Society of Western Australia, Perth

J. Soil Sci.	Journal of Soil Science, London
J. Taiwan Pharm. Assoc.	Journal of the Taiwan Pharmaceutical Association, Taiwan
J. Univ. Bombay	Journal of the University of Bombay, Bombay
J. Virol.	Journal of Virology (Kyoto), Kyoto
J. Vitaminol.	Journal of Vitaminology (Kyoto)
J. Washington Acad.	Journal of the Washington Academy of Sciences, Washington
Kauch. Rezina	Каучук и Резина / Kautschuk i Rezina (Kautschuk und Gummi), Moskau
Kaut. Gummi, Kunstst.	Kautschuk, Gummi und Kunststoffe, Berlin
Kautschuk u. Gummi	Kautschuk und Gummi, Berlin (Zusatz WT für den Teil: Wissenschaft und Technik)
Kgl. norske Vidensk Selsk., Skr.	Kgl. Norske Videnskabers Selskab. Skrifter
Khim. Ind. (Sofia)	Химия и Индустрия (София), Chimija i Industrija (Sofia), (Chemie und Industrie (Sofia))
Khim. Nauka i Prom.	Химическая Наука и Промышленность, Chimitscheskaja Nauka i Promyschlennost (Chemical Science and Industry)
Khim. Prom. (Moscow)	Химическая Промышленность, Chimitscheskaja Promyschlennost (Chemische Industrie), Moskau (seit 1944)
Khim. Volokna	Химические Волокна, Chimitscheskije Wolokna (Chemiefasern), Moskau
Kinetika i Kataliz	Кинетика и Катализ (Kinetik und Katalyse), Moskau
Kirk-Othmer	Kirk-Othmer, Encyclopedia of Chemical Technology, Interscience Publ. Co., New York, London, Sidney
Klin. Wochenschr.	Klinische Wochenschrift, Berlin, Göttingen, Heidelberg
Koks. Khim.	Кокс и Химия, Koks i Chimija (Koks und Chemie), Moskau
Koll. Beih.	Kolloid-Beihefte (Ergänzungshefte zur Kolloid-Zeitschrift, 1931–1943), Dresden, Leipzig
Kolloidchem. Beih.	Kolloidchemische Beihefte (bis 1931), Dresden u. Leipzig
Kolloid-Z.	Kolloid-Zeitschrift, seit 1943 vereinigt mit Kolloid-Beiheften
Koll. Žurnal	Коллоидный Журнал, Kolloidnyi Žurnal (Colloid-Journal), Moscow
Koninkl. Nederl. Akad. Wetensch.	Koninklijke Nederlandse Akademie van Wetenschappen
Kontakte	Kontakte, Firmenschrift Merck AG, Darmstadt
Kungl. svenska Vetenskaps-akad. Handl.	Kungliga Svenska Vetenskasakademiens Handlingar, Stockholm
Kunststoffe	Kunststoffe, München
Kunststoffe, Plastics	Kunststoffe, Plastics, Solothurn
Labo	Labo, Darmstadt
Labor. Delo	Лабораторное Дело, Laboratornoje Djelo (Laboratoriumswesen), Moskau
Lab. Invest.	Laboratory Investigation, New York
Lab. Practice	Laboratory Practice
Lack- u. Farben-Chem.	Lack- und Farben-Chemie (Däniken)/Schweiz
Lancet	Lancet, London
Landolt-Börnst.	LANDOLT-BÖRNSTEIN-ROTH-SCHEEL: Physikalisch-Chemische Tabellen, 6. Auflage
Lebensm.-Wiss. Techn.	Lebensmittel-Wissenschaften und Technologie, Zürich
Life Sci.	Life Sciences, Oxford
Lipids	Lipids, Chicago
Listy Cukrov.	Listy Cukrovarnické (Blätter für Zuckerraffinerie), Prag
M.	Monatshefte für Chemie, Wien
Macromolecules	Macromolecules, Easton
Macromol. Rev.	Macromolecular Reviews, Amsterdam
Magyar chem. Folyóirat	Magyar Chemiai Folyóirat, seit 1949: Magyar Kemiai Folyóirat (Ungarische Zeitschrift für Chemie), Budapest
Magyar kem. Lapja	Magyar kemikusok Lapja (Zeitschrift des Vereins Ungarischer Chemiker), Budapest

Makromol. Ch.	Makromolekulare Chemie, Heidelberg
Manuf. Chemist	Manufacturing Chemist and Pharmaceutical and Fine Chemical Trade Journal, London
Materie plast.	Materie Plastiche, Milano
Mat. grasses	Les Matières Grasses. – Le Pétrole et ses Dérivés ,Paris
Med. Ch. I. G.	Medizin und Chemie. Abhandlungen aus den Medizinisch-chemischen Forschungsstätten der I.G. Farbenindustrie AG. (bis 1942), Leverkusen
Meded. vlaamse chem. Veren.	Mededelingen van de Vlaamse Chemische Vereniging, Antwerpen
Melliand Textilber.	Melliand Textilberichte, Heidelberg
Mém. Acad. Inst. France	Mémoires de l'Académie des Sciences de France, Paris
Mem. Coll. Sci. Kyoto	Memoirs of the College of Science, Kyoto Imperial University, Tokio
Mem. Inst. Sci. and Ind. Research, Osaka Univ.	Memoirs of the Institute of Scientific and Industrial Research, Osaka University, Osaka
Mém. Poudre	Mémorial des Poudres (bis 1939 und seit 1948), Paris
Mém. Services chim.	Mémorial des Services Chimiques de l'État, Paris
Mercks Jber.	E. MERCKS Jahresbericht über Neuerungen auf den Gebieten der Pharmakotherapie und Pharmazie, Weinheim
Metab., Clin. Exp.	Metabolism. Clinical and Experimental, New York
Methods Biochem. Anal.	Methods of Biochemical Analysis, New York
Microchem. J.	Microchemical Journal, New York
Microfilm Abst.	Microfilm Abstracts, Ann Arbor (Michigan)
Mikrobiol. Ž. (Kiev)	Микробиологичний Журнал (Киёв) /Mikrobiologitschnii Shurnal (Kiew) (Mikrobiologisches Journal), Kiew
Mikrobiologiya	Микробиология / Mikrobiologija (Mikrobiologie), Moskau
Mikrochemie	Mikrochemie, Wien (bis 1938)
Mikrochem. verein. Mikrochim. Acta	Mikrochemie vereinigt mit Mikrochimica Acta (seit 1938), Wien
Mikrochim. Acta (bis 1938)	Mikrochimica Acta (Wien)
Mikrochim. Acta, Suppl.	Mikrochimica Acta, Supplement, Wien
Mitt. Gebiete, Lebensm. Hyg.	Mitteilungen aus dem Gebiete der Lebensmitteluntersuchung und Hygiene, Bern
Mod. Plastics	Modern Plastics (seit 1934), New York
Mod. Trends Toxic.	Modern Trends in Toxicology, London
Mol. Biol.	Молекулярная Биология Molekulyarnaja Biologija, (Molekular-Biologie), Moskau
Mol. Cryst.	Molecular Crystals, England
Mol. Pharmacol.	Molecular Pharmacology, New York, London
Mol. Photochem.	Molecular Photochemistry, New York
Mol. Phys.	Molecular Physics, London
Monatsh. Chem.	Monatshefte Chemie und verwandte Teile anderer Wissenschaften, Leipzig
Nahrung	Nahrung (Chemie, Physiologie, Technologie), Berlin
Nat. Bur. Standards (U.S.), Ann. Rept. Circ.	National Bureau of Standards (U.S.), Annual Report, Circular, Washington
Nat. Bur. Standards (U.S.), Techn. News Bull.	National Bureau of Standards (U.S.), Technical News Bulletin, Washington
Nation. Petr. News	National Petroleum News, Cleveland/Ohio
Natl. Nuclear Energy Ser., Div. I–IX	National Nuclear Energy Series, Division I–IX, New York
Nature	Nature, London
Naturf. Med. Dtschl. 1939–1946	Naturforschung und Medizin in Deutschland 1939–1946 (für Deutschland bestimmte des FIAT-Review of German Science), Wiesbaden
Naturwiss.	Naturwissenschaften, Berlin, Göttingen
Natuurw. Tijdschr.	Natuurwetenschappelijk Tijdschrift, Vennoofschap
Neftechimiya	Нефтехимия(Petroleum Chemistry)
Neftepererab. Neftekhim. (Moscow)	Нефтепереработка и Нефтехимия (Москва) / Neftepererabotka i Neftechimija, Moskau (Erdölverarbeitung und Erdölchemie)
New Zealand J. Agr. Res.	New Zealand Journal of Agricultural Research, Wellington, N.Z.
Niederl. P.	Niederländisches Patent
Nippon Gomu Kyokaishi	Journal of the Society of Rubber Industry of Japan, Tokio
Nippon Nogei Kagaku Kaishi	Journal of the Agricultural Chemical Society of Japan, Tokio

Nitrocell.	Nitrocellulose (bis 1943 und seit 1952), Berlin
Norske Vid. Selsk. Forh.	Kongelige Norske Videnskabers Selskab. Forhandlinger, Trondheim
Norw. P.	Norwegisches Patent
Nuclear Magn. Res. Spectr. Abstr.	Nuclear Magnetic Resonance Spectroscopy Abstracts, London
Nuclear Sci. Abstr. Oak Ridge	U.S. Atomic Energy Commission, Nuclear Science Abstracts, Oak Ridge
Nucleic Acids Abstr.	Nucleic Acids Abstracts, London
Nuovo Cimento	Nuovo Cimento, Bologna
Öl, Kohle	Öl und Kohle (bis 1934 und 1941–1945): in Gemeinschaft mit Brennstoff-Chemie von 1943–1945, Hamburg
Öst. Chemiker-Ztg.	Österreichische Chemiker-Zeitung (bis 1942 und seit 1947), Wien
Österr. Kunst. Z.	Österreichische Kunststoff-Zeitschrift, Wien
Österr. P.	Österreichisches Patent (Wien)
Offic. Gaz., U.S. Pat. Office	Official Gazette, United States Patent Office
Ohio J. Sci.	Ohio Journal of Science, Columbus/Ohio
Oil Gas J.	Oil and Gas Journal, Tulsa/Oklahoma
Organic Mass Spectr.	Organic Mass Spectrometry, London
Organometal. Chem.	Organometallic Chemistry
Organometal. Chem. Rev.	Organometallic Chemistry Reviews, Amsterdam
Organometal. i. Chem. Synth.	Organometallics in Chemical Synthesis, Lausanne
Organometal. Reactions	Organometallic Reactions, New York
Org. Chem. Bull.	Organic Chemical Bulletin (Eastman Kodak), Rochester
Org. Prep. & Proced.	Organic Preparations and Procedures, New York
Org. Reactions	Organic Reactions, New York
Org. Synth.	Organic Syntheses, New York
Org. Synth., Coll. Vol.	Organic Syntheses, Collective Volume, New York
Paint Manuf.	Paint incorporating Paint Manufacture (seit 1939), London
Paint Oil chem. Rev.	Paint, Oil and Chemical Review, Chicago
Paint, Oil Colour J.	Paint, Oil and Colour Journal (seit 1950), London
Paint Varnish Product.	Paint and Varnish Production (seit 1949; bis 1949: Paint and Varnish Production Manager), Washington
Pak. J. Sci. Ind. Res.	Pakistan Journal of Science and Industrial Research, Karachi
Paper Ind.	Paper Industry (1938–1949: ... and Paper World), Chicago
Papier (Darmstadt)	Das Papier, Darmstadt
Pap. Puu	Paperi ja Puu – Papper och Trä (Paper and Timbre), Helsinki
P. C. H.	Pharmazeutische Zentralhalle für Deutschland, Dresden
Perfum. essent. Oil Rec.	Perfumery and Essential Oil Record, London
Periodica Polytechn.	Periodica Polytechnica, Budapest
Pest. Abstr.	Pesticides Abstracts, Washington
Pest. Biochem. Phys.	Pesticide Biochemistry and Physiology, New York
Pest. Monit. J.	Pesticides Monitoring Journal, Atlanta
Petr. Eng.	Petroleum Engineer, Dallas/Texas
Petr. Hydrocarbons	Petroleum and Hydrocarbons, Bombay
Petr. Processing	Petroleum Processing, New York
Petr. Refiner	Petroleum Refiner, Houston/Texas
Pharma. Acta Helv.	Pharmaceutica Acta Helvetica, Zürich
Pharmacol.	Pharmacology, Basel
Pharmacol. Rev.	Pharmacological Reviews, Baltimore
Pharmazie	Pharmazie, Berlin
Pharmaz. Ztg. – Nachr.	Pharmazeutische Zeitung – Nachrichten, Hamburg
Pharm. Bull. (Tokyo)	Pharmaceutical Bulletin (Tokyo) (bis 1958)
Pharm. Ind.	Die Pharmazeutische Industrie, Berlin
Pharm. J.	Pharmaceutical Journal, London
Pharm. Weekb.	Pharmaceutisch Weekblad, Amsterdam
Philips Res. Rep.	Philips Research Reports, Eindhoven/Holland
Phil. Trans.	Philosophical Transactions of the Royal Society of London
Photochem. and Photobiol.	Photochemistry and Photobiology, New York
Phosphorus	Phosphorus
Physica	Physica. Nederlandsch Tijdschrift voor Natuurkunde, Utrecht
Physik. Bl.	Physikalische Blätter, Mosbach/Baden

Phys. Rev.	Physical Reviews, New York
Phys. Rev. Letters	Physical Reviews Letters, New York
Phys. Z.	Physikalische Zeitschrift (Leipzig)
Plant Physiol.	Plant Physiology, Lancaster, Pa.
Plaste u. Kautschuk	Plaste und Kautschuk (seit 1957), Leipzig
Plasticheskie Massy	Пластический масы (Soviet Plastics), Moskau
Plastics	Plastics (London)
Plastics Inst., Trans. and J.	The (London) Plastics Institute, Transactions Journal
Plastics Technol.	Plastics Technology
Poln. P.	Polnisches Patent
Polymer Age	Polymer Age, Tenderden/Kent
Polymer Ind. News	Polymer Industry News, New York
Polymer J.	Polymer Journal, Tokyo
Polytechn. Tijdschr. (A)	Polytechnisch Tijdschrift, Uitgave A (seit 1946), Haarlem
Postepy Biochem.	Postepy Biochemii (Fortschrift der Biochemie), Warschau
Pr. Acad. Tokyo	Proceedings of the Imperial Academy, Tokyo
Pr. Akad. Amsterdam	Proceedings, Koninklijke Nederlandsche Akademie von Wetenschappen (1938–1940 und seit 1943), Amsterdam
Pr. chem. Soc.	Proceedings of the Chemical Society, London
Prep. Biochem.	Preparative Biochemistry, New York
Pr. Indiana Acad.	Proceedings of the Indiana Academy of Science, Indianapolis/Indiana
Pr. indian Acad.	Proceedings of the Indian Academy of Sciences, Bangalore/Indien
Pr. Iowa Acad.	Proceedings of the Iowa Academy of Sciences, Des Moines/Iowa (USA)
Pr. irish Acad.	Proceedings of the Royal Irish Academy, Dublin
Pr. Nation. Acad. India	Proceedings of the National Academy of Sciences, India (seit 1936), Allahabad/Indien
Pr. Nation. Acad. USA	Proceedings of the National Academy of Sciences of the United States of America, Washington
Proc. Amer. Soc. Testing Mater.	Proceedings of the American Society for Testing Materials Philadelphia, Pa.
Proc. Analyt. Chem.	Proceeding of the Society for Analytical Chemistry, London
Proc. Biochem.	Process Biochemistry, London
Proc. Egypt. Acad. Sci.	Proceedings of the Egyptian Academy of Sciences, Kairo
Proc. Indian Acad. Sci., Sect. A	Proceedings of the Indian Academy of Science, Section A, Bangalore
Proc. Japan Acad.	Proceedings of the Japan Academy (seit 1945), Tokio
Proc. Kon. Ned. Acad. Wetensh.	Proceedings, Koninklijke Nederlandse Akademie van Wetenschappen, Amsterdam
Proc. Roy. Austral. chem. Inst.	Proceedings of the Royal Australian Chemical Institute, Melbourne
Produits pharmac.	Produits Pharmaceutiques, Paris
Progress Biochem. Pharm.	Progress Biochemical Pharmacology, Basel
Progr. Boron Chem.	Progress in Boron Chemistry, Oxford
Progr. Org. Chem.	Progress in Organic Chemistry, London
Progr. Physical Org. Chem.	Progress in Physical Organic Chemistry, New York, London
Progr. Solid State Chem.	Progress in Solid State Chemistry, New York
Promysl. org. Chim.	Промышленность Органической Химии Promyschlennost Organitscheskoi Chimii (bis 1941: Shurnal Chimitscheskoi Promyschlennosti), (Industrie der Organischen Chemie, Organic Chemical Industry, bis 1940), Moskau
Prostaglandines	Prostaglandines, Los Altos/Calif.
Pr. phys. Soc. London	Proceedings of the Physical Society, London
Pr. roy. Soc.	Proceedings of the Royal Society, London
Pr. roy. Soc. Edinburgh	Proceedings of the Royal Society of Edinburgh, Edinburgh
Przem. chem.	Przemysl Chemiczny (Chemische Industrie), Warschau
Psychopharmacologia	Psychopharmacologia (Berlin), Berlin, Göttingen, Heidelberg
Publ. Am. Assoc. Advan. Sci.	Publication of the American Association for the Advancement of Science
Pure Appl. Chem.	Pure and Applied Chemistry (The Official Journal of the International Union of Pure and Applied Chemistry), London
Quart. J. indian Inst. Sci.	Quarterly Journal of the Indian Institute of Science, Bangalore
Quart. J. Pharm. Pharmacol.	Quarterly Journal of Pharmacy and Pharmacology (bis 1948), London
Quart. J. Studies Alc.	Quarterly Journal of Studies on Alcohol, New Haven, Conn.

Quart. Rev.	Quarterly Reviews, London (seit 1970 Chemical Society Reviews)
Quím. e Ind.	Química e Industria, Sao Paulo (bis 1938 Chimica e Industria)
R.	Recueil des Travaux Chimiques des Pays-Bas, Amsterdam
Radiokhimiya	Радиохимия/Radiochimija (Radiochemie), Leningrad
R. A. L.	Atti della Reale Academia Nazionale dei Lincei, Classe di Scienze Fisiche, Mathematiche e Naturali: Rendiconti (bis 1940)
Rasayanam	Journal for the Progress of Chemical Science, Poona, India
Rend. Ist. lomb.	Rendiconti dell'Istituto Lombardo di Scienze e Lettere. Classe di Scienze Matematiche e Naturali (seit 1944), Mailand
Rep. Government chem. ind. Res. Inst., Tokyo	Reports of the Government Chemical Industrial Research Institute, Tokyo
Rep. Progr. appl. Chem.	Reports on the Progress of Applied Chemistry (seit 1949), London
Rep. sci. Res. Inst.	Reports of Scientific Research Institute (Japan), Kagaku-Kenkyujo-Hokoku, Tokio
Research	Research, London
Rev. Asoc. bioquím. arg.	Reviste de la Asociación Bioquímica Argentina, Buenos Aires
Rev. Chim. (Bucarest)	Revista de Chimie (Bucuresti), Bukarest
Rev. Fac. Cienc. quím.	Revista de la Facultad de Ciencias Químicas, Universidad Nacional de La Plata, La Plata
Rev. Fac. Sci. Istanbul	Revue de la Faculté des Sciences de l'Université d'Istanbul, Istanbul
Rev. Franc. Études Clin. Biol.	Revue Française d'Études Cliniques et Biologiques, Paris
Rev. gén. Matières plast.	Revue Générale des Matières Plastiques, Paris
Rev. gén. Sci.	Revue Générale des Sciences pures et appliquées, Paris
Rev. Inst. franç. Pétr.	Revue de l'Institut Français du Pétrole et Annales des Combustibles Liquides, Paris
Rev. Macromol. Chem.	Reviews in Macromolecular Chemistry, New York
Rev. Mod. Physics	Reviews of Modern Physics
Rev. Phys. Chem. Jap.	Review of Physical Chemistry of Japan, Tokyo
Rev. Plant Prot. Res.	Review of Plant Protection Research, Tokyo
Rev. Prod. chim.	Revue des Produits Chimiques, Paris
Rev. Pure Appl. Chem.	Reviews of Pure and Applied Chemistry, Melbourne
Rev. Quím. Farm.	Revista de Química e Farmácia, Rio de Janeiro
Rev. Roumaine-Biochim.	Revue Roumaine de Biochimie, Bukarest
Rev. Roumaine Chim.	Revue Roumaine de Chimie (bis 1963: Revue de Chimie, Académie de la République Populaire Roumaine), Bukarest
Rev. Roumaine-Phys.	Revue Roumaine de Physique, Bukarest
Rev. sci.	Revue Scientifique, Paris
Rev. scient. Instruments	Review of Scientific Instruments, New York
Ricerca sci.	Ricerca Scientifica, Rom
Roczniki Chem.	Roczniki Chemii (Annales Societatis Chimicae Polonorum), Warschau
Rodd	Rodd's Chemistry of Carbon Compounds, Elsevier Publ. Co., Amsterdam
Rubber Age N. Y.	The Rubber Age, New York
Rubber Chem. Technol.	Rubber Chemistry and Technology, Easton, Pa.
Rubber J.	Rubber Journal (seit 1955), London
Rubber & Plastics Age	The Rubber & Plastics Age, London
Rubber World	Rubber World (seit 1945), New York
Russian Chem. Reviews	Chemical Reviews (UdSSR)
Sbornik Statei obšč. Chim.	Сборник Статей по Общей Химии Sbornik Statei po Obschtschei Chimii (Sammlung von Aufsätzen über die allgemeine Chemie), Moskau u. Leningrad
Schwed. P.	Schwedisches Patent
Schweiz. P.	Schweizerisches Patent
Sci.	Science, New York, seit 1951, Washington
Sci. American	Scientific American, New York
Sci. Culture	Science and Culture, Calcutta
Scientia Pharm.	Scientia Pharmaceutica, Wien
Scient. Pap. Bur. Stand.	Scientific Papers of the Bureau of Standards (Washington)
Scient. Pr. roy. Dublin Soc.	Scientific Proceedings of the Royal Dublin Society, Dublin
Sci. Ind.	Science et Industrie, Paris (bis 1934)

Sci. Ind. phot.	Science et Industries photographiques, Paris
Sci. Pap. Inst. Phys. Chem. Res. Tokyo	Scientific Papers of the Institute of Physical and Chemical Research, Tokio (bis 1948)
Sci. Publ., Eastman Kodak	Scientific Publications, Eastman Kodak Co., Rochester/N.Y.
Sci. Progr.	Science Progress, London
Sci. Rep. Tohoku Univ.	Science Reports of the Tohoku Imperial University, Tokio
Sci. Repts. Research Insts. Tohoku Univ., (A), (B), (C) bzw. (D)	The Science Reports of the Research Institutes, Tohoku University, Series A, B, C bzw. D, Sendai/Japan
Seifen-Oele-Fette-Wachse	Seifen-Oele-Fette-Wachse. Neue Folge der Seifensieder-Zeitung, Augsburg
Seikagaku	Seikagaku (Biochemie), Tokio
Sen-i Gakkaishi	Journal of the Society of Textile and Cellulose Industry, Japan (seit 1945)
Separation Sci.	Separation Science, New York
Soc.	Journal of the Chemical Society, London
Soil Biol. Biochem.	Soil Biology and Biochemistry, Oxford
Soil Sci.	Soil Science, Baltimore
Soobshch. Akad. Nauk Gruz. SSR	Сообщения Академии Наук Грузинской ССР / Soobschtschenija Akademii Nauk Grusinskoi SSR (Mitteilungen der Akademie der Wissenschaften der Grusinischen SSR, Tbilissi
South African Ind. Chemist	South African Industrial Chemist, Johannesburg
Spectrochim. Acta	Spectrochimica Acta, Berlin, ab 1947 Rom
Spectrochim. Acta (London)	Spectrochimica Acta, London (seit 1950)
Staerke	Stärke, Stuttgart
Steroids	Steroids an International Journal, San Francisco
Steroids, Suppl.	Steroids an International Journal, Supplements, San Francisco
Stud. Cercetari Biochim.	Studii si Cercetari de Biochemie, (Bucuresti)
Stud. Cercetari Chim.	Studii si Cercetari de Chimie (Bucuresti)
Suomen Kem.	Suomen Kemistilehti (Acta Chemica Fennica), Helsinki
Suomen Kemistilehti B	Suomen Kemistilehti B (Finnische Chemiker-Zeitung)
Suppl. nuovo Cimento	Supplemento del Nuovo Cimento (seit 1949), Bologna
Svensk farm. Tidskr.	Svensk Farmaceutisk Tidskrift, Stockholm
Svensk kem. Tidskr.	Svensk Kemisk Tidskrift, Stockholm
Synthesis	Synthesis, International Journal of Methods in Synthetic Organic Chemistry, Stuttgart, New York
Synth. React. Inorg. Metal-org. Chem.	Synthesis and Reactivity in Inorganic and Metal-organic Chemistry, New York
Talanta	Talanta, International Journal of Analytical Chemistry, London
Tappi	Tappi (Technical Association of the Pulp and Paper Industry), New York
Techn. & Meth. Org., Organometal. Chem.	Techniques and Methods of Organic and Organometallic Chemistry, New York
Tekst. Prom. (Moscow)	Текстил Промышленност Tekstil Promyschlennost (Textil Industrie)
Tenside	Tenside Detergents, München
Teor. Khim. Techn.	Theoretitscheskie Osnovy Chimitscheskoj, Technologie, Moskau
Terpenoids and Steroids	Terpenoids and Steroids, London
Tetrahedron	Tetrahedron, Oxford
Tetrahedron Letters	Tetrahedron Letters, Oxford
Tetrahedron, Suppl.	Tetrahedron, Supplements, London
Textile Chem. Color.	Textile Chemist and Colorist, New York
Textile Prog.	Textile Progress, Manchester
Textile Res. J.	Textile Research Journal (seit 1945), New York
Theor. Chim. Acta	Theoretika Chimica Acta (Zürich)
Tiba	Revue Générale de Teinture, Impression, Blanchiment, Apprêt et de Chimie Textile et Tinctoriale (bis 1940 und seit 1948), Paris
Tidskr. Kjemi, Bergv. Met.	Tidskrift för Kjemi, Bergvesen og Metallurgi (seit 1941), Oslo
Topics Med. Chem.	Topics in Medicinal Chemistry, New York
Topics Pharm. Sci.	Topics in Pharmaceutical Science, New York
Topics Phosph. Chem.	Topics in Phosphorous Chemistry, New York
Topics Stereochem.	Topics in Stereochemistry, New York
Toxicol.	Toxicologie, Amsterdam

Toxicol. Appl. Pharmacol.	Toxicology and Applied Pharmacology, New York
Toxicol. Appl. Pharmacol., Suppl.	Toxicology and Applied Pharmacology, Supplements, New York
Toxicol. Env. Chem. Rev.	Toxicological and Environmental Chemistry Reviews, New York
Trans. Amer. Inst. Chem. Eng.	Transactions of the American Institute of Chemical Engineers, New York
Trans. electroch. Soc.	Transactions of the Electrochemical Society, New York (bis 1949)
Trans. Faraday Soc.	Transactions of the Faraday Society, Aberdeen
Trans. Inst. chem. Eng.	Transactions of the Institution of Chemical Engineers, London
Trans. Inst. Rubber Ind.	Transactions of the Institution of the Rubber Industry, London
Trans. Kirov's Inst. chem. Technol. Kazan	Труды Казанского Химико-Технологического Института им. Кирова / Trudy Kasanskovo Chimiko-Technologitscheskovo Instituta im. Kirova (Transactions of the Kirov's Institute for Chemical Technology of Kazan), Moskau
Trans. Pr. roy. Soc. New Zealand	Transactions and Proceedings of the Royal Society of New Zealand (seit 1952 Transactions of the Royal Society of New Zealand), Wellington
Trans roy. Soc. Canada	Transactions of the Royal Society of Canada, Ottawa
Trans. Roy. Soc. Edinburgh	Transactions of the Royal Society of Edinburgh, Edinburgh
Trav. Soc. Pharm. Montpellier	Travaux de la Société de Pharmacie de Montpellier, Montpellier (seit 1942)
Trudy Mosk. Chim. Techn. Inst.	Труды Московского Химико-Технологического Института им. Д-И. Менделеева/Trudy Moskowskowo Chimiko-Technologitscheskowo Instituta im. D.I. Mendelejewa (Transactions of the Moscow Chemical-Technological Institute named for D. I. Mendeleev), Moskau
Tschechosl. P.	Tschechoslowakisches Patent
Uchenye Zapiski Kazan.	Ученые Записки Казанского Государственного Университета Utschenye Sapiski Kasanskowo Gossudarstwennowo Universiteta (Wissenschaftliche Berichte der Kasaner staatlichen Universität), Kasan
Ukr. Biokhim. Ž.	Украинский Биохимичний Журнал / Ukrainski Biochimitschni Shurnal (Ukrainisches Biochemisches Journal, Kiew
Ukr. chim. Ž.	Украинский Химический Журнал (bis 1938: Українсъкий, Charkau bis 1938, Хемічний Журнал) Ukrainisches Chemisches Journal), Kiew
Ukr. Fiz. Ž. (Ukr. Ed.)	Украинский Физичний Журнал / Ukrainski Fisitschni Shurnal (Ukrainisches Physikalisches Journal), Kiew
Ullmann	Ullmann's Enzyclopädie der technischen Chemie, Verlag Urban und Schwarzenberg, München seit 1971 Verlag Chemie, Weinheim
Umschau Wiss. Techn.	Umschau in Wissenschaft und Technik, Frankfurt
U.S. Govt. Res. Rept.	U.S. Government Research Reports
US. P.	Patent der USA
Uspechi Chim.	Успехи Химии / Uspetschi Chimii (Fortschritte der Chemie), Moskau, Leningrad
USSR. P.	Sowjetisches Patent
Uzb. Khim. Zh.	Узбекский Химический Журнал / Usbekski Chimitscheski Shurnal (Usbekisches Chemisches Journal), Taschkent
Vakuum-Tech.	Vakuum-Technik (seit 1954), Berlin
Vestn. Akad. Nauk Kaz. SSR	Вестник Академии Наук Казахской ССР/ Westnik Akademii Nauk Kasachskoi SSR (Nachrichten der Akademie der Wissenschaften der Kasachischen SSR), Alma Ata
Vestn. Akad. Nauk SSSR	Вестник Академии Наук СССР/ Westnik Akademii Nauk SSSR (Mitteilungen der Akademie der Wissenschaften der UdSSR), Moskau
Vestn. Leningrad. Univ., Fiz., Khim.	Вестник Ленинградского Университета, Серия Физики и Химии / Westnik Leningradskowo Universsiteta, Serija Fisiki i Chimii (Nachrichten der Leningrader Universität, Serie Physik und Chemie), Leningrad
Vestn. Mosk. Univ., Ser. II Chim.	Вестник Московского Университета, Серия II Химия / Westnik Moskowslowo Universsiteta, Serija II Chimija (Nachrichten der Moskauer Universität, Serie II Chemie), Moskau

Virology	Virology, New York
Vitamins. Hormones	Vitamins and Hormones, New York
Vysokomolek. Soed.	Высокомолекулярные Соединения / Wyssokomolekuljarnye Sojedinenija (High Molecular Weight Compounds)
Werkstoffe u. Korrosion	Werkstoffe und Korrosion (seit 1950), Weinheim/Bergstr.
Yuki Gosei Kagaku Kyokai Shi	Journal of the Society of Organic Synthetic Chemistry, Japan, Tokio
Z.	Zeitschrift für Chemie, Leipzig
Ž. anal. Chim.	Журнал Аналитической Химии / Shurnal Analititscheskoi Chimii (Journal of Analytical Chemistry), Moskau
Z. ang. Physik	Zeitschrift für angewandte Physik
Z. anorg. Ch.	Zeitschrift für Anorganische und Allgemeine Chemie (1943–1950 Zeitschrift für Anorganische Chemie), Berlin
Zavod. Labor.	Заводская Лаборатория / Sawodskaja Laboratorija (Industrial Laboratory), Moskau
Zbl. Arbeitsmed. Arbeitsschutz	Zentralblatt für Arbeitsmedizin und Arbeitsschutz (seit 1951), Darmstadt
Ž. eksp. teor. Fiz.	Журнал эксперименталъной и теоретической физики / Shurnal Experimentalnoi i Theoretitscheskoi Fisiki (Physikalisches Journal, Serie A Journal für experimentelle und theoretische Physik), Moskau, Leningrad
Z. El. Ch.	Zeitschrift für Elektrochemie und Angewandte Physikalische Chemie (seit 1952 Zeitschrift für Elektrochemie, Berichte der Bunsengesellschaft für Physikalische Chemie), Weinheim/Bergstr.
Z. Elektrochemie	Zeitschrift für Elektrochemie
Z. fiz. Chim.	Журнал физической Химии /Shurnal Fisitscheskoi Chimii (eng. Ausgabe: Journal of Physical Chemistry)
Z. Kristallogr.	Zeitschrift für Kristallographie
Z. Lebensm.-Unters.	Zeitschrift für Lebensmittel-Untersuchung und -Forschung (seit 1943), München, Berlin
Z. Naturf.	Zeitschrift für Naturforschung, Tübingen
Ž. neorg. Chim.	Журнал Неорганической Химии / Shurnal Neorganitscheskoi Chimii (engl. Ausgabe: Journal of Inorganic Chemistry)
Ž. obšč. Chim.	Журнал Общей Химии /Shurnal Obschtschei Chimii (engl. Ausgabe: Journal of General Chemistry, London)
Ž. org. Chim.	Журнал Органической Химии / Shurnal Organitscheskoi Chimii (engl. Ausgabe: Journal of Organic Chemistry), Baltimore
Z. Pflanzenernähr. Düng., Bodenkunde	Zeitschrift für Pflanzenernährung, Düngung, Bodenkunde (bis 1936 und seit 1946), Weinheim/Bergstr., Berlin
Z. Phys.	Zeitschrift für Physik, Berlin, Göttingen
Z. physik. Chem.	Zeitschrift für Physikalische Chemie, Frankfurt (seit 1945 mit Zusatz N. F.)
Z. physik. Chem. (Leipzig)	Zeitschrift für Physikalische Chemie, Leipzig
Ž. prikl. Chim.	Журнал Прикладной Химии / Shurnal Prikladnoi Chimii (Journal of Applied Chemistry)
Ž. prikl. Spektr.	Журнал Прикладной Спектроскопии / Shurnal Prikladnoi Spektroskopii (Journal of Applied Spectroscopy), Moskau, Leningrad
Ž. strukt. Chim.	Журнал Структурной Химии / Shurnal Strukturnoi Chimii (Journal of Structural Chemistry), Moskau
Ž. tech. Fiz.	Журнал Технической Физики / Shurnal Technitscheskoi Fisiki (Physikalisches Journal, Serie B, Journal für technische Physik), Moskau, Leningrad
Z. Vitamin-, Hormon- u. Fermentforsch. [Wien]	Zeitschrift für Vitamin-, Hormon- und Fermentforschung [Wien] (seit 1947)
Ž. vses. Chim. obšč.	Журнал Всесоюзного Химического Общества им. Д. И. Менделеева Shurnal Wsjesojusnowo Chimitscheskowo Obschtschestwa im. D. I. Mendelejewa (Journal of the All-Union Chemical Society named for D. I. Mendeleev), Moskau
Z. wiss. Phot.	Zeitschrift für Wissenschaftliche Photographie, Photophysik und Photochemie, Leipzig
Z. Zuckerind.	Zeitschrift für die Zuckerindustrie, Berlin

Abkürzungen für den Text der präparativen Vorschriften und der Fußnoten[1]

Abb.	Abbildung
abs.	absolut
äthanol	äthanolisch
äther.	ätherische
Amp.	Ampere
Anm.	Anmerkung
Anm.	Anmeldung (nur in Verbindung mit der Patentzugehörigkeit)
API	American Petroleum Institute
ASTM	American Society for Testing Materials
asymm.	asymmetrisch
at	technische Atmosphäre
At.-Gew.	Atomgewicht
atm	physikalische Atmosphäre
BASF	Badische Anilin- & Sodafabrik AG, Ludwigshafen/Rhein (bis 1925 und wieder ab 1953), BASF AG (seit 1974)
Bataafsche (Shell)	N. V. Bataafsche Petroleum Mij., s'Gravenhage (Holland)
Shell Develop.	Shell Development Co., San Francisco, Corporation of Delaware
Bayer AG	Bayer AG, Leverkusen (seit 1974)
ber.	berechnet
bez.	bezogen
bzw.	beziehungsweise
cal	Calorien
CIBA	Chemische Industrie Basel, AG (bis 1973)
Ciba-Geigy	Fusionierte Firmen ab 1973
cycl.	cyclisch
D, bzw. D^{20}	Dichte, bzw. Dichte bei 20° bezogen auf Wasser von 4°
DAB	Deutsches Arznei-Buch
Degussa	Deutsche Gold- und Silber-Scheideanstalt, Frankfurt a. M.
d. h.	das heißt
Diglyme	2-(2-Methoxy-äthoxy)-äthanol
DIN	Norm
DK	Dielektrizitäts-Konstante
DMF	Dimethylformamid
DMSO	Dimethylsulfoxid
d. Th.	der Theorie
Du Pont	E. I. du Pont de Nemours & Co., Inc., Wilmington 98 (USA)
E	Erstarrungspunkt
EMK	Elektromotorische Kraft
F	Schmelzpunkt
Farbf. Bayer	Farbenfabriken Bayer AG, vormals Friedrich Bayer & Co., Leverkusen-Elberfeld (bis 1925), Farbenfabriken Bayer AG, Leverkusen, Elberfeld, Dormagen und Uerdingen (1953–1974)
Farbw. Hoechst	Farbwerke Hoechst AG, vormals Meister Lucius & Brüning, Frankfurt/M.-Höchst (bis 1925 und wieder ab 1953 bis 1974)
g	Gramm
gem.	geminal
ges.	gesättigt

Gew., Gew.-%, Gew.-Tl.	Gewicht, Gewichtsprozent, Gewichtsteil
HMPT	Phosphorsäure-tris-[trimethylamid]
Hoechst AG	Hoechst AG, Frankfurt/M.-Höchst (seit 1974)
I.C.I.	Imperial Chemicals Industries Ltd., Manchester
I.G. Farb.	I.G. Farbenindustrie AG, Frankfurt a.M. (1925–1945)
IUPAC	International Union of Pure and Applied Chemistry
i. Vak.	im Vakuum
k (k_s, k_b)	elektrolytische Dissoziationskonstanten, bei Ampholyten, Dissoziationskonstanten nach der klassischen Theorie
K (K_s, K_b)	elektrolytische Dissoziationskonstanten von Ampholyten nach der Zwitterionentheorie
kcal	Kilocalorie
kg	Kilogramm
konz.	konzentriert
korr.	korrigiert
Kp, bzw. Kp_{750}	Siedepunkt, bzw. Siedepunkt unter 750 Torr Druck
kW, kWh	Kilowatt, Kilowattstunde
l	Liter
m (als Konzentrationsangabe)	molar
M	Metall (in Formeln)
$[M]_\lambda^t$	molekulares Drehungsvermögen oder Molekularrotation
mg	Milligramm
Min.	Minute
mm	Millimeter
ml	Milliliter
Mol.-Gew., Mol.-%, Mol.-Refr.	Molekulargewicht, Molprozent, Molekularrefraktion
n_λ^t	Brechungsindex
n (als Konzentrationsangabe)	normal
nm	Nanometer
pd · sq. · inch	0,070307 at = 0,068046 Atm
p_H	negativer, dekadischer Logarithmus der Wasserstoffionen-Aktivität
prim.	primär
Py	Pyridin
quart.	quartär
racem.	racemisch
s.	siehe
S.	Seite
s.a.	siehe auch
sek.	sekundär
Sek.	Sekunde
s.o.	siehe oben
spez.	spezifisch
sq. · inch	$6{,}451589 \cdot 10^{-4}\ m^2$
Stde., Stdn., stdg.	Stunde, Stunden, stündig
s.u.	siehe unten
Subl. p.	Sublimationspunkt
symm.	symmetrisch
Tab.	Tabelle
techn.	technisch
Temp.	Temperatur
tert.	tertiär
theor.	theoretisch
THF	Tetrahydrofuran
Tl., Tle., Tln.	Teil, Teile, Teilen
u.a.	und andere
usw.	und so weiter
u.U.	unter Umständen
V	Volt
VDE	Verein Deutscher Elektroingenieure
VDI	Verein Deutscher Ingenieure
verd.	verdünnt
vgl.	vergleiche
vic.	vicinal

Vol., Vol.-%, Vol.-Tl. .... Volumen, Volumenprozent, Volumenanteil
W .... Watt
Zers. .... Zersetzung
∇ .... Erhitzung
$[\alpha]_\lambda^t$ .... spezifische Drehung
∅ .... Durchmesser
~ .... etwa, ungefähr
μ .... Mikron

Methoden zur Herstellung von Organobor-Verbindungen

bearbeitet von

ROLAND KÖSTER
Max-Planck-Institut für Kohlenforschung
Mülheim an der Ruhr

MAXIMILIAN A. GRASSBERGER
Sandoz Forschungsinstitut
Gesellschaft m.b.H.
Wien

GÜNTER SCHMID
Institut für Anorganische Chemie
der Universität Essen

WALTER SIEBERT
Anorganisch-Chemisches Institut
der Universität Heidelberg

BERND WRACKMEYER
Institut für Anorganische Chemie
der Universität München

Literatur berücksichtigt bis Ende 1982

Inhalt

A_3) Organobor-Verbindungen mit vierfach koordinierten Bor-Atomen ... 424

Leitfaden zu den Organobor-Verbindungen

Definition

Zu den Organobor-Verbindungen zählen Verbindungen des Elements Bor mit mindestens einem borgebundenen organischen Rest. Oligo- und Polyborane sowie ionische Oligo- und Polybor-Verbindungen, deren Bor-Atome lediglich an Kohlenstoff-Atome eines polyedrischen Carboran-Gerüsts gebunden sind, gehören nicht zu den in diesen Bänden beschriebenen Organobor-Verbindungen. Die Herstellungsmethoden der B-Organo-Derivate der Carborane und Carboranate werden aber besprochen (Bd. XIII/3c).

Die Bor-Atome der Organobor-Verbindungen können außer an organische Reste zugleich auch an andere Elemente oder Elementgruppierungen gebunden sein. Zu den Organoboranen mit dreifach koordiniertem Bor-Atom zählen Triorganoborane, Diorgano-elemento-borane und Dielemento-organo-borane sämtlicher Strukturen. Die Bor-Atome der beschriebenen Organobor-Verbindungen sind außer an Kohlenstoff- und Wasserstoff-Atome an Halogen-, Sauerstoff-, Schwefel-, Selen-, Stickstoff-, Phosphor-, Arsen-, Silicium-, Bor-, Alkalimetall- und einige Übergangsmetall-Atome gebunden.

Stoffeinteilung und Stoffordnung

Die Besprechung der Organobor-Verbindungen ist in das Hauptkapitel „Herstellungsmethoden" (Bd. XIII/3a bis c) und die beiden Zusatzkapitel „Umwandlungen" und „Analytik" (Bd. XIII/3c) aufgeteilt. Am Ende des Gesamtkapitels befindet sich eine nach Stoffklassen geordnete Bibliographie.

Die Grobunterteilung der Organobor-Verbindungen erfolgt nach der Koordinationszahl (KZ) des an mindestens einem Organo-Rest gebundenen Bor-Atoms (KZ_B). Begonnen wird mit den Organoboranen(1) und Organoboranen(2), deren Bor-Atome die KZ_B 1 und 2 haben. Es folgen die umfangreichen Klassen der Organoborane(3) und der Organobor-Verbindungen mit der $KZ_B = 4$ (Lewisbase-Organoborane; Organoborate). Im abschließenden Herstellungskapitel (Bd. XIII/3c) werden die Übergangsmetall-π-Organoborane ($KZ_B = 4$ und 5) und die kondensierten Organobor-Verbindungen (Organopolyborane und B-Organocarborane) ($KZ_B \leq 6$) besprochen.

Nach der Zahl der um das Bor-Atom gruppierten Atome (KZ_B) ist für die Stoffeinteilung die Art der an das Bor-Atom gebundenen Atome maßgebend. Vorrang haben Verbindungen, die ausschließlich BC-Bindungen enthalten [z.B. Triorganoborane(3) oder Tetraorganoborate(1-)]. Danach werden Verbindungen besprochen, deren Bor-Atom außerdem noch an ein anderes Atom gebunden ist. Diese Atome bestimmen die weitere Stoffordnung nach der Rangfolge (> = vor):

$$H > Hal > O > S > Se > N > P > As > C_{Carb} > Si > B > M$$

Organo-oxy-borane werden z.B. vor den Amino-organo-boranen und diese vor den Carboranyl-organo-boranen (C_{Carb} = Carboranyl) oder den Organodiboranen(4) besprochen. Innerhalb der Kapitel gilt, daß die Verbindungen mit der größeren BC-Bindungszahl vor denen mit kleinerer Zahl von BC-Bindungen eingereiht sind.

Die Kapitel der Organobor-Verbindungen mit besonders großer Stoffülle sind nach stofflichen Gesichtspunkten weiter aufgeteilt. Dies ist zumeist auch methodisch gerechtfertigt. Die Triorganoborane sind z.B. in Abschnitte über aliphatische, aromatische, ungesättigte und heteroatomhaltige Triorganoborane unterteilt. Dabei gilt (wie immer) die Priorität der letzten Stelle (Beilstein-Prinzip). Alkoxyalkenyl-dialkyl-borane findet man bei den sauerstoffhaltigen Triorganoboranen. Zu den Hetero-Atomen zählen sämtliche Atome außer Bor, Kohlenstoff und Wasserstoff mit natürlicher Isotopenzusammensetzung. Die Herstellungswege für deuteriumhaltige Triorganoborane sind daher bei den heteroatomhaltigen Triorganoboranen aufgeführt.

Zur Auffindung einer Stoffklasse hält man sich an die vorgegebenen Regeln mit der Priorität der letzten Stelle. Man findet beispielsweise Herstellungsmethoden für Amino-chlor-organo-borane(3) wegen der vorhandenen BN-Bindung im Kapitel Organobor-Stickstoff-Verbindungen (Bd. XIII/3b). Die gesuchte Stoffklasse ist dort entsprechend der oben angegebenen Atom-Rangfolge nach den Amino-diorgano-boranen und vor den Diamino-organo-boranen eingeordnet. In der Reihe der RB(N)-X-Verbindungen liegt sie nach den RB(N)-H-Boranen und vor den RB(N)-O-Verbindungen (> = vor):

```
     R            H           Hal            O            N
    /            /            /             /            /
R—B      >   R—B      >   R—B       >   R—B      >   R—B
    \            \            \             \            \
     N            N            N             N            N
```

Ionische Organobor-Verbindungen werden stets im Anschluß an die neutralen Verbindungstypen besprochen. Die kationischen sind den anionischen Organobor-Verbindungen vorangestellt. Zwitterionische Verbindungen werden – falls vorhanden – zwischen den beiden Stoffklassen eingereiht (z.B. S. 702ff.).

Die verschiedenen Stofftypen-Kapitel sind nach methodischen Gesichtspunkten unterteilt. Die Herstellung einer Verbindungsklasse (z.B. Dihydro-organo-borane) wird dabei jeweils **aus** einem borhaltigen Edukt (z.B. Dihalogen-organo-boran) **mit** einem beliebigen (borhaltigen oder borfreien) Reagenz (z.B. Metallhydrid) beschrieben:

```
              Edukte
  [ aus ]   +   [ mit ]   →  Produkt(e)
 borhaltig     borhaltig
               oder
               borfrei
```

Auch die Abfassung des laufenden Textes ist nach diesem Prinzip durchgeführt. Sämtliche „aus“-Abschnitte sind als Überschriften im Text und entsprechend im Inhaltsverzeichnis zu finden. Stofflich umfangreiche Abschnitte werden durch „mit“-Überschriften unterteilt.

Die Substitutionen wie z.B. die Dehydro**boryl**ierungen

```
                    /
                +X—B
   \                \           \   /
  —C—H     ─────────────→      —C—B
   /             -HX            /   \
```

stehen im selben Abschnitt im allgemeinen vor den Additionen wie z.B. den Hydro**bor**ierungen:

```
                  /
              +HB
  \   /          \             \ /  /
   C=C     ─────────→       H—C—C—B
  /   \                        / \  \
```

Umlagerungen werden, soweit sie mit einem Wechsel der Koordinationszahl des Bor-Atoms von vier nach drei verbunden sind, wegen der Edukte mit vierfach koordinierten Bor-Atomen in separaten Abschnitten beschrieben.

Bei den Umwandlungen stellt man aus bororganischen Verbindungen durch Spalten von BC-Bindungen borfreie organische Verbindungen her (Bd. XIII/3c). Das Entfernen des Bors läßt sich durch Substitutionen (Elementodeborylierungen), durch Eliminierungen (Deelementoborierungen) und durch C–C-verknüpfende Umlagerungen durchführen. Die Einteilung des Kapitels erfolgt nach den Prioritätsregeln für die entstehenden borfreien Produkte: Nach den Kohlenwasserstoffen werden heteroatomhaltige Umwandlungsprodukte besprochen, wobei den Deutero- und Halogen-Kohlenwasserstoffen die aus Organobor-Verbindungen zugänglichen sauerstoff- und schwefelhaltigen organischen Verbindungen folgen. Das Kapitel schließt mit den Umwandlungsmethoden organischer Borverbindungen in verschiedene hauptgruppenmetall- und übergangsmetallhaltige Verbindungen.

Die Charakterisierungs- und Trennmethoden der bororganischen Verbindungen (Bd. XIII/3c) sind wie die Herstellungsmethoden nach Verbindungstypen unterteilt. Eine weitere Aufteilung der Einzelabschnitte erfolgt jeweils nach den analytischen Methoden. Allgemeine Erläuterungen der angewandten chemischen und instrumentellen Methoden sind dem Analytik-Kapitel vorangestellt.

In den bibliographischen Übersichten wie z.B. in diesem Band auf S. 872 findet man entsprechend dem allgemeinen stofflichen Einteilungsprinzip Hinweise auf wichtige Primärliteratur, vor allem aber auf die Sekundär- und Tertiärliteratur über Organobor-Verbindungen. Der abschnittsweise chronologisch geordneten Bibliographie des Gesamtbandes folgen die Autoren- und Sachregister am Ende des Bandes XIII/3c.

Nomenklatur

Die Boran- bzw. Borat-Nomenklatur wird bevorzugt angewendet. Systematische Namensgebungen werden im allgemeinen vermieden, wenn eingeführte Trivialnamen oder halbsystematische Bezeichnungen von Verbindungstypen vorliegen; z.B.:

$(H_5C_2)_3B$ Triethylboran statt: 3-Ethyl-3-borapentan

1-Boraadamantan statt: 1-Boratricyclo[3.3.1.1^{3,7}]boran
bzw. 1,3,5-Trimethylcyclohexan-1′,3′,5′-triylboran

Die Namen sollen vor allem auch Zusammenhänge zwischen Edukt und Produkt erkennen lassen; z.B.:

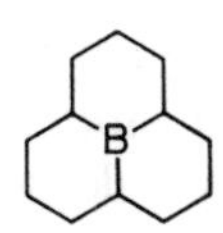

Cyclododecan-1,5,9-triylboran

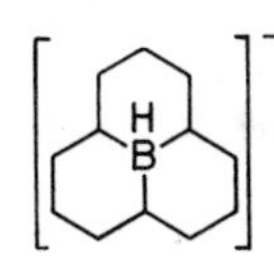

Cyclododecan-1,5,9-triyl-hydro-borat

Die Substituenten am Bor-Atom werden bei Anwendung der Boran- oder Borat-Nomenklatur in alphabetischer Reihenfolge genannt. Abweichend von den IUPAC-Regeln sind dabei auch die vorangestellten Zahlwörter (Di-, Tri-..., Bis-, Tris...) in die Alphabet-Folge miteinbezogen; z.B.:

R_2B-Br	**B**rom-**d**ialkyl-borane	statt: Di**a**lkyl-**b**rom-borane
$H_{11}C_6-B[N(C_2H_5)_2]_2$	**B***is*[*diethylamino*]-*cyclohexyl-boran*	statt: **C**yclohexyl-bis[**d**iethylamino]-boran

Weitere Einzelheiten zur angewandten Namensgebung müssen dem Text und dem Gesamtregister (vgl. Bd. XIII/3c) entnommen werden, die durch zahlreiche Formelbilder Mißdeutungen weitgehend auszuschließen versuchen.

Arbeitsweise und Ausgangsverbindungen

Organobor-Verbindungen sind im allgemeinen luft- und feuchtigkeitsempfindliche Verbindungen. Es ist daher notwendig, Handhabung und Reaktionen unter Schutzgas wie Reinststickstoff oder Argon durchzuführen. Eine große Zahl organischer Bor-Verbindungen wie verschiedene Lewisbase-Organoborane, einige Organoborate sowie bestimmte Amino-organo-borane, Organo-oxy-borane und Organocarborane ist gegenüber Sauerstoff oder auch Wasser inert. Trotzdem sollte man vom Prinzip des Luft- und Feuchtigkeitsausschlusses bei den Präparationen niemals abgehen. Katalytisch wirksamer Sauerstoff kann für den Verlauf von Reaktionen bororganischer Verbindungen entscheidend sein.

Die Toxizität von Organobor-Verbindungen, über die erschöpfend berichtet wurde[1-3], darf nicht unterschätzt werden. Beim strikten Einhalten von Luft- und Feuchtigkeitsausschluß und der dadurch gebotenen Arbeitsweise (vgl. S. 874) sind weitere Schutzvorrichtungen meist überflüssig.

Sämtliche Organobor-Verbindungen sind aus relativ wenigen, im Handel erhältlichen borhaltigen Grundchemikalien präparativ zugänglich. Wichtige käufliche Edukte sind z.B. Triethyl-, Tributyl- und Triphenyl-boran. Von den als Hydroborierungsreagenzien vielseitig anwendbaren Hydro-organo-boranen ist reines Bis(9-borabicyclo[3.3.1]nonan) im Handel zu beziehen. Erhältlich sind ferner Trichlor- und Tribromboran sowie Borsäure, Dibortrioxid und einige Trialkoxyborane. Als BC-freie Thioborane werden Organothio-borane und als Schwefelspender Elementsulfane und -sulfide verwendet. Zur Herstellung organischer BN-Verbindungen setzt man verschiedene borhaltige Ausgangsverbindungen mit Stickstoffbasen um. Organische Diboran(4)-Verbindungen sind u.a. aus dem käuflich zu erwerbenden Tetrakis[dimethylamino]diboran(4) zugänglich. Wichtige Handelsprodukte zur Herstellung bororganischer Verbindungen sind ferner Tetrahydrofuran-Boran und Diethylether-Trifluorboran. Außerdem werden häufig die im Handel angebotenen Alkalimetalltetrahydroborate, Kaliumtetrafluoroborat und Natriumtetraphenylborat verwendet.

Anwendungen

Ursprünglich war beabsichtigt, den Borband des Houben-Weyl durch ein Kapitel über die „Anwendungen bororganischer Verbindungen" in der organischen und anorganischen Synthese sowie in der chemischen Analytik zu ergänzen. Wegen der Fülle des auf diesem Gebiet im Umfang noch immer stark anwachsenden Stoffs und wegen der unvermeidbaren Wiederholungen der Herstellungsmethoden wurde darauf verzichtet. Am Ende des Bandes XIII/3c ist dafür eine kurze Übersicht über die wichtigsten Anwendungsgebiete der Organobor-Verbindungen zusammengestellt.

---

[1] W. Kliegel, *Bor in Biologie, Medizin und Pharmazie, Toxikologie der Organobor-Verbindungen,* S. 781–803, Springer-Verlag, Heidelberg 1980.

[2] G.J. Levinskas, *Toxicology of Boron Compounds*, in R.M. Adams, *Boron, Metallo-Boron Compounds and Boranes*, Chap. 8, S. 693–737, Interscience Publ., New York 1964.

[3] R.L. Hughes, I.C. Smith u. E.W. Lawless, in R.T. Holzmann, *Production of the Boranes and Related Research, Appendix A,* S. 289–331; Academic Press, New York 1967.

A_2) Organobor-Verbindungen mit dreifach koordiniertem Bor-Atom

VI. Organobor-Stickstoff-Verbindungen

bearbeitet von

ROLAND KÖSTER

Max-Planck-Institut für Kohlenforschung,
Mülheim an der Ruhr

1. Einteilungsprinzip

Die in diesem Abschnitt zu behandelnden Borane enthalten als gemeinsames Konstitutionsmerkmal eine B–C- und eine B–N-Bindung, während bei der dritten vom Bor-Atom ausgehenden Bindung B–X der Rest X sowohl hetero- als auch carbofunktionell sein kann. Dem allgemeinen System des Bandes folgend (vgl. S. LXI) werden hier jedoch nur solche heterofunktionellen Reste behandelt, die über ein N-Atom selbst oder über ein Atom mit größerer Priorität als das N-Atom, also ein Atom der 7. und der 6. Hauptgruppe ans Bor-Atom gebunden sind.

Einige Organobor-Stickstoff-Verbindungen dimerisieren und enthalten deshalb vierfach koordinierte Bor-Atome; z.B. die Alkylidenamino-diorgano-borane (S. 81ff.), die als Organo-diazoniadiboratetane (S. 668ff.) bei den Lewisbase-Organobor-Stickstoff-Verbindungen (ab S. 638) aufgeführt werden.

Im Anschluß an die Amino-diorgano-borane werden Amino-organo-borane besprochen, deren dritte Bor-Valenz an Wasserstoff, Halogen, Sauerstoff oder Schwefel gebunden ist. Danach sind die Herstellungsmethoden für Diamino-organo-borane zusammengestellt. Anschließend werden die Organo-1,3,2-diborazane und in einem besonderen Abschnitt die Organoborazine behandelt. Den Abschluß der Herstellungsmethoden der Organobor-Stickstoff-Verbindungen bilden die BN-verzweigten konjugierten Organobor-Stickstoff-Verbindungen, zu denen als Prototyp die Tris[organoboryl]amine zählen. Somit ergibt sich folgende Unterteilung des RBN-Abschnitts:

① Diorganobor-Stickstoff-Verbindungen; z.B.:

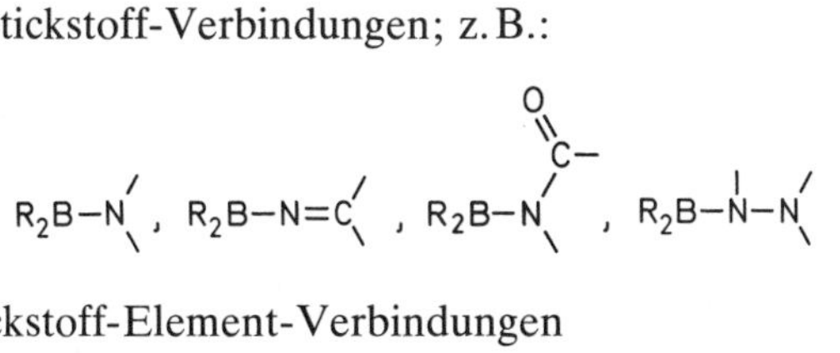

$$R_2B{-}N\langle\;,\quad R_2B{-}N{=}C\langle\;,\quad R_2B{-}N(C(=O){-})\langle\;,\quad R_2B{-}N(|){-}N\langle$$

② Organobor-Stickstoff-Element-Verbindungen

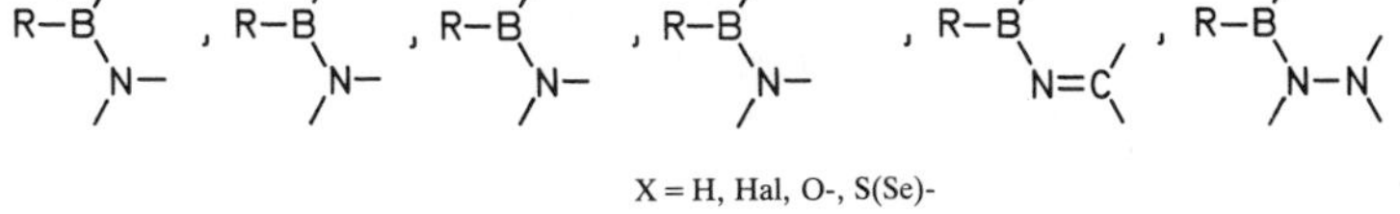

$$R{-}B(H){-}N\langle\;,\quad R{-}B(Hal){-}N\langle\;,\quad R{-}B(O{-}){-}N\langle\;,\quad R{-}B(S(Se){-}){-}N\langle\;,\quad R{-}B(X){-}N{=}C\langle\;,\quad R{-}B(X){-}N\langle{-}N\langle$$

X = H, Hal, O-, S(Se)-

③ Organobor-Stickstoff-Stickstoff-Verbindungen

R–B(N<)$_2$

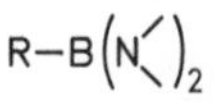

④ Bis[organobor]-Stickstoff-Verbindungen (B-Organo-1,3,2-diborazane); z.B.:

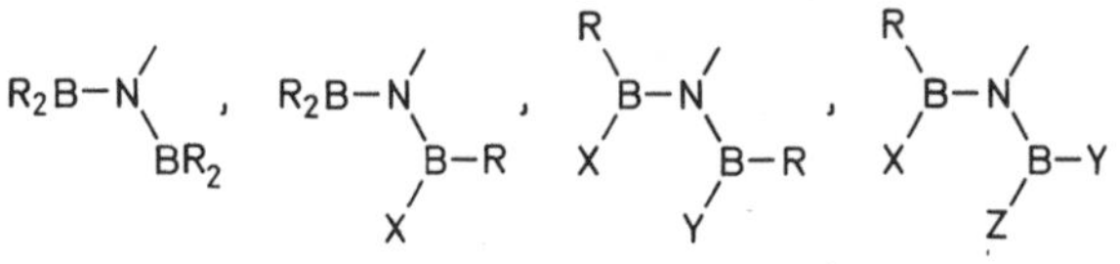

$R_2B-N(-)(BR_2)$, $R_2B-N(-)-B(R)X$, $R(X)B-N(-)-B(R)Y$, $R(X)B-N(-)-B(Y)Z$

X, Y, Z = H, Hal, O-, S(Se)-, N<

⑤ Organoborazine

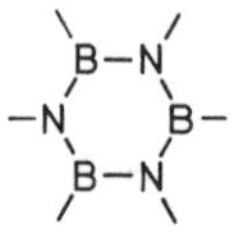

(Borazin-Ring: B–N–B–N–B–N)

⑥ Tris[organobor]-Stickstoff-Verbindungen; z.B.:

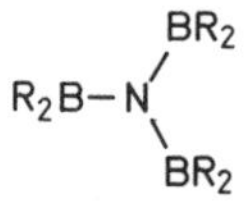

$R_2B-N(BR_2)_2$

2. Syntheseprinzipien

Der bei weitem wichtigste Weg zur Gewinnung der offenkettigen und cyclischen Organobor-Stickstoff-Verbindungen mit gesättigten oder ungesättigten organischen Resten ist die Borylierung, mit deren Hilfe sich jeder Ligand X, R oder NR^1_2 an das Bor-Atom binden läßt:

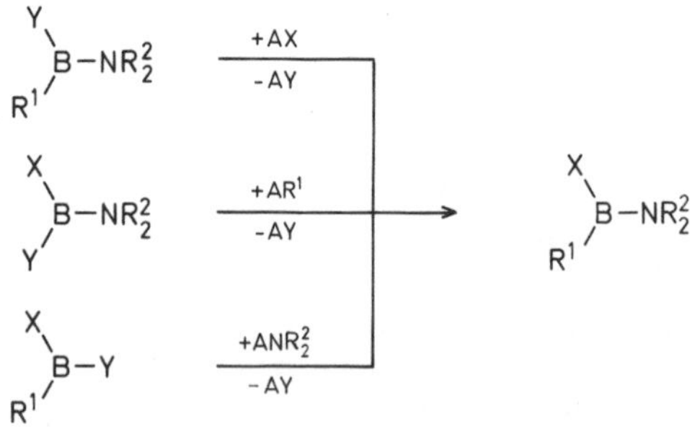

$$Y(R^1)B-NR^2_2 \xrightarrow[-AY]{+AX} X(R^1)B-NR^2_2$$

$$X(Y)B-NR^2_2 \xrightarrow[-AY]{+AR^1} X(R^1)B-NR^2_2$$

$$X(R^1)B-Y \xrightarrow[-AY]{+ANR^2_2} X(R^1)B-NR^2_2$$

Y:H, F, Cl, Br, J, OH, OR, O–CO–R, O–SO_2–OR, OBRX, SR, NR_2, Alkyl, Allyl

Die Borylierung verläuft nach folgendem Mechanismus:

$$>B-Y + A-X \rightleftarrows \underset{I}{>\overset{\ominus}{B}(Y)-\overset{\oplus}{X}-A} \rightleftarrows \underset{II}{>\overset{\ominus}{B}(X)-\overset{\oplus}{Y}-A} \rightleftarrows >B-X + A-Y$$

In vielen Fällen lassen sich die Addukte I und II als bei 20° stabile Verbindungen isolieren. Insgesamt betrachtet, stellt die Borylierung eine nucleophile Substitution am Bor-Atom dar.

Bei der Borylierung handelt es sich zumeist um eine thermodynamisch kontrollierte Reaktion, so daß die Produktausbeute durch Entfernung des entstehenden Moleküls AY aus dem Gleichgewicht erhöht werden kann. Dies geschieht entweder durch Herausdestillieren [z.B.: A–Y = H–$N(CH_3)_2$, H–H u.a.], durch Reaktion mit Basen (z.B.: A–Y =

H–Cl, vorzugsweise mit Triethylamin), oder das Produkt A–Y bildet als schwerlösliches Salz eine eigene Phase (z.B. LiCl, AgCl etc.).

Die Qualität eines Borylierungsmittels ergibt sich aus den Reaktionsbedingungen, unter denen sich das Borylierungsgleichgewicht mit brauchbarer Geschwindigkeit einstellt. Als Faustregel kann gelten, daß vergleichbare Borylierungsmittel um so besser borylieren, je schwächer die BY-Bindung ist. Man erhält z.B. folgende Abstufungen der Borylierungsreaktivität:

$$>B-Br \quad > \quad >B-Cl$$

$$>B-SR \quad > \quad >B-OR$$

Die sehr gute Borylierungswirkung der Acyloxy-borane kann auf die Ausbildung eines sechsgliedrigen Übergangszustandes zurückgeführt werden. Die Umsetzung wird somit unter Ausschaltung der auf S. 2 zitierten Zwischenstufen I bzw. II zur Synchronreaktion:

$$>B-O-C(=O)-R \; + \; A-X \longrightarrow [\text{sechsgliedriger Übergangszustand: } B\cdots X\cdots A\cdots O\cdots C(R)\cdots O\cdots B] \longrightarrow >B-X \; + \; R-COOA$$

Dagegen setzt die Borylierung mit Organoboranen wie insbesondere mit Trialkylboranen vielfach erst bei Temperaturen ein, bei denen die Dehydroborierung bereits eine Rolle spielt. Dabei stellt nicht das Alkylboran sondern das Hydroboran (>B–H) das Borylierungsmittel dar:

$$>B-C_nH_{2n+1} \xrightleftharpoons{-C_nH_{2n}} >B-H \xrightleftharpoons{+A-X} >B-X \; + \; H-A$$

Radikalische Borylierungen mit Triorganoboranen wie z.B. mit Chloraminen als Partner sowie die Borylierung von CH-Bindungen mit Allylboranen unter Propen-Abspaltung haben keine große präparative Bedeutung.

Für das zu borylierende Substrat A–X kommt eine Fülle von Möglichkeiten in Betracht. Zur Hydridierung (X=H) des Borylierungsmittels haben sich die *ternären Hydride* (z.B.: $LiAlH_4$, $NaBH_4$) in homogener Phase meist besser bewährt als die binären Hydride (z.B.: LiH), die im allgemeinen nur heterogen gehandhabt werden können. Zur Fluoridierung (X=F) kann in einigen Fällen Hydrogenfluorid oder allgemeiner und besser Antimon(III)-fluorid herangezogen werden. Zur Chlorierung (X=Cl) kommen neben Hydrogenchlorid auch Phosphor(V)-, Bor(III)-, Titan(IV)-chlorid, Dichlor-organoboran u.a. infrage. Ähnliches gilt für die Bromidierung (X=Br). Sogenannte Pseudohalogene führt man zweckmäßigerweise am besten mit Element-Verbindungen (z.B.: Lithiumazid, Azido-trimethyl-silan, Silberisothiocyanat) ein, und zwar durch Umsetzung mit Chlorboranen. Die Organooxylierung (X=OR) gelingt vielfach mit Alkoholen. Falls mildere Bedingungen eingehalten werden müssen, werden Metallalkanolate eingesetzt. Als Borylierungsmittel werden Verbindungen gewählt, die zu stabilen Salzen MY führen. Für die Organothiolierung (X=SR) begnügt man sich meist mit den Thiolen.

Besonders breit ist die Palette von Aminierungsmitteln ($X=NR_2$). Am häufigsten eingesetzt werden primäre und sekundäre Amine. Sind schonende Bedingungen erforderlich, so geht man von den entsprechenden Metallamiden aus, die mit Chlorboranen umgesetzt werden. Als Aminierungsmittel haben sich ferner kovalente Amide von Metallen und Halbmetallen [z.B.: $Al(NR^1_2)_3$, $(H_3C)_3Si-NR^1_2$, $(H_3C)_3Sn-NR^1_2$ u.a.] bewährt, besonders dann, wenn man mit Halogenboranen (oft zur „Silazan-Spaltung" herangezogen) oder auch mit Oxyboranen boryliert.

Zur Einführung organischer Substituenten bieten sich ebenfalls zahlreiche Möglichkeiten. Am häufigsten werden zur Alkylierung, Alkenylierung und Arylierung von Boranen metallorganische Verbindungen, vor allem Grignard-Reagenzien, seltener die entsprechenden lithiumorganischen Verbindungen herangezogen. Als Partner dienen zumeist Borane des Typs

$$\rangle B-Y$$

$Y = Cl, OR^1, H$

Die elektrophile Borylierung von Aromaten ist nur dann von großer präparativer Bedeutung, wenn sie in die Reihe der Azabora- oder Oxabora-Aromaten führt. Zur intramolekularen Borylierung werden im wesentlichen Chlorborane (Friedel-Crafts-Reaktion) herangezogen, aber auch Hydro-(Y=H) und sogar Alkyl-borane (Y=R) können verwendet werden. Bei den Alkyl-boranen sind im allgemeinen relativ hohe Reaktionstemperaturen erforderlich.

Neben der Borylierung hat die 1,2-Borierung (Addition der Gruppierung $\rangle B-Y$ an ungesättigte Systeme) eine größere Bedeutung. 1,1-Borierungen (s.S. 16, 83, 103, 129, 218, 250, 296) und 1,n-Borierungen mit n>2 (s.S. 279) sind vergleichsweise unbedeutend.

Von den äußerst wichtigen 1,2-Borierungen

$$\rangle B-Y \;+\; a{=}b \longrightarrow \;\rangle B-a-b-Y$$

ist die Hydroborierung (Y=H) die bei weitem wichtigste Methode. In der präparativen Bedeutung folgt ihr die Haloborierung (Y=Hal), Aminoborierung ($Y=NR^1_2$) und Organoborierung (Y=R). Als ungesättigte Systeme spielen die Alkene die größte Rolle.

$$a{=}b:\quad \rangle C{=}C\langle \qquad \rangle C{=}N{-} \qquad \rangle C{=}O \qquad {-}N{=}N{-} \qquad -C{\equiv}C- \qquad -C{\equiv}N$$

Bei kumulierten Doppelbindungen vom Typ $-N=C=Z$ ($Z = O, S, NR^1_2$) wird stets die NC-Bindung angegriffen.

Die Umsetzung von Boranen des Typs $-BH_2$ mit Dienen führt im allgemeinen unter doppelter Hydroborierung zu cyclischen Derivaten. Mit Cycloalkadienen werden bicyclische Systeme erhalten.

Von untergeordneter Bedeutung für die Herstellung von Amino-organo-boranen sind die Umlagerungs- (s.S. 218, 279, 295, 300) und Redoxreaktionen (s.S. 290).

Die borfernen Reaktionen am fertigen Amino-organo-boran sind nach dem Prinzip des Houben-Weyl eigentlich nicht Gegenstand dieses Bandes. Sie werden trotzdem wegen ihrer präparativen Bedeutung nicht nur in Einzelfällen besprochen (z.B. S. 49ff., 87, 111, 193, 241ff.).

3. Reaktivität

Die B–C-Bindung von Amino-organo-boranen ist erwartungsgemäß oxidationslabil und kann z.B. mit Hydroperoxid oder mit Trimethylamin-N-oxid (S. 442) in der üblichen Weise (Bd. XIII/3c) gespalten werden. Die Labilität ist jedoch wesentlich geringer als bei den Triorganoboranen. Amino-organo-borane sind an der Luft nicht selbstentzündlich und können kurzfristig in Gegenwart von Luftsauerstoff ohne Zersetzung gehandhabt werden. Die Oxidationslabilität hängt von der Sperrigkeit der Bor-Substituenten ab, doch scheinen neben sterischen auch elektronische Gründe eine Rolle zu spielen.

So sind z.B. die Azabora-Aromaten bemerkenswert oxidationsstabil und lassen sich vielfach auch bei Abwesenheit sperriger Reste am B-Atom ohne wesentliche Spaltung der B–C-Bindung an einem der C-Atome des Aromaten-Gerüstes halogenieren oder nitrieren (vgl. S. 51, 171).

Die B–C-Bindung ist im allgemeinen gegen protische Mittel solvolysestabil. Lediglich Vinyl- oder Pentafluorphenyl-Gruppen werden leicht abgespalten. Ferner tritt bei Anwendung von Carbonsäuren als Solvolysemittel B–C-Spaltung ein.

Die B–N-Bindung ist dagegen im allgemeinen oxidationsstabil und solvolyselabil. Die Solvolyseaktivität hängt auch hier von der Sperrigkeit der Bor-Substituenten ab. Die Abhängigkeit von elektronischen Parametern läßt sich anhand der Solvolysestabilität der Azabora-Aromaten belegen. Im allgemeinen empfiehlt es sich, die Amino-organo-borane vor dem Wassergehalt der Luft zu schützen.

a) Diorganobor-Stickstoff-Verbindungen

Zur Verbindungsklasse zählen Amino-diorgano-borane, Diorgano-1-elementalkyl-amino-borane (S.81) sowie N-Diorganobor-Derivate von Carbonsäureamiden (S. 87), Kohlensäureamiden (S. 95) und verschiedenen N-Heteroelement-Stickstoff-Verbindungen (S. 99).

1. Amino-diorgano-borane

In der Tab. 1 (S. 6ff.) sind die Herstellungsmethoden der verschiedenen Typen von Amino-diorgano-boranen zusammengestellt. Als Edukte verwendet man Triorganoborane und Hydroborane sowie fast sämtliche Bor-Verbindungen, wie aus dem nachstehenden Text hervorgeht.

α) aus Triorganoboranen

Aus Triorganoboranen kann man im Prinzip mit Ammoniak, mit primären oder sekundären Aminen oder besser mit Metallamiden unter BC-Substitution Amino-diorgano-borane herstellen. Auch mit Iminen oder mit Nitrilen sind aus Triorganoboranen durch BC-Addition an die Mehrfachbindung Verbindungen zugänglich, die die Atomgruppierung R_2BN aufweisen, jedoch auf S. 81ff. bei den Alkylidenamino-diorgano-boranen beschrieben werden.

Wegen der großen kinetischen Stabilität der BC-Bindung sind im allgemeinen sowohl zur Borylierung (Diorganoborylierung)

$$R_3B + M-N\langle \longrightarrow R_2B-N\langle + MR$$

als auch zur Borierung (Diorganoborierung) der Stickstoff-Verbindungen

$$R_3B + \rangle N{=}Y \longrightarrow R_2B-N\langle_{YR}$$

energische Bedingungen notwendig. Ausnahmen machen leicht abspaltbare Organo-Reste wie Allyl- oder Cyan-Gruppen.

Falls man Trialkylborane mit Aminen oberhalb ~150° reagieren lassen muß, setzt im allgemeinen Dehydroborierung ein. Intermediär bilden sich unter Abspaltung von Alken vermutlich Dialkyl-hydro-borane als Zwischenprodukte. Diese können dann leicht borylieren

$$(H_{2n+1}C_n)_3B + H-N\langle \longrightarrow (H_{2n+1}C_n)_2B-N\langle + C_nH_{2n} + H_2$$

oder hydroborieren:

$$(H_{2n+1}C_n)_3B + \rangle N{=}Y \longrightarrow (H_{2n+1}C_n)_2B{-}N\langle^{YH} + C_nH_{2n}$$

Von besonderem präparativen Interesse werden Borylierungen am N-Atom von Aminen ausgehend von Trialkylboranen, wenn man die kinetische Stabilität der BC-Bindung durch geeignete Katalysatoren herabsetzt.

Die Borylierung und die Borierung von Verbindungen mit stark elektronegativen Substituenten am Stickstoff wie Chlor oder Sauerstoff werden nur in Sonderfällen angewandt. Die Reaktionen der Triorganoborane mit Isonitrilen (vgl. S. 15) und Aminen bzw. mit Iminen (vgl. S. 16) führen zu speziellen Produkten und besitzen ebenfalls kein allgemeines Interesse.

Die von Triorganoboranen ausgehende, ohne Dehydroborierung ablaufende thermische Diorganoborylierung von Ammoniak und von Aminen ist präparativ von der katalysierten Diorganoborylierung sowie von der unter Dehydroborierung ablaufenden Diorganoborylierung zu unterscheiden. Da Dehydroborierungen von Triarylboranen und von *Trimethylboran* nicht eintreten können, lassen sich Diaryl- und Dimethyl-borylierungen des Ammoniaks oder der primären Amine erst oberhalb 200° erzwingen[1]. Triarylborane reagieren z.B. mit primären Aminen bei ~200°. Aus Triphenylboran erhält man mit Propylamin Benzol und *Diphenyl-propylamino-boran* (90%)[2].

Die Diorganoborylierungen der HN-Basen werden in Reaktionen zur Herstellung von Amino-, Organoamino- und Diorganoamino-diorgano-boranen unterteilt (vgl. Tab. 1).

Tab. 1: Amino-diorgano-borane

Formel	Verbindungstyp	Herstellung	s. S.
1. **Amino-diorgano-borane**			
$Alkyl_2B{-}NH_2$	$R_2B{-}NH_2$	aus $R_3B + NH_3$, △	11
$H_3C{-}B(C_2H_5){-}NH_2$	$R^1R^2B{-}NH_2$	aus $R_2B{-}N_3 + H_2$(M) (borfern)	52
$(H_5C_2)_2B{-}NH_2$	$R_2B{-}NH_2$	aus Do—$R_3B + H_2$, △	75
(bicyclisch)B—NH_2	R⌒B—NH_2	aus R⌒BH + NH_3	19
		aus Do—R⌒⌒BH, △	77
$(H_5C_6)_2B{-}NH_2$	$R_2B{-}NH_2$	aus $R_2B{-}Cl + NH_3$	26
$(H_2C{=}CH{-}CH_2)_2B{-}NH_2$	$(R_{2-en})_2B{-}NH_2$	aus Do—$(R_{2-en})_3B$ + △	76
2. **Diorgano-alkylamino-borane**			
$Alkyl_2B{-}NH{-}R^2$	$R^1_2B{-}NH{-}R^2$	aus $R^1_3B + R^2{-}NH_2$, △ aus $R^1_2BH + R^2{-}NH_2$ aus Do—$R^1_3B + H_2$, △	11 19 75
R⌒B—NH—R	R⌒B—NH—R	aus R⌒BH + R—NH_2	20
		aus $[R_3BH]^-$ + HN<	81
(bicyclisch)B—NH—R	R⌒B—NH—R	aus R⌒B—Hal + Li—NH—R^1	33
(cyclisch: NH, B—R)	R—B(—N—, —R—) (Ring)	aus $R_2BH + R_{en}{-}NH_2$ aus $R_2B{-}NH{-}R_{en} + R_2BH$, △	20 46

[1] E. Wiberg u. K. Hertwig, Z. anorg. Ch. **255**, 141 (1947).

[2] B.R. Currell, W. Gerrard u. M. Khodabocus, J. Organometal. Chem. **8**, 411 (1967).

Tab. 1: (1. Fortsetzung)

Formel	Verbindungstyp	Herstellung	s. S.
$Aryl_2B{-}NH{-}R$	$R^1_2B{-}NH{-}R^2$	aus $R^1_3B + R^2{-}NH_2$, Δ aus $R^1_2BH + R^2{-}NH_2$ aus $R^1_2B{-}Hal + R^2{-}NH_2$ aus $Do{-}R_3B + H_2$, Δ aus $[R_4B]^- + [H_3N{-}R]^+$; Δ	11 19 27 75 81
3. Offenkettige aliphatische Diorgano-diorganoamino-borane			
$(Alkyl)_2B{-}NR^2_2$	$R^1_2B{-}NR^2_2$	aus $R^1_3B + M{-}NR^2_2$ aus $R^1_2B{-}Hal + R^2_2NH(+R_3N)$ aus $R^1_2B{-}NR^1_2$; $R^2_2B{-}NR^2_2$ aus $H_2B{-}NR^1_2$ + En + Dien	14 25 47 66
$Alkyl_2B{-}N(R^1)(R^2)$	$R^1_2B{-}N(R^2)(R^3)$	aus $R^1_2B{-}Hal + Li{-}N(R^2)(R^3)$ aus $R^1_3B + R^2{-}NH{-}R^3$	33 12
$(Alkyl)(H_3C)B{-}N(CH_3)_2$	$(R^1)(R^2)B{-}NR^3_2$	aus $R^1{-}B(NR^3_2)(Hal) + R^2{-}M$ aus $R^1_3B + R^2_2N{-}Hal$	58 18
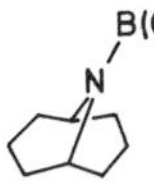 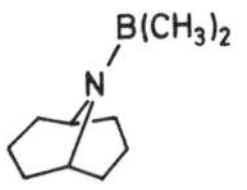 $(CH_3)_2B{-}N$< (bicyclisches Amin)	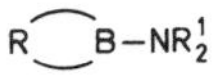 $R\frown B{-}NR^1_2$	aus $Hal_2B{-}N$< + R-MgHal	72
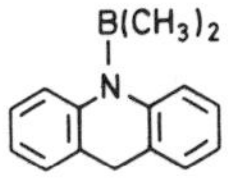 $B(CH_3)_2$ an N (Dihydroacridin)	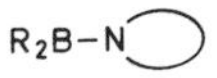 $R_2B{-}N\frown$	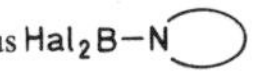 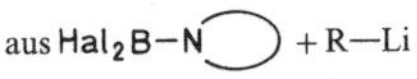 aus $Hal_2B{-}N\frown$ + R—Li	68
$Alkyl_2B{-}N(R)(R_{en})$	$R^1_2B{-}N(R^2)(R_{en})$	aus R^1_3B 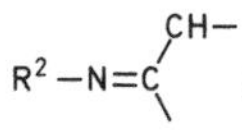 + $R^2{-}N{=}C(CH{-})$< (Kat.)	13
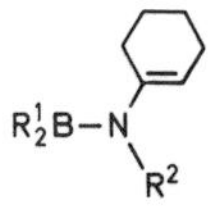 $R^1_2B{-}N(R^2)$(Cyclohexenyl)	$R^1_2B{-}N(R^2)(R_{en})$	aus $R^1_2B{-}SR^3$ 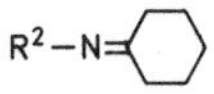 + $R^2{-}N{=}$Cyclohexyliden	44
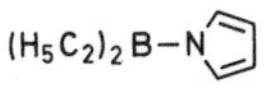 $(H_5C_2)_2B{-}N$(Pyrrol)	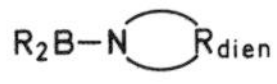 $R_2B{-}N\frown R_{dien}$	aus R_3B + HN< aus $Do{-}H_2B{-}N$< + En	12 80
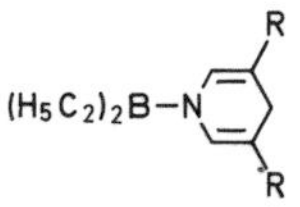 $(H_5C_2)_2B{-}N$(Dihydropyridin, R,R)	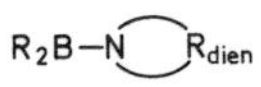 $R_2B{-}N\frown R_{dien}$	aus R_2B-Hal + Na-Pyridin aus $Do{-}R_2B{-}Hal$ + Li/THF	79 80
$(H_3C)_2B{-}N(R){-}CH_2{-}C{\equiv}CH$	$R^1_2B{-}N(R_{2\text{-}in})(R^2)$	aus $R_2B{-}Hal + R_3Si{-}N({-}){-}R_{2\text{-}in}$	37
4. Cyclische aliphatische Diorgano-diorganoamino-borane			
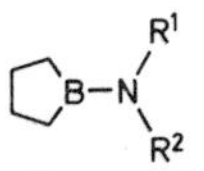 (Cyclo)$B{-}N(R^1)(R^2)$	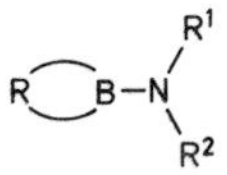 $R\frown B{-}N(R^1)(R^2)$	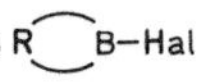 aus $R\frown B{-}Hal$ + $(R^1)(R^2)NH$ $(+R_3N)$	27
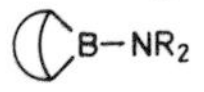 (Bicyclo)$B{-}NR_2$	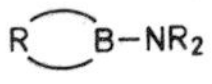 $R\frown B{-}NR_2$	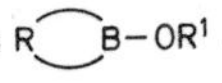 aus $R\frown B{-}OR^1$ + $Li{-}NR_2$ aus $H_2B{-}NR_2$ + Cycloalkadien	41 68

Tab. 1: (2. Fortsetzung)

Formel	Verbindungstyp	Herstellung	s. S.
R, N, B	N, R–B, R	aus R_2BH + R, N, CH_2	23
		aus N–R_3B + R—BH_2 (—C)	23
CH_3, N, B, C_6H_{13}	N, R–B, R	aus HB (N, R) + En	57
Alkyl, R, N, B, Alkyl	N, R–B, R	aus R^{Hal}, B–OR^2, R^1 + R^3–NH_2	41
		aus R^2O–B (N, R) + R^1—MgHal	63
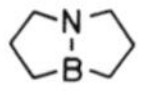 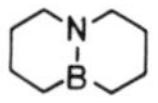 N, B; N, B	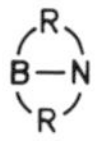 R, B—N, R	aus Do—BH_3 + $(R_{en})_2NH$	78
5. Aromatische Diorgano-diorganoamino-borane			
$Aryl_2B—NR^2_2$	$R^1_2B—NR^2_2$	aus $R^1_3B + R^2_2N—M$	33
		aus R^1_2B-Hal + $R^2_2NH(+R^1_3N)$	27
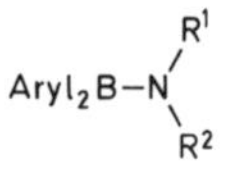 $Aryl_2B–N(R^1)(R^2)$	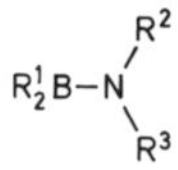 $R^1_2B–N(R^2)(R^3)$	aus R^1_2B-Hal 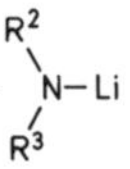 + $(R^2)(R^3)N$–Li	33
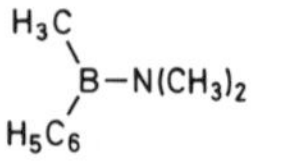 $(H_3C)(H_5C_6)B–N(CH_3)_2$	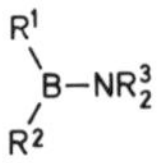 $(R^1)(R^2)B–NR^3_2$	aus $R^1_2B—NR^3_2 + R^2_2B—NR^2_2$	47
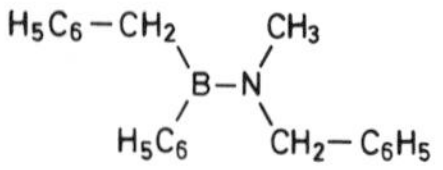 $(H_5C_6–CH_2)(H_5C_6)B–N(CH_3)(CH_2–C_6H_5)$	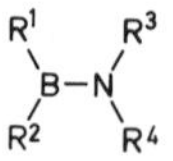 $(R^1)(R^2)B–N(R^3)(R^4)$	aus $R^1_2B—NR^2_2$ + hν	44
R, N, B–C_6H_5	N, R–B, R	aus Do—RBH_2	
		+ $(R_{en})_2N—R$	77
		+ $R_{en}—NH—R$	77
		aus Do—BH_3 + R_3B + $R_{en}—NH—R$	78
R, N, B, C_6H_5	N, R–B, R	aus Do—RBH_2	
		+ $(R_{en})_2N—R$	77
		+ $R_{en}—NH—R$	78
		aus Do—BH_3/R_3B + $R_{en}—NH—R$	78
		aus H–B (N, R) + R—MgHal	57
$N(C_2H_5)_2$, B, CH_3	R, B–NR_2, Ar	aus R B–NR^1_2 + R B–R^2, Ar	46

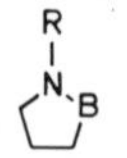

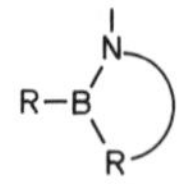

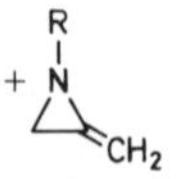

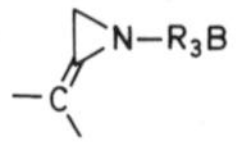

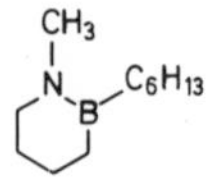

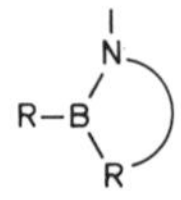

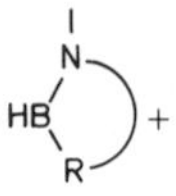

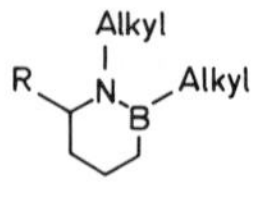

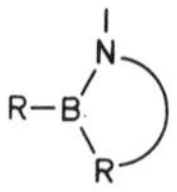

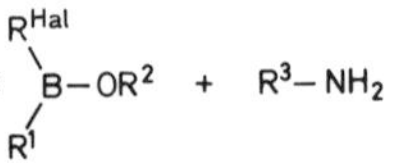

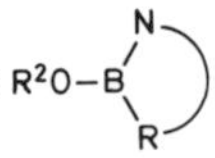

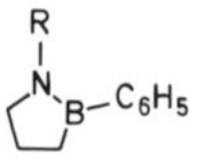

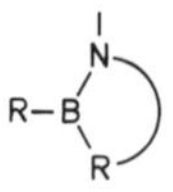

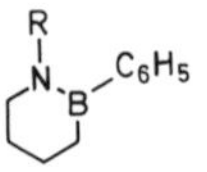

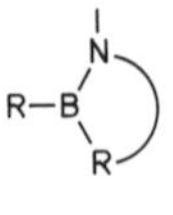

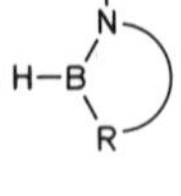

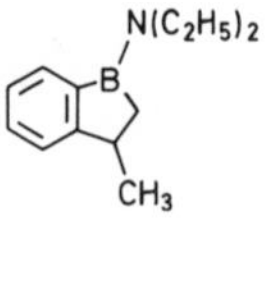

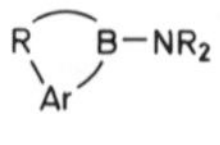

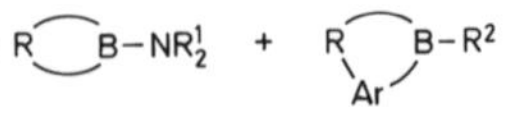

Tab. 1: (3. Fortsetzung)

Formel	Verbindungstyp	Herstellung	s. S.
Alkyl, B, N–Alkyl (benzo-kondensierter Ring)	R–B(–N–)(Ar)	aus HB(–N–)(Ar) + R_3B + En aus Do—BH_3 + Ar—NH—R	56 57 79
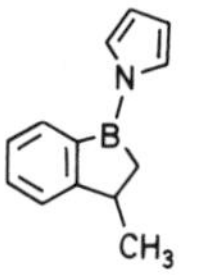 (Pyrrol-1-yl)–B, CH_3 (benzo-kondensierter Ring)	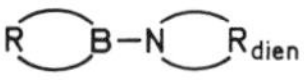 R–B–N–R_{dien}	aus R_2B-Hal + Na—N<	35
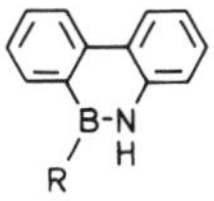 B-N, H, R (Dibenzo-Ring)	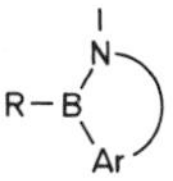 R–B(–N–)(Ar)		
R = Alkyl		aus 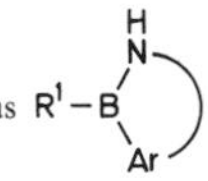 R^1–B(–NH–)(Ar) + R^-/H^+	52
R = Aryl		aus R^1—$BHal_2$ + R^2—NH_2/$AlCl_3$	38
		aus R_2B—N< + J_2/hν (borfern)	55
		aus 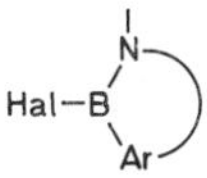 Hal–B(–N–)(Ar) + R—MgHal	60
N-B (Dibenzo-Ring)	R–B(–N–)(Ar)	aus R^{Hal}–B(–N–)(Ar) + Mg/CO_2	47
H, N, B, C_6H_5, R, Ar	R–B(–N–)(Ar)(R_{en})	aus R^{Hal}_{en}(R)B–NH– + △ (borfern)	62

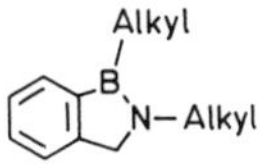

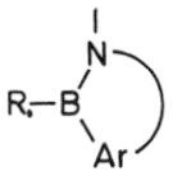

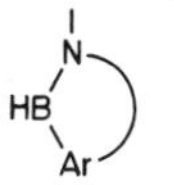

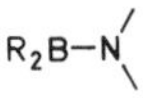

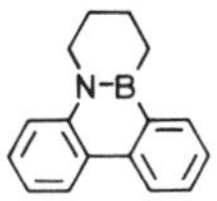

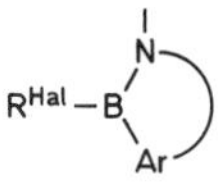

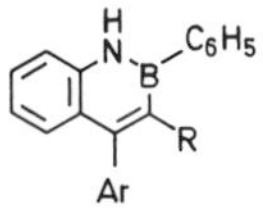

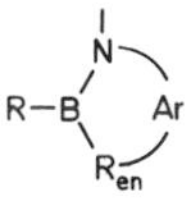

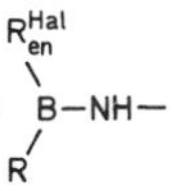

6. **Olefinische Diorgano-organoamino-borane**

Formel	Verbindungstyp	Herstellung	s. S.
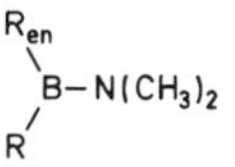 R_{en}(R)B–N$(CH_3)_2$	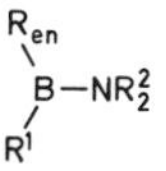 R_{en}(R^1)B–NR^2_2	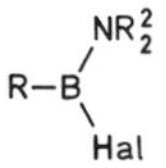 aus R–B(NR^2_2)(Hal) + R_{en}—M	59f.
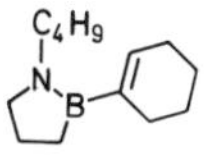 C_4H_9–N–B–(Cyclohexenyl)	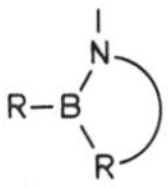 R–B(–N–)(R)	aus R_{en}(R^1)B–NR^2_2 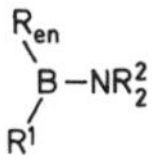	45
		aus R^1_2B–N(R^2)(R_{en}), △ 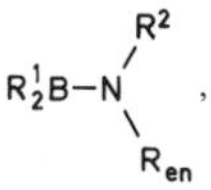	45
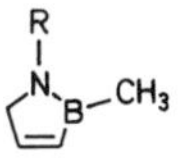 R–N–B–CH_3	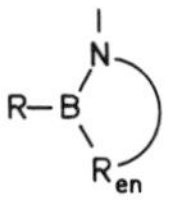 R–B(–N–)(R_{en})	aus R_2B–Hal + –Si–N–R_{in}	37
		aus R–$BHal_2$ + Li–R_{en}–NLi	39
		aus 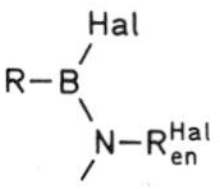 R–B(Hal)(N–R^{Hal}_{en}) + K	58

Tab. 1: (4. Fortsetzung)

Formel	Verbindungstyp	Herstellung	s. S.
$(H_2C{=}CH{-}CH_2)_2B{-}N(R^1)R^2$	$(R_{2\text{-}en})_2B{-}N(R^1)R^2$	aus $(R_{2-en})_3B + R^1{-}NH{-}R^2$	12
$(H_2C{=}CH{-}CH_2)_2B{-}N(R^1)R_{3\text{-}en}$	$(R_{2\text{-}en})_2B{-}N(R)R_{3\text{-}en}$	aus $(R_{2-en})_3B + R^1CH{=}N{-}R^2$	15
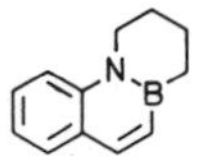 N, B	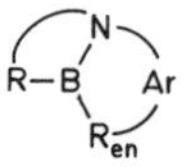 N, R–B, Ar, R_{en}	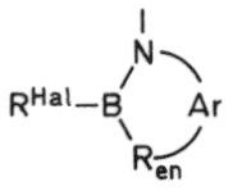 aus R^{Hal}–B, N, Ar, R_{en} + Mg/CO_2	47
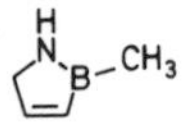 H, N, B–CH_3	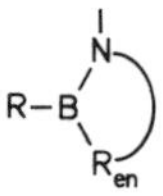 N, R–B, R_{en}	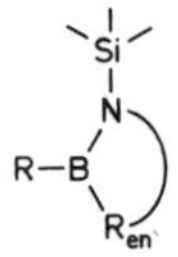 aus Si, N, R–B, R_{en} + HCl (borfern)	52
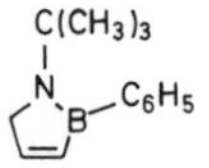 $C(CH_3)_3$, N, B–C_6H_5	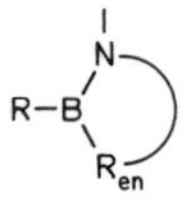 N, R–B, R_{en}	aus R–B(Hal)–N–R_{en}^{Hal} 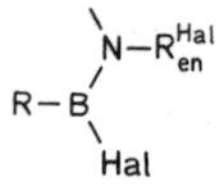	58
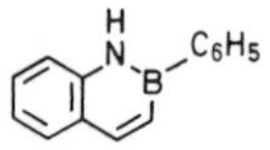 H, N, B–C_6H_5	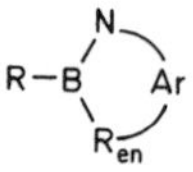 N, R–B, Ar, R_{en}	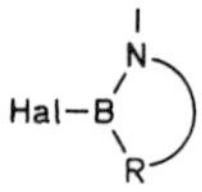 aus Hal–B, N, R + R—MgHal	60
		aus $R{-}BHal_2 + R_{en}{-}NH_2$	38
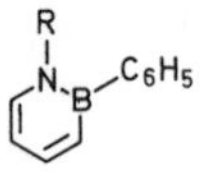 R, N, B–C_6H_5	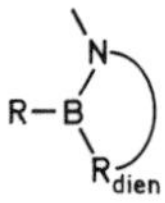 N, R–B, R_{dien}	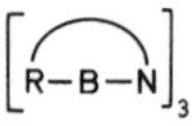 aus $[R{-}B{-}N]_3$ + R—Li/El$^{\oplus}$	65
		aus R^2O–B, N, R_{dien} + R^1—MgHal 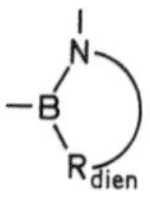	63
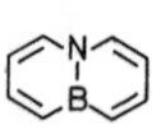 N, B	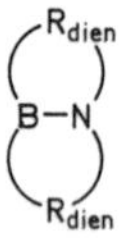 R_{dien}, B–N, R_{dien}	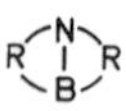 aus R, N, B, R + Pd/C (borfern)	55
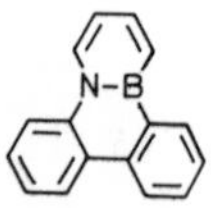 N–B	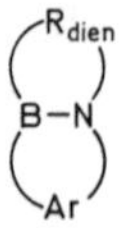 R_{dien}, B–N, Ar	 aus R, N, B, Ar + S (borfern)	56

7. **Acetylenische Diorgano-diorganoamino-borane**

$(H_3C{-}C{\equiv}C)_2B{-}N(CH_3)_2$	$(R_{1-in})_2B{-}NR_2$	aus $Hal_2B{-}NR_2 + R_{in}{-}M$	69

Außer den Diorganobor-Stickstoff-Verbindungen mit aliphatischen Organo-Resten sind aromatische, olefinische sowie acetylenische Amino-diorgano-borane aus den verschiedenen Bor-Verbindungen zugänglich (s. Tab. 1, S. 8ff.).

α_1) *mit Ammoniak oder Aminen*

Die Aminierung von Trialkylboranen mit Ammoniak ist präparativ nach zwei Varianten möglich:

① Man leitet Ammoniak 50 Min. lang z.B. durch 150–180° heißes Tributylboran und erhält z.B. *Amino-dibutyl-boran* (50%; Kp_8: 56–58°)[1]

② Man geht von Ammoniak-Trialkylboranen (vgl. S. 435) aus und erhitzt diese unter genauem Einhalten der Temperaturgrenzen mit Wasserstoff unter Druck (vgl. S. 75)[2].

Da ein einfacher, allgemeiner Zugang zu Cyan-dialkyl-boranen nicht besteht, hat die leichte Abspaltbarkeit der Cyan-Gruppe vom Bor-Atom präparativ wenig Bedeutung. Erwähnt sei jedoch, daß die Cyan-Gruppe, von Cyan-dibutyl-boran ausgehend, in flüssigem Ammoniak, also bei ziemlich tiefer Temperatur, gegen die Amino-Gruppe ausgetauscht wird, wenn man das gebildete Hydrocyanid mit Natrium unter Bildung von Wasserstoff abfängt[3].

Äquimolare Mischungen aus Trialkylboranen, die leicht zu Alken-Abspaltung neigen, und primären Aminen werden durch mehrstündiges Erhitzen auf 150–170° in die entsprechenden Amino-dialkyl-borane überführt. Das Gasgemisch aus Alkan, Alken und Wasserstoff läßt auf einen uneinheitlichen Reaktionsablauf schließen. Die zunächst entstehenden, oftmals festen Amin-Triorganoborane (vgl. S. 435) brauchen nicht isoliert zu werden[4,5].

$$R^1_3B + HN(H)R^2 \xrightarrow[-R^1H,\ -R^1_{(-H)},\ -H_2]{} R^1_2B{-}N(H)R^2$$

$R^1 = C_3H_7$; $R^2 = CH_2-CH(CH_3)_2$; *Dipropyl-isobutylamino-boran*[6]; 78%; Kp_{11}: 72,5°
$R^2 = C_6H_5$; *Anilino-dipropyl-boran*[6]; 86%; Kp_{11}: 117,5°
$R^1 = C_4H_9$; $R^2 = C_4H_9$: *Butylamino-dibutyl-boran*[6]; 74%; Kp_8: 92–93°

Aus Triphenylboran und Propylamin erhält man bei 200° innerhalb 3 Stdn. unter Benzol-Abspaltung in 90%iger Ausbeute *Diphenyl-propylamino-boran* (Kp_{22}: 190°)[7]:

$$(H_5C_6)_3B \quad + \quad H_2N{-}C_3H_7 \longrightarrow (H_5C_6)_2B{-}NH{-}C_3H_7 \quad + \quad C_6H_6$$

Die Aminierung von Triallylboran mit primären sowie mit sekundären Aminen unter Propen-Abspaltung verläuft mit guten Ausbeuten und besonders glatt. Die beiden Partner werden bei 0° vereinigt und 10 Minuten bei 0° i.Vak. gerührt. Die dabei entstehenden 1:1-Addukte (vgl. S. 435ff.) erhitzt man ~1 Stde. auf 100–130° und destilliert die Amino-diallyl-borane ab[8–10]:

---

[1] B.M. Mikhailov u. Y.N. Bubnov, Ž. obšč. Chim. **32**, 1969 (1962); C.A. **58**, 5705 (1963).
[2] R. Köster, G. Bruno u. P. Binger, A. **644**, 1 (1961).
[3] E.C. Evers, W.O. Freitag, W.A. Kriner u. A.G. McDiarmid, US. Dept.Com. Office Tech. Serv. PB Repts. 143219, S. 12 (1958); C.A. **55**, 20918 (1961).
[4] E. Wiberg u. K. Hertwig, Z. anorg. Ch. **255**, 141 (1947).
[5] E. Wiberg, K. Hertwig u. A. Bolz, Z. anorg. Ch. **256**, 177 (1948).
[6] B.M. Mikhailov, V.A. Vaver u. Y.N. Bubnov, Doklady Akad. SSSR **126**, 575 (1959); C.A. **54**, 261 (1960).
[7] B.R. Currell, W. Gerrard u. M. Khodabocus, J. Organometal. Chem. **8**, 411 (1967).
[8] B.M. Mikhailov u. F.B. Tutorskaya, Doklady Akad. SSSR **123**, 479 (1958); C.A. **53**, 6990 (1959).
[9] B.M. Mikhailov u. F.B. Tutorskaya, Izv. Akad. SSSR **1961**, 1158; engl.: 1076; C.A. **55**, 27018 (1961).
[10] J.P. Laurent u. R. Haran, Bl. **1964**, 2448 (1964); C.A. **63**, 471 (1965).

$$(H_2C{=}CH{-}CH_2{-})_3B + HN(R^1)(R^2) \longrightarrow (H_2C{=}CH{-}CH_2{-})_2B{-}N(R^1)(R^2) + C_3H_6$$

z.B.: $R^1 = R^2 = H$;	*Amino-diallyl-boran*	Kp_{23}: 58–60°
$R^1 = H$; $R^2 = C_2H_5$;	*Diallyl-ethylamino-boran*	85%; Kp_{26}: 63–64°
$R^2 = C_4H_9$;	*Butylamino-diallyl-boran*	Kp_{13}: 81°
$R^2 = C_6H_5$;	*Anilino-diallyl-boran*	Kp_2: 77–78°
$R^1 = R^2 = C_2H_5$	*Diallyl-diethylamino-boran*	Kp_{13}: 72°

Die Herstellung von Amino-diorgano-boranen aus Trialkylboranen mit Aminen wird zur besonders breit anwendbaren Methode durch den Einsatz von Katalysatoren. Es kommen Brönsted-Säuren in Betracht, die BC-Bindungen leicht protolytisch spalten und nach folgendem Schema operieren:

$$R^1_2B{-}R^1 \xrightarrow[-HR^1]{+HX} R^1_2B{-}X \xrightarrow[-HX]{+HNR^2_2} R^1_2B{-}NR^2_2$$

Alkanthiole (vgl. Tab. 2, S. 13) und die zur Protolyse von BC-Bindungen sehr gut geeigneten Carbonsäuren sind besonders wirksame Katalysatoren. Vor allem wird 2,2-Dimethylpropansäure oder das daraus gebildete O-Dialkylboryl-Derivat eingesetzt[1]. Sperrige Ketone oder Carbonsäureester katalysieren ebenfalls (z.B.: 3-Oxo-2,2,4,4-tetramethyl-pentan, 2,2-Dimethylpropansäure-2,2-dimethylpropylester[2]).

tert-Butylamino-diethyl-boran[1]: Zu 4,0 g (55 mmol) Butylamin in 40 *ml* siedendem Hexan tropft man innerhalb 15 Min. 5,3 g (54 mmol) Triethylboran, denen 0,5 *ml* Diethyl-(2,2-dimethylpropanoylamino)-boran zugesetzt worden sind. Nach 3–4 Min. setzt eine heftige Ethan-Entwicklung ein. Nach 2,75 Stdn. sind 1050 *ml* (470 mmol, 90%) Ethan abgespalten. Abschließend wird destillativ aufgearbeitet; Ausbeute 6,5 g (86%); Kp_{18-20}: 45–47°.

Sogar das wenig reaktive Trimethylboran reagiert katalysiert mit Aminen. Erhitzt man Pyrrol in Gegenwart von ~0,1 mol% Dimethyl-(2,2-dimethylpropanoylamino)-boran auf 95–105° und leitet durch die Mischung Trimethylboran, so erhält man *Dimethyl-pyrrolo-boran*[2].

Zur Reinigung des anfallenden Gemisches wird das Dialkyl-pyrrolo-boran als Pyridinat (S. 647) ausgefällt und der Pyridin-Rest mit Diethylether-Trifluorboran entfernt[2]:

$$R_3B + HN(C_4H_4) \xrightarrow{-RH} R_2B{-}N(C_4H_4)$$

$R = CH_3, C_2H_5, C_3H_7$

Diethyl-pyrrolo-boran[2]: 312 g (3,18 mmol) Triethylboran, 214 g (3,18 mol) Pyrrol und 5,3 g (≈ 1%) 3-Oxo-2,2,4,4-tetramethyl-pentan werden unter Rühren 115 Stdn. auf 110–115° erhitzt. Es entwickeln sich 29,5 *l* (42%) Ethan. Beim Destillieren erhält man zunächst 371 g nicht umgesetzte Edukte und bei Kp_{14}: 69–71° einen ersten Produktanteil von 174 g. Erhitzt man die unumgesetzten Edukte mit 3,6 g (≈ 1%) 2,2-Dimethylpropansäure-2,2-dimethylpropylester 6 Stdn. auf 100–115°, so entwickeln sich weitere 42 *l* (59%) Ethan, und man destilliert weitere 249 g Produkt; Ausbeute: 423 g (98,5%).

Auf ähnliche Weise erhält man aus Tripropylboran 81% *Dipropyl-pyrrolo-boran* (Kp_8: 84°)[2]. *Diethyl-indolo-boran* ($Kp_{0,001}$: 80–83°) ist aus Triethylboran mit Indol nach Zusatz von 2,2-Dimethylpropansäure in ~60% Ausbeute zugänglich[2].

---

[1] E. Rothgery u. R. Köster, A. **1974**, 101.

[2] H. Bellut u. R. Köster, A. **738**, 86 (1970).

Tab. 2: Amino-dialkyl-borane durch Aminierung von Trialkylboranen mit Aminen über in situ hergestellte Alkylthio-dialkyl-borane

R_3B R	Amin	Bedingungen	Amino-dialkyl-boran	Ausbeute [%]	Kp [°C]	 [Torr]	Literatur
C_3H_7	NH_3	Ethanthiol (Überschuß)	*Amino-di-propyl-boran*	–	65–66	111	1
	$(H_5C_2)_2NH$	kat. Mengen Propanthiol, 85–90°	*Diethylamino-dipropyl-boran*	92	92–93	34	2
C_4H_9	NH_3	Boran und Thiol 15 Min. Rückfluß; NH_3 einleiten	*Amino-di-butyl-boran*	88	64–65	17	3
	$(H_5C_2)_2NH$	Ethanthiol + Diethylamin, (beide mit 10% Überschuß)	*Dibutyl-diethylamino-boran*	86	97–98	10	1
	$H_2N{-}C_2H_5$	Ethanthiol (Überschuß)	*Dibutyl-ethylamino-boran*		83	13	4
$CH_2{-}CH_2{-}CH(CH_3)_2$	NH_3	2 *ml* Butanthiol 0,3 mol Boran; 1,5 Stdn. 70°	*Amino-bis-[3-methyl-butyl]-boran*	74	74–75	10	2
C_6H_5	NH_3	–	*Amino-di-phenyl-boran*		(F: 141–142°)		1

Mit Diethyl-(2,2-dimethylpropanoyloxy)-boran als Katalysator lassen sich auch Aminosäuren borylieren. α- und β-Aminosäuren (vgl. S. 576, Bd. XIII/3a, S. 581) werden lediglich an der Carboxylat-Funktion boryliert, 4-Aminobutansäure und 6-Amino-pentansäure dagegen zusätzlich an der Amino-Gruppe. Ein H-Atom wird durch den Diethylboryl-Rest substituiert[5].

Schließlich lassen sich auch Imine (z.B. Cyclohexyl-cyclopentyliden-amin) unter Katalysebedingungen als 1-Alkenylamine in hoher Ausbeute am N-Atom borylieren[6]. Vielfach erhält man allerdings Isomerengemische von (1-Alkenyl-alkyl-amino)-diorgano-boranen[6].

$$(H_5C_2)_3B + H_{11}C_6{-}N{=}C_5H_8 \xrightarrow[-\ C_2H_6]{\text{Kat.: }(H_5C_2)_2B{-}O{-}CO{-}C(CH_3)_3} H_{11}C_6{-}N(C_5H_7){-}B(C_2H_5)_2$$

(Cyclohexyl-1-cyclopentenyl-amino)-diethyl-boran[6]: Zu 67,1 g (0,685 mol) Triethylboran, versetzt mit 1,7 g (10 mmol) Diethyl-(2,2-dimethylpropanoyloxy)-boran, werden in ~100 Min. in der Siedehitze (Bad: ~115°) 83,4 g (0,504 mol) Cyclohexyl-cyclopentyliden-amin getropft. Nach anschließendem 14stdg. Rühren bei 110–135° (Bad: ~140°) sind 11,76 N*l* (~100%) Ethan freigesetzt. Es wird destillativ aufgearbeitet; Ausbeute: 113,6 g (96%); $Kp_{0,003}$: 52–54°.

[1] L.F. Hohnstedt, J.P. Brennan u. K.A. Reynard, Soc. [A] **1970**, 2455.
[2] B.M. Mikhailov u. Y.N. Bubnov, Izv. Akad. SSSR **1960**, 1872; engl.: 1742; C.A. **55**, 15335 (1961).
[3] B.M. Mikhailov u. Y.N. Bubnov, Ž. obšč. Chim. **31**, 547 (1961); C.A. **55**, 23318 (1961).
[4] J.P. Laurent, Bl. **1963**, 558; C.A. **59**, 648 (1963).
[5] R. Köster u. E. Rothgery, A. **1974**, 112.
[6] R. Köster, F. Levelt u. W. Fenzl, A. **1981**, 734.

Eine breite präparative Bedeutung kann die aus Trialkylboranen mit Aminen von einer Dehydroborierung begleitete Borylierung beanspruchen. Flüchtige Amine wie insbesondere Ammoniak müssen wegen des Dehydroborierungs-/Hydroborierungs-Gleichgewichts entweder im Autoklaven bei ziemlich hoher Temperatur boryliert werden (Ammoniak: 200°, 150–320 bar[1]), oder man leitet das Amin als Gasstrom in einem offenen System durch das heiße Triorganoboran (Ammoniak: 50 Min. bei 150–180°[2]). Das erste Verfahren kommt bei den flüchtigen, das zweite für die weniger flüchtigen Trialkylborane in Frage. Im Falle genügend nichtflüchtiger Amine arbeitet man lösungsmittelfrei am Rückfluß[3–5].

Dipropyl-pyrrolo-boran[5]:

$$(H_7C_3)_3B \;+\; HN\langle\text{pyrrol}\rangle \longrightarrow (H_7C_3)_2B{-}N\langle\text{pyrrol}\rangle \;+\; C_3H_6 \;+\; H_2$$

18 g (0,268 mol) Pyrrol und 37,5 g Tripropylboran, die bei 20° nicht mischbar sind, spalten beim langsamen Erhitzen von 115° auf 180° innerhalb 10 Stdn. 9,81 *l* (0,457 mol) Gas ab (54,1% Wasserstoff, 40% Propen, 5,9% Propan); anschließend wird destillativ aufgearbeitet; Ausbeute: 37 g (84%); Kp_{14}: 93–95°.

Die kleine Menge an Propan kann als Anteil an „direkter", also ohne Dehydroborierung ablaufender Borylierung mit Triorganoboran nicht ausgeschlossen werden.

Eine von einer Umlagerung begleitete spezielle Form der Borylierung beobachtet man, wenn man mit Chlormethyl-dimethyl-boran ein sekundäres Amin wie Dimethylamin boryliert. Nach 30 Min. Erhitzen auf 80° erhält man in 89%iger Ausbeute *Dimethylamino-ethyl-methyl-boran*[6]:

$$(H_3C)_2B{-}CH_2Cl \;+\; (H_3C)_2NH \xrightarrow[-\,HCl]{} (H_3C)(H_5C_2)B{-}N(CH_3)_2$$

α_2) *mit Metallamiden*

Triorganoborane reagieren mit verschiedenen Aminometall-Verbindungen (Metallamiden) unter Organo-Rest/Amino-Gruppen-Austausch. Gute Aminierungsmittel sind Amino-aluminium-Verbindungen und Aminostannane.

Aus Triethylboran wird mit Lithiumamid in Kohlenwasserstoffen (oder überschüssigem Triethylboran) *Amino-diethyl-boran* neben Lithiumtetraethylborat (vgl. S. 754) gebildet[7].

Tris[dimethylamino]aluminium-Verbindungen vermögen bei 100–120° zwei Amino-Gruppen auf Trialkyl- oder Triaryl-borane zu übertragen. Da eine zweifache Aminierung des Borans unterbleibt, können auf diese Weise selektive Aminierungen durchgeführt werden[8]:

$$2\,R_3B \;+\; Al[N(CH_3)_2]_3 \longrightarrow 2\,R_2B{-}N(CH_3)_2 \;+\; R_2Al{-}N(CH_3)_2$$

Dimethylamino-dipropyl-boran[8]: 0,1 mol Tripropylboran und 0,06 mol Tris[dimethylamino]aluminium werden 1 Stde. auf 100–120° erhitzt. Anschließend wird das Produkt 2mal destilliert, beim 2. Mal über eine 20-cm-Kolonne; Ausbeute: 85%; Kp_9: 42°.

---

[1] R. Köster, G. Bruno u. P. Binger, A. **644**, 1 (1961).
[2] B. M. Mikhailov u. Y. N. Bubnov, Ž. obšč. Chim. **32**, 1969 (1962); C. A. **58**, 5705 (1963).
[3] B. M. Mikhailov, V. A. Vaver u. Y. N. Bubnov, Doklady Akad. SSSR **126**, 575 (1959); C. A. **54**, 261 (1960).
[4] G. B. Bagdasaryan, K. S. Badalyan u. M. G. Indzhikyan, Arm. Khim. Zh. **24**, 843 (1971); C. A. **76**, 25347 (1972); Tributylboran mit Piperidin bzw. Indol.
[5] H. Bellut u. R. Köster, A. **738**, 86 (1970).
[6] J. Rathke u. R. Schaeffer, Inorg. Chem. **11**, 1150 (1972); C. A. **77**, 4516 (1972).
[7] R. Köster u. H. Voshege, Mülheim a. d. Ruhr, unveröffentlicht 1973.
[8] J. K. Ruff, J. Org. Chem. **27**, 1020 (1962).

Auf entsprechende Weise erhält man *Dibutyl-dimethylamino-boran* (93%; Kp_9: 77°). Ein ausgezeichnetes Aminierungsreagenz ist auch Dimethylamino-trimethyl-stannan. So erhält man beim Zugeben von Tributylboran zu einer äquimolaren Menge des Stannans in Ether bei 20° *Dibutyl-dimethylamino-boran* (86%)[1]. Aus Triphenylboran wird analog 59% *Dimethylamino-diphenyl-boran* erhalten[1]:

$$(H_5C_6)_3B + (H_3C)_3Sn—N(CH_3)_2 \longrightarrow (H_5C_6)_2B—N(CH_3)_2 + (H_3C)_3Sn—C_6H_5$$

α_3) *mit Iminen*

Die Organoborierung der CN-Mehrfachbindung von Aldiminen mit Triorganoboranen ist als präparative Methode nur geeignet, wenn bewegliche Organo-Reste wie z.B. die Allyl-Gruppe am Bor-Atom gebunden sind[2,3]:

$$R^1_2B-CH_2-CH=CH_2 + R^3-N=CH-R^2 \longrightarrow R^1_2B-N(R^3)-CH(R^2)-CH_2-CH=CH_2$$

Mit *N*-Methylbenzaldimin läßt sich z.B. aus Triallylboran in siedendem Dichlormethan innerhalb 2 Stdn. *Diallyl-[methyl-(1-phenyl-3-butenyl)-amino]-boran* (33%; $Kp_{0,01}$: 43–45°) herstellen.

α_4) *mit Nitrilen*

Die Allyloborierung von Nitrilen (vgl. S. 82) ist von einer Protonen-Wanderung unter Bildung eines konjugierten Systems begleitet[3]:

$$R^1_2B-CH_2-CH=CH_2 + R^2-C\equiv N \longrightarrow R^1_2B-N=C(R^2)-CH_2-CH=CH_2 \xrightarrow{o} R^1_2B-NH-C(R^2)=CH-CH=CH_2$$

α_5) *mit Organoisocyaniden oder Hydrogencyanid*

$\alpha\alpha_1$) ohne Zusätze

Trialkylborane[4] und Triphenylboran[5] reagieren mit Alkyl- und Aryl-isocyaniden über isolierbare zwitterionische Tetraorganoborate[6,7] unter Wanderung der Organo-Reste vom Bor-Atom zum Isocyanid-C-Atom[4,5]. Nach Erhitzen der Additionsverbindungen auf $\geq$200° erhält man Octaorgano-1,4,2,5-diazadiborinane (vgl. Tab. 3, S. 16f., sowie S. 76)[4,5].

---

[1] T.A. George u. M.F. Lappert, Chem. Commun. **1966**, 463.
[2] A. Meller u. W. Gerger, M. **105**, 684 (1974); C.A. **81**, 152307 (1974).
[3] Y.N. Bubnow, A.V. Tsyban u. B.M. Mikhailov, Izv. Akad. SSSR **1976**, 2842; engl.: 2653; C.A. **86**, 190048 (1977).
[4] G. Hesse u. H. Witte, A. **687**, 1 (1965).
[5] G. Hesse, H. Witte u. G. Bittner, A. **687**, 9 (1965).
[6] J. Casanova jr. u. R.E. Schuster, Tetrahedron Letters **1964**, 405.
[7] S. Bresadola, G. Carraro, C. Pecile u. A. Turco, Tetrahedron Letters **1964**, 3185.

$$R^1_3B + \overset{\ominus}{C}{\equiv}\overset{\oplus}{N}{-}R^2 \longrightarrow \{R^2{-}\overset{\oplus}{N}{\equiv}C{-}\overset{\ominus}{B}R^1_3\} \longrightarrow 1/2\,[R^2{-}N{=}C(R^1)(BR^1_2)]_2 \xrightarrow{\geq 200°} 1/2\ \text{(2,3,3,5,6,6-}R^1\text{-1,4-}R^2\text{-1,4,2,5-diazadiborinan)}$$

(vgl. S. 668)

Aus Triethylboran oder Tributylboran lassen sich mit Hydrogencyanid im Überschuß (1:6) farblose Öle herstellen, die im Hochvakuum z.T. destillierbar sind. Man erhält aus der tiefer siedenden Fraktion kristallisierte 2,3,3,5,6,6-Hexaalkyl-1,4,2,5-diazadiborinane in bescheidenen Ausbeuten[1]:

$$R_3B + HCN \longrightarrow 1/2\ \text{(2,3,3,5,6,6-R-1,4,2,5-diazadiborinan)}$$

...-1,4,2,5-diazadiborinan

$R = C_2H_5$; *2,3,3,5,6,6-Hexaethyl-...*; 5%; F: 65°; $Kp_{0,01}$: 90–100°
$R = C_4H_9$; *2,3,3,5,6,6-Hexabutyl-...*; 14%; F: 71°; $Kp_{0,01}$: 120–135°

Die höher siedende Fraktion enthält fünfgliedrige Ringverbindungen mit vierfach koordiniertem Bor-Atom (vgl. S. 458)[1,2].

$\alpha\alpha_2$) und primären Aminen

Zur Herstellung verschiedenartiger Amino-diorgano-borane aus Triorganoboranen mit Isonitrilen können auch NH-acide Verbindungen[3,4] als Abfangreagenzien zugesetzt werden. Vereinigt man gleiche Mengen an Trialkylboran und Phenylisonitril und einen Überschuß an Anilin in Diethylether bei −80°, so erhält man beim Erwärmen und anschließender destillativer Aufarbeitung die entsprechenden Alkyl-(1-alkyl-1-anilino-alkyl)-anilino-borane[4]. Vermutlich tritt ein Zwischenprodukt auf, das sich durch 1,1-Alkyloborierung des Isonitril-C-Atoms bildet und an das sich Anilin unter Alkyl-Wanderung addiert[4]:

$$R_3B + \overset{\ominus}{C}{\equiv}\overset{\oplus}{N}{-}C_6H_5 \longrightarrow (R)(R_2B)C{=}N{-}C_6H_5 \xrightarrow{+C_6H_5NH_2} (R)(H_5C_6{-}NH)B{-}CR_2{-}NH{-}C_6H_5$$

$R = C_2H_5$; *Anilino-(1-anilino-1-ethyl-propyl)-ethyl-boran*; 79%; $Kp_{0,001}$: 139–141°
$R = C_4H_9$; *Anilino-(1-anilino-1-butyl-pentyl)-butyl-boran*; 75%; $Kp_{0,002}$: 160–162°

Tab. 3: Diorganobor-Stickstoff-Verbindungen mit zwei oder mehreren Bor-Atomen

Formel	Verbindungstyp	Herstellungsart	s. S.
1. **Diorganobor-Stickstoff-Verbindungen mit zwei Bor-Atomen**			
(Benzo-Ring mit NH, B–C_2H_5, CH_3, B–NH–C_6H_5)	R–B(–NH–...–R^B) (Ring)	aus R^1_2B—NH—Ar + R^1_2BH, △	46

---

[1] G. Hesse, H. Witte u. H. Haussleiter, Ang. Ch. **78**, 748 (1966).
[2] H. Witte, P. Mischke u. G. Hesse, Z. Naturf. **22b**, 677 (1967); C.A. **67**, 108680 (1967).
[3] H. Witte, P. Mischke u. G. Hesse, A. **722**, 21 (1969).
[4] H. Witte, W. Gulden u. G. Hesse, A. **716**, 1 (1968).

Tab. 3: (Fortsetzung)

Formel	Verbindungstyp	Herstellungsart	s. S.
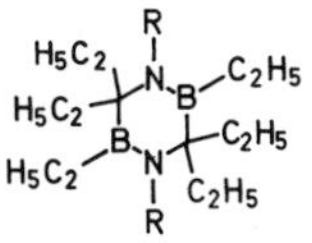 (Ring: H_5C_2, H_5C_2, H_5C_2, C_2H_5, C_2H_5, C_2H_5; N–R, B, N, B, N–R) R = H, Alkyl, Aryl	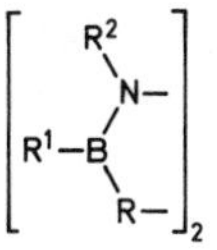 $[R^2$–N–, R^1–B, R–$]_2$	aus $R^1_3B + R^2$—NC	16
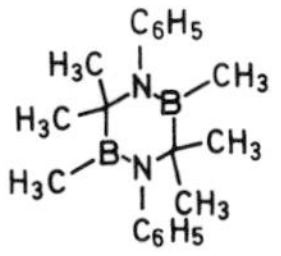 (Ring: C_6H_5, H_3C, H_3C, CH_3, CH_3, H_3C, CH_3, C_6H_5; N, B, B, N)	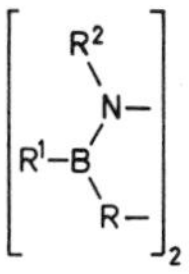 $[R^2$–N–, R^1–B, R–$]_2$	aus [>C=N–R^2] • R^1_3B, △ 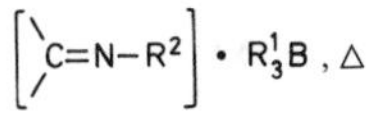	76
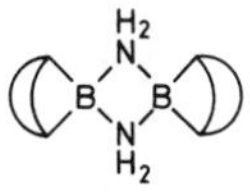 (B–NH_2–B–NH_2 Ring, bicyclisch)	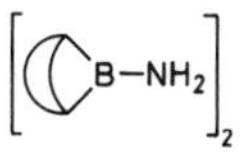 $[$(B–NH_2)$]_2$	aus Do–HB(…), △ 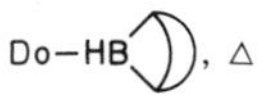	77
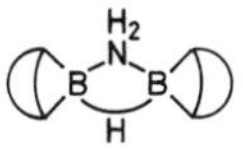 (B–NH_2–B, H-Brücke)	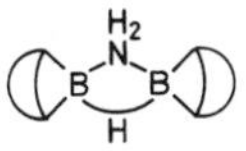 (B–NH_2–B, H-Brücke)	aus R(…)B–NH_2 + R(…)BH 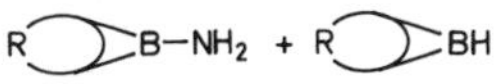	674
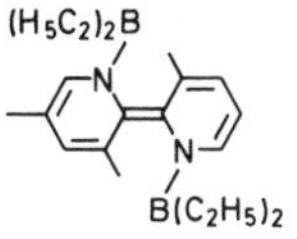 $(H_5C_2)_2B$–N…N–$B(C_2H_5)_2$ (Bipyridyliden)	 R_2B–N(R_{dien})	aus Do—R_2B—Hal + Li/THF	80
$Alkyl_2B$—NH—NH—$BAlkyl_2$	R_2B—NH—NH—BR_2	aus $R_3B + N_2H_4$, △ aus R^1_2B—$SR^2 + N_2H_4$ aus R^1_2B—$NR^2_2 + N_2H_4$ aus N_2H_4—$BR_3 + R_3B$	105 107 108 105
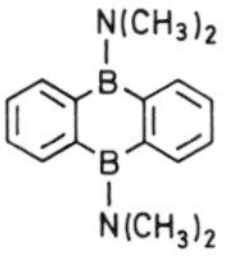 $N(CH_3)_2$–B(…)B–$N(CH_3)_2$ (Dibenzo-diboracyclohexadien)	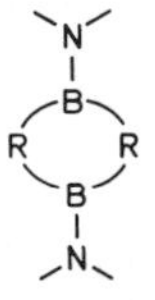 >N–B(R)(R)B–N<	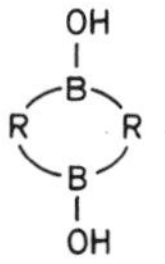 aus HO–B(R)(R)B–OH + R^1_2NH	40
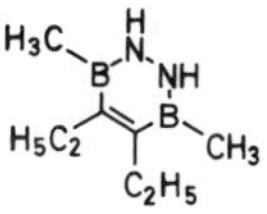 H_3C–B, NH, NH, B–CH_3; H_5C_2, C_2H_5	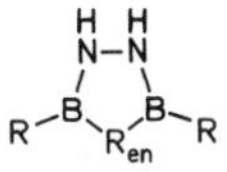 R–B(HN–NH)(R_{en})B–R	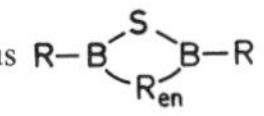 aus R–B(S)(R_{en})B–R + N_2H_4	108

2. **Diorganobor-Stickstoff-Verbindungen mit drei Bor-Atomen**

Formel	Verbindungstyp	Herstellungsart	s. S.
$[(H_5C_2)_2B$–NH–$(CH_2)_3]_2N$–$B(C_2H_5)_2$	$(R^1_2B$–NH–R^2–$)_2N$–BR^1_2	aus R^1_2B—NR^2_2 + H_2N—R—NH—R—NH_2	49
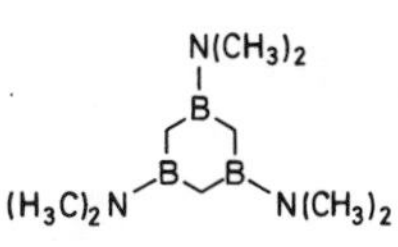 $N(CH_3)_2$; $(H_3C)_2N$; $N(CH_3)_2$ (Triboracyclohexan)	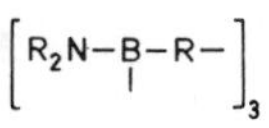 $[R_2N$–B(–)–R–$]_3$	aus Hal—$B(NR_2)_2 + RLi_2$	73

α_6) mit oxidierenden Stickstoff-Verbindungen

Mit N-Chlor-Verbindungen als „oxidierende Stickstoff-Verbindungen" reagieren Triorganoborane zu Amino-diorgano-boranen, die allerdings im allgemeinen bequemer auf anderen Wegen zugänglich sind. Die radikalisch verlaufende Reaktion des Tributylborans mit Chlor-dimethyl-amin ergibt *Dibutyl-dimethylamino-boran* (48%)[1]:

$$(H_9C_4)_3B \; + \; Cl{-}N(CH_3)_2 \xrightarrow[-Cl-C_4H_9]{} (H_9C_4)_2B{-}N(CH_3)_2$$

Daneben verläuft eine nichtradikalische Konkurrenzreaktion, durch die *Chlor-dibutyl-boran* (vgl. Bd. XIII/3a, S. 387) und Butyl-dimethyl-amin gebildet werden.

Aus Tributylboran läßt sich mit Tetramethyltetrazen unter UV-Belichtung *Dibutyl-dimethylamino-boran* (68%) gewinnen[2]:

$$(H_9C_4)_3B + (H_3C)_2N{-}N{=}N{-}N(CH_3)_2 \longrightarrow N_2 + (H_9C_4)_2B{-}N(CH_3)_2 + H_9C_4{-}N(CH_3)_2$$

β) aus Hydro-organo-boranen

Zur Herstellung von Amino-diorgano-boranen kann man von Diorgano-hydro-boranen ausgehen, die primäre und sekundäre Amine unter Abspaltung von Wasserstoff borylieren. Auch verschiedene Aminoelement-Verbindungen können boryliert werden. Dihydro-organo-borane kommen als Ausgangsstoffe nicht infrage. Die Additionsverbindungen der beiden Boran-Typen mit tertiären Aminen oder anderen Lewisbasen sind aber zur Herstellung der Amino-diorgano-borane besonders gut geeignet (vgl. S. 76ff.).

„Diorgano-hydro-borane" ist ein vereinfachter Ausdruck für die tatsächlich vorliegenden Verbindungen bzw. Verbindungsgemische. „Tetraorganodiborane(6)" ($R_4B_2H_2$) liegen als dimere Hydro-organo-borane mit H-Brücken (vgl. Bd. XIII/3a, S. 321, 352ff.) vor. Präparativ bedeutend sind nur die Alkyl-Derivate. Tetraalkyldiborane(6) sind im allgemeinen keine reinen Verbindungen. Als Folge von Dismutierungsgleichgewichten bestehen sie aus Trialkylboran und Alkyldiboranen(6).

Es ist stets zweckmäßig, vor Einsatz des RBH-Borylierungsmittels dessen Hydrid-Gehalt zu bestimmen[3]. Tetraalkyldiborane(6), die z.B. aus Diboran(6) und Trialkylboranen bequem zugänglich sind (vgl. Bd. XIII/3a, S. 333), reagieren als N-Borylierungsmittel unter Wasserstoff-Abspaltung und im allgemeinen ohne Ligandenaustausch:

$$(R^1_2BH)_2 \; + \; 2\,HNR^2R^3 \longrightarrow 2\,R^1_2B{-}NR^2R^3 \; + \; 2\,H_2$$

Die Temperaturen liegen tiefer als bei der N-Borylierung mit Triorganoboranen. Zwischenstufen der Borylierung am N-Atom sind Verbindungen vom Typ

$$R^3R^2\overset{\oplus}{N}H{-}\overset{\ominus}{H}BR^1_2$$

Unterschiedlich hohe Temperaturen sind notwendig. Dipropyl-hydro-boran reagiert mit Alkylamin schon in siedendem Ether. Die 1,2-Diborylierung von Hydrazin (vgl. S. 106) mit den entsprechenden Tetraalkyldiboranen(6) tritt erst bei 100–150° ein[4].

---

[1] A.G. Davies, S.C.W. Hook u. B.P. Roberts, J. Organometal. Chem. **23**, C11 (1970).
[2] A.G. Davies, S.C.W. Hook u. B.P. Roberts, J. Organometal. Chem. **22**, C37 (1970).
[3] R. Köster, H. Bellut u. S. Hattori, A. **720**, 1 (1968).
[4] R. Köster, Mülheim a.d. Ruhr, unveröffentlicht 1962.

Diorgano-hydro-borane werden im allgemeinen mit Aminen ohne Lösungsmittel umgesetzt. Mit flüchtigen Aminen muß entweder im geschlossenen System gearbeitet werden, oder man leitet z.B. Ammoniak durch das heiße Diorgano-hydro-boran.

β_1) mit Ammoniak

Diorgano-hydro-borane [Tetraorganodiborane(6)] reagieren mit Ammoniak meist unter symmetrischer BH_2B-Spaltung zu Ammoniak-Diorgano-hydro-boranen (vgl. S. 473). Aus diesen wird im allgemeinen oberhalb ~60° Wasserstoff quantitativ freigesetzt. Man erhält Amino-diorgano-borane in hohen Ausbeuten, falls die Ammoniak-Konzentration stets hoch ist. Die Bildung von Bis[diorganoboryl]aminen (vgl. S. 299) wird so weitgehend vermieden.

Aus Bis(9-borabicyclo[3.3.1]nonan) läßt sich mit Ammoniak in Toluol in 97%iger Ausbeute dimeres *9-Amino-9-borabicyclo[3.3.1]nonan* (F: 170°) mit vierfach koordinierten Bor-Atomen (vgl. S. 674) herstellen[1]:

$$1/2 \left[(\text{C}\!\!\supset\!\text{B–H}) \right]_2 \xrightarrow[-H_2]{+NH_3} 1/2 \left[(\text{C}\!\!\supset\!\text{B–NH}_2) \right]_2$$

Aus dem dimeren 3-Methylborolan ist mit Ammoniak dimeres *1-Amino-3-methyl-borolan* ($Kp_{0,1}$: 86–88°) (vgl. S. 674) zugänglich[2].

$$(\text{3-Methylborolan})_2 + 2\ NH_3 \xrightarrow[-2\ H_2]{} \left[H_3C\text{-}C_4H_7\text{B–NH}_2 \right]_2$$

β_2) mit Aminen

$\beta\beta_1$) mit primären Aminen

Aus Dialkyl-hydro-boranen lassen sich mit prim. Aminen zwischen 30° und 130° die entsprechenden Amino-dialkyl-borane leicht herstellen[3-6]:

$$R^1_2BH \xrightarrow[-H_2]{+H_2N\text{—}R^2} R^1_2B\text{—}NH\text{—}R^2$$

Eine weitere N-Borylierung des Amino-dialkyl-borans tritt nicht ein. Zugänglich sind aus offenkettigen[3-5] sowie cyclischen[6] Organodiboranen(6), z.B. die in der Tab. 4 (S. 20) aufgeführten Verbindungen.

---

[1] R. Köster u. G. Seidel, A. **1977**, 1837.
[2] R. Köster, Mülheim a.d. Ruhr, unveröffentlicht 1962.
[3] R. Köster, H. Bellut u. S. Hattori, A. **720**, 1 (1968).
[4] B.M. Mikhailov, V.A. Dorokhov u. N.V. Mostovoi, Izv. Akad. SSSR **1964**, 199; engl.: 186; C.A. **60**, 9301 (1964).
[5] B.M. Mikhailov, A.A. Akhnazaryan u. L.S. Vasil'ev, Doklady Akad. SSSR **136**, 828 (1961); C.A. **55**, 18561 (1961).
[6] R. Köster u. K. Iwasaki, Advan. Chem. Ser. **42**, 148 (1964); C.A. **60**, 10705 (1964).

Tab. 4: Amino-diorgano-borane aus Diorgano-hydro-boranen mit primären Aminen

R^1_2BH R^1	$R^2–NH_2$ R^2	Reaktions-temp. [°C]	Amino-diorgano-boran	Ausbeute [%]	Kp [°C]	Kp [Torr]	Literatur
C_2H_5	$CH_2–CH_2–C_6H_5$	60	*Diethyl-(2-phenyl-ethylamino)-boran*	95	60	0,05	1
	C_6H_5	30–50	*Anilino-diethyl-boran*	82	39–41	0,01	2
	$4-C_6H_5–C_6H_4$	40–60	*(4-Biphenylylamino)-diethyl-boran*	95	96–98	0,01	1
C_3H_7	$CH_2–CH=CH_2$	35	*Allylamino-dipropyl-boran*	70	59–62	10	2
	C_6H_5		*Anilino-dipropyl-boran*	80	120–123	11,5	3
C_4H_9	C_6H_5		*Anilino-dibutyl-boran*	76	142–144	8,4	3
3-Methyl-borolan (H_3C-substituierter Ring mit BH)	C_2H_5	80	*1-Ethylamino-3-methyl-borolan*	36	35–37	8	4
	$CH_2–C_6H_5$	100	*1-Benzylamino-3-methyl-borolan*	84	54	12	4

Aus „Tetraaryldiboranen(6)“ sind mit prim. Aminen Amino-diaryl-borane zugänglich[3,5,6]:

$$(Ar_2BH)_2 \quad + \quad R—NH_2 \quad \xrightarrow[-H_2]{} \quad Ar_2B—NH—R$$

$Ar = C_6H_5$; $R = C_2H_5$ (8 Stdn. 70–100°); *Diphenyl-ethylamino-boran*[5]; 57%; Kp_3: 124–128°
Ar = 1-Naphthyl; $R = C_2H_5$ (100–120°); *Di-1-naphthyl-ethylamino-boran*[6]; 73%; F: 176–177°

$\beta\beta_2$) mit sekundären Aminen

Aus „Tetraalkyl(Tetraaryl)diboranen“ sind mit sek. Aminen zwischen 40° und ~100° Amino-dialkyl-borane zugänglich[4,7–10].

Dipropyl-piperidino-boran[1]: 21,8 g (0,11 mol) Tetrapropyldiboran(6) (1,02% H^-) und 18,7 g (0,22 mol) Piperidin werden ~8 Stdn. bei 140° erhitzt. Anschließend wird i. Vak. destilliert; Ausbeute: 34,9 g (87%); Kp_{15}: 106°.

Diethyl-pyrrolo-boran[9]: Zu 40,5 g (0,605 mol) Pyrrol tropft man bei 90° innerhalb 4 Stdn. 46,1 g eines Ethyldiborans, dessen Hydrid-Gehalt 0,515 mol beträgt. Man erhält 11,2 *l* (0,500 mol) Gas. Anschließend wird i. Vak. destilliert; Ausbeute: 66 g (94%); Kp_{15}: 66–70°.

Außer den Aminen mit offenkettigen Diorganoboryl-Gruppierungen (Tab. 4, 5, S. 21) lassen sich Amine mit cyclischen Boryl-Resten gewinnen (vgl. Tab. 4).

[1] R. Köster, H. Bellut u. S. Hattori, A. **720**, 1 (1968).
[2] B. M. Mikhailov, V. A. Dorokhov u. N. V. Mostovoi, Izv. Akad. SSSR **1964**, 199; engl.: 186; C. A. **60**, 9301 (1964).
[3] B. M. Mikhailov, A. A. Akhnazaryan u. L. S. Vasil'ev, Doklady Akad. SSSR **136**, 828 (1961); C. A. **55**, 18561 (1961).
[4] R. Köster u. K. Iwasaki, Advan. Chem. Ser. **42**, 148 (1964); C. A. **60**, 10705 (1964).
[5] B. M. Mikhailov u. V. A. Dorokhov, Izv. Akad. SSSR **1962**, 623; engl.: 576; C. A. **57**, 16643 (1962).
[6] B. M. Mikhailov u. V. A. Dorokhov, Izv. Akad. SSSR **1962**, 1213; engl.: 1138; C. A. **58**, 5707 (1963).
[7] A. B. Burg u. J. Banus, Am. Soc. **76**, 3903 (1954); C. A. **48**, 13512 (1954).
[8] R. Köster, Ang. Ch. **75**, 730 (1963).
[9] H. Bellut u. R. Köster, A. **738**, 86 (1970); C. A. **73**, 109826 (1970).
[10] B. M. Mikhailov u. V. A. Dorokhov, Doklady Akad. SSSR **136**, 356 (1961); C. A. **55**, 17553 (1961).

Tab. 5: Dialkyl-diorganoamino-borane aus Tetraorganodiboranen(6) mit sekundären Aminen

$(R^1_2BH)_2$ R^1	R^2_2NH R^2	Reaktions-temp. [°C]	Dialkyl-diorganoamino-boran	Ausbeute [%]	Kp [°C]	Kp [Torr]	Literatur
CH_3	$HN(CH_3)_2$	160	*Dimethyl-dimethylamino-boran*	89	65		[1]
C_2H_5	$HN(C_2H_5)_2$	130	*Diethyl-diethylamino-boran*	87	88–91	100	[2]
	$HN(CH_3)–(CH_2)_2–C_6H_5$	40	*Diethyl-[methyl-(2-phenylethyl)-amino]-boran*	96	115–118	9	[3]
	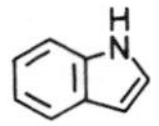	90	*Diethyl-indolo-boran*	87	80–83	0,001	[3]
	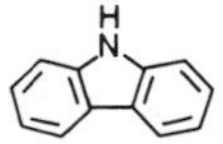	90	*Carbazolo-diethyl-boran*	24[a]	93–95	0,0001 (F: 35°)	[3]
C_3H_7	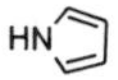	115–180	*Dipropyl-pyrrolo-boran*	85	93–95	14	[3]
	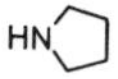	130	*Dipropyl-pyrrolidino-boran*	82	91	15	[2]
C_6H_5	$HN(CH_3)_2$	100–140	*Dimethylamino-diphenyl-boran*	65	121–122	2,5	[4]
	$HN(C_2H_5)_2$	110	*Diethylamino-diphenyl-boran*	80	128–132	2,5	[5]

[a] zusätzlich entstehen 12% *Dicarbazolo-ethyl-boran* (F: 185°).

[1] A. B. Burg u. J. Banus, Am. Soc. **76**, 3903 (1954).
[2] R. Köster, H. Bellut u. S. Hattori, A. **720**, 1 (1968).
[3] H. Bellut u. R. Köster, A. **738**, 86 (1970).
[4] B. M. Mikhailov u. V. A. Dorokhov, Izv. Akad. SSSR **1962**, 1213; engl.: 1138; C. A. **58**, 5707 (1963).
[5] B. M. Mikhailov u. V. A. Dorokhov, Doklady Akad. SSSR **136**, 356 (1961); C. A. **55**, 17553 (1961).

Die Aminierung von 1,1;2,2-Bis[2-methylbutan-1,4-diyl]diboran(6) mit sekundären Aminen zu 1-Amino-3-methyl-borolanen gelingt in guten Ausbeuten. Die Komponenten werden im Verhältnis 1:2 langsam aufgeheizt, wobei ab 50° die Wasserstoff-Entwicklung einsetzt und bei 80° sehr heftig wird[1,2]:

$$\frac{1}{2}\left[\text{H}_3\text{C-C}_4\text{H}_7\text{BH}\right]_2 + \text{HNR}^1\text{R}^2 \xrightarrow{-\text{H}_2} \text{H}_3\text{C-C}_4\text{H}_7\text{B-NR}^1\text{R}^2$$

$\beta\beta_3$) mit ungesättigten Aminen

Die Reaktionen der Hydro-organo-borane mit ungesättigten Aminen verlaufen im allgemeinen wesentlich uneinheitlicher als mit Alkylaminen, da außer den N-Borylierungen auch Hydroborierungen der C,C-Mehrfachbindungen eintreten[3]. Die Zusammensetzung der ebenfalls über Amin-Borane (vgl. S. 479, 483) entstehenden Produkte hängt hauptsächlich von den jeweiligen Konzentrationsverhältnissen der Reaktionspartner und den Bedingungen (Lösungsmittel, Temperatur) ab. Aus Tetrabutyldiboran(6) erhält man mit Allylamin unter bestimmten Bedingungen z. B. 52% *Allylamino-dibutyl-boran* sowie 28% *(3-Aminopropyl)-dibutyl-boran* mit tetrakoordiniertem Bor-Atom (vgl. S. 439). Dessen Ausbeute steigt an, wenn das Allylamin in der Kälte zum Tetrabutyldiboran(6) in Ether getropft und dann zum Sieden erhitzt wird[3]. Hierbei wird offensichtlich der Allyl-Rest des Amin-Borans besonders leicht hydroboriert. Auch die Bildung cyclischer Amino-dialkyl-borane läßt sich nicht ganz ausschließen, da aus RBH_2-Anteilen besonders leicht intramolekulare Hydroborierungsprodukte gebildet werden (vgl. S. 23). Für sämtliche Produkte ist die primäre Bildung der Lewisbase-Borane und deren Reaktivität entscheidend[3]:

1/2 $(R_2BH)_2$ + $H_2N-CH_2-CH=CH_2$ →

→ ($-H_2$) $R_2B-NH-CH_2-CH=CH_2$

→ $R_2B^{\ominus}$–$CH_2CH_2CH_2$–$N^{\oplus}H_2$ (cyclisch) (vgl. S. 439)

→ ($-RH$) R–B(–$CH_2CH_2CH_2$–NH–) (cyclisch)

$R = C_3H_7, C_4H_9$

Allylamino-dipropyl-boran[3]: 98 g (0,5 mol) Tetrapropyldiboran(6) werden zu 57 g (1 mol) siedendem Allylamin getropft, man läßt abkühlen und destilliert i. Vak.; Ausbeute: 107 g (70%); Kp_{10}: 59–62°.

Auch mit speziellen tert. Aminen lassen sich aus Alkyl-hydro-boranen Amino-dialkyl-borane herstellen. 1-Isopropyl-2-methylen-aziridin reagiert unter Hydroborierung und Ringöffnung zum *2-Ethyl-1-isopropyl-1,2-azaborolidin* (~68%)[4]:

---

[1] R. Köster, Ang. Chem. **75**, 730 (1963).
[2] R. Köster u. K. Iwasaki, Advan. Chem. Ser. **42**, 148 (1964); C. A. **60**, 10705 (1964).
[3] B. M. Mikhailov, V. A. Dorokhov u. N. V. Mostovoi, Izv. Akad. SSSR **1964**, 199; engl.: 186; C. A. **60**, 9301 (1964); wird bei 20° gearbeitet so erhält man *(3-Aminopropyl)-dipropyl-boran* zu 60%.
[4] U. Klotz, Mülheim a. d. Ruhr 1978, Diplomarbeit Universität Kaiserslautern 1979.

$$1/2\ (H_5C_2{-}BH_2)_2 \xrightarrow{+\ \text{1-Isopropyl-2-methylen-aziridin}} \text{1-Isopropyl-2-ethyl-1,2-azaborolidin}$$

Das Zwischenprodukt *(Allyl-isopropyl-amino)-diethyl-boran* kann im Produkt enthalten sein, falls zu wenig >BH-Reagenz verwendet wurde[1]:

$$(H_5C_2)_2BH + H_2C{=}\text{Aziridin-N-}CH(CH_3)_2 \longrightarrow [\ \text{N-}CH(CH_3)_2,\ H_2C{-}B(C_2H_5)_2\ ] \longrightarrow CH_2{=}CH{-}CH_2{-}N(CH(CH_3)_2){-}B(C_2H_5)_2$$

$$\xrightarrow[-(H_5C_2)_3B]{+(H_5C_2)_2BH} \text{1-}CH(CH_3)_2\text{-2-}C_2H_5\text{-1,2-azaborolidin}$$

γ) aus Halogenboranen

Die Herstellung von Amino-diorgano-boranen aus Diorgano-halogen-boranen z. B. mit Aminen oder Acylaminen (vgl. S. 91) ist ein allgemein anwendbares Standardverfahren (vgl. Tab. 1, S. 6ff.).

Diorgano-halogen-borane werden vereinzelt auch als Haloborierungsmittel von Iminen zur Herstellung von Amino-diorgano-boranen eingesetzt. Dihalogen-organo-borane sind zur Gewinnung spezieller cyclischer Amino-diorgano-borane mit der BN-Gruppierung im Ring geeignet (vgl. S. 37ff.).

$γ_1$) *aus Diorgano-halogen-boranen*

Eingesetzt werden vor allem **Chlor**-diorgano-borane (vgl. Bd. XIII/3a, S. 379ff.), die nicht nur gut zugänglich, sondern auch sehr wirksame Reagenzien sind. Zu **Brom**-organo-boranen greift man, wenn man z.B. Amino-dimethyl-borane herstellen will, da das flüssige Brom-dimethyl-boran leichter handhabbar ist als das bei 20° gasförmige Chlor-dimethyl-boran. Fluor im Borylierungsmittel kann eine Rolle spielen, wenn die beiden Organo-Reste (z.B. 2,4,6-Trimethylphenyl) sehr sperrig sind. Diorgano-fluor-borane mit dem kleinen Fluor-Atom sind dann leichter zugänglich als die übrigen Diorgano-halogen-borane. Man kann zwar wirksam mit Diorgano-jod-boranen am N-Atom borylieren, doch ist die Herstellung jodhaltiger Borane teurer und meist aufwendiger als die der übrigen Halogen-diorgano-borane.

$γγ_1$) mit Ammoniak oder Aminen

Am einfachsten ist es, direkt von Ammoniak oder einem prim. oder sek. Amin auszugehen. Beim 1:1-Umsatz des Borylierungsmittels mit Amin bildet das freigesetzte Hydrogenhalogenid mit dem nicht umgesetzten Amin Ammonium-Salze, aus denen das Amin thermisch freigesetzt werden muß. Ein 1:1-Umsatz bleibt daher auf Carbonsäureamide und ähnliche Säureamide (vgl. Tab. 21, S. 88) beschränkt.

[1] U. Klotz, Mülheim a.d. Ruhr 1978, Diplomarbeit Universität Kaiserslautern 1979.

Tab. 6: Diorganobor-Stickstoff-Verbindungen mit Hetero-Atomen in den B-Organo-Resten

Formel	Verbindungstyp	Herstellungsart	s. S.
1. mit Halogen-Atomen			
H_3C, H_3C, H, N, B–C_6F_5	R^{Hal}–B, N, Ar, R	aus R^{Hal}–B(N^{Si})(Hal), Δ	58
H, N, B–C_6F_5, C_6H_5	R^{Hal}–B, N, Ar, R_{en}	aus R—$BHal_2$ + Ar—NH_2 + In	38, 62
Cl_3C(H_5C_6)B–N(CH_3)(CH_2–C_6H_5)	R^{Hal}(R^1)B–N(R^2)(R^3)	aus (R^1)(R^4)B–N(R^2)(R^3) + CCl_4/hν	48
H, N, B–CH_3, Cl	R–B, N, Ar, R^{Hal}_{en}	aus R–B(N)(R) + Hal_2/$H^{\oplus}$	51
H, N, B–CH_3, Cl	R–B, N, Ar, Ar^{Hal}	aus R–B(N)(R) + Hal_2/$H^{\oplus}$	51
H_9C_4–B(NH–Alkyl)($(CH_2)_4$–Br)	R^{Hal}(R)B–N<	aus R^{Hal}(R^1)B–OR^2 + R^3—NH_2	41
H_9C_4–B(NR_2)($(CH_2)_4$–Br)	R^{Hal}(R)B–NR^2_2	aus R^1_2B—NR^2_2 + R^{Hal}(R^1)B–OR^2	46
Br–CH_2–(bicyclo)B–N(R^1)(R^2) R^1 = H; R^2 = C_4H_9 R^1 = R^2 = C_2H_5	(R^{Hal})B–N<	aus R–B[N<]$_3$ + (R^{Hal})B–OR	74
R, N, B–CH_3, Br	R–B, N, R^{2-Hal}_{2-en}	aus R^1_2B-Hal + R^3_3Si—N—R_{in}	39
2. mit Sauerstoff-Atomen			
H_3COOC–CH_2–B(CH_3)($N(CH_3)_2$)	R^O(R)B–N<	aus R^1–B(Hal)(N–) + $(R^2OOC—CH_2)_2Hg$	61
R, N, B–CH_3, CO–CH_3 R = H, CH_3	R–B, N, Ar^O	aus R–B(N)(Ar) + H_3C–$\overset{\oplus}{C}O$ (borfern)	51

Tab. 6 (Fortsetzung)

Formel	Verbindungstyp	Herstellung	s. S.
$H_3COOC-(CH_2)_2$-(N-B-C_6H_5 Ring)	R–B(–N(H)–R^O–)R_{dien}	aus $R^S(R^1)B-NH-R^2 + H_2(M)$	52
3. mit Stickstoff-Atomen			
$(H_5C_2)_2N-CH_2$-(bicycl.)B–$N(C_2H_5)_2$	R^NB–NR_2	aus R^{Hal}B–$NR_2 + R_2NH$	51
$(H_5C_6)_2B-NH$-(Pyridyl)	$R_2B-NH-R^N$	aus $R^1_2B-NR^3_2 + R^2-NH_2$	49
R–B(–C(–)–NH–C_6H_5)(NH–C_6H_5)	$R^1(R^2)B-NH-R^3$	aus $R^1_3B + R^2-NC$ $+ R^2-NH_2$	16 16
$H_5C_6(NC)B-N(CH_3)_2$	$R^N_{in}(R^1)B-NR^2_2$	aus R–B(–N<)(Hal) + AgCN	61
$(NC)_2B-N(CH_3)_2$	$(R^N_{in})_2B-NR_2$	aus $Hal_2B-NR_2 + AgCN$	72
4. mit Phosphor- bzw. Zinn-Atomen			
H_5C_6-P(Ring)B–$N(C_2H_5)_2$	R^P_{dien}B–NR_2	aus $(R_{in})_2B-NR^1_2 + R^2-PH_2$ (borfern)	53
$(H_3C)_2$Sn(Ring)B–$N(C_2H_5)_2$	R^{Sn}_{dien}B–NR^1_2	aus $(R_{in})_2B-NR_2 + H_2Sn$< (borfern)	53
$(H_3C)_2$Sn(Ring)B–N(Piperidino)	R^{Sn}_{dien}B–N(Ring)	aus R^{Sn}_{dien}B–NR_2 + (Ring)NH	49

Da Halogenwasserstoff bei langfristigem Einwirken und in einem mit der Temperatur steigenden Maß auch die BC-Bindungen der Borylierungs-Edukte und -Produkte spalten kann, ist es ratsam, entweder das Hydrohalogenid mit einem Überschuß an Base abzufangen oder sein Auftreten ganz zu vermeiden. Wohlfeile Amine setzt man im Überschuß ein:

$$R^1_2B-Hal \quad + \quad 2\,HNR^2_2 \quad \longrightarrow \quad R^1_2B-NR^2_2 \quad + \quad [R^2_2NH_2]^+Hal^-$$

Beim breit anwendbaren Verfahren legt man das Amin, d.h. z.B. Ammoniak, primäres oder sekundäres aliphatisches sowie aromatisches Amin bzw. auch ein unsymmetrisches Dialkylhydrazin (vgl. S. 107) im mindestens doppelten Überschuß vor, gibt das Chlor- oder Brom-dialkyl- oder -diaryl-boran zu und erwärmt die Lösung. Als Lösungsmittel wird meist Diethylether angegeben. Benzol, Hexan, Chloroform u.a. sind ebenfalls geeignet. Ausgehend von den aggressiven Brom-organo-boranen sollte man Ether meiden. Die Ausbeuten liegen meist zwischen 60 und 80% (vgl. Tab. 7)[1–5].

Anstelle des zu borylierenden Amins kann zum Hydrogenhalogenid-Abfangen auch ein tertiäres Amin verwendet werden, da dieses selbst nicht boryliert wird. Das zugesetzte Amin muß jedoch genügend basisch und wenig flüchtig sein. Triethylamin ist meist gut geeignet:

$$R^1_2B{-}Hal + HNR^2_2 + (H_5C_2)_3N \longrightarrow R^1_2B{-}NR^2_2 + [(H_5C_2)_3NH]^+ Hal^-$$

Die mit guten Ausbeuten verlaufenden Reaktionen sind zur Herstellung von Amino-diorgano-boranen aller Art geeignet (Tab. 7).

Tab. 7: Amino-diorgano-borane aus Diorgano-halogen-boranen mit Ammoniak oder mit Aminen in Gegenwart von tertiärem Amin

Boran	Amin	Amino-diorgano-boran	Ausbeute [%]	Kp		Literatur
				[°C]	[Torr]	
$(H_5C_6)_2B{-}Cl$	NH_3	*Amino-diphenyl-boran* (dimer)	43	(F: 129–130°)		1
	$(H_5C_6)_2NH$	*Diphenyl-diphenyl-amino-boran*	61	(F: 148–150°)		1
	$(H_3C)_3C{-}NH_2$	*tert.-Butylamino-diphenyl-boran*	65	120	0,2	5
$(2\text{-}CH_3{-}C_6H_4)_2B{-}Cl$	NH_3	*Amino-bis-[2-methyl-phenyl]-boran*	75	86–88	0,001	2
$(H_3C)_2B{-}Cl$	$H_2C{=}CH{-}CH_2{-}NH_2$	*Allylamino-dimethyl-boran*	63	95		3
	$H_7C_3{-}NH_2$	*Dimethyl-propyl-amino-boran*	87	108	0,05	4

Wie aus den Tab. 8–10 (S. 27–32) zu entnehmen ist, sind Amino-diorgano-, Diorgano-organoamino- sowie -diorganoamino-borane gleichermaßen aus Diorgano-halogen-boranen mit den entsprechenden Aminen zugänglich. Offenkettige und cyclische Verbindungen lassen sich ebenso herstellen. Angewandt werden verschiedene Varianten zur Abspaltung des Halogenwasserstoffs (vgl. Tab. 8–10, S. 27, 29f., 32).

Mit Ammoniak werden vor allem Amino-diaryl-borane hergestellt. So liefern z.B. Chlor-diaryl-borane mit Ammoniak Amino-diaryl-borane[1,6]. Hierzu wird eine etherische Chlor-diaryl-boran-Lösung mit äquimolaren Mengen Ammoniak in Gegenwart von z.B. Triethylamin umgesetzt:

$$(H_5C_6)_2B{-}Cl + NH_3 + (H_5C_2)_3N \xrightarrow{\text{Ether}} (H_5C_6)_2B{-}NH_2 + [(H_5C_2)_3NH]^+Cl^-$$

Amino-diphenyl-boran(dimer)[1]: Die Lösung von 10 g (0,05 mol) Chlor-diphenyl-boran in 100 *ml* Diethylether wird bei ~20° mit Ammoniak gesättigt. Man gibt 5,1 g (0,05 mol) Triethylamin in 50 *ml* Ether langsam zu und kocht 1 Stde. unter Rückfluß. Nach Absaugen vom Triethylammoniumchlorid und Einengen des Filtrats wird der Rückstand aus Benzol umkristallisiert; Ausbeute: 3,6 g (43%); F. 129–130°.

---

[1] G.E. Coates u. J.G. Livingstone, Soc. **1961**, 1000.
[2] B.M. Mikhailov u. N.S. Fedotov, Izv. Akad. SSSR **1960**, 1590; engl.: 1479; C.A. **55**, 9353 (1961).
[3] H. Wille u. J. Goubeau, B. **105**, 2156 (1972).
[4] R.H. Cragg, M.F. Lappert u. B.P. Tilley, Soc. **1964**, 2108.
[5] C. Brown, R.H. Cragg, T.J. Miller u. D.O'N. Smith, J. Organometal. Chem. **217**, 139 (1981).
[6] B.M. Mikhailov u. N.S. Fedotov, Doklady Akad. SSSR **154**, 1128 (1964); engl.: 157; C.A. **60**, 11863 (1964).

Tab. 8: Amino-diaryl-borane aus Diaryl-halogen-boranen mit Ammoniak

R_2B–Hal	Reaktionsbedingungen	Amino-diaryl-boran	Ausbeute [%]	Kp [°C]	Kp [Torr]	Literatur
$[2-CH_3-C_6H_4]_2B-Cl$	Boran[a] zu NH_3 u. Überschuß an $(H_5C_2)_3N$ in Ether bei –40° geben, Rückfl.	*Amino-bis[2-methylphenyl]-boran*	75	86–88	0,001	[1]
$[2,4,6-(CH_3)_3C_6H_2]_2B-F$	Boran[b] zu Überschuß von NH_3 in Ether geben; 48 Stdn. Rückfluß	*Amino-bis[2,4,6-trimethylphenyl]-boran*	93	(F: 118–120°)		[1]
$[1-C_{10}H_7]_2B-Cl$	in Benzol	*Amino-(di-1-naphthyl)-boran*	87	(F: 113–114°)		[2]

[a] Aus Bis[2-methylphenyl]-hydroxy-boran mit Trichlorboran hergestellt (vgl. Bd. XIII/3a, S. 415 u. 469); E. W. Abel, S. H. Dandegaonker, W. Gerrard u. M. F. Lappert, Soz. **1956**, 4697.
[b] Hergestellt aus Diethylether-Trifluorboran mit Methylmagnesiumbromid; vgl. H. C. Brown u. V. H. Dodson, Am. Soc. **79**, 2305 (1957).
vgl. a. Bd. XIII/23a, S. 431.

[1] G. E. Coates u. J. G. Livingstone, Soc. **1961**, 4909.
[2] B. M. Mikhailov u. N. S. Fedotov, Izv. Akad. SSSR **1960**, 1590; engl.: 1479; C. A. **55**, 9353 (1961).

Die Aminierung von Dialkyl-halogen-boranen mit prim. Aminen ist einfach, jedoch nicht generell anwendbar. Die als Zwischenprodukte entstehenden Addukte aus dem Dialkyl-halogen-boran und dem Amin werden thermisch dehydrohalogeniert, und zwar in der Regel durch Zugabe eines tertiären Amins als Hilfsbase. Diese kann auch das überschüssige Amin selbst sein.

$$R^1_2B{-}Hal \; + \; 2\,H_2N{-}R^2 \longrightarrow R^1_2B{-}NH{-}R^2 \; + \; [R^2{-}NH_3]^+\,Hal^-$$

Hal = Cl, Br

Verschiedene Diorganoamino-di(subst.-vinyl)-borane sind in Diethylether in Gegenwart von Triethylboran aus Chlor-di(subst.-vinyl)-boranen mit einigen sek. Aminen (Dimethylamin, N-Methyl-anilin) in 60%iger Ausbeute herstellbar[1].

Dimethyl-isopropylamino-boran[2]: 10,8 g (0,183 mol) Isopropylamin werden in 60 *ml* Toluol vorgelegt. Dazu tropft man bei −10° 7,35 g (0,061 Mol) Brom-dimethyl-boran und erwärmt 10 Min. auf 70°. Nach Abfiltern des ausgefallenen Dimethylammoniumbromids wird destillativ aufgearbeitet; Ausbeute: 3,5 g (59%); Kp_{720}: 72–74°.

Die Aminierung von Diaryl-halogen-boranen mit primären Aminen ist eine sehr gute Herstellungsmethode für Amino-diaryl-borane. Das bei der Kondensation freiwerdende Hydrogenhalogenid wird wie bei der Herstellung der Amino-dimethyl-borane z. B. mit dem primären Amin selbst oder mit Triethylamin abgefangen (vgl. Tab. 9, 10, S. 29f., 32)[3].

$$R^1_2B{-}Hal \; + \; H_2N{-}R^2 \; + \; (H_5C_2)_3N \longrightarrow R^1_2B{-}NH{-}R^2 \; + \; [(H_5C_2)_3NH]^+\,Hal^-$$

tert.-Butylamino-diphenyl-boran[3]: 4,4 g (23 mmol) Chlor-diphenyl-boran werden bei −78° zu 1,7 g (23 mmol) tert.-Butylamin in 20 *ml* Petrolether (Kp: ~45°) getropft. Man erwärmt auf 20° und fügt einen Überschuß an Triethylamin (~4 g) zu. 2,95 g (95%) Triethylammoniumchlorid werden abfiltriert. Nach Entfernen des Lösungsmittels wird i. Vak. destilliert; Ausbeute: 4,5 g (87%); $Kp_{0,05}$: 108°.

Alkandiyl-amino-borane sind ebenfalls aus den entsprechenden Chlor-Derivaten mit primären Aminen zugänglich. Allerdings muß die Bildung von Bis[amin]-diorgano-bor (1+)-halogeniden (s. S. 681ff.) beachtet werden. So erhält man aus 1-Chlorborolan mit Aminen bei tiefen Temperaturen (−15 bis −70°) in Isopentan zunächst die salzartigen Bis[amin]borolan(1+)-chloride; diese liefern beim Erhitzen unter Abspaltung von Ammoniumchlorid 1-Amino-borolane, die nicht unbeschränkt haltbar sind[4,5]:

$$\text{(Borolan)}B{-}Cl \; + \; 2\,H_2N{-}R \longrightarrow \left[\text{(Borolan)}{}^{\ominus}B(\overset{\oplus}{N}H_2{-}R)_2\right]^+ Cl^- \xrightarrow[-[NH_2R^1R^2]Cl]{\Delta} \text{(Borolan)}B{-}NH{-}R$$

...-borolan

z. B.: R = C_2H_5; *1-Ethylamino-* ...; Kp_{15}: 37,5–38°
R = C_4H_9; *1-Butylamino-* ...; Kp_8: 55°
R = C_6H_5; *1-Anilino-* ...; Kp_3: 78,5–79°

---

[1] T. J. Sobieralski u. K. G. Hancock; Am. Soc. **104**, 7533 (1982).
[2] H. Nöth, B. **104**, 558 (1971).
[3] R. H. Cragg, M. F. Lappert u. B. P. Tilley, Soc. **1964**, 2108.
[4] B. M. Mikhailov, T. K. Kozminskaya u. L. V. Tarasova, Doklady Akad. SSSR **160**, 615 (1965); engl.: 107; C. A. **62**, 14714 (1965).
[5] B. M. Mikhailov u. T. K. Kozminskaya, Izv. Akad. SSSR **1963**, 1703; engl.: 1567; C. A. **59**, 15294 (1963).

Tab. 9: Amino-dialkyl-borane aus Dialkyl-halogen-boranen mit primären Aminen

R^1_2B-Hal	Amin	Bedingungen	Amino-dialkyl-boran	Ausbeute [%]	Kp		Literatur
					[°C]	[Torr]	
$(H_3C)_2B$–Br	4-Amino-1-buten	in Hexan; nach Erwärmen $N(C_2H_5)_3$ zufügen; 3 Stdn. Rückfluß	*(3-Butenylamino)-dimethyl-boran*	63	95	760	[1]
$(H_5C_2)_2B$–Cl	Anilin	Anilin-Überschuß in Hexan; 1 Stde., 80°	*Anilino-diethyl-boran*	65	95	15	[2]
$(H_9C_4)_2B$–Cl	Butylamin	doppelte Amin-Menge, in Ether	*Butylamino-dibutyl-boran*	81	61–68	2	[3,4]
$(H_5C_6)_2B$-Cl	Isopropylamin	Vereinigen in Petrolether unter Kühlen (0°); 3 Stdn. Rückfluß; vom Salz abfiltrieren und aus dem Filtrat nach Einengen isolieren und destillieren	*Diphenyl-isopropyl-amino-boran*	65	105	0,05	[5]
	Bis[trimethyl-silyl]amin	in Benzol 3 Stdn. Rückfluß; ansonsten wie voranstehend	*(Bis[trimethylsilyl]-amino)-diphenyl-boran*	50	110	0,1	[5]
	Anilin	vielfacher Amin-Überschuß 1 Stde.,	*Anilino-diphenyl-boran*	76	134–135	0,04	[6]
$(H_5C_6)_2B$–Br	2-Aminopropan	25°; Ether	*Diphenyl-isopropyl-amino-boran*	64	117	2	[7]

[1] H. Wille u. J. Goubeau, B. **105**, 2156 (1972).

[2] R. Köster u. K. Iwasaki, Advan. Chem. Ser. **42**, 148 (1964); C. A. **60**, 10705 (1964).

[3] J. P. Laurent, Bl. **1963**, 558; C. A. **59**, 648 (1963).

[4] T. A. Shchegoleva u. B. M. Mikhailov, Izv. Akad. SSSR **1965**, 714; C. A. **63**, 2992 (1965).

[5] C. Brown, R. H. Cragg, F. J. Miller u. D. O'N Smith, J. Organometal. Chem. **217**, 139 (1981).

[6] B. M. Mikhailov u. N. S. Fedotov, Izv. Akad. SSSR **1960**, 1590; C. A. **55**, 9353 (1961).

[7] H. Nöth, B. **104**, 558 (1971).

Tab. 9 (Forts.)

R^1_2B-Hal	Amin	Bedingungen	Amino-dialkyl-boran	Ausbeute [%]	Kp		Literatur
					[°C]	[Torr]	
$[2\text{-}CH_3C_6H_4]_2B\text{-}Hal$, Hal = Cl	Methylamin	–	*Bis[2-methylphenyl]-methylamino-boran*	96	102–103	1,5	1
Hal = Br	Isopropylamin	–	*Bis[2-methylphenyl]-isopropylamino-boran*	64	117	2	2
$[4\text{-}H_3C\text{-}C_6H_4]_2B\text{-}Cl$	Isobutylamin	–	*Bis[4-methylphenyl]-isobutylamino-boran*	55	136–138	2	3
$[1\text{-}C_{10}H_7]_2B\text{-}Cl$	Methylamin	doppelte Menge an Amin in Benzol	*(Di-1-naphthyl)-methyl-amino-boran*	81	(F: 104–106°)		1
Borolan B–Cl	Ethylamin	–	*1-Ethylaminoborolan*		37,5–38	15	4
	Anilin		*1-Anilinoborolan*		78,5–79,3	3	4
Borepan B–Cl	Propylamin	–	*1-Propylaminoborepan*		86	17	4,5

[1] B.M. Mikhailov u. N.S. Fedotov, Doklady Akad. SSSR **154**, 1128 (1964); C.A. **60**, 11863 (1964).
[2] C. Brown, R.H. Cragg, F.J. Miller u. D.O'N. Smith, J. Organometal. Chem. **217**, 139 (1981).
[3] H. Nöth, B. **104**, 558 (1971).
[4] B.M. Mikhailov, T.K. Kozminskaya u. L.V. Tarasova, Doklady Akad. SSSR **160**, 615 (1965); C.A. **62**, 14714 (1965).
[5] B.M. Mikhailov u. T.K. Kozminskaya, Izv. Akad. SSSR **1963**, 1703; C.A. **59**, 15294 (1963).

Bei der Aminierung von 1-Chlorborepan mit einem Überschuß an primärem Amin entsteht ein Gemisch aus 1-Aminoborepan und Bis[amin]-borepan(1+)-chlorid. Die Aminoboran-Komponente läßt sich destillativ abtrennen[1,2]:

$$2\ \text{(C}_6\text{H}_{12}\text{)B–Cl} + 3\ \text{R–NH}_2 \xrightarrow[-\text{HCl}]{} \text{(C}_6\text{H}_{12}\text{)B–NH–R} + \left[\text{(C}_6\text{H}_{12}\text{)}\overset{\ominus}{\text{B}}(\overset{\oplus}{\text{N}}\text{H}_2\text{–R})_2\right]^+ \text{Cl}^-$$

R = C_2H_5; *1-Ethylamino-* } *-borepan* Kp$_{16}$: 82–84°
R = C_3H_7; *1-Propylamino-* } *-borepan* Kp$_{17}$: 86°
R = C_6H_5; *1-Anilino-* } *-borepan* Kp$_2$: 91°

Die Herstellung von Diorgano-diorganoamino-boranen erfolgt bevorzugt aus den Diorgano-halogen-boranen mit einem Überschuß an sek. Amin. In der Tab. 10 (S. 32) sind Beispiele für die Herstellung aus jeweils äquimolaren Mengen Diorgano-halogen-boran und sek. Amin in Abwesenheit und bei Zugabe von tert. Amin aufgeführt.

$\gamma\gamma_2$) mit Amino-Element-Verbindungen

i_1) mit Metallamiden

Boryliert man Metallamide anstelle von Aminen, so geht die Gitterenergie der entstehenden Metallhalogenide mit in die Reaktionswärme ein, und die Triebkraft erhöht sich. Meist erhöht sich auch die Reaktionsgeschwindigkeit. Der erste Schritt in der Gesamtreaktion ist die Bildung eines 1:1-Addukts mit BN-Bindung. Falls diese Addukt-Bildung für die Reaktionsgeschwindigkeit maßgebend ist, hängt sie von der Basizität des Amins ab.

Man setzt Metallamide daher dann ein, wenn das freie Amin wie z.B. Arylamin wenig basisch ist. Sekundäre Amine mit einem in ein aromatisches System eingebauten N-Atom wie z.B. Pyrrol sowie Acylamine lassen sich so aktivieren.

Zur Herstellung von Amino-diorgano-boranen aus Diorgano-halogen-boranen mit Metallamiden werden von den Alkalimetall-Verbindungen Lithiumamide bevorzugt. Lithiumamide sind aus Amin und Alkyllithium-Verbindungen bequem zugänglich und in gewöhnlichen Lösungsmitteln löslich. Auch Natrium- oder Kaliumamide werden verwendet, wenn sie wie z. B. Metallpyrrolide leicht zugänglich sind.

Bisweilen bestimmt nicht die Basizität des Amins, sondern die Acidität des Halogenborans die Geschwindigkeit der Reaktion. Bei Vorliegen sperriger B-Organo-Reste reagiert ein Boran wie z.B. das Bis[2,4,6-trimethylphenyl]-fluor-boran mit einem gewöhnlichen Amin kaum, mit einem Lithiumamid jedoch zum entsprechenden Amino-bis[2,4,6-trimethylphenyl]-boran[3]:

$$R^1_2B\text{—Cl} + M\text{—}NR^2_2 \longrightarrow R^1_2B\text{—}NR^2_2 + MCl$$

Die nachfolgenden Vorschriften zur Herstellung von Amino-diorgano-boranen aus Diorgano-halogen-boranen mit Lithiumamiden zeigen, daß die zugehörigen Amine vielfach aus sterischen oder/und aus elektronischen Gründen schwache Basen sind (vgl. auch Tab. 11, S. 34).

Die Methode wird zwar hauptsächlich zur Herstellung von Diorgano-diorganoamino-boranen verwendet, doch ist sie auch gut zur Gewinnung von Amino-diorgano-boranen aus primären Aminen geeignet. Beispielsweise läßt sich aus 9-Chlor-9-borabicyclo[3.3.1]nonan mit Lithiummethylamid in einem Pentan/Hexan-Gemisch *9-Methylamino-9-borabicyclo[3.3.1]nonan* herstellen[4].

---

[1] B.M. Mikhailov, T.K. Kozminskaya u. L.V. Tarasova, Doklady Akad. SSSR **160**, 615 (1965); engl.: 107; C.A. **62**, 14714 (1965).
[2] B.M. Mikhailov u. T.K. Kozminskaya, Izv. Akad. SSSR **1963**, 1703; engl.: 1567; C.A. **59**, 15294 (1963).
[3] W. Maringgele u. A. Meller, J. Organometal. Chem. **188**, 401 (1980).
[4] G.W. Kramer u. H.C. Brown, J. Organometal. Chem. **132**, 9 (1977).

Tab. 10: Amino-dialkyl(diaryl)-borane aus Dialkyl(Diaryl)-halogen-boranen mit sekundären Aminen

Boran	Amin	Bedingungen	Amino-diorgano-boran	Ausbeute [%]	Kp [°C]	Kp [Torr]	Literatur
$(H_9C_4)_2B-Cl$	Dibutylamin	doppelte Amin-Menge	*Dibutyl-dibutyl-amino-boran*	–	146	14	1
$(H_{11}C_5)_2B-Cl$	Dipentylamin	Amin und Boran 1:1, einige Stdn. Rückfluß in Benzol	*Dipentyl-di-pentylamino-boran*	69	124	8	2
$(H_5C_6)_2B-Cl$	Diethylamin	doppelte Menge an Amin in Ether	*Diethylamino-diphenyl-boran*	71,5	159–162	11	3
	Piperidin		*Diphenyl-piperidino-boran*	53	200–203	14	3
	Diphenylamin	doppelte Menge an Amin in $CHCl_3$	*Diphenyl-diphenyl-amino-boran*	76	(F: 196–197°)		4, vgl. 5
	Diisopropylamin		*Diisopropylamino-diphenyl-boran*	64	117	2	6
$[2\text{-}CH_3C_6H_4]_2B-Cl$	Dimethylamin	doppelte Menge an Amin in Ether oder Benzol	*Bis*[*2-methylphenyl*]-*dimethylamino-boran*	83	155–157	9	7
$[1\text{-}C_{10}H_7]_2B-Cl$	Diphenylamin	doppelte Menge an Amin in warmem Hexan	*(Di-1-naphthyl)-diphenylamino-boran*	74,8	(F: 163–164°)		4
$(CH_2)_4B-Cl$	Dimethylamin		*1-Dimethylamino-borolan*		38–39	24	8

[1] J.P. Laurent, Bl. **1963**, 558; C.A. **59**, 648 (1963).
[2] K. Niedenzu, D.H. Harrelson, W. George u. J.W. Dawson, J. Org. Chem. **26**, 3037 (1961).
[3] B.M. Mikhailov u. N.S. Fedotov, Izv. Akad. SSSR **1956**, 1511; C.A. **51**, 1874, 8675 (1957).
[4] B.M. Mikhailov u. N.S. Fedotov, Ž. obšč. Chim. **32**, 93 (1962); C.A. **57**, 16641 (1962).
[5] G.E. Coates u. J.G. Livingstone, Soc. **1961**, 1000.
[6] H. Nöth, B. **104**, 558 (1971).
[7] B.M. Mikhailov u. N.S. Fedotov, Doklady Akad. SSSR **154**, 1128 (1964); engl.: 157; C.A. **60**, 11863 (1964).
[8] B.M. Mikhailov, T.K. Kozminskaya u. L.V. Tarasova, Doklady Akad. SSSR **160**, 615 (1965); engl.: 107; C.A. **62**, 14714 (1965).

Cl–B(bicyclo) + Li–NH–CH₃ → (– LiCl) CH₃–NH–B(bicyclo)

Aus Brom-dimethyl-boran sind z.B.[1]:

Anilino-dimethyl-boran	82%; Kp_1: 40–42°
2-Butylamino-dimethyl-boran	77%; Kp_{12}: 65°
Dimethyl-isopropylamino-boran	89%; Kp_{12}: 54–56°

zugänglich. Aus 1-Halogen-3-methyl-borolan in Hexan gewinnt man mit Lithiumtrimethylsilylamid *3-Methyl-1-trimethylsilylamino-borolan*[1].

Die aus Butyllithium mit sek. Aminen leicht zugänglichen Lithiumamide lassen sich mit Diaryl-halogen-boranen leicht unter Lithiumhalogenid-Abscheidung in die entsprechenden Amino-diaryl-borane überführen[2]:

$$R^1_2B{-}Hal + Li{-}N(R^2)(R^3) \xrightarrow{-\,LiHal} R^1_2B{-}N(R^2)(R^3)$$

Hal = Cl, F

Diphenyl-diphenylamino-boran[2]**:** Lithiumdiphenylamid in Ether wird bei −60° langsam zu einer äquivalenten Menge an Chlor-diphenyl-boran in Ether getropft. Man läßt die Mischung auf 20° kommen und filtriert vom ausgefallenen Lithiumchlorid ab. Nach Abziehen eines Teils des Lösungsmittels wird das Produkt abfiltriert und aus Benzol umkristallisiert; Ausbeute: 66%; F: 148–150°.

Analog wird *(Bis[4-methylphenyl]amino)-diphenyl-boran* (53%; F: 130–132°, aus Benzol/Hexan) erhalten[2].

Auch Amino-bis[2,4,6-trimethylphenyl]-borane sind auf ähnliche Weise aus Bis[2,4,6-trimethylphenyl]-fluor-boran in guten Ausbeuten zugänglich; die Reinigung erfolgt durch Extraktion und anschließende Kristallisation aus Ligroin oder Acetonitril als Lösungsmittel[3].

Alkandiyl-halogen-borane reagieren glatt mit Lithiumamiden. Beispielsweise gewinnt man *9-Dimethylamino-9-borabicyclo[3.3.1]nonan* aus dem 9-Chlor-Derivat mit Lithiumdimethylamid[4].

Diorgano-halogen-borane reagieren mit Additionsverbindungen des Butyllithiums an Imine [Lithium-N-(1-phenylpentyl)-anilid] unter Bildung von Amino-diorgano-boranen in 60–70%iger Ausbeute[5]:

$$R_2B{-}Hal + H_5C_6{-}CH(C_4H_9){-}N(C_6H_5)Li \xrightarrow[-\,LiHal]{Hexan} H_5C_6{-}CH(C_4H_9){-}N(C_6H_5)BR_2$$

Hal = Br, Cl

$R = CH_3$; *Dimethyl-[N-(1-phenylpentyl)anilino]-boran*; 60–70%; $Kp_{0,002}$: 115°
$R = C_6H_5$; *Diphenyl-[N-(1-phenylpentyl)anilino]-boran*; 60–70%; $Kp_{0,002}$: 158°

[1] H. Nöth, W. Tinhof u. B. Wrackmeyer, B. **102**, 518 (1974).
[2] G.E. Coates u. J.G. Livingstone, Soc. **1961**, 1000.
[3] M.E. Glogowski, P.J. Grisdale, J.L.R. Williams u. T.H. Regan, J. Organometal. Chem. **54**, 51 (1973).
[4] G.W. Kramer u. H.C. Brown, J. Organometal. Chem. **132**, 9 (1977).
[5] A. Meller, W. Maringgele u. K. Hennemuth, Z. anorg. Ch. **449**, 77 (1979).

Tab. 11: Diorgano-diorganoamino-borane aus Diorgano-halogen-boranen mit Lithiumamiden

R_2B-Hal	Lithiumamid	Amino-diorgano-boran	Ausbeute	Kp		Literatur
			[%]	[°C]	[Torr]	
$(H_5C_2)_2B-Cl$	$Li-N(NO_2)-COOC_2H_5$	*Diethyl-(ethoxycarbonyl-nitramino)-boran* (vgl. S. 105)	80			1
	$Li-N$ (pyrrole ring)	*Diethyl-pyrrolo-boran*	60	68–69	18	2
$(H_5C_6)_2B-Cl$	$Li-N[-C_6H_4-CH_3]_2$	*(Bis[4-methylphenyl]amino)-diphenyl-boran*	53	(F: 130–132°)		3
$[H_3C-C_6H_2(CH_3)_2]_2B-Cl$	$Li-N(CH_3)-C_6H_5$	*Bis*[*2,4,6-trimethylphenyl*]*-(N-methylanilino)-boran*	92	(F: 136–137°)		4
	$Li-N(CH_3)$–(1-naphthyl ring)	*Bis*[*2,4,6-trimethylphenyl*]*-(methyl-1-naphthyl-amino)-boran*	71	(F: 138–140°)		4
	$Li-N(C_6H_5)_2$	*Bis*[*2,4,6-trimethylphenyl*]*-diphenylamino-boran*	88	219–220		4
3-CH_3-1-Cl-1-boraindan (ring structure)	Li–(pyrrole ring)	*3-Methyl-1-pyrrolo-1-boraindan*	47	68–72	10	5

[1] S. L. Ioffe, A. S. Shashkov, A. L. Blynmenfel'd, L. M. Leont'eva, L. M. Makurenkova, O. B. Belkina u. V. A. Tartakovskii, Izv. Akad. SSSR, **1976**, 2547; engl.: 2731; C. A. **86**, 121426 (1977).

[2] R. Köster, H. Bellut u. S. Hattori, A. **720**, 1 (1968).

[3] G. E. Coates u. J. G. Livingstone, Soc. **1961**, 1000.

[4] M. E. Glogowski, O. J. Grisdale, J. L. R. Williams u. T. H. Regan, J. Organometal. Chem. **54**, 51 (1973).

[5] H. Bellut u. R. Köster, A. **738**, 86 (1970).

Natriumamide werden bisweilen zur Herstellung von Amino-diorgano-boranen verwendet. Beispielsweise sind Pyrroloborane so zugänglich.

1-Chlor-3-methyl-1-boraindan läßt sich mit einem kleinen Überschuß an Natriumpyrrolidid in Ether bei 20° unter Natriumchlorid-Ausscheidung aminieren (ohne vom Unlöslichen abzufiltrieren wird destillativ aufgearbeitet)[1]:

3-Methyl-1-pyrrolo-1-boraindan; 47%; $Kp_{0,001}$: 68–72°

Aus Chlor-dibutyl-boran erhält man mit Natrium-dimethylamino-dithiocarbonat *Dibutyl-dimethylamino-boran*[2]:

$$(H_9C_4)_2B{-}Cl \;+\; NaS{-}C(=S){-}N(CH_3)_2 \;\longrightarrow\; (H_9C_4)_2B{-}N(CH_3)_2 \;+\; CS_2 \;+\; NaCl$$

i_2) mit Amino-Verbindungen von Nichtmetallen

Zahlreiche Amino-Verbindungen von Nichtmetallen sind in der Lage, Amino-Gruppen auf Bor-Atome zu übertragen. Die Reaktionen von Diorgano-halogen-boranen mit Nichtmetallamiden verlaufen meist glatt und in guten Ausbeuten. In breitem Umfang sind die Substitutionen zur Herstellung von Dimethylamino-diorgano-boranen angewendet worden. Allerdings muß das Nichtmetallamid zunächst hergestellt werden.

Als Amino-Verbindungen eignen sich solche des Schwefels, des Phosphors und des Kohlenstoffs. Weitaus am umfangreichsten werden jedoch Organosilane mit den unterschiedlichsten N-Funktionen (z.B. Amino-, subst. Amino-, Säureamid-, Harnstoff-, Hydrazino-, Alkylidenamino-, Azido-Gruppen) verwendet.

Chlor-dialkyl-borane und Bis[dimethylamino]sulfan bzw. Schwefligsäure-bis[dimethylamid] tauschen bei 80–100° das Chlor-Atom mit einer der beiden Amino-Gruppen aus, so daß man das Dialkyl-dimethylamino-boran in jeweils mehr als 80%iger Ausbeute isoliert[3].

$$R_2B{-}Cl \;+\; [(H_3C)_2N]_2S \xrightarrow[-(H_3C)_2NSCl]{} R_2B{-}N(CH_3)_2$$

$R = C_3H_7$; *Dimethylamino-dipropyl-boran*; 82%; Kp_{15}: 62–63°
$R = C_4H_9$; *Dibutyl-dimethylamino-boran*; 93%; Kp_{12}: 78–80°

$$R_2B{-}Cl \;+\; [(H_3C)_2N]_2SO \xrightarrow[-(H_3C)_2NSOCl]{} R_2B{-}N(CH_3)_2$$

$R = C_3H_7$; *Dimethylamino-dipropyl-boran*; 81%; Kp_{10}: 54–56°

---

[1] H. Bellut u. R. Köster, A. **738**, 86 (1970).
[2] H. Nöth u. P. Schweizer, B. **102**, 161 (1969).
[3] H. Nöth u. G. Mikulaschek, B. **97**, 709 (1964).

Dimethylamino-Reste lassen sich zwischen Chlor-diphenyl-boran und Phosphorsäure-tris[dimethylamid] bei 170° austauschen[1]. Zur Umsetzung wird die zunächst entstehende Additionsverbindung erhitzt.

$$(H_5C_6)_2B{-}Cl \quad + \quad [(H_3C)_2N]_3PO \xrightarrow[-\,\overset{Cl}{\underset{|}{}}OP[N(CH_3)_2]_2]{} (H_5C_6)_2B{-}N(CH_3)_2$$

Dimethylamino-diphenyl-boran

Diorgano-halogen-borane reagieren mit bestimmten energiereichen C-Amino-Verbindungen unter Bildung von Amino-diorgano-boranen. Mit Bis[dimethylamino-thiocarbonyl]disulfan erhält man aus Dibutyl-jod-boran in 89%iger Ausbeute *Dibutyl-dimethyl-amino-boran*[2]:

$$2\,(H_9C_4)_2B{-}J \; + \; \left[{-}S{-}\overset{\overset{S}{\|}}{C}{-}N(CH_3)_2\right]_2 \longrightarrow 2\,(H_9C_4)_2B{-}N(CH_3)_2 \; + \; 2\,CS_2 \; + \; J_2$$

Zur Herstellung von Amino-diorgano-boranen aus Diorgano-halogen-boranen mit Elementamiden der IV. Hauptgruppe haben sich insbesondere die Trimethylsilyl-amine bewährt. Der glatte Verlauf der Reaktion beruht darauf, daß beim Übergang von der Si–N- zur Si–Cl-Bindung mehr Energie gewonnen wird als beim Übergang von der H–N- zur H–Cl-Bindung. Die Bedingungen sind relativ mild. Es lassen sich auch solche Organosilyl-amine borylieren, die thermisch empfindliche funktionelle Gruppen im Organo-Rest tragen.

Die breit anwendbare Reaktion zur Herstellung von Amino-diorgano-boranen aus Diorgano-halogen-boranen mit Amino-trimethyl-silanen und deren zahlreichen Abkömmlingen verläuft stets unter Bildung von Halogen-trimethyl-silan, das aus dem Gemisch destillativ leicht entfernt werden kann[3,4].

$$R^3_2B{-}Cl \quad + \quad (H_3C)_3Si{-}NR^1R^2 \xrightarrow[Cl-Si(CH_3)_3]{} R^3_2B{-}NR^1R^2$$

Die Arbeitsweise ist einfach: Die Reaktionspartner werden bei −78° vereinigt, dann unter Rühren auf ~20° gebracht und anschließend 3 Stdn. auf 100° erhitzt. Das Chlor-trimethyl-silan wird abkondensiert und das Aminoboran abdestilliert. Die Ausbeuten sind meist vorzüglich[3,4].

Die Substituenten am Stickstoff-Atom haben eine große Variationsbreite und können außer aliphatischen und aromatischen Resten auch Acyl- und nicht-organische Reste sein. Mit 1-Trimethylsilylimidazol kann z.B. der 1-Imidazol-Rest auf das Bor übertragen werden[5].

Aus äquimolaren Mengen Brom-dimethyl-boran und Organo-2-propinyl-trimethylsilyl-aminen sind unter Einsatz von Brom-trimethyl-silan in Ausbeuten von 60–75% Dimethyl-(organo-2-propinyl-amino)-borane zugänglich[6]:

[1] H.J. Vetter, Z. Naturf. **19b**, 72 (1964).
[2] M. Schmidt u. E. Gast, Z. Naturf. **23b**, 1258 (1968); C.A. **69**, 106778 (1968).
[3] H. Jenne u. K. Niedenzu, Inorg. Chem. **3**, 68 (1964).
[4] H. Nöth, Z. Naturf. **16b**, 618 (1961); C.A. **57**, 15134 (1962).
[5] I.A. Boenig, W.R. Conway u. K. Niedenzu, Synth. React. Inorg. Metal-org. Chem. **5**, 1 (1975); C.A. **83**, 10233 (1975).
[6] A. Meller, F.J. Hirninger, M. Noltemeyer u. W. Maringgele, B. **114**, 2519 (1981).

$$(H_3C)_2B{-}Br + (H_3C)_3Si{-}N(R){-}CH_2{-}C{\equiv}CH \xrightarrow[-(H_3C)_3Si-Br]{} (H_3C)_2B{-}N(R){-}CH_2{-}C{\equiv}CH$$

...-boran

R = C_2H_5; *Dimethyl-(ethyl-2-propinyl-amino)-* ...; 68%; $Kp_{.7}$: 29°
R = C_3H_7; *Dimethyl-(2-propinyl-propyl-amino)-* ...; 73%; Kp_7: 42°
R = CH_2–C_6H_5; *(Benzyl-2-propinyl-amino)-dimethyl-* ...; 63%; $Kp_{0,01}$: 57°

Durch Zutropfen der doppelten Stoffmenge Brom-dimethyl-boran erhält man beim Erhitzen zum Rückfluß in Chlorbenzol unter zusätzlicher Bromoborierung der C≡C-Bindung die temperaturempfindlichen 4-Brom-2-methyl-1-organo-2,5-dihydro-1,2-azaborole[1]:

$$2\ (H_3C)_2B{-}Br + HC{\equiv}C{-}CH_2{-}N(R){-}Si(CH_3)_3 \xrightarrow[2.\ Chlorbenzol,\ 130°,\ 48\ Stdn.\ [-(H_3C)_3B]]{1.\ CH_2Cl_2\ [-(H_3C)_3Si-Br]} \text{4-Brom-2-methyl-1-R-2,5-dihydro-1,2-azaborol}$$

...-2,5-dihydro-1,2-azaborol

R = CH_3; *4-Brom-1,2-dimethyl-* ...; 72%; Kp_7: 52°
R = C_2H_5; *4-Brom-1-ethyl-2-methyl-* ...; 80%; Kp_7: 67°
R = CH_2–C_6H_5; *1-Benzyl-4-brom-2-methyl-* ...; 78%; $Kp_{0,01}$: 79°
R = C_6H_5; *4-Brom-2-methyl-1-phenyl-* ...; 78%; $Kp_{0,01}$: 80°

$\gamma\gamma_3$) mit Alkalimetallen

Diorgano-halogen-borane reagieren mit Alkalimetallen in bestimmten Lösungsmitteln wie z.B. in Tetrahydrofuran mit Pyridinen unter Enthalogenierung und Komplexierung der entstehenden Diorganoboryl-Radikale (vgl. Bd. XIII/3a, S. 5) an die Lewisbase unter Bildung verschiedener Typen von Amino-diorgano-boran(3)-Verbindungen[2]. Man kann präparativ auch von den Pyridinbase-Diorgano-halogen-boranen ausgehen (vgl. S. 514)[2]. Vielfach werden mit Lithium-Metall Pyridin-Diorganoboryl-Radikale isoliert[2,3]:

$$R_2B{-}Cl + Li + Pyridin \xrightarrow[-LiCl]{} Pyridin{-}\dot{B}R_2$$

Aus Chlor-diethyl-boran erhält man in Benzol bei der Enthalogenierung farbige Lösungen (Blau → Grün → Rotbraun), aus denen man nach Abtrennen des Natriumchlorids gelbrotes *1-Diethylboryl-1,4-dihydro-pyridin* (Kp_{14}: 88–89°) neben teerartigen Produkten isoliert[2]:

$$(H_5C_2)_2B{-}Cl \xrightarrow[-\ NaCl]{+\ Na/Pyridin,\ Benzol} (H_5C_2)_2B{-}N\langle\text{1,4-dihydropyridin}\rangle$$

γ_2) *aus Dihalogen-organo-boranen*

Will man Amino-diorgano-borane in einem Arbeitsgang aus Dihalogen-organo-boranen gewinnen, so muß neben einem Amin noch eine organische Komponente boryliert werden. Die Borylierung organischer Komponenten ist beschränkt auf Alkene und Aromaten. Eine solche doppelte N– und C–Borylierung wird ausnahmslos nur für intramole-

---

[1] A. MELLER, F.J. HIRNINGER, M. NOLTEMEYER u. W. MARINGGELE, B. **114**, 2519 (1981).
[2] R. KÖSTER, H. BELLUT, G. BENEDIKT u. E. ZIEGLER, A. **724**, 34 (1969).
[3] A.J. CARTY, M.J.S. GYNANE, M.F. LAPPERT, S.J. MILES, A. SINGH u. N.J. TAYLOR, Inorg. Chem. **19**, 3637 (1980).

kulare, unter Ringschluß ablaufende Reaktionen beschrieben. Man muß mithin von einem 1-Alkenylamin oder Arylamin geeigneter Struktur ausgehen. Die Borylierung einer C=C-Bindung stellt sich dabei nur im Bruttoschema als Borylierung dar, verläuft aber tatsächlich mit ziemlicher Sicherheit über eine Haloborierung mit nachfolgender HHal-Abspaltung. Die Borylierung von Aromaten mit Chlorboranen wird als Friedel-Crafts-Variante von Aluminiumtrichlorid katalysiert.

$\gamma\gamma_1$) mit Aminen

Geeignete Amine sind 2-Vinylaniline, 2-Aminobiphenyle, 3-Amino-2-vinyl-thiophene u.a. Auch die Amino-Derivate kondensierter Aromaten mit einem zur intramolekularen zweiten Borylierung geeigneten C–Atom sind verwendbar. Ausnahmslos entstehen 1,2-Azabora-arene. Außer den Aryl- und Alkenyl-aminen werden zur Herstellung cyclischer Amino-diorgano-borane aus Dihalogen-organo-boranen *C,N*-dimetallierte Alkenylamine verwendet.

Dichlor-phenyl-boran setzt sich mit 2-Amino-biphenyl-Derivaten in Gegenwart von Aluminiumchlorid zu *6-Phenyl-5,6-dihydro-⟨dibenzo-1,2-azaborin⟩* um[1]:

$$H_5C_6{-}BCl_2 + \text{2-Aminobiphenyl} \xrightarrow[-2\,HCl]{AlCl_3} \text{6-Phenyl-5,6-dihydro-⟨dibenzo-1,2-azaborin⟩}$$

6-Phenyl-5,6-dihydro-⟨dibenzo-1,2-azaborin⟩[1]: 4,5 g (28 mmol) Dichlor-phenyl-boran und 5 g (30 mmol) 2-Aminobiphenyl werden in 400 *ml* Benzol 8 Stdn. am Rückfluß erhitzt, dann wird i. Vak. eingedampft, der Rückstand mit 0,5 g Aluminiumtrichlorid auf 170–180° erhitzt und das Produkt erst aus Benzol, dann aus Petrolether umgefällt; Ausbeute: 4,05 g (66%); F: 110–111,5°.

Die Reaktion äquimolarer Mengen Dichlor-phenyl-boran mit 1-Naphthylamin liefert über eine B-Aminierung und B-Arylierung das *2-Phenyl-1,2-dihydro-⟨naphtho[1,8-c,d]-1,2-azaborol⟩* (85%; F: 243–246°, Zers.). Zur Umsetzung werden die Edukte 48 Stdn. in siedendem Toluol erhitzt, die Mischung sodann eingeengt und das Amino-diorgano-boran bei 15° abgesaugt[2]:

$$H_5C_6{-}BCl_2 + \text{1-Naphthylamin} \xrightarrow{-2\,HCl} \text{2-Phenyl-1,2-dihydro-⟨naphtho[1,8-c,d]-1,2-azaborol⟩}$$

Aryl-dichlor-borane reagieren mit 2-Vinylanilin unter Bildung von Amino-aryl-chlorboranen, die mit ihrer zweiten BCl-Bindung unter intramolekularer BC-Bindungsbildung zu cyclischen Amino-diorgano-boranen weiterreagieren können. So erhält man aus Dichlor-phenyl-boran mit 2-Vinylanilin bereits bei 20° das *2-Phenyl-1,2-dihydro-⟨benzo[e]-1,2-azaborin⟩* (69%; F: 137,5–139°)[3]:

$$H_5C_6{-}BCl_2 + \text{2-Vinylanilin} \xrightarrow{-2\,HCl} \text{2-Phenyl-1,2-dihydro-⟨benzo[e]-1,2-azaborin⟩}$$

2-Phenyl-1,2-dihydro-⟨benzo[e]-1,2-azaborin⟩[4]: Zur Lösung von 2,7 g (17 mmol) Dichlor-phenyl-boran in Benzol gibt man bei 20° innerhalb 1 Stde. 2 g (17 mmol) 2-Vinylanilin in 20 *ml* Benzol. Nach 2stdgm. Erhitzen

---

[1] M.J.S. Dewar, V.P. Kubba u. R. Pettit, Soc. **1958**, 3073.
[2] M. Pailer u. H. Huemer, M. **95**, 373 (1964); C.A. **61**, 5675 (1964).
[3] M.J.S. Dewar, Advan. Chem. Ser. **42**, 227 (1964).
[4] M.J.S. Dewar u. R.W. Dietz, Soc. **1959**, 2788.

zum Rückfluß wird Ether zugefügt, mit Natriumcarbonat-Lösung gewaschen, getrocknet und die Lösungsmittel abgezogen. Der Rückstand wird aus Petrolether umkristallisiert; Ausbeute: 2,1 g (60%); F: 137,5–139°.

Mit 2-Aminostilben wird *2,3-Diphenyl-1,2-dihydro-⟨benzo[e]-1,2-azaborin⟩* erhalten[1].

Auch mit 3-Amino-2-vinyl-thiophenen tritt in zweiter Stufe eine intramolekulare B–C-Arylierung ein[2]; z.B.:

$H_5C_6-BCl_2$ + $H_5C_6-CH=CH$-(3-Amino-thiophen-2-yl)-$COOCH_3$ $\xrightarrow{-2\,HCl}$

5,6-Diphenyl-2-methoxycarbonyl-4,5-dihydro-⟨thieno[2,3-e]-1,2-azaborin⟩; F: 200–201°

γγ₂) mit Amino-Element-Verbindungen

Die Herstellung weiterer 1,2-Azaborine, bei denen man letztlich auch von Dihalogen-organo-boranen und aromatischen Aminen ausgeht[3], wird an anderer Stelle (vgl. S. 62) besprochen, da Amino-halogen-organo-borane als Zwischenprodukte isoliert werden können und als solche mit 1-Alkinen umgesetzt werden.

Die Herstellung cyclischer Amino-diorgano-borane gelingt aus Dihalogen-organo-boranen mit verschiedenen bifunktionellen metallorganischen Verbindungen.

Aus Dibrom-methyl-boran erhält man z.B. mit der Dilithio-Verbindung des Allyl-tert.-butyl-amins[4] in Tetrahydrofuran in 32%iger Ausbeute *1-tert.-Butyl-2-methyl-2,5-dihydro-1,2-azaborol*[5]:

H_3C-BBr_2 + Dilithio-Verbindung $\xrightarrow[-2\,LiBr]{THF}$ 1-tert.-Butyl-2-methyl-2,5-dihydro-1,2-azaborol

1-tert.-Butyl-2-methyl-2,5-dihydro-1,2-azaborol[5]: 15,6 g (138,1 mmol) Allyl-tert.-butyl-amin und 16 g (138,1 mmol) 1,2-Bis[dimethylamino]ethan werden in 500 *ml* Petrolether mit 17,7 g (276,2 mmol) Butyllithium in 200 *ml* Hexan umgesetzt[6]. Bei –78° tropft man unter Rühren 25,7 g (138,5 mmol) Dibrom-methyl-boran in THF/Benzol (~ 1 : 3) zum Lithium-Salz und läßt auf ~ 20° erwärmen. Nach 6 Stdn. werden i. Vak. die Lösungsmittel entfernt, alle leicht flüchtigen Anteile abgezogen und der Rückstand fraktioniert; Ausbeute: 6,1 g (32%); Kp_{18-20}: 51–52°.

Mit bestimmten Alkinyl-silyl-aminen lassen sich aus Dihalogen-organo-boranen unter N-Borylierung und Haloborierung der C≡C-Bindung 1H-1,2-Azaborole herstellen. Aus Dibrom-methyl-boran erhält man mit Methyl-propargyl-trimethylsilyl-amin in siedendem Chlorbenzol *4-Brom-1,2-dimethyl-2,5-dihydro-1H-1,2-azaborol* (72%; Kp_7: 52°)[7]:

$2\,H_3C-BBr_2$ + $(H_3C)_2Si-N(CH_3)-CH_2-C\equiv CH$ $\xrightarrow[-(H_3C)_3Si-Br]{Cl-C_6H_5,\ Sieden}$ 4-Brom-1,2-dimethyl-2,5-dihydro-1H-1,2-azaborol

[1] M.J.S. Dewar, Advan. Chem. Ser. **42**, 227 (1964).
[2] M.J.S. Dewar u. P.A. Marr, Am. Soc. **84**, 3782 (1962).
[3] P.I. Paetzold, G. Stohr, H. Maisch u. H. Lenz, B. **101**, 2881 (1968).
[4] D. Hänssgen u. E. Odenhausen, B. **112**, 2389 (1979).
[5] J. Schulze u. G. Schmid, J. Organometal. Chem. **193**, 83 (1980).
[6] S. Gronowitz u. I. Ander, Chem. Scripta **15**, 23 (1980).
[7] A. Meller, F.J. Hirninger, M. Noltemeyer u. W. Maringgele, B. **114**, 2519 (1981).

γ_3) *aus Trichlorboran*

Die aus Trichlorboran mit Arylaminen zugänglichen Arylamino-dichlor-borane sind Ausgangsverbindungen zur Herstellung von cyclischen Amino-diorgano-boranen (vgl. S. 68ff.).

δ) aus Organo-oxy-boranen

Diorgano-hydroxy-borane sind vereinzelt zur Herstellung von Amino-diorgano-boranen eingesetzt worden.

δ_1) *mit Aminen*

Nicht-aromatische sechsgliedrige cyclische Amino-diorgano-borane mit *exo*-cyclischer Amino-Gruppe sind z.B. aus Diorgano-hydroxy-boranen mit sekundären Aminen zugänglich. Die Aminierung des 5,10-Dihydroxy-5,10-dihydro-⟨dibenzo-1,4-diborin⟩ mit Dimethylamin ergibt unter Wasser-Abspaltung das *5,10-Bis[dimethylamino]-5,10-dihydro-⟨dibenzo-1,4-diborin⟩* (Kp_{13}: 148–150°; F: 25–26°)[1]:

$$\text{5,10-(OH)}_2\text{-dibenzodiborin} + 2\ (H_3C)_2NH \xrightarrow[-2\ H_2O]{} \text{5,10-[N(CH}_3)_2]_2\text{-dibenzodiborin}$$

Falls sich Chelate bilden können, ist die Herstellung von Aminoboranen aus Oxyboranen im allgemeinen gut möglich[2,3].

Diphenyl-hydroxy-boran reagiert mit α,β-ungesättigten β-Aminoketonen unter Wasseraustritt zu chelatartig stabilisiertem Amino-diphenyl-boran[4] (vgl. S. 640).

Die Borylierung primärer oder sekundärer Amine mit Diorgano-organooxy-boranen ist wegen der vergleichbaren Stärke von $\rangle$BO- und $\rangle$BN-Bindung eine einfache Gleichgewichtsreaktion:

$$R^1_2B{-}OR^3 \quad + \quad H{-}NR^2_2 \quad \rightleftharpoons \quad R^1_2B{-}NR^2_2 \quad + \quad R^3{-}OH$$

Präparativ ist die N-Borylierung im allgemeinen ergiebig, wenn der Alkohol (R^3–OH) deutlich flüchtiger ist als das Amin und außerdem leicht abdestilliert werden kann. Bei Stoffpaaren vom Typ aliphatischer Alkohol/aromatisches Amin ist dies oft der Fall. Man setzt einen 2–4fachen Überschuß an Amin ein und arbeitet bei 210–250°[5–7]. So erhält man z.B. *Anilino-dibutyl-boran* (Kp_7: 136–137°) aus Dibutyl-methoxy-boran mit Anilin[5] zu 38%.

Amine, die man im Überschuß einsetzen kann, können auch leichtflüchtig sein. Mit Dimethylamin lassen sich sogar ans Bor-Atom gebundene Hydroxy-Gruppen austauschen[1].

Das Borylierungsgleichgewicht kann auch durch Weiterreagieren des bereits gebildeten Amino-diorgano-borans beeinflußt werden. In geeigneter Position halogensubstituierte Organo-Reste reagieren mit NH-Gruppen intramolekular unter Bildung von cyclischen Amino-diorgano-boranen. Aus (4-Brombutyl)-butyl-methoxy-boran erhält man mit pri-

---

[1] R. CLEMENT, C. r. **261**, 4436 (1965).
[2] F. UMLAND u. C. SCHLEYERBACH, Ang. Ch. **77**, 169 (1965).
[3] F. UMLAND u. F. HOHAUS, Ang. Ch. **79**, 1072 (1967).
[4] I. BALLY, E. CIORNEI, A. VASILESCU u. A.T. BALABAN, Tetrahedron **29**, 3185 (1973).
[5] B.M. MIKHAILOV u. P.M. ARONOVICH, Ž. obšč. Chim. **29**, 3124 (1959); C.A. **54**, 13035 (1960).
[6] B.M. MIKHAILOV u. L.S. VASIL'EV, Izv. Akad. SSSR **1962**, 628; engl.: 580; C.A. **57**, 16643 (1962).
[7] US.P. 3068272 (1962/1959), DuPont, Erf.: H.E. HOLMQUIST; C.A. **59**, 1680 (1963).

mären Aminen daher 1,2-Azaborinane[1], aus (5-Bromhexyl)-hexyl-methoxy-boran 1,2-Azaborepane.

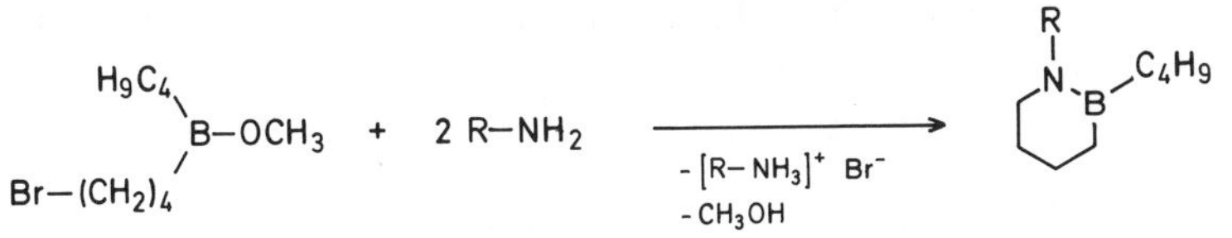

$H_9C_4(Br-(CH_2)_4)B-OCH_3 + 2\ R-NH_2 \xrightarrow[-\ CH_3OH]{-\ [R-NH_3]^+\ Br^-}$ 1-R-2-C_4H_9-1,2-azaborinan

R = C_2H_5; *2-Butyl-1-ethyl-1,2-azaborinan* Kp₄: 70–70,5°

R = C_3H_7; *2-Butyl-1-propyl-1,2-azaborinan* 85%; $Kp_{2,5}$: 60–61,5°

R = C_4H_9; *1,2-Dibutyl-1,2-azaborinan* 89%; Kp_2: 58–60°

Erhitzt man z.B. ein Gemisch aus überschüssigem Propylamin und (5-Bromhexyl)-hexyl-methoxy-boran 2 Stdn. am Rückfluß, so erhält man nach destillativer Aufarbeitung in 75%iger Ausbeute das *2-Hexyl-7-methyl-1-propyl-1,2-azaborepan* ($Kp_{0,05}$: 87–88°)[2]:

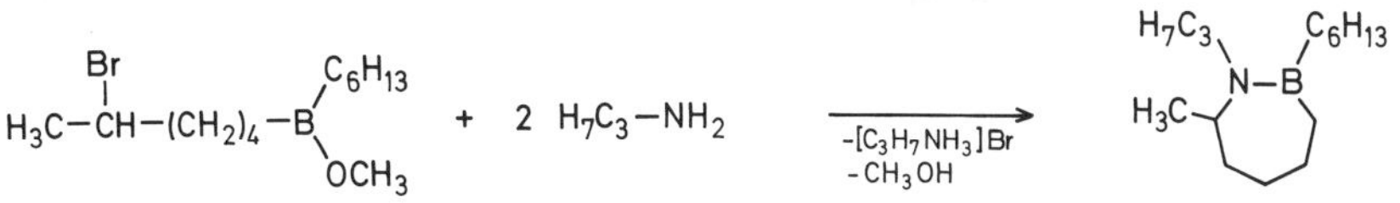

$H_3C-CH(Br)-(CH_2)_4-B(C_6H_{13})(OCH_3) + 2\ H_7C_3-NH_2 \xrightarrow[-\ CH_3OH]{-[C_3H_7NH_3]Br}$ 1-H_7C_3-2-C_6H_{13}-7-H_3C-1,2-azaborepan

δ_2) *mit Metallamiden*

Aus Diorgano-oxy-boranen sind mit Metallamiden wesentlich leichter Amino-diorgano-borane zugänglich als mit Aminen. Verwendet werden Lithium-, Aluminium- sowie Zinn-amide.

Mit 9-Lithio-9-azabicyclo[3.3.1]nonan bzw. Lithiumdimethylamid lassen sich aus 9-Methoxy-9-borabicyclo[3.3.1]nonan in Hexan 9-Amino-9-borabicyclo[3.3.1]nonane herstellen, die am Amino-Rest substituiert sind[3]:

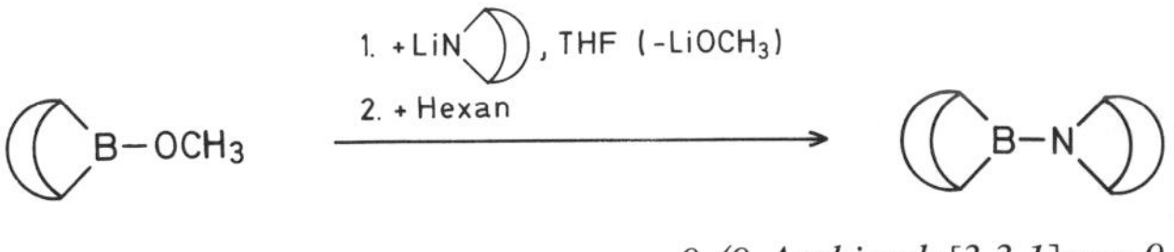

B-OCH_3 —(1. + LiN, THF (-$LiOCH_3$); 2. + Hexan)→ B-N

9-(9-Azabicyclo[3.3.1]non-9-yl)-9-borabicyclo[3.3.1]nonan (aus Aceton); 27%; F: 131,5–132° (i. Vak.)

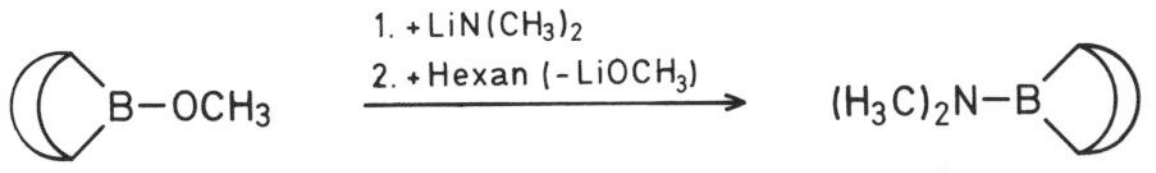

B-OCH_3 —(1. + $LiN(CH_3)_2$; 2. + Hexan (-$LiOCH_3$))→ $(H_3C)_2N-B$

9-Dimethylamino-9-borabicyclo[3.3.1]nonan; Kp_2: 88°

[1] L.S. Vasil'ev, V.P. Dimitrikov, V.S. Bogdanov u. B.M. Mikhailov, Ž. obšč. Chim. **42**, 1318 (1972); engl.: 1313; C.A. **77**, 114472 (1972).

[2] L.S. Vasil'ev, M.M. Vartanyan u. B.M. Mikhailov, Ž. obšč. Chim. **42**, 2675 (1972); engl.: 2664; C.A. **78**, 111400 (1973).

[3] S.F. Nelsen, C.R. Kessel, D.J. Brien u. F. Weinhold, J. Org. Chem. **45**, 2116 (1980).

[4] J.K. Ruff, J. Org. Chem. **27**, 1020 (1962).

Aus Diphenyl-ethoxy-boran gelangt man mit der halben Menge an Tris[dimethylamino]aluminium[4] ebenso zu *Dimethylamino-diphenyl-boran* ($Kp_{0,001}$: 96–98°) wie beim 1:1-Umsatz von Diphenyl-methoxy-boran mit Dimethylamino-trimethyl-stannan[1]:

$$2\,(H_5C_6)_2B{-}OC_2H_5 \;+\; Al[N(CH_3)_2]_3 \xrightarrow[(H_5C_2O)_2Al{-}N(CH_3)_2]{} 2\,(H_5C_6)_2B{-}N(CH_3)_2 \quad 82\%$$

$$(H_5C_6)_2B{-}OCH_3 \;+\; (H_3C)_3Sn{-}N(CH_3)_2 \xrightarrow[-(H_3C)_3Sn{-}OCH_3]{} (H_5C_6)_2B{-}N(CH_3)_2 \quad 97\%$$

ε) aus Alkylthio-diorgano-boranen

Aus Alkylthio-diorgano-boranen sind verschiedene Typen von R_2BN-Verbindungen durch Alkylthio-Substitution mit NH-Verbindungen oder durch Sulfoborierung von Mehrfachbindungen zugänglich.

ε₁) mit Aminen

Statt Alkanthiole nur in katalytischen Mengen zuzusetzen, kann man sie auch im Überschuß unter gelindem Erwärmen auf Trialkyl- oder Triaryl-borane einwirken lassen, um dann die Alkylthio-diorgano-borane als Zwischenprodukte mit Amin in einer glatten Reaktion in Amino-diorgano-borane überzuführen (vgl. Tab. 12, S. 43).

$$R^1_2B{-}SR^2 \;+\; HNR^3R^4 \longrightarrow R^1_2B{-}NR^3R^4 \;+\; R^2{-}SH$$

Als Agenzien kommen Ammoniak[2,3], Amine oder auch enaminisierbare Ketimine (vgl. S. 44) in Frage.

Amino-diethyl-boran[2]: Man leitet bei –70° Ammoniak in Diethyl-ethylthio-boran ein, wobei sich ein farbloser Feststoff abscheidet. Dieser wird 15 Stdn. auf ~20° gehalten, anschließend wird destilliert; Ausbeute: 89%; Kp: 72–73°.

Erhitzt man Butylthio-diphenyl-boran mit einem Überschuß an prim. oder sek. Amin einige Zeit am Rückfluß, so erhält man unter Butanthiol-Abspaltung Amino-diphenyl-borane[4,5]:

$$(H_5C_6)_2B{-}SC_4H_9 \;+\; R{-}NH_2 \xrightarrow[-C_4H_9SH]{} (H_5C_6)_2B{-}NH{-}R$$

R = H; *Amino-diphenyl-boran;* 85%; F: 141–142°
R = $CH_2{-}CH(CH_3)_2$; *Diphenyl-isobutylamino-boran*; 81%; Kp_8: 161–163°

Dipropyl-isobutylamino-boran[6]: 4,5 *ml* (43 mmol) Isobutylamin werden zu 11,4 g (66 mmol) Dipropyl-propylthio-boran getropft, wobei sich die Mischung erwärmt. Sodann wird 4 Stdn. am Rückfluß erhitzt und i. Vak. destilliert; Ausbeute: 5,7 g (79%); Kp_7: 65,7–66,3°.

---

[1] T.A. George u. M.F. Lappert, Chem. Commun. **1966**, 463.
[2] B.M. Mikhailov u. Y.N. Bubnov, Ž. obšč. Chim. **31**, 547 (1961); C.A. **55**, 23318 (1961).
[3] J.P. Laurent, Bl. **1963**, 558; C.A. **59**, 648 (1963).
[4] B.M. Mikhailov, T.K. Kozminskaya, N.S. Fedotov u. V.A. Dorokhov, Doklady Akad. SSSR **127**, 1023 (1959); C.A. **54**, 514 (1960).
[5] B.M. Mikhailov u. N.S. Fedotov, Ž. obšč. Chim. **32**, 93 (1962); C.A. **57**, 16641 (1962).
[6] B.M. Mikhailov u. Y.N. Bubnov, Izv. Akad. SSSR **1959**, 172; engl.: 159; C.A. **53**, 15958 (1959).

Tab. 12: Amino-diorgano-borane aus Alkylthio-dialkyl-boranen mit Aminen

Alkylthio-boran	Amin	Bedingungen	Boran	Ausbeute [%]	Kp [°C]	Kp [Torr]	Literatur
$(H_9C_4)_2B{-}SC_4H_9$	$H_5C_6{-}NH_2$	2 Stdn. 150°	*Anilino-dibutyl-boran*	95	138–139	7	[1]
	$H_3C{-}NH_2$		*Dibutyl-methylamino-boran*	93,6	64–65	8	[2]
	$H_2N{-}(CH_2)_6{-}NH_2$	1 Stde. 160–180°	*1,6-Bis[dibutylboryl-amino]-hexan*	88	155–156	0,04	[1]
	$H_5C_2{-}NH_2$	Einleiten von Ethylamin in das Boran	*Dibutyl-ethylamino-boran*	94,7	73–74	8	[3]
$(H_7C_3)_2B{-}SC_3H_7$	NH_3	Addukt auf 80° erwärmen	*Amino-dipropyl-boran*	98,5	64–65	96	[3]

[1] B. M. Mikhailov u. Y. N. Bubnov, Izv. Akad. SSSR **1959**, 172; engl.: 159; C. A. **53**, 15958 (1959).

[2] B. M. Mikhailov u. Y. N. Bubnov, Ž. obšč. Chim. **32**, 1969 (1962); C. A. **58**, 5705 (1963).

[3] B. M. Mikhailov u. Y. N. Bubnov, Ž. obšč. Chim. **31**, 547 (1961); C. A. **55**, 23318 (1961).

Auch Alkandiyl-amino-borane mit *exo*-cyclischer Amino-Gruppe sind aus bzw. über die Alkylthio-Derivate mit Aminen gut zugänglich. So erhält man z.B. aus 1-Butylthio-borolan mit Butylamin in 74%iger Ausbeute *1-Butylamino-borolan* (Kp_9: 63–64°)[1]: Zur Herstellung von 3-Amino-3-borabicyclo[3.3.1]nonanen eignet sich die Aminierung der entsprechenden 3-Butylthio-Verbindungen mit Aminen[2,3].

ε_2) mit Iminen

Alkenylamino-diorgano-borane sind aus Alkylthio-diorgano-boranen und enaminisierbaren Ketoniminen (vgl. S. 13) herstellbar. Erhitzt man z.B. Gemische aus Butyl-thio-dialkyl-boranen und *N*-substituierten Cyclohexanoniminen auf 150–180°, so erhält man die 1-Cyclohexenylamino-dialkyl-borane (vgl. a. S. 81ff.)[4–7]:

$R^1_2B-SC_4H_9$ + (Cyclohexanon-imin, =N–R², H) $\xrightarrow{-C_4H_9SH}$ $R^1_2B-N(R^2)$(1-Cyclohexenyl)

z.B.: $R^1 = C_3H_7$; $R^2 = C_6H_5$; *[N-(1-Cyclohexenyl)anilino]-dipropyl-boran*; 70%; $Kp_{1,5}$: 119–122°

Zur Herstellung von *Dibutyl-dimethylamino-boran* aus in situ hergestelltem Dibutyl-(dimethylamino-thiocarbonylthio)-boran s.S. 36.

ζ) aus Bor-Stickstoff-Verbindungen

Als Ausgangsverbindungen dienen vorwiegend Amino-diorgano-borane. Auch Diamino-organo-borane und Amino-hydro-borane sowie weitere BC-freie Aminoborane werden eingesetzt.

ζ_1) aus Amino-diorgano-boranen

$\zeta\zeta_1$) mit Licht

Die *E/Z*-Isomerisierung bzw. Gleichgewichtseinstellung bestimmter Amino-diorgano-borane erfolgt unter UV-Belichtung; z.B. von *Benzyl-(benzyl-methyl-amino)-phenyl-boran*[8]:

$(H_5C_6)(H_5C_6-CH_2)B^{\ominus}=N^{\oplus}(CH_2-C_6H_5)(CH_3)$ *(E)* $\underset{h\nu}{\overset{+h\nu}{\rightleftharpoons}}$ $(H_5C_6)(H_5C_6-CH_2)B^{\ominus}=N^{\oplus}(CH_3)(CH_2-C_6H_5)$ *(Z)*

Aus N-Alkylanilino-di(subst.-vinyl)boranen erhält man beim Belichten unter intramolekularer C_{Aryl}-H-Addition an eine der C=C-Bindungen Derivate des 1-Aza-2-bora-tetralins (z.B. *2-(1-Buten-1-yl)-4-ethyl-1-methyl-1-aza-2-bora-tetralin*; 95%; $Kp_{0,1}$: 74–78°)[9]:

(N-Alkylanilino-di(subst.-vinyl)boran mit H_3C, R^1, R^2, R^3, R^4, R^5) $\xrightarrow[\text{Cyclohexan}]{+h\nu}$ (1-Aza-2-bora-tetralin mit H_3C, R^1–C=CH–R^2, R^1, R^2, R^3, R^4, R^5)

---

[1] B.M. Mikhailov u. T.A. Shchegoleva, Izv. Akad. SSSR **1961**, 1142; engl.: 1054; C.A. **55**, 27268 (1961).
[2] V.H. Dibeler u. S.K. Liston, Inorg. Chem. **7**, 1742 (1968); C.A. **69**, 69830 (1968).
[3] Y.N. Bubnov, S.I. Frolov u. B.M. Mikhailov, Izv. Akad. SSSR **1968**, 824; C.A. **69**, 77309 (1968).
[4] V.A. Dorokhov u. B.M. Mikhailov, Izv. Akad. SSSR **1966**, 364; engl.: 340; C.A. **64**, 17624 (1966).
[5] V.A. Dorokhov u. M. Mikhailov, Doklady Akad. SSSR **187**, 1300 (1969); engl.: 666; C.A. **71**, 124551 (1969).
[6] V.A. Dorokhov, O.G. Boldyreva, V.S. Bogdanov u. B.M. Mikhailov, Ž. obšč. Chim. **42**, 1558 (1972); engl.: 1550; C.A. **77**, 126731 (1972).
[7] V.A. Dorokhov, O.G. Boldyreva, B.M. Zolotarev, O.S. Chizhov u. B.M. Mikhailov, Izv. Akad. SSSR **1977**, 1843; engl.: 1704; C.A. **87**, 168120j (1977).
[8] K.G. Hancock u. D.A. Dickinson, Am. Soc. **94**, 4396 (1972).
[9] T.J. Sobieralski u. K.G. Hancock, Am. Soc. **104**, 7533, 7542 (1982).

$\zeta\zeta_2$) mit Wärme

Die thermische Isomerisierung von Dimethylamino-ethyl-(1-methylallyl)-boran verläuft ohne Ringschluß, mit einer Reaktionshalbwertszeit von ~ 1,4 Stdn. bei 148° und einer Aktivierungsenergie A_E von ~ 24,6 kcal/mol. Katalysatoren sind Lewissäuren, Inhibitoren sind Lewisbasen. Es findet eine Allylumlagerung am Bor-Atom statt[1]:

$$(H_5C_2)((H_3C)_2N)B-CH(CH_3)-CH=CH_2 \xrightarrow[\Omega]{\sim 100°} (H_5C_2)((H_3C)_2N)B-CH_2-CH=CH-CH_3$$

2-Butenyl-dimethylamino-ethyl-boran

(Allyl-organo-amino)-dialkyl-borane liefern bei der Thermolyse unter Abspaltung von Alken 2-Alkyl-1-organo-1,2-azaborolidine. Die Anwesenheit des entsprechenden Trialkylborans zu etwa einem Drittel der Eduktmenge ist meist günstig bzw. notwendig[2]:

$$R^1_2B-N(R^2)-CH_2-CH=CH_2 \xrightarrow{[R^1_3B];\ \sim 150°} \text{1-}R^2\text{-2-}R^1\text{-1,2-azaborolidin} + R^1_{(-H)}$$

2-Butyl-1-(1-cyclohexenyl)-1,2-azaborolidin[2] ($R^1 = C_4H_9$; R^2 = 1-Cyclohexenyl)[2]: 18,9 g (72 mmol) (Allyl-1-cyclohexenyl-amino)-dibutyl-boran werden auf 150° erhitzt und innerhalb 2 Stdn. mit 4,6 g Tributylboran versetzt. Man heizt dann bis ~ 180° auf, bis kein Gas (Buten) mehr entweicht. Abschließend wird i. Vak. destilliert; Ausbeute: 11,2 g (75%); Kp_2: 94–96°.

Auf analoge Weise wird *2-(3-Methylbutyl)-1-propyl-1,2-azaborolidin* (Kp_5: 78–81°) erhalten[2].

Auch die Thermolyse des (Allyl-tert.-butyl-amino)-butyl-phenyl-borans bei 200–210° verläuft unter Abspaltung von Alken (Buten) zum 1,2-Azaborolidin[3]:

$$(H_3C)_3C-N(CH_2-CH=CH_2)-B(C_6H_5)(C_4H_9) \xrightarrow[-C_4H_8]{200-210°} \text{1-}C(CH_3)_3\text{-2-}C_6H_5\text{-1,2-azaborolidin}$$

1-tert.-Butyl-2-phenyl-1,2-azaborolidin

$\zeta\zeta_3$) mit Organoboranen

Die *exo*-cyclischen Alkyl-Gruppen cyclischer Triorganoborane lassen sich mit Vorteil durch sekundäre Amino-Gruppen ersetzen. Man verwendet die entsprechenden Amino-diorgano-borane als Aminierungsmittel. Die Reaktion ist ergiebig, falls das Alkyl-diorgano-boran durch Destillation leicht aus dem Gleichgewicht entfernt werden kann. So läßt sich die Propyl-Gruppe von 3-Methyl-1-propyl-1-boraindan durch die Diethylamino-Gruppe austauschen, falls die doppelt molare Menge an 1-Diethylamino-borolan eingesetzt wird[4]:

---

[1] K. G. Hancock u. J. D. Kramer, Am. Soc. **95**, 6463 (1973).

[2] V. A. Dorokhov, O. G. Boldyreva, V. S. Bogdanov u. B. M. Mikhailov, Ž. obšč. Chim. **42**, 1558 (1972); engl.: 1550; C. A. **77**, 126731 (1972).

[3] J. Schulze u. G. Schmid, Universität Essen, unveröffentlicht 1979.

[4] R. Köster u. K. Iwasaki, Advan. Chem. Ser. **42**, 148 (1964); C. A. **60**, 10705 (1964).

1-Diethylamino-3-methyl-1-boraindan; $Kp_{0,2}$: 67°

Ausgehend von Allylamino-diorgano-boranen erhält man beim Hydroborieren mit Dibutyl-hydro-boranen (bzw. deren Dimer) unter Ringschluß und Ligandenaustausch 2-Organo-1,2-azaborolidine[1]; z. B.:

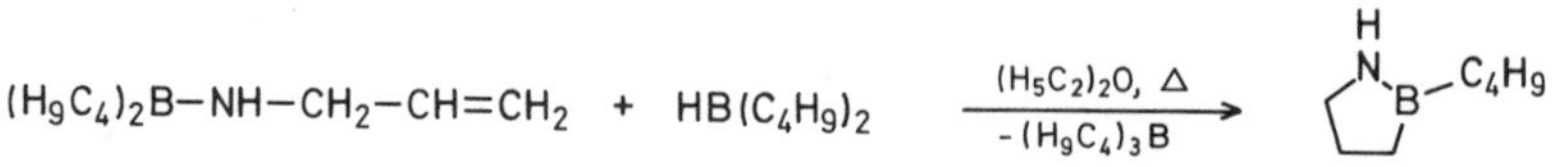

$$(H_9C_4)_2B{-}NH{-}CH_2{-}CH{=}CH_2 + HB(C_4H_9)_2 \xrightarrow[-(H_9C_4)_3B]{(H_5C_2)_2O,\ \Delta}$$

2-Butyl-1,2-azaborolidin; 40%; Kp_{28}: 69–71°

Aus Anilino-diethyl-boran sind mit Diethyl-hydro-boran bei 180–200° unter Abspaltung von Wasserstoff cyclische Amino-diorgano-borane zugänglich, die zwei R_2BN-Gruppierungen im Ring enthalten[2]; z. B.:

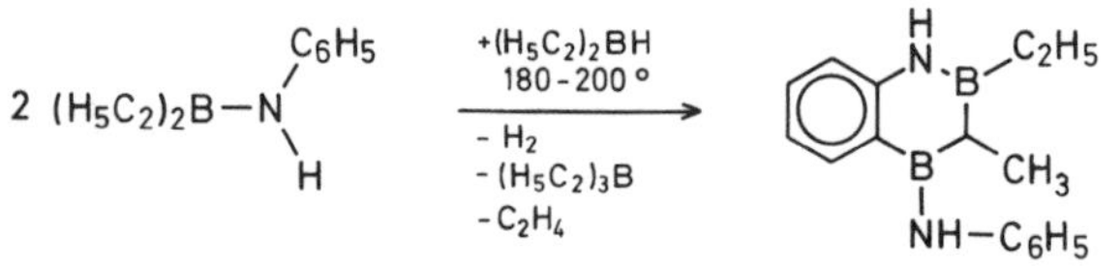

$$2\ (H_5C_2)_2B{-}N(C_6H_5)H \xrightarrow[-H_2;\ -(H_5C_2)_3B;\ -C_2H_4]{+(H_5C_2)_2BH,\ 180-200°}$$

4-Anilino-2-ethyl-3-methyl-1,2,3,4-tetrahydro-⟨benzo-1,2,4-azadiborin⟩

Aus Amino-diorgano-boranen sind mit Alkoxy-diorgano-boranen unter Substituenten-Austausch neue Amino-diorgano-borane verschiedener Typen zugänglich.

Setzt man Amino-diorgano-borane z. B. mit (4-Brombutyl)-butyl-methoxy-boran um, so findet eine glatte Dismutierung statt, wobei der Methoxy- und der Amin-Rest ausgetauscht werden. Als Aminierungsreagenzien eignen sich auch Alkyl-diamino-borane[3,4].

$$2\ R^1R^2B{-}NR^3R^4 + (H_9C_4)(Br{-}(CH_2)_4)B{-}OCH_3 \longrightarrow (H_9C_4)(Br{-}(CH_2)_4)B{-}NR^3R^4 + R^1R^2B{-}OCH_3$$

Zur Herstellung von Alkyl-amino-phenyl-boranen eignet sich auch die Kommutierung[5] zwischen gleichen Mengen an Amino-dialkyl-boran und Amino-diaryl-boran. Beläßt man ein Gemisch von Dimethyl-dimethylamino-boran und Dimethylamino-diphenyl-boran 64 Stdn. bei 150° im Bombenrohr, so erhält man zu 44% *Dimethylamino-methyl-phenyl-boran* ($Kp_{0,001}$: 30°)[6]:

---

[1] B. M. Mikhailov, V. A. Dorokhov u. N. V. Mostovoi, Izv. Akad. SSSR **1964**, 201; engl.: 189; C. A. **60**, 13261 (1964).

[2] R. Köster u. K. Iwasaki, Advan. Chem. Ser. **42**, 148 (1964); C. A. **60**, 10705 (1964).

[3] B. M. Mikhailov, L. S. Vasil'ev u. V. P. Dmitrikov, Izv. Akad. SSSR **1968**, 2164; engl.: 2059; C. A. **70**, 20126 (1969).

[4] L. S. Vasil'ev, V. P. Dmitrikov, V. S. Bogdanov u. B. M. Mikhailov, Ž. obšč. Chim. **42**, 1318 (1972); engl.: 1313; C. A. **77**, 114472 (1972).

[5] Zur Umsetzung von Trialkyl- mit Tris[amino]boranen s. S. 73, 249.

[6] H. J. Becher u. H. T. Baechle, B. **98**, 2159 (1965).

$$(H_3C)_2B{-}N(CH_3)_2 + (H_5C_6)_2B{-}N(CH_3)_2 \xrightarrow{150°;\ 64\ Stdn.} 2\ (H_3C)(H_5C_6)B{-}N(CH_3)_2$$

ζζ₄) mit metallorganischen Verbindungen

Aus Amino-diorgano-boranen lassen sich in speziellen Fällen mit metallorganischen Verbindungen neue Amino-diorgano-borane herstellen. Man verwendet Organo-lithium- und -magnesium-Verbindungen. Inter- und intra-molekulare Umwandlungen sind möglich.

Die Substitution einer ans Bor-Atom gebundenen Methyl-Gruppe im 5,6-Dihydro-⟨dibenzo-1,2-azaborin⟩ durch aliphatische oder aromatische Reste gelingt weiterhin mit Organolithium-Verbindungen. In Ether bei −10° entsteht zunächst ein Dilithium-Derivat, das mit Salzsäure unter vorwiegender Abspaltung von Methan hydrolysiert wird[1]:

$$\xrightarrow[-RH]{+2\ LiR} \qquad \xrightarrow[-2\ LiCl,\ -CH_4]{+2\ HCl}$$

...5,6-dihydro-⟨dibenzo-1,2-azaborin⟩
$R = C_2H_5$; *6-Ethyl-...*; 57%
$R = C_6H_5$; *6-Phenyl-...*; 83%

Bestimmte Amino-diorgano-borane mit BN-anellierten Boranen lassen sich sehr gut aus Amino-diorgano-boranen über magnesiumorganische Zwischenprodukte durch intramolekulare Umalkylierung herstellen[2]; z.B.:

$$BrCH_2{-}CH_2{-}CH_2{-}CH_2\text{–}N{-}B{-}CH_3 + Mg + CO_2 \xrightarrow{-H_3C{-}CO{-}O{-}MgBr}$$

Dibenzo-1-aza-6-bora-bicyclo[4.4.0]deca-2,4-dien[2]: Zu 67 g (0,2 mol) 5-(4-Brombutyl)-6-methyl-5,6-dihydro-⟨dibenzo-1,2-azaborin⟩ in 250 *ml* Ether gibt man portionsweise 5 g (0,21 mol) Magnesiumspäne und hält das Gemisch 12 Stdn. am Sieden. Dann wird bis zum Ende der Wärmeentwicklung Kohlendioxid eingeleitet. Zur Aufarbeitung wird die Lösung mit Petrolether (60–68°) an Aluminiumoxid chromatographiert; Ausbeute: 37,3 g (80%); F: 112–114°.

Auf analogem Wege erhält man das *2,3-Benzo-1-aza-6-bora-bicyclo[4.4.0]deca-2,4-dien*[3]:

$$H_3C\text{–}N{-}B{-}CH_2{-}CH_2{-}CH_2{-}CH_2{-}Br \xrightarrow[-H_3C{-}CO{-}O{-}MgBr]{+Mg,\ +CO_2}$$

[1] M.J.S. DEWAR u. P.M. MAITLIS, Am. Soc. **83**, 187 (1961).
[2] G.C. Culling, J.S. DEWAR u. P.A. MARR, Am. Soc. **86**, 1125 (1964).
[3] M.J.S. DEWAR, C. KANEKO u. M.K. BHATTACHARJEE, Am. Soc. **84**, 4884 (1962).

$\zeta\zeta_5$) mit Tetrachlormethan

Zur Herstellung von Amino-organo-trichlormethyl-boranen verwendet man Tetrachlormethan, das unter Belichten umgesetzt wird.

Bestrahlt man eine 0,5 molare Lösung von Alkyl-(benzyl-methyl-amino)-phenyl-boran in Tetrachlormethan bei 35° mit Pyrex-gefiltertem UV-Licht, so erhält man in geringen Mengen (10–20%) neben anderen Produkten das *(Benzyl-methyl-amino)-phenyl-trichlormethyl-boran*[1]:

$$(R)(H_5C_6)B{-}N(CH_3)(CH_2{-}C_6H_5) \xrightarrow[-RCl]{+CCl_4/h\nu} (Cl_3C)(H_5C_6)B{-}N(CH_3)(CH_2{-}C_6H_5)$$

$\zeta\zeta_6$) mit Aminen

Die Transaminierung von Amino-dialkyl-boranen mit Ammoniak oder Aminen ist eine Gleichgewichtsreaktion. Dies läßt sich präparativ nutzen, wenn man das entstehende Amin aus der Reaktionslösung herausdestilliert[2]:

$$R^1_2B{-}NR^2R^3 + HNR^4R^5 \rightleftharpoons R^1_2B{-}NR^4R^5 + HNR^2R^3$$

Besonders gut eignen sich für die Umaminierung Dialkyl-amino-borane mit kleinen Resten sowohl am Bor als auch am Stickstoff, die günstige sterische Voraussetzungen für einen Angriff des Amins bieten. Die Basizität des angreifenden Amins ist von untergeordneter Bedeutung. Die Umsetzungen werden so durchgeführt, daß die beiden Komponenten einige Zeit (30 Min. bis einige Stdn.) zum Rückfluß erhitzt werden. Ammoniak oder Amin werden jeweils im Überschuß eingesetzt. Auch Diaminoalkane lassen sich auf diese Weise in guten Ausbeuten zweifach borylieren[2,3] (vgl. S. 49).

Aus Di-tert.-butyl-dimethylamino-boran in Hexan läßt sich beim Durchleiten von Ammoniak *Amino-di-tert.-butyl-boran* (59%; Kp_{17-18}: 41–42°) herstellen. Mit primären Aminen (Methylamin, Isopropylamin) oder sekundären Aminen (Diethylamin, Diisopropylamin) erhält man Di-tert.-butyl-subst.-amino-borane[4]:

$$[(H_3C)_3C]_2B{-}N(CH_3)_2 + HNR^1R^2 \xrightarrow[-(H_3C)_2NH]{Hexan} [(H_3C)_3C]_2B{-}NR^1R^2$$

$R^1 = R^2 = H$; *Amino-di-tert.-butyl-boran*; 59%; Kp_{17-18}: 41–42°
$R^1 = H$; $R^2 = CH_3$; *Di-tert.-butyl-methylamino-boran*; 75%; Kp_{7-8}: 42–43°
$R^2 = C(CH_3)_3$; *tert.-Butylamino-di-tert.-butyl-boran*; 18%; Kp_3: 56°
$R^1 = R^2 = CH(CH_3)_2$; *Di-tert.-butyl-diisopropylamino-boran*; 43%; $Kp_{0,001}$: 37–40°

Entsprechend reagiert Diisopropyl-dimethylamino-boran[5]. (Di-*trans*-1-buten-1-yl)-diorganoamino-borane sind aus (Di-*trans*-1-buten-1-yl)-dimethylamino-boran mit prim. und sek. Aminen zugänglich[6].

---

[1] K.G. Hancock u. D.A. Dickinson, Am. Soc. **95**, 280 (1973).
[2] H. Nöth, Z. Naturf. **16b**, 470 (1961); C.A. **56**, 4786 (1962).
[3] K. Niedenzu u. P. Fritz, Z. anorg. Ch. **340**, 329 (1965).
[4] H. Nöth u. H. Bauer, Universität München, unveröffentlicht 1980; vgl. Diplomarbeit H. Bauer, 1980.
[5] H. Nöth u. U. Höbel, Universität München unveröffentlicht 1982; vgl. Zulassungsarbeit U. Höbel 1982.
[6] T.J. Sobieralski u. K.G. Handcock, Am. Soc. **104**, 7533 (1982).

Auch für Alkenyl-amino-borane gilt, daß man Amino-Gruppen mit kleinen organischen Resten gegen solche mit größeren austauschen kann. Erhitzt man Dimethylamino-phenyl-vinyl-boran mit einem 1,1fachen Überschuß an Butyl-methyl-amin 2 Stdn. am Rückfluß, so erhält man in 76%iger Ausbeute das *(Butyl-methyl-amino)-phenyl-vinyl-boran* ($Kp_{0,5}$: 74–75°)[1]. Zur Herstellung von Diphenyl-pyridylamino-boranen eignet sich gut die Umaminierung von Dimethylamino-diphenyl-boran mit 2-, 3- oder 4-Amino-pyridin[2,3]:

$$(H_5C_6)_2B-N(CH_3)_2 + \text{H}_2\text{N-C}_5\text{H}_4\text{N} \xrightarrow[- (H_3C)_2NH]{} (H_5C_6)_2B-NH-C_5H_4N$$

Diphenyl-pyridylamino-boran

Außer den einfachen Amino-diorgano-boranen lassen sich auch mehrfach borylierte Amine sowie heteroatomsubstituierte Amino-diorgano-borane durch Umaminierung herstellen; z.B. *Diphenylamino-methyl-phenyl-boran* aus Dimethylamino-methyl-phenyl-boran mit Diphenylamin[4] sowie *Bis[3-diethylborylamino-propyl]-diethylboryl-amin* aus Diethyl-dimethylamino-boran mit Bis[3-aminopropyl]amin[5]:

$$3\ (H_5C_2)_2B-N(CH_3)_2 + H_2N-(CH_2)_3-NH-(CH_2)_3-NH_2 \xrightarrow[-3\ HN(CH_3)_2]{} (H_5C_2)_2B-NH-(CH_2)_3-N[B(C_2H_5)_2]-(CH_2)_3-NH-B(C_2H_5)_2$$

Aus Diethyl-dimethylamino-boran erhält man mit Imidazol *Diethyl-imidazolo-boran* mit tetrakoordiniertem Bor-Atom (vgl. S. 644)[6] bzw. aus 4-Diethylamino-1,1,2,6-tetramethyl-1,4-dihydro-1,4-stannaborin mit Piperidin das *4-Piperidino-1,1,2,6-tetramethyl-1,4-dihydro-1,4-stannaborin* (86%; $Kp_{0,01}$: 57–59°)[7]:

$$\text{1,1,2,6-Tetramethyl-1,4-dihydro-1,4-stannaborin-4-}N(C_2H_5)_2 \xrightarrow[- (H_5C_2)_2NH]{+\ \text{Piperidin}} \text{4-Piperidino-1,1,2,6-tetramethyl-1,4-dihydro-1,4-stannaborin}$$

$\zeta\zeta_7$) durch borferne Reaktionen unter Erhalt der C_2BN-Gruppierung

i_1) durch Substitutionen

Aus verschiedenen Amino-diorgano-boranen – vor allem aus solchen mit cyclischen Teilstrukturen – lassen sich durch borferne Substitutionen neue Amino-diorgano-borane herstellen. Besonders wichtig sind die Lithiierungen von NH-Bindungen. Silylamino-organo-borane werden zur Herstellung neuer Diamino-organo-borane durch Substitution von Silyl-Gruppen eingesetzt.

---

[1] K. NIEDENZU, P. FRITZ u. J.W. DAWSON, Inorg. Chem. **3**, 1077 (1964).
[2] W.L. COOK u. K. NIEDENZU, Synth. React. Inorg. Metal-org. Chem. **4**, 53 (1974); C.A. **81**, 13576 (1974).
[3] W.L. COOK, Dissertation Abstr. **35b**, 1194 (1974); C.A. **82**, 73067 (1975).
[4] H.J. BECHER u. H.T. BAECHLE, B. **98**, 2159 (1965).
[5] D.P. EMERICK, L. KOMOROWSKI u. K. NIEDENZU, J. Organometal. Chem. **154**, 147 (1978).
[6] K.-D. MÜLLER, L. KOMOROWSKI u. K. NIEDENZU, Synth. React. Inorg. Metal-org. Chem. **8**, 149 (1978).
[7] H.-O. BERGER, H. NÖTH, G. BUB u. B. WRACKMEYER, B. **113**, 1235 (1980).

Tab. 13: Amino-dialkyl-borane aus Amino-dialkyl-boranen mit Ammoniak Aminen

Amino-dialkyl-boran	Amin	Bedingungen	Amino-dialkyl-boran	Ausbeute [%]	Kp [°C]	Kp [Torr]	Literatur
$(H_3C)_2B-N(CH_3)_2$	$H_9C_4-NH_2$		*Butylamino-dimethyl-boran*	95	114	722	1
	$H_2N-CH_2-CH_2-NH_2$		*(2-Aminoethylamino)-dimethyl-boran*	–	–	–	2
	$H_{11}C_6-NH_2$	8 Stdn. Rückfluß in Benzol	*Cyclohexylamino-dimethyl-boran*	–	–	–	2
	$H_5C_6-C(CH_3)=CH-NH_2$		*Dimethyl-(2-phenylpropenylamino)-boran*	50	71–78	3	3
	$H_5C_6-NH_2$		*Anilino-dimethyl-boran*	72	77	12	1
	$(H_5C_2)_2NH$	–	*Diethylamino-dimethyl-boran*	86	90–92	712	1
$(H_7C_3)_2B-NH_2$	$(H_5C_2)_2NH$	2,5 Stdn. Rückfluß	*Diethylamino-dipropyl-boran*	89	199–122	96	4
$[(H_3C)_2CH-CH_2-CH_2]_2B-NH_2$	$H_3C-CH=CH-NH_2$	–	*Bis[3-methylbutyl]-propenylamino-boran*	–	119–120	5	5
$[(H_5C_2)_2B]_2NH$	NH_3	NH_3 einleiten bis Aufnahme beendet	*Amino-diethyl-boran*	74	72–75	720	6
$[(H_9C_4)_2B]_2NH$	NH_3		*Amino-dibutyl-boran*	80	67–69	16	6
$[(H_3C)_2CH]_2B-N(CH_3)_2$	H_3C-NH_2	bei 90° 48 Stdn.	*Diisopropyl-methyl-amino-boran*	60	–	–	7
$[(H_3C)_3C]_2B-N(CH_3)_2$	NH_3	in siedendem Hexan, NH_3 einleiten	*Amino-di-tert.-butyl-boran*	59	41–42	17–18	8

[1] H. NÖTH, Z. Naturf. **16b**, 470 (1961); C.A. **56**, 4786 (1962).
[2] K.N. SCOTT u. W.S. BREY, jr., Inorg. Chem. **8**, 1703 (1969); C.A. **71**, 60455 (1969).
[3] K. NIEDENZU, P. FRITZ u. J.W. DAWSON, Inorg. Chem. **3**, 778 (1964); C.A. **61**, 7033 (1964).
[4] B.M. MIKHAILOV u. Y.N. BUBNOV, Izv. Akad. SSSR **1960**, 1872; engl.: 1742; C.A. **55**, 15335 (1961).
[5] B.M. MIKHAILOV, V.A. DOROKHOV u. N.V. MOSTOVOI, Probl. Organ. Sinteza. Akad. Nauk SSSR **1965**, 233; C.A. **64**, 14204 (1966).
[6] H. NÖTH u. H. VAHRENKAMP, J. Organometal. Chem. **16**, 357 (1969).
[7] H. NÖTH u. U. HÖBEL, Universität München, unveröffentlicht 1982. s.a. U. HÖBEL, Zulassungsarbeit 1982.
[8] H. NÖTH u. H. BAUER, Universität München, unveröffentlicht 1980. vgl. H. BAUER, Diplomarbeit 1980.

An den Gerüst-C-Atomen der 1,2-Dihydro-1,2-azaborine lassen sich im allgemeinen elektrophile Substitutionen, wie sie für Aromaten typisch sind, durchführen.

Die Halogenierung mit Chlor oder Brom in Eisessig findet im allgemeinen in der ortho-Position zum Bor-Atom statt[1,2]. Ist diese Position blockiert, so werden andere Positionen halogeniert[3]. Im Falle der 1,2-Dihydro-⟨benzo[e]-1,2-azaborine⟩ ist die ortho-Position zum zweifach koordinierten *B*-Atom der bevorzugte Angriffspunkt[4,5]. So führt die Chlorierung der entsprechenden Grundverbindungen zu folgenden Produkten:

3-Chlor-2-methyl-1,2-dihydro-⟨benzo[e]-1,2-azaborin⟩[4,5]

7-Chlor-6-methyl-5,6-dihydro-⟨dibenzo-1,2-azaborin⟩[4,5]

Die Brom-Substitution von borfernen Brom-Atomen gelingt mit Diethylamin; z.B.[6]:

$+ (H_5C_2)_2NH$ / $- (H_5C_2)_2NH_2^+ Br^-$

58 %

7-Diethylamino-3-(diethyl-amino-methyl)-...

15 %

3-Diethylamino-7-methylen-...
...-3-borabicyclo[3.3.1]nonan

Benzo-1,2-azaborine lassen sich borfern acetylieren oder nitrieren. Die Acetylierung mit Acetylchlorid in Gegenwart von Aluminiumchlorid führt zu einem Gemisch einfach und zweifach acetylierter Derivate. Beispielsweise erhält man aus 6-Methyl-5,6-dihydro-⟨dibenzo-1,2-azaborin⟩ das entsprechende *5-Acetyl-6-methyl-* (42%; F: 164–165°) und *5,7-Diacetyl-6-methyl-5,6-dihydro-⟨dibenzo-1,2-azaborin⟩* (17%; F: 205–207°)[7].

Die Nitrierung der 1,2-Dihydro-1,2-azaborine scheint keinen einfachen Regeln zu gehorchen. Beispielsweise wird 6-Methyl-5,6-dihydro-⟨dibenzo-1,2-azaborin⟩ an verschiedenen Stellen nitriert[3,8].

Die aus 6-Methyl-5,6-dihydro-⟨dibenzo-1,2-azaborin⟩[9] mit Methyllithium in Ether zugängliche *5-Lithio*-Verbindung reagiert mit 1,4-Dibrombutan in Benzol unter Abspaltung von Lithiumbromid zum *5-(4-Brombutyl)-6-methyl-5,6-dihydro-⟨dibenzo-1,2-azaborin⟩* (88%)[10]:

---

[1] M.J.S. Dewar u. R. Dietz, J. Org. Chem. **26**, 3253 (1961).
[2] M.J.S. Dewar u. R. Jones, Am. Soc. **90**, 2137 (1968).
[3] M.J.S. Dewar u. V.P. Kubba, Tetrahedron **7**, 213 (1959).
[4] S. Gronowitz u. J. Namtvedt, Tetrahedron Letters **1966**, 2967.
[5] G. Cainelli, G.D. Bello u. G. Zubiani, Tetrahedron Letters **1966**, 4315.
[6] B.M. Mikhailov, L.S. Vasil'ev u. V.V. Veselovskii, Izv. Akad. SSSR **1980**, 1106; engl.: 813; C.A. **93**, 114589 (1980).
[7] M.J.S. Dewar u. V.P. Kubba, Am. Soc. **83**, 1757 (1961).
[8] M.J.S. Dewar, Progr. Boron Chem. **1**, 235 (1964); dort S. 242.
[9] M.J.S. Dewar, R. Dietz, V.P. Kubba u. A.R. Lepley, Am. Soc. **83**, 1754 (1961).
[10] G.C. Culling, M.J.S. Dewar u. P.A. Marr, Am. Soc. **86**, 1125 (1964).

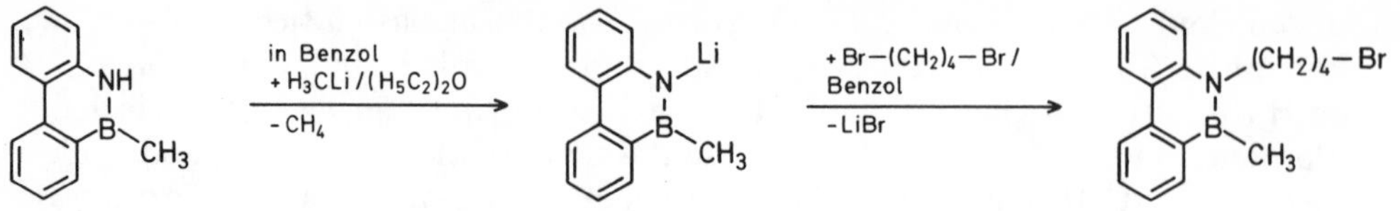

Aus 2-Methyl-1-trimethylsilyl-2,5-dihydro-1,2-azaborol[1,2] ist z.B. mit ehterischem Hydrogenchlorid unter borferner Desilylierung *2-Methyl-2,5-dihydro-1,2-azaborol* (64%; Kp: 84–85°) zugänglich[1]:

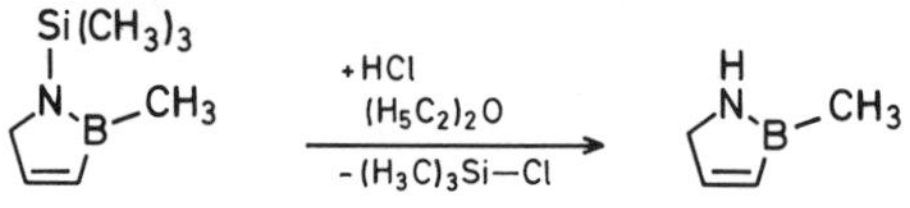

Mit Lithium-2,2,6,6-tetramethylpiperidid erhält man unter Abspaltung des Amins *Lithium-2-methyl-1-trimethylsilyl-1,2-azaborolat*[2].

i$_2$) durch Additionen

ii$_1$) von Wasserstoff

Durch katalytische Hydrierung von Azido-diorgano-boranen werden unter Abspaltung von Stickstoff Amino-diorgano-borane erhalten. *Amino-ethyl-methyl-boran*[3] erhält man so zu ~50% aus Azido-ethyl-methyl-boran durch Hydrogenolyse mit Wasserstoff am Platin-Kontakt[4]:

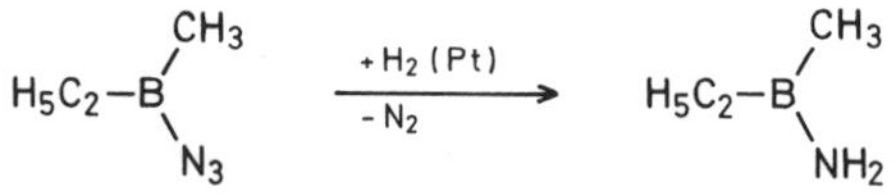

Hydrierungen cyclischer Amino-diorgano-borane ohne Veränderung der C_2BN-Gruppierung gelingen, falls der 1,2-Dihydro-1,2-azaborin-Ring mit einem reaktiven aromatischen Ring anneliert ist. Ein Abbau des annelierten Rings ist ohne Zerstörung des BN-Heterocyclus möglich[5,6] (vgl. a. S. 53); z.B.:

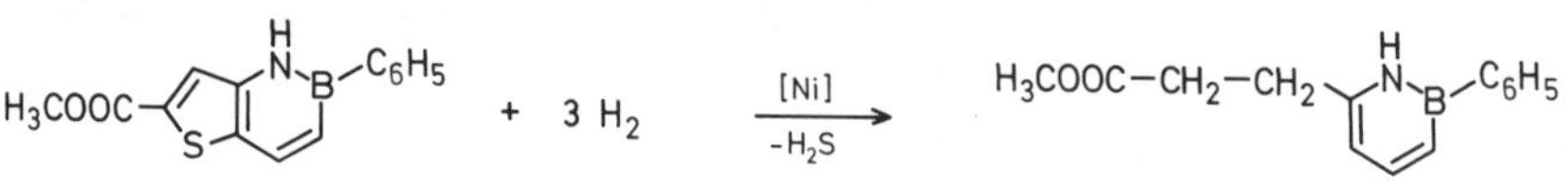

6-(2-Methoxycarbonylethyl)-2-phenyl-1,2-dihydro-1,2-azaborin

Schließlich lassen sich auch zwei Thieno-Ringe abhydrieren[7]; z.B.:

[1] J. Schulze, R. Boese u. G. Schmid, B. **114**, 1297 (1981).
[2] S. Amirkhalili, U. Höhner, D. Kampmann, G. Schmid u. P. Rademacher, B. **115**, 732 (1982).
[3] J. Rathke u. R. Schaeffer, Inorg. Chem. **11**, 1150 (1972).
[4] R. Schaeffer u. L.J. Todd, Am. Soc. **87**, 488 (1965).
[5] M.J.S. Dewar u. P.A. Marr, Am. Soc. **84**, 3782 (1962).
[6] S. Gronowitz u. A. Maltesson, Acta chem. scand. **25**, 2435 (1971); C.A. **76**, 25337 (1972).
[7] S. Gronowitz u. I. Ander, Chem. Scripta **15**, 145 (1980); C.A. **93**, 239500 (1980).

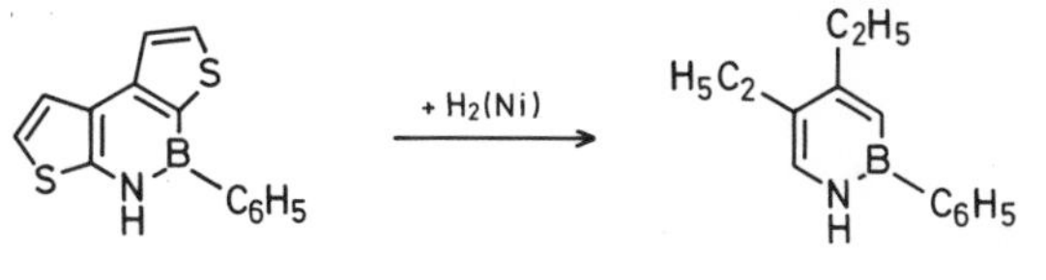

4,5-Diethyl-2-phenyl-1,2-dihydro-1,2-azaborin

Entsprechend kann 6-Phenyl-5-(2-thienyl)-6,7-dihydro-⟨thieno[3,2-e]-1,2-azaborin⟩ hydriert werden[1]:

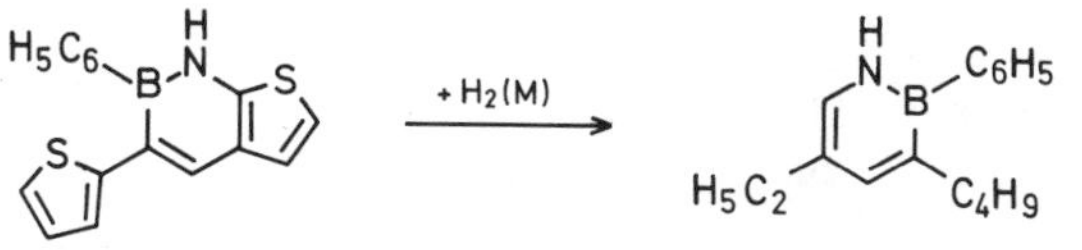

3-Butyl-5-ethyl-2-phenyl-1,2-dihydro-1,2-azaborin

ii$_2$) von Elementhydriden

Die Additionen von Element-Wasserstoff-Verbindungen wie z.B. von Hydrostannanen[2,3], oder Phosphanen[4] an die C≡C-Bindungen von Amino-dialkinyl-boranen sind unter Erhalt der C_2BN-Gruppierung möglich. Aus Diethylamino-(di-1-propinyl)-boran erhält man z.B. mit Dihydro-dimethyl-stannan in Gegenwart von Azodiisobuttersäuredinitril (AIBN; Konz.: ≤ 0,7 mol%) in max. 58% Ausbeute *4-Diethylamino-1,1,2,6-tetramethyl-1,4-dihydro-1,4-stannaborin* ($Kp_{0,05}$: 69–70°)[2,3]:

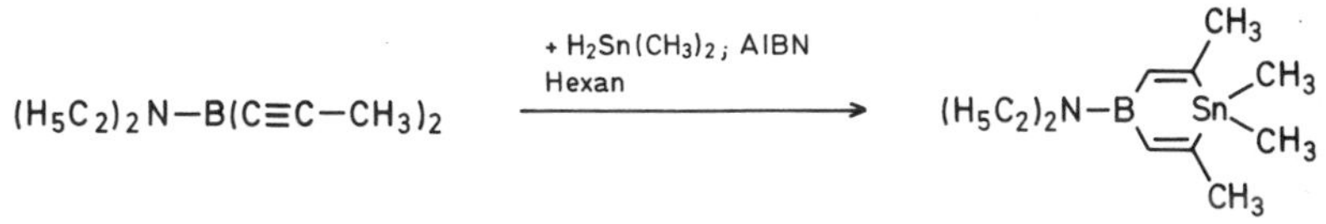

$$(H_5C_2)_2N{-}B(C{\equiv}C{-}CH_3)_2 \xrightarrow[\text{Hexan}]{+H_2Sn(CH_3)_2;\ AIBN}$$

Die Dihydrophosphanylierung mit Phenylphosphan führt in 82%iger Ausbeute zum zähflüssigen *4-Diethylamino-2,6-dimethyl-1-phenyl-1,4-dihydro-1,4-phosphaborin* ($Kp_{0,001}$: 104–106°)[5,6].

Auf ähnliche Weise erhält man aus Diethinyl-diethylamino-boran mit Phenylarsan in Benzol verunreinigtes *4-Diethylamino-1-phenyl-1,4-dihydro-1,4-arsaborin*[5].

ii$_3$) von Übergangsmetall-Verbindungen

Aus Diethylamino-di-1-propinyl-boran läßt sich mit Octacarbonyldicobalt nach Abspaltung von Kohlenmonoxid (Hexan, ~20°) durch Säulenchromatographie an Aluminiumoxid *Diethyl-amino-(hexacarbonyldicobalt-π-1-propinyl)-1-propinyl-boran* gewinnen[6]:

[1] S. Gronowitz u. I. Ander, Chem. Scripta **15**, 145 (1980); C.A. **93**, 239500 (1980).
[2] B. Wrackmeyer u. H. Nöth, Z. Naturf. **29b**, 564 (1974); C.A. **81**, 152348 (1974).
[3] H.-O. Berger, H. Nöth, G. Rub u. B. Wrackmeyer, B. **113**, 1235 (1980).
[4] H.-O. Berger u. H. Nöth, Z. Naturf. **30b**, 641 (1975).
[5] H.-O. Berger u. H. Nöth, J. Organometal. Chem., im Druck, 1983.
[6] B. Wrackmeyer u. P. Galow, Universität München, unveröffentlicht 1982.

$$(H_3C-C\equiv C)_2B-N(C_2H_5)_2 \;+\; Co_2(CO)_8 \xrightarrow[-2\,CO]{Hexan} H_3C-\underset{\displaystyle Co_2(CO)_6}{C\equiv C}-B(C\equiv C-CH_3)-N(C_2H_5)_2$$

ii₄) von verschiedenen Nichtmetall(Verbindung)en

Bestimmte R_2BN-Verbindungen reagieren mit verschiedenen Nichtmetallen unter Bildung von Additionsverbindungen.

Aus 6-Methyl-5,6-dihydro-⟨dibenzo-1,2-azaborin⟩ (vgl. S. 63) bildet sich mit Jod in Tetrachlormethan infolge π-Donatorbindung eine 1:1-Komplexverbindung[1].

i₃) durch Eliminierungen

Photochemische Reaktionen führen bei bestimmten Amino-diorgano-boranen unter Erhalt der C_2BN-Atomgruppierung zu borfernen C–C-Verknüpfungen[2]. Es handelt sich um dehydrierende Photocyclisierungen in Gegenwart von Jod[3-8].

Eine borgebundene Phenyl-Gruppe kann unter der Einwirkung von ultraviolettem Licht mit Hilfe von Jod als Dehydrierungsmittel an die Stickstoff-gebundenen Aryl-Gruppen gebunden werden, wobei 5,6-Dihydro-⟨dibenzo-1,2-azaborine⟩ entstehen (vgl. Bd. IV/5b, S. 1401)[3,4]:

$$C_6H_5-NH-B(C_6H_5)-C_6H_5 \xrightarrow[-2\,HJ]{J_2,\,h\nu} \text{6-Phenyl-5,6-dihydro-⟨dibenzo-1,2-azaborin⟩}$$

6-Phenyl-5,6-dihydro-⟨dibenzo-1,2-azaborin⟩[3]: In einem Dünnschicht-Photoreaktor wird 1,0 g (5 mmol) Chlor-diphenyl-boran zu 0,93 g (10 mmol) Anilin in 600 *ml* Cyclohexan gegeben. Die Mischung wird 30 Min. bei ~20° gerührt, wobei sich Anilin-Hydrochlorid abscheidet. Man fügt 1,4 g (5,5 mmol) Jod hinzu und bestrahlt 15–20 Stdn. mit einer 100 W-Lampe (Hanovia 608 A–36). Dann behandelt man die Cyclohexan-Lösung der Reihe nach mit Wasser, verd. Salzsäure, Natriumsulfit-Lösung, Natronlauge, Wasser und Trockenmittel. Das vom Lösungsmittel befreite Produkt wird aus Ligroin umkristallisiert; Ausbeute: 0,38 g (30%); F: 107–110°.

Mit *N*-Methylanilin erhält man auf analoge Weise das *6-Methyl-5-phenyl-5,6-dihydro-⟨dibenzo-1,2-azaborin⟩* (18%; F: 123–125°). Enthält das Anilin in o-Stellung als Substituenten ein Jod-Atom, so entfällt der Jod-Zusatz; z. B. bei der photochemischen Umsetzung von 2-Jodanilin mit Chlor-diphenyl-boran (1:1) in Gegenwart von 2,6-Dimethylpyridin. *6-Phenyl-5,6-dihydro-⟨dibenzo-1,2-azaborin⟩* (F: 106–108°) fällt dabei zu 51% an[3].

Auch das *6-Phenyl-5,6-dihydro-⟨benzo[c]-pyrido[3,2-e]-1,2-azaborin⟩* ist entsprechend aus Diphenyl-2-pyridylamino-boran zugänglich[7]:

---

[1] J.E. Frey, G.M. Marchand u. R.S. Bolton, Inorg. Chem. **21**, 3239 (1982).
[2] ds. Handb., Bd. **IV/5b**, S. 1401 (1975).
[3] P.J. Grisdale u. J.L.R. Williams, J. Org. Chem. **34**, 1675 (1969).
[4] P.J. Grisdale, M.E. Glogowski u. J.L.R. Williams, J. Org. Chem. **36**, 3821 (1971).
[5] M.E. Glogowski, P.J. Grisdale, J.L.R. Williams u. T.H. Regan, J. Organometal. Chem. **54**, 51 (1973).
[6] M.E. Glogowski u. J.L.R. Williams, J. Organometal. Chem. **195**, 123 (1980).
[7] K.D. Müller u. K. Niedenzu, Inorg. Chim. Acta **25**, L53 (1977).
[8] M.E. Glogowski, P.J. Grisdale, J.L.R. Williams u. L. Costa, J. Organometal. Chem. **74**, 175 (1974).

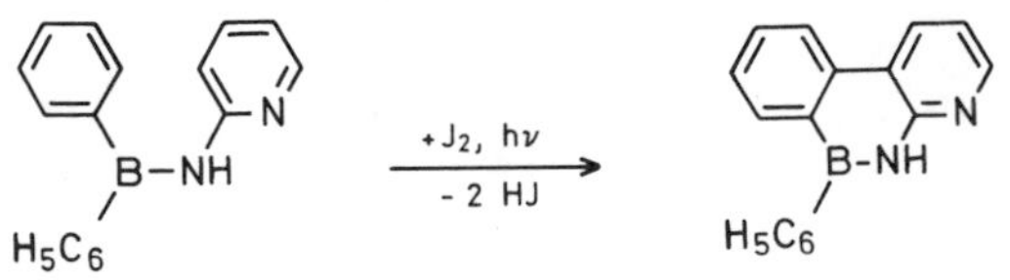

Bei der Bildung der 5,6-Dihydro-⟨dibenzo-1,2-azaborine⟩ können auch Methyl-Reste am Phenyl-Kern wandern oder abgespalten werden[1]. Die Wirkungsweise des zugesetzten Jods ist dabei offensichtlich sehr komplex[2].

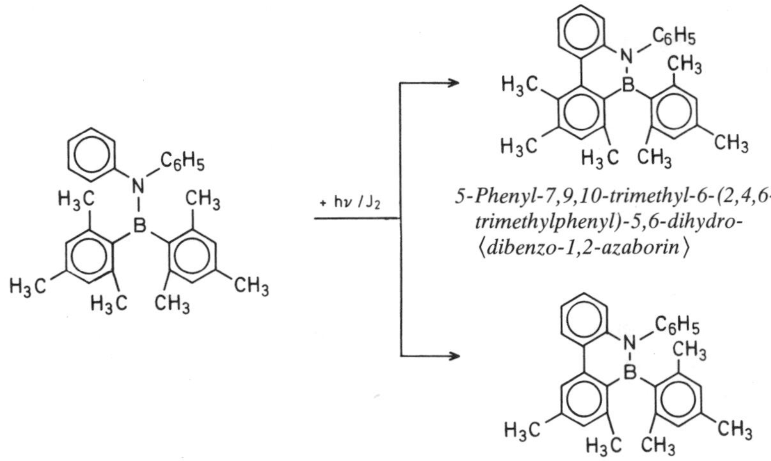

5-Phenyl-7,9,10-trimethyl-6-(2,4,6-trimethylphenyl)-5,6-dihydro-⟨dibenzo-1,2-azaborin⟩

7,9-Dimethyl-5-phenyl-6-(2,4,6-trimethylphenyl)-5,6-dihydro-⟨dibenzo-1,2-azaborin⟩

Dehydrierungen von cyclischen Amino-diorgano-boranen sind borfern mit verschiedenen üblichen Reagenzien zu erzielen.

1,2-Azaborinane lassen sich thermisch bei ~300° an Kohle/Palladium ohne Lösungsmittel zu den entsprechenden 1,2-Azaborinen dehydrieren. Man kann die Dehydrierung in 1-Octen im Autoklaven durchführen. U. a. gelangt man auf diesem Wege vom 1-Aza-6-bora-bicyclo[4.4.0]decan zum *1-Aza-6-bora-bicyclo*[*4.4.0*]*decatetraen* (35%; F: 48–49°)[3–5]:

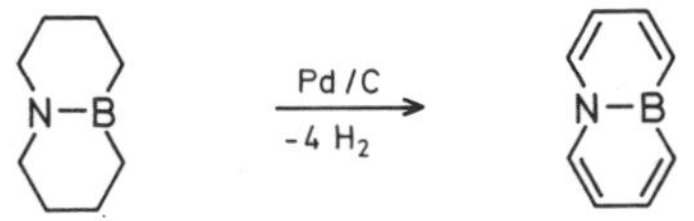

Als Dehydrierungsmittel kann auch Schwefel eingesetzt werden. Beispielsweise erhält man so aus dem 1,2-Azaborinan I innerhalb 1 Stde. bei 250–260° das *2,3;4,5-Dibenzo-1-aza-6-bora-bicyclo*[*4.4.0*]*decatetraen* (48%; F: 185–186°)[6]:

[1] M.E. Glogowski, P.J. Grisdale, J.L.R. Williams u. T.H. Regan, J. Organometal. Chem. **54**, 51 (1973).
[2] M.E. Glogowski u. J.L.R. Williams, J. Organometal. Chem. **195**, 123 (1980).
[3] M.J.S. Dewar, G.J. Gleicher u. B.P. Robinson, Am. Soc. **86**, 5698 (1964).
[4] K.M. Davies, M.J.S. Dewar u. P. Rona, Am. Soc. **89**, 6294 (1967).
[5] M.J.S. Dewar u. R. Jones, Am. Soc. **90**, 2137 (1968).
[6] G.C. Culling, M.J.S. Dewar u. P.A. Marr, Am. Soc. **86**, 1125 (1964).

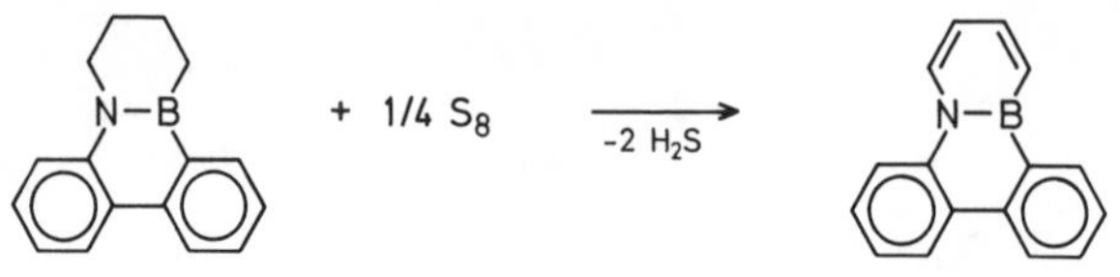

I

Zu den Eliminierungen gehören schließlich auch borferne Abspaltungen von Hydrogenhalogenid.

Eine einfache Methode zur Herstellung von 1,2-Dialkyl-1,2-azaborinanen stellt der intramolekulare Ringschluß von Alkyl-alkylamino-(4-brombutyl)-boranen mit prim. Aminen dar[1]:

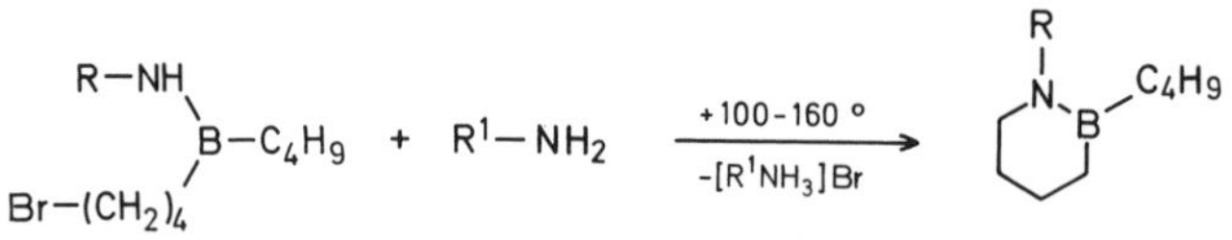

z.B.: $R = C_4H_9$; *1,2-Dibutyl-1,2-azaborinan*; 96%; Kp_2: 58–60°

Die bei der Herstellung von 2,4-Diaryl-1,2-dihydro-⟨benzo[e]-1,2-azaborin⟩ (vgl. S. 62) intermediär auftretenden, jedoch bisher nicht isolierten Aryl-arylamino-(2-chlorvinyl)-borane cyclisieren im Zuge einer Friedel-Crafts-Alkenylierung unter Abspaltung von Hydrogenchlorid[2]:

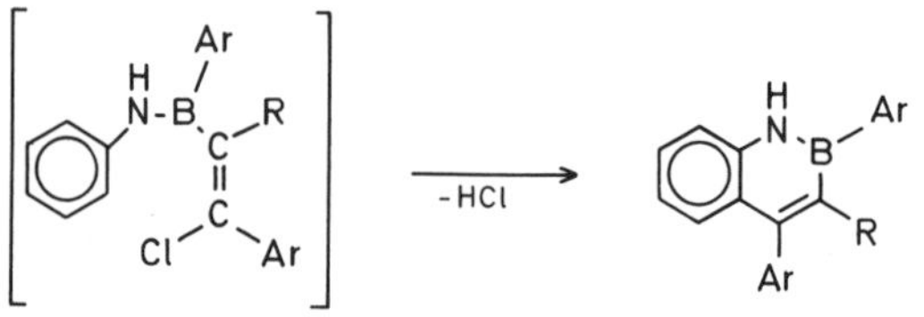

ζ_2) *aus Amino-hydro-organo-boranen*

Amino-diorgano-borane erhält man aus Amino-hydro-organo-boranen (vgl. S. 128ff.) mit Reagenzien, die das Wasserstoff-Atom am Bor-Atom durch einen Organo-Rest ersetzen. Außer diesem Austausch kommen Hydroborierungen in Frage.

$\zeta\zeta_1$) mit Organo-bor- oder -metall-Verbindungen

Der Austausch des H-Atoms gegen Alkyl-Reste am B-Atom gelingt bisweilen zwischen Amino-hydro-organo-boranen und Trialkylboranen; z.B.[3]:

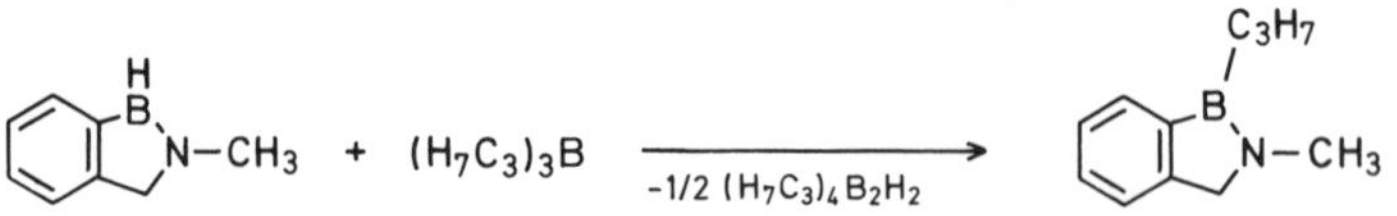

2-Methyl-1-propyl-2,3-dihydro-1H-⟨benzo[c]-1,2-azaborol⟩

[1] L.S. Vasil'ev, V.P. Dmitrikov, V.S. Bogdanov u. B.M. Mikhailov, Ž. obšč. Chim. **42**, 1318 (1972); engl.: 1313; C.A. **77**, 114472 (1972).
B.M. Mikhailov, L.S. Vasil'ev u. V.P. Dmitrikov, Izv. Akad. SSSR **1968**, 2164; engl.: 2059.
[2] P.I. Paetzold, G. Stohr, H. Maisch u. H. Lenz, B. **101**, 2881 (1968).
[3] R. Köster u. K. Iwasaki, Advan. Chem. Ser. **42**, 148 (1964); C.A. **60**, 10705 (1964).

Mit metallorganischen Verbindungen können aus Amino-hydro-organo-boranen Amino-diorgano-borane erhalten werden. So läßt sich z. B. 1-Benzyl-1,2-azaborinan mit Phenylmagnesiumbromid am Bor-Atom zum *1-Benzyl-2-phenyl-1,2-azaborinan* (gute Ausbeute; $Kp_{0,5}$: 136°) phenylieren[1]:

$CH_2-C_6H_5$ / N–BH (Ring) $\xrightarrow[2.\ +H_2O]{1.\ +H_5C_6-MgBr}$ $CH_2-C_6H_5$ / N–B–C_6H_5 (Ring)

Zur Umsetzung tropft man eine ether. Lösung des Grignard-Reagenzes zu einer Lösung des Borans in Ether, beläßt 3 Stdn. bei ~20°, erhitzt 30 Min. am Rückfluß, extrahiert mit Wasser und destilliert die ether. Phase.

$\zeta\zeta_2$) mit Alkenen

Aus 1,2-Azaborinanen lassen sich mit Alkenen durch Hydroborieren 2-Alkyl-borinane herstellen. Hierzu werden die gasförmigen Alkene bei ~100° in das Boran eingeleitet, die flüssigen Alkene mit dem Boran mehrere Stunden am Rückfluß erhitzt. Mit 1-Hexen wird so *2-Hexyl-1-methyl-1,2-azaborinan* (78%; $Kp_{0,01}$: 70–73°) erhalten[2]:

CH_3 / N–BH (Ring) + $H_2C{=}CH-C_4H_9$ ⟶ CH_3 / N–B–C_6H_{13} (Ring)

1-Butyl-2-methyl-1,2,3,4-tetrahydro-⟨benzo[c]-1,2-azaborin⟩ ($Kp_{0,3}$: 75–78°) und *1-Butyl-2-methyl-2,3-dihydro-1H-⟨benzo[c]-1,2-azaborol⟩* (86%; $Kp_{0,4}$: 65–68°) lassen sich entsprechend bei ~100° mit einem großen Überschuß an 1-Buten herstellen[3]:

H–B / N–CH_3 (Benzo-Ring) + $H_2C{=}CH-C_2H_5$ ⟶ C_4H_9–B / N–CH_3 (Benzo-Ring)

ζ_3) *aus Amino-halogen-organo-boranen*

Cyclische und offenkettige Amino-diorgano-borane sind aus Amino-halogen-organoboranen mit metallorganischen Verbindungen bzw. mit bestimmten CH-aciden Verbindungen zugänglich. Bisweilen treten Amino-halogen-organo-borane nur als Zwischenprodukte auf. Beispielsweise reagieren Dihalogen-organo-borane mit aromatischen primären Aminen unter Bildung von Amino-diorgano-boranen, falls außer der N-Borylierung eine intramolekulare C-Borylierung unter Cyclisierung erfolgt. Diese Herstellungsmethode wird bei der Reaktion der Dihalogen-organo-borane mit Arylaminen besprochen (vgl. S. 38).

---

[1] K.M. Davies, M.J.S. Dewar u. P. Rona, Am. Soc. **89**, 6294 (1967).
[2] H. Wille u. J. Goubeau, B. **105**, 2156 (1972).
[3] R. Köster, K. Iwasaki, S. Hattori u. Y. Morita, A. **720**, 23 (1968).

ζζ₁) durch intramolekulare Cyclisierung

Geeignet substituierte Amino-halogen-organo-borane lassen sich beim Erhitzen unter Eliminierung in cyclische Amino-diorgano-borane überführen. Bei ~650° reagiert z.B. Chlor-(pentafluorphenyl)-(N-trimethylsilyl-2,4,6-trimethyl-anilino)-boran unter Abspaltung von Chlor-trimethyl-silan zum *5,7-Dimethyl-2-(pentafluorphenyl)-2,3-dihydro-⟨benzo[d]-1,2-azaborol⟩* (F: 208–209°)[1]:

$$\text{Chlor-(pentafluorphenyl)-(N-trimethylsilyl-2,4,6-trimethyl-anilino)-boran} \xrightarrow[-\ (H_3C)_3SiCl]{\sim 650°} \text{5,7-Dimethyl-2-(pentafluorphenyl)-2,3-dihydro-⟨benzo[d]-1,2-azaborol⟩}$$

Aus [tert.-Butyl-(3-chlor-2-butenyl)-amino]-chlor-phenyl-boran läßt sich in siedendem 1,4-Dioxan mit Kalium in 22%iger Ausbeute *1-tert.-Butyl-3-methyl-2-phenyl-2,5-dihydro-1,2-azaborol* herstellen[2,3]:

$$(H_3C)_3C(H_5C_6BCl)N{-}CH_2{-}CH{=}C(Cl)CH_3 \xrightarrow[-\ 2\ KCl]{+\ 2\ K} \text{1-tert.-Butyl-3-methyl-2-phenyl-2,5-dihydro-1,2-azaborol}$$

1-tert.-Butyl-3-methyl-2-phenyl-2,5-dihydro-1,2-azaborol[2,3]: Zur Lösung von 36,5 g (128,6 mmol) [tert.-Butyl-(3-chlor-2-butenyl)-amino]-chlor-phenyl-boran in 1 *l* 1,4-Dioxan gibt man 8 g (204,4 mmol) Kalium-Stückchen und erhitzt 1 Stde. zum Rückfluß. Nach Absaugen der erkalteten Lösung wird i. Vak. fraktioniert; Ausbeute: 6 g (22%): Kp_1: 52–53°.

ζζ₂) mit metallorganischen Verbindungen

Die Alkylierung von Amino-dichlor-boranen mit Alkyllithium zu Amino-dialkyl-boranen erfolgt bei −78°, wobei die ether. Lösung des Alkyllithiums zum Boran in Ether getropft wird[4] (s. S. 68).

Will man Amino-dialkyl-borane mit verschiedenen Alkyl-Resten herstellen, so geht man von Alkyl-amino-chlor-boranen aus, die mit Alkyllithium umgesetzt werden; z.B.[5]:

$$R^1(Cl)B{-}N(CH_3)_2 + MR^2 \xrightarrow{-MCl} R^1(R^2)B{-}N(CH_3)_2$$

$R^1 = C_4H_9$; $R^2 = CH_3$; M = Li; *Butyl-dimethylamino-methyl-boran*; ~28%; Kp_{10}: 33–35°

---

[1] P. Paetzold, A. Richter, T. Thijssen u. S. Würtenberg, B. **112**, 3811 (1979).
[2] J. Schulze u. G. Schmid, Ang. Ch. **92**, 61 (1980).
[3] J. Schulze, Dissertation Universität Essen–GHS 1980, S. 162.
[4] J. Casanova u. M. Geisel, Inorg. Chem. **13**, 2783 (1974).
[5] H. Nöth u. P. Fritz, Z. anorg. Ch. **324**, 270 (1963).

Aus (Allyl-tert.-butyl-amino)-chlor-phenyl-boran erhält man mit Butyllithium *(Allyl-tert.-butyl-amino)-butyl-phenyl-boran*, das zur Herstellung von 1-tert.-Butyl-2-phenyl-1,2-azaborolan (vgl. S. 45) verwendet wird[1].

Aus Amino-halogen-organo-boranen lassen sich mit Organolithium-Verbindungen, die sich bei der Addition von Alkyllithium-Verbindungen an tert.-Butylisonitril bilden, monomere Amino-(1-iminoalkyl)-organo-borane herstellen[2]:

$$R^1-B(N(CH_3)_2)(Hal) + Li-C(=N-C(CH_3)_3)-R \xrightarrow{-\ LiHal} R^1-B(N-C(CH_3)_3)-C(=N-C(CH_3)_3)-R^2$$

Hal = Cl, Br
$R^1 = CH_3, C_6H_5$

Organomagnesiumhalogenide eignen sich ebenfalls zur Herstellung von Amino-diorgano-boranen aus Amino-dihalogen-boranen (s. S. 69) bzw. aus Amino-halogen-organo-boranen. Im letzten Fall lassen sich Amino-diorgano-borane mit verschiedenen organischen Resten gewinnen[3]:

$$R^1(Cl)B-N(CH_3)_2 + R^2-MgBr \xrightarrow{-MgClBr} R^1(R^2)B-N(CH_3)_2$$

z. B.: $R^1 = CH_3$; $R^2 = C_2H_5$; *Dimethylamino-ethyl-methyl-boran*; 49%; Kp: 90–92°

Amino-chlor-phenyl-borane setzen sich mit Grignard-Reagenzien entsprechend zu Amino-organo-phenyl-boranen um:

$$H_5C_6(Cl)B-N(R^2)(R^3) + R^1-MgBr(J) \xrightarrow{-MgClBr(J)} H_5C_6(R^1)B-N(R^2)(R^3)$$

Tab. 14: Amino-organo-phenyl-borane aus Amino-chlor-phenyl-boranen mit Organomagnesiumhalogeniden

R^1	R^2	R^3	Amino-organo-phenyl-boran	Ausbeute [%]	Kp [°C]	Kp [Torr]
CH_3	CH_3	CH_3	*Dimethylamino-methyl-phenyl-boran*[4]	68	43	2
		C_6H_5	*Methyl-(N-methylanilino)-phenyl-boran*[4]	64	98	3
C_2H_5	C_2H_5	C_2H_5	*Diethylamino-ethyl-phenyl-boran*[4]	59	98	4
	C_4H_9	CH_3	*(Butyl-methyl-amino)-ethyl-phenyl-boran*[4]	51	73–89	3
C_6H_{13}	CH_3	C_6H_{11}	*(Cyclohexyl-methyl-amino)-hexyl-phenyl-boran*[5]	59	102–124	3
$CH_2-C_6H_5$	CH_3	$CH_2-C_6H_5$	*Benzyl-(benzyl-methyl-amino)-phenyl-boran*[5]	50	170–180	3

[1] J. Schulze u. G. Schmid, Universität Essen-GHS, unveröffentlicht 1979.
vgl. Dissertation J. Schulze, Universität Essen–GHS, 1980.
[2] U. Sicker, A. Meller u. W. Maringgele, J. Organometal. Chem. **231**, 191 (1982).
[3] K. Niedenzu, J. W. Dawson, P. Fritz u. H. Jenne, B. **98**, 3050 (1965).
[4] K. Niedenzu u. J. W. Dawson, Am. Soc. **82**, 4223 (1960).
[5] V. V. Korshak, N. I. Bekasova, L. M. Chursina u. V. A. Zamyatina, Izv. Akad. SSSR **1963**, 1645; engl.: 1500; C. A. **59**, 15296 (1963).

Die gängigste Herstellungsmethode von Amino-di-1-alkenyl- bzw. 1-Alkenyl-amino-organo-boranen ist die Umsetzung des entsprechenden Amino-chlor-organo-borans mit 1-Alkenylmagnesiumhalogeniden. Die Ausbeuten liegen durchweg unterhalb von 50%[1]:

$$R^1R^2N-B(R^3)Cl + ClMg-C(R^4)=CH-R^5 \xrightarrow{-MgCl_2} R^1R^2N-B(R^3)-C(R^4)=CH-R^5$$

Beim Einsatz von 2-Butenylmagnesiumchlorid erhält man ein Gemisch der entsprechenden 2-Butenyl- und (1-Methyl-2-propenyl)-borane. Nach dem Erhitzen der Allyl-Isomeren auf 150° liegt nur das stabilere 2-Butenyl-Derivat vor[1].

Das aus Trichlorboran mit 2-Vinylanilin erhältliche 2-Chlor-1,2-dihydro-⟨benzo[e]-1,2-azaborin⟩ läßt sich am Bor-Atom leicht methylieren bzw. phenylieren[2] (vgl. S. 38)[3]:

$$\text{2-Cl-1,2-dihydro-benzo[e]-1,2-azaborin} \xrightarrow[-MgClBr]{+H_5C_6-MgBr} \text{2-}C_6H_5\text{-1,2-dihydro-benzo[e]-1,2-azaborin}$$

2-Phenyl-1,2-dihydro-⟨benzo[e]-1,2-azaborin⟩[2]: Das aus 1 g (8,4 mmol) 2-Aminostyrol und 2 g (11,7 mmol) Trichlorboran erhaltene rohe 2-Chlor-1,2-dihydro-⟨benzo[e]-1,2-azaborin⟩ (vgl. S. 144) wird in Ether gelöst und unter Eiskühlung eine aus 1,0 g Magnesium und 6,8 g Brombenzol gewonnene ether. Grignard-Lösung innerhalb von 45 Min. zugegeben. Nachdem 2 Stdn. bei 23° und 1 Stde. am Rückfluß erhitzt worden ist, wird mit Wasser hydrolysiert, die Ether-Phase abgetrennt, getrocknet und der Ether abgetrieben. Der Rückstand wird aus leicht siedendem Petrolether umkristallisiert; Ausbeute: 0,65 g (43%); F: 138–139°.

Auf analoge Weise wird *2-Methyl-1,2-dihydro-⟨benzo[e]-1,2-azaborin⟩*[2] (45%; F: 73–74°) gewonnen.

Alkyl- und Phenyl-magnesiumbromide dienen ferner zur B-Alkylierung bzw. Phenylierung von 6-Chlor-5,6-dihydro-⟨dibenzo-1,2-azaborinen⟩[3]:

$$\text{HN-B(Cl)} \; (R^3, R^2) \xrightarrow[-MgClHal]{+R^1-MgHal} \text{HN-B}(R^1) \; (R^3, R^2)$$

Z.B.: $R^1 = C_6H_5$; $R^2 = R^3 = H$; *6-Phenyl-5,6-dihydro-⟨dibenzo-1,2-azaborin⟩*; 59%; F: 110°

In besonderen Fällen eignen sich auch Organo q u e c k s i l b e r-Verbindungen zur Herstellung von Amino-diorgano-boranen aus Amino-halogen-organo-boranen. Dies gilt z.B. für die auf andere Weise bisher nicht hergestellten (1-Alkoxycarbonylalkyl)-amino-organo-borane I. Sie stehen zwar im Gleichgewicht mit den (1-Alkoxyvinyloxy)-amino-boranen II, doch sind sie bei der 1,3-Boryltautomerie deutlich bevorzugt[4].

Zur Herstellung der kinetisch zunächst als Gemische anfallenden Amino-borane I und II werden Alkyl-amino-brom-borane in Chloroform oder Toluol bei ~ −50° mit Bis-[methoxycarbonylmethyl]quecksilber umgesetzt; z.B.[4]:

---

[1] K.G. Hancock u. J.D. Kramer, Am. Soc. **95**, 6463 (1973).
[2] M.J.S. Dewar u. R.W. Dietz, Soc. **1959**, 2728.
[3] M.J.S. Dewar, Advan. Chem. Ser. **42**, 227 (1964).
[4] P. Paetzold u. H.-P. Biermann, B. **110**, 3678 (1977).

$$(H_3C)_2N\text{–}B(R)\text{–}Br \xrightarrow[-BrHg(CH_2-COOCH_3)]{+Hg(CH_2-COOCH_3)_2} \text{I} \rightleftarrows \text{II}$$

I: $(H_3C)_2N\text{–}B(R)\text{–}CH_2\text{–}C(=O)\text{–}OCH_3$

II: $(H_3C)_2N\text{–}B(R)\text{–}O\text{–}C(=CH_2)\text{–}OCH_3$

Dimethylamino-(methoxycarbonylmethyl)-methyl-boran[1]: Zur Suspension von 20,8 g (60 mmol) Bis[methoxycarbonylmethyl]quecksilber[2] in 120 *ml* Toluol gibt man bei −50° in 1 Stde. eine Lösung von 60 mmol Brom-dimethylamino-methyl-boran in 40 *ml* Toluol. Nach 2 Stdn. Rühren bei −40° und Abkühlen auf −60° werden langsam 500 *ml* Pentan/Hexan-Gemisch zugefügt. Nach Abfiltrieren von Methoxycarbonylmethyl-quecksilber-bromid und gründlichem Waschen des Niederschlags mit Pentan werden die Lösungen i. Vak. eingeengt, von weiterem Quecksilber befreit und destilliert. Die Redestillation i. Vak. über eine Kurz-Vigreux-Kolonne liefert 5,3 g (62%) Gemisch (Kp_5: 44–51°).

4,1 g (28,7 mmol) Gemisch mit 36% Endprodukt werden in 25 *ml* Chloroform 24 Stdn. auf 50° erwärmt. Die Destillation i. Vak. liefert 3,6 g (87%) reines Produkt (Kp_5: 51°).

Dimethylamino-(methoxycarbonylmethyl)-phenyl-boran ($Kp_{0,004}$: 63°) erhält man aus Brom-dimethylamino-phenyl-boran mit Bis[methoxycarbonylmethyl]quecksilber in 44%iger Ausbeute unmittelbar isomerenfrei[1]:

$$(H_3C)_2N(H_5C_6)B\text{–}CH_2\text{–}C(=O)\text{–}OCH_3$$

Aus Chlor-dimethylamino-phenyl-boran erhält man mit Silbercyanid in Acetonitril monomeres *Cyan-dimethylamino-phenyl-boran* (35%; $Kp_{0,5}$: 90–92°)[3]:

$$H_5C_6\text{–}B(N(CH_3)_2)\text{–}Cl \xrightarrow[-AgCl]{+AgCN,\ -20°,\ -48\ Stdn.} H_5C_6\text{–}B(N(CH_3)_2)\text{–}CN$$

Beim Destillieren des Cyanborans tritt teilweise Dismutation in polymeres *Dicyan-phenyl-boran* und *Bis*[*dimethylamino*]*-phenyl-boran* ein[3].

ζζ₃) mit ungesättigten Verbindungen

Haloborierungen ungesättigter Verbindungen (Alkine, Diazoalkane) und deren Folgereaktionen eignen sich in Sonderfällen zur Herstellung bestimmter, sonst weniger gut zugänglicher Amino-diorgano-borane.

---

[1] P. Paetzold u. H.-P. Biermann, B. **110**, 3678 (1977).
[2] I. F. Ludsenko, V. L. Foss u. N. L. Ivanova, Doklady Akad. SSSR **141**, 1107 (1961); engl.: 1270; C. A. **56**, 12920 (1962).
[3] A. Meller, W. Maringgele u. U. Sicker, J. Organometal. Chem. **141**, 249 (1977).

Die aus Aryl-dichlor-boran mit Anilin und Phenylacetylen entstehenden, nicht isolierten Aryl-arylamino-(2-chlor-2-phenyl-vinyl)-borane unterliegen der intramolekularen Alkenylierung (vgl. S. 38, 58)[1]:

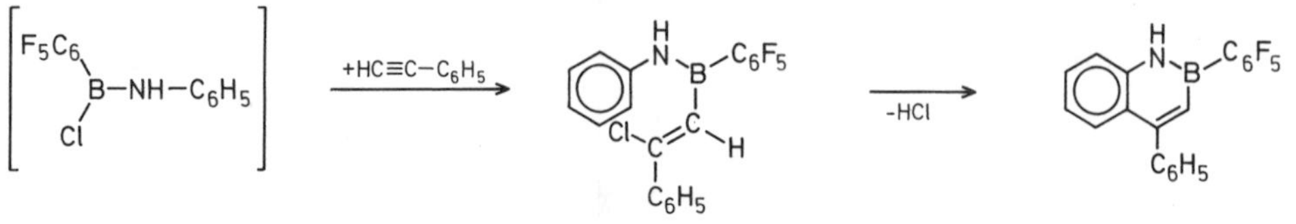

$$\left[(F_5C_6)(Cl)B{-}NH{-}C_6H_5 \right] \xrightarrow{+HC\equiv C-C_6H_5} \text{(Cl)(}C_6H_5\text{)C=CH-B(}C_6F_5\text{)-NH-}C_6H_4 \xrightarrow{-HCl} \text{2-}C_6F_5\text{-4-}C_6H_5\text{-1,2-dihydro-benzo[e]-1,2-azaborin}$$

2-Pentafluorphenyl-4-phenyl-1,2-dihydro-⟨benzo[e]-1,2-azaborin⟩[1]**:** Dichlor-pentafluorphenyl-boran und Anilin werden in siedendem Toluol zum nicht isolierten Anilino-chlor-pentafluorphenyl-boran umgesetzt, wobei man das Hydrogenchlorid mit Stickstoff austreibt. Dann wird Phenylacetylen im Überschuß zugesetzt und 24 Stdn. am Rückfluß erhitzt; das als Produkt der schnellen Chloroborierung von Phenylacetylen intermediär auftretende Anilino-(2-chlor-2-phenyl-vinyl)-pentafluorphenyl-boran erfährt beim Erhitzen eine intramolekulare Friedel-Crafts-Alkenylierung, wobei Hydrogenchlorid mit Stickstoff ausgetrieben wird. Der beim Einengen der Lösung ausfallende Niederschlag wird aus Tetrachlormethan umkristallisiert; Ausbeute: 89%; F: 156–157°.

Unter ähnlichen Bedingungen erhält man aus Dichlor-pentafluorphenyl- bzw. Dichlor-phenyl-boran mit 4-Methyl- oder 4-Methoxy-anilin und anschließender Umsetzung mit Phenylacetylen 4-Phenyl-1,2-dihydro-⟨benzo[e]-1,2-azaborine⟩ I[1]:

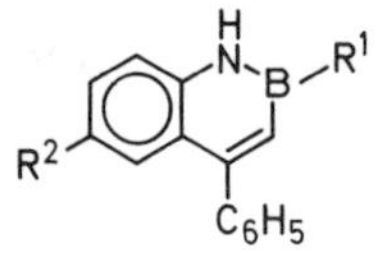

(Strukturformel I: 6-R^2-4-C_6H_5-2-R^1-1,2-dihydro-benzo[e]-1,2-azaborin, N–H)

I; . . .*-1,2-dihydro-⟨benzo[e]-1,2-azaborin⟩*

$R^1 = C_6H_5$; $R^2 = CH_3$; *2,4-Diphenyl-6-methyl-*. . .; 43%; $Kp_{0,001}$: 70–175°
$R^2 = OCH_3$; *2,4-Diphenyl-6-methoxy-*. . .; 77%; F: 110–111°
$R^1 = C_6F_5$; $R^2 = CH_3$; *6-Methyl-2-pentafluorphenyl-4-phenyl-*. . .; 78%; F: 173–174°
$R^2 = OCH_3$; *6-Methoxy-2-pentafluorphenyl-4-phenyl-*. . .; 83%; F: 161–162°

ζ₄) *aus Alkoxy-amino-organo-boranen*

Die Herstellung von Amino-diorgano-boranen aus Amino-organo-organooxy-boranen mit Organometall-Verbindungen ist vielfach die Endstufe einer Mehrstufensynthese.

Eingesetzt werden vor allem Organolithium- und -magnesium-Verbindungen. Beispielsweise lassen sich mit Organolithium-Verbindungen aus B-Trimethylsilyloxy-1,2-azaboracyclen die entsprechenden B-Organo-1,2-azaboracyclen herstellen[2]:

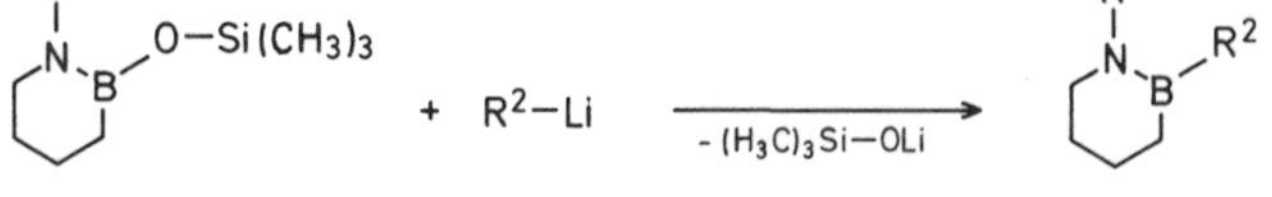

$$\text{1-}R^1\text{-2-[}O{-}Si(CH_3)_3\text{]-1,2-azaborinan} + R^2{-}Li \xrightarrow{-(H_3C)_3Si-OLi} \text{1-}R^1\text{-2-}R^2\text{-1,2-azaborinan}$$

2-Alkyl-1,2-azaborepane erhält man aus den entsprechenden 2-Alkoxy-Verbindungen durch Umsetzung mit einer Alkylmagnesium-Verbindung[3]:

---

[1] P.I. Paetzold, G. Stohr, H. Maisch u. H. Lenz, B. **101**, 2881 (1968).
[2] B. Roques u. D. Florentin, J. Organometal. Chem. **46**, C 38 (1972).
[3] L.S. Vasil'ev, M.M. Vartanyan u. B.M. Mikhailov, Izv. Akad. SSSR **1972**, 1678; engl.: 1632; C.A. **77**, 164792 (1972).

$$\text{H}_7\text{C}_3\text{-N-B(OCH}_3\text{)-azepan (6-}\text{OC}_2\text{H}_5\text{)} + \text{H}_9\text{C}_4\text{-MgBr} \xrightarrow{-\text{MgBr(OCH}_3\text{)}} \text{H}_7\text{C}_3\text{-N-B(C}_4\text{H}_9\text{)-azepan (6-}\text{OC}_2\text{H}_5\text{)}$$

2-Butyl-6-ethoxy-1-propyl-1,2-azaborepan;
64%; Kp_1: 94–96°

Auch die Bis[1,2-dihydro-1,2-azaborin-2-yl]oxide werden als Edukte verwendet (vgl. Tab. 15, S. 64).

1-Benzyl-2-phenyl-1,2-dihydro-1,2-azaborin (F: 58–60°) erhält man aus dem 2-Benzyloxy-Derivat mit Phenylmagnesiumbromid[1]:

$$\text{1-(CH}_2\text{-C}_6\text{H}_5\text{)-2-(O-CH}_2\text{-C}_6\text{H}_5\text{)-1,2-azaborin} \xrightarrow[-\text{H}_5\text{C}_6\text{-CH}_2\text{-O-MgBr}]{+\text{H}_5\text{C}_6\text{-MgBr}} \text{1-(CH}_2\text{-C}_6\text{H}_5\text{)-2-C}_6\text{H}_5\text{-1,2-azaborin}$$

Die aus 2-Chlor-1,2-dihydro-1,2-azaborinen leicht zugänglichen Bis(1,2-dihydro-⟨benzo[e]- 1,2-azaborin⟩-2-yl)oxide (vgl. S. 197) und 2-Alkoxy-1,2-dihydro-1,2-azaborine (vgl. S. 171) lassen sich mit magnesiumorganischen Verbindungen in guten Ausbeuten in B-Organo-Derivate überführen. Die Herstellungsmethode wird durch die verhältnismäßig große protolytische Stabilität der B–N-Bindung der 1,2-Dihydro-1,2-azaborine ermöglicht[2].

$$(\text{R}^1\text{-N-B})\text{-O-(B-N-R}^1) \xrightarrow[-\text{MgHal}_2,\ -\text{MgO}]{+2\ \text{R}^2\text{-MgHal}} \text{R}^1\text{-N-B-R}^2$$

$$\text{R}^1\text{-N-B-OR}^3 \xrightarrow[-\text{R}^3\text{O-MgHal}]{+\text{R}^2\text{-MgHal}} \text{R}^1\text{-N-B-R}^2$$

2-Methyl-1,2-dihydro-⟨benzo[e]-1,2-azaborin⟩[2]**:** 9,2 g (0,034 mol) Bis[1,2-dihydro-⟨benzo[e]-1,2-azaborin⟩-2-yl]oxid werden in 80 *ml* Ether suspendiert und bei ~20° zu einer Lösung von Methylmagnesiumjodid (0,17 mol aus 4,5 g Magnesium und 24,0 g Methyljodid) in 130 *ml* Ether getropft. Die Lösung wird 1 Stde. bei Raumtemp. und 2 Stdn. im Rückfluß gerührt, dann mit 2 N Schwefelsäure verseift. Die über Magnesiumsulfat getrocknete organische Phase wird eingeengt. Das erhaltene Öl (9,4 g) wird in Petrolether an Aluminiumoxid chromatographiert; Ausbeute: 9,1 g (94%); F: 72,5–74°.

---

[1] K.M. Davies, M.J.S. Dewar u. P. Rona, Am. Soc. **89**, 6294 (1967).
[2] M.J.S. Dewar, R. Dietz, V.P. Kubba u. A.R. Lepley, Am. Soc. **83**, 1754 (1961).

Tab. 15: 2-Organo-1,2-dihydro-1,2-azaborine aus Bis[1,2-dihydro-1,2-azaborin-2-yl]oxiden oder aus 2-Alkoxy-1,2-dihydro-1,2-azaborinen mit metallorganischen Verbindungen

Edukt	R–M	Bedingungen	Produkt	Ausbeute [%]	F [°C]	Literatur
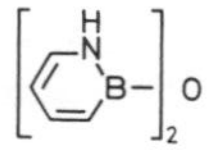	H_5C_6–MgBr	30 Min. bei 20°; sublimieren; aus Petrolether umkristallisieren; an Al_2O_3 chromatograph.	*2-Phenyl-1,2-dihydro-1,2-azaborin*		117–118	1
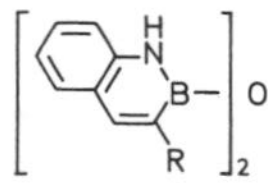 R = H	H_5C_6–MgJ	Standardverfahren	*2-Phenyl-1,2-dihydro-⟨benzo[e]-1,2-azaborin⟩*	67		2
R = Cl	H_3C–MgJ	Standardverfahren	*3-Chlor-2-methyl-1,2-dihydro-⟨benzo[e]-1,2-azaborin⟩*	90	119–120,5	3
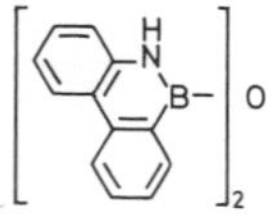	H_3C–MgBr	Standardverfahren	*6-Methyl-5,6-dihydro-⟨dibenzo-1,2-azaborin⟩*		103–104	4
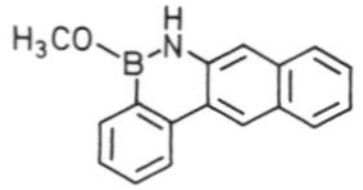	H_3C–MgBr	Ether, Lösung von H_3C–MgBr bei 0° zugeben; 24 Stdn. bei 20° rühren; filtrieren; bei 150°/0,005 Torr sublimieren; aus Petrolether umkristall.	*5-Methyl-5,6-dihydro-⟨benzo[c]-naphtho[2,3-e]-1,2-azaborin⟩*		160–161	5
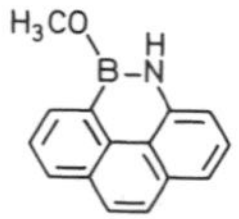	H_3C–MgBr	ebenso; Sublimation bei 140°/0,001 Torr	*5-Methyl-4,5-dihydro-⟨phenanthro[4,4a,4b,5-c,d,e]-1,2-azaborin⟩*	79	155–156	6
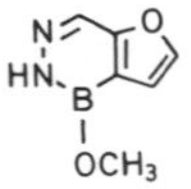	H_3C–Li	vereinigen in Ether bei 0°, 2 Stdn. Rückfluß, + Eiswasser, + HCl/H_2O, Extraktion[2] + Ether	*4-Methyl-4,5-dihydro-⟨furo-[3,2-d]-1,2,3-diazaborin⟩*	85	flüssig	7
	H_5C_6–Li		*4-Phenyl-4,5-dihydro-⟨furo[3,2-d]-1,2,3-diazaborin⟩*	89	95–96	7

[1] K.M. Davies, M.J.S. Dewar u. P. Rona, Am. Soc. **89**, 6294 (1967).
[2] M.J.S. Dewar, Am. Soc. **83**, 1754 (1961).
[3] M.J.S. Dewar u. R.W. Dietz, J. Org. Chem. **26**, 3253 (1961).
[4] M.J.S. Dewar, R.B.K. Dewar u. Z.L.F. Gaibel, Org. Synth. **46**, 65 (1966).
[5] M.J.S. Dewar u. W.H. Poesche, Am. Soc. **85**, 2253 (1963).
[6] M.J.S. Dewar u. W.H. Poesche, J. Org. Chem. **29**, 1757 (1964).
[7] B. Roques u. D. Florentin, J. Organometal. Chem. **46**, C 38 (1972).

ζ_5) *aus Diamino-organo-boranen*

Mitunter kann man die Amino-Gruppe von Aminoboranen gegen eine Organo-Gruppe austauschen[1,2], wie der 1:2-Umsatz von Bis[butylamino]-butyl-boran mit (4-Brombutyl)-butyl-methoxy-boran und der 1:1-Umsatz von Dibutyl-(2-pyrimidinylamino)-boran mit Butoxy-diphenyl-boran verdeutlichen[2]; z.B.:

$$H_9C_4-B(NH-C_4H_9)_2 + 2\ H_9C_4-B(OCH_3)-CH_2-(CH_2)_3-Br \xrightarrow{-H_9C_4-B(OCH_3)_2} 2\ H_9C_4-B(NH-C_4H_9)-CH_2-(CH_2)_3-Br$$

(4-Brombutyl)-butyl-butylamino-boran; $Kp_{0,5}$: 100–100,5°

Folgereaktionen liefern cyclische Amino-diorgano-borane (vgl. S. 56).

Auch mit 7-Brommethyl-3-methoxy-3-borabicyclo[3.3.1]nonan gelingt der Methoxy/Butylamino-Austausch am Bor-Atom; z.B.[3]:

$$H_9C_4-B(NH-C_4H_9)_2 + Br-CH_2-[\text{3-borabicyclo[3.3.1]nonan}]-B-OCH_3 \xrightarrow{-H_9C_4-B(OCH_3)(NH-C_4H_9)} Br-CH_2-[\text{3-borabicyclo[3.3.1]nonan}]-B-NH-C_4H_9$$

7-Brommethyl-3-butylamino-3-borabicyclo [3.3.1]nonan; 77%

ζ_6) *aus Organoborazinen*

Einen eleganten Zugang zum *2-Phenyl-1,2-dihydro-1,2-azaborin* (F: 117–118°) ermöglicht die Spaltung von Tribenzoborazin mit Phenyllithium in Ether. Das Primäraddukt wird mit der stöchiometrischen Menge Wasser zersetzt, säulenchromatographisch gereinigt und sublimiert[4]:

$$\text{Tribenzoborazin} \xrightarrow[-3\ LiOH]{1.\ +3\ H_5C_6Li;\ 2.\ +3\ H_2O} 3\ \text{(2-}C_6H_5\text{-1,2-dihydro-1,2-azaborin, N–H)}$$

Zum *1-Benzyl-2-phenyl-1,2-dihydro-1,2-azaborin* (F: 58–60°) gelangt man nach alkalischer Hydrolyse von Tribenzoborazin in THF, Benzylierung von NH- und B–OH-Gruppen und anschließender Substitution der Benzyloxy- durch die Phenyl-Gruppe mit Hilfe von Phenylmagnesiumbromid[4]:

---

[1] L.S. Vasil'ev, V.P. Dimitrikova, V.S. Bogdanov u. B.M. Mikhailov, Ž. obšč. Chim. **42**, 1318 (1972); C.A. **77**, 114472 (1972).
[2] V.A. Dorokhov u. B. M. Mikhailov, Izv. Akad. SSSR **1977**, 246; engl.: 219; C.A. **87**, 6056 (1977).
[3] B.M. Mikhailov, L.S. Vasil'ev u. V.V. Veselovskii, Izv. Akad. SSSR **1980**, 1106; engl.: 813; C.A. **93**, 114589 (1980).
[4] K.M. Davies, M.J.S. Dewar u. P. Rona, Am. Soc. **89**, 6294 (1967); C.A. **68**, 13029 (1968).

$\xrightarrow[\text{THF}]{+OH^-}$ $\xrightarrow{+H_5C_6CH_2^+}$ $\xrightarrow{+H_5C_6MgBr}$ (1-Benzyl-2-phenyl-1,2-azaborin: $CH_2-C_6H_5$ am N, C_6H_5 am B)

ζ_7) *aus Amino-dihydro-boranen*

Unter bestimmten Bedingungen führt die Addition der doppelten Menge Alken an Dialkylamino-dihydro-borane[1] zu Dialkyl-dialkylamino-boranen (vgl. Tab. 16, S. 67):

$$R^1_2N{-}BH_2 \quad + \quad 2\ H_2C{=}CH{-}R^2 \quad \longrightarrow \quad R^1_2N{-}B(CH_2{-}CH_2{-}R^2)_2$$

Zur Vermeidung von Dismutierungen sollten die Alkyl-Reste am Amin-Stickstoff möglichst raumerfüllend sein. Gut geeignet sind cyclische Amino-Gruppen. In diesem Fall erhält man auch mit kurzkettigen Alkenen gute Ausbeuten an Amino-diorgano-boranen. Trägt der Amin-Stickstoff jedoch nur kleine Alkyl-Reste, so ist lediglich eine Hydroborierung von Alkenen mit vier oder mehr Kettengliedern möglich. Versucht man z.B. Ethen unter Druck an Diethylamino-dihydro-boran zu addieren, so erhält man im wesentlichen unter Dismutierung des Edukts das Bis[diethylamino]-hydro-boran und Triethylboran[2,3]:

$$2\ [(H_5C_2)_2N{-}BH_2]_2 \xrightarrow{+6\ H_2C=CH_2} \{[(H_5C_2)_2N]_2BH\}_2 \quad + \quad 2\ (H_5C_2)_3B$$

(Benzyl-methyl-amino)-dibutyl-boran[2]**:** Man leitet 4 Stdn. bei 120–125° durch 9,3 g (0,07 mol) geschmolzenes (Benzyl-methyl-amino)-dihydro-boran 24 g (0,429 mol) 1-Buten, wovon ~ 7 g (0,12 mol) reagieren. Das aus kältere Kolbenende sublimierende Ausgangsboran verschwindet wieder. Zum Abschluß wird destillativ i. Vak. aufgearbeitet; Ausbeute: 12 g (70%); $Kp_{0,2}$: 88–92°.

Aus dem dimeren Diethylamino-dihydro-boran lassen sich mit 1-Buten oder mit 1-Octen in Gegenwart von Pyridin bei 120–130° *Dibutyl-diethylamino-* (48%; $Kp_{1,5}$: 52–55°) bzw. *Diethylamino-dioctyl-boran* (30%; Kp_2: 150–152°) herstellen[4].

Cyclische Amino-diorgano-borane mit *exo*-cyclischem Amino-Rest sind aus Amino-dihydro-boranen mit 1,3-Alkadienen gut herstellbar. Die zweifache Hydroborierung von 1,3-Alkadienen mit Dialkylamino-dihydro-boranen führt zu 1-Dialkylamino-borolanen. Die Komponenten werden im Verhältnis 1:1 5–6 Stdn. im Autoklaven auf 110–130° z.B. in Benzol erhitzt. Aufgearbeitet wird durch fraktionierende Destillation[2,5,6].

$$R^1_2N{-}BH_2 \ + \ (R^2)(R^3)\text{-1,3-Butadien} \longrightarrow \text{3-}R^3\text{-4-}R^2\text{-1-}(R^1_2N)\text{-borolan}$$

$R^1 = CH_3$; $R^2 = R^3 = H$; *1-Dimethylamino-borolan*[5,6]; Kp: 48–50°
$R^1 = C_2H_5$; $R^2 = H$; $R^3 = CH_3$; *1-Diethylamino-3-methyl-borolan*[2]; 67%; Kp_{11}: 58–60°
R^1_2N = Pyrrolidino; $R^2 = H$; $R^3 = CH_3$; *3-Methyl-1-pyrrolidino-borolan*[2]; 65%; Kp_{14}: 93–95°
$R^2 = R^3 = CH_3$; *3,4-Dimethyl-1-pyrrolidino-borolan*[2]; 86%; Kp_{11}: 96°

Schließlich lassen sich cyclische Amino-diorgano-borane mit sieben und mehr Ringgliedern aus überschüssigen Amino-dihydro-boranen mit Alkadienen herstellen. So erhält

[1] Herstellung z.B. aus Triethylamin-Boran mit sek. Aminen; vgl. R. Köster, H. Bellut u. S. Hattori, A. **720**, 1 (1968).
[2] R. Köster, H. Bellut, S. Hattori u. L. Weber, A. **720**, 32 (1968).
[3] R. Köster, K. Iwasaki, S. Hattori u. Y. Morita, A. **720**, 23 (1968).
[4] B.M. Mikhailov u. V.A. Dorokhov, Doklady Akad. SSSR **136**, 356 (1961); C.A. **55**, 17553 (1961).
[5] DAS 1118200 (1959/1961), ICI, Erf.: J. Dewing u. R.J. Sampson; C.A. **56**, 14327 (1962).
[6] J. Dewing, Ang. Ch. **73**, 681 (1961).

Tab. 16: Amino-diorgano-borane aus Amino-dihydro-boranen mit 1-Alkenen[1]

Amino-dihydro-boran	1-Alken	Bedingungen	Amino-diorgano-borane	Ausbeute [%]	Kp [°C]	Kp [Torr]
$(H_5C_2)_2N-BH_2$	1-Buten		*Dibutyl-diethylamino-boran*	48	52–55	1,5
$H_3C(H_5C_6-CH_2)N-BH_2$	1-Decen		*(Benzyl-methyl-amino)-di-decyl-boran*	46	163–165	0,005
Piperidino-BH_2	Ethen	3–4facher Ethen-Überschuß; im Autoklaven 3 Stdn./ 140–150°	*Diethyl-piperidino-boran*	78	73	12
	Propen	2–3facher Propen-Überschuß; im Autoklaven 120–130°/ 6 Stdn.	*Dipropyl-piperidino-boran*	89	96–97	11
	1-Hexen	~2facher 1-Hexen-Überschuß im Autoklaven 5 Stdn. 120–125°	*Dihexyl-piperidino-boran*	91	98–100	0,005
$(H_5C_2)_3\overset{\oplus}{N}-\overset{\ominus}{B}H_2-N$(Pyrrol) (vgl. S. 77)	Ethen	62 atm. im Autoklav 3 Stdn., 130°	*Diethyl-pyrrolo-boran*	88	54–59	8

[1] R. Köster, H. Bellut, S. Hattori u. L. Weber, A. **720**, 32 (1968).

man z. B. aus 1,3-Butadien mit überschüssigem Dihydro-dimethylamino-boran vermutlich vorwiegend *1,6-Bis[dimethylamino]-1,6-diboracyclodecan*[1,2]:

$$[(H_3C)_2N{-}BH_2]_2 + 2\,H_2C{=}CH{-}CH{=}CH_2 \longrightarrow (H_3C)_2N{-}B\langle(CH_2)_4\rangle_2B{-}N(CH_3)_2$$

Amino-dihydro-borane reagieren mit Cycloalkadienen und -trienen unter Bildung polycyclischer Amino-diorgano-borane. So erhält man z. B. aus 1,5-Cyclooctadien mit Amino-dihydro-boranen im Unterschuß bei 130–140° die entsprechenden 9-Amino-9-borabicyclo[3.3.1]nonane[1]:

$$1/2\,(R_2NBH_2)_2 + \text{(1,5-Cyclooctadien)} \longrightarrow \text{(bicyclo)}B{-}NR_2$$

. . .-9-borabicyclo[3.3.1]nonan

$R = C_2H_5$; *9-Diethylamino-. . .*; 68%; Kp_{11}: 113°
$R{-}R = (CH_2)_4$; *9-Pyrrolidino-. . .*; 57%; Kp_{15}: 145–150°
$R{-}R = (CH_2)_5$; *9-Piperidino-. . .*; 55%; Kp_{11}: 141–143°

Dagegen erhält man bei der Hydroborierung von *all-trans-* bzw. *cis-trans-trans-*1,5,9-Cyclododecatrien lediglich Gemische[3].

ζ_8) *aus Amino-dihalogen-boranen*

$\zeta\zeta_1$) mit alkalimetallorganischen Verbindungen

Dialkylamino- und Diarylamino-dichlor-borane[4] werden mit gesättigten oder ungesättigten[5,6] Organolithium-Verbindungen zu Diorgano-diorganoamino-boranen umgesetzt; z. B.[5]:

$$R_2N{-}BCl_2 + 2\,Li{-}C{\equiv}C{-}CH_3 \xrightarrow[-\,2\,LiCl]{Hexan} R_2N{-}B(C{\equiv}C{-}CH_3)_2$$

$R = CH_3$; *Dimethylamino-di-1-propinyl-boran*; 36%; $Kp_{0,1}$: 29°; Kp_{30}: 41°; F: 64–66° (dimer)
$R = C_2H_5$; *Diethylamino-di-1-propinyl-boran*; 86%; $Kp_{0,001}$: 49°

10-Dimethylboryl-9,10-dihydro-acridin läßt sich aus 10-Dichlorboryl-9,10-dihydro-acridin mit Methyllithium in Diethylether bei tiefer Temperatur (–78° bis ~+20°) in 33%iger Ausbeute herstellen[7]:

$$\text{(9,10-Dihydroacridin)}N{-}BCl_2 + 2\,H_3C{-}Li \xrightarrow[-\,2\,LiCl]{(H_5C_2)_2O} \text{(9,10-Dihydroacridin)}N{-}B(CH_3)_2$$

Das aus Trichlorboran und *N*-Lithium-2,2,4,4-tetramethyl-3-pentanon-imin hergestellte (1-*tert.*-Butyl-2,2-dimethyl-propylidenamino)-dichlor-boran liefert mit Butylli-

[1] DAS 1118200 (1959/1961), ICI, Erf.: J. DEWING u. R. J. SAMPSON; C. A. **56**, 14327 (1962).
[2] J. DEWING, Ang. Ch. **73**, 681 (1961).
[3] R. KÖSTER, H. BELLUT, S. HATTORI u. L. WEBER, A. **720**, 32 (1968).
[4] Herstellung z. B. aus Trichlorboran mit Diorganoaminen s. *Gmelin*, 8. Aufl., Bd. **23**/4, 120ff. (1975).
[5] H.-O. BERGER, H. NÖTH, G. RUB u. B. WRACKMEYER, B. **113**, 1235 (1980).
[6] T. J. SOBIERALSKI u. K. G. HANCOCK, Am. Soc. **104**, 7533 (1982); mit Cycloalkenyllithium-Verbindungen.
[7] J. CASANOVA u. M. GEISEL, Inorg. Chem. **13**, 2783 (1974).

thium in Hexan *(1-tert.-Butyl-2,2-dimethyl-propylidenamino)-dibutyl-boran*[1] ($Kp_{0,1}$: 85–90°).

Mit Organonatrium-Verbindungen (z.B. in situ erzeugt) sind aus Amino-dichlor-boranen Amino-diorgano-borane zugänglich. In einem Eintopf-Verfahren kann eine Lösung von Dichlor-dimethylamino-boran und Chlorbenzol im Molverhältnis 1:2 in Toluol zu einer Dispersion von Natrium in Toluol unter starkem Rühren gefügt werden. Nach Abfiltrieren vom ausgefallenen Natriumchlorid erhält man durch Destillation in 68%iger Ausbeute *Dimethylamino-diphenyl-boran*[2].

Amino-dichlor-borane in Ether reagieren mit Natrium-1-alkinen unter Natriumchlorid-Abspaltung in guten Ausbeuten zu den entsprechenden Amino-di-1-alkinyl-boranen[3,4]:

$$R^1R^2N{-}BCl_2 + 2\ NaC{\equiv}C{-}R^3 \xrightarrow[-2\ NaCl]{} R^1R^2N{-}B({-}C{\equiv}C{-}R^3)_2$$

Tab. 17: Amino-di-1-alkinyl-borane aus Amino-dichlor-boranen mit 1-Natrium-1-alkinen

R^1	R^2	R^3	Di-1-alkinyl-amino-boran	Ausbeute [%]	Kp [°C]	Kp [Torr]
C_2H_5	C_2H_5	CH_3	*Diethylamino-di-1-propinyl-boran*	63	90	1
		$C(CH_3)=CH_2$	*Bis[3-methyl-3-buten-1-inyl]-diethylamino-boran*	45	103	1
CH_3	C_6H_5	CH_3	*Di-1-propinyl-(N-methylanilino)-boran*	59	127	0,7
	$C(CH_3)_3$	CH_3	*(tert.-Butyl-methyl-amino)-di-1-propinyl-boran*	49	90	1,5

1-Alkinyl-amino-aryl-borane erhält man aus Amino-aryl-chlor-boranen mit Natriumalkinen[5]. Man kann auch das nicht metallierte Alkin einsetzen und fügt als Chlorwasserstoff-Akzeptor eine Base, z.B. Triethylamin, zu. Nach der ersten Variante wird z.B. *Dimethylamino-phenyl-propinyl-boran* (Kp_3: 112°) in 73%iger Ausbeute erhalten und nach der zweiten *(4-Methoxyanilino)-pentafluorphenyl-phenylethinyl-boran* ($Kp_{0,001}$: 180°) in 81%iger Ausbeute.

$\zeta\zeta_2$) mit magnesiumorganischen Verbindungen

Eine gute Herstellungsmethode für Diorgano-diorganoamino-borane ist die Umsetzung von Amino-dichlor-boranen mit der doppelten Menge an Organomagnesiumhalogenid (s.Tab. 18, S. 70):

$$R^2R^3N{-}BCl_2 + 2\ R^1{-}MgHal \xrightarrow[-2\ MgClHal]{} R^2R^3N{-}BR^1_2$$

[1] M.R. Collier, M.F. Lappert, R. Snaith u. K. Wade, Soc. [Dalton] **1972**, 370.
[2] US.P. 3079432 (1963/1961), L.L. Petterson, R.J. Brotherton, G.W. Willcockson u. A.L. McCloskey; C.A. **59**, 2857 (1963).
[3] J. Soulié, C.r. [C] **262**, 376 (1966).
[4] J. Soulié u. P. Cadiot, Bl. **1966**, 3850.
[5] A. Finch, J. Pearn u. D. Steele, Soc. [Trans. Faraday] **62**, 1688 (1966).

Tab. 18: Amino-dialkyl-borane aus Amino-dihalogen-boranen mit Alkylmagnesiumhalogeniden

$R^1R^2N-BCl_2$		R–MgHal		Bedingungen	Dialkylamino-organo-borane	Ausbeute	Kp		Literatur
R^1	R^2	R	Hal			[%]	[°C]	[Torr]	
CH_3	CH_3	CH_3	J, Br	H_3C-MgHal bei 0° zum Boran in Ether tropfen; auf ~ 20° erwärmen, Mg-Salze nicht abtrennen	*Dimethyl-dimethyl-amino-boran*	49–61	63–65	760	[1]
	C_6H_5	CH_3	J	Standard	*Dimethyl-(N-methyl-anilino)-boran*	83	51	4	[2]
C_2H_5	C_2H_5	C_2H_5	Br	Boran in Ether vorlegen; Mg zufügen; C_2H_5Br in Ether zutropfen	*Diethyl-diethylamino-boran*	78	154	760	[3]
$CH(CH_3)-C_2H_5$	$CH(CH_3)-C_2H_5$	C_2H_5	J	Standard	*(Di-2-butylamino)-diethyl-boran*	87	212–214	760	[2]
C_6H_{11}	C_6H_{11}	CH_3	J		*Dicyclohexylamino-dimethyl-boran*	75	259	760	[2]
C_6H_5	C_6H_5	C_2H_5	Br	Boran in Ether vorlegen; Mg zufügen; C_2H_5Br in Ether zutropfen	*Diethyl-diphenylamino-boran*	81	124 (F: 23°)	760	[3]
		CH_3	Br	H_3C-MgBr zum Boran in Benzol tropfen, 12 Stdn., 23°	*Dimethyl-diphenyl-amino-boran*		84° (Ölbad)	Hochvak.	[4]
$-CH(CH_3)-(CH_2)_4-$		CH_3	J	Standard	*Dimethyl-(2-methyl-piperidino)-boran*	44	38	3	[5]

[1] C.E. Erickson u. F.C. Gunderloy, Jr., J. Org. Chem. **24**, 1161 (1959).
[2] K. Niedenzu u. J.W. Dawson, Am. Soc. **81**, 5553 (1959).
[3] K. Niedenzu u. J.W. Dawson, Am. Soc. **82**, 4223 (1960).
[4] H.J. Becher u. H. Diehl, B. **98**, 526 (1965).
[5] V.V. Korshak, N.I. Bekasova, L.M. Chursina u. V.A. Zamyatina, Izv. Akad. SSSR **1963**, 1645; engl.: 1500; C.A. **59**, 15296 (1963).

Mit Alkylmagnesiumhalogeniden sind offenkettige Dialkyl-dialkylamino- sowie (Alkyl-aryl-amino)-borane zugänglich[1-5].

Diethyl-(N-ethylanilino)-boran[2]: Eine Lösung von 40,4 g (0,200 mol) Dichlor-(*N*-ethylanilino)-boran in 300 *ml* Benzol wird zu einer Lösung von 81,1 g (0,45 mol) Ethylmagnesiumjodid in 300 *ml* Ether unter starkem Rühren getropft. Die anfangs exotherme Reaktion wird durch mehrstdgs. Erhitzen am Rückfluß vervollständigt. Nach Abfiltrieren des Magnesiumjodids werden $^2/_3$ des Lösungsmittels abgezogen. Das Filtrat wird erneut salzfrei gefiltert, sodann wird das restliche Lösungsmittel i. Vak. entfernt und der Rückstand i. Vak. fraktioniert, das erhaltene rohe Amino-boran wird erneut destilliert; Ausbeute: 20,9 g (79%); Kp_6: 68°.

Die Ausbeuten an Dialkylamino-diaryl-boranen aus Dialkylamino-dichlor-boranen liegen zwischen ~60 bis >85%.

Amino-diaryl-borane; allgemeine Herstellungsvorschrift[6]: Zu einer Lösung des Amino-dichlor-borans in Benzol wird langsam die doppelte Stoffmenge des Aryl-magnesiumhalogenids in Ether getropft und die Lösung einige Stdn. am Rückfluß erhitzt. Aufgearbeitet wird nach zwei Methoden:

1. Man zieht i. Vak. aus dem Reaktionsgemisch alle flüchtigen Anteile ab, extrahiert den Rückstand mehrmals mit heißem Benzol und arbeitet die Benzol-Phase destillativ auf.
2. Nach beendeter Reaktion wird vom Magnesiumhalogenid abfiltriert und $^2/_3$ des Lösungsmittels abgezogen. Dann wird erneut filtriert und das Filtrat destilliert.

Nähere Daten s. Tab. 19.

Tab. 19: Amino-diaryl-borane aus Amino-dichlor-boranen mit Arylmagnesiumhalogeniden

R_2N-BCl_2	R^1-MgX R^1	Amino-diaryl-boran	Ausbeute [%]	F [°C]	Kp [°C]	Kp [Torr]	Literatur
$(H_3C)_2N-BCl_2$	C_6H_5	*Dimethylamino-diphenyl-boran*	81		102–104	0,05	6
	$4-H_3C-C_6H_4$	*Bis[4-methylphenyl]-dimethyl-amino-boran*	76		110–120	0,04	6
$(H_5C_2)_2N-BCl_2$	C_6H_5	*Diethylamino-diphenyl-boran*	78	36–38	161	11	3
$[(H_3C)_2CH]_2N-BCl_2$	C_6H_5	*Diisopropyl-diphenyl-boran*	84	86–87	124	4	5
	$4-F-C_6H_4$	*Bis[4-fluorphenyl]-diisopropyl-amino-boran*	65	56	136–139	2	8
	$4-H_3C-C_6H_4$	*Bis[4-methylphenyl]-diisopropylamino-boran*	51	–	166–168	4	8
$(H_5C_2)(H_5C_6)N-BCl_2$	C_6H_5	*Diphenyl-(N-ethyl-anilino)-boran*	86	27	158–165	5	2
$(H_5C_6)_2N-BCl_2$	C_6H_5	*Diphenyl-diphenyl-amino-boran*	58				7

[1] C. E. Erickson u. F. C. Gunderloy, Jr., J. Org. Chem. **24**, 1161 (1959).
[2] K. Niedenzu u. J. W. Dawson, Am. Soc. **81**, 5553 (1959).
[3] K. Niedenzu u. J. W. Dawson, Am. Soc. **82**, 4223 (1960).
[4] H. J. Becher u. H. Diehl, B. **98**, 526 (1965).
[5] V. V. Korshak, N. I. Bekasova, L. M. Chursina u. V. A. Zamyatina, Izv. Akad. SSSR **1963**, 1645; engl.: 1500; C. A. **59**, 15296 (1963).
[6] G. E. Coates u. J. G. Livingstone, Soc. **1961**, 1000.
[7] K. Niedenzu, H. Beyer u. J. W. Dawson, Inorg. Chem. **1**, 738 (1962); C. A. **58**, 1115 (1963).
[8] K. Niedenzu, J. W. Dawson, P. Fritz u. H. Jenne, B. **98**, 3050 (1965).

Außer Dialkyl- und Diaryl-diorganoamino-boranen sind Dialkylamino-divinyl- einschließlich -dicycloalkenyl- sowie -organo-vinyl-borane zugänglich[1-3].

Diethylamino-divinyl-boran[1]: Zu 77 g (0,50 mol) Dichlor-diethylamino-boran in 300 *ml* Ether wird bei 0° 1,0 mol Vinyl-magnesiumchlorid in THF getropft. Die Mischung wird 12 Stdn. gerührt, sodann die flüssige Phase destillativ aufgearbeitet; Ausbeute: 32 g (47%); Kp_{90}: 80–90°.

Auf ähnliche Weise erhält man u.a.

Dimethylamino-methyl-vinyl-boran[2]	39%; Kp: 90–91°
(N-Methylanilino)-phenyl-vinyl-boran[2]	35–40%; Kp_1: 108–111°; F: 55–58°

Nach der Methode können ferner Dialkylamino-di-1-alkinyl-borane hergestellt werden; z.B.[4]:

$$(H_3C)_2N-BCl_2 \xrightarrow[-\ 2\ ClMgBr]{+\ 2\ H_3C-C\equiv C-MgBr\ /THF/Hexan} (H_3C)_2N-B(C\equiv C-CH_3)_2$$

Dimethylamino-di-1-propinyl-boran; 74%; Kp_{19}: 56–58°

Schließlich ist aus 9-Dichlorboryl-9-azabicyclo[3.3.1]nonan mit Methylmagnesiumbromid in Diethylether *9-Dimethylboryl-9-azabicyclo[3.3.1]nonan* (17%; Kp_2: 62–63°) zugänglich[5]:

BCl_3 → (1. + 9-Azabicyclo[3.3.1]nonan (NH); Benzol; 2. + $(H_5C_2)_2NH$) → 9-BCl_2-9-azabicyclo[3.3.1]nonan → (+ $H_3C-MgBr$; $(H_5C_2)_2O$) → 9-$B(CH_3)_2$-9-azabicyclo[3.3.1]nonan

$\zeta\zeta_3$) mit aluminiumorganischen Verbindungen

Aus Diethylamino-dichlor-boranen läßt sich auch mit aluminiumorganischen Verbindungen (Triethylaluminium, Diethylether-Triethylaluminium, Chlor-diethyl- sowie Diethyl-ethoxy-aluminium) *Diethyl-diethylamino-boran* (Kp_{752}: 156–158°) herstellen. Man verwendet Hexan als Verdünnungsmittel und setzt zur besseren Abtrennung der entstehenden Chloraluminium-Verbindungen Natriumchlorid zu[6]:

$$Cl_2B-N(C_2H_5)_2 \xrightarrow{+\ (H_5C_2)_2Al-X\ \ [A]} (H_5C_2)_2B-N(C_2H_5)_2$$

$A = (H_5C_2)_3Al$ (in Hexan, NaCl); 86%
$A = (H_5C_2)_2O{-}Al(C_2H_5)_3$; 81%
$A = (H_5C_2)_2AlCl$ (Heptan, Rückfluß); 84%
$A = (H_5C_2)_2Al-OC_2H_5$ (Hexan); 80%

Mit mäßigem Erfolg kann aus Dichlor-dimethylamino-boran mit Silbercyanid in Acetonitril oder in Pentan unreines *Dicyan-dimethylamino-boran* (70% Umsatz) gewonnen werden[7]:

$$(H_3C)_2N-BCl_2 + 2\ AgCN \xrightarrow[-\ 2\ AgCl]{+\ H_3C-CN\ od.\ Pentan} (H_3C)_2N-B(CN)_2$$

[1] J. Braun u. H. Normant, Bl. **1966**, 2557; C.A. **66**, 2608 (1967).
[2] K. Niedenzu, P. Fritz u. J.W. Dawson, Inorg. Chem. **3**, 1077 (1964); C.A. **61**, 7033 (1964).
[3] T.J. Sobieralski u. K.G. Hancock, Am. Soc. **104**, 7533 (1982).
[4] H.-O. Berger, H. Nöth, G. Rub u. B. Wrackmeyer, B. **113**, 1235 (1980).
[5] S.F. Nelsen, C. R. Kessel, D.J. Brien u. F. Weinhold, J. Org. Chem. **45**, 2116 (1980).
[6] DAS 1138052 (1962), Kalichemie A. G., Erf.: H. Jenkner; C.A. **58**, 5722 (1963).
[7] E. Bessler u. J. Goubeau, Z. anorg. Ch. **352**, 67 (1967).

ζ_9) *aus Diamino-halogen-boranen*

Diamino-halogen-borane werden als Edukte z.B. zur Einführung von Methandiyl-Gruppen eingesetzt. Die Reaktionen verlaufen zur Herstellung der Amino-diorgano-borane unter Ligandenaustausch zwischen Boran und metallorganischer Verbindung sowie unter Dismutation des Borans.

Bei der Umsetzung von Bis[dimethylamino]-chlor-boran mit Dilithiummethan im Bombenrohr bei 150–200° entsteht *1,3,5-Tris[dimethylamino]-1,3,5-triborinan* (72%; F: 68,5°)[1]:

$$6\ [(H_3C)_2N]_2B{-}Cl\ +\ 3\ Li_2CH_2\ \xrightarrow[-6\ LiCl]{}\ \text{1,3,5-Tris[dimethylamino]-1,3,5-triborinan}\ (B\text{-}N(CH_3)_2)_3\ +\ 3\ [(H_3C)_2N]_3B$$

Auch mit monofunktionellen Organo-Resten tritt Substituentenaustausch ein.

Die mehrtägige Umsetzung von Bis[dimethylamino]-chlor-boran mit Dimethylzink führt über das primäre Alkylierungsprodukt zu den daraus entstehenden Dismutierungsprodukten *Dimethyl-dimethylamino-boran* und Tris[dimethylamino]boran[2].

ζ_{10}) *aus Amino-dioxy-boranen*

Amino-dialkyl-borane lassen sich aus 2-Dimethylamino-1,3,2-dioxaborolan mit lithiumorganischen Verbindungen in Hexan durch Oxy/Alkyl-Austausch herstellen. *Diisopropyl-* ($\leq$70%; Kp_{20}: 49°)[3] und *Di-tert.-butyl-dimethylamino-boran* (60,5%; Kp_{3-4}: 40°)[4] sind so zugänglich.

$$\text{2-Dimethylamino-1,3,2-dioxaborolan}\ (C_2H_4O_2B{-}N(CH_3)_2)\ +\ 2\ R{-}Li\ \xrightarrow{\text{Hexan}}\ R_2B{-}N(CH_3)_2$$

ζ_{11}) *aus Tris[amino]boranen*

Eine gute Methode zur Herstellung von Amino-dialkyl-boranen ist die Alkylierung von Tris[amino]boranen mit Trialkylboranen im Verhältnis 1:2. Ohne Katalysator (vgl. S. 249) läuft die Reaktion bereits unterhalb 200° genügend schnell ab[5-7]:

$$(R^1_2N)_3B\ +\ 2\ R^2_3B\ \xrightarrow{\sim 200°}\ 3\ R^2_2B{-}NR^1_2$$

Diethylamino-dipentyl-boran[6]**:** Das Gemisch von 50,6 g (0,223 mol) Tris[diethylamino]boran und 100 g (0,445 mol) Tripentylboran wird bei 760 Torr rasch destilliert, wobei die Hauptmenge zwischen 115–135° übergeht. Das Destillat wird anschließend i.Vak. über eine 200-mm-Widmer-Kolonne fraktioniert. Nach einem kleinen Vorlauf (Bis[diethylamino]-pentyl-boran; Kp_3: 36–38°) geht bei Kp_3: 82° das Diethylamino-dipentylboran über; Ausbeute: 134 g (89%).

---

[1] P. KROHMER u. J. GOUBEAU, B. **104**, 1347 (1971).
[2] G.E. COATES, Soc. **1950**, 3481.
[3] H. NÖTH u. U. HÖBEL, Universität München, unveröffentlicht 1982.
vgl. Zulassungsarbeit U. HÖBEL 1982.
[4] H. NÖTH u. H. BAUER, Universität München, unveröffentlicht 1980.
vgl. Diplomarbeit H. BAUER 1980.
[5] Belg. P. 626034 (1962), BAYER AG., Erf.: E. HORN; C.A. **59**, 10117 (1963).
[6] K. NIEDENZU, H. BEYER, J.W. DAWSON u. H. JENNE, B. **96**, 2653 (1963).
[7] H.K. HOFMEISTER u. J.R. VAN WAZER, J. Inorg. & Nuclear Chem. **26**, 1209 (1964); C.A. **61**, 3744 (1964).

Anilino-dipropyl-boran[1]: 35 g Tripropylboran und 36 g Trianilinoboran werden 10 Min. bis ~180° erhitzt. Anschließend wird i. Vak. destilliert; Ausbeute: 61,8 g (84%); $Kp_{0,7}$: 70–75°.

Auf ähnliche Weise erhält man z. B.

Diethyl-dimethylamino-boran[2]	89%; Kp_{760}: 121–122°
Diethyl-diethylamino-boran[2]	82%; Kp_6: 46–51°
Diethyl-diisopropylamino-boran[2]	98%; Kp_{100}: 27,5–28°
Dipropyl-(N-methylanilino)-boran[1]	Kp_3: 64°
Anilino-dicyclohexyl-boran[1]	Kp_1: 127–130°
(4-Chloranilino)-dipropyl-boran[1]	Kp_2: 107–108°

Geeignete Katalysatoren sind Trialkylaluminium-Verbindungen[2]. Trialkylboran und Tris[amino]boran werden unter Zusatz geringer Mengen an Trialkylaluminium 4 Stdn. auf 140° erhitzt[2].

Die Gegenwart eines metallorganischen Katalysators (z. B. Triethylaluminium) scheint jedoch für die Komproportionierung nicht immer notwendig zu sein[2]. So tauscht Triphenylboran seine Phenyl-Gruppen gegen die Amino-Reste des Tris[dimethylamino]borans auch ohne Zusatz eines Überträgers aus[3]. Auch Tetrahydrofuran-Boran wird als Katalysator des Substituentenaustauschs verwendet[3].

Tris[diethylamino]boran reagiert mit Triethylboran in Gegenwart von >BH-Boran-Austauschkatalysatoren in 90–95% zu *Diethyl-diethylamino-boran*[3]:

$$B[N(C_2H_5)_2]_3 + 2\ (H_5C_2)_3B \xrightarrow{THF-BH_3,\ 2\,Stdn.\ 120°} 3\ (H_5C_2)_2B-N(C_2H_5)_2$$

Mit 7-Brommethyl-3-methoxy-3-borabicyclo[3.3.1]nonan liefert Tris[diethylamino]-boran *7-Brommethyl-3-diethylamino-3-borabicyclo[3.3.0]octan* (79%; Kp_2: 132–134°)[4]:

$$B[N(C_2H_5)_2]_3 + \text{Br}-CH_2\text{-bicyclo-}B-OCH_3 \xrightarrow[-\ [(H_5C_2)_2N]_2B-OCH_3]{120-140°,\ 6\,Stdn.} \text{Br}-CH_2\text{-bicyclo-}B-N(C_2H_5)_2$$

η) aus Aminodiboranen(4)

Tetrakis[dimethylamino]diboran(4) reagiert mit Trimethylaluminium im Überschuß unter Bildung von *Dimethyl-dimethylamino-boran* und anderen Produkten. Das Trimethylalan soll in ein Dialan(4) mit Al–Al-Bindung übergehen[5].

1,2-Bis[dimethylamino]-1,2-diethyl-diboran(4) liefert bei der Thermolyse im Einschlußrohr in komplizierter Reaktionsweise u. a. *Diethyl-dimethylamino-boran*[6].

ϑ) aus Lewisbase-Boranen

Bei der Herstellung von Amino-diorgano-boranen aus Triorganoboranen mit Aminen (vgl. S. 11 ff.) bilden sich unter den Reaktionsbedingungen oft stabile Amin-Triorganoborane. Diese Additionsverbindungen (vgl. Tab. 72, S. 435) sowie andere Lewisbase-Borane

[1] Belg. P. 626034 (1962), Bayer AG., Erf.: E. Horn; C. A. **59**, 10117 (1963).
[2] Fr. P. 1324186 (1961/1963), US.-Borax & Chem. Corp.; C. A. **59**, 11555 (1963).
[3] S. K. Gupta, J. Organometal. Chem. **156**, 95 (1978).
[4] B. M. Mikhailov, L. S. Vasil'ev u. V. V. Veselovskii, Izv. Akad. SSSR **1980**, 1106; engl.: 813; C. A. **93**, 114589 (1980).
[5] E. P. Schram, Inorg. Chem. **5**, 1291 (1966); C. A. **65**, 13746 (1966).
[6] H. Nöth u. P. Fritz, Z. anorg. Ch. **324**, 129 (1963); C. A. **60**, 8052 (1964).

eignen sich auch als Edukte zur Herstellung neuer Amino-diorgano-borane oder zur Reinigung von z.B. komplizierten Amino-diorgano-boranen (vgl. S. 647, 81).

ϑ_1) *aus Amin-Triorganoboranen*

Die Thermolyse von Ammoniak-Trialkylboranen liefert oberhalb ~300° unter Abspaltung von Alkan Amino-dialkyl-borane[1,2]. Falls Wasserstoff unter Druck zugesetzt wird, erhält man bei um ~100° tieferen Temperaturen z.B. *Amino-diethyl-boran* (Kp: 72–73°; F: 5–6°) oder *Amino-dipropyl-boran* (Kp: 119,5–124,5°)[3].

Die bei 20° aus den Komponenten erhaltenen Ammoniak-Trialkylborane (vgl. S. 435ff.) erhitzt man mehrere Stdn. unter einem Wasserstoff-Druck von 150–320 bar auf ~200°. Das erhaltene Amino-diorgano-boran wird destillativ aufgearbeitet[3]:

$$H_3\overset{\oplus}{N}-\overset{\ominus}{B}R_3 \xrightarrow[-RH]{[H_2]} R_2B-NH_2$$

R = C_2H_5 (36 Stdn.); *Amino-diethyl-boran*; 65%; Kp: 72–73°; F: 5–6°
R = C_3H_7 (2 Stdn.); *Amino-dipropyl-boran*; 80%; Kp: 119–124°

Die Temperatur ist einzuhalten, um eine weitere Abspaltung von RH aus den Dialkyl-amino-boranen zu vermeiden[3].

Die Thermolyse von Ammoniak-Tripropylboran in Gegenwart von Wasserstoff erfolgt teilweise unter Dehydroborierung[3]:

$$H_3\overset{\oplus}{N}-\overset{\ominus}{B}(C_3H_7)_3 \xrightarrow[-C_3H_8,\ -C_3H_6]{+H_2,\ 200°} (H_7C_3)_2B-NH_2$$

Aus 1,2-Diaminoethan-Bis[Trimethylboran] erhält man beim 6–7 stdgn. Erhitzen auf 250–260° in ~30%iger Ausbeute nach Methan-Abspaltung *1,2-Bis[dimethylboryl-amino]ethan*[4].

$$(H_3C)_3\overset{\ominus}{B}-H_2\overset{\oplus}{N}-CH_2-CH_2-\overset{\oplus}{N}H_2-\overset{\ominus}{B}(CH_3)_3 \xrightarrow[-2\ CH_4]{250-260°,\ 6-7\ Stdn.} (H_3C)_2B-NH-CH_2-CH_2-NH-B(CH_3)_2$$

Sek. Amin-Tributylborane (Amin = Piperidin, Indol) reagieren beim Erhitzen auf ~150° unter Abspaltung von Wasserstoff und Buten zu Amino-dibutyl-boranen (vgl. S. 14)[5].

Hydrazin-Trialkylborane (vgl. S. 437) reagieren analog, jedoch im allgemeinen leichter als die Ammoniak- oder Amin-Trialkylborane (vgl. S. 113).

Die aus Triallylboranen mit Ammoniak bei 0° hergestellten 1:1-Addukte reagieren bei tieferen Temperaturen als die Ammoniak-Trialkylborane. Wird 1 Stde. auf 100–130° erhitzt, so lassen sich die Amino-diallyl-borane abdestillieren[6,7]. Ohne Zweifel wird die Geschwindigkeit dieser Reaktion durch einen günstigen sechsgliedrigen Übergangszustand determiniert.

---

[1] E. WIBERG, K. HERTWIG u. A. BOLZ, Z. anorg. Ch. **256**, 177 (1948).
[2] A.F. ZHIGACH, J. B. KAZAKOVA u. J.S. KRONGAUZ, Doklady Akad. SSSR **111**, 1029 (1956); C.A. **51**, 9475 (1957).
[3] R. KÖSTER, G. BRUNO u. P. BINGER, A. **644**, 1 (1961).
[4] J. GOUBEAU u. A. ZAPPEL, Z. anorg. Ch. **279**, 38 (1955).
[5] G.B. BAGDASARYAN, K.S. BADALYAN u. M.G. INDZHIKYAN, Arm. Khim. Zh. **24**, 843 (1971); C.A. **76**, 23347 (1972).
[6] B.M. MIKHAILOV u. F.B. TUTORSKAYA, Doklady Akad. SSSR **123**, 479 (1958); C.A. **53**, 6990 (1959); Izv. Akad. SSSR **1961**, 1158; C.A. **55**, 27018 (1961).
[7] J.P. LAURENT u. R. HARAN, Bl. **1964**, 2448 (1964); C.A. **63**, 471 (1965).

$$H_3\overset{\oplus}{N}-\overset{\ominus}{B}(CH_2-CH=CH_2)_3 \longrightarrow [\ldots] \xrightarrow{-C_3H_6} (H_2C=CH-CH_2)_2B-NH_2$$

Amino-diallyl-boran

Unter Zusatz von Alkyldiboranen(6) reagieren bestimmte Amin-Trialkylborane bei relativ tiefer Temperatur. So erhält man z.B. aus (N–B)-(1-Methyl-2-methylen-aziridin)-Triethylboran in Gegenwart von >BH-Boranen durch Hydroborierung der C=C-Bindung und C^2N-Ringöffnung *2-Ethyl-1-methyl-1,2-azaborolidin* (86%)[1]:

$$\xrightarrow[\substack{-(H_5C_2)_3B \\ \sim 10^\circ}]{+H_2B-C_2H_5}$$

2-Ethyl-1-methyl-1,2-azaborolidin[1]: Zu 8,35 g (50 mmol) (N–B)-(1-Methyl-2-methylen-aziridin)-Triethylboran tropft man unter Rühren innerhalb ~6 Stdn. bei ~5° 77,55 g Ethyldiboran(6) (~142 mmol Hydrid-H). Man rührt ~12 Stdn. bei 10°, leitet Ethen ein und destilliert i. Vak.; Ausbeute: 4,7 g (86%) als Gemisch mit ~80 g Triethylboran, das nach präparativer GC-Trennung rektifiziert wird; Kp: 122–124°.

1,4-Diphenyl-2,2,3,5,5,6-hexaalkyl-2,5-dihydro-1,4,2,5-diazoniadiboratine lagern sich beim Erhitzen im verschlossenen Kolben (0,5–1,5 Stdn./200°) unter Alkyl-Wanderung in 1,4-Diphenyl-2,3,3,5,6,6-hexaalkyl-1,4,2,5-diazadiborinanen um[2,3]:

1,4-Diphenyl-...-1,4,2,5-diazadiborinan

$R = CH_3$; ...*-2,3,3,5,6,6-hexamethyl-*...; 50%; F: 171°
$R = C_2H_5$; ...*-2,3,3,5,6,6-hexaethyl-*...; 90%; F: 204°
$R = C_4H_9$; ...*-2,3,3,5,6,6-hexabutyl-*...; 90%; F: 168–169°

ϑ_2) *aus Amin-Hydro-organo-boranen*

Amino-diorgano-borane sind nicht nur aus Organodiboranen(6) mit prim. und sek. Aminen (vgl. S. 19ff.)[4], sondern auch beim Erwärmen von Amin-diorgano-hydro-boranen durch N-Borylierung unter Abspaltung von Wasserstoff zugänglich; z.B.:

$$2\ R^2R^3\overset{\oplus}{N}H-\overset{\ominus}{B}H_2-R^1 \xrightarrow[-2\,H_2]{\Delta} R^1_2B-NR^2R^3 + H_2B-NR^2R^3$$

Die Reaktionen verlaufen im allgemeinen glatt, wenn man Ammoniak-Dialkyl-hydroborane oder Amin-Dialkyl-hydro-borane aus prim. bzw. sek. Aminen (vgl. S. 476ff.) ein-

[1] U. Klotz, Mülheim a.d. Ruhr 1978; Diplomarbeit, Universität Kaiserslautern 1979.
[2] J. Casanova, Jr., H.R. Kiefer, D. Kuwada u. A.H. Boulton, Tetrahedron Letters **1965**, 703.
[3] G. Hesse u. H. Witte, A. **687**, 1 (1965).
[4] R. Köster, H. Bellut u. S. Hattori, A. **720**, 1 (1968); dort S. 22.

setzt. Der Wasserstoff entwickelt sich abhängig vom Amin und vom Organo-Rest bei unterschiedlichen Temperaturen. Beispielsweise reagiert Ammoniak-9-Hydro-9-borabicyclo[3.3.1]nonan in Benzol oberhalb 60° unter Wasserstoff-Entwicklung zum dimeren *9-Amino-9-borabicyclo[3.3.1]nonan*[1] mit vierfach koordinierten Bor-Atomen (vgl. S. 667ff.):

$$\overset{\oplus}{H_3N}\text{–}\overset{\ominus}{B}(H)\text{-}C_8H_{14} \xrightarrow[-H_2]{+NH_3\,/\,\text{Benzol},\,\geq 60°} \tfrac{1}{2}\left[C_8H_{14}B\text{–}NH_2\right]_2$$

Allylamine sind gute Aminierungsmittel für Hydro-organo-borane. Mit tert. Diallylaminen erhält man unter Abspaltung von Propen, mit sek. bzw. prim. Allylaminen unter Abspaltung von Wasserstoff als Folge einer intramolekularen Hydroborierung 1,2-Azaborolidine. So erhält man z.B. mit Alkyl-diallyl-aminen aus Triethylamin-Dihydro-phenyl-boran in siedendem Toluol 1-Alkyl-2-phenyl-1,2-azaborolidine. Außer diesen durch einfache Hydroborierung und Propen-Abspaltung entstandenen Produkten bilden sich durch zweifachen Ringschluß 1-Azonia-5-borata-bicyclo[3.3.0]octane mit vierfach koordiniertem Bor-Atom (vgl. Tab. 72, S. 433ff.)[2,3].

$$(H_5C_2)_3\overset{\oplus}{N}\text{–}\overset{\ominus}{B}H_2\text{–}R \xrightarrow[-(H_5C_2)_3N]{+H_5C_6\text{–}N(CH_2\text{–}CH{=}CH_2)_2,\ \text{Toluol},\ \sim 110°} \begin{cases} \xrightarrow{51\,\%} \text{5-R-1-}C_6H_5\text{-1-azonia-5-borata-bicyclo[3.3.0]octan} \\ \xrightarrow{-C_3H_6} \text{1-}C_6H_5\text{-2-R-1,2-azaborolidin} \end{cases}$$

R = C_2H_5; *2-Ethyl-1-phenyl-1,2-azaborolidin*; 23%; $Kp_{1,3}$: 72,5–74°
R = C_3H_7; *1-Phenyl-2-propyl-1,2-azaborolidin*; 31%; Kp_2: 87,5–90°
R = C_6H_5; *1,2-Diphenyl-1,2-azaborolidin*; 30%; $Kp_{1,1}$: 126–127°

Während man mit Allylamin nur geringe Ausbeuten an *2-Phenyl-1,2-azaborolidin* (21%; Kp_1: 90–100°; F: 111–113°) erhält, setzen sich Allyl-propyl-amin und *N*-Allyl-anilin mit besseren Ausbeuten um[3,4]:

$$(H_5C_2)_3\overset{\oplus}{N}\text{–}\overset{\ominus}{B}H_2\text{–}C_6H_5 + H_2C{=}CH\text{–}CH_2\text{–}NH\text{–}R \xrightarrow[-H_2]{-N(C_2H_5)_3} \text{1-R-2-}C_6H_5\text{-1,2-azaborolidin}$$

R = C_3H_7; *2-Phenyl-1-propyl-1,2-azaborolidin*; 47%; $Kp_{0,5}$: 78–79°
R = C_6H_5; *1,2-Diphenyl-1,2-azaborolidin*; 58%; $Kp_{0,65}$: 122–123°

Die Hydroborierung von 4-Methylamino-1-buten liefert ausgehend von Trimethylamin-Alkyl-dihydro-boranen bei 150–160° innerhalb 48 Stdn. unter Wasserstoff-Abspaltung 2-Alkyl-1-methyl-1,2-azaborinane[5]:

---

[1] R. Köster u. G. Seidel, A. **1977**, 1837.
[2] C.L. McCormick u. G.B. Butler, J. Org. Chem. **41**, 2803 (1976).
[3] G.B. Butler, G.L. Statton u. W.S. Brey, Jr., J. Org. Chem. **30**, 4194 (1965).
[4] B.M. Mikhailov, V.A. Dorokhov, N.V. Mostovoi, O.G. Boldyreva u. M.N. Bochkareva, Ž. obšč. Chim. **40**, 1817 (1970); C.A. **74**, 42403 (1971).
[5] H. Wille u. J. Goubeau, B. **105**, 2156 (1972).

$$(H_3C)_3\overset{\oplus}{N}-\overset{\ominus}{B}H_2-R + H_3C-NH-CH_2-CH_2-CH=CH_2 \xrightarrow[-H_2]{-N(CH_3)_3}$$ (1-Methyl-2-R-1,2-azaborinan)

R = C_2H_5; *2-Ethyl-1-methyl-1,2-azaborinan*; 51%; Kp_{760}: 154°
R = C_4H_9; *2-Butyl-1-methyl-1,2-azaborinan*; 59%; Kp_{27}: 107°

ϑ_3) *aus Triorganoamin-Trihydroboranen*

Triethylamin-Boran reagiert mit Alkyl-allyl-aminen in Gegenwart eines Trialkylborans zu 1,2-Diorgano-1,2-azaborolidinen[1,2]:

$$(H_5C_2)_3\overset{\oplus}{N}-\overset{\ominus}{B}H_3 + R^1_3B + (H_2C=CH-CH_2)(R^2)NH \xrightarrow{-H_2} (\text{1-}R^2\text{-2-}R^1\text{-1,2-azaborolidin}) + (H_5C_2)_3\overset{\oplus}{N}-\overset{\ominus}{B}HR^1_2$$

(vgl. S. 479)

2-Butyl-1-ethyl-1,2-azaborolidin[1]: Zu 64,8 mmol Tributylboran und 130,5 mmol Triethylamin-Boran werden bei 130° 195 mmol Allyl-ethyl-amin getropft. Man arbeitet destillativ auf; Ausbeute: 10,7 g (53,5%); Kp_6: 55–56°.

Auf ähnliche Weise erhält man:

2-Propyl-1,2-azaborolidin[2]	37–53%; Kp_{28}: 47–48°
2-Butyl-1,2-azaborolidin[2]	37%; Kp_{28}: 69–71°
1-Benzyl-2-butyl-1,2-azaborolidin[1]	Kp_{12}: 131–133°
1-Benzyl-2-isobutyl-1,2-azaborolidin[1]	47%; Kp_5: 115–117°

Durch Hydroborierung von Diallylamin erhält man aus Triethylamin-Boran mit 80%iger Ausbeute *1-Aza-5-bora-bicyclo[3.3.0]octan* (Kp_{760}: 145–155°; F: 138–139°). Die Komponenten werden in stöchiometrischen Mengen ohne Lösungsmittel auf 100–110° erhitzt, bis die Wasserstoff-Entwicklung beendet ist[3]:

$$(H_5C_2)_3\overset{\oplus}{N}-\overset{\ominus}{B}H_3 + HN(CH_2-CH=CH_2)_2 \xrightarrow[-H_2]{-N(C_2H_5)_3} \text{N–B (bicyclo[3.3.0])}$$

Aus Trimethylamin-Boran gewinnt man durch zweifache Hydroborierung von Di-3-butenylamin oder aus Diboran in Toluol *1-Aza-6-bora-bicyclo[4.4.0]decan* (Kp_{27}: 81–84°), das durch Umsetzung mit Chlor- bzw. Brom-wasserstoff in die entsprechenden Ammoniumsalze überführt werden kann[4,5]:

$$(H_3C)_3\overset{\oplus}{N}-\overset{\ominus}{B}H_3 + HN(-CH_2-CH_2-CH=CH_2)_2 \xrightarrow[-N(CH_3)_3]{-H_2} \text{N–B (bicyclo[4.4.0])}$$

[1] B. M. Mikhailov, V. A. Dorokhov, N. V. Mostovoi, O. G. Boldyreva u. M. N. Bochkareva, Ž. obšč. Chim. **40**, 1817 (1970); C. A. **74**, 42403 (1971).

[2] B. M. Mikhailov, V. A. Dorokhov, N. V. Mostovoi u. I. P. Yakovlev, Probl. Organ. Sinteza. Akad. Nauk SSSR **1965**, 223; C. A. **64**, 14204 (1966).

[3] H. Bock u. W. Fuss, B. **104**, 1687 (1971).

[4] M. J. S. Dewar, G. J. Gleicher u. B. P. Robinson, Am. Soc. **86**, 5698 (1964).

[5] M. J. S. Dewar u. R. Jones, Am. Soc. **90**, 2137 (1968).

Im Zuge der Aminolyse von Hydroboranen können auch benachbarte aromatische Reste intramolekular boryliert werden. Das aus Triethylamin-Boran mit Benzyl-methylamin im Autoklaven entstehende Gemisch von Amino-dihydro-boran und 2-Methyl-2,3-dihydro-⟨benzo[c]-1,2-azaborol⟩ (s. S. 131, 135) reagiert mit einem Überschuß von Tripropylboran unter Bildung verschiedener Produkte, von denen *2-Methyl-1-propyl-2,3-dihydro-⟨benzo[c]-1,2-azaborol⟩* in reiner Form gewonnen werden kann[1]:

$$\xrightarrow[-\ 1/2\ (H_7C_3)_4B_2H_2]{+\ (H_7C_3)_3B}$$

2-Methyl-1-propyl-2,3-dihydro-⟨benzo[c]-1,2-azaborol⟩[1]: 24,4 g (209 mmol) Triethylamin-Boran und 26,4 g (207 mmol) Benzyl-methyl-amin werden auf 130° erhitzt, wobei Wasserstoff und etwas Triethylamin frei werden. Man steigert die Temp. auf 200–210° (8,9 *l* Wasserstoff und 17 g Triethylamin sind dann abgespalten). I. Vak. erhält man 8,6 g eines äquimolaren Gemisches (Kp_{16}: 102–103°) von *2-Methyl-2,3-dihydro-⟨benzo[c]-1,2-azaborol⟩* und *(Benzyl-methyl-amino)boran* sowie 7,6 g *Bis[benzyl-methyl-amino]boran* ($Kp_{0,2}$: 120–130°) neben 8,5 g Rückstand.

7,5 g der ersten Fraktion werden mit 18 g Tripropylboran 1 Stde. auf 110° erhitzt. Nach Abdestillieren von Tripropylboran und Propyldiboran(6) i. Vak. werden 3,5 g (Benzyl-methyl-amino)boran (Kp_{11}: 110–115°) abgetrennt. Nach 1 Stde. Erhitzen auf 200° und Abspaltung von Propen/Propan erhält man nach Destillation und Rektifikation 2 g reines *2-Methyl-1-propyl-2,3-dihydro-⟨benzo[c]-1,2-azaborol⟩* (Kp_{11}: 115–116°).

ϑ_4) *aus Lewisbase-Halogen-organo-boranen*

1-tert.-Butyl-2-methyl-2,5-dihydro-1,2-azaborol läßt sich in 32%iger Ausbeute aus Tetrahydrofuran-Dibrom-methyl-boran mit Lithium-tert.-butyl-(3-lithioallyl)-amid gewinnen[2]:

$$THF^{\oplus}-\overset{CH_3}{\underset{Br}{B^{\ominus}}}-Br \xrightarrow[-\ 2\ LiBr]{+\ Li-CH=CH-CH_2-N(C(CH_3)_3)Li}$$

Aus Pyridin-Diorgano-halogen-boranen sind bestimmte Amino-diorgano-borane mit Hilfe von Alkalimetallen zugänglich[3,4]. Pyridin-Chlor-dialkyl-borane reagieren mit Alkalimetall normalerweise unter Enthalogenierung zum intensiv farbigen Pyridin-Diorganoboryl-Radikal[3]:

$$C_5H_5N^{\oplus}-BR_2^{\ominus}-Cl\ +\ M \longrightarrow R_2B-NC_5H_5^{\bullet}\ +\ MCl$$

M = Li, Na, K

[1] R. KÖSTER u. K. IWASAKI, Advan. Chem. Ser. **42**, 148 (1964); C.A. **60**, 10705 (1964).
[2] J. SCHULZE u. G. SCHMID, J. Organometal. Chem. **193**, 83 (1980).
vgl. J. SCHULZE, Dissertation, S. 163, Universität Essen-GHS 1980.
[3] R. KÖSTER, H. BELLUT, G. BENEDIKT u. E. ZIEGLER, A. **724**, 34 (1969).
[4] R. KÖSTER, H. BELLUT u. E. ZIEGLER, Ang. Ch. **79**, 241 (1967).

Als Nebenprodukt bildet sich 1-Dialkylboryl-1,4-dihydro-pyridin. Werden 3-Alkylpyridine eingesetzt, so wird das 1,4-Dihydro-Derivat zum Hauptprodukt (I) (20–30%). Man arbeitet in Toluol bei 110–120° oder in Tetrahydrofuran bei 0–5°. Zusätzlich wird das 2,2′-Bi(1,2-dihydropyridyliden) II erhalten[1,2]; z. B.:

+ Li / THF
- LiCl

I; *Diethyl-(3,5-dimethyl-1,4-dihydro-pyridino)-boran*; $Kp_{0,01}$: 65–66°

II; *1,1′-Bis[diethylboryl]-3,3′,5,5′-tetramethyl-2,2′-bi(1,2-dihydropyridinyliden)*; F: 93°

1,1′-Bis[diethylboryl]-3,5,3′,5′-tetramethyl-2,2′-bi(1,2-dihydropyridyliden) (II) und 1-Diethylboryl-3,5-dimethyl-1,4-dihydro-pyridin (I)[1]: 34 g (161 mmol) 3,5-Dimethylpyridin-Chlor-diethylboran in 50 *ml* THF werden innerhalb 3 Stdn. bei 3–4° zu 1,115 g (160 mmol) Lithium in 100 *ml* THF getropft. Die gelbrote Lösung wird i. Vak. eingedampft, der Rückstand in Ether aufgenommen und von 8,76 g Unlöslichem abgesaugt. Nach dem Einengen kristallisiert man aus 250 *ml* Ether (Kühlen auf –80°) um; Ausbeute: 12 g II; F: 93° (gelbes Pulver). Aus dem Filtrat erhält man i. Vak. 6 g I ($Kp_{0,01}$: 65–66°) (rote Flüssigkeit).

ϑ_5) *aus Lewisbase-Aminoboranen*

Amino-diorgano-borane sind aus verschiedenen Addukten der Aminoborane mit Stickstoffbasen oder aus anderen Lewisbase-Organoboranen gut zugänglich. Organo-Reste können z. B. durch Hydroborierung neu gebildet werden. Aus Triethylamin-Dihydro-pyrrolo-boran gewinnt man mit Ethen im Autoklaven bei 130° nach ~3 Stdn. *Diethyl-pyrrolo-boran* (88%; Kp_8: 54–59°)[3]:

$$(H_5C_2)_3\overset{\oplus}{N}-\overset{\ominus}{B}H_2-N\text{(pyrrolyl)} \xrightarrow[-\ N(C_2H_5)_3]{+\ C_2H_4} (H_5C_2)_2B-N\text{(pyrrolyl)}$$

Mit 1,5-Cyclooctadien ist bei 130–140° innerhalb ~4 Stdn. in 93%iger Ausbeute *9-Pyrrolo-9-borabicyclo[3.3.1]nonan* ($Kp_{0,1}$: 72–74°) zugänglich[3].

Aus Pyridin-Dialkyl-pyrrolo-boranen lassen sich mit Diethylether-Trifluorboran die basenfreien Dialkyl-pyrrolo-borane gewinnen[4]. 2,2-(Cyclooctan-1,5-diyl)-1,2-azaboratolan wird mit Bis(9-borabicyclo[3.3.1]nonan) unter N-Borylierung ins *9-[2-(9-Borabicyclo[3.3.1]nonan-9-yloxy)-ethylamino]-9-borabicyclo[3.3.1]nonan* (~100%; F: 58°) übergeführt[5]:

[1] R. Köster, H. Bellut, G. Benedikt u. E. Ziegler, A. **724**, 34 (1969).
[2] R. Köster, H. Bellut u. E. Ziegler, Ang. Ch. **79**, 241 (1967).
[3] R. Köster, H. Bellut, S. Hattori u. L. Weber, A. **720**, 32 (1968).
[4] H. Bellut u. R. Köster, A. **778**, 86 (1970).
[5] J. Serwatowski u. R. Köster, Mülheim a. d. Ruhr, unveröffentlicht 1983.

$$\text{(9-BBN)}B^{\oplus}(O^{\ominus}\text{-CH}_2\text{CH}_2\text{-NH}_2) + 1/2\,[(\text{9-BBN})BH]_2 \xrightarrow[-H_2]{\text{Mesitylen}} (\text{9-BBN})B-O-CH_2-CH_2-NH-B(\text{9-BBN})$$

Dimere Amino-diorgano-borane können als Edukte zur Herstellung anderer dimerer Amino-diorgano-borane eingesetzt werden. Aus einheitlichen Dimeren lassen sich z.B. Mischdimere herstellen (vgl. S. 677).

Aus äquimolaren Mengen Bis(9-amino-9-borabicyclo[3.3.1]nonan) und Bis(9-borabicyclo[3.3.1]nonan) erhält man beim Erwärmen in Benzol auf 60° quantitativ *1,1:2,2-Bis[cyclooctan-1,5-diyl]-μ-amino-diboran(6)* (s. S. 674) als kristallisierte Verbindung[1].

ι) aus Organoboraten

Organoborate werden in Sonderfällen zur Herstellung von Amino-diorgano-boranen eingesetzt. Außer aus Tetraorganoboraten erhält man die Verbindungen aus Hydro-triorgano-boraten sowie aus bestimmten Organo-oxy-boraten mit Aminen.

Zur Herstellung von Amino-diorgano-boranen kann von Alkylammonium-tetraphenylboraten ausgegangen werden, die aus Natrium-tetraphenylborat mit Alkylammonium-chloriden zugänglich sind. Bei der Thermolyse tritt doppelte Benzol-Abspaltung ein, die zuerst zum Alkylamin-Triphenylboran und dann zum Alkylamino-diphenyl-boran führt. Der zweite Teilschritt läuft nach mehreren Stunden bei 200–250° vollständig ab. Die Ausbeuten liegen oberhalb 70%[2].

$$[R-NH_3]^+[(H_5C_6)_4B]^- \xrightarrow{\Delta} (H_5C_6)_2B-NH-R + 2\,C_6H_6$$

$R = C_3H_7$; *Diphenyl-propylamino-boran*; Kp_{13}: 175°
$R = CH_2-CH(CH_3)_2$; *Diphenyl-isobutylamino-boran*; Kp: 310°
$R = CH(CH_3)-C_2H_5$; *Diphenyl-(1-methylpropylamino)-boran*; Kp_{13}: 175°

Aus Natrium-hydro-triethyl-borat lassen sich mit sek. Aminen in Aromaten wie z.B. mit Dibutylamin in Xylol oder mit Piperidin in Benzol Amino-diethyl-borane herstellen; z.B. *Dibutylamino-diethyl-* (79%; Kp_{12}: 110°) bzw. *Diethyl-piperidino-boran* (60%; Kp_{12}: 80–81°)[3]:

$$Na^+[(H_5C_2)_3BH]^- \xrightarrow[-C_2H_6;\ -NaH]{+HN(C_4H_9)_2;\ \text{Xylol};\ 115-120°} (H_5C_2)_2B-N(C_4H_9)_2$$

Bei der Herstellung von Diethyl-piperidino-boran in Benzol erhält man Ethan und Wasserstoff in etwa äquimolarem Verhältnis[3].

2. Diorgano-1-elementalkylamino-borane und Alkylidenamino-diorgano-borane

Zur Verbindungsklasse zählen Diorganobor-Stickstoff-Derivate der Carbonyl-Verbindungen mit folgenden Atomgruppierungen:

$$R^1_2B-N-C(X)(R^3)-R^2 \qquad\qquad R^1_2B-N=C(R^2)(R^3)$$

X = Hal, OR^4, NR^4_2

N-Heteroatomsubstituierte R_2BN-Verbindungen werden auf S. 99ff. besprochen. Die Herstellung der Alkylidenamino-diorgano-borane und deren Dimere (vgl. S. 669ff.) erfolgt aus Triorganoboranen, Hydro-organo-boranen, Halogen-organo-boranen oder R_2BN-Verbindungen (vgl. Tab. 20, S. 82).

---

[1] R. Köster u. G. Seidel, A. **1977**, 1837.
[2] B.R. Currell, W. Gerrard u. M. Khodabocus, J. Organometal. Chem. **8**, 411 (1967).
[3] S. Arora u. R. Köster, Mülheim a.d. Ruhr, unveröffentlicht 1969.

Tab. 20: Diorganobor-Stickstoff-Verbindungen von Carbonyl-Verbindungen

Formel	Verbindungstyp	Herstellung	s. S.
$(H_9C_4)_2B{-}N{=}C(C(CH_3)_3)(R)$			
R = H	$R^1_2B{-}N{=}CH{-}R^2$	aus $R^1_3B + R^2{-}CN$; △	83
R = C_3H_7	$R^1_2B{-}N{=}C(R^2)(R^3)$	aus R^1_2B-Hal + $Li{-}N{=}C\langle$	85
$R_2B{-}N{=}C(C_6H_5)_2$	$R^1_2B{-}N{=}CR^2_2$		
R = C_3H_7		aus $R^1_3B + R^2_2C{=}NH$	82
		aus $R^1_2B{-}NR^3_2 + [R^2_2C{=}NH_2]^{\oplus}Hal^{\ominus}$	86
R = C_6H_5		aus R^1_2B-Hal + $R^2_2C{=}NH$	84
		+ $R^2_2C{=}N{-}SiR^3_3$	85
$(H_3C)_2B{-}N{=}C(SC_4H_9)(CCl_3)$	$R^1_2B{-}N{=}C(SR^3)(R^2)$	aus $R^1_2B{-}N{=}C(Hal)(R^2)$ + $R^3{-}SH$	94

α) aus Triorganoboranen

Aus Triorganoboranen bilden sich mit Ketiminen zunächst Additionsverbindungen (vgl. S. 454). Trimethylboran reagiert bei ~20° mit Benzophenonimim zu einem Addukt, das bei 160° (Bombenrohr) z. Tl. unter Methan-Abspaltung in das *Dimethyl-diphenylmethylenamino-boran* (15%; F: 173°) übergeht[1]:

$$(H_3C)_3B \; + \; (H_5C_6)_2C{=}NH \xrightarrow[-CH_4]{} (H_3C)_2B{-}N{=}C(C_6H_5)_2$$

Zur Herstellung der Alkylidenamino-diorgano-borane wird diese Methode wenig eingesetzt. Zumeist geht man von Diorgano-hydro-boranen (s. S. 84) oder von Diorgano-halogen-boranen (s. S. 84) aus.

Hydro- und Organoborierungen von Nitrilen liefern Alkylidenamino-diorgano-borane, die vielfach in der dimeren Vierring-Form mit tetrakoordiniertem Bor-Atom (vgl. S. 668 ff.) vorliegen. Höhere Assoziationsgrade werden ebenfalls beschrieben. In Lösung oder in der Gasphase können die Verbindungen auch monomer vorliegen:

$$2\; R^1_2B{-}N{=}CH{-}R^2 \rightleftharpoons [R^1_2B^{\ominus}{-}N^{\oplus}(=CH{-}R^2)]_2 \text{ (Vierring)}$$

Die monomeren Alkylidenamino-diorgano-borane sind im allgemeinen Imino-Enamin-Gemische; z. B.[2,3]:

[1] J. Pattison u. K. Wade, Soc. [A] **1967**, 1098.

[2] B. M. Mikhailov, G. S. Ter-Sarkisyan, N. N. Govorov u. N. A. Nikolaeva, Khim. Elementorg. Soedin. **1976**, 3; C. A. **86**, 16721 (1977).

[3] B. M. Mikhailov, G. S. Ter-Sarkisyan u. N. N. Govorov, Izv. Akad. SSSR **1976**, 1823; engl.: 1757; C. A. **86**, 16723 (1977).

$$R_2B-N=C(C_2H_5)(C_6H_5) \rightleftharpoons R_2B-NH-C(=CH-CH_3)(C_6H_5)$$

Das Dimere mit B_2N_2-Struktur (vgl. a. S. 667ff.) überwiegt jedoch im allgemeinen.

Diorgano-vinyl-borane reagieren mit Nitrilen unter Vinylborierung der C≡N-Bindung[1]:

$$2\ R^1_2B-CH=C\langle\ +\ 2\ R^2-C\equiv N \longrightarrow \left[R^1_2B-N=C(R^2)-CH=C\langle\right]_2$$

Die anfallenden Produkte sind dimer und haben vierfach koordinierte Bor-Atome BNBN-Gruppierung (vgl. S. 670).

Die Reaktion der Trialkylborane mit Nitrilen erfolgt im allgemeinen nach Dehydroborierung. Die Hydroborierung der C≡N-Bindung liefert Alkylidenamino-dialkyl-borane[1-3]; z.B.:

$$(H_9C_4)_3B \xrightarrow[-C_4H_8]{\Delta} \{(H_9C_4)_2BH\} \xrightarrow{+NC-C(CH_3)_3} (H_9C_4)_2B-N=CH-C(CH_3)_3$$

Dibutyl-(2,2-dimethyl-propylidenamino)-boran[1, 2]**:** Innerhalb 5 Stdn. wird bei 150–160° zu 1,2 g Tributylboran eine äquimolare Menge 2,2-Dimethylpropansäurenitril (0,55 g) gegeben. Danach wird destillativ aufgearbeitet, wobei das Boran bei der Kondensation auskristallisiert; Ausbeute: 0,77 (56%); $Kp_{0,3}$: 72–75°; F: 74–76°.

Triarylborane reagieren mit 3-Amino-2-butennitril z.T. unter Arylborierung (vgl. S. 465)[3].

Auch Organothiocyanate lassen sich an der C≡N-Bindung zu Alkylidenamino-diorgano-boranen mit einem Organothio-Rest am Imin-C-Atom 1,2-hydroborieren (vgl. S. 84)[4]. Das als Zwischenstufe auftretende Diorgano-hydro-boran entsteht vermutlich wie üblich aus dem entsprechenden Triorganoboran durch thermische Alken-Abspaltung:

$$R^1_3B\ +\ R^2-SCN \xrightarrow[-R^1_{en}]{} (R^2S)(H)C=N-BR^1_2 \rightleftharpoons 1/2\ [R^1_2B^{\ominus}-N^{\oplus}(=CH-SR^2)]_2$$

Aus Triorganoboranen erhält man mit Isocyaniden unter 1,1-Organoborierung Produkte, die in Gegenwart von Azomethinen Aminoalkylamino-diorgano-borane liefern. Man gewinnt z.B. aus gleichen Mengen Trialkylboran, Phenylisocyanid und einem Imin (z.B. *N*-Phenylbenzaldimin, Phenylisocyanat, Phenylisothiocyanat, Dicyclohexylcarbodiimid) 1-Phenyl-4,5,5-trialkyl-1,3,4-diazaborolidine[5]:

$$BR^1_3\ +\ C\equiv N-C_6H_5 \longrightarrow H_5C_6-N=C(R^1)(BR^1_2) \xrightarrow{+R^2-N=C\langle} \text{1-Phenyl-4,5,5-trialkyl-1,3,4-diazaborolidin } (N^3\text{-}R^2,\ B^4\text{-}R^1,\ C^5R^1_2,\ N^1\text{-}C_6H_5)$$

[1] V.A. Dorokhov u. M.F. Lappert, Soc [A] **1969**, 433.

[2] A. Meller u. A. Ossko, M. **102**, 131 (1971); C.A. **74**, 125763 (1971).

[3] G.A. Yuzhakova, I.I. Lapkin, M.I. Vakhrim u. R.P. Drovneva, Khim. Org. Soedin Azota, Perm **1981**, 80; C.A. **97**, 216274 (1982).

[4] L.N. Mikhailova, B.I. Tikhomirov u. Z.A. Matvejeva, Vestn. Leningr. Univ., Fiz., Khim. **1982**, 82; C.A. **96**, 217909 (1982).

[5] H. Witte, W. Gulden u. G. Hesse, A. **716**, 1 (1968).

4,5,5-Tributyl-1,2,3-triphenyl-1,3,4-diazaborolidin[1]**:** Zu 50 mmol Tributylboran und 50 mmol *N*-Phenylbenzaldimin in 70 *ml* Diethylether gibt man innerhalb 20 Min. 50 mmol Phenylisonitril in 50 *ml* Diethylether. Nach 3 stdgm. Erhitzen im Rückfluß wird i. Vak. eingedampft und aus Methanol umkristallisiert; Ausbeute: 73%; F: 102–103°.

β) aus Hydro-organo-boranen

Die Additionen der Diorgano-hydro-borane an Nitrile verlaufen im allgemeinen nur bis zur Stufe der Alkylidenamino-diorgano-borane, die sich wegen Dimerisierung zu Verbindungen mit vierfach koordinierten Bor-Atomen (vgl. S. 667ff.) der weiteren Hydroborierung entziehen[2,3]:

$$1/2\ (R^1_2BH)_2 + R^2-C\equiv N \longrightarrow R^1_2B-N=CH-R^2 \longrightarrow 1/2\ [R^1_2B^{\ominus}-N^{\oplus}(=CH-R^2)]_2$$

γ) aus Halogen-organo-boranen

Diorgano-halogen-borane reagieren mit Iminen zunächst unter Addition der B–Hal-Bindung an die C=N-Doppelbindung des Imins; z. B.[4]:

$$(H_5C_6)_2B-Br + HN=C(CF_3)_2 \longrightarrow (H_5C_6)_2B-NH-CBr(CF_3)-CF_3$$

(1-Brom-2,2,2-trifluor-1-trifluormethyl-ethylamino)-diphenyl-boran; $Kp_{0,1}$: 27°

In Gegenwart eines zweiten mol Imin bilden sich aus den destillierbaren Diorgano-(1-halogenalkylamino)-boranen[4] Alkylidenamino-diorgano-borane und Alkylidenammonium-halogenide.

Die Reaktion von Brom-diphenyl-boran mit überschüssigem Hexafluoracetonimin führt unter Hydrogenbromid-Abspaltung zum *Diphenyl-(2,2,2-trifluor-1-trifluormethyl-ethylidenamino)-boran*[5]:

$$(H_5C_6)_2B-Br + 2\,(F_3C)_2C=NH \xrightarrow{-[(F_3C)_2-NH_2]^+Br^-} (H_5C_6)_2B-N=C(CF_3)_2$$

Chlor-diphenyl-boran reagiert mit der doppelten Menge Benzophenonimin in siedendem Toluol unter Imin-Hydrochlorid-Abscheidung zu den Diarylmethylenamino-diphenyl-boranen (85–90%)[6]:

$$(H_5C_6)_2B-Cl + 2\ HN=C(R^1)(R^2) \xrightarrow{-[(R^1)(R^2)C=NH_2]\,Cl^-} (H_5C_6)_2B-N=C(R^1)(R^2)$$

$R^1 = R^2 = 4\text{-}Cl\text{–}C_6H_4$; *(Bis[4-chlorphenyl]methylenamino)-diphenyl-boran*; F: 119–120°
$R^1 = C_6H_5$; $R^2 = 4\text{-}Br\text{–}C_6H_4$; *[α-(4-Bromphenyl)benzylidenamino]-diphenyl-boran*; $Kp_{0,1}$: 140°

---

[1] H. Witte, W. Gulden u. G. Hesse, A. **716**, 1 (1968).
[2] H.-J. Zimmermann, Mülheim a. d. Ruhr 1970; Dissertation Universität Bochum 1971.
[3] U. E. Diner, M. Worsley, J. W. Lown u. J. A. Forsythe, Tetrahedron Letters **1972**, 3145.
[4] C. D. Miller u. K. Niedenzu, Synth. React. Inorg. Metal-org. Chem. **2**, 217 (1972); C. A. **77**, 140201 (1972).
[5] K. Niedenzu, C. D. Miller u. F. C. Nahm, Tetrahedron Letters **1970**, 2441.
[6] C. Summerford u. K. Wade, Soc. [A] **1970**, 2010.

Aus Brom-dimethyl-boran erhält man mit der doppelten Menge Hexafluoracetonimin *Dimethyl-(2,2,2-trifluor-1-trifluormethyl-ethylidenamino)-boran* (67%)[1].

Alkylidenamino-diorgano-borane sind aus Diorgano-halogen-boranen mit N-Lithio-alkylidenimiden[2-5] zugänglich. Durch Vereinigung äquimolarer Mengen Chlor-diphenyl-boran und *N*-Lithiumalkylidenamid in Pentan bei −196° und anschließendem Auftauen gewinnt man in einer stark exothermen Reaktion unter Lithiumchlorid-Abscheidung die Alkylidenamino-diphenyl-borane[3,4]:

$$(H_5C_6)_2B{-}Cl \quad + \quad R_2C{=}N{-}Li \quad \xrightarrow[-LiCl]{} \quad (H_5C_6)_2B{-}N{=}CR_2$$

R = C_6H_5; *Diphenyl-diphenylmethylenamino-boran*[6]; F: 143–144°; Subl. $p_{0,001}$: 140°
R = $C(CH_3)_3$; *(1-tert.-Butyl-2,2-dimethyl-propylidenamino)-diphenyl-boran*[7]; 79%; F: 63–66°

In gleicher Weise, in der Aminosilane zur Aminierung von Halogenboranen herangezogen werden (vgl. S. 36), dienen Alkylidenamino-silane zur Iminierung von Halogenboranen, wobei die Alkylidenamino-silane über die Reaktion von Ketonen oder Aldehyden mit Lithium-disilylamiden zugänglich sind[3,8].

Diorgano-halogen-borane reagieren mit N-Trimethylsilylketiminen, die z.B. aus Lithium-bis[trimethylsilyl]amid und Ketonen zugänglich sind[3,8], unter Bildung von Alkylidenamino-diorgano-boranen[3,8,9].

Zur Umsetzung werden die Reaktionspartner bei −78° in Toluol oder anderen Lösungsmitteln im Verhältnis 1:1 vereinigt und anschließend einige Stunden erhitzt (die Imine liegen in Benzol monomer vor)[10,11]:

$$Ar_2B{-}Hal \quad + \quad (R^1)(R^2)C{=}N{-}Si(CH_3)_3 \quad \xrightarrow[-(H_3C)_3Si-Hal]{} \quad Ar_2B{-}N{=}C(R^1)(R^2)$$

z.B.: Hal = Cl; Ar=R^1=R^2=C_6H_5 (2 Stdn. max. 96°); *Diphenyl-diphenylmethylenamino-boran*[10]; F: 143–144°
Ar = C_6H_5; R^1–R^2 = 2,2′-Biphenyldiyl (2 Stdn. Rückfluß); *Diphenyl-fluorenylidenamino-boran*[11]; F: 168–170°
Hal = F; Ar = 2,4,6-$(CH_3)_3$–C_6H_3; R^1 = H; R^2 = C_6H_5 (16 Stdn. Rückfluß); *Benzylidenamino-bis[2,4,6-trimethyl-phenyl]-boran*[10]; F: 168–170°

Alkylidenamino-diorgano-borane[12] sind aus Diorgano-halogen-boranen durch 1,2-Haloborierung der C≡N-Bindung reaktiver Nitrile zugänglich. Das starke Borylierungsmittel Brom-dimethyl-boran bromoboriert Trichloracetonitril unter Bildung von *(1-Brom-2,2,2-trichlor-ethylidenamino)-dimethyl-boran* (~100%; Kp_{11}: 115°)[2]:

$$(H_3C)_2B{-}Br \xrightarrow{+Cl_3C-CN} (H_3C)_2B{-}N{=}C(Br)(CCl_3) \rightleftharpoons 1/2\ [(H_3C)_2B{-}N{=}C(Br)CCl_3]_2$$

¹ B.R. Gragg u. K. Niedenzu, Synth. React. Inorg. Metal-org. Chem. **8**, 275 (1976).
² A. Meller u. W. Maringgele, M. **99**, 2504 (1968); C.A. **70**, 47528 (1969).
³ C. Summerford u. K. Wade, Soc. [A] **1970**, 2010.
⁴ K. Niedenzu, C.D. Miller u. F.C. Nahm, Tetrahedron Letters **1970**, 2441.
⁵ K. Niedenzu, P. Fritz u. Y.W. Dawson, Inorg. Chem. **3**, 1077 (1964); C.A. **61**, 7033 (1964).
⁶ M.R. Collier, M.F. Lappert, R. Snaith u. K. Wade, Soc. [Dalton Trans.] **1972**, 370.
⁷ J.R. Jennings, I. Pattison, C. Summerford, K. Wade u. B.K. Wyatt, Chem. Commun. **1968**, 250.
⁸ C. Summerford u. K. Wade, Soc. [A] **1969**, 1487.
⁹ W. Maringgele, A. Meller, H. Nöth u. R. Schroen, Z. Naturf. **33b**, 673 (1978).
¹⁰ P.I. Paetzold u. H.J. Hansen, Z. anorg. Ch. **345**, 79 (1966).
¹¹ J.E. Leffler u. L.J. Todd, Chem. & Ind. **1961**, 512.
¹² *Gmelin*, **22**/4, 223 (1975).

Mit Chlorcyan oder Bromcyan wird unter Haloborierung *(Brom-chlor-methylen-amino)-* bzw. *(Dibrommethylenamino)-dimethyl-boran* erhalten[1].

Chlor-diphenyl-boran reagiert mit Bis[perhalogenalkyliden]malonsäuredinitril unter 1,4-Addition zu subst.-Ketenimino-diphenyl-boranen[2]:

$$(H_5C_6)_2B{-}Cl \; + \; (NC)(N{\equiv}C)C{=}C(CF_3)(CF_2{-}Hal) \longrightarrow (H_5C_6)_2B{-}N{=}C{=}C(CN){-}CCl(CF_3)(CF_2{-}Hal)$$

Hal = Cl; *(2-Cyan-3,4-dichlor-4,4-difluor-3-trifluor-methyl-1-butenylidenamino)-diphenyl-boran*
Hal = F; *(2-Cyan-3-chlor-4,4,4-trifluor-3-trifluormethyl-1-butenyliden-amino)-diphenyl-boran*

δ) aus Diorgano-thio-boranen

Alkylthio-dialkyl-borane reagieren unter schonenden Bedingungen mit Ketoniminen unter Alkanthiol-Abspaltung und Iminierung am Bor-Atom[3–6]:

$$(H_9C_4)_2B{-}SC_4H_9 \; + \; R(H_5C_6)C{=}NH \xrightarrow{-C_4H_9SH} (H_9C_4)_2B{-}N{=}C(R)(C_6H_5)$$

70–90%

R = C_3H_7; *Dibutyl-(1-phenyl-butylidenamino)-boran*
R = $C(CH_3)_3$; *Dibutyl-(2,2-dimethyl-1-phenyl-propylidenamino)-boran*

ε) aus Organobor-Stickstoff-Verbindungen

Eine einfache präparative Methode zur Herstellung von Alkylidenamino-dialkyl-boranen ist die Umaminierung von Amino-dialkyl-boranen mit Imin-Hydrochloriden[7,8]:

$$R^1_2B{-}NR^2_2 \; + \; \left[R^3_2C{=}NH_2\right]^+ Hal^- \xrightarrow[-\left[R^2_2NH_2\right]^+ Cl^-]{H_2CCl_2} R^1_2B{-}N{=}C(R^3)_2$$

Diphenylmethylenamino-dipropyl-boran[8]**:** 7,72 g (46 mmol) Diethylamino-dipropyl-boran in 10 *ml* Dichlormethan werden innerhalb von 25 Min. zu einer Suspension von 9,15 g (42 mmol) Benzophenonimin-Hydrochlorid in 50 *ml* Dichlormethan getropft. Die Mischung wird 2 Stdn. bei 20° gerührt, sodann nach Abfiltrieren des Diethylamin-Hydrochlorids destillativ aufgearbeitet; Ausbeute: 6,35 g (53%); Kp_2: 155–156°.

Analog erhält man *Dibutyl-diphenylmethylenamino-boran* (60%; $Kp_{1,5}$: 156,5°)[9] bzw. aus Diethylamino- bzw. Ethylamino-diphenyl-boran mit Benzophenonimin-Hydrochlorid das *Diphenyl-diphenylmethylenamino-boran* (F: 142–144,5°; aus Heptan)[7,10].

---

[1] A. MELLER u. W. MARINGGELE, M. **99**, 2504 (1968).
[2] E.W. ABEL, J.P. CROW u. J.N. WINGFIELD, Soc. [Dalton Trans.] **1972**, 787.
[3] B.M. MIKHAILOV, V.A. DOROKHOV, V.I. SEDERENKO u. I.P. JAKOVLEV, Izv. Akad. SSSR **1974**, 1665; engl.: 1593; C.A. **81**, 91614 (1974).
[4] B.M. MIKHAILOV, G.S. TER-SARKISYAN, N.N. GOVOROV u. N.A. NIKOLAEVA, Izv. Akad. SSSR **1974**, 2389; engl.: 2307; C.A. **82**, 43496 (1975).
[5] B.M. MIKHAILOV, G.S. TER-SARKISYAN u. N.N. GOVOROV, Izv. Akad. SSSR **1976**, 1823; engl.: 1717 (1976); C.A. **86**, 16723 (1977).
[6] B.M. MIKHAILOV, G.S. TER-SARKISYAN, N.N. GOVOROV u. N.A. NIKOLAEVA, Izv. Akad. SSSR **1976**, 1820; engl.: 1715 (1976); C.A. **86**, 16722 (1976).
[7] B.M. MIKHAILOV, G.S. TER-SARKISYAN, N.A. NIKOLAEVA u. V.G. KISELEV, Ž. obšč. Chim. **43**, 857 (1973); engl.: 857; C.A. **79**, 53407 (1973).
[8] B.M. MIKHAILOV, G.S. TER-SARKISYAN u. N.N. GOVOROV, Izv. Akad. SSSR **1976**, 2053; engl.: 1924; C.A. **86**, 5506 (1977).
[9] J.C. HUFFMAN, D.C. MOODY, J.W. RATHKE u. R. SCHAEFFER, Chem. Commun. **1973**, 308.
[10] B.M. MIKHAILOV, G.S. TER-SARKISYAN u. N.A. NIKOLAEVA, Izv. Akad. SSSR **1972**, 2372; engl.: 2320; C.A. **78**, 43561 (1973).

Zur Herstellung von *Diphenyl-fluorenylidenamino-boran* (I; 51%; F: 130–131,5°) bzw. dimerem *Dipropyl-(2-methyl-α-phenyl-benzylidenamino)-boran* (II; F: 83–84,5°) s. Lit.[1].

I II

In die C-Br-Bindung des (1-Brom-2,2,2-trichlor-ethylidenamino)-diphenyl- bzw. -dimethyl-borans schiebt sich bei der Umsetzung mit Diazo-diphenyl-methan das Diphenylcarben ein[2]:

$$(H_5C_6)_2B{-}N{=}C(Br)(CCl_3) + (H_5C_6)_2CN_2 \xrightarrow[-N_2]{} (H_5C_6)_2B{-}N{=}C(C(C_6H_5)_2Br)(CCl_3)$$

(2-Brom-2,2-diphenyl-1-trichlormethyl-ethylidenamino)-diphenyl-boran

Alkylidenamino-brom-organo-borane addieren sich unter 1,1-Bromoborierung und 1,1-Bromocarborierung an Diazoalkane zu bromierten Alkyliden-amino-diorgano-boranen; z.B.[2]:

$$(Br)(H_5C_6)B{-}N{=}C(Br)(CCl_3) + 2\,(H_5C_6)_2CN_2 \xrightarrow[-2\,N_2]{} ((H_5C_6)_2CBr)(H_5C_6)B{-}N{=}C(C(C_6H_5)_2Br)(CCl_3)$$

(α-Brom-diphenylmethyl)-(2-brom-2,2-diphenyl-1-trichlormethyl-ethylidenamino)-phenyl-boran

3. N-Diorganobor-Carbonsäureamid(amidin)-Verbindungen

Die Verbindungsklasse umfaßt offenkettige und cyclische Diorganobor-Stickstoff-Verbindungen mit folgenden Atomgruppierungen:

$$R^1_2B{-}N(-)C(=O){-}R^2 \qquad R^1_2B{-}N(-)C(=S){-}R^2 \qquad R^1_2B{-}N(-)C(=N-){-}R^2$$

Diorganobor-Stickstoff-Verbindungen der Kohlensäureamide werden auf S. 95ff. besprochen. Die Tab. 21 (S. 88) gibt einen Überblick der Herstellungsmethoden.

[1] B.M. Mikhailov, G.S. Ter-Sarkisyan, N.N. Govorov, N.A. Nikolaeva u. V.G. Kiselev, Izv. Akad. SSSR **1976**, 870; engl.: 848; C.A. **85**, 63112 (1976).
[2] A. Meller u. W. Maringgele, M. **102**, 118 (1971); C.A. **74**, 125765 (1971).

Tab. 21: Diorganobor-Stickstoff-Verbindungen von Carbonsäure- und Kohlensäure-Derivaten

Formel	Verbindungstyp	Herstellung	s. S.
1. N-Diorganobor-Carbonsäureamid(amidin)-Verbindungen			
$Alkyl_2B—NH—CO—R$	$R^1_2B—NH—CO—R^2$	aus $R^1_3B + R^2—CO—NH_2$	90
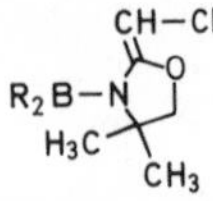 $R_2B—N$ (Oxazolidin-Ring: $CH—CH_3$, O, H_3C, CH_3)	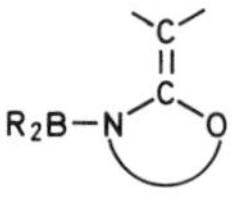 $R_2B—N$ (Ring mit C=C, O)	aus $R^1_2B—O—SO_2—R^2$ 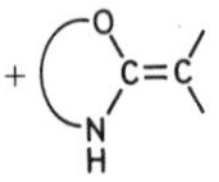 + (Ring: O, C=C, N—H)	92
$R^1_2B—NH—C(=S)—R^2$	$R^1_2B—NH—C(=S)—R^2$	aus $R^1_2B—Hal$ + $R^3—NH—C(=S)—R^3$	92
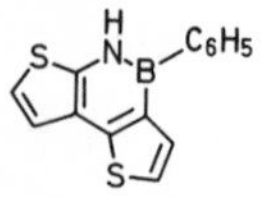 (Thieno-Ring: H, N, B, C_6H_5, S, S)	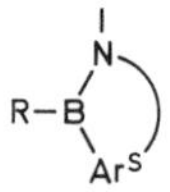 $R—B$ (Ring: N, Ar^S)	aus $R—BHal_2 + [Ar^S—NH_3]^+X^-$	92
$R^1_2B—NH—C(=N—)R^2$	$R^1_2B—NH—C(=N—)R^2$	aus $R_3B + H_2N—C(=N—)$	91
		aus 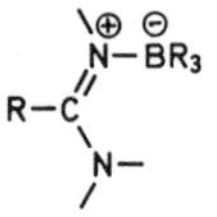 $R—C(=N^{\oplus}—B^{\ominus}R_3)—N—$	95
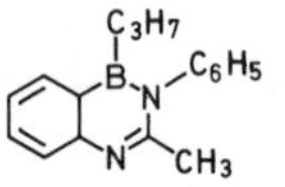 (Ring: C_3H_7, B, N, C_6H_5, N, CH_3)	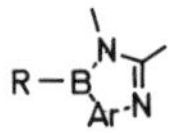 $R—B$ (Ring: N, N, Ar)	aus $R^1_3B + R^2—NH—C(=N—R^3)$	91
		aus $R^1_2B—N(R^2)—C=N—$; △	94
		aus 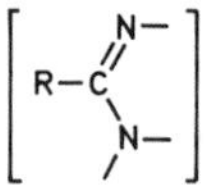 $[R—C(=N—)—N—]$ · $R_2B—N$, △	95
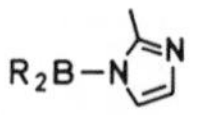 $R_2B—N$ (Imidazol-Ring, N) $R = C_2H_5$	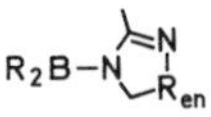 $R_2B—N$ (Ring: N, R_{en})	aus $R^1_2B—NR^2_2 + R_3Si—N$ (Imidazol-Ring, N) 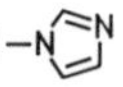	94
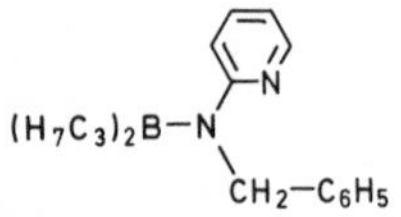 $(H_7C_3)_2B—N(C_5H_4N)—CH_2—C_6H_5$	$R_2B—N—C(=N—)$	aus $R^1_2B—SR^2 + HN—C=N—$	93
2. N-Diorganoboryl-Kohlensäureamid-Verbindungen			
$(H_{11}C_5)_2B—N(C_6H_5)—C(=O)—NH—C_4H_9$	$R^1_2B—N(R^2)—C(=O)—N$	aus $R^1_2B—NR^2_2 + R^3—NCO$	99
$R^1_2B—NH—C(=S)—NR^2_2$	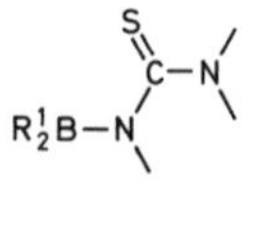 $R^1_2B—N—C(=S)—N$	aus $R^1_2B—Hal + [R^2_2N—C(=S)—S]_2$	96
		$+ R^2_2N—C(=S)—SNa$	96

Tab. 21: (Fortsetzung)

Formel	Verbindungstyp	Herstellung	s. S.
$(H_3C)_2B{-}N(R){-}C(=O(S)){-}N(C_2H_5)_2$	$R^1_2B{-}N(R^2){-}C(=O(S)){-}N<$	aus R^1_2B-Hal + $R^3_3Si{-}N{-}C(=O){-}N<$	97
$(H_9C_4)_2B{-}NH{-}C(=O){-}N(R){-}C(=O){-}SC_4H_9$	$R_2B{-}NH{-}C(=O){-}N<$	aus $R^1_2B{-}SR^3 + R^2{-}NCO$	98
$(H_3C)_2B{-}N{=}C{=}O(S)$	$R_2B{-}NCO$	aus R_2B-Hal + AgOCN(AgSCN)	97
$(H_5C_6)_2B{-}N(Ar){-}C(=N{-}Ar){-}SC_4H_9$	$R_2B{-}N{-}C(=N{-}){-}S{-}$	aus $R^1_2B{-}SR^2 + {-}N{=}C{=}N{-}$	98
$(H_5C_6)_2B{-}N(Ar){-}C(=N{-}Ar){-}N(C_2H_5)_2$	$R_2B{-}N(Ar){-}C(=N{-}){-}N<$	aus $R^1_2B{-}NR^2_2 + {-}N{=}C{=}N{-}$	99
		aus R_3B 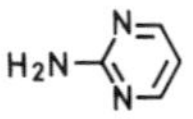 + H_2N-(2-Pyrimidinyl)	90
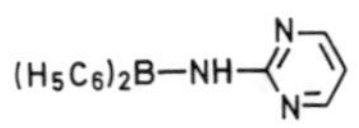 $(H_5C_6)_2B{-}NH$-(2-Pyrimidinyl)	$R_2B{-}NH{-}C(=N{-}){-}N{=}$	aus $R^3_2B{-}NH{-}C(=N{-}){-}N{=}$ + $R^1_2B{-}OR^2$	99
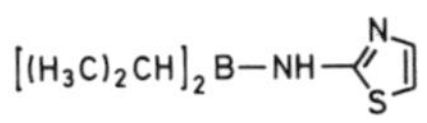 $[(H_3C)_2CH]_2B{-}NH$-(2-Thiazolyl)	$R_2B{-}NH{-}C(=N{-}){-}S{-}$	aus R_3B 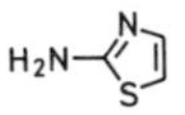 + H_2N-(2-Thiazolyl)	95

α) aus Triorganoboranen

Die N-Dialkylborylierung von Acyl-organo-aminen gleicht der Borylierung von Aminen (vgl. S. 11):

$$R^1_3B + HN(R^2){-}CO{-}R^3 \xrightarrow{-R^1H} R^1_2B{-}N(R^2){-}CO{-}R^3$$

Im Unterschied zu den primären und sekundären Aminen werden Amide der Carbonsäuren, der Kohlensäure oder der Thiokohlensäure[1,2], die Carbonsäureamidine[3] (s. S. 91) sowie das als Amidin auffaßbare 2-Aminopyridin (vgl. S. 91, 93) und ähnliche Verbindungen[3-8] vielfach schon unterhalb von 100° von Triorganoboranen boryliert (Tab. 22, S. 90).

Die Diorganoborylierung von Acylamiden kann ohne Lösungsmittel[1] oder in Tetrahydrofuran[2] durchgeführt werden:

[1] US.P. 3065267 (1962) (1959) (1959), K. Lang u. F. Schubert; C.A. **58**, 10236 (1963).
DBP. 1083263 (1958–, Farbf. Bayer, Erf.: K. Lang; C.A. **55**, 16424 (1961).
DBP. 1130445 (1959), Farbf. Bayer, Erf.: K. Lang, K.F. Nützel u. F. Schubert; C.A. **58**, 1488 (1963).

[2] V.A. Dorokhov, L.I. Lavrinovich, I.P. Yakovlev u. B.M. Mikhailov, Ž. obšč. Chim. **41**, 2501 (1971); C.A. **76**, 140935 (1972).

[3] V.A. Dorokhov, L.I. Lavrinovich u. B.M. Mikhailov, Doklady Akad. SSSR **245**, 121 (1979); engl.: 99; C.A. **91**, 57081 (1979).

[4] V.A. Dorokhov u. B.M. Mikhailov, Izv. Akad. SSSR **1972**, 1895; C.A. **77**, 164794 (1972).

[5] V.A. Dorokhov u. B.M. Mikhailov, Ž. obšč. Chim. **44**, 1281 (1974); engl.: 1259; C.A. **81**, 105603 (1974).

[6] V.A. Dorokhov u. B.M. Mikhailov, Izv. Akad. SSSR **1977**, 246; C.A. **87**, 6056 (1977).

[7] V.A. Dorokhov, L.I. Lavrinovich u. B.M. Mikhailov, Izv. Akad. SSSR **1977**, 1921; engl.: 1785; C.A. **87**, 201625c (1977).

[8] B.R. Gragg u. K. Niedenzu, J. Organometal. Chem. **149**, 271 (1978).

$$R^1_3B + H_2N{-}CO{-}R^2 \xrightarrow[-R^1H]{80-130°} R^1_2B{-}NH{-}CO{-}R^2$$

$R^1 = C_3H_7$; $R^2 = CH_3$ (ohne Lsgm. bei 130°); *Acetylamino-dipropyl-boran*[1]; Kp_2: 83°
$R^2 = NHC_6H_5$ (ohne Lsgm. bei 130°); *Anilinocarbonylamino-dipropyl-boran*[1]; F: >220°
$R^1 = CH_2{-}CH(CH_3)_2$; $R^2 = C(CH_3)_3$; *Diisobutyl-(2,2-dimethylpropanoylamino)-boran*[2]; $Kp_{0,05}$: 53–54°

(2,2-Dimethylpropanoylamino)-dipropyl-boran[2]: Eine Mischung aus 5,1 g (50,4 mmol) 2,2-Dimethylpropansäureamid, 10,6 g (75,8 mmol) Tripropylboran und 50 *ml* THF wird unter Rühren 3 Stdn. lang auf 50–70° erhitzt. Es entweichen 1100 *ml* (49,1 mmol) Propan. Nach Abziehen des Lösungsmittels i. Vak. wird das Boran abdestilliert; Ausbeute: 8,4 g (85%); $Kp_{0,1}$: 52–53°.

Die Stellung der Diorganoboryl-Gruppe in den Borylcarbonsäureamiden ist nicht ganz gesichert. Die *N*-Boryl-Verbindung sollte jedoch aus Entropiegründen bevorzugt sein[3]. Manche dieser Verbindungen dimerisieren und enthalten vierfach koordinierte Bor-Atome (vgl. S. 581).

Tab. 22: Dialkyl-pyridyl(pyrimidinyl)amino-borane aus Trialkylboran mit Amid durch Erhitzen (ohne Katalysator)

R_3B R	$R^1{-}NH_2$	Amino-dialkyl-boran	Ausbeute [%]	Kp [°C]	Kp [Torr]	Literatur
C_3H_7	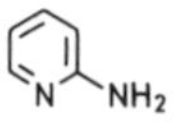 2-Aminopyridin	*Dipropyl-(2-pyridyl-amino)-boran*	88	83–85	0,6	4,5
$CH(CH_3)_2$	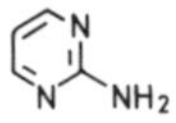 2-Aminopyrimidin	*Diisopropyl-(2-pyrimidyl-amino)-boran*	64			6 (vgl. S. 95)
C_4H_9	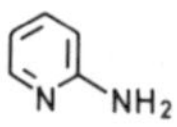 2-Aminopyridin	*Dibutyl-(2-pyridylamino)-boran*	84	113–117	0,9	4,5
	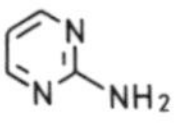 2-Aminopyrimidin	*Dibutyl-(2-pyrimidyl-amino)-boran*	80			6 (vgl. S. 95)
$CH_2{-}CH(CH_3)_2$	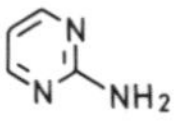 2-Aminopyrimidin	*Diisobutyl-(2-pyrimidyl-amino)-boran*	70	89–90	0,4	7 (vgl. S. 95)

Die Aminierung von Trialkylboran mit 2-Aminopyridin läuft in Tetrahydrofuran bereits bei 60–70° ab[4,5].

2-Aminopyrimidin[6] und auch sekundäre Amine (z. B. 2-Benzylamino-pyridin[8]) können ebenso eingesetzt werden. Die Erfahrung zeigt jedoch, daß nur das lösungsmittelfreie Arbeiten mit einem Überschuß von Trialkylboranen zum Ziel führt[7]:

[1] US.P. 3065267 (1962/1959), K. LANG u. F. SCHUBERT; C.A. **58**, 10236 (1963).
DBP. 1083263 (1958), Farbf. Bayer, Erf.: K. LANG; C.A. **55**, 16424 (1961).
DBP. 1130445 (1959), Farbf. Bayer, Erf.: K. LANG u. F. SCHUBERT; C.A. **58**, 1488 (1965).
[2] V.A. DOROKHOV, L.I. LAVRINOVICH, I.P. YAKOVLEV u. B.M. MIKHAILOV, Ž. obšč. Chim. **41**, 2501 (1971); C.A. **76**, 140935 (1972).
[3] vgl. P. PAETZOLD u. H.-P. BIERMANN, B. **110**, 3678 (1977).
[4] V.A. DOROKHOV u. B.M. MIKHAILOV, Izv. Akad. SSSR **1972**, 1895; C.A. **77**, 164794 (1972).
[5] V.A. DOROKHOV u. B.M. MIKHAILOV, Ž. obšč. Chim. **44**, 1281 (1974); engl.: 1259; C.A. **81**, 105603 (1974).
[6] V.A. DOROKHOV u. B.M. MIKHAILOV, Izv. Akad. SSSR **1977**, 246; engl.: 219; C.A. **87**, 6056r (1977).
[7] B.R. GRAGG u. K. NIEDENZU, J. Organometal. Chem. **149**, 271 (1978).
[8] V.A. DOROKHOV, L.I. LAVRINOVICH u. B.M. MIKHAILOV, Izv. Akad. SSSR **1977**, 1921; engl.: 1785; C.A. **87**, 201625c (1977).

$$R_3B + H_2N\text{-}(2\text{-pyridyl}) \xrightarrow{-RH} R_2B\text{-}NH\text{-}(2\text{-pyridyl})$$

Diethyl-(2-pyridylamino)-boran[1]: Zu 17,17 g (182,5 mmol) 2-Aminopyridin gibt man 35,76 g (265,0 mmol) Triethylboran und beginnt mit dem Rühren, sobald das gesamte Gemisch flüssig ist. Man erhitzt langsam, bis nach ~2,5 stdgm. Rühren bei 65–70° die Entwicklung von Ethan abrupt aufhört. Überschüssiges Edukt-Boran wird i. Vak. abgezogen und das Boran i. Vak. destilliert; Ausbeute: 21,26 g (72%); $Kp_{0,05}$: 57–61°.

Weitere Umsetzungen s. Tab. 22 (S. 90).

Aus Trialkylboranen erhält man mit Carbonsäureamidinen in Tetrahydrofuran[2] unter Alkan-Abspaltung die monomeren N-Dialkylboryl-amidine, die allerdings vierfach koordinierte Bor-Atome enthalten und daher auf S. 652ff. besprochen werden[3]:

$$R^1_3B + R^4\text{-}C(=N\text{-}R^2)\text{-}NH\text{-}R^3 \xrightarrow[-R^1H]{THF;\ 60\text{-}80°} R^1_2B^{\ominus}(N(R^2)\text{-}C(R^4)\text{-}N(R^3))^{\oplus}$$

76–96%

$R^1 = C_3H_7, C_4H_9, CH_2\text{-}CH(CH_3)_2$
$R^2 = CH_3, CH(CH_3)_2, C(CH_3)_3$
$R^3 = CH_3, CH(CH_3)_2, C_6H_5, CH_2\text{-}C_6H_5$
$R^4 = CH_3, C_6H_5$

Die Hitzereaktion der Lewisbase-Triorganoborane führt unter zweifacher Kohlenwasserstoff-Abspaltung bei 230–280° zu substituierten 3,4-Dihydro-⟨benzo-1,3,4-diazaborinen⟩ (vgl. S. 95)[4–6].

Aus Trialkylboranen lassen sich mit Carbonsäureamidinen die 3,4-Dihydro-⟨benzo-1,3,4-diazaborine⟩ auch direkt herstellen; z.B.[4]:

$$(H_7C_3)_3B + H_3C\text{-}C(=N\text{-}C_6H_5)\text{-}NH\text{-}C_6H_5 \xrightarrow{-2\ C_3H_8} \text{2-}CH_3\text{-3-}C_6H_5\text{-4-}C_3H_7\text{-3,4-dihydro-benzo-1,3,4-diazaborin}$$

2-Methyl-3-phenyl-4-propyl-3,4-dihydro-⟨benzo-1,3,4-diazaborin⟩[4]: Man erhitzt eine Lösung von 28,5 g (0,145 mol) N,N'-Diphenylacetamidin und 23,7 g (0,167 mol) Tripropylboran in 30 *ml* THF zum Sieden, bis die Propan-Abspaltung aufhört. Anschließend werden THF und überschüssiges Tripropylboran abdestilliert, der Rückstand 5 Stdn. auf 230–290° erhitzt und restliches Gas (Propan neben Propen und Wasserstoff) aufgefangen; Anschließend wird destilliert; Ausbeute: 21 g (60%) Kp_1: 148–153°; F: 70–75°.

β) aus Halogen-organo-boranen

Nicht der Acyl-Rest, sondern das H-Atom der Acylamin-Gruppierung wird durch den Boryl-Rest substituiert, wenn man Brom-dialkyl-borane mit Thioessigsäure- oder Thiobenzoesäure-aniliden im Verhältnis 1 : 1 reagieren läßt und das entstehende Hydrogenbromid in der Siedehitze der Lösung aus dem Gleichgewicht entfernt. Die Produkte

[1] B. R. Gragg u. K. Niedenzu, J. Organometal. Chem. **149**, 271 (1978).
[2] B. M. Mikhailov u. V. A. Dorokhov, Izv. Akad. SSSR **1973**, 2649; engl.: 2594; C.A. **80**, 48073 (1974).
[3] B. M. Mikhailov, V. A. Dorokhov u. L. I. Lavrinovich, Izv. Akad. SSSR **1978**, 2578; engl.: 2304; C. A. **90**, 87543 j (1979).
[4] V. A. Dorokhov, O. G. Boldyreva, M. N. Bochkareva u. B. M. Mikhailov, Izv. Akad. SSSR **1979**, 174; engl.: 163; C. A. **90**, 152277 s (1979).
[5] V. A. Dorokhov, L. I. Lavrinovich u. B. M. Mikhailov, Doklady Akad. SSSR **245**, 121 (1979); engl.: 99; C. A. **91**, 57081 k (1979).
[6] V. A. Dorokhov, I. P. Yakolev u. B. M. Mikhailov, Izv. Akad. SSSR **1980**, 663; engl.: 485; C. A. **93**, 71837 j (1980).

neigen wie die Amino-diorgano-borane[1] mehr oder weniger zur Cyclodimerisierung, wobei die entsprechenden Achtringe mit vierfach koordinierten Bor-Atomen aus zwei S–C–N–B-Fragmenten der Borylamino-thiocarbonyl-Funktion aufgebaut sind[2]:

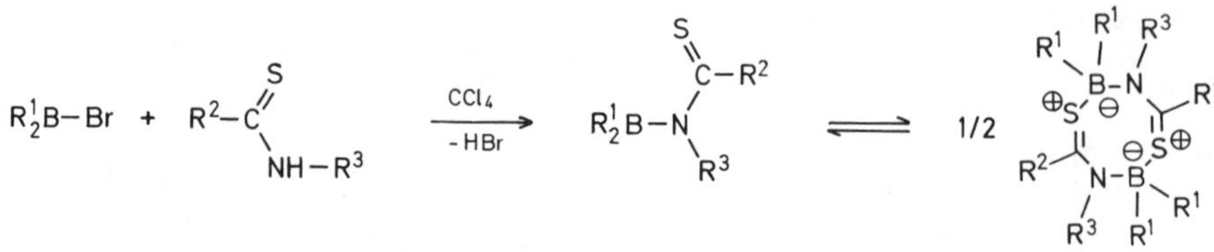

$$R^1_2B{-}Br + R^2{-}C(=S){-}NH{-}R^3 \xrightarrow[-HBr]{CCl_4} R^1_2B{-}N(R^3){-}C(=S){-}R^2 \rightleftharpoons 1/2\ [\text{Dimer}]$$

z. B.: $R^1 = R^2 = CH_3$; $R^3 = C_6H_5$; *Dimethyl-(N-thioacetyl-anilino)-boran*; 60%; Kp_{10}: 128–131°
$R^1 = R^2 = R^3 = C_6H_5$; *Diphenyl-(N-thiobenzoyl-anilino)-boran*; 70%; $Kp_{0,061}$: 140°
$R^1 = C_6H_5$; $R^2 = CH_3$; $R^3 = C_6H_5$; *Diphenyl-(N-thioacetyl-anilino)-boran*; 40%; $Kp_{0,001}$: 160–170°

Auch geeignete Arylammonium-Salze können eingesetzt werden. So lassen sich 5-Aryl-4,5-dihydro-⟨dithieno[2,3-c;3,2-e]-1,2-azaborine⟩[3] sowie andere Azaborine[4,5] aus Aryl-dichlor-boranen mit den Arylammonium-hexachlorstannaten in Benzol in der Siedehitze herstellen[3–5]:

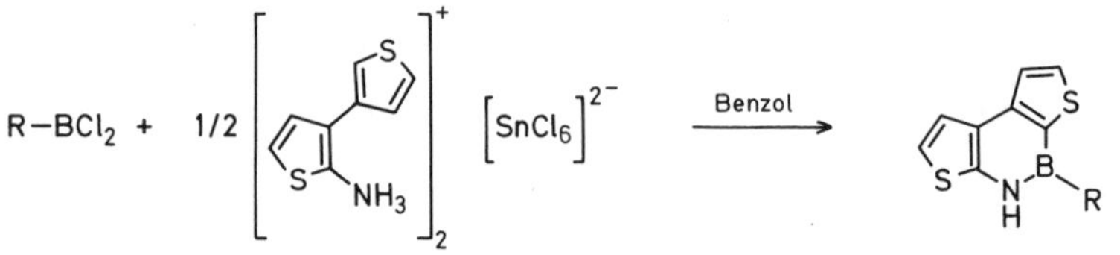

$$R{-}BCl_2 + 1/2\ [\ldots NH_3]^+_2\ [SnCl_6]^{2-} \xrightarrow{Benzol} \ldots$$

...-4,5-dihydro⟨dithieno[2,3-c; 3,2-e]-1,2-azaborin⟩
R = C_6H_5; *5-Phenyl-...*; 47%; F: 194–194,5°
R = C_6F_5; *5-Pentafluorphenyl-...*; 31%; F: 133,8–135°

γ) aus Diorgano-oxy-boranen

Aus Diorgano-organosulfonyloxy-boranen sind mit Aminen sowie mit anderen HN-Verbindungen Amino-diorgano-borane unter schonenden Temperaturbedingungen herstellbar. Beispielsweise werden aus Diisopinocampheyl-trifluormethansulfonyloxy-boran mit 2-Alkyliden-1,3-oxazolidinen *(2-Alkyliden-1,3-oxazolidino)-diisopinocampheyl-borane* gewonnen[6]; z. B.:

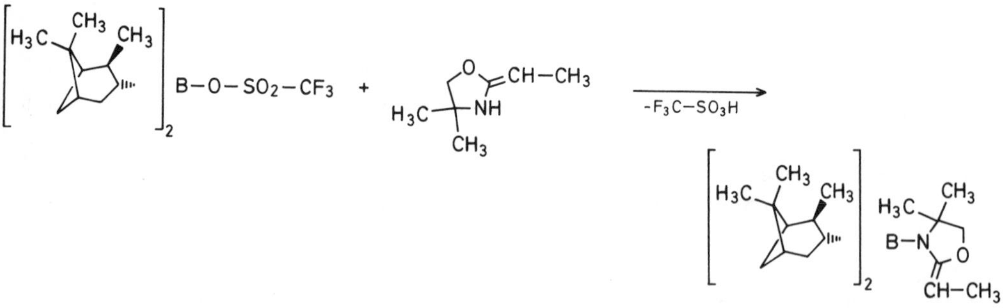

$$[\ldots]_2B{-}O{-}SO_2{-}CF_3 + \ldots \xrightarrow{-F_3C{-}SO_3H} \ldots$$

Diisopinocampheyl-(4,4-dimethyl-2-ethyliden-1,3-oxazolidino)-boran

[1] W. MARINGGELE u. A. MELLER, Z. anorg. Ch. **433**, 94 (1977).
[2] W. MARINGGELE u. A. MELLER, M. **108**, 751 (1977).
[3] S. GRONOWITZ u. I. ANDER, Chem. Scripta **15**, 23 (1980).
[4] S. GRONOWITZ u. I. ANDER, Chem. Scripta **15**, 135 (1980).
[5] S. GRONOWITZ u. I. ANDER, Chem. Scripta **15**, 145 (1980).
[6] A. I. MEYERS u. Y. YAMAMOTO,. Am. Soc. **103**, 4278 (1981).

δ) aus Organo-thio-boranen

Butylthio-dibutyl-boran reagiert mit 2-Aminopyridin unter Abspaltung von Butanthiol zum *Dibutyl-2-pyridylamino-boran*[1]. *(Benzyl-2-pyridyl-amino)-dipropyl-boran* ist in 92%iger Ausbeute aus Butylthio-dipropyl-boran mit 2-Benzylamino-pyridin zugänglich[2]:

$$(H_7C_3)_2B-SC_4H_9 + \text{2-}(C_6H_5-CH_2-NH)\text{-pyridin} \xrightarrow{-HSC_4H_9} (H_7C_3)_2B-N(CH_2-C_6H_5)(\text{2-pyridyl})$$

Alkylthio-dialkyl-borane liefern mit *N,N*- bzw. *N,N'*-disubstituierten[3] Benzoesäure[4,5]- oder Butansäure[4]-amidinen unter Abspaltung von Mercaptan verschiedene Amidino-dialkyl-borane:

$$R^1_2B-SR^2 \xrightarrow[-R^2-SH]{+ H_5C_6-C(=N-R^3)-NH-R^4} R^1_2B-N(R^3)-C(H_5C_6)=N-R^4 \quad 50-77\%^{3}$$

$$R^1_2B-SR^2 \xrightarrow[-R^2-SH]{+ H_5C_6-C(=NH)-NR^3R^4} R^1_2B-N=C(C_6H_5)-N(R^3)-R^4 \quad 80-90\%^{4,5}$$

$R^1 = C_3H_7, C_4H_9, CH_2-CH(CH_3)_2$ $R^3 = CH_3, CH(CH_3)_2$
$R^2 = C_4H_9$ $R^4 = CH_3, C_2H_5, CH(CH_3)_2$

Die Herstellung von Acylamino-diorgano-boranen mit verschiedenartigen Substituenten der Stickstoff-Gruppe läßt sich unter Sulfoborierung aus Alkylthio-diorgano-boranen z.B. mit Nitrilen durchführen.

Butylthio-dipropyl-boran reagiert mit Acetonitril unter Sulfoborierung in Tetrachlormethan in 77%iger Ausbeute zum dimeren *(1-Butylthio-ethylidenamino)-dipropyl-boran* (F: 86–87°)[6]:

$$\left[(H_7C_3)_2B-N=C(CH_3)-SC_4H_9\right]_2$$

---

[1] V.A. Dorokhov u. B.M. Mikhailov, Ž. obšč. Chim. **44**, 1281 (1974); C.A. **81**, 105603z (1974).

[2] V.A. Dorokhov, L.I. Lavrinovich u. B.M. Mikhailov, Izv. Akad. SSSR **1977**, 1921; engl. 1785; C.A. **87**, 201625c (1977).

[3] B.M. Mikhailov, V.A. Dorokhov u. L.I. Lavrinovich, Izv. Akad. SSSR **1978**, 2578; engl. 2304; C.A. **90**, 87543j (1979).

[4] V.A. Dorokhov, V.I. Seredenko u. B.M. Mikhailov, Izv. Akad. SSSR **1977**, 1593; engl. 1464; C.A. **87**; 152297m (1977).

[5] V.A. Dorokhov, V.I. Seredenko u. B.M. Mikhailov, Bull. Acad. Sci. URSS, Div. Chem. Sect. Sci. **26**, 1464 (1977); C.A. **87**; 152297m (1977).

[6] B.M. Mikhailov, V.A. Dorokhov u. I.P. Jakovlev, Izv. Akad. SSSR **1966**, 3326; engl.: 298; C.A. **64**, 17623 (1966).

ε) aus Diorganobor-Stickstoff-Verbindungen

Aus Dipropyl-[N-(1-phenylimino-ethyl)anilino]boran (vgl. S. 91) erhält man durch Erhitzen auf 230–280° unter Abspalten von Propan *2-Methyl-3-phenyl-4-propyl-3,4-dihydro-⟨benzo-1,3,4-diazaborin⟩* (60%; Kp_1: 148–153°; F: 70–75°)[1,2]:

$$(H_7C_3)_2B{-}N(C_6H_5){-}C(CH_3){=}N{-}C_6H_5 \xrightarrow[-C_3H_8]{230-280°} \text{2-Methyl-3-phenyl-4-propyl-3,4-dihydro-benzo-1,3,4-diazaborin}$$

Zur Reaktion mit Butyllithium und anschließend mit Wasser s.S. 458.

Der Austausch von Amino-Gruppen der Amino-diorgano-borane gegen Amino-Gruppen anderer Elemente kann bisweilen zur Herstellung bestimmter R_2BN-Verbindungen vorteilhaft sein.

Besonders gut geeignet sind zur Umaminierung die Trimethylsilylamine. Beispielsweise gewinnt man in quantitativer Ausbeute *Diethyl-imidazolo-boran*, das in polymerer Form mit tetrakoordinierten Bor-Atomen (vgl.S. 641ff.) vorliegt[3]:

$$(H_3C)_2N{-}B(C_2H_5)_2 + (H_3C)_3Si{-}N\text{(imidazolyl)} \xrightarrow{-(H_3C)_3Si-N(CH_3)_2} 1/n\left[(H_5C_2)_2B{-}N\text{(imidazolyl)}\right]_n$$

Polymeres Diethyl-imidazolo-boran[3]: 16,4 g (117 mmol) Imidazolo-trimethyl-silan[4] gibt man zu einer Lösung von 13,2 g (117 mmol) Diethyl-dimethylamino-boran in 30 *ml* abs. Cyclohexan. Man rührt 2 Stdn. bei ~ 20° und destilliert das Lösungsmittel und Dimethylamino-trimethyl-silan ab. Der viskose Rückstand wird 16 Stdn. i. Vak. (0,05 Torr) auf 100–120° erhitzt, um alles Leichtflüchtige zu entfernen; Ausbeute: 15,3 g (100%); > 165° Fließeigenschaften.

Alkylidenamino-diorgano-borane sind wegen der Möglichkeit der Bildung von Imin-Boran-Zwischenprodukten besonderen borfernen Substitutionen zugänglich. So reagiert (1-Brom-2,2,2-trichlor-ethylidenamino)-dimethyl-boran mit Butanthiol unter Addition und Umlagerung; das entstehende Imin-Boran spaltet bei der Destillation i. Hochvak. Hydrogenbromid ab. Man erhält *(1-Butylthio-2,2,2-trichlor-ethylidenamino)-dimethyl-boran*[5]:

$$(H_3C)_2B{-}N{=}C(Br){-}CCl_3 + C_4H_9SH \longrightarrow (H_3C)_2B^{\ominus}(Br){-}\overset{\oplus}{N}H{=}C(SC_4H_9){-}CCl_3 \xrightarrow{-HBr} (H_3C)_2B{-}N{=}C(SC_4H_9){-}CCl_3$$

ζ) aus Lewisbase-Boranen

Amidino-diorgano-borane sind aus Amidin-Triorganoboranen durch Erhitzen zugänglich[6]:

---

[1] B.M. Mikhailov u. V.A. Dorokhov, Izv. Akad. SSSR **1973**, 2649; engl.: 2594; C.A. **80**, 48073e (1974).

[2] V.A. Dorokhov, O.G. Boldyreva, M.N. Bochkareva u. B.M. Mikhailov, Izv. Akad. SSSR **1979**, 174; engl.: 163; C.A. **90**, 152274 (1979).

[3] K.D. Müller, L. Komorowski u. K. Niedenzu, Synth. React. Inorg. Metal-org. Chem. **8**, 149 (1978).

[4] C. Birkhofer, W. Gilgenberg u. A. Ritter, Ang. Ch. **73**, 143 (1961).

[5] A. Meller u. W. Maringgele, M. **102**, 121 (1971); C.A. **74**, 125764 (1971).

[6] V.A. Dorokhov, V.I. Seredenko u. B.M. Mikhailov, Ž. obšč. Chim. **46**, 1057 (1976); engl.: 1053; C.A. **85**, 108691 (1976).

Die Methode ist auch zur Herstellung von heteroatomsubstituierten Amino-diorgano-boranen geeignet. Aus 2-Aminopyridin-Triphenylboran erhält man bei 150° *Diphenyl-2-pyridylamino-boran*[1]:

Aus N-Dialkylboryl-amidinen mit vierfach koordiniertem Bor-Atom (vgl. S. 652ff.) gewinnt man beim Erhitzen auf 230–280° 2,4-Diorgano-3-phenyl-3,4-dihydro-⟨benzo-1,3,4-diazaborine⟩ (60–70%)[2]:

R: C_3H_7, C_4H_9
R^1: CH_3, C_6H_5

4. N-Diorganobor-Kohlensäureamid-Verbindungen

Zur Verbindungsklasse gehören Diorgano-Stickstoff-Verbindungen mit folgenden Atomgruppierungen:

X = Hal, O-, S-, N<
Y = O, S, NH, NR

Die Herstellung (vgl. Tab. 21, S. 89) erfolgt aus Triorganoboranen, Halogen-organo-boranen, Chalkogen-organo-boranen sowie aus Amino-diorgano-boranen.

α) aus Triorganoboranen

Aus Triisopropylboran erhält man in Tetrahydrofuran mit 2-Amino-1,3-thiazol beim Erhitzen unter Abspaltung von Propan *Diisopropyl-(1,3-thiazol-2-ylamino)-boran* (47%; Kp_1: 103–105°)[3]:

$[(H_3C)_2CH]_3B$ + 2-Amino-1,3-thiazol →(THF, Δ, 6 Stdn., $-C_3H_8$) $[(H_3C)_2CH]_2B{-}NH{-}$(1,3-thiazol-2-yl)

Die Herstellung von Dialkyl-2-pyrimidylamino-boranen aus Triorganoboranen mit 2-Aminopyrimidin ist auf S. 90 in Tab. 22 erwähnt (vgl. a. S. 99).

[1] B.R. Gragg u. K. Niedenzu, J. Organometal. Chem. **117**, 1 (1976).
[2] V.A. Dorokhov, O.G. Boldyreva, M.N. Bochkareva u. B.M. Mikhailov, Izv. Akad. SSSR **1979**, 174; engl.: 163; C.A. **90**, 152277 (1979).
[3] V.A. Dorokhov, B.M. Zolotarev u. B.M. Mikhailov, Izv. Akad. SSSR **1981**, 869; engl.: 649; C.A. **95**, 97874 (1981).

Aus Trialkylboranen lassen sich mit Isocyaniden in Gegenwart von Dipolarophilen wie Organoisocyanaten, Organothioisocyanaten sowie Diorganocarbodiimiden substituierte 1,3,4-Diazaborolidine herstellen (vgl. Tab. 21):

$$R^1_3B + C{\equiv}N{-}R^2 + R^3{-}N{=}C{=}Y \longrightarrow$$ (1,3,4-Diazaborolidin mit R^3 an N-1, $Y{=}$ an C-2, R^2 an N-3, R^1 an B und R^1_2 an C)

Y: O, S, NR^3

Tab. 23: 1,3,4-Diazaborolidine aus Triorganoboranen, Phenylisocyanid und Dipolarophil[1]

R^1_3B R^1	$R^3{-}N{=}C{=}Y$ R^3	Y	Reaktions-bedingungen	...-*1,3,4-diazaborolidin*	Ausbeute [%]	F [°C]
C_2H_5	C_6H_5	H, C_6H_5	die 3 Komponenten in Ether bei −80° vereinen und langsam auftauen	*4,5,5-Triethyl-1,2,3-tri-phenyl-...*	58	85–87 (aus Ethanol)
		S		*1,3-Diphenyl-2-thiono-4,5,5-triethyl-...*	63	101 (aus Methanol)
C_3H_7	C_6H_5	O	$H_5C_6{-}NC$ bzw. $H_5C_6{-}NCO$ in Ether zum Boran in Ether geben; Produkt im Hochvak. destillieren	*1,3-Diphenyl-2-oxo-4,5,5-tripropyl-...*	41	85–86 (aus Isopropa-nol)
C_4H_9	C_6H_5	O		*1,3-Diphenyl-2-oxo-4,5,5-tributyl-...*	61 (an Al_2O_3 in C_6H_{12} chroma-togr.)	54
	C_6H_{11}	$N{-}C_6H_{11}$		*3-Cyclohexyl-2-cyclo-hexylimino-1-phenyl-4,5,5-tri-butyl-...*	79 (an Al_2O_3 in in C_6H_6 chromato-graphiert)	88–89 (aus Nitro-benzol)

β) aus Halogen-organo-boranen

Aus Brom-dimethyl-boran erhält man mit N-Lithio-N,N',N'-Triorganoharnstoff bzw. -thioharnstoff in Hexan Dimethyl-triorgano(thio)ureido-borane in Ausbeuten von 70–84%[2]:

$$(H_3C)_2B{-}Br + LiN(R^1){-}C({=}Y){-}NR^2_2 \xrightarrow[-\,LiBr]{Hexan} (H_3C)_2B{-}N(R^1){-}C({=}Y){-}NR^2_2$$

z.B.: $Y = O$; $R^1 = R^2 = CH_3$; *Dimethyl-(trimethylureido)-boran*; 77%; $Kp_{0,002}$: 42–48°
$R^1 = R^2 = CH(CH_3)_2$; *Dimethyl-(triisopropylureido)-boran*; 74%; $Kp_{0,002}$: 78°
$Y = S$; $R^1 = CH_3$; $R^2 = C_2H_5$; *Dimethyl-(diethyl-thioureido)-boran*; 82%; $Kp_{0,002}$: 70°

[1] H. Witte, W. Gulden u. G. Hesse, A. **716**, 1 (1968).
[2] W. Maringgele, B. **115**, 3271 (1982).

Die Herstellung von Diorgano-isocyanat(isothiocyanat)-boranen gelingt aus Chlor- oder Brom-diorgano-boranen mit Silber-cyanaten bzw. -isothiocyanaten (vgl. S. 262). Setzt man z.B. Brom-dimethyl-boran bei ~20° mit Silbercyanat um, so erhält man nach Kondensieren der Dämpfe bei −80° und anschließendem Abdestillieren des überschüssigen Brom-dimethyl-borans in 90%iger Ausbeute *Dimethyl-isocyanat-boran*, F: −118°. Die Reaktionsdauer zur Herstellung von 0,1 mol beträgt ~10–12 Stdn.[1–3]:

$$(H_3C)_2B{-}Br \;+\; Ag^+\,[NCO]^- \xrightarrow[-\,AgBr]{} (H_3C)_2B{-}N{=}C{=}O$$

Isocyanat- und Isothiocyanat-organo-borane; allgemeine Arbeitsvorschrift[2]**:** 7,81 g (0,052 mmol) Silbercyanat (2 Stdn. bei 140° getrocknet) werden zu 0,055 mmol des Halogen-organo-borans in 50 *ml* Benzol, Dichlormethan oder Acetonitril gegeben. Es wird 90 Min. am Rückfluß gekocht und 12 Stdn. stehen gelassen. Die Niederschläge werden abfiltriert und mit Lösungsmittel nachgewaschen. Das Lösungsmittel wird i. Vak. abgezogen und der Rückstand destilliert.

Entsprechend werden u.a. gewonnen[2]:

Diphenyl-isocyanat-boran 95%; $Kp_{0,01}$: 89°
Diphenyl-isothiocyanat-boran 62%; $Kp_{0,02}$: 114–116°

Aus Diorgano-halogen-boranen erhält man mit Trimethylsilyl-triorgano-harnstoffen in Ausbeuten von ~90% Diorgano-triorganoureido-borane[4]:

$$R^1_2B{-}Cl \;+\; (H_3C)_3Si{-}N(R^2){-}CO{-}N(C_2H_5)_2 \xrightarrow[-\,(H_3C)_3Si{-}Cl]{\text{Petrolether},\ \Delta} R^1_2B{-}N(R^2){-}CO{-}N(C_2H_5)_2$$

$R^1 = CH_3, C_6H_5$
$R^2 = CH_3, C_6H_5, C_2H_5$

Entsprechend reagieren Thioharnstoff-Derivate[5].

γ) aus Organo-oxy-boranen

Die Oxyborierung von Iminen kann allenfalls zur Gewinnung spezieller Amino-diorgano-borane herangezogen werden; z.B.[6]:

$$(H_5C_6)_2B{-}OCH_3 \;+\; H_3C{-}C_6H_4{-}N{=}C{=}N{-}C_6H_4{-}CH_3 \xrightarrow{\text{Ether},\ 10\ \text{Stdn.},\ 20°} H_3C{-}C_6H_4{-}N(B(C_6H_5)_2){-}C(OCH_3){=}N{-}C_6H_4{-}CH_3$$

N,N'-Bis[4-methylphenyl]-N-diphenylboryl-O-methyl-isoharnstoff; 80%; F: 194°

[1] J. Goubeau u. H. Gräbner, B. **93**, 1379 (1960).
[2] M.F. Lappert, H. Pyszora u. M. Rieber, Soc. **1965**, 4256.
[3] M.F. Lappert u. H. Pyszora, Pr. chem. Soc. **1960**, 350.
[4] W. Maringgele, Z. anorg. Ch. **467**, 140 (1980); B. **115**, 3271 (1982).
[5] W. Maringgele, Z. Naturf. **35b**, 164 (1980).
[6] R. Jefferson, M.F. Lappert, B. Prokai u. B.P. Tilley, Soc. [A] **1966**, 1584.

δ) aus Organo-thio-boranen

An Bis[4-methylphenyl]carbodiimid kann man Butylthio-diphenyl-boran addieren[1,2]:

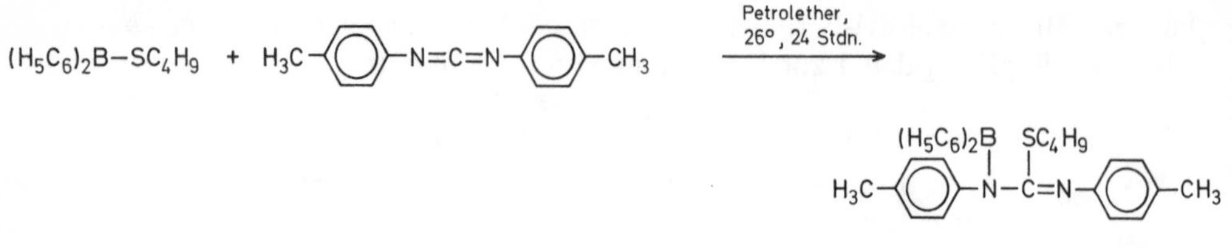

$$(H_5C_6)_2B-SC_4H_9 + H_3C-C_6H_4-N=C=N-C_6H_4-CH_3 \xrightarrow[26°,\ 24\ Stdn.]{Petrolether,} H_3C-C_6H_4-N(B(C_6H_5)_2)-C(SC_4H_9)=N-C_6H_4-CH_3$$

N,N'-Bis[4-methylphenyl]-S-butyl-N-diphenylboryl-isothioharnstoff; 99%; F: 35°

Butylthio-dibutyl-boran reagiert mit Phenylisothiocyanat unter Sulfoborierung der C=N-Bindung zum *(S-Butyl-N-phenyl-dithioureido)-dibutyl-boran*[2]:

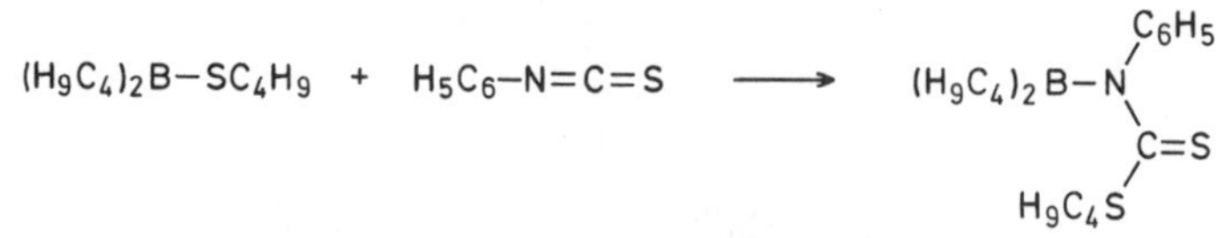

$$(H_9C_4)_2B-SC_4H_9 + H_5C_6-N=C=S \longrightarrow (H_9C_4)_2B-N(C_6H_5)-C(=S)-SC_4H_9$$

Mit Dicyclohexylcarbodiimid wird aus Butylthio-dibutyl-boran *(S-Butyl-N,N'-dicyclohexyl-thioguanidino)-dibutyl-boran* gebildet[2]:

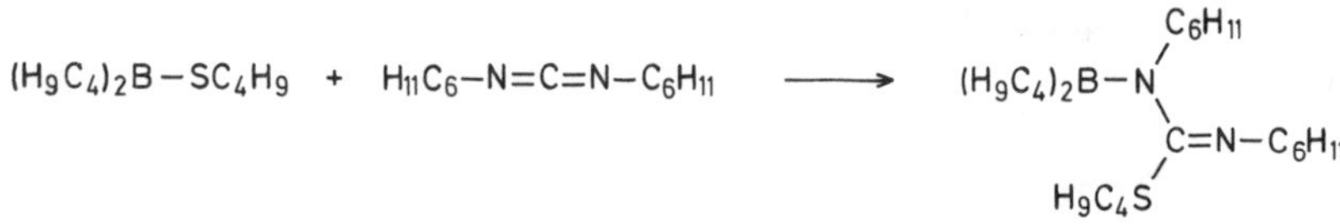

$$(H_9C_4)_2B-SC_4H_9 + H_{11}C_6-N=C=N-C_6H_{11} \longrightarrow (H_9C_4)_2B-N(C_6H_{11})-C(=N-C_6H_{11})-SC_4H_9$$

Die bororganischen Verbindungen wurden lediglich spektroskopisch nachgewiesen und durch ihre Hydrolyseprodukte als Harnstoff- bzw. Guanidin-Derivate charakterisiert[2].

Mit Aryl- oder Alkylisocyanaten erhält man aus Butylthio-dibutyl-boran unter Sulfoborierung und nachfolgender Aminoborierung [N'-(Butylthio-carbonyl)-N'-organo-ureido]-dibutyl-borane als 2:1-Additionsprodukte[2]:

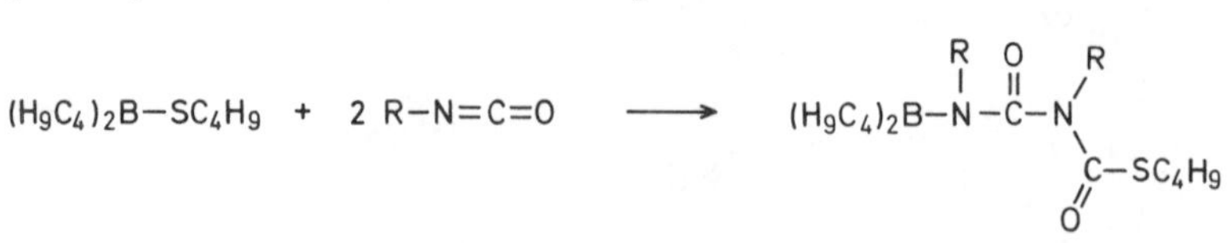

$$(H_9C_4)_2B-SC_4H_9 + 2\ R-N=C=O \longrightarrow (H_9C_4)_2B-N(R)-C(=O)-N(R)-C(=O)-SC_4H_9$$

...-dibutyl-boran

$R = C_2H_5$; *[N'-(Butylthio-carbonyl)-N,N'-diethyl-ureido]-* ...
$R = C_6H_{11}$; *[N'-(Butylthio-carbonyl)-N,N'-dicyclohexyl-ureido]-* ...
$R = 4\text{-}NO_2\text{-}C_6H_4$; *[N,N'-Bis(4-nitrophenyl)-N'-(butylthio-carbonyl)-ureido]-* ...

Auch diese Produkte wurden lediglich als Thioacylharnstoff-Derivate gekennzeichnet[2].

---

[1] R. JEFFERSON, M. F. LAPPERT, B. PROKAI u. B. P. TILLEY, Soc. [A] **1966**, 1584.
[2] vgl. T. MUKAIYAMA, S. YAMAMOTO u. K. INOMATA, Bl. chem. Soc. Japan **44**, 2807 (1971); C. A. **75**, 151860 (1971).

ε) aus Amino-diorgano-boranen

Aus Dialkyl-2-pyrimidylamino-boran erhält man mit Butyloxy-diphenyl-boran das *Diphenyl-2-pyrimidylamino-boran*[1]:

$$R_2B{-}NH{-}(2\text{-pyrimidyl}) + (H_5C_6)_2B{-}OC_4H_9 \xrightarrow[-R_2B-OC_4H_9]{} (H_5C_6)_2B{-}NH{-}(2\text{-pyrimidyl})$$

R = $CH(CH_3)_2$, C_4H_9 — aus R = C_4H_9: 88%

Die NC-Gruppe des Phenylisocyanats ist schon bei 20° befähigt, sich in die polare BN-Bindung von Amino-diorgano-boranen einzuschieben[2–6]. Aus Diethylamino-dipentyl-boran erhält man unter Aminoborierung der C=N-Bindung des Isocyanat-Moleküls z.B. *N,N-Diethyl-N'-(dipentylboryl)-N'-phenyl-harnstoff* (63%)[2]:

$$(H_{11}C_5)_2B{-}N(C_2H_5)_2 + H_5C_6{-}N{=}CO \longrightarrow (H_{11}C_5)_2B{-}N(C_6H_5){-}CO{-}N(C_2H_5)_2$$

N,N-Diethyl-N'-dipentylboryl-N'-phenyl-harnstoff[2]**:** 5,6 g Diethylamino-dipentyl-boran in 15 *ml* Hexan werden zu 3 g Phenylisocyanat in 25 *ml* Hexan gegeben und 30 Stdn. bei ~20° gerührt. Nach Abziehen des Lösungsmittels wird i. Vak. destilliert; Ausbeute: 5,4 g (63%); Kp_7: 133–134°.

Erhitzt man *tert.*-Butylamino-diphenyl-boran mit der doppelten Menge an Phenylisocyanat 3 Stdn. in Petrolether am Rückfluß, so gewinnt man in 83%iger Ausbeute *N-tert.-Butyl-N'-diphenylboryl-N'-phenyl-harnstoff* (F: 77–79°)[3]:

$$(H_5C_6)_2B{-}NH{-}C(CH_3)_3 + H_5C_6{-}N{=}CO \longrightarrow (H_5C_6)_2B{-}N(C_6H_5){-}CO{-}NH{-}C(CH_3)_3$$

An Bis[4-methylphenyl]carbodiimid addiert sich in Benzol die äquimolare Menge Diethylamino-diphenyl-boran unter Bildung von *N,N''-Bis[4-methylphenyl]-N',N'-diethyl-N-diphenylboryl-guanidin* (93,5%; F: 129°)[7]:

$$(H_5C_6)_2B{-}N(C_2H_5)_2 + H_3C{-}C_6H_4{-}N{=}C{=}N{-}C_6H_4{-}CH_3 \longrightarrow H_3C{-}C_6H_4{-}N[B(C_6H_5)_2]{-}C[N(C_2H_5)_2]{=}N{-}C_6H_4{-}CH_3$$

5. Diorgano-elementamino-borane

Die Verbindungsklasse umfaßt Borane mit folgenden Atom-Gruppierungen:

$$R_2B{-}N(El){-}$$

El.: O, S, N, P, Si, Sn, Zn, Hg, Li u.a.

---

[1] V.A. Dorokhov u. B.M. Mikhailov, Izv. Akad. SSSR **1977**, 246; engl.: 219; C.A. **87**; 6056r (1977).
[2] H. Beyer, J.W. Dawson, H. Jenne u. K. Niedenzu, Soc. **1964**, 2115.
[3] R.H. Cragg, M.F. Lappert u. B.P. Tilley, Soc. **1964**, 2108.
[4] T.L. Heying u. H.D. Smith jr., Advan. Chem. Ser. **42**, 201 (1964); C.A. **60**, 10703 (1964).
[5] C.E. May u. K. Niedenzu, Synth. React. Inorg. Metal-org. Chem. **7**, 509 (1977) (aus Diphenyl-2-pyridylamino-boran).
[6] R. Handshoe, K. Niedenzu u. D.W. Palmer, Synth. React. Inorg. Metal-org. Chem. **7**, 89 (1977) (aus Diphenyl-2-pyridylamino-boran).
[7] R. Jefferson, M.F. Lappert, B. Prokai u. B.P. Tilley, Soc. [A] **1966**, 1584.

Somit gehören Diorgano-oxamino-borane (vgl. Tab. 24, S. 106, 119) Diorgano-sulfamino-borane, Diorgano-hydrazino- und Azido-diorgano-borane sowie N-metallierte Diorgano-Stickstoff-Verbindungen zu den hier zu besprechenden R_2BNEl-Verbindungen (vgl. Tab. 24)

Tab. 24: Diorgano-heteroelementamino-borane

Formel	Verbindungstyp	Herstellung	s. S.
1. **Diorgano-disulfanoamino- bzw. -sulfonylamino-borane**			
$(H_3C)_2B-N(R)-S-S-CH_3$	$R^1_2B-N(R^2)-S-S-R^3$	aus $R^1_2B-SR^2 + R^3-N=SO$	104
$R^1_2B-N(R^2)-SO_2-R^3$	$R^1_2B-N(R^2)-SO_2-R^3$		
R^1 = Alkyl		aus R^1_3B + Hal—N(Na)—SO_2—R^3	103
R^1 = Aryl		aus R^1_2B-Hal + R^2—NH—SO_2—R^3	103
		aus R^1_2B-Hal + R^2—N(Si≡)—SO_2—R^3	104
2. **Diorgano-hydrazino-borane**			
$Alkyl_2B$—NH—NH—R	R^1_2B—NH—NH—R^2	aus $R^1_3B + H_2N$—NH—R^2	105
		aus R^1_2B—$NR^3_2 + H_2N$—NH—R^2	108
$(H_9C_4)_2B$—NH—NH—C_6H_5	R^1_2B—NH—NH—R^2	aus R^1_2B—$SR^3 + H_2N$—NH—R^2	107
$Alkyl_2B$—NH—NR_2	R^1_2B—NH—NR^2_2	aus R^1_2B-Hal + H_2N—NR^2_2	107
		+ R^4_3Si—NH—NR^2_2	107
		aus R^1_2B—$NR^3_2 + H_2N$—NR^2_2	108
$Alkyl_2B$—NH—N(C_6H_5)(R_{en})	R^1_2B—NH—N<	aus R^1_3B 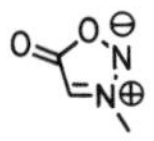 + Sydnon (O=C–O–N⊖–N⊕)	106
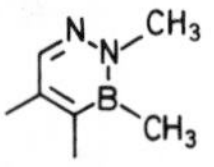 2,3-Dimethyl-diazaborin (N–N(CH₃)–B(CH₃), Ring mit 2 Methylgruppen)	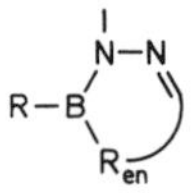 R–B(N–N)R_{en} (Ring)	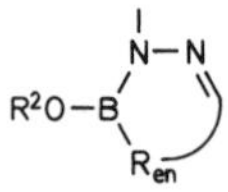 aus R^2O–B(N–N)R_{en} + R—MgHal	113
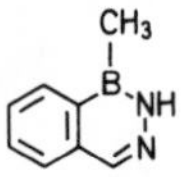 1-Methyl-benzo-diazaborin (B–CH₃, NH, N)	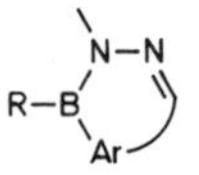 R–B(N–N)Ar (Ring)	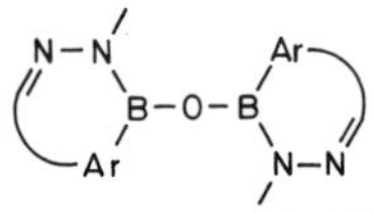 aus (N–N–B(Ar))–O–B(Ar)(N–N) + R—MgHal	113
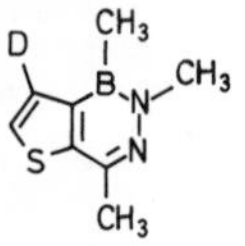 Thieno-diazaborin (D, B–CH₃, N–CH₃, N, CH₃, S)	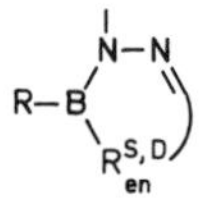 R–B(N–N)$R^{S,D}_{en}$ (Ring)	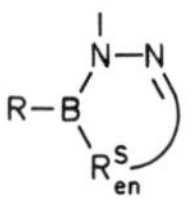 aus R–B(N–N)R^S_{en} + $D^⊕$ (borfern)	112
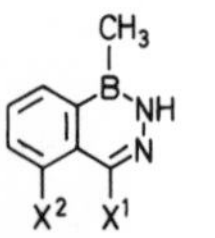 Benzo-diazaborin (B–CH₃, NH, N, X^1, X^2) X^1 = Cl; X^2 = H	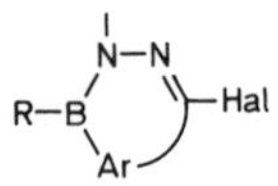 R–B(N–N)Ar (Ring) —Hal	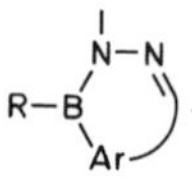 aus R–B(N–N)Ar + $Hal_2/H^⊕$	111
X^1 = H; X^2 = Br	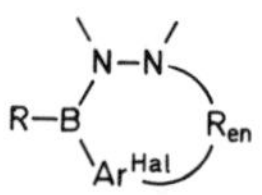 R–B(N–N)R_{en} Ar^{Hal} (Ring)		
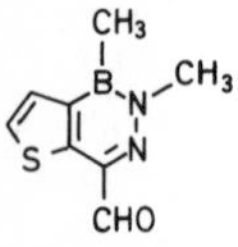 Thieno-diazaborin (B–CH₃, N–CH₃, N, CHO, S)	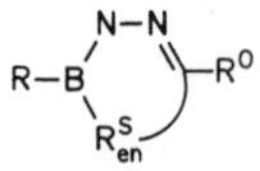 R–B(N–N)R^S_{en} (Ring) —R^O	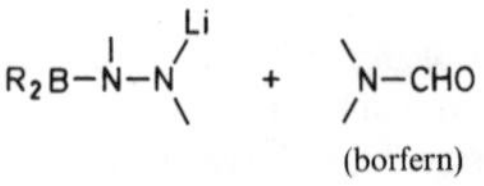 aus R_2B–N–N(Li) + >N–CHO (borfern)	112

Tab.24: (1. Fortsetzung)

Formel	Verbindungstyp	Herstellung	s. S.
Thieno-diazaborin (CH_3 an B; NH, N; X^1, X^2) $X^1 = NO_2$; $X^2 = H$	R–B(–N–N=N–, R^S_{en})	aus R–B(–N–N=, R^S_{en}) + $NO_2^{\oplus}$ (borfern)	111
$X^1 = H$; $X^2 = NO_2$	R–B(–N–N=, $R^{S,N}_{en}$)		

3. **Diorgano-nitrosamino- bzw. Azido-diorgano-borane**

Formel	Verbindungstyp	Herstellung	s. S.
$(H_9C_4)_2B-N(NO)(OC_4H_9)$	$R^1_2B-N(NO)(OR^2)$	aus $R_3B + NO$	106
$(H_5C_2)_2B-N(NO_2)(COOC_2H_5)$	$R^1_2B-N(NO_2)(COOR^2)$	aus R^1_2B-Hal + $Li-N(NO_2)(COOR^2)$	34
R_2B-N_3 R = Alkyl, Aryl	R_2B-N_3	aus R_2B-Hal + LiN_3 + $R^1_3Si-N_3$	114 115

4. **Diorgano-phosphoramino-borane**

Formel	Verbindungstyp	Herstellung	s. S.
$(H_3C)_2B-N(P(CH_3)_2)(CH_3)$	$R^1_2B-N(P<)(R^2)$	aus $R^1_2B-N(Li)(R^2)$ + R^3P-Hal (borfern)	116
$(H_3C)_2B-N(P(S)(C_6H_5)_2)(CH_3)$	$R^1_2B-N(P<)(R^2)$	aus $R^1_2B-N(P)(R^2)$ + S	117
$(H_5C_6)_2B-N=P(C_6H_5)_3$	$R^1_2B-N=PR_3$	aus $R^2_3\overset{\oplus}{P}=NH-R^1_3\overset{\ominus}{B}$, Δ	117

5. **Diorgano-silyl (bzw. stannyl)amino-borane**

Formel	Verbindungstyp	Herstellung	s. S.
$(H_5C_6)_2B-N(Si(CH_3)_3)(R)$ R = CH_3	$R^1_2B-N(Si\leqslant)(R^2)$	aus R^1_2B-Hal + $R^2_3Si-N=C(R^3)(O-SiR^2_3)$	118
		aus $R^1_2B-N(Li)(R^2)$ + R^3_3Si–Hal	123
R = C_6H_5	$R^1_2B-N(Si\leqslant)(R^2)$	aus R^1_2B-Hal + $R^2_3Si-N=C(R^3)(O-SiR^2_3)$	118
R = CF_3	$R^1_2B-N(Si\leqslant)(R^{Hal})$	aus R^1_2B-Hal + $R^2_3Si-N=C(R^{Hal})(O-SiR^2_3)$	118
(Borolan)B–N$[Si(CH_3)_3]_2$	R⁀B–N(Si≤)(R)	aus R⁀B–Hal + Li–N(Si)(R)	118, 123
Azasilaborol: ($H_3C)_2$Si, N–R, B–C_2H_5, H_3C, C_2H_5	$R^1-B(N-R^2)(R^{Si}_{en})$	aus $R^1_2B-N(Na)$ + $El^{\oplus}$ (borfern)	123

Tab. 24: (2. Fortsetzung)

Formel	Verbindungstyp	Herstellung	s. S.
$(H_5C_2)_2B-N(Si(CH_3)_3)-O-Si(CH_3)_3$	$R_2B-N(Si\lt)-O-Si\lt$	aus R^1_2B-Hal + $(R^2_3Si)_2N-O-SiR^2_3$	119
$(H_5C_2)_2B-N(Sn(CH_3)_3)-CH_3$	$R^1_2B-N(Sn\lt)-R^2$	aus $R^1_2B-N(Li)-R^2$ + $R_3Sn-Hal$	123
$\bigcirc B-N[Sn(CH_3)_3]_2$	$R\bigcirc B-N[Sn\lt]_2$	aus $R\bigcirc B-Hal + N(SnR_3)_3$	122
6. Diorgano-alkalimetall(bzw. übergangsmetall)amino-borane			
$(H_3C)_2B-N(Li)-Alkyl$	$R^1_2B-N(Li)-R^2$	aus $R^1_2B-NH-R^2 + R^3-Li$	126
$\bigcirc B-NH-Li$	$R\bigcirc B-NH-Li$	aus $R\bigcirc B-NH_2 + R^1-Li$	124
$\bigcirc B-NLi_2$	$R\bigcirc B-NLi_2$	aus $R\bigcirc B-NH_2 + R^1-Li$	124
(Biphenylen)$B(CH_3)-N(Li)$	$R-B\lt(Ar)(N(Li))$ (Ring)	aus $R^1-B\lt(Ar)(N(H))$ (Ring) $+ R^2-Li$	125
$(H_3C)_2B-N(Li)-Si(CH_3)_3$	$R_2B-N(Li)-Si\lt$	aus $R^1_2B-NH-SiR^2_3 + R^3-Li$ (borfern)	124f.
$(H_3C)_2Si\lt$–$N(M)$–$B(C_2H_5)$–$C(C_2H_5)=C(CH_3)$ (Ring)	$R-B\lt(R^M_{en})(N(M))$ (Ring)		
M = Na		aus $R_2B-R^{Si}_{en} + MNH_2$	117
M = Fe, Co		aus $R_2B-N(Na)\lt$ + $FeHal_2(CoCl_2)$	126
$[(H_5C_2)_2B-N=C(C_6H_5)_2]_2PdCl$	$R_2B-N(MX)=C\lt$	aus $R_2B-N\lt$ + LM	126
$[(H_3C)_2B-N(CH_3)_2]_2Ni-\rangle\rangle$	$R^1_2B-N(MX)R^2_2$		

α) Diorganobor-S-subst.-amino-borane

Die verschiedenen Verbindungstypen (vgl. Tab. 24, S. 100) werden aus Triorganoboranen, Halogen-organo-boranen, Organo-thio-boranen sowie aus bestimmten Amino-diorgano-boranen hergestellt.

α_1) *aus Triorganoboranen*

Aktiviertes Triethylboran (vgl. Bd. XIII/3a, S. 493ff.) reagiert z.B. mit S,S-Dimethyl-sulfonimin sowie mit Tetramethylensulfodiimin unter einfacher bzw. doppelter N-Diethylborylierung[1]. Es bilden sich vermutlich folgende Verbindungen[2]:

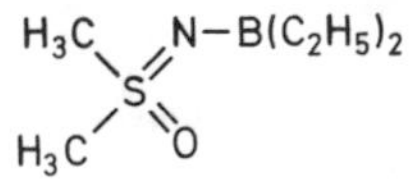

$$(H_3C)_2S(=O)=N-B(C_2H_5)_2$$

Diethylborylimino-dimethyl-oxo-sulfuran(VI); 75%

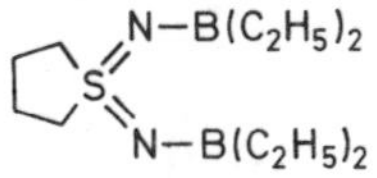

1,1-Bis[diethylborylimino]thiolan

Aus Trialkylboranen erhält man mit Natrium-N-chlor-tosylamid unter 1,1-Alkyloborylierung des Stickstoff-Atoms Dialkyl-tosylamino-borane[3]:

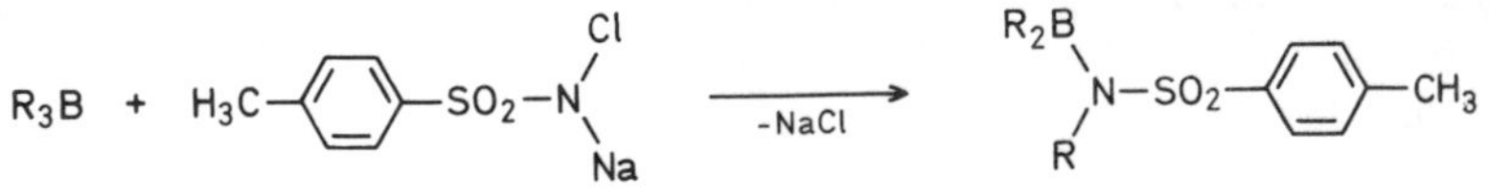

$$R_3B + H_3C-C_6H_4-SO_2-N(Cl)Na \xrightarrow{-NaCl} (R_2B)(R)N-SO_2-C_6H_4-CH_3$$

α_2) *aus Diorgano-halogen-boranen*

Aus Chlor- oder Brom-diorgano-boranen sind mit *N*-(2-Hydroxyethyl)-nonafluorbutansulfonamid unter *N*- und *O*-Borylierung Diorgano-[(2-diorganoboryloxy-ethyl)-nonafluorbutylsulfonyl-amino]-borane zugänglich[4]:

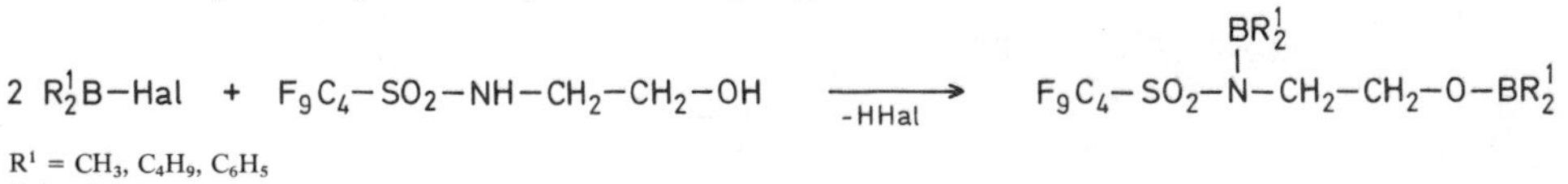

$$2\ R^1_2B-Hal + F_9C_4-SO_2-NH-CH_2-CH_2-OH \xrightarrow{-HHal} F_9C_4-SO_2-N(BR^1_2)-CH_2-CH_2-O-BR^1_2$$

$R^1 = CH_3, C_4H_9, C_6H_5$
Hal = Br, Cl

Die Herstellung von N-Dimethylboryl-sulfimino-Verbindungen kann aus Dimethyl-halogen-boran mit N-Lithio-Derivaten von Sulfiminen erfolgen. Beispielsweise reagiert Chlor-dimethyl-boran mit dem aus Dimethylsulfodiimin und Butyllithium gewonnenen Produkt unter Bildung von *N-Dimethylboryl-dimethylsulfodiimin* (die zweite Imin-Gruppe läßt sich so allerdings nicht ohne weiteres borylieren)[5]:

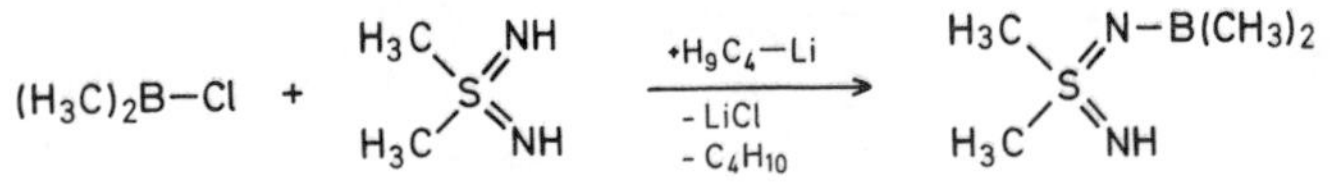

$$(H_3C)_2B-Cl + (H_3C)_2S(=NH)_2 \xrightarrow[-LiCl,\ -C_4H_{10}]{+H_9C_4-Li} (H_3C)_2S(=NH)=N-B(CH_3)_2$$

Besonders glatt lassen sich N-schwefelsubstituierte Amino-diorgano-borane aus Diorgano-halogen-boranen mit N-Silyl-sulfonamiden herstellen. Die Reaktionen der Halogen-diorgano-borane mit N-Trimethylsilyl-sulfonamiden liefern Diorgano-sulfonamino-borane mit verschiedenen funktionellen Gruppen am Amino-Stickstoff-Atom, wodurch weitere Umwandlungen möglich sind. Man läßt in Tetrachlormethan oder auch in Pentan reagieren und erhitzt anschließend bis ~150°[4,6]:

---

[1] R. KÖSTER u. W. SCHÜSSLER, Mülheim a. d. Ruhr, unveröffentlicht 1979.
[2] W. HAUBOLD u. G. FREY, unveröffentlicht, Universität Hohenheim 1982.
s. a. G. FREY, Dissertation, Universität Stuttgart 1982.
[3] V.B. JIGAJINNI, A. PELTER u. K. SMITH, Tetrahedron Letters **1978**, 181.
[4] W. MARINGGELE u. A. MELLER, J. Organometal. Chem. **188**, 401 (1980).
[5] W. HAUBOLD u. W. EINHOLZ, Universität Stuttgart, unveröffentlicht 1979.
[6] W. MARINGGELE u. A. MELLER, Z. Naturf. **34b**, 969 (1979).

$$R^1_2B{-}Hal + (H_3C)_2N{-}SO_2{-}N(R^2){-}Si(CH_3)_3 \xrightarrow[-\,HalSi(CH_3)_3]{\sim 130-150°} R^1_2B{-}N(R^2){-}SO_2{-}N(CH_3)_2$$

Hal = Cl, Br z.B.: $R^1 = CH_3$; $R^2 = C_6H_5$; *Dimethyl-(N-dimethylaminosulfonyl-anilino)-boran*; 75%
$R^1 = C_6H_5$; $R^2 = CH_3$; *(Dimethylaminosulfonyl-methyl-amino)-diphenyl-boran*; 70%
$R^2 = C_6H_5$; *(N-Dimethylaminosulfonyl-anilino)-diphenyl-boran*; 70%

Mit N-Organo-N-trimethylsilyl-sulfonamiden erhält man aus Diorgano-halogen-boranen entsprechend Diorgano-(N-organo-methansulfonamino)-borane; z.B. *Dimethyl-(N-methyl-methansulfonamino)-boran* ($Kp_{0,002}$: 60°) oder *Diphenyl-(N-methyl-methansulfonamino)-boran* ($Kp_{0,002}$: 165°; F: 101–104°)[1].

Chlor-diphenyl-boran reagiert mit N-Trimethylsilyl-N-methyl-methansulfinamid bereits bei −80° quantitativ unter Bildung von *Diphenyl-(N-methyl-methansulfinamino)-boran* (vgl. S. 105)[2]:

$$(H_5C_6)_2B{-}Cl + (H_3C)_3Si{-}N(CH_3){-}S(O){-}CH_3 \xrightarrow[-\,(H_3C)_3Si{-}Cl]{-80°} (H_5C_6)_2B{-}N(CH_3){-}S(O){-}CH_3$$

Aus 1-Chlor-3-methyl-borolan läßt sich mit 1,1-Bis[trimethylsilylimino]thiolan unter Substitution einer Trimethylsilyl-Gruppe *3-Methyl-(1-trimethylsilylimino-1-thiolanylidenamino)-boran* (63%; $Kp_{0,01}$: 97°) gewinnen[3]:

$$\text{1-Chlor-3-methyl-borolan} + (H_3C)_3Si{-}N{=}S({=}N{-}Si(CH_3)_3)\text{(thiolan)} \xrightarrow[-\,(H_3C)_3Si{-}Cl]{\text{Hexan, } 65°} \text{3-Methyl-borolan-1-yl}{-}N{=}S({=}N{-}Si(CH_3)_3)\text{(thiolan)}$$

α_3) aus Organo-thio-boranen

Dimethyl-methylthio-boran reagiert mit *N*-Sulfinylaminen unter Addition der BS-Bindung an die N=S-Bindung in einer komplexen Redoxreaktion quantitativ zu (Alkyl- bzw. Aryl-methyldisulfanyl-amino)-dimethyl-boranen[4]:

$$3\ (H_3C)_2B{-}S{-}CH_3 + R{-}N{=}S{=}O \xrightarrow[-\,[(H_3C)_2B]_2O]{-\,H_3CS{-}SCH_3} (H_3C)_2B{-}N(R){-}S{-}S{-}CH_3$$

R = $C(CH_3)_3$, 4-Ethinyl-cyclohexyl, 4-$N(CH_3)_2$-phenyl, 4-NO_2-phenyl, 4-CF_3-phenyl

Aus Dimethyl-methylthio-boran erhält man mit N-Sulfinyl-2-trifluormethyl-anilin wegen sterischer Verhinderung der Folgereaktion *Bis[N-dimethylboryl-2-trifluormethyl-anilino]disulfan*[4]:

$$[(H_3C)_2B](2\text{-}F_3C{-}C_6H_4)N{-}S{-}S{-}N(C_6H_4\text{-}2\text{-}CF_3)[B(CH_3)_2]$$

[1] W. Maringgele, Z. Naturf. **35b**, 164 (1980).
[2] A. Meller, W. Maringgele u. M. Armbrecht, Z. Naturf. **36b**, 1411 (1981).
[3] W. Haubold u. G. Frey, Universität Hohenheim, unveröffentlicht 1982.
vgl. G. Frey, Dissertation, Universität Stuttgart 1982.
[4] A. Meller, W. Maringgele u. H. Fetzer, B. **113**, 1950 (1980).

α_4) *aus Amino-diorgano-boranen*

Auch Amino-diorgano-borane mit *N*-Silyl-Gruppen eignen sich zur borfernen, elektrophilen Substitution. Die Reaktionen der Silylamino-borane erfolgen im allgemeinen unter Austritt von Chlor-trimethyl-silan. Beispielsweise reagieren Dimethyl-(organo-trimethyl-silyl-amino)-borane mit Methansulfinylchlorid bei −78° unter Abspaltung von Chlor-trimethyl-silan zu Dimethyl-(methylsulfinyl-organo-amino)-boranen[1]:

$$(H_3C)_2B-N(Si(CH_3)_3)(R) + H_3C-SO-Cl \xrightarrow[-\ (H_3C)_3Si-Cl]{} (H_3C)_2B-N(SO-CH_3)(R)$$

β) Diorgano-N-subst.-amino-borane

Die Verbindungsklasse ist relativ umfangreich. Offenkettige und cyclische Diorganohydrazino-borane sowie Azido-diorgano-borane (vgl. S. 113ff.) gehören dazu (vgl. Tab. 24, S. 100f.).

Auch Diorgano-N-nitroso- bzw. N-nitroamino-borane (vgl. S. 34, 106) sind zugänglich.

β_1) *Diorgano-hydrazino-borane*

Die Verbindungen werden aus Triorganoboranen, aus Hydro-organo-boranen oder Halogen- und Thio-organo-boranen hergestellt. Außerdem verwendet man auch Edukte verschiedener Organobor-Stickstoff-Verbindungen.

$\beta\beta_1$) aus Triorganoboranen

Durch Erhitzen von Trialkylboranen mit Hydrazin auf 150–180° erhält man 1,2-Bis-[dialkylboryl]hydrazine. Bei der Vereinigung äquimolarer Mengen an Hydrazin und Trialkylboran entsteht zunächst in exothermer Reaktion ein flüssiges 1:1 Addukt (vgl. S. 436ff.), aus welchem mit weiterem Trialkylboran ein Gemisch von Alkan und Alken abgespalten wird. Die Ausbeuten betragen 59–70%[2,3]:

$$H_4\overset{\oplus}{N}_2-\overset{\ominus}{B}R_3 + BR_3 \longrightarrow R_2B-NH-NH-BR_2 + (2-n)H_2 + (2-n)Alken + nRH$$

$R = CH_3$; *1,2-Bis[dimethylboryl]hydrazin*; Kp: 95–97°
$R = C_2H_5$; *1,2-Bis[diethylboryl]hydrazin*; Kp_{15}: 77°
$R = C_3H_7$; *1,2-Bis[dipropylboryl]hydrazin*; Kp_{12}: 122°
$R = C_4H_9$; *1,2-Bis[dibutylboryl]hydrazin*; $Kp_{0,5}$: 118°

Die Reaktion von Trialkylboranen mit Phenylhydrazin liefert bei 130–170° in 60–70%iger Ausbeute die Dialkyl-(2-phenylhydrazino)-borane[3]:

$$R_3B + H_5C_6-NH-NH_2 \longrightarrow R_2B-NH-NH-C_6H_5 + RH$$

$R = C_3H_7$; *Dipropyl-(2-phenylhydrazino)-boran*; Kp_{15}: 77°
$R = CH(CH_3)_2$; *Diisopropyl-(2-phenylhydrazino)-boran*; Kp_2: 78–79°

Triorganoborane reagieren mit verschiedenen NO-Verbindungen unter BC-Addition zu Amino-diorgano-boranen, die am N-Atom verschiedenartig substituiert sind.

---

[1] A. Meller, W. Maringgele u. M. Armbrecht, Z. Naturf. **36b**, 1411 (1981).
[2] B.M. Mikhailov u. Y.N. Bubnov, Izv. Akad. SSSR **1960**, 370; engl.: 343; C.A. **54**, 20931 (1960).
[3] H. Nöth, Z. Naturf. **16b**, 471 (1961); C.A. **56**, 7341 (1962).

Tributylboran addiert in 10%iger Salzsäure die doppelte Menge Stickstoffmonoxid. Man erhält unter 1,3-Wanderung eines Butyl-Restes zum Sauerstoff-Atom (*Butyloxy-nitroso-amino)-dibutyl-boran* ($Kp_{2,5}$: 84°)[1]:

$$(H_9C_4)_3B \;+\; 2\,NO \longrightarrow (H_9C_4)_2B{-}N(OC_4H_9)(NO)$$

N-Phenylsydnon unterliegt unter Kohlendioxid-Abspaltung und Wasserstoff-Verschiebung einer 1,3-Alkyloborierung. Man gewinnt [2-(1-Alkenyl)-2-phenyl-hydrazino]-dialkyl-borane in Ausbeuten von 50–70%[2]:

$$R^1_3B \;+\; \text{N-Phenylsydnon} \xrightarrow[-CO_2]{\text{Benzol}, \sim 80°} R^1_2B{-}NH{-}N(C_6H_5){-}CH{=}CR^2R^3$$

$R^1 = C_2H_5$; $R^2 = CH_3$; $R^3 = H$; *Diethyl-(2-phenyl-2-propenyl-hydrazino)-boran*; 54%; $Kp_{0,001}$: 73°
$R^1 = C_3H_7$; $R^2 = C_2H_5$; $R^3 = H$; *[2-(2-Butenyl)-2-phenyl-hydrazino]-dipropyl-boran*; 75%; $Kp_{0,06}$: 103°
$R^1 = CH(CH_3)_2$; $R^2 = R^3 = CH_3$; *Diisopropyl-[2-(2-methylpropenyl)-2-phenyl-hydrazino]-boran*; 49%; $Kp_{0,02}$: 93°

Trialkylborane reagieren mit verschiedenen Azo-Verbindungen bereits bei 20° spontan unter Abspaltung von Alken. Man erhält Dialkyl-hydrazino-borane durch Hydroborierung der N=N-Bindung[3]. Ein sechsgliedrig-cyclischer Übergangszustand dürfte den Reaktionsablauf vermutlich richtig wiedergeben.

$$R^1_3B \;+\; R^2{-}N{=}N{-}R^2 \longrightarrow [\text{cycl. Übergangszustand}] \longrightarrow R^1_2B{-}N(R^2){-}NH{-}R^2 \;+\; {>}C{=}C{<}$$

cis-Azobenzol reagiert im Dunkeln, *trans*-Azobenzol nur im UV-Licht[3]. Mit Azodicarbonsäurediestern erhält man Lewisbase-Organoborane (vgl. S. 640).

$\beta\beta_2$) aus Hydro-organo-boranen

Läßt man Tetraalkyldiborane(6) auf Hydrazin bei 100–150° einwirken, so erhält man unter Wasserstoff-Abspaltung in guter Ausbeute (69–90%) 1,2-Bis[dialkylboryl]hydrazine[4]:

$$(R_2BH)_2 \;+\; N_2H_4 \xrightarrow[-2H_2]{100-150°} R_2B{-}NH{-}NH{-}BR_2$$

z.B.: $R = CH_3$; *1,2-Bis[dimethylboryl]hydrazin*; 60–90%; Kp_{760}: 95–97°
$R = C_4H_9$; *1,2-Bis[dibutylboryl]hydrazin*; 60–90%; $Kp_{0,5}$: 118°

---

[1] M. Inatome u. L.P. Kuhn, Advan. Chem. Ser. **42**, 183 (1964); C.A. **60**, 10704f (1964).
[2] P. Paetzold u. G. Schimmel, Z. Naturf. **35b**, 568 (1980).
[3] A.G. Davies, B.P. Roberts u. J.C. Scaiano, Soc. **1972**, 803.
[4] H. Nöth, Z. Naturf. **16b**, 471 (1961).

$\beta\beta_3$) aus Halogen-organo-boranen

Diorgano-halogen-borane reagieren mit der doppelten Stoffmenge 1,1-Dimethylhydrazin zu den entsprechenden (2,2-Dimethylhydrazino)-diorgano-boranen[1-3].

Das abgespaltene Hydrogenhalogenid wird durch das überschüssige Hydrazin ausgefällt[1]. Zu dem Hydrazin in Ether oder Xylol tropft man bei 20° die halbe Menge Diorgano-halogen-boran, rührt eine Weile, filtriert und arbeitet destillativ auf.

$$R_2B{-}Hal \quad + \quad 2\,(H_3C)_2N{-}NH_2 \xrightarrow[-[(H_3C)_2N-NH_3]Hal]{} R_2B{-}NH{-}N(CH_3)_2$$

$R = CH_3$; Hal = Br; *Dimethyl-(2,2-dimethylhydrazino)-boran*[2]; 52%; Kp_{720}: 74–76°
$R = C_4H_9$; Hal = Cl; *Dibutyl-(2,2-dimethylhydrazino)-boran*[3]; 77%; Kp_2: 47–48°
$R = C_6H_5$; Hal = Br; *(2,2-Dimethylhydrazino)-diphenyl-boran*[2]; 82%; Kp_1: 108–110°

Auch 2,2-Dimethyl-1-trimethylsilyl-hydrazin ergibt mit Chlor-diorgano-boranen unter Chlor-trimethyl-silan-Abspaltung in guten Ausbeuten die entsprechenden Diorgano-hydrazino-borane[4]:

$$R_2BCl \quad + \quad (CH_3)_3SiNH{-}N(CH_3)_2 \xrightarrow[-(CH_3)_3SiCl]{} R_2B{-}NH{-}N(CH_3)_2$$

Dibutyl-(2,2-dimethylhydrazino)-boran[4]**:** Zu 13,2 g (0,1 mol) 2,2-Dimethyl-1-trimethylsilyl-hydrazin tropft man unter Rühren bei ~20° 16 g (0,1 mol) Chlor-dibutyl-boran. Nach 3stdgm. Rühren wird i. Vak. destilliert; Ausbeute: 16,7 g (91%); Kp_3: 57°.

Auf analoge Weise wird *(2,2-Dimethylhydrazino)-diphenyl-boran* (83%; Kp_3: 123°) erhalten[5].

Bei der Umsetzung von Chlor-dialkyl-boranen mit 1,2-Bis[trimethylsilyl]hydrazin im Molverhältnis 2:1 erhält man durch Erhitzen 1,2-Bis[dialkylboryl]hydrazine[4]:

$$2\,R_2B{-}Cl + (H_3C)_3Si{-}NH{-}NH{-}Si(CH_3)_3 \xrightarrow[-2\,(H_3C)_3Si-Cl]{} R_2B{-}NH{-}NH{-}BR_2$$

z. B.: $R = CH_3$; *1,2-Bis[dimethylboryl]hydrazin*; ~80%; Kp_{760}: 94–97°
$R = C_6H_5$; *1,2-Bis[diphenylboryl]hydrazin*; ~80%; Kp_3: 132°

Der Reaktionsansatz färbt sich zunächst tiefblau, gegen Ende der Umsetzung verschwindet die Färbung.

$\beta\beta_4$) aus Diorgano-thio-boranen

Alkylthio-dialkyl-borane spalten beim mehrstündigen Erhitzen mit Hydrazin bzw. Organo-hydrazinen Alkanthiole ab und gehen in 1,2-Bis[dialkylboryl]hydrazine bzw. Dialkyl-hydrazino-borane über; z. B.[6]:

$$2\,(H_9C_4)_2B{-}SC_4H_9 \quad + \quad N_2H_4 \xrightarrow[-2\,C_4H_9SH]{} (H_9C_4)_2B{-}NH{-}NH{-}B(C_4H_9)_2$$

1,2-Bis[dibutylboryl]hydrazin; 80%; $Kp_{7,5}$: 158–159°

$$(H_9C_4)_2B{-}SC_4H_9 \quad + \quad H_2N{-}NH{-}C_6H_5 \xrightarrow[-C_4H_9SH]{} (H_9C_4)_2B{-}NH{-}NH{-}C_6H_5$$

Dibutyl-(2-phenylhydrazino)-boran; 70%; $Kp_{0,05}$: 103–104°

---

[1] H. Nöth, Ang. Ch. **75**, 730 (1963).
[2] H. Nöth u. W. Regnet, Advan. Chem. Ser. **42**, 166 (1964); C. A. **60**, 10703 (1964).
[3] H. Nöth, B. **104**, 558 (1971).
[4] K. Niedenzu, P. Fritz u. W. Weber, Z. Naturf. **22b**, 225 (1967).
[5] H. Nöth, W. Tinhof u. B. Wrackmeyer, B. **107**, 518 (1974).
[6] B.M. Mikhailov u. Y.N. Bubnov, Izv. Akad. SSSR **1959**, 172; engl.: 159; C. A. **53**, 15958 (1959).

3,4-Diethyl-2,5-dimethyl-2,5-dihydro-1,2,5-thiadiborol reagiert mit Hydrazin, Methylhydrazin oder mit 1,2-Dimethylhydrazin unter Bildung von entsprechend substituierten 1,2,3,6-Tetrahydro-1,2,3,6-diazadiborinen. Man geht dabei vom 3,4-Diethyl-2,5-dijod-2,5-dihydro-1,2,5-thiadiborol aus, das mit Tetramethylstannan in Hexan zunächst in das 2,5-Dimethyl-Derivat übergeführt wird[1]:

$$\text{3,4-Diethyl-2,5-dimethyl-2,5-dihydro-1,2,5-thiadiborol} \xrightarrow[-H_2S]{R^2-NH-NH-R^1} \text{1-}R^1\text{-2-}R^2\text{-4,5-diethyl-3,6-dimethyl-1,2,3,6-tetrahydro-1,2,3,6-diazadiborin}$$

z.B.: $R^1 = R^2 = H$; *4,5-Diethyl-3,6-dimethyl-1,2,3,6-tetrahydro-1,2,3,6-diazadiborin*; 60%
$R^1 = R^2 = CH_3$; *4,5-Diethyl-1,2,3,6-tetramethyl-1,2,3,6-tetrahydro-1,2,3,6-diazadiborin*; 80%

$\beta\beta_5$) aus Organobor-Stickstoff-Verbindungen

Diorgano-hydrazino-borane und Bis[diorganoboryl]hydrazine werden aus Amino-diorgano-boranen oder aus verschiedenen offenkettigen und cyclischen Hydrazino-organo-boranen hergestellt.

i_1) aus Amino-diorgano-boranen

Die Umaminierung von Amino-diorgano-boranen mit Hydrazinen ist die präparativ günstigste und am meisten erprobte Methode zur Herstellung von Diorgano-hydrazino-boranen. Da es sich um eine Gleichgewichtsreaktion handelt, sind die Ausbeuten am besten, wenn das freiwerdende Amin aufgrund seines niedrigen Siedepunkts leicht abdestilliert werden kann. In den meisten Fällen bringt man das Reaktionsgemisch langsam auf Temperaturen zwischen 100 und 150°, wobei das Amin über einen Kolonnenkopf abdestilliert. Die letzten Reste werden durch Anlegen von Vakuum (~10 Torr) entfernt.

Mit Hydrazin- bzw. 1,2-Diorganohydrazinen erhält man in sehr glatter Reaktion und in hoher Ausbeute (>95%)[3] die 1,2-Bis[diorganoboryl]hydrazine[2–6] (s. Tab. 25, S. 109):

$$2\ R^1_2B-NR^2_2 + R^3-NH-NH-R^4 \xrightarrow{-2\ R^2_2NH} R^1_2B-N(R^3)-N(R^4)-BR^1_2$$

Mit Monoorgano- sowie mit 1,1-Diorgano-hydrazinen sind Diorgano-hydrazino-borane zugänglich[3,7] (vgl. Tab. 26, S. 110).

$$R^1_2B-NR^2_2 + H_2N-N(R^3)(R^4) \xrightarrow{-R^2_2NH} R^1_2B-NH-N(R^3)(R^4)$$

---

[1] W. Siebert, R. Full, H. Schmidt, J. von Seyerl, M. Halstenberg u. G. Huttner, J. Organometal. Chem. **191**, 15 (1980).
[2] B.M. Mikhailov u. Y.N. Bubnov, Izv. Akad. SSSR **1959**, 172; engl.: 159; C.A. **53**, 15958 (1959).
[3] H. Nöth, Z. Naturf. **16b**, 471 (1961); C.A. **56**, 7341 (1962).
[4] A. Haag u. A. Baudisch, Tetrahedron Letters **1973**, 401.
[5] T.T. Wang u. K. Niedenzu, J. Organometal. Chem. **35**, 231–235 (1972).
[6] H. Nöth u. W. Regnet, Advan. Chem. Ser. **42**, 166 (1964); C.A. **60**, 10703 (1964).
[7] H. Nöth, W. Regnet, H. Rihl u. R. Standfest, B. **104**, 722 (1971).

Tab. 25: 1,2-Bis[diorganoboryl]hydrazine aus Amino-diorgano-boranen mit Hydrazin oder Hydrazin-Derivaten

$R_2B-NR^1_2$		$R^2-NH-NH-R^3$		Bedingungen	1,2-Bis[diorganoboryl]hydrazin	Ausbeute	Kp		Literatur
R	R^1	R^2	R^3			[%]	[°C]	[Torr]	
CH_3	[a]	H	H	aus $R^1_2B-NR^2_2$ und Hydrazin (2:1)	*1,2-Bis[dimethylboryl]hydrazin*	>95	95–97	760	[1,2]
C_2H_5	[a]	H	H	aus $R^1_2B-NR^2_2$ und Hydrazin (2:1)	*1,2-Bis[diethylboryl]hydrazin*	>95	77	15	[1,2]
C_4H_9	[a]	H	H	aus $R^1_2B-NR^2_2$ und Hydrazin (2:1)	*1,2-Bis[dibutylboryl]hydrazin*	>95	118	0,5	[1,2]
C_4H_9	[a]	H	C_6H_5		*1,2-Bis[dibutylboryl]-1-phenyl-hydrazin*	85	141–144	1	[3]
C_6H_5	[a]	H	C_6H_5		*1,2-Bis[diphenylboryl]-1-phenyl-hydrazin*	92	(F: 94°)		[3]
C_6H_5	CH_3	H	H	–78°/Ether, danach 3 Stdn. Rückfluß	*1,2-Bis[diphenylboryl]hydrazin*	42	(F: 164–169°/ aus Benzol)		[4]
C_6H_5	C_2H_5	H	H	130° (Ölbad), Amin bis 200°/10Torr entfernen		79	(F: 140–142°/ aus Benzol)		[4]
		H	CH_3	langsam auf 125° anwärmen, Amin i. Vak. entfernen	*1,2-Bis[diphenylboryl]-1-methyl-hydrazin*	82	(F: 92–94°/ aus Hexan)		[4]
		CH_3	CH_3	langsam auf 150° erwärmen, Amin i. Vak. entfernen	*1,2-Bis[diphenylboryl]-1,2-dimethyl-hydrazin*	69	(F: 125–127°/ aus Hexan)		[4]

[a] keine Angaben in der Literatur, vermutlich $R=CH_3$.

[1] H. Nöth, Z. Naturf. **16b**, 471 (1961); C.A. **56**, 7341 (1962).
[2] H. Nöth u. W. Regnet, Advan. Chem. Ser. **42**, 166 (1964); C.A. **60**, 10703 (1964).
[3] T.T. Wang u. K. Niedenzu, J. Organometal. Chem. **35**, 231–235 (1972).
[4] H. Nöth, W. Regnet, H. Rihl u. R. Standfest, B. **104**, 722–733 (1971).

Tab. 26: Diorgano-hydrazino-borane aus Amino-diorgano-boranen mit Hydrazinen

$R_2B-NR^1_2$		$H_2N-NR^2R^3$	Bedingungen	Boran	Ausbeute	Kp		Literatur
R	R^1				[%]	[°C]	[Torr]	
CH_3	[a]	$H_2N-NH-CH_3$	120°	*Dimethyl-(2-methylhydrazino)-boran*		53–55	760	[1]
C_3H_7	[a]	$H_2N-NH-C_6H_5$	120°	*(2-Phenylhydrazino)-dipropyl-boran*		135	6	[1]
C_4H_9	H	$H_2N-N(CH_3)_2$	Boran-Überschuß	*Dibutyl-(2,2-dimethylhydrazino)-boran*	85	47	2	[1,2]
C_6H_5	C_2H_5	$H_2N-NH-C_6H_5$	in heißem Xylol; aus Petrolether umkristallisieren	*(2-Phenylhydrazino)-ethyl-phenyl-boran*	98	(F: 89–90°)		[3]
		$H_2N-N=C(C_6H_5)_2$		*(2-Diphenylmethylenhydrazino)-ethyl-phenyl-boran*	80	(F: 158–160°)		[3]

[a] keine Angaben in der Literatur

[1] H. NÖTH, Z. Naturf. **16b**, 471 (1961); C. A. **56**, 7341 (1962).

[2] H. NÖTH, W. REGNET, H. RIHL u. R. STANDFEST, B. **104**, 722 (1971).

[3] H. NÖTH u. W. REGNET, Advan. Chem. Ser. **42**, 166 (1964); C. A. **60**, 10703 (1964).

i_2) aus Hydrazino-organo-boranen

Reaktionen am Bor-Atom sowie verschiedene borferne Reaktionen zählen zu den Methoden der Herstellung von offenkettigen sowie vor allem cyclischen Diorgano-hydrazino-boranen aus anderen Hydrazino-organo-boranen.

Setzt man die aus Triorganoboranen mit Hydrazin herstellbaren 1,2-Bis[diorganoboryl]hydrazine[1] (vgl. S. 108ff.) mit Hydrazin um, so stellt sich ein Gleichgewicht zwischen di- und monoboryliertem Hydrazin ein, das sich beim Erwärmen nach links verschiebt. Lediglich das *Diphenyl-hydrazino-boran* (F: 147°) ist zur Isolierung genügend stabil[2]:

$$R_2B{-}NH{-}NH{-}BR_2 \; + \; N_2H_4 \; \rightleftharpoons \; 2\,R_2B{-}NH{-}NH_2$$

Zu den Methoden der borfernen Herstellung cyclischer Diorgano-hydrazino-borane gehören verschiedene wohlbekannte Reaktionen der organischen Chemie (vgl. S. 51), z.B. Halogenierungen, Acetylierungen, Nitrierungen oder Formylierungen.

Benzo-1,2,3-diazaborine wie z.B. *4-Chlor-1-methyl-1,2-dihydro-⟨benzo[d]-1,2,3-diazaborin⟩*[3] läßt sich ohne Veränderung des Ringsystems borfern umwandeln.

Die Bromierung des 1-Methyl-1,2-dihydro-⟨benzo[d]-1,2,3-diazaborins⟩ mit Brom in Eisessig bei 20° liefert nach 7 Stdn. in 84%iger Ausbeute das *5-Brom-1-methyl-1,2-dihydro-⟨benzo[d]-1,2,3-diazaborin⟩* (F: 133–134°)[4]:

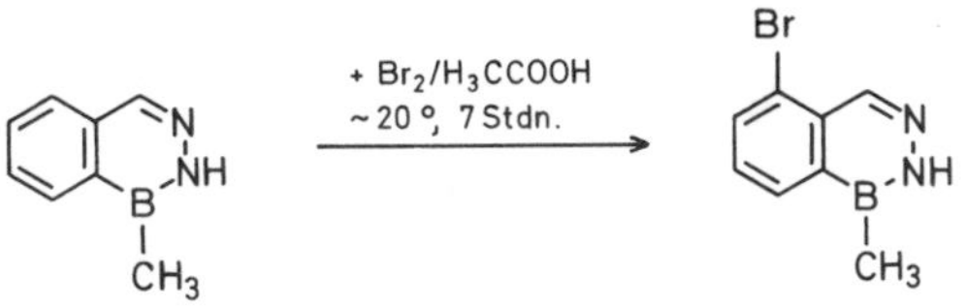

+ Br_2/H_3CCOOH, ~20°, 7 Stdn.

Die einfache Nitrierung einiger typischer Dihydro-1,2,3-diazaborine mit Nitriersäure führt zu folgenden Nitro-Produkten[5–8]:

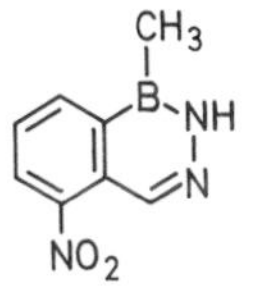

5-Nitro-1-methyl-1,2-dihydro-⟨benzo[d]-1,2,3-diazaborin⟩

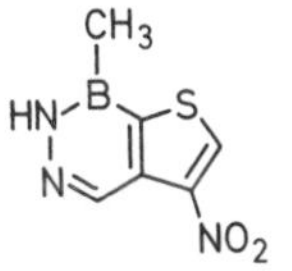

7-Methyl-3-nitro-6,7-dihydro-⟨thieno[2,3-d]-1,2,3-diazaborin⟩

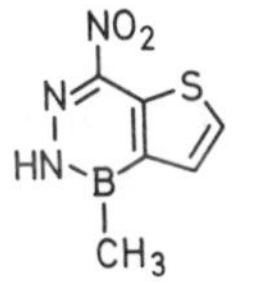

4-Methyl-7-nitro-4,5-dihydro-⟨thieno[3,2-d]-1,2,3-diazaborin⟩

Die beiden N-Phenyl-Reste des aus Phenylisonitril und Triethylboran zugänglichen 1,4-Diphenyl-2,3,3,5,6,6-hexaethyl-1,4,2,5-diazadiborinans (s. S. 16) lassen sich mit Salpetersäure in Trifluoracetanhydrid in der p-Stellung nitrieren (F: 256°), die 4-Nitro-phenyl-Verbindung kann am Adams-Katalysator zur 4-Amino-phenyl-Verbindung hydrogenolysiert (F: 226–228°) und diese mit Acetylchlorid/Pyridin an den beiden Amino-N-Atomen acetyliert (F > 350°) bzw. mit Hydrogenchlorid an denselben N-Atomen zum Hydrochlorid protoniert (F: 336–340°)[9] werden.

---

[1] B.M. Mikhailov u. Y.N. Bubnov, Izv. Akad. SSSR **1959**, 172; engl.: 159; C.A. **53**, 15958 (1959).
[2] B.M. Mikhailov u. Y.N. Bubnov, Izv. Akad. SSSR **1960**, 370; engl.: 343; C.A. **54**, 20431 (1960).
[3] S. Gronowitz u. J. Namtvedt, Tetrahedron Letters **1966**, 2267.
[4] B.M. Mikhailov, L.S. Vasil'ev u. V.V. Veselovskii, Izv. Akad. SSSR **1980**, 1106; engl.: 813; C.A. **93**, 114589 (1980).
[5] M.J.S. Dewar u. J.L. von Rosenberg, jr., Am. Soc. **88**, 358 (1966).
[6] J. Namtvedt, Acta chem. scand. **22**, 1611 (1968); C.A. **70**, 11735 (1969).
[7] J. Casanova, jr. u. H.R. Kiefer, J. Org. Chem. **34**, 2579 (1959).
[8] S. Gronowitz u. A. Maltesson, Acta chem scand. B. **29**, 457 (1957).
[9] M.J.S. Dewar u. P.A. Marr, Am. Soc. **84**, 3782 (1962).

Auch Reaktionen an den funktionellen Gruppen des aromatischen C-Gerüstes sind möglich, ohne daß die C_2BN-Gruppierung verändert wird. So lassen sich Nitro-Gruppen an den Gerüst-C-Atomen von 1,2-Dihydro-1,2-azaborinen durch wäßriges Hydrazin an Palladium/Kohle-Kontakten zu Amino-Gruppen hydrogenolysieren[1].

Die Formylierung in BN-Heterocyclen mit R_2BN-Gruppierung erfolgt borfern nach den üblichen Methoden; z.B. aus 4,5-Dimethyl-7-jod-4,5-dihydro-⟨thieno[3,2-d]-1,2,3-diazaborin⟩ mit Butyllithium über das 4-Lithio-Derivat mit Dimethylformamid[2]:

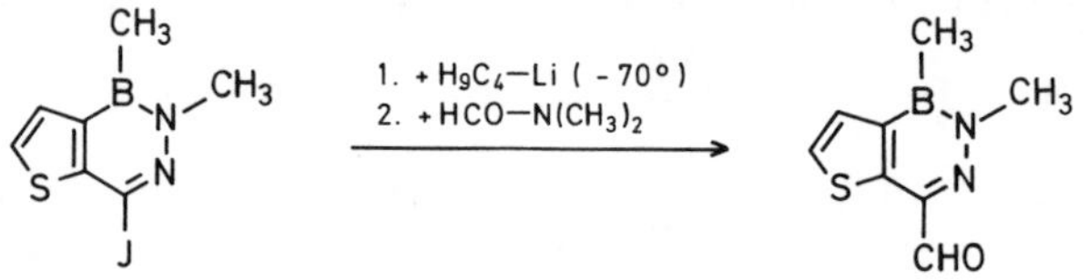

1. $+ H_9C_4-Li$ (−70°)
2. $+ HCO-N(CH_3)_2$

4,5-Dimethyl-7-formyl-4,5-dihydro-⟨thieno[3,2-d]-1,2,3-diazaborin⟩: 76%; F: 96,5–97,5°

Die Ring-gebundenen Protonen der 4,5-Dihydro-⟨thieno[3,2-d]-1,2,3-diazaborine⟩ lassen sich mit Deuteriumoxid/Dideuteroschwefelsäure gegen Deuterium austauschen, wobei die 3-Position bevorzugt wird[3].

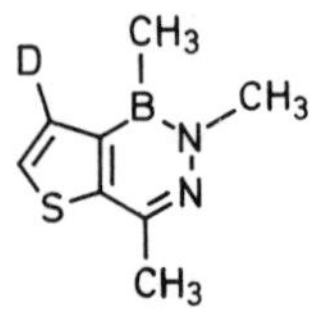

3-Deutero-4,5,7-trimethyl-4,5-dihydro-⟨thieno[3,2-d]-1,2,3-diazaborin⟩[3]

Beim 6,7-Dimethyl-6,7-dihydro-⟨thieno[2,3-d]-1,2,3-diazaborin⟩ gelingt es, den anellierten heterocyclischen Ring selektiv hydrierend zu spalten[4,5]:

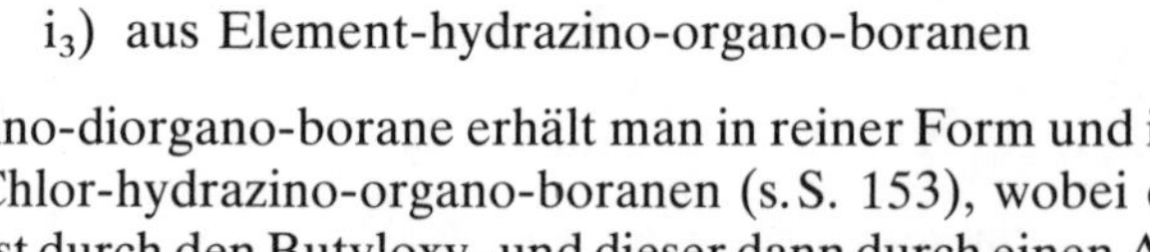

$3 H_2[Ni]$ / $-H_2S$

2,3-Dimethyl-5-ethyl-2,3-dihydro-1,2,3-diazaborin

i₃) aus Element-hydrazino-organo-boranen

Cyclische Hydrazino-diorgano-borane erhält man in reiner Form und in guten Ausbeuten aus cyclischen Chlor-hydrazino-organo-boranen (s.S. 153), wobei das *exo*-cyclische Chlor-Atom zunächst durch den Butyloxy- und dieser dann durch einen Alkyl-Rest ersetzt wird (s.S. 183):

---

[1] M.J.S. Dewar u. V.P. Kubba, Tetrahedron **7**, 213 (1959).
[2] S. Gronowitz u. A. Maltesson, Acta chem. scand. B **29**, 1036 (1975).
[3] S. Gronowitz, C. Roos, E. Sandberg u. S. Clementi, J. Heterocyclic Chem. **14**, 893 (1977).
[4] S. Gronowitz u. A. Maltesson, Acta chem. scand. **25**, 2435 (1971); C.A. **76**, 25337 (1972).
[5] S. Gronowitz u. I. Ander, Chem. Scripta **15**, 135 (1980).

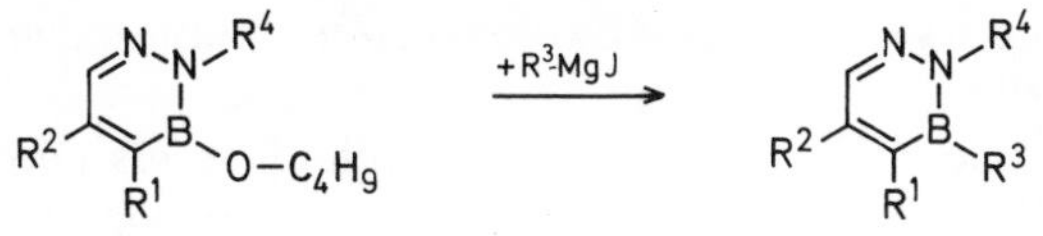

z. B.: $R^1 = H$; $R^2 = C_4H_9$; $R^3 = R^4 = CH_3$; *5-Butyl-2,3-dimethyl-2,3-dihydro-1,2,3-diazaborin*[1]; 82%; Kp: 177–180°

$R^1-R^2 = -CH{=}CH-O-$; $R^3 = CH_3$; $R^4 = H$; *4-Methyl-4,5-dihydro-⟨furo[3,2-d]-1,2,3-diazaborin⟩*[2]

$R^1-R^2 = -CH{=}CH-S-$; $R^3 = CH_3$; $R^4 = H$; *4-Methyl-4,5-dihydro-⟨thieno[3,2-d]-1,2,3-diazaborin⟩*[3,4]; 63%; F: 62–63°

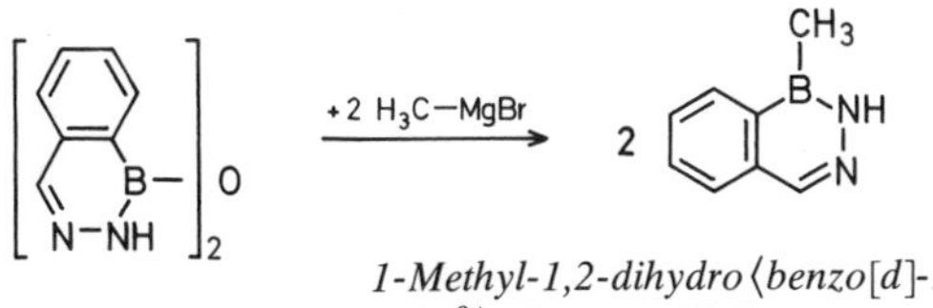

1-Methyl-1,2-dihydro⟨benzo[d]-1,2,3-diazaborin⟩[5]; 84%; F: 95,5–97,5°

ββ₆) aus Lewisbase-Boranen

Bei der Vereinigung äquimolarer Mengen Hydrazin und Trialkylboran entsteht in exothermer Reaktion ein flüssiges 1:1 Addukt, aus welchem mit weiterem Trialkylboran ein Gemisch von Alkan und Alken abgespalten wird. Die Ausbeuten betragen 59–70%[6,7]:

$$H_2N-\overset{\oplus}{N}H_2-\overset{\ominus}{B}R_3 \quad + \quad R_3B \xrightarrow[\substack{-\,nRH \\ -\,(2-n)\ Alken \\ -\,(2-n)\ H_2}]{150-180°} R_2B-NH-NH-BR_2$$

$R = CH_3$; *1,2-Bis[dimethylboryl]hydrazin*; Kp: 95–97°
$R = C_2H_5$; *1,2-Bis[diethylboryl]hydrazin*; Kp_{15}: 77°
$R = C_3H_7$; *1,2-Bis[dipropylboryl]hydrazin*; Kp_{12}: 122°
$R = C_4H_9$; *1,2-Bis[dibutylboryl]hydrazin*; $Kp_{0,5}$: 118°

β₂) *Azido-diorgano-borane*

Azido-diorgano-borane[8] können beim Erhitzen schlagartig zerfallen. Die Heftigkeit des Zerfalls ist der Größe der Organo-Reste umgekehrt proportional. *Azido-dimethyl-* und auch noch *Azido-diisopropyl-boran* können **heftig explodieren**. Der Zerfall von *Azido-diphenyl-boran*, sofern er außer Kontrolle gerät, führt dagegen zu einer Verpuffung. Die Temperatur, bei der ein **unkontrollierter Zerfall** wahrscheinlich wird, sinkt mit dem Raumanspruch der Organo-Reste. **Gewarnt** werden muß dabei insbesondere vor jenen Azidoboranen, die über eine Lewis-Säure-Base-Wechselwirkung des B-Atoms eines Moleküls mit dem α-N-Atom eines anderen zur Assoziation neigen, so daß sich N-Diazoniumamin-Strukturen bilden. *Azido-dimethyl-boran* ist ein Beispiel hierfür. Wegen der solvolytischen Labilität der B-gebundenen Azido-Gruppe gegenüber H-aciden Reagenzien wie z. B. Wasser muß beim Umgang mit Azidoboranen auch auf Abwesenheit von Wasserdampf geachtet werden. Freiwerdendes Hydrogenazid neigt in besonderem

---

[1] S. Gronowitz u. A. Maltesson, Acta chem. scand. **25**, 2435 (1971); C. A. **76**, 25337 (1972).
[2] B. Roques, D. Florentin u. J. P. Juhasz, C. r. **270**, 1898 (1970).
[3] S. Gronowitz u. J. Namtvedt, Tetrahedron Letters **1966**, 2967.
[4] S. Gronowitz u. J. Namtvedt, Acta chem. scand. **21**, 2151 (1967); C. A. **68**, 29742 (1968).
[6] B. M. Mikhailov u. Y. N. Bubnov, Izv. Akad. SSSR **1960**, 370ff.; engl.: 343; C. A. **54**, 20931 (1960).
[7] H. Nöth, Z. Naturf. **16b**, 471 (1961); C. A. **56**, 7341 (1962).
[8] *Gmelin*, 8. Aufl., Bd. **22**/4, S. 262–267 (1975).

Maße zur unmotivierten **Explosion**. Die Explosion der Hauptmenge an Azidoboran kann dadurch ausgelöst werden.

Azido-diorgano-borane werden praktisch ausschließlich aus Diorgano-halogen-boranen hergestellt. Lediglich aus Dialkyl-1-halogenalkyl-boran wird mit Lithiumazid ein bestimmtes Azido-diorgano-boran gewonnen.

$\beta\beta_1$) aus Triorganoboranen

Chlormethyl-dimethyl-boran liefert mit Lithiumazid bei tiefer Temperatur unter Chlor-Substitution und Methyl-Wanderung vom Bor- zum α-C-Atom *Azido-ethyl-methyl-boran*[1,2]:

$$(H_3C)_2B-CH_2-Cl \xrightarrow[-\ LiCl]{+\ LiN_3} (H_3C)(H_5C_2)B-N_3$$

Azido-ethyl-methyl-boran[1,2]**:** Zu 0,38 g (7,7 mmol) Lithiumazid in 2 *ml* 2,6,N,N-Tetramethylanilin in einem 50-*ml*-Kolben werden 0,62 g (6,7 mmol) Chlormethyl-dimethyl-boran bei –196° einkondensiert. Man läßt auf 0° erwärmen, wobei das Gemisch heftig reagiert. Nach 30 Min. Rühren (~ 0°) wird i. Vak. durch eine auf 0° gekühlte Falle fraktioniert (Lösungsmittel). Das Produkt läßt sich gasförmig durch eine auf –22,8° gekühlte Falle saugen und bei –50° einkondensieren.

$\beta\beta_2$) aus Diorgano-halogen-boranen

Das Prinzip der Einführung einer N-Funktion ans Bor-Atom durch Halogen/Stickstoff-Austausch ist zur Herstellung von Azido-diorgano-boranen besonders effizient.

Azido-diorgano-borane können aus Diorgano-halogen-boranen außer mit Azido-trimethyl-silan (vgl. S. 115) vor allem mit Lithiumazid hergestellt werden. Die genannten Azidierungsmittel selbst sind thermisch bedenkenlos.

Eine große Zahl gemischter Azido-diorgano-borane kann aus Chlor-diorgano-boranen mit Lithiumazid hergestellt werden. Meist genügen ~ 20°, in einigen Fällen werden 55° benötigt. Bisweilen muß zum Rückfluß erhitzt werden. Meist wird in Benzol als Lösungsmittel gearbeitet[3,4]. Bei der Herstellung von *Azido-ethyl-methyl-boran* wird die Umsetzung in einer Pyrex-Ampulle ohne Lösungsmittel bei 50° durchgeführt[2].

$$R_2B-Cl \quad + \quad LiN_3 \xrightarrow[-LiCl]{} R_2B-N_3$$

Azido-diorgano-borane; allgemeine Arbeitsvorschrift[3]**:** Lithiumazid wird in einem Rundkolben zum Trocknen 6 Stdn. auf 96° erhitzt und anschließend mit einem Magnetrührstab fein zermahlen. Es wird die äquimolare Lösung von Halogen-organo-boranen in Benzol zugesetzt, dann wird 15 Stdn. bei ~ 20° gerührt. Nur bei *Azido-dibutyl-boran* (53%; $Kp_{0,0001}$: 30°) und *Azido-bis[4-methoxyphenyl]-boran* (74%; $Kp_{0,0001}$: 120–125°) werden 55° benötigt. Dann wird unter Stickstoff vom Niederschlag abfiltiert und das Lösungsmittel i. Vak. abgezogen. Man destilliert bei 0,0001 Torr (Hg-Diffusions-Pumpe).

Nach dieser Methode wurde eine große Anzahl von Azido-diorgano-boranen hergestellt[3], so daß im folgenden lediglich eine Auswahl gegeben wird[3]:

Azido-butyl-phenyl-boran	59%; $Kp_{0,0001}$: 79–80°
Azido-(2-methylphenyl)-phenyl-boran	86%; $Kp_{0,0001}$: 95–98°
Azido-(4-chlorphenyl)-phenyl-boran	53%; $Kp_{1,0001}$: 100–104°
Azido-1-naphthyl-phenyl-boran	93%; Zers.
Azido-bis[4-methylphenyl]-boran	90%; $Kp_{1,0001}$: 95–96°

---

[1] R. Schaeffer u. L.J. Todd, Am. Soc. **87**, 488 (1965).
[2] J. Rathke u. R. Schaeffer, Inorg. Chem. **11**, 1150 (1972).
[3] P.I. Paetzold, P.P. Habereder u. R. Müllbauer, J. Organometal. Chem. **7**, 45 (1967).
[4] P.I. Paetzold, Z. anorg. Ch. **326**, 53 (1963).

Azido-diphenyl-boran[1]: 9,2 g (47 mmol) Chlor-diphenyl-boran werden in trockenem Benzol gelöst. Unter Stickstoff werden 6 g (125 mmol) Lithium-azid zugesetzt. Dann wird 70 Stdn. am Rückfluß gekocht. Man filtriert vom Niederschlag ab und engt das Filtrat bei 12–14 Torr ein. I. Hochvak. wird rasch destilliert (langsames Destillieren fördert die Zersetzung); Ausbeute: 4,9 g (52%); $Kp_{0,001}$: 110–115°.

Zur Herstellung von Azido-diorgano-boranen wird auch Azido-trimethyl-silan verwendet. Azido-dialkyl- und Azido-diaryl-borane lassen sich so herstellen. Aus Brom-dimethyl-boran und Azido-trimethyl-silan erhält man ohne Lösungsmittel beim Destillieren des Gemisches (Vorsicht!) bei ~720 Torr *Azido-dimethyl-boran*[2]:

$$(H_3C)_2B{-}Br + (H_3C)_3Si{-}N_3 \xrightarrow[-(H_3C)_3SiBr]{} (H_3C)_2B{-}N_3$$

Azido-dimethyl-boran[2]: In einem 100-*ml*-Zweihalskolben mit Tropftrichter (mit Gas-Einleitungsrohr) und Destillationsbrücke werden 12,1 g (100 mmol) Brom-dimethyl-boran vorgelegt. Unter Rühren und Einleiten von trockenem Stickstoff werden bei –50° 12,6 g (110 mmol) Azido-trimethyl-silan zugetropft. Das Rühren wird 15 Min. bei ~20° fortgesetzt, dann wird vorsichtig auf dem Ölbad erhitzt. Bei ~75° Badtemp. beginnt die Destillation; Ausbeute: 5,5 g (66%); Kp_{720}: 54°.

Aus Bis[2,4,6-trimethylphenyl]-fluor-boran erhält man mit Azido-trimethyl-silan in Tetrahydrofuran *Azido-bis[2,4,6-trimethylphenyl]-boran*[3,4]:

$$[2,4,6\text{-}(H_3C)_3C_6H_2]_2BF + (H_3C)_3Si{-}N_3 \xrightarrow[-\ (H_3C)_3Si{-}F]{THF} [2,4,6\text{-}(H_3C)_3C_6H_2]_2B{-}N_3$$

γ) Diorgano-N-Phosphor-subst.-amino-borane

Amino-diorgano-borane mit unmittelbar am Stickstoff-Atom gebundener Phosphorgruppierung werden i. allg. aus Halogen-organo-boranen oder N-metallierten Amino-diorgano-boranen hergestellt. Aus Triorganoboranen werden phosphorhaltige N-silylierte Amino-diorgano-borane gewonnen (vgl. S. 118).

$γ_1$) *aus Diorgano-halogen-boranen*

Zahlreiche (Alkyl-trimethylsilyl-amino)-dialkyl-borane[5,6] können aus Diorgano-halogen-boranen mit N-metallierten phosphorhaltigen Aminen hergestellt werden. Beispielsweise lassen sich Diorgano-phosphinylamino-borane auf analoge Weise gewinnen[7]; z. B.:

---

[1] P. I. Paetzold, Z. anorg. Ch. **326**, 53 (1963).
[2] P. I. Paetzold u. H. J. Hansen, Z. anorg. Ch. **345**, 79 (1966).
[3] J. E. Leffler u. L. J. Todd, Chem. & Ind. **1961**, 512.
[4] P. Paetzold, Technische Hochschule Aachen, Privatmitteilung 1981.
[5] H. Nöth, W. Tinhof u. B. Wrackmeyer, B. **107**, 518 (1974).
[6] H. Nöth u. W. Storch, B. **110**, 2607 (1977).
[7] H. Nöth, D. Reiner u. W. Storch, B. **106**, 1508 (1973).

$$(H_3C)_2B{-}Br + Li{-}N(CH_3){-}P(=S)(CH_3)_2 \xrightarrow{-\ LiBr} (H_3C)_2B{-}N(CH_3){-}P(=S)(CH_3)_2$$

Dimethyl-[(dimethyl-thiophosphono)-methyl-amino]-boran

Auf ähnliche Weise ist *Dimethyl-(dimethylphosphino-methyl-amino)-boran* (84%; Kp_{45}: 60°) zugänglich[1].

Diorgano-halogen-borane ergeben mit N-trimethylsilylierten Amino-diorgano-phosphanen oder z.B. mit 2-Trimethylsilylamino-1,3,2-diazaphospholidinen Diorgano-phosphinoamino-borane[1,2]. *Dimethyl-(diphenylphosphino-methyl-amino)-boran* ($Kp_{0,01}$: 135–137°) erhält man in 91%iger Ausbeute aus Brom-dimethyl-boran mit Diphenyl-(methyl-trimethylsilyl-amino)-phosphan[1]:

$$(H_3C)_2B{-}Br + (H_3C)_3Si{-}N(CH_3){-}P(C_6H_5)_2 \xrightarrow{-(H_3C)_3Si{-}Br} (H_3C)_2B{-}N(CH_3){-}P(C_6H_5)_2$$

Mit N-Trimethylsilyl-triphenylphosphanimin erhält man *Dibutyl-* bzw. *Diphenyl-triphenylphosphoranylidenamino-boran*[1]:

$$R_2B{-}Hal + (H_5C_6)_3P{=}N{-}Si(CH_3)_3 \xrightarrow[-(H_3C)_3Si{-}Hal]{(H_9C_4)_2O} R_2B{-}N{=}P(C_6H_5)_3$$

$R = C_4H_9, C_6H_5$ — monomer

γ_2) aus Amino-diorgano-boranen

Aus Dimethyl-(lithio-methyl-amino)-boran sind mit Chlor-dimethyl-phosphan bzw. Chlor-dimethyl-arsan in Ether/Pentan (~1:2) zwischen –40° und +20° *Dimethyl-(dimethylphosphinyl-methyl-amino)-boran* (26%; F: 15°; $Kp_{0,02}$: 55°) und *Dimethyl-(dimethylarsinyl-methyl-amino)-boran* (66%; Kp_4: 76°) zugänglich[3]:

$$(H_3C)_2B{-}N(Li){-}CH_3 \xrightarrow[-\ LiCl]{+\ ClM(CH_3)_2} (H_3C)_2B{-}N(M(CH_3)_2){-}CH_3$$

M = P, As

Die P-Sulfurierung einer borgebundenen Phosphinoamino-Gruppe läßt sich ohne Beeinträchtigung der C_2BN-Atomgruppierung der Amino-diorgano-borane durchführen. Man sulfuriert den Phosphor mit elementarem Schwefel. Aus Diphenyl-(diphenylphosphino-methyl-amino)-boran erhält man das entsprechende Reaktionsprodukt zu 59%[2]:

$$(H_5C_6)_2B{-}N(CH_3){-}P(C_6H_5)_2 + 1/8\ S_8 \xrightarrow{20-70°} (H_5C_6)_2B{-}N(CH_3){-}P(=S)(C_6H_5)_2$$

Diphenyl-(diphenyl-thiophinyl-methyl-amino)-boran; F: 104°

---

[1] H. Nöth u. W. Storch, B. **110**, 2607 (1977).
[2] H. Nöth, D. Reiner u. W. Storch, B. **106**, 1508 (1973).
[3] H. Fussstetter u. H. Nöth, B. **111**, 3596 (1978).

Die Desulfurierung gelingt mit Tributylphosphan, ohne daß die C_2BN-Atomgruppierung angegriffen wird[1].

Mit verschiedenen Nucleophilen (z.B. RO, NR_2, R) kann das Chlor-Atom am Phosphor-Atom der 1,2,4,3,5-Triazaphosphaborolidine (vgl. S. 282) substituiert werden[2].

γ_3) *aus Lewisbase-Organoboranen*

Erhitzt man das 1:1 Addukt aus Triphenylboran mit Triphenylphosphanimin in Ether auf 230–250°, so spaltet sich in einer lebhaften Reaktion Benzol ab. Es entsteht *Diphenyl-triphenylphosphanylidenamino-boran* in quantitativer Ausbeute. Das in Benzol monomer vorliegende Imin konnte bisher weder umkristallisiert noch sublimiert werden[3].

$$(H_5C_6)_3\overset{\oplus}{P}{=}NH{-}\overset{\ominus}{B}(C_6H_5)_3 \xrightarrow[-C_6H_6]{} (H_5C_6)_2B{-}N{=}P(C_6H_5)_3$$

Imin-Triorganoborane (vgl. S. 451ff.) können unter intramolekularer Umlagerung in cyclische Amino-diorgano-borane überführt werden (vgl. S. 76).

δ) Diorgano-silyl(und -stannyl)amino-borane

N-Silylierte sowie N-stannylierte Amino-diorgano-borane (vgl. Tab. 24, S. 101f.) sind wichtige Zwischenprodukte zur Herstellung neuer Amino-organo-borane Die Verbindungen werden überwiegend aus Diorgano-halogen-boranen oder auch aus Triorganoboranen und aus Derivaten verschiedener Amino-organo-borane hergestellt.

δ_1) *aus Triorganoboranen*

Mit Natrium- sowie mit Kalium-amid erhält man aus Diethyl-(1-ethyl-2-trimethylsilyl-1-propenyl)-boran in hohen Ausbeuten beim Erhitzen auf >120° unter Methan- und Ethan-Abspaltung Alkalimetall-4,5-diethyl-2,2,3-trimethyl-2H-1,2,5-azasilaboratolat (vgl. S. 127)[4]:

$$(H_5C_2)_2B(H_5C_2)C{=}C(CH_3)Si(CH_3)_3 + M{-}NH_2 \xrightarrow[-CH_4,\ -C_2H_6]{>100°} \left[\text{4,5-Diethyl-2,2,3-trimethyl-1,2,5-azasilaborolid}\right]^- M^+$$

M = Na, K

Natrium-4,5-diethyl-2,2,3-trimethyl-1,2,5-azasilaborolin[4]: Zur Suspension von 1,9 g (49 mmol) Natriumamid in 80 *ml* THF tropft man innerhalb 30 Min. bei 0° 8 g (38 mmol) (*E*)-Diethyl-(1-ethyl-2-trimethylsilyl-1-propenyl)-boran (vgl. Bd. XIII/3a, S. 299), läßt ~1 Stde. rühren und wärmt auf ~65°, wobei ~850 *ml* Methan frei werden. Anschließend wird bei 120–130° die gleiche Menge Ethan abgespalten; Ausbeute: 7,6 g (~100%); F: 154–156°.

Trimethylboran reagiert um 20° bei 3–4tägiger Einwirkung auf Trimethylsilylamino-trimethylsilylamino-phosphan unter Addition an die P=N-Bindung[5]:

---

[1] H. Nöth u. W. Storch, Universität München, Privatmitteilung.
[2] K. Barlos u. H. Nöth, Z. Naturf. **35b**, 407 (1980).
[3] R. Appel u. F. Vogt, B. **95**, 2225 (1962).
[4] R. Köster u. G. Seidel, Ang. Ch. **93**, 1009 (1981); engl.: **20**, 972.
[5] A.H. Cowley, J.E. Kilduff u. J.C. Wilburn, Am. Soc. **103**, 1575 (1981).

$$(H_3C)_3B + \underset{R}{\overset{(H_3C)_3Si}{N}}-P=N-Si(CH_3)_3 \xrightarrow{H_2CCl_2;\ \sim 20°} \underset{R}{\overset{(H_3C)_3Si}{N}}-\overset{CH_3}{P}-\underset{(H_3C)_3Si}{N}-B(CH_3)_2$$

R = $C(CH_3)_3$; *{[(tert.-Butyl-trimethylsilyl-amino)-methyl-phosphino]-trimethylsilyl-amino}-dimethyl-boran*; $Kp_{0,01}$: 100°
R = $(H_3C_2)_3Si$; *⟨{[Bis-(trimethylsilyl)amino]-methyl-phosphino}-trimethylsilyl-amino⟩-dimethyl-boran*; $Kp_{0,001}$: 69–70°

δ_2) *aus Diorgano-halogen-boranen*

B-Hal-Bindungen setzen sich mit den energiereicheren N–Li-Bindungen der Lithium-silylamide wesentlich rascher als mit den N–Si-Bindungen um. Lithium-trimethyl-silylamide lassen sich daher zur Herstellung von Diorgano-trimethylsilylamino-boranen verwenden. Aus Brom-dimethyl-boran sind mit Lithium-organo-trimethylsilyl-amiden Dimethyl-(organo-trimethylsilyl-amino)-borane zugänglich[1].

Auf ähnliche Weise erhält man z. B.:

Dimethyl-(isopropyl-trimethylsilyl-amino)-boran[1]	89%; Kp_{12}: 54–56°
Dimethyl-(N-trimethylsilyl-anilino)-boran[1]	82%, Kp_1: 40–42°

(tert-Butyl-trimethylsilyl-amino)-dimethyl-boran[1]**:** 7,33 g (56 mmol) tert.-Butyl-trimethylsilyl-amin werden mit 157 mmol Butyllithium in 32 *ml* Hexan versetzt und 24 Stdn. unter Rückfluß gehalten. Zu der dann vorliegenden Suspension tropft man langsam unter starkem Rühren bei 20° 6,06 g (50 mmol) Brom-dimethyl-boran. Nach beendeter exothermer Reaktion wird ohne Abfiltrieren des Unlöslichen fraktioniert destilliert; Ausbeute: 6,7 g (71%); Kp_{12}: 60° (farblos).

Aus 1-Chlor-3-methyl-borolan erhält man mit Lithium-bis[trimethylsilyl]amid in Hexan in 80%iger Ausbeute das i. Vak. unzersetzt destillierbare *1-(Bis[trimethylsilyl]-amino)-3-methyl-borolan*[2] ($Kp_{0,1}$: 106–109°):

$$H_3C\text{-}C_4H_7B{-}Cl + LiN[Si(CH_3)_3]_2 \xrightarrow[-LiCl]{Hexan} H_3C\text{-}C_4H_7B{-}N[Si(CH_3)_3]_2$$

Entsprechend sind zugänglich: *3-Methyl-1-(methyl-trimethylsilyl-amino)-borolan* (85%; $Kp_{0,01}$: 34–36°) und *3-Methyl-1-(trimethylsilyl-amino)-borolan* (55%; $Kp_{0,1}$: 47°)[2].

Dimere (Acyl-trimethylsilyl-amino)-diphenyl-borane lassen sich aus Chlor-diphenyl-boran mit Carbonsäure-trimethylsilylester-trimethylsilylimiden gewinnen[3]:

$$2\ (H_5C_6)_2B{-}Cl + 2\ (H_3C)_3Si{-}N{=}C\begin{smallmatrix}O{-}Si(CH_3)_3\\ R\end{smallmatrix} \xrightarrow[-2\ (H_3C)_3Si-Cl]{Petrolether,\ \Delta} \left[(H_5C_6)_2B{-}N\begin{smallmatrix}Si(CH_3)_3\\ CO{-}R\end{smallmatrix}\right]_2$$

R = CH_3; *(Acetyl-trimethylsilyl-amino)-diphenyl-boran*
R = CF_3; *Diphenyl-(trifluoracetyl-trimethylsilyl-amino)-boran*
R = C_6H_5; *(Benzoyl-trimethylsilyl-amino)-diphenyl-boran*

---

[1] H. Nöth, W. Tinhof u. B. Wrackmeyer, B. **107**, 518 (1974).
[2] H. Nöth u. W. Storch, B. **109**, 884 (1976).
[3] W. Maringgele u. A. Meller, Z. anorg. Ch. **443**, 148 (1978).

Die bis ~70° thermisch stabilen Dialkyl-(trimethylsilyl-trimethylsilyloxy-amino)-borane (vgl. S. 343) sind bei tiefer Temperatur aus Chlor-dialkyl-boranen mit Tris[trimethylsilyl]hydroxylamin unter Abspaltung von Chlor-trimethyl-silan in hohen Ausbeuten zugänglich[1]:

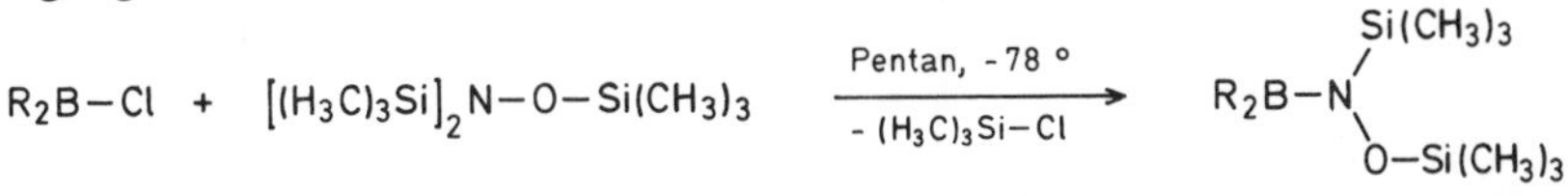

$$R_2B{-}Cl + [(H_3C)_3Si]_2N{-}O{-}Si(CH_3)_3 \xrightarrow[- (H_3C)_3Si-Cl]{\text{Pentan, -78 °}} R_2B{-}N(Si(CH_3)_3){-}O{-}Si(CH_3)_3$$

(O,N-Bis[trimethylsilyl]hydroxylamino)-...
R = CH_3; *...-dimethyl-boran*; 89%; $Kp_{0,02}$: 21°
R = C_2H_5; *...-diethyl-boran*; 96%; $Kp_{0,003}$: 24,5°
R = C_3H_7; *...-dipropyl-boran*; 77%; $Kp_{0,001}$: 38°

Mit Bis[trimethylsilyl]aminen sowie mit anderen zweifach silylierten Aminen reagieren offenkettige und cyclische Halogen-diorgano-borane gleichermaßen glatt unter Abspaltung von Halogen-trimethyl-silan zu Diorgano-silylamino-boranen.

Durch Vereinigung äquimolarer Mengen an Chlor-diphenyl-boran mit Heptamethyldisilazan erhält man das *Diphenyl-(methyl-trimethylsilyl-amino)-boran* (85% ; $Kp_{0,1}$: 140°)[2]:

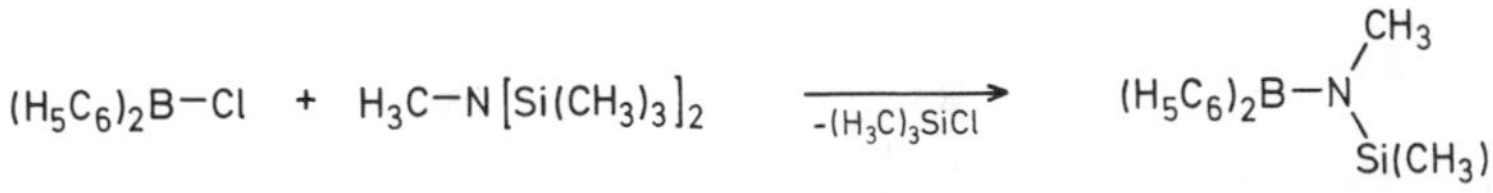

$$(H_5C_6)_2B{-}Cl + H_3C{-}N[Si(CH_3)_3]_2 \xrightarrow[-(H_3C)_3SiCl]{} (H_5C_6)_2B{-}N(CH_3){-}Si(CH_3)_3$$

Entsprechend sind z.B. *Diisopropyl-(trimethylsilylamino)-boran*[3] sowie *Diphenyl-(trimethylsilylamino)-boran*[4] zugänglich.

Aus 1-Chlor-3-methyl-borolan lassen sich 1-Trimethylsilylamino-3-methyl-borolane gewinnen[5]:

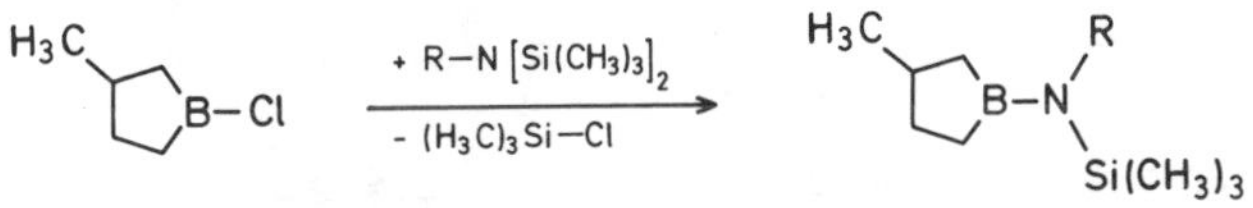

$$\text{3-}H_3C\text{-Borolan-1-}B{-}Cl \xrightarrow[- (H_3C)_3Si-Cl]{+\ R-N[Si(CH_3)_3]_2} \text{3-}H_3C\text{-Borolan-1-}B{-}N(R){-}Si(CH_3)_3$$

R = H; *3-Methyl-1-trimethylsilylamino-borolan*; 55%; $Kp_{0,01}$: 34–36°
R = CH_3; *3-Methyl-1-(methyl-trimethylsilyl-amino)-borolan*; 85%; $Kp_{0,1}$: 47°

Brom-diorgano-borane reagieren mit den SiN-Bindungen cyclischer Silazane[6]. Aus Brom-dimethyl-boran erhält man z.B. mit Nonamethylcyclotrisilazan verschiedene Produkte (s. a.S. 156). Es werden auch Amino-diorgano-borane gebildet; z.B.[6]:

[1] P. Paetzold u. T. von Bennigsen-Mackiewicz, B. **114**, 298 (1981).
[2] H. Nöth u. M.J. Sprague, J. Organometal. Chem. **22**, 11 (1970).
[3] H. Nöth u. U. Höbel, Universität München 1982.
vgl. Zulassungsarbeit U. Höbel 1982.
[4] C. Brown, R.H. Cragg, T.J. Miller u. D. O'N. Smith, J. Organometal. Chem. **217**, 139 (1981).
[5] H. Nöth u. W. Storch, B. **109**, 884 (1976).
[6] K. Barlos u. H. Nöth, B. **110**, 2790 (1977).

Tab. 27: Diorgano-silylamino-borane aus Diorgano-halogen-boranen mit Silylaminen

Diorgano-halogen-boran	Amin	Amino-diorgano-boran	Ausbeute [%]	Kp [°C]	Kp [Torr]	Literatur
a) **mit Silylaminen**						
$(H_3C)_2B-Cl$	$(H_3C)_3Si-NH_2$	*Dimethyl-trimethylsilylamino-boran*				1
$(H_5C_2)_2B-Cl$	$(H_3C)_3Si-NH_2$	*Diethyl-trimethylsilylamino-boran*				1
$(H_7C_3)_2B-Cl$	$(H_3C)_3Si-NH_2$	*Dipropyl-trimethylsilylamino-boran*	98	70–71	9	2
	$(H_3C)_2Si(Cl)-NH_2$	*[(Chlor-dimethyl-silyl)amino]-dipropyl-boran*		77–79	1	2
b) **mit Diorgano-silyl-aminen**						
$(H_3C)_2B-Cl$	$(H_3C)_3Si-N(CH_3)-CH_2-CN$	*(Cyanmethyl-methyl-amino)-dimethyl-boran*	97	67	25	3
	$(H_3C)_3Si-N(CH_2-CN)_2$	*(Bis[cyanmethyl]amino)-dimethyl-boran*	78	84	0,05	3
	$(H_3C)_3Si-N(C_6H_3(CH_3)_2)-C(CF_3)=N-C_6H_5$	*Dimethyl-[2,6-dimethyl-N-(1-phenyl-imino-trifluor-ethyl)-anilino]-boran*	80	100–102	0,002	4
	$(H_3C)_3Si-N(C_6H_5)-CO-CCl_3$	*Dimethyl-(N-trichloracetyl-anilino)-boran*	90	90	0,01	5,6
$(H_7C_3)_2B-Cl$	$(H_3C)_3Si-N(CH_3)_2$	*Dimethylamino-dipropyl-boran*	>95	57–59	12	7
$(H_9C_4)_2B-Cl$	$(H_3C)_3Si-N(CH_3)-CH_2-CH_2-CN$	*[(2-Cyanethyl)-methyl-amino]-dibutyl-boran*	80	80	0,001	3
	$(H_3C)_3Si-N(C_6H_5)-CO-CF_3$	*Dibutyl-(N-trifluoracetyl-anilino)-boran*	90	105	0,3	5
$(H_5C_6)_2B-Cl$	$(H_3C)_3Si-N(C_6H_5)-CO-CF_3$	*Diphenyl-(N-trifluoracetyl-anilino)-boran*	90	(F: 105°) (Subl.p.$_{0,001}$: 140°)		5,6
	$(H_3C)_3Si-N$(Imidazol)	*Diphenyl-imidazolino-boran*				8

[1] H. Nöth, W. Tinhof u. B. Wrackmeyer, B. **107**, 518 (1974).
[2] H. Nöth, Z. Naturf. **16b**, 618 (1961).
[3] A. Meller, W. Maringgele u. F.J. Hirninger, J. Organometal. Chem. **136**, 289 (1977).
[4] W. Maringgele u. A. Meller, Z. anorg. Ch. **445**, 107 (1978).
[5] W. Maringgele u. A. Meller, Z. anorg. Ch. **436**, 173 (1977).
[6] W. Maringgele u. A. Meller, M. **110**, 63 (1979).
[7] H. Nöth u. W. Storch, B. **110**, 2607 (1977).
[8] I.A. Boenig, W.R. Conway u. K. Niedenzu, Synth. React. Inorg. Metal-org. Chem. **5**, 1 (1975); C.A. **83**, 10233 (1975).

Tab. 27: (Forts.)

Diorgano-halogen-boran	Amin	Amino-diorgano-boran	Ausbeute [%]	Kp [°C]	Kp [Torr]	Literatur
c) mit Bis[silyl]aminen						
$(H_3C)_2B–Cl$	$[(H_3C)_3Si]_2N–CH_3$	*Dimethyl-(methyl-trimethylsilyl-amino)-boran*	73	129,5–131,5	747	[1]
$(H_5C_6)_2B–Cl$	$[(H_3C)_3Si]_2N–CH_3$	*Diphenyl-(methyl-trimethylsilyl-amino)-boran*	85	140	0,1	[1]
	$[(H_3C)_3Si]_2NH$	*Bis[trimethylsilyl] amino-diphenyl-boran*	50	110	0,1	[2]
d) mit Phosphanyl-silyl-aminen						
$(H_3C)_3B–Cl$	$(H_3C)_3Si–N(CH_3)–P(S)Cl_2$	*(Dichlorthiophosphoryl-methyl-amino)-dimethyl-boran*	71	39	0,01	[3]
	$(H_3C)_3Si-N(CH_3)-P(S)(CH_3)_2$	*Dimethyl-(dimethylthiophosphoryl-methyl-amino)-boran*	86	175–177	0,001	[4]
	$(H_3C)_3Si–N(CH_3)-P(C_6H_5)-N(CH_3)–B(CH_3)_2$	*Bis[dimethylboryl-methyl-amino]-phenyl-phosphan*	99	115	0,1	[5]
$(H_9C_4)_2B–Cl$	$(H_3C)_3Si–N(CH_3)-P(C_6H_5)_2$	*Dibutyl-(diphenylphosphino-methyl-amino)-boran*	67	153	0,01	[5]
$(H_5C_6)_2B–Cl$	$(H_3C)_3Si–N(CH_3)–P(C_6H_5)_2$	*Diphenyl-(diphenylphosphino-methyl-amino)-boran*	82	(F: 83–86°)		[5]

[1] H. Nöth u. M. J. Sprague, J. Organometal. Chem. **22**, 11 (1970); C. A. **72**, 132 838 (1970).

[2] C. Brown, R. H. Cragg, T. J. Miller u. D. O'N. Smith, J. Organometal. Chem. **217**, 139 (1981).

[3] G. Muckle, H. Nöth u. W. Storch, B. **109**, 2592 (1976).

[4] H. Nöth, D. Reiner u. W. Storch, B. **106**, 1508 (1973).

[5] H. Nöth u. W. Storch, B. **110**, 2607 (1977).

$$(H_3C)_2B{-}Br \xrightarrow[\substack{H_2CCl_2 \\ -(H_3C)_2SiBr_2}]{+\ [(H_3C)_2Si{-}N(CH_3)]_3} (H_3C)_2B{-}N(CH_3){-}Si(CH_3)_2Br$$

[(Brom-dimethyl-silyl)-methyl-amino]-dimethyl-boran[1]; 72%

$$\downarrow + (H_3C)_2BBr$$

$$[(H_3C)_2B]_2N{-}CH_3$$

Aus Brom-diphenyl-boran lassen sich entsprechend maximal 80% *[(Brom-dimethyl-silyl)-methyl-amino]-diphenyl-boran* gewinnen[1].

Aus Dibrom-methyl-boran ist mit dem Dilithium-Salz des Allyl-trimethylsilyl-amins in Hexan *2-Methyl-1-trimethylsilyl-2,5-dihydro-1,2-azaborol* (32%; Kp_{18-20}: 50–52°) zugänglich[2]:

$$H_3C{-}BBr_2 + Li{-}CH{=}CH{-}CH_2{-}N(Si(CH_3)_3)Li \xrightarrow[-\,2\,LiBr]{Hexan} \text{1-}Si(CH_3)_3\text{-2-}CH_3\text{-2,5-dihydro-1,2-azaborol}$$

Aus Brom-dimethyl-boran erhält man mit Natrium-bis[trimethylsilyl]amid in Pentan in 80%iger Ausbeute *Bis[trimethylsilyl]amino-dimethyl-boran* (Kp_8: 53–55°)[3].

Mit Trimethylstannylaminen lassen sich aus Diorgano-halogen-boranen besonders leicht Amino-diorgano-borane herstellen[4,5]. Die Methode wird hauptsächlich zur Gewinnung mehrfach borylierter Amine eingesetzt (vgl. S. 294). Sie dürfte auch zur Knüpfung von BN-Bindungen gut geeignet sein, die sonst nicht oder nur schwer gebildet werden. Mehrere Trimethylstannyl-Reste am selben Stickstoff-Atom reagieren unterschiedlich rasch. So läßt sich z.B. aus äquimolaren Mengen 1-Brom-3-methyl-borolan und Tris[trimethylstannyl]amin bei ~25° in Toluol unter Abspaltung von Brom-trimethyl-stannan *1-Bis[trimethylstannyl]amino-3-methyl-borolan* isolieren[4]:

$$\text{3-}H_3C\text{-borolan-}B{-}Br \xrightarrow[-\,(H_3C)_3SnBr]{+\,N[Sn(CH_3)_3]_3} \text{3-}H_3C\text{-borolan-}B{-}N[Sn(CH_3)_3]_2$$

δ_3) *aus Amino-organo-boranen*

Aus Amino-diorgano-boranen sind unter Transaminierung (vgl. S. 48ff.) mit Amino-triorgano-silanen N-silylierte Amino-diorgano-borane zugänglich. Zur Herstellung von *Diethyl-triethylsilylamino-boran* (Kp_2: 48–51°) aus Diethyl-diethylamino-boran mit Triethylsilylamin s. Lit.[5].

Zur Herstellung N-silylierter sowie N-stannylierter Amino-diorgano-borane werden N-Alkalimetall-substituierte Amino-diorgano-borane verwendet.

---

[1] K. Barlos u. H. Nöth, B. **110**, 2790 (1974).
[2] J. Schulze, R. Boese u. G. Schmid, B. **114**, 1297 (1981).
[3] W. Haubold u. U. Kraatz, Z. anorg. Ch. **421**, 105 (1976).
[4] W. Storch u. H. Nöth, Ang. Ch. **88**, 231 (1976).
[5] H. Nöth u. W. Storch, B. **109**, 884 (1976).
[6] K. Niedenzu, J.W. Dawson, P. Fritz u. H. Jenne, B. **98**, 3050 (1965).

Die Trimethylsilylierung am *N*-Atom der Diorgano-lithioamino-borane gelingt mit Chlor-trimethyl-silan. *Dimethyl-(ethyl-trimethylsilyl-amino)-boran* (Kp_{85}: 79–81°) ist in 35% Ausbeute aus Dimethyl-ethylamino-boran zugänglich[1].

Diorgano-(1-lithiohydrazino)-borane reagieren mit Chlor-trimethyl-silan unter Substitution am N-Atom ohne Veränderung der R_2BN-Gruppierung[2]; z.B.:

$$(H_3C)_2B-N(Li)-N(CH_3)_2 + (H_3C)_3Si-Cl \xrightarrow[-LiCl]{Pentan} (H_3C)_2B-N(Si(CH_3)_3)-N(CH_3)_2$$

Dimethyl-(2,2-dimethyl-1-trimethylsilyl-hydrazino)-boran; 58%; Kp_{35}: 74°

Entsprechend lassen sich auch Diorgano-trimethylstannylamino-borane herstellen. Diphenyl-(lithio-methyl-amino)-boran reagiert mit Chlor-trimethyl-stannan in 47% Ausbeute unter Bildung von *Diphenyl-(methyl-trimethylstannyl-amino)-boran* (Kp_1: 118°)[3]:

$$(H_5C_6)_2B-N(CH_3)-Li + (H_3C)_3Sn-Cl \xrightarrow[-LiCl]{} (H_5C_6)_2B-N(CH_3)-Sn(CH_3)_3$$

Die Natrium-Verbindungen N-silylierter, cyclischer Amino-diorgano-borane(I) reagieren mit Elektrophilen. Man erhält z.B. aus der *N*-Natrium-Verbindung mit Jodmethan oder Methyltosylat das *4,5-Diethyl-1,2,2,3-tetramethyl-2,5-dihydro-1,2,5-azasilaborol*[4]:

$$[\text{I}]^- Na^+ \xrightarrow[-H_3C-C_6H_4-SO_2-ONa]{+H_3C-C_6H_4-SO_2-OCH_3} \text{4,5-Diethyl-1,2,2,3-tetramethyl-2,5-dihydro-1,2,5-azasilaborol}$$

I

4,5-Diethyl-1,2,2,3-tetramethyl-2,5 dihydro-1,2,5-azasilaborol[4]: Zur Lösung von 30,3 g (149 mmol) Natrium-4,5-diethyl-2,2,3-trimethyl-2H-1,2,5-azasilaborolat in 250 *ml* THF tropft man innerhalb 1 Stde. 24,2 g (171 mmol) Methyljodid, wobei ~45° erreicht werden. Nach 4 Stdn. Erhitzen zum Rückfluß wird filtriert, das Lösungsmittel bei 12 Torr abdestilliert und danach fraktioniert; Ausbeute: 25,2 g (87%); Kp_{12}: 67–68°.

Aus Halogen-organo-silylamino-boranen sind mit metallorganischen Verbindungen Diorgano-silylamino-borane zugänglich.

Chlor-phenyl-(2,2,5,5-tetramethyl-1,2,5-azadisilolan-1-yl)-boran reagiert z.B. mit Methyllithium in Ether unter Bildung von *Methyl-phenyl-(2,2,5,5-tetramethyl-1,2,5-azadisilolan-1-yl)-boran* ($Kp_{0,2}$: 65–67°) in 57% Ausbeute[5]:

$$H_5C_6-B(Cl)-N[Si(CH_3)_2CH_2CH_2Si(CH_3)_2] \xrightarrow[-LiCl]{+H_3C-Li/(H_5C_2)_2O} H_5C_6-B(CH_3)-N[Si(CH_3)_2CH_2CH_2Si(CH_3)_2]$$

[1] I. Geisler u. H. Nöth, B. **106**, 1943 (1973).
[2] H. Fussstetter u. H. Nöth, A. **1981**, 633.
[3] H. Nöth, W. Tinhof u. B. Wrackmeyer, B. **107**, 518 (1974).
[4] R. Köster u. G. Seidel, A. **1977**, 1837.
[5] Y.F. Beswick, P. Wisian-Weilson u. R.H. Neilson, J. Inorg. & Nuclear Chem. **43**, 2639 (1981).

ε) Diorgano-metallamino-borane

Zur Verbindungsklasse zählen verschiedenartige N-metallierte Amino-diorgano-borane. Außer den Alkalimetallen können Nebengruppenmetalle (z. B. Zink, Quecksilber) sowie Übergangsmetalle (z. B. Eisen, Cobalt, Nickel) ans Stickstoff-Atom der Amino-diorgano-borane gebunden sein. Die Herstellung erfolgt aus Amino-diorgano-boranen oder bestimmten N-metallierten Amino-diorgano-boranen sowie aus Amino-organo-boraten.

ε₁) aus Amino-diorgano-boranen

Aus Amino-diorgano-boran mit mindestens einem H-Atom am N-Atom erhält man mit Organo-lithium-Verbindungen *N*-Lithio- und *N,N*-Dilithio-Derivate[1-6].

Die N-Lithiierung von Dimethyl-methylamino-boran mit Organo-lithium-Verbindungen ist vom Lösungsmittel und vom Organo-Rest abhängig. Reines *Dimethyl-(lithio-methyl-amino)-boran* (93%) erhält man aus Dimethyl-methylamino-boran mit tert.-Butyllithium in Pentan[4]:

$$(H_3C)_2B{-}NH{-}CH_3 \xrightarrow[-\ (H_3C)_2CH-CH_3]{+\ Li-C(CH_3)_3\ /\ Pentan} (H_3C)_2B{-}N(Li)(CH_3)$$

Dimethyl-(lithio-methyl-amino)-boran[4]**:** Zu 15,6 g (220 mmol) Dimethyl-methylamino-boran in 100 *ml* Pentan gibt man bei –50° unter kräftigem Rühren 97 *ml* einer 2,3 M tert.Butyllithium-Lösung (223 mmol) in Pentan. Man entfernt das Kühlbad. Bei –20° bildet sich unter Gasabspaltung ein farbloser Niederschlag. Er wird (nach 2 Tagen) abgefrittet, mit ~10 *ml* Pentan gewaschen und i. Hochvak. getrocknet; Ausbeute: 15,7 g (93%; pyrophor); Subl. $p._{10^{-4}}$: ~170°.

Die Verbindung ist bei ~180° ~2 Stdn. stabil; in Diethylether und THF sehr gut, in Kohlenwasserstoffen nicht löslich.

Mit anderen lithiumorganischen Verbindungen (z. B. Methyllithium) und in polaren Lösungsmitteln (z. B. Diethylether, Tetrahydrofuran, Trimethylamin) sind die Ausbeuten geringer, da Neben- und Folgereaktionen zur Bildung von Lithiumtetramethylborat und Hexamethylborazin führen[4].

Aus 9-Amino-9-borabicyclo[3.3.1]nonan erhält man mit tert.-Butyllithium im Mengenverhältnis 1:1 bzw. 1:2 in Heptan *9-Lithioamino-* bzw. *9-Dilithioamino-9-borabicyclo[3.3.1]nonan* (93%; F: >280°)[3]:

$$B{-}NH_2 \xrightarrow[-\ (H_3C)_2CH-CH_3]{+\ (H_3C)_3CLi,\ Heptan;\ 60-70°,\ \sim 2\ Stdn.} B{-}N(H)(Li)$$

$$B{-}NH_2 \xrightarrow[-\ 2\ (H_3C)_2CH-CH_3]{+\ 2\ (H_3C)_3CLi,\ Heptan;\ 6\ Stdn.} B{-}NLi_2$$

Reines *Dimethyl-(lithio-trimethylsilyl-amino)-boran* ist aus Dimethyl-trimethylsilyl-amino-boran mit tert.-Butyllithium in Diethylether/Pentan nur noch zu ~50% zugäng-

---

[1] I. GEISLER u. H. NÖTH, Chem. Commun. **1969**, 775.
[2] I. GEISLER u. H. NÖTH, B. **106**, 1943 (1973).
[3] R. KÖSTER u. G. SEIDEL, A. **1977**, 1837.
[4] H. FUSSSTETTER, R. KROLL u. H. NÖTH, B. **110**, 3829 (1977).
[5] H. FUSSSTETTER u. H. NÖTH, B. **111**, 3596 (1978).
[6] H. FUSSSTETTER u. H. NÖTH, B. **112**, 3672 (1979).

lich[1]. Die Bildung von Amino-triorgano-boraten (vgl. S. 852) wird schließlich mit Methyllithium zur Hauptreaktion[1].

Das *N*-ständige H-Atom von 1,2-Dihydro-1,2-azaborinen kann im allgemeinen ohne die konkurrierende Öffnung der BN-Bindungen mit Methyl-oder Butyl-lithium durch ein Lithium-Atom ausgetauscht werden[2-4].

Aus Lithioamino-diorgano-boranen sind zahlreiche am N-Atom substituierte Amino-diorgano-borane gut zugänglich. Vielfach werden die N-Lithio-Derivate in situ gewonnen und unmittelbar mit den elektrophilen Reagenzien umgesetzt. Verwendet werden z.B. Verbindungen des Schwefels, Phosphors, Arsens, Kohlenstoffs, Siliciums, Zinns sowie des Quecksilbers.

Die *N*-Lithio-Verbindungen können leicht am *N*-Atom mit Dimethylsulfat methyliert[3] oder allgemein mit Alkylhalogeniden alkyliert[4,5], mit Allylbromiden allyliert[5] oder mit Propansäurechlorid acyliert[4,5] werden.

An das Stickstoff-Atom bestimmter Amino-diorgano-borane lassen sich ohne Beteiligung des Bor-Atoms auch Ligand-Übergangsmetall-Verbindungen addieren; z.B.[6]:

$$2\ (H_5C_2)_2B{-}N{=}C(C_6H_5)_2 \xrightarrow[-2\ H_5C_6{-}C{\equiv}N]{+(H_5C_6{-}C{\equiv}N)_2PdCl_2/Pentan} \left[(H_5C_2)_2B{-}N{=}C(C_6H_5)_2\right]_2PdCl_2$$

Bis[diethyl-diphenylmethylenamino-boran]-dichloro-palladium; 73%

Analog ist die borferne Komplexierung des Dimethyl-dimethylamino-borans an Diallylnickel aufzufassen[7]:

$$2\ (H_3C)_2B{-}N(CH_3)_2 + \langle\!\langle{-}Ni{-}\rangle\!\rangle \xrightarrow[-1/2\ C_6H_{10}]{} \left[(H_3C)_2B{-}\overset{CH_3}{\underset{CH_3}{N}}{-}\right]_2 Ni{-}\rangle\!\rangle$$

π-Allyl-bis[dimethyl-dimethylamino-boran]-nickel

ε_2) *aus N-metallierten Amino-diorgano-boranen*

Vor allem N-alkalimetallierte Amino-diorgano-borane werden zur Herstellung von nebengruppenmetall- und übergangsmetallierten Amino-diorgano-boranen eingesetzt. Beispielsweise bilden sich aus Dimethyl-(lithio-methyl-amino)-boran mit der äquimolaren Menge Zinn(II)-chlorid bisher nicht isolierte borylierte Zinn(II)-bisamide[8].

Mit Quecksilber(II)-chlorid erhält man die entsprechenden N-Quecksilber-Verbindungen[9]:

---

[1] H. Fussstetter, R. Kroll u. H. Nöth, B. **110**, 3829 (1977).
[2] M.J.S. Dewar, R. Dietz, V.P. Kubba u. A.R. Lepley, Am. Soc. **83**, 1754 (1961).
[3] M.J.S. Dewar u. P.M. Maitlis, Am. Soc. **83**, 187 (1966).
[4] M.J.S. Dewar u. P.M. Maitlis, Tetrahedron **15**, 35 (1961).
[5] M.J.S. Dewar, J. Hashmall u. V.P. Kubba, J. Org. Chem. **29**, 1755 (1964).
[6] G. Schmid u. L. Weber, B. **107**, 547 (1974).
[7] G. Schmid, B. **103**, 528 (1970).
[8] H. Fussstetter u. H. Nöth, B. **112**, 3672 (1979).
[9] H. Fussstetter u. H. Nöth, B. **113**, 791 (1980).

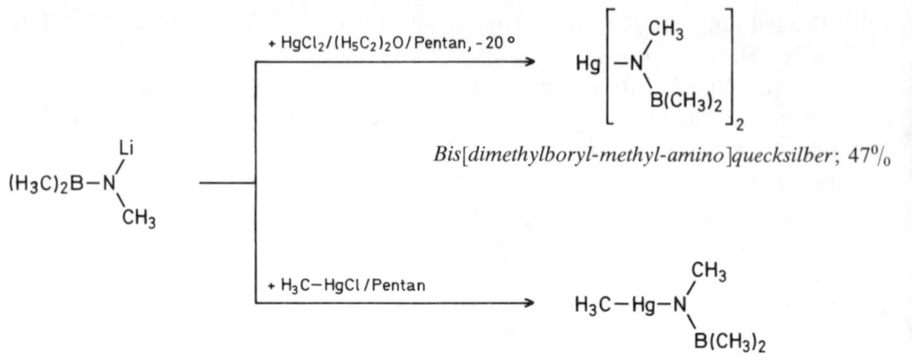

$(H_3C)_2B-N(Li)-CH_3$ + $HgCl_2/(H_5C_2)_2O$/Pentan, -20° → $Hg[-N(CH_3)-B(CH_3)_2]_2$

Bis[dimethylboryl-methyl-amino]quecksilber; 47%

$(H_3C)_2B-N(Li)-CH_3$ + $H_3C-HgCl$/Pentan → $H_3C-Hg-N(CH_3)-B(CH_3)_2$

Dimethyl-(methyl-methylmercuri-amino)-boran; 33%

Aus Natrium-4,5-diethyl-2,2,3-trimethyl-2H-1,2,5-azasilaborolat[1] erhält man mit Eisen(II)-chlorid in Diethylether in 60%iger Ausbeute *1,2-μ²-Tetrakis[4,5-diethyl-2,2,3-trimethyl-2,5-dihydro-1H-1,2,5-azasilaborol-1-yl]-dieisen* (vgl. S. 320)[2,3]:

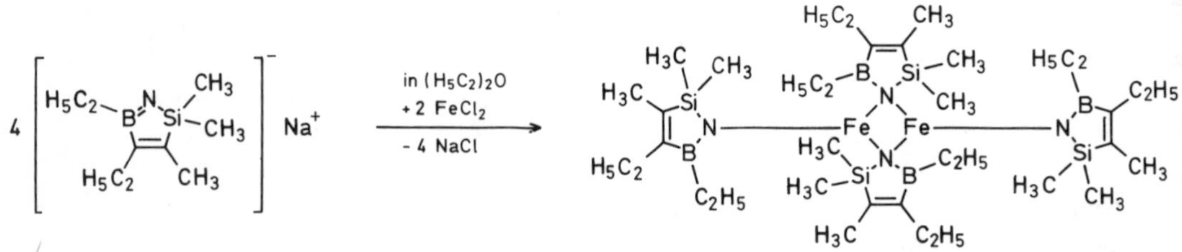

4 [Azasilaborolat]⁻ Na^+ → in $(H_5C_2)_2O$, + 2 $FeCl_2$, - 4 NaCl → Dieisen-Komplex

1,2-μ²-Tetrakis[4,5-diethyl-2,2,3-trimethyl-2,5-dihydro-1,2,5-azasilaborol-1-yl]-dieisen[2]: Zu 792,2 mg (6,2 mmol) Eisen(II)-chlorid in 30 *ml* Diethylether tropft man rasch eine Lösung von 2,5 g (12,3 mmol) Natrium-4,5-diethyl-2,2,3-trimethyl-2H-1,2,5-azasilaborolat in 40 *ml* Diethylether. Nach 2 Stdn. Rühren bei ~20° ist die anfänglich hellbeige Suspension hellgrün. Man rührt ~40 Stdn. und filtriert die dunkelbraune Lösung. Nach Einengen i. Vak. (12 Torr) wird der Rückstand in Pentan (≦20 *ml*) bei –70° umkristallisiert. Nach Abhebern der Mutterlauge bei –78° und Waschen mit kaltem Pentan wird i. Vak. (0,1 Torr) getrocknet; Ausbeute: 1,7 g (65%); F: 161,5–162° (Zers.).

Entsprechend erhält man mit Cobalt(II)-chlorid 52% *1,2-μ²-Tetrakis[4,5-diethyl-2,2,3-trimethyl-2,5-dihydro-1,2,5-azasilaborol-1-yl]-dicobalt* (F: 179–180°)[2,4].

ε_3) *aus Organoboraten*

Zur Herstellung bestimmter N-metallierter Amino-diorgano-borane werden auch verschiedene Organoborate(1-) eingesetzt. Hydro-triorgano-borate (vgl. S. 803) und Amino-triorgano-borate (vgl. S. 852) lassen sich verwenden.

Lithium-hydro-triethyl-borat reagiert mit dem dimeren η^5-Cyclopentadienyl-dinitrosyl-chrom u.a. in bescheidener Ausbeute (~6%) zu einer Komplexverbindung, die eine diethylborylierte Amino-Gruppe (vgl. oben) in der CrCr-Brücke enthält[5]:

---

[1] R. Köster u. G. Seidel, Ang. Ch. **93**, 1009 (1981); engl.: **20**, 772.
[2] R. Köster u. G. Seidel, Mülheim a.d. Ruhr, unveröffentlicht 1980.
[3] Strukturbestimmung: R. Boese, Universität Essen 1980.
[4] Strukturbestimmung von C. Krüger, Mülheim a.d. Ruhr, unveröffentlicht 1981.
[5] R.G. Ball, B.W. Hames, P. Legzdins u. J. Trotter, Inorg. Chem. **19**, 3626 (1980).

$$Li^+ [(H_5C_2)_3BH]^- + (C_5H_5)(ON)Cr(\mu\text{-}NO)_2Cr(NO)(C_5H_5) \xrightarrow{THF} \begin{cases} \text{I} \\ (H_5C_5)Cr(NO)_2(C_5H_5) \\ (H_5C_5)(NO)Cr(\mu\text{-}NH_2)(\mu\text{-}NO)Cr(NO)(C_5H_5) \end{cases}$$

I; *μ-(Diethylboryl-ethyl-amino)-μ-nitroso-1,2-bis[η⁵-cyclopentadienyl]-1,2-dinitroso-dichrom*; F: 150° (Zers.; purpurrot)

Aus N-silylierten Amino-triorgano-boraten sind thermisch bisweilen Amino-diorgano-borane zugänglich[1]. Silylamino-trialkyl-borate lassen sich im Gegensatz zu Alkylamino-trialkyl-boraten relativ leicht zu Dialkyl-lithio-amino-boranen zersetzen[1]:

$$\left[(H_3C)_3B{-}N(H)Si(CH_3)_3\right]^- Li^+ \xrightarrow{-CH_4} (H_3C)_2B{-}N(Li)Si(CH_3)_3$$

Alkalimetall-amino-triorgano-borate (vgl. S. 858) reagieren beim Erhitzen auf ~100° unter Abspaltung von Alkan bzw. Aren unter Bildung von Alkalimetalloamino-diorgano-boranen unbekannter Strukturen. In Abhängigkeit von Alkalimetall (Natrium, Kalium) und vom Organo-Rest (Alkyl, Phenyl) werden bis zu zwei Mol-Äquivalente Kohlenwasserstoff entweder abgestuft (Natrium, Ethyl: 90–120° bzw. 180°) oder ohne Haltepunkt (Kalium, Ethyl: 110–120°) abgespalten[2].

$$Na^+ [(H_5C_2)_3B{-}NH_2]^- \xrightarrow[-C_2H_6]{90-120°} Na^+ [(H_5C_2)_2B{=}NH]^- \xrightarrow[-C_2H_6]{\sim 180°} 1/x\ \{H_5C_2{-}B{=}N{-}Na\}_x$$

Die Alkan-Abspaltung aus cyclischen Silylamino-triorgano-boraten erfolgt bei tieferen Temperaturen. Die Natrium-Verbindungen reagieren bereits bei ~130° unter Bildung von cyclischen Natriumamino-diorgano-boranen[2]. Aus Natrium- bzw. Kalium-4,5,5-triethyl-2,2,3-trimethyl-2,5-dihydro-1,2,5-azasilaborol erhält man bei Erwärmen auf <100° unter Abspalten von Ethan praktisch quantitativ die *Natrium-* bzw. *Kalium-4,5-diethyl-2,2,3-trimethyl-2,5-dihydro-1,2,5-azasilaborole*[3]:

$$\left[(H_5C_2)_2B(N{-}H)Si(CH_3)_2{-}C(CH_3){=}C(C_2H_5)\text{-ring}\right]^- Na^+ \xrightarrow[-C_2H_6]{\sim 130°} \left[H_5C_2{-}B{=}N{-}Si(CH_3)_2{-}C(CH_3){=}C(C_2H_5)\text{-ring}\right]^- Na^+$$

Natrium-4,5-diethyl-2,2,3-trimethyl-2H-1,2,5-azasilaboratolat[3]: Man erhitzt 50,8 g (218 mmol) Natrium-4,5,5-triethyl-2,2,3-trimethyl-2,5-dihydro-1H-1,2,5-azasilaboratolat auf 120–130°, wobei innerhalb ~ 2 Stdn. 4,8 N*l* (98%) Ethan frei werden; Ausbeute: 44 g (99%); F: 154–156°.

---

[1] H. Fussstetter u. H. Nöth, B. **111**, 3596 (1978).
[2] R. Köster u. G. Seidel, Mülheim a.d. Ruhr, unveröffentlicht 1976.
[3] R. Köster u. G. Seidel, Ang. Ch. **93**, 1009 (1981).

b) Organobor-Stickstoff-Wasserstoff-Verbindungen

Zur Verbindungsklasse zählen Amino-hydro-organo-borane, Alkylidenamino-hydro-organo-borane (vgl S. 137) und Hydrazino-hydro-organo-borane (vgl. S. 137). Organobor-Stickstoff-Wasserstoff-Verbindungen mit der RBHN-Atomgruppierung (vgl. Tab. 28) sind als cyclische Borane thermisch stabil. Ihre Herstellung gelingt aus Hydroboranen, Diboranen(4), verschiedenen Lewisbase-Boranen (vgl. Tab. 30, S. 135) und vor allem aus verschiedenen Aminoboranen.

Organobor-Stickstoff-Wasserstoff-Verbindungen, die die 1,3,2-Diborazan-Gruppierung, die 1,3,5,2,4-Triboradiazan-Gruppierung oder die Borazin-Struktur u. ä. enthalten, werden auf den S. 291, 325 bzw. 363 besprochen.

Tab. 28: Organobor-Stickstoff-Wasserstoff-Verbindungen

Formel	Verbindungstyp	Herstellung	s. S.
$H_5C_2-B(H)-N[CH(CH_3)_2]_2$	$R-B(<)-N<$	aus $H_2B-N<$ + En	131
$H_9C_4-B(H)-NR_2$	$R-B(H)-N<$		
R = Alkyl		aus Do—RBH_2 + R—NH_2	134
R = CH_3		aus $(R)(-N<)B-B(R)(N<)$ + △	133
R = C_6H_5		aus Do—RBH_2 + R—NH_2	134
1-C_3H_7-1-aza-2-bora-cyclopentan (N–BH im Ring); 1-($CH_2-C_6H_5$)-1-aza-2-bora-cyclohexan (N–BH im Ring)	$HB(N<)R$ (Ring)	aus Do—BH_3 + $R^1-NH(R^2)-R_{en}$ + R_{en}—N=CH—R	136
$[(H_3C)_3C-B(H)-N=CH-C_6H_5]_2$	$R^1-B(H)-N=CH-R^2$	aus Do—R^1BH_2 + R^2—C≡N	137
Benzo-kondensiertes B–H / N–CH_3-Ringsystem	$HB(N<)(R)Ar$ (Ring)	aus $H_2B-N(Ar)<$ + △	131
Benzo-kondensiertes N–H / B–H-Ringsystem	$HB(N<)(Ar)R_{en}$ (Ring)	aus Hal–B(NH)(Ar)R_{en} + Li[AlH_4]	130
C_3H_7-N/BH-Ring mit H_5C_2O-Substituent	$HB(N<)R^O$ (Ring)	aus RO–B(N<)R (Ring) + Li[AlH_4]	131
Thieno-kondensiertes B(H)–N(CH_3)–N=N-Ringsystem	$HB(N-N)R^S_{en}$ (Ring)	aus RO–B(N–N)R_{en} (Ring) + Li[AlH_4]	137

1. Amino-hydro-organo-borane

Die Verbindungsklassen werden vor allem aus Hydroboranen und aus verschiedenen Aminoboranen sowie einigen Lewisbase-Boranen hergestellt.

α) aus Hydroboranen

Bei der Herstellung von Amino-hydro-organo-boranen aus Hydroboranen mit Aminen bzw. Amidinen handelt es sich um Reaktionen der Additionsverbindungen der Hydro-organo-borane, die auf S. 476, 485 besprochen werden.

Eine besondere Kopplung von Aminierung und Organylierung ist die B–C-Verknüpfung durch 1,1-Hydroborierung von Isonitrilen, der eine intermolekulare doppelte BN-Verknüpfung unter Sechsringbildung folgt. So addiert z.B. Phenylisonitril in etherischer Lösung bei –111° Diboran(6) unter Bildung von *1,4-Diphenyl-1,4,2,5-diazadiborinan* (F: 80–120°)[1].

Diboran(6) reagiert mit Cyclohexylisonitril in Ether bei –80° in einem Hydroborierungsschritt zunächst quantitativ zu I ($Kp_{0,001}$: 95–100°; F: 91°), das sich beim mehrfachen Sublimieren in *1,4-Dicyclohexyl-1,4,2,5-diazadiborinan* (II; F: 117–119°, Zers.) umlagert[2]:

B_2H_6 + 2 $\overset{\ominus}{C}\equiv\overset{\oplus}{N}-R$ ⟶ I ⟶ II

β) aus Aminoboranen

Die wichtigsten Herstellungsmethoden für Amino-hydro-organo-borane gehen von Aminoboranen aus. Diese werden entweder mit Boranen oder mit Metallhydriden sowie mit geeigneten ungesättigten Kohlenwasserstoffen umgesetzt.

β₁) *aus Amino-diorgano-boranen*

Aus Diethyl-[methyl-(2-phenylethyl)-amino]-boran erhält man mit Tetraethyldiboran(6) bei 230° in 78%iger Ausbeute *Ethyl-hydro-[methyl-(2-phenylethyl)-amino]-boran*[3]:

$(H_5C_2)_2B-N(CH_3)-CH_2-CH_2-C_6H_5$ + $(H_5C_2)_2BH$ ⟶ $H(H_5C_2)B-N(CH_3)-CH_2-CH_2-C_6H_5$ + $(H_5C_2)_3B$

Bei der Einwirkung von überschüssigem Wasserstoff auf eine Mischung von (Benzyl-methyl-amino)-diethyl-boran und Triethylboran im Stahlautoklaven bei 195–205° entsteht mit Ausgangsmaterial verunreinigtes *(Benzyl-methyl-amino)-ethyl-hydro-boran*[3].

---

[1] J. Tanaka u. J.C. Carter, Tetrahedron Letters **1965**, 329.
[2] A. Haag u. G. Hesse, Intra.-Sci. Chem. Rep. **7**, 106ff. (1973); dort ältere Literatur.
[3] R. Köster, K. Iwasaki, S. Hattori u. Y. Morita, A. **720**, 23 (1969).

Als Nebenprodukt erhält man Ethan und andere ethylierte Borane. Auf analogem Weg ist *Ethyl-hydro-[methyl-(2-phenylethyl)-amino]-boran* in 56%iger Ausbeute zugänglich[1].

β_2) *aus Amino-hydro-organo-boranen*

Wegen der Reaktivität der >BH-Funktion lassen sich borferne Reaktionen an Amino-hydro-organo-boranen nur in Spezialfällen verwirklichen; hierzu zählt z.B. die katalytische Dehydrierung von 1-Methyl-1,2-azaborinan zum *1-Methyl-1,2-dihydro-1,2-azaborin*[2]:

$$\text{1-Methyl-1,2-azaborinan} \xrightarrow[-2\,H_2]{Pd/Al_2O_3,\ \sim 350°} \text{1-Methyl-1,2-dihydro-1,2-azaborin}$$

β_3) *aus Amino-halogen-organo-boranen*

Lithiumhydrid ist ein geeignetes Mittel, um das Chlor-Atom in Amino-chlor-organo-boranen durch ein Wasserstoff-Atom zu ersetzen[3]; z.B.:

$$H_9C_4(Cl)B{-}N(CH_3)_2 + LiH \xrightarrow[-LiCl]{} H_9C_4(H)B{-}N(CH_3)_2$$

Molekulargewichtsbestimmungen in Benzol lassen auf ein Monomer/Dimer-Gleichgewicht schließen. Im Dampfzustand liegt wahrscheinlich nur das monomere Boran vor.

Butyl-dimethylamino-hydro-boran[3]**:** 18,4 g (0,12 mol) Butyl-chlor-dimethylamino-boran werden in 50 *ml* Ether gelöst und mit 20 *ml* einer 18 M Lithiumhydrid-Suspension in Ether unter Rühren versetzt. Nach Abklingen der exothermen Reaktion wird das Reaktionsgemisch 30 Min. am Rückfluß erhitzt, danach der unlösliche Anteil abgetrennt, das Lösungsmittel abgezogen und fraktioniert; Ausbeute: 11,0 g (78%); Kp_{719}: 118–120°.

An einem Bor-Atom gebundenes Chlor in boraromatischen Sechsringsystemen läßt sich mit Hilfe von Lithiumtetrahydroaluminat oder Natriumtetrahydroborat leicht durch das Hydrogen-Atom austauschen. Die erhaltenen Hydroborane sind gegen Hydrolyse und Oxidation bemerkenswert stabil[4].

5,6-Dihydro-⟨dibenzo-1,2-azaborin⟩[4]**:** Eine Lösung von 0,8 g (21 mmol) Lithiumtetrahydroaluminat in 100 *ml* Ether wird langsam unter Rühren und Eiskühlung zu einer Lösung von 12 g (73 mmol) 6-Chlor-5,6-dihydro-⟨dibenzo-1,2-azaborin⟩ in 200 *ml* Ether getropft. Danach wird 1 Stde. am Rückfluß erhitzt. 10 *ml* Essigsäureethylester werden zugegeben, die Reaktionslösung filtriert und i. Vak. eingedampft. Der Rückstand wird aus Petrolether umkristallisiert; Ausbeute: 7 g (70%); F: 69–70°.

1,2-Dihydro-⟨benzo-[e]-1,2-azaborin⟩ (F: 100–101°) erhält man entsprechend aus dem 2-Chlor-Derivat mit Lithiumtetrahydridoaluminat in Diethylether in 40%iger Ausbeute[5]:

$$\text{2-Chlor-1,2-dihydro-benzo-1,2-azaborin} \xrightarrow{+\,Li[AlH_4]\,/\,(H_5C_2)_2O} \text{1,2-Dihydro-benzo-1,2-azaborin (N–H, B–H)}$$

---

[1] R. Köster, K. Iwasaki, S. Hattori u. Y. Morita, A. **720**, 23 (1969).
[2] H. Wille u. J. Goubeau, B. **107**, 110 (1974).
[3] H. Nöth u. P. Fritz, Z. anorg. Ch. **324**, 270 (1963).
[4] M.J.S. Dewar, V.P. Kubba u. R. Pettit, Soc. **1958**, 3073.
[5] M.J.S. Dewar u. R.W. Dietz, Soc. **1959**, 2788ff.; C.A. **54**, 4608 (1960).

β_4) *aus Alkoxy-amino-organo-boranen*

Hydroxy-, Methoxy- oder auch Boryloxy-Gruppen am Bor-Atom lassen sich mit Metallhydriden (z. B. Lithiumtetrahydroaluminat u. a.) durch ein Wasserstoff-Atom substituieren. Vor allem B-gebundene Alkoxy-Reste in borhaltigen, aromatischen Sechsringen werden mittels Lithiumtetrahydroaluminat leicht ersetzt[1].

1,2-Dihydro-⟨benzo[e]-1,2-azaborin⟩[1]: Eine Lösung von 0,12 g (3 mmol) Lithiumtetrahydroaluminat in 50 *ml* Ether wird unter Rühren zu einer eisgekühlten Lösung von 0,93 g (4 mmol) 2-Methoxy-1,2-dihydro-⟨benzo[e]-1,2-azaborin⟩ in 30 *ml* Ether gegeben. Die Reaktionslösung wird 30 Min. auf 20° gehalten, dann 1 Stde. am Rückfluß erhitzt. Nach dem Erkalten werden 20 *ml* Ether und 20 *ml* 2N Schwefelsäure zugefügt. Die über Magnesiumoxid getrocknete organ. Phase wird eingedampft und der Rückstand sublimiert; Ausbeute: 0,64 g (77%); F: 98–99,5°; $Kp_{0,6}$: 90°.

Siebengliedrige cyclische Amino-hydro-organo-borane lassen sich auf analoge Weise herstellen; z. B.[2]:

C_3H_7–N–B(OCH_3) (Ring mit H_5C_2O) $\xrightarrow[-\,Li[H_3CO-AlH_3]]{+\,Li[AlH_4]}$ C_3H_7–N–BH (Ring mit H_5C_2O)

6-Ethoxy-1-propyl-1,2-azaborepan; 81%; Kp_2: 91–92°.

β_5) *aus Amino-dihydro-boranen*

Durch Thermolyse lassen sich im Zuge einer intramolekularen C-Borylierung bei 200–210° Amino-hydro-organo-borane herstellen. Man erhält z. B. aus (Benzyl-methyl-amino)-dihydro-boran unter Wasserstoff-Abspaltung *2-Methyl-2,3-dihydro-1H-⟨benzo[c]-1,2-azaborol⟩*. Als Nebenprodukt entsteht 1-(Benzyl-methyl-amino)-2-methyl-2,3-dihydro-1H-⟨benzo[c]-1,2-azaborol⟩. Das Hauptprodukt läßt sich nicht ohne weiteres von der Ausgangsverbindung abtrennen[3]:

C_6H_5–CH_2–N(BH_2)–CH_3 $\xrightarrow[-\,H_2]{200-210°}$ (benzo-Ring)–B(H)–N–CH_3

Alkene werden von Dialkylamino-dihydro-boranen glatt hydroboriert. Ist der Alkyl-Rest an der Amino-Gruppe genügend sperrig, so wird nur 1 mol Alken addiert. Man erhält Alkyl-dialkylamino-hydro-borane[4]:

$$R_2N{-}BH_2 \quad + \quad C_2H_4 \quad \longrightarrow \quad R_2N{-}BH{-}C_2H_5$$

R = $CH(CH_3)_2$; *Diisopropylamino-ethyl-hydro-boran*; 46%
R = $CH(CH_3)-C_2H_5$; *(Bis[1-methylpropyl]amino)-ethyl-hydro-boran*; 55%

Als Nebenprodukte entstehen unter Dismutierung Bis[dialkylamino]-hydro-boran und Trialkylboran. Bei Einwirkung von 2 mol Äquivalenten Alken bilden sich Dialkyl-dialkylamino-borane (s. S. 66ff.). Diethylamino-dihydro-boran sowie Dicyclohexylamino-dihydro-boran ergeben bei der Umsetzung mit 1-Decen oder Ethen uneinheitliche Produktgemische[4].

(Bis[1-methylpropyl]amino)-ethyl-hydro-boran[4]: 18 g (0,128 mol) (Bis[1-methylpropyl]amino)-dihydroboran in 50 *ml* Cyclohexan und 28 g (1 mol) Ethen werden im 200-*ml*-Stahlautoklaven 10 Stdn. bei 190–200° und 180–218 bar erhitzt, danach wird i. Vak. destilliert; Ausbeute: 12 g (55%); Kp_{16}: 83–86°.

---

[1] M. J. S. Dewar, Am. Soc. **83**, 1754 (1961).
[2] L. S. Vasil'ev, M. M. Vartanyan u. B. M. Mikhailov, Ž. obšč. Chim. **42**, 2675 (1972); engl.: 2664; C. A. **78**, 111400 (1973).
[3] R. Köster, K. Iwasaki, S. Hattori u. Y. Morita, A. **720**, 23 (1968).
[4] R. Köster, H. Bellut, S. Hattori u. L. Weber, A. **720**, 32 (1968).

Tab. 29: Amino-hydro-organo-borane aus Amino-organo-oxy-boranen mit Lithiumtetrahydroaluminat in Diethylether

Edukt	Bedingungen	Produkt	Ausbeute [%]	F [°C]	Literatur
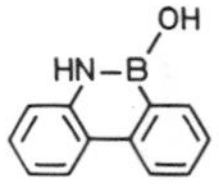	erst $LiAlH_4$, dann wenig $AlCl_3$ in Ether zugeben	*5,6-Dihydro-⟨dibenzo-1,2-azaborin⟩*	75	69,5–70	[1]
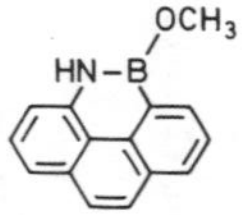	erst $LiAlH_4$, dann wenig $AlCl_3$ in Ether zugeben; Produkt sublimiert bei 120°/ 0,005 Torr	*4,5-Dihydro-⟨phenanthro[4,4a,4b,5-c,d,e]-1,2-azaborin⟩*	64	129–130	[2]
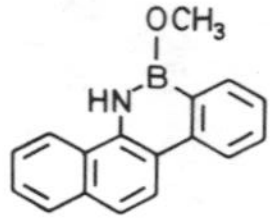	mit $LiAlH_4$	*5,6-Dihydro-⟨benzo[c]-naphtho-[2,1-e]-1,2-azaborin⟩*	61	193–195 (Zers.)	[2]
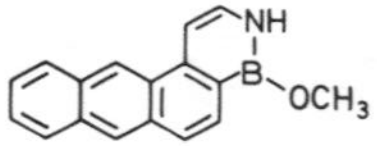	erst $LiAlH_4$, dann wenig $AlCl_3$ in Ether zugeben; Produkt sublimiert i. Vak.	*3,4-Dihydro-⟨anthra[2,1-c]-1,2-azaborin⟩*	–	136,5–137	[2]

[1] M. J. S. DEWAR, Am. Soc. **83**, 1754 (1961); C. A. **55**, 19940 (1961).
[2] M. J. S. DEWAR u. W. H. POESCHE, J. Org. Chem. **29**, 1757 (1964); C. A. **61**, 5676 (1964).

Außer durch Hydroborierung kann die Substitution eines Hydro-Substituenten in Dialkylamino-dihydro-boranen durch einen Alkyl-Rest auch durch die Einwirkung geeigneter Alkylierungsmittel erfolgen. Als „Alkylierungsmittel" sind insbesondere Dialkyl-dialkylamino-borane geeignet. Bei ihrem Einsatz im Zuge einer Kommutierung wird die doppelte Menge des gewünschten Produktes erhalten. Da es sich um eine ausgeprägte Gleichgewichtsreaktion handelt, sind die angegebenen Reaktionsbedingungen präzise einzuhalten[1,2] (s.a. S. 46, 73):

$$H_2B{-}N(CH_3)_2 \quad + \quad (H_3C)_2B{-}N(CH_3)_2 \quad \rightleftharpoons \quad 2\,H_3C{-}BH{-}N(CH_3)_2$$

Läßt man etwa gleiche molare Mengen Dihydro-dimethylamino- und Dimethyl-dimethylamino-boran bei 100° 3 Stdn. ohne Lösungsmittel miteinander reagieren, so erhält man in 35%iger Ausbeute das *Dimethylamino-hydro-methyl-boran*. Es besteht ein temperaturabhängiges Monomeren/Dimeren-Gleichgewicht[1,2]. Mit überschüssigem Dihydro-dimethylamino-boran kann die monomere Spezies zu einer Vierring-Verbindung cyclisieren[2] (s.S. 678):

$$H_2B{-}N(CH_3)_2 \quad + \quad H_3C{-}BH{-}N(CH_3)_2 \quad \rightleftharpoons$$

Beim Erhitzen im geschlossenen, evakuierten Kolben spaltet sich der Vierring wieder in seine Ausgangskomponenten.

γ) aus Diboranen(4)

Der thermische Zerfall von 1,2-Bis[dimethylamino]-1,2-dialkyl-diboranen(4) wurde bisher nur am Beispiel des 1,2-Bis[dimethylamino]-1,2-dibutyl-diborans(4) eingehender untersucht. Beim Erhitzen zum Rückfluß sinkt der Siedepunkt des Diborans(4) bei gleichzeitiger Buten-Abspaltung allmählich von 200° auf 120° ab. Durch Destillation des Rückstands wird *Butyl-dimethylamino-hydro-boran* (Kp: 117–121°) erhalten[3]:

$$\begin{array}{c} H_9C_4 \quad N(CH_3)_2 \\ B{-}B \\ (H_3C)_2N \quad C_4H_9 \end{array} \xrightarrow{\Delta} C_4H_8 \; + \; H_9C_4{-}BH{-}N(CH_3)_2 \; + \; 1/n\,[(H_3C)_2N{-}B]_n$$

1,2-Bis[dimethylamino]-1,2-diethyl-boran(4) kann für den Zerfall bei Normaldruck nicht genügend hoch erhitzt werden. Bei der Pyrolyse unter Druck im Einschlußrohr liegt jedoch das Hydroborierungs/Dehydroborierungs-Gleichgewicht weitgehend auf der Seite der Hydroborierungsprodukte, so daß man vorwiegend Diethyl-dimethylamino-boran isoliert (s.S. 57, 66)[3]:

$$H_5C_2{-}BH{-}N(CH_3)_2 \quad + \quad C_2H_4 \quad \rightleftharpoons \quad (H_5C_2)_2B{-}N(CH_3)_2$$

---

[1] A.B. Burg u. J.L. Boone, Am. Soc. **78**, 1521 (1956).
[2] W. Haubold u. R. Schaeffer, B. **104**, 513 (1971).
[3] H. Nöth u. P. Fritz, Z. anorg. Ch. **324**, 129 (1963).

δ) aus Lewisbase-Boranen

δ_1) *aus Amin-Dihydro-organo-boranen*

$\delta\delta_1$) mit Aminen

Das aus 1,2-Dimethyldiboran(6) mit Dimethylamin bei −78° erhaltene Addukt liefert bei 3stdgm. Erhitzen in einem genügend großen, geschlossenen Kolben, so daß der Atmosphärendruck nicht überschritten wird, unter Wasserstoff-Entwicklung *Dimethylamino-hydro-methyl-boran*. Durch Dismutierung entstehen als Nebenprodukte Dimethyl-dimethyl-amino-boran und Dihydro-dimethylamino-boran (eine Kommutierungssynthese aus diesen Komponenten ist möglich, s. S. 133). Die Nebenprodukte werden durch fraktionierende Kondensation entfernt.

In Abhängigkeit von den äußeren Bedingungen liegt das Amino-hydro-organo-boran monomer oder dimer als Vierring vor (vgl. S. 133, 678)[1].

Aus Trimethylamin-2-Butyl-, -tert.-Butyl- oder Isobutyl-dihydro-boranen erhält man mit sek. Aminen in Gegenwart katalytischer Mengen des korrespondierenden Dialkyl-ammonium-Salzes in 25–68%iger Ausbeute die jeweiligen Butyl-dialkylamino-hydro-borane. Als Lösungsmittel dient Diglyme, auf das verzichtet werden kann, wenn der Siedepunkt des Produkts nahe dem von Diglyme liegt.

$$(H_3C)_3\overset{\oplus}{N}{-}\overset{\ominus}{B}H_2{-}R^1 \quad + \quad R^2_2NH \quad \xrightarrow[-H_2]{[R^2_2NH_2]^+X^-} \quad R^1{-}HB{-}NR^2_2 \quad + \quad (H_3C)_3N$$

Unter den gleichen Bedingungen reagiert Butyl-dihydro-boran aus sterischen Gründen weiter zum Bis[dialkylamino]-butyl-boran[1].

Butyl-dialkylamino-hydro-borane[1]**:** Zu 0,2 *ml* konz. Schwefelsäure und 0,5 g des jeweiligen Dialkylamins wird eine Mischung von 0,1 *ml* Trimethylamin-Butyl-dihydro-boran in 2 *ml* Diglyme gegeben. Die Lösung wird auf 100° erhitzt. Innerhalb von 3 Stdn. tropft man die stöchiometrische Menge an Dialkylamin zu, wobei die Temp. auf 150° gesteigert wird. Unter ständigem Rühren entweichen Dihydrogen und Trimethylamin. Durch fraktionierte Destillation über eine 30-cm-Kolonne erhält man das entsprechende Butyl-dialkylamino-hydro-boran.

Die offenkettigen Amino-aryl-hydro-borane sind durch Aminolyse von Aryl-di-hydro-boranen in ähnlicher Weise zugänglich. Beim Aufheizen von Diethylamin-Dihydro-phenyl-boran unter Zugabe von überschüssigem Diethylamin auf 70–150° findet eine stufenweise Substitution des Wasserstoffs am Bor-Atom statt. Man erhält ein Gemisch von mono- und diaminiertem Boran, aus dem man durch fraktionierende Destillation in 60%iger Ausbeute *Diethylamino-hydro-phenyl-boran* ($Kp_{2,5}$: 60–65°) gewinnen kann[2]:

$$2\ (H_5C_2)_2H\overset{\oplus}{N}{-}\overset{\ominus}{B}H_2{-}C_6H_5 \quad + \quad (H_5C_2)_2NH \quad \xrightarrow[-3\,H_2]{} \quad H_5C_6{-}HB{-}N(C_2H_5)_2 \quad + \quad H_5C_6{-}B[N(C_2H_5)_2]_2$$

$\delta\delta_2$) mit Metallamiden

Zur Synthese der verschiedenen Butyl-dimethylamino-hydro-borane lassen sich auch die guten Aminierungseigenschaften des Tris[dimethylamino]aluminiums nützen. Als Ausgangsverbindungen dienen die Trimethylamin-Butyl-dihydro-borane. Werden 2-Butyl- bzw. tert.-Butyl-dihydro-borane eingesetzt, so wird jeweils nur ein Hydridwasserstoff am Bor-Atom ausgetauscht, während beim Butyl-Derivat unter gleichen Reak-

[1] A. B. Burg u. J. L. Boone, Am. Soc. **78**, 1521 (1956).
[2] M. F. Hawthorne, Am. Soc. **83**, 2671 (1961).

Tab. 30: Alkyl-dialkylamino-hydro-borane aus Trimethylamin-Alkyl-dihydro-boranen mit Alkylaminen[1]

Amin-Boran	Amin	Produkte	Ausbeute [%]	Kp [°C]	Kp [Torr]
$(H_3C)_3\overset{\oplus}{N}-\overset{\ominus}{B}H_2-CH_2-CH(CH_3)_2$[a]	Diethylamin	*Diethylamino-hydro-isobutyl-boran*	25	52	21
$(H_3C)_3\overset{\oplus}{N}-\overset{\ominus}{B}H_2-CH(CH_3)-C_2H_5$	Diethylamin	*2-Butyl-diethyl-amino-hydro-boran*	65	54	27
$(H_3C)_3\overset{\oplus}{N}-\overset{\ominus}{B}H_2-C(CH_3)_3$	Diethylamin	*tert.-Butyl-diethyl-amino-hydro-boran*	61	68	48
	Dimethylamin	*tert.-Butyl-dimethyl-amino-hydro-boran*	46	40–48	80
	Diisopropylamin	*tert.-Butyl-diiso-propylamino-hydro-boran*	38	74	31
	Diisobutylamin	*tert.-Butyl-diiso-butylamino-hydro-boran*	43	54	3
	Dibutylamin	*tert.-Butyl-dibutyl-amino-hydro-boran*	50	77	33
	Methylamin	*tert.-Butyl-hydro-methylamino-boran*	68	42	110

[a] Reaktion in der Gasphase

tionsbedingungen ein fast vollständiger Hydrid-Austausch stattfindet (S. 134). Geringe Mengen an *Butyl-dimethylamino-hydro-boran* lassen sich isolieren, wenn mit einem Unterschuß an Tris[amino]alan in Lösung gearbeitet wird[2]:

$$2(H_3C)_3\overset{\oplus}{N}-\overset{\ominus}{B}H_2-R \quad + \quad Al[N(CH_3)_2]_3 \xrightarrow[-3(H_3C)_3N \atop -(H_3C)_2N-AlH_2]{30\ Min.,\ 70°} 2R-BH-N(CH_3)_2$$

$R = C_4H_9$; *Butyl-dimethylamino-hydro-boran*; 5%; Kp_{760}: 114°
$R = CH(CH_3)-C_2H_5$; *2-Butyl-dimethylamino-hydro-boran*; 6%; Kp_{91}: 49°
$R = C(CH_3)_3$; *tert.-Butyl-dimethylamino-hydro-boran*; 70%; Kp_{81}: 40°

Das tert.-Butyl-dimethylamino-hydro-boran liegt bei 20° monomer, die beiden anderen Produkte mehr oder weniger polymer vor[2, vgl. 3].

δ_2) *aus Amin-Trihydroboranen*

Beispiele für die Herstellung offenkettiger Amino-hydro-organo-borane aus Hydroboranen unter Aminolyse und C-Borylierung sind selten. Cyclische Amino-hydro-organoborane mit fünf oder sechs Ringgliedern lassen sich aber aus Amin-Trihydroboran durch gekoppelte Aminierung und Organylierung (vgl. S. 78f.) herstellen. Eingesetzt werden Aralkylamine (z.B.: Benzylamin, vgl. S. 79; 2-Phenylethylamin).

[1] M.F. Hawthorne, Am. Soc. **83**, 2671 (1961).
[2] J.K. Ruff, J. Org. Chem. **27**, 1020 (1962).
[3] H. Nöth u. P. Fritz, Z. anorg. Ch. **324**, 270 (1963).

Durch Aminierung von Triethylamin-Trihydroboran mit Methyl-(2-phenylethyl)-amin erhält man ebenfalls ein Aminoboran, das bei anschließender Thermolyse (8–9 Stdn. bei 230°) unter weiterer Wasserstoff-Abspaltung einen Ringschluß zum *2-Methyl-1,2,3,4-tetrahydro-⟨benzo[c]-1,2-azaborin⟩* ergibt. Das cyclische Boran fällt allerdings im Gemisch mit der nicht cyclisierten Ausgangsverbindung an, die nach der Reaktion mit Alkenen destillativ abgetrennt werden kann[1]:

$$(H_5C_2)_3\overset{\oplus}{N}-\overset{\ominus}{B}H_3 + C_6H_5-CH_2-CH_2-NH-CH_3 \xrightarrow[-H_2,\ -(H_5C_2)_3N]{} C_6H_5-CH_2-CH_2-N(CH_3)-BH_2 \xrightarrow[-H_2]{220-230°} \text{2-Methyl-1,2,3,4-tetrahydro-⟨benzo[c]-1,2-azaborin⟩}$$

Wesentlich besser als zur Borylierung von Arylaminen sind >BH-Funktionen zur Hydroborierung von Alkenylaminen geeignet. Setzt man Trialkylamin-Trihydroboran mit einem Alkyl-allyl-amin um, so wirkt eine >BH-Funktion auf das Amin unter Hydrogen-Abspaltung borylierend, eine zweite auf den Allyl-Rest hydroborierend ein, so daß 1-Alkyl-1,2-azaborolidine entstehen. Hierzu gibt man bei 140° zu z.B. Triethylamin-Trihydroboran eine stöchiometrische Menge Alkyl-allyl-amin. Wenn nach vierstündigem Erhitzen die Dihydrogen-Entwicklung beendet ist, fügt man langsam trockenes Methanol zu, um überschüssigen hydridischen Wasserstoff zu zerstören[2]:

$$(H_5C_2)_3\overset{\oplus}{N}-\overset{\ominus}{B}H_3 + R-NH-CH_2-CH=CH_2 \xrightarrow[-N(C_2H_5)_3,\ -H_2]{1.\ >140°\quad 2.\ +HO-CH_3} \text{1-R-1,2-azaborolidin (BH)}$$

R = C_3H_7; *1-Propyl-1,2-azaborolidin*; 39%
R = C_4H_9; *1-Butyl-1,2-azaborolidin*; 35%

Unterwirft man das *N*-Allylbenzaldimin der Hydroborierung, so erhält man – nunmehr durch zweifache Hydroborierung ohne Wasserstoff-Abspaltung – das *1-Benzyl-1,2-azaborolidin*[2] (42%):

$$(H_5C_2)_3\overset{\oplus}{N}-\overset{\ominus}{B}H_3 + H_5C_6-CH=N-CH_2-CH=CH_2 \xrightarrow[-N(C_2H_5)_3]{15\ Min.\quad 160-180°} \text{1-}(CH_2-C_6H_5)\text{-1,2-azaborolidin (BH)}$$

Mit 3-Butenyl-organo-aminen werden 1-Organo-1,2-azaborinane erhalten. Mit 3-Butenylamin selbst entsteht unter weiterer Wasserstoff-Abspaltung Tris[butan-1,4-diyl]borazin (vgl. S. 361). Als Hydroborierungsmittel weniger geeignet erweist sich Diboran. Läßt man die Reaktion jedoch in stark verdünnter Lösung ablaufen, so erhält man recht gute Ausbeuten an 1,2-Azaborinanen[3]:

$$(H_3C)_3\overset{\oplus}{N}-\overset{\ominus}{B}H_3 + H_2C=CH-CH_2-CH_2-NH-R \xrightarrow[-N(CH_3)_3,\ -H_2]{} \text{1-R-1,2-azaborinan (BH)}$$

R = CH_2–C_6H_5 (in Xylol); *1-Benzyl-1,2-azaborinan*; 50%; $Kp_{0,02}$: 52°
R = C_6H_5; *1-Phenyl-1,2-azaborinan*; 46%; Kp_{12}: 141°

---

[1] R. Köster, K. Iwasaki, S. Hattori u. Y. Morita, A. **720**, 23 (1968).
[2] V.A. Dorokhov, O.G. Boldyreva u. B.M. Mikhailov, Ž. obšč. Chim. **40**, 1528 (1970); C.A. **75**, 36188 (1971).
[3] H. Wille u. J. Goubeau, B. **105**, 2156 (1972).

1-Methyl-1,2-azaborinan[1]**:** 18,8 g (0,259 mol) Trimethylamin-Trihydroboran werden in 500 *ml* Diglyme vorgelegt. Man tropft innerhalb 48 Stdn. unter Rühren bei 150° eine Lösung von 17,6 g (0,207 mol) 3-Butenyl-methyl-amin in 300 *ml* Diglyme zu. Aus der Reaktionslösung wird über eine Kolonne eine farblose Flüssigkeit abdestilliert, die mehrmals umkondensiert wird; Ausbeute: 12,3 g (61%); Kp: 106,5°.

2. Alkylidenamino-hydro-organo-borane

Aus Amin-Hydro-organo-boranen erhält man mit Nitrilen dimere Alkylidenamino-dialkyl-borane mit tetrakoordinierten Bor-Atomen (vgl. S. 678)[2]. Trimethylamin-tert.-Butyl-dihydro-boran reagiert z.B. mit Benzonitril in Diglyme bei 100° zum dimeren *Benzylidenamino-tert.-butyl-hydro-boran*[3]:

$$(H_3C)_3\overset{\oplus}{N}-\overset{\ominus}{B}H_2-C(CH_3)_3 \;+\; N{\equiv}C-C_6H_5 \xrightarrow[-N(CH_3)_3]{} 1/2\ [(H_3C)_3C(H)B^{\ominus}-\overset{\oplus}{N}{=}CH-C_6H_5]_2$$

Die *cis*- und *trans*-Isomeren lassen sich durch Destillation i. Vak. voneinander trennen[2,3].

Alkylidenamino-tert.-butyl-hydro-borane; allgemeine Arbeitsvorschrift[3]: Zu 0,1 mol Carbonsäurenitril in 25 *ml* Diglyme werden innerhalb 1 Stde. unter Rühren bei 100° 13 g (0,1 mol) Trimethylamin-tert.-Butyl-dihydro-boran zugetropft. Anschließend wird eine weitere Stde. erhitzt, auf ~ 20° abgekühlt und 200 *ml* Wasser zugefügt. Nach Extrahieren mit Diethylether, Waschen mit Wasser (3mal 50 *ml*), Trocknen (Magnesiumsulfat) wird i. Vak. destilliert.

Auf diese Weise erhält man u. a. aus

H_3C–CN	→	*tert.-Butyl-ethylidenamino-hydro-boran*; 22%; $Kp_{0,8}$: 72–78°; F: 75–78°
$(H_3C)_2CH$–CN	→	*tert.-Butyl-hydro-(2-methylpropylidenamino)-boran*; 41%; $Kp_{0,4}$: 84–94°; F: 57–60°
H_3C–$(CH_2)_4$-CN	→	*tert.-Butyl-hydro-hexylidenamino-boran*; 40%; $Kp_{0,1}$: 86–88°
H_5C_6–CN	→	*Benzylidenamino-tert.-butyl-hydro-boran*; 63% F: 191–193°
4-F–C_6H_4–CN	→	*tert.-Butyl-(4-fluorbenzylidenamino)-hydro-boran*; 93% (roh); F: 180–182°

3. Hydrazino-hydro-organo-borane

Cyclische Hydrazino-hydro-organo-borane sind aus den B-Hydroxy- über die B-Alkoxy-Derivate mit Hilfe von Lithiumtetrahydroaluminat in Diethylether zugänglich; z.B.[4]:

$$\text{(B–OH)} \xrightarrow{H_9C_4OH} \text{(B–OC}_4\text{H}_9) \xrightarrow[-\,Li^{+}[H_3Al-OC_4H_9]^{-}]{+Li[AlH_4]\ (H_5C_2)_2O} \text{(B–H)}$$

5-Methyl-4,5-dihydro-⟨thieno[3,2-d]-1,2,3-diazaborin⟩; 89%; $Kp_{0,65}$: 84–85,5°

Auf analoge Weise erhält man das *6-Methyl-6,7-dihydro-⟨thieno[2,3-d]-1,2,3-diazaborin* (I; 77%; F: 30°) bzw. aus 1-Hydroxy-2-methyl-1,2-dihydro-⟨benzo[d]-1,2,3-diazaborin⟩ und aus Bis{1,2-dihydro-⟨benzo[d]-1,2,3-diazaborin⟩-1-yl}oxid mit Lithium-

[1] H. Wille u. J. Goubeau, B. **105**, 2156 (1972).
[2] J.E. Lloyd u. K. Wade, Soc. **1964**, 1649.
[3] M.F. Hawthorne, Tetrahedron Letters **1962**, 117.
[4] S. Gronowitz u. A. Maltesson, Acta chem. scand. [B] **31**, 765 (1977).

tetrahydroaluminat *2-Methyl-1,2-dihydro-* bzw. *1,2-Dihydro-⟨benzo[d]-1,2,3-diazaborin⟩*[1] (II; R = CH_3; H):

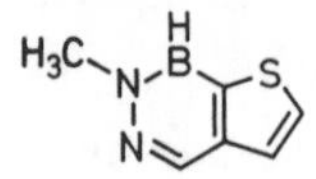

I

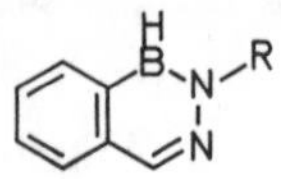

II

c) Organobor-Stickstoff-Halogen-Verbindungen

Die Verbindungsklasse wurde in Amino-halogen-organo-borane, 1-Elementalkyl-amino-halogen-organo-borane (mit Alkylidenamino-halogen-organo-boranen) (S. 152) und Elementamino-halogen-organo-borane (S. 193) unterteilt. Die Tab. 31 gibt eine Übersicht über die bisher hergestellten RB(N⟨)Hal-Verbindungen.

Tab. 31: Organobor-Stickstoff-Halogen-Verbindungen

Formel	Verbindungstyp	Herstellungsart	s. S.
1. **Alkyl(Alkenyl)-amino-halogen-borane**			
Alkyl–B(Hal)–$N(CH_3)_2$ Hal = F, Cl, Br Hal = Cl, Br, J	R^1–B(Hal)–NR^2_2	aus R^1—$B(NR^2_2)_2$ + R—$BHal_2$ aus R^1—$B(NR^2_2)_2$ + HHal	148 148
H_3C–B(Cl)–$N(CH_3)_2$	R^1–B(Hal)–NR^2_2	aus R^1—$B(NR^2_2)_2$ + $TiCl_4$	148
Alkyl–B(Cl(Br))–N(–CH_3)–$(CH_2)_2$–R	R^1–B(Hal)–N(–)–R^2	aus R—$BHal_2$ + ⟩NH(+R_3N)	141
H_9C_4–B(Br(J))–$N(CH_3)_2$	R^1–B(Hal)–NR^2_2	aus 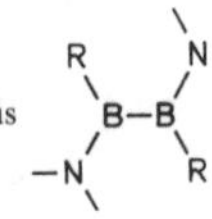 (R)(–N⟨)B–B(⟩N–)(R) + Hal_2	151
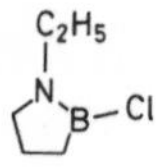 1-Ethyl-pyrrolidin-Ring mit N–B–Cl (C_2H_5)	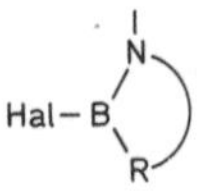 Hal–B(N⟨)(R) (Ring)	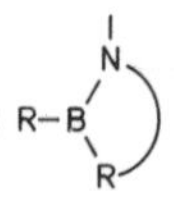 aus R–B(N⟨)(R) (Ring) + BCl_3	146
Alkenyl–B(Hal)–$N(CH_3)_2$ Hal = F, Cl, Br	R_{en}–B(Hal)–NR_2	aus R_{en}—$B(NR^2_2)_2$ + R_{en}—$BHal_2$	148
Alkenyl–B(Br)–N(–CH_3)–CH_2–R	R_{en}–B(Hal)–N(–)–R	aus R_{en}—$BHal_2$ + ⟩NH (+R_3N)	141

[1] M. J. S. DEWAR u. R. C. DOUGHERTY, Am. Soc. **86**, 433 (1964).

Tab. 31: (1. Fortsetzung)

Formel	Verbindungstyp	Herstellungsart	s. S.
Hal–B–N[CH(CH$_3$)$_2$]$_2$ (bicyclic)	R_{en}–B(Hal)–N<	aus R_{en}—$BHal_2$ + >NH + Dien	143
H, N, B, Cl (benzo-fused ring)	R_{en}–B(Hal)–N– (ring)	aus $BHal_3$ + H_2N—Ar—R_{en}	144
2. Amino-aryl-halogen-borane			
Ar–B(F)–N<	Ar–B(Hal)–N<	aus Ar–B(Hal)–N< + SbF_3	153
Ar–B(Hal)–N(CH$_3$)$_2$ Hal = F, Cl, Br	Ar–B(Hal)–NR$_2$	aus R—B(NR$_2$)$_2$ + Ar—BHal$_2$	147
H$_5$C$_6$–B(Cl)–NH–R	Ar–B(Hal)–NH–R	aus [R^1—NH$_3$]$^{\oplus}$ [Ar—BHal$_3$]$^{\ominus}$ + R$^2_3$N, △	151
H$_5$C$_6$–B(Cl)–NH–Aryl	Ar^1–B(Hal)–NH–Ar^2	aus Do—Ar^{1}BHal$_2$, △	151
Ar–B(Cl)–N[CH(CH$_3$)$_2$]$_2$	Ar–B(Hal)–NR$_2$	aus Hal$_2$B—NR$_2$ + Ar—MgHal	150
Ar–B(Br)–N(CH$_3$)–CH$_2$–R	Ar–B(Hal)–N(–)–R	aus Ar—BHal$_2$ + >NH	141
B, NH, Cl (tricyclic)	Hal–B(N)(Ar) (ring)	aus $BHal_3$ + Ar—NH$_2$/AlCl$_3$	145
Cl, B, N (polycyclic)	Hal–B(N)(Ar)R$_{en}$ (ring)	aus $BHal_3$ + Ar–C(=N–) (AlCl$_3$)	145
3. Spezielle Organobor-Stickstoff-Halogen-Verbindungen			
H$_5$C$_6$–B(Cl)–N(C(CH$_3$)$_3$)–CH$_2$–CH=C(CH$_3$)Cl	Ar–B(Hal)–N(R)–R$^{Hal}_{2\text{-}en}$	aus Ar—BHal$_2$ + R^1—NH—R$^{Hal}_{en}$	143
R^1, N, B–Cl, N–R^2 (benzo-fused ring)	Hal–B(N)(Ar)R^N (ring)	aus (Hal)$_2$B–N(R^1)(Ar) + R^2—NC	151

Tab. 31 (2. Fortsetzung)

Formel	Verbindungstyp	Herstellungsart	s. S.
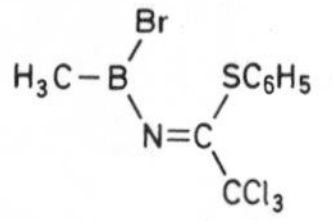 $H_3C-B(Br)-N=C(SC_6H_5)(CCl_3)$	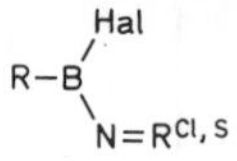 $R-B(Hal)-N=R^{Cl,S}$	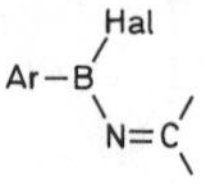 aus $Ar-B(Hal)-N=C<$ + R—SH	153
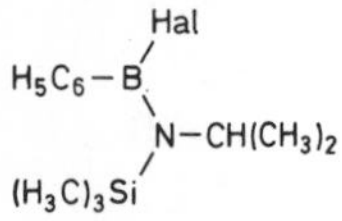 $H_5C_6-B(Hal)-N(CH(CH_3)_2)-Si(CH_3)_3$	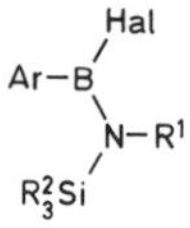 $Ar-B(Hal)-N(R^1)-SiR^2_3$		
Hal = Cl		aus Ar—BHal$_2$ 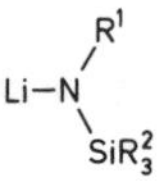 + $Li-N(R^1)(SiR^2_3)$	155
Hal = Br		aus Ar—BHal$_2$ + N(SiR$_3$)$_3$	156
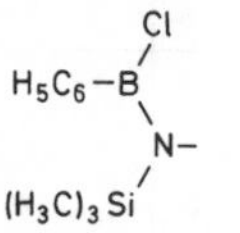 $H_5C_6-B(Cl)-N<$; $(H_3C)_3Si-N$	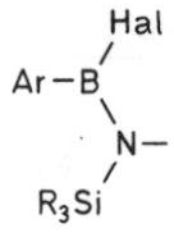 $Ar-B(Hal)-N<$; R_3Si-N	aus Ar—BHal$_2$ + R^1—N(SiR$^2_3$)$_2$	156
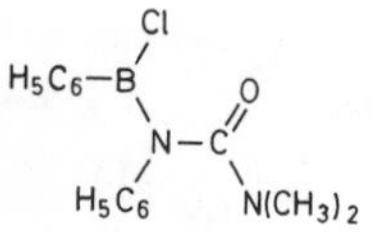 $H_5C_6-B(Cl)-N(C_6H_5)-C(=O)-N(CH_3)_2$	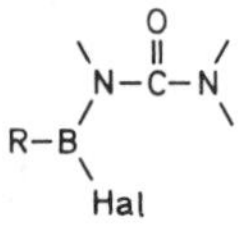 $R-B(Hal)-N<-C(=O)-N<$	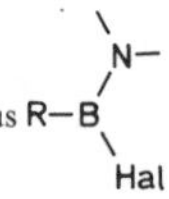 aus $R-B(Hal)-N<$ + $-N=CO$	147
4. 1,2-Bis[halogen-organo-boryl]hydrazine			
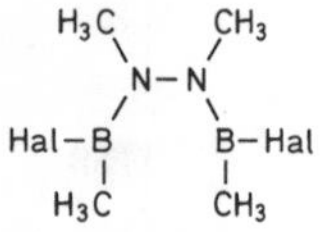 $Hal(H_3C)B-N(CH_3)-N(CH_3)-B(CH_3)Hal$; Hal = F, Cl, Br	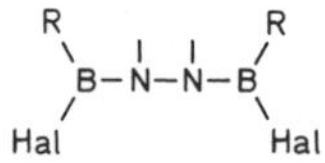 $R(Hal)B-N-N-B(R)Hal$	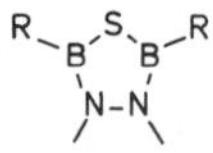 aus $R-B\langle S \rangle B-R$ (Ring mit $N-N$) + ElHal$_3$ bzw. Br$_2$	154
Hal = Br		aus R^1—BHal$_2$ + R$^2_3$Si—N—N—SiR$^2_3$	153
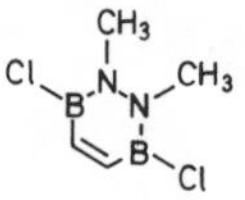 Ring: $Cl-B-N(CH_3)-N(CH_3)-B(Cl)-CH=CH-$	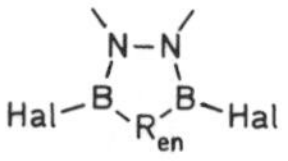 Ring: $Hal-B-N-N-B-Hal$ mit R_{en}	aus Hal$_2$B—R$_{en}$—BHal$_2$ + R$_3$Si—N—N—SiR$_3$	154

Organobor-Stickstoff-Halogen-Verbindungen mit 1,3,2-Diborazan-Gruppierung werden auf S. 304ff. besprochen. Entsprechendes gilt für B-Halogenborazine, deren Herstellungsmethoden auf S. 366ff. zusammengestellt sind.

1. Amino-halogen-organo-borane

Amino-halogen-organo-borane werden hauptsächlich aus Dihalogen-organo-boranen mit Aminen sowie mit Elementamiden hergestellt.

α) aus Halogenboranen

α_1) *aus Dihalogen-organo-boranen*

$\alpha\alpha_1$) mit Aminen

Alkyl-amino-halogen-borane werden durch Einwirkung äquimolarer Mengen eines primären bzw. sekundären Amins auf Alkyl-dihalogen-borane in einem unpolaren Lösungsmittel gewonnen. In einigen Fällen ist das Zufügen einer Hilfsbase erforderlich[1].

[1] H. WILLE u. J. GOUBEAU, B. **105**, 2156 (1972).

$$R^1\text{-}BHal_2 + R^2_2NH + R^3_3N \xrightarrow[-[R^3_3NH]^+ Hal^-]{} R^1\text{-}B(Hal)(NR^2_2)$$

Brom-(3-butenyl-methyl-amino)-methyl-boran[1]: 5,95 g (0,07 mol) 3-Butenyl-methyl-amin in 100 *ml* Pentan werden unter Eiskühlung zu 13,0 g (0,07 mol) Dibrom-methyl-boran getropft. Nach Wegnahme der Kühlung werden 0,07 mol Triethylamin zugesetzt und das Gemisch 3 Stdn. am Rückfluß erhitzt. Nach dem Abfiltrieren von Triethylammoniumbromid (100%) wird i. Vak. über eine kurze Kolonne destilliert; Ausbeute: 10,2 g (76,5%); Kp_{17}: 70–71°.

Auf analogem Wege lassen sich auch Amino-aryl-chlor-borane herstellen[1-9]:

$$Ar\text{-}BCl_2 + HN(R^1)(R^2) + (H_5C_2)_3N \xrightarrow[-[(H_5C_2)_3NH]^+ Cl^-]{} Cl(Ar)B\text{-}N(R^1)(R^2)$$

z. B.: Ar = C_6H_5; $R^1 = R^2 = CH_3$; *Chlor-dimethylamino-phenyl-boran*[8]; 73%; Kp_3: 81°
$R^1 = CH_3$; $R^2 = CH(CH_3)_2$; *Chlor-(isopropyl-methyl-amino)-phenyl-boran*[6]; $Kp_{0,2}$: 90°
$R^1 = CH_3$; $R^2 = C_6H_{11}$; *Chlor-(cyclohexyl-methyl-amino)-phenyl-boran*[4]; 80%; Kp_3: 108°
R^1-NH-R^2 = Piperidino; *Chlor-phenyl-piperidino-boran*[1]; 76%; Kp_2: 82°

(Butyl-methyl-amino)-chlor-phenyl-boran[5]: Zu einer eisgekühlten Lösung von 79,5 g (65 *ml*, 0,50 mol) Dichlor-phenyl-boran in 600 *ml* trockenem Benzol werden 43,5 g (59 *ml*; 0,50 mol) trockenes Butyl-methyl-amin getropft. Nach Erwärmen auf 23° wird eine Lösung von 49 g (70 *ml*, 0,5 mol) Triethylamin in 200 *ml* Benzol zugefügt und das Gemisch 3 Stdn. am Rückfluß erhitzt. Nach Abfiltrieren des Triethylammoniumchlorids und Abziehen des Lösungsmittels wird destilliert; Ausbeute: 66 g (69%); Kp_1: 72°.

Zur Herstellung der entsprechenden Amino-aryl-fluor-borane s. S. 147.

Anstelle mit freien Aminen in Gegenwart von Hilfsbase werden Dihalogen-organo-borane auch als Amin-Dihalogen-organo-borane zur Herstellung von Amino-halogen-organo-boranen eingesetzt (vgl. S. 151)[10]. Außerdem sind Arylammonium-phenyl-trichlor-borate als Edukte (vgl. S. 830) verwendet worden[10,11].

Alkenyl-amino-halogen-borane sind durch Aminolyse der Alkenyl-dichlor-borane zugänglich. So kann man z. B. leicht ein Chlor-Atom im Dichlor-vinyl-boran durch den Diisopropylamin-Rest substituieren, indem man zunächst die doppelt molare Menge an Diisopropylamin zusetzt und nach beendeter exothermer Reaktion die 2,5fache Menge Triethylamin[12]:

$$H_2C{=}CH\text{-}BCl_2 + HN[CH(CH_3)_2]_2 + N(C_2H_5)_3 \xrightarrow[-[HN(C_2H_5)_3]^+ Cl^-]{} Cl(H_2C{=}CH)B\text{-}N[CH(CH_3)_2]_2$$

Chlor-diisopropylamino-vinyl-boran; 47%
Kp_{18}: 76,5–77,5°

---

[1] H. WILLE u. J. GOUBEAU, B. **105**, 2156 (1972).
[2] J. C. LOCKHART, Soc. **1962**, 3737.
[3] Brit. P. 913862 (1962; U.S. Prior. 1960), U.S. Borax & Chemical Corp.; C.A. **59**, 7559 (1963).
[4] V. V. KORSHAK, N. I. BEKASOVA, L. M. CHURSINA u. V. A. ZAMYATINA, Izv. Akad. SSSR **1963**, 1645; engl.: 1500; C.A. **59**, 15296 (1963).
[5] US. P. 3180888 (1965/1970), U.S. Borax & Chemical Corp., Erf.: R. J. BROTHERTON; C.A. **63**, 1814 (1965).
[6] P. A. BARFIELD, M. F. LAPPERT u. J. LEE, Soc. [A] **1968**, 554; C.A. **68**, 82927 (1968).
[7] D. LEMARCHAND, J. BRAUN u. P. CADIOT, Bl. **1973**, 777; C.A. **78**, 147256 (1973).
[8] K. NIEDENZU u. J. W. DAWSON, Am. Soc. **82**, 4223 (1960).
[9] R. H. CRAGG u. T. J. MILLER, J. Organometal. Chem. **232**, 201 (1982).
[10] J. R. BLACKBOROW u. J. C. LOCKHART, Soc. [A] **1971**, 1343.
[11] B. R. CURRELL, W. GERRARD u. M. KHODABOCUS, J. Organometal. Chem. **8**, 411 (1967).
[12] G. COINDARD, J. BRAUN u. P. CADIOT, Bl. **1972**, 811; C.A. **76**, 140938 (1972).

Tab. 32: Alkyl-amino-halogen-borane aus Alkyl-dihalogen-boranen mit Aminen

$R-BHal_2$	R^1R^2NH	Bedingungen	Boran	Ausbeute [%]	Kp [°C]	Kp [Torr]	Literatur
H_3C-BF_2	H_3C-NH_2	ohne Hilfsbase; polymerisiert leicht	*Fluor-methyl-methyl-amino-boran*	–	46	760	[1]
	$(H_3C)_2NH$		*Dimethylamino-fluor-methyl-boran*	–	58	760	[1]
H_3C-BCl_2	$H_5C_6-NH-CH_3$	$N(C_2H_5)_3$ als Hilfsbase	*Chlor-methyl-(N-methyl-anilino)-boran*	–	79,5	9	[2]
H_3C-BBr_2	$4-C_2H_5-C_6H_4-NH_2$	Komponenten bei –80° in Pentan vereinen, bei 20° $N(C_2H_5)_3$ zufügen, 8 Stdn. Rückfluß	*Brom-(4-ethylanilino)-methyl-boran*	69	–	–	[3]
$H_5C_2-BCl_2$	$(H_3C)_2NH$	Komponenten bei –80° in Pentan vereinen, bei 20° $N(C_2H_5)_3$ zufügen, 8 Stdn. Rückfluß	*Chlor-dimethylamino-ethyl-boran*	64	–	–	[4]

[1] E. Wiberg u. G. Horeld, Z. Naturf. **6b**, 338 (1951); C. A. **46**, 3443 (1952).

[2] K. Nagasawa, H. Watanabe, T. Totani, T. Yoshizahi u. T. Nakagawa, Advan. Chem. Ser. **42**, 108 (1964); C. A. **60**, 10510 (1964).

[3] US. P. 3180888 (1965/1960), U.S. Borax & Chemical Corp., Erf.: R. J. Brotherton; C. A. **63**, 1814 (1965).

[4] Brit. P. 913862 (1962/1960), U.S. Borax & Chemical Corp.; C. A. **59**, 7559 (1963).

Dichlor-vinyl-boran läßt sich mit frisch destilliertem Cyclopentadien in einer Cycloaddition nach Diels-Alder umsetzen. Unter gleichzeitiger Zugabe von Diisopropylamin und Triethylamin wird ein Chlor-Atom durch den Amin-Rest substituiert. Man erhält in 30%iger Ausbeute *5-(Chlor-diisopropylamino-boryl)-bicyclo[2.2.1]hepten* mit gleichen Anteilen an *exo-* und *endo-*Form[1]:

$$H_2C{=}CH{-}BCl_2 + C_5H_6 + HN[CH(CH_3)_2]_2 + N(C_2H_5)_3 \xrightarrow{-[HN(C_2H_5)_3]^+Cl^-} \text{Bicyclo[2.2.1]heptenyl}{-}B(Cl){-}N[CH(CH_3)_2]_2$$

Die Methode ist auch zur Herstellung von (Chloralkenyl-amino)-halogen-organo-boranen verwendbar. Aus Dichlor-phenyl-boran erhält man z.B. mit tert.-Butyl-(3-chlor-2-butenyl)-amin ein Hydrochlorid, aus dem mit Triethylamin unter Abspaltung von Triethylammoniumchlorid *[tert.-Butyl-(3-chlor-2-butenyl)-amino]-chlor-phenyl-boran* in 85%iger Ausbeute gebildet wird[2]:

$$H_5C_6{-}BCl_2 \xrightarrow[\text{Hexan, } 95\%]{+ (H_3C)(Cl)C{=}CH{-}CH_2{-}NH{-}C(CH_3)_3} \left[(H_3C)(Cl)C{=}CH{-}CH_2{-}\overset{\oplus}{N}H(C(CH_3)_3){-}B(Cl)(C_6H_5)\right]^+ Cl^-$$

$$\xrightarrow[-[(H_5C_2)_3NH]^+Cl^-]{+ (H_5C_2)_3N} (H_3C)_3C{-}N(B(Cl)C_6H_5){-}CH_2{-}CH{=}C(CH_3)Cl$$

[tert.-Butyl-(3-chlor-2-butenyl)-amino]-chlor-phenyl-boran[2]**:** Bei –30° tropft man 9,4 g (58,2 mmol) tert.-Butyl-(3-chlor-2-butenyl)-amin (hergestellt aus tert.-Butylamin mit 1,3-Dichlor-2-buten) zur Lösung von 9,3 g (58,6 mmol) Dichlor-phenyl-boran in 400 *ml* Petrolether. Man rührt 1 Stde. und saugt von 17,7 g Hydrochlorid (95%) ab. Das Salz wird in 500 *ml* Petrolether suspendiert und bei –50° 5,92 g (58,6 mmol) Triethylamin zugetropft. Nach 12 Stdn. bei ~20° wird 1 Stde. zum Sieden erwärmt, vom Rückstand abgesaugt und fraktioniert; Ausbeute: 13,2 g (95%); Kp_1: 103°.

Dibrom-organo-borane reagieren mit Lithium-2,2,6,6-tetramethylpiperidid unter partieller Brom-Substitution zu Brom-organo-(2,2,6,6-tetramethylpiperidino)-boranen[3]:

$$R{-}BBr_2 + \text{Li-2,2,6,6-tetramethylpiperidid} \xrightarrow[-LiBr]{\text{Hexan}} R(Br)B{-}N(\text{2,2,6,6-tetramethylpiperidino})$$

...-(2,2,6,6-tetramethylpiperidino)-boran

R = CH_3; *Brom-methyl-* ...; 40%; Kp_6: 95°
R = C_6H_5; *Brom-phenyl-* ...; 55%; $Kp_{0,01}$: 100–110° (subl.); F: 113–115°

[1] G. Coindard, J. Braun u. P. Cadiot, Bl. **1972**, 811; C.A. **76**, 140938 (1972).
[2] J. Schulze u. G. Schmid, Ang. Ch. **92**, 61 (1980).
[3] H. Nöth, R. Staudigl u. H.-U. Wagner, Inorg. Chem. **21**, 706 (1982).

$\alpha\alpha_2$) mit Silylaminen

Wie die Li–N-Bindung reagiert auch die Si–N-Bindung verhältnismäßig leicht mit Halogenboranen. Verschiedene Amino- sowie Hydrazino-halogen-organo-borane sind aus den Dihalogen-organo-boranen mit Aminosilanen glatt herzustellen. Es werden mono-, bis- und tris-trimethylsilylierte Amine sowie auch Trimethylsilylhydrazine eingesetzt.

Als Dihalogen-organo-borane verwendet man Dichlor- und Dibrom-organo-borane sowie Bis[dihalogenboryl]alkene. Die Amin-Komponente ist verhältnismäßig variabel. Auch ungesättigte Substituenten am N-Atom überstehen die N-Borylierung. Monosilylamine reagieren bereits bei tiefer Temperatur. So sind Brom-methyl-(organo-2-propinyl-amino)-borane aus Dibrom-methyl-boran mit Organo-2-propinyl-trimethylsilylaminen in Hexan bei −78° bis +20° zugänglich[1]:

$$H_3C-BBr_2 + (H_3C)_3Si-N(R)-CH_2-C\equiv CH \xrightarrow[-(H_3C)_3SiBr]{\text{Hexan},\ -78\ \text{bis}\ +20°} H_3C-B(Br)-N(R)-CH_2-C\equiv CH$$

R = CH_3; *Brom-methyl-(methyl-2-propinyl-amino)-boran*; 67%; Kp_7: 47°
R = C_2H_5; *Brom-(ethyl-2-propinyl-amino)-methyl-boran*; 71%; $Kp_{0,01}$: 34°
R = CH_2–C_6H_5; *(Benzyl-2-propinyl-amino)-brom-methyl-boran*; 53%; $Kp_{0,01}$: 65°

α_2) *aus Trihalogenboranen*

Cyclische Amino- oder Hydrazino-halogen-organo-borane sind aus Trichlor- bzw. Tribrom-boranen mit verschiedenen Aminen bzw. Hydrazinen infolge Borylierung am N- und C-Atom zugänglich.

Ebenso wie die >BH-Funktion kann auch die >BCl-Funktion sowohl Amine als auch ungesättigte C,C-Systeme unter Hydrogenchlorid-Abspaltung borylieren; z.B.[2]:

$$BCl_3 + \text{2-Aminostyrol } (NH_2) \xrightarrow{-2\,HCl} \text{(N(H)–B–Cl)}$$

2-Chlor-1,2-dihydro-⟨benzo[e]-1,2-azaborin⟩[2]: 1 g (8,4 mmol) 2-Aminostyrol, gelöst in 40 *ml* Benzol, wird langsam zu einer Lösung von 2 g (11,3 mmol) Trichlorboran in 10 *ml* Benzol bei 20° getropft. Danach wird 3 Stdn. am Rückfluß erhitzt. Nach Abziehen des Lösungsmittels i. Vak. wird sublimiert; Supl. $p._{0,3}$: 60–65°; F: 72–74°.

Das aus Trichlorboran mit 4-Aminophenanthren zugängliche Dichlor-(4-phenanthryl-amino)-boran wird in Gegenwart von Aluminiumchlorid zum *5-Chlor-4,5-dihydro-⟨phenanthro[4,4a,4b,5-c,d,e]-1,2-azaborin⟩* cyclisiert (vgl. a. S. 162)[3]:

$$BCl_3 + \text{(Phenanthren-}NH_2) \xrightarrow{-HCl} \text{(Phenanthren-N(H)–}BCl_2) \xrightarrow[-HCl]{AlCl_3} \text{(HN–B(Cl))}$$

Mit 2-Aminobiphenyl wird in Gegenwart von Aluminiumtrichlorid das *6-Chlor-5,6-dihydro-⟨dibenzo-1,2-azaborin⟩* erhalten, ohne daß das als Zwischenprodukt auftretende 2-Biphenylylamino-dichlor-boran isoliert werden muß[4]:

---

[1] A. MELLER u. W. MARINGGELE, M. **101**, 753 (1970); C.A. **73**, 35432 (1970).
[2] M.J.S. DEWAR u. R.W. DIETZ, Soc. **1959**, 2728.
[3] M.J.S. DEWAR u. W.H. POESCHE, J. Org. Chem. **29**, 1757 (1964).
[4] M.J.S. DEWAR, Advan. Chem. Ser. **42**, 227 (1964); dort S. 237.

$$BCl_3 + \text{2-Aminobiphenyl} \xrightarrow{-HCl} \text{(HN-BCl}_2\text{)-biphenyl} \xrightarrow[-HCl]{AlCl_3} \text{HN-B(Cl)-dibenzo}$$

6-Chlor-5,6-dihydro-⟨dibenzo-1,2-azaborin⟩[1]**:**

(Biphenyl-2-ylamino)-dichlor-boran: Zu 17,4 g (103 mmol) 2-Aminobiphenyl in 350 *ml* Benzol tropft man langsam eine Lösung von 12 g (102 mmol) Trichlorboran in 50 *ml* Benzol. Nach 10 stdgm. Erhitzen im Rückfluß wird das Benzol abgezogen; Rohausbeute: 15 g.

6-Chlor-5,6-dihydro-⟨dibenzo-1,2-azaborin⟩: 6 g (24 mmol) rohes (2-Biphenylylamino)-dichlor-boran werden zusammen mit 0,5 g Aluminiumtrichlorid 7 Stdn. auf 175° erhitzt. Anschließend wird bei 160–170°/0,05 Torr sublimiert; Ausbeute: 2,8 g (55%, bez. auf Trichlorboran).

Auf diese Weise lassen sich zahlreiche 2-Aminobiphenyl-Derivate mit Trichlorboran nach Friedel-Crafts umsetzen[1-3].

Aus Trichlorboran erhält man auch mit bestimmten cyclischen Azomethinen unter Friedel-Crafts-Bedingungen cyclische Alkenylamino-aryl-chlor-borane (vgl. S. 56)[4]:

$$BCl_3 + \text{1-Benzyl-3,4-dihydroisochinolin} \xrightarrow[-2\,HCl]{AlCl_3}$$

5-Chlor-7,8-dihydro-5H-⟨benzo[c]-isochinolo[1,2-f]-1,2-azaborin⟩

Auch die mit den Tosylhydrazonen aromatischer Aldehyde aus Trihalogenboranen zugänglichen cyclischen Halogen-hydrazino-organo-borane werden in der Regel in situ hergestellt. Die Besprechung der Reaktion erfolgt daher auf S. 162 bei den Amino-organo-oxy-boranen.

β) aus Aminoboranen

Amino-organo-borane eignen sich zur Herstellung einheitlicher Amino-halogen-organo-borane. Hierfür werden z.B. Ligandenaustausch-Reaktionen mit bestimmten Boranen sowie mit anderen Reagenzien wie z.B. mit Elementhalogeniden oder mit Halogen durchgeführt.

β_1) *aus Amino-diorgano-boranen*

Voraussetzung der Kommutierung von Amino-dihalogen- und Amino-dialkyl-boranen ist, daß beide Reaktionspartner die gleichen Amino-Gruppen enthalten. Andernfalls werden Produktgemische erhalten. Beim Zusammenfügen äquimolarer Mengen der Edukte bildet sich zunächst ein stabiles Addukt, das oberhalb 160° in die Kommutierungsprodukte zerfällt. Die entstehenden Borane sind relativ stabil gegen Dimerisierung, die erst nach längerem Stehen eintritt[5]:

[1] M.J.S. Dewar, V.P. Kubba u. R. Pettit, Soc. **1958**, 3073.
[2] M.J.S. Dewar u. V.P. Kubba, Tetrahedron **7**, 213 (1959).
[3] M.J.S. Dewar u. P.J. Grisdale, J. Org. Chem. **28**, 59 (1963).
[4] M.J.S. Dewar, Advan. Chem. Ser. **42**, 227 (1964); dort S. 237.
[5] H.J. Becher u. H. Diehl, B. **98**, 526 (1965).

$$R^2_2B-NR^1_2 \; + \; Cl_2B-NR^1_2 \longrightarrow 2 \; R^2(Cl)B-NR^1_2$$

Chlor-methyl-(*N*-methylanilino)-boran[1]: 11 g (0,075 mol) Dimethyl-(*N*-methylanilino)-boran und 16 g (0,086 mol) Dichlor-(*N*-methylanilino)-boran werden in Gegenwart von wenig Quecksilber in einem Kolben unter Stickstoff 20 Stdn. auf 160° erhitzt. Anschließend wird destilliert; Ausbeute: 15 g (60,2%); Kp_{12}: 83°. Ein nochmaliges Destillieren i. Hochvak. ist zu empfehlen.

Auf ähnliche Weise, allerdings unter Isolierung des Addukts als Zwischenprodukt, erhält man in 60–70%iger Ausbeute das *Chlor-dimethylamino-methyl-boran*. Nach Zusammengeben beider Komponenten bei −25° wird das Addukt 36 Stdn. auf 160–170° erhitzt[2].

Trichlorboran, ein unter milden Bedingungen wirksames Chlorierungsmittel, läßt sich mit Vorteil zur Substitution einer 2-Organo-Gruppe in 1-Aza-2-bora-cycloalkanen einsetzen. Aus den flüssigen 1,2-Dialkyl-1,2-azaborolidinen erhält man beim Durchleiten von gasförmigem Trichlorboran 1-Alkyl-2-chlor-1,2-azaborolidine, die beim Stehen langsam zu einem Feststoff dimerisieren[3]:

$$\text{1-}R^1\text{-2-}R^2\text{-1,2-azaborolidin} + BCl_3 \xrightarrow{-\,R^2-BCl_2} \text{1-}R^1\text{-2-Cl-1,2-azaborolidin}$$

$R^1 = C_2H_5$; $R^2 = C_4H_9$; *2-Chlor-1-ethyl-1,2-azaborolidin;* 61%; Kp_{115}: 47–49°
$R^1 = CH_2{-}C_6H_5$; $R^2 = CH_2{-}CH(CH_3)_2$; *1-Benzyl-2-chlor-1,2-azaborolidin*; 94%; Kp_3: 95–97°
$R^1 = C_3H_7$; $R^2 = CH_2{-}CH_2{-}CH(CH_3)_2$; *2-Chlor-1-propyl-1,2-azaborolidin;* 94%; Kp_{28}: 66–70°

Der Austausch einer der beiden Organo-Gruppen von Amino-diorgano-boranen[4] durch das Chlor-Atom gelingt photochemisch mit Tetrachlormethan.

Bestrahlt man in einem Rayonet-Reaktor ($\lambda = 3000$ Å) eine Lösung von Alkyl-(*N*-methylanilino)-phenyl-boran in Tetrachlormethan, so erhält man neben anderen Produkten *Chlor-(N-methylanilino)-phenyl-* und *(N-Methylanilino)-phenyl-trichlormethyl-boran* (im Verhältnis 1:1)[5,6]:

$$R(H_5C_6)B-N(CH_3)C_6H_5 \xrightarrow{+\,CCl_4,\,h\nu} Cl(H_5C_6)B-N(CH_3)C_6H_5 \;+\; Cl_3C(H_5C_6)B-N(CH_3)C_6H_5$$

R = C_2H_5; 9%
R = $CH(CH_3)_2$; 13%
R = $CH_2{-}C_6H_5$; 16%

β_2) *aus Amino-halogen-organo-boranen*

Aus Alkenyl-amino-halogen-boranen erhält man bei Brom-Einwirkung in einigen Fällen ohne Veränderung der drei Bindungen am Bor-Atom Amino-dibromalkyl-halogen-borane. Während sich die Alkenyl-Gruppe in Alkenyl-dichlor-boranen der Bromierung entzieht, läßt sich das Chlor-diisopropylamino-vinyl-boran mit Brom in Tetrachlormethan bei −78° in 82–90%iger Ausbeute zum *Chlor-(1,2-dibromethyl)-diisopropylamino-boran*[6] umsetzen.

[1] H. J. Becher u. H. Diehl, B. **98**, 526 (1965).
[2] F. C. Gunderloy jr. u. C. F. Erickson, Inorg. Chem. **1**, 349 (1962).
[3] B. M. Mikhailov, V. A. Dorokhov, N. V. Mostovoi, O. G. Boldyreva u. M. N. Bochkareva, Ž. obšč. Chim. **40**, 1817 (1970); C. A. **74**, 42403 (1971).
[4] *Gmelin*, 8. Aufl., **48**/1b, S. 149–157 (1977).
[5] K. G. Hancock u. D. A. Dickinson, Chem. Commun. **1972**, 962.
[6] K. G. Hancock u. D. A. Dickinson, Am. Soc. **95**, 280 (1973).
[7] G. Coindard u. J. Braun, Bl. **1972**, 811; C. A. **76**, 140939 (1972).

Das Chlor-Atom der Amino-aryl-chlor-borane läßt sich mit Antimon(III)-fluorid gegen das Fluor-Atom austauschen. Dies ist der beste Weg zur Herstellung der Amino-aryl-fluor-borane[1,2].

(Bis[1-methylpropyl]amino)-fluor-phenyl-boran[2]: 7,3 g (30 mmol) (Bis[1-methylpropyl]amino)-chlor-phenyl-boran werden langsam unter Kühlen und Rühren zu 2 g (11 mmol) Antimon(III)-fluorid gegeben. Man läßt unter Rühren auf ~20° erwärmen, rührt weitere 3 Stdn. und destilliert i. Vak.; Ausbeute: 2,82 g (40%); Kp_1: 75°.

Aus Chlor-dialkylamino-phenyl-boranen lassen sich mit Phenylisocyanat in siedendem Benzol unter Aminoborierung der N=C-Bindung Chlor-phenyl-subst.-ureido-borane in ~90%iger Ausbeute herstellen[3]; z.B.:

$$H_5C_6-B(Cl)-N(CH_3)_2 + H_5C_6-N=C=O \xrightarrow{\text{Benzol; 80°; 1 Stde.}} H_5C_6-B(Cl)-N(C_6H_5)-C(=O)-N(CH_3)_2$$

Chlor-(α-dimethylaminocarbonyl-anilino)-phenyl-boran; 89%; F: 153–155°

β_3) *aus Diamino-organo-boranen*

$\beta\beta_1$) mit Boranen

Amino-halogen-organo-borane sind auch aus Diamino-organo-boranen mit anderen Boranen durch Substituenten-Austausch zugänglich. Zur Gewinnung von Alkyl-dimethylamino-halogen-boranen im größeren Maßstab ist die Kommutierung von Alkyl-bis[dimethylamino]-boranen mit Alkyl-dihalogen-boranen besonders geeignet. Die Reaktion verläuft über ein nur bei tiefer Temperatur beständiges Addukt:

$$(H_3C)_2N(R)B-\overset{\oplus}{N}(CH_3)_2-\overset{\ominus}{B}(R)(Hal)-Hal$$

Der Substituenten-Austausch am Bor-Atom tritt bei ~20° ein[3–7]:

$$R-B[N(CH_3)_2]_2 + R-BHal_2 \longrightarrow 2\ R(Hal)B-N(CH_3)_2$$

z.B.: $R = CH_3$; Hal = F; *Dimethylamino-fluor-methyl-boran*[6]; 85%; Kp_{720}: 44–46°
$R = CH_3$; Hal = Br; *Brom-dimethylamino-methyl-boran*[5]; 79%; Kp_{12}: 42°
$R = C_3H_7$; Hal = Cl; *Chlor-dimethylamino-propyl-boran*[5]; 89%; Kp_{720}: 139–141°
$R = CH(CH_3)_2$; Hal = Br; *Brom-dimethylamino-isopropyl-boran*[4]; 94%; Kp_{12}: 50°
$R = C_4H_9$; Hal = Cl; *Butyl-chlor-dimethylamino-boran*[5,7]; 89%; Kp_{10}: 46–49°

Lediglich die Herstellung von *Chlor-dimethylamino-methyl-boran* erfordert schärfere Reaktionsbedingungen (im Einschlußrohr bei 170°, 36 Stdn.)[5]. In Gegenwart von Trialkylaminen erhält man aus Alkyl-amino-halogen-boranen B-Alkylborazine (vgl. S. 343).

Brom-dimethylamino-methyl-boran[5]: 26,8 g (145 mmol) Dibrom-methyl-boran werden in 100 *ml* Pentan gelöst. Unter Rühren und Kühlen mit einem Eis-Kochsalz-Gemisch tropft man eine Lösung von 16,5 g (145 mmol) Bis[dimethylamino]-methyl-boran in 50 *ml* Pentan langsam zu. Die sich abscheidenden Kristalle gehen bei ~20°

[1] P.A. Barfield, M.F. Lappert u. J. Lee, Soc. [A] **1968**, 554.
[2] R.H. Cragg u. T.J. Miller, J. Organometal. Chem. **217**, 1 (1981).
[3] R.H. Cragg u. T.J. Miller, J. Organometal. Chem. **232**, 201 (1982).
[4] H. Nöth u. P. Fritz, Ang. Ch. **73**, 408 (1961).
[5] H. Nöth u. P. Fritz, Z. anorg. Ch. **324**, 270 (1963); C.A. **60**, 1782 (1964).
[6] H. Nöth u. H. Vahrenkamp, B. **100**, 3353 (1967).
[7] P. Paetzold u. H.-P. Biermann, B. **110**, 3678 (1977).

in Lösung. Dabei erfolgt eine exotherme Reaktion, die das Lösungsmittel zum Sieden bringt. Man erhitzt kurz unter Rückfluß und destilliert dann das Lösungsmittel über eine Kolonne ab. Der Rückstand wird i. Vak. fraktioniert; Ausbeute: 34,3 g (79%); Kp_{22}: 42°.

Auch 1-Alkenyl- oder Aryl-halogen-organo-borane sind durch Kommutierung in guten Ausbeuten zugänglich. Bei der Reaktion von Bis[dimethylamino]-vinyl-boran mit Dibrom-vinyl-boran bei −10° in Hexan erhält man nach anschließendem Erwärmen auf ~20° *Brom-dimethylamino-vinyl-boran* in 81%iger Ausbeute (Kp_{11}: 39°)[1]:

$$H_2C{=}CH{-}B[N(CH_3)_2]_2 + H_2C{=}CH{-}BBr_2 \longrightarrow 2\ (H_2C{=}CH)(Br)B{-}N(CH_3)_2$$

Äquimolare Mengen Dihalogen-phenyl- und Diamino-phenyl-boran liefern beim mehrstündigen Stehen bei ~20° Amino-halogen-phenyl-borane:

$$H_5C_6{-}B[NR^1R^2]_2 + H_5C_6{-}BHal_2 \longrightarrow 2\ (H_5C_6)(Hal)B{-}NR^1R^2$$

$R^1 = H$; $R^2 = C(CH_3)_3$; Hal = Cl; *tert-Butylamino-chlor-phenyl-boran*[2]; 72%; $Kp_{0,01}$: 58–60°
$R^1 = R^2 = CH_3$; Hal = Br; *Brom-dimethylamino-phenyl-boran*[3]; 87%; $Kp_{0,8}$: 63°
$R^1 = CH_3$; $R^2 = C_6H_5$; Hal = Br; *Brom-(N-methylanilino)-phenyl-boran*[4]; $Kp_{0,3}$: 123°

Zur Gewinnung von *3-Butenyl-chlor-dimethylamino-boran* verwendet man Bis[dimethylamino]-3-butenyl-boran, das mit Dichlor-phenyl-boran oder mit Bis[dimethylamino]-chlor-boran umgesetzt wird[5].

$\beta\beta_2$) mit Elementhalogeniden oder Hydrogenhalogeniden

Eine einfache und ergiebige Methode zur Herstellung von *Chlor-dimethylamino-methyl-boran* (87%) stellt die Umsetzung von Bis[dimethylamino]-methyl-boran mit Titan(IV)-chlorid bei tiefen Temperaturen in Dichlormethan dar[6]:

$$H_3C{-}B[N(CH_3)_2]_2 + TiCl_4 \longrightarrow (H_3C)(Cl)B{-}N(CH_3)_2 + (H_3C)_2N{-}TiCl_3$$

Alkyl-bis[dimethylamino]-borane reagieren spontan mit Hydrogenhalogenid unter Bildung von Alkyl-dimethylamino-halogen-boran und Dimethylammoniumhalogenid[3]:

$$R{-}B[N(CH_3)_2]_2 + 2\ HHal \xrightarrow[-[(H_3C)_2NH_2]^+Hal^-]{} (R)(Hal)B{-}N(CH_3)_2$$

Um gute Ausbeuten zu erzielen, muß die Stöchiometrie der Umsetzung unbedingt eingehalten werden, da sich das gebildete unsymmetrische Boran wieder mit dem angebotenen Halogenwasserstoff umsetzen kann. Die Alkyl-dimethylamino-halogen-borane dime-

[1] P. Fritz, K. Niedenzu u. J.W. Dawson, Inorg. Chem. **3**, 626 (1964).
[2] M.F. Lappert u. M.K. Majumdar, Advan. Chem. Ser. **42**, 208 (1964).
[3] H. Nöth u. P. Fritz, Z. anorg. Ch. **324**, 270 (1963); C.A. **60**, 1782 (1964).
[4] P.A. Barfield, M.L. Lappert u. J. Lee, Soc. [A] **1968**, 554.
[5] K.G. Hancock u. J.D. Kramer, J. Organometal. Chem. **64**, C29 (1973).
[6] G.S. Kyker u. E.P. Schram, Am. Soc. **90**, 3672 (1968).

risieren nach einiger Zeit, wobei die Geschwindigkeit deutlich mit zunehmender Größe des Alkyl-Restes und des Halogen-Atoms abnimmt[1-4].

Bis[dimethylamino]-methyl-boran verhält sich gegenüber dem Hydrogenhalogenid anders. Nach der Addition von 2 mol Hydrogenhalogenid fällt in quantitativer Ausbeute das Salz I (vgl. S. 697ff.) aus, das bei 170–180° in Dimethylamino-halogen-methyl-boran und Dimethylammoniumhalogenid zerfällt[2]:

$$\left[\begin{matrix}Hal \\ \backslash \\ B[NH(CH_3)_2]_2 \\ / \\ H_3C\end{matrix}\right]^+ Hal^- \xrightarrow[-[(H_3C)_2NH_2]^+Hal^-]{\Delta} \begin{matrix}Hal \\ \backslash \\ B-N(CH_3)_2 \\ / \\ H_3C\end{matrix}$$

I; Hal = Cl, Br

Chlor-dimethylamino-ethyl-boran[1]**:** 2,465 g (23,2 mmol) Bis[dimethylamino]-ethyl-boran werden in 30 *ml* Ether gelöst und unter Rühren innerhalb 1 Stde. mit 70,1 *ml* einer 0,66 N ether. Hydrogenchlorid-Lösung versetzt. Nach 12 Stdn. wird vom ausgefallenen Dimethylamin-Hydrochlorid filtriert; nach Abziehen des Ethers wird destilliert; Ausbeute: 1,24 g (44%); Kp_{720}: 116–119°.

Chlor-dimethylamino-methyl-boran[1]**:** 16 g (0,14 mol) Bis[dimethylamino]-methyl-boran, gelöst in 50 *ml* Ether, werden unter Eis-Kochsalz-Kühlung und ständigem Rühren tropfenweise mit 100 *ml* einer 2,8 M ether. Hydrogenchlorid-Lösung versetzt. Der Niederschlag wird abgetrennt, mit Ether gewaschen und getrocknet; Ausbeute: 25 g Salz (95,5%); F: 127–133°.

22 g (0,118 mol) dieses Salzes werden in einem Kolben mit aufgesetztem Kolonnenkopf langsam erhitzt. Bei 170–180° Badtemp. destilliert das Chlor-dimethylamino-methyl-boran zwischen 90° und 100° ab. Bei der Redestillation geht das reine Boran als an der Luft rauchende Flüssigkeit über, die nach 3 Tagen vollständig zum Dimeren erstarrt ist (Kp_{720}: 94–96°).

Aryl-diamino-borane lassen sich analog zu Amino-aryl-halogen-boranen umsetzen. So addiert Bis[dimethylamino]-phenyl-boran bei 20° in Ether zunächst 2 mol Hydrogenchlorid. Das erhaltene Salz zerfällt bei 200° zu *Chlor-dimethylamino-phenyl-boran* (94%; Kp_1: 58–60°) und Dimethylammoniumchlorid[1]:

$$H_5C_6-B[N(CH_3)_2]_2 + 2\ HCl \xrightarrow{Ether, 25°} \left[\begin{matrix}Cl \\ \backslash \\ B[NH(CH_3)_2]_2 \\ / \\ H_5C_6\end{matrix}\right]^+ Cl^-$$

$$\xrightarrow[-[H_2N(CH_3)_2]^+ Cl^-]{\sim 200°} \begin{matrix}Cl \\ \backslash \\ B-N(CH_3)_2 \\ / \\ H_5C_6\end{matrix}$$

β_4) *aus Amino-dichlor-boranen*

Aus Dichlor-dimethylamino-boran ist z.B. mit Dimethyl-dimethylamino-boran beim mehrstündigen Erhitzen auf 160–170° *Chlor-dimethylamino-methyl-boran* zugänglich[5]:

$$(H_3C)_2N-BCl_2 + (H_3C)_2B-N(CH_3)_2 \xrightarrow{160-170°} 2 \begin{matrix}Cl \\ \backslash \\ B-N(CH_3)_2 \\ / \\ H_3C\end{matrix}$$

[1] H. Nöth u. P. Fritz, Z. anorg. Ch. **322**, 297 (1963); C.A. **59**, 8773 (1963).
[2] H. Nöth u. P. Fritz, Z. anorg. Ch. **324**, 270 (1963); C.A. **60**, 1782 (1964).
[3] H. Nöth u. H. Vahrenkamp, B. **100**, 3353 (1967).
[4] H. Nöth, S. Lukas u. P. Schweizer, B. **98**, 962 (1965).
[5] F.C. Gunderloy u. C.E. Erickson, Inorg. Chem. **1**, 349 (1962).

Tab. 33: Alkyl-dimethylamino-halogen-borane aus Bis[dimethylamino]-organo-boranen mit Hydrogenhalogeniden[1]

$R–B[N(CH_3)_2]_2$ R	HHal	Bedingungen	Boran	Ausbeute [%]	Kp [°C]	Kp [Torr]
CH_3	HBr	HBr-Gas in Lösung des Borans in Pentan einleiten; Zwischenprodukt abtrennen; Zers. bei 170–180°	*Brom-dimethyl-amino-methyl-boran*	45	42	22
C_3H_7	HCl	ether. Boran-Lösg. zu ether. HCl während 1,5 Stdn. geben; Produkt mehrfach destillieren	*Chlor-dimethyl-amino-propyl-boran*	82,2	26–29	9
C_4H_9	HCl	–	*Butyl-chlor-di-methylamino-boran*	66,8	42–45	9
	HBr	benzol. HBr-Lösg. zur benzol. Boran-Lösg. geben	*Brom-butyl-di-methylamino-boran*	51,1	27–29	1
	HJ	beide Edukte in Benzol vereinen; langsame Salzbildung; Produkt färbt sich schnell braun	*Butyl-dimethyl-amino-jod-boran*	50,8	37–39	1

Auch mit metallorganischen Verbindungen können durch Ligandenaustausch Amino-halogen-organo-borane gewonnen werden. Die Stöchiometrie der Reaktionspartner ist allerdings genau zu beachten.

Dichlor-diethylamino-boran setzt sich mit 1-Propenyl- bzw. Isopropenyl-magnesiumchlorid zu *Chlor-diethylamino-1-propenyl-boran* (24%; Kp_{20}: 75°) bzw. *Chlor-diethylamino-isopropenyl-boran* (Kp_{15}: 56–60°) um[2].

Die Arylierung von Amino-dihalogen-boranen mit Grignard-Verbindungen bleibt normalerweise auch bei Einhaltung stöchiometrischer Verhältnisse nicht beim einfach arylierten Produkt stehen. Meist erhält man nur die Amino-diaryl-borane. Kann das einfach arylierte Zwischenprodukt aus sterischen Gründen nicht mit einer weiteren Grignard-Verbindung reagieren, so läßt es sich selbst in Gegenwart eines Überschusses an Grignard-Reagenz in reiner Form isolieren. Man erhält z.B. aus Dichlor-diisopropylamino-boran in Benzol mit 2-Methylphenylmagnesiumhalogenid in Ether in 56%iger Ausbeute das *Chlor-diisopropylamino-(2-methylphenyl)-boran* (Kp_4: 115–119°)[3]:

$$Cl_2B–N[CH(CH_3)_2]_2 + \text{2-}CH_3C_6H_4–MgHal \xrightarrow{-\,MgHalCl} \text{2-}CH_3C_6H_4–B(Cl)–N[CH(CH_3)_2]_2$$

Zur Umsetzung von Amino-dialkyl-boranen s. S. 145ff.

Aus Anilino-dichlor-boranen bilden sich mit Isonitrilen in Gegenwart von Triethylamin cyclische Verbindungen mit RB(N)Cl-Gruppierung. Die Verbindungen sind bisher jedoch

[1] H. Nöth u. P. Fritz, Z. anorg. Ch. **322**, 297 (1963); C.A. **59**, 8773 (1963).
[2] J. Braun u. H. Normant, Bl. **1966**, 2557; C.A. **66**, 2608 (1967).
[3] K. Niedenzu, J.W. Dawson, P. Fritz u. H. Jenne, B. **98**, 3050 (1965).

nur als borfreie Produkte der Acidolyse (2-Alkylamino-benzaldehyde) identifiziert worden[1]:

1. + $R^2-\overset{\oplus}{N}\equiv\overset{\ominus}{C}$
2. + $(H_5C_2)_3N$ $\{-[(H_5C_2)_3NH]^+ Cl^-\}$

2-Chlor-1-organo-3-organoimino-2,3-dihydro-1H-⟨benzo[d]-1,2-azaborole⟩

γ) aus Diboran(4)-Derivaten

Präparativ werden die Reaktionen nur in Sonderfällen angewandt. Halogene spalten die B-B-Bindung der Diborane(4) glatt unter Oxidation. Man fügt zum vorgelegten Brom oder Jod die äquivalente Menge an 1,2-Bis[dimethylamino]-1,2-dibutyl-diboran(4) (stark exotherme Reaktion)[2]:

$$(H_3C)_2N(H_9C_4)B-B(C_4H_9)N(CH_3)_2 + Hal_2 \longrightarrow 2\ Hal-B(C_4H_9)N(CH_3)_2$$

Hal = Br; *Brom-butyl-dimethylamino-boran*; 54,5%; Kp_1: 27–29°
Hal = J; *Butyl-dimethylamino-jod-boran*; 70,5%; Kp_1: 37–38°

δ) aus Lewisbase-Organoboranen

Die Additionsverbindungen der Dihalogen-organo-borane mit Arylaminen reagieren beim Erhitzen unter Abspaltung von Hydrogenchlorid. Man erhält Arylamino-halogen-organo-borane[3]; z.B.:

$$2,6\text{-}Br_2C_6H_3-\overset{\oplus}{N}H_2-\overset{\ominus}{B}Cl_2-C_6H_5 \xrightarrow[-HCl]{Benzol,\ 1\text{-}2\ Stdn.\ Rückfluß} H_5C_6-B(Cl)-NH-C_6H_3Br_2$$

Chlor-(2,6-dibromanilino)-phenyl-boran

ε) aus Organoboraten

Offenkettige Amino-aryl-halogen-borane sind in Ausnahmefällen aus Ammonium-aryl-trihalogen-boraten (vgl. S. 829) mit Basen herzustellen. Normalerweise spalten Alkylammonium-phenyl-trichlor-borate, hergestellt durch Vereinigung von Alkylammoniumchlorid und Dichlor-phenyl-boran (vgl. S. 831), bei Zugabe der dreifachen Menge Triethylamin 3 mol Hydrogenchlorid ab und gehen in die entsprechenden Borazine über (s. S. 362).

Im Falle des 2-Butylammonium- bzw. tert.-Butylammonium-Ions werden nur 2 mol Hydrogenchlorid abgespalten. Man erhält in 75%iger Ausbeute Amino-chlor-phenyl-borane[4,5]:

---

[1] T. SUGASAWA, H. HAMANA, T. TOYADA u. M. ADACHI, Synthesis **1979**, 99.
[2] H. NÖTH u. P. FRITZ, Z. anorg. Ch. **324**, 129 (1963).
[3] J.R. BLACKBOROW u. J.L. LOCKHART, Soc. (A) **1971**, 1343.
[4] B.R. CURRELL, W. GERRARD u. M. KHODABOCUS, Chem. Commun. **1966**, 77.
[5] B.R. CURRELL, W. GERRARD u. M. KHODABOCUS, J. Organometal. Chem. **8**, 411 (1967).

$$[R{-}NH_3]^+\ [H_5C_6{-}BCl_3]^- + 2\ (H_5C_2)_3N \xrightarrow[-2\ [(H_5C_2)_3NH]^+Cl^-]{Toluol} (H_5C_6)(Cl)B{-}NH{-}R$$

2.1-Elementalkylamino- und Alkylidenamino-halogen-organo-borane

α) aus Halogen-organo-boranen

Aus Dihalogen-organo-boranen lassen sich nicht nur durch Borylierung von Amin oder Amid Amino-halogen-borane herstellen, sondern in Einzelfällen auch durch Haloborierung eines Imins. So addieren sich Dihalogen-phenyl-borane glatt an die C=N-Bindung des Hexafluoracetonimins[1]:

$$H_5C_6{-}BHal_2 + HN{=}C(CF_3)_2 \xrightarrow{-15°} (H_5C_6)(Hal)B{-}NH{-}C(CF_3)_2{-}Hal$$

Hal = Cl; *Chlor-(1-chlor-2,2,2-trifluor-1-trifluormethyl-ethylamino)-phenyl-boran*; 91%; Kp_3: 55°
Hal = Br; *Brom-(1-brom-2,2,2-trifluor-1-trifluormethyl-ethylamino)-phenyl-boran*; $Kp_{0,1}$: 27°

Auch mit Metall-alkylidenamiden sind Alkylidenamino-halogen-organo-borane zugänglich. Aus Dichlor-phenyl-boran erhält man mit Lithium-1-tert.-butyl-2,2-dimethyl-propylidenamid u.a. *(1-tert.-Butyl-2,2-dimethyl-propylidenamino)-chlor-phenyl-boran*[2].

Aus Chlor-dialkylamino-phenyl-boranen lassen sich mit Phenylisocyanat in siedendem Benzol unter Aminoborierung der C=N-Bindung *Chlor-(3,3-dialkyl-1-phenyl-ureido)-phenyl-borane* (~90%) herstellen[3]; z.B.:

$$H_5C_6{-}B(Cl){-}N(CH_3)_2 + H_5C_6{-}N{=}C{=}O \xrightarrow{C_6H_6,\ 80°} H_5C_6{-}B(Cl){-}N(C_6H_5){-}C({=}O){-}N(CH_3)_2$$

Die Haloborierung von Nitrilen mit Dihalogen-organo-boranen führt zur Bildung von Alkylidenamino-halogen-organo-boranen. Elektronegative Reste an der Nitril-Gruppe sowie eine geringe Bindungsstärke der Bor-Halogen-Bindung begünstigen die 1,2-Addition an die C≡N-Bindung. Fluorborane gehen z.B. diese Reaktion nicht ein. Dibrom-methyl-boran bildet mit Fluorcyan in Tetrachlormethan in 50%iger Ausbeute das *Brom-(brom-fluor-methylenamino)-methyl-boran*, das mit seinem BNBN-Vierring-Dimeren (vgl. S. 670ff.) im Gleichgewicht steht[4]:

$$H_3C{-}BBr_2 + NCF \longrightarrow (H_3C)(Br)B{-}N{=}C(Br)F$$

Analog setzt sich Dibrom-methyl-boran fast quantitativ mit Pentafluorpropansäurenitril oder mit Pentafluorbenzonitril um. Man erhält nur die Dimeren von *Brom-(1-brom-pentafluor-propylidenamino)-methyl-* bzw. *Brom-(α-brom-pentafluor-benzylidenami-*

[1] C.D. MILLER u. K. NIEDENZU, Synth. React. Inorg. Metal-org. Chem. **1972**, 217; C.A. **77**, 140201 (1972).
[2] M.R. COLLIER, M.F. LAPPERT, R. SNAIK u. K. WADE, Soc. [Dalton Trans.] **1972**, 370.
[3] R.H. CRAGG u. T.J. MILLER, J.Organometal. Chem. **232**, 201 (1982).
[4] A. MELLER u. W. MARINGGELE, M. **101**, 753 (1970); C.A. **73**, 35432 (1970).

no)-methyl-boran (vgl. S. 670). 4-Fluorbenzonitril ist nicht mehr zur Addition befähigt. Setzt man Dichlor-organo-boran ein, so erhält man in der Regel ein Gemisch aus dem dimeren Alkylidenamino-chlor-organo-boran und dem Addukt aus Dichlor-organo-boran mit Nitril[1] (vgl. S. 528).

β) aus Alkylidenamino-boranen

Monomere Brom-(1-bromalkylidenamino)-organo-borane reagieren bei ~20° mit Alkanthiolen unter Brom-Wanderung zu Imin-Boranen, die bei der Hochvakuumdestillation unter Abspaltung von Hydrogenbromid in Brom-(1-alkylthio-alkylidenamino)-organo-borane übergehen. Beim Versuch, das Hydrogenbromid mit tert. Aminen abzuspalten, wird die BN-Bindung gespalten[3].

$$\begin{matrix}Br\\ \diagdown\\ B{-}N{=}C(Br)(CCl_3)\\ \diagup\\ R^1\end{matrix} + R^2SH \longrightarrow (R^2S)(Cl_3C)C{=}\overset{\oplus}{N}H{-}\overset{\ominus}{B}Br_2{-}R^1 \xrightarrow[-HBr]{\Delta} (R^1)(Br)B{-}N{=}C(SR^2)(CCl_3)$$

z. B.: $R^1 = CH_3$, $R^2 = C_6H_5$; *Brom-methyl-(1-phenylthio-2,2,2-trichlor-ethylidenamino)-boran*
$R^1 = C_6H_5$; $R^2 = CH_3$; *Brom-(1-methylthio-2,2,2-trichlor-ethylidenamino)-phenyl-boran*
$R^2 = C_4H_9$; *Brom-(1-butylthio-2,2,2-trichlor-ethylidenamino)-phenyl-boran*
$R^2 = C_6H_5$; *Brom-phenyl-(1-phenylthio-2,2,2-trichlor-ethylidenamino)-boran*

3. Elementamino-halogen-organo-borane

α) Halogen-hydrazino-organo-borane

α₁) *aus Halogen-organo-boranen*

Die Herstellung von Halogen-hydrazino-organo-boranen (vgl. a. S. 192, 199) läßt sich aus Dihalogen-organo-boranen mit silylierten Hydrazinen im allgemeinen gut durchführen. Offenkettige sowie cyclische Verbindungen sind nach der Methode zugänglich.

Aus Dibrom-methyl-boran erhält man z.B. mit 1,2-Bis[trimethylsilyl]-1,2-dimethyl-hydrazin in >50%iger Ausbeute *1,2-Bis[brom-methyl-boryl]-1,2-dimethyl-hydrazin* (Kp_2: 50°)[3]:

$$2\ H_3C{-}BBr_2 + (H_3C)_3Si{-}N(CH_3){-}N(CH_3){-}Si(CH_3)_3 \xrightarrow{-2\ (H_3C)_3SiBr} (H_3C)(Br)B{-}N(CH_3){-}N(CH_3){-}B(Br)(CH_3)$$

Die Verbindung läßt sich auch durch Reaktion der N–Si-Bindung unter Sechsringöffnung herstellen (~56%)[3]:

$$4\ H_3C{-}BBr_2 + [(H_3C)_2Si{-}N(CH_3){-}N(CH_3)]_2 \xrightarrow{-2\ (H_3C)_2SiBr_2} 2\ (H_3C)(Br)B{-}N(CH_3){-}N(CH_3){-}B(Br)(CH_3)$$

---

[1] A. Meller u. W. Maringgele, M. **101**, 753 (1970).
[2] A. Meller u. W. Maringgele, M. **102**, 121 (1971).
[3] K. Barlos, H. Christl u. H. Nöth, A. **1976**, 2272.

Aus *cis*-2,3-Bis[dichlorboryl]-2-buten ist bei tiefer Temperatur mit 1,2-Bis[trimethylsilyl]-1,2-dimethyl-hydrazin in 90%iger Ausbeute *3,6-Dichlor-1,2,4,5-tetramethyl-1,2,3,6-tetrahydro-1,2,3,6-diazadiborin* zugänglich[1]:

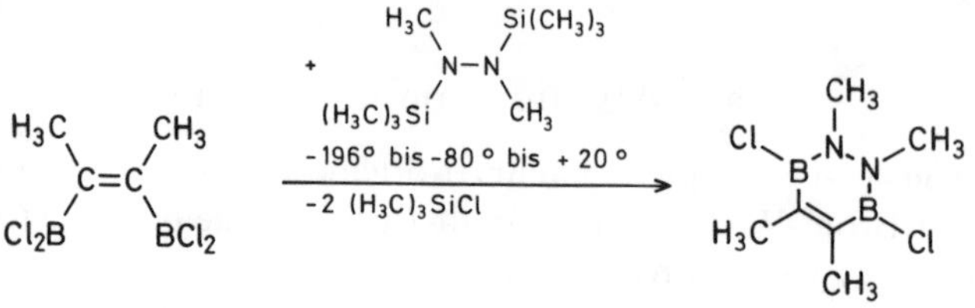

H_3C CH_3 C=C Cl_2B BCl_2 + $H_3C(Si(CH_3)_3)N-N(CH_3)Si(CH_3)_3$; −196° bis −80° bis +20°; −2 $(H_3C)_3SiCl$ → Cl, CH_3, CH_3, H_3C, Cl, CH_3 (B, N, N, B ring)

Entsprechend erhält man aus 1,2-Bis[dichlorboryl]ethan in 85%iger Ausbeute *3,6-Dichlor-1,2-dimethyl-1,2,3,6-diazadiborinan*[1]:

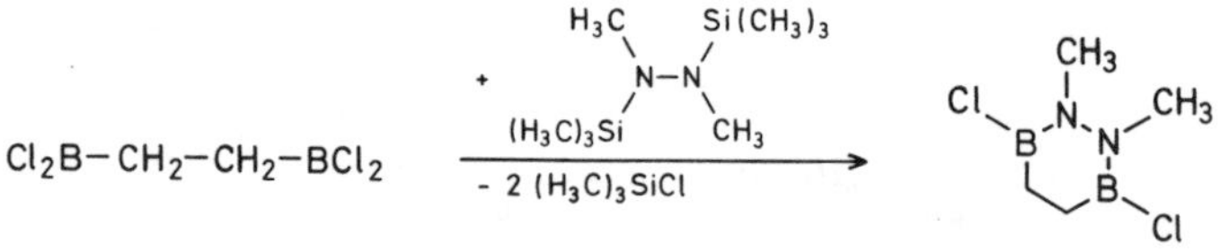

$Cl_2B-CH_2-CH_2-BCl_2$ + $H_3C(Si(CH_3)_3)N-N(CH_3)Si(CH_3)_3$; −2 $(H_3C)_3SiCl$ → Cl, CH_3, CH_3, Cl (B, N, N, B ring)

α₂) aus Amino-organo-thio-boranen

Halogenierungen cyclischer Hydrazino-organo-thio-borane mit Phosphor(III)- und Antimon(III)-halogeniden führen unter Spaltung der B-S-Bindungen zu 1,2-Bis[halogen-organo-boryl]hydrazinen. Man verwendet Trichlor- und Tribrom-phosphan sowie Antimon(III)-fluorid[2]. Auch Brom in Dichlormethan wird eingesetzt[2].

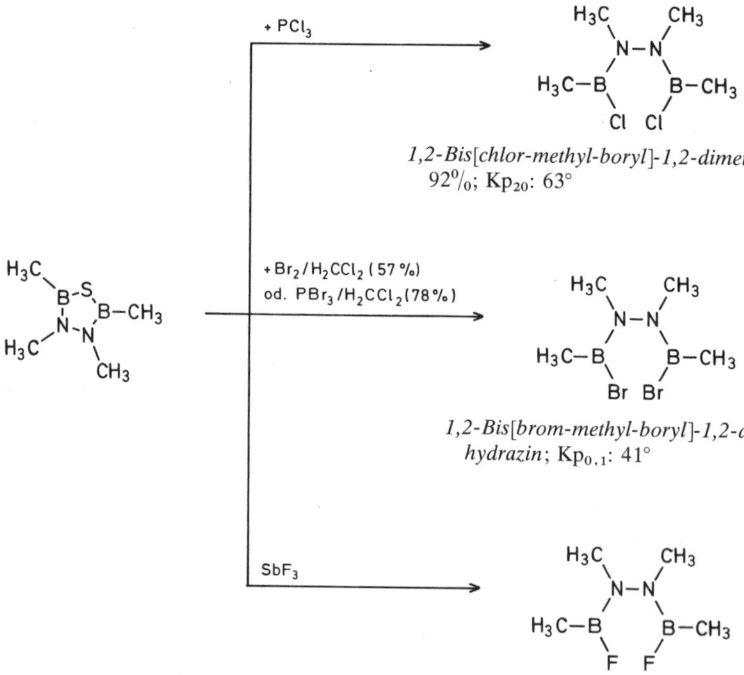

H_3C, B-S, B−CH_3, N-N, H_3C, CH_3

+ PCl_3 → H_3C CH_3 N−N H_3C-B $B-CH_3$ Cl Cl

1,2-Bis[chlor-methyl-boryl]-1,2-dimethyl-hydrazin; 92%; Kp_{20}: 63°

+ Br_2/H_2CCl_2 (57%) od. PBr_3/H_2CCl_2 (78%) → H_3C CH_3 N−N H_3C-B $B-CH_3$ Br Br

1,2-Bis[brom-methyl-boryl]-1,2-dimethyl-hydrazin; $Kp_{0,1}$: 41°

SbF_3 → H_3C CH_3 N−N H_3C-B $B-CH_3$ F F

1,2-Bis[fluor-methyl-boryl]-1,2-dimethyl-hydrazin; Kp_{190}: 57–58°

[1] W. HAUBOLD u. A. GEMMLER, B. **113**, 3352 (1980).
[2] K. BARLOS u. H. NÖTH, Z. Naturf. **35b**, 125 (1980).

β) Halogen-organo-silylamino-borane

Die Verbindungen werden aus Dihalogen-organo-boranen mit verschiedenen Element-amiden hergestellt.

β_1) *aus Dihalogen-organo-boranen mit Alkalimetallamiden*

Amino-halogen-organo-borane sind aus Dihalogen-organo-boranen mit Lithiumamiden und vor allem mit Aminosilanen zugänglich. Will man Chlor-phenyl-silylamino-borane herstellen, so kann man aufgrund der auftretenden Silazan-Spaltung nicht den einfachen Syntheseweg aus Dichlor-phenyl-boran mit Aminosilan beschreiten. Man muß vielmehr zunächst das entsprechende *N*-Lithium-Derivat herstellen, das sich dann mit Dichlor-phenyl-boran zum Chlor-phenyl-silylamino-boran umsetzt[1-3]:

$$H_5C_6{-}BCl_2 + Li{-}N(R)(Si(CH_3)_3) \xrightarrow{-LiCl} (Cl)(H_5C_6)B{-}N(R)(Si(CH_3)_3)$$

Chlor-(isopropyl-trimethylsilyl-amino)-phenyl-boran[1]: 52 mmol Butyllithium werden unter Rühren zu einer auf 0° gekühlten Lösung von 6,56 g (50 mmol) Isopropyl-trimethylsilyl-amin in 100 *ml* Ether gegeben. Man läßt das Gemisch auf 20° kommen und rührt 15 Min., wobei sich Butan entwickelt. Anschließend wird auf –80° gekühlt, dann werden 7,9 g (50 mmol) Dichlor-phenyl-boran zugetropft, die Mischung 3 Stdn. bei 20° gerührt, anschließend das ausgefallene Lithiumchlorid abfiltriert und das Lösungsmittel abgezogen. Es verbleibt ein fester orangefarbener Rückstand, der nach destillativer Aufarbeitung i. Hochvak. das farblose Produkt ergibt, das in frisch destillierter Form in der Vorlage kristallisiert; Ausbeute: 8,9 g (70%); $Kp_{0,05}$: 60–64°; F: ~30°.

In Hexan wird *(tert.-Butyl-trimethylsilyl-amino)-chlor-phenyl-boran* (74%; $Kp_{0,01}$: 75–76°; F: 40–41°) erhalten[2].

(tert.-Butyl-trimethylsilyl-amino)-chlor-isopropyl-boran ($Kp_{0,002}$: 40°) ist aus Dichlor-isopropyl-boran mit Lithium-tert.-butyl-trimethylsilyl-amid in Ether/Hexan in 62%iger Ausbeute zugänglich[3]. *(tert.-Butyl-trimethylsilyl-amino)-chlor-tert.-butyl-boran* ($Kp_{0,002}$: 48°) läßt sich entsprechend in 82%iger Ausbeute isolieren[4].

(Bis[trimethylsilyl]amino)-chlor-phenyl-boran ($Kp_{0,01}$: 66–69°) gewinnt man in 77%iger Ausbeute[5]. Vorteilhaft kann es sein, das substituierte Lithiumamid zum Dichlor-phenyl-boran in Hexan zuzutropfen. Dadurch werden vielfach Folgereaktionen vermieden, die zu Borazinen führen[6].

Mit 1-Lithium-2,2,5,5-tetramethyl-1,2,5-azadisilolan erhält man in Diethylether bei –78° aus Dichlor-phenyl-boran in 76%iger Ausbeute *Chlor-phenyl-(2,2,5,5-tetramethyl-1,2,5-azadisilolidino)-boran* ($Kp_{0,07}$: 58°)[7]:

$$H_5C_6{-}BCl_2 + \text{1-Li-2,2,5,5-}(CH_3)_4\text{-1,2,5-azadisilolan} \xrightarrow[-LiCl]{(H_5C_2)_2O} (H_5C_6)(Cl)B{-}N\text{-2,2,5,5-}(CH_3)_4\text{-azadisilolidin}$$

Ist der Alkyl-Substituent am Stickstoff-Atom sterisch weniger anspruchsvoll (z. B. Methyl, Ethyl), so läßt sich das monomere Aminoboran nicht isolieren. Vielmehr findet unter Abspaltung von Chlor-trimethyl-silan eine Trimerisierung zum entsprechenden Borazin statt (s. S. 342ff.).

---

1 R. H. Neilson u. R. L. Wells, Inorg. Chem. **13**, 480 (1974).
2 J. R. Bowser, R. H. Neilson u. R. L. Wells, Inorg. Chem. **17**, 1882 (1978).
3 C. von Plotho u. P. Paetzold, B. **116**, im Druck (1983).
4 P. Paetzold u. C. von Plotho, Technische Hochschule Aachen, unveröffentlicht 1982.
5 R. L. Wells u. R. H. Neilson, Synth. React. Inorg. Metal-org. Chem. **3**, 137 (1973).
6 P. Paetzold, A. Richter, T. Thijssen u. S. Würtenberg, B. **112**, 3811 (1979).
7 Y. F. Beswick, P. Wisian-Neilson u. R. H. Neilson, J. Inorg. & Nuclear Chem. **43**, 2639 (1981).

β_2) *aus Dihalogen-organo-boranen mit Silylaminen*

Am gleichen Stickstoff-Atom mehrfach silylierte Verbindungen reagieren vielfach nur mit einer Trimethylsilyl-Gruppe. Man kann aus Dihalogen-organo-boranen Halogen-organo-trimethylsilylamino-borane erhalten; z.B.[1]:

$$H_5C_6{-}BCl_2 \xrightarrow[-(H_3C)_3SiCl]{+H_3C{-}N[Si(CH_3)_3]_2,\ H_2CCl_2,\ \sim 0^\circ} H_5C_6{-}B(Cl){-}N(CH_3){-}Si(CH_3)_3$$

Chlor-(methyl-trimethylsilyl-amino)-phenyl-boran; 85%; $Kp_{0,001}$: 66°

Folgereaktionen unter Alkyl-halogen-silan-Abspaltung treten bereits bei ~20° ein; z.B.[1]:

$$H_3C{-}BBr_2 + 1/3\ [(H_3C)_2Si{-}N(CH_3)]_3 \xrightarrow{H_2CCl_2,\ -78^\circ\ \text{bis}\ +20^\circ} H_3C{-}B(Br){-}N(CH_3){-}Si(CH_3)_2Br \xrightarrow[-(H_3C)_2SiBr_2]{5\ \text{Tge.},\ 20^\circ} 1/3\ [H_3C{-}B{-}N(CH_3)]_3$$

Brom-[(brom-dimethyl-silyl)-methyl-amino]-methyl-boran; 49%; Kp_1: 40°; instabil

Auch die aus Heptamethyldisilazan mit Dihalogen-organo-boranen gut zugänglichen Halogen-organo-silyl-amino-borane sind thermisch unbeständig und spalten sich leicht in Borazine (vgl. S. 340) und Halogen-trimethyl-silan. So kann das aus Dibrom-methyl-boran mit Heptamethyldisilazan zugängliche *Brom-methyl-(methyl-trimethylsilyl-amino)-boran* nur spektroskopisch nachgewiesen werden[1]:

$$H_3C{-}BBr_2 \xrightarrow[-BrSi(CH_3)_3]{+[(H_3C)_3Si]_2N{-}CH_3} H_3C{-}B(Br){-}N(CH_3){-}Si(CH_3)_3 \xrightarrow[-BrSi(CH_3)_3]{} 1/3\ [H_3C{-}B{-}N(CH_3)]_3$$

Auch Trisilylamine eignen sich zur Übertragung von Amino-Resten auf das Dihalogen-organo-boran. So entsteht z.B. durch Silazan-Spaltung aus äquimolaren Mengen Dibrom-methyl-boran mit Tris[trimethylsilyl]amin in 88%iger Ausbeute das *(Bis[trimethylsilyl]amino)-brom-methyl-boran* (Kp_1: 53°)[2,3]:

$$H_3C{-}BBr_2 + N[Si(CH_3)_3]_3 \xrightarrow[-Br{-}Si(CH_3)_3]{} (H_3C)(Br)B{-}N[Si(CH_3)_3]_2$$

Tris[trimethylsilyl]amin wird auch zur Herstellung von *Bis[brom-methyl-boryl]-trimethylsilyl-amin* aus Dihalogen-organo-boran verwendet[3]. BNB-Verbindungen werden auf S. 291ff. besprochen.

[1] K. Barlos u. H. Nöth, B. **110**, 2790 (1977).
[2] H. Nöth, W. Tinhof u. B. Wrackmeyer, B. **107**, 518 (1974).
[3] W. Haubold u. U. Kraatz, Z. anorg. Chem. **421**, 105 (1976).

d) Organobor-Stickstoff-Sauerstoff-Verbindungen

Die Verbindungsklasse[1] umfaßt Organoborane mit den Atomgruppierungen

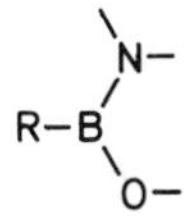

```
     \                    R   O
      N—                   \B/ \B/
     /                      |    |
 R—B          und          N
     \                     / \
      O—
```

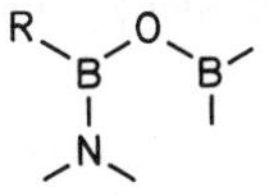

deren Herstellungsmethoden voneinander getrennt (S. 157, 195) besprochen werden.

1. Amino-organo-oxy-borane

Zu den Organobor-Stickstoff-Sauerstoff-Verbindungen[1] mit der Atomgruppierung

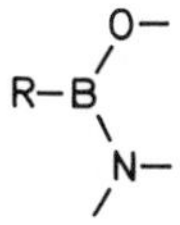

```
      O—
     /
 R—B
     \
      N—
     /
```

gehören außer den thermisch relativ wenig stabilen Amino-organo-oxy-boranen mit den unterschiedlichsten Oxy-Gruppierungen eine große Zahl verschiedener Heterocyclen, deren Oxy-Gruppen als Hydroxy-, Organooxy-, Acyloxy-, Elementoxy-Reste außerhalb oder innerhalb eines Rings vorliegen können.

Verbindungen mit den Atomgruppierungen

```
 R   O
  \B/ \B/
   |    |
   N
  / \
```

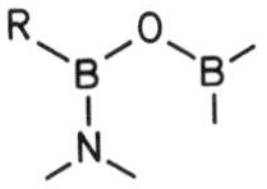

(Amino-organo-1,3,2-diboroxane) werden im zweiten Abschnitt dieses Kapitels (S. 195ff.) besprochen. Die Herstellungsmethoden der Organo-oxy-1,3,2-diborazane mit den Atomgruppierungen

```
      O—
     /
 R—B
     \    /
      N—B
     /    \
```

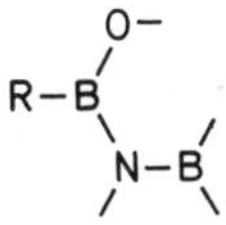

sind auf S. 305ff. zusammengestellt.

Die Herstellungsmethoden der Verbindungen gehen im allgemeinen von Halogen-, von Oxy- sowie von Amino-organo-boranen aus. Triorganoborane, Hydro-organo-borane und Diboran(4)-Derivate werden nur ausnahmsweise zur Gewinnung der Amino(Hydrazino)-organo-oxy-borane eingesetzt (vgl. Tab. 34, S. 158ff.).

α) Organo-oxy-borane von Aminen

Die Verbindungen enthalten neben den Amino- und Organo-Resten verschiedenartige Oxy-Gruppen. Außer Hydroxy-Gruppen treten Alkoxy-, Aryloxy- und Acyloxy-Gruppen auf (vgl. Tab. 34, S. 158ff.). Man stellt Amino-organo-oxy-borane aus Triorgano-boranen, Halogenboranen- verschiedenen Oxyboranen oder auch Aminoboranen her.

---

[1] *Gmelin*, 8. Aufl., Bd. **48**/16, S. 101–123 (1977).

Tab. 34: Amino-organo-oxy-borane

Formel	Verbindungstyp	Herstellungsart	s. S.
a) Diorganoamino-organo-organooxy-borane			
1. offenkettige			
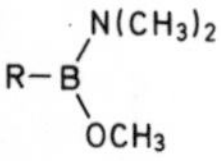 $R-B(N(CH_3)_2)(OCH_3)$	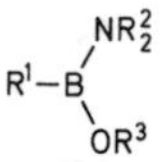 $R^1-B(NR^2_2)(OR^3)$	aus $R^1-B(NR^2_2)(R^{COOR^3})$, Δ 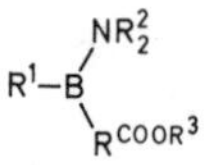	171
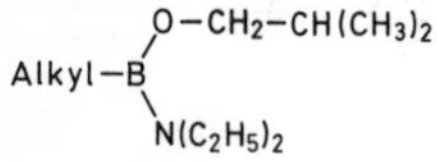 $Alkyl-B(O-CH_2-CH(CH_3)_2)(N(C_2H_5)_2)$	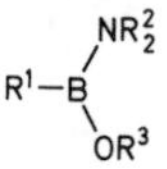 $R^1-B(NR^2_2)(OR^3)$	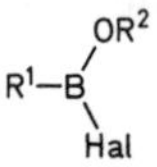 aus $R^1-B(OR^2)(Hal)$ $+ R^2_2NH$	163
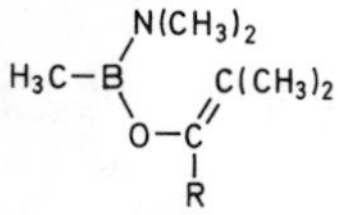 $H_3C-B(N(CH_3)_2)(O-C(R)=C(CH_3)_2)$	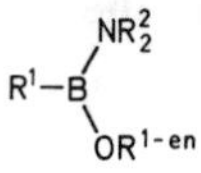 $R^1-B(NR^2_2)(OR^{1-en})$	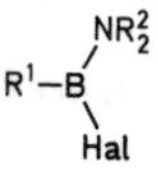 aus $R^1-B(NR^2_2)(Hal)$ $+ R_{1-en}O-ZnHal$	173
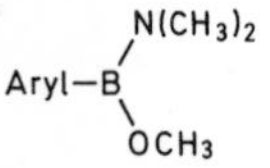 $Aryl-B(N(CH_3)_2)(OCH_3)$	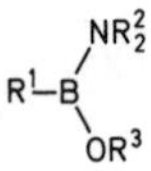 $R^1-B(NR^2_2)(OR^3)$	aus $R^1-B(NR^2_2)_2 + R^3-OH$	175
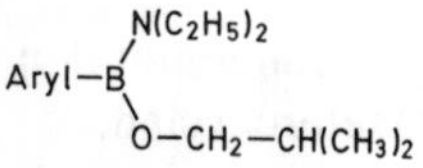 $Aryl-B(N(C_2H_5)_2)(O-CH_2-CH(CH_3)_2)$	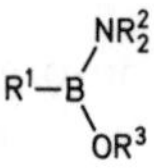 $R^1-B(NR^2_2)(OR^3)$	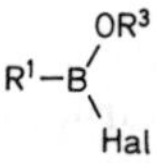 aus $R^1-B(OR^3)(Hal)$ $+ R^2_2NH$	163
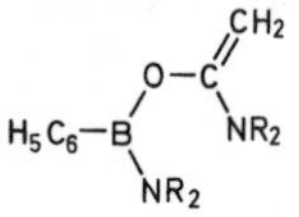 $H_5C_6-B(NR_2)(O-C(=CH_2)-NR_2)$	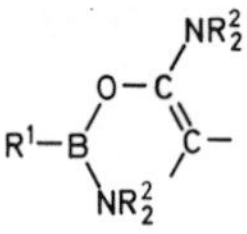 $R^1-B(NR^2_2)(O-C(NR^2_2)=C<)$	aus $R^1-B(NR^2_2)(Hal)$ + $R^3_3Si-CH_2-C(=O)-NR^2_2$ 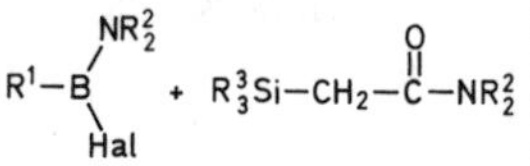	173
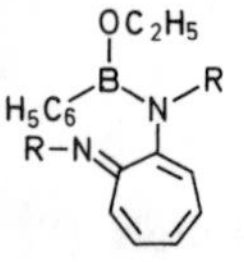 $H_5C_6-B(OC_2H_5)-N(R)-$ (Cycloheptatrienyl mit $=N-R$)	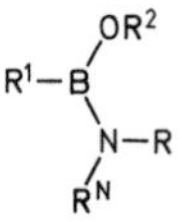 $R^1-B(OR^2)(N(R)R^N)$	aus $R^1-B(OR^2)_2$ 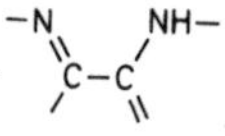 + $-N=C<-C(NH-)=$	169
2. cyclische			
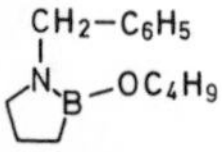 $N(CH_2-C_6H_5)$-$B(OC_4H_9)$ (Azaborolidin)	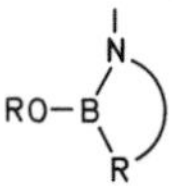 $RO-B(N<)R$ (cyclisch)	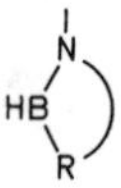 aus $HB(N<)R$ (cyclisch) $+ R-OH$	172
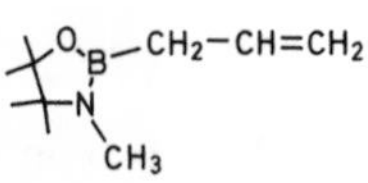 Tetramethyl-oxazaborolidin: $B-CH_2-CH=CH_2$, $N-CH_3$	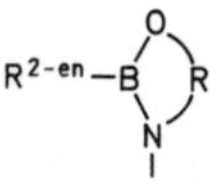 $R^{2-en}-B(O)(N<)R$ (cyclisch)	aus $(R_{2-en})_3B + HO-R-NH-$	161
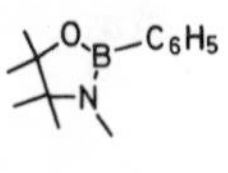 Tetramethyl-oxazaborolidin: $B-C_6H_5$, $N-CH_3$	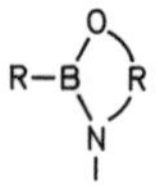 $R-B(O)(N<)R$ (cyclisch)	aus $R^1-B(SR^2)_2 + HO-R-NH-$	170
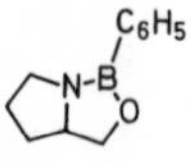 Bicyclisch (Pyrrolidin), $B-C_6H_5$	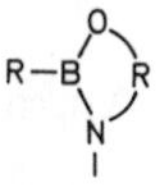 $R-B(O)(N<)R$ (cyclisch)	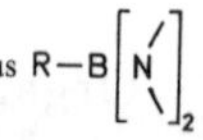 aus $R-B[N<]_2 + HO-R-NH_2$	176
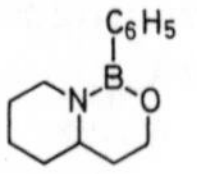 Bicyclisch (Piperidin), $B-C_6H_5$	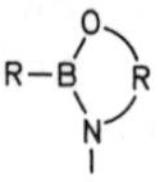 $R-B(O)(N<)R$ (cyclisch)	aus $R-BHal_2 + HO-R-NH-$ aus $R-B(OH)_2 + HO-R-NH-$	162 168
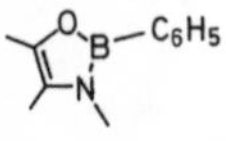 Dimethyl-oxazaborolin: $B-C_6H_5$, $N-CH_3$	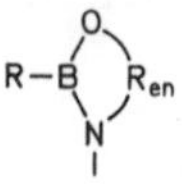 $R-B(O)(N<)R_{en}$ (cyclisch)	aus $R^1-B(OH)_2 + -C(OH)-C(=O)$ 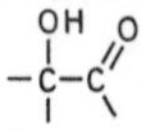 $+ R^2-NH_2$	168

Tab. 34: (1. Fortsetzung)

Formel	Verbindungstyp	Herstellungsart	s. S.
Dibenz-oxaborin, $B-N(C_6H_5)Ar$	$R_2N-B(O)(Ar)$ (cyclisch)	aus Hal—B(O)(Ar) (cyclisch) $+ R_2NH$	165
3. mit zusätzlichem O-Atom im Molekül			
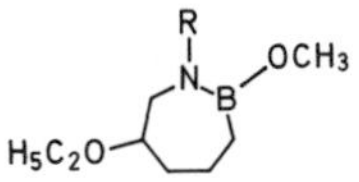 R-N-B(OCH_3) Ring mit H_5C_2O	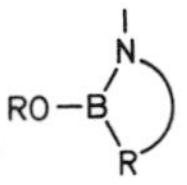 RO—B(N)(R) (cyclisch)	aus R^{Hal}—$B(OR)_2$ + R—NH_2	169
b) Amino-hydroxy-organo-borane			
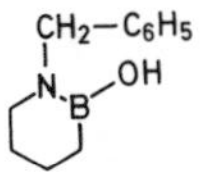 $CH_2-C_6H_5$, N-B-OH (Ring)	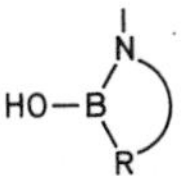 HO—B(N)(R) (cyclisch)	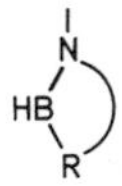 aus HB(N)(R) (cyclisch) $+ O_2/H_2O$	172
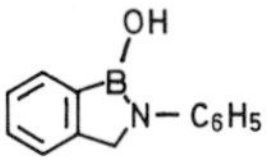 OH, B, N—C_6H_5 (benzokondensiert)	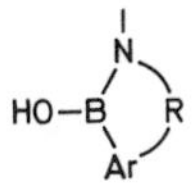 HO—B(N)(Ar)R (cyclisch)	aus $(R^{C=N}-BO)_3 + H^{\ominus}/H^{\oplus}$	170
c) Amino-organo-oxy-borane mit zwei Bor-Atomen im Molekül			
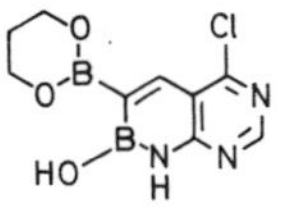 Cl, O-B-O (Ring), N, N, HO-B-N-H	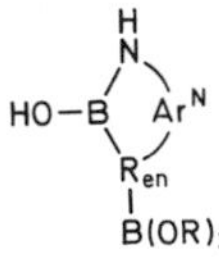 HO—B(NH)(Ar^N)(R_{en}—$B(OR)_2$)	aus R_{en}—$CH[B(OR)_2]_2 + NH_3$	180
d) Acyloxy-amino-organo-borane			
H-N-B-R, O, O (benzokondensiert)	R—B(O—CO)(N)Ar (cyclisch)		
$R = C_3H_7$		aus R_3B + HOOC—Ar—NH_2	161
$R = C_6H_5$		aus R—$B(OH)_2$ + HOOC—Ar—NH_2	168
		aus R—$B[N]_2$ + H_2N—CO—Ar—NH_2	176
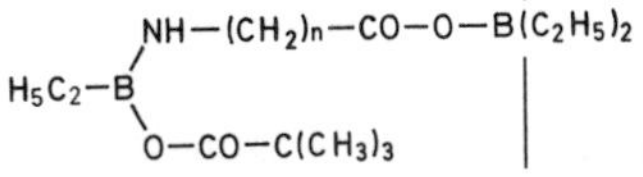 H_5C_2—B(NH—$(CH_2)_n$—CO—O—$B(C_2H_5)_2$)(O—CO—$C(CH_3)_3$)	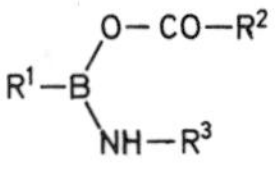 R^1—B(O—CO—R^2)(NH—R^3)	aus R_3B + H_2N—R—COOH	161
e) Organo-organoamino-organoxy-borane			
O, B—R, N, H (benzokondensiert)	R—B(O)(NH)Ar (cyclisch)		
$R = CH_3$		aus R_3B + HO—Ar—NH_2	160
$R = C_4H_9$		aus (—N)(R)B—B(R)(N—) + HO—Ar—NH_2, △	177
$R = C_6H_5$		aus R—$BHal_2$ + HO—Ar—NH_2	162
		aus R^1—$B(OR^2)_2$ + HO—Ar—NH_2	169

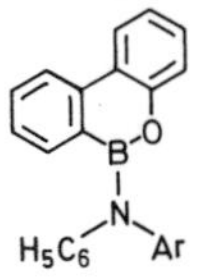

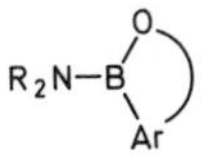

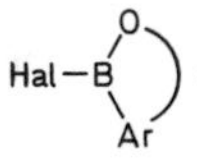

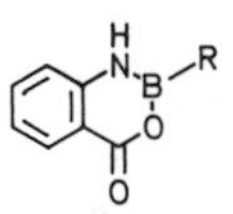

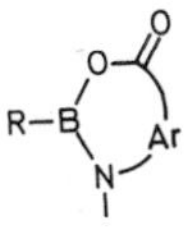

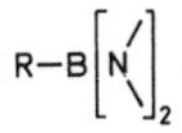

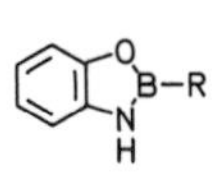

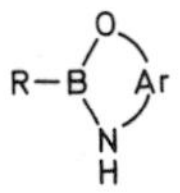

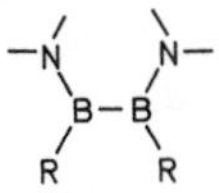

Tab. 34 (2. Fortsetzung)

Formel	Verbindungstyp	Herstellungsart	s. S.
O, B–C_6H_5, N, H	R–B(O, N)R	aus $R{-}B(OH)_2 + HO{-}R{-}NH_2$ aus $R{-}B(N\langle)_2 + HO{-}R{-}NH_2$	165 176
B–NH, OCH_3	RO–B(N, Ar)	aus $BHal_3 + Ar{-}NH_2/AlCl_3 + R{-}OH$ aus Hal–B(N, Ar) + R–OH	162 162
H, N–B–C_6H_5, O, Ar	R–B(O–R, Ar, N)	aus R–B(N–, Hal) + Ar–CHO	173
O–B–C_6H_5, NH	R–B(O–Ar, R, N)	aus $R{-}B(OH)_2 + HO{-}R{-}NH_2$	165
C_6H_5, HN–B, O	R–B(O, Ar, N, H)	aus $(R{-}BO)_3 + HO{-}Ar{-}NH_2$	169
H, N–B–OCH_3, H_3CO, C_6H_5	R^1O–B(N, $R^{1\text{-}en}$, Ar)	aus R–B(N, R_{en}) + $OH^{\ominus}/H^{\oplus}$	171
NO_2, B–NH, OCH_3	RO–B(H, N, Ar, N)	aus R^1–B(H, N, Ar) + $HNO_3/R^2{-}OH$	174
H, N–B–C_6H_5, O, N	R–B(O–N, N–Ar, H)	aus $R{-}B(OH)_2$ $+ H_2N{-}Ar{-}CH{=}N{-}OH$	168

α_1) *aus Triorganoboranen*

Erhitzt man Trimethylboran und 2-Aminophenol im Verhältnis 1:1 ~24 Stdn. im Einschlußrohr auf 275°, so erhält man unter Abspaltung von Methan nach fraktionierender Sublimation in 60%iger Ausbeute *2-Methyl-2,3-dihydro-⟨benzo-1,3,2-oxazaborol⟩* (F: 32–34°)[1]:

$$(H_3C)_3B + \text{2-}HO\text{-}C_6H_4\text{-}NH_2 \xrightarrow[-2\,CH_4]{\Delta} \text{2-Methyl-2,3-dihydro-benzo-1,3,2-oxazaborol}$$

[1] D. Ulmschneider u. J. Goubeau, B. **90**, 2733 (1957).

Die Borylierung von Glycin oder β-Alanin mit der dreifachen Menge an Triethylboran in Gegenwart von 2,2-Dimethylpropansäure verläuft unter zweifacher Substitution, wobei an der Carboxy-Gruppe der Diethylboryl-Rest und an der Amino-Gruppe der (2,2-Dimethylpropanoyloxy)-ethyl-boryl-Rest eingeführt wird. Zur Reaktion tropft man das Triethylboran zu einer Suspension der übrigen Reaktanden in THF oder Chloroform und erhitzt mehrere Stdn. am Rückfluß[1]:

$$2\ (H_5C_2)_3B\ +\ H_2N{-}(CH_2)_n{-}COOH\ +\ (H_3C)_3C{-}COOH\ \xrightarrow[-3\ C_2H_6]{}\ (H_3C)_3C{-}COO(H_5C_2)B{-}NH{-}(CH_2)_n{-}CO{-}OB(C_2H_5)_2$$

n = 1; *N-[(2,2-Dimethylpropanoyloxy)-ethyl-boryl]-glycindiethylborylester*; 89%; F: 96–98°

n = 2; *3-{[(2,2-Dimethylpropanoyloxy)-ethyl-boryl]-amino}propansäurediethylborylester*; 96%; F: 99–102°

Beim Einwirken einer äquimolaren Menge an Anthranilsäure auf Tripropylboran in siedendem Xylol entsteht unter Abspaltung von Propan das *4-Oxo-2-propyl-1,2-dihydro-4H-⟨benzo[d]-1,3,2-oxazaborin⟩* (F: 133°)[2]:

$$(H_7C_3)_3B\ +\ 2\text{-}H_2N{-}C_6H_4{-}COOH\ \xrightarrow[-2\ C_3H_8]{}\ \text{4-Oxo-2-propyl-1,2-dihydro-4H-benzo-1,3,2-oxazaborin}$$

Triallylboran läßt sich mit *(−)-l*-Ephedrin zu 76% ins *(−)-(4S, 5R)-2-Allyl-3,4-dimethyl-5-phenyl-1,3,2-oxazaborolidin* {$Kp_{0,005}$: 105°; $[\alpha]_D^{20} = -13{,}59°$ (unverd.)} überführen[3]:

$$(H_2C{=}CH{-}CH_2)_3B\ +\ H_3C{-}NH{-}CH(CH_3){-}CH(OH){-}C_6H_5\ \xrightarrow[-2\ C_3H_6]{(H_5C_2)_2O}\ \text{(4S,5R)-2-(}CH_2{-}CH{=}CH_2\text{)-3-}CH_3\text{-4-}CH_3\text{-5-}C_6H_5\text{-1,3,2-oxazaborolidin}$$

Mit *l*-Pseudoephedrin bzw. (+)-(1,S,2,S)-2-Amino-3-methoxy-l-phenyl-propanol werden in Tetrahydrofuran bei 20–65° entsprechende Heterocyclen erhalten[3].

α_2) *aus Halogenboranen*

$\alpha\alpha_1$) aus Dihalogen-organo-boranen

Die Reaktionen der Dihalogen-organo-borane mit den verschiedensten Amino(Hydrazino)-(hydr)oxy-Verbindungen führen zu zahlreichen Heterocyclen. Nachfolgend werden einige präparative Beispiele angegeben, die sich methodisch nur unwesentlich voneinander unterscheiden.

Bei der Umsetzung äquimolarer Mengen an Dichlor-phenyl-boran und 2-Aminophenol

[1] R. Köster u. E. Rothgery, A. **1974**, 112.
[2] DAS 1130445 (1962), Bayer, AG., Erf.: K. Lang, K. Nützel u. F. Schubert; C.A. **58**, 1488 (1963).
[3] T. Herold, Dissertation, Universität Marburg 1979.

in siedendem Benzol entsteht unter Abspaltung von Hydrogenchlorid *2-Phenyl-2,3-dihydro-⟨benzo-1,3,2-oxaazaborol⟩* (F: 105–106°, aus Benzol)[1].

Aus Dichlor-phenyl-boran ist mit 2-(2-Hydroxyethyl)piperidin *2-Phenyl-3-oxa-1-aza-2-bora-bicyclo[4.4.0]decan* zugänglich[2]:

$$H_5C_6-BCl_2 \xrightarrow[-2\,HCl]{+\ \text{2-(2-Hydroxyethyl)piperidin}} \text{2-Phenyl-3-oxa-1-aza-2-bora-bicyclo[4.4.0]decan}$$

Aus Dichlor-phenyl-boran lassen sich mit α,β-ungesättigten Arylaziden bei ~20° unter 1,1-Phenyloborierung und anschließender Kernborylierung nach Aufarbeiten mit Methanol N-substituierte Derivate des 1,2-Dihydro-1,2-azaborins herstellen; z.B. mit 4-Azido-3,3′-bithienyl *5-Methoxy-4-phenyl-4,5-dihydro-⟨bis[thieno] [2,3-c; 3′,4′-e]-1,2-azaborin⟩* (94%; F: 125–126°)[3].

$\alpha\alpha_2$) aus Trihalogenboranen

Cyclische Amino-organo-borane mit *exo*-cyclischer Alkoxy-Gruppe gewinnt man durch Borylierung und Friedel-Crafts-Arylierung (vgl. S. 145) von geeigneten Arylaminen mit Trichlorboran (s. Tab. 35, S. 164). Nachfolgende Reaktionsgleichung verdeutlicht die Reaktionsfolge für das 4-Aminophenanthren als Edukt.

$$BCl_3 + \text{4-Aminophenanthren} \xrightarrow{-HCl} \text{4-(HN-BCl}_2\text{)-phenanthren} \xrightarrow[-HCl]{AlCl_3} \text{HN-B(Cl)} \xrightarrow[-HCl]{+CH_3OH} \text{HN-B(OCH}_3\text{)}$$

Die B-Chlor-Derivate der BN-Aromaten gehen mit Wasser bzw. mit Alkohol in die entsprechenden B-Hydroxy-Verbindungen oder deren Wasser-Abspaltungs-Produkte bzw. in die entsprechenden B-Alkoxy-Verbindungen über. Alle Reaktionsschritte werden zumeist im Eintopfverfahren durchgeführt[4,5].

5-Methoxy-4,5-dihydro-⟨phenanthro[4,4a,4b,5-c,d,e]-1,2-azaborin⟩[4]: Eine Lösung von 3,7 g 4-Aminophenanthren in 60 *ml* Xylol wird unter Rühren langsam zu einer eisgekühlten Lösung von 2,5 g Trichlorboran in 15 *ml* Xylol getropft. Dann wird 0,1 g wasserfreies Aluminiumtrichlorid zugefügt und die Temp. innerhalb 4 Stdn. auf 140° gesteigert. Man beläßt 15 Stdn. bei dieser Temp., kühlt ab und nimmt die Lösung in einem Gemisch von 150 *ml* Ether und 80 *ml* Benzol auf. Nach dem Waschen mit Wasser wird über Magnesiumsulfat getrocknet und das Lösungsmittel i. Vak. abgezogen. Den Rückstand löst man in 200 *ml* abs. Methanol, engt auf 50 *ml* ein und kühlt auf −15° ab. Nach erneutem Behandeln mit Methanol erhält man das Produkt in Form gelblicher Blättchen; Ausbeute: 57%; F: 143–145°.

3-Chlor-2-methoxy-1,2-dihydro-⟨benzo[e]-1,2-azaborin⟩[5]: 1,16 g (7,6 mmol) 2-(2-Chlorvinyl)anilin und 2 g (17 mmol) Trichlorboran werden bei −70° in 10 *ml* Dichlormethan vereinigt. Bei 20°/0,5 Torr wird das Lösungsmittel abgezogen und der in Benzol aufgenommene Rückstand 4 Stdn. am Rückfluß erhitzt. In die abge-

---

[1] M.J.S. Dewar, V.P. Kubba u. R. Pettit, Soc. **1958**, 3076.
[2] M. Pailer u. H. Huemer, M. **95**, 373 (1964); C.A. **61**, 5675 (1964).
[3] R. Leardini u. P. Zanirato, Chem. Commun. **1983**, 396.
[4] M.J.S. Dewar u. W.H. Poesche, J. Org. Chem. **29**, 1757 (1964).
[5] M.J.S. Dewar u. R.W. Dietz, J. Org. Chem. **26**, 3253 (1961).

kühlte Lösung gibt man 50 *ml* Ether und 20 *ml* Wasser, wäscht die organ. Phase 2mal mit je 30 *ml* verd. Salzsäure und 30 *ml* Wasser und engt ein; anschließend wird aus Benzol umkristallisiert; Ausbeute: 1,26 g (97%) *Bis-{3-chlor-1,2-dihydro-⟨benzo[e]-1,2-azaborin⟩-2-yl}oxid* (F: 240–241,5°; aus Benzol/Petrolether). Durch Umkristallisieren aus Methanol entsteht *3-Chlor-2-methoxy-1,2-dihydro-⟨benzo[e]-1,2-azaborin⟩* (F: 88–89,5°).

Das Reaktionsprodukt aus Trichlorboran und 2-Hydroxybiphenyl in Gegenwart von Aluminiumtrichlorid als Borylierungs-Katalysator liefert mit N-1-Naphthyl-anilin *6-(N-1-Naphthyl-anilin)-5,6-dihydro-⟨dibenzo-1,2-azaborin⟩*[1].

α_3) *aus Oxyboranen*

Im Gegensatz zu den thermisch labilen offenkettigen Amino-organo-oxy-boranen sind die Heterocyclen mit NBO-Gruppierung sehr stabil.

Cyclische Amino-organo-oxy-borane werden sogar bevorzugt aus Dihydroxy-organo-boranen (vgl. S. 165ff.) und ferner aus den Triorganoboroxinen sowie aus Bis[organoxy]-organo-boranen jeweils mit geeigneten Aminen, insbesondere Hydroxylaminen, oder auch mit entsprechenden Stoffgemischen hergestellt.

$\alpha\alpha_1$) aus Halogen-organo-oxy-boranen

Die gegen Dismutierung relativ instabilen Alkyl-amino-oxy-borane lassen sich durch partielle Aminierung von Alkoxy-alkyl-halogen-boranen mit überschüssigem sekundären Amin herstellen. Läßt man bei −30° überschüssiges Diethylamin in Ether auf eine Lösung von Chlor-cyclohexyl-isobutyloxy-boran in Ether einwirken, so erhält man in 64%iger Ausbeute das *Cyclohexyl-diethylamino-isobutyloxy-boran* (Kp_7: 117,5–118°)[2]:

$$(H_3C)_2CH-CH_2-O(H_{11}C_6)B-Cl + 2\,(H_5C_2)_2NH \xrightarrow[-[(H_5C_2)_2NH_2]^+Cl^-]{20°,\,1\,Stde.} (H_3C)_2CH-CH_2-O(H_{11}C_6)B-N(C_2H_5)_2$$

Die Reaktion läßt sich auf entsprechende Borane mit aromatischen Substituenten übertragen. So gelingt z.B. in guten Ausbeuten die partielle Aminierung von Aryl-chlor-isobutyloxy-boranen mit einem Überschuß an primärem oder sekundärem Amin. Amino-aryl-isobutyloxy-borane mit primären Amino-Resten zerfallen oberhalb 200° in Borazine und Isobutanol[2–4]:

$$(H_3C)_2CH-CH_2-O(Ar)B-Cl + 2\,HNR^1R^2 \xrightarrow[-[R^1R^2NH_2]^+Cl^-]{} (H_3C)_2CH-CH_2-O(Ar)B-NR^1R^2$$

Ar = C_6H_5; R^1 = H; R^2 = C_2H_5; *Ethylamino-isobutyloxy-phenyl-boran*[2]; 68%; Kp_2: 86–87°
R^1 = R^2 = C_2H_5; *Diethylamino-isobutyloxy-phenyl-boran*[2]; 57%; Kp_3: 92–94°
Ar = 2-CH_3–C_6H_4; R^1 = H; R^2 = C_2H_5; *Ethylamino-isobutyloxy-(2-methylphenyl)-boran*[3]; 84%; Kp_3: 93–95°
Ar = 1-Naphthyl; R^1 = H; R^2 = C_2H_5; *Ethylamino-isobutyloxy-1-naphthyl-boran*[3]; 52%; Kp_9: 182–185°

[1] US.P. 3437596 (1966/1969), Mobil Oil Corp.; Erf.: L.J. McCabe; C.A. **71**, 91627 (1969).
[2] B.M. Mikhailov u. A.V. Bazheenova, Izv. Akad. SSSR **1959**, 76; C.A. **53**, 16128 (1959).
[3] B.M. Mikhailov u. T.V. Kostroma, Izv. Akad. SSSR **1957**, 646; C.A. **51**, 15440 (1957).
[4] B.M. Mikhailov u. T.V. Kostroma, Ž. obšč. Chim. **29**, 1477 (1959); C.A. **54**, 8684 (1960).

Tab. 35: B-Oxy-dihydro-⟨dibenzo-1,2-azaborine⟩ aus Trichlorboran mit Aminobiphenyl-Derivaten und nachfolgende Hydrolyse

Amin	Bedingungen	Boran	Ausbeute [%]	F [°C]	Literatur
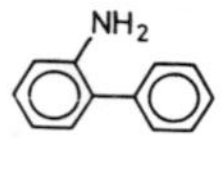	10 Stdn. in sied. Benzol; 7 Stdn. ohne Lsgm. mit $AlCl_3$ auf 175° erhitzen; B-Chlor-Verb. isolieren und hydrolysieren	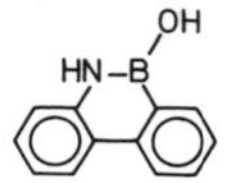 *6-Hydroxy-5,6-dihydro-⟨dibenzo-1,2-azaborin⟩*	–	169–170 (Petrolether)	1–3
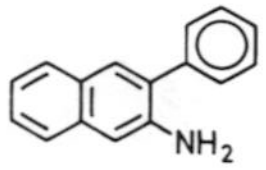	analog; zuletzt mit heißem Methanol aufnehmen; nebenher faßt man noch das entspr. Diboroxan (F: 322°) (s. S. 198)	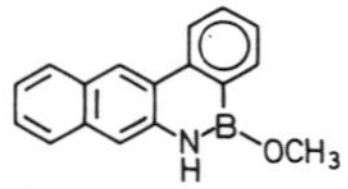 *5-Methoxy-5,6-dihydro-⟨benzo[c]-naphtho[2,3-e]-1,2-azaborin⟩*	31	199 (Methanol)	4
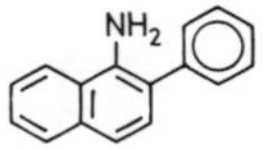	analog; mit Methanol erhält man die Methoxy-Verbindung, mit feuchtem Toluol das Diboroxan, (F: 288–290,5°) (s. S. 198)	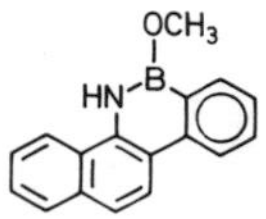 *5-Methoxy-5,6-dihydro-⟨benzo-[c]-naphtho[2,1-e]-1,2-azaborin⟩*	50	106–108	5

[1] M. J. S. Dewar, V. P. Kubba u. R. Pettit, Soc. **1958**, 3073.

[2] DOS 2126451 (1971), Shell Int. Res., Erf.: F. T. Barcroft, G. Ellis u. C. B. Milne; C. A. **76**. 101957 (1972).

[3] G. J. Videla u. M. A. Molimar, Argent., Com. Nac. Energ. At. (Informe) **1973**, No. 352, 8 S.; C. A. **80**, 48075 (1974).

[4] M. J. S. Dewar u. W. H. Poesche, J. Org. Chem. **29**, 1757 (1964).

[5] M. J. S. Dewar u. W. H. Poesche, Am. Soc. **85**, 2253 (1963).

Durch die entsprechende Reaktion von Chlor-methoxy-phenyl-boran mit Dimethylamin in Petrolether bei −78° entsteht in 69⁰/₀iger Ausbeute *Dimethylamino-methoxy-phenyl-boran* ($Kp_{4,5}$: 70°)[1].

Aus Chlor-methoxy-phenyl-boran erhält man mit der dreifachen Menge Diisopropylamin in Petrolether nach 3stdgm. Erhitzen unter Rückfluß und Abfiltrieren von Diisopropylammoniumchlorid in 75⁰/₀iger Ausbeute *Diisopropylamino-methoxy-phenyl-boran* ($Kp_{0,3}$: 60°)[2].

Cyclische Amino-organo-oxy-borane mit *exo*-cyclischer Amino-Gruppe erhält man aus 6-Chlor-6H-⟨dibenzo-1,2-oxaborin⟩ mit N-1-Naphthyl-anilin (7 Stdn. 80°); z.B. *6-(1-Naphthyl-phenyl-amino)-6H-⟨dibenzo-1,2-oxaborin⟩*[3]:

Cl; O–B; NH–C_6H_5; H_5C_6; N; O–B

$\alpha\alpha_2$) aus Dihydroxy-organo-boranen

Setzt man Dihydroxy-organo-borane mit 1,2- oder 1,3-Amino-alkoholen um, so gelangt man in zwei Kondensationsschritten zu Fünf- bzw. Sechsring-Verbindungen, die im Ring die NBO-Gruppierung und eine *exo*-cyclische B-Organo-Gruppe enthalten. Als Amino-hydroxy-Verbindungen kommen so verschiedenartige Stoffe wie β- oder γ-Aminoalkohole, 2-Hydroxybenzylamin, 2-Hydroxybenzoylamid, 2-Aminobenzoesäure, Hydroximsäureamid, 2-Aminobenzaldoxim u.a. in Frage.

Die Cyclokondensation äquimolarer Mengen an Dihydroxy-organo-boranen oder Organoboroxinen mit 2-Aminoalkoholen wird meist in siedendem Toluol durchgeführt, wobei das Reaktionswasser azeotrop mit dem Lösungsmittel abdestilliert wird. Man erhitzt so lange, bis die Dampftemperatur des reinen Toluols erreicht ist. Anschließend werden die festen Produkte aus Benzol umkristallisiert oder durch Kurzwegdestillation gereinigt.

Werden Kondensationskomponenten mit drei und mehr funktionellen Gruppen eingesetzt, so entstehen mehrcyclische, anellierte Ringverbindungen. In allen Fällen werden *1,3,2-Oxazaborolidine* erhalten[4]:

H_5C_6–B(OH)$_2$ + HO NH$_2$ –C–C– → (−2 H_2O) O–B–C_6H_5, NH

Dihydroxy-phenyl-boran setzt sich auch mit 2-Hydroxybenzylamin unter Cyclisierung zum *2-Phenyl-3,4-dihydro-2H-⟨benzo[e]-1,3,2-oxazaborin⟩* (29⁰/₀; F: 119°)[5] um:

H_5C_6–B(OH)$_2$ + OH, CH_2–NH_2 → (−H_2O) O–B–C_6H_5, NH

[1] P.A. Barfield, M.F. Lappert u. J. Lee, Soc. [A] **1968**, 554.
[2] R.H. Cragg u. T.J. Miller, J. Organometal. Chem. **235**, 135 (1982).
[3] US.P. 3437596 (1969/1966), Mobil Oil Corp., Erf.: L.J. Mc'Cabe; C.A. **71**, 91627 (1969).
[4] R.T. Hawkins u. A.U. Blackham, J. Org. Chem. **32**, 497 (1967).
[5] M. Pailer u. W. Fenzl, M. **92**, 1294 (1961); C.A. **56**, 14427 (1962).

Tab. 36: 1,3,2-Oxazaborolidine aus Dihydroxy-phenyl-boran mit 2-Aminoalkoholen oder 2-Aminophenolen

Amino-alkohol bzw. -phenol	Bedingungen	Produkt	Ausbeute [%]	F [°C]	Literatur
$H_5C_6-CH(OH)-CH(CH_3)-NH-CH_3$ (–)-Ephedrin	Kugelrohrdestillation	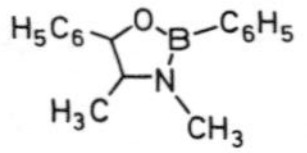 *3,4-Dimethyl-2,5-diphenyl-1,3,2-oxazaborolidin*	48	($Kp_{0,07}$: 160–165°)	[1]
$H_2N-C(CH_2OH)_3$	doppelte Menge an Boran	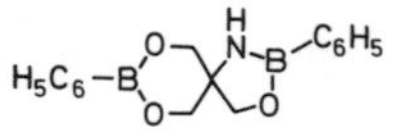 *2,8-Diphenyl-3,7,9-trioxa-1-aza-2,8-dibora-spiro[4.5]decan*	54 54	154–155 154–155	[2] [2]
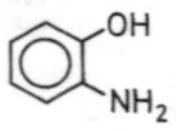 2-Aminophenol ($C_6H_4(OH)NH_2$)	Kugelrohrdestillation	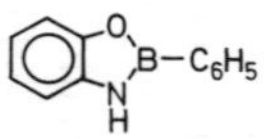 *2-Phenyl-2,3-dihydro-⟨benzo-1,3,2-oxazaborol⟩*	90	103 (Benzol) ($Kp_{0,02}$: 100°	[1]
$H_3C-C(CH_2OH)_2-NH_2$	mit äquimol. Menge an Benzaldehyd 30 Min. in Ethanol erhitzen	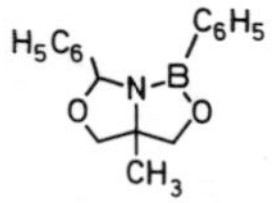 *2,8-Diphenyl-5-methyl-3,7-dioxa-1-aza-2-bora-bicyclo[3.3.0]octan*	40	127–129	[3]

[1] M. Pailer u. W. Fenzl, M. **92**, 1294 (1961); C. A. **56**, 14427 (1962).
[2] M. Pailer u. H. Huemer, M. **95**, 373 (1964); C. A. **61**, 5675 (1964).
[3] H. Serafin u. A. Jonczyk, Roczniki Chem. **38**, 931 (1964); C. A. **61**, 10696 (1964).

Tab. 36 (Forts.)

Amino-alkohol bzw. -phenol	Bedingungen	Produkt	Ausbeute [%]	F [°C]	Literatur
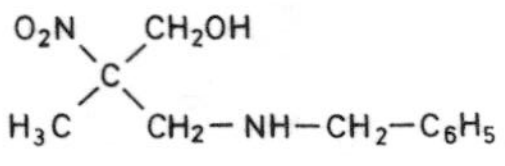 O_2N, CH_2OH, H_3C >C< $CH_2-NH-CH_2-C_6H_5$	Benzol, Rückfluß	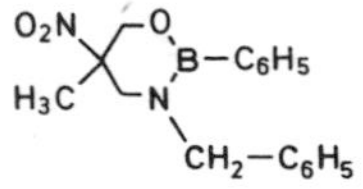 O_2N, H_3C, O, $B-C_6H_5$, N, $CH_2-C_6H_5$ *3-Benzyl-5-methyl-5-nitro- 2-phenyl-1,3,2-oxazaborinan*	80	140–147	[1]
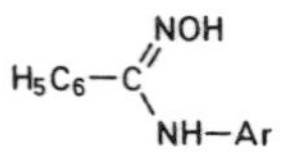 $H_5C_6-C(=NOH)-NH-Ar$	Benzol, Rückfluß 10–12 Stdn.	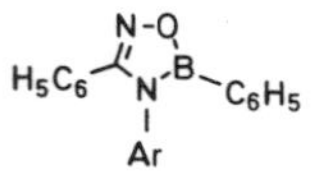 H_5C_6, N-O, B–C_6H_5, N, Ar *...-2,3-dihydro-1,3,5,2-oxadiazaborol*			[2]
$Ar = C_6H_5$		*2,3,4-Triphenyl- ...*	70		
$Ar = C_6H_4$-4-CH_3		*2,4-Diphenyl-3-(3-methylphenyl)-...*	80		

[1] H. Piotrowska, B. Serafin, R. Urbanski u. S.K. Vasudeva, Roczniki Chem. **51**, 1997 (1977); C.A. **88**, 105520 (1978).

[2] L. Nigam, V.D. Gupta u. R.C. Mehrotra, Synth. React. Inorg. Metal-org. Chem. **10**, 491 (1980).

Mit 2-(2-Hydroxyethyl)piperidin entsteht in 31%iger Ausbeute das *2-Phenyl-3-oxa-1-aza-2-bora-bicyclo[4.4.0]decan* ($Kp_{0,4}$: 80–90°)[1]:

$H_5C_6-B(OH)_2$ + 2-(CH_2-CH_2OH)-piperidin (NH) —(Toluol, azeotrope Dest.; $-2\ H_2O$)→ bicyclisches N–B(C_6H_5)–O

2,3-Dihydro-1,3,7,2-oxadiazaborepine entstehen bei der Kondensation von Aryl-dihydroxy-boranen mit 2-Aminobenzaldoximen[2-5]; z.B.:

$H_5C_6-B(OH)_2$ + 2-NH_2-C$_6$H$_4$-$CH=N-OH$ —(Xylol, 3 Stdn., Δ; $-2\ H_2O$)→

2-Phenyl-1,2-dihydro-⟨benzo[d]-1,3,7,2-oxadiazaborepin⟩

Erhitzt man äquimolare Mengen Dihydroxy-phenyl-boran, Benzoin und Anilin in Toluol, so erhält man unter Auskreisen des Wassers und Abziehen des restlichen Toluols i.Vak. das *2,3,4,5-Tetraphenyl-2,3-dihydro-1,3,2-oxazaborol* (77%; F: 183–185°, aus Hexan)[6]:

$H_5C_6-B(OH)_2$ + $H_5C_6-CH(OH)-C(=O)-C_6H_5$ + $H_5C_6-NH_2$ —($-3\ H_2O$)→

Ganz analog verläuft die Kondensation von Dihydroxy-phenyl-boran mit Anthranilsäure. Das entstehende Wasser wird azeotrop mit Toluol abdestilliert und neues Lösungsmittel solange zugeführt, bis die Dampftemperatur des reinen Lösungsmittels erreicht ist[7]:

$H_5C_6-B(OH)_2$ + 2-NH_2-C$_6$H$_4$-COOH —($-2\ H_2O$)→

4-Oxo-2-phenyl-1,2-dihydro-4H-⟨benzo[d]-1,3,2-oxazaborin⟩; 90%; F: 218°

$\alpha\alpha_3$) aus Dialkoxy-organo-boranen

Die Aminierung von Diethoxy-phenyl-boran mit 1-Amino-7-imino-1,3,5-cycloheptatrien gelingt unter Ethanol-Abspaltung durch mehrstündiges Erhitzen in siedendem Benzol[8]:

[1] M. Pailer u. H. Huemer, M. **95**, 373 (1964); C.A. **61**, 5675 (1964).
[2] H.L. Yale, F.H. Bergeim, F.A. Sowinski, J. Bernstein u. J. Fried, Am. Soc. **84**, 688 (1962).
[3] US.P. 3115523 (1963/1961), Olin Mathiesen Chemical Corp., Erf.: H.L. Yale; C.A. **60**, 6866 (1964).
[4] A. Dornow u. K. Fischer, B. **99**, 68 (1966).
[5] L. Nigam, V.D. Gupta u. R.C. Mehrotra, Synth. React. Inorg. Metal-org. Chem. **10**, 491 (1980).
[6] R.L. Letsinger u. S.B. Hamilton, J. Org. Chem. **25**, 592 (1960).
[7] M. Pailer u. W. Fenzl, M. **92**, 1294 (1961); C.A. **56**, 14427 (1962).
[8] R.J. Brotherton u. H. Steinberg, J. Org. Chem. **26**, 4632 (1961).

$$(H_5C_2O)_2B-C_6H_5 + \text{R-N=C}_7\text{H}_5\text{-NHR} \xrightarrow{-H_5C_2OH} \text{R-N=C}_7\text{H}_5\text{-N(R)-B(C}_6\text{H}_5\text{)-OC}_2\text{H}_5$$

R = H; *1-[(Ethoxy-phenyl-boryl)-amino]-7-imino-cycloheptatrien;* F: 253°
R = $CH_2-C_6H_5$; *1-[Benzyl-(ethoxy-phenyl-boryl)-amino]-7-benzylimino-cycloheptatrien;* F: 108–114°
R = 4-$H_3CO-C_6H_4$; *1-[N-(Ethoxy-phenyl-boryl)-4-methoxy-anilino]-7-(4-methoxyphenylimino)-cycloheptatrien*; F: 180–181°

Cyclische Amino-organo-oxy-borane mit sieben Ringgliedern und *exo*-cyclischer Oxy-Gruppe sind ebenfalls durch Aminolyse entsprechender Ausgangs-Borane zugänglich. So erhält man z.B. bei der Umsetzung von (5-Brom-4-ethoxy-pentyl)-dimethoxy-boran mit überschüssigem prim. Amin durch intramolekularen Ringschluß unter gleichzeitiger Aminierung des Bors und der Alkyl-Gruppe 1,2-Azaborepane. Das Boran wird hierzu solange mit überschüssigem Amin erhitzt, bis der Siedepunkt des Gemisches konstant bleibt[1].

$$BrCH_2-CH(OC_2H_5)-(CH_2)_3-B(OCH_3)_2 + 2\ RNH_2 \xrightarrow[-[R-NH_3]^+Br^-]{-H_3COH} \text{6-}H_5C_2O\text{-1-R-2-}OCH_3\text{-1,2-azaborepan}$$

R = C_3H_7; *6-Ethoxy-2-methoxy-1-propyl-1,2-azaborepan*; 76,5%; Kp_1: 75–76°
R = C_6H_5; *6-Ethoxy-2-methoxy-1-phenyl-1,2-azaborepan*; 92%; $Kp_{1,5}$: 86–88°

Die Cyclokondensation von 2-Aminophenol und Diisopropyloxy-phenyl-boran wird in siedendem Xylol durchgeführt, wobei das entstehende Propanol kontinuierlich abdestilliert wird. Nach Abkühlen der Reaktionslösung auf 0° kann das *2-Phenyl-2,3-dihydro-⟨benzo-1,3,2-oxazaborol⟩* (F: 101–102°, aus Toluol) in 94%iger Ausbeute abfiltriert werden[2]:

$$[(H_3C)_2CH-O]_2B-C_6H_5 + \text{2-}H_2N\text{-}C_6H_4\text{-OH} \xrightarrow{-2\ (H_3C)_2CH-OH} \text{2-}C_6H_5\text{-2,3-dihydro-benzo-1,3,2-oxazaborol (N-H)}$$

αα₄) aus Triorganoboroxinen

Triphenylboroxin setzt sich mit 1-Amino-2-hydroxy-naphthalin zu anellierten *2-Phenyl-2,3-dihydro-1,3,2-oxazaborolen* um[2] (die Edukte werden i. Hochvak. umgesetzt)[3]:

$$(C_6H_5BO)_3 + 3\ \text{1-}NH_2\text{-2-OH-}C_{10}H_6 \xrightarrow{-3\ H_2O} 3\ \text{naphtho-oxazaborol (N-H, B-}C_6H_5\text{)}$$

2-Phenyl-1,2-dihydro-⟨naphtho[1,2-d]-1,3,2-oxazaborol⟩; 82%; F: 159–160° (aus Benzol)

[1] L.S. Vasil'ev, M.M. Vartanyan u. B.M. Mikhailov, Ž. obšč. Chim. **42**, 2675 (1972); engl.: 2664; C.A. **78**, 111400 (1973).
[2] R.J. Brotherton u. H. Steinberg, J. Org. Chem. **26**, 4632 (1961).
[3] R. Hemming u. D.G. Johnston, Soc. **1964**, 466.

Analog erhält man aus 3-Amino-2-hydroxy-naphthalin das *2-Phenyl-2,3-dihydro-⟨naphtho[2,3-d]-1,3,2-oxazaborol⟩* (86%; F: 229–230°, aus Benzol)[1].

Aus bestimmten Triarylboroxinen werden nach Reduktion und intramolekularer Aminierung ebenfalls cyclische Amino-organo-oxy-borane erhalten. Dabei setzt man z. B. Dihydroxy-(2-formylphenyl)-boran zunächst mit Anilin zum Aldimin um, das als Boroxin I isoliert wird. Durch Hydridrieren mit Lithiumalanat in THF unter Rückfluß und hydrolytische Aufarbeitung erhält man ein Gemisch von *1-Hydroxy-2-phenyl-2,3-dihydro-1H-⟨benzo[c]-1,2-azaborol⟩* und dessen Anhydrid[2]:

1/3 $[C_6H_4(CH{=}N{-}C_6H_5)(BO)]_3$ (I) $\xrightarrow{1.\ +H^-;\ 2.\ +H^+}$ 1-Hydroxy-2-phenyl-2,3-dihydro-1H-⟨benzo[c]-1,2-azaborol⟩ (B–OH, N–C_6H_5)

α_4) *aus Bis[alkylthio]-organo-boranen*

Aus Aryl-bis[alkylthio]-boranen erhält man mit 2-Aminoalkoholen unter Austritt von Alkanthiolen cyclische Amino-organo-oxy-borane. Eine präparativ günstige Methode zur Herstellung substituierter *1,3,2-Oxazaborolidine* ist die Cyclokondensation von Bis[ethylthio]-phenyl-boran mit aliphatischen 2-Aminoalkoholen unter Eliminierung von Ethanthiol. Dieses gestattet eine Indikation des Reaktionsendes mit der Bleiacetat-Probe[3].

$$H_5C_6{-}B(SC_2H_5)_2 + HO{-}CH(R^1){-}C(R^2)(R^3){-}NH{-}R^4 \xrightarrow{-2\ H_5C_2SH} \text{2-Phenyl-1,3,2-oxazaborolidin } (R^1, R^2, R^3, R^4;\ B{-}C_6H_5)$$

z. B.: $R^1 = CH_3$; $R^2 = R^3 = R^4 = H$; *5-Methyl-2-phenyl-1,3,2-oxaazaborolidin*; 86%; $Kp_{0,4}$: 82°
$R^1 = R^4 = H$; $R^2 = R^3 = CH_3$; *4,4-Dimethyl-2-phenyl-1,3,2-oxazaborolidin;* 50%; $Kp_{0,9}$: 84°
$R^1 = C_6H_5$; $R^2 = R^3 = R^4 = H$; *2,5-Diphenyl-1,3,2-oxazaborolidin;* 70%; $Kp_{0,1}$: 130°
$R^1 = R^3 = H$; $R^2 = CH_3$; $R^4 = CH_2{-}C_6H_5$; *3-Benzyl-4-methyl-2-phenyl-1,3,2-oxazaborolidin*; 69%; $Kp_{0,1}$: 130°

4-Methyl-2-phenyl-1,3,2-oxazaborolidin[3]**:** 1,2 g (0,014 mol) DL-2-Aminopropanol werden zu einer benzolischen Lösung von 2,85 g (0,014 mol) Bis[ethylthio]-phenyl-boran getropft. Die Mischung wird 3 Stdn. am Rückfluß erhitzt, dann werden die flüchtigen Bestandteile i. Vak. abgezogen und der Rückstand mit Petrolether gewaschen. Ein sich bildender, unbekannter, kristalliner Feststoff wird abgetrennt, und das Filtrat i. Vak. destilliert; Ausbeute: 0,98 g (45%); $Kp_{0,15}$: 70°.

α_5) *aus Aminoboranen*

$\alpha\alpha_1$) aus Amino-diorgano-boranen

Aus Amino-diorgano-boranen sind Amino-organo-oxy-borane durch Isomerisierung, Thermolyse sowie durch Protolyse und Oxygenierung zugänglich.

Alkyl-dimethylamino-(2-oxoalkyl)-borane, zugänglich aus Alkyl-amino-brom-boranen mit Bis[methoxycarbonylmethyl]quecksilber (vgl. S. 61), isomerisieren in Alkyl-dimethylamino-vinyloxy-borane[4]:

---

[1] R. Hemming u. D.G. Johnston, Soc. **1964**, 466.
[2] H.E. Dunn, J.C. Catlin u. H.R. Snyder, J. Org. Chem. **33**, 4483 (1968).
[3] R.H. Cragg u. A.F. Weston, Soc. [Dalton] **1975**, 93; C.A. **82**, 112123 (1975).
[4] P. Paetzold u. H.-P. Biermann, B. **110**, 3678 (1977).

Die Thermolysen von Dimethylamino-methoxycarbonylmethyl-organo-boranen (vgl. S. 61) bei 80° liefern unter Eliminierung von Keten *Dimethylamino-methoxy-organo-borane* in Ausbeuten von >70%[1]:

Dimethylamino-methoxy-...-boran
$R = CH_3$; ...*-methyl-*...; 45%; $Kp_{0,001}$: ~50°
$R = C_6H_5$; ...*-phenyl-*...; 76%; Kp_3: 56–58°

Die Abspaltung eines *exo*-cyclischen B-Organo-Restes in NB-Aromaten durch Hydrolyse gelingt nur unter drastischen Bedingungen. 6-Methoxy-2-pentafluorphenyl-4-phenyl-1,2-dihydro-⟨benzo[e]-1,2-azaborin⟩ geht beim mehrstündigen Kochen mit starker Kalilauge in die *2-Hydroxy-*Verbindung bzw. deren Anhydrid über. Beim Umfällen mit Methanol entsteht das *2,6-Dimethoxy-4-phenyl-1,2-dihydro⟨benzo*[e]*-1,2-azaborin⟩*[2]:

6-Methyl-5,6-dihydro-⟨dibenzo-1,2-azaborin⟩ liefert beim Behandeln mit Salpetersäure und Essigsäureanhydrid *6-Hydroxy-4-nitro-5,6-dihydro-⟨dibenzo-1,2-azaborin⟩* (15%; F: 125–126°). Beim Umkristallisieren aus Methanol tritt Veresterung ein. Man erhält *6-Methoxy-4-nitro-5,6-dihydro-⟨dibenzo-1,2-azaborin⟩* (155–156°)[3]:

Die Oxidation der Hexaorgano-2,5-diorgano-1,2,5-azasilaborole mit Trimethylamino-N-oxid bzw. mit molekularem Sauerstoff liefern verschiedene cyclische Amino-organo-oxy-borane (vgl. S. 195)[4].

αα₂) aus Amino-hydro-organo-boranen

Setzt man äquimolare Mengen 1-Benzyl-1,2-azaborolidin und Butanol bei 120–140° um, tritt unter Wasserstoff-Abspaltung Alkoxylierung am Bor-Atom ein. In 78%iger Ausbeute läßt sich *1-Benzyl-2-butyloxy-1,2-azaborolidin* gewinnen[5]:

---

[1] P. Paetzold u. H.-P. Biermann, B. **110**, 3678 (1977).
[2] P.I. Paetzold, G. Stohr, H. Maisch u. H. Lenz, B. **101**, 2881 (1968).
[3] M.J.S. Dewar u. V.P. Kubba, Tetrahedron **7**, 213 (1959).
[4] R. Köster u. G. Seidel, Mülheim a.d. Ruhr, unveröffentlicht 1981.
[5] V. A. Dorokhov, O.G. Boldyreva u. B.M. Mikhailov, Ž. obšč. Chim. **40**, 1528 (1970); C.A. **75**, 36188 (1971).

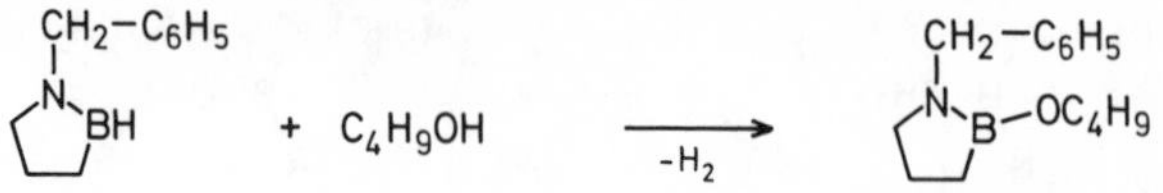

$CH_2{-}C_6H_5$ / BH + C_4H_9OH $\xrightarrow{-H_2}$ $CH_2{-}C_6H_5$ / $B{-}OC_4H_9$

Wird 1-Benzyl-1,2-azaborinan an feuchter Luft stehengelassen oder mit Methanol umgesetzt, so entsteht *1-Benzyl-2-hydroxy-* (F: 107,5–109°) bzw. *1-Benzyl-2-methoxy-1,2-azaborinan* ($Kp_{0,5}$: 99°)[1]:

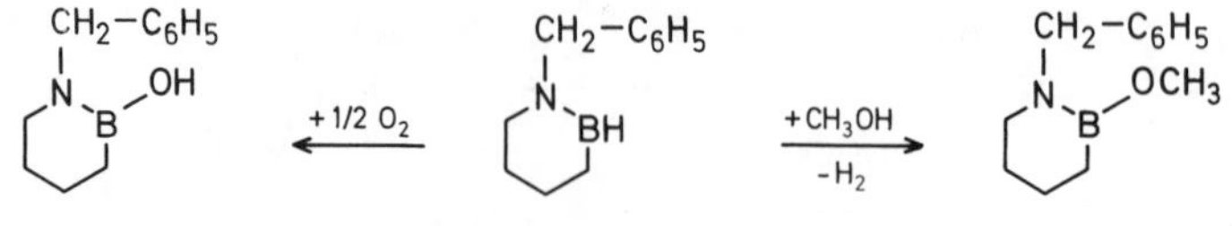

$CH_2{-}C_6H_5$ / OH $\xleftarrow{+1/2\ O_2}$ $CH_2{-}C_6H_5$ / BH $\xrightarrow[-H_2]{+CH_3OH}$ $CH_2{-}C_6H_5$ / OCH_3

Analoge Reaktionen lassen sich auch mit 1-Methyl-1,2-azaborinan durchführen. Man erhält *2-Hydroxy-1-methyl-* (20%) bzw. *2-Methoxy-1-methyl-1,2-azaborinan* (50%)[1].

$\alpha\alpha_3$) aus Amino-halogen-organo-boranen

i_1) mit Hydroxy-Verbindungen

Die B-Chlor-NB-Heterocyclen gehen mit Wasser bzw. Alkohol in die entsprechenden B-Hydroxy-Verbindungen oder deren Wasserabspaltungs-Produkte bzw. in die entsprechenden B-Alkoxy-Verbindungen über; z.B.[2]:

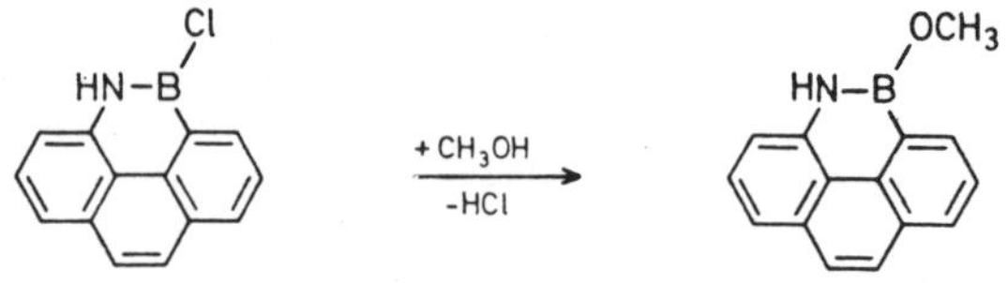

Cl / HN–B $\xrightarrow[-HCl]{+CH_3OH}$ OCH_3 / HN–B

5-Methoxy-4,5-dihydro-⟨phenanthro-[4,4a,4b,5-c,d,e]-1,2-azaborin⟩; 57%

Meist wird aber die Halogen-Substitution im Zuge der Herstellung des BN-Aromaten durchgeführt (vgl. S. 162).

i_2) mit Metall-alkanolaten oder -enolaten

Aus Chlor-dimethylamino-phenyl-boran sind mit Natriumalkanolaten Alkoxy-dimethylamino-phenyl-borane zugänglich[3,4].

Brom-dialkylamino-organo-borane reagieren mit Metallenolaten unter Brom-Substitution zu Alkenyloxy-dialkylamino-organo-boranen, die bisweilen unter Aldol-Addition weiterreagieren. Als Enolate werden bisher Zink-enolate[5] sowie die isomeriefähigen (Dialkylaminocarbonyl-methyl)-silane[6] verwendet. Aus Brom-dimethylamino-methyl-boran werden in ~60%iger Ausbeute mit Bromzink-enolaten die entsprechenden Borane gewonnen[5]:

[1] K.M. Davies, M.J.S. Dewar u. P. Rona, Am. Soc. **89**, 6294 (1967).
[2] M.J.S. Dewar u. W.H. Poesche, J. Org. Chem. **29**, 1757 (1969).
[3] R.H. Cragg u. T.J. Miller, J. Organometal. Chem. **232**, 201 (1982).
[4] R.H. Cragg u. T.J. Miller, J. Organometal. Chem. **235**, 135 (1982).
[5] P. Paetzold u. M. Lasch, B. **112**, 663 (1979).
[6] W. Maringgele; Z. anorg. Ch. **468**, 99 (1980).

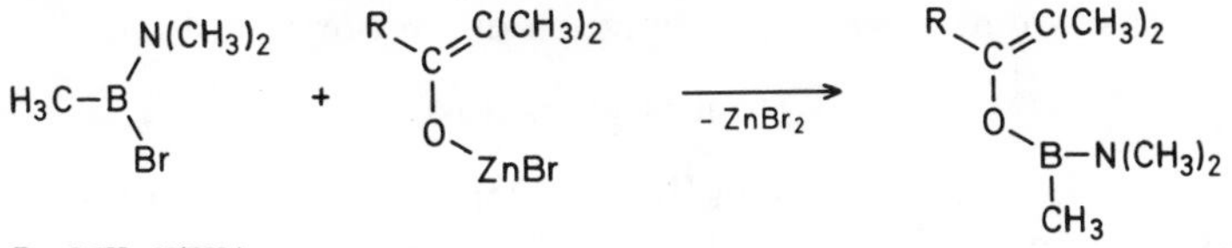

$$H_3C{-}B(N(CH_3)_2)Br + R{-}C(=C(CH_3)_2){-}O{-}ZnBr \xrightarrow{-ZnBr_2} R{-}C(=C(CH_3)_2){-}O{-}B(CH_3){-}N(CH_3)_2$$

R = OCH_3, $N(CH_3)_2$

Dimethylamino-(1-dimethylamino-2-methyl-1-propenyloxy)-methyl-boran[1]: Man tropft bei −30° 8 g (53,4 mmol) Brom-dimethylamino-methyl-boran in die Lösung von Bromzink-enolat [aus 7 g Zink-Spänen und 19,4 g (100 mmol) 2-Brom-2-methyl-propansäure-dimethylamid in 150 *ml* Diethylether]. Nach 1 Stde. wird das Gemisch auf ~ 20° gebracht. Man zieht den Ether ab, extrahiert 2 mal mit 50 *ml* Hexan und destilliert i. Vak.; Ausbeute: 5,95 g (60%); Kp_1: 45–48°.

Auf analoge Weise wird *Dimethylamino-(1-methoxy-2-methyl-1-propenyloxy)-methyl-boran* (52%; Kp_2: 53°) gewonnen[1].

Aus Brom-dialkylamino-phenyl-boran erhält man mit (Dialkylaminocarbonyl-methyl)-trimethyl-silan unter Substitution und nachfolgender Aldol-Addition verunreinigte Dialkylamino-(2-dialkylaminocarbonyl-1-methyl-vinyloxy)-phenyl-borane[2]:

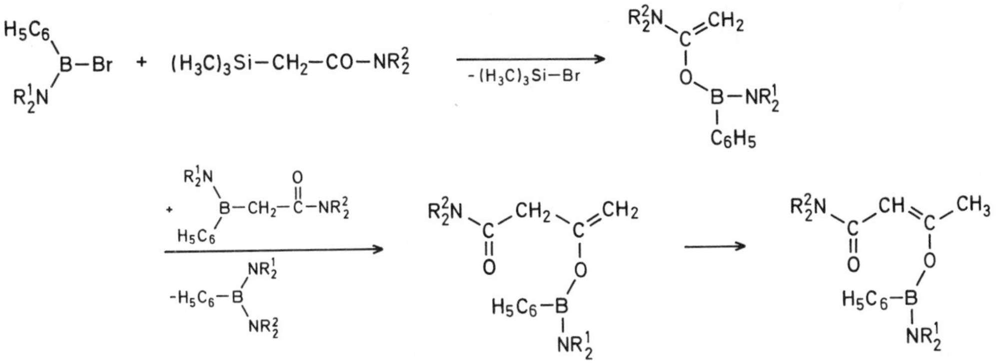

$$H_5C_6{-}B(Br){-}NR^1_2 + (H_3C)_3Si{-}CH_2{-}CO{-}NR^2_2 \xrightarrow{-(H_3C)_3Si{-}Br} R^2_2N{-}C(=CH_2){-}O{-}B(C_6H_5){-}NR^1_2$$

$$\xrightarrow[-H_5C_6{-}B(NR^1_2)(NR^2_2)]{+\ R^1_2N{-}B(C_6H_5){-}CH_2{-}C(=O){-}NR^2_2} R^2_2N{-}C(=O){-}CH_2{-}C(=CH_2){-}O{-}B(C_6H_5){-}NR^1_2 \longrightarrow R^2_2N{-}C(=O){-}CH{=}C(CH_3){-}O{-}B(C_6H_5){-}NR^1_2$$

i₃) mit aromatischen Aldehyden

Aus Anilino-chlor-phenyl-boranen bilden sich mit aromatischen Aldehyden 1,2-Dihydro-4H-⟨benzo[d]-1,3,2-oxazaborine⟩; z.B.[3]:

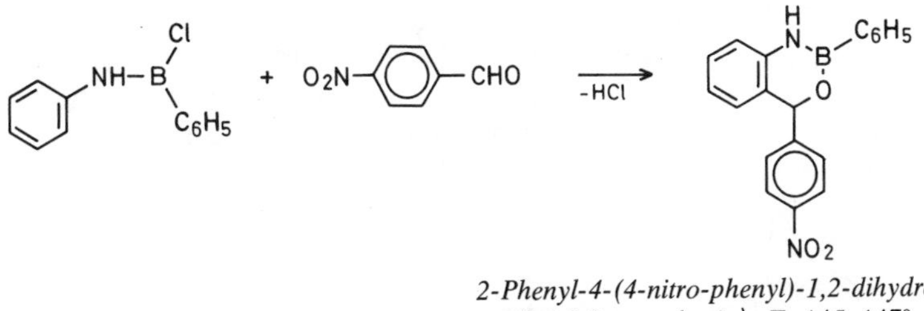

$$C_6H_5{-}NH{-}B(Cl){-}C_6H_5 + O_2N{-}C_6H_4{-}CHO \xrightarrow{-HCl}$$

2-Phenyl-4-(4-nitro-phenyl)-1,2-dihydro-4H-⟨benzo-[d]-1,3,2-oxazaborin⟩; F: 145–147°

Die Methode ist für präparative Zwecke bisher zu wenig erprobt.

---

[1] P. Paetzold u. M. Lasch, B. **112**, 663 (1979).
[2] W. Maringgele, Z. anorg. Ch. **468**, 99 (1980).
[3] T. Toyoda, K. Sasakura u. T. Sugasawa, Tetrahedron Letters **1980**, 173.

$\alpha\alpha_4$) aus Amino-organo-oxy-boranen durch borferne Reaktionen

i_1) am Organo-Rest

1,2-Azaborine lassen sich analog den Benzol-Derivaten elektrophil substituieren, insbesondere chlorieren und bromieren, acetylieren (nach Friedel-Crafts) und nitrieren (mit Nitriersäure bzw. Essigsäure/Acetanhydrid/Salpetersäure). Nachfolgend seien einige typische Produkte, die bei der Chlorierung entstehen, aufgeführt[1]:

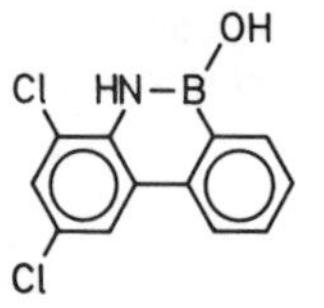

2,4-Dichlor-6-hydroxy-5,6-dihydro-⟨dibenzo-1,2-azaborin⟩; 76%; F: 263–264°[1]

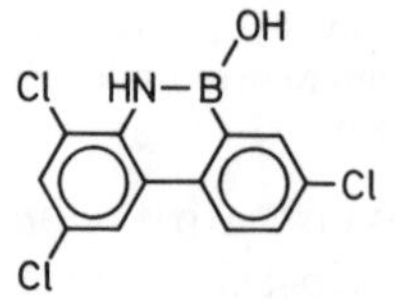

6-Hydroxy-2,4,8-trichlor-5,6-dihydro-⟨dibenzo-1,2-azaborin⟩; 80%; F: 283–284°[1]

Die Acetylierung liefert z.B. folgende Produkte[1]:

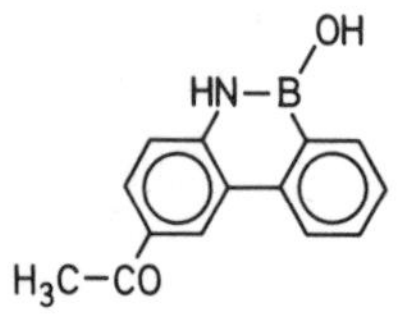

2-Acetyl-6-hydroxy-5,6-dihydro-⟨dibenzo-1,2-azaborin⟩; 47%; F: 233–235°[1]

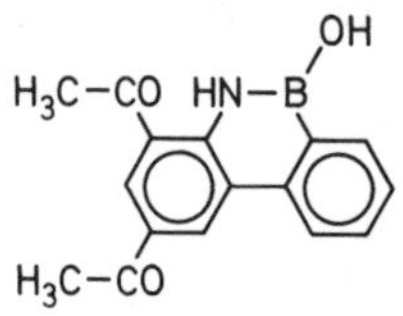

2,4-Diacetyl-6-hydroxy-5,6-dihydro-⟨dibenzo-1,2-azaborin⟩; 17%; F: <350°[1]

Durch borferne Nitrierung ist folgende Verbindung zugänglich:

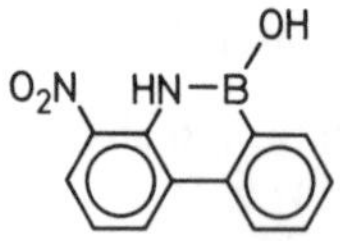

6-Hydroxy-4-nitro-5,6-dihydro-⟨dibenzo-1,2-azaborin⟩; 65%[2]

Die borferne Addition von Hexacarbonylchrom an den Benzol-Kern des 2-Methyl-2,3-dihydro-⟨benzo-1,3,2-oxazaborols⟩ erfolgt unter Belichten in Tetrahydrofuran[3]:

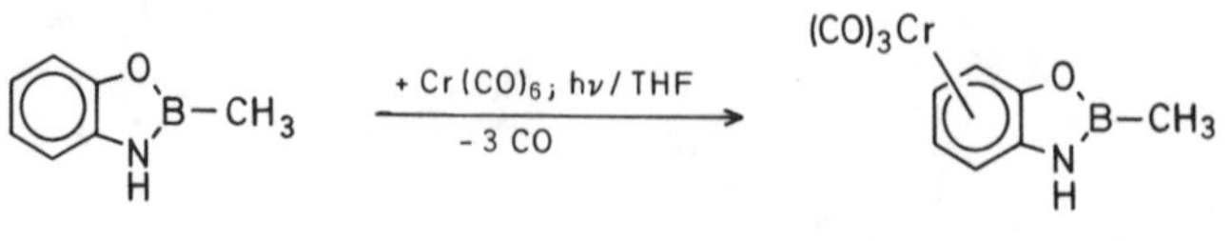

$\xrightarrow[-3\ CO]{+\ Cr(CO)_6;\ h\nu\ /\ THF}$

(2-Methyl-2,3-dihydro-⟨benzo-1,3,2-oxazaborol⟩)-tricarbonyl-chrom; 65%; F: 128–130° (Zers.)

[1] S. Gronowitz u. J. Namtvedt, Tetrahedron Letters **1966**, 2967; C.A. **65**, 12224 (1966).
[2] M.J.S. Dewar u. V.P. Kubba, J. Org. Chem. **25**, 1722 (1960).
[3] R. Goetze, Dissertation, S. 74, Universität München 1976.

i_2) am Sauerstoff- oder Stickstoff-Atom

Die Substitution des Wasserstoffs der Hydroxy-Gruppe in Amino-hydroxy-organo-boranen mit Metall-Atomen oder mit entsprechenden Metall-Atom-Gruppierungen wird als borferne Reaktion aufgefaßt, obwohl bei einigen Reaktionen auch die gesamte Hydroxy-Gruppe durch eine Oxymetall-Gruppierung ausgetauscht werden kann.

Aus 6-Hydroxy-5,6-dihydro-⟨dibenzo-1,2-azaborazin⟩ erhält man mit Butyllithium in Benzol zu 65% *6-Lithiooxy-5,6-dihydro-⟨dibenzo-1,2-azaborin⟩*, das salzartige Eigenschaften hat[1]:

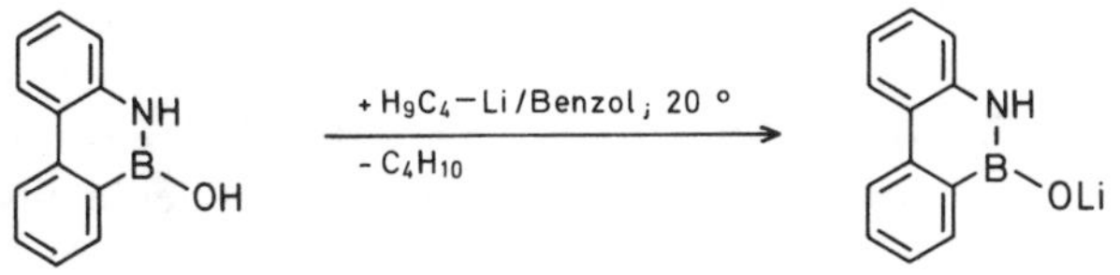

$$\xrightarrow[-\ C_4H_{10}]{+\ H_9C_4-Li\ /\ Benzol;\ 20°}$$

1-Benzyl-2-hydroxy-1,2-dihydro-1,2-azaborin (F: 58–60°) läßt sich mit Benzylbromid aus dem 2-Hydroxy-1,2-dihydro-1,2-azaborin gewinnen, das aus Tribenzoborazin durch alkalischen Abbau zugänglich ist[2]:

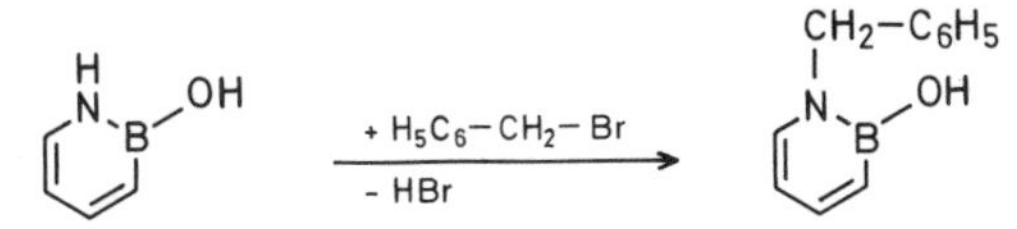

$$\xrightarrow[-\ HBr]{+\ H_5C_6-CH_2-Br}$$

$\alpha\alpha_5$) aus Diamino-organo-boranen

Mit Methanol reagieren äquimolare Mengen an Bis[dimethylamino]-phenyl-boran beim Erwärmen unter partieller Alkoholyse und Abspaltung von Dimethylamin zum *Dimethylamino-methoxy-phenyl-boran* (78%; $Kp_{4,5}$: 70°)[3]:

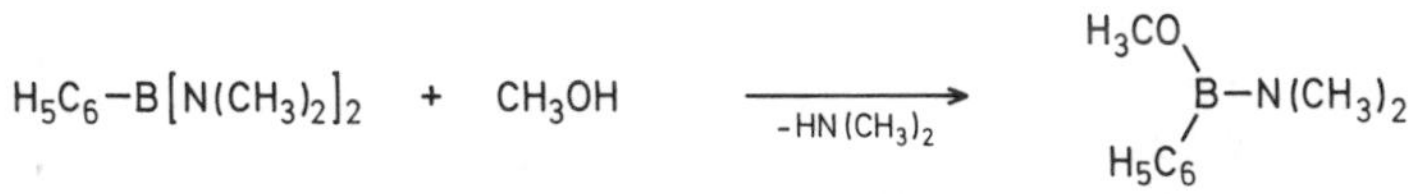

$$H_5C_6-B[N(CH_3)_2]_2 \quad + \quad CH_3OH \xrightarrow[-HN(CH_3)_2]{} (H_3CO)(H_5C_6)B-N(CH_3)_2$$

Die Herstellung von *Diethylamino-isopropyloxy-phenyl-boran* ($Kp_{0,1}$: 62°) erfolgt aus Bis[diethylamino]-phenyl-boran mit Isopropanol unter Abspalten von Dimethylamin in 65%iger Ausbeute[4].

Die Cyclokondensation von 2-Aminoalkoholen mit Bis[diethylamino]-phenyl-boran führt unter zweifacher Diethylamin-Abspaltung zu 1,3,2-Oxazaborolidinen. Erhitzt man z.B. äquimolare Mengen 2-Aminoethanol und Bis[diethylamino]-phenyl-boran 2 Stdn. in Benzol am Rückfluß, so erhält man nach destillativer Aufarbeitung in 56%iger Ausbeute das *2-Phenyl-1,3,2-oxazaborolidin* ($Kp_{0,15}$: 64°)[5]. Nach dieser Methode sind ferner all jene 1,3,2-Oxazaborolidine zugänglich, die auch mit Aminoalkoholen aus Bis[ethylthio]-organo-boranen erhalten werden (s.S. 170).

---

[1] B.M. Mikhailov u. M.F. Kuimova, J. Organometal. Chem. **116**, 123 (1976).
[2] K.M. Davies, M.J.S. Dewar u. P. Rona, Am. Soc. **89**, 6294 (1967).
[3] P.A. Barfield, M.F. Lappert u. J. Lee, Soc. [A] **1968**, 554.
[4] R.H. Cragg u. T.J. Miller, J. Organometal. Chem. **235**, 135 (1982).
[5] H.R. Cragg u. A.F. Weston, Soc. [Dalton Trans.] **1975**, 93.

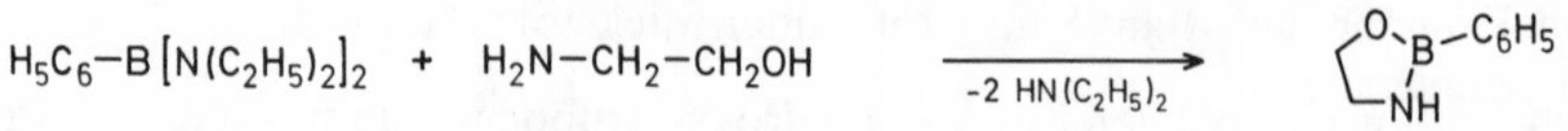

$$H_5C_6-B[N(C_2H_5)_2]_2 + H_2N-CH_2-CH_2OH \xrightarrow[-2\ HN(C_2H_5)_2]{}$$ (cycl. O–B(–C_6H_5)–NH)

Zur Herstellung von *Dimethylamino-methoxy-(1-methylallyl)-boran* wird Bis[dimethylamino]-(1-methylallyl)-boran mit Methanol ohne Isomerisierung der Allyl-Gruppierung umgesetzt[1,2]:

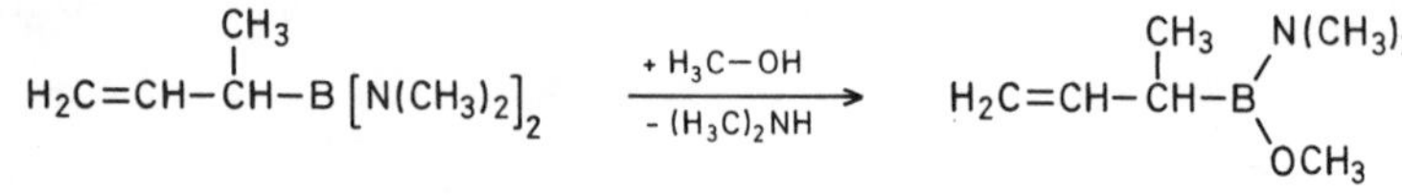

$$H_2C{=}CH-CH(CH_3)-B[N(CH_3)_2]_2 \xrightarrow[-(H_3C)_2NH]{+H_3C-OH} H_2C{=}CH-CH(CH_3)-B(N(CH_3)_2)(OCH_3)$$

Aus Bis[dimethylamino]-phenyl-boran sind mit Salicylsäure-amid bzw. Anthranilsäure in hohen Ausbeuten die entsprechenden Heterocyclen mit NBO-Gruppierung zugänglich[3] (vgl. S. 183):

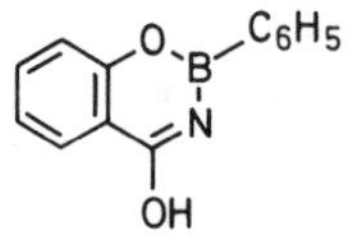

(vgl. S. 183)
4-Hydroxy-2-phenyl-2H-⟨benzo[e]-1,3,2-oxazaborin⟩; 96%; F: 203–206°

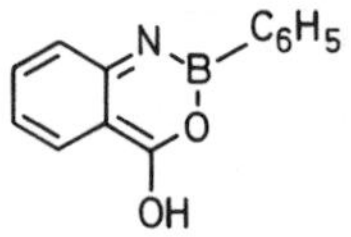

4-Hydroxy-2-phenyl-2H-⟨benzo[d]-1,3,2-oxazaborin⟩; 85%; F: 222–225°

Aus Bis[dimethylamino]-phenyl-boran erhält man mit 2-Amino-3-hydroxy-pyridin oder 1-Pyrrolidin-2-yl-methanol unter Abspaltung von Dimethylamin folgende Bor-Heterocyclen[4]:

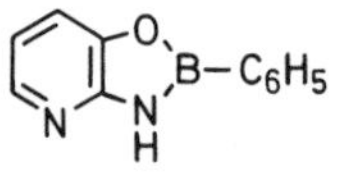

(vgl. S. 183)
2-Phenyl-2,3-dihydro-⟨1,3,2-oxazaborolo[4,5-b]pyridin⟩; F: 198–201°

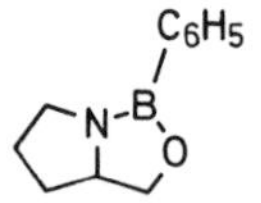

2-Phenyl-3-oxa-1-aza-2-bora-bicyclo[3.3.0]octan; 85,2%; $Kp_{0,4}$: 107–109°

In einigen Fällen wird auch der Substituentenaustausch der Diamino-organo-borane und der Dialkoxy-organo-borane zur Herstellung von Alkoxy-amino-organo-boranen angewandt. Aus Bis[dimethylamino]-phenyl-boran erhält man mit Dimethoxy-phenylboran (3 Stdn. Rühren) in 85% Ausbeute *Dimethylamino-methoxy-phenyl-boran* (Kp_1: 40°)[5].

α_6) *aus Diboranen(4)*

Cyclische Amino-organo-oxy-borane mit *exo*-cyclischer Organo-Gruppe sind durch Thermolyse cyclischer Diborane(4) zugänglich. Die Umsetzung von 1,2-Bis[dimethylamino]-1,2-dibutyl-diboran(4) mit 2-Aminophenol führt unter zweifacher Dimethylamin-Abspaltung zum *2,3-Dibutyl-3,4-dihydro-2H-⟨benzo-1,4,2,3-oxazadiborin⟩*, das

[1] K. G. Hancock u. J. D. Kramer, J. Organometal. Chem. **64**, C29 (1973).
[2] vgl. H.-J. Zeiss, Dissertation, Universität Marburg 1980.
[3] W. L. Cook u. K. Niedenzu, Synth. React. Inorg. Metal-org. Chem. **3**, 229 (1973).
[4] J. Bielawski u. K. Niedenzu, Synth. React. Inorg. Metal-org. Chem. **10**, 479 (1980).
[5] R. H. Cragg u. T. J. Miller, J. Organometal. Chem. **235**, 135 (1982).

sich beim Erhitzen auf 160–190° zum *2-Butyl-2,3-dihydro-⟨benzo-1,3,2-oxazaborol⟩* (Kp_3: 85°) zersetzt[1]:

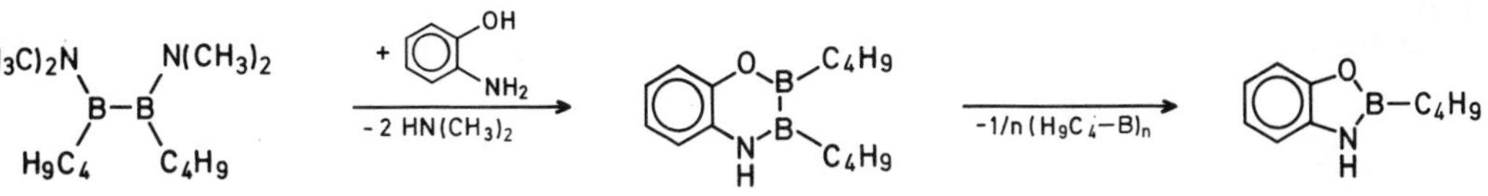

$(H_3C)_2N(C_4H_9)B{-}B(C_4H_9)N(CH_3)_2$ + 2-Aminophenol $\xrightarrow{-2\,HN(CH_3)_2}$ Benzo-oxazadiborin $\xrightarrow{-1/n\,(H_9C_4{-}B)_n}$ 2-Butyl-2,3-dihydro-benzo-1,3,2-oxazaborol

α₇) aus Lewisbase-Boranen

Substituierte 1,3,2-Oxazaborinane lassen sich aus den gleichen Imin-Dialkyl-organo-oxy-boranen (vgl. S. 566f.) mit Hydro-organo-boranen herstellen. Man erhält z.B. aus 5,6-*threo*-2-Cyclohexyl-3,3-diethyl-5-phenyl-4-oxa-2-azonia-3-borata-bicyclo[4.4.0]dec-1-en mit Ethyldiboran(6) bei 70–80° *2-Cyclohexyl-3-ethyl-5-phenyl-4-oxa-2-aza-3-bora-bicyclo[4.4.0]decan* (F: 62°; $Kp_{0,1}$: ~120°)[2]:

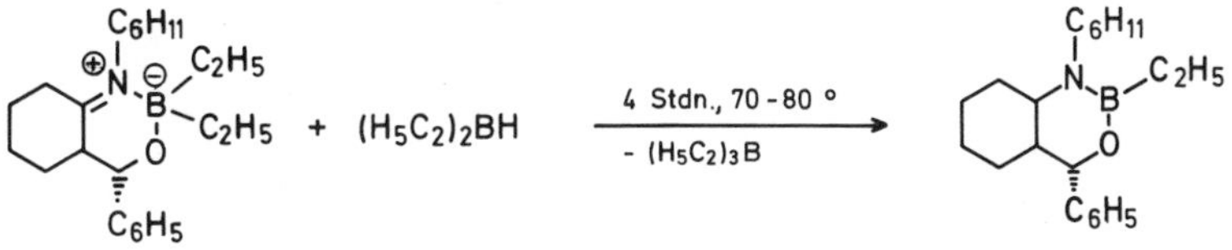

Edukt + $(H_5C_2)_2BH$ $\xrightarrow[-(H_5C_2)_3B]{4\ \text{Stdn., }70-80°}$ Produkt

β) Organo-oxy-borane von Amiden der Carbonsäuren und der Kohlensäure

Die verschiedenen offenkettigen, meist jedoch cyclischen Amido-organo-oxy-borane sind aus Halogen-organo-boranen, Organo-oxy-boranen und Amino-organo-oxy-boranen zugänglich (vgl. Tab. 37, S. 178).

β₁) aus Halogen-organo-boranen

Aus Dichlor-phenyl-boran läßt sich mit Salicylsäureamid *4-Hydroxy-2-phenyl-2H-⟨benzo[e]-1,3,2-oxazaborin⟩* gewinnen[3]:

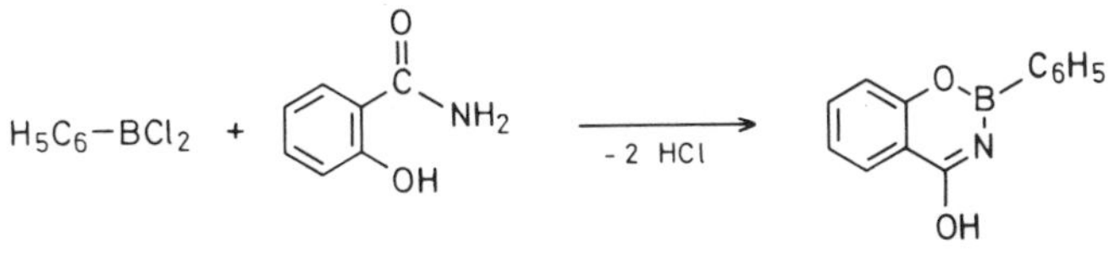

$H_5C_6{-}BCl_2$ + Salicylsäureamid $\xrightarrow{-2\,HCl}$ 4-Hydroxy-2-phenyl-2H-benzo[e]-1,3,2-oxazaborin

Aus Dichlor-phenyl-boran ist mit Benzhydroxamsäureanilid ähnlich in 87%iger Ausbeute *2,3,4-Triphenyl-2,3-dihydro-1,3,5,2-oxadiazaborol* zugänglich[4]:

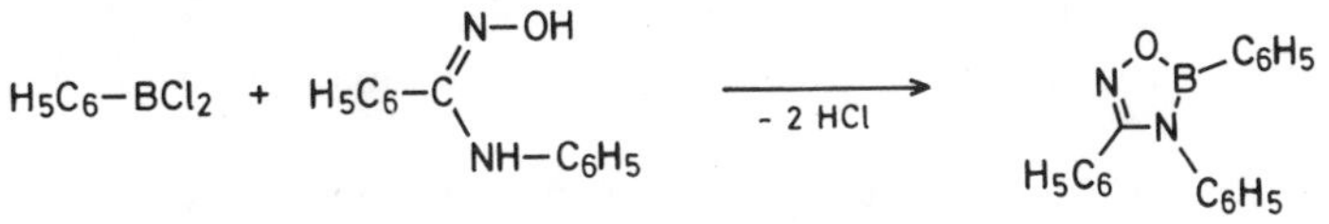

$H_5C_6{-}BCl_2$ + $H_5C_6{-}C(=N{-}OH){-}NH{-}C_6H_5$ $\xrightarrow{-2\,HCl}$ 2,3,4-Triphenyl-2,3-dihydro-1,3,5,2-oxadiazaborol

[1] W. NÖTH u. P. FRITZ, Z. anorg. Ch. **324**, 129 (1963).
[2] R. KÖSTER, F. LEVELT u. W. FENZL, Mülheim a.d. Ruhr, unveröffentlicht 1975.
vgl. F. LEVELT, Mülheim a.d. Ruhr, Dissertation, Universität Bochum 1977.
[3] W.L. COOK u. K. NIEDENZU, Synth. React. Inorg. Metal-org. Chem. **3**, 229 (1973).
[4] A. DORNOW u. K. FISCHER, B. **99**, 68 (1966).

Tab. 37: Organo-oxy-borane von Amiden der Carbonsäuren und der Kohlensäure

Formel	Verbindungstyp	Herstellungsart	s. S.
a) Derivate von Carbonsäureamiden			
O, B–C_6H_5, N, OH	R–B, O, Ar, N, OH	aus R—$BHal_2$ + H_2N—CO—Ar—OH	177
		aus R–B[N]$_2$ + HOOC—Ar—NH_2	176
O, B–Ar, N–R, O	R–B, O, Ar, N, O	aus R—$B(OH)_2$ + —NH—CO—Ar—OH	180
OH, B, NH, O	HO–B, N, O, Ar	aus R^{CN}–Ar–$B(OH)_2$ + OH^-/H^+	179
N, O, B–C_6H_5, N	R–B, O–N, N	aus R^1–$BHal_2$ + R^2–C(=N–OH)–NH–R^3	178
		aus R^1–$B(OH)_2$ + R^2–C(=N–OH)–NH–R^3	180
		aus $(R^1–BO)_3$ + R^2–C(=N–OH)–NH–R^3	182
O, B–C_6H_5, N, N, H	R–B, N, Ar^N, O	aus R–B[N]$_2$ + H_2N—Ar^N—OH	176
b) Derivate von Kohlensäureamiden			
H_3C–B(OCH_3)–N(Ar)–C(OCH_3)=N–Ar	R^1–B(OR^2)–N–	aus R^1—$B(OR^2)_2$ + —N=C=N—	182
H_5C_6–B(OC_4H_9)–NCS	R^1–B(OR^2)–NCS	aus R^1–B(OR^2)–Hal + KSCN	179

β_2) *aus Organo-oxy-boranen*

Hauptsächlich werden Dioxy-organo-borane als Edukte zur Herstellung von Amido-organo-oxy-boranen verwendet. In Ausnahmefällen setzt man Diorgano-oxy-borane ein.

Aus äquimolaren Mengen Tetraalkyldiboroxan und 2-Aminopyridin erhält man bei 150–175° unter Abspaltung von Alkan Lewisbase-Diorgano-oxy-borane, die außerdem die RB(N)O-Atom-Gruppierung enthalten[1]. Die Reaktionen werden daher auf S. 621 näher besprochen.

[1] V. A. Dorokhov, L. T. Lavrinovich, B. M. Zolotarev u. B. M. Mikhailov, Izv. Akad. SSSR **1977**, 1919; engl.: 1783; C. A. **87**, 168 121 (1977).

Halogen-organo-oxy-borane sind zur Herstellung von z.B. Isothiocyan-organo-oxy-boranen von Interesse. Die Zahl der beschriebenen Isocyanoborane mit zwei weiteren verschiedenartigen Bor-Substituenten ist allerdings klein. Die einzige bisher bekannt gewordene Herstellungsmethode bedient sich des Austauschs von Chlor gegen die Isothiocyan-Gruppe mittels Kaliumthiocyanat, z.B.[1]:

$$H_5C_6-B(OC_4H_9)(Cl) + K-SCN \xrightarrow[-KCl]{Diglyme} H_5C_6-B(OC_4H_9)(NCS)$$

Butyloxy-isothiocyano-phenyl-boran[1]**:** Zur Lösung von 3,2 g (33 mmol) Kaliumthiocyanat in 1,2-Dimethoxyethan werden bei ~ 0° 6 g (33 mmol) Butyloxy-chlor-phenyl-boran gegeben. Die Mischung wird 1 Stde. gerührt und filtriert; das Filtrat wird eingeengt. Nach wiederholter Destillation des Rückstands gewinnt man 6 g (90%); $Kp_{0,6}$: 94–100°.

Dihydroxy-organo-borane können mit Aminen unter Wasser-Abspaltung zu Amino-hydroxy-organo-boranen kondensieren. In der Hitze können die Verbindungen unter weiterer Wasser-Abspaltung leicht in 1,3,2-Diboroxane (vgl. S. 195ff.) übergehen. Von praktischer Bedeutung ist die zu 1,2-Azaboracycloalkan-Derivaten mit *exo*-cyclischer Hydroxy-Gruppe führende intramolekulare Kondensation von Aminoorgano-dihydroxy-boranen. Durch Hydrolyse des Diboroxans wird *2-tert.-Butyl-1-hydroxy-2,3-dihydro-1H-⟨benzo[c]-1,2-azaborol⟩* erhalten[2].

Zur Cyclisierung des bei der Verseifung von (2-Cyanmethyl-phenyl)-dihydroxy-boran mit 5%iger Kalilauge entstehenden 2-(Trihydroxyborato)phenylacetamid-Anions (vgl. S. 846) wendet man konz. Salzsäure an und kommt so in 63%iger Ausbeute zum *1-Hydroxy-3-oxo-1,2,3,4-tetrahydro-⟨benzo[c]-1,2-azaborin⟩* (F: 202–204°)[2]:

$$C_6H_4(B(OH)_2)(CH_2-CN) \xrightarrow{+H_2O/OH^-} C_6H_4(B(OH)_3^{\ominus})(CH_2-CO-NH_2) \xrightarrow[-2\ H_2O]{+H^+} \text{1-Hydroxy-3-oxo-1,2,3,4-tetrahydro-benzo[c]-1,2-azaborin}$$

Aus Aryl-dihydroxy-boranen erhält man mit Hydroxycarbonsäureamiden unter Wasser-Abspaltung die entsprechenden sechsgliedrigen Ringverbindungen vielfach in guten Ausbeuten. So sind z.B. die *4-Oxo-3,4-dihydro-2H-⟨benzo[e]-1,3,2-oxazaborine⟩* durch Kondensation von Salicylsäureamiden und Aryl-dihydroxy-boranen zugänglich. Hierzu werden äquimolare Mengen der Reaktanden entweder in siedendem Toluol am Wasserabscheider erhitzt[3], oder man führt eine Azeotropdestillation mit Benzol durch[4]. Dabei engt man bis auf ein Drittel des Lösungsmittelvolumens ein und kristallisiert das Rohprodukt aus Benzol um:

---

[1] J. C. Lockhart, Soc. **1962**, 1197.
[2] J. C. Catlin u. H. R. Snyder, J. Org. Chem. **34**, 1660 (1969).
[3] US. P. 3293252 (1966/1963), E. R. Squibb & Sons Inc., Erf.: J. Fried, F. H. Bergeim, H. L. Yale u. J. Bernstein; C. A. **66**, 115783 (1967).
[4] A. Jonczyk u. B. Serafin, Roczniki Chem. **41**, 1319 (1967); C. A. **68**, 105280 (1968).

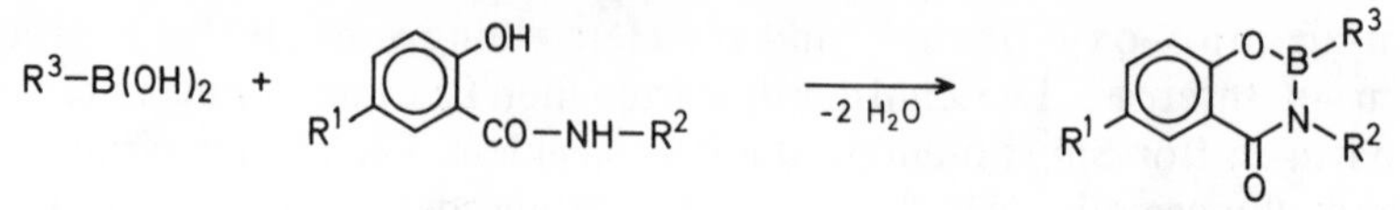

$R^3-B(OH)_2$ + (2-OH-C$_6$H$_3$R^1)-CO-NH-R^2 $\xrightarrow{-2\ H_2O}$

...-*3,4-dihydro-2H-⟨benzo[e]-1,3,2-oxazaborin⟩*

z. B.: $R^1 = R^2 = H$; $R^3 = C_6H_5$; *4-Oxo-2-phenyl-...*[1]; 83%; F: 186–206°
$R^3 = 4\text{-}Cl-C_6H_4$; *2-(4-Chlorphenyl)-4-oxo-...*[1]; 91%; F: 247–254°
R^3 = 2-Thienyl; *4-Oxo-2-(2-thienyl)-...*[1]; 77%; F: 195–218°
$R^1 = H$; R^2 = 1-Naphthyl; $R^3 = C_6H_5$; *3-(1-Naphthyl)-4-oxo-2-phenyl-...*[2]; F: 201–203°
$R^1 = Br$; $R^2 = H$; $R^3 = 4\text{-}OCH_3-C_6H_4$; *6-Brom-2-(4-methoxyphenyl)-4-oxo-...*[1]; 15%; F: 248,5–252,5°

Bei der Kondensation stöchiometrischer Mengen an Dihydroxy-organo-boranen mit Hydroximsäureamiden (Amidoxime) entstehen Derivate der *2,3-Dihydro-1,3,5,2-oxadiazaborole*[3]:

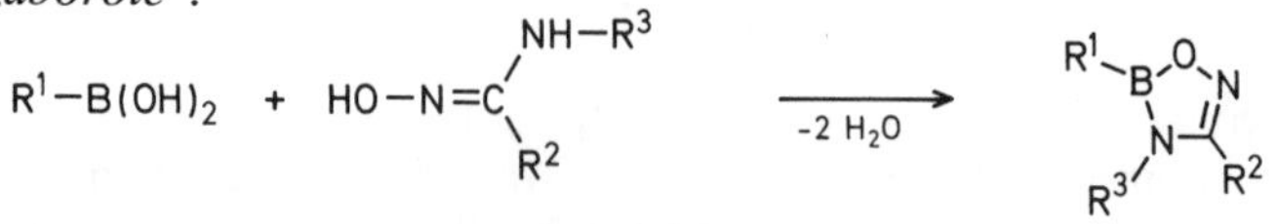

$R^1-B(OH)_2$ + $HO-N{=}C(NH-R^3)(R^2)$ $\xrightarrow{-2\ H_2O}$

Die Reaktionspartner werden im Verhältnis 1:1 in Xylol, Toluol oder Benzol mehrere Stunden am Rückfluß erhitzt und das bei der Kondensation freiwerdende Wasser im Wasserabscheider abgetrennt.

Wegen des pharmakologischen Interesses an den 2,3-Dihydro-1,3,5,2-oxadiazaborolen sind zahlreiche Derivate[3–5] hergestellt worden. Eine Auswahl bietet Tab. 38 (S. 181).

Auch aus Diorganooxy-organo-boranen sind cyclische und offenkettige Acylamino-organo-oxy-borane zugänglich.

Das aus Lithium-tris[1,3,2-dioxaborinan-2-yl]methanolat mit 4,6-Dichlor-5-formyl-pyrimidin herstellbare 4,6-Dichlor-5-{2,2-bis(1,3,2-dioxaborinan-2-yl)vinyl}-pyrimidin (vgl. Bd. XIII/3a, S. 737) reagiert in flüssigem Ammoniak unter Amino-Substitution und N-Borylierung zum *4-Chlor-6-(1,3,2-dioxaborinan-2-yl)-7-hydroxy-7,8-dihydro-⟨1,2-azaborino[6,5-d]pyrimidin⟩* (36%; F: 217°)[6]:

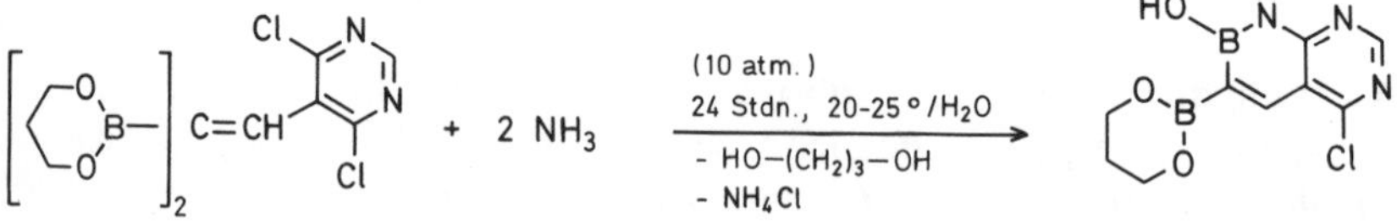

+ 2 NH_3 $\xrightarrow[-\ HO-(CH_2)_3-OH;\ -\ NH_4Cl]{(10\ atm.)\ 24\ Stdn.,\ 20\text{-}25°/H_2O}$

Bei Temperatursteigerung bis 75° wird unter Ammoniak-Druck und 2tägiger Reaktionszeit auch der 4-Chlor-Substituent durch die 4-Amino-Gruppe ersetzt {*4-Amino-6-(1,3,2-dioxaborinan-2-yl)-7-hydroxy-7,8-dihydro-⟨1,2-azaborino[6,5-d]pyrimidin⟩*; 80%}[6].

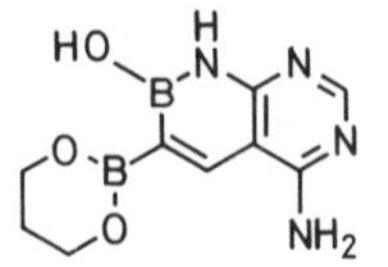

---

[1] A. Jonczyk u. B. Serafin, Roczniki Chem. **41**, 1319 (1967); C.A. **68**, 105280 (1968).
[2] US.P. 3293252 (1966/1963), E.R. Squibb & Sons. Inc., Erf.: J. Fried, F.H. Bergeim, H.L. Yale u. J. Bernstein; C.A. **66**, 115783 (1967).
[3] A.B. Goel u. V.D. Gupta, J. indian. chem. Soc. **54**, 581 (1977); C.A. **89**, 24421 (1978).
[4] US.P. 3173723 (1964/1861), Olin Mathieson Chemical Corp., Erf.: E.J. Pribyl, H.L. Yale u. J. Bernstein; C.A. **61**, 9526 (1964).
[5] G.E. Coates u. B.R. Francis, Soc. [A] **1971**, 1308.
[6] D.S. Matteson, M.S. Biernbaum, R.A. Bechtold, J.D. Campbell u. R.J. Wilczeck, J. Org. Chem. **43**, 950 (1978).

Tab. 38: 2,3-Dihydro-1,3,5,2-oxadiazaborole[1] aus Dihydroxy-organo-boranen mit Hydroximsäureamiden

$R^1-B(OH)_2$ R^1	$HO-N=C(NH_2)-R^2$ R^2	Bedingungen[a]	...*2,3-dihydro-1,3,5,2-oxadiazaborol*	Ausbeute [%]	F [°C]	Literatur
C_6H_5	$OCH(CH_3)_2$	Meth. III in Benzol	*4-Isopropyloxy-2-phenyl-...*	66	111	1
	C_6H_5	Meth. I in Xylol oder Meth. III in Toluol	*2,4-Diphenyl-...*	82	160–161	2–4
	$4-Cl-C_6H_4$	Meth. I	*4-(4-Chlorphenyl)-2-phenyl-...*	89	214–215	3
	$4-O_2N-C_6H_4$	Meth. II in Toluol	*4-(4-Nitrophenyl)-2-phenyl-...*	78	227–229	3
	2-Pyridyl	Meth. I	*2-Phenyl-4-(4-pyridyl)-...*	67	211–213	2, 3
$2,4,6-(CH_3)_3-C_6H_2$	4-Pyridyl	Meth. I in Toluol oder Xylol	*4-(4-Pyridyl)-2-(2,4,6-trimethylphenyl)-...*		159–160	5
$1-C_{10}H_7$	C_6H_5	Meth. I	*2-(1-Naphthyl)-4-phenyl-...*	60	146–147	3

[a] Methode I: Nach Abkühlen der Lösung fällt das Boran aus
Methode II: Zurückfließendes Lösungsmittel zur Wasser-Abscheidung läßt man durch ein Calciumhydrid-Bett strömen
Methode III: Wasser wird durch Zugabe von Phosphor(V)-oxid oder $MgSO_4$ zur siedenden Lösung entfernt

[1] G. Zimmer u. G. Nebel, Ar. **303**, 358 (1970); C. A. **73**, 14051 (1970).
[2] US.P. 3137723 (1964/1961), Olin Mathieson Chemical Corp., E. J. Pribyl, H. L. Yale u. J. Bernstein; C. A. **61**, 9526 (1964).
[3] H. L. Yale, J. Heterocyclic Chem. **8**, 205 (1971).
[4] A. Dornow u. K. Fischer, B. **99**, 68 (1966).
[5] H. L. Yale, F. H. Bergeim, F. A. Sowinski, J. Bernstein u. J. Fried, Am. Soc. **84**, 688 (1962).

Läßt man äquimolare Mengen Dimethoxy-phenyl-boran und Bis[4-methylphenyl]carbodiimid mehrere Stunden in Benzol bei ~20° reagieren, so entsteht der *N,N'-Bis[4-methylphenyl]-N-(methoxy-phenyl-boryl)-O-methyl-isoharnstoff* (62%; F: 192°, Zers.)[1]:

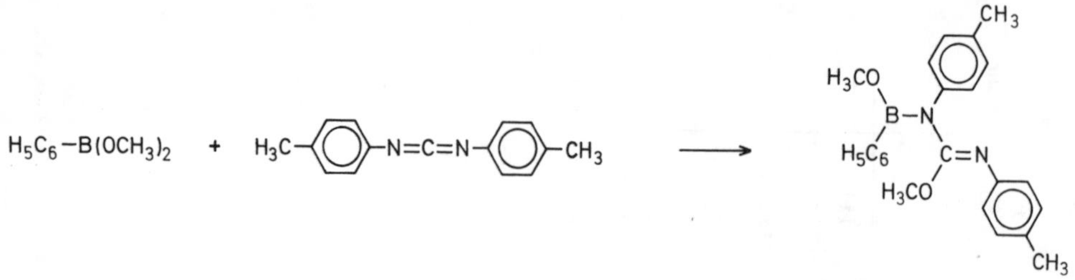

$$H_5C_6-B(OCH_3)_2 + H_3C-C_6H_4-N=C=N-C_6H_4-CH_3 \longrightarrow$$

Durch Kondensation stöchiometrischer Mengen Triphenylboroxin und Hydroximsäureamiden in Benzol unter Auskreisen des Wassers erhält man 2,3-Dihydro-1,3,5,2-oxadiazaborole in guten Ausbeuten; z.B.[2,3]:

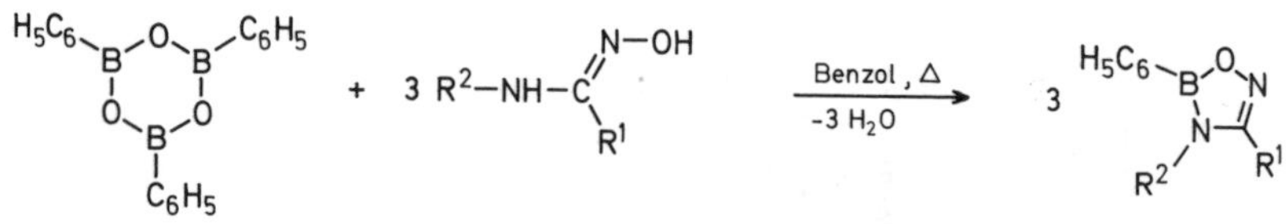

Benzol, Δ; $-3\,H_2O$

$R^1 = R^2 = C_6H_5$; *2,3,4-Triphenyl-2,3-dihydro-1,3,5,2-oxadiazaborol*; 87%; F: 235–237°
$R^1 = COOC_2H_5$; $R^2 = C_6H_5$; *2,3-Diphenyl-4-ethoxycarbonyl-2,3-dihydro-1,3,5,2-oxadiazaborol*; 78%; F: 106–107°

β_3) *aus Amino-organo-oxy-boranen*

Sind bei ihrer Herstellung die NB-Heterocyclen als B-Hydroxy-Verbindungen oder als Diboryloxide angefallen, so lassen sich diese durch einfaches Erhitzen am Rückfluß mit überschüssigem Alkohol verestern. Die alkoholische Lösung wird auf ein kleines Volumen eingeengt und das Produkt anschließend unterhalb 0° zur Kristallisation gebracht[4–6], oder das Wasser wird durch Azeotropdestillation mit Benzol entfernt[7].

Cyclische Amino-organo-oxy-borane wie z.B. 2-Phenyl-1,3,2-oxazaborolidine reagieren unter Aminoborierung mit Phenylisocyanat. Man erhält in Ausbeuten von >90% neue Heterocyclen mit OBN-Gruppierung; z.B.[8]:

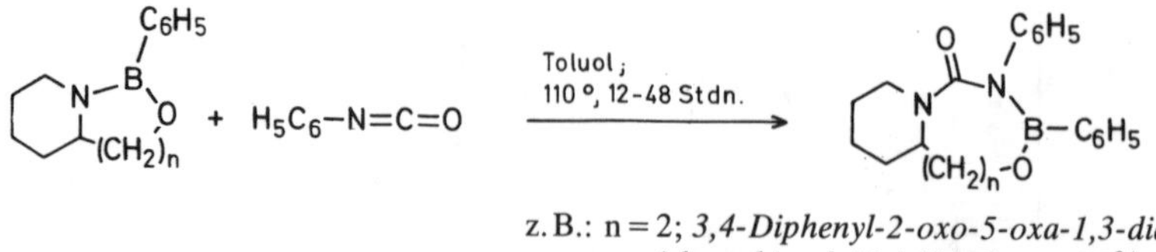

$+ H_5C_6-N=C=O$ — Toluol; 110°, 12-48 Stdn. →

z.B.: n = 2; *3,4-Diphenyl-2-oxo-5-oxa-1,3-diaza-4-bora-bicyclo[6.4.0]dodecan*; 92%; $Kp_{0,2}$: 145°

---

[1] R. JEFFERSON, M.F. LAPPERT, B. PROKAI u. B.P. TILLEY, Soc. [A] **1966**, 1584.
[2] A. DORNOW u. K. FISCHER, B. **99**, 68 (1966).
[3] L. NIGAM, V.D. GUPTA u. R.C. MEHROTHRA, Synth. React. Inorg. Metal-org. Chem. **10**, 491 (1980).
[4] M.J.S. DEWAR u. V.P. KUBBA, Tetrahedron **7**, 213 (1959).
[5] M.J.S. DEWAR u. W.H. POESCHE, Soc. **1963**, 2201.
[6] M.J.S. DEWAR u. W.H. POESCHE, Am. Soc. **85**, 2253 (1963).
[7] M.J.S. DEWAR, Am. Soc. **83**, 1754 (1961).
[8] R.H. CRAGG u. T.J. MILLER, J. Organometal. Chem. **154**, C3 (1978).

Aus **Diamino-organo-boranen** sind mit verschiedenen Hydroxycarbonsäure-amiden oder -amidinen unter Abspaltung von Amin (z. B. Dimethylamin) Heterocyclen mit NBO-Gruppierung zugänglich (s. S. 176).

γ) Elementamino-organo-oxy-borane

Zur Verbindungsklasse gehören Organo-oxy-oxyamino- und Organo-oxy-sulfoamino-borane, vor allem aber Hydrazino-organo-oxy-borane (vgl. S. 185). Außerdem sind Azido-organo-oxy-borane (vgl. S. 194) und Silylamino-organo-oxy-borane (vgl. S. 194 ff.) bekannt.

γ₁) *Organo-oxy-oxyamino-borane*

Bei der Einwirkung von Bis[dimethylamino]-phenyl-boran auf *N*-Phenylhydroxylamin entsteht unter Abspaltung von Dimethylamin das nicht beständige *2,3,5,6-Tetraphenyl-1,4,2,5,3,6-dioxadiazadiborinan* (F: 130°)[1]:

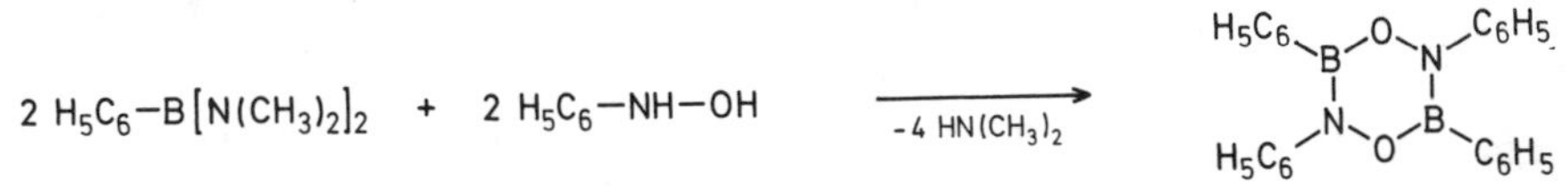

$$2\ H_5C_6{-}B[N(CH_3)_2]_2 + 2\ H_5C_6{-}NH{-}OH \xrightarrow[-4\ HN(CH_3)_2]{}$$

Tab. 39: Heteroelementamino-organo-oxy-borane

Formel	Verbindungstyp	Herstellungsart	s. S.
1. Organo-oxy-oxyamino-borane			
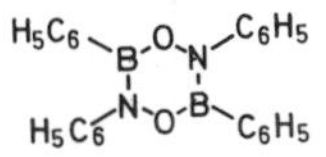	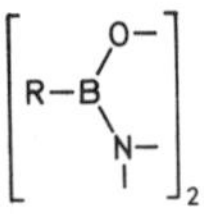	aus $R^1{-}B[N\langle]_2$ + R^2—NH—OH	185
2. Organo-oxy-sulfamino-borane			
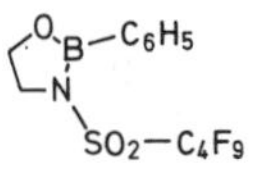	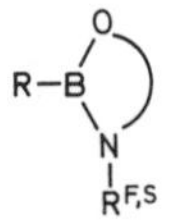	aus R—BHal₂ + HO—R—NH—$R^{F,S}$	185
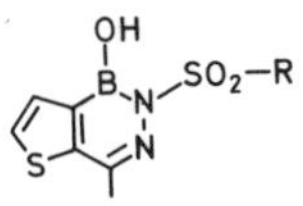	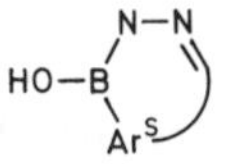	aus R^{CO-R}—B(OH)₂ + —NH—NH₂	186
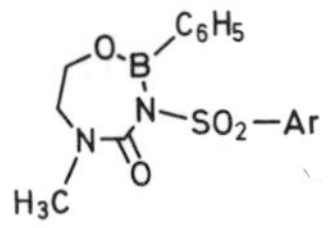	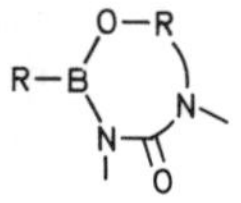	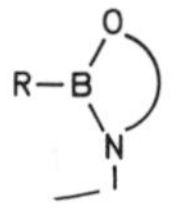 aus R—B(O,N-Ring) + —N=C=O	183
3. Hydrazino-organo-oxy-borane			
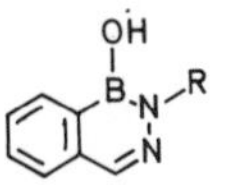	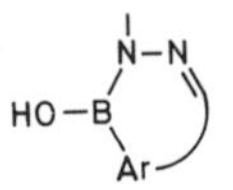	aus R^{CHO}—B(OH)₂ + R—NH—NH₂	190

[1] H. Nöth u. W. Regnet, Z. Naturf. **18b**, 1138 (1963).

Tab. 39 (Fortsetzung)

Formel	Verbindungstyp	Herstellungsart	s. S.
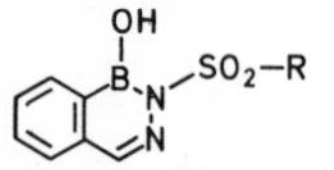	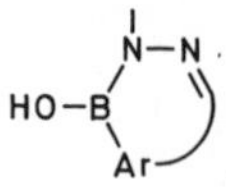	aus $BHal_3 + Ar{-}CH{=}N{-}NH{-}/H_2O$ aus $R^{CHO}-B(OH)_2 + {-}NH{-}NH_2$	186 190
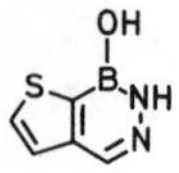	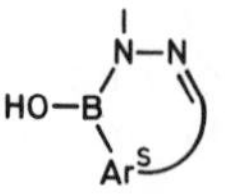	aus $R^{CHO}{-}B(OH)_2 + H_2N{-}NH_2$	189
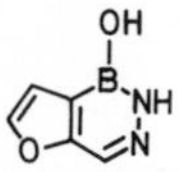	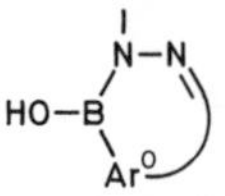	aus $R^{CHO}{-}B(OH)_2 + N_2H_4$	189
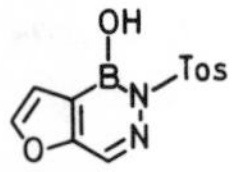	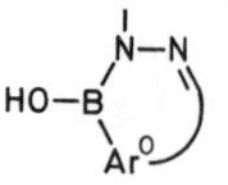	aus $BHal_3 + Ar{-}CH{=}N{-}NH{-}Tos + H_2O$ aus $R^{CHO}{-}B(OH)_2 + H_2N{-}NH{-}Tos$	186 190
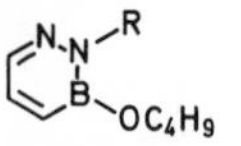	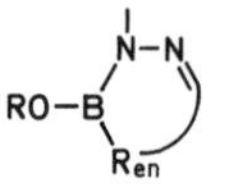	aus 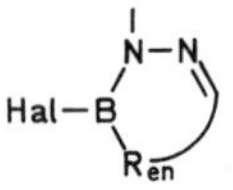 Hal–B(...) + R—OH	192
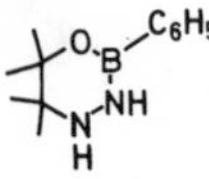	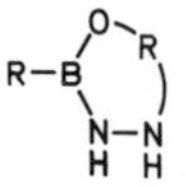	aus $R{-}B(OH)_2 + HO{-}R{-}NH{-}NH_2$	188
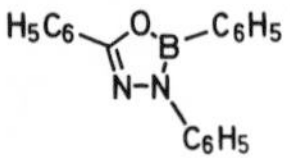	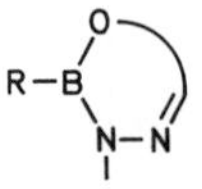	aus $R^1{-}BHal_2 + R^2{-}C(=O){-}NH{-}NH{-}$	186
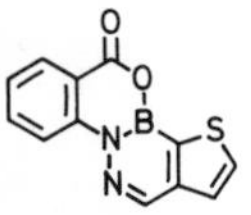	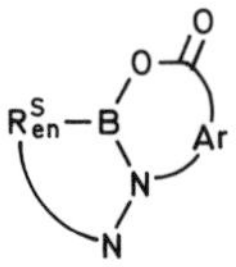	aus $R^{CHO}{-}B(OH)_2 + [HOOC{-}Ar{-}NH{-}NH_3]^+$	189
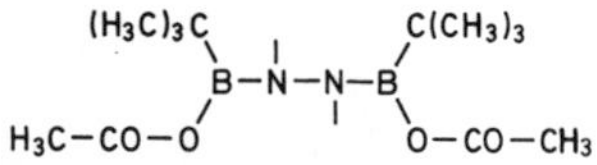	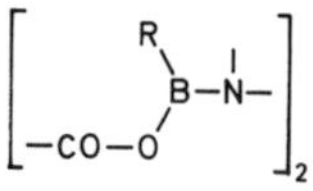	aus 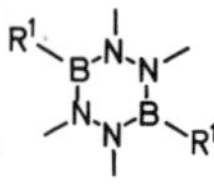 (...) $+ (R^2{-}CO)_2O$	194
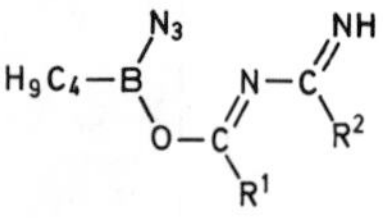	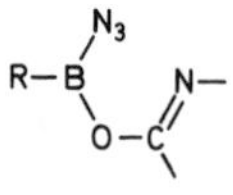	aus 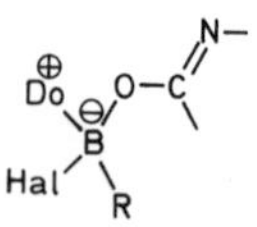 (...) $+ N_3^-$	194

4. Organo-oxy-silylamino-borane

Formel	Verbindungstyp	Herstellungsart	s. S.
$H_5C_6{-}B(OC_2H_5){-}N[Si(CH_3)_3]_2$	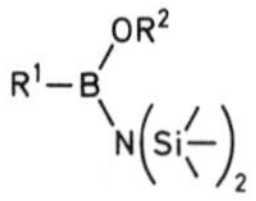	aus $R^1{-}B(Hal)(OR^2) + NaN(SiR^3_3)_2$	194
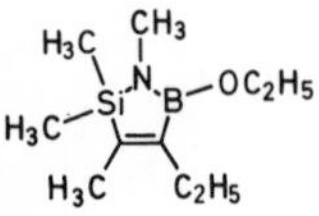	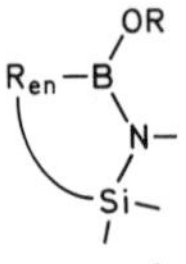	aus 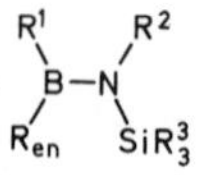 (...) $+ ONR^4_3$	195
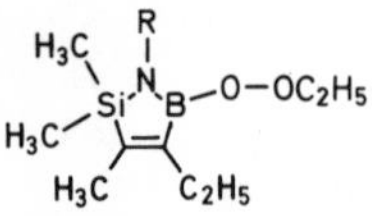	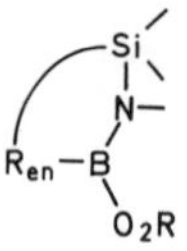	aus 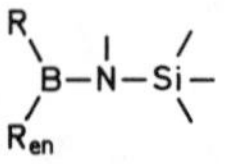 (...) $+ O_2$	195

γ_2) *Organo-oxy-sulfoamino-borane*

Dichlor-phenyl-boran liefert mit N-(2-Hydroxyethyl)-nonafluor-butansulfonamid *2-Phenyl-3-nonafluorbutylsulfonyl-1,3,2-oxazaborolidin*[1]:

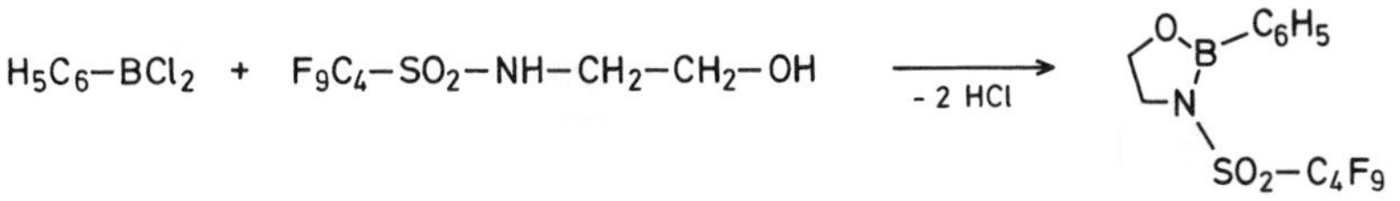

$$H_5C_6-BCl_2 + F_9C_4-SO_2-NH-CH_2-CH_2-OH \xrightarrow[-2\ HCl]{}$$

Aus 1-Methyl-2-phenyl-1,3,2-oxazaborolidin erhält man mit Tosylisocyanat unter Aminoborierung 5-Methyl-4-oxo-2-phenyl-3-tosyl-1,3,5,2-oxadiazaborepan (92%; F: 80–82°)[2]:

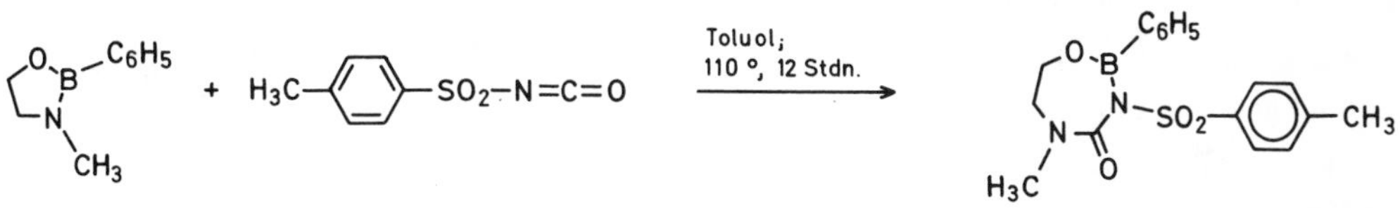

$$+ H_3C-C_6H_4-SO_2-N=C=O \xrightarrow{\text{Toluol; } 110°,\ 12\ \text{Stdn.}}$$

Aus Triethylamin-Boran lassen sich mit Benzyl-(4-methylphenylsulfonyl)-amin nach der auf S. 136 beschriebenen intramolekularen Aryl-Borylierung[3] unter Wasserstoff-Abspaltung RBN-Heterocyclen herstellen, die mit Wasser 1-Hydroxy-2-(4-methylphenyl-sulfonyl)-2,3-dihydro-1H-⟨benzo[c]-1,2-azaborole⟩ bzw. -1,2,3,4-tetrahydro-⟨benzo[c]-1,2-azaborine⟩ liefern[4]:

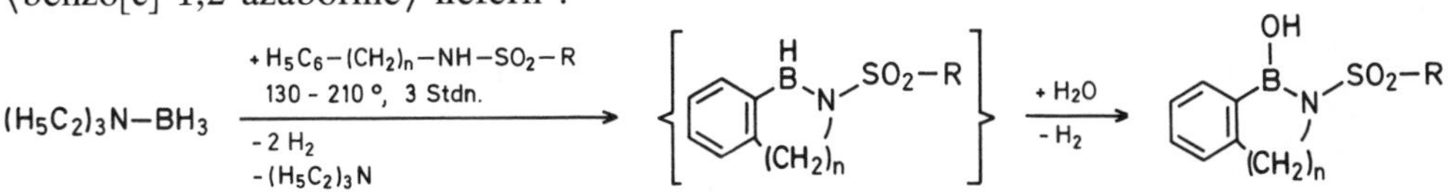

$$(H_5C_2)_3N-BH_3 \xrightarrow[-2\ H_2,\ -(H_5C_2)_3N]{+H_5C_6-(CH_2)_n-NH-SO_2-R;\ 130-210°,\ 3\ \text{Stdn.}} \xrightarrow[-H_2]{+H_2O}$$

1-Hydroxy-2-(4-methylphenylsulfonyl)-...

$R = 4-CH_3-C_6H_5$; $n = 1$; ...*-2,3-dihydro-1H-⟨benzo[c]-1,2-azaborol⟩*; 33%; F: 143–145°
$n = 2$; ...*-1,2,3,4-tetrahydro-⟨benzo[c]-1,2-azaborin⟩*; 48%; Öl

γ_3) *Hydrazino-organo-oxy-borane*

Die Verbindungen werden aus Halogenboranen, Organo-oxy-boranen und verschiedenen Amino-organo-boranen hergestellt.

$\gamma\gamma_1$) aus Halogenboranen

Dihalogen-organo-borane lassen sich mit Hydrazin-Derivaten umsetzen. Beispielsweise ist *2,3,5-Triphenyl-2,3-dihydro-1,3,4,2-oxadiazaborol* (72%; $Kp_{0,005}$: 120–140°; F: 98–99°) durch Kondensation von Dichlor-phenyl-boran mit Benzoesäure-2-phenylhydrazid zugänglich[5]:

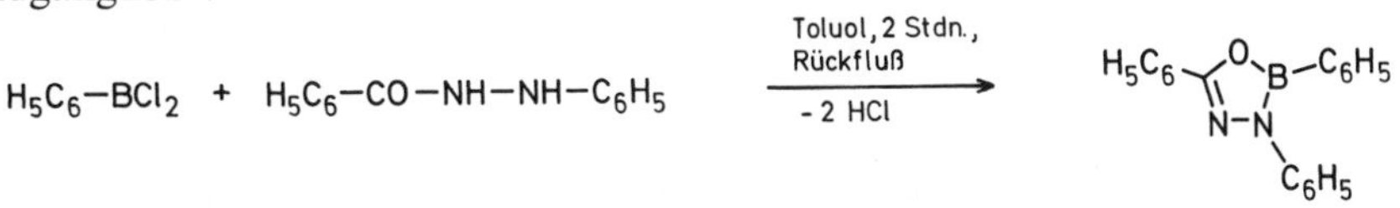

$$H_5C_6-BCl_2 + H_5C_6-CO-NH-NH-C_6H_5 \xrightarrow[-2\ HCl]{\text{Toluol, 2 Stdn., Rückfluß}}$$

[1] W. MARINGGELE u. A. MELLER, J. Organometal. Chem. **188**, 401 (1980).
[2] R.H. CRAGG u. T.J. MILLER, J. Organometal. Chem. **154**, C3 (1978).
[3] R. KÖSTER u. K. IWASAKI, Advan. Chem. Ser. **42**, 148 (1964); C.A. **60**, 10705 (1964).
[4] A. GRASSBERGER, Wien, unveröffentlicht, Privatmitteilung 1980.
[5] M. PAILER u. H. HUEMER, M. **95**, 373 (1964); C.A. **61**, 5675 (1964).

Hydrazino-organo-oxy-borane vom Typ der 1,2,3-Diazaborine sind aus Trichlorboran mit niedrigen Ausbeuten, vorteilhafter jedoch aus Tribromboran mit Sulfonylhydrazonen verschiedener aromatischer Aldehyde herstellbar[1-4]. Im Zuge der Reaktion wird der aromatische Ring elektrophil boryliert[2]; z.B.:

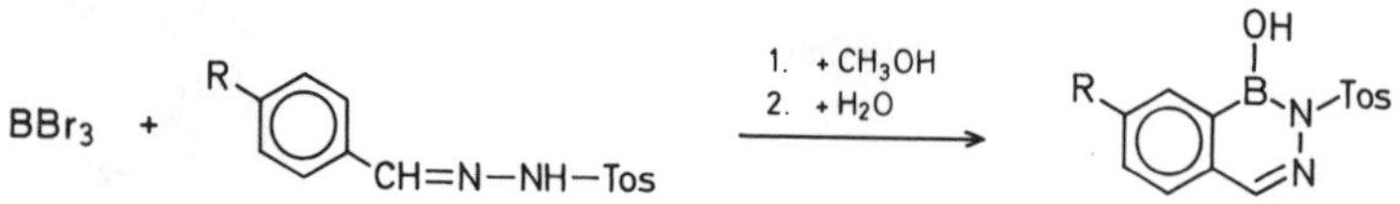

BBr_3 + R–C$_6$H$_4$–CH=N–NH–Tos → (1. + CH_3OH; 2. + H_2O) → R, OH, B, N, Tos, N

1-Hydroxy-2-tosyl-1,2-dihydro-⟨benzo[d]-1,2,3-diazaborin⟩[2]: Zu 2,2 g (8 mmol) Benzaldehyd-p-tosylhydrazon in 50 *ml* Tetrachlormethan werden langsam bei 60° 4,6 *ml* (48 mmol) Tribromboran getropft (4 Stdn.). Nach 26 Stdn. Rühren wird abgekühlt (+5°), 10 *ml* Methanol zugegeben und dann vorsichtig 3 *ml* Wasser. Im Vak. wird eingeengt. Der Rückstand wird aus Ethanol/Wasser umkristallisiert; Ausbeute: 56%; F: 156–158°.

Als Katalysator hat sich Eisen(III)-chlorid bewährt, das in 1,2-Dichlorethan als Verdünnungsmittel eingesetzt wird[4].

5-Fluor-1-hydroxy-2-p-toluolsulfonyl-1,2-dihydro-⟨benzo[d]-1,2,3-diazaborin⟩[4]: Zu 0,4 g Eisen(III)-chlorid in 200 *ml* abs. 1,2-Dichlorethan läßt man unter Inertgas und bei intensivem Rühren aus 2 Tropftrichtern gleichzeitig eine Lösung von 10 *ml* Tribromboran in 30 *ml* 1,2-Dichlorethan und eine Lösung von 10 g 2-Fluorbenzaldehydtosylhydrazon in 500 *ml* 1,2-Dichlorethan in ~2 Min. zufließen. Man erhitzt langsam bis zum Rückfluß und läßt 0,5 Stdn. kochen. Anschließend wird das abgekühlte Gemisch auf 300 *ml* Eiswasser gegossen, die wäßr. Phase abgetrennt und die organ. Phase 2mal mit je 50 *ml* Wasser gewaschen. Die organische Schicht wird 3mal mit je 200 *ml* 1 N Natronlauge ausgeschüttelt, der alkalische Extrakt mit Salzsäure neutralisiert und dann mit Dichlormethan extrahiert. Nach Trocknen über Magnesiumsulfat wird eingeengt; Ausbeute: 8,3 g (76%); F: 173°.

Nach der Trihalogenboran-Methode sind auch die antibakteriell wirksamen[5] 4-Hydroxy-5-organosulfonyl-4,5-dihydro-⟨thieno[3,2-d]-1,2,3-diazaborine⟩ sowie 7-Hydroxy-6-organosulfonyl-6,7-dihydro-⟨thieno[2,3-d]-1,2,3-diazaborine⟩ zugänglich[5]:

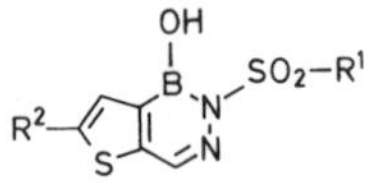

OH, B, N, SO_2–R^1, R^2, S, N

...-4,5-dihydro-⟨thieno[3,2-d]-1,2,3-diazaborin⟩

R^1 = 2-CH_3–C_6H_4; R^2 = CH_3; *4-Hydroxy-6-methyl-5-(2-methylphenylsulfonyl)...*; 78%; F: 171–174°
R^1 = CH_2–$CH(CH_3)_2$; R^2 = Br; *2-Brom-4-hydroxy-5-(2-methylpropylsulfonyl)...*; 51%; F: 113–115°

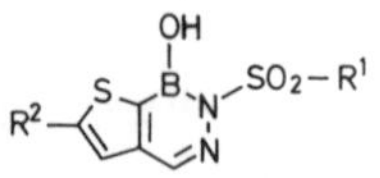

OH, S, B, N, SO_2–R^1, R^2, N

...-6,7-dihydro-⟨thieno[2,3-d]-1,2,3-diazaborin⟩

R^1 = 4-CH_3–C_6H_4; R^2 = Br; *2-Brom-7-hydroxy-6-(4-methylphenylsulfonyl)...*; 66%; 140–146°
R^1 = CH_2–$CH(CH_3)_2$; R^2 = CH_3; *7-Hydroxy-2-methyl-6-(2-methylpropylsulfonyl)...*; 67%; F: 74–75°

---

[1] Jap. P. 7844582 (1976/1978), Chemie Grünenthal GmbH; C.A. **90**, 23237 (1979).
[2] B.W. Müller, Helv. **61**, 325 (1978).
[3] DOS 2811132 (1978/1979), Chemie Grünenthal GmbH, Erf.: H.M.A. von Wersch; C.A. **92**, 58971 (1980).
US. P. 4199573 (1976/1980), Chemie Grünenthal GmbH, Erf.: S. Herrling, H. Mueckter u. H.M.A. van Wersch; C.A. **93**, 186544 (1980).
[4] DOS 2809212 (1978/1979), Sandoz-Patent-GmbH, Erf.: M.A. Grassberger; C.A. **92**, 58970 (1980).
[5] G. Högenauer u. M. Woisetschläger, Nature **293**, 662 (1981); C.A. **96**, 118825 (1982).
[6] M.A. Grassberger, Wien, Privatmitteilung 1980.

Tab. 40: 3-Hydroxy-2,3-dihydro-1,2,3-diazaborine aus Trihalogenboran mit Tosylhydrazonen aromatischer Aldehyde[1]
(s. Vorschrift S. 186)

Ausgangsverbindungen		Mol.-verh.	Reaktionsbedingungen		Boran	Ausbeute [%]	F [°C]
			[Stdn.]	[°C]			
R–⟨C₆H₄⟩–CH=N–NH–Tos	BCl_3	1:12	30	60	*1-Hydroxy-2-tosyl-1,2-dihydro-⟨benzo[d]-1,2,3-diazaborin⟩*	10	156–158
	BBr_3	1:6	26	60		56	156–158
	BBr_3	1:3	24	50	*7-Chlor-1-hydroxy-2-tosyl-1,2-dihydro-⟨benzo[d]-1,2,3-diazaborin⟩*	21	169–171
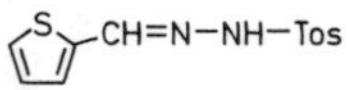 (Thienyl)–CH=N–NH–Tos	BBr_3	1:3	24	50	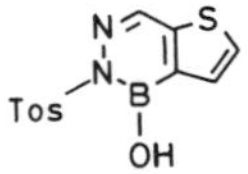 *4-Hydroxy-5-tosyl-4,5-dihydro-⟨thieno[3,2-d]-1,2,3-diazaborin⟩*	66	171–176
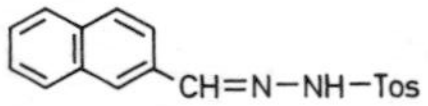 (Naphthyl)–CH=N–NH–Tos	BBr_3	1:2	20	50	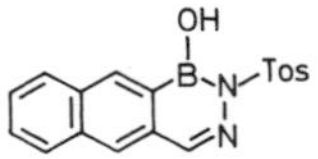 *1-Hydroxy-2-tosyl-1,2-dihydro-⟨naphtho[2,3-d]-1,2,3-diazaborin⟩*	55	196–198

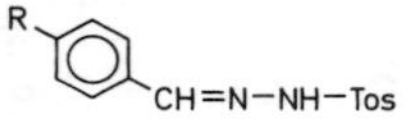

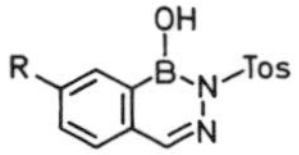

[1] B. W. MÜLLER, Helv. **61**, 325 (1978).

Ferner lassen sich folgende substituierte 1,2,3-Diazaborine herstellen[1]:

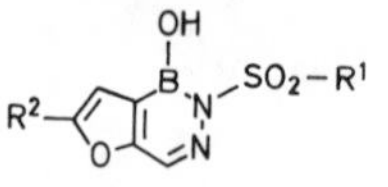

4-Hydroxy-5-organosulfonyl-4,5-dihydro-⟨furo[3,2-d]-1,2,3-diazaborin⟩

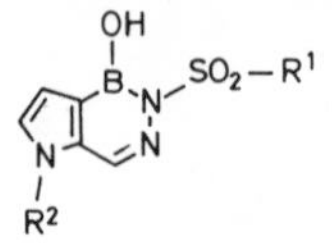

4-Hydroxy-5-organosulfonyl-4,5-dihydro-5H-⟨pyrrolo[3,2-]1,2,3-diazaborin⟩

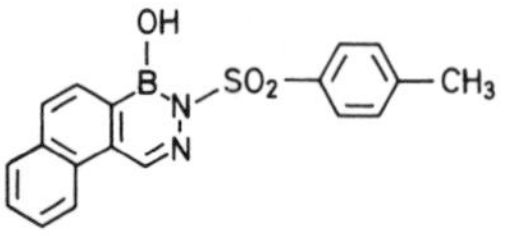

4-Hydroxy-3-(4-methylphenylsulfonyl)-3,4-dihydro-⟨naphtho[2,1-d]-1,2,3-diazaborin⟩; 40%; F: 191–194°.

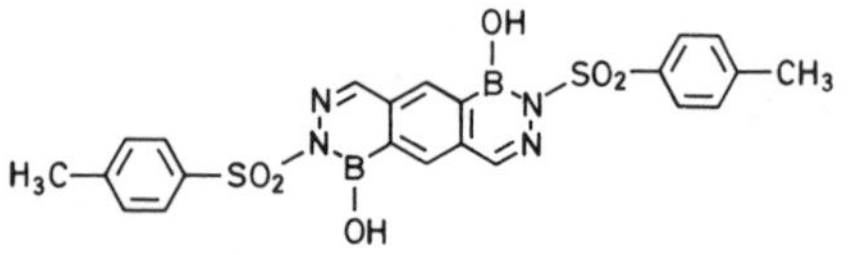

2,7-Bis[4-methylphenylsulfonyl]-1,6-dihydroxy-1,2,6,7-tetrahydro-⟨bis(1,2,3-diazaborino)[4,5-a; 4,5-d]benzol⟩; 24%; F: >250°

$\gamma\gamma_2$) aus Organo-oxy-boranen

Durch Cyclokondensation von Dihydroxy-phenyl-boran mit (2-Hydroxyethyl)hydrazin entsteht in 58%iger Ausbeute das *2-Phenyl-1,3,4,2-oxadiazaborinan* ($Kp_{0,01}$: 90–100°)[2]:

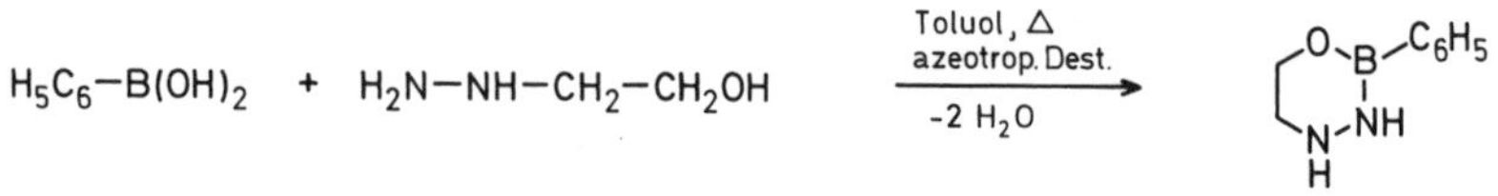

$$H_5C_6{-}B(OH)_2 + H_2N{-}NH{-}CH_2{-}CH_2OH \xrightarrow[-2\,H_2O]{\text{Toluol, }\Delta\text{, azeotrop. Dest.}}$$

Sehr eingehend sind die Cyclokondensationen der Dihydroxy-(2-formylaryl)-borane mit Alkyl- und Aryl-hydrazinen bzw. Sulfonsäurehydraziden untersucht worden. In allen Fällen entstehen unter Wasser-Abspaltung *1-Hydroxy-* bzw. *1-Alkoxy-1,2-dihydro-⟨benzo[d]-1,2,3-diazaborine⟩*[2] bzw. die entsprechenden Diboroxane (vgl. S. 195 ff.)[3]:

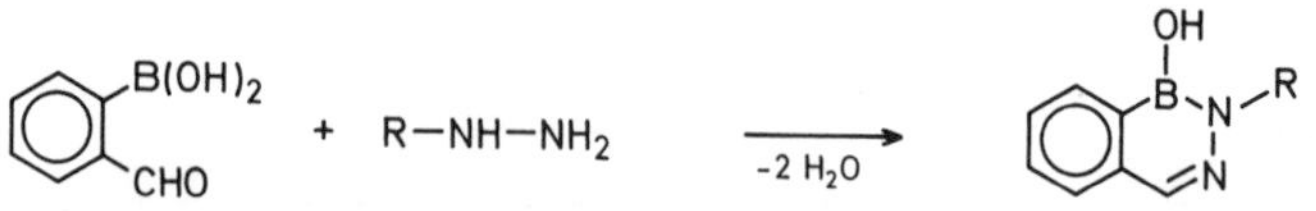

$$+ R{-}NH{-}NH_2 \xrightarrow{-2\,H_2O}$$

1-Hydroxy-2-methyl-1,2-dihydro-⟨benzo[d]-1,2,3-diazaborin⟩[3]: Eine Mischung von 5 g Methylhydrazin und 10 g Dihydroxy-(2-formylphenyl)-boran in 150 *ml* 95%igem Ethanol wird 2 Stdn. am Rückfluß erhitzt. Nach Zufügen von 150 *ml* Wasser wird die Lösung eingeengt. Beim Abkühlen fällt ein Niederschlag aus, der aus Ethanol/Wasser umkristallisiert wird; Ausbeute: 10,5 g (100%); F: 154–156°.

Eine Reihe von Verbindungen mit dem 1,2,3-Diazaborin-System als Grundgerüst einschließlich deren Benzo-, Furo-, Thieno- bzw. Selenolo-Derivate ist auf diese oder ähnliche Weise aus Alkyl- und Aryl-hydrazinen zugänglich. Tab. 41 (S. 191) gibt eine Auswahl der erhaltenen Derivate.

3-Dihydroxyboryl-2-formyl-furan reagiert mit Hydrazin zum *4-Hydroxy-4,5-dihydro-⟨furo[3,2-d]-1,2,3-diazaborin⟩*. Das entsprechende Selenophen verhält sich analog[4,5]:

[1] G. Högenauer u. M. Woisetschläger, Nature **293**, 662 (1981); C.A. **96**, 118825 (1982).
[2] M. Pailer u. H. Huemar, M. **95**, 373 (1964); C.A. **61**, 5675 (1964).
[3] M.J.S. Dewar u. R.C. Dougherty, Am. Soc. **86**, 433 (1964); C.A. **60**, 8052 (1964).
[4] B.-P. Roques, D. Florentin u. J.P. Juhasz, C.r. [C] **270**, 1898 (1970); C.A. **73**, 77303 (1970).
[5] S. Gronowitz u. U. Michael, Ark. Kemi **32**, 283 (1970); C.A. **73**, 109824 (1970).

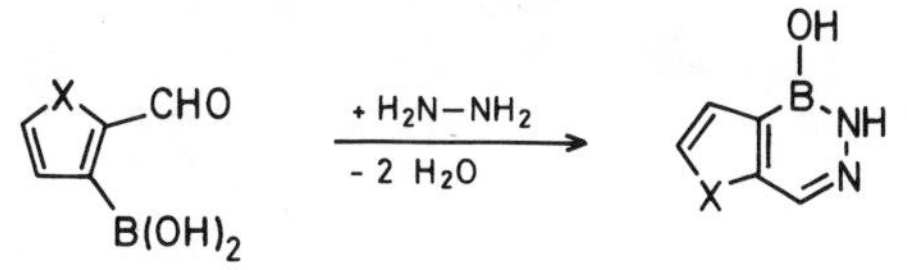

X = O,Se X = O; F: 187°[1]

Aus 2-Dihydroxyboryl-3-formyl-furan bzw. -selenophen erhält man die *7-Hydroxy-6,7-dihydro-⟨furo-* bzw. *-selenopheno[2,3-d]-1,2,3-diazaborine⟩*[1,2]:

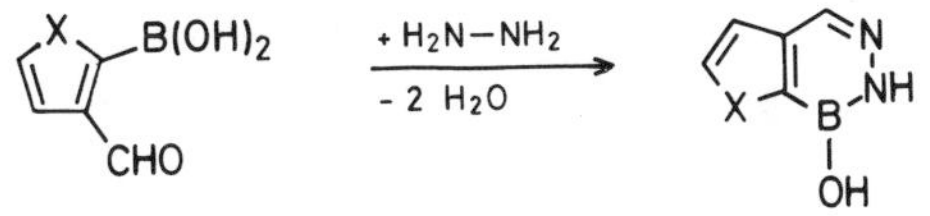

X = O,Se X = O; F: 171°[1]

Die Kondensation mit Arylsulfonylhydrazinen in Ethanol bei ~20° bleibt dagegen auf der Stufe des offenkettigen Hydrazons I stehen. Erst 30 Min. Erhitzen des isolierten Hydrazons in Essigsäure am Rückfluß führt zum Ringschluß[3,4]:

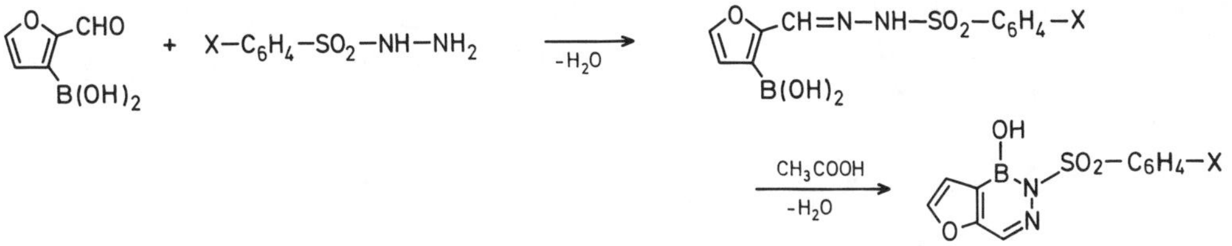

...-4,5-dihydro-⟨furo[3,2-d]-1,2,3-diazaborin⟩

X = H; *4-Hydroxy-5-phenylsulfonyl-...*; F: 138–140°
X = 4-CH_3; *4-Hydroxy-5-(4-methylphenylsulfonyl)-...*; F: 175–177°
X = 4-OCH_3; *4-Hydroxy-5-(4-methoxyphenylsulfonyl)-...*; F: 180–182°
X = 4-Cl; *5-(4-Chlorphenylsulfonyl)-4-hydroxy-...*; F: 180–182°
X = 4-Br; *5-(4-Bromphenylsulfonyl)-4-hydroxy-...*; F: 198–200°

Setzt man Dihydroxy-(2-formylaryl)-borane mit in ortho-Stellung geeignet substituierten Arylhydrazinen um, so entstehen durch doppelte Cyclisierung BN-anellierte Diazaborin-Derivate[5]; z.B.:

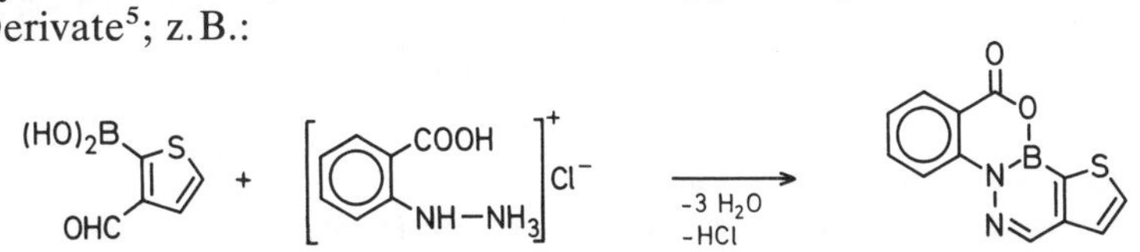

6-Oxo-6H-⟨3,1,2-benzoxazaborino[1,2-b]-thieno[2,3-d]-1,2,3- diazaborin⟩[5]**:** Man tropft eine Lösung von 1,56 g (10 mmol) 2-Dihydroxyboryl-3-formyl-thiophen in 20 *ml* Ethanol zu einer heißen Lösung von 2,0 g (11 mmol) 2-Hydrazinobenzoesäure-Hydrochlorid in Wasser (es bildet sich sofort ein Niederschlag). Man läßt 12 Stdn. bei −20° stehen, saugt ab und kristallisiert aus Ethanol um; Ausbeute: 1,48 g (58%); F: 197–200°.

Analog erhält man aus 3-Dihydroxyboryl-2-formyl-thiophen *6-Oxo-6H-⟨3,1,2-benzoxazaborino[1,2-b]-thieno[3,2-d]-1,2,3-diazaborin⟩* (43%; F: 214–215°)[5,6]:

---

[1] B.-P. Roques, D. Florentin u. J.-P. Juhasz, C. r. [C] **270**, 1898 (1970); C. A. **73**, 77303 (1970).
[2] S. Gronowitz u. U. Michael, Ark. Kemi **32**, 283 (1970); C. A. **73**, 109824 (1970).
[3] DOS 2248690 (1973), G. M. Davies; C. A. **79**, 92371 (1973).
[4] D. Florentin, B.-P. Roques, J.-M. Metzger u. J.-P. Collin, Bl. **1974**, 2620; C. A. **82**, 97372 (1975).
[5] S. Gronowitz u. J. Namtvedt, Acta chem. scand. **21**, 2151 (1967); C. A. **68**, 29742 (1968).
[6] S. Gronowitz, T. Dahlgren, J. Namtvedt, C. Roos, G. Rosen, B. Sjoberg u. U. Forsgren, Acta Pharm. Suecica **8**, 623 (1971); C. A. **76**, 140944 (1972).

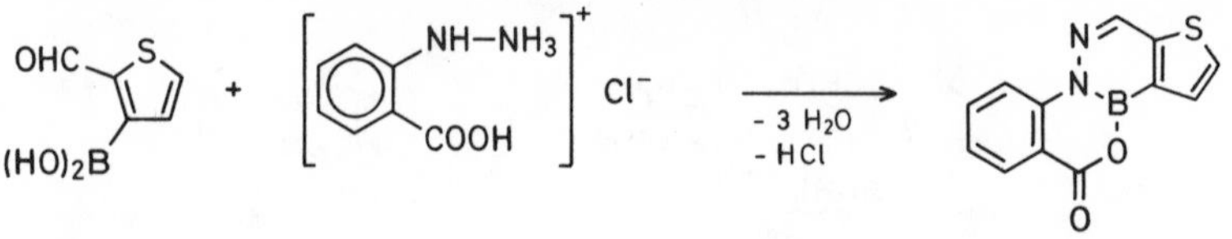

Die Herstellung von 2-Organosulfonyl-⟨benzo[c]-1,3,2-diazaborinen⟩ erfolgt auch z. B. aus Dihydroxy-(2-formylphenyl)-boran mit Phenylsulfonylhydrazin in Ethanol durch Kochen am Rückfluß[1]:

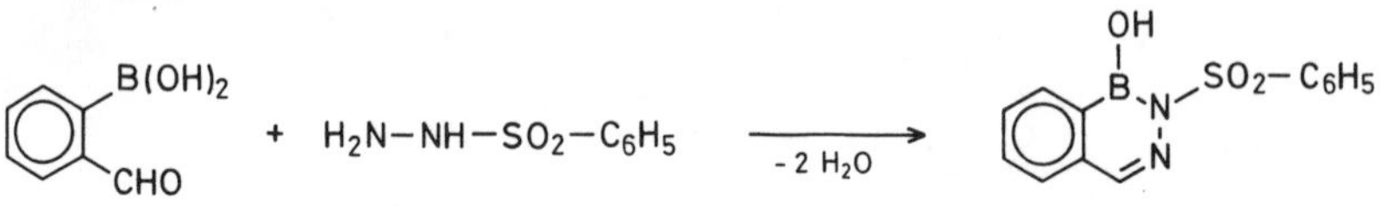

1-Hydroxy-2-phenylsulfonyl-1,2-dihydro-⟨benzo[d]-1,2,3-diazaborin⟩

Wegen ihrer antibakteriellen Eigenschaften sind die aus Dihydroxy-(2-formylphenyl)-boran bzw. aus 2-Acyl-3-dihydroxyboryl-thiophenen mit Arylsulfonylhydrazinen zugänglichen *2-Arylsulfonyl-1-hydroxy-1,2-dihydro-⟨benzo[d]-1,2,3-diazaborine⟩* (I) bzw. *5-Arylsulfonyl-4-hydroxy-4,5-dihydro-⟨thieno[3,2-d]-1,2,3-diazaborine⟩* (II) in großer Zahl synthetisiert worden[1,2]:

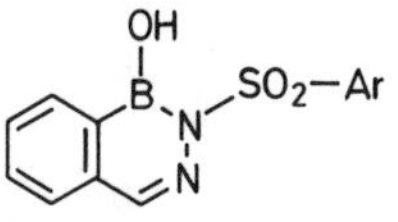

I 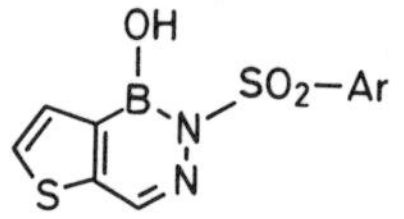 II

Im allgemeinen werden äquimolare Mengen der Komponenten kurze Zeit in Ethanol am Rückfluß erhitzt, die Lösung eingedampft und der Rückstand aus Ethanol oder Ethanol/Wasser umkristallisiert. Die folgenden Beispiele stellen lediglich eine Auswahl der in großer Fülle hergestellten Verbindungen (vgl. hierzu Lit.[2–6]) dar.

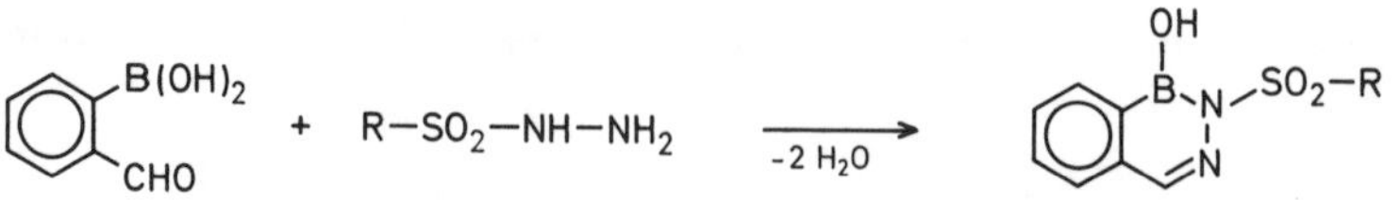

...-1,2-dihydro-⟨benzo[d]-1,2,3-diazaborin⟩

R = C_6H_5; *1-Hydroxy-2-phenylsulfonyl-...*[4]; 73%; F: 163–165°
R = 4-H_3C–C_6H_4; *1-Hydroxy-2-tosyl-...*[4]; 95%; F: 155–157°
R = 4-H_3CO–C_6H_4; *1-Hydroxy-2-(4-methoxyphenylsulfonyl)-...*[3]; 67%; F: 140–141°
R = 4-F–C_6H_4; *2-(4-Fluorphenylsulfonyl)-1-hydroxy-...*[3]; 85%; F: 173°
R = 4-Pyridyl; *1-Hydroxy-2-(4-pyridylsulfonyl)-...*[4]; 48%; F: 181–182°
R = 4-H_2N–C_6H_4; *2-(4-Aminophenylsulfinyl)-1-hydroxy-...*[4]; 75%; F: 179°
R = 4-(H_3C–CO–NH)–C_6H_4; *2-(4-Acetylamino-phenyl)-1-hydroxy-...*[3,4]; 62%; F: 234–236°

[1] US. P. 4199573 (1976/1980), Chemie Grünenthal GmbH, Erf.: S. Herrling, H. Mueckter u. H. M. A. van Wersch; C. A. **93**, 186544 (1980).
[2] H. Huemer, S. Herrling u. H. Mueckter, South African Ind. Chemist **67**, 07306 (1968); C. A. **71**, 91628 (1969).
[3] S. Gronowitz, T. Dahlgren, J. Namtvedt, C. Roos, G. Rosen, B. Sjoberg u. U. Forsgren, Acta Pharm. Suecica **8**, 623 (1971); C. A. **76**, 140944 (1972).
[4] Fr. P. 152264726 (1966/1968), Chemie Grünenthal GmbH; C. A. **71**, 39019 (1969).
[5] S. Gronowitz, T. Dahlgren, J. Namtvedt, C. Roos, B. Sjoberg u. U. Forsgren, Acta Pharm. Suecica **8**, 377 (1971); C. A. **76**, 30821 (1972).
[6] DOS 2264363 (1973); vgl. US. P. 3849449 (1974); G. M. Davies; C. A. **79**, 92369, 92371 (1973).

Tab. 41: Kondensierte 3-Hydroxy-2,3-dihydro-1,2,3-diazaborine aus Dihydroxy-(2-formylaryl)-boranen mit Hydrazinen

[2-Formyl(Acyl)aryl]-dihydroxy-boran	Hydrazin	Bedingungen	Hydrazino-organo-oxy-boran	Ausbeute [%]	F [°C]	Literatur
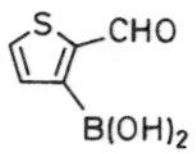	N_2H_4	in Ether/Ethanol arbeiten	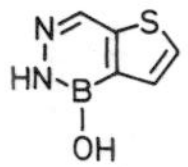 *4-Hydroxy-4,5-dihydro-⟨thieno[3,2-d]-1,2,3-diazaborin⟩*	99	127–146 (Wasser)	[1]
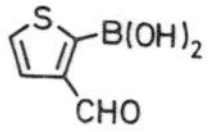	H_5C_6–N_2H_3	Bor-Komponente in heißem Wasser und Hydrazin in Ethanol lösen und die Lösungen vereinen	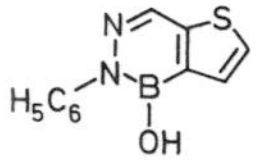 *4-Hydroxy-5-phenyl-4,5-dihydro-⟨thieno-[3,2-d]-1,2,3-diazaborin⟩*	94	147–193 (Chloroform/Petrolether	[1]
	N_2H_4	in Ether/Ethanol arbeiten	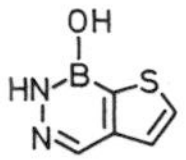 *7-Hydroxy-6,7-dihydro-⟨thieno[2,3-d]-1,2,3-*diazaborin⟩	89	140–143 (Ethanol/Wasser)	[2]
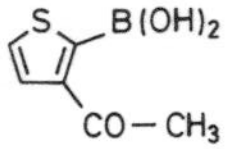	H_3C–N_2H_3		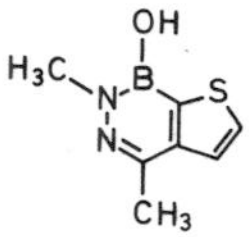 *4,6-Dimethyl-7-hydroxy-6,7-dihydro-⟨thieno[2,3-d]-1,2,3-diazaborin⟩*	86	147–155	[3]
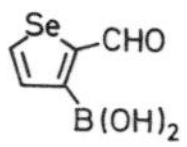	N_2H_4		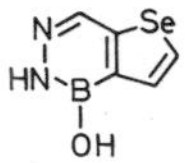 *4-Hydroxy-4,5-dihydro-⟨selenopheno[3,2-d]-1,2,3-diazaborin⟩*		178	[4,5]

[1] S. GRONOWITZ u. A. BUGGE, Acta chem. scand. **19**, 1271 (1965); C. A. **64**, 747 (1966).

[2] S. GRONOWITZ u. NAMTVEDT, Acta chem. scand. **21**, 2151 (1967); C. A. **68**, 29742 (1968).

[3] S. GRONOWITZ u. C. ROOS, Acta chem. scand. B **29**, 990 (1975).

[4] B.-P. ROQUES, D. FLORENTIN u. J.P. JUHASZ, C.r. [C] **270**, 1898 (1970); C. A. **73**, 77303 (1970).

[5] S. GRONOWITZ u. U. MICHAEL, Ark. Kemi **32**, 283 (1970); C. A. **73**, 109824 (1970).

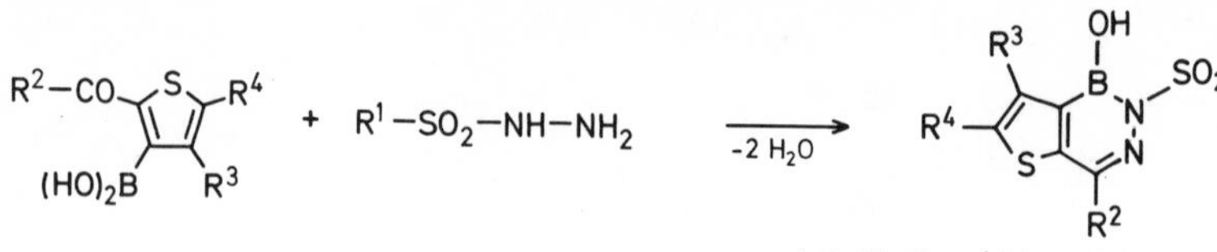

...-4,5-dihydro-⟨*thieno*[3,2-*d*]-*1,2,3-diazaborin*⟩

$R^1 = C_6H_5$; $R^2 = CH_3$; $R^3 = R^4 = H$; *4-Hydroxy-7-methyl-5-phenylsulfonyl-*...[1]; 67%; F: 159–162°

$R^1 = 4\text{-}H_2N\text{-}C_6H_4$; $R^2 = R^3 = H$; $R^4 = CH_3$; *5-(4-Aminophenylsulfonyl)-4-hydroxy-2-methyl-*...[1]; 42%; F: 212–214°

$R^1 = 3\text{-}O_2N\text{-}C_6H_4$; $R^2 = R^3 = H$; $R^4 = Cl$; *2-Chlor-4-hydroxy-5-(3-nitro-phenylsulfonyl)-*...[1]; 81%; F: 157–163°

$R^1 = 4\text{-}H_3C\text{-}C_6H_4$; $R^2 = R^3 = R^4 = H$; *4-Hydroxy-5-tosyl-*...[2,3]; 86%; F: 175–177°

$R^1 = 4\text{-}H_3CS\text{-}C_6H_4$; $R^2 = R^3 = R^4 = H$; *4-Hydroxy-5-(4-methylthio-phenylsulfonyl)-*...[3]; 67%; F: 163–165°

$\gamma\gamma_3$) aus Hydrazino-organo-boranen

Cyclische *Hydrazino-organo-organooxy-borane* erhält man in reiner Form und in guten Ausbeuten aus cyclischen Chlor- oder Hydroxy-hydrazino-organo-boranen mit Alkohol (s. S. 172). Das *exo*-cyclische Chlor-Atom wird z. B. durch den Butyloxy-Rest ersetzt; z. B.[4–6]:

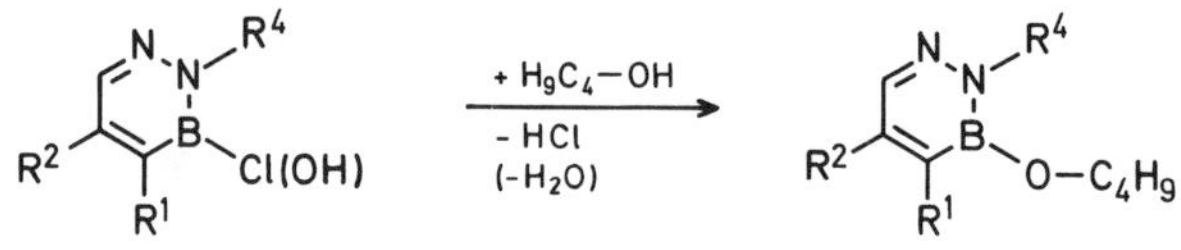

z. B.: $R^1 = H$; $R^2 = C_4H_9$; $R^4 = CH_3$; *5-Butyl-3-butyloxy-2-methyl-2,3-dihydro-1,2,3-diazaborin*[4]; 82%; Kp: 177–180°

$R^1 - R^2 = -CH{=}CH{-}O-$; $R^4 = H$; *4-Butyloxy-4,5-dihydro-*⟨*furo*[3,2-*d*]-*1,2,3-diazaborin*⟩[5]

$R^1 - R^2 = -CH{=}CH{-}S-$; $R^4 = H$; *4-Butyloxy-4,5-dihydro-*⟨*thieno*[3,2-*d*]- *1,2,3-diazaborin*⟩[6]; 82%; F: 62–63°

4-Hydroxy-4,5-dihydro-⟨thieno[3,2-d]-1,2,3-diazaborine⟩ lassen sich mit Brom in Pyridin/Tetrachlormethan[1] bzw. in konz. Schwefelsäure in Gegenwart von Silbersulfat bromieren oder mit Jodchlor in Pyridin/Acetonitril jodieren[7,8]; z. B.:

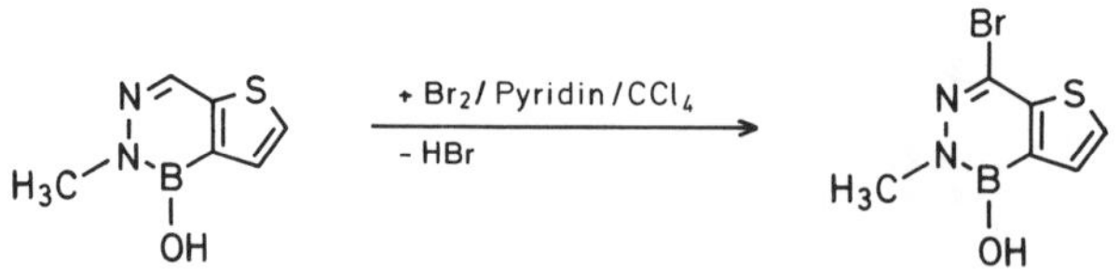

7-Brom-4-hydroxy-5-methyl-4,5-dihydro-⟨*thieno*[3,2-*d*]-*1,2,3-diazaborin*⟩[1]; 73%; F: 93–95° (nach Erhitzen F: 204,5°; vermutlich 1,3,2-Diboroxan; vgl. S. 200)

---

[1] S. Gronowitz, T. Dahlgren, J. Namtvedt, C. Roos, G. Rosen, B. Sjoberg u. U. Forsgren, Acta Pharm. Suecica **8**, 623 (1971); C. A. **76**, 140944 (1972).

[2] Fr. P. 152264726 (1966/1968), Chemie Grünenthal GmbH; C. A. **71**, 39019 (1969).

[3] H. Huemer, S. Herrling u. H. Mueckter, South African Ind. Chemist **67**, 07306 (1968); C. A. **71**, 91628 (1969).

[4] B.-P. Roques, D. Florentin u. J. P. Juhasz, C. r. **270**, 1898 (1970).

[5] S. Gronowitz u. J. Namtvedt, Tetrahedron Letters **1966**, 2967.

[6] S. Gronowitz u. J. Namtvedt, Acta chem. scand. **21**, 2151 (1967); C. A. **68**, 29742 (1968).

[7] S. Gronowitz u. A. Maltesson, Acta chem. scand. **B 29**, 461 (1975).

[8] S. Gronowitz u. C. Roos, Acta chem. scand. **B 29**, 990 (1975).

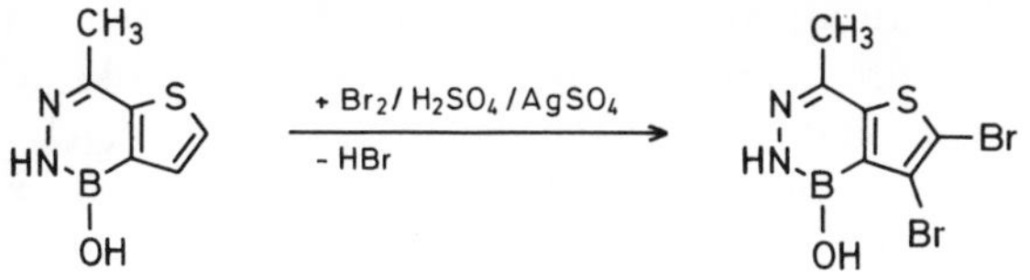

2,3-Dibrom-4-hydroxy-7-methyl-4,5-dihydro-⟨thieno[3,2-d]-1,2,3-diazaborin⟩[1]; 66%

B-Hydroxy-dihydro-⟨thieno[2,3-d](bzw. [3,2-d])-1,2,3-diazaborine⟩ lassen sich mit Wasserstoff an Raney-Nickel in siedendem Alkohol desulfieren[2,3]; z.B.:

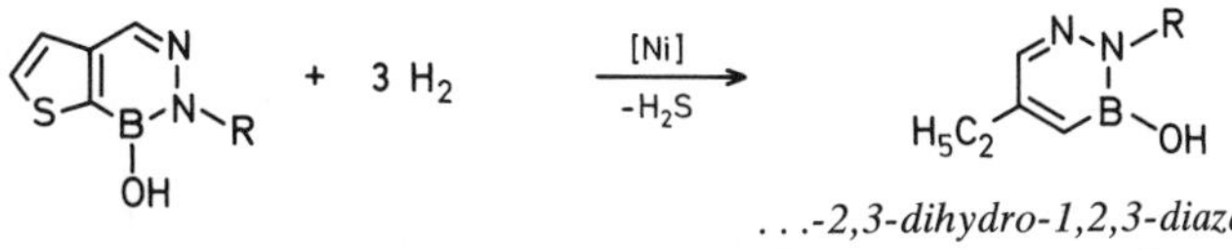

...-2,3-dihydro-1,2,3-diazaborin[3]
R = H; *5-Ethyl-3-hydroxy-...*; 27%; F: 106–110°
R = CH_3 *5-Ethyl-3-hydroxy-2-methyl-...*; 43%; F: 65–67°

Der H–D-Austausch von 4-Hydroxy-4,5-dihydro-⟨thieno[3,2-d]-1,2,3-diazaborinen⟩ verläuft borfern mit D_2-Schwefelsäure in Deuteriumoxid[4]:

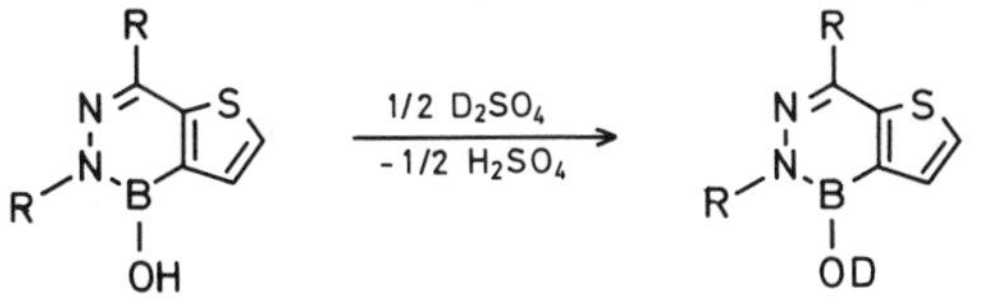

Die Nitrierung der 4(5)-Ethyl-3-hydroxy-2-methyl-2,3-dihydro-1,2,3-diazaborine mit rauchender Salpetersäure liefert in Ausbeuten von ~70% Gemische der 6-Nitro-Derivate der 3-Hydroxy-Verbindungen und der 1,3,2-Diboroxane[4].

Mit Nitriersäure werden auch die folgenden Verbindungen ohne Zerstörung der B-Funktionen hergestellt[5,6]:

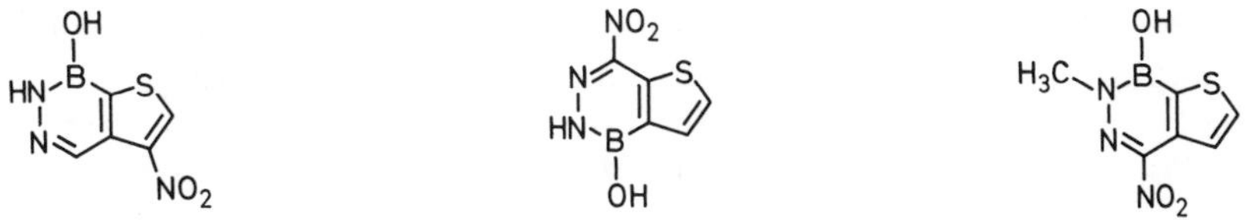

7-Hydroxy-3-nitro-6,7-dihydro-⟨thieno[2,3-d]-1,2,3-diazaborin⟩[5]; 71%; F: 265–270°

4-Hydroxy-7-nitro-4,5-dihydro-⟨thieno[3,2-d]-1,2,3-diazaborin⟩[6]

7-Hydroxy-6-methyl-4-nitro-6,7-dihydro-⟨thieno[2,3-d]-1,2,3-diazaborin⟩[5]; 62%; F: 140–155°

[1] S. Gronowitz u. C. Roos, Acta chem. scand. **B 29**, 990 (1975).
[2] J. Namtvedt u. S. Gronowitz, Acta chem. scand. **22**, 1373 (1968); C.A. **69**, 77303 (1968).
[3] S. Gronowitz u. A. Maltesson, Acta chem. scand. **25**, 2435 (1971); C.A. **76**, 25337 (1972).
[4] S. Gronowitz, C. Roos, F. Sandberg u. S. Clementi, J. Heterocyclic Chem. **14**, 893 (1977); C.A. **88**, 21621k (1978).
[5] S. Gronowitz u. J. Namstedt, Tetrahedron Letters **1966**, 2967; C.A. **65**, 224 (1966).
[6] J. Namtvedt, Acta chem. scand. **22**, 1611 (1968); C.A. **70**, 11735 (1969).

Auch aus Bis[hydrazino]boranen sind Verbindungen mit NBO-Gruppierung zugänglich. Läßt man z. B. überschüssiges Essigsäureanhydrid in Gegenwart katalytischer Mengen an Schwefelsäure auf 3,6-Diorgano-1,2,4,5,3,6-tetrazadiborinane einwirken, so erhält man unter Ringöffnung und Eliminierung einer Hydrazin-Gruppierung die *1,2-Bis[acetoxy-organo-boryl]-1,2-diacetyl-hydrazine*[1]:

$$\text{(RB)}_2(\text{NH-NH})_2 + 4\,(H_3C-CO)_2O \xrightarrow{-2\,CH_3COOH} (H_3C-CO-O)(R)B-N(CO-CH_3)-N(CO-CH_3)-B(R)(O-CO-CH_3) + H_3C-CO-NH-NH-CO-CH_3$$

R = $C(CH_3)_3$; *1,2-Bis[acetoxy-tert.-butyl-boryl]-1,2-diacetyl-hydrazin*; F: 141–142°
R = C_6H_5; *1,2-Bis[acetoxy-phenyl-boryl]-1,2-diacetyl-hydrazin*; 75%; F: 205–207°

γ_4) *Azido-organo-oxy-borane*

Bestimmte Amino-organo-oxy-borane (z. B. Azido-organo-oxy-borane) werden aus Lewisbase-Organo-boranen gewonnen.

Aus 4,6-Bis[trifluormethyl]-2-butyl-2-chlor-2H-1,3,5,2-oxazoniaazaboratin mit vierfach koordiniertem Bor-Atom läßt sich mit Natriumazid in Dichlormethan bei 20° im Gleichgewicht ein Austauschprodukt mit dreifach koordiniertem Bor-Atom herstellen[2]:

$$\text{Cyclo-}[F_3C-C{=}N-C(CF_3){=}\overset{\oplus}{N}H-\overset{\ominus}{B}(C_4H_9)(Cl)-O] \xrightarrow[-NaCl]{+NaN_3/CH_2Cl_2} \text{Cyclo-}[F_3C-C{=}N-C(CF_3){=}\overset{\oplus}{N}H-\overset{\ominus}{B}(C_4H_9)(N_3)-O] \rightleftharpoons F_3C-C(=N-C(CF_3){=}NH)-O-B(C_4H_9)-N_3$$

Azido-butyl-[1-(1-imino-2,2,2-trifluor-ethylimino)-2,2,2-trifluor-ethoxy]-boran

γ_5) *Organo-oxy-silylamino-borane*

Bestimmte silylierte Metallamide können zur Silylaminierung von Alkoxy-aryl-chlor-boranen herangezogen werden. Das durch Eintropfen von Dichlor-phenyl-boran in überschüssigem Diethylether durch Etherspaltung in situ hergestellte Chlor-ethoxy-phenyl-boran kann direkt mit der äquivalenten Menge Natrium-bis[trimethylsilyl]-amid zum *(Bis[trimethylsilyl]amino)-ethoxy-phenyl-boran* (34%; $Kp_{0,03}$: 82°) umgesetzt werden[3,4]:

$$(H_5C_2O)(H_5C_6)B-Cl \xrightarrow[-NaCl]{+NaN[Si(CH_3)_3]_2} (H_5C_2O)(H_5C_6)B-N[Si(CH_3)_3]_2$$

Das erhaltene Boran geht bei 240° in das entsprechende Borazin über (s. S. 344).

Weitere Organo-oxy-silylamino-borane sind durch Oxidation einer BC-Bindung cyclischer Diorgano-silylamino-borane präparativ zugänglich.

---

[1] J.J. MILLER, J. Organometal. Chem. **24**, 595 (1970).
[2] W. MARINGGELE u. A. MELLER, B. **112**, 1595 (1979).
[3] P. GEYMAYER u. E.G. ROCHOW, M. **97**, 420 (1966); C.A. **65**, 3897 (1966).
[4] P. GEYMAYER u. E.G. ROCHOW, Int. Symp. Organosilicon Chem., Prag 1965, 306; C.A. **65**, 10605 (1966).

Aus äquimolaren Mengen 4,5-Diethyl-1,2,2,3-tetramethyl-2,5-dihydro-1,2,5-azasilaborol und Trimethylamin-N-oxid erhält man in Toluol bei 80–110° 82% *5-Ethoxy-4-ethyl-1,2,2,3-tetramethyl-2,5-dihydro-1,2,5-azasilaborol*[1]:

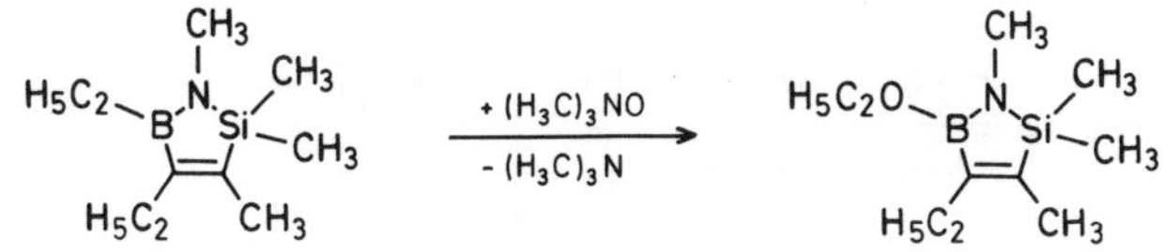

5-Ethoxy-4-ethyl-1,2,2,3-tetramethyl-2,5-dihydro-1,2,5-azasilaborol[1]: 2,64 g (13,5 mmol) 4,5-Diethyl-1,2,2,3- tetramethyl-2,5-dihydro-1,2,5-azasilaborol in ~15 *ml* Toluol werden mit 1,01 g (13,4 mmol) Trimethylaminoxid 5 Stdn. auf 80–110° erhitzt. Das entweichende Trimethylamin wird in 0,1 N Schwefelsäure aufgefangen (98%). Das Toluol wird i. Vak. abgezogen (Badtemp.: ~50°; 12 Torr); Ausbeute: 2,5 g (88%); $Kp_{0,001}$: 27°.

Die Peroxygenierung der 4,5-Diethyl-1-organo-2,2,3-trimethyl-2,5-dihydro-1,2,5-azasilaborole mit Sauerstoff in Hexan liefert nach Aufnahme äquimolarer Mengen Sauerstoff die destillierbaren 4-Ethyl-5-ethylperoxy-1-organo-2,2,3-trimethyl-2,5-dihydro-1,2,5- azasilaborole in hohen Ausbeuten[1]:

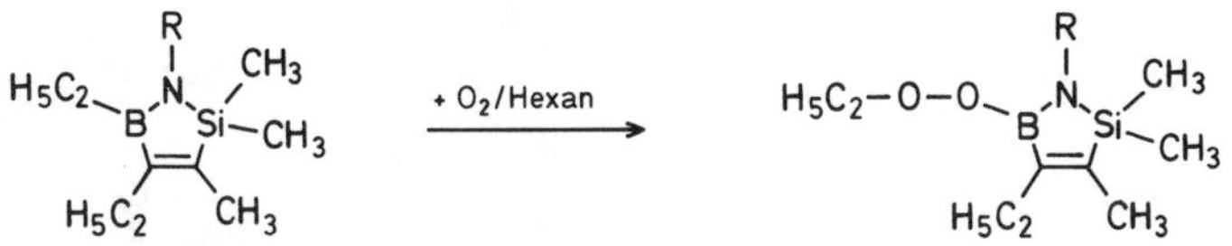

4-Ethyl-5-ethylperoxy-1,2,2,3-tetramethyl-2,5-dihydro-1,2,5-azasilaborol[1]: Auf 3 g (18 mmol) 4,5-Diethyl-1,2,2,3-tetramethyl- 2,5-dihydro-1,2,5-azasilaborol in 10 *ml* Hexan läßt man bei 0° bis 20° reinen Sauerstoff (Zugabe mittels einer Bürette) einwirken. 392 *ml* (97%iger) Sauerstoff werden verbraucht. I. Vak. wird die gelbliche Lösung eingeengt und destilliert; Ausbeute: 3,8 g (93%); $Kp_{0,001}$: 30–34°.

Auf analoge Weise erhält man u. a.

4-Ethyl-5-ethylperoxy-1-phenyl-2,2,3-trimethyl-2,5-dihydro-1,2,5-azasilaborol 79%; $Kp_{0,001}$: 40–50°
1-Benzyl-4-ethyl-5-ethylperoxy-2,2,3-trimethyl-... 85%; $Kp_{0,001}$: 80°
1,3-Bis[4-ethyl-5-ethylperoxy-2,2,3-trimethyl-2,5-dihydro-1,2,5-azasilaborol-1-yl]hexan (hochviskos)

2. Amino-organo-1,3,2-diboroxane

Zu den Verbindungen mit den Atomgruppierungen

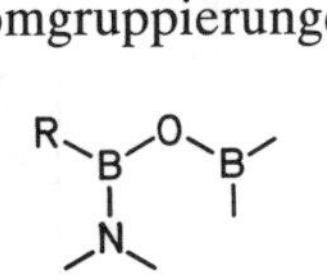

zählen 1,3-Diamino-1,3-diorgano-diboroxane mit offenkettigen und cyclischen Strukturen; z. B.:

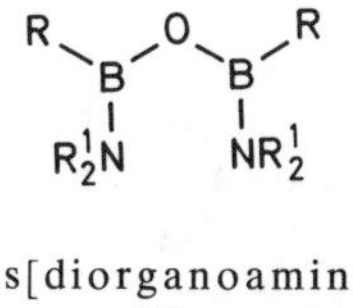

1,3-Bis[diorganoamino]-1,3-diorgano-diboroxan

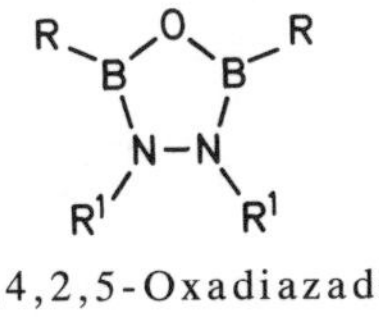

1,3,4,2,5-Oxadiazadiborolidin

[1] R. Köster u. G. Seidel, Mülheim a. d. Ruhr, unveröffentlicht 1981.

Die verschiedenen Typen der 1,3-Diamino-1,3-diorgano-diboroxane (vgl. Tab. 42) lassen sich aus Halogenboranen, Organo-oxy- und Organo-thio-boranen sowie aus einigen Amino-organo-boranen herstellen. Außerdem werden 1,3-Diamino-1,3-diorgano-diboroxane bornah bzw. borfern in Derivate des gleichen Verbindungstyps übergeführt.

Tab. 42: 1,3-Diamino-1,3-diorgano-diboroxane

Formel	Verbindungstyp	Herstellung	s. S.
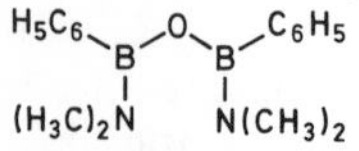 H_5C_6–B(N(CH$_3$)$_2$)–O–B(N(CH$_3$)$_2$)–C_6H_5	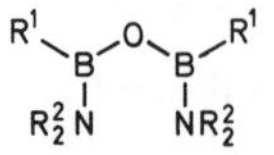 R^1–B(NR^2_2)–O–B(NR^2_2)–R^1	aus R^1—B(NR^2_2)$_2$ + (R^1—BO)$_3$	201
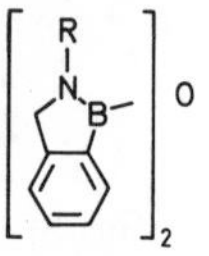 [R–N–B(–) (Benzo-Ring)]$_2$O	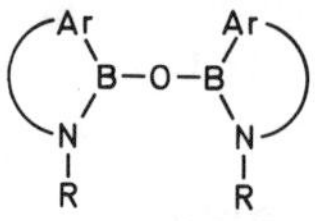 Ar–B(N–R)–O–B(N–R)–Ar (cyclisch)	aus Ar^{NH}—B(OH)$_2$, △	199
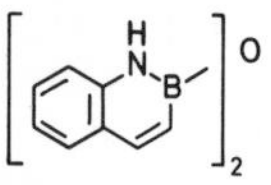 [H–N–B(–) (Benzo-Ring)]$_2$O	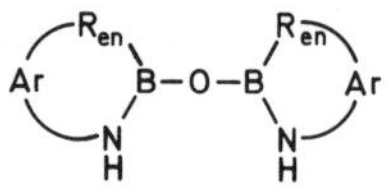 Ar, R_{en}–B(NH)–O–B(NH)–R_{en}, Ar (cyclisch)	aus BCl_3 + R_{en}—NH_2 + H_2O	197
[H–N–B(–) (Ring)]$_2$O	R_{dien}–B(NH)–O–B(NH)–R_{dien} (cyclisch)	aus R–B–N(R) + $H_2O/OH^{\ominus}$	201
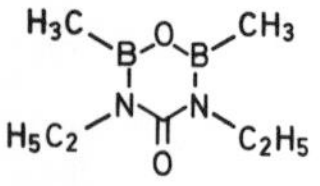 H_3C–B–O–B–CH_3; H_5C_2–N–C(=O)–N–C_2H_5 (Ring)	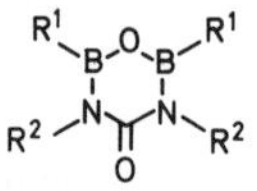 R^1–B–O–B–R^1; R^2–N–C(=O)–N–R^2 (Ring)	aus R^1—BHal$_2$ 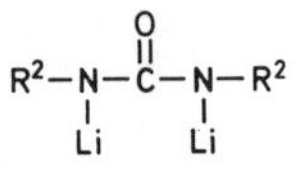 + R^2–N(Li)–C(=O)–N(Li)–R^2	197
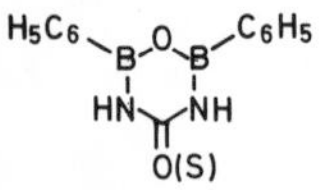 H_5C_6–B–O–B–C_6H_5; HN–C(=O(S))–NH (Ring)	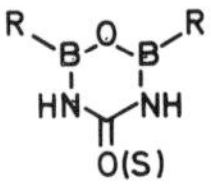 R–B–O–B–R; HN–C(=O(S))–NH (Ring)	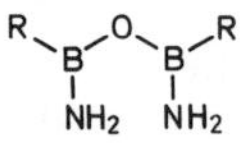 aus R–B(NH_2)–O–B(NH_2)–R + $(H_2N)_2C$=O(S)	201
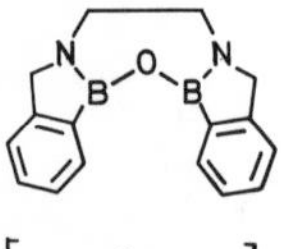 N–B–O–B–N (Benzo-Ringe, N–N verbrückt)	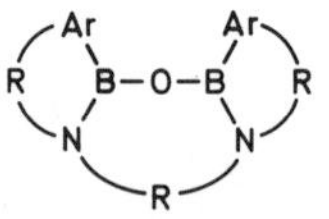 Ar, R–B(N)–O–B(N)–R, Ar; N–R–N	aus (R^{Hal}—BO)$_3$ + H_2N—R—NH_2	199
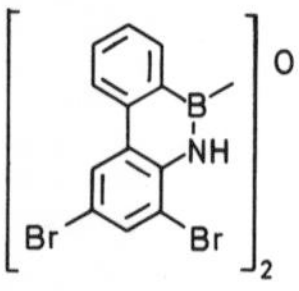 [B(–)–NH (Biphenyl-Ring), Br, Br]$_2$O	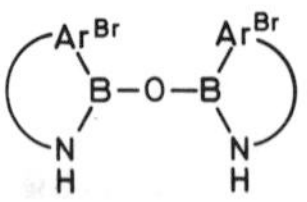 Ar^{Br}–B(NH)–O–B(NH)–Ar^{Br} (cyclisch)	aus BCl_3 + Ar—NH_2($AlCl_3$; △) + H_2O	198
R–B–O–B–R; N–N; H_3C, CH_3 (Ring)	R^1–B–O–B–R^1; N–N; R^2, R^2 (Ring)		
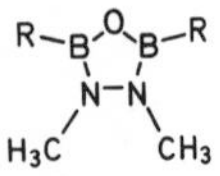 R = CH_3	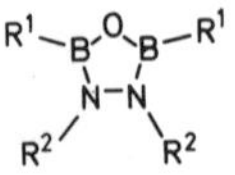	aus R^1(Hal)B–N(R^2)–N(R^2)–B(Hal)R^1 + R^3_3Si—OR^4	200
		aus R^1—B(SR^3)$_2$ + R^2—NH—NH—R^2	200
R = C_6H_5		aus 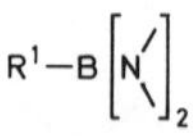 R^1—B[N(Ring)]$_2$ + R^2—NH—NH—R^2 + H_2O	201
[H–N–N=, B(–) (Benzo-Ring)]$_2$O	Ar–B(NH–N=)–O–B(NH–N=)–Ar (cyclisch)	aus Ar–B(Hal)–NH–N= (cyclisch) + H_2O	199
		aus 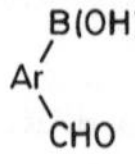 Ar(B(OH)$_2$)(CHO) + H_4N_2	199

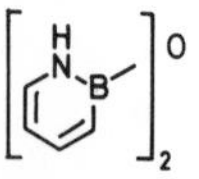

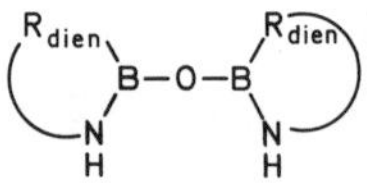

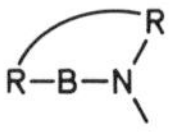

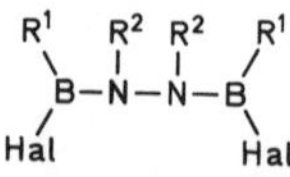

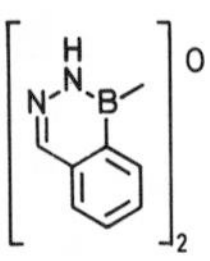

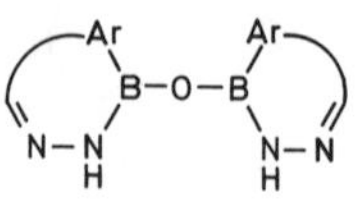

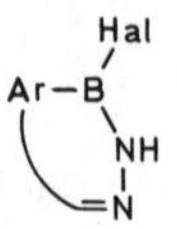

α) aus Halogenboranen

Zur Herstellung der 1,3-Diamino-1,3-diorgano-1,3,2-diboroxane werden Dibrom-organo-borane sowie Trihalogenborane verwendet.

Aus Dibrom-methyl-boran erhält man mit N,N'-Diethylharnstoff in Tetrachlormethan als Nebenprodukt *3,5-Diethyl-2,6-dimethyl-4-oxo-1,3,5,2,6-oxadiazadiborinan* ($Kp_{0,002}$: 35°)[1]:

$$2\ H_3C{-}BBr_2 + H_5C_2{-}NH{-}\overset{O}{\overset{\|}{C}}{-}NH{-}C_2H_5 \xrightarrow[-4\ HBr]{CCl_4,\ H_2O}$$

Vorteilhaft setzt man zur Herstellung der 4-Oxo-1,3,5,2,6-oxadiazadiborinane Alkyl-dibrom-borane mit dem Reaktionsprodukt aus N,N'-Dialkylharnstoff und Butyllithium in Hexan um[2]; z.B.:

$$2\ H_3C{-}BBr_2 + 2\ H_3C{-}N(Li){-}\overset{O}{\overset{\|}{C}}{-}N(Li){-}CH_3 \xrightarrow[-4\ LiBr,\ -H_3C{-}N{=}C{=}N{-}CH_3]{Petrolether}$$

4-Oxo-tetramethyl-1,3,5,2,6-oxadiazadiborinan; 59%; $Kp_{0,002}$: 35°

Zusätzlich entstehen Bis[acylamino]-organo-borane (s. S. 262).

Aus Trichlorboran erhält man mit Aminoarenen in Gegenwart von Aluminiumtrichlorid in der Hitze unter Borylierung des Arens Derivate des 1,2-Azaborins (vgl. S. 144ff.), die bei der gezielten Hydrolyse 1,3-Diamino-1,3-diorgano-diboroxane liefern (s. Tab. 43, S. 198).

Die mit Aminostyrolen aus Trichlorboran erhältlichen **Amino-dichlorborane** (vgl. S. 144) cyclisieren bereits unter milden Bedingungen zum *2-Chlor-1,2-dihydro-⟨benzo[e]-1,2-azaborin⟩* (I) (vgl. S. 144). Ein Katalysator ist nicht erforderlich. Bei der Aufarbeitung fällt dann das Oxid II an[3].

$$BCl_3 + \text{2-Aminostyrol} \xrightarrow{-2\ HCl} \text{I} \xrightarrow[-HCl]{+H_2O} 1/2\ [\ldots]_2O\ \ \text{II}$$

Bis{1,2-dihydro-⟨benzo[e]-1,2-azaborin⟩-yl}oxid[3]: Eine Lösung von 1 g 2-Aminostyrol in 40 *ml* Benzol wird langsam unter Rühren bei ~20° zu einer Lösung von 2 g Trichlorboran in 10 *ml* Benzol getropft. Nach 3stdgm. Erhitzen am Rückfluß wird das Lösungsmittel abgezogen und der Rückstand aus nicht getrocknetem Petrolether umkristallisiert; Ausbeute: 0,51 g (45%); F: 198–200°.

β) aus Organo-oxy-boranen

1,3-Diamino-1,3-diorgano-diboroxane sind beim Erhitzen aus Dihydroxy-organo-boranen mit Aminen unter Abspaltung von Wasser zugänglich. Die Reaktionen können intra- oder intermolekular erfolgen.

---

[1] W. MARINGGELE, J. Organometal. Chem. **222**, 17 (1981).
[2] W. MARINGGELE, B. **115**, 3271 (1982).
[3] M.J.S. DEWAR u. R.W. DIETZ, Soc. **1959**, 2788.

Tab. 43: 1,3-Diamino-1,3-diorgano-diboroxane aus Trichlorboran mit Aminoarenen (und Wasser)

Amin	Bedingungen	Boran	Ausbeute [%]	F [°C]	Literatur
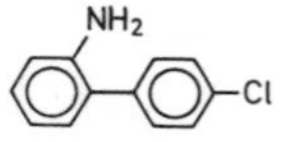	4 Stdn. in sied. Benzol; 3 Stdn. ohne Lsgm. mit $AlCl_3$ auf 190° erhitzen; in Ether aufnehmen; hydrolysieren	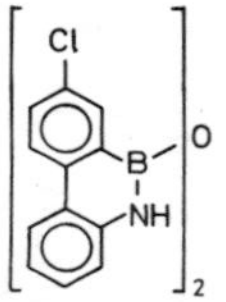 *Bis[8-chlor-5,6-dihydro-⟨dibenzo-1,2-azaborin⟩-6-yl]oxid*	75	192–193 (Benzol)	[1]
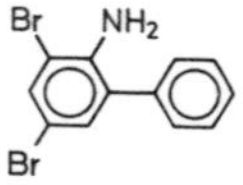		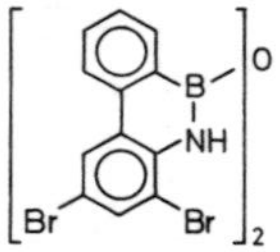 *Bis[2,4-dibrom-5,6-dihydro-⟨dibenzo-1,2-diazaborin⟩-6-yl]oxid*	61	295	[1]
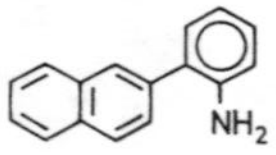	analog; nach Hydrolyse aus einem Gemisch Benzol/Ether/Petrolether umfällen	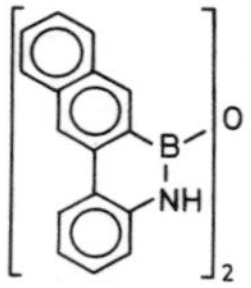 *Bis{5,6-dihydro-⟨benzo[e]-naphtho-[2,3-c]-1,2-azaborin⟩-6-yl}oxid*	–	275,5	[2]

[1] M.J.S. Dewar u. V.P. Kubba, J. Org. Chem. **25**, 1722 (1960).
[2] M.J.S. Dewar u. W.H. Poesche, Am. Soc. **85**, 2253 (1963).

Erhitzt man [2-(tert.-Butylaminomethyl)phenyl]-dihydroxy-boran auf 250–280°, so sublimiert bei 0,5 Torr das durch intramolekulare Kondensation entstandene *Bis[2-tert.-butyl-2,3-dihydro-1H-⟨benzo[c]-1,2-azaborol⟩-1-yl]oxid* (F: 135,5°)[1]:

2 [2-B(OH)₂-C₆H₄-CH₂-NH-C(CH₃)₃] $\xrightarrow[-3\ H_2O]{\Delta}$ [(H₃C)₃C-N-B–]₂O

Aus Dihydroxy-(2-formylphenyl)-boran erhält man mit Hydrazin in Ether/Ethanol beim Einengen i. Vak. in 95%iger Ausbeute *Bis{1,2-dihydro-⟨benzo[d]-1,2,3-diazaborin⟩-1-yl}oxid* (F: 243°)[2]:

2 [2-B(OH)₂-C₆H₄-CHO] + 2 H_2N-NH_2 $\xrightarrow{-5\ H_2O}$ [B–]₂O

Aus Triorganoboroxinen mit funktionellen Resten an den Bor-Atomen lassen sich bei Einwirkung von Diaminen unter Kondensation 1,3-Diamino-1,3-diorgano-diboroxane herstellen.

Mit überschüssigem 1,2-Diaminoethan wird z. B. Tris[2-brommethyl-phenyl]boroxin in Methanol in das in reiner Form nicht isolierte *Dibenzo-2-oxa-7,10-diaza-1,3-dibora-tricyclo[8.3.0.0^{3,7}]trideca-4,12-dien* überführt[1]:

2/3 [2-(CH₂–Br)-C₆H₄-BO]₃ + $H_2N-CH_2-CH_2-NH_2$ $\xrightarrow[-2\ HBr]{-H_2O}$

γ) aus Aminoboranen

Zur Herstellung offenkettiger sowie cyclischer 1,3-Diamino-1,3-diorgano-diboroxane werden Amino-halogen-borane eingesetzt.

Aus Halogen-hydrazino-organo-boranen sind mit Wasser unter Halogen-Substitution 1,3-Diorgano-1,3-dihydrazino-diboroxane zugänglich; z. B.[2]:

2 [Cl-B, NH, N] $\xrightarrow[-2\ HCl]{+H_2O}$ [B– N-NH]₂O

Bis{1,2-dihydro-⟨benzo[a]-1,2,3-diazaborin⟩-1-yl}oxid; F: 243°

[1] R. T. Hawkins u. A. U. Blackham, J. Org. Chem. **32**, 597 (1967).

[2] M. J. S. Dewar u. R. C. Dougherty, Am. Soc. **86**, 433 (1964); C. A. **60**, 8052 (1964).

Die Hydrazino-Gruppierung kann auch zwischen den beiden Bor-Atomen der Diboroxane gebunden sein. Aus 1,2-Bis[halogen-organo-boryl]hydrazinen lassen sich z.B. mit Alkoxy-trimethyl-silanen 1,3,4,2,5-Oxadiazadiborolidine herstellen[1]:

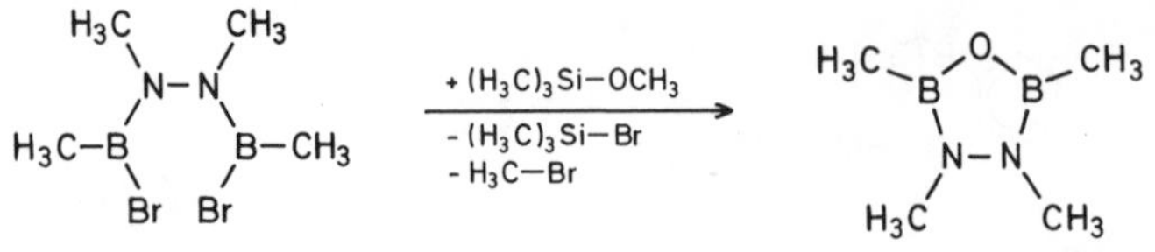

2,3,4,5-Tetramethyl-1,3,4,2,5-oxadiazadiborolidin

Amino-organo-oxy-borane sind als Edukte zur Herstellung von 1,3-Diamino-1,3-diorgano-diboroxane geeignet. Aus 1-Hydroxy-2-phenyl-2,3-dihydro-⟨benzo[c]-1,2-azaborol⟩ ist beim Erwärmen unter Wasser-Austritt ohne Spaltung der B–N-Bindung das entsprechende 1,3,2-Diboroxan zugänglich[2]:

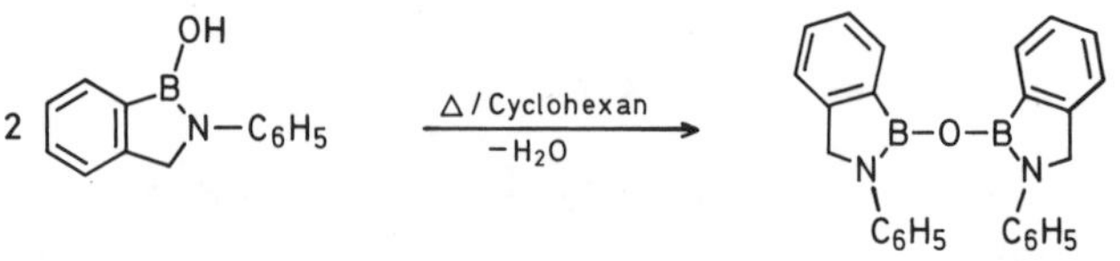

Bis{2-phenyl-2,3-dihydro-⟨benzo[c]-1,2-azaborol⟩-1-yl}oxid

Amino-organo-thio-borane sind ebenfalls zur Herstellung der 1,3-Diamino-1,3-diorgano-diboroxane geeignet. Aus 1,2-Bis[alkyl-alkylthio-boryl]hydrazinen erhält man mit Wasser unter Abspaltung von Alkylthian Tetraalkyl-1,3,4,2,5-oxadiazadiborolidine[3]. Präparativ geht man wie folgt vor: Man setzt 2 mol Bis[organothio]-organo-borane mit Hydrazin zunächst zu den 1,2-Bis[organo-organothio-boryl]-1,2-diorgano-hydrazinen um. Beim Behandeln mit äquimolaren Mengen Wasser erfolgt unter Abspaltung von Methanthiol eine intramolekulare Cyclokondensation zu den sublimierbaren 1,3,4,2,5-Oxadiazadiborolidinen; z.B.[3]:

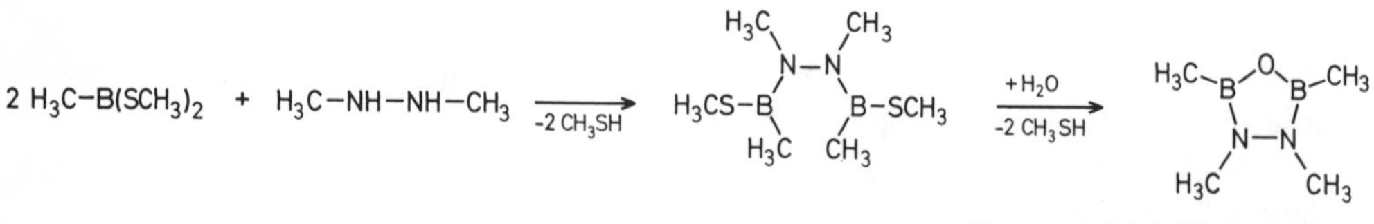

Tetramethyl-1,3,4,2,5-oxadiazadiborolidin; F: 104°

Auch Diorganoamino-organo-borane werden zur Herstellung von 1,3-Diamino-1,3-diorgano-diboroxanen eingesetzt. Bei der „Umaminierung" von Bis[dimethylamino]-phenyl-boran mit wasserhaltigem 1,2-Dimethylhydrazin entsteht *3,4-Dimethyl-2,5-diphenyl-1,3,4,2,5-oxadiazadiborolidin* (F: 204°)[4]:

[1] K. Barlos u. H. Nöth, Z. Naturf. **35b**, 125 (1980).
[2] H.E. Dunn, J.G. Catlin u. H.R. Snyder, J. Org. Chem. **33**, 4483 (1968).
vgl. a. P.I. Paetzold, G. Stohr, H. Maisch u. H. Lenz, B. **101**, 2881 (1968).
[3] D. Nölle u. H. Nöth, Z. Naturf. **27b**, 1426 (1972); C.A. **78**, 72264 (1973).
[4] H. Nöth u. W. Regnet, Z. Naturf. **18b**, 1138 (1963); C.A. **60**, 9302 (1964).

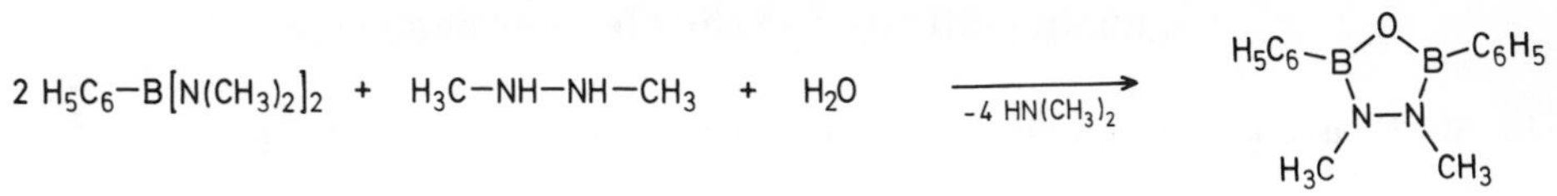

$$2\ H_5C_6{-}B[N(CH_3)_2]_2 + H_3C{-}NH{-}NH{-}CH_3 + H_2O \xrightarrow[-4\ HN(CH_3)_2]{}$$

Aus Bis[dimethylamino]-phenyl-boran ist mit Triphenylboroxin in siedendem Toluol *1,3-Bis[dimethylamino]-1,3-diphenyl-diboroxan* (54%; F: 47–48°) zugänglich[1,2]:

$$3\ H_5C_6{-}B[N(CH_3)_2]_2 + (H_5C_6{-}BO)_3 \longrightarrow 3$$

δ) aus 1,3-Diamino-1,3-diorgano-diboroxanen

Sechsgliedrige Ringe mit NBOBN-Gruppierung lassen sich aus 1,3-Diamino-1,3-diphenyl-diboroxanen mit Harnstoff oder mit Thioharnstoff durch Transaminierung unter Abspalten von Amin (z.B. Dimethylamin) herstellen[3]:

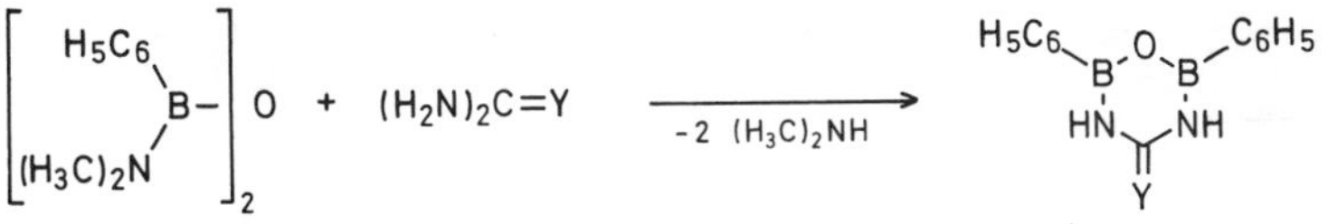

$$+ (H_2N)_2C{=}Y \xrightarrow[-2\ (H_3C)_2NH]{}$$

2,6-Diphenyl-...-1,3,5,2,6-oxadiazadiborinan
Y = O; ...*-4-oxo-*...;
Y = S; ...*-4-thiono-*...;

Borfern lassen sich bestimmte cyclische 1,3-Diamino-1,3-diorgano-diboroxane auch bromieren, so erhält man z.B. *Bis[2,4-dibrom-5,6-dihydro-⟨dibenzo-1,2-azaborin⟩-6-yl]oxid* (80%; F: 295–296°)[4]:

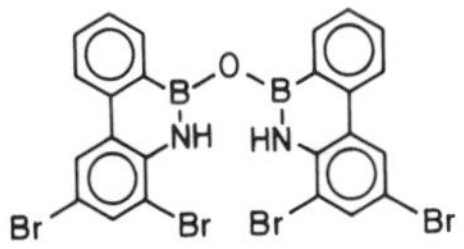

ε) aus Borazinen

Tribenzoborazin wird durch 10%ige alkoholische Kaliumcarbonat-Lösung zum *Bis[1,2-dihydro-1,2-azaborin-2-yl]oxid* (Subl.p.$_{0,1}$: 120°; F: 53–59°) gespalten[5]:

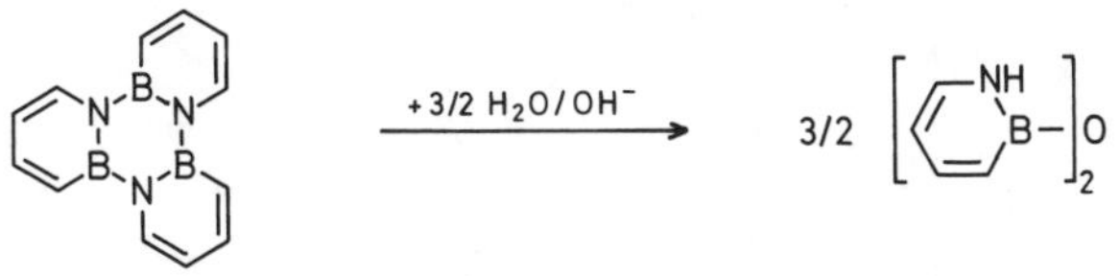

$$\xrightarrow{+3/2\ H_2O/OH^-} 3/2$$

Bei der alkalischen Hydrolyse in THF erhält man *2-Hydroxy-1,2-dihydro-1,2-azaborin*[5].

[1] W. Weber u. U.W. Gerwarth, Universität Mainz, Privatmitteilung 1977.
[2] W. Weber, Dissertation, S. 24f., Universität Mainz 1979.
[3] W. Weber, Dissertation, Universität Mainz 1979.
[4] S. Gronowitz, u. J. Namtvedt, Tetrahedron Letters **1966**, 2967.
[5] K.M. Davies, M.J.S. Dewar u. P. Rona, Am. Soc. **89**, 6294 (1967).

e) Organobor-Stickstoff-Schwefel-Verbindungen

Die Stoffklasse umfaßt Organoborane mit den Atomgruppierungen

R–B(–N<)(–S–)   R–B(–N<)–S–B<

deren Herstellungsmethoden voneinander getrennt besprochen werden.

1. Amino-organo-thio-borane

Die Zahl der offenkettigen und cyclischen Amino-organo-thio-borane ist nicht sehr umfangreich (vgl. Tab. 44)[1]. Zusätzlich treten Organoborane mit der BSB-Atomfolge auf (vgl. S. 210). Organo-thio-1,3,2-diborazane werden auf den S. 306ff. besprochen.

Tab. 44: Amino-organo-organothio-borane

Formel	Verbindungstyp	Herstellungsart	s. S.
$(H_3C)_3C-B(NH-C_6H_5)(SC_6H_5)$	$R^1-B(NH-R^2)(SR^3)$	aus $R^1_3B + C{\equiv}N-R^2/R^3-SH$	204
		aus $R^N(R^1)B-SR^3$, Δ	203
2-Phenyl-1,3,2-thiazaborolidin (C_6H_5-B im Ring mit S und NH)	R–B(N<)(S) cyclisch über R	aus $R^1-B(SR^2)_2 + H_2N-R-SH$	208
$Alkyl-B(N(C_2H_5)_2)(SAlkyl)$	$R^1-B(NR^2_2)(SR^3)$	aus $R^1-B(SR^3)_2 + R^2_2NH$	205
$H_7C_3-B(N(C_2H_5)_2)(SC_2H_5)$	$R^1-B(NR^2_2)(SR^3)$	aus $R^1-B(SR^3)(Hal) + R^2_2NH$	205
$H_9C_4-B(N(CH_3)_2)(SC_4H_9)$	$R^1-B(NR^2_2)(SR^3)$	aus $R^1-B(NR^2_2)_2 + R^3-SH$	209
1-C_4H_9-2-SC_4H_9-1,2-azaborolidin	RS–B(N<)(R) cyclisch	aus HB(N<)(R) cyclisch + R–SH	208
$R-B(N(C_2H_5)_2)(SAlkyl)$ R = Allyl, Aryl	$R^1-B(NR^2_2)(SR^3)$	aus $R^1-B(SR^3)(Hal) + R^2_2NH$	205
$H_3C-B(N(CH_2-C{\equiv}CH)-CH_2-C_6H_5)(SCH_3)$	$R^1-B(N(R_{2-in})-R^2)(SR^3)$	aus $R^1-B(SR^3)_2 + R_{2-in}-N(R^2)-SiR^3_3$	208

[1] *Gmelin*, 8. Aufl., 1. Erg.-Bd. Bor Bd. 3 (1981), S. 59ff.

Tab. 44 (Fortsetzung)

Formel	Verbindungstyp	Herstellungsart	s. S.
(S,N-Benzo-ring)B—C_6H_5 (N—H)	R—B(S—Ar—N)	aus R—$BHal_2$ + HS—Ar—NH_2	204
		aus R—B[N<]$_2$ + HS—Ar—NH_2	209
		aus R—$B(OH)_2$ + HS—Ar—NH_2	204
H_3C—B(SC_6H_5)—N=C(SC_6H_5)CCl_3	R^1—B(SR^2)—N=C$^{Cl, S}$	aus R^1—B(Hal)—N=C< + R^2—SH	208
(Benzo-ring)S—B(Ar)—N(C_6H_5)—C(=O)	R—B(N—C(=O)—Ar—S)	aus R—$B(OH)_2$ + HS—Ar—CO—NH—	204
H_3C—(S—B(C_6H_5)—N(C_6H_5)—C(=O)—S)	R—B(N—C(=O)—S—R—S)	aus R^1—B(S—R—S) + R^2—NCO	208
H_5C_6—B(SC_4H_9)—N(Ar)—C(=N—Ar)—$N(C_2H_5)_2$	R^1—B(SR^3)—N—C(=N—)—NR^2_2	aus R^1—B(SR^3)—N< + —N=C=N—	209
H_3C—B(SCH_3)—NH—$N(CH_3)_2$	R^1—B(SR^3)—NH—NR^2_2	aus R^1—$B(SR^3)_2$ + H_2N—NR^2_2	206
H_3C—B(SCH_3)—N—N—B(SCH_3)—CH_3	[R^1—B(SR^3)—N<]$_2$	aus R^1—$B(SR^3)_2$ + —NH—NH—	206

Amino-organo-thio-borane werden aus Triorgano-boranen, Halogen-organo-boranen, Organo-oxy-boranen und vor allem aus Organo-thio-boranen hergestellt. Mitunter werden auch Amino-organo-borane verwendet.

α) aus Triorganoboranen

Alkyl-(1-aminoalkyl)-organothio-borane, die sich aus Trialkylboranen mit Isonitrilen und Thiophenol bilden, lagern sich unter Alkyl-Wanderung in *Alkyl-amino-phenylthio-borane* um.

Mit Phenylisonitril bilden Trialkylborane bei −80° in Ether oder THF feste Addukte, die sich beim Erwärmen unter Alkyl-Wanderung stabilisieren. Eine der Zwischenstufen, das Dialkyl-(1-iminoalkyl)-boran, läßt sich mit protischen Agenzien, z.B. mit Thiophenol, abfangen. Das dabei entstehende Alkyl-(1-aminoalkyl)-phenylthio-boran kann bei 200° thermisch unter Alkyl- und Amin-Wanderung zum Alkyl-amino-phenylthio-boran umgelagert werden[1]:

[1] H. Witte, P. Mischke u. G. Hesse, A. **722**, 21 (1969).

$$R^1_3B + R^2{-}NC \longrightarrow R^2{-}N{=}C(R^1){-}BR^1_2 \xrightarrow{+C_6H_5SH} R^2{-}NH{-}C(R^1)(SC_6H_5){-}BR^1_2$$

$$\xrightarrow{\Delta} R^2{-}NH{-}C(R^1)_2{-}B(R^1)(SC_6H_5) \xrightarrow[\Delta]{200^\circ} R^1_3C{-}B(NH{-}R^2)(SC_6H_5)$$

Anilino-tert.-butyl-phenylthio-boran[1]**:**

(1-Anilino-1-methyl-ethyl)-methyl-phenylthio-boran: Zu einer Lösung von 9,8 g (0,175 mol) Trimethylboran in 70 *ml* Ether tropft man zuerst bei −70° 18 g (0,175 mol) Phenylisonitril, dann 70 *ml* Thiophenol in 50 *ml* Ether. Nach mehrstdgm. Stehenlassen bei 23° wird i. Hochvak. destilliert; Ausbeute: 38,5 g (82%); $Kp_{0,0001}$: 109°.

Anilino-tert.-butyl-phenylthio-boran: 35 g des erhaltenen Zwischenprodukts werden unter Stickstoff 1 Stde. auf 200–220° erhitzt. Dann wird mit wenig Ether angerieben und aus wenig Petrolether bei −20° umkristallisiert; Ausbeute: 34 g (97%); F: 86°.

β) aus Dihalogen-organo-boranen

Wird Dichlor-phenyl-boran 6–7 Stdn. in siedendem Benzol mit 2-Aminothiophenol erhitzt, so erhält man *2-Phenyl-2,3-dihydro-⟨benzo-1,3,2-thiazaborol⟩* (F: 154–156°)[2]:

$$H_5C_6{-}BCl_2 + \text{2-}HS{-}C_6H_4{-}NH_2 \xrightarrow[-2\,HCl]{} \text{2-Phenyl-2,3-dihydro-benzo-1,3,2-thiazaborol } (B{-}C_6H_5,\ S,\ N{-}H)$$

γ) aus Dihydroxy-organo-boranen

Erhitzt man äquimolare Mengen (2-Chlorphenyl)-dihydroxy-boran mit 2-Mercapto-benzanilid in Petrolether (Kp: 110–120°) am Wasserabscheider, so bildet sich *2-(2-Chlorphenyl)-4-oxo-3-phenyl-3,4-dihydro-2H-⟨benzo [e]- 1,3,2-thiazaborin⟩*[3]:

$$\text{2-}Cl{-}C_6H_4{-}B(OH)_2 + \text{2-}HS{-}C_6H_4{-}CO{-}NH{-}C_6H_5 \xrightarrow[-2\,H_2O]{} \text{Benzo[e]-1,3,2-thiazaborin } (S{-}B(2{-}ClC_6H_4){-}N(C_6H_5){-}C{=}O)$$

Wird Dihydroxy-phenyl-boran mit 2-Aminothiophenol in Toluol auf ~100° erhitzt und destilliert man das entstehende Wasser azeotrop mit Toluol ab, so erhält man *2-Phenyl-2,3-dihydro-⟨benzo-1,3,2-thiazaborol⟩* (F: 153°) in 77%iger Ausbeute[4]:

$$H_5C_6{-}B(OH)_2 + \text{2-}HS{-}C_6H_4{-}NH_2 \xrightarrow[-2\,H_2O]{Toluol} \text{2-Phenyl-2,3-dihydro-benzo-1,3,2-thiazaborol } (B{-}C_6H_5,\ S,\ N{-}H)$$

---

[1] H. WITTE, P. MISCHKE u. G. HESSE, A. **722**, 21 (1969).
[2] M. J. S. DEWAR, V. P. KUBBA u. R. PETTIT, Soc. **1958**, 3076.
[3] US. P. 3293252 (1966/1963), E. R. Squibb & Sons Inc., Erf.: J. FRIED, F. H. BERGEIM, H. L. YALE u. J. BERNSTEIN; C. A. **66**, 115783 (1967).
[4] M. PAILER u. W. FENZL, M. **92**, 1294 (1961); C. A. **56**, 15527 (1962).

δ) aus Organo-thio-boranen

δ_1) *aus Diorgano-organothio-boranen*

Die Herstellung von Amino-organo-organothio-boranen gelingt z. B. durch thermische Umlagerung von bestimmten Diorgano-organothio-boranen. Aus (2-Anilino-2-propyl)-methyl-phenylthio-boran[1] erhält man unter Substituenten-Austausch bei 200–220° in 97%iger Ausbeute *Anilino-tert.-butyl-phenylthio-boran* (F: 86°)[1]:

$$H_3C-B(-C(CH_3)_2-NH-C_6H_5)(-S-C_6H_5) \xrightarrow{\sim 200°} (H_3C)_3C-B(-NH-C_6H_5)(-S-C_6H_5)$$

δ_2) *aus Halogen-organo-organothio-boranen*

Offenkettige Alkyl-alkylthio-halogen-borane können unter milden Bedingungen partiell aminiert werden, wobei das abspaltende Hydrogenhalogenid mit überschüssigem Amin abgefangen wird. Zur Umsetzung tropft man zum Boran in Isopentan bei 0° einen vierfachen Überschuß eines sekundären Amins und rührt 20 Min. bei dieser Temperatur[2]:

$$R(R^1S)B-Hal \; + \; 2\,HN(C_2H_5)_2 \xrightarrow[-\,[(H_5C_2)_2NH_2]^+Hal^-]{} R(R^1S)B-N(C_2H_5)_2$$

$R = C_3H_7$; $R^1 = C_2H_5$; Hal = Cl; *Diethylamino-ethylthio-propyl-boran*; 45,4%; Kp_{10}: 91–92°

$R = CH_2-CH_2-CH(CH_3)_2$; $R^1 = C_4H_9$; Hal = Br; *Butylthio-diethylamino-(3-methyl-butyl)-boran*; 68,8%; Kp_3: 102–103°

δ_3) *aus Bis[organothio]-organo-boranen*

$\delta\delta_1$) mit Aminen oder Hydrazinen

Die beste Herstellungsmethode für Alkylthio-amino-organo-borane ist die Aminierung von Alkyl- bzw. Allyl-bis[alkylthio]-boranen mit äquimolaren Mengen eines sek. Amins unter Abspaltung des entsprechenden Alkanthiols. Die Ausgangsverbindungen werden entweder kurze Zeit bei 20° gerührt oder mehrere Stunden im Rückfluß erhitzt (vgl. Tab. 45, S. 207)[2–4]:

$$R^1-B(SR^2)_2 \; + \; HN(C_2H_5)_2 \xrightarrow[-HSR^2]{} R^1(R^2S)B-N(C_2H_5)_2$$

Bei der Umsetzung von 1,4-Bis[bis(ethylthio)boryl]butan mit der doppelten Menge Dialkylamin bei 80° wird jedes B-Atom einfach aminiert[5]:

---

[1] H. WITTE, P. MISCHKE u. G. HESSE, A. **722**, 21 (1968).
[2] B.M. MIKHAILOV u. T.K. KOZMINSKAYA, Izv. Akad. SSSR **1962**, 256; engl.: 234; C.A. **57**, 16641 (1962).
[3] B.M. MIKHAILOV u. F.B. TUTORSKAYA, Ž. obšč. Chim. **32**, 833 (1962); C.A. **58**, 3452 (1963).
[4] B.M. MIKHAILOV u. T.K. KOZMINSKAYA, Ž. obšč. Chim. **30**, 3619 (1960); C.A. **55**, 20921 (1961).
[5] B.M. MIKHAILOV u. V.F. POZDNEV, Probl. Organ. Sinteza. Akad. Nauk SSSR **1965**, 220; C.A. **64**, 14203 (1966).

$$(H_5C_2S)_2B{-}(CH_2)_4{-}B(SC_2H_5)_2 + 2\,HNR_2 \xrightarrow[-2\,H_5C_2SH]{} (H_5C_2S)(R_2N)B{-}(CH_2)_4{-}B(SC_2H_5)(NR_2)$$

R = CH_3; *1,4-Bis[dimethylamino-ethylthio-boryl]butan*; 92%; Kp_2: 134–138°
R = C_2H_5; *1,4-Bis-[diethylamino-ethylthio-boryl]butan*; 95%; Kp_2: 146–148°

Wird Bis[butylthio]-phenyl-boran mit äquimolaren Mengen Diethylamin umgesetzt, so erhält man *Butylthio-diethylamino-phenyl-boran* (Kp_2: 111–114°)[1]:

$$H_5C_6{-}B(SC_4H_9)_2 + HN(C_2H_5)_2 \xrightarrow[-H_9C_4SH]{} (H_9C_4S)(H_5C_6)B{-}N(C_2H_5)_2$$

Aus Bis[methylthio]-methyl-boran mit 1,1-Dimethylhydrazin ist in Ether kein reines *(2,2-Dimethylhydrazino)-methyl-methylthio-boran* zugänglich. Die Hydrazinolyse liefert auch *Bis[2,2-dimethyl-hydrazino]-methyl-boran*[1].

$$H_3C{-}B(SCH_3)_2 + H_2N{-}N(CH_3)_2 \xrightarrow[-H_3C{-}SH]{} H_3C{-}B(NH{-}N(CH_3)_2)(SCH_3) \xrightarrow[-H_3C{-}SH]{+H_2N{-}N(CH_3)_2} H_3C{-}B[NH{-}N(CH_3)_2]_2$$

Mit Bis[2,2-dimethylhydrazino]-methyl-boran und Methanthiol erhält man in einer Rückreaktion ebenfalls *(2,2-Dimethylhydrazino)-methyl-methylthio-boran*[1].

Durch Umsetzung von Bis[organothio]-organo-boranen mit 1,2-Diorganohydrazinen sind 1,2-Bis[organo-organothio-boryl]hydrazine zugänglich[1–3]:

$$R^1{-}B(SR^4)_2 + R^2{-}NH{-}NH{-}R^3 \xrightarrow[-2\,R^4{-}SH]{} (R^4S)(R^1)B{-}N(R^3){-}N(R^2){-}B(SR^4)(R^1)$$

1,2-Bis[methyl-methylthio-boryl]-1,2-dimethyl-hydrazin (86%; Kp_5: 99°) wird aus Bis[methylthio]-methyl-boran mit 1,2-Dimethylhydrazin in Ether gewonnen[4]:

$$H_3C{-}B(SCH_3)_2 + H_3C{-}NH{-}NH{-}CH_3 \xrightarrow[-2\,H_3C{-}SH]{(H_5C_2)_2O} (H_3C)(H_3CS)B{-}N(CH_3){-}N(CH_3){-}B(SCH_3)(CH_3)$$

Aus Bis[ethylthio]-phenyl-boran läßt sich mit 2-Aminoethanthiol *2-Phenyl-1,3,2-thiazaborolidin* (71%) herstellen, das mit seinem Dimer im Gleichgewicht steht[5]:

---

[1] D. Nölle u. H. Nöth, B. **111**, 469 (1978).
vgl. a. R.H. Cragg u. T.J. Miller, J. Organometal. Chem. **243**, 387 (1983).
[2] D. Nölle u. H. Nöth, Z. Naturf. **27b**, 1425 (1972); C.A. **78**, 72264 (1973).
[3] F. Riegel, Dissertation, Universität Würzburg, 1973.
[4] D. Nölle, Dissertation, Universität München, 1975.
[5] R.H. Cragg u. A.F. Weston, Soc. [Dalton Trans.] **1973**, 1054.

Tab. 45: Alkyl-alkylthio-diethylamino-borane aus Alkyl-bis[alkylthio]-boranen mit Diethylamin

$R^1-B(SR^2)_2$		Bedingungen	Produkt	Ausbeute [%]	Kp		Literatur
R^1	R^2				[°C]	[Torr]	
$CH_2-CH=CH_2$	C_2H_5	1,5 Stdn. Rückfluß ohne Lösungsmittel	*Allyl-diethylamino-ethylthio-boran*	40	45–47	1,5	[1]
C_3H_7	C_2H_5	in Isopentan bei 0°	*Diethylamino-ethylthio-propyl-boran*	96	67–69	2	[2]
	C_4H_9	ohne Lsgm. zunächst bei 0°, dann bei ~20°	*Butylthio-diethylamino-propyl-boran*	85	96–97,5	4	[3]
C_4H_9	C_4H_9	7 Stdn. Rückfluß ohne Lsgm.	*Butyl-butylthio-diethylamino-boran*	85	102–103	3	[3]
$CH_2-CH_2-CH(CH_3)_2$	C_4H_9	1 Stde. Rückfluß ohne Lsgm.	*Butylthio-diethylamino-(3-methylbutyl)-boran*	96	67–69	2	[3]

[1] B. M. MIKHAILOV u. F. B. TUTORSKAYA, Ž. obšč. Chim. **32**, 833 (1962); C. A. **58**, 3452 (1963).

[2] B. M. MIKHAILOV u. T. K. KOZMINSKAYA, Izv. Akad. SSSR **1962**, 256; engl.: 234; C. A. **57**, 16641 (1962).

[3] B. M. MIKHAILOV u. T. K. KOZMINSKAYA, Ž. obšč. Chim. **30**, 3619 (1960); C. A. **55**, 20921 (1961).

$$H_5C_6{-}B(SC_2H_5)_2 + HS{-}CH_2{-}CH_2{-}NH_2 \xrightarrow[-2\ HSC_2H_5]{} \text{1,3,2-thiazaborolidin, } B{-}C_6H_5$$

Unter Abspaltung von Methylthio-trimethyl-silan erhält man aus Bis[methylthio]-methyl-boran mit Benzyl-2-propinyl-trimethylsilyl-amin in Hexan bei –78° bis +20° 15% *(Benzyl-2-propinyl-amino)-methyl-methylthio-boran* ($Kp_{0,01}$: 115°)[1]:

$$H_3C{-}B(SCH_3)_2 + (H_3C)_3Si{-}N(CH_2C_6H_5){-}CH_2{-}C{\equiv}CH \xrightarrow[-(H_3C)_3Si{-}SCH_3]{\text{Hexan; } -78 \text{ bis } +20°} H_3C{-}B(SCH_3){-}N(CH_2{-}C{\equiv}CH){-}CH_2{-}C_6H_5$$

$\delta\delta_2$) mit Organoisocyanaten

Durch Addition von 4-Methyl-2-phenyl-1,3,2-dithiaborolan an die C=N-Bindung des Phenylisocyanats erhält man unter Ringerweiterung *2,3-Diphenyl-6-methyl-4-oxo-1,5,3,2-dithiazaborepan* (87%; F: 130°). Das Boran wird mit der 2,5fachen Menge Isocyanat ~15 Stdn. in einem 1:1 Gemisch von Ether/Petrolether gerührt[2]:

$$\text{4-Methyl-2-phenyl-1,3,2-dithiaborolan} + H_5C_6{-}N{=}C{=}O \longrightarrow \text{2,3-Diphenyl-6-methyl-4-oxo-1,5,3,2-dithiazaborepan}$$

ε) aus Amino-organo-boranen

2-Alkylthio-1,2-azaborolidine werden aus 1,2-Azaborolidinen (Amino-hydro-organo-borane) mit Butanthiol bei 130–150° erhalten[3]; z.B.:

$$\text{1-}C_4H_9\text{-1,2-azaborolidin (BH)} + C_4H_9SH \xrightarrow[-H_2]{} \text{1-}C_4H_9\text{-2-}SC_4H_9\text{-1,2-azaborolidin}$$

1-Butyl-2-butylthio-1,2-azaborolidin

B- und C-gebundenes Brom in Brom-(1-brom-2,2,2-trichlor-ethylidenamino)-organo-boranen (Amino-halogen-organo-borane) lassen sich durch die Phenylthio-Gruppe austauschen. Man arbeitet in Tetrachlor- oder Dichlor-methan zunächst bei –30°, dann bei 20°. Das zweite Äquivalent an Hydrogenbromid wird bei der Destillation i.Vak. abgespalten[4]:

$$R(Br)B{-}N{=}C(Br){-}CCl_3 + 2\ H_5C_6SH \xrightarrow[-2\ HBr]{} R(H_5C_6S)B{-}N{=}C(SC_6H_5){-}CCl_3$$

R = CH_3; *Methyl-phenylthio-(1-phenylthio-2,2,2-trichlor-ethylidenamino)-boran*; $Kp_{0,001}$: 100°

R = C_6H_5; *Phenyl-phenylthio-(1-phenylthio-2,2,2-trichlor-ethylidenamino)-boran*; $Kp_{0,001}$: 199°

---

[1] A. Meller, F.J. Hirninger, M. Noltemeyer u. W. Maringgele, B. **114**, 2519 (1981).

[2] R.H. Cragg, J.P.N. Husband u. A.F. Weston, Soc. [Dalton Trans.] **1973**, 568; C.A. **78**, 977574 (1973).

[3] V.A. Dorokhov, O.G. Boldyreva u. B.M. Mikhailov, Ž. obšč. Chim. **40**, 1528 (1970); C.A. **75**, 36188 (1971).

[4] A. Meller u. W. Maringgele, M. **102**, 121 (1971); C.A. **74**, 125764 (1971).

Zur Herstellung von Amino-organo-silylthio-boranen werden Amino-halogen-organo-borane mit Alkalimetallsilylthiolaten umgesetzt[1].

Aus Chlor-dimethylamino-organo-boranen sind mit Lithium-trimethylsilanthiolat bzw. -trimethylgermanthiolat unter Chlor/Thio-Substitution offenkettige Amino-organo-thio-borane zugänglich; z.B.[1]:

$$R-B(N(CH_3)_2)(Cl) + LiS-Si(CH_3)_3 \xrightarrow{-LiCl} R-B(N(CH_3)_2)(S-Si(CH_3)_3)$$

Dimethylamino-. . . -trimethylsilylthio-boran

R = CH_3; . . . *-methyl-* . . .; ~ 60%; Kp_{15}: 69°
R = C_6H_5; . . . *-phenyl-* . . .; ~ 60%; $Kp_{0,002}$: 38°

Aus Chlor-dimethylamino-phenyl-boran erhält man mit Blei-dialkylsulfiden unter Chlor/Alkylthio-Austausch Alkylthio-dimethylamino-phenyl-borane[2].

$$2\ H_5C_6-B(N(CH_3)_2)(Cl) + Pb(SR)_2 \xrightarrow{-PbCl_2} H_5C_6-B(N(CH_3)_2)(SR)$$

Mit Bis[4-methylphenyl]carbodiimid setzt sich Butylthio-diethylamino-phenyl-boran (Amino-organo-organothio-borane) innerhalb 24 Stdn. bei 20° in Petrolether zum *1,2-Bis[4-methylphenyl]-1-(butylthio-phenyl-boryl)-3,3-diethyl-guanidin* um[3]:

$$(H_9C_4S)(H_5C_6)B-N(C_2H_5)_2 + H_3C-C_6H_4-N{=}C{=}N-C_6H_4-CH_3 \longrightarrow (H_9C_4S)(H_5C_6)B-N(C_6H_4-CH_3)-C(N(C_2H_5)_2){=}N-C_6H_4-CH_3$$

Erhitzt man Bis[dimethylamino]-butyl-boran (Diamino-organo-borane) mit der äquimolaren Menge Butanthiol zum Rückfluß, so entsteht unter Dimethylamin-Abspaltung *Butyl-butylthio-dimethylamino-boran* (Kp_2: 76–78°)[4]:

$$H_9C_4-B[N(CH_3)_2]_2 + H_9C_4SH \xrightarrow{-HN(CH_3)_2} (H_9C_4S)(H_9C_4)B-N(CH_3)_2$$

Wird Bis[dimethylamino]-phenyl-boran mit 2-Aminothiophenol in Hexan umgesetzt, so erhält man *2-Phenyl-2,3-dihydro-⟨benzo-1,3,2-oxazaborol⟩* (68%)[5]:

$$H_5C_6-B[N(CH_3)_2]_2 + C_6H_4(SH)(NH_2) \xrightarrow[-2\ HN(CH_3)_2]{\text{Hexan, 5 Stdn., Rückfluß}} C_6H_4(S)(NH)B-C_6H_5$$

[1] K. Hennemuth, A. Meller u. M. Wojnowska, Z. anorg. Ch. **489**, 47 (1982).
[2] R.H. Cragg u. T.J. Miller, J. Organometal. Chem. **232**, 201 (1982); **243**, 387 (1983).
[3] R. Jefferson, M.F. Lappert, B. Prokai u. B.P. Tilley, Soc. [A] **1966**, 1584; C.A. **66**, 37988 (1967).
[4] H. Nöth u. P. Fritz, Z. anorg. Ch. **324**, 129 (1963).
[5] US.P. 3009972 (1959), Monsanto Chemical Co., Erf.: W. K. Johnson; C.A. **56**, 8559 (1962).

Amino-aminothiocarbonylthio-phenyl-borane entstehen aus Diamino-phenyl-boranen durch Einschub von Dithiomethan in eine der beiden BN-Bindungen. Man erhitzt die Reaktanden im Verhältnis 1:1 3 Stdn. am Rückfluß[1].

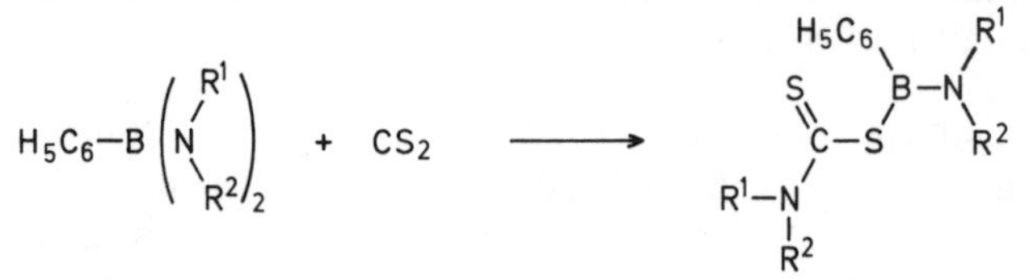

$$H_5C_6-B(NR^1R^2)_2 + CS_2 \longrightarrow R^1R^2N-C(=S)-S-B(C_6H_5)-NR^1R^2$$

$R^1 = H$; $R^2 = C_2H_5$; *Ethylamino-(ethylamino-thiocarbonylthio)-phenyl-boran;* 49%; F: 130–132°
$R^1 = R^2 = C_2H_5$; *Diethylamino-(diethylamino-thiocarbonylthio)-phenyl-boran;* 70%; F: 98–100°

ζ) aus Lewisbase-Boranen

Die Thiolyse von Amino-Dihydro-phenyl-boran-Addukten mit Alkanthiolen (~ 2 Stdn., 50–100°) führt zu offenkettigen Alkylthio-amino-phenyl-boranen[2]:

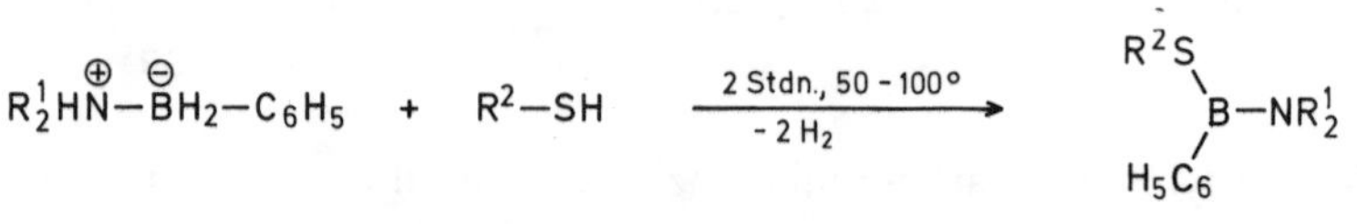

$$R^1_2H\overset{\oplus}{N}-\overset{\ominus}{B}H_2-C_6H_5 + R^2-SH \xrightarrow[-2\,H_2]{2\text{ Stdn., }50-100°} (R^2S)(H_5C_6)B-NR^1_2$$

$R^1 = CH_3$; $R^2 = C_3H_7$; *Dimethylamino-phenyl-propylthio-boran;* 56%; $Kp_{1,5}$: 86–90°
$R^1 = C_2H_5$; $R^2 = C_3H_7$; *Diethylamino-phenyl-propylthio-boran;* 75%; Kp_2: 103–105°
$R^1 = C_2H_5$; $R^2 = C_4H_9$; *Butylthio-diethylamino-phenyl-boran;* 78%; Kp_2: 111–114°

2. Amino-organo-1,3,2-diborathiane

Fünfgliedrige Cyclen der 1-Amino-1,3-diorgano-3-oxy-diborathiane erhält man z.B. aus 3,5-Dimethyl-1,2,4,3,5-trithiadiborolan mit N-Methylhydroxylamin unter Abspaltung von Disulfan[3]; z.B.:

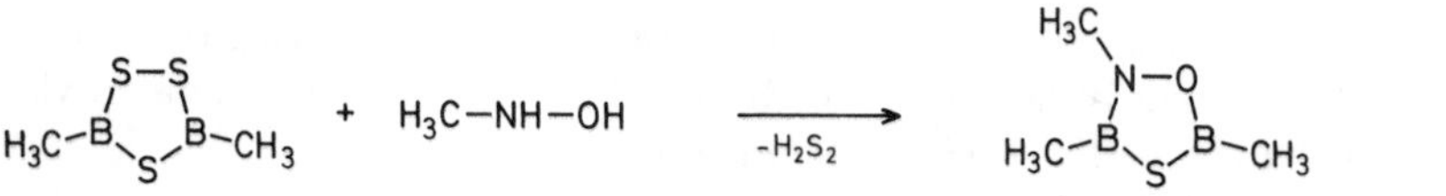

$$H_3C-B(S-S)(S)B-CH_3 + H_3C-NH-OH \xrightarrow{-H_2S_2} H_3C-B(N(CH_3)-O)(S)B-CH_3$$

2,4,5-Trimethyl-1,3,5,2,4-oxa-thiaazadiborolidin; Kp_{74}: 59°

Aus der Reihe der 1,3-Diamino-1,3-diorgano-diborathiane sind ausschließlich fünfgliedrige und sechsgliedrige Ringe bekannt:

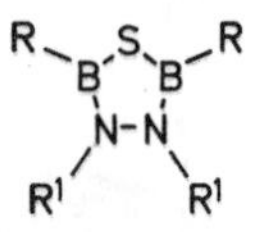

1,3,4,2,5-Thiadiaza-diborolidine

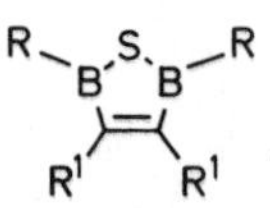

2,5-Dihydro-1,2,5-thia-diborole

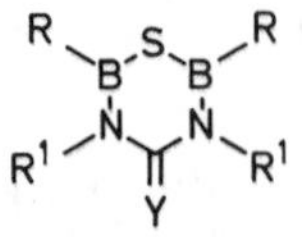

Y = O,S; 4-Oxo(Thiono)-1,3,5,2,6-thiadiazadiborinane

[1] R.H. Gragg, M.F. Lappert, H. Nöth, P. Schweizer u. B.P. Tilley, B. **100**, 2377 (1967); C.A. **67**, 73637 (1967).
[2] B.M. Mikhailov u. V.A. Dorokhov, Izv. Akad. SSSR **1962**, 1213; C.A. **58**, 5707 (1963).
[3] D. Nölle, Dissertation, Universität München 1975.

Die Herstellung der Verbindungen erfolgt aus bestimmten Halogenboranen durch Substitution der Halogene mit Amino-Resten sowie aus verschiedenen Thioboranen durch Thiolyse, Aminolyse oder Hydrazinolyse.

1,3-Diamino-1,3-diorgano-diborathiane sind aus 1,3-Dihalogen-1,3-diorgano-diborathianen mit Aminen durch Halogen-Substitution zugänglich. Beispielsweise wird das B-Halogen in 2,5-Dihydro-1,2,5-thiadiborolen durch Dimethylamino-Reste substituiert[2]. So erhält man z. B. aus 3,4-Diethyl-2,5-dijod-2,5-dihydro-1,2,5-thiadiborol mit Dimethylamin in Benzol unter Abscheiden von Dimethylammoniumjodid das *2,5-Bis[dimethylamino]-3,4-diethyl-2,5-dihydro-1,2,5-thiadiborol* in 74%iger Ausbeute[1]:

J–B(S)B–J (H_5C_2, C_2H_5) + 4 $HN(CH_3)_2$ $\xrightarrow[-2\ [(H_3C)_2NH_2]^{\oplus}J^{\ominus}]{\text{Benzol}}$ $(H_3C)_2N$–B(S)B–$N(CH_3)_2$ (H_5C_2, C_2H_5)

2,5-Bis[dimethylamino]-3,4-diethyl-2,5-dihydro-1,2,5-thiadiborol[1]: In eine Lösung von 1,4 g (3,6 mmol) 3,4-Diethyl-2,5-dijod-2,5-dihydro-1,2,5-thiadiborol in 30 *ml* Benzol werden 0,65 g (14 mmol) Dimethylamin unter Eiskühlung einkondensiert. Das gebildete Dimethylammoniumjodid wird abfiltriert, das Lösungsmittel abgezogen und der Rückstand bei 80° (0,01 Torr) sublimiert; Ausbeute: 0,6 g (74%); F: 76–77°.

Aus 3,5-Diorgano-1,2,4,3,5-trithiadiborolanen erhält man mit 1,2-Diorganohydrazinen und mit Hydrazinen unter Substitution der 1,2-Dithia-Brücke 1,3,4,2,5-Thiadiazadiborolidine[2,3]:

R–B(S)B–R (S–S) + H_3C–NH–NH–CH_3 $\xrightarrow{-H_2S_2}$ R–B(S)B–R (N–N; H_3C, CH_3)

3,4-Dimethyl-2,5-diphenyl-1,3,4,2,5-thiadiazadiborolidin[3]: Zu 1,95 g (7,2 mmol) 3,5-Diphenyl-1,2,4,3,5-trithiadiborolan in 20 *ml* Benzol werden 0,43 g (7,2 mmol) 1,2-Dimethylhydrazin in 20 *ml* Benzol gegeben. Nach 16stdgm. Erhitzen am Rückfluß ist die Hydrogendisulfan-Entwicklung beendet. Durch Abkühlen der Lösung kristallisiert das Thiadiazadiborolan. Man filtriert, wäscht mit Hexan nach und kristallisiert um; Ausbeute: 1,69 g (81%); F: 168–170°.

2,3,4,5-Tetramethyl-1,3,4,2,5-thiadiazadiborolidin (Kp_{11}: 79°) ist in 69%iger Ausbeute aus 3,5-Dimethyl-1,2,4,3,5-trithiadiborolan mit 1,2-Dimethylhydrazin zugänglich[4]. Die doppelte Menge 3,5-Dimethyl-1,2,4,3,5-trithiadiborolidin reagiert mit wasserfreiem Hydrazin unter Bildung eines bicyclischen Borans[4]:

2 H_3C–B(S)(S–S)B–CH_3 + N_2H_4 $\xrightarrow{-2\ H_2S_2}$ bicyclisches Boran (H_3C, CH_3, B–N–B, S, S, B–N–B, H_3C, CH_3)

2,4,6,8-Tetramethyl-3,7-dithia-1,5-diaza-2,4,6,8-tetrabora-bicyclo[3.3.0]octan

---

[1] W. SIEBERT, R. FULL, J. EDWIN u. K. KINBERGER, B. **111**, 823 (1978).

[2] F. RIEGEL, Dissertation, Universität Würzburg 1973.

[3] D. NÖLLE u. H. NÖTH, Z. Naturf. **27b**, 1425 (1972); C. A. **78**, 72264.

[4] D. NÖLLE, Dissertation, Universität München 1975.

Aus 3,5-Dimethyl-1,2,4,3,5-trithiadiborolan erhält man mit Harnstoff-Derivaten bzw. anderen Diamiden unter Substitution der 1,2-Disulfan-Brücke unter Ringerweiterung 4-Oxo-1,3,5,2,6-thiadiazadiborinane oder 1,3,5,4,2,6-Thiadiazastannadiborinane[1,2]:

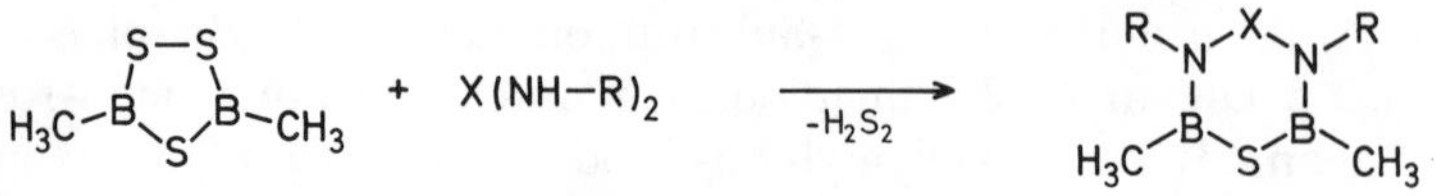

$$H_3C-B(S-S)(S)B-CH_3 + X(NH-R)_2 \xrightarrow{-H_2S_2} \text{R-N(X)N-R / } H_3C-B-S-B-CH_3$$

z. B.: X = CO; R = H; *2,6-Dimethyl-4-oxo-1,3,5,2,6-thiadiazadiborinan*; F: 106°
X = CS; R = H; *2,6-Dimethyl-4-thiono-1,3,5,2,6-thiadiazadiborinan*; $Kp_{0,01}$: 100°
X = $Sn(CH_3)_2$; R = CH_3; *Hexamethyl-1,3,5,4,2,6-thiadiazastannadiborinan*; F: 48°; Kp_5: 61°
X = $PS(C_6H_5)$; R = CH_3; *4-Phenyl-2,3,5,6-tetramethyl-1,3,5,4,2,6-thiadiazaphosphadiborinan-4-sulfid*

Aus 1,2-Bis[organo-organothio-boryl]hydrazinen (zugänglich aus Bis[organothio]-organo-boranen mit Hydrazinen) erhält man mit Dihydrogensulfan durch Ringschluß 1,3,4,2,5-Thiadiazadiborolidine[2-5]:

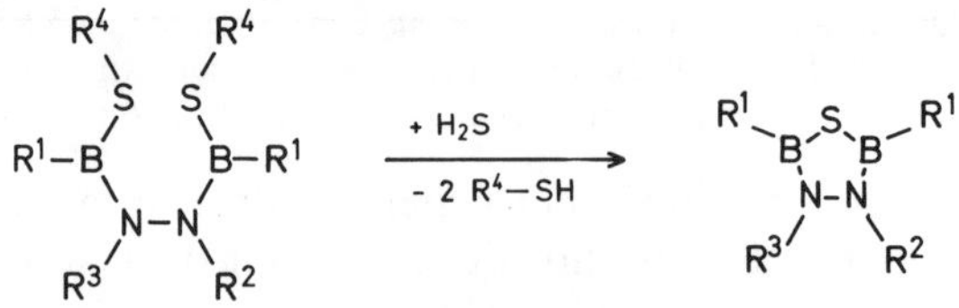

$$R^1-B(SR^4)-N(R^3)-N(R^2)-B(SR^4)-R^1 \xrightarrow[-2\,R^4-SH]{+H_2S} R^1-B(S)B-R^1 \text{ / } N(R^3)-N(R^2)$$

...-1,3,4,2,5-thiadiazadiborolidin

$R^1 = R^2 = R^3 = CH_3$: *Tetramethyl-...*[3,5]; 69%; Kp_{25}: 100°
$R^1 = R^3 = CH_3$; $R^2 = H$; *2,3,5-Trimethyl-...*[4]; Kp_4: 59°
$R^1 = CH_3$; $R^2 = H$; $R^3 = Si(CH_3)_3$; *2,5-Dimethyl-3-trimethylsilyl-...*[4]; Kp_1: 34°
$R^3 = B(CH_3)_2$; *2,5-Dimethyl-3-dimethylboryl-...*[4]; Kp_1: 33°; F: 40°
$R^1 = C_6H_5$; $R^2 = R^3 = CH_3$; *3,4-Dimethyl-2,5-diphenyl-...*[3]; 81%; F: 168–170°

Die Verbindungen bilden sich auch aus Gemischen von 1,2,4,5,3,6-Tetraazadiborinen mit 1,2,4,3,5-Trithiadiborolanen über BN/BS-Assoziate unter Schwefel-Abscheidung[6]:

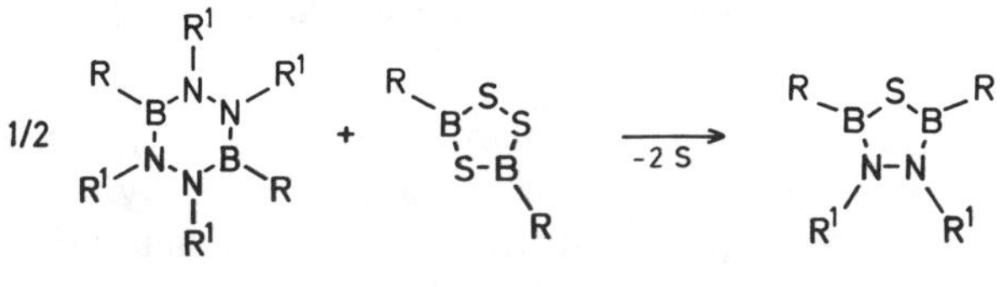

$$1/2\ (RB)_2(NR^1)_4 + R-B(S-S)(S)B-R \xrightarrow{-2\,S} R-B(S)B-R \text{ / } N(R^1)-N(R^1)$$

f) Organobor-Stickstoff-Selen-Verbindungen

Die Verbindungsklasse ist klein. Man kennt bisher nur Organobor-Derivate des 1,3,4,2,5-Selenadiazadiborolans. Die Herstellung erfolgt aus B-Organo-Derivaten des 1,2,4,3,5-Triselenadiborolans.

Aus äquimolaren Mengen 1,2,4,3,5-Triselenadiborolan (vgl. Bd. XIII/3a, S. 895) und 1,2-Dimethylhydrazin erhält man unter Substitution der Diselena-Brücke 1,3,4,2,5-Selenadiazadiborolidine[4,7]:

---

1 D. Nölle, H. Nöth u. T. Taeger, B. **110**, 1643 (1977).
2 D. Nölle, Dissertation, Universität München 1975.
3 D. Nölle u. H. Nöth, Z. Naturf. **27b**, 1425 (1972); C.A. **78** 72264 (1973).
4 F. Riegel, Dissertation, Universität Würzburg 1973.
5 W. Siebert, R. Full, J. Edwin u. K. Kinberger, B. **111**, 823 (1978).
6 H. Nöth, *Boron-Chemistry-4*, S. 109–118, Pergamon Press, New York 1980.
7 W. Siebert u. F. Riegel, B. **106**, 1012 (1073).

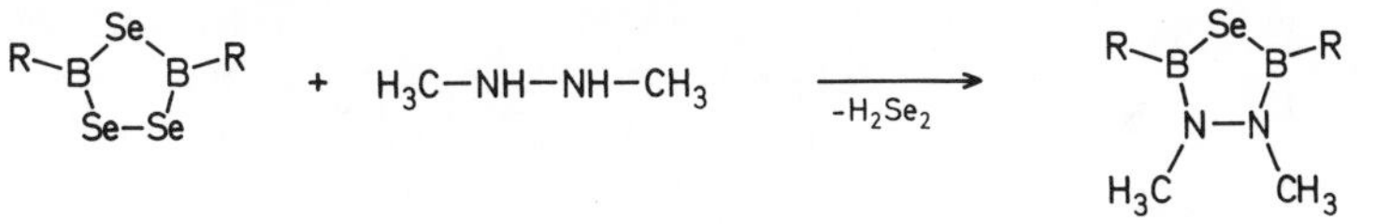

$$\text{R–B(Se)(Se–Se)B–R} + H_3C{-}NH{-}NH{-}CH_3 \xrightarrow[-H_2Se_2]{} \text{R–B(Se)(N(CH}_3\text{)–N(CH}_3\text{))B–R}$$

...-1,3,4,2,5-selenadiazaborolidin

R = CH_3; *Tetramethyl-...*[1]; 79%; $Kp_{0,1}$: 42°
R = C_3H_7; *3,4-Dimethyl-2,5-dipropyl-...*[1]; 75%; $Kp_{0,1}$: 62°

g) Organobor-Stickstoff-Stickstoff-Verbindungen

Zur Verbindungsklasse gehören offenkettige sowie cyclische Verbindungen mit der Atom-Gruppierung CBN_2. Borane mit BNB- und BNBN- sowie mit längerkettigen BN-Atom-Gruppierungen werden auf S. 290ff. besprochen. Die Herstellungsmethoden der offenkettigen und cyclischen Diamino-organo-borane im engeren Sinn (vgl. Tab. 46, S. 215) werden von denen der die offenkettigen und cyclischen Hydrazino-organo-borane (vgl. Tab. 59, S. 272) und der Alkylidenamino-organo-borane (vgl. Tab. 55, S. 254) getrennt besprochen. Außerdem gehören zur Verbindungsklasse dieses Abschnitts Acyl-amino-amino-organo- bzw. Amino-iminocarbonylamino-organo-borane (vgl. Tab. 56, S. 256), Amino-organo-ureido- (vgl. S. 261) sowie Bis[ureido]-organo-borane. Ferner zählen zahlreiche heteroatomhaltige RBN_2-Verbindungen zur Verbindungsklasse (vgl. S. 261ff.). Unter den cyclischen Diamino-organo-boranen werden sowohl Borane besprochen, deren NBN-Gruppierung Bestandteil des Rings ist (Typ A) oder die *exo*-cyclische Amino-Gruppe am Bor-Atom aufweisen (Typ B). Verbindungen des Typs A sind besonders eingehend untersucht worden (vgl. Tab. 46, S. 215).

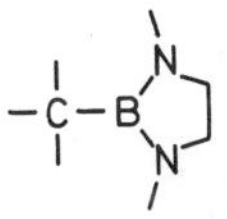

A 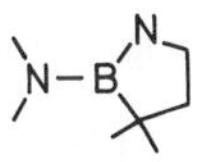 B

Einen allgemeinen Zugang zum Ringsystem A eröffnet die Cyclokondensation eines geeigneten Organoborans mit einem 1,2-Diamin:

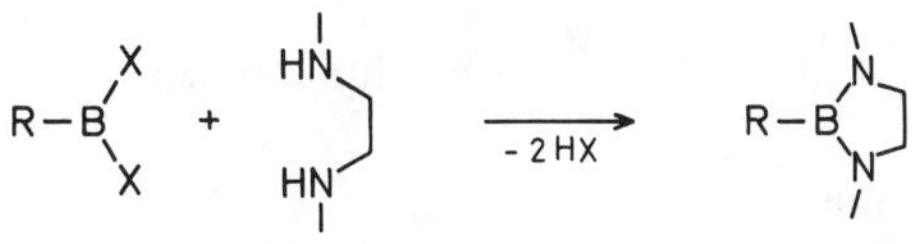

$$R{-}BX_2 + \text{HN–C–C–NH} \xrightarrow[-2\,HX]{} \text{R–B(N–C–C–N)}$$

X = R, H, Hal, OR^1, SR^1, NR^1_2

Anstelle der 1,2-Diamine als Kondensationskomponente können in Einzelfällen auch die entsprechenden N,N′-Dimetall-Derivate hilfreich sein.

Mit Vorteil als Kondensationskomponente einsetzbar sind auch Bis[*N*-lithioamino]-organo-borane, die mit geeigneten 1,2-Dichlor-Verbindungen unter milden Bedingungen zu Fünfringen kondensieren:

[1] W. Siebert u. F. Riegel, B. **106**, 1012 (1973).

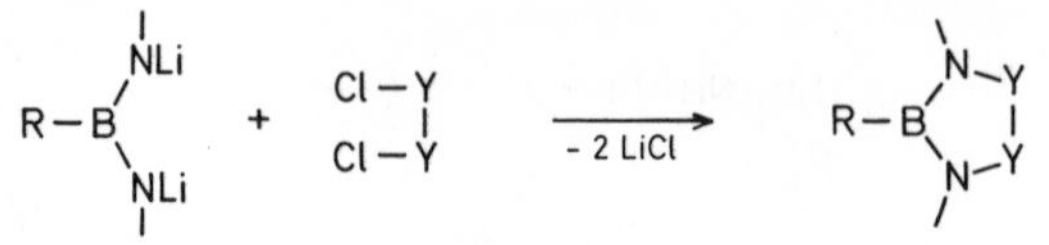

Schließlich gelangt man zu speziellen Fünfringboranen durch Substitutions-, Eliminierungs-, Umlagerungs- oder Ringverengungs-Reaktionen an entsprechenden borhaltigen Ringsystemen.

Die NBN-Gruppierung kann auch einem Sechsring angehören und die B-Organo-Gruppe *exo*-cyclisch stehen, oder aber eine NBC-Gruppierung gehört dem Ring an, und eine Amino-Gruppe steht *exo*-cyclisch.

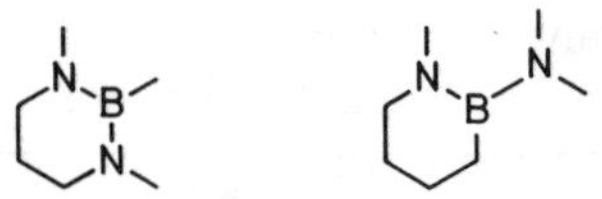

Die Synthesewege zu den sechsgliedrigen Ringen entsprechen denen der Fünfringborane. Der größte Teil aller bisher hergestellten Sechsringe mit NBN-Gruppierung wurde durch Cyclokondensation von Organoboranen des Typs RBX_2 mit 1,3-Diamino-Verbindungen erhalten, wobei die Palette der letzteren vom einfachen 1,3-Diaminopropan über aromatische Amine wie das 2-Aminobenzamid bis zu den 1,3-Diamino-Derivaten von Nichtcarbon-Dreierketten wie dem Disilazan reicht.

Die Kondensation von zwei Molekülen Organoboran(RBX_2) mit zwei Molekülen 1,2-Diorganohydrazin führt in die Reihe der Tetrazadiborinane. Weitere Möglichkeiten zum Sechringaufbau bestehen in der Cyclokondensation von drei- oder fünfkernigen Ketten, die entweder zwei kondensationsfähige Bor- oder Stickstoff-Atome an den Kettenenden tragen, mit geeigneten Kondensationsmitteln.

Eine untergeordnete Rolle für die Herstellung von Sechsringboranen spielen die intramolekulare Borylierung aromatischer Kerne, wie sie bei der Reaktion von Trichlorboran mit aromatischen Aminen auftreten kann, die Cycloaddition und die Substitution am Gerüst fertiger Sechsringborane.

1. Verbindungen mit RBN_2-Gruppierungen

Das Herstellungskapitel über RBN_2-Verbindungen wurde in folgende vier Hauptabschnitte unterteilt:

α) Diamino-organo-borane
β) RBN_2-Verbindungen mit mindestens einer Alkylidenamino-Gruppe am Bor-Atom
γ) Organobor-Stickstoff-Stickstoff-Verbindungen mit mindestens einer Carbonsäure- oder Kohlensäureamid-Funktion am Bor-Atom
δ) RBN_2-Verbindungen mit an mindestens einem N-Atom unmittelbar gebundenem Hetero-Atom

α) Diamino-organo-borane

Die Verbindungen (vgl. Tab. 46, S. 215) lassen sich aus Organoboranen(2) (vgl. Bd. XIII/3a, S. 7ff.), aus Triorganoboranen(3) sowie Halogenboranen und anderen Boranen(3) herstellen. Vielfach verwendet man als Edukte auch Borane mit vierfach koordinierten Bor-Atomen (vgl. S. 250ff.).

Tab. 46: Cyclische Diamino-organo-borane

Formel	Verbindungstyp	Herstellungsart	s. S.
a) B-Alkyl-Verbindungen			
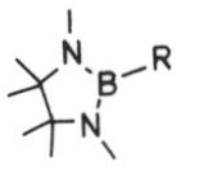 R = Alkyl	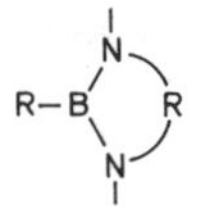	aus $R{-}BHal_2$ 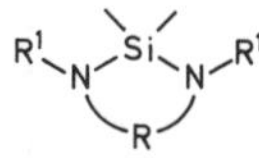 +	223
		aus $R^1{-}B(SR^2)_2 + H_2N{-}R{-}NH_2$	233
		aus R–B[N]$_2$ + $N_2N{-}R{-}NH_2$	237
R = CH_3		aus $R_2B{-}NH{-}R^{NH_2} + \Delta$	234
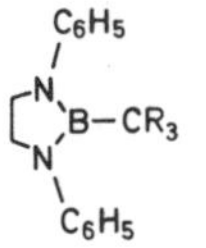 C_6H_5, B–CR_3, C_6H_5; R = $C(CH_3)_3$		aus R_3B 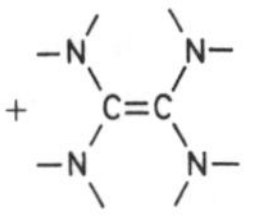 +	218
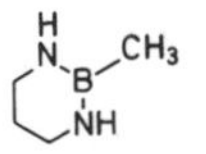 H, CH_3, NH	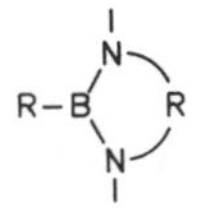	aus $R_3B + H_2N{-}R{-}NH_2$	218
		aus R–B[N]$_2$ + $H_2N{-}R{-}NH_2$	240
H, Alkyl, NH		aus R–B[N]$_2$ + $H_2N{-}R{-}NH_2$	240
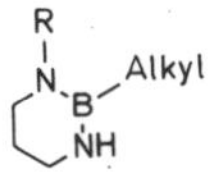 R, Alkyl, NH	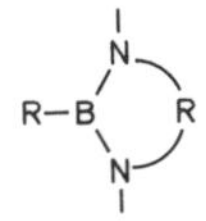	aus R–B[N]$_2$ + $H_2N{-}R{-}NH{-}R$	240
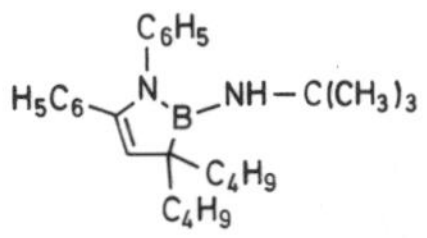 C_6H_5, H_5C_6, NH–$C(CH_3)_3$, C_4H_9, C_4H_9	R–B[N]$_2$	aus $R^1_2B{-}N{-}R_{en} + R^2{-}N{\equiv}C$	235
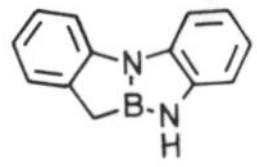	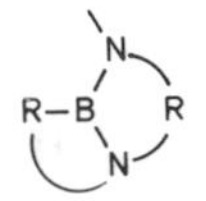	aus $(R{-}B^{Hal}O)_3 + H_2N{-}R{-}NH_2$	231
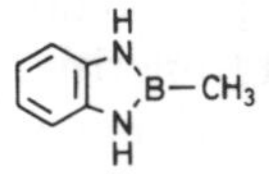 H, B–CH_3, H	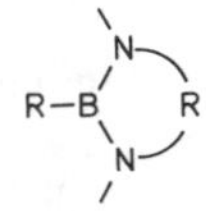	aus $R{-}B(OH)_2 + H_2N{-}Ar{-}NH_2$	224
		aus $R_3B + H_2N{-}Ar{-}NH_2$	217
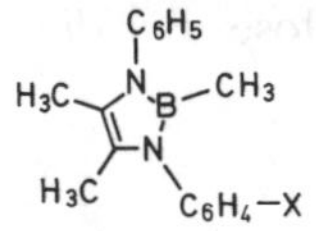 C_6H_5, H_3C, CH_3, H_3C, $C_6H_4{-}X$; X = H	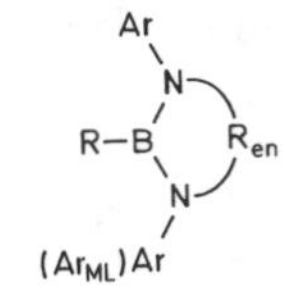 Ar, R_{en}, $(Ar_{ML})Ar$	R–BHal$_2$ + N=C–C=N	223
X = $Cr(CO)_3$		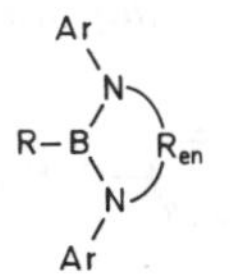 Ar, R–B, R_{en}, Ar	241
b) B-Aryl-Verbindungen			
H, Ar, NH, H		aus R–B[N]$_2$ + $H_2N{-}R{-}NH_2$	240

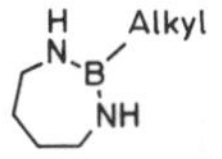

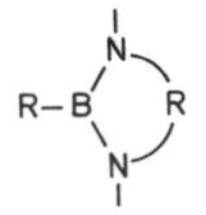

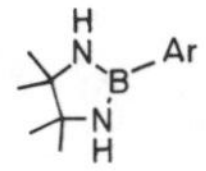

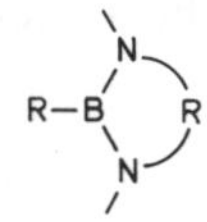

Tab. 46 (Fortsetzung)

Formel	Verbindungstyp	Herstellungsart	s. S.
H, N, B–Aryl, N, H	R–B(N)(N)R	aus R–B[N]$_2$ + H_2N–R–NH_2	240
R, N, B, Aryl, NH	R–B(N)(N)R	aus R–B[N]$_2$ + H_2N–R–NH_2	240
H, N, B–R, N, H R = Aryl	R–B(N)(N)Ar	aus R^1–$B(OR^2)_2$ + H_2N–Ar–NH_2	229
		aus 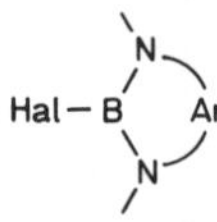 Hal–B(N)(N)Ar + R–MgHal	248
R = C_6H_5		aus $(R–BO)_3$ + H_2N–Ar–NH_2	229
		aus R–$BHal_2$ + H_2N–Ar–NH_2	222
		aus R–B[N]$_2$ + H_2N–Ar–NH_2	240
$(OC)_3Cr$, H, N, B–C_6H_5, N, H	R–B(N)(N)Ar^{ML}	aus R–B(N)(N)Ar, (borfern) + LML'	241 f.
c) B-Cyan-Verbindungen			
H, N, B–CN, N, H	R^N–B(N)(N)Ar	aus Hal–B(N)(N)Ar + AgCN	248

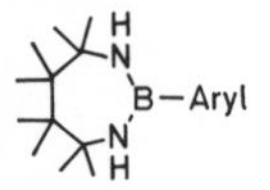

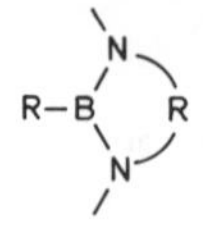

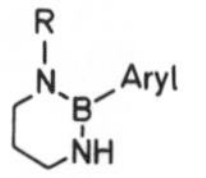

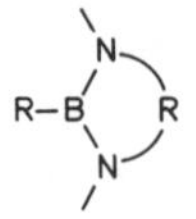

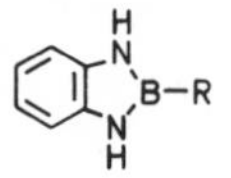

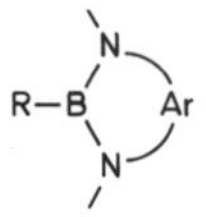

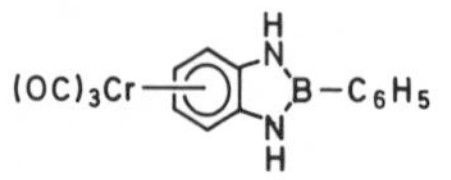

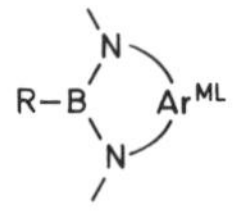

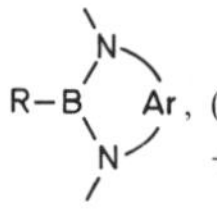

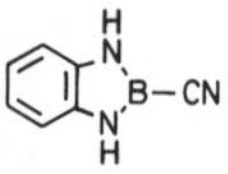

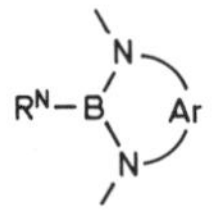

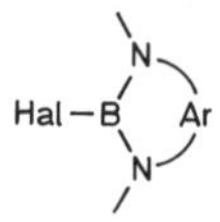

α_1) aus Imino-organo-boranen(2)

Bestimmte Borane mit der RBN_2-Atomgruppierung sind aus den kurzlebigen Imino-organo-boranen(2) (vgl. Bd. XIII/3a, S. 7ff.) präparativ zugänglich. Die leicht trimerisierenden Imino-organo-borane lassen sich mit Stickstoffbasen als 1:1-Additionsverbindungen abfangen. Beispielsweise erhält man aus dem intermediär gebildeten (4-Methoxyphenylimino)-(pentafluorphenyl)-boran mit Pyridin in Benzol das farblose *Pyridin-(4-Methoxyphenylimino)-(pentafluorphenyl)-boran*[1]:

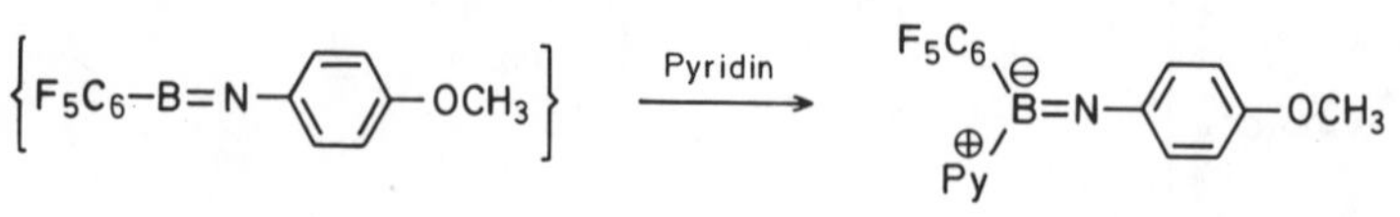

$$\{F_5C_6–B{=}N–C_6H_4–OCH_3\} \xrightarrow{\text{Pyridin}} (F_5C_6)(\overset{\oplus}{Py})\overset{\ominus}{B}{=}N–C_6H_4–OCH_3$$

Aus tert.-Butylamino-organo-boranen(2) lassen sich mit Phenylazid oder Trimethylsilylazid verschiedene Borane mit RBN_2-Gruppierung herstellen[2]; z.B.:

[1] P.I. Paetzold u. W.M. Simson, Ang. Ch. **78**, 825 (1966).
[2] P. Paetzold u. C. von Plotho, B. **115**, 2819 (1982).

$$R-B{=}N-C(CH_3)_3 \xrightarrow{+(H_3C)_3Si-N_3} R-B(N_3)-N(Si(CH_3)_3)-C(CH_3)_3$$

$$R-B{=}N-C(CH_3)_3 \xrightarrow{+H_5C_6-N_3} \text{R-B-Tetrazaborol mit } N\text{-}C(CH_3)_3 \text{ und } N\text{-}C_6H_5$$

R = C_2H_5, C_3H_7, C_4H_9

tert.-Butylimino-isopropyl-boran(2) trimerisiert zum *1,3,5-Tri-tert.-butyl-2,4,6-triisopropyl-1-azonia-3,5-diaza-2,6-dibora-4-borata-bicyclo[2.2.0]hexan*[1] (vgl. S. 343):

$$(H_3C)_2CH-B{=}N-C(CH_3)_3 \xrightarrow{\text{Hexan; }-78°\text{ bis }+20°} \text{Bicyclo[2.2.0]hexan (mit } (H_3C)_2CH, C(CH_3)_3, CH(CH_3)_2 \text{)}$$

α_2) aus Triorganoboranen

Die große solvolytische Stabilität der BC-Bindung bedingt, daß sich organische Reste im allgemeinen nur schlecht durch Amino-Gruppen substituieren lassen. Lediglich die Bor-Vinyl- und die Bor-Allyl-Bindung sind weniger solvolysestabil.

So verläuft die Aminierung von Triallylboran mit Aminen sehr leicht unter Propen-Abspaltung zum Allyl-diamino-boran. Setzt man z.B. 1 mol Boran mit 2 mol Butylamin bei −15 bis 0° um, so erhält man das *Allyl-bis[butylamino]-boran* (Kp_1: 60°)[2]:

$$(H_2C{=}CH{-}CH_2)_3B \quad + \quad 2\,H_9C_4{-}NH_2 \quad \xrightarrow[-2\,C_3H_6]{} \quad H_2C{=}CH{-}CH_2{-}B(NH{-}C_4H_9)_2$$

Aus Triorganoboranen lassen sich mit den entsprechenden Diamino-alkanen oder -arenen auch cyclische Diamino-organo-borane (vgl. Tab. 46, S. 215) herstellen. Erhitzt man z.B. Trimethylboran mit 1,2-Diaminobenzol im Verhältnis 1:1 ~10 Stdn. im Einschlußrohr auf 280–310°, so werden 1,5–2 mol Methan abgespalten. Aus dem festen Reaktionsprodukt kann durch fraktionierende Sublimation i.Hochvak. *2-Methyl-2,3-dihydro-1H-⟨benzo-1,3,2-diazaborol⟩* (59%; F: 94°) gewonnen werden[3]:

$$(H_3C)_3B \quad + \quad C_6H_4(NH_2)_2 \quad \xrightarrow[-2\,CH_4]{} \quad C_6H_4(NH)_2B{-}CH_3$$

Die Aminierung von Trimethylboran mit 1,3-Diaminopropan im Verhältnis 1:1 gelingt unter Methan-Abspaltung im Bombenrohr bei 300–350°. Bei 300° spaltet die erste Hälfte Methan ab. Das Zwischenprodukt *(3-Aminopropylamino)-dimethyl-boran* (Kp: 153°)

[1] C. von PLOTHO u. P. PAETZOLD, Technische Hochschule Aachen, unveröffentlicht 1982.
[2] J.P. LAURENT u. R. HARAN, Bl. **1964**, 2448; C.A. **63**, 471 (1965).
[3] D. ULMSCHNEIDER u. J. GOUBEAU, B. **90**, 2733 (1957).

läßt sich isolieren. Beim weiteren Erhitzen auf 350° für 5 Stdn. erhält man die zweite Hälfte an Methan[1].

$$(H_3C)_3B + H_2N-(CH_2)_3-NH_2 \xrightarrow{-CH_4} (H_3C)_2B-NH-(CH_2)_3-NH_2 \xrightarrow{-CH_4}$$

2-Methyl-1,3,2-diazaborinan; 43%; Kp: 132°

Eine mit einer Ringkontraktion einhergehende dyotrope Umlagerung zu cyclischen Diamino-organo-boranen (vgl. Tab. 46, S. 215) ist vermutlich der letzte Teilschritt einer Reaktionsfolge, die man beim Vereinen von Trialkylboranen mit 1,1′,3,3′-Tetraphenyl-2,2′-bi-imidazolidinyliden im Eintopfverfahren durchführen kann. Man legt eine Suspension der Amin-Base in siedendem Toluol vor und tropft langsam das Trialkylboran in Toluol zu. Im Falle des flüchtigen Trimethylborans leitet man dieses im Stickstoffstrom in die Lösung ein. Man erhitzt weiter, bis die Lösung farblos wird, und kristallisiert nach Abziehen des Lösungsmittels den viskosen Rückstand aus Methanol um[2,3]:

$$2\ R_3B + \ldots \longrightarrow 2\ \ldots \longrightarrow 2\ \ldots \longrightarrow 2\ \ldots$$

...-1,3,2-diazaborolidin

$R=CH_3$; *2-tert.-Butyl-1,3-diphenyl-...*; 86%; F: 35–37°
$R=C_4H_9$; *2-(1,1-Dibutylpentyl)-1,3-diphenyl-...*; 95%; F: 64–65°
$R=CH_2-C_6H_5$; *2-(1,1-Dibenzyl-2-phenyl-ethyl)-1,3-diphenyl-...*; 90%; F: 97–99°

α_3) *aus Dihydro-organo-boranen*

Die Umsetzung eines Dihydro-organo-borans mit der doppelten Menge eines sek. Amins liefert im allgemeinen unter Wasserstoff-Abspaltung glatt das entsprechende Diamino-organo-boran. Anstelle von 1,2-Diorganodiboranen(6) setzt man auch Triorganoamin- bzw. Diorganoamin-Dihydro-organo-borane ein. Im letzteren Falle wird nur die einfache Menge sekundären Amins benötigt (vgl. S. 251).

Zur Umsetzung wird das Boran in Diglyme gelöst und Diethylamin bei 100° zugetropft. Unter Wasserstoff- und Trimethylamin-Entwicklung steigt die Temp. auf 150°. Nach dem Abkühlen wird destillativ aufgearbeitet.

Dagegen erhält man aus Ethyldiboran(6) mit Carbazol in Isopropylcyclohexan bei 90° nur zu 12% *Dicarbazolo-ethyl-boran* (F: 185°). Als Hauptprodukt (24%) entsteht das *Carbazolo-diethyl-boran*[4] (s. S. 21).

Zur Herstellung von Diamino-organo-boranen aus Dihydro-organo-boranen mit 1,2-Diaminen werden zweckmäßigerweise die Dihydro-organo-borane in Form ihrer Addukte mit Aminen umgesetzt (vgl. S. 485ff.).

α_4) *aus Dihalogen-organo-boranen*

Die Substitution beider Halogen-Atome der Dihalogen-organo-borane durch Amino-Gruppen eröffnet einen breiten Zugang zu Diamino-organo-boranen, sowohl für ge-

[1] J. GOUBEAU u. A. ZAPPEL, Z. anorg. Ch. **279**, 38 (1955); C. A. **49**, 2276 (1955).
[2] G. HESSE u. A. HAAG, Tetrahedron Letters **1965**, 1123; C. A. **63**, 16287 (1965).
[3] R. HEMMING u. D. G. JOHNSTON, Soc. **1964**, 466.
[4] H. BELLUT u. R. KÖSTER, A. **738**, 86 (1970).

sättigte, ungesättigte, cyclische und acyclische organische Substituenten. Setzt man primäre oder sekundäre Amine als Aminierungsmittel ein, so wird das freiwerdende Hydrogenhalogenid mit einem Überschuß des Aminierungsmittels abgefangen, wenn dieses wirtschaftlich ist, ansonsten fügt man ein tertiäres Amin als Abfangmittel zu. Werden dagegen die unter milden Bedingungen wirksamen Silylamine oder Alkalimetallamide als Aminierungsmittel eingesetzt, so wird kein Abfangmittel benötigt.

$\alpha\alpha_1$) mit prim. oder sek. Aminen

Symmetrische Alkyl-bis[dialkylamino]-borane sind in glatter Reaktion durch Aminolyse von Alkyl-dihalogen-boranen mit überschüssigem Amin zugänglich[1–6]:

$$R^1{-}BHal_2 \;+\; 4\,HNR^2_2 \xrightarrow[-\,2\,[R^2_2NH_2]^+\,Hal^-]{} R^1{-}B(NR^2_2)_2$$

Hal = Cl, Br

Bis[dimethylamino]-methyl-boran[1]: 25,4 g (0,137 mol) Dibrom-methyl-boran werden unter Rühren und Kühlung mit einer Eis-Kochsalz-Mischung vorsichtig in 300 *ml* Ether gelöst und dann sofort mit 40 g (0,888 mol) Dimethylamin umgesetzt. Mit fortschreitender Reaktion scheiden sich Kristalle von Dimethylammoniumbromid aus. Die Suspension wird 1 Stde. am Rückfluß erhitzt, danach der Niederschlag abgetrennt (G3-Fritte) und mit Ether gewaschen. Das Filtrat wird destillativ aufgearbeitet; Ausbeute: 14,8 g (98,4%); Kp_{15}: 29–32°.

Zur Herstellung von *Bis[dimethylamino]-vinyl-boran* (65%; Kp_9: 29°) geht man von einer etherischen Dibrom-vinyl-boran-Lösung aus und leitet bei −15° Dimethylamin ein. Nach Ausfallen eines gelben Feststoffes wird die Kühlung entfernt, weiterer Ether zugefügt und solange Amin eingeleitet, bis die exotherme Reaktion beendet ist[2]. Dasselbe Produkt erhält man auch aus Dichlor-vinyl-boran mit Dimethylamin in Pentan bei −10°. Auf analoge Weise läßt sich aus Dichlor-propenyl-boran in 60%iger Ausbeute *Bis[dimethylamino]-propenyl-boran* (Kp_{17}: 42,5°) herstellen[2]:

$$R^1{-}CH{=}CH{-}BHal_2 \;+\; 4\,R^2_2NH \xrightarrow[-\,2\,[R^2_2NH_2]^+\,Hal^-]{} R^1{-}CH{=}CH{-}B(NR^2_2)_2$$

Hal = Cl, Br

Im Falle der Aminierung von Dichlor-(pentamethylcyclopentadienyl)-boran mit Dimethylamin hat sich Trimethylamin als Abfangmittel bewährt. *Bis[dimethylamino]-(pentamethylcyclopentadienyl)-boran* entsteht in 73%iger Ausbeute[3]. Setzt man wenig flüchtige Amine als Aminierungsmittel ein, so kann in einigen Fällen ohne Gegenwart eines Abfangmittels gearbeitet werden. Beispielsweise erhält man *Dianilino-vinyl-boran* ($Kp_{0,1}$: 136–138°; F: 35–37°) aus Dichlor-vinyl-boran mit der doppelten Menge Anilin durch Erhitzen der Komponenten am Rückfluß[4,5].

Besonders geeignet ist die Aminierung von Bor-Halogen-Funktionen zur Herstellung von Aryl-diamino-boranen. Beim Einsatz prim. Amine können Borazine (vgl. S. 338) gebildet werden[6].

$$Ar{-}BHal_2 \;+\; 4\text{-}R^1{-}NH{-}R^2 \xrightarrow[-\,2\,[R^1{-}NH_2{-}R^2]^+\,X^-]{} Ar{-}B(NR^1R^2)_2$$

Hal = Cl, Br

[1] H. NÖTH u. P. FRITZ, Z. anorg. Ch. **322**, 297 (1963); C.A. **59**, 8773 (1963).
[2] J. BRAUN u. H. NORMANT, Bl. **1966**, 2557; C.A. **66**, 2608 (1967).
[3] P. JUTZI u. A. SEUFERT, Ang. Ch. **89**, 44 (1977).
[4] G.C. BROWN, B.E. DEUTERS, W. GERRARD u. D.B. GREEN, Chem. & Ind. **1965**, 1634.
[5] G.C. BROWN, B.E. DEUTERS u. W. GERRARD, J. appl. Chem. **15**, 372 (1965); C.A. **64**, 6769 (1966).
[6] J.E. BURCH, W. GERRARD u. E.F. MOONEY, Soc. **1962**, 2200.

Tab. 47: Alkyl-diamino-borane aus Alkyl-dihalogen-boranen mit Aminen

R–BX₂		Amin	Bedingungen	Produkte	Ausbeute	Kp		Literatur
X	R				[%]	[°C]	[Torr]	
Br	CH_3	$H_2N–CH_3$	Boran in Pentan bei –60° zu Amin in Ether tropfen	*Bis[methylamino]-methyl-boran*	42	52	20	1
		$H_2N–CH(CH_3)_2$	(wie oben)	*Bis[isopropylamino]-methyl-boran*	61	134	718	2
		[a]	Pentan als Lsgm., $N(C_2H_5)_3$ als Hilfsbase	*Bis[3-butenylamino]-methyl-boran*	29	48–52	0,01	3
Cl	C_2H_5	$HN(CH_3)_2$	Boran in Pentan bei –60° zu Amin in Ether tropfen	*Bis[dimethylamino]-ethyl-boran*	88,7	33–35	10	4
	C_3H_7	$H_2N–C_4H_9$	Hexan als Lsgm.	*Bis[butylamino]-propyl-boran*	10	110–111	10	5
		$HN(CH_3)_2$	Petrolether (Kp: 60–80°) als Lsgm.	*Bis[dimethylamino]-propyl-boran*	87	45–48	11	4
		$HN(C_2H_5)_2$	1 Stde. bei 20° in Hexan	*Bis[diethylamino]-propyl-boran*	71	97–97,5	18	6
	C_4H_9	$H_2N–CH_3$	Boran in Pentan bei –60° zu Amin in Ether tropfen	*Bis[methylamino]-butyl-boran*	50	48	10	1
	[b]	$H_2N–C_6H_5$	Ether als Lsgm. bei –40°	*Dianilino-(3-methyl-butyl)-boran*	46,6	142–143	0,07	7
		$HN(C_2H_5)_2$	Ether als Lsgm. bei –40°	*Bis[diethylamino]-(3-methylbutyl)-boran*	50	103–104	9	7

[a] $H_2N–(CH_2)_2–CH=CH_2$
[b] $CH_2–CH_2–CH(CH_3)_2$

[1] H. Nöth u. G. Abeler, B. **101**, 969 (1968).
[2] H. Nöth, B. **104**, 558 (1971).
[3] H. Wille u. J. Goubeau, B. **105**, 2156 (1972).
[4] H. Nöth u. P. Fritz, Z. anorg. Ch. **322**, 297 (1963); C. A. **59**, 8773 (1963).
[5] B. M. Mikhailov u. T. K. Kozminskaya, Ž. obšč. Chim. **30**, 3619 (1960); C. A. **55**, 20921 (1961).
[6] B. M. Mikhailov u. T. K. Kozminskaya, Izv. Akad. SSSR **1962**, 256; engl.: 597; C. A. **57**, 16641 (1962).
[7] B. M. Mikhailov u. T. K. Kozminskaya, Doklady Akad. SSSR **121**, 656 (1958); C. A. **53**, 1209 (1959).

Tab. 48: Aryl-diamino-borane aus Aryl-dichlor-boranen mit Aminen

$Ar-BHal_2$	HNR^1R^2		Bedingungen	Produkt	Ausbeute	Kp		Literatur
	R^1	R^2			[%]	[°C]	[Torr]	
$H_5C_6-BCl_2$	H	CH_3	nach allgemeiner Vorschrift, S. 222	*Bis[methylamino]-phenyl-boran*	43	106–107	16	1
		C_2H_5		*Bis[ethylamino]-phenyl-boran*	70	106–108	10	1,2
		C_3H_7		*Bis[propylamino]-phenyl-boran*	73	134–135	11	1
		$CH(CH_3)_2$		*Bis[isopropylamino]-phenyl-boran*	68	109	10	1,3
		$CH_2-CH(CH_3)_2$		*Bis[isobutylamino]-phenyl-boran*	60	80–81	0,1	1,4
		C_6H_5	bei ~20° in Benzol	*Dianilino-phenyl-boran*	55	(F: 83,5–85,5°)		2
	CH_3	CH_3	in Ether bei –20°	*Bis[dimethylamino]-phenyl-boran*	76	95	3	5
			in Hexan bei –78°; Boran-Lsg. zur Amin-Lsg. geben		87,5	59	3	6
	C_2H_5	C_2H_5	in Hexan bei –78°; Boran-Lsg. zur Amin-Lsg. geben	*Bis[diethylamino]-phenyl-boran*	72	70	2	6
	CH_3	C_6H_5	–	*Bis[N-methylanilino]-phenyl-boran*	–	82	0,3	7
$H_5C_2-C_6H_4-BCl_2$	H	$CH=CH-CH_3$	in Benzol bei –10°	*Bis[propenylamino]-(4-ethylphenyl)-boran*	–	122–124	1	8
$C_6H_4(CH_2-Br)(BCl_2)$	CH_3	CH_3	10facher Amin-Überschuß bei 20°	*Bis[dimethylamino]-(2-dimethylamino-methyl-phenyl)-boran*	60	75	0,4	9
Fe(C_5H_5)($C_5H_4-BCl_2$)	CH_3	CH_3	im verschlossenen Kolben in Hexan bei –96° bis –78°	*Bis[dimethylamino]-ferrocenyl-boran*				10

[1] J.E. Burch, W. Gerrard u. E.F. Mooney, Soc. **1962**, 2200.
[2] B.M. Mikhailov u. P.M. Aronovich, Izv. Akad. SSSR **1957**, 1123; C.A. **52**, 6238 (1958).
[3] J.C. Lockhart u. J.R. Blackborow, Soc. [A] **1971**, 1343.
[4] J.A. Semlyen u. P.J. Flory, Soc. [A] **1966**, 191; C.A. **64**, 9751 (1966).
[5] H. Nöth, S. Lukas u. P. Schweizer, B. **98**, 962 (1965).
[6] K. Niedenzu, H. Beyer u. J.W. Dawson, Inorg. Chem. **1**, 738 (1962).
[7] P.A. Barfield, M.F. Lappert u. J. Lee, Soc. [A] **1968**, 554.
[8] G.C. Brown, B.E. Deuters u. W. Gerrard, J. appl. Chem. **15**, 372 (1965); C.A. **64**, 6769 (1966).
[9] M. François, C.r. [C] **262**, 1092 (1966).
[10] J.C. Kotz u. E.W. Post, Inorg. Chem. **9**, 1661 (1970).

Bis[alkylamino]-phenyl-borane[1]: Die 4fach molare Menge Alkylamin wird zu einer Lösung von 50 g (0,315 mol) Dichlor-phenyl-boran in 250 *ml* Ether getropft. Vom entstehenden Alkylammoniumchlorid wird abfiltriert und aus dem Filtrat das Bis[alkylamino]-phenyl-boran herausdestilliert. Im Falle flüchtiger Amine (z. B. Methylamin und Ethylamin) werden diese bei −78° in die ether. Lösung des Dichlor-phenyl-borans einkondensiert.

Bis[dimethylamino]-(pentamethylcyclopentadien-5-yl)-[2,3] sowie *Bis[dimethylamino]-(trimethylsilylcyclopentadien-5-yl)-boran*[4,5] sind aus den entsprechenden Dihalogen-organo-boranen (Halogen = Chlor, Brom) mit Dimethylamin in Pentan zugänglich; z.B.:

$$\text{(CH}_3)_5\text{C}_5\text{-BCl}_2 + 4\ HN(CH_3)_2 \xrightarrow[-2\ [(H_3C)_2NH_2]\,Cl]{\text{Pentan}} (CH_3)_5C_5\text{-}B[N(CH_3)_2]_2$$

Bis[dimethylamino]-(pentamethylcyclopentadien-5-yl)-boran[2,3]: Bei −30° gibt man zu 2,7 g (59 mmol) Dimethylamin in 25 *ml* Pentan 3,2 g (15 mmol) Dichlor-(pentamethylcyclopentadien-5-yl)-boran in 20 *ml* Pentan. Nach Abfiltrieren von Ammonium-Salz wird i. Vak. fraktioniert; Ausbeute: 1,8 g (52%) (farblose, viskose Flüssigkeit); $Kp_{0,05}$: 74°.

$\alpha\alpha_2$) mit Diaminen

Durch Kondensation von Dichlor-phenyl-boran mit äquimolaren Mengen 1,2-Diaminobenzol in siedendem Benzol erhält man innerhalb 8 Stdn. unter Hydrogenchlorid-Entwicklung das *2-Phenyl-2,3-dihydro-1H-⟨benzo-1,3,2-diazaborol⟩* (F: 204–206°, aus Benzol oder Petrolether)[6]:

$$H_5C_6-BCl_2 + C_6H_4(NH_2)_2 \xrightarrow{-2\ HCl} C_6H_4(NH)_2B-C_6H_5$$

Die Aminierung von Dichlor-phenyl-boran mit 1,8-Diaminonaphthalin führt unter zweifacher Hydrogenchlorid-Abspaltung in guten Ausbeuten zum *2-Phenyl-2,3-dihydro-1H-⟨naphtho[1,8-d,e]-1,3,2-diazaborin⟩* (64%; F: 93,5°). Äquimolare Mengen an Boran und Diamin werden 3 Stdn. in Benzol am Rückfluß erhitzt, nach Abziehen des Lösungsmittels wird der feste Rückstand durch Sublimation im Hochvak. gereinigt[7].

$$H_5C_6-BCl_2 + C_{10}H_6(NH_2)_2 \xrightarrow{-2\ HCl} C_{10}H_6(NH)_2B-C_6H_5$$

Die vorteilhafte Verwendung von Natriumamiden ist auf besondere Amine wie z.B. auf Pyrrol und seine Derivate beschränkt. Aus Dichlor-ethyl-boran erhält man z.B. mit Natriumpyrrolidid im Molverhältnis 1:2,5 in Benzol bei sofortiger Destillation *Dipyrrolo-ethyl-boran* (57%; $Kp_{0,1}$: 73°)[8].

---

[1] J.E. Burch, W. Gerrard u. E.F. Mooney, Soc. **1962**, 2200.
[2] P. Jutzi u. A. Seufert, Ang. Ch. **89**, 44 (1977); engl. **16**, 41 (1977).
[3] P. Jutzi u. A. Seufert, B. **112**, 2481 (1979).
[4] P. Jutzi u. A. Seufert, J. Organometal. Chem. **169**, 327 (1979).
[5] P. Jutzi u. A. Seufert, J. Organometal. Chem. **169**, 357 (1979).
[6] M.J.S. Dewar, V.P. Kubba u. R. Pettit, Soc. **1958**, 3076.
[7] F.F. Caserio, Jr., J.J. Cavallo u. R.I. Wagner, J. Org. Chem. **26**, 2157 (1961).
[8] U. Wannagat, G. Eisele u. M. Schlingmann, Z. anorg. Ch. **429**, 83 (1977).

$\alpha\alpha_3$) mit Silylaminen

Anstelle von Alkalimetallamiden sind zur Herstellung von Diamino-organo-boranen aus Dihalogen-organo-boranen auch verschiedene Silylamine gut geeignet. Die Si–N-Bindung ist zwar weniger energiereich als die Li–N-Bindung, die Reaktionen verlaufen jedoch ebenfalls unter milden Temperaturbedingungen, z.B. in Dichlormethan. Trimethylsilylamino-, Bis[trimethylsilylamino]-, Trimethylsilylimino- sowie Bis[trimethylsilylimino]-Verbindungen lassen sich zur N-Borylierung ebenso gut verwenden wie Diamino-dimethyl-silane, aus denen im allgemeinen cyclische Diamino-organo-borane gewonnen werden. Nachfolgend werden ausgewählte Beispiele für die Variationsbreite der Methode angeführt.

Dichlor-phenyl-boran liefert mit der doppelten Stoffmenge Amino-trimethyl-silan in glatter Reaktion unter Chlor-trimethyl-silan-Abspaltung die entsprechenden Diamino-phenyl-borane; z.B. mit Diethylamino-trimethyl-silan bei −78° ohne Lösungsmittel *Bis[diethylamino]-phenyl-boran* (75%; $Kp_{0,001}$: 56°)[1].

Setzt man Dichlor-phenyl-amin mit einem fünfgliedrigen, cyclischen Diaminosilan um, so erhält man durch glatte Spaltung der Si–N-Bindungen einen Austausch von Silicium gegen Bor. Man vereinigt hierzu äquimolare Mengen des Borans und des 1,3,2-Diazasilolans bei 0° und spaltet thermisch Dichlor-dimethyl-silan ab; z.B.[2]:

$H_5C_6-BCl_2$ + 1,3-Diethyl-2,2-dimethyl-1,3,2-diazasilolidin $\xrightarrow{-(H_3C)_2SiCl_2}$ 1,3-Diethyl-2-phenyl-1,3,2-diazaborolidin

1,3-Diethyl-2-phenyl-1,3,2-diazaborolidin; 65%

$\alpha\alpha_4$) mit Bis-iminen/Alkalimetall

Die Reaktion von Dibrom-methyl-boran mit z.B. 2,3-Bis[phenylimino]butan verläuft zum isolierbaren 2-Brom-1,3-diphenyl-2,4,5-trimethyl-2H-1,3,2-diazoniaborol(1+)-bromid (vgl. S. 698)[3,4], das mit Natriumamalgam in Ether zum *1,3-Diphenyl-2,4,5-trimethyl-2,3-dihydro-1H-1,3,2-diazaborol* (51%; $Kp_{0,05}$: 112–115°) reduziert wird[4]. Diese Methode zur Herstellung von Diamino-organo-boranen wird im einzelnen bei den Teilreaktionen (vgl. S. 253, 698) besprochen:

H_3C-BBr_2 + 2,3-Bis[phenylimino]butan $\xrightarrow[93\ \%]{Ether}$ [2-Brom-1,3-diphenyl-2,4,5-trimethyl-diazoniaborol]$^+$ Br^- $\xrightarrow[-2\ NaBr]{+2\ Na(Hg)}$ 1,3-Diphenyl-2,4,5-trimethyl-2,3-dihydro-1H-1,3,2-diazaborol

---

[1] E.W. Abel, D.A. Armitage, R.P. Bush u. G.R. Willey, Soc. **1965**, 62.

[2] E.W. Abel u. R.P. Bush, J. Organometal. Chem. **3**, 245 (1965).

[3] L. Weber u. G. Schmid, Ang. Ch. **86**, 519 (1974).

[4] G. Schmid u. J. Schulze, B. **110**, 2744 (1977).

Auf analoge Weise erhält man aus Dibrom-methyl-boran mit Glyoxal-bis[tert.-butyl-imin] nach Reduktion mit Natriumamalgam *1,3-Di-tert.-butyl-2-methyl-2,3-dihydro-1H-1,3,2-diazaborol*[1,2].

α_5) *aus Oxyboranen*

$\alpha\alpha_1$) aus Halogen-organo-oxy-boranen

Die zweifache Aminierung von Alkyl-butyloxy-chlor-boranen mit primären Aminen erfolgt leicht unter Freisetzen von Butanol und Hydrogenchlorid. Letzteres wird durch überschüssiges Amin abgefangen. Das Boran wird bei $-70°$ zur 3,5–4fachen Menge Amin in Ether getropft[3,4]:

$$R^1-B(Cl)(OC_4H_9) + 3\,R^2-NH_2 \xrightarrow[-[R^2NH_3]^+Cl^-]{-H_9C_4OH} R^1-B(NH-R^2)_2$$

$R^1 = C_3H_7$; $R^2 = C_2H_5$; *Bis[ethylamino]-propyl-boran*; 46%; Kp_7: 50–51°
$R^2 = C_6H_5$; *Dianilino-propyl-boran*; 58%; $Kp_{0,1}$: 122–125°
$R^1 = C_4H_9$; $R^2 = C_2H_5$; *Bis[ethylamino]-butyl-boran*; 50%; Kp_4: 55–56°
$R^2 = C_6H_5$; *Butyl-dianilino-boran*; 70%; $Kp_{0,2}$: 136–138°

Die Aminierung von Chlor-isobutyloxy-phenyl-boran mit Anilin in Ether bei 20° liefert in 79%iger Ausbeute *Dianilino-phenyl-boran* ($Kp_{0,06}$: 178–180°)[5].

$\alpha\alpha_2$) aus Dihydroxy-organo-boranen

Durch Umsetzung von Alkyl-dihydroxy- und Aryl-dihydroxy-boranen mit Diaminen (vorwiegend aromatischen *o*-Diaminen) werden aromatisch annellierte 1,3,2-Diazaborole (vgl. Tab. 49, S. 225) erhalten. Bei der Kondensation werden Wasser oder Alkohol abgespalten, die aus dem Gleichgewicht entfernt werden müssen[6].

$$R^1-B(OH)_2 + C_6H_4(NH_2)_2 \xrightarrow{-2\,H_2O} C_6H_4(NH)_2B-R^1$$

2-Organo-2,3-dihydro-1H-⟨benzo-1,3,2-diazaborole⟩; allgemeine Herstellungsvorschrift[6]: Jeweils 0,02 mol Dioxy-organo-boran und *o*-Diaminoaren werden unter gelindem Erwärmen in 100 *ml* Xylol gelöst. Innerhalb von 2 Stdn. wird die Hälfte des Lösungsmittels bei Normaldruck abgezogen. Danach wird erneut mit Xylol aufgefüllt und anschließend bis zu einem Restvol. von 25–30 *ml* abdestilliert. Man läßt langsam auskristallisieren, filtriert das Produkt ab, wäscht mit Petrolether, trocknet und kristallisiert aus wenig Toluol um. Eine Auswahl der so erhaltenen Derivate ist in Tab. 49 (S. 225) aufgeführt.

Aus 1,1-Bis[dihydroxyboryl]ethan ist mit 1,2-Diaminobenzol nach dieser Methode *1,1-Bis{2,3-dihydro-1H-⟨benzo-1,3,2-diazaborol⟩-2-yl}ethan* zugänglich[7]; z.B.:

---

[1] L. Weber u. G. Schmid, Ang. Ch. **86**, 519 (1974).
[2] J. Schulze u. G. Schmid, B. **114**, 495 (1981).
[3] B.M. Mikhailov u. L.S. Vasil'ev, Ž. obšč. Chim. **35**, 1073 (1965); C.A. **63**, 11599 (1965).
[4] B.M. Mikhailov u. T.A. Shagoleva, Izv. Akad. SSSR **1958**, 777; C.A. **52**, 19916 (1958).
[5] B.M. Mikhailov u. T.V. Kostroma, Ž. obšč. Chim. **29**, 1477 (1959); C.A. **54**, 8684 (1960).
[6] E. Nyilas u. A.H. Soloway, Am. Soc. **81**, 2681 (1959).
[7] B.M. Mikhailov u. P.M. Aronovich, Izv. Akad. SSSR **1963**, 1233; engl.: 1125; C.A. **59**, 141401 (1963).

Tab. 49: 2,3-Dihydro-1H-⟨benzo-1,3,2-diazaborole⟩ aus Dihydroxy-organo-boranen mit 1,2-Diaminoarenen[vgl. a. 1–4]

R–B(OH)₂ R	1,2-Diaminoaren	Bedingungen	Produkt	Ausbeute [%]	F [°C]	Lite-ratur
C_3H_7	NH_2, NH_2	allgem. Vorschrift (S. 224)	*2-Propyl-2,3-dihydro-1H-⟨benzo-1,3,2-diazaborol⟩*	53	92–94	5
C_9H_{19}	$NH-CH(CH_3)-C_6H_{13}$, $NH-CH(CH_3)-C_6H_{13}$	in Benzol als Lsgm.	*1,3-Bis-[1-methylheptyl]-2-nonyl-2,3-dihydro-1H-⟨benzo-1,3,2-diazaborol⟩*	–	–	3,6
C_6H_5	NH_2, NH_2	allgem. Vorschrift (S. 224)	*2-Phenyl-2,3-dihydro-1H-⟨benzo-1,3,2-diazaborol⟩*	91 79	212–214	5 7
	H_3CO, NH_2, NH_2	allgem. Vorschrift (S. 224)	*5-Methoxy-2-phenyl-2,3-dihydro-1H-⟨benzo-1,3,2-diazaborol⟩*	59	138–140	5
	O_2N, NH_2, NH_2	in hochsiedendem Ether als Lsgm.	*5-Nitro-2-phenyl-2,3-dihydro-1H-⟨benzo-1,3,2-diazaborol⟩*	53 91	203–204	5
	NH_2, NH_2		H, N, B–C_6H_5, N, H *2-Phenyl-2,3-dihydro-1H-⟨naphtho[2,3-d]-1,3,2-diazaborol⟩*	95	327–328	5,8

[1] T.L. Letsinger, R.E. Feare, T.J. Savareide u. J.R. Nazy, J. Org. Chem. **26**, 1271 (1961).
[2] M.J.S. Dewar u. P.M. Maitlin, Tetrahedron **15**, 35 (1962).
[3] US.P. 3481978 (1969/1967), Universal Oil Products Co., Erf.: A.K. Sparks; C.A. **72**, 43690 (1970).
[4] A.H. Soloway, Am. Soc. **82**, 2442 (1960).
[5] E. Nyilas u. A.H. Soloway, Am. Soc. **81**, 2681 (1959).
[6] US.P. 3677945 (1972), Universal Oil Products Co., Erf.: A.K. Sparks; C.A. **77**, 164844 (1972).
[7] M. Pailer u. W. Fenzl, M. **92**, 1294 (1961); C.A. **56**, 15527 (1962).
[8] US.P. 2898365 (1959), American Potash & Chemical Corp., Erf.: R.M. Washburn u. C.F. Albright; C.A. **54**, 1425 (1960).

Tab. 49 (1. Forts.)

$R-B(OH)_2$ R	1,2-Diaminoaren	Bedingungen	Produkt	Ausbeute [%]	F [°C]	Literatur
C_6H_5		in Benzol als Lsgm., 6 Stdn.	*2,2'-Diphenyl-2,3,2',3'-tetrahydro-5,5'-bi-1H-⟨benzo-1,3,2-diazoborol⟩-yl*		338–340	[1]
		in Toluol als Lsgm., 4 Stdn., aus Benzol umkristallisieren	*2-Methyl-7-phenyl-7,8-dihydro-6H-⟨1,3,2-diazaborolo[a]-1,3-thiazolo-[2,3-c]-benzol⟩*	94	221	[2]
		allgem. Vorschrift (S. 224)	*2-(2-Chlorphenyl)-2,3-dihydro-1H-⟨benzo-1,3,2-diazaborol⟩*	63	249–250	[3]
			2-(2-Nitrophenyl)-2,3-dihydro-1H-⟨benzo-1,3,2-diazaborol⟩	89	194–196	[3]
		in hochsiedendem Ether als Lsgm.	*2-(3-Nitrophenyl)-2,3-dihydro-1H-⟨benzo-1,3,2-diazaborol⟩*	84 71 85	218–219 224–225 242–243	[4] [3]

[1] US.P. 3213136 (1965), American Potash & Chemical Corp., Erf.: R.M. WASHBURN, R.A. BALDWIN u. F.A. BILLIG; C.A. **64**, 3595 (1966).
[2] S.G. FRIDMAN, Ž. obšč. Chim. **33**, 207 (1963); C.A. **58**, 14155 (1963).
[3] R. HEMMING u. D.G. JOHNSTON, Soc. [B] **1966**, 314.
[4] A.H. SOLOWAY, Am. Soc. **82**, 2442 (1960).

Tab. 49 (2. Forts.)

R–B(OH)$_2$	1,2-Diaminoaren	Bedingungen	Produkt	Ausbeute [%]	F [°C]	Literatur
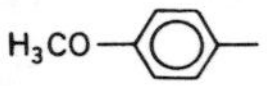 H_3CO	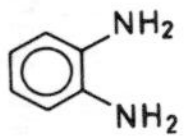 NH_2, NH_2	allgem. Vorschrift (S. 224)	*2-(4-Methoxyphenyl)-2,3-dihydro-1H-⟨benzo-1,3,2-diazaborol⟩*	85	242–243	1
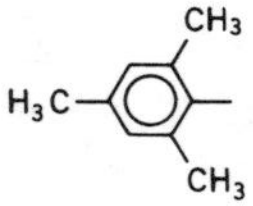 CH_3, H_3C, CH_3	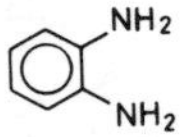 NH_2, NH_2	in Toluol als Lsgm., 17 Stdn., Rückst. mit Petrolether waschen, überschüss. Amin absublimieren, aus Benzol umkristall.	*2-(2,4,6-Trimethylphenyl)-2,3-dihydro-1H-⟨benzo-1,3,2-diazaborol⟩*	46	137–138	2
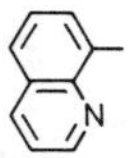 N	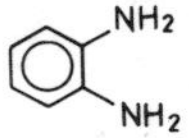 NH_2, NH_2	in Benzol als Lsgm., aus CCl_4 umkristall.	*2-(8-Chinolyl)-2,3-dihydro-1H-⟨benzo-1,3,2-diazaborol⟩*	96	188–189	3
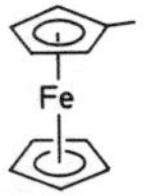 Fe	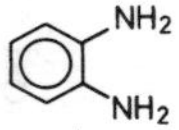 NH_2, NH_2	in Toluol als Lsgm.	*2-Ferrocenyl-2,3-dihydro-1H-⟨benzo-1,3,2-diazaborol⟩*	81	207–208	4
$H_3C-CH[B(OH)_2]_2$	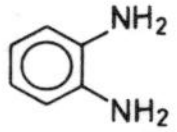 NH_2, NH_2		*1,1-Bis{2,3-dihydro-1H-⟨benzo-1,3,2-diazaborol⟩-2-yl}ethan*		147–148	5
$CH_2-B(OH)_2$ / $CH_2-B(OH)_2$	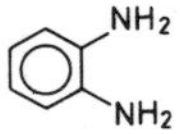 NH_2, NH_2		*1,2-Bis{2,3-dihydro-1H-⟨benzo-1,3,2-diazaborol⟩-2-yl}ethan*		264–266	5
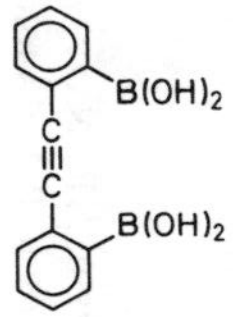 $B(OH)_2$, C≡C, $B(OH)_2$	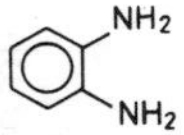 NH_2, NH_2	Komponenten in Ethanol erhitzen, Toluol zusetzen, Ethanol und Wasser abziehen, einengen, aus CCl_4 umkristallisieren[7]	*2,2'-Bis{2,3-dihydro-1H-⟨benzo-1,3,2-diazaborol⟩-2-yl}tolan*	94	274–275	6,7

[1] E. Nylas u. A.H. Soloway, Am. Soc. **81**, 2681 (1959).
[2] R.T. Hawkins, W.J. Lennarz u. H.R. Snyder, Am. Soc. **82**, 3053 (1960).
[3] R.L. Letsinger u. S.H. Dandegaonker, Am. Soc. **81**, 498 (1959).
[4] A.N. Nesmeyanov, V.A. Sazonova, N.S. Sazonova u. R.I. Komarova, Izv. Akad. SSSR **1969**, 1352; engl.: 1246; C.A. **71**, 91618 (1969).
[5] B.M. Mikhailov u. P.M. Aronovich, Izv. Akad. SSSR **1963**, 1233; C.A. **59**, 14011 (1963).
[6] R.L. Letsinger u. J.R. Nazy, Am. Soc. **81**, 3013 (1959).
[7] A.H. Soloway, Am. Soc. **82**, 2442 (1960).

$$H_3C-CH[B(OH)_2]_2 + 2\ C_6H_4(NH_2)_2 \xrightarrow{-4\,H_2O}$$

Die Kondensation von Dihydroxy-organo-boranen mit Diaminen kann bisweilen von weiteren Reaktionen funktioneller Gruppen im Organo-Rest begleitet sein. 2,2′-Bis[dihydroxyboryl]tolan unterliegt im alkalischen Milieu einer Hydroxyborylierung an der C≡C-Bindung zum cyclischen Derivat I, das mit 1,2-Diaminobenzol zum *12-{2-(2,3-Dihydro-1H-⟨benzo-1,3,2-diazaborol⟩-2-yl)-benzyliden}-⟨dibenzo-1,4-diaza-5-bora-bicyclo[3.3.0]octa-2,6-dien⟩* (69%; F: 227,5°) abreagiert[1]:

I

$\alpha\alpha_3$) aus Diorganooxy-organo-boranen

Da die Aminierung von Alkyl-dialkoxy-boranen mit Aminen eine Gleichgewichtsreaktion ist, gelingt das Abfangen des Aminoborans nur, wenn der entstehende Alkohol aus dem Gleichgewicht entfernt werden kann. Dies erreicht man in der Regel durch Abdestillieren des Alkohols als leichter flüchtiger Komponente. So können Alkyl-dibutyloxy-borane durch Erhitzen mit dem 2–4fachen Überschuß Anilin in Alkyl-dianilino-borane übergeführt werden[2]:

$$R{-}B(OC_4H_9)_2 \quad + \quad 2\,H_5C_6{-}NH_2 \quad \xrightarrow[-2\,C_4H_9OH]{} \quad R{-}B(NH{-}C_6H_5)_2$$

z.B.: $R = C_3H_7$; *Dianilino-propyl-boran*; 44%; Kp_1: 162–163°
$R = C_4H_9$; *Butyl-dianilino-boran*; 32%; Kp_1: 169–171°

Auch Aryl-diamino-borane sind in einer Gleichgewichtsreaktion zugänglich. So läßt sich Dibutyloxy-phenyl-boran mit Arylaminen in die entsprechenden Diamino-phenyl-borane überführen[2]. Das Boran wird mit der 2–4fachen Menge Arylamin auf 210–250° erhitzt, so daß Butanol abdestilliert[2]:

$$H_5C_6{-}B(OC_4H_9)_2 \quad + \quad 2\,Ar{-}NH_2 \quad \xrightarrow[-2\,C_4H_9OH]{} \quad H_5C_6{-}B(NH{-}Ar)_2$$

$Ar = C_6H_5$; *Dianilino-phenyl-boran*; 85%; F: 84–86°
$Ar = 4\text{-}CH_3{-}C_6H_4$; *Bis[4-methylanilino]-phenyl-boran*; 67%; F: 85–87°

Von der Kondensation der Dialkoxy-organo-borane mit 1,2-Diaminen wird zur Herstellung von 1,3,2-Diazaborolidinen seltener Gebrauch gemacht. Die Komponenten wer-

[1] R.L. LETSINGER u. J.R. NAZY, Am. Soc. **81**, 3013 (1959).
[2] B.M. MIKHAILOV u. P.M. ARONOVICH, Ž. obšč. Chim. **29**, 3124 (1959); C.A. **54**, 13035 (1960).

den im Verhältnis 1:1 in einem hochsiedenden Lösungsmittel wie Xylol erhitzt und der dabei entstehende Alkohol abdestilliert (s. Tab. 50, S. 230):

$$R^1{-}B(OR^2)_2 + \text{o-}C_6H_4(NH_2)_2 \xrightarrow[-2\,R^2OH]{} C_6H_4(NH)_2B{-}R^1$$

Dialkoxy-organo-borane lassen sich mit Alkalimetall- oder mit Aluminium-amiden in Diamino-organo-borane überführen. Beim Einsatz von Natriumalkylamid als Aminierungsmittel muß das formal freiwerdende Natriumalkanolat befähigt sein, sich mit ebenfalls anwesendem Trimethoxyboran zum Tetraalkoxyborat umzusetzen, das dann als Niederschlag abgetrennt wird. *Bis[butylamino]-butyl-boran* (Kp_3: 83–85°) entsteht so in 55%iger Ausbeute[1]:

$$H_9C_4{-}B(OCH_3)_2 + 2\,H_9C_4{-}NHNa + 2\,B(OCH_3)_3 \xrightarrow[-2\,Na[B(OCH_3)_4],\ -H_2]{} H_9C_4{-}B(NH{-}C_4H_9)_2$$

Zur Einführung der Dimethylamino-Gruppe hat sich auch Tris[dimethylamino]aluminium als Aminierungsmittel bewährt. Läßt man z. B. das Aluminiumamid 1 Stde. bei 85–90° auf Diethoxy-phenyl-boran einwirken, so erhält man in 92%iger Ausbeute das *Bis[dimethylamino]-phenyl-boran* ($Kp_{2,5}$: 61°)[2]:

$$H_5C_6{-}B(OC_2H_5)_2 + Al[N(CH_3)_2]_3 \xrightarrow[-(H_5C_2O)_2Al{-}N(CH_3)_2]{} H_5C_6{-}B[N(CH_3)_2]_2$$

$\alpha\alpha_4$) aus Triorganoboroxinen

Diamino-organo-borane ohne Heteroatom sowie solche mit borfernen Hetero-Atomen lassen sich u. a. aus Triorganoboroxinen mit Diamino-Verbindungen herstellen.

Die Aminierung von Triorganoboroxinen mit o-Diaminoarenen verläuft nach folgender Gleichung[3–6]:

$$(R^1BO)_3 + 3\,\text{o-}C_6H_4(NH_2)_2 \xrightarrow[-3\,H_2O]{} 3\,C_6H_4(NH)_2B{-}R^1$$

Das bei der Kondensation entstehende Wasser wird azeotrop mit Benzol oder Toluol entfernt. Die Produkte werden aus Benzol oder Toluol umkristallisiert; im allgemeinen sind sie sublimierbar. Auf diesem Wege werden z. B. aus Triphenylboroxin mit den entsprechend substituierten Aminen die folgenden Derivate erhalten[3–6]:

---

[1] G. L. Galchenko, E. P. Brykina, N. N. Shcheglova, L. S. Vasil'ev u. B. M. Mikhailov, Izv. Akad. SSSR **1973**, 200; engl.: 209; C. A. **78**, 124660 (1973).
[2] J. K. Ruff, J. Org. Chem. **27**, 1020 (1962).
[3] H. Zimmer, A. D. Sill u. E. R. Andrews, Naturwiss. **47**, 378 (1960); C. A. **55**, 9416 (1961).
[4] H. Zimmer u. E. R. Andrews, Arzneimittel-Forsch. **17**, 607 (1967); C. A. **68**, 69068 (1968).
[5] M. Pailer u. W. Fenzl, M. **92**, 1294 (1961); C. A. **56**, 15527 (1962).
[6] R. Hemming u. D. G. Johnston, Soc. **1964**, 466.

Tab. 50: 2,3-Dihydro-1H-⟨benzo-1,3,2-diazaborole⟩ aus Dialkoxy-organo-boranen mit 1,2-Diaminoarenen

$R–B(OR^1)_2$	1,2 Diamin	Bedingungen	2-Boraimidazolin	Ausbeute [%]	F [°C]	Literatur
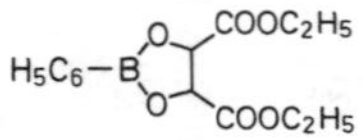 H_5C_6-B (O, O; $COOC_2H_5$, $COOC_2H_5$)	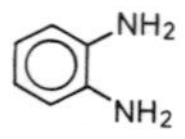 NH_2, NH_2	in Benzol als Lsgm., bei 27° aus CCl_4 umkristallisieren	*2-Phenyl-2,3-dihydro-1H-⟨benzo-1,3,2-diazaborol⟩*	57	215–216	1
 $B(OC_4H_9)_2$	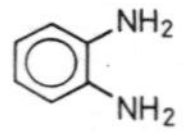 NH_2, NH_2	in siedendem Toluol als Lsgm., Sublimation des Produkts	*5-{2,3-Dihydro-1H-⟨benzo-1,3,2-diazaborol⟩-2-yl}-bicyclo[2.2.1]hept-2-en*	–	*endo:* 94–98 *exo:* 138–141	2
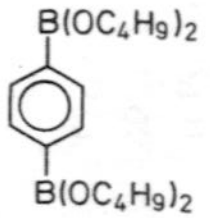 $B(OC_4H_9)_2$, $B(OC_4H_9)_2$	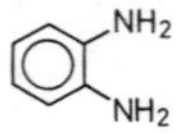 NH_2, NH_2	in Dimethyl-acetamid als Lsgm. bei 230°, aus demselben Mittel umkristall.	*1,4-Bis{2,3-dihydro-1H-⟨benzo-1,3,2-diazaborol⟩-2-yl}benzol*	–	405–410	3
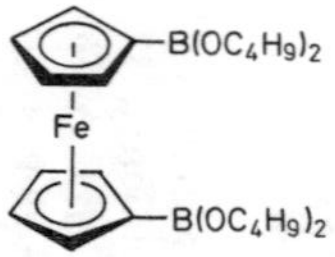 $B(OC_4H_9)_2$, Fe, $B(OC_4H_9)_2$	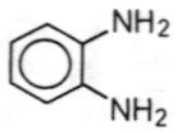 NH_2, NH_2	in Dimethylacetamid als Lsgm. bei 230°, dann aus Benzol/Aceton isolieren	*1,1'-Bis{2,3-dihydro-1H-⟨benzo-1,3,2-diazaborol⟩-2-yl}ferrocen*	–	278	3
$H_5C_6-B(OC_4H_9)_2$	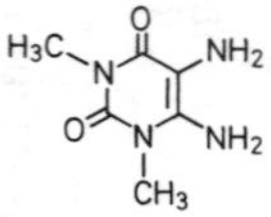 H_3C, N, O, NH_2, O, N, NH_2, CH_3	aus Benzol/Acetonitril umkristallisieren	*4,6-Dimethyl-5,7-dioxo-2-phenyl-2,3,4,5,6,7-hexahydro-1H-⟨1,2,3-diazaborolo[4,5-d]pyrimidin⟩* (vgl. S. 257f.)	85–95		4

[1] R.L. Letsinger u. S.B. Hamilton, Am. Soc. **80**, 5411 (1958).
[2] D.S. Matteson u. J.O. Waldbillig, J. Org. Chem. **28**, 366 (1963).
[3] J.E. Mulvaney, J.J. Bloomfield u. C.S. Marvel, J. Polymer Sci. **62**, 59 (1962); C.A. **58**, 3513 (1963).
[4] R. Caujolle u. Dang Quoc Quan, C.r. [C] **271**, 754 (1970); C.A. **74**, 3691 (1971).

2-Phenyl-2,3-dihydro-1H-⟨naphtho[1,2-d]-1,3,2-diazaborol⟩; 89%; F: 210–211°[4]

2-Phenyl-2,3-dihydro-1H-⟨pyrido[2,3-d]-1,3,2-diazaborol⟩; 36%; F: 221–222°[1,2]; F: 248°[3]; $Kp_{0,01}$: 165°[3] (vgl. S. 255ff.)

4,6-Dimethyl-5,7-dioxo-2-phenyl-2,3,4,5,6,7-hexahydro-1H-⟨1,3,2-diazaborolo-[4,5-d]-pyrimidin⟩; 90%; F: 268–275°[1] (vgl. S. 258)

BN-anellierte fünfgliedrige, cyclische Diamino-organo-borane lassen sich durch Kondensation von Tris[2-brommethyl-phenyl]boroxin mit 1,2-Diaminen unter Wasser-Abscheidung herstellen[5,6]; z.B.:

1/3 Tris[2-brommethyl-phenyl]boroxin + Ethylendiamin; CH_3OH / H_2SO_4; $- H_2O$; $- HBr$ →

Benzo-1,4-diaza-5-bora-bicyclo[3.3.0]oct-6-en[1]; F: 190–192° (Zers.)

1/3 Tris[2-brommethyl-phenyl]boroxin + o-Phenylendiamin; C_6H_6/Toluol; $- H_2O$; $- HBr$ →

Dibenzo-1,4-diaza-5-bora-bicyclo[3.3.0]octa-2,6-dien[2]; 14%; F: 239–242°

Zur Herstellung von Diamino-organo-boranen aus Triorganoboroxinen mit Metallamiden sind nur wenige Beispiele bekannt. Die Methode dürfte auch nur in Ausnahmefällen angewandt werden. Läßt man z.B. Tris[dimethylamino]aluminium auf Trialkylboroxine einwirken, so entstehen Alkyl-bis[dimethylamino]-borane und aus der Aluminium-Verbindung ein polymeres Aluminium-amid-oxid. Das Boroxin wird mit der dreifachen Menge Aluminium-Verbindung 1 Stde. auf 75° erhitzt. Danach wird i. Vak. bei möglichst niedriger Temperatur destilliert, um eine Dismutierung des Alkyl-diamino-borans zu vermeiden[7]:

$$(R{-}BO)_3 \quad + \quad 3\ Al[N(CH_3)_2]_3 \xrightarrow[-3/x[(H_3C)_2NAlO]_x]{} 3\ R{-}B[N(CH_3)_2]_2$$

R = C_4H_9; *Bis[dimethylamino]-butyl-boran*; 28%; Kp_5: 50°
R = $CH(CH_3){-}C_2H_5$; *Bis[dimethylamino]-2-butyl-boran*; 52%; Kp_7: 51°
R = $C(CH_3)_3$; *Bis[dimethylamino]-tert.-butyl-boran*; 35%; Kp_{20}: 66°

---

[1] H. Zimmer, A.D. Sill u. E.R. Andrews, Naturwiss. **47**, 378 (1960); C.A. **55**, 9416 (1961).
[2] H. Zimmer u. E.R. Andrews, Arzneimittel-Forsch. **17**, 607 (1967); C.A. **68**, 69068 (1968).
[3] M. Pailer u. W. Fenzl, M. **92**, 1294 (1961); C.A. **56**, 15527 (1962).
[4] R. Hemming u. D.G. Johnston, Soc. **1964**, 466.
[5] R.T. Hawkins u. A.U. Blackham, J. Org. Chem. **32**, 597 (1967).
[6] R.T. Hawkins u. H.R. Snyder, Am. Soc. **82**, 3863 (1960).
[7] J.K. Ruff, J. Org. Chem. **27**, 1020 (1962).

α_6) aus Bis[organothio]-organo-boranen

Offenkettige sowie cyclische Diamino-organo-borane sind unter thermisch milden Bedingungen unter Substitution des Organothio-Rests mit Aminen, Hydrazinen oder mit Aminoelement-Verbindungen zugänglich.

Sehr leicht und in guten Ausbeuten gelingt die Aminierung von Alkyl-bis[alkylthio]-boranen mit prim. und sek. Aminen unter Alkanthiol-Abspaltung. Die Komponenten werden entweder ohne Lösungsmittel mehrere Stunden am Rückfluß erhitzt ($R = C_3H_7$), oder man läßt sie nach Vereinigung in Pentan bei –30° bis 0° reagieren[1]:

$$R^1—B(SC_4H_9)_2 \quad + \quad 2R^2—NH_2 \longrightarrow R^1—B(NH—R^2)_2$$

$R^1 = C_3H_7$; $R^2 = C_4H_9$; *Bis[butylamino]-propyl-boran*; 75%; Kp_{11}: 110–111°
$R^1 = C_4H_9$; $R^2 = C_2H_5$; *Bis[ethylamino]-butyl-boran*; 80%; Kp_{14}: 74°
$R^1 = CH_2–CH_2–CH(CH_3)_2$; $R^2 = C_4H_9$; *Bis[butylamino]-(3-methylbutyl)-boran*; 55%; Kp_2: 94°

Nach derselben Methode werden auch α,ω-Bis[diaminoboryl]alkane hergestellt. Läßt man Amine bei leichter Erwärmung mit α,ω-Bis[bis(alkylthio)boryl]alkanen in Hexan oder Benzol reagieren, so erhält man nach Abdestillieren des Alkanthiols Bis[bis(dialkylamino)boryl]alkane[2–4]:

$$(H_5C_2S)_2B—(CH_2)_n—B(SC_2H_5)_2 \quad + \quad 4R_2NH \xrightarrow[-4C_2H_5SH]{} (R_2N)_2B—(CH_2)_n—B(NR_2)_2$$

n = 3; $R = CH_3$; *1,3-Bis[bis(dimethylamino)boryl]-propan*[2]; 79,1%; Kp_2: 97°
$R = C_2H_5$; *1,3-Bis[bis(diethylamino)-boryl]-propan*[2]; 79,5%; Kp_1: 134°
n = 4; $R = CH_3$; *1,4-Bis[bis(dimethylamino)boryl]-butan*[3]; 87%; $Kp_{0,1}$: 81°

$$H_5C_2S—B[(CH_2)_n—B(SC_2H_5)_2]_2 \quad + \quad 5(H_3C)_2NH \xrightarrow[-5H_5C_2SH]{} (H_3C)_2N—B[(CH_2)_n—B[N(CH_3)_2]_2]_2$$

z.B. n = 3; *Bis{3-[bis(dimethylamino)boryl]propyl}-dimethylamino-boran*[4]; 61,6%; Kp_1: 157°

Diamino-organo-borane mit ungesättigten organischen Liganden lassen sich auf demselben Wege herstellen. Erhitzt man z.B. Allyl-bis[ethylthio]-boran mit 2 mol Butylamin 1,5 Stdn. am Rückfluß, so erhält man in 70%iger Ausbeute das *Allyl-bis[butylamino]-boran* ($Kp_{1,5}$: 61–62,5°)[5].

Ebenso glatt wie die Alkyl- erhält man die Aryl-diamino-borane. Durch Erhitzen von Bis[butylthio]-phenyl-boran mit Diethylamin erhält man in 80%iger Ausbeute *Bis[diethylamino]-phenyl-boran* ($Kp_{2,5}$: 115,5–116,5°)[6]:

$$H_5C_6—B(SC_4H_9)_2 \quad + \quad 2(H_5C_2)_2NH \xrightarrow[-2C_4H_9SH]{} H_5C_6—B[N(C_2H_5)_2]_2$$

Durch Erhitzen äquimolarer Mengen Bis[alkylthio]-organo-borane mit 1,2-Diaminoethan auf 130–150° ohne Lösungsmittel tritt Ringschluß unter Alkanthiol-Abspaltung ein. Man erhält in guten Ausbeuten 1,3,2-Diazaborolidine[7,8]:

---

[1] B.M. Mikhailov u. T.K. Kozminskaya, Ž. obšč. Chim. **30**, 3619 (1960); C.A. **55**, 20921 (1961).
[2] B.M. Mikhailov u. V.F. Pozdnev, Doklady Akad. SSSR **151**, 340 (1963); C.A. **59**, 8773 (1963).
[3] US.P. 3180888 (1965/1960), US Borax & Chemical Corp., Erf.: R.J. Brotherton; C.A. **63**, 1814 (1965).
[4] B.M. Mikhailov u. V.F. Pozdnev, Probl. Organ. Sinteza. Akad. SSSR Otd. obšč. I Tekhn. Chim. **1965**, 220; C.A. **64**, 14203 (1966).
[5] B.M. Mikhailov u. F.B. Tutorskaya, Ž. obšč. Chim. **32**, 833 (1962); C.A. **58**, 3452 (1963).
[6] E. Nyilas u. A.H. Soloway, Am. Soc. **81**, 2681 (1959).
[7] J.F. Ditter u. I. Shapiro, Am. Soc. **81**, 1022 (1959).
[8] J. Braun u. H. Normant, Bl. **1966**, 2557; C.A. **66**, 2608 (1967).

$$R^1-B(SR^3)_2 + R^2-NH-CH_2-CH_2-NH-R^2 \xrightarrow[-2\ HSR^3]{} \text{(1,3-}R^2_2\text{-2-}R^1\text{-1,3,2-diazaborolidin)}$$

...-1,3,2-diazaborolidin

$R^1 = C_3H_7$; $R^2 = H$; $R^3 = C_4H_9$; *2-Propyl-...*[1]; 83,5%; Kp_{25}: 67–68°
$R^1 = CH_2-CH_2-CH(CH_3)_2$; $R^2 = H$; $R^3 = C_4H_9$; *2-(3-Methyl-butyl)-...*[1]; 85,5%; Kp_{12}: 80–81°
$R^1 = CH = CH-CH_3$; $R^2 = CH_3$; $R^3 = C_2H_5$; *1,3-Dimethyl-2-propenyl-...*[2]; 84%; Kp_{18}: 58–63°

Das mit Ethinyl-ethyl-ether aus Tris[methylthio]boran bei 5–10° zugängliche Bis[methylthio]-(2-ethoxy-2-methylthio-vinyl)-boran (s. Bd. XIII/3a, S. 878) wird durch Einleiten von Dimethylamin bei –5 bis –10° zweifach aminiert. Man erhält in 62%iger Ausbeute *Bis[dimethylamino]-(2-ethoxy-2-methylthio-vinyl)-boran* als *cis-trans*-Gemisch[3]:

$$(H_3CS)_3B + HC\equiv C-OC_2H_5 \longrightarrow \underset{78\ \%}{(H_3CS)_2B-CH=C(OC_2H_5)(SCH_3)} \xrightarrow[-2\ CH_3SH]{+2\ (H_3C)_2NH} [(H_3C)_2N]_2B-CH=C(OC_2H_5)(SCH_3)$$

Ausgehend von Bis[methylthio]-methyl-boran liefert die zweifache Sulfoborierung von N,N'-Bis[sulfinyl]-diaminen cyclische Verbindungen mit RBN_2-Gruppierung. In Chloroform erhält man bei ~20° unter Abspaltung von Trimethylboroxin und Dimethyldisulfan in quantitativen Ausbeuten 1,3-Bis[methyldisulfano]-2-methyl-1,3,2-diazaboracycloalkane[4]:

$$3\ H_3C-B(SCH_3)_2 \xrightarrow[-2/3\ (H_3C-BO)_3;\ -2\ H_3C-S-S-CH_3]{+(H_2C)_n(N=S=O)_2\ /\ CHCl_3;\ 20°} (H_2C)_n[N(S-S-CH_3)]_2B-CH_3$$

1,3-Bis[methyldisulfano]-2-methyl-...
n = 2; *...-1,3,2-diazaborolidin*
n = 3; *...-1,3,2-diazaborinan*
n = 4; *...-1,3,2-diazaborepan*

3,5-Dimethyl-1,2,4,3,5-trithiadiborolan reagiert mit tert.-Butylamin in Diethylether unter Aminolyse der verschiedenen BS-Bindungen nicht einheitlich. Man erhält u.a. *Bis[tert.-butylamino]-methyl-boran* neben *Bis[tert.-butylamino-methyl-boryl]disulfan*[5]:

$$\text{3,5-Dimethyl-1,2,4,3,5-trithiadiborolan} + (H_3C)_3C-NH_2 \xrightarrow{(H_5C_2)_2O} H_3C-B[NH-C(CH_3)_3]_2 + (H_3C)_3C-NH(H_3C)B-S-S-B(CH_3)NH-C(CH_3)_3$$

[1] J.P. Bonnet u. J.P. Laurent, J. Inorg. & Nuclear Chem. **32**, 3449 (1970).
[2] B.M. Mikhailov, T.K. Kozminskaya, N.S. Fedotov u. V.A. Dorokhov, Doklady Akad. SSSR **127**, 1023 (1959); C.A. **54**, 514 (1960).
[3] B.M. Mikhailov, T.A. Shchegoleva, E.M. Shashkova, L.I. Lavrinovich u. V.S. Bogdanov, Ž. obšč. Chim. **44**, 2185 (1974); engl.: 2146; C.A. **82**, 43491 (1975).
[4] A. Meller, W. Maringgele u. H. Fetzer, B. **113**, 1950 (1980).
[5] *Gmelin*, 8. Aufl., **19**/3, S. 42ff. (1975).

α_7) *aus Aminoboranen*

Zur Herstellung offenkettiger und cyclischer Diamino-organo-borane werden außer Amino-diorgano-boranen vor allem Amino-halogen-organo-borane sowie Diamino-hydro- und -halogen-borane eingesetzt, falls die BN-Funktionen unverändert bleiben sollen. Hierzu gehören auch zahlreiche borferne Reaktionen der Diamino-organo-borane.

$\alpha\alpha_1$) aus Amino-diorgano-boranen

Diamino-organo-borane erhält man aus Amino-diorgano-boranen durch thermische bzw. katalysierte intramolekulare Eliminierungen von Alkan, Aren oder auch von Triorganoboran, falls Bis[diorganoboryl]amine (vgl. S. 291ff.) eingesetzt werden.

Beim 10stdgn. Erhitzen von (2-Aminoethylamino)-dimethyl-boran auf 475° wird unter Methan-Abspaltung *2-Methyl-1,3,2-diazaborolidin* (45%; F: 43,5°) gebildet[1]:

$$(H_3C)_2B-NH-CH_2-CH_2-NH_2 \xrightarrow{-CH_4} \text{(cyclo: H-N, B-CH}_3\text{, N-H)}$$

Aus Amino-dialkyl-boranen kann man auch mit Alkyl-dimethoxy-boranen durch Ligandenaustausch Alkyl-diamino-borane gewinnen. So lassen sich z.B. beide Methoxy-Gruppen des Dimethoxy-hexyl-borans mit der doppelten Menge Anilino-dipropyl-boran zum *Dianilino-hexyl-boran* aminieren. Das flüchtige Dipropyl-methoxy-boran wird abdestilliert[2].

Eine B–C–Bindung der Amino-diorgano-borane kann radikalisch gespalten werden, was zur Aminierung mit Chloraminen ausgenutzt wird. Läßt man z.B. Dibutyl-dimethylamino-boran mit Chlor-dimethyl-amin im Verhältnis 1:1 bei 35° 24 Stdn. in Chlorbenzol miteinander reagieren, erhält man neben Butylchlorid ein Boran-Gemisch, das überwiegend aus *Bis[dimethylamino]-butyl-boran* besteht[3]:

$$(H_9C_4)_2B{-}N(CH_3)_2 \quad + \quad (H_3C)_2N{-}Cl \quad \xrightarrow{-C_4H_9Cl} \quad H_9C_4{-}B[N(CH_3)_2]_2$$

Dialkyl-enamino-borane reagieren mit tert.-Butyl- oder mit Phenyl-isonitril bereits bei ~20° zu Komplexverbindungen mit tetrakoordinierten Bor-Atomen (vgl. S. 458), aus denen beim Erhitzen auf 100–130° 1,2-Azaboroline in 77–85%iger Ausbeute gebildet werden[4]; z.B.:

$$(H_9C_4)_2B-N(C_6H_5)-C(R^2)=CH-R^1 \xrightarrow[\sim 20°]{+\,R^3-N\equiv C} [\text{Komplex}] \xrightarrow{100-130°} \ldots$$

...-2,3-dihydro-1,2-azaborol

$R^1 = C_6H_5$; $R^2 = H$; $R^3 = C(CH_3)_3$; *2-tert.-Butylamino-3,3-dibutyl-1,4-diphenyl-...*; Kp_1: 161°
$R^3 = C_6H_5$; *2-Anilino-3,3-dibutyl-1,4-diphenyl-...*; $Kp_{0,5}$: 185–187°
R^1–R^2 = $(CH_2)_4$–; $R^3 = C(CH_3)_3$; *2-tert.-Butylamino-3,3-dibutyl-1-phenyl-2,3,4,5,6,7-hexahydro-1H-⟨benzo[d]-1,2-azaborol⟩*; $Kp_{0,7}$: 145°
$R^3 = C_6H_5$; *2-Anilino-3,3-dibutyl- 2,3,4,5,6,7-hexahydro-1H-⟨benzo[e]-1,2-azaborol⟩*; Kp_1: 207°
$R^1 = H$; $R^2 = C_6H_5$; $R^3 = C(CH_3)_3$; *2-tert.-Butylamino-3,3-dibutyl-1,5-diphenyl-...*

---

[1] J. Goubeau u. A. Zappel, Z. anorg. Ch. **279**, 38 (1955).
[2] B.M. Mikhailov u. L.S. Vasil'ev, Ž. obšč. Chim. **35**, 1073 (1965); C.A. **63**, 11599 (1965).
[3] A.G. Davies, S.C.W. Hook u. B.P. Roberts, J. Organometal. Chem. **23**, C11 (1970).
[4] V.A. Dorokhov, O.G. Boldyreva, A.S. Shashkov u. B.M. Mikhailov, Izv. Akad. SSSR **1976**, 1431; engl.: 1374; C.A. **85**, 143166 (1976).

$\alpha\alpha_2$) aus Amino-halogen-organo-boranen

Für die Herstellung von Aryl-bis[arylamino]-boran kann auch ein zweistufiges Verfahren vorteilhaft sein. Der zweite Amin-Rest wird durch Aminierung von Aryl-arylamino-chlor-boran mit der gleichen Menge Arylamin in siedendem Benzol eingeführt[1]:

$$H_5C_6(Cl)B{-}NH{-}Ar + Ar{-}NH_2 \xrightarrow[-HCl]{} H_5C_6{-}B(NH{-}Ar)_2$$

Ar = 2-Br–C_6H_4; *Bis[2-brom-anilino]-phenyl-boran*; 70%
Ar = 2,6-Br–C_6H_3; *Bis[2,6-dibromanilino]-phenyl-boran*; 90%

Aus Chlor-dimethylamino-phenyl-boran erhält man mit tert.-Butylamin im Mengenverhältnis 3:1 in siedendem Petrolether (3 Stdn.) zu 75% *tert.-Butylamino-dimethylamino-phenyl-boran* ($Kp_{0,6}$: 72°)[2]. Bei Zugabe von Triethylamin werden aus äquimolaren Mengen der Edukte 70% *Butylamino-dimethylamino-phenylboran* ($Kp_{0,3}$: 85°) gewonnen[2]. Entsprechend sind ohne Basen-Zusatz *Diethylamino-(2-methylpiperidino)-phenyl-boran* (60%; $Kp_{0,02}$: 100°) und in Gegenwart von *Triethylamin-(1-Methylpropylamino)-phenyl-piperidino-boran* (70%; $Kp_{0,6}$: 105°) zugänglich[3].

Mit Natrium-dimethyldithiocarbaminat werden aus Alkyl-amino-chlor-boranen unter Abscheiden von Natriumchlorid Aminothiocarbonyl-thio-borane gebildet. Diese gehen unter Abspaltung von Schwefelkohlenstoff in Diamino-organo-borane über. So erhält man z.B. aus Butyl-chlor-dimethylamino-boran bei –50° in Dichlormethan *Bis[dimethylamino]-butyl-boran* (38%; Kp_9: 58°)[4]:

$$H_9C_4(Cl)B{-}N(CH_3)_2 + Na^+[S_2C{-}N(CH_3)_2]^- \xrightarrow[-NaCl,\ -CS_2]{} H_9C_4{-}B[N(CH_3)_2]_2$$

$\alpha\alpha_3$) aus Amino-organo-thio-boranen

Da sich Organothio-Reste am Bor-Atom durch Amino-Gruppen relativ leicht substituieren lassen (vgl. S. 42), sind auch Amino-organo-thio-borane zur Herstellung von Diamino-organo-boranen geeignet.

Die Aminierung von Butylthio-diethylamino-phenyl-boran mit Amin in dreifacher Menge ergibt unter Austausch der Amino- und der Butylthio-Gruppe die entsprechenden Diamino-phenyl-borane[5]:

$$H_5C_6{-}B(SC_4H_9){-}N(C_2H_5)_2 + 2\ HNR^1R^2 \xrightarrow[-H_9C_4SH,\ -HN(C_2H_5)_2]{} H_5C_6{-}B[NR^1R^2]_2$$

$R^1 = R^2 = C_2H_5$; *Bis[diethylamino]-phenyl-boran*; 74%; Kp_2: 77–79°
R^1 = H; R^2 = CH=CH–CH_3; *Bis[propenylamino]-phenyl-boran*; Kp_2: 101–102°
R^1-R^2 = –$(CH_2)_5$–; *Dipiperidino-phenyl-boran*; 65%; Kp_4: 156–160°

---

[1] J.C. Lockhart u. J.R. Blackborow, Soc. [A] **1971**, 1343; C.A. **75**, 5994 (1971).
[2] R.H. Cragg u. T.J. Miller, J. Organometal. Chem. **217**, 283 (1981).
[3] R.H. Cragg u. T.J. Miller, J. Organometal. Chem. **235**, 143 (1982).
[4] H. Nöth u. P. Schweizer, B. **102**, 161 (1969).
[5] B.M. Mikhailov u. V.A. Dorokhov, Izv. Akad. SSSR **1962**, 1213; engl.: 1138; C.A. **58**, 5707 (1963).

Tab. 51: Diamino-phenyl-borane aus Diamino-phenyl-boranen mit einem schwerer flüchtigen Amin

H_5C_6–$B(NR^1R^2)_2$		R^3R^4NH		Bedingungen	Diamino-phenyl-boran	Ausbeute	Kp		Literatur
R^1	R^2	R^3	R^4			[%]	[°C]	[Torr]	
H	C_4H_9	H	C_6H_{11}	15 Min., Rückfluß ohne Lsgm., Isobutylamin abdestillieren, fraktionieren	*Bis[cyclohexylamino]-phenyl-boran*	86	144–145	0,05	[1]
CH_3	CH_3	–$(CH_2)_2$–		30 Min. Rückfluß mit 35fachem Überschuß an wäßr. Aziridin; Sublimation i. Vak.	*Bis[aziridino]-phenyl-boran*	–	(F: 122°)		[2]
		H	C_6H_5	12 Stdn. Rückfluß in Benzol, festes Produkt 48 Stdn. i. Vak. trocknen, Subl.p.$_2$: 85°	*Dianilino-phenyl-boran*	90	(F: 67–72°)		[3]
		H	$Si(C_2H_5)_3$	6 Stdn. Rückfluß in Benzol, fraktioniert destillieren	*Bis[triethylsilylamino]-phenyl-boran*	59	146–154	3	[4]
		H	$Si(C_6H_5)_3$	6 Stdn. Rückfluß in Benzol, Produkt mit Hexan waschen	*Bis[triphenylsilyl-amino]-phenyl-boran*	84	(F: 181–184°)		[4]

[1] J.E. BURCH, W. GERRARD u. E.F. MOONEY, Soc. **1962**, 2200.
[2] K. NIEDENZU, J.W. DAWSON, P. FRITZ u. H. JENNE, B. **98**, 3050 (1965).
[3] W.L. COOK u. K. NIEDENZU, Synth. React. Inorg. Metal-org. Chem. **2**, 267 (1972); C.A. **78**, 43557 (1973).
[4] H. JENNE u. K. NIEDENZU, Inorg. Chem. **3**, 68 (1964).

$\alpha\alpha_4$) aus Diamino-organo-boranen

Es gibt zahlreiche Reaktionen am Bor-Atom sowie verschiedene borferne Reaktionen, mit deren Hilfe Diamino-organo-borane aus anderen Diamino-organo-boranen hergestellt werden können. Außer den Substitutionen von B-Amino- und B-Organo-Rest sind Isomerisierungen der B-Organo-Gruppe sowie Additionen der BN-Bindung (Aminoborierungen) bekannt.

Substituenten-Austausch von Diamino-organo-boranen wird verschiedentlich zur Herstellung bestimmter gemischt substituierter Diamino-organo-borane angewandt.

i_1) mit Aminen oder Diaminen

Die Herstellungsmethode wird immer dann herangezogen, wenn das sich im Gleichgewicht bildende Amin destillativ entfernt werden kann. Durch mehrstündiges Erhitzen gewinnt man z.B. aus Alkyl-bis[butylamino]-boranen mit Anilin unter Butylamin-Entfernung die entsprechenden Alkyl-dianilino-borane[1]:

$$R-B(NH-C_4H_9)_2 \quad + \quad 2\,H_5C_6-NH_2 \xrightarrow[-2\,C_4H_9NH_2]{} R-B(NH-C_6H_5)_2$$

$R = C_3H_7$; *Dianilino-propyl-boran*; Kp_2: 173°
$R = CH_2\text{-}CH_2\text{-}CH(CH_3)_2$; *Dianilino-(3-methylbutyl)-boran*; $Kp_{0,35}$: 134°

Auch Silylamine können als Aminierungsmittel eingesetzt werden. Erhitzt man z.B. Bis[dimethylamino]-phenyl-boran mit derselben Menge Amino-triethyl-silan in Benzol (6 Stdn. Rückfluß), so gewinnt man in 79%iger Ausbeute *Dimethylamino-phenyl-triethylsilylamino-boran* (Kp_3: 119–122°)[2].

Mit den verschiedensten Diaminoalkanen, Diaminobenzolen und anderen Diaminoarenen erhält man beim Umsetzen von Bis[dimethylamino]-organo-boranen unter Abspalten und Austreiben von Dimethylamin cyclische Diamino-organo-borane. Fünf-, sechs- sowie siebengliedrige Ringe lassen sich in guten Ausbeuten herstellen.

Sehr glatt gelingt die Umaminierung von Bis[dimethylamino]-organo-boranen mit aliphatischen oder aromatischen 1,2-Diaminen. Die Ausgangsverbindungen werden im Verhältnis 1 : 1 mit oder ohne Lösungsmittel erhitzt, bis die Dimethylamin-Entwicklung beendet ist (vgl. Tab. 52, S. 238):

$$R-B[N(CH_3)_2]_2 \quad + \quad \begin{matrix} \diagdown\;\;\;\;\;| \\ -C-NH \\ | \\ -C-NH \\ \diagup\;\;\;\;\;| \end{matrix} \xrightarrow[-\,2\,HN(CH_3)_2]{} \begin{matrix} \diagup \\ N \\ \diagdown \\ N \\ \diagdown \end{matrix} B-R$$

[1] B.M. Mikhailov u. T.K. Kozminskaya, Ž. obšč. Chim. **30**, 3619 (1960); C.A. **55**, 20921 (1961).
[2] H. Jenne u. K. Niedenzu, Inorg. Chem. **3**, 68 (1964).

Tab. 52: 1,3,2-Diazaborolidine oder 2,3-Dihydro-1H-⟨benzo-1,3,2-diazaborole⟩ aus Bis[dimethylamino]-organo-boranen mit aliphatischen oder aromatischen 1,2-Diaminen

R–B[N(CH₃)₂] R	1,2-Diamin	Bedingungen	Diamino-organo-boran	Ausbeute [%]	Kp [°C]	Kp [Torr]	Literatur
CH_3	$H_2N-CH_2CH_2-NH_2$	ohne Lsgm. bei 110°	*2-Methyl-1,3,2-diaza-borolidin*	22	102	718	[1]
$CH=CH_2$	$CH_3-NH-CH_2CH_2-NH-CH_3$	in siedendem Hexan	*1,3-Dimethyl-2-vinyl-1,3,2-diazaborolidin*	85	35–36	11	[2]
	$C_6H_4(NH_2)_2$	in siedendem Benzol 2 Stdn., aus Benzol/Hexan umkristall.	*2-Vinyl-2,3-dihydro-1H-⟨benzo-1,3,2-diazaborol⟩*	–	(F: 119–121°)		[2]
$CH=CH-CH_3$	$CH_3-NH-CH_2CH_2-NH-CH_3$	in siedendem Hexan	*2-Allyl-1,3-dimethyl-1,3,2-diazaborolidin*	84	58–63	18	[3]
C_6H_5	$CH_3-NH-CH_2CH_2-NH-CH_3$	in siedendem Benzol, 5 Stdn.	*1,3-Dimethyl-2-phenyl-1,3,2-diazaborolidin*	83	73	3	[4]
	$C_2H_5-NH-CH_2CH_2-NH-C_2H_5$	in siedendem Benzol, 5 Stdn.	*1,3-Diethyl-2-phenyl-1,3,2-diazaborolidin*	53	95	8	[4]
	$C_4H_9-NH-CH_2CH_2-NH-C_4H_9$	in siedendem Toluol, 3 Stdn.	*1,3-Dibutyl-2-phenyl-1,3,2-diazaborolidin*	88	100–105	0,2	[5]

[1] H. Nöth, Z. Naturf. **16b**, 470 (1961); C.A. **56**, 4786 (1962).
[2] P. Fritz, K. Niedenzu u. J.W. Dawson, Inorg. Chem. **3**, 626 (1964).
[3] J. Braun u. H. Normant, Bl. **1966**, 2557; C.A. **66**, 2608 (1967).
[4] K. Niedenzu, H. Beyer u. J.W. Dawson, Inorg. Chem. **1**, 738 (1962).
[5] R.H. Cragg, M.F. Lappert u. B.P. Tilley, Soc. **1964**, 2108.

Tab. 52 (Forts.)

R–B[N(CH$_3$)$_2$] R	1,2-Diamin	Bedingungen	Diamino-organo-boran	Ausbeute [%]	F [°C]	Literatur
C_6H_5	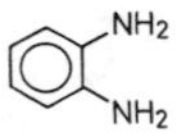	in siedendem Benzol, 2 Stdn., aus Benzol/Hexan umkristall.	2-Phenyl-2,3-dihydro-1H-⟨*benzo-1,3,2-diazaborol*⟩	–	209–210	[1]
	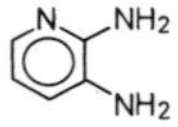	3 Stdn. Rückfluß ohne Lsgm.	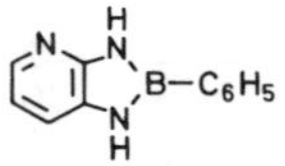 *2-Phenyl-2,3-dihydro-1H-⟨pyrido-[2,3-d]-1,3,2-diazaborol⟩*	77	214–216	[2]
	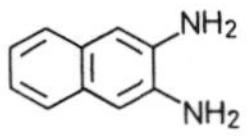	in siedendem Benzol; 1,5 Stdn.	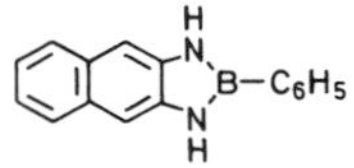 *2-Phenyl-2,3-dihydro-1H-⟨naphtho-[2,3-d]-1,3,2-diazaborol⟩*	–	327–328	[1]
	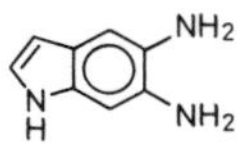	in siedendem Benzol; 1,5 Stdn.	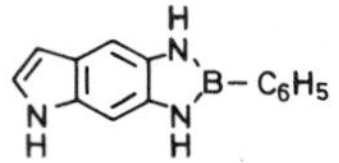 *2-Phenyl-1,2,3,5-tetrahydro-⟨indolo-[5,6-d]-1,3,2-diazaborol⟩*	66	353–355	[2]
	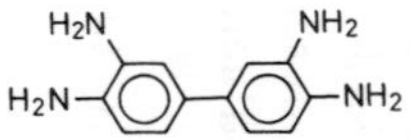	in siedendem Benzol, 7 Stdn., aus THF umkristall.	*2,2'-Diphenyl-2,3',2,3'-tetrahydro-5,5'-bi-1H-⟨benzo-1,3,2-diazaborolyl⟩*	89	320–321	[2]

[1] US.P. 3047623 (1962/1960), American Cyanamid Co., Erf.: J.E. Milks; C.A. **59**, 2858 (1963).

[2] W.L. Cook u. K. Niedenzu, Synth. React. Inorg. Metal-org. Chem. **2**, 267 (1972); C.A. **78**, 43557 (1973).

Bis[dimethylamino]-organo-borane sind ebenfalls geeignete Ausgangsverbindungen für die Umaminierung mit 1,3-Diaminopropanen. Vereinigt man äquimolare Mengen Bis[dimethylamino]-organo-boran und 1,3-Diaminopropan in Hexan, so setzt bereits bei ~20° Dimethylamin-Entwicklung ein. Anschließend erhitzt man 2 Stdn. am Rückfluß und arbeitet destillativ auf[1]:

$$R^1-B[N(CH_3)_2]_2 + H_2N-(CH_2)_3-NH-R^2 \xrightarrow[-2\,HN(CH_3)_2]{}$$

...-1,3,2-diazaborinan

$R^1 = CH_3$; $R^2 = H$; *2-Methyl-...*; 65%; Kp_{20}: 36–38°
$R^1 = CH=CH_2$; $R^2 = H$; *2-Vinyl-...*; 47%; Kp_7: 41°
$R^1 = C_2H_5$; $R^2 = H$; *2-Ethyl-...*; 72%; Kp_{13}: 44–45°
$R^1 = C_6H_5$; $R^2 = H$; *2-Phenyl-...*; 85%; Kp_1: 94–95°
$R^2 = H_2N-(CH_2)_3$; *1-(3-Aminopropyl)-2-phenyl-...*; 15%; Kp_1: 121–123°

Bei der Umaminierung von Bis[dimethylamino]-organo-boran mit 1,4-Diaminobutan entstehen beim 2stdgn. Erhitzen in siedendem Hexan unter Dimethylamin-Entwicklung 2-Organo-1,3,2-diazaborepane[1]:

$$R-B[N(CH_3)_2]_2 + H_2N-(CH_2)_4-NH_2 \xrightarrow[-2\,HN(CH_3)_2]{}$$

...1,3,2-diazaborepan

$R = CH_3$; *2-Methyl-...*; 59%; Kp_6: 39–42°
$R = C_4H_9$; *2-Butyl-...*; 83%; Kp_1: 64°
$R = C_6H_5$; *2-Phenyl-...*; 76%; Kp_1: 102–104°

Aus Bis[dimethylamino]-phenyl-boran läßt sich mit 1,3-Bis[methylamino]-2,2-dimethyl-propan durch Umaminieren *2-Phenyl-1,3,5,5-tetramethyl-1,3,2-diazaborinan* (90%; Kp_2: 108–111°) herstellen[2]:

$$H_5C_6-B[N(CH_3)_2]_2 + (H_3C-NH-CH_2)_2C(CH_3)_2 \longrightarrow$$

i₂) mit Isothiocyanaten

Mit Organoisothiocyanaten tritt nicht in jedem Fall Aminoborierung ein. Die Umsetzung von Bis[tert.-butylamino]-phenyl-boran mit Phenylisothiocyanat führt nicht zum Bis[thioureido]-phenyl-boran (vgl. S. 265). Es tritt Austausch der *N*-gebundenen Organo-Substituenten ein[3]; z.B.:

$$H_5C_6-B[NH-C(CH_3)_3]_2 + 2\,H_5C_6-NCS \xrightarrow[-2\,(H_3C)_3C-NCS]{} H_5C_6-B(NH-C_6H_5)_2$$

Dianilino-phenyl-boran

[1] K. Niedenzu, P. Fritz u. J.W. Dawson, Inorg. Chem. **3**, 1077 (1964).
[2] F.A. Davis, I.J. Turchi, B.E. Marganoff u. R.O. Hutchins, J. Org. Chem. **37**, 1583 (1972).
[3] R.H. Cragg, M.F. Lappert u. B.P. Tilley, Soc. **1964**, 2108.

i_3) durch borferne Reaktionen

Diamino-organo-borane lassen sich auf vielfältige Weise borfern abwandeln. Beispielsweise können die Amino-N-Atome metalliert werden, um anschließend mit Elektrophilen N-substituiert zu werden. Außerdem gibt es borferne Eliminierungen im Organoamino-Rest wie z.B. Dehydrierungen. Die N_2BC-Atom-Gruppierung wird bei einigen Additionen, z.B. bei Hydroaminierungen, nicht verändert. Eine große Zahl von Diamino-organo-boranen sind mit Hilfe borferner Reaktionen zugänglich.

Zahlreiche Substitutionen am Organoamino-Rest der Diamino-organo-borane sind bekannt, die ohne Veränderung der RBN_2-Atom-Gruppierung verlaufen.

Bestimmte Metallhalogenide werden lediglich borfern addiert. Bei Bis[amino]-organo-boranen ist die Elektronenlücke am Bor-Atom unter π-Rückkoordination weitgehend abgesättigt. Das zweite N-Atom wird daher als Elektronendonator gegenüber Lewissäuren [z.B. Zinn(IV)-chlorid][1] wirksam.

ii_1) Substitution an den Amino-Resten

Sehr verschiedenartige Substitutionen an den Amino-Resten der Diamino-organo-borane sind ohne Veränderung der RBN_2-Gruppierung möglich.

An Phenylamino-Reste von Diamino-organo-boranen lassen sich Ligand-Übergangsmetalle addieren. Beispielsweise erhält man aus 2,3-Dihydro-1H-⟨benzo-1,3,2-diazaborolen⟩ mit Tricarbonyl-tris-[acetonitril]-chrom unter Eliminierung der Acetonitril-Liganden in bescheidenen Ausbeuten (10–20%) η^6-(Benzo-1,3,2-diazaborol)-tricarbonyl-chrom-Derivate[2]:

$$\text{C}_6\text{H}_4(\text{NH})_2\text{B-R} + (\text{H}_3\text{C-CN})_3(\text{CO})_3\text{Cr} \xrightarrow{-3\ \text{H}_3\text{C-CN}} \text{(CO)}_3\text{Cr}\cdot\text{C}_6\text{H}_4(\text{NH})_2\text{B-R}$$

...-tricarbonyl-chrom

R = CH_3; *(2-Methyl-2,3-dihydro-1H-⟨η^6-benzo-1,3,2-diazaborol⟩)-...*; 12,7%; F: 207° (Zers.)
R = C_6H_5; *(2-Phenyl-2,3-dihydro-1H-⟨η^6-benzo-1,3,2-diazaborol⟩)-...*; 18,2%; F: 185° (Zers.)

Mit Hexacarbonylchrom wird *(2-Methyl-2,3-dihydro-1H-⟨η^6-benzo-1,3,2-diazaborol⟩)-tricarbonyl-chrom* in >30%iger Ausbeute gewonnen[2]. Auch 1,3-Diphenyl-2,4,5-trimethyl-2,3-dihydro-1,3,2-diazaborol reagiert borfern mit Tricarbonyl-tris[acetonitril]-chrom[3]:

$$\text{1,3-Diphenyl-2,4,5-trimethyl-2,3-dihydro-1,3,2-diazaborol} + (\text{H}_3\text{C-CN})_3(\text{CO})_3\text{Cr} \xrightarrow{-3\ \text{H}_3\text{C-CN}} \text{Produkt}$$

3-Phenyl-1-(η^6-phenyl-tricarbonyl-chrom)-2,4,5-trimethyl-2,3-dihydro-1,3,2-diazaborol

[1] M.F. Lappert u. Y. Sristava, Inorg. Nucl. Chem. Letters **1**, 53 (1965); C.A. **64**, 9753 (1966).
[2] R. Goetze, Dissertation, S. 74, Universität München 1976.
[3] J. Schulze, Dissertation, S. 151, Universität Essen-GHS 1980.

Mit Triphenylphosphan läßt sich beim Belichten aus (Tricarbonylchrom)-1,3-di-tert.-butyl-2-methyl-2,3-dihydro-1,3,2-diazaborol der Tricarbonylchrom-Ligand abspalten[1]:

$$(OC)_3Cr\text{-(1,3-Di-tert.-butyl-2-methyl-2,3-dihydro-1,3,2-diazaborol)} + 2\ (H_5C_6)_3P \xrightarrow[-\ [(H_5C_6)_3P]_2(CO)_3Cr\ (90\ \%)]{h\nu} \text{1,3-Di-tert.-butyl-2-methyl-2,3-dihydro-1,3,2-diazaborol}$$

1,3-Di-tert.-butyl-2-methyl-2,3-dihydro-1,3,2-diazaborol; 90%

Bestimmte Eliminierungen cyclischer Diamino-organo-borane verlaufen borfern ohne Veränderung der CBN_2-Atom-Gruppierung. So lassen sich 1,3,2-Diazaborolidine mit Palladium katalytisch zu den 2,3-Dihydro-1,3,2-diazaborolen dehydrieren. Man erhitzt die Ausgangsverbindung in Gegenwart von Palladium (10% auf Holzkohle) 24 Stdn. unter Argon am Rückfluß. Auf möglichst vollständige Umsetzung sollte geachtet werden, da sonst die destillative Trennung des Produkts vom Edukt Schwierigkeiten bereitet[2-4].

$$\text{1-}CH_3\text{-3-}R^2\text{-2-}R^1\text{-1,3,2-diazaborolidin} \xrightarrow[-\ H_2]{Pd} \text{1-}CH_3\text{-3-}R^2\text{-2-}R^1\text{-2,3-dihydro-1,3,2-diazaborol}$$

...-2,3-dihydro-1,3,2-diazaborol

$R^1 = C(CH_3)_3$; $R^2 = CH_3$; *2-tert.-Butyl-1,3-dimethyl-...*; 52%; $Kp_{1,8}$: 40–41°
$R^1 = C_6H_5$; $R^2 = H$; *1-Methyl-2-phenyl-...*; 30%; Kp_2: 104–106°
$R^2 = CH_3$; *1,3-Dimethyl-2-phenyl-...*; 100%; F: 44–45°; Kp_2: 79–81°

ii₂) Reaktionen an den Organo-Resten

Am Bor-Atom gebundene 1-Methylallyl-Gruppen der Diamino-organo-borane lassen sich bei 150° ohne Veränderung der Atom-Gruppierung am Bor-Atom in die thermodynamisch stabileren 2-Butenyl-Reste isomerisieren[5]. Aus Bis[dimethylamino]-(1-methylallyl)-boran erhält man mit Zinkchlorid nach 80 Stdn. bei ~150° ein destillativ trennbares 7:3-Gemisch von *Bis[dimethylamino]-(trans-2-butenyl)-boran* (Kp_{100}: 98,3°) und *Bis[dimethylamino]-cis-2-butenyl-boran* (Kp_{100}: 101°)[6,7]:

---

[1] J. Schulze, Dissertation, S. 155ff., Universität Essen-GHS, 1980.
[2] J.S. Merriam u. K. Niedenzu, J. Organometal. Chem. **51**, C 1 (1973).
[3] K. Niedenzu u. J.S. Merriam, Z. anorg. Ch. **406**, 251 (1974); C.A. **81**, 77847 (1974).
[4] vgl. J. Schulze, Dissertation, S. 148f., Universität Essen-GHS 1980.
[5] vgl. K.G. Hancock u. J.D. Kramer, J. Organometal. Chem. **64**, C 29 (1974).
[6] R.W. Hoffmann u. H.-J. Zeiss, Ang. Ch. **92**, 218 (1980).
[7] R.W. Hoffmann u. H.-J. Zeiss, J. Org. Chem. **46**, 1309 (1981).

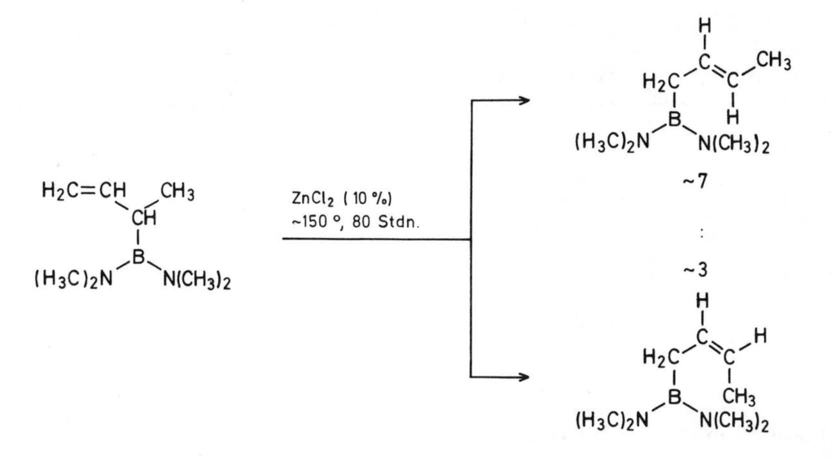

Tab. 53: Diamino-organo-borane von sek. Aminen

Formel	Verbindungstyp	Herstellung	s. S.
a) Alkyl-diamino-borane			
Alkyl—$B[N(CH_3)_2]_2$	R^1—$B(NR^2_2)_2$	aus R^1—$BHal_2 + R^2_2NH$ aus $(R^1—BO)_3 + Al(NR^2_2)_3$	219 231
H_3C—$B(NR_2)_2$	R^1—$B(NR^2_2)_2$	aus Hal—$B(NR^2_2)_2 + R^1$—Li	244
H_9C_4—$B(NR^3_2)_2$	R^1—$B(NR^2_2)_2$	aus R^1—$B(OR^3)_2 + H_2N$— + Na—NH—$RB(OR^3)_3$	228 229
H_9C_4—$B[N(CH_3)_2]_2$	R^1—$B(NR^2_2)_2$	aus R^1_2B—N< + Hal—NR^2_2 + R^1—$B(OR^2)_2$	234 234
		aus R^1—B(NR^2_2)(Hal) + $[R^2_2N—CS_2]^-Na^+$	235
C_6H_{11}-N(ring)B—$N(C_4H_9)_2$	R_2N—B(N…R ring)	aus >N—BH_2 + $R^{1\text{-}en}$—NH—	244
CH_3-N, N-CH_3 ring B—Alkyl	R—B(N…R_{en}…N ring)	aus R—B(N…R…N ring) + Pd(-H_2)	242
C_6H_5, H_3C, CH_3, H_3C, C_6H_5 ring (N, B, N)	R—B(N…R_{en}…N ring)	aus R—$BHal_2$ + —N=C—C=N— + Na/Hg	223
b) Aryl-diamino-borane			
Aryl—$B[N(CH_3)_2]_2$	R^1—$B(NR^2_2)_2$	aus R^1—$BHal_2 + R^2_2NH$	219
H_5C_6—$B(NR^2_2)_2$	R^1—$B(NR^2_2)_2$	aus R^1—$B(OR^3)_2 + Al(NR^2_2)_3$	229
		aus R^1—B(N<)(SR^3) + >NH	235
C_2H_5-N, N-C_2H_5 ring B—C_6H_5	R—B(N…R…N ring)	aus R—$BHal_2$ + >Si$[N<]_2$	223

Tab. 53: (Fortsetzung)

Formel	Verbindungstyp	Herstellung	s. S.
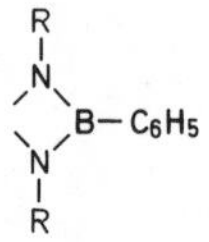 1,3-Di-R-1,3,2-diazaboretidin, B–C_6H_5	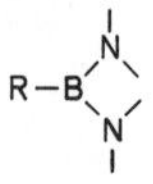 R–B (cyclisch, N/N)	aus R^1–B(N<)(SR^3) + >NH 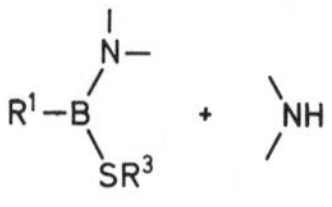	235
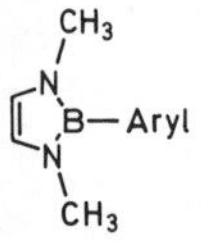 1,3-Dimethyl-1,3,2-diazaborol, B–Aryl	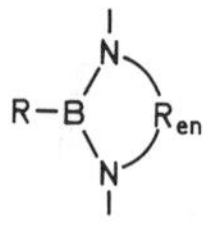 R–B(N)(N) R_{en}	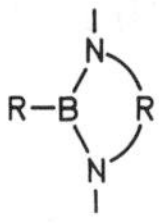 aus R–B(N)(N)R + Pd(-H_2)	242
c) Alkenyl- und Alkinyl-diamino-borane			
Alkenyl—B[N(CH_3)$_2$]$_2$	R^1—B(NR^2_2)$_2$	aus R^1—$BHal_2$ + R^2_2NH	219
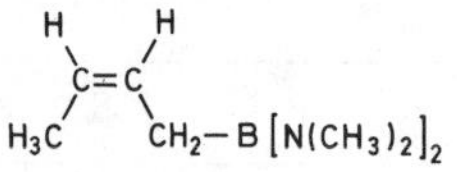 H(H$_3$C)C=C(H)CH_2—B[N(CH_3)$_2$]$_2$	R_{2-en}—B(NR_2)$_2$	aus Hal—B(NR_2)$_2$ + R_{en}—K + R_{en}—MgHal	247 248
R^1—C≡C—B(NR^2_2)$_2$	R_{1-in}—B(NR_2)$_2$	aus Hal—B(NR^2_2)$_2$ + R_{in}—Na + R_{in}—MgHal	246 249
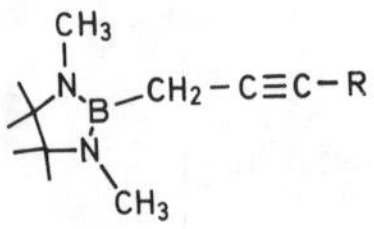 1,3-Dimethyl-tetramethyl-1,3,2-diazaborolidin, B–CH_2–C≡C–R	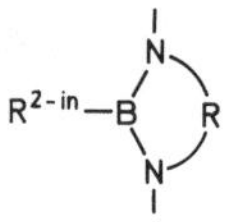 R^{2-in}—B(N)(N)R	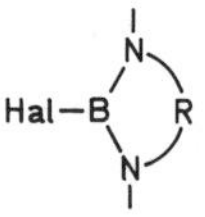 aus Hal—B(N)(N)R + R_{in}—Li	247

αα₅) aus Amino-hydro-boranen

Aus Diamino-hydro-boranen bzw. aus Amino-dihydro-boranen lassen sich mit Hilfe verschiedener Reaktionspartner offenkettige sowie cyclische Diamino-organo-borane herstellen (vgl. Tab. 53, S. 243).

Setzt man Amino-dihydro-borane mit Alkyl-allyl-aminen um, so kann eine >BH-Bindung das Amin borylieren und die andere die Allyl-Gruppe hydroborieren; z.B.[1]:

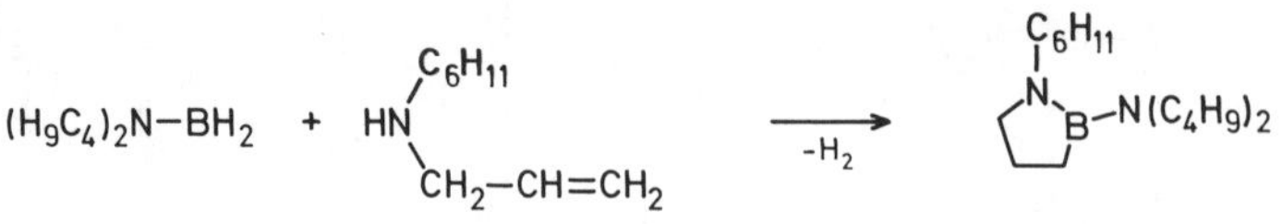

$$(H_9C_4)_2N{-}BH_2 + HN(C_6H_{11})(CH_2{-}CH{=}CH_2) \xrightarrow{-H_2} \text{1-}C_6H_{11}\text{-azaborolidin-}B{-}N(C_4H_9)_2$$

1-Cyclohexyl-2-dibutyl-amino-1,2-azaborolidin; 38%

αα₆) aus Amino-halogen-boranen

Zur Alkylierung von Diamino-halogen-boranen dienen vor allem Alkyllithium-, seltener Grignard-Verbindungen. Mit Alkyllithium-Verbindungen können die Umsetzungen bei sehr tiefen Temperaturen durchgeführt werden (vgl. Tab. 54, S. 246)[2]:

$$(R^1_2N)_2B{-}Hal + Li{-}R^2 \xrightarrow{-LiHal} (R^1_2N)_2B{-}R^2$$

Hal = F, Cl, Br

[1] J.B. LEACH u. J.H. MORRIS, J. Organometal. Chem. **13**, 313 (1968).
[2] H. NÖTH u. P. FRITZ, Z. anorg. Ch. **322**, 297 (1963).

Bis[dimethylamino]-methyl-boran[1]: 70 g (0,52 mol) Bis[dimethylamino]-chlor-boran werden in 100 *ml* Ether gelöst, auf −78° abgekühlt und tropfenweise innerhalb 1 Stde. unter Rühren mit 390 *ml* einer 1,28 m ether. Methyllithium-Lösung (0,50 mol) umgesetzt. Beim Auftauen setzt bei ~ −40° die Abscheidung von Lithiumchlorid ein. Man saugt bei 20° vom Unlöslichen ab, wäscht mit Ether und destilliert den Ether ab, bis unter Atmosphärendruck ein Siedepunkt von 60° erreicht wird. Sodann wird mehrmals i. Vak. fraktioniert; Ausbeute: 30 g (50,5%); Kp_{13}: 26–28°.

Bis[dimethylamino]-(1-methyl-1,2-propadienyl)]-boran (Kp_{15}: 63–65°) ist aus Bis[dimethylamino]-chlor-boran in Diethylether mit 2-Butinyllithium in 80%iger Ausbeute zugänglich[2].

Auch heterosubstituierte lithiumorganische Verbindungen sind für die Reaktion verwendbar. Mit Diethylaminoethinyllithium erhält man in Tetrahydrofuran/Hexan nach Vereinigen bei −30° und 0,5 stdgm. Erhitzen auf ~ 70° in 92%iger Ausbeute *2-(Diethylaminoethinyl)-1,3-dimethyl-1,3,2-diazaborolidin*[3].

Aus Bis[dimethylamino]-chlor-boran läßt sich mit der Dilithio-Verbindung des Allylsulfans und anschließender Methylierung mit Methyljodid *Bis[dimethylamino]-(3-methylthio-allyl)-boran* (65%) gewinnen[4]:

$$Cl{-}B[N(CH_3)_2]_2 \quad + \quad Li{-}CH_2{-}CH{=}CH{-}SLi \xrightarrow[]{1.\ -LiCl;\ 2.\ +CH_3J(-LiJ)} H_3CS{-}CH{=}CH{-}CH_2{-}B[N(CH_3)_2]_2$$

Bis[dimethylamino]-[(Z)-3-methoxyallyl]-boran erhält man aus Bis[dimethylamino]-chlor-boran mit dem Reaktionsprodukt von 3-Methoxypropen und Butyllithium[5,6]:

$$[(H_3C)_2N]_2B{-}Cl \quad + \quad (Li{-}CH_2)(H)C{=}C(H)(OCH_3) \xrightarrow[-LiCl]{(H_3C)_2N{-}CH_2{-}CH_2{-}N(CH_3)_2;\ THF;\ -78\ bis\ -75°} [(H_3C)_2N]_2B{-}CH(H)C{=}C(H)(OCH_3)$$

Bis[dimethylamino]-(1-tert.-butylimino-2,2-dimethyl-propyl)-boran ($Kp_{1,3-0,001}$: 58–60°, F: 23–24°) läßt sich aus Bis[dimethylamino]-chlor-boran mit Lithium-(1-tert.-butylimino-2,2-dimethyl-propan) in 62%iger Ausbeute herstellen[7]:

$$[(H_3C)_2N]_2B{-}Cl \quad + \quad Li{-}C({=}N{-}C(CH_3)_3){-}C(CH_3)_3 \xrightarrow[-LiCl]{Hexan} [(H_3C)_2N]_2B{-}C({=}N{-}C(CH_3)_3){-}C(CH_3)_3$$

Die Umsetzung von 2-Chlor-1,3-dimethyl-1,3,2-diazaborolidin mit Lithium-2-alkinen in Ether bei −80° ergibt unter Lithiumchlorid-Abspaltung die entsprechenden 2-(2-Alkinyl)-Derivate. Allerdings tritt teilweise Umlagerung zum 2-Allenyl-Derivat ein[8]:

---

[1] H. Nöth u. P. Fritz, Z. anorg. Ch. **322**, 297 (1963).
[2] R. W. Hoffmann u. U. Weidmann, J. Organometal. Chem. **195**, 137 (1980).
[3] H.-O. Berger, H. Nöth u. B. Wrackmeyer, J. Organometal. Chem. **145**, 17 (1978).
[4] R. W. Hoffmann u. B. Kemper, Tetrahedron Letters **1980**, 4883.
[5] R. W. Hoffmann u. B. Kemper, Tetrahedron Letters **1981**, 5263.
[6] R. W. Hoffmann u. B. Kemper, Tetrahedron Letters **1982**, 845.
[7] U. Sicker, A. Meller u. W. Maringgele, J. Organometal. Chem. **231**, 191 (1982).
[8] A. L'Honoré, J. Soulié u. P. Cadiot, C. r. [C] **275**, 229 (1972); C. A. **77**, 164793 (1972).

$$\text{1,3-Dimethyl-2-chlor-1,3,2-diazaborolidin} + LiR \xrightarrow{-LiCl} \text{1,3-Dimethyl-2-R-1,3,2-diazaborolidin}$$

. . .-*1,3,2-diazaborolidin*

R = CH_2–C≡C–$C(CH_3)_3$; *1,3-Dimethyl-2-(4,4-dimethyl-2-pentinyl)-. . .*; 82%; $Kp_{0,4}$: 54°
[Nebenprodukt: *2-(1-tert.-Butylallenyl)-1,3-dimethyl-1,3,2-diazaborolidin*]
R = CH_2–C≡C–$Si(CH_3)_3$; *1,3-Dimethyl-2-(3-trimethylsilyl-2-propinyl)-. . .*; 75%; $Kp_{0,75}$: 75°

Auch natriumorganische Verbindungen werden zur Herstellung von Diamino-organo-boranen aus Diamino-halogen-boranen verwendet. Meist werden diese Reagenzien unmittelbar zuvor aus Natriummetall mit Halogenkohlenwasserstoffen hergestellt. So erhält man z.B. *Bis*[*dimethylamino*]-*phenyl-boran* (Kp_9: 91–92°) in 70%iger Ausbeute nach mehrstündigem Rühren bei ~20°, wenn man eine Lösung von Bis[dimethylamino]-chlor-boran und Chlorbenzol in Toluol bei 0–20° zu einer Suspension von Natrium in Toluol tropfen läßt[1]:

$$Cl{-}B[N(CH_3)_2]_2 + C_6H_5Cl + 2\,Na \xrightarrow[-2\,NaCl]{} H_5C_6{-}B[N(CH_3)_2]_2$$

Tab. 54: Alkyl-diamino-borane aus Diamino-halogen-boranen mit Lithiumalkanen

Hal–B(NR₂)₂ Hal	R²	R¹–Li R¹	Bedingungen	Produkte	Ausbeute [%]	Kp [°C]	Kp [Torr]	Literatur
F	C_2H_5	CH_3	–	*Bis*[*diethylamino*]-*methyl-boran*	66	72	14	[2]
Cl	CH_3	C_4H_9	–	*Bis*[*dimethylamino*]-*butyl-boran*	65	37–38	2	[3]
		C_3F_7	in Ether bei –50°	*Bis*[*dimethylamino*]-*heptafluorpropyl-boran*	~30	34–36	10	[4]
		CH_2Li	20 Stdn., 100° (Einschlußrohr)	*Bis*[*bis(dimethyl-amino)boryl*]-*methan*	18	65–67	4	[5]
	(Diphenylmethan-2,2'-diyl)	CH_3	in Ether bei –78° ~10 Min.	*10-Dimethylboryl-9,10-dihydro-acridin*	33	110	0,1	[6]
	(H₃C-substituiertes Diphenylmethan-2,2'-diyl)	CH_3	in Ether bei –78 bis ~20°	*4,5-Dimethyl-10-dimethylboryl-9,10-dihydro-acridin*	–	100–110 (Subl.)	0,1	[6]

[1] US.P. 3079432 (1963), US Borax & Chem. Corp., Erf.: L.L. PETTERSON, R.J. BROTHERTON, G.W. WILLCOCKSON u. A.L. MCCLOSKEY; C.A. **59**, 2857 (1963).
[2] T.P. ONAK, G.B. DUNKS, R.A. BEAUDET u. R.L. POYNTER, Am. Soc. **88**, 4622 (1966).
[3] H. NÖTH u. P. FRITZ, Z. anorg. Ch. **322**, 297 (1963).
[4] T. CHIVERS, Chem. Commun. **1967**, 157.
[5] P. KROHMER u. J. GOUBEAU, B. **104**, 1347 (1971).
[6] J. CASANOVA u. M. GEISEL, Inorg. Chem. **13**, 2783 (1974).

Bis[dimethylamino]-heptafluorpropyl-boran ist zugänglich, indem man eine Lösung von Brom-dimethylamino-boran und Heptafluor-1-jod-propan in Cyclohexan mit Natrium-amalgam mehrere Tage im Dunkeln reagieren läßt[1].

Zur Herstellung von 1-Alkinyl-diamino-boranen aus Chlor-diamino-boranen setzt man auch 1-Natriumalkine ein, zu denen man bei –60° in Petrolether das Boran gibt, um nach Filtrieren vom Natriumchlorid destillativ aufzuarbeiten[2]:

$$Cl{-}B(NR^2_2)_2 \quad + \quad R^1{-}C{\equiv}C{-}Na \quad \xrightarrow[-NaCl]{} \quad R^1{-}C{\equiv}C{-}B(NR^2_2)_2$$

$R^1 = CH_3$; $R^2 = CH_3$; *Bis[dimethylamino]-1-propinyl-boran;* 36%; Kp_{15}: 72°
$R^1 = CH = C(CH_3)_2$; $R^2 = C_2H_5$; *Bis[diethylamino]-(4-methyl-3-penten-1-inyl)-boran*; 55%; $Kp_{1,5}$: 72°
$R^1 = C_6H_5$; $R^2 = CH_3$; *Bis[dimethylamino]-phenylethinyl-boran*; 32,5%; $Kp_{0,5}$: 96°
$R^2 = C_2H_5$; *Bis[diethylamino]-phenylethinyl-boran*; 44%; Kp_3: 145°

Chlor-diamino-borane reagieren mit Arylalkalimetall-Verbindungen zu den entsprechenden Aryl-diamino-boranen. So erhält man durch Zutropfen einer etherischen Phenyllithium-Lösung zu Bis[dimethylamino]-chlor-boran in siedendem Ether in 77%iger Ausbeute das *Bis[dimethylamino]-phenyl-boran* (Kp_9: 91–92°)[3].

Der Einsatz kaliumorganischer Verbindungen zur Herstellung von Diamino-organo-boranen aus Diamino-halogen-boranen dürfte nur in Sonderfällen von Interesse sein. Dies ist z.B. der Fall bei der Herstellung von *Bis[dimethylamino]-[(Z)-2-butenyl]-boran* aus Bis-[dimethylamino]-chlor-boran mit (Z)-2-Butenyl-kalium in Tetrahydrofuran/Hexan bei –120° bis ~0°, wobei wegen der schwachen Lewisacidität des Borans kaum eine Isomerisierung der Allyl-Gruppe erfolgt[4].

$$[(H_3C)_2N]_2B{-}Cl \; + \; K{-}CH_2{-}CH{=}CH{-}CH_3 \; \xrightarrow[-KCl]{THF/Hexan,\ -120°\ bis\ -0°} \; (Z)\text{-}H_3C{-}CH{=}CH{-}CH_2{-}B[N(CH_3)_2]_2$$

>95% (Z)-Isomer
Kp_{15}: 70° (Ringspaltkolonne)

Bis[dimethylamino]-(Z)- und *-(E)-2-pentenyl-borane* sind aus Bis[dimethylamino]-chlor-boran mit den entsprechenden Kalium-alkenen zugänglich[5].

Vielfach verwendet werden auch magnesiumorganische Verbindungen, um Diamino-organo-borane herzustellen. *Bis[dimethylamino]-methyl-boran* erhält man z.B. aus Bis[dimethylamino]-chlor-boran mit Methylmagnesiumjodid bzw. mit Trideuteromethylmagnesiumjodid *Bis[dimethylamino]-trideuteromethyl-boran*[6].

In oft unbefriedigenden Ausbeuten verläuft die Alkenylierung von Diamino-halogen-boranen mit 1-Alkenylmagnesium-Verbindungen. Immerhin läßt sich in Ether bei 0° aus Bis[diethylamino]-chlor-boran mit 1-Propenylmagnesiumbromid *Bis[diethylamino]-1-propenyl-boran* (Kp_{15}: 97°) herstellen[7,8]:

$$[(H_5C_2)_2N]_2B{-}Cl \; + \; H_3C{-}CH{=}CH{-}MgBr \; \xrightarrow[-MgBrCl]{} \; H_3C{-}CH{=}CH{-}B[N(C_2H_5)_2]_2$$

[1] T. Chivers, Chem. Commun. **1967**, 157.
[2] J. Soulié u. P. Cadiot, Bl. **1966**, 3846; C.A. **66**, 70473 (1967).
[3] US.P. 3079432 (1963), US Borax & Chem. Corp., Erf.: L.L. Petterson, R. J. Brotherton, G. W. Willcockson u. A.L. McCloskey; C.A. **59**, 2857 (1963).
[4] R.W. Hoffmann u. H.-J. Zeiss, Ang. Ch. **91**, 329 (1979).
[5] R.W. Hoffmann u. H.-J. Zeiss, J. Org. Chem. **46**, 1309 (1981).
[6] J.W. Dawson, P. Fritz u. K. Niedenzu, J. Organometal. Chem. **5**, 13 (1966).
[7] J. Braun, C.r. **256**, 2422 (1963); C.A. **59**, 4181 (1963).
[8] J. Braun u. H. Normant, Bl. **1966**, 2557; C.A. **66**, 2608 (1967).

Beispielsweise reagiert 2-Chlor-2,3-dihydro-1H-⟨benzo-1,3,2-diazaborol⟩ in Tetrahydrofuran mit Grignard-Verbindungen glatt zu den entsprechenden 2-Organo-Derivaten[1]:

$$\text{C}_6\text{H}_4(\text{NH})_2\text{B–Cl} + \text{R–MgHal} \xrightarrow{-\text{MgClHal}} \text{C}_6\text{H}_4(\text{NH})_2\text{B–R}$$

...-2,3-dihydro-1H-⟨benzo-1,3,2-diazaborol⟩
R = CH_3; *2-Methyl-...*; 77%; F: 98–99°
R = C_4H_9; *2-Butyl-...*; 76,5%; F: 85–86°
R = C_6H_5; *2-Phenyl-...*; 71%; F: 205–206°

Bis[dimethylamino]-(1-methylallyl)-boran (I) gewinnt man aus Bis[dimethylamino]-chlor-boran mit dem Grignard-Reagenz aus 1-Brom-2-buten[2–4]. Man isoliert nach der Reaktion in Diethylether und arbeitet zunächst ein 84/16-Gemisch von zwei Allylboranen auf, von denen sich die Hauptkomponente in reiner Form destillativ abtrennen läßt[3,5]:

$$[(H_3C)_2N]_2B–Cl + H_3C–CH{=}CH–CH_2–MgBr \xrightarrow[-MgClBr]{(H_5C_2)_2O}$$

$$H_2C{=}CH–CH(CH_3)–B[N(CH_3)_2]_2 + H_3C–CH{=}CH–CH_2–B[N(CH_3)_2]_2$$

I; 84%; Kp_{48}: 89°[3]; Kp_{30}: 70–76°[4]

Bis[dimethylamino]-2-butenyl-boran; 16%

Nach einer Variante wird zum in situ aus Ethylmagnesiumbromid mit Phenylacetylen in Ether hergestellten Phenylethinylmagnesiumbromid in Benzol Bis[diethylamino]-chlor-boran getropft. Man erhält in 41%iger Ausbeute das *Bis[diethylamino]-phenyl-ethinyl-boran* (Kp_2: 136–140°)[6]:

$$Cl–B[N(C_2H_5)_2]_2 + H_5C_6–C{\equiv}C–MgBr \xrightarrow[-MgBrCl]{-C_2H_6} H_5C_6–C{\equiv}C–B[N(C_2H_5)_2]_2$$

Durch Arylierung von 2 mol Bis[dimethylamino]-chlor-boran mit 1 mol 1,4-Bis-[brommagnesium]benzol erhält man zu 47% das *1,4-Bis[bis(dimethylamino)boryl]benzol*[7]:

$$2\,[(H_3C)_2N]_2B–Cl + BrMg–C_6H_4–MgBr \xrightarrow{-2\,MgBrCl} [(H_3C)_2N]_2B–C_6H_4–B[N(CH_3)_2]_2$$

In einen Fünfring mit der NBN-Gruppierung läßt sich der *exo*-cyclische Organo-Rest leicht einführen, wenn ein leicht austauschbarer Bor-Ligand, etwa in Form von Halogen, zur Verfügung steht. Man verwendet 2-Chlor-1,3,2-diazaborolidine.

---

[1] L. F. Hohnstedt u. A. M. Pellicciotto, US. Dept. Com. Office Tech. Serv. PB Rept. 152085 (1962); C. A. **58**, 2448 (1963).
[2] K. G. Hancock u. J. D. Kramer, J. Organometal. Chem. **64**, C 29 (1974).
[3] vgl. R. W. Hoffmann u. H.-J. Zeiss, Ang. Ch. **92**, 218 (1980).
[4] R. W. Hoffmann u. U. Weidmann, J. Organometal. Chem. **195**, 137 (1980).
[5] R. W. Hoffmann u. H.-J. Zeiss, J. Org. Chem. **46**, 1309 (1981).
[6] I. S. Panidi u. Y. M. Paushkin, Doklady Akad. Nauk Arm. SSSR **41**, 226 (1965). C. A. **64**, 12533 (1966).
[7] US.P. 2977391 (1961), Thiokol Chemical Corp., Erf.: C. E. Pearl; C. A. **55**, 15349 (1961).

Aus Chlor-diamino-boran lassen sich in Acetonitril bei 20° mit Silbercyanid Cyan-diamino-borane herstellen[1-3]. Offenkettige und cyclische Verbindungen sind in 60%iger Ausbeute zugänglich[2]; z.B.:

$$\text{1,3-Dimethyl-2-chlor-1,3,2-diazaborolidin} + AgCN \xrightarrow[-AgCl]{48\ \text{Stdn.},\ 20°,\ H_3C-CN} \text{(cyclisch) } B-CN$$

2-Cyan-1,3-dimethyl-1,3,2-diazaborolidin; 64%; Kp_{28-30}: 92–93°

αα7) aus Tris[amino]boranen

Tris[amino]borane sind zur Herstellung von Diamino-organo-boranen geeignet. Als Organylierungsmittel werden z.B. Phenyllithium sowie Triarylborane verwendet. Auch Azido-diamino-borane lassen sich einsetzen.

Tripyrroloboran kann mit Phenyllithium über das Lithium-phenyl-tripyrrolo-borat nach Versetzen mit Chlorwasserstoff ins *Dipyrrolo-phenyl-boran* überführt werden[4]:

$$B[-NC_4H_4]_3 \xrightarrow{+H_5C_6-Li} \xrightarrow[-LiCl,\ -C_4H_4NH]{+HCl} H_5C_6-B[-NC_4H_4]_2$$

Tris[amino]borane reagieren mit Triorganoboranen (vgl. S. 73). Setzt man Trialkylboran im Verhältnis 1:2 um, so erhält man Amino-dialkyl-boran als Kommutierungsprodukt neben geringen Mengen Alkyl-diamino-boran[5]. Die wenig untersuchte Kommutierung derselben Komponenten im Verhältnis 2:1 sollte vorwiegend Alkyl-diamino-boran ergeben und erscheint daher lohnend.

Die Kommutierung von Tris[dimethylamino]boran mit Triphenylboran bei 200° im Einschlußrohr ergibt ein Gemisch aus *Dimethylamino-diphenyl-boran, Bis[dimethylamino]-phenyl-boran* und den Ausgangskomponenten. Die Zusammensetzung ist vom Eduktmengenverhältnis abhängig. Am günstigsten ist ein 1,5facher Überschuß des Tris[amino]borans[6].

Dipyrrolo-phenyl-boran läßt sich aus Tripyrroloboran mit Triphenylboran im Mol-Verhältnis 2:1 in Gegenwart von >BH-Boran-Austauschkatalysatoren in Ether gewinnen[4]:

$$2\ B[-NC_4H_4]_3 + (H_5C_6)_3B \xrightarrow{>BH} 3\ H_5C_6-B[-NC_4H_4]_2$$

Die Alkylierung von Tris[dimethylamino]boran mit Dimethylzink setzt bei 60° ein und führt zu einem Produktgemisch von Aminoboranen, in dem das *Bis[dimethylamino]-methyl-boran* nur in sehr geringen Mengen enthalten ist[7].

---

[1] E. Bessler u. J. Goubeau, Z. anorg. Ch. **352**, 67 (1967).
[2] B. Hesset, J.B. Leach, J.H. Morris u. P.G. Perkins, Soc. [Dalton] **1972**, 131.
[3] A. Meller, W. Maringgele u. U. Sicker, J. Organometal. Chem. **141**, 249 (1977).
[4] P. Szarvas, B. Györi, J. Emri u. G. Kovacs, Magyar chem. Folyóirat **77**, 495 (1971); Chem. Inform. **1972**/3, 328.
[5] V.V. Korshak, N.J. Bekasova, L.H. Chursina u. V.A. Zamyatina, Izv. Akad. SSSR **1963**, 1645; engl.: 1500; C.A. **59**, 15296 (1963).
[6] H.K. Hofmeister u. J.R. van Wazer, J. Inorg. & Nuclear Chem. **26**, 1209 (1964); C.A. **61**, 3744 (1964).
[7] G. Abeler, H. Bayrhuber u. H. Nöth, B. **102**, 2249 (1969).

$\alpha\alpha_8$) aus Borazinen

Verschiedene Diamino-organo-borane sind auch aus Hexaorganoborazinen (vgl. S. 336ff.) durch Abbau mit primären Aminen oder mit Isocyanaten zugänglich. Beispielsweise läßt sich Hexamethylborazin durch 28stdgs. Erhitzen am Rückfluß mit Butylamin spalten[1]:

$$\text{Hexamethylborazin} + 6\ H_9C_4{-}NH_2 \xrightarrow{-3\ CH_3NH_2} 3\ H_3C{-}B(NH{-}C_4H_9)_2$$

Bis[butylamino]-methyl-boran; 41%; Kp_1: 80–81°

α_8) *aus Tetrakis[amino]diboranen(4)*

1,2-Bis[diaminoboryl]alkane werden durch 1,2-Addition von Tetraaminodiboranen(4) an die C=C-Bindung von Olefinen erhalten. So addiert Cyclohexen bei –80° in Gegenwart von Trichlorboran Tetrakis[dimethylamino]diboran(4). Die Reaktion wird bei ~20° vervollständigt. Man erhält das *1,2-Bis[bis(dimethylamino)boryl]cyclohexan*[2]:

$$\text{Cyclohexen} + B_2[N(CH_3)_2]_4 \xrightarrow{BCl_3} \text{1,2-}\{B[N(CH_3)_2]_2\}_2\text{-cyclohexan}$$

Durch Einleiten von Ethen in eine Lösung des gleichen Diborans(4) in Petrolether erhält man in Gegenwart von Trichlorboran *1,2-Bis[bis(dimethylamino)boryl]ethan*[3].

Tetrakis[dimethylamino]diboran(4) kann sich in einer α-Addition auch an Alkylisonitrile anlagern[4]:

$$B_2[N(CH_3)_2]_4 + R{-}N{\equiv}C \longrightarrow R{-}N{=}C\{B[N(CH_3)_2]_2\}_2$$

$R = CH_3$; *Bis[bis(dimethylamino)boryl]-methylimino-methan*
$R = C_6H_{11}$; *Bis[bis(dimethylamino)boryl]-cyclohexylimino-methan*

α_9) *aus Lewisbase-Organoboranen*

Verschiedentlich werden zur Herstellung bestimmter Diamino-organo-borane Lewisbase-Organoborane verwendet.

$\alpha\alpha_1$) aus Lewisbase-Triorganoboranen

Beim Erhitzen von 1,2-Diaminoethan- oder von 1,3-Diaminopropan-Trimethylboran auf ≧350° erhält man nach zweifacher Methan-Abspaltung 2-Methyl-1,3,2-diazaboracycloalkane[5].

---

[1] B.M. Mikhailov u. T.K. Kozminskaya, Ž. obšč. Chim. **30**, 3619 (1960); C.A. **55**, 20921 (1961).
[2] US.P. 3060234 (1962), US Borax & Chemical Corp., Erf.: J.L. Boone; C.A. **58**, 5704 (1963).
[3] DOS 1163825 (1964), US Borax & Chemical Corp., Erf.: G.W. Willcockson; C.A. **61**, 686 (1964).
[4] A. Meller u. H. Batka, M. **101**, 648 (1970); C.A. **73**, 35433 (1970).
[5] J. Goubeau u. A. Zappel, Z. anorg. Ch. **279**, 38 (1955).

Die aus dem entsprechenden Dibutyl-vinylamino-boran mit Isonitrilen zugänglichen 3-Amino-2,2-dibutyl-1,4,5-triphenyl-2H-1,2-azoniaboratole (vgl. S. 234, 458) unterliegen bei 100–130° einer Umlagerung, die man formal in eine sigmatrope 1,5-Verschiebung eines Butyl-Restes und in eine dyotrope Umlagerung einer Amino- und einer Butyl-Gruppe zerlegen kann[1,2]:

$$\text{H}_5\text{C}_6,\ \text{H}_5\text{C}_6,\ \overset{\oplus}{\text{N}}\text{-C}_6\text{H}_5,\ \overset{\ominus}{\text{B}}(\text{C}_4\text{H}_9)_2,\ \text{NH-R} \xrightarrow[77-85\%]{100-130°} \text{H}_5\text{C}_6,\ \text{H}_5\text{C}_6,\ \text{N-C}_6\text{H}_5,\ \text{B-NH-R},\ \text{H}_9\text{C}_4,\ \text{C}_4\text{H}_9$$

...-2,3-dihydro-1,2-azaborol

$R = C(CH_3)_3$; *2-tert.-Butylamino-3,3-dibutyl-1,4,5-triphenyl-...*
$R = C_6H_5$; *2-Anilino-3,3-dibutyl-1,4,5-triphenyl-...*

$\alpha\alpha_2$) aus Amin-Dihydro-organo-boranen

Aus Trimethylamin-Butyl-dihydro-boran wird mit der doppelten Menge Dimethylamin in Gegenwart katalytischer Mengen Diethylammonium-sulfat in 42%iger Ausbeute *Bis[diethylamino]-butyl-boran* ($Kp_{0,3}$: 77°) erhalten[3]:

$$(H_3C)_3\overset{\oplus}{N}-\overset{\ominus}{B}H_2-C_4H_9 \quad + \quad 2\ NH(C_2H_5)_2 \xrightarrow[-2\ H_2]{-N(CH_3)_3} H_9C_4-B[N(C_2H_5)_2]_2$$

Erhitzt man Isobutylamin-Aryl-dihydro-borane 2 Stdn. in überschüssigem Isobutylamin auf max. 150°, so entstehen in guten Ausbeuten die Aryl-bis[isobutylamino]-borane[4]:

$$(H_3C)_2CH-CH_2-\overset{\oplus}{N}H_2-\overset{\ominus}{B}H_2-R \quad + \quad H_2N-CH_2-CH(CH_3)_2 \xrightarrow{-H_2} R-B[NH-CH_2-CH(CH_3)_2]_2$$

z.B.: $R = C_6H_5$; *Bis[isobutylamino]-phenyl-boran*; 69%; Kp_2: 96–98°
$R = 1\text{-}C_{10}H_7$; *Bis[isobutylamino]-1-naphthyl-boran*; 71%; $Kp_{2,5}$: 156–158°

Diethylamin-Dihydro-phenyl-boran spaltet in Gegenwart von überschüssigem Diethylamin zwischen 70 und 150° 2 mol Wasserstoff ab. Man erhält *Bis[diethylamino]-phenyl-boran* (Kp_3: 100°) zu 39%. Dimethylamin-Dihydro-1-naphthyl-boran liefert mit Isobutylamin in der Wärme *Bis[isobutylamino]-1-naphthyl-boran* (78%; $Kp_{2,5}$: 156–163°)[5].

Mit sehr guten Ausbeuten verläuft die zweifache Aminierung von Trimethylamin-Alkyl-dihydro-boranen mit 1,2-Diaminobenzol in siedendem Benzol, wobei die Ausgangsborane durch Reduktion von Trialkylboroxin mit Lithiumtetrahydridoaluminat in Gegenwart von Trimethylamin hergestellt (vgl. S. 478) und die Produkte mit Pentan gefällt und aus Benzol/Pentan umkristallisiert werden[6,7]:

---

1 V. A. Dorokhov, O. G. Boldyreva, A. S. Shashkov u. B. M. Mikhailov, Izv. Akad. SSSR **1976**, 1431; engl.: 1374; C. A. **85**, 143166 (1976).
2 V. A. Dorokhov, O. G. Boldyreva, A. S. Shashkov u. B. M. Mikhailov, Heteroc. Sendai **18**, 27 (1982).
3 M. F. Hawthorne, Am. Soc. **83**, 2671 (1961).
4 B. M. Mikhailov u. V. A. Dorokhov, Izv. Akad. SSSR **1962**, 623; engl.: 576; C. A. **57**, 16643 (1962).
5 B. M. Mikhailov u. V. A. Dorokhov, Izv. Akad. SSSR **1962**, 1213; engl.: 1138; C. A. **58**, 5707 (1963).
6 M. F. Hawthorne, Am. Soc. **81**, 5836 (1959).
7 US. P. 2954402 (1960), American Cyanamid Co., Erf.: S. F. Stafiej u. J. H. Smalley; C. A. **55**, 12355 (1961).

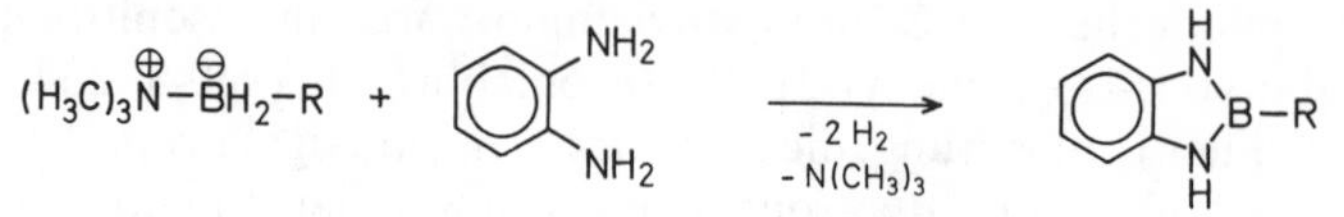

$(H_3C)_3\overset{\oplus}{N}-\overset{\ominus}{B}H_2-R$ + 1,2-Diaminobenzol $\xrightarrow[-N(CH_3)_3]{-2\,H_2}$ ...-2,3-dihydro-1H-⟨benzo-1,3,2-diazaborol⟩

Z.B. $R = C_3H_7$; *2-Propyl-...*; 95%; F: 102–103°
$R = C_4H_9$; *2-Butyl-...*; 85%; F: 66–67°
$R = C(CH_3)_3$; *2-tert.-Butyl-...*; 72%; F: 93–95°
$R = C_6H_{11}$; *2-Cyclohexyl-...*; 89%; F: 78–80°
$R = CH_2-C_6H_5$; *2-Benzyl-...*; 92%; F: 54–56°

Entsprechend verläuft die Aminierung von Ethylamin-Dihydro-(2-methylphenyl)-boran mit 1,2-Diaminobenzol bei 100° ohne Lösungsmittel; man erhält *2-(2-Methylphenyl)-2,3-dihydro-1H-⟨benzo-1,3,2-diazaborol⟩* (F: 81–82°, aus Hexan/Benzol)[1].

$\alpha\alpha_3$) aus Amin-Trihydroboranen

Das durch Erhitzen äquimolarer Mengen Triethylamin-Boran mit Benzyl-methyl-amin auf 200–210° erhaltene Gemisch aus 2-Methyl-2,3-dihydro-1H-⟨benzo[c]-1,2-azaborol⟩ und (Benzyl-methyl-amino)-dihydro-boran liefert mit Tripropylboran bei 110° innerhalb 1 Stde. u.a. *1-(Benzyl-methyl-amino)-2-methyl-2,3-dihydro-1H-⟨benzo[c]-1,2-azaborol⟩*, das sich destillativ abtrennen läßt ($Kp_{0,2}$: 120–122°)[2]:

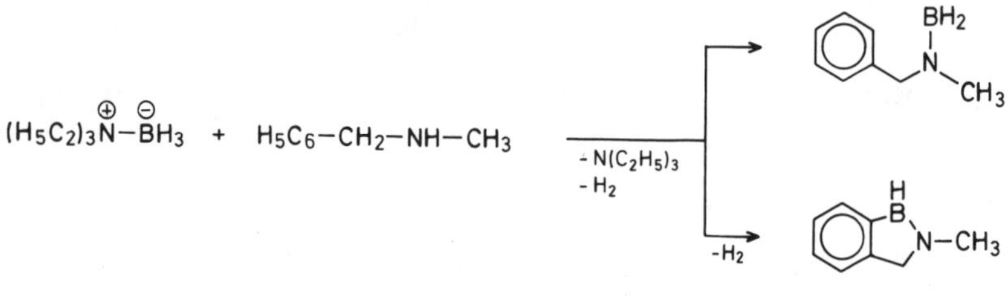

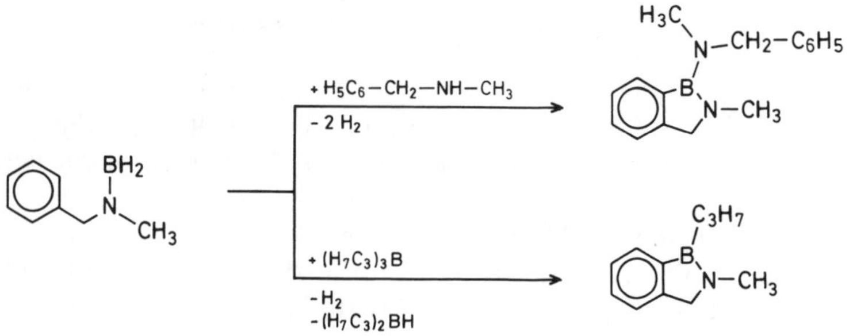

$(H_5C_2)_3\overset{\oplus}{N}-\overset{\ominus}{B}H_3$ + $H_5C_6-CH_2-NH-CH_3$ $\xrightarrow[-H_2]{-N(C_2H_5)_3}$ $H_5C_6-CH_2-N(CH_3)-BH_2$; $\xrightarrow{-H_2}$ 2-Methyl-2,3-dihydro-1H-⟨benzo[c]-1,2-azaborol⟩ (B–H, N–CH₃)

$H_5C_6-CH_2-N(CH_3)-BH_2$ $\xrightarrow[-2\,H_2]{+H_5C_6-CH_2-NH-CH_3}$ 1-[$N(CH_3)-CH_2-C_6H_5$]-benzazaborol (N–CH₃)

$H_5C_6-CH_2-N(CH_3)-BH_2$ $\xrightarrow[-H_2,\ -(H_7C_3)_2BH]{+(H_7C_3)_3B}$ 1-(C_3H_7)-benzazaborol (N–CH₃)

α_{10}) *aus ionischen Organobor(4)-Verbindungen*

2-Brom-1,3-diphenyl-2,4,5-trimethyl-2H-1,3,2-diazoniaboratol-bromid (s. S. 698) wird mit Natriumamalgam in Ether unter Abscheiden von Natriumchlorid und Bildung von *1,3-Diphenyl-2,4,5-trimethyl-2,3-dihydro-1,3,2-diazaborol* (51%; $Kp_{0,05}$:

[1] J.C. Catlin u. H.R. Snyder, J. Org. Chem. **34**, 1664 (1969).
[2] R. Köster u. K. Iwasaki, Advan. Chem. Ser. **42**, 148 (1964); C.A. **60**, 10705 (1964).

112– 114°) debromiert[1-3]. *1,3-Di-tert.-butyl-2-methyl-2,3-dihydro-1,3,2-diazaborol* erhält man entsprechend zu 97%[1,3]:

$$\left[\text{1,3-Di-tert.-butyl-2-brom-2-methyl-2H-1,3,2-diazoniaboratol}\right]^+ Br^- \xrightarrow[-2\,NaBr]{+2\,Na(Hg)/(H_5C_2)_2O,\ 20°,\ 12\ Stdn.} \text{1,3-Di-tert.-butyl-2-methyl-2,3-dihydro-1,3,2-diazaborol}$$

1,3-Di-tert.-butyl-2-methyl-2,3-dihydro-1,3,2-diazaborol[1]: 3,3 g (6,8 mmol) 2-Brom-1,3-di-tert.-butyl-2-methyl-2H-1,3,2-diazoniaboratol-bromid rührt man 12 Stdn. mit 100 g 0,4%igem Natriumamalgam in 50 *ml* Diethylether. Nach Abfiltrieren von Unlöslichem, Entfernen des Lösungsmittels i. Vak. wird fraktioniert; Ausbeute: 1,05 g (77%); $Kp_{0,1}$: 40–50°.

Organo-trihalogen-borate (vgl. S. 830) eignen sich zur Aminierung meist weniger gut als Dihalogen-organo-borane (vgl. S. 219ff.). Alkylammonium-phenyl-trichloroborate, hergestellt aus Dichlor-phenyl-boran und Alkylammoniumchloriden, spalten mit Basen die dreifache Menge Hydrogenchlorid ab und gehen in die Borazine über (vgl. S. 362). Lediglich die Isobutylammonium-Verbindung liefert beim 2stdgn. Einwirken von 3 mol Triethylamin in Toluol u.a. ~25% *Bis[isobutylamino]-phenyl-boran* ($Kp_{0,2}$: 90–92°)[4]:

$$[(H_3C)_2CH-CH_2-NH_3]^+[H_5C_6-BCl_3]^- \xrightarrow[-3\,[(H_5C_2)_3NH]^+Cl^-]{+3\,(H_5C_2)_3N} H_5C_6-B[NH-CH_2-CH(CH_3)_2]_2$$

Auch Organo-tris[amino]-borate sind zur Herstellung von Diamino-organo-boranen geeignet. *Dipyrrolo-phenyl-boran* erhält man aus Lithium-phenyl-tripyrrolo-borat mit Chlorwasserstoff in etherischer Lösung[5]:

$$Li^+\left\{H_5C_6-B\left[-N\langle\text{pyrrolyl}\rangle\right]_3\right\}^- + HCl \xrightarrow[-LiCl,\ -\text{Pyrrol (NH)}]{(H_5C_2)_2O} H_5C_6-B\left[-N\langle\text{pyrrolyl}\rangle\right]_2$$

β) Bis[alkylidenamino]-organo-borane

Bis[alkylidenamino]-organo-borane werden aus Halogen-organo-boranen, Organo-thio-boranen sowie aus Amino-organo-boranen hergestellt (vgl. Tab. 55, S. 254).

β_1) *aus Halogen-organo-boranen*

Bis[alkylidenamino]-organo-borane sind beispielsweise durch Reaktion des Dichlor-phenyl-borans mit Lithium-diphenylmethylenamid zugänglich[6]:

$$H_5C_6-BCl_2 \ + \ 2\,(H_5C_6)_2C{=}N-Li \xrightarrow[-2\,LiCl]{} H_5C_6-B[N{=}C(C_6H_5)_2]_2$$

Bis[diphenylmethylenamino]-phenyl-boran; 52%; F: 129–131°

[1] L. Weber u. G. Schmid, Ang. Ch. **86**, 519 (1974).
[2] G. Schmid u. J. Schulze, B. **110**, 2744 (1977).
[3] J. Schulze u. G. Schmid, B. **114**, 495 (1981).
[4] B.R. Currell, W. Gerrard u. M. Khodabocus, J. Organometal. Chem. **8**, 411 (1967).
[5] P. Szarvas, B. Györi, J. Emri u. G. Kovács, Magyar chem. Folyóirat **77**, 495 (1971); Chem. Inform. **1972**/3, 328.
[6] C. Summerford u. K. Wade, Soc. [A] **1970**, 2010.

Tab. 55: Bis[alkylidenamino]-organo-borane

Formel	Reaktionstyp	Herstellung	s. S.
$H_{13}C_6-B[N=C(CH(CH_3)_2)(C_6H_5)]_2$	$R-B[N=C<]_2$	aus $R^1-B(SR^2)_2$ + $HN=C<$	254
$H_5C_6-B[N=C(C_6H_5)_2]_2$	$R-B[N=C<]_2$	aus R^1-BHal_2 + $LiN=C<$	253
		+ $R^2_3Si-N=C<$	254
		aus $R-B[N<]_2$ + $[H_2N=C<]^+ X^-$	255
$H_3C-B(NCS)-N=C(NCS)(CCl_3)$ (vgl. S. 261 ff.)	$R-B(NCS)-N=C<$	aus $R^1-B(Hal)-N=C<$ + R^2-NCS	264

Bis[diphenylmethylenamino]-phenyl-boran (50%; F: 127–128°) kann durch Spaltung des Benzophenon-trimethylsilylimins mit Dichlor-phenyl-boran bei maximal 96° hergestellt werden[1] (vgl. Tab. 55):

$$H_5C_6-BCl_2 + 2\,(H_5C_6)_2C{=}N-Si(CH_3)_3 \xrightarrow{-2\,(H_3C)_3Si-Cl} H_5C_6-B[N{=}C(C_6H_5)_2]_2$$

β_2) *aus Organo-thio-boranen*

Die Iminierung von Bis[butylthio]-hexyl-boran mit (α-Organobenzyliden)amin führt unter zweifacher Butanthiol-Abspaltung zum Bis[α-Organobenzylidenamino]-hexyl-boran[2,3]:

$$H_{13}C_6-B(SC_4H_9)_2 + 2\,HN{=}C(R)(C_6H_5) \xrightarrow{-2\,H_9C_4SH} H_{13}C_6-B[N{=}C(R)(C_6H_5)]_2$$

R = $CH(CH_3)_2$; *Bis[2-methyl-1-phenyl-propylidenamino]-hexyl-boran*
R = C_6H_5; *Bis[diphenylmethylenamino]-hexyl-boran*

β_3) *aus Amino-organo-boranen*

Die Umaminierung von Diamino-phenyl-boranen mit Benzophenonimin-Hydrochlorid verläuft unter schonenden Bedingungen. Das freiwerdende Amin fällt aus der Reaktionslösung als Hydrochlorid aus. Man rührt äquimolare Mengen von Bis[diethylamino]-phenyl-boran und Imin-Hydrochlorid 1 Stde. in Dichlormethan bei ~20°[4–6].

---

[1] C. SUMMERFORD u. K. WADE, Soc. [A] **1969**, 1487.
[2] B.M. MIKHAILOV, G.S. TER-SARKISYAN, N.N. GOVOROV u. Z. JANOUSEK, Izv. Akad. SSSR **1975**, 484; engl.: 418; C.A. **83**, 10232 (1975).
[3] B.M. MIKHAILOV, G.S. TER-SARKISYAN u. N.N. GOVOROV, Izv. Akad. SSSR **1976**, 1827; engl.: 1721; C.A. **86**, 55508 (1977).
[4] B.M. MIKHAILOV, G.S. TER-SARKISYAN u. N.A. NIKOLAEVA, Izv. Akad. SSSR **1972**, 2372; engl.: 2320; C.A. **78**, 43561 (1973).
[5] V.P. KOZITSKII, Ž. prikl. Chim. **46**, 1367 (1973); C.A. **79**, 83825 (1973).
[6] B.M. MIKHAILOV, G.S. TER-SARKISYAN, N.N. GOVOROV, N.N. NIKOLEVA u.V.G. KISELEV, Izv. Akad. SSSR **1976**, 870; engl.: 848; C.A. **85**, 63112 (1976).

$$H_5C_6{-}B[NC_2H_5)_2]_2 \quad + \quad 2\,[(H_5C_6)_2C{=}NH_2\,]^+Cl^- \xrightarrow[-2\,[(H_5C_2)_2NH_2]^+Cl^-]{} H_5C_6{-}B[N{=}C(C_6H_5)_2]_2$$

Bis[diphenylmethylenamino]-phenyl-boran; 52%; F: 129–131°

γ) Organobor-Stickstoff-Stickstoff-Verbindungen von Carbonsäure- und Kohlensäure-amiden

Zur Verbindungsklasse gehören Organoborane(3) mit mindestens einer der folgenden Atomgruppierungen:

X: O, S, N$^-$

Y: O–, S–, N<

γ_1) *Acylamino-organo-borane*

Die Herstellungsmethoden der Acylamino-amino-organo-borane und der Bis[acylamino]-organo-borane sind in der Tab. 56 (S. 256) zusammengestellt.

$\gamma\gamma_1$) aus Triorganoboranen

Zur Herstellung von Acylamino-Derivaten der RBN$_2$-Verbindungen aus Triorganoboranen gibt es Substitutionen und Additionen.

Unter den Substitutionen führt die zweifache Aminierung von Tripropylboran mit 2-Aminobenzamid bei 80–130° ohne Lösungsmittel zum *4-Hydroxy-2-propyl-1,2-dihydro-⟨benzo[d]-1,3,2-diazaborin⟩* (F: 146°, aus Xylol)[1]:

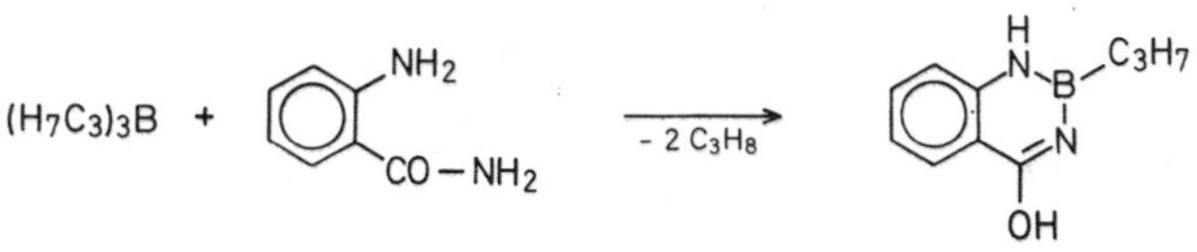

$$(H_7C_3)_3B \quad + \quad \text{2-}H_2N{-}C_6H_4{-}CO{-}NH_2 \xrightarrow{-\,2\,C_3H_8} \text{4-Hydroxy-2-propyl-1,2-dihydro-benzo[d]-1,3,2-diazaborin}$$

Carborierungen von an C=N-Bindungen liefern ebenfalls Bis[acylamino]-organo-borane.

Speziell aus Triarylboranen kann man mit Isocyanat durch Aryloborierung der C=N-Bindung Bis[acylamino]-organo-borane (vgl. Tab. 56, S. 256) herstellen[2]:

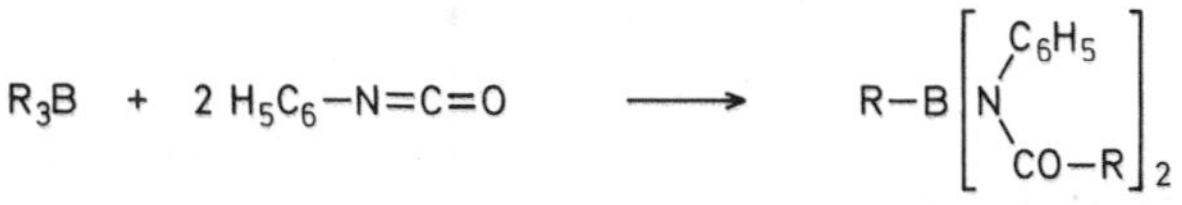

$$R_3B \quad + \quad 2\,H_5C_6{-}N{=}C{=}O \longrightarrow R{-}B\left[N\begin{matrix}C_6H_5\\ CO{-}R\end{matrix}\right]_2$$

R = C_6H_5; *Bis-[N-benzoylanilino]-phenyl-boran;* 96%; F: 118–120°
R = 4-CH_3–C_6H_4; *Bis-[N-(4-methylbenzoyl)anilino]-(4-methylphenyl)-boran;* 97%; F: 96°

---

[1] US.P. 3065267 (1962), Bayer AG, Erf.: K. LANG u. F. SCHUBERT; C.A. **58**, 10236 (1963).
[2] M.F. LAPPERT u. B. PROKAI, Soc. **1963**, 4223.

Tab. 56: Acylamino-amino-organo- und Bis[acylamino]-organo-borane

Formel	Strukturtyp	Herstellung	s. S.
a) Acylamino-amino-organo-borane			
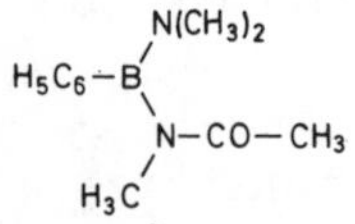 $H_5C_6-B(N(CH_3)_2)-N(CH_3)-CO-CH_3$	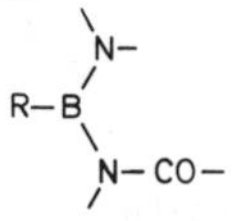 $R-B(N<)-N(-)-CO-$	aus $R^1-B(N<)-Hal$ + $R^2_3Si-N(-)-CO-$	260
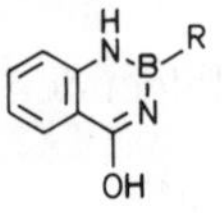 (Benzo-Ring) H N B R, N, OH	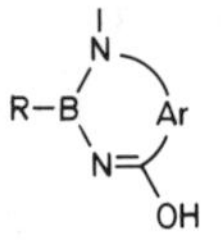 R–B, N, Ar, N=, OH		
$R = C_3H_7$		aus $R_3B + H_2N-Ar-CO-NH_2$	255
$R = Ar$		aus $R-B(OH)_2 + H_2N-Ar-CO-NH_2$	257 (231)
$R = C_6H_5$		aus $R-BHal_2 + H_2N-Ar-CO-NH_2$	257
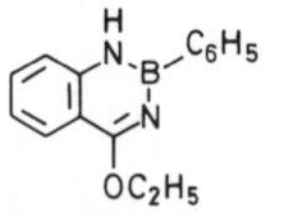 (Benzo-Ring) H N B C_6H_5, N, OC_2H_5	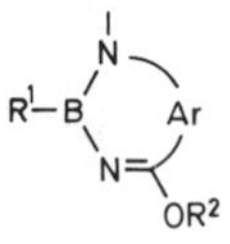 R^1-B, N, Ar, N=, OR^2	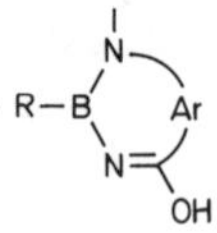 aus R–B, N, Ar, N=, OH + $POCl_3/C_2H_5OH$	261
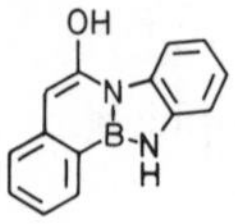 OH, N, B, N H (Benzo-Ringe)	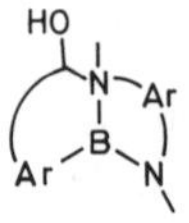 HO, N, Ar, B, N, Ar	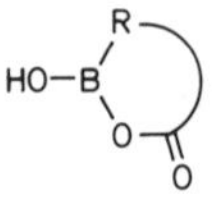 aus HO–B(R)–O–C(=O) + $H_2N-Ar-NH_2$	258
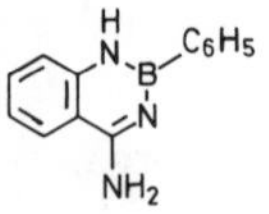 (Benzo-Ring) H N B C_6H_5, N, NH_2	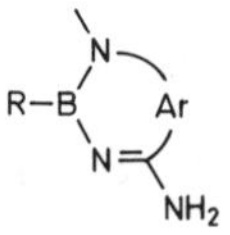 R–B, N, Ar, N=, NH_2	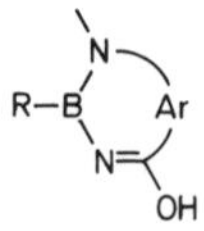 aus R–B, N, Ar, N=, OH + $POCl_3/NH_3$	261
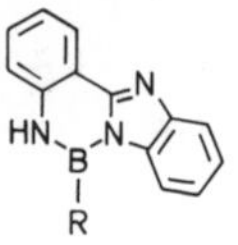 (Benzo-Ringe) N, HN, B, N, R	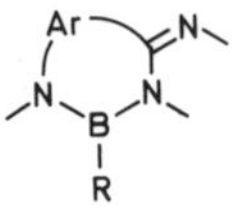 Ar, =N, N, B, N, R	aus $R-B[N<]_2$ + $H_2N-Ar-N(-)-C(=N-)$	260
b) Bis[acylamino]-organo-borane			
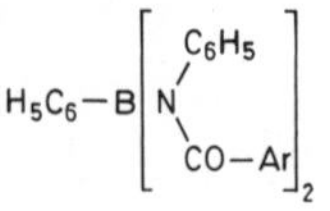 $H_5C_6-B[N(C_6H_5)-CO-Ar]_2$	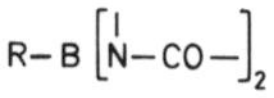 $R-B[N(-)-CO-]_2$	aus $R^1_3B + R^2-N=C=O$	255
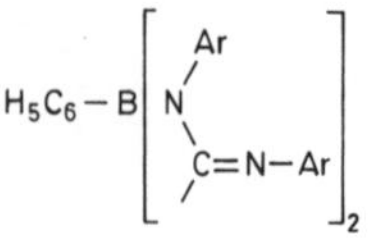 $H_5C_6-B[N(Ar)-C(=N-Ar)-]_2$	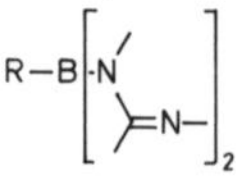 $R-B[N(-)-C(=N-)]_2$	aus $R_3B + -N=C=N-$	257
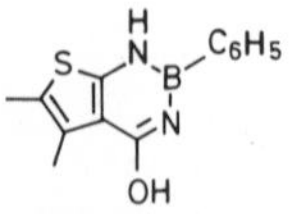 (Thiophen-Ring) S, H N B C_6H_5, N, OH	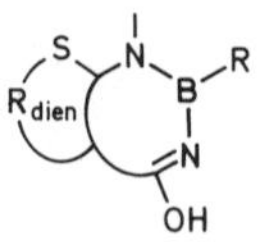 S, R_{dien}, N, B, R, N, OH	aus $R^1-B(OR^2)_2$ 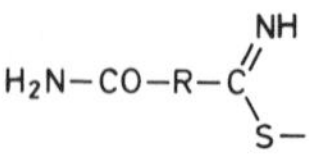 $H_2N-CO-R-C(=NH)(S-)$	257
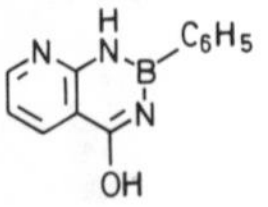 (Pyridin-Ring) N, H N B C_6H_5, N, OH	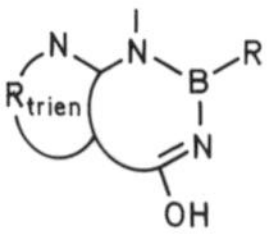 N, R_{trien}, N, B, R, N, OH	aus $(R-BO)_3 + H_2N-R-CO-NH_2$	258

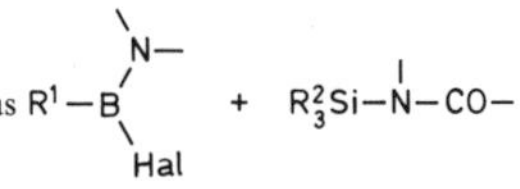

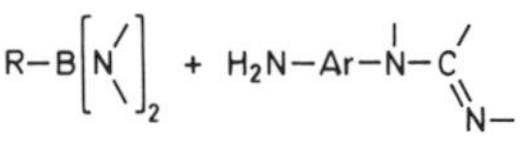

Mit Carbodiimiden erhält man durch zweifache Phenyloborierung Bis[iminocarbonylamino]-organo-borane (vgl. Tab. 56, S. 256)[1]:

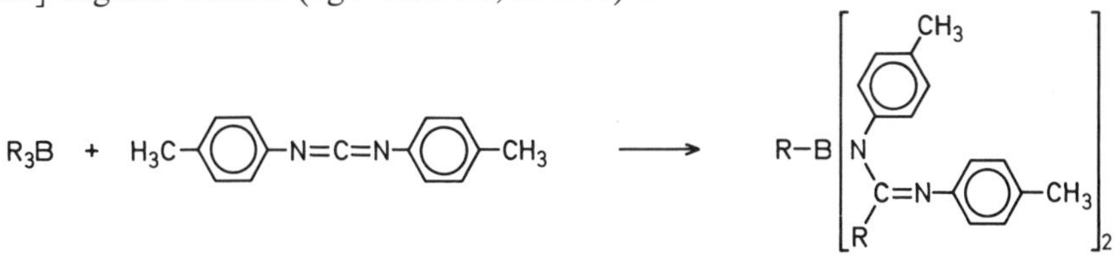

$R = C_6H_5$; *Bis{N-[α-(4-methylphenylimino)-benzyl]-4-methyl-anilino}-phenyl-boran;* 65%; F: 166–168°

γγ₂) aus Halogen-organo-boranen

Aus äquimolaren Mengen Dichlor-phenyl-boran läßt sich mit 2-Aminobenzamid in Benzol in nur 20%iger Ausbeute *4-Hydroxy-2-phenyl-1,2-dihydro-⟨benzo[d]-1,3,2-diazaborin⟩* (F: 210–211°) gewinnen[2–4]:

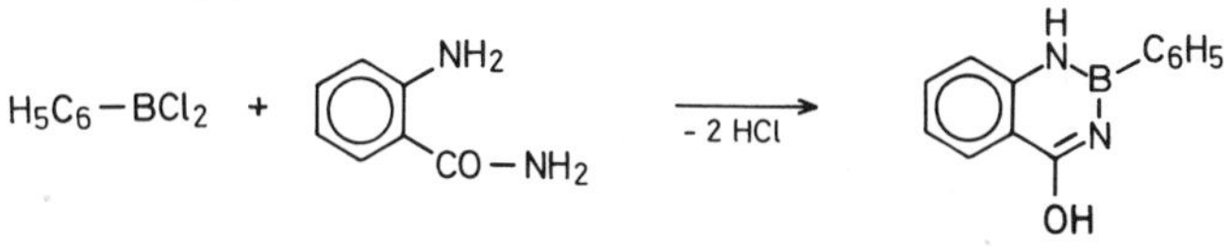

γγ₃) aus Organo-oxy-boranen

Besonders eingehend untersucht wurde die Kondensation von Aryl-dihydroxy-boranen mit 2-Aminobenzamiden[5]. Die erhaltenen Produkte haben psychotherapeutische Eigenschaften. Zur Herstellung werden die Komponenten in Toluol oder Xylol erhitzt und das freiwerdende Wasser mittels eines Wasserabscheiders entfernt. Gelegentlich wird die Wasser-Abspaltung auch mit Calciumhydrid oder Phosphor(V)-oxid gefördert. Die Produkte fallen nach dem Umkristallisieren in reiner Form an. In Tab. 57 (S. 259) wird nur eine Auswahl wiedergegeben.

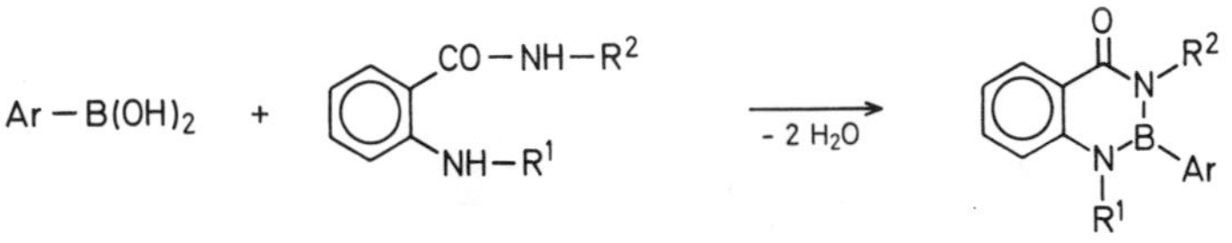

Mehrkernige Heterocyclen mit RBN_2-Gruppierung lassen sich aus Diethoxy-phenyl-boran [zugänglich aus Triphenylboroxin mit abs. Ethanol (vgl. Bd. XIII/3a, S. 743)] z.B. mit Aminocarbonsäureamiden herstellen[6]:

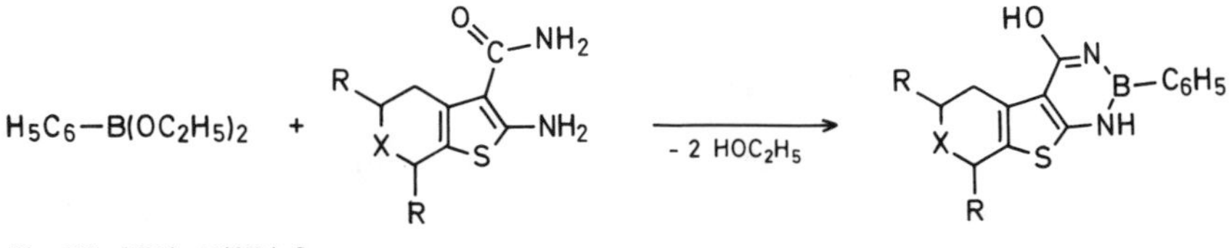

$X = CH_2, (CH_2)_2, N(CH_3), S$
$R = H, C_6H_5, 4\text{-}Cl\text{-}C_6H_4$

[1] R. Jefferson, M.F. Lappert, B. Prokai u. B.P. Tilley, Soc. [A] **1966**, 1584.
[2] S.S. Chissick, M.J.S. Dewar u. P.M. Maitlis, Am. Soc. **81**, 6329 (1959).
[3] S.S. Chissick, M.J.S. Dewar u. P.M. Maitlis, Am. Soc. **83**, 2708 (1961).
[4] W.L. Cook u. K. Niedenzu, Synth. React. Inorg. Metal-org. Chem. **3**, 229 (1973).
[5] H.L. Yale, J. Heterocyclic Chem. **8**, 193 (1971).
[6] V.P. Arya, Indian J. Chem. **15**, 267 (1977); C.A. **87**, 102397 (1977).

Aus Acyloxy-hydroxy-organo-boranen sind mit Diaminen Acylamino-amino-organo-borane zugänglich. Die Reaktion des inneren Anhydrids der 2-(Dihydroxyboryl)-phenyl-essigsäure liefert mit 1,2-Diaminobenzol in siedendem Xylol *6-Hydroxy-12H-⟨benzo[c]-(1,3,2-benzodiazaborolo) [1,2-a]-1,2-azaborin⟩* (74%; F: ~ 200°)[1]:

$$\xrightarrow{-2\ H_2O}$$

Aus Triphenylboroxin läßt sich mit Aminocarbonsäureamiden z.B. in siedendem Ethanol das Kondensationswasser als Ethanol/Wasser-Azeotrop abdestillieren. Die Produkte scheiden sich beim Einengen der Reaktionslösung ab und können durch Umkristallisieren aus Benzol, gelegentlich aus Dimethylformamid gereinigt werden. Das Verfahren wird u.a. auf Derivate des Nicotinsäureamids sowie anderer cyclischer Aminocarbonsäureamide angewendet. Beispielsweise lassen sich 4-Hydroxy-2-phenyl-1,2-dihydro-⟨pyrido[2,3-d]-1,3,2-diazaborine⟩ herstellen[2,3].

$$1/3\ (H_5C_6-BO)_3 + \xrightarrow{-H_2O}$$

...1,2-dihydro-⟨pyrido-[2,3-d]1,3,2-diazaborin⟩

$R^1 = H$; $R^2 = R^3 = CH_3$; *6,7-Dimethyl-4-hydroxy-2-phenyl-...*; 80%; F: 253°
$R^2 = NO_2$; $R^3 = H$; *4-Hydroxy-6-nitro-2-phenyl-...*; 89%; F: 336° (aus DMF)
$R^1 = CH_3$; $R^2 = H$; $R^3 = CH_3$; *5,7-Dimethyl-4-hydroxy-2-phenyl-...*; 96%; F: 225°
$R^3 = C_6H_5$; *2,7-Diphenyl-4-hydroxy-5-methyl-...*; 63%; F: 310°

Außerdem sind in Ethanol 1-Oxo-3-phenyl-1,2,3,4,6,7,8,9-octahydro-⟨1-benzothieno[2,3-d]1,3,2-diazaborine⟩ (vgl. S. 257) zugänglich[4]:

$$1/3\ (H_5C_6-BO)_3 + \xrightarrow[-H_2O]{H_5C_2-OH}$$

...-1,2,3,4,6,7,8,9-octahydro-⟨1-benzothieno[2,3-d]-1,3,2-diazaborin⟩
$R^1 = R^2 = H$; *1-Oxo-3-phenyl ...*; 84%; F: 324° (Zers.)
$R^1 = R^2 = C_6H_5$; *1-Oxo-3,7,9-triphenyl ...*; 72%; F: 300°

$\gamma\gamma_4$) aus Organo-thio-boranen

Diorgano-organothio-borane werden auch zur Herstellung bestimmter Organobor-Verbindungen mit Thioacylamino-Funktion verwendet. Aus Dimethyl-methylthio-boran erhält man mit 2-Sulfinylamino-benzonitril nach Abspalten von Tetramethyldiboroxan,

[1] J.C. Catlin u. H.R. Snyder, J. Org. Chem. **34**, 1660 (1969).
[2] A. Dornow u. D. Wille, B. **98**, 1505 (1965).
[3] V.P. Arya, Indian J. Chem. **9**, 1167 (1971); C.A. **76**, 25338 (1972).
[4] V.P. Arya, Indian J. Chem. **15**, 267 (1977); C.A. **87**, 102397 (1977).

Tab. 57: 2-Aryl-4-oxo-1,2,3,4-tetrahydro-⟨benzo-[d]-1,3,2-diazaborine⟩ aus Aryl-dihydroxy-boranen mit 2-Amino-benzamiden

$Ar-B(OH)_2$ / Ar	2-($NH-R^1$)-benzoyl-$NH-R^2$: R^1	R^2	...1,2,3,4-tetrahydro-⟨benzo[d]-1,3,2-diazaborin⟩	Ausbeute [%]	F [°C]	Literatur
C_6H_5	H	H	*4-Oxo-2-phenyl-...*	85	214–215	1
	H	CH_3	*3-Methyl-4-oxo-2-phenyl-...*		170–172	2
	H	C_2H_5	*3-Ethyl-4-oxo-2-phenyl-...*	75	180–181	1
	H	$CH_2-C_6H_5$	*3-Benzyl-4-oxo-2-phenyl-...*		190–192	3
	H	$-(CH_2)_3-N(CH_3)_2$	*3-(3-Dimethylamino-propyl)-4-oxo-2-phenyl-...*		170–172	2
	CH_3	CH_3	*1,3-Dimethyl-4-oxo-2-phenyl-...*		92–94	2
$4-CH_3-C_6H_4$	H	H	*2-(4-Methylphenyl)-4-oxo-...*	89	265–267	1
$2,4,6-(CH_3)_3-C_6H_2$	H	H	*4-Oxo-2-(2,4,6-trimethyl-phenyl)-...*		202–204	2
$1-C_{10}H_7$	H	$CH_2-C_6H_5$	*3-Benzyl-2-(1-naphthyl)-4-oxo-...*		218–220	3

[1] H.L. Yale, J. Heterocyclic Chem. **8**, 193 (1971).
[2] H.L. Yale, F.H. Bergeim, F.A. Sowinski, J. Bernstein u. J. Fried, Am. Soc. **84**, 688 (1962).
[3] US.P. 3293252 (1966/1963), E.R. Squibb & Sons. Inc., Erf.: J. Fried, F.H. Bergeim, H.L. Yale u. J. Bernstein; C.A. **66**, 115783 (1967).

Dimethyldisulfan und Trimethylboran *2-Methyl-1-methyldisulfano-4-methylthio-1,2-dihydro-⟨1,3,2-diazaborin⟩*[1]:

$$4\ (H_3C)_2B{-}SCH_3 + \text{2-}(O{=}S{=}N){-}C_6H_4{-}C{\equiv}N \xrightarrow[-\ (H_3C)_2B{-}O{-}B(CH_3)_2;\ -\ H_3C{-}S{-}S{-}CH_3;\ -\ (H_3C)_3B]{} \text{2-Methyl-1-methyldisulfano-4-methylthio-1,2-dihydro-}\langle 1,3,2\text{-diazaborin}\rangle$$

$\gamma\gamma_5$) aus Amino-organo-boranen

Der Einsatz von Amino-halogen-organo-boranen eignet sich zur Herstellung von Acylamino-amino-organo-boranen[2,3]. Man verwendet Acyl-organo-trimethylsilyl-amine, die im Gleichgewicht mit kleineren Anteilen von (1-Organoimino-alkoxy)-trimethyl-silanen vorliegen[2]:

$$R^1{-}C(=O){-}N(R^2){-}Si(CH_3)_3 \rightleftharpoons R^1{-}C(=N{-}R^2){-}O{-}Si(CH_3)_3$$

$R^1 = R^2 = CH_3,\ C_6H_5,\ CF_3$ usw.

Aus Chlor-dimethylamino-phenyl-boran erhält man mit N-Trimethylsilyl-carbonsäureamiden unter Abspaltung von Chlor-trimethyl-silan Acylamino-dimethylamino-phenyl-borane; z.B. *(Acetyl-methyl-amino)-dimethylamino-phenyl-boran* ($Kp_{0,001}$: 47–49°)[3]:

$$H_5C_6{-}B(Cl){-}N(CH_3)_2 + (H_3C)_3Si{-}N(CH_3){-}CO{-}CH_3 \xrightarrow{-\ (H_3C)_3Si{-}Cl} H_5C_6{-}B(N(CH_3)_2){-}N(CH_3){-}CO{-}CH_3$$

Diamino-organo-borane werden zur Herstellung von Acylamino-organo-boranen verwendet. Beispielsweise lassen sich 6-Organo-5,6-dihydro-⟨benzo[e]-benzimidazolo [1,2-c]-1,3,2-diazaborine⟩ aus Bis[dimethylamino]-organo-boranen mit 2-(2-Aminophenyl)benzimidazol in Benzol unter Abspaltung von Dimethylamin gewinnen[4]:

$$R{-}B[N(CH_3)_2]_2 + \text{2-(2-Aminophenyl)benzimidazol} \xrightarrow[-2\ HN(CH_3)_2]{\text{Benzol}} \ldots$$

...-5,6-dihydro-⟨benzo[e]-benzimidazolo[1,2-c]-1,3,2-diazaborin⟩

$R = C_6H_5$: *6-Phenyl-...*; 98,2%; F: 243–246°

$R = CH_3$: *6-Methyl-...*; F: 278–282°

---

[1] A. Meller, W. Maringgele u. H. Fetzer, B. **113**, 1950 (1980).

[2] A. Meller, W. Maringgele, G. Beer u. A. Fetzer, M. **108**, 1279 (1977).

[3] W. Maringgele u. A. Meller, B. **111**, 538 (1978).

[4] J. Bielawski u. K. Niedenzu, Synth. React. Inorg. Metal-org. Chem. **110**, 479 (1980).

Beim 4-Hydroxy-2-phenyl-1,2-dihydro-⟨benzo[d]-1,3,2-diazaborin⟩ kann z.B. die Hydroxy-Gruppe gegen das Chlor-Atom mit Hilfe von Phosphoroxidtrichlorid substituiert werden. Das Chlor-Atom wiederum wird mit ethanolischem Natriumhydrogencarbonat gegen die Ethoxy-Gruppe und mit Ethanol/Wasser/Ammoniak gegen die Amino-Gruppe ausgetauscht[1,2]:

1. $POCl_3$ 2. NH_3 ← ... → 1. $POCl_3$ 2. $H_5C_2OH/NaHCO_3$

4-Amino-2-phenyl-1,2-dihydro-⟨benzo[d]-1,3,2-diazaborin⟩

4-Ethoxy-2-phenyl-1,2-dihydro-⟨benzo[d]-1,3,2-diazaborin⟩

γ_2) *RBN_2-Verbindungen der Kohlensäure*

Zur Herstellung der RBN_2-Verbindungen mit mindestens einer Kohlensäureamid-Gruppierung werden Triorganoborane, Halogen-organo-borane, Organo-thio-borane sowie zahlreiche Diamino-organo-borane verwendet.

$\gamma\gamma_1$) aus Triorganoboranen

Die Substitution von Organo-Resten der Triorganoborane durch Kohlensäureamid-Gruppierungen ist i.allg. beim Erhitzen bis auf ~200° möglich.

Durch Kondensation von Trialkylboran mit Guanidin erhält man unter Alkan- und Ammoniak-Abspaltung 1,2-Dihydro-1,3,5,2-triazaborine. Die Komponenten werden in Methanol vereinigt, nach kurzem Rühren wird das Lösungsmittel abgezogen und der Rückstand 1–4 Stdn. auf 170–200° erhitzt[3]:

R^1_3B + 2 $R^2-NH-C(=NH)-NH_2$ (− NH_3, −2 R^1H)

R^1_3B + $R^2-NH-C(=NH)-NH-C(=NH)-NH-R^2$ (−2 R^1H)

→ *...-1,2-dihydro-1,3,5,2-triazaborin*

z.B.: $R^1 = C_4H_9$; $R^2 = CH_2-C_6H_5$; *4,6-Bis[benzylamino]-2-butyl-...*; F: 100°
$R^1 = CH_2-CH_2-CH(CH_3)_2$; $R^2 = C_6H_{11}$; *4,6-Bis[cyclohexylamino]-2-(3-methylbutyl)-...*; F: 90°
$R^1 = CH_2-C_6H_5$; $R^2 = H$; *2-Benzyl-4,6-diamino-...; F: >300°*
$R^2 = C_2H_5$; *2-Benzyl-4,6-bis[ethylamino]-...*; F: 240°

$\gamma\gamma_2$) aus Dihalogen-organo-boranen

Die Abspaltung von Hydrogenhalogenid aus Gemischen von Dihalogen-organo-boranen und Harnstoff- bzw. Thioharnstoffen liefert RBN_2-Verbindungen mit Kohlensäureamid-Gruppierungen.

[1] H.L. Yale, F.H. Bergheim, F.A. Sowinski, J. Bernstein u. J. Fried, Am. Soc. **84**, 688 (1962).
[2] H.L. Yale, J. Heterocyclic Chem. **8**, 193 (1971).
[3] DOS 1243202 (1967), Süddeutsche Kalkstickstoff–Werke A.-G., Erf.: A. Joos u. L. Strassberger; C.A. **68**, 69053 (1968).

Aus Dichlor- bzw. Dibrom-organo-boranen erhält man mit 1,3-Diorganoharnstoffen bei ~80° unter Abspaltung des Hydrogenhalogenids Gemische von cyclischen Diamino-organo-boranen I und 1,3,5,2,4-Triazadiborinanen II in etwa äquimolarem Verhältnis (vgl. S. 315)[1]:

R–BHal₂ + R^1–HN/R^1–HN>C=Y, ~80°; – 2 HHal → I + II

R = CH_3
R^1 = CH_3, C_2H_5, C_6H_5
Y = O, S
Hal = Cl, Br

Mit 1,1-Diethyl-3-methyl-harnstoff werden außer Dimethyl-N-subst.-ureido-boran *4,6-Dioxo-5-ethyl-1,2,3-trimethyl-1,3,5,2-triazaborinan* (62%; $Kp_{0,002}$: 52–54°) und *1,2,3,5,7-Pentamethyl-4,6,8-trioxo-1,3,5,7,2-tetraazaborocan* (19%; F: 220–223°; $Kp_{0,002}$: 150°)[1] gebildet:

H_3C–BBr_2 + CH_3–HN–C(=O)–$N(C_2H_5)_2$ / CCl_4; 24 Stdn. Rückfluß; – 2 HBr →

Isocyanat- sowie Isothiocyanat-Reste lassen sich mit dem Bor-Atom verbinden, wenn man Halogen-organo-borane mit Silbercyanat bzw. -isocyanat (vgl. S. 97) umsetzt.

Bis[isocyanat]-phenyl-boran ($Kp_{0,2}$: 60°) wird aus Dibrom-phenyl-boran mit Silbercyanat zu 74% erhalten[2]:

$$H_5C_6\text{—}BBr_2 + 2\ Ag\text{—}O\text{—}C\equiv N \xrightarrow[-2\,AgBr]{} H_5C_6\text{—}B[N{=}C{=}O]_2$$

---

[1] W. Maringgele, B. **115**, 3271 (1982).

[2] M. F. Lappert, H. Pyszora u. M. Rieber, Soc. **1965**, 4256.

$\gamma\gamma_3$) aus Organo-thio-boranen

Die Thioborierung von N=C-Bindungen der Arylisocyanate liefert Thiokohlensäure-amid-Derivate der Borane. Bis[aryl-organothiocarboranyl-amino]-phenyl-borane erhält man aus Bis[organothio]-phenyl-boran mit Arylisocyanaten in Ausbeuten von 70–90%[1,2]:

$$H_5C_6{-}B(SR)_2 \;+\; 2\,Ar{-}NCO \longrightarrow H_5C_6{-}B\left[N\begin{matrix}Ar\\ CO{-}SR\end{matrix}\right]_2$$

R=C_2H_5; Ar=C_6H_5; *Bis[N-(ethylthio-carbonyl)-anilino]-phenyl-boran*[2]; 96%; F: 176–180°
R=C_6H_5; Br=C_6H_5; *Bis[N-(phenylthio-carbonyl)-anilino)-phenyl-boran*[2]; 99%; F: 182–184°
R=4–Cl–C_6H_4; Ar=1–$C_{10}H_7$; *Bis[(4-chlorphenylthio-carbonyl)-1-naphthyl-amino)-phenyl-boran*[2]; 83%; F: 140–142°

$\gamma\gamma_4$) aus Organobor-Stickstoff-Verbindungen

Edukte sind Amino-diorgano-borane, Amino-halogen-organo-borane sowie vor allem Bis-amino-organo-borane. Substitutionen sowie Additionen werden angewendet.

Amino-isothiocyanat-organo-borane sind mit Diamino-aryl-boranen aus Aryl-bis[iso-thiocyanat]-boranen zugänglich. Durch Kommutierung von Bis[dialkylamino]-phenyl- und Bis[isothiocyanat]-phenyl-boran entstehen z.B. in hohen Ausbeuten die Dialkylamino-isothiocyanat-phenyl-borane[3]:

$$H_5C_6{-}B(NR_2)_2 \;+\; H_5C_6{-}B(NCS)_2 \longrightarrow 2\; \begin{matrix}SCN\\ H_5C_6\end{matrix}\!\!>B{-}NR_2$$

R = CH_3; *Dimethylamino-isothiocyanat-phenyl-boran*; 85%; $Kp_{0,5}$: 110°
R = C_2H_5; *Diethylamino-isothiocyanat-phenyl-boran*; 97%; Kp_8: 155°

Aus Diorganobor-Stickstoff-Verbindungen sind RBN_2-Verbindungen durch Addition an geeignete Mehrfachbindungen zugänglich.

Aus Diphenyl-isothiocyanat-boran lassen sich mit Phenylisocyanat verschiedene substituierte Amino-Verbindungen gewinnen. Die Reaktionen verlaufen nicht einheitlich. Man erhält aus äquimolaren Eduktanteilen etwa gleiche Mengen des gemischten Organo-/Amino-borierungs-Produkts und des Bisorganoborierungs-Produkts[4]:

$$(H_5C_6)_2B{-}N{=}C{=}S \;+\; H_5C_6{-}N{=}C{=}O \longrightarrow H_5C_6{-}B\begin{matrix}N(C_6H_5){-}CO{-}C_6H_5\\ N(C_6H_5){-}CO{-}N{=}C{=}S\end{matrix}$$

(N-Benzoylanilino)-(N-isothiocyanatcarbonyl-anilino)-phenyl-boran; 52%

$$\longrightarrow S{=}C{=}N{-}B\begin{matrix}N(C_6H_5){-}CO{-}C_6H_5\\ N(C_6H_5){-}CO{-}C_6H_5\end{matrix}$$

Bis[N-benzoylanilino]-isothiocyanat-boran; 48%

---

[1] R.H. Cragg, Soc. [A] **1968**, 2962.
[2] R.H. Cragg, M.F. Lappert u. B.P. Tilley, Soc. **1967**, 947.
[3] T.L. Heying u. H.G. Smith jr., Advan. Chem. Ser. **42**, 201 (1964); C.A. **60**, 10703 (1964).
[4] R.L. Wells u. R.H. Neilson, Synth. React. Inorg. Metal-org. Chem. **3**, 137 (1973).

Amino-halogen-organo-borane lassen sich mit bestimmten organischen Stickstoff-Verbindungen (Organopseudohalogeniden) in Borane überführen, die zwei verschiedene Amino-Funktionen enthalten.

Durch Behandeln eines Brom-(1-bromalkylidenamino)-methyl-borans mit der doppelten Menge an Methylthiocyanat werden beide Brom-Atome substituiert. Ob dabei ein Thiocyanato- bzw. Isothiocyanat-boran gebildet wird, ist allerdings nicht klar[1]; z.B.:

$$(Br)(H_3C)B{-}N{=}C(Br)(CCl_3) + 2\ H_3C{-}NCS \xrightarrow[-2\ CH_3Br]{} (SCN)(H_3C)B{-}N{=}C(NCS)(CCl_3)$$

Isothiocyanat-(1-isothiocyanat-2,2,2-trichlor-ethylidenamino)-methyl-boran

Dimethylamino-isocyanat-phenyl-boran wird aus Dimethylamino-halogen-phenyl-boran mit Silberisocyanat hergestellt; mit Silberthiocyanat entsteht das *Dimethylamino-isothiocyanat-phenyl-boran*[2].

Bis[diorganoamino]-organo-borane lassen sich unter BN-Substitution oder vor allem unter Aminoborierungen von C=N-Bindungen in RBN_2-Verbindungen mit Kohlensäureamid-Funktionen am Bor-Atom überführen.

Beispielsweise reagiert Bis[dimethylamino]-phenyl-boran mit Anthranilsäureamid in siedendem Benzol in 70⁰/₀iger Ausbeute unter Bildung von reinem *4-Hydroxy-2-phenyl-1,2-dihydro-⟨benzo[d]-1,3,2-diazaborin⟩* (F: 214–216°)[3]:

$$H_5C_6{-}B[N(CH_3)_2]_2 + C_6H_4(NH_2)(C(=O)NH_2) \xrightarrow[-2\ HN(CH_3)_2]{} C_6H_4{<}(NH{-}B(C_6H_5){-}N{=}C(OH))$$

Auch mit Aminocarbonyl-harnstoffen (Biuret-Derivaten) reagieren Bis[dimethylamino]-organo-borane unter Abspaltung von Dimethylamin. Man erhält in siedendem Toluol 2-Organo-4,6-dioxo-1,3,5,2-triazaborinane[4] (vgl. S. 262):

$$R{-}B[N(CH_3)_2]_2 + H_2N{-}\overset{O}{\overset{\|}{C}}{-}NH{-}\overset{O}{\overset{\|}{C}}{-}NH_2 \xrightarrow[-2\ HN(CH_3)_2]{Toluol,\ \sim 110°} \text{(cyclo: } {-}NH{-}B(R){-}NH{-}C(=O){-}NH{-}C(=O){-})$$

...-1,3,5,2-triazaborinan

$R = CH_3$; *4,6-Dioxo-2-methyl-...*; 75⁰/₀; F: 96–98°
$R = C_6H_5$; *4,6-Dioxo-2-phenyl-...*; 66⁰/₀; F: 336–340° (Zers.)

Diamino-organo-borane addieren sich an Organo- und Sulfonyl-isocyanate sowie an Isothiocyanate unter Bildung neuer substituierter Diamino-organo-borane (vgl. S. 99).

Die Aminoborierung der CN-Bindung der Isocyanate eröffnet einen Zugang zu den Ureidoboranen. An die Bis[alkylamino]-phenyl-borane wird das erste Molekül Isocyanat wesentlich rascher addiert als das zweite. Die Reaktion gleicher Mengen Bis[dimethylamino]-phenyl-boran und Isocyanat bzw. Isothiocyanat in Benzol/Hexan führt nach 3stdgm. Erhitzen am Rückfluß zu Dimethylamino-phenyl-ureido-boranen[5]:

---

[1] A. Meller u. W. Maringgele, M. **102**, 121 (1971); C.A. **74**, 125764 (1971).
[2] P.A. Barfield, M.F. Lappert u. J. Lee, Soc. [A] **1968**, 554.
[3] W.L. Cook u. K. Niedenzu, Synth. React. Inorg. Metal-org. Chem. **3**, 229 (1973).
[4] J. Bielawski, K. Niedenzu, A. Weber u. W. Weber, Z. Naturf. **36b**, 470 (1981).
[5] H. Beyer, J.W. Dawson, H. Jenne u. K. Niedenzu, Soc. **1964**, 2115.

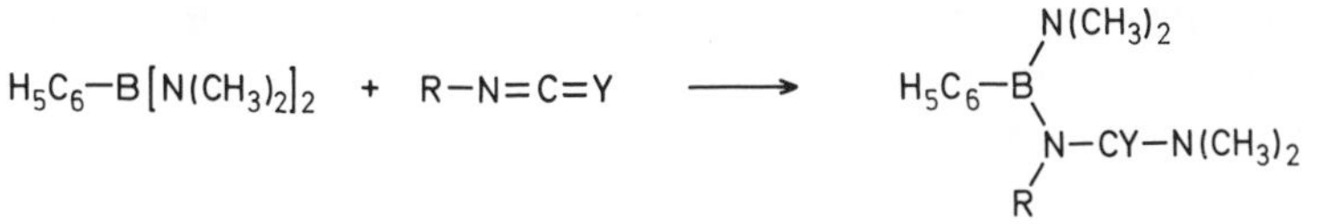

$$H_5C_6-B[N(CH_3)_2]_2 \quad + \quad R-N=C=Y \longrightarrow H_5C_6-B(N(CH_3)_2)-N(R)-CY-N(CH_3)_2$$

N,N-Dimethyl-N'-(dimethylamino-phenyl-boryl)-...

Y = O; R = C_2H_5; ...*-N'-ethyl-harnstoff*; F: 82–95°; Kp_4: 60–64°
R = C_6H_5; ...*-N'-phenyl-harnstoff*; Kp_2: 72–78°
Y = S; R = C_6H_5; ...*-N'-phenyl-thioharnstoff*; Kp_3: 81–84°

Setzt man Diamino-phenyl-borane mit Arylisocyanaten im Verhältnis 1:2 um, so gewinnt man nach 6stdgm. Erhitzen in Benzol oder Pentan am Rückfluß die Bis[ureido]-phenyl-borane als hochschmelzende Festkörper[1–3]:

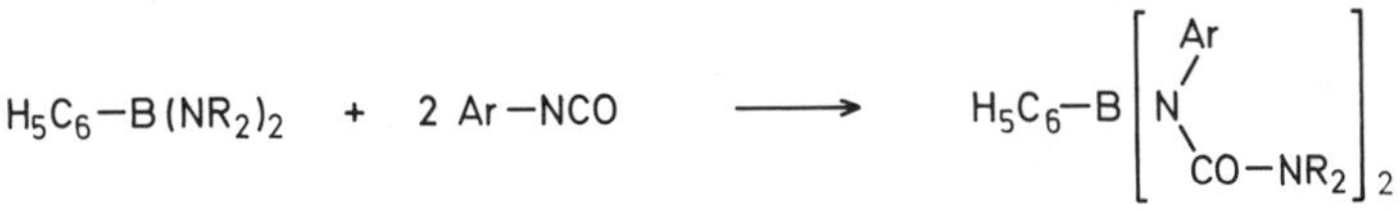

$$H_5C_6-B(NR_2)_2 \quad + \quad 2\ Ar-NCO \longrightarrow H_5C_6-B[N(Ar)-CO-NR_2]_2$$

R = C_2H_5; Ar = C_6H_5; *Bis[N-diethylaminocarbonyl-anilino]-phenyl-boran*[1]; F: 115–116°
R = C_2H_5; Ar = 4-CH_3–C_6H_4; *Bis[N-diethylaminocarbonyl-4-methyl-anilino]-phenyl-boran*[2]; F: 205–209°
R = $C(CH_3)_3$; Ar = C_6H_5; *Bis[N-(di-tert.-butyl-aminocarbonyl)anilino]-phenyl-boran*[3]; 90%; F: 158–160°

Beim Einschub von einem oder zwei Molekülen Phenylisocyanat in das Ringsystem der 2-Phenyl-1,3,2-diazaborolidine[3] bzw. -1,3,2-diazaborinane[4–7] erhält man unter Aminoborierung der CN-Doppelbindung des Isocyanats 8- bzw. 9gliedrige Ringsysteme. Die Komponenten werden 3–6 Stdn. in Benzol am Rückfluß erhitzt[3,4].

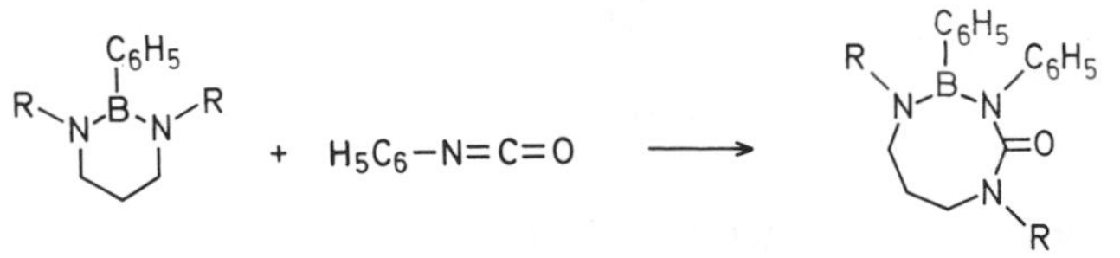

$$\text{2-Phenyl-1,3-R}_2\text{-1,3,2-diazaborinan} \quad + \quad H_5C_6-N=C=O \longrightarrow \text{(8-Ring: R-N-B}(C_6H_5)\text{-N}(C_6H_5)\text{-C(=O)-N(R)-(CH}_2)_3\text{)}$$

z.B.: R = H; *2,3-Diphenyl-4-oxo-1,3,5,2-triazaborocan*[4]; 85%; glasart. Feststoff

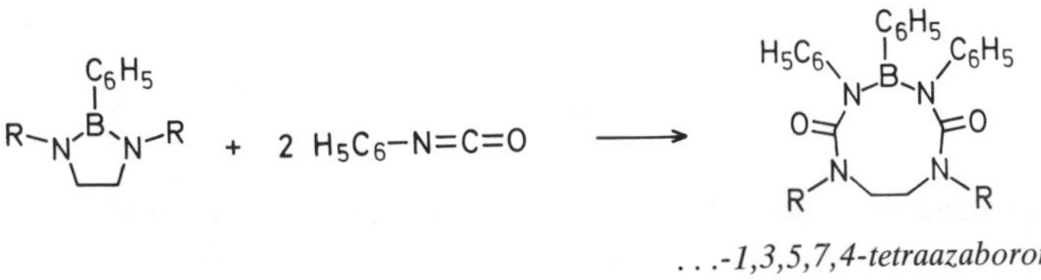

$$\text{2-Phenyl-1,3-R}_2\text{-1,3,2-diazaborolidin} \quad + \quad 2\ H_5C_6-N=C=O \longrightarrow \text{(9-Ring: }H_5C_6\text{-N-B}(C_6H_5)\text{-N-}C_6H_5\text{; 2 C=O; N(R)-CH}_2\text{-CH}_2\text{-N(R))}$$

...-1,3,5,7,4-tetraazaboronan

R = H; *2,6-Dioxo-3,4,5-triphenyl-...*[3]; 93%; F: 232°
R = C_4H_9; *1,7-Dibutyl-2,6-dioxo-3,4,5-triphenyl-...*[4]; 97%; $Kp_{0,2}$: 156–160°

---

[1] T.L. Heying u. H.D. Smith, Jr., Advan. Chem. Ser. **42**, 201 (1964).
[2] H. Beyer, J.W. Dawson, H. Jenne u. K. Niedenzu, Soc. **1964**, 2115.
[3] R.H. Cragg, M.F. Lappert u. B.P. Tilley, Soc. **1964**, 2108.
[4] U.W. Gerwarth u. K.-D. Müller, J. Organometal. Chem. **96**, C33 (1975).
[5] K.-D. Müller u. U.W. Gerwarth, J. Organometal. Chem. **110**, 15 (1976).
[6] K.-D. Müller u. U.W. Gerwarth, Z. anorg. Ch. **433**, 268 (1977).
[7] U.W. Gerwarth u. K.-D. Müller, Z. anorg. Ch. **433**, 261 (1977).

Aus 1,3-Dimethyl-2-phenyl-1,3,2-diazaborolidin erhält man mit Phenylisothiocyanat unter aminoborierender Ringerweiterung ein 1,3,5,2-Triazaborepan[1]:

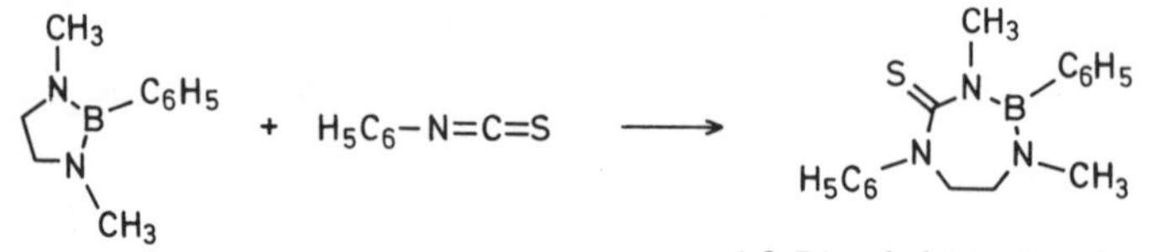

1,3-Dimethyl-2,6-phenyl-4-thiono-1,3,6,2-triazaborepan; F: 63–64°

1,3-Dialkyl-2-phenyl-1,3,2-diazaborinan liefert unter analoger Ringerweiterung um zwei Ringglieder die entsprechenden Achtring-Verbindungen[2,3].

RBN_2-Verbindungen mit Kohlensäureamid-Gruppierungen am Bor-Atom sind auch aus Organoborazinen zugänglich. Es bilden sich „Misch-Additionsprodukte". So ergeben z.B. 2,4,6-Triorganoborazine mit Isocyanaten nach mehrstündigem Erhitzen zum Rückfluß die nach der Destillation in der Vorlage erstarrenden 4,6-Dioxo-1,3,5,2-triazaborinane[4]:

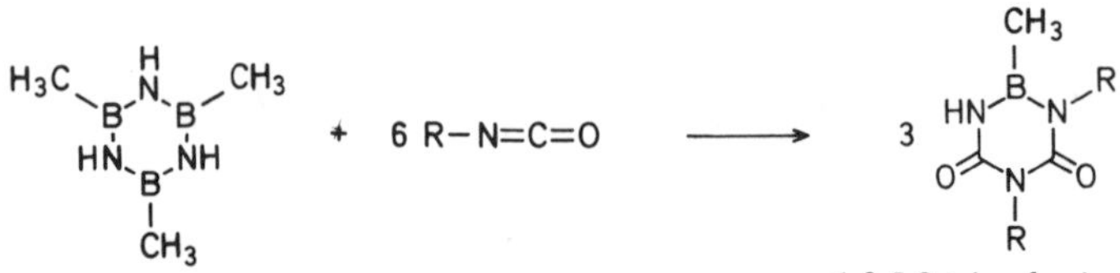

...-1,3,5,2-triazaborinan
R = H; *4,6-Dioxo-2-methyl-...*; 58%
R = C_2H_5; *1,5-Diethyl-4,6-dioxo-2-methyl-...*; 68%
R = C_6H_5; *4,6-Dioxo-1,5-diphenyl-2-methyl-...*; 60%

Bestimmte NH-haltige BN-Heterocyclen reagieren nicht unter Aminoborierung, sondern unter Hydroaminierung der C=N-Bindung des Isocyanats[5,6]. Diese borfernen Reaktionen werden auf S. 278 besprochen.

Mit Sulfonyldiisocyanat reagiert Bis[dimethylamino]-phenyl-boran unter vollständiger Addition seiner BN-Bindungen an die N=C-Bindungen des Diisocyanats. Man erhält viergliedrige Ringverbindungen in sehr hoher Ausbeute[7]; z.B.:

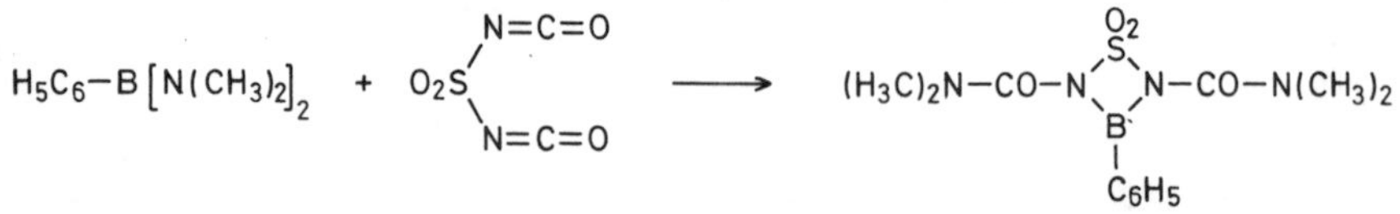

$$H_5C_6-B[N(CH_3)_2]_2 + O_2S(N=C=O)_2 \longrightarrow (H_3C)_2N-CO-N\langle SO_2, B(C_6H_5)\rangle N-CO-N(CH_3)_2$$

2,4-Bis[dimethylaminocarbonyl]-1,1-dioxo-3-phenyl-1(λ^6),2,4,3-thiadiazaboretidin[7]**:** Zu 3,3 g (18 mmol) Bis[dimethylamino]-phenyl-boran in 20 *ml* Dichlormethan läßt man bei ~ 20° 2,81 g (18 mmol) Sulfonyldiisocyanat in 10 *ml* Dichlormethan tropfen. Unter exothermer Reaktion bildet sich eine klare Lösung. Nach 1 Stde. Rühren und Abziehen des Lösungsmittel i. Vak., Aufnehmen des Rückstands in wenig Benzol und Filtrieren wird eingeengt; Ausbeute: 5,9 g (97%); F: 197–200° (gut löslich in schwach polaren Lösungsmitteln).

---

[1] K.-D. MÜLLER u. U.W. GERWARTH, J. Organometal. Chem. **110**, 15 (1976).
[2] J.J. ZUCKERMAN, M.K. DAS u. P.G. HARRISON, Inorg. Chem. **10**, 1092(1971).
[3] U.W. GERWARTH u. K.-D. MÜLLER, J. Organometal. Chem. **145**, 1 (1978).
[4] B.M. MIKHAILOV u. T.K. KOZMINSKAYA, Ž. obšč. Chim. **30**, 3619 (1960); C.A. **55**, 20921 (1921).
US.P. 3060234 (1962), US Borax & Chem. Corp., Erf.: J.L. BOONE; C.A. **58**, 5704 (1963).
[5] R.H. CRAGG u. T.J. MILLER, J. Organometal. Chem. **154**, C 3 (1978).
[6] J.J. MILLER, J. Organometal. Chem. **24**, 595 (1970).
[7] H.W. ROESKY u. S.K. MEHROTRA, Ang. Ch. **90**, 626 (1978); engl.: **17**, 599.

δ) Organobor-Stickstoff-Stickstoff-Verbindungen mit N-Heteroelement-Gruppierungen

Zur Stoffklasse gehören Diamino-organo-borane mit verschiedenen, unmittelbar an N-Atomen gebundenen Hetero-Atomen wie z. B. Sauerstoff (Oxyamino-Reste), Schwefel (Sulfamino-Reste), Stickstoff (Hydrazino- und Azido-Gruppen) oder Phosphor (Phosphorylamino-Reste), Silicium (Silylamino-Reste) und verschiedene Metalle (Zinn, Lithium) (vgl. Tab. 58).

Tab. 58: Diamino-organo-borane mit N-Hetero-Atomen (ohne Hydrazinoborane)

Formel	Verbindungstyp	Herstellung	s. S.
a) mit Schwefel als Hetero-Atom			
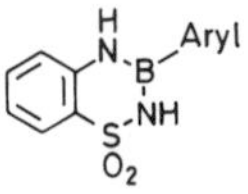 H, N, B, Aryl, NH, SO_2 (Benzo-Ring)	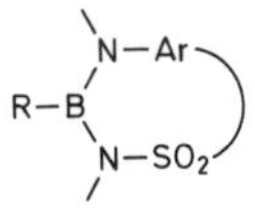 R–B(N–Ar–)(N–SO_2–)	aus $R—B(OH)_2 + H_2N—Ar—SO_2—NH_2$	270
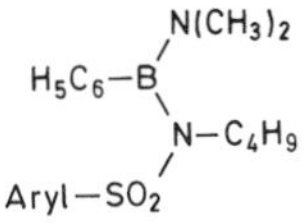 $H_5C_6—B(N(CH_3)_2)(N(C_4H_9)—SO_2—Aryl)$	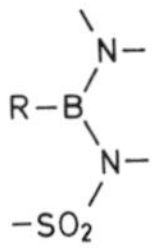 R–B(N–)(N–SO_2–)	aus $R^1—B(N<)(Hal)$ + $R^2_3Si—N<(SO_2—)$	271
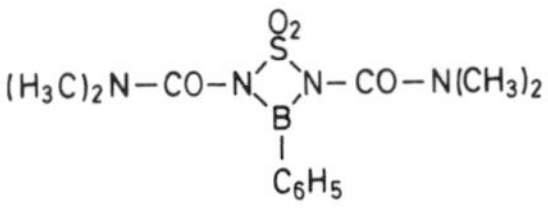 $(H_3C)_2N—CO—N(SO_2)(B—C_6H_5)N—CO—N(CH_3)_2$	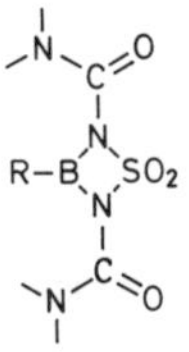 R–B(N(C=O)N<)(SO_2)(N(C=O)N<)	aus $R—B[N<]_2$ + $(O{=}C{=}N)_2SO_2$	266
b) Mit Stickstoff als Hetero-Atom (Hydrazinoborane s. S. 271ff.; Tab. 59, S. 272)			
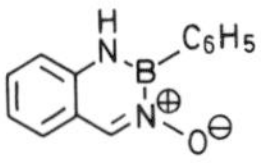 H, N, B, C_6H_5, $N^{\oplus}$, $O^{\ominus}$ (Benzo-Ring)	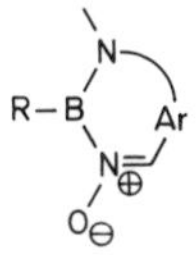 R–B(N–)(Ar)($N^{\oplus}$=)–$O^{\ominus}$	aus $R—B(OH)_2 + H_2N—Ar—R_{en}—N(—)—OH$	270
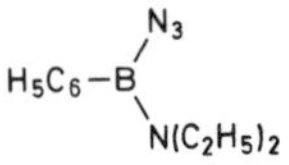 $H_5C_6—B(N_3)(N(C_2H_5)_2)$	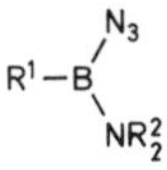 $R^1—B(N_3)(NR^2_2)$	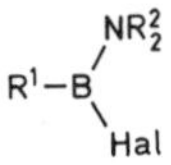 aus $R^1—B(NR^2_2)(Hal)$ + LiN_3	280
c) mit Phosphor als Hetero-Atom			
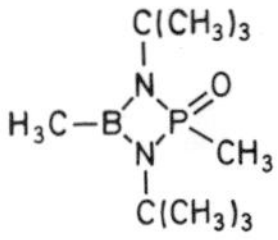 $H_3C—B(N(C(CH_3)_3))_2P(=O)CH_3$	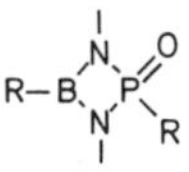 R–B(N)₂P(=O)R	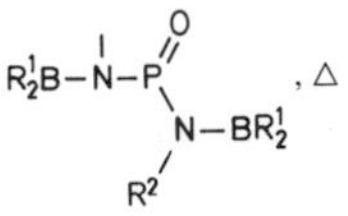 aus $R^1_2B—N(—)—P(=O)(N(R^2)—BR^1_2)$, Δ	283
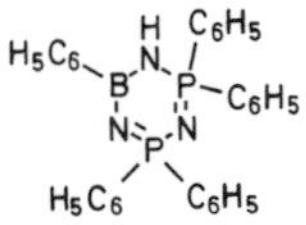 H_5C_6, B, N, H, P, C_6H_5, N, P, N, H_5C_6, C_6H_5	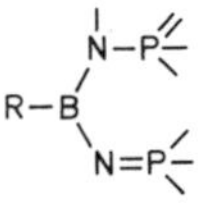 R–B(N–P<)(N=P<)	aus $R—B(Hal)_2$ 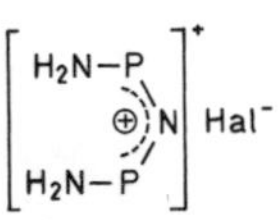 + $[H_2N—P(\oplus N)—P—NH_2]^+ Hal^-$	281
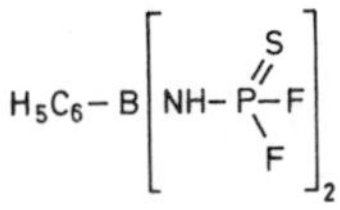 $H_5C_6—B[NH—P(=S)F_2]_2$	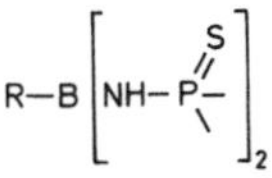 $R—B[NH—P(=S)<]_2$	aus $R—B(Hal)_2 + H_2N—P(=S)<$	281

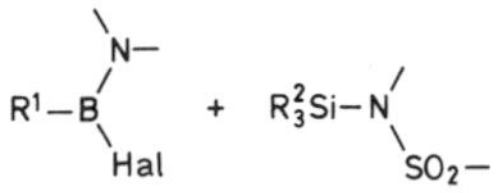

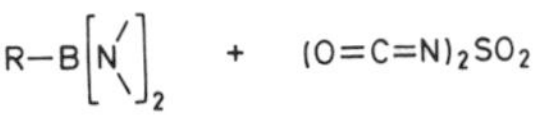

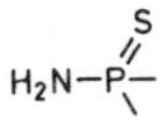

Tab. 58: (1. Fortsetzung)

Formel	Verbindungstyp	Herstellungsart	s. S.
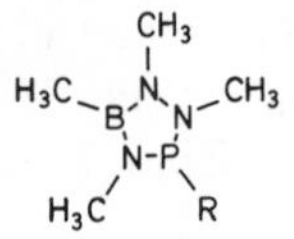 H_3C-B, $N(CH_3)$, N-CH_3, N-P(R), H_3C (ring) R = Cl R = Alkyl, Aryl	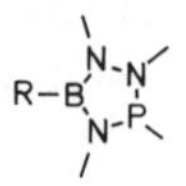 R—B(N-N)(N-P) (ring)	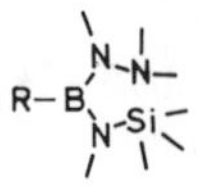 aus R—B(N-N)(N-Si) (ring) + $PHal_3$ + R^2—$PHal_2$	282 282
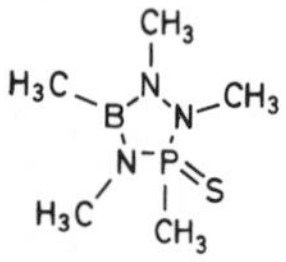 H_3C-B, $N(CH_3)$, N-CH_3, N-P(=S)(CH_3), H_3C (ring)	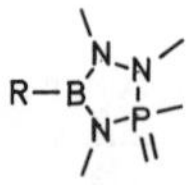 R—B(N-N)(N-P=) (ring)	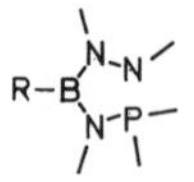 aus R—B(N-N)(N-P) (ring) + S	283
d) mit Arsen als Hetero-Atom			
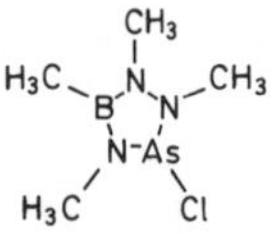 H_3C-B, $N(CH_3)$, N-CH_3, N-As(Cl), H_3C (ring)	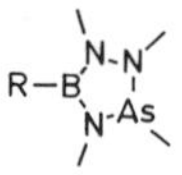 R—B(N-N)(N-As) (ring)	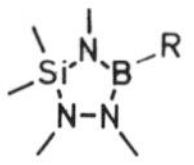 aus Si(N-N)(N-B-R) (ring) + Hal_3As	282
e) mit Silicium als Hetero-Atom			
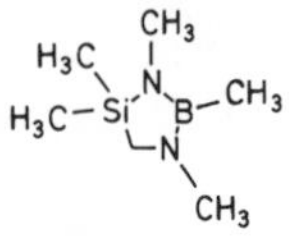 $(H_3C)_2Si$, $N(CH_3)$, B-CH_3, $N(CH_3)$ (ring)	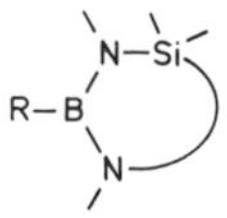 R—B(N—Si)(N) (ring)	aus R—B[NLi]$_2$ + Hal—R—Si—Hal	288
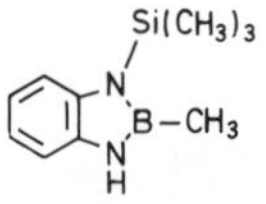 C_6H_4(N-Si$(CH_3)_3$)(NH)B—CH_3	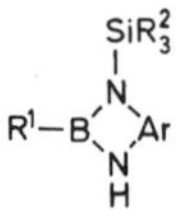 R^1—B(N-SiR^2_3)(NH)Ar	aus R^1—$B(SR^3)_2$ + + R^2_3Si—NH—Ar—NH—SiR^2_3	286
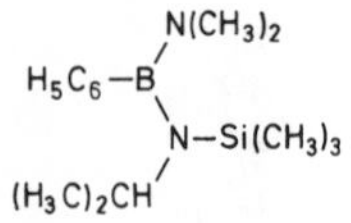 H_5C_6—B($N(CH_3)_2$)(N—$Si(CH_3)_3$)—$CH(CH_3)_2$ [$(H_3C)_2CH$]	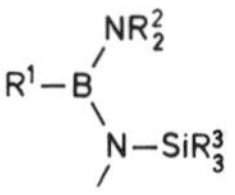 R^1—B(NR^2_2)(N—SiR^3_3)	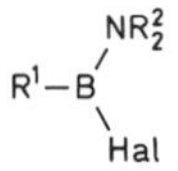 aus R^1—B(NR^2_2)(Hal) + Li—NH—SiR^3_3	287
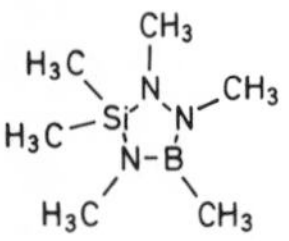 $(H_3C)_2Si$, $N(CH_3)$, N-CH_3, N-B(CH_3), H_3C (ring)	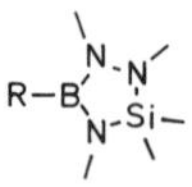 R—B(N-N)(N-Si) (ring)	aus R^1—B(Hal)(N—Si(Hal)) + LiN—NLi 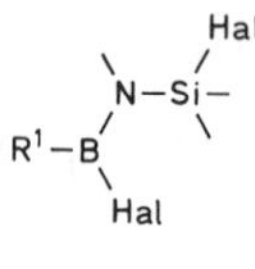 	288
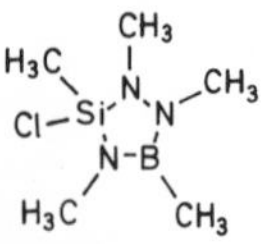 H_3C(Cl)Si, $N(CH_3)$, N-CH_3, N-B(CH_3), H_3C (ring)	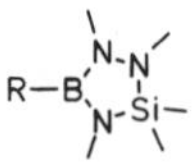 R—B(N-N)(N-Si) (ring)	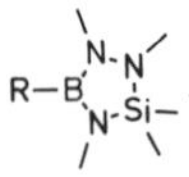 aus R—B(N-N)(N-Si) (ring) + R^1—$SiHal_3$	289
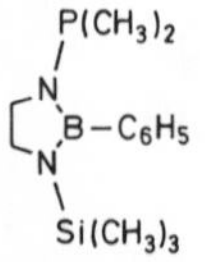 $P(CH_3)_2$-N, B—C_6H_5, N-$Si(CH_3)_3$ (ring)	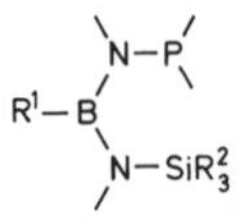 R^1—B(N—P)(N—SiR^2_3)	aus 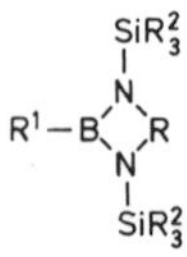 R^1—B(N-SiR^2_3)(N-SiR^2_3)R (ring) + R^1_2P—Hal	282
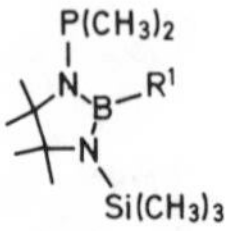 $P(CH_3)_2$-N, B—R^1, N-$Si(CH_3)_3$ (tetramethyl ring)	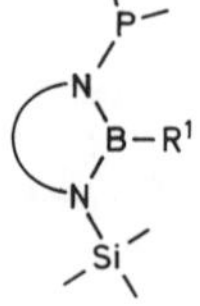 N(P)—B—R^1—N(Si) (ring)	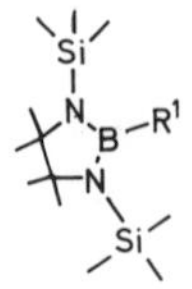 aus Si-N, B—R^1, N-Si (tetramethyl ring) + R^2_2P—Hal	282

Tab. 58: (2. Fortsetzung)

Formel	Verbindungstyp	Herstellungsart	s. S.
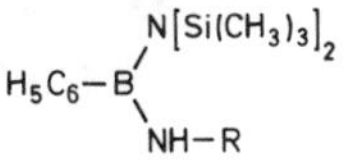 $H_5C_6-B(N[Si(CH_3)_3]_2)(NH-R)$	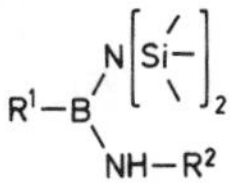 $R^1-B(N[Si]_2)(NH-R^2)$	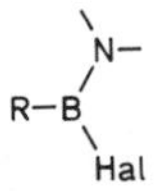 aus $R-B(N)(Hal)$ + NH_3 + $Ar-NH_2$	287 286
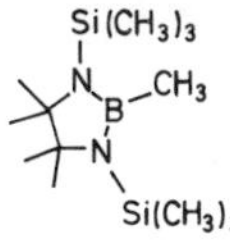 (Ring: $Si(CH_3)_3$-N, B-CH_3, N-$Si(CH_3)_3$)	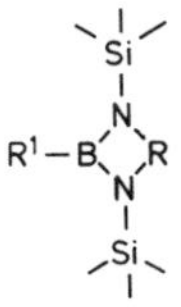 R^1-B (N-Si)(N-Si) R	aus $R-BHal_2$ + $LiN-R-NLi$	285
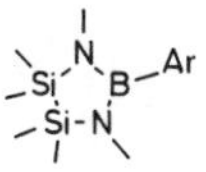 (Ring: Si, N, B-Ar, Si-N)	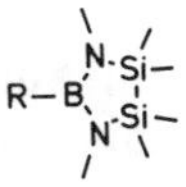 $R-B$ (N-Si)(N-Si)	aus $R-BHal_2$ + $LiN-Si_2-NLi$	284
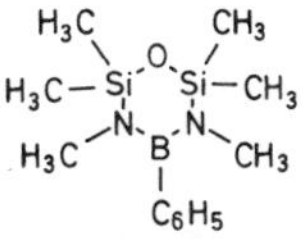 (H_3C, CH_3, Si-O-Si, CH_3, N, B, N, CH_3, C_6H_5)	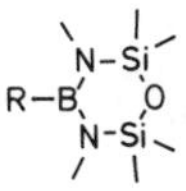 $R-B$ (N-Si, O, N-Si)	aus $R-BHal_2$ + $LiN-Si-O-Si-NLi$	284
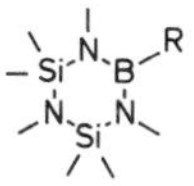 (Ring: Si, N, B-R, N, Si, N)	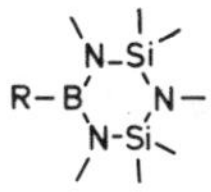 $R-B$ (N-Si, N, N-Si)	aus $R-BHal_2$ 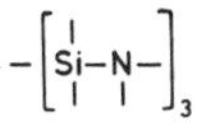 + $-[Si-N-]_3$	284
R = CH_3		aus $R-B[NLi]_2$ + $SiHal_2$	289
R = C_6H_5		aus $R-B[NLi]_2$ + $Hal-Si-N-Si-Hal$	288
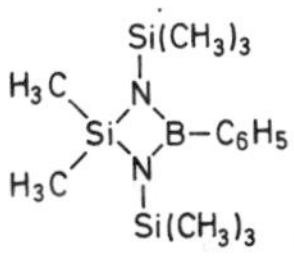 ($Si(CH_3)_3$, H_3C, N, Si, B-C_6H_5, H_3C, N, $Si(CH_3)_3$)	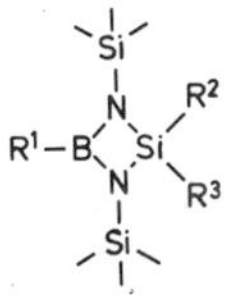 R^1-B (N-Si, N-Si) Si R^2 R^3	aus $R-BHal_2$ + $LiN-Si-NLi$	284
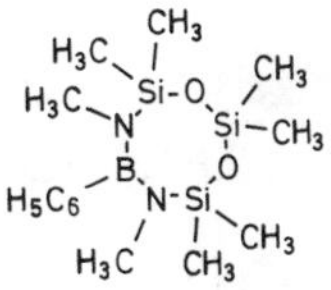 (CH_3, H_3C, Si-O, CH_3, H_3C, N, Si-CH_3, O, H_5C_6, B, N-Si, CH_3, H_3C, CH_3)	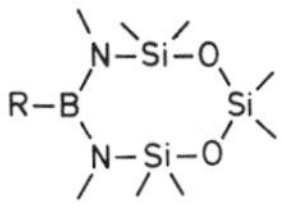 $R-B$ (N-Si-O, Si, N-Si-O)	aus $R-BHal_2$ + $LiN-Si-O-Si-O-Si-NLi$	285

g) mit Zinn- bzw. Lithium als Hetero-Atom

Formel	Verbindungstyp	Herstellungsart	s. S.
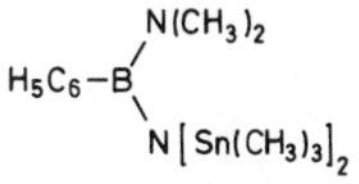 $H_5C_6-B(N(CH_3)_2)(N[Sn(CH_3)_3]_2)$	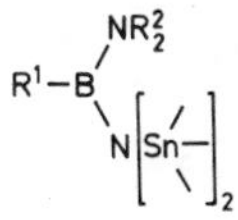 $R^1-B(NR^2_2)(N[Sn]_2)$	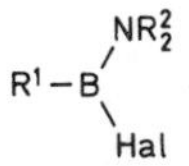 aus $R^1-B(NR^2_2)(Hal)$ + $N(SnR^3_3)_3$	290
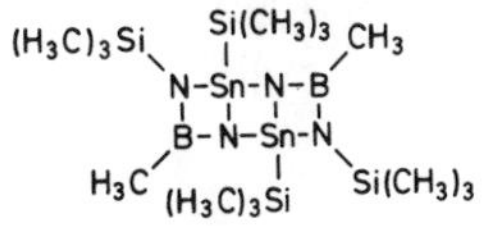 ($(H_3C)_3Si$, $Si(CH_3)_3$, CH_3, N-Sn-N-B, B-N-Sn-N, H_3C, $(H_3C)_3Si$, $Si(CH_3)_3$)	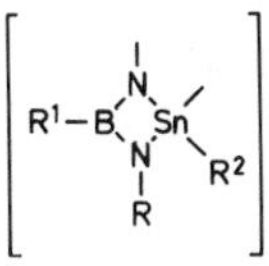 [R^1-B (N, N-R) Sn R^2]	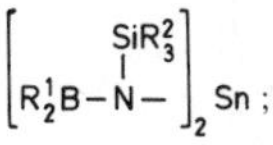 aus $[R^1_2B-N(SiR^2_3)-]_2Sn$; △	290
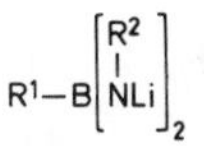 $R^1-B[N(R^2)Li]_2$	$R-B(NLi)_2$	aus $R^1-B[NH-]_2$ + R^2-Li	290

δ_1) *Organo-oxyamino-borane*

Die Verbindungen sind bisher kaum hergestellt worden. Edukte sind Dihydroxy-organo-borane.

Bei der Kondensation von Dihydroxy-phenyl-boran mit 2-Aminobenzaldoxim in siedendem Benzol erhält man *2-Phenyl-1,2-dihydro-⟨benzo[d]-1,3,2-diazaborin⟩-3-oxid* (F: 249–251°) in 53%iger Ausbeute[1]:

$$H_5C_6-B(OH)_2 + \text{2-Aminobenzaldoxim} \xrightarrow{-2\,H_2O} \text{2-Phenyl-1,2-dihydro-benzo-1,3,2-diazaborin-3-oxid}$$

δ_2) *Organo-sulfamino-borane*

Offenkettige und cyclische RBN_2-Verbindungen mit Sulfamino-Resten sind aus Halogen-organo-boranen, Organo-oxy-boranen oder Amino-organo-boranen zugänglich.

$\delta\delta_1$) aus Halogen-organo-boranen

Die Abspaltung von Halogen-trimethyl-silan führt leicht zur Bildung von schwefelsubstituierten RBN_2-Verbindungen.

3,7-Diphenyl-1,1,5,5-tetramethyl-3H,7H-1λ⁶, 5λ⁶, 2,4,6,8,3,7-dithiatetrazadiborocin (F: 177–180°) läßt sich z.B. aus Dichlor-phenyl-boran mit S,S-Dimethyl-N,N′-bis[trimethylsilyl]-sulfodiimid in Dichlormethan mit 66%iger Ausbeute herstellen[2]:

$$2\ H_5C_6-BCl_2 + 2\ [(H_3C)_3Si-N=]_2S(CH_3)_2 \xrightarrow[-4\ (H_3C)_3Si-Cl]{CH_2Cl_2,\ 20°} \text{cyclo-}[H_5C_6-B-N=S(CH_3)_2=N-]_2$$

Durch Vertreiben des Dichlormethans und Zugabe von Benzol und Triphenylphosphan kann Chlor-trimethyl-silan quantitativ gebunden werden, so daß das Austreiben aus der Lösung nicht notwendig ist[2].

$\delta\delta_2$) aus Organo-oxy-boranen

Die Abspaltung von Wasser kann auch zur Herstellung von N-sulfonierten RBN_2-Verbindungen ausgenützt werden.

Durch Kondensation mit 2-Aminobenzolsulfonamiden sind aus Dihydroxy-organo-boranen in siedendem Toluol oder Xylol in guten Ausbeuten die Derivate der 1,2,3,4-Tetrahydro-⟨benzo-1,2,4,3-thiadiazaborine⟩-1,1-dioxide (hochschmelzende Feststoffe) zugänglich[3,4]:

$$R-B(OH)_2 + X\text{-}C_6H_3(NH_2)(SO_2-NH_2) \xrightarrow{-2\,H_2O} \text{1,2,3,4-Tetrahydro-benzo-1,2,4,3-thiadiazaborin-1,1-dioxid}$$

$R = C_6H_5CH_2,\ C_6H_5,\ 2\text{-}H_3C\text{-}C_6H_4,\ 1\text{-}C_{10}H_7$
$X = Cl,\ CF_3,\ SO_2\text{–}NH_2$

---

[1] E. Nyilas u. A.H. Soloway, Am. Soc. **81**, 2681 (1959).
[2] H.W. Roesky, S. Mehrotra u. S. Pohl, B. **113**, 2063 (1980).
[3] H.L. Yale, F.H. Bergeim, F.A. Sowinski, J. Bernstein u. J. Fried, Am. Soc. **84**, 688 (1962).
[4] US.P. 3135789 (1964/1961), Olin Mathieson Chemical Corp., Erf.: J. Fried, H.L. Yale u. F.H. Bergeim; C.A. **62**, 2785 (1965).

$\delta\delta_3$) aus Amino-organo-boranen

Zahlreiche offenkettige und cyclische Diamino-organo-borane sind aus Amino-halogen-organo-boranen mit verschiedenen silylierten Stickstoff-Verbindungen präparativ unter milden Temperaturbedingungen zugänglich.

(N-Alkyl-sulfonylamino)-dimethylamino-phenyl-borane erhält man ohne Lösungsmittel aus Chlor-dimethylamino-phenyl-boran mit N-Trimethylsilyl-sulfonamid in >90%iger Ausbeute[1]:

$$H_5C_6-B(N(CH_3)_2)(Cl) + (H_3C)_3Si-N(SO_2-R^2)(R^1) \xrightarrow[- (H_3C)_3Si-Cl]{} H_5C_6-B(N(CH_3)_2)-N(R^1)-SO_2-R^2$$

Dimethylamino-...-phenyl-boran

z.B.: $R^1 = C_4H_9 = R^2 = CH_3$; ...*(butyl-methylsulfonyl-amino)*...
$R^1 = CH_3$; $R^2 = 4\text{-}CH_3\text{-}C_6H_4$; ...*(methyl-tosyl-amino)*...

(N-Alkyl-sulfonylamino)-dimethylamino-phenyl-borane[1]: Zu 0,1 mol vorgelegtem N-Trimethylsilyl-sulfonamid läßt man langsam (ohne Lösungsmittel) 0,1 mol Chlor-dimethylamino-phenyl-boran zutropfen und erhitzt dann langsam auf ~130°. Nach ~30 Min. Rühren wird abgekühlt, Chlor-trimethyl-silan i. Vak. abgezogen und im Ölpumpen-Vak. destilliert; Ausbeute: 90–95%.

δ_3) *Hydrazino-organo-borane*

Organobor-Stickstoff-Stickstoff-Verbindungen mit mindestens einer Hydrazino- bzw. Alkylidenhydrazino-Gruppierung lassen sich aus Halogen-organo-boranen, Organo-oxy-boranen, Organo-thio-boranen oder verschiedenen Organobor-Stickstoff-Verbindungen herstellen. Auch Lewisbase-Organoborane werden als Edukte verwendet (vgl. Tab. 59, S. 272).

$\delta\delta_1$) aus Halogen-organo-boranen

Die Hydrazinierung von Dichlor-phenyl-boran mit 1,1-Dimethylhydrazin verläuft analog der Aminierung mit Aminen (vgl. S. 219ff.). Überschüssiges Hydrazin dient als Akzeptor für das freiwerdende Hydrogenchlorid (vgl. Tab. 59, S. 272). Bei 25° wird das Boran zum Hydrazin in Ether getropft; z.B.[2]:

$$H_5C_6-BCl_2 + 4\ (H_3C)_2N-NH_2 \xrightarrow[-2\ [(H_3C)_2N-NH_3]^+Cl^-]{} H_5C_6-B[NH-N(CH_3)_2]_2$$

Bis[2,2-dimethylhydrazino]-phenyl-boran; 82%; Kp_{38}: 60°

Ein Zugang zum 1,2,4,5,3,6-Tetrazadiborinan-Gerüst ist die Kondensation von Dichlor-organo-boran mit Hydrazin sowie mono- und 1,2-disubst. Hydrazinen. Das *1,3,4,6-Tetraphenyl-1,2,4,5,3,6-tetrazadiborinan* (F: 135°) ist so aus Dichlor-phenyl-boran mit Phenylhydrazin in siedendem Benzol unter der Einwirkung von Triethylamin in 33%iger Ausbeute zugänglich[3]:

$$2\ H_5C_6-BCl_2 + 2\ H_5C_6-NH-NH_2 + 4\ N(C_2H_5)_3 \xrightarrow[-4\ [HN(C_2H_5)_3]^+Cl^-]{} \text{1,3,4,6-Tetraphenyl-1,2,4,5,3,6-tetrazadiborinan (ring: } H_5C_6-B,\ B-C_6H_5,\ N(C_6H_5)-NH,\ NH-N(C_6H_5))$$

[1] W. Maringgele u. A. Meller, J. Organometal. Chem. **188**, 401 (1980).
[2] H. Nöth, B. **104**, 558 (1971).
[3] H. Nöth u. W. Regnet, B. **102**, 167 (1969).

Tab. 59 gibt einen Überblick über die Herstellungsmethoden von Bis[organo-hydrazino]-organo-boranen bzw. B-Organo-1,2,4,5,3,6-tetraazadiborinanen.

Zur Herstellung von *Hexaphenyl-1,2,4,5,3,6-tetraazadiborinan* (60%; F: 156–158°) wird Dichlor-phenyl-boran mit 1,2-Diphenylhydrazin umgesetzt, das zunächst mit Butyllithium ins 1,2-Dilithiumhydrazin übergeführt wird[1,2]:

Tab. 59: Bis[hydrazino]-organo-borane

Formel	Strukturtyp	Herstellung	s. S.
a) Bis[hydrazino]-organo-borane			
$R-B[NH-N(CH_3)_2]_2$	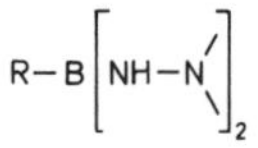 $R-B[NH-N<]_2$		
$R = C_6H_5$		aus $R-BHal_2 + H_2N-N<$	271
$R = CH_3, C_6H_5$		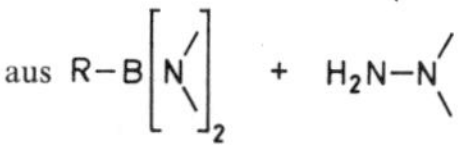 aus $R-B[N<]_2$ + $H_2N-N<$	274f.
$H_5C_6-B[NH-N=C(C_6H_5)_2]_2$	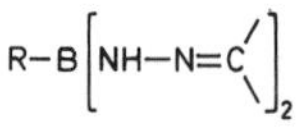 $R-B[NH-N=C<]_2$	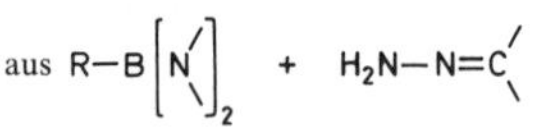 aus $R-B[N<]_2$ + $H_2N-N=C<$	277
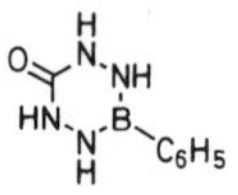 (Ring: O=C, NH-NH, B-C_6H_5, NH-NH)	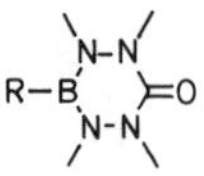 (Ring: R-B, N-N, C=O, N-N)	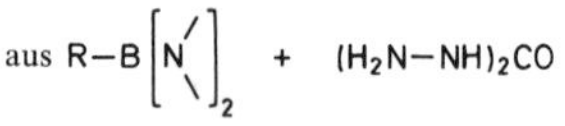 aus $R-B[N<]_2$ + $(H_2N-NH)_2CO$	277
b) B-Organo-1,2,4,5,6-tetrazadiborinane			
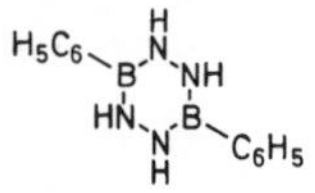 (Ring: H_5C_6-B, NH-NH, B-C_6H_5, NH-NH)	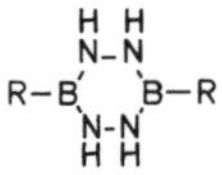 (Ring: R-B, NH-NH, B-R, NH-NH)	aus $(R-BO)_3 + N_2H_4$ aus $R-B(SR)_2 + N_2H_4$	273 274
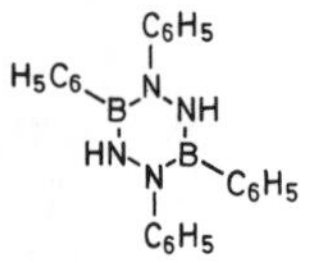 (Ring: H_5C_6-B, N(C_6H_5)-NH, B-C_6H_5, HN-N(C_6H_5))	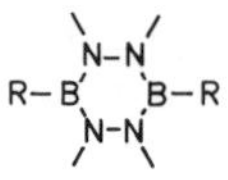 (Ring: R-B, N-N, B-R, N-N)	aus $R^1-BHal_2 + H_2N-NH-R^2/R^3_3N$	271
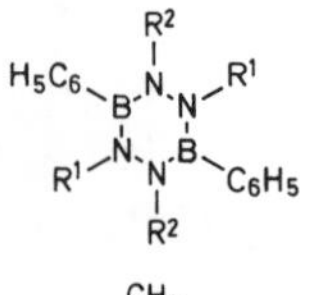 (Ring: H_5C_6-B, N(R^2)-N(R^1), B-C_6H_5, N(R^1)-N(R^2))	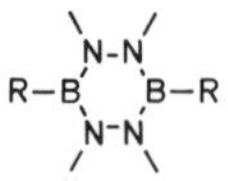 (Ring: R-B, N-N, B-R, N-N)	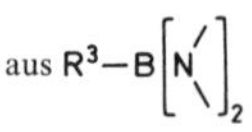 aus $R^3-B[N<]_2$ + $R^1-NH-NH-R^2$	277
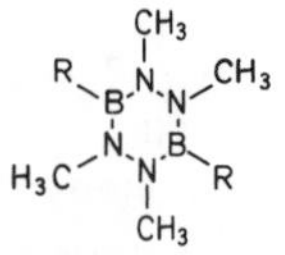 (Ring: R-B, N(CH_3)-N(CH_3), B-R, N(CH_3)-N(CH_3)) R = Alkyl, Aryl	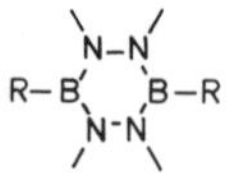 (Ring: R-B, N-N, B-R, N-N)	aus $R^1-B(SR^2)_2 + R^3-NH-NH-R^3$ 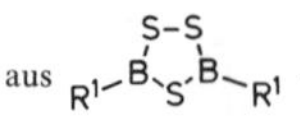 aus $R^1-B<(S-S)(S)>B-R^1$ + $R^2-NH-NH-R^2$	274 274
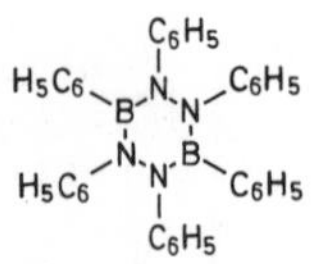 (Ring: H_5C_6-B, N(C_6H_5)-N(C_6H_5), B-C_6H_5, N(C_6H_5)-N(C_6H_5))	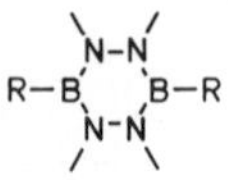 (Ring: R-B, N-N, B-R, N-N)	aus $R-BHal_2$ 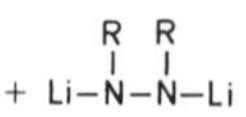 + $Li-N(R)-N(R)-Li$	271, 274

[1] H. Nöth u. W. Regnet, B. **102**, 167 (1969).
[2] H. Nöth, Ang. Ch. **75**, 730 (1963).

$$2\ H_5C_6{-}BCl_2 + 2\ (Li)(H_5C_6)N{-}N(Li)(C_6H_5) \xrightarrow{-4\ LiCl} \text{Hexaphenyl-tetrazadiborinan}$$

δδ₂) aus Organo-oxy-boranen

3,3'-Diorgano-3,4,3',4'- tetrahydro-5,5'-bi- 2H-1,2,4,3-triazaborolyle erhält man aus Dihydroxy-organo-boranen beim Erhitzen mit Oxalamidrazonen in Diisopropylether unter Wasserauskreisung mittels eines Dean-Stark-Abscheiders[1]:

$$2\ R{-}B(OH)_2 + H_2N(H_2N{-}N{=})C{-}C(={N{-}NH_2})NH_2 \xrightarrow{-4\ H_2O}$$

...-3,4,3',4'-tetrahydro-5,5'-bi-2H-1,2,4,3-triazaborolyl

R = C_4H_9; *3,3'-Dibutyl-...*; 82%; F: 127°
R = C_6H_5; *3,3'-Diphenyl-...*; 80%; F: 293–295°

In die Reihe der 3-Phenyl-3,4-dihydro-2H,1,2,4,3-triazaborole gelangt man aus Dialkoxy-organo-boranen mit Amidrazonen[2]. Auch aus Diorganooxy-organo-boranen sind mit Bis-amidrazonen in siedendem Benzol Heterocyclen zugänglich[3]:

$$H_5C_6{-}B(OR)_2 + R^2{-}NH{-}C(R^1){=}N{-}NH{-}R^3 \xrightarrow{-2\ HOR}$$

...3,4-dihydro-2H-1,2,4,3-triazaborol

$R^1 = R^3 = H$; $R^2 = C_6H_5$; *3,4-Diphenyl-...*; 59%; F: 149–150°
$R^1 = CH_3$; $R^2 = R^3 = H$; *5-Methyl-3-phenyl-...*; 63%; F: 147–149°
$R^1 = R^2 = C_6H_5$; $R^3 = H$; *3,4,5-Triphenyl-...*; 95%; F: 222–223°
$R^1 = R^2 = R^3 = C_6H_5$; *Tetraphenyl-...*; 65%; F: 198–200°

Aus Triphenylboroxin erhält man mit überschüssigem Hydrazin in Ether unter Wasser-Abspaltung *3,6-Diphenyl-1,2,4,5,3,6-tetrazadiborinan* (F: 64–65°)[4]:

$$2\ (H_5C_6{-}BO)_3 + 6\ N_2H_4 \xrightarrow{-6\ H_2O} 3\ H_5C_6{-}B(NH{-}NH)_2B{-}C_6H_5$$

δδ₃) aus Organo-thio-boranen

Bis[butylthio]-phenyl-boran reagiert mit Hydrazin spontan unter Butanthiol-Abspaltung zum *3,6-Diphenyl-1,2,4,5,3,6-tetrazadiborinan.*

Das Produkt schmilzt bei 200° unter Zersetzung[5]. Ein aus Bis[dimethylamino]-phenyl-boran mit Hydrazin gewonnenes Produkt schmilzt erst bei 250–253°, s. S. 277. Assoziationsgleichgewichte – vornehmlich mit dem Dimeren – scheinen die Ursache der gefundenen, unterschiedlichen Schmelzpunkte zu sein.

---

[1] M.J.S. DEWAR u. P.A. SPANNINGER, Tetrahedron **28**, 959 (1972).
[2] M.J.S. DEWAR, R. GOLDEN u. P.A. SPANNINGER, Am. Soc. **93**, 3298 (1971).
[3] M.J.S. DEWAR u. P.A. SPANNINGER, Tetrahedron Letters **1977**, 959.
[4] C. UNGURENAŞU, S. CIHODARU u. I. POPESCU, Tetrahedron Letters **1969**, 1435.
[5] B.M. MIKHAILOV u. T.K. KOZMINSKAYA, Izv. Akad. SSSR **1965**, 439; engl.: 424; C.A. **63**, 623 (1965).

Bis[methylthio]-organo-borane kondensieren mit 1,2-Diorganohydrazinen zu den Hexaorgano-1,2,4,5,3,6-tetrazadiborinanen[1−3]:

$$2\ R^1{-}B(SCH_3)_2 + 2\ R^2{-}NH{-}NH{-}R^2 \xrightarrow[-4\ CH_3SH]{} \text{...-1,2,4,5,3,6-tetrazadiborinan}$$

...*-1,2,4,5,3,6-tetrazadiborinan*

$R^1 = CH_3$; $R^2 = CH_3$; *Hexamethyl-...*; Kp_{15}: 80°
$R^2 = C_6H_5$; *3,6-Dimethyl-1,2,4,5-tetraphenyl-...*; F: 168–170°
$R^1 = C_6H_5$; $R^2 = CH_3$; *3,6-Diphenyl-1,2,4,5-tetramethyl-...*; F: 106°
$R^2 = C_6H_5$; *Hexaphenyl-...*; F: 210°

Mit 1,2-Dialkylhydrazinen lassen sich unter Abspaltung von Dihydrosulfan und Schwefel *Hexaalkyl-1,2,4,5,3,6-tetrazadiborine* gewinnen[4,5]:

$$H_3C{-}B(S_3)B{-}CH_3 + R{-}NH{-}NH{-}R \xrightarrow[-2\ H_2S,\ -1/4\ S_8]{} \text{...-1,2,4,5,3,6-tetraazadiborinan}$$

...*-1,2,4,5,3,6-tetraazadiborinan*

$R = CH_3$; *Hexamethyl-...*
$R = C_2H_5$; *3,6-Dimethyl-1,2,4,5-tetraethyl-...*

$\delta\delta_4$) aus Amino-organo-boranen

Bis[amino]-organo-borane reagieren mit verschiedenen Hydrazinen, Hydrazonen oder Hydraziden unter Amin-Abspaltung. Man erhält offenkettige sowie cyclische Organo-bor-hydrazin-Derivate. Bis[dimethylamino]-phenyl-boran ist ein verhältnismäßig allgemein anwendbares Edukt. Dimethylamin läßt sich leicht aus der Reaktionsmischung austreiben. Während aus Bis[amino]-organo-boranen mit 1,1-Diorganohydrazinen offenkettige Bis[hydrazino]-organo-borane gebildet werden, erhält man mit Hydrazin, Monoorganohydrazinen oder 1,2-Diorganohydrazinen cyclische Verbindungen mit BN_2BN_2-Struktur.

Aus Bis[dimethylamino]-organo-boranen bilden sich mit 1,1-Diorganohydrazinen Bis[2,2-diorganohydrazino]-organo-borane. Die Ausbeuten liegen z.T. über 80%, da das leichtflüchtige Dimethylamin aus der Reaktionslösung entweicht und somit die Verschiebung des Gleichgewichts ermöglicht. Die Reaktionspartner werden nach Zutropfen des Hydrazins zum Boran im Verhältnis 2:1 eine Zeitlang mit oder ohne Lösungsmittel erwärmt (vgl. Tab. 60, S. 275)[6−8]:

$$R^1{-}B[N(CH_3)_2]_2 + 2\ H_2N{-}NR^2R^3 \xrightarrow[-2\ HN(CH_3)_2]{} R^1{-}B[{-}NH{-}NR^2R^3]_2$$

[1] D. Nölle u. H. Nöth, Ang. Ch. **83**, 112 (1971); engl.: **10**, 126.
[2] D. Nölle u. H. Nöth, B. **111**, 469 (1978).
[3] D. Nölle, H. Nöth u. W. Winterstein, B. **111**, 2465 (1978).
[4] *Gmelin*, 8. Aufl., Bd. **19**/3, S. 42f. (1975).
[5] D. Nölle, Dissertation, Universität München 1975
[6] K. Niedenzu, H. Beyer u. J.W. Dawson, Inorg. Chem. **1**, 738 (1962).
[7] H. Nöth u. W. Regnet, B. **102**, 167 (1969).
[8] H. Nöth, B.**104**, 558 (1971).

Tab. 60: Bis[2,2-diorganohydrazino]-organo-borane aus Bis[dimethylamino]-organo-boranen mit 1,1-Diorganohydrazinen

$R^1–B[N(CH)_3)_2]_2$	$H_2N–NR^2R^3$		Bedingungen	Boran	Ausbeute	F	Literatur
R^1	R^2	R^3			[%]	[°C]	
CH_3	CH_3	CH_3	1,5 Stdn. Rückfluß ohne Lsgm.	*Bis[2,2-dimethylhydrazino]-methyl-boran*	88	(Kp_{38}:60°)	[1]
C_6H_5	CH_3	CH_3	2,4facher Überschuß an Hydrazin, 1 Stde. Rückfluß in Benzol	*Bis[2,2-dimethylhydrazino]-phenyl-boran*[a]	76	(Kp_2: 80°)	[2]
	C_6H_5	C_6H_5	6 Stdn. Rückfluß in Benzol (Edukt-Verhältnis 1:1), frakt. Kristallisation und Umfällen der 20°-Fraktion aus Pentan	*Bis[2,2-diphenylhydrazino]-phenyl-boran*[b]	42	128–131	[3]

[a] Zur Umsetzung mit Phenylisocyanat zum Dimethylamino-(*N*-dimethylaminocarbonyl-anilino)-phenyl-boran[4] (s. S. 265)[4].

[b] Als Nebenprodukt entsteht *Dimethylamino-phenyl-(2-phenylhydrazino)-boran*; 22%; F: 58–60°

[1] H. NÖTH, B. **104**, 558 (1971).

[2] K. NIEDENZU, H. BEYER u. J.W. DAWSON, Inorg. Chem. **1**, 738 (1962).

[3] H. NÖTH u. W. REGNET, B. **102**, 167 (1969).

[4] H. BEYER, J.W. DAWSON, H. JENNE u. K. NIEDENZU, Soc. **1964**, 2115.

Tab. 61: Hexaorgano-1,2,4,5,3,6-tetrazadiborinane aus Bis[dimethylamino]-organo-boranen mit 1,2-Diorganohydrazinen

$R^1-B[N(CH_3)_2]_2$	$R^2-NH-NH-R^3$				Ausbeute	F	Literatur
R^1	R^2	R^3	Bedingungen	...-*1,2,4,5,3,6-tetrazadiborinan*	[%]	[°C]	
CH_3	H	CH_3	2–3 Stdn. bei 40–80° ohne Lsgm.	*1,3,4,6-Tetramethyl...*	46	(Kp: 73°)	[1]
		C_6H_5	2–3 Stdn. bei 70–110° ohne Lsgm. in Benzol aufnehmen, mit Petrolether fällen	*3,6-Dimethyl-1,4-diphenyl-*	24	91–93	[1]
	CH_3	CH_3	15 Stdn. bei 150° ohne Lsgm.	*Hexamethyl-...*	72	(Kp_9: 52°)	[1,2]
C_6H_5	H	CH_3	in Petrolether als Lsgm., 3 Stdn. bei 80°, 6 Stdn. bei 90–100°, aus Benzol/Petrolether umkristall.	*1,4-Dimethyl-3,6-diphenyl...*	88	87–90,5	[1]
	CH_3	CH_3	in Petrolether (60–80°) als Lsgm., 15 Stdn. Rückfluß, aus Petrolether umkristall.	*3,6-Diphenyl-tetramethyl-...*	84	108–110	[1,3]

[1] H. Nöth u. W. Regnet, B. **102**, 167 (1969).
[2] H. Nöth u. W. Regnet, Z. Naturf. **18b**, 1138 (1963); C. A. **60**, 9302 (1964).
[3] K. Kratzl u. P. Claus, M. **94**, 1140 (1963); C. A. **60**, 7949 (1964).

Die Reaktion mit Hydrazin bzw. 1,2-Diorganohydrazin führt in die Reihe der 1,2,4,5,3,6-Tetrazadiborinane (vgl. Tab. 61, S. 276)[1-3]:

$$2\ R^1{-}B[N(CH_3)_2]_2 + 2\ R^2{-}NH{-}NH{-}R^3 \xrightarrow[-4\ HN(CH_3)_2]{} \text{1,2,4,5,3,6-Tetrazadiborinan } (R^1\text{ an B; }R^2, R^3\text{ an N})$$

$R^1 = C_6H_5$; $R^2, R^3 = H$, Organo-Rest

3,6-Diphenyl-1,2,4,5,3,6-tetrazadiborinane (vgl. S. 273)[2]: Man emulgiert 3,5 g (0,11 mol) Hydrazin in 30 *ml* Benzol und gibt innerhalb 1 Stde. 18,7 g (0,115 mol) Bis[dimethylamino]-phenyl-boran in 40 *ml* Benzol zu. Nach kurzer Zeit scheiden sich farblose Kristalle ab. Nach 1stdgm. Erhitzen am Rückfluß haben sich 81% der möglichen Menge Dimethylamin abgespalten. Man wäscht das Produkt mit Pentan und kristallisiert aus Benzol oder Chloroform um; das Produkt schmilzt zunächst bei 150–160°, erstarrt wieder bei 165° und schmilzt dann bei 250–253°.

Ein unsymmetrisches 1,2,4,5,3,6-Tetrazadiborinan bildet sich beim mehrstdgn. Erhitzen von 1,2-Dimethylhydrazin mit gleichen Mengen Bis[dimethylamino]-methyl- und -phenyl-boran auf 150°[2]:

$$H_3C{-}B[N(CH_3)_2]_2 + H_5C_6{-}B[N(CH_3)_2]_2 + 2\ H_3C{-}NH{-}NH{-}CH_3 \xrightarrow[-4\ HN(CH_3)_2]{} \text{Ring: } H_3C{-}B\ (N(CH_3){-}N(CH_3))_2\ B{-}C_6H_5$$

Pentamethyl-3-phenyl-1,2,4,5,3,6-tetrazadiborinan; 33%; F: 135°

Mit Hydrazonen können entsprechende N-Borylierungen durchgeführt werden. *Bis[2-diphenylmethylen-hydrazino]-phenyl-boran* (F: 162,5°) erhält man z.B. aus Bis[dimethylamino]-phenyl-boran mit Benzophenonhydrazon in 97%iger Ausbeute nach 6 Stdn. Erhitzen unter Rückfluß in Toluol. Man gewinnt die Verbindung durch Fällen mit Pentan und Umfällen aus Benzol[4]:

$$H_5C_6{-}B[N(CH_3)_2]_2 + 2\ (H_5C_6)_2C{=}N{-}NH_2 \xrightarrow[-2(H_3C)_2NH]{\text{Toluol, 6 Stdn. Rückfluß}} H_5C_6{-}B[NH{-}N{=}C(C_6H_5)_2]_2$$

Mit Carbohydrazid erhält man *6-Oxo-3-phenyl-1,2,4,5,3-tetraazaborinan* (97,5%; F: 126–132°)[5]:

$$H_5C_6{-}B[N(CH_3)_2]_2 + O{=}C(NH{-}NH_2)_2 \xrightarrow[-2\ HN(CH_3)_2]{} \text{6-Oxo-3-phenyl-1,2,4,5,3-tetraazaborinan } (B{-}C_6H_5)$$

Auch verschiedene Hydrazino-organo-borane sind zur Herstellung von Bis[hydrazino]-organo-boranen verwendet worden; z.B. Halogen-hydrazino- oder Hydrazino-organothio-borane.

[1] K. NIEDENZU, P. FRITZ u. J.W. DAWSON, Inorg. Chem. **3**, 1077 (1964).
[2] H. NÖTH u. W. REGNET, B. **102**, 167 (1969); Z. Naturf. **18b**, 1138 (1963).
[3] H. NÖTH, Ang. Ch. **75**, 730 (1963).
[4] H. BEYER, J.W. DAWSON, H. JENNE u. K. NIEDENZU, Soc. **1964**, 2115.
[5] J. BIELAWSKI u. K. NIEDENZU, Inorg. Chem. **19**, 1090 (1980).

Aus 1,2-Bis[brom-methyl-boryl]-1,2-dimethyl-hydrazin ist mit Dimethylamino-trimethyl-silan in Dichlormethan unter Abspaltung von Brom-trimethyl-silan *1,2-Bis[dimethylamino-methyl-boryl]-1,2-dimethyl-hydrazin* (Kp_{14}: 69–71°) zugänglich[1]:

$$\text{(H}_3\text{C)(CH}_3\text{)N–N[B(CH}_3\text{)Br]}_2 + 2\ (H_3C)_3Si-N(CH_3)_2 \xrightarrow[-2\ (H_3C)_3Si-Br]{CH_2Cl_2} \text{(H}_3\text{C)(CH}_3\text{)N–N[B(CH}_3\text{)N(CH}_3\text{)}_2]_2$$

Aus (2,2-Dimethylhydrazino)-methyl-methylthio-boran läßt sich mit 1,1-Dimethyl-hydrazin unter Abspalten von Methylthiol *Bis[2,2-dimethylhydrazino]-methyl-boran* herstellen[2]:

$$H_3C-B(NH-N(CH_3)_2)(SCH_3) + H_2N-N(CH_3)_2 \xrightarrow[-HS-CH_3]{} H_3C-B[NH-N(CH_3)_2]_2$$

Borferne Reaktionen werden ebenfalls zur Herstellung neuer Bis[hydrazino]-organo-borane herangezogen.

Aus 3,6-Diphenyl-1,2,4,5,3,6-tetrazadiborinan läßt sich z.B. mit Acetanhydrid in Gegenwart von Natriumcarbamat als Säurefänger *1,4-Diacetyl-3,6-diphenyl-1,2,4,5,3,6-tetrazadiborinan* herstellen[3].

Bestimmte borferne Funktionen der Diamino-organo-borane addieren sich auch an verschiedene ungesättigte Atom-Gruppierungen. Beispielsweise reagiert die NH-Bindung mit der N=C-Bindung von Isocyanaten.

Aus 3,6-Diphenyl-1,2,4,5,3,6-tetrazadiborinan erhält man in Dichlormethan mit Methylisocyanat *1,4-Bis[methylaminocarbonyl]-3,6-diphenyl-1,2,4,5,3,6-tetrazadiborinan* (91%; F: 300°)[3]:

$$\text{3,6-(H}_5\text{C}_6\text{)}_2\text{-tetrazadiborinan} + 2\ H_3C-NCO \longrightarrow \text{1,4-Bis[C(=O)–NH–CH}_3\text{]-3,6-(H}_5\text{C}_6\text{)}_2\text{-tetrazadiborinan}$$

Schließlich bilden sich auch aus bestimmten Azido-bis[amino]-boranen Organoborane mit Amino- und Hydrazino-Resten.

Aus Azido-bis[2,6-dimethylpiperidino]-boran erhält man bei der Gasphasenthermolyse um ~500° unter Stickstoff-Abspaltung und C-Borylierung u.a. in 26%iger Ausbeute *8-(2,6-Dimethylpiperidino)-2-methyl-1,9-diaza-8-bora-bicyclo[4.3.0]nonan*[4]:

$$\text{Azido-bis[2,6-dimethylpiperidino]-boran} \xrightarrow[-N_2]{485\ ^\circ,\ 8\ Stdn.} \text{8-(2,6-Dimethylpiperidino)-2-methyl-1,9-diaza-8-bora-bicyclo[4.3.0]nonan}$$

[1] K. Barlos u. H. Nöth, Z. Naturf. **35b**, 125 (1980).
[2] D. Nölle u. H. Nöth, B. **111**, 469 (1978).
[3] J.J. Miller, J. Organometal. Chem. **24**, 595 (1970).
[4] W. Pieper, D. Schmitz u. P. Paetzold, B. **114**, 3801 (1981).

$\delta\delta_5$) aus Amin-Halogen-organo-boranen

Geht man von Alkylamin-Dihalogen-organo-boranen aus und wählt als dipolares System 2-Anilino-3,4-dihydro-isochinoliniumbromid, so erhält man nach Zugabe des Borans in Chlorbenzol zum Isochinolinium-Salz im selben Lösungsmittel bei 90–100° in Gegenwart eines Überschusses an Triethylamin 1,2,4,3-Triazaborolidine[1]:

$$R^2-H_2\overset{\oplus}{N}-\overset{\ominus}{B}Hal_2-R^1 + [\text{2-Anilino-3,4-dihydro-isochinolinium}]^+ Br^- \xrightarrow[\begin{subarray}{l} -2\,[(H_5C_2)_3NH]^+Hal^- \\ -[(H_5C_2)_3NH]^+Br^- \end{subarray}]{+3\,(H_5C_2)_3N}$$

...-1,2,3,5,6,10b-hexahydro-⟨isochino-lino[1,2-e]-1,2,4,3-triazaborol⟩*

$R^1 = CH_3$; $R^2 = C_4H_9$, X = Br; *1-Butyl-2-methyl-3-phenyl-...*; 39%; $Kp_{0,001}$: 140–145°
$R^1 = CH_3$; $R^2 = 2,6\text{-}(CH_3)_2\text{–}C_6H_3$; X = Br; *1-(2,6-Dimethylphenyl)-2-methyl-3-phenyl-...*; 38%; $Kp_{0,001}$: 165–170°
$R^1 = C_6H_5$; $R^2 = C_4H_9$; X = Cl; *1-Butyl-2,3-diphenyl-...*; 30,5%; $Kp_{0,001}$: 165–170°
$R^1 = C_6H_5$; $R^2 = 2,4,6\text{-}(CH_3)_3\text{–}C_6H_2$; X = Cl; *2,3-Diphenyl-1-(2,4,6-trimethyl-phenyl)-...*; 41%; $Kp_{0,001}$: 160–165°

δ_4) *cyclische Organobor-N_4-Verbindungen*

Zur Verbindungsklasse werden offenkettige Verbindungen mit der Atomgruppierung I sowie 1-Organo-1H-4,5-dihydro-tetraazaborole II gezählt.

I: $R-B(N_3)-N<$ II: R–B im Ring mit N–N=N–N

Die Herstellung erfolgt aus Azido-diorgano-boranen, aus 1-Hydro- sowie 1-Halogen-1H-4,5-dihydro-tetraazaborolen und Amino-halogen-organoboranen.

Einen Zugang zur Reihe der Triorgano-4,5-dihydro-tetraazaborolane bietet die unter Umlagerung eines Organo-Rests verlaufende Thermolyse von Azido-diorgano-boranen in Gegenwart organischer Azide. So erhält man z.B. *Triphenyl-4,5-dihydro-tetraazaborol* (23%) durch 60stdgs. Erhitzen von Azido-diphenyl-boran in Gegenwart von Phenylazid im Einschlußrohr auf 90–100°[2]:

$$(H_5C_6)_2BN_3 + H_5C_6-N_3 \xrightarrow[-N_2]{\Delta} \text{Triphenyl-4,5-dihydro-tetraazaborol}$$

Aus Azido-dibutyl-boran oder Azido-dimesityl-boran erhält man mit Phenylazid 1-Phenyl-4,5-diorgano-4,5-dihydro-tetraazaborol[3].

---

[1] P.I. PAETZOLD u. H. MAISCH, B. **101**, 2870 (1968).
[2] V.A. DOROKHOV, O.G. BOLDYREVA, A.S. SHASKOV u. B.M. MIKHAILOV, Izv. Akad. SSSR **1976**, 1431; engl.: 1374; C. A. **85**, 143166 (1976).
[3] P. PAETZOLD, Technische Hochschule Aachen, unveröffentlicht 1981.

1,4-Diorgano-4,5-dihydro-tetraazaborole werden mit magnesiumorganischen Verbindungen am Bor Organo-substituiert. Das in Ether gelöste Boran wird bei ~20° zu einer etherischen Lösung der Grignard-Verbindung getropft und 24 Stdn. gerührt[1]:

$$HB(N(R^1)\text{-}N{=}N\text{-}N(R^1)) + R^2\text{-}MgHal \xrightarrow{-\ MgHHal} R^2\text{-}B(N(R^1)\text{-}N{=}N\text{-}N(R^1))$$

...-4,5-dihydro-tetraazaborolin

$R^1 = CH_3$; $R^2 = CH_3$; *Trimethyl-...*; 79%; F: 12,2°
$R^2 = CH = CH_2$; *1,4-Dimethyl-5-vinyl-...*; 64%
$R^1 = C_2H_5$; $R^2 = C_2H_5$; *Triethyl-...*; 80%; F: −34°
$R^1 = C_6H_5$; $R^2 = CH_3$; *1,4-Diphenyl-5-methyl-...*; 88%; F: 116°
$R^2 = C_6H_5$; *Triphenyl-...*; 72%; F: 186°

Zur Aufarbeitung wird mit wäßr. Ammoniumchlorid-Lösung geschüttelt und die Ether-Phase nach dem Trocknen eingedampft. Die *N*-Phenyl-Verbindungen werden aus Ether/Petrolether umkristallisiert, die übrigen durch Destillation gereinigt.

Aus 5-Chlor-1,4-dimethyl-4,5-dihydro-1H-tetraazaborol läßt sich mit Silbercyanid in Benzol *5-Cyan-1,4-dimethyl-4,5-dihydro-1H-tetraazaborol* gewinnen[2]:

$$Cl\text{-}B(N(CH_3)\text{-}N{=}N\text{-}N(CH_3)) + AgCN \xrightarrow[-AgCl]{Benzol} NC\text{-}B(N(CH_3)\text{-}N{=}N\text{-}N(CH_3))$$

Acyclische Amino-azido-organo-borane sind aus Amino-aryl-halogen-boranen mit Alkalimetallaziden zugänglich. Durch Azidierung von Chlor-diethylamino-phenyl-boran mit einem 1,4fachen Überschuß an Lithiumazid erhält man in siedendem Benzol nach mehreren Stdn. unter Lithiumchlorid-Abscheidung in 72%iger Ausbeute das *Azido-diethylamino-phenyl-boran* (Kp_{11}: 57–59°)[3]:

$$(H_5C_6)(Cl)B\text{-}N(C_2H_5)_2 + LiN_3 \xrightarrow{-LiCl} (H_5C_6)(N_3)B\text{-}N(C_2H_5)_2$$

Nimmt man die Abspaltung von Hydrogenhalogenid aus Amino-halogen-organo-boranen in Gegenwart 1,3-dipolarer Agenzien wie organischen Aziden oder den Iminen vor, so ergibt das BN-Fragment des Borans mit dem dipolaren System ein entsprechendes Fünfringsystem. Das Hydrogenhalogenid wird dabei mit Triethylamin abgefangen. Chlor-(4-methoxyanilino)-pentafluorphenyl-boran setzt sich in Toluol bei 100° mit Phenylazid in Gegenwart von Triethylamin mit sehr guten Ausbeuten zum *4-(4-Methoxyphenyl)-5-(pentafluorphenyl)-1-phenyl-4,5-dihydro-tetraazaborol* (90%; F: 128–130°) um[4]:

[1] US.P. 3201464 (1962/1965), US-Borax & Chem., Corp., Erf.: M.P. Brown, H.B. Silver, A.E. Dann u. B.J. Ayres; C.A. **63**, 14904 (1965).
[2] B. Hessett, J.B. Leach, J.H. Morris u. T.G. Perkins, Soc. [Dalton Trans.] **1972**, 131.
[3] P.I. Paetzold u. G. Maier, B. **103**, 281 (1970).
[4] P.I. Paetzold u. G. Stohr, B **101**, 2874 (1968).

$$Cl(F_5C_6)B-NH-C_6H_4-OCH_3 + H_5C_6-N_3 + N(C_2H_5)_3 \xrightarrow[-[NH(C_2H_5)_3]^+Cl^-]{} F_5C_6-B(N_4)(C_6H_5)(C_6H_4-OCH_3)$$

δ_5) *N-P* (bzw. *N*-As)-*subst.-Diamino-organo-borane*

Die Verbindungsklasse mit mindestens einer P-Substitution an einem N-Atom ist aus Dihalogen-organo-boranen, vor allem aber aus Diamino-organo-boranen durch borferne Reaktionen zugänglich.

Butyl-tert.-butylimino-boran(2) (vgl. Bd. XIII/3a, S. 9) reagiert mit tert.-Butylimino-diisopropylamino-phosphan in Toluol unter Bildung von *4-Butyl-1,3-di-tert.-butyl-3-diisopropylamino-1,3,2,4-diazaphosphaboretidin* (69%; F: 41°)[1].

$\delta\delta_1$) aus Halogen-organo-boranen

Einige Aminierungen mit anorganischen Säureamiden, wie etwa die Umsetzung von Dichlor-phenyl-boran mit der doppelten Menge Thiophosphorsäure-amid-difluorid bei ~ 20° in Dichlormethan, haben keine präparative Bedeutung[2]:

$$H_5C_6-BCl_2 \quad + \quad 2\,SPF_2-NH_2 \xrightarrow[-2\,HCl]{} H_5C_6-B(NH-P(S)F_2)_2$$

Bis[difluorthiophosphorylamino]-phenyl-boran; 43%; F: 48–51°

Andere Reaktionen dürften mehr allgemeines Interesse auslösen. Wie bei der Harnstoff-Kondensation (vgl. S. 262) erhält man bei der 2stdgn. Kondensation von Dichlor-phenyl-boran mit Nitrido-bis[amino-diphenyl-phosphonium]-chlorid in siedendem 1,2-Dichlorethan in 75%iger Ausbeute ein cyclisches, kationisches Aminoboran [*2,2,4,4,6-Pentaphenyl-5,6-dihydro-1H-1,3,5,2λ⁵,4λ⁴,6-triazaphosphaphosphoniaborin- (tri-chlor-phenyl-borat)*; F: >340°], das beim 48stdgn. Erhitzen auf 230°/0,5 Torr in *2,2,4,4,6-Pentaphenyl-5,6-dihydro-1,3,5,2λ⁵,4λ⁵,6-triazadiphosphaborin* (80%; F: 210°) übergeht:[3]

$$2\,H_5C_6-BCl_2 + \left[(H_5C_6)_2P(NH_2)\overset{\oplus}{\cdots}N\cdots P(NH_2)(C_6H_5)_2\right]^+ Cl^- \xrightarrow[-2\,HCl]{} \left[\text{III}\right]^+ \left[H_5C_6-\overset{\ominus}{B}Cl_3\right]^-$$

III

$$\xrightarrow[-HCl]{\sim 230°} \text{IV} + H_5C_6-BCl_2$$

IV

$\delta\delta_2$) aus Amino-organo-boranen

Die Reaktivität der Si–N-Bindung gestattet die Herstellung neuer Diamino-organo-borane wie z.B. von Phospha- und Arsa-Derivaten cyclischer Diamino-organo-borane.

[1] P. Paetzold, C. v. Plotho, E. Niecke u. R. Rüger, B. **116**, 1678 (1983).
[2] H.W. Roesky, B. **105**, 1726 (1972).
[3] F.G. Sherif u. C.D. Schmulbach, Inorg. Chem. **5**, 322 (1966).

Bei den borfernen Reaktionen wird die Phosphor-Gruppierung an die Stelle einer Silyl- oder Silandiyl-Gruppe eingeführt. Auch kann an das Phosphor-Atom (oxidativ) addiert werden.

1,3-Bis[trimethylsilylamino]-2-organo-1,3,2-diazaborolidin reagiert mit Chlor-dimethyl-phosphan unter Austausch von Silyl- gegen Phosphinyl-Reste[1]; z.B.:

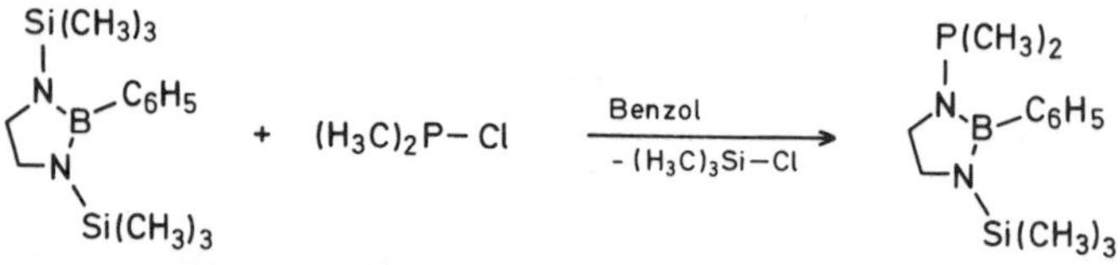

1-Dimethylphosphinyl-2-phenyl-3-trimethylsilyl-1,3,2-diazaborolidin; 85%; $Kp_{0,1}$: 47°

Aus Heptamethyl-1,2,4,3,5-triazasilaborolidin erhält man mit Trichlorphosphan in Dichlormethan durch borferne Si-Substitution *3-Chlor-1,2,4,5-tetramethyl-1,2,4,3,5-triazaphosphaborolan* (72%; Kp_2: 52°), das mit Aluminiumtrichlorid ein Phosphenilium-Salz mit Organobor-Ringglied (vgl. S. 422) bildet[2]:

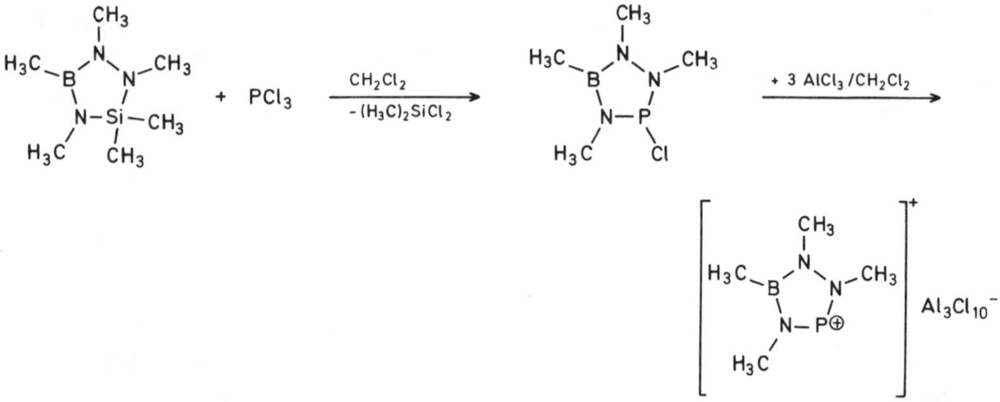

Hexamethyl-1,2,4,3,5-triazasilaborolidin reagiert borfern mit verschiedenen Halogenphosphanen oder mit Trichlorarsan unter Substitution der Silandiyl-Gruppe zu entsprechenden Phospha- und Arsa-Verbindungen[3]:

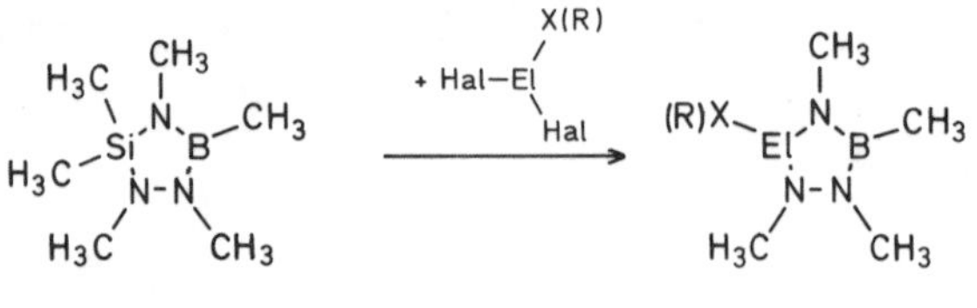

El = P; Hal = Cl; X = Cl; *3-Chlor-1,2,4,5-tetramethyl-1,2,4,3,5-triazaphosphaborolidin*; 72%; Kp_2: 52°
R = CH_3; *1,2,3,4,5-Pentamethyl-1,2,4,3,5-triazaphosphaborolidin*; 60%; Kp_{12}: 44°
R = C_6H_5; *3-Phenyl-1,2,4,5-tetramethyl-1,2,4,3,5-triazaphosphaborolidin*; 35%; $Kp_{1,5}$: 54–56°
El = As; Hal = Cl; X = Cl; *3-Chlor-1,2,4,5-tetramethyl-1,2,4,3,5-triazaarsaborolidin*; 68%; Subl.p.$_{2}$: 40°

Pentamethyl-1,2,4,3,5-triazaphosphaborolidin läßt sich mit elementarem Schwefel in Dichlormethan bei −30° nach mehreren Stunden in 86%iger Ausbeute in das *Pentamethyl-1,2,4,3,5-triazaphosphaborolidin-3-sulfid* (Kp_2: 65°) überführen[3]:

[1] H. Nöth u. W. Storch, B. **110**, 2607 (1977).
[2] K. Barlos, H. Nöth, B. Wrackmeyer u. W. McFarlane, Soc. [Dalton Trans.] **1979**, 801.
[3] K. Barlos u. H. Nöth, Z. Naturf. **35b**, 407 (1980).

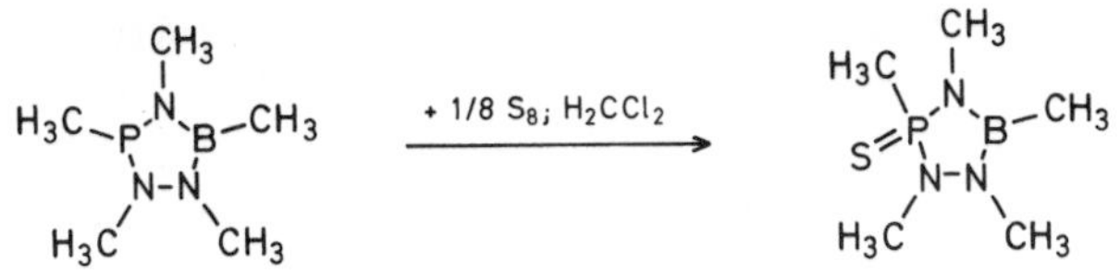

$\delta\delta_3$) aus Lewisbase-Organoboranen

In Sonderfällen werden auch bestimmte Lewisbase-Organoborane zur Herstellung von Diamino-organo-boranen mit P-substituierter Amino-Funktion herangezogen.

Während Bis[dialkylborylamino]-dimethyl-silane, Bis[dialkylborylamino]-methyl-phosphane oder Bis-[dialkylborylamino]-methyl-thiophosphate bereits bei 20° spontan Trialkylboran abspalten (Alkyl, Methyl, Ethyl), liefern Bis[dialkylborylamino]-methyl-phosphate mit vierfach koordiniertem Bor-Atom erst bei 160–170° Trialkylboran und 1,3,2λ^5,4-Diazaphosphaboretan-4-oxide[1]; z.B.:

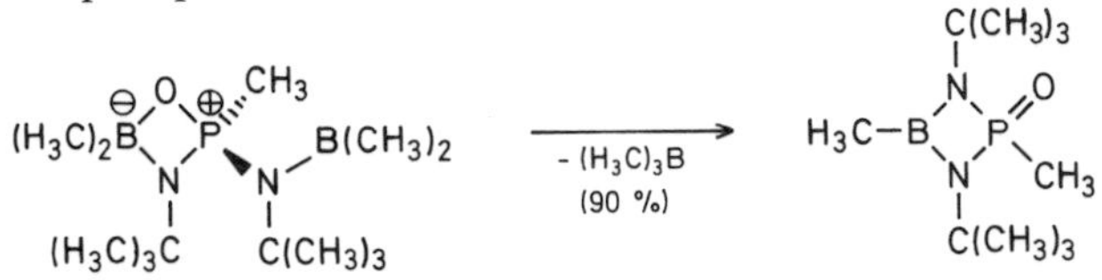

$\xrightarrow{-(H_3C)_3B\ (90\%)}$

1,3-Di-tert.-butyl-2,4-dimethyl-1,3,2λ^5,4-diazaphosphaboretidin; 78%; $Kp_{0,3}$: 65°

Die Diethylboryl-Derivate sind thermisch stabiler als die Dimethylboryl-Verbindungen[1].

δ_6) *N-Silylierte Diamino-organo-borane*

Diamino-organo-boran-Verbindungen mit N-Silylgruppen (vgl. Tab. 58, S. 268f.) erhält man aus Dihalogen-organo-boranen, Dithio-organo-boranen und aus verschiedenen Amino-organo-boranen.

$\delta\delta_1$) aus Dihalogen-organo-boranen

Dihalogen-organo-borane lassen sich mit silylierten Aminen, lithiierten Silylaminen und mit mehrfach silylierten Aminen in N-Silyl- bzw. -N-Silandiyl-substituierte Diamino-organo-borane mit offenkettigen, meist jedoch cyclischen Strukturen umsetzen.

Durch Kondensation von Dichlor-phenyl-boran mit 1,2-Bis[alkylamino]-tetramethyl-disilanen werden unter Austritt von Hydrogenchlorid Hexaalkyl-2-phenyl-1,3,4,5,2-diazadisilaborolidine erhalten[2-4]; z.B.:

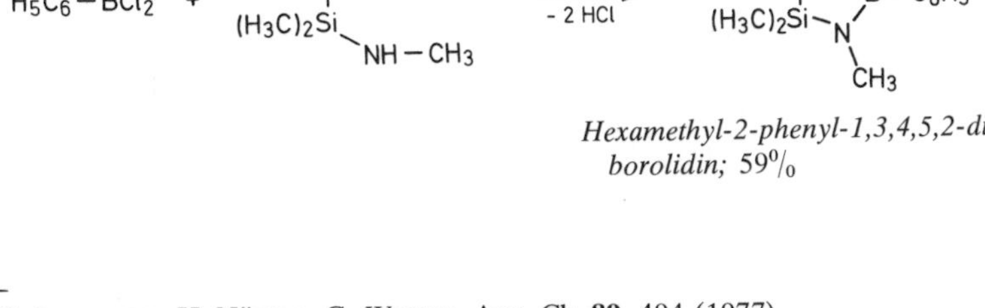

$H_5C_6-BCl_2$ + $(H_3C)_2Si(NH-CH_3)-Si(CH_3)_2(NH-CH_3)$ $\xrightarrow{-2\ HCl}$

Hexamethyl-2-phenyl-1,3,4,5,2-diazadisilaborolidin; 59%

[1] W. Storch, W. Jackstiess, H. Nöth u. G. Winter, Ang. Ch. **89**, 494 (1977).
[2] U. Wannagat, M. Schlingmann u. H. Autzen, Ch. Z. **98**, 372 (1974).
[3] U. Wannagat u. M. Schlingmann, Abh. Braunschw. Wiss. Ges. **24**, 79 (1974); C.A. **83**, 70836 (1975).
[4] U. Wannagat, G. Eisele u. M. Schlingmann, Z. anorg. Ch. **429**, 83 (1977).

Zum Abfangen des Chlorwasserstoffs wird bei ~ −70° Triethylamin zugefügt. Man läßt auftauen und in Petrolether reagieren. Die Ausbeuten betragen nur 20–30%[1].

Besonders glatt verlaufen die variationsfähigen Reaktionen der Dihalogen-organo-borane mit den Lithium-trimethylsilylamiden. Offenkettige und cyclische Diamino-organo-borane mit N-Silyl-Resten lassen sich gleichermaßen gut herstellen. Aus Dibrom-methyl-boran erhält man mit der doppelten Menge Lithium-methyl-trimethylsilyl-amid in Pentan *Bis[methyl-trimethylsilyl-amino]-methyl-boran*[2]. Aus Dibrom-ethyl-boran ist entsprechend *Bis[methyl-trimethylsilyl-amino]-ethyl-boran* zugänglich[2].

1,3,2,4-Diazasilaboretidine erhält man durch „klassische" Cyclokondensation. Mit N,N'-Dilithium-octamethyl-trisiladiazan (hergestellt aus Octamethyltrisiladiazan mit Butyllithium) reagieren nach Vereinigen der Reaktanden bei ~0° innerhalb 4 Stdn. in siedendem Hexan gleiche Stoffmengen Dichlor-phenyl-boran unter zweifacher Lithiumchlorid-Abspaltung zum *1,3-Bis[trimethylsilyl]-2,2-dimethyl-4-phenyl-1,3,2,4-diazasilaboretidin* (55%; F: 20–22°; $Kp_{1,2}$: 90–91°)[3]:

$$H_5C_6-BCl_2 + Li_2[N(Si(CH_3)_3)]_2Si(CH_3)_2 \xrightarrow{-2\,LiCl} H_5C_6-B[N(Si(CH_3)_3)]_2Si(CH_3)_2$$

Lithiumchlorid wird vorteilhaft durch Zentrifugieren abgetrennt[3].

Entsprechend werden 2-Aryl-1,3,4,5,2-diazadisilaborolidine hergestellt[3]:

$$R-BCl_2 + LiN(R^1)-Si(CH_3)_2-Si(CH_3)_2-N(R^1)Li \xrightarrow[-2\,LiCl]{Hexan/Pentan} R-B[N(R^1)-Si(CH_3)_2-Si(CH_3)_2-N(R^1)]$$

$R = C_6H_5$, $4\text{-}H_3C-C_6H_4$

Sechsring-Verbindungen sind auch aus Dichlor-phenyl-boran mit 1,3-Bis[*N*-lithiomethylamino]-pentamethyl-disilazan zugänglich. Die Metallierung des Silazans sowie die Ringschlußreaktion werden in einem Arbeitsgang zuerst bei 20°, dann in siedendem Petrolether durchgeführt. Durch destillative Aufarbeitung gewinnt man *Heptamethyl-6-phenyl-1,3,5,2,4,6-triazadisilaborinan* ($Kp_{0,2}$: 89–90°; F: 59°) in 58%iger Ausbeute[4]. Mit 1,3-Bis[methylamino]-tetramethyl-disiloxan erhält man auf analoge Weise *Hexamethyl-4-phenyl-1,3,5,2,6,4-oxadiazadisilaborinan* ($Kp_{0,3}$: 75°; F: 73–74°) in 48%iger Ausbeute[5]:

$$H_5C_6-BCl_2 + LiN(CH_3)-Si(CH_3)_2-O-Si(CH_3)_2-N(CH_3)Li \xrightarrow{-2\,LiCl} H_5C_6-B[N(CH_3)-Si(CH_3)_2-O-Si(CH_3)_2-N(CH_3)]$$

---

[1] U. Wannagat, G. Eisele u. M. Schlingmann, Z. anorg. Ch. **429**, 83 (1977).
[2] H. Nöth, W. Tinhof u. B. Wrackmeyer, B. **107**, 518 (1974).
[3] W. Fink, B. **96**, 1071 (1963).
[4] U. Wannagat, E. Bogusch u. R. Braun, J. Organometal. Chem. **19**, 367 (1969).
[5] F. Rabet u. U. Wannagat, Z. anorg. Ch. **384**, 115 (1971).

Dichlor-phenyl-boran reagiert entsprechend bei 0° in Petrolether mit den N,N'-Dilithium-Derivaten von 1,5-Bis[methylamino]-hexamethyl-*sym.*-trisiladioxan bzw. 1,5-Bis[propylamino]-octamethyl-*sym.*-trisiladiazan unter Ringschluß zu Achtring-Derivaten[1,2]:

$$H_5C_6{-}BCl_2 + R{-}N(Li){-}Si(CH_3)_2{-}Y{-}Si(CH_3)_2{-}Y{-}Si(CH_3)_2{-}N(Li){-}R \xrightarrow{-2\,LiCl} \text{cyclo-}[(H_5C_6)B{-}N(R){-}Si(CH_3)_2{-}Y{-}Si(CH_3)_2{-}Y{-}Si(CH_3)_2{-}N(R)]$$

Y = O; R = CH_3; *Octamethyl-6-phenyl-1,3,5,7,2,4,8,6-dioxadiaza-trisilaborocan*[1]; 44%; F: 55–57°; $Kp_{0,5}$: 75–76°

Y = NCH_3; R = C_3H_7; *1,7-Dipropyl-octamethyl-8-phenyl-1,3,5,7,2,4,6,8-tetrazatrisilaborocan*[2]; 48%; $Kp_{0,1}$: 134–136°

Aus Dibrom-methyl-boran erhält man mit 1,2-Bis[lithium-trimethylsilyl-amino]ethan bei ~20° unter Lithiumbromid-Abscheidung in 78%iger Ausbeute *1,3-Bis[trimethylsilyl]-2-methyl-1,3,2-diazaborolan* (Kp_1: 52°)[3]:

$$H_3C{-}BBr_2 + [-CH_2{-}N(Li){-}Si(CH_3)_3]_2 \xrightarrow[-2\,LiBr]{\text{Hexan}} \text{cyclo-}[(H_3C)B{-}N(Si(CH_3)_3){-}CH_2{-}CH_2{-}N(Si(CH_3)_3)]$$

Läßt man Dichlor-phenyl-boran mit einem offenkettigen Bis[triorganosilyl]amin reagieren, so erhält man im allgemeinen ein Gemisch aus Diamino-phenyl-boran und Bis[amino-phenyl-boryl]amin (vgl. S. 294, 314); z.B.[4]:

$$H_5C_6{-}BCl_2 + 2\,[(H_3C)_3Si]_2N{-}CH_3 \xrightarrow{-2\,(H_3C)_3SiCl} H_5C_6{-}B[N(CH_3){-}Si(CH_3)_3]_2$$

Bis[methyl-trimethylsilyl-amino]-phenyl-boran

Setzt man die Komponenten im Verhältnis 1:2,4 um, isoliert man nach 14 Tagen 44% *Bis[methyl-trimethylsilyl-amino]-phenyl-boran* neben 42% *Bis[(methyl-trimethylsilyl-amino)-phenyl-boryl]-methyl-amin* (vgl. S. 314). Wird im Verhältnis 2:3 umgesetzt, liegen die Ausbeuten nach 4 Tagen bei 68% bzw. 7%[4].

Mit 2,2,4,4,6,6-Hexamethylcyclotrisilazan, das als reagierendes Fragment eine 1,3-Diamino-Verbindung enthält, erhält man aus Dichlor-phenyl-boran in siedendem Benzol ein durch Destillation trennbares Gemisch von *6-Phenyl-2,2,4,4-tetramethyl-1,3,5,2,4,6-triazadisilaborinan* (I; 26%; $Kp_{0,1}$: 130°) und *2,2-Dimethyl-4,6-diphenyl-1,3,5,2,4,6-triazasiladiborinan* (II; 29%; $Kp_{0,1}$: 140–170°; F: 98–101°; vgl. S. 315)[5]:

---

[1] F. Rabet u. U. Wannagat, Z. anorg. Ch. **384**, 115 (1971).

[2] U. Wannagat u. L. Gerschler, Z. anorg. Ch. **383**, 249 (1971).

[3] H. Nöth, W. Tinhof u. B. Wrackmeyer, B. **107**, 518 (1974).

[4] H. Nöth u. M.J. Sprague, J. Organometal. Chem. **22**, 11 (1970).

[5] US.P. 401160 (1974/1951), Institute of Heteroorganic Compounds, Academy of Science, USSR, Erf.: V.V. Korshak, S.V. Vinogradova, T.A. Burtseva, P.M. Valetskii, V.I. Stanko u. N.S. Titova; C.A. **81**, 153108 (1974).

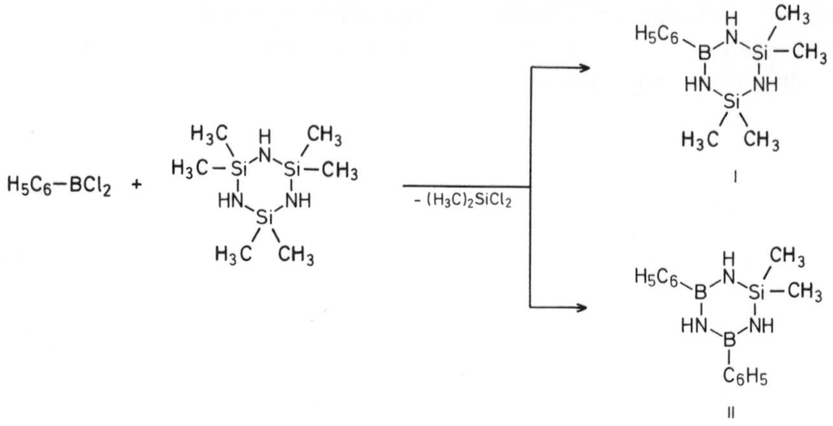

$H_5C_6{-}BCl_2$ + H_3C H CH_3 / $H_3C{-}Si{-}N{-}Si{-}CH_3$ / HN NH / Si / H_3C CH_3 $\xrightarrow{-(H_3C)_2SiCl_2}$ I + II

I: H, CH_3, H_5C_6, B, N, Si, CH_3, HN, NH, Si, H_3C, CH_3

II: H, CH_3, H_5C_6, B, N, Si, CH_3, HN, NH, B, C_6H_5

$\delta\delta_2$) aus Organo-thio-boranen

Bis[methylthio]-methyl-boran reagiert mit 1,2-Bis[trimethylsilylamino]benzol uneinheitlich. Methanthiol und Methylthio-trimethyl-silan spalten sich offensichtlich gleich rasch ab. N–B- und die N–Si-Bindung reagieren mit der B–S-Bindung des Borans ähnlich rasch. Die Methode ist daher zur Herstellung von Diamino-organo-boranen im allgemeinen wenig empfehlenswert. Außerdem stören Thiolysen der Edukte, und die Trennung der Produkte ist nicht einfach.

Aus äquimolaren Mengen Bis[methylthio]-methyl-boran und 1,2-Bis[trimethylsilylamino]-benzol erhält man z.B. in Dichlormethan in Abhängigkeit von der Arbeitsweise als Endprodukt verschiedene 2,3-Dihydro-1H-⟨benzo-1,3,2-diazaborole⟩ über ein offenbar gemeinsames offenkettiges Zwischenprodukt[1]:

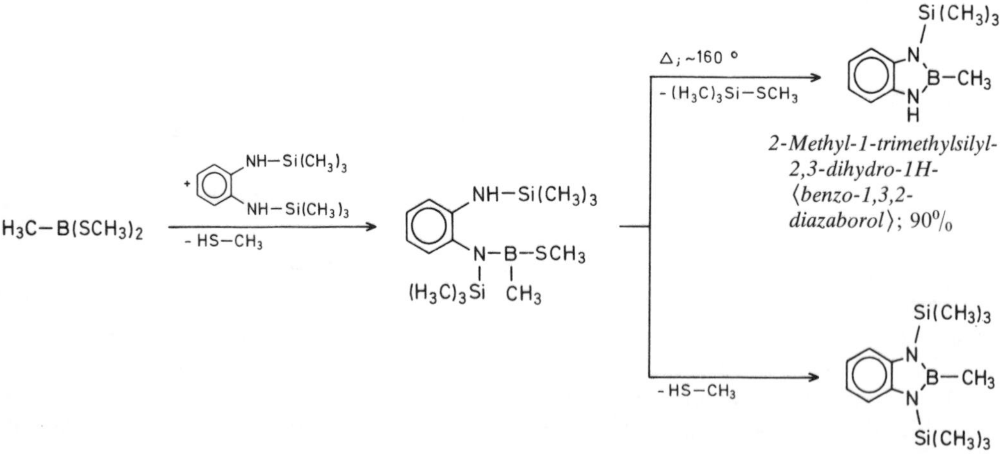

$H_3C{-}B(SCH_3)_2$ + 1,2-Bis[$NH{-}Si(CH_3)_3$]-benzol $\xrightarrow{-HS{-}CH_3}$ $NH{-}Si(CH_3)_3$ / $N{-}B{-}SCH_3$ / $(H_3C)_3Si$ CH_3

$\xrightarrow[-(H_3C)_3Si{-}SCH_3]{\Delta;\ \sim 160°}$ $Si(CH_3)_3$, N, B–CH_3, N, H

2-Methyl-1-trimethylsilyl-2,3-dihydro-1H-⟨benzo-1,3,2-diazaborol⟩; 90%

$\xrightarrow{-HS{-}CH_3}$ $Si(CH_3)_3$, N, B–CH_3, N, $Si(CH_3)_3$

1,3-Bis-[trimethylsilyl]-2-methyl-2,3-dihydro-1H-⟨benzo-1,3,2-diazaborol⟩

$\delta\delta_3$) aus Amino-organo-boranen

Mit Ammoniak oder mit prim. Aminen sind aus Amino-chlor-phenyl-boranen Diamino-phenyl-borane zugänglich. Die Methode eignet sich zur Herstellung von Diami-

[1] R. Goetze u. H. Nöth, B. **109**, 3247 (1976).

no-organo-boranen mit unterschiedlichen Amino-Resten. *Amino-(bis[trimethylsilyl]amino)-phenyl-boran* ($Kp_{0,01}$: 57–59°) erhält man z. B. aus dem Chlorboran mit Ammoniak in Hexan in 76%iger Ausbeute[1]:

$$H_5C_6-B(N[Si(CH_3)_3]_2)(Cl) + 2\ NH_3 \xrightarrow[-NH_4Cl]{Hexan} H_5C_6-B(N[Si(CH_3)_3]_2)(NH_2)$$

Aus Chlor-phenyl-(2,2,5,5-tetramethyl-1,2,5-azadisilalidino)-boran ist mit Ammoniak in Diethylether bei –78° bis 20° nach Abfiltrieren von Ammoniumchlorid in 68%iger Ausbeute *Amino-phenyl-(2,2,5,5-tetramethyl-1,2,5-azadisilalidino)-boran* ($Kp_{0,5}$: 63°) zugänglich[2]:

$$H_5C_6-B(Cl)-N\langle Si(CH_3)_2CH_2CH_2Si(CH_3)_2\rangle + 2\ NH_3 \xrightarrow[-NH_4Cl]{Ether} H_5C_6-B(NH_2)-N\langle Si(CH_3)_2CH_2CH_2Si(CH_3)_2\rangle$$

Zur Herstellung von Diamino-phenyl-boranen mit unterschiedlichen Amin-Resten eignet sich auch gut die Umsetzung von Chlor-dimethylamino-phenyl-boran mit Lithiumamiden[3,4]:

$$(H_3C)_2N(H_5C_6)B-Cl + Li-N(Si(CH_3)_3)(R) \xrightarrow{-LiCl} (H_3C)_2N(H_5C_6)B-N(Si(CH_3)_3)(R)$$

Dimethylamino-(isopropyl-trimethylsilyl-amino)-phenyl-boran[4]**:** 23,6 *ml* (0,052 mol) Butyllithium werden bei 0° unter Rühren zu einer Lösung von 6,56 g (0,05 mol) Isopropyl-trimethylsilyl-amin in 100 *ml* Ether getropft. Nach Erwärmen auf 23° wird 15 Min. gerührt, wobei Butan entweicht. Nach erneutem Abkühlen auf 0° werden 8,38 g (0,05 mol) Chlor-dimethylamino-phenyl-boran zugetropft, wobei Lithiumchlorid ausfällt. Bei 23° wird weitere 3 Stdn. gerührt, der Feststoff abfiltriert und das Filtrat i. Vak. destilliert; Ausbeute: 10,7 g (82%); $Kp_{0,01}$: 50–53°.

In Hexan ist entsprechend *[(tert.-Butyl-dimethyl-silyl)-amino]-dimethylamino-phenyl-boran* aus Chlor-dimethylamino-phenyl-boran mit Lithium-(tert.-butyl-dimethyl-silyl)amid (79%; $Kp_{0,01}$: 69–71°) zugänglich[5].

Ferner werden so erhalten:

Dimethylamino-phenyl-(2,2,5,5-tetramethyl-1,2,5-azadisilalidino)-boran	80%; $Kp_{0,1}$: 77–78°
Bis[dimethyl-hydro-silyl]amino-dimethylamino-phenyl-boran	73%; $Kp_{0,2}$: 66–67°

Aus Brom-[(brom-dimethyl-silyl)-methyl-amino]-methyl-boran erhält man mit 1,2-Dilithiohydrazin *Hexamethyl-1,2,4,3,5-triazasilaborolidin* in 62%iger Ausbeute[6]:

[1] R. Jefferson u. M. F. Lappert, Intra-Sci. Chem. Rep. **7**, 123 (1973); C. A. **81**, 62511 (1974).
[2] Y. F. Beswick, P. Wisian-Neilson u. R. H. Neilson, J. Inorg. & Nuclear Chem. **43**, 2639 (1981).
[3] W. Maringgele u. A. Meller, J. Organometal. Chem. **188**, 401 (1980).
[4] R. H. Neilson u. R. L. Wells, Inorg. Chem. **13**, 480 (1974).
[5] J. R. Bowser, R. H. Neilson u. R. L. Wells, Inorg. Chem. **17**, 1882 (1978).
[6] K. Barlos u. H. Nöth, Z. Naturf. **35b**, 407 (1980).

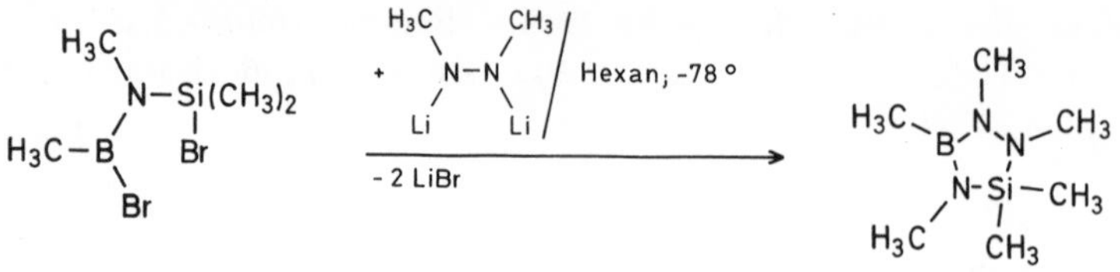

Hexamethyl-1,2,4,3,5-triazasilaborolidin[1]: Zu 9,3 *ml* (128 mmol) 1,2-Dimethylhydrazin in 25 *ml* Hexan gibt man 156,2 *ml* einer 1,64 M Butyllithium-Lösung in Hexan. Nach 24 Stdn. Kochen unter Rückfluß wird auf –78° abgekühlt und zur Suspension bei gutem Rühren 35 g (128 mmol) Brom-[(brom-dimethyl-silyl)-methyl-amino]-methyl-boran in 50 *ml* Hexan getropft. Bei ~–15° setzt die Reaktion ein, zwischen 8–10° ist sie lebhaft (Farbumschlag von gelb nach braun). Man rührt zwischen 5–20° mehrere Stdn. Die farblose Suspension wird auf ~80 *ml* eingeengt, abfiltriert, der Niederschlag mit 25 *ml* Pentan gewaschen und das Filtrat i. Vak. destilliert; Ausbeute: 13,5 g (62%); Kp_{19}: 62°.

$\delta\delta_4$) aus N-metallierten Diamino-organo-boranen

Bis[lithioamino]-organo-borane werden als Edukte zur Herstellung von Diamino-organo-boranen verwendet, die an den N-Atomen heteroatom-substituiert sind. Aus Bis[lithioamino]-organo-boranen erhält man mit Chlor-organo-silanen in allerdings mäßigen Ausbeuten (15–30%) Heterocyclen mit BNSi-Bindungen[2-4]. Weit bessere Ergebnisse erzielt man aus Diamino-organo-boranen mit Amino-organo-silanen; z.B.:

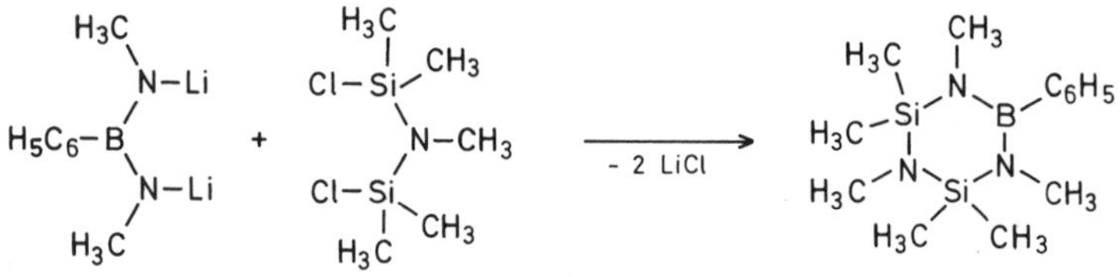

1,2,2,3,4,4,5-Heptamethyl-6-phenyl-1,3,5,2,4,6-triazadisilaborinan[4]: Zu 3,4 g (23 mmol) Bis[methylamino]-phenyl-boran in 80 *ml* Diethylether tropft man bei –68° ~30 *ml* einer 1,58 M Butyllithium-Lösung in Hexan, verdünnt mit 160 *ml* Ether und fügt die Suspension bei –68° langsam unter Rühren zu 4,65 g (23 mmol) Bis[chlor-dimethyl-silyl]amin in 60 *ml* Ether. Nach Auftauen auf 20° wird vom Unlöslichen abfiltriert und i. Vak. destilliert ($Kp_{0,01}$: 41–55°). Wiederholtes Destillieren liefert 2 g (31%); $Kp_{0,1}$: 63°.

Zu 1,3,2-Diazaborolidinen gelangt man durch Kondensation von Alkyl-bis[lithioamino]-boranen mit 1,2-Dichlordisilanen oder ähnlichen Verbindungen. Man setzt äquimolare Mengen der Reaktionspartner in Ether oder Tetrahydrofuran unterhalb von –30° um[2]:

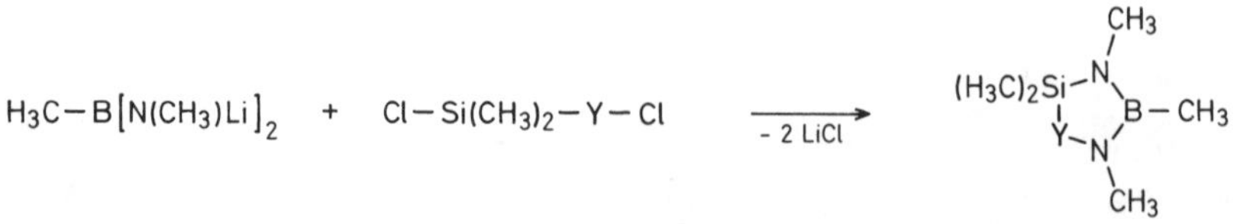

Y = $Si(CH_3)_2$; *Heptamethyl-1,3,4,5,2-diazadisilaborolidin*; >36%; Kp_{10}: 74,5°
Y = CH_2; *1,2,3,4,4-Pentamethyl-1,3,4,2-diazasilaborolidin*; >36%; Kp: 151°

[1] K. Barlos u. H. Nöth, Z. Naturf. **35b**, 407 (1980).
[2] I. Geisler u. H. Nöth, Chem. Commun. **1969**, 775.
[3] I. Geisler u. H. Nöth, B. **103**, 2234 (1970).
[4] H. Nöth u. W. Tinhof, B. **108**, 3109 (1975).

Die Kondensation von Bis[*N*-lithio-methylamino]-boran mit Dichlor-diphenyl-silan liefert bei –30 bis 0° in Ether kein BNSiN-Vierringgerüst sondern *Hexamethyl-borazin, 2,2,4,4,6,6-Hexaphenyl-1,3,5-trimethyl-cyclotrisilazan* (~16%) *2,2-Diphenyl-pentamethyl-1,3,5,2,4,6-triazasiladiborinan* I; F: 143–145°) (vgl. S. 317) und ~10% *Tetramethyl-2,2,4,4-tetraphenyl-1,3,5,2,4,6-triazadisilaborinan* (II)[1]:

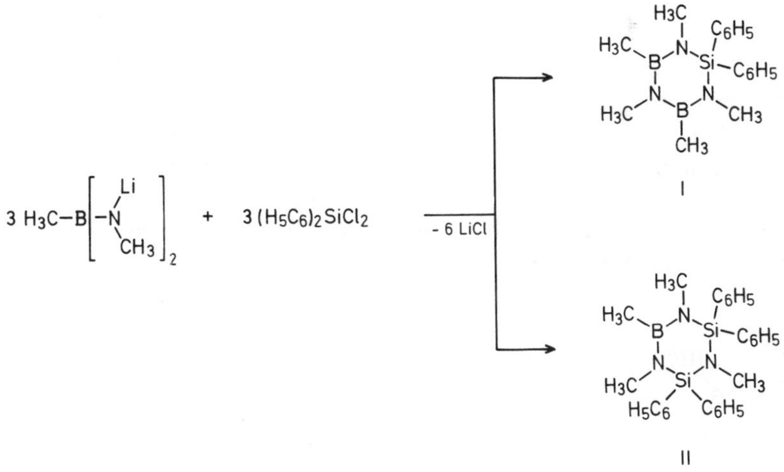

$$3\ H_3C{-}B[{-}N(Li)CH_3]_2 + 3\,(H_5C_6)_2SiCl_2 \xrightarrow{-\ 6\ LiCl} \text{I} + \text{II}$$

Am Si-Atom des Hexamethyl-1,2,4,3,5-triazasilaborolidins läßt sich mit Methyl-trichlor-silan eine Methyl-Gruppe austauschen[2]:

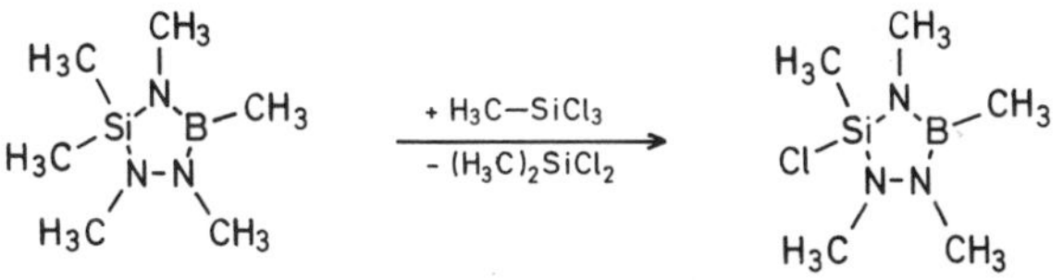

$$\xrightarrow[-\ (H_3C)_2SiCl_2]{+\ H_3C{-}SiCl_3}$$

3-Chlor-1,2,3,4,5-pentamethyl-1,2,4,3,5-triazasilaborolidin; 33%; Kp_1: 31°

δ_7) *N-Metallierte Diamino-organo-borane*

Diamino-organo-borane mit Metall (z.B. Zinn, Lithium) an einem oder beiden N-Atomen erhält man aus verschiedenartigen Amino-organo-boranen durch Dismutation oder durch Metallierung.

Bis[dimethylborylamino]zinn(II)-Verbindungen (vgl. S. 125) reagieren thermisch unter Trimethylboran-Abspaltung und bilden dimere 1,3,2,4-Diazastannaboretane[3]:

[1] I. GEISLER u. H. NÖTH, B. **103**, 2234 (1970).
[2] K. BARLOS u. H. NÖTH, Z. Naturf. **35b**, 407 (1980).
[3] H. FUSSSTETTER u. H. NÖTH, B. **112**, 3672 (1979).

$$2\ Sn[N(Si(CH_3)_3)-B(CH_3)_2]_2 \xrightarrow[-2\ (H_3C)_3B]{\Delta} [(H_3C)_3Si]_4(H_3C)_2B_2N_4Sn_2$$

4,8-Dimethyl-2,3,6,7-tetrakis[trimethylsilyl]-1,3,5,7-tetraaza-4,8-dibora-2,6-distanna-tricyclo[4.2.0.0^{2,5}] octan; 65%; F: 149–155°

Die als B-Aminierungsmittel besonders reaktiven Tris[trimethylstannyl]amine werden zur Herstellung der N-stannylierten Diamino-organo-borane aus Amino-halogen-organo-boranen eingesetzt. Aus Chlor-dimethylamino-phenyl-boran läßt sich mit Tris[trimethylstannyl]amin in 69%iger Ausbeute *(Bis[trimethylstannyl]amino)-dimethylamino-phenyl-boran* ($Kp_{0,01}$: 85°) herstellen[1]:

$$H_5C_6-B(N(CH_3)_2)(Cl) + N[Sn(CH_3)_3]_3 \xrightarrow{-(H_3C)_3Sn-Cl} H_5C_6-B(N(CH_3)_2)(N[Sn(CH_3)_3]_2)$$

Aus Diamino-organo-boranen erhält man mit Organolithium-Verbindungen (z.B. Butyllithium) Bis[lithioamino]-organo-borane[2]:

$$R^1-B(NH-R^2)_2 \xrightarrow[-2C_4H_{10}]{+2\ H_9C_4-Li} R^1-B(NLi-R^2)_2$$

2. Diamino-organo-borane mit linear verknüpften BN-Kettengliedern

Organobor-Stickstoff-Stickstoff-Verbindungen mit mehr als einem Bor-Atom am Stickstoff-Atom treten als lineare Diborylamine[3] oder verzweigte Triborylamine[3] (vgl. S. 380) auf. Beide Typen können offenkettig oder cyclisch sein.

Der folgende Abschnitt befaßt sich mit Herstellungsmethoden für lineare Borane mit alternierenden BN-Bindungsfolgen. Endgruppen sind außer den Organo-Resten Wasserstoff, Halogen-, Organooxy-, Organothio- oder Diorganoamino-Gruppierungen.

Zu den Organobor-Stickstoff-Stickstoff-Verbindungen, die linear miteinander verknüpfte BN-Gruppierungen enthalten, gehören offenkettige und cyclische B-Organo-1,3,2-diborazane (S. 291–331) sowie B-Organo-1,3,5,2,4-triboradiazane (S. 331–333), B-Organo-1,3,2,4-diazadiboretidine (S. 333–335) und die umfangreiche Klasse der B-Organoborazine (S. 336–379) sowie weitere cyclische $(BN)_x$-Verbindungen (S. 379f.).

---

[1] R. L. Wells u. R. H. Neilson, Synth. React. Inorg. Metal-org. Chem. **3**, 137 (1973).
[2] vgl. H. Nöth u. W. Storch, B. **110**, 2607 (1977).
[3] *Gmelin*, 8. Aufl., Bd. **23**/5, S. 282–289 (1975).

α) B-Organo-1,3,2-diborazane

Die Herstellungsmethoden der offenkettigen und cyclischen Organoborane mit linearen BNB-Atomgruppierung werden nach dem Grad der B-Organo-Substitutionen unterteilt. Beide Bor-Atome können mit insgesamt vier, drei, zwei oder einem Organo-Rest verbunden sein. Weitere Substituenten sind Wasserstoff, Halogen, Oxy- und Thio-Gruppen.

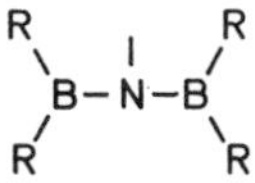

$R_2B-N(-)-BR_2$ 1,1,3,3-Tetraorgano-

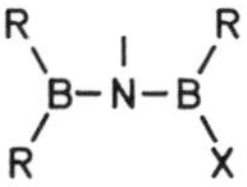

$R_2B-N(-)-B(R)X$ 1,1,3-Triorgano-

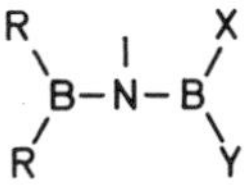

$R_2B-N(-)-B(X)Y$ 1,1-Diorgano-

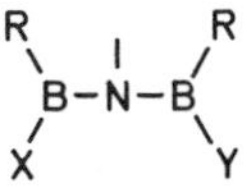

$R(X)B-N(-)-B(R)Y$ 1,3-Diorgano-

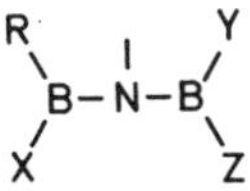

$R(X)B-N(-)-B(Y)Z$ 1-Organo-

...-1,3,2-diborazane

Außerdem gehören N-metallierte Tetraorganodiborazane sowie 1,1-Bis[diorganoboryl]hydrazine (vgl. S. 298ff.) und entsprechende Derivate zur Verbindungsklasse. Tetrakis- sowie Tris[diorganoboryl]hydrazine sind bisher nicht hergestellt worden.

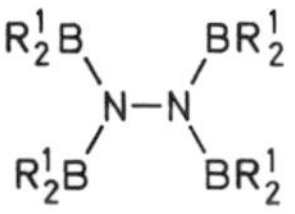

$(R^1_2B)_2N-N(BR^1_2)_2$ Tetrakis[diorganoboryl]-

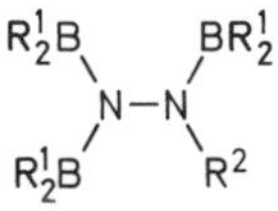

$(R^1_2B)_2N-N(BR^1_2)R^2$ Tris[diorganoboryl]-

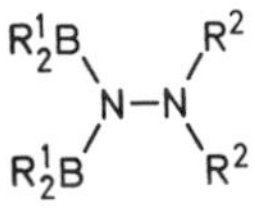

$(R^1_2B)_2N-NR^2_2$ 1,1-Bis-[diorganoboryl]-

...-hydrazine

α_1) *1,1,3,3-Tetraorgano-1,3,2-diborazane*

1,1,3,3-Tetraorganodiborazane (Bis[diorganoboryl]amine) werden hauptsächlich aus Halogen-organo- bzw. Amino-organo-boranen hergestellt (s. Tab. 62, S. 292).

$\alpha\alpha_1$) aus Alkyl-imino-boranen(2)

„Diorganoborimide" (vgl. XIII/3a, S. 8ff.), die sich als im allgemeinen kurzlebige Zwischenprodukte verschiedener Eliminierungen abfangen lassen, sind bisweilen Edukte zur Herstellung der Pentaorgano-1,3,2-diborazane. Die Herstellungsmethoden für Alkyl-alkylimino-borane(2) sind daher auch zur präparativen Gewinnung der Verbindungen mit BNB-Gruppierung verwendbar.

2-Tert.-Butyl-tetraalkyl-1,3,2-diborazane erhält man aus Alkyl-tert.-butylimino-boranen(2) mit Triethylboran[1]:

---

[1] P. Paetzold u. C. von Plotho, B. **115**, 2819 (1982).

Tab. 62: 1,1,3,3-Tetraorgano-1,3,2-diborazane

Formel	Verbindungstyp	Herstellung	s. S.
a) N-Organo-Derivate			
$[(\text{C})B-]_2NH$	$R(B)-N(H)-B(R)$	aus Do—HB(R) + R(BH)	299
$[(Alkyl)_2B]_2N-R$	$R^1_2-N(R^2)-BR^1_2$	aus $R^1_2B-Hal + R^2-N(SiR^3_3)_2$	294
$[(H_3C)_2B]_2N-CH_3$	$R^1_2B-N(R^2)-BR^1_2$	aus $R^1_2B-N(Li)(R^2) + R^1_2B-Hal$	299
$[(\text{C}_4H_8)B-]_2N-CH_2-C_6H_5$	$R(B)-N(R)-B(R)$	aus R(BH) + $R-NH_2$	293
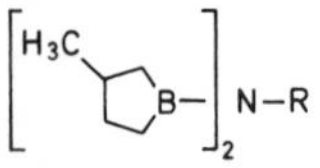 $[H_3C-(C_4H_7)B-]_2N-R$	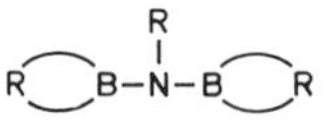 $R(B)-N(R)-B(R)$		
$R = CH_3$		aus 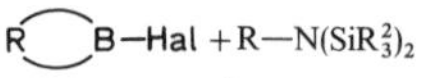 R(B—Hal) + $R-N(SiR^2_3)_2$	294
		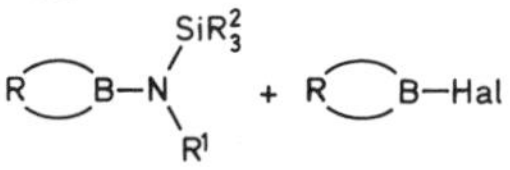 aus $R(B)-N(SiR^2_3)(R^1)$ + R(B—Hal)	294
$R = C_2H_5$		aus 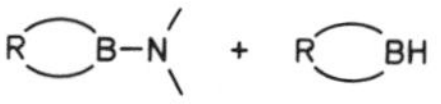 R(B)—N< + R(BH)	296
$H_3C-(C_8H_7)B-N(C_6H_5)-B(C_8H_7)-CH_3$	$(R,Ar)B-N(R)-B(R,Ar)$	aus $R(B)-N(R)-B(R)$ + (R,Ar)B—R	296
$[Aryl_2B]_2N-R$	$R^1_2B-N(R^2)-BR^1_2$	aus $R^1_2B\text{-}Hal + R^2-N(SiR^3_3)_2$	294
Alkyl—B(—N(R)—)B—Alkyl (Ring mit $-C(CH_3)_2-C(CH_3)_2-$)	$R^1-B(-N(R^2)-)B-R^1$ (Ring über R)	aus Hal—B(—N(R^2)—, —R—)B—Hal + R^1-Li	299
H_5C_2—B(—N(C_6H_5)—)B—C_2H_5 (Ring mit $-C(CH_3)_2-C(CH_3)_2-$)	$R^1-B(-N(R^2)-)B-R^1$ (Ring über R)	aus $R^1_2B-NH-R^2 + R^1_3B, \Delta$	295
		$+ R^1_2BH, \Delta$	295
H_3C—B(—N(CH_3)—)B—CH_3 (Ring mit $-C(CH_3)=C(CH_3)-$)	$R^1-B(-N(R^2)-)B-R^1$ (Ring über R_{en})	aus Hal—B(—N(R^2)—, —R_{en}—)B—Hal $+ R^1_4Sn$	299
b) N-Silyl- bzw. N-Lithium-Derivate			
$[(H_3C)_2B]_2N-Si(CH_3)_3$	$R^1_2B-N(SiR^2_3)-BR^1_2$	aus $R_2B-Hal + N(SiR^2_3)_3$	294
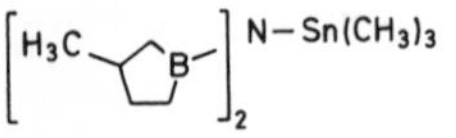 $[H_3C-(C_4H_7)B-]_2N-Sn(CH_3)_3$	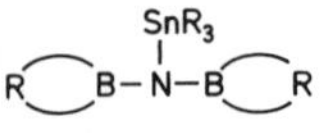 $R(B)-N(SnR_3)-B(R)$	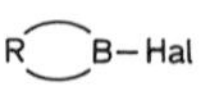 aus R(B—Hal) + $N(SnR^2_3)_3$	295
$[(\text{C})B-]_2N-Li$		aus $[R(B-)]_2NH + R^2Li$	298

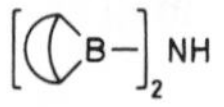

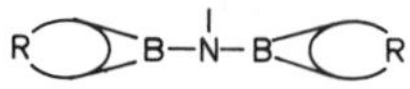

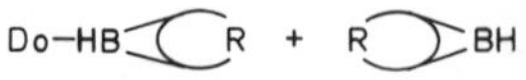

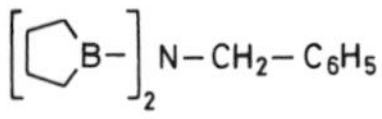

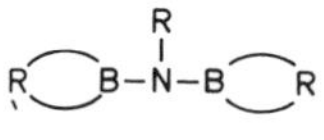

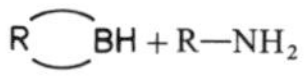

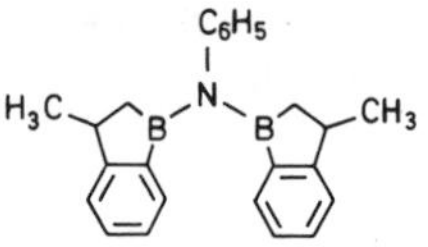

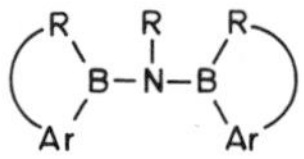

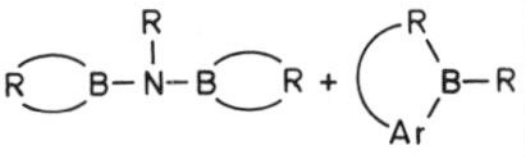

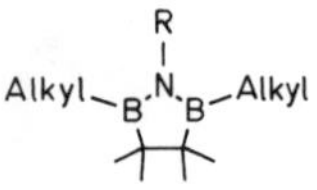

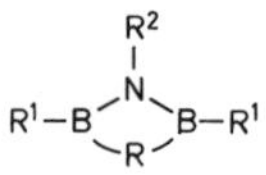

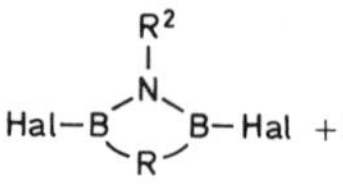

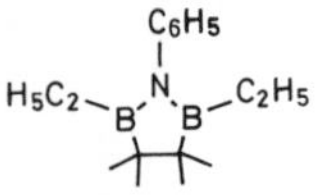

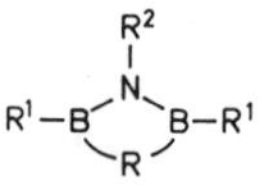

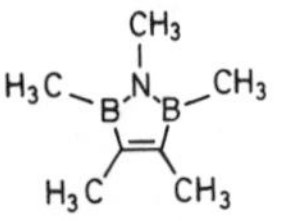

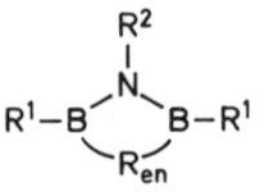

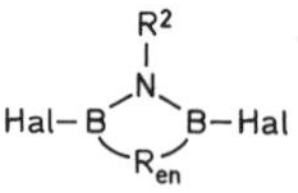

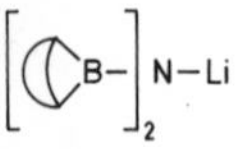

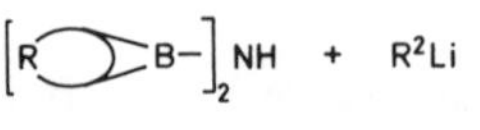

$$R-B=N-C(CH_3)_3 \quad + \quad (H_5C_2)_3B \xrightarrow{-78°\text{ bis }25°} \begin{matrix} R & & C(CH_3)_3 \\ & B-N & \\ H_5C_2 & & B-C_2H_5 \\ & H_5C_2 & \end{matrix}$$

2-tert.-Butyl-...-diborazan
$R = C_2H_5$; ...*-tetraethyl-*...;
$R = CH(CH_3)_2$; ...*-isopropyl-triethyl-*...[1]; 56%
$R = C(CH_3)_3$; ...*-tert.-butyl-triethyl-*...[2]; 75%

2,3-Di-tert.-butyl-1,1,3-triethyl-1,3,2-diborazan[1]: Zum thermisch aus 4,9 g (19,8 mmol) tert.-Butyl-(tert.-butyl-trimethylsilyl-amino)-chlor-boran (vgl. S. 155) hergestellten tert.-Butyl-tert.-butylimino-boran(2) (vgl. Bd. XIII/3a, S. 9) [~ 2,2 g (~ 80%)][2] gibt man bei 0° 10 *ml* Triethylboran. Man rührt noch 1 Stde. bei ~ 20°, zieht sämtliche leicht flüchtigen Anteile ab; Ausbeute: 3,5 g (75%); $Kp_{0,002}$: 54°.

Entsprechend ist *2-tert.-Butyl-1-isopropyl-1,3,3-triethyl-1,3,2-diborazan* ($Kp_{0,002}$: 54°) in 56%iger Ausbeute aus (tert.-Butyl-trimethylsilyl-amino)-chlor-isopropyl-boran (vgl. S. 155) zugänglich[3].

$\alpha\alpha_2$) aus Triorganoboranen

Aus Triorganoboranen sind bisher mit Aminen bzw. mit Hydrazinen keine 1,1,3,3-Tetraorganodiborazane oder 1,1-Bis[diorganoboryl]hydrazine hergestellt worden. Triorganoborane reagieren mit Hydrazin unter Bildung von 1,2-Bis[diorganoboryl]hydrazinen[4,5]. Alle anderen Methoden, bei denen Triorganoborane verwendet werden, gehen von Amino-diorgano- bzw. Diorgano-hydrazino-boranen (vgl. S. 295ff.) aus.

$\alpha\alpha_3$) aus Diorgano-hydro-boranen

Zur Herstellung von 1,1,3,3-Tetraorganodiborazanen geht man im allgemeinen nicht von Diorgano-hydro-boranen aus, da offenkettige Verbindungen in Gegenwart der >BH-Bindungen unter Ligandenaustausch sehr leicht Borazine (vgl. S. 345, 360) bilden[6]. Aus bestimmten cyclischen Diorganoboranen lassen sich jedoch mit prim. Aminen 1,1,3,3-Tetraorganodiborazane herstellen; z.B.[6]:

$$\text{[bicyclisches Diboran H(B)H]} \quad + \quad H_5C_6-CH_2-NH_2 \xrightarrow[-2\,H_2]{} \left[\text{C}_4\text{H}_8\text{B}-\right]_2 N-CH_2-C_6H_5$$

Benzyl-di-1-borolanyl-amin

Besonders vorteilhaft verwendet man Ammoniak-(Alkandiyl- oder Cycloalkandiyl-hydro-borane) (vgl. S. 299).

$\alpha\alpha_4$) aus Diorgano-halogen-boranen

Ausgehend von Diorgano-halogen-boranen kann man mit Aminen verhältnismäßig glatt 1,1,3,3-Tetraorganodiborazane herstellen. Als Reaktionspartner werden Disilyl-, Trisilyl- und Stannyl-amine eingesetzt.

---

[1] C. VON PLOTHO u. P. PAETZOLD, B. **116**, im Druck (1983).
[2] P. PAETZOLD u. C. VON PLOTHO, B. **115**, 2 819 (1982).
[3] C. VON PLOTHO u. P. PAETZOLD, Technische Hochschule Aachen, unveröffentlicht 1982.
[4] B.M. MIKHAILOV u. Y.N. BUBNOV, Izv. Akad. SSSR **1960**, 370; engl.: 343; C.A. **54**, 20931 (1960).
[5] H. NÖTH, Z. Naturf. **16b**, 471 (1961).
[6] R. KÖSTER u. K. IWASAKI, Advan. Chem. Ser. **42**, 148 (1964).

Bewährt haben sich zur Einführung der Amino-Gruppe Hexamethyldisilazane sowie *N*-metallierte Aminoborane und Amine[1-4].

Brom- und Chlor-diethyl-boran[1,2], Brom-diphenyl-boran[3] und vor allem 1-Brom-3-methyl-borolan[4] reagieren mit Bis[trimethylsilyl]aminen unter Bildung der entsprechenden Bis[diorganoboryl]amine in allerdings recht unterschiedlichen Ausbeuten (vgl. S. 285):

$$2\,R^1_2B{-}Hal \;+\; R^2{-}N[Si(CH_3)_3]_2 \xrightarrow[-2\,Hal-Si(CH_3)_3]{} (R^1_2B)_2N{-}R^2$$

$R^1 = C_2H_5,\ C_3H_7,\ C_4H_9,\ C_6H_5$ $R^2 = H,\ CH_3$

$Hal = Cl,\ Br$

R^1_2B = 3-Methyl-borolan-1-yl (H_3C-substituierter Fünfring, B–)

1,1,3,3-Tetramethyl-diborazan[4]: Innerhalb 1 Stde. werden 97,5 g (0,935 mol) Chlor-diethyl-boran unter Wasserkühlung zu 74,6 g (0,463 mol) Hexamethyldisilazan getropft. Nach Abklingen der exothermen Reaktion destilliert man bei möglichst niedriger Badtemp. über eine Kolonne 66 g (65%) Chlor-trimethyl-silan ab. Anschließend erhitzt man auf ~110° und destilliert i. Vak.; Ausbeute: 39 g (55%); Kp_9: 56–58°.

Analog erhält man *1,1,3,3-Tetrapropyl-* (69%; Kp_3: 80–84°) und *1,1,3,3-Tetrabutyl-diborazan* ($Kp_{0,001}$: 75–80°).

Die Stabilität der 1,1,3,3-Tetraorganodiborazane ist von den Substituenten am Stickstoff und insbesondere von denen an den Bor-Atomen abhängig[1,2]. *1,1,3,3-Tetramethyl-diborazan* „symmetrisiert" sich verhältnismäßig leicht in 2,4,6-Trimethylborazin und Trimethylboran.

Sehr stabil und leicht herstellbar sind 1,1,3,3-Tetraorganodiborazane mit Bor-Atomen im Fünfringsystem. So erhält man z.B. aus 1-Chlor-3-methyl-borolan (2 mol) und Bis[trimethylsilyl]-methyl-amin (1 mol) 85% *Bis[3-methyl-1-borolanyl]-methyl-amin (1,1,3,3-Bis[2-methyl-1,4-butandiyl]-2-methyl-diborazan)*[4]:

$$2\ \text{(1-Chlor-3-methyl-borolan)} \;+\; H_3C{-}N[Si(CH_3)_3]_2 \xrightarrow[-2\,(H_3C)_3Si-Cl]{} \text{(3-Methyl-borolanyl)}{-}N(CH_3){-}\text{(3-methyl-borolanyl)}$$

Auch 1,1,3,3-Tetraaryldiborazane sind auf diesem Weg zugänglich. Beispielsweise erhält man *1,1,3,3-Tetraphenyldiborazan* (50%; F: 116–120°) aus Brom-diphenyl-boran mit Hexamethyldisilazan in Pentan[2]:

$$2\,(H_5C_6)_2B{-}Br \;+\; [(H_3C)_3Si]_2NH \xrightarrow[-2\,(H_3C)_3Si-Br]{Pentan,\ 20-40^\circ} (H_5C_6)_2B{-}NH{-}B(C_6H_5)_2$$

Die Verwendung von Tris[trimethylsilyl]amin führt vom Brom-dimethyl-boran zum *1,1,3,3-Tetramethyl-2-trimethylsilyl-diborazan*[3]:

$$2\,(H_3C)_2B{-}Br \;+\; [(H_3C)_3Si]_3N \xrightarrow[-2\,(H_3C)_3Si-Br]{} [(H_3C)_2B]_2N{-}Si(CH_3)_3$$

Aus Brom-diorgano-boranen erhält man mit Tris[triorganostannyl]aminen unter Sn–N-Bindungsspaltung 1,1,3,3-Tetraorgano-2-triorganostannyl-diborazane; z.B. *Bis [3-methyl-1-borolanyl]-trimethylstannyl-amin (1,1;3,3-Bis[2-methyl-1,4-butandiyl]-2-trimethylstannyl-diborazan)*[3]:

---

[1] H. Nöth u. H. Vahrenkamp, J. Organometal. Chem. **16**, 357–369 (1969).
[2] H. Nöth, Z. Naturf. **16b**, 618 (1961); C.A. **57**, 15134 (1962).
[3] K. Jonas, H. Nöth u. W. Storch, B. **110**, 2783 (1977).
[4] H. Nöth u. W. Storch, B. **109**, 884 (1976).

$$2\ \text{3-Methyl-borolanyl-Br} + N[Sn(CH_3)_3]_3 \xrightarrow{-2\ Br-Sn(CH_3)_3} (\text{3-Methyl-borolanyl})_2N-Sn(CH_3)_3$$

Durch weitere SnN-Spaltung wird Tris[3-methyl-1-borolanyl]amin gebildet (vgl. S. 380f.)[1].

αα5) aus Organo-thio-boranen

Die BSB-Gruppierung läßt sich mit bestimmten Aminometall-Verbindungen in die BNB-Gruppierung überführen. *3,4-Diethyl-1,2,5-trimethyl-2,5-dihydro-1,2,5-azadiborol* (Kp_{10}: 80–82°) erhält man z.B. aus 3,4-Diethyl-2,5-dimethyl- 2,5-dihydro-1,2,5-thiadiborol mit Heptamethyldistannazan in Benzol zu 54%[2]:

$$\text{3,4-Diethyl-2,5-dimethyl-2,5-dihydro-1,2,5-thiadiborol} \xrightarrow[-\ [(H_3C)_3Sn]_2S]{+\ [(H_3C)_3Sn]_2N-CH_3} \text{3,4-Diethyl-1,2,5-trimethyl-2,5-dihydro-1,2,5-azadiborol}$$

3,4-Diethyl-1,2,5-trimethyl-2,5-dihydro-1,2,5-azadiborol[2]**:** Zu 2,85 g (17,2 mmol) 3,4-Diethyl-2,5-dimethyl-2,5-dihydro-1,2,5-thiadiborol tropft man 6,1 g (17,2 mmol) Heptamethyldistannazan in 10 *ml* Benzol. Nach 30 Min. Rühren wird das Lösungsmittel abgezogen. Anschließend destilliert man i. Vak. 3,15 g Rohprodukt (Kp_{10}: 80–85°) ab, versetzt dieses mit 20 *ml* THF und 0,9 g wasserfreiem Eisen(II)-chlorid, rührt ~ 50 Stdn., filtriert vom Eisen(II)-sulfid ab und destilliert i. Vak.; Ausbeute: 1,5 g (54%; Kp_{10}: 80–82°).

αα6) aus Amino-diorgano-boranen

1,1,3,3-Tetraorganodiborazane sind aus Amino-diorgano-boranen mit Triorganoboranen durch N-Borylierung zugänglich. Als Katalysatoren werden Hydroborane zugesetzt.

Beim Erhitzen einer Mischung aus Anilino-diethyl-boran und Triethylboran in Gegenwart von Tetraethyldiboran(6) bei 180–200° im Schüttelautoklaven erhält man nach 25 Stdn. bei der destillativen Aufarbeitung neben anderen Produkten in 18%iger Ausbeute *2,5-Diethyl-1-phenyl-1,2,5-azadiborolidin* ($Kp_{0,2}$: 65–73°)[3]:

$$(H_5C_2)_2B-NH-C_6H_5 + (H_5C_2)_3B \xrightarrow[-H_2,\ -C_2H_4,\ -C_2H_6]{(H_5C_2)_2BH} \text{2,5-Diethyl-1-phenyl-1,2,5-azadiborolidin}$$

Die Thermolyse bestimmter Amino-diorgano-borane mit eliminierbaren Resten am N-Atom liefert in Gegenwart von Trialkylboranen unter Alkyl-Wanderung vom B- zum N-Atom in sehr guten Ausbeuten (~ 90%) 1,1,3,3-Tetraalkyldiborazane; z.B.[4]:

$$R_2B-N(Si(CH_3)_3)(O-Si(CH_3)_3) + R^1_3B \xrightarrow{-\ [(H_3C)_3Si]_2O} R_2B-N(R^1)-BR^1_2$$

Besonders glatt verlaufen Transborylierungen zwischen 1,1,3,3-Tetraalkyldiborazanen und Trialkylboranen.

¹ W. STORCH u. H. NÖTH, B. **110**, 1636 (1977).
² W. SIEBERT, H. SCHMIDT u. R. FULL, Z.Naturf. **35b**, 873 (1980).
³ R. KÖSTER u. K. IWASAKI, Advan. Chem. Ser. **42**, 148 (1964); C.A. **60**, 10705 (1064).
⁴ P. PAETZOLD u. T. VON BENNIGSEN-MACKIEWICZ, B. **114**, 298 (1981).

1,2-Diethyl-1,3,3-tributyl-1,3,2-diborazan[1]**:** Man erhitzt eine Lösung von 5,7 g (23,2 mmol) Diethyl-(trimethylsilyl-trimethylsilyloxy-amino)-boran in 16 g (87,8 mmol) Tributylboran 26 Stdn. auf 80°. Danach wird i. Vak. fraktionierend destilliert; Ausbeute: 5,4 g (88%); Kp_7: 155°.

Beispielsweise erhält man aus N,N-Bis[3-methyl-1-borolanyl]anilin und 3-Methyl-1-propyl-1-boraindan das *N,N-Bis[3-methyl-1-boraindan-1-yl]anilin* zu 47%[2]:

$$\text{N,N-Bis[3-methyl-1-borolanyl]anilin} + 2\ \text{3-Methyl-1-propyl-1-boraindan} \longrightarrow [\text{3-Methyl-1-boraindan-1-yl}]_2N{-}C_6H_5 + 2\ H_7C_3{-}B(\text{3-methyl-borolan})$$

N,N-Bis[3-methyl-1-boraindan-1-yl]anilin[2]**:** 8,5 g (33,5 mmol) *N,N*-Bis[3-methyl-1-borolanyl]anilin und 23,8 g (138,2 mmol) 3-Methyl-1-propyl-1-boraindan werden mehrere Stdn. auf 150–170° erhitzt. Das Reaktionsgemisch wird i. Vak. destilliert:

Kp_{70-80}: 78–82°: 7,2 g 3-Methyl-1-propyl-borolan
Kp_{10-11}: 105–108°: 12,2 g Zwischenfraktion
$Kp_{0,001}$: 164–165°: 5,5 g (47%) *N,N-Bis[3-methyl-1-boraindan-1-yl]anilin* (hochviskose Flüssigkeit, kristallisiert bei 60–70°); F: 107–108° (aus Hexan)

Azido-dialkyl-borane (vgl. S. 113) reagieren in Gegenwart von Trialkylboranen beim Belichten unter Abspaltung von Stickstoff und Alkyl-Wanderung zu Pentaalkyl-diborazanen[3]:

$$R^1_2B{-}N_3 + R^2_3B \xrightarrow[-N_2]{h\nu} R^1_2B{-}N(R^2){-}BR^2_2$$

z.B.: $R^1 = C_6H_{11}$; $R^2 = C_2H_5$; *1,1-Dicyclohexyl-2,3,3-triethyl-diborazan*

Aus Amino-diorgano-boranen erhält man mit Alkyl-hydro-boranen[2,4], vermutlich u.a. über Alkyl-amino-hydro-borane, 1,1,3,3-Tetraorganodiborazane.

NH-haltige 1-Aminoborolane reagieren mit Bis[butan-1,4-diyl]diboranen(6) oberhalb 150° unter Abspaltung von Wasserstoff. In Gegenwart von tert. Aminen wird die ansonsten unvermeidliche Bildung hochmolekularer Produkte weitgehend unterbunden. In guten Ausbeuten werden *Bis[borolanyl]amine* erhalten. Beispielsweise entsteht *Bis[3-methyl-1-borolanyl]-ethyl-amin* [*1,1;3,3-Bis[2-methyl-1,4-butandiyl]-2-ethyl-diborazan*; $Kp_{11,5}$: 121–123°; n_D^{20}: 1,4762] in 90%iger Ausbeute aus 1-Ethylamino-3-methyl-borolan und Bis[2-methyl-1,4-butandiyl]diboran(6)[4,5]:

$$\text{1-Ethylamino-3-methyl-borolan} + 1/2\ \text{Bis[2-methyl-1,4-butandiyl]diboran(6)} \xrightarrow{-H_2} \text{Bis[3-methyl-1-borolanyl]}N{-}C_2H_5$$

---

[1] P. Paetzold u. T. von Bennigsen-Mackiewicz, B. **114**, 298 (1981).
[2] R. Köster u. K. Iwasaki, Advan. Chem. Ser. **42**, 148 (1964); C.A. **60**, 10705 (1964).
[3] P. Paetzold, Technische Hochschule Aachen, Privatmitteilung 1982.
[4] R. Köster, Ang. Ch. **75**, 730 (1963).
[5] vgl. R. Köster, K. Iwasaki, S. Hattori u. Y. Morita, A. **720**, 23 (1968).

N,N-Bis[3-methyl-1-borolanyl]anilin[1]: Die Mischung von 20,7 g (120 mmol) 1-Anilino-3-methyl-borolan und 11 g (67,1 mmol) Bis[2-methyl-1,4-butandiyl]diboran(6) wird nach Zugabe von 0,1 *ml* Triethylamin 4,5 Stdn. auf 150° erhitzt. Die farblose Flüssigkeit wird i. Vak. destilliert; Ausbeute: 26,4 g (87%); Kp_9: 98–100°; n_D^{20}: 1,5195.

Auf analoge Weise erhält man aus 1-Benzylamino-3-methyl-borolan 75% *Benzyl-bis[3-methyl-1-borolanyl]-amin* ($Kp_{0,4}$: 137–138°; n_D^{20}: 1,5229)[1,2].

Tris[1-borolanyl]amine (vgl. S. 380) sowie 1,1,3,3-Tetraorganodiborazane mit offenkettigen Diorganoboryl-Resten sind so nicht zugänglich, da Disproportionierung zum Borazin und Trialkylboran eintritt[1].

Bestimmte Arylamino-dialkyl-borane reagieren mit Alkyldiboranen(6) bei ~200° unter Abspaltung von Wasserstoff und Alken zu 1,1,3,3-Tetraalkyldiborazanen. Aus Anilino-diethyl-boran läßt sich mit Ethyldiboran(6) u.a. *2,5-Diethyl-1-phenyl-1,2,5-azadiborolidin* gewinnen, wobei als Zwischenprodukt vermutlich *2-Phenyl-1,1,3,3-tetraethyl-diborazan* auftritt[1]:

$$(H_5C_2)_2B-NH-C_6H_5 + (H_5C_2)_2BH \xrightarrow[-H_2]{} [(H_5C_2)_2B]_2N-C_6H_5 \xrightarrow[-(H_5C_2)_3B]{+(H_5C_2)_2BH}$$

$$\left[\begin{array}{l}(H_5C_2)_2B \\ \quad\quad\quad \backslash \\ \quad\quad\quad N-C_6H_5 \\ \quad\quad\quad / \\ H_5C_2-B \\ \quad\quad\quad \backslash \\ \quad\quad\quad\quad H\end{array}\right] \xrightarrow[-H_2]{} H_5C_2-B\overset{N-C_6H_5}{\diagdown\diagup}B-C_2H_5$$

Die Herstellung von 1,1,3,3-Tetraorganodiborazanen aus Amino-diorgano-boranen mit Diorgano-halogen-boranen ist durch Einsatz der energiereichen *N*-Lithio- und *N*-Silyl-Derivate der Alkylamino-diorgano-borane möglich. Nebenprodukte sind Hexaorganoborazine[3,4] (vgl. S. 342); z.B.[3]:

$$(H_3C)_2B-NH-CH_3 \xrightarrow[-(H_3C)_3B]{1.\ +H_3C-Li/(H_5C_2)_2O\ (-CH_4)\quad 2.\ +(H_3C)_2B-Br/(H_5C_2)_2O\ (-LiBr)}$$

$[(H_3C)_2B]_2N-CH_3$

Pentamethyldiborazan; 80%; Kp_{720}: 103°

Hexamethylborazin (Ring aus B–N; B-CH_3, N-CH_3)

Hexamethylborazin; 20%; F: 97°

1,1,3,3-Tetraorganodiborazane lassen sich auch aus Diorgano-(trimethylsilylamino)-boranen mit Diorgano-halogen-boranen herstellen[5,6]. *Bis[3-methyl-1-borolanyl]-methyl-amin* ist so zu 85% zugänglich[5]:

---

[1] R. Köster u. K. Iwasaki, Advan. Chem. Ser. **42**, 148 (1964); C.A. **60**, 10705 (1964).
[2] R. Köster, Ang. Ch. **75**, 730 (1963).
[3] H. Nöth u. H. Vahrenkamp, J. Organometal. Chem. **16**, 357 (1969).
[4] H. Fussstetter, G. Kopietz u. H. Nöth, B. **113**, 728 (1980).
[5] H. Nöth u. W. Storch, B. **109**, 884 (1976).
[6] K. Jonas, H. Nöth u. W. Storch, B. **110**, 2783 (1977).

$$\text{3-Methyl-1-(}(H_3C)_3Si\text{)(}CH_3\text{)N-borolan} + \text{Br-B(3-methyl-borolan)} \xrightarrow[-(H_3C)_3Si-Br]{H_2CCl_2, -20°} [\text{3-Methyl-borolanyl}]_2N-CH_3$$

Bis[3-methyl-1-borolanyl]-methyl-amin(1,1;3,3-Bis[2-methyl-1,4-butandiyl]-2-methyl-diborazan)[1]: Zu 5,5 g (30 mmol) 3-Methyl-1-(trimethylsilyl-methyl-amino)-borolan in 30 *ml* Dichlormethan werden bei ~20° unter Rühren 4,8 g (30 mmol) 1-Brom-3-methyl-borolan in 15 *ml* Dichlormethan getropft. Nach 12 Stdn. wird destilliert; Ausbeute: 4,9 g (85%); $Kp_{0,1}$: 61–63° (ölig).

Zur Herstellung der 1,1,3,3-Tetraaryldiborazane ist die Methode ebenfalls geeignet. *2-Methyl-1,1,3,3-tetraphenyl-diborazan* ist in hoher Ausbeute und Reinheit herstellbar, wenn man von Diphenylboryl-methyl-trimethylsilyl-amin ausgeht[2].

2-Methyl-1,1,3,3-tetraphenyl-diborazan[2]: Zu 6,7 g (25 mmol) Diphenylboryl-methyl-trimethylsilyl-amin in 25 *ml* Dichlormethan gibt man unter Rühren 6,1 g Brom-diphenyl-boran in 20 *ml* Dichlormethan. Man läßt 6 Stdn. rühren und kocht dann ~ 12 Stdn. unter Rückfluß. Man kühlt auf 0° ab, läßt stehen und filtriert; Ausbeute: 7,9 g (87%); F: 135–139°.

Die borferne Substitution am Stickstoff-Atom des 1,1,3,3-Tetraorganodiborazans mit tert.-Butyllithium führt in 65%iger Ausbeute zum N-Lithio-Derivat. Die Reaktion verläuft allerdings nicht einheitlich[3]:

$$[\text{9-BBN-}]_2NH + LiC(CH_3)_3 \xrightarrow{\text{Pentan}} \begin{cases} \xrightarrow{-C_4H_{10}\ (-66\%)} [\text{9-BBN-}]_2N-Li \\ \xrightarrow{-\text{9-BBN-}C(CH_3)_3\ (-34\%)} \text{9-BBN-}NH-Li \end{cases}$$

Bis(9-borabicyclo[3.3.1]nonan-9-yl)-lithio-amin; 65%; F: >280°

Aus N-metallierten Diorgano-hydrazino-boranen werden mit Diorgano-halogen-boranen 1,1-Bis[diorganoboryl]hydrazine hergestellt.

1-Diphenylboryl-2-organo-hydrazine werden zunächst am N[1]-Atom mit Methyllithium metalliert und dann z.B. mit Chlor-diphenyl-boran umgesetzt[4]:

$$(H_5C_6)_2B-NH-NR^1R^2 + CH_3Li \xrightarrow{-CH_4} (H_5C_6)_2B-N(Li)-NR^1R^2 \xrightarrow[-LiCl]{+(H_5C_6)_2BCl} [(H_5C_6)_2B]_2N-NR^1R^2$$

1,1-Bis[diphenylboryl]-2,2-dimethyl-hydrazin[4]: Zur Suspension von 2,2-Dimethyl-1-diphenylboryl-hydrazin in Diethylether tropft man bei 0° eine äquimolare Menge Methyllithium in Diethylether, wobei sich Methan entwickelt. Anschließend fügt man bei 20° die ber. Menge Chlor-diphenyl-boran zu, filtriert vom Lithiumchlorid ab, engt die Lösung ein und kristallisiert den Niederschlag aus Benzol/Petrolether um; Ausbeute: 27%; F: 123–125°.

Auf analoge Weise erhält man aus 1-Diphenylboryl-2-phenyl-hydrazin mit Methyllithium und anschließend mit Chlor-diphenyl-boran zu 45% *1,1-Bis[diphenylboryl]-2-phenyl-hydrazin* (F: 116–129°)[4].

---

[1] H. Fussstetter u. H. Nöth, A. **1981**, 633.
[2] H. Nöth u. W. Storch, B. **109**, 884 (1976).
[3] R. Köster u. G. Seidel, A. **1977**, 1837.
[4] H. Nöth, W. Regnet, H. Rihl u. R. Standfest, B. **104**, 722 (1971).

1,1-Bis[diorganoboryl]-2,2-dimethyl-hydrazine sind aus 2,2-Dimethyl-1-dimethylboryl-1-lithio-hydrazin mit Brom-diorgano-boranen zugänglich[1]:

$$\text{Li(}(H_3C)_2B\text{)N}-N(CH_3)_2 + R_2B-Br \xrightarrow[-LiBr]{(H_5C_2)_2O,\ \text{Pentan},\ -50 \text{ bis } -30°} (R_2B)((H_3C)_2B)N-N(CH_3)_2$$

R = CH_3; *2,2-Bis-[dimethylboryl]-1,1-dimethyl-hydrazin*; 58%; Kp_{60}: 71–72°
R = C_6H_5; *2,2-Dimethyl-1-dimethylboryl-1-diphenylboryl-hydrazin*; 78%; F: 104–106°

αα₇) aus 1,3,2-Diborazanen

1,3-Dihalogen-1,3-diorgano-diborazane werden mit metallorganischen Verbindungen zu 1,1,3,3-Tetraorganodiborazanen umgesetzt. Man erhält z.B. aus 2,5-Dichlor-1,2,5-azadiborolidin mit Alkyllithium die *2,5-Dialkyl-1,2,5-azadiborolidine*[2]:

$$\text{2,5-Dichlor-1-methyl-1,2,5-azadiborolidin} \xrightarrow[-2\ LiCl]{+2\ R^1-Li} \text{2,5-Di-}R^1\text{-1-methyl-1,2,5-azadiborolidin}$$

Entsprechend gewinnt man aus 2,5-Dichlor-1,3,4-trimethyl-2,5-dihydro-1,2,5-azadiborol mit Tetramethylstannan *Pentamethyl-2,5-dihydro-1,2,5-azadiborol*[2]:

$$\text{2,5-Dichlor-1,3,4-trimethyl-2,5-dihydro-1,2,5-azadiborol} \xrightarrow[-(H_3C)_2SnCl_2]{+(H_3C)_4Sn} \text{Pentamethyl-2,5-dihydro-1,2,5-azadiborol}$$

αα₈) aus Lewisbase-Organoboranen

Bestimmte Lewisbase-Organoborane eignen sich zur Herstellung von 1,1,3,3-Tetraorganodiborazanen. Beispielsweise kann man von Ammoniak-Diorgano-hydro-boranen ausgehen.

Besonders glatt reagiert Ammoniak-9-Borabicyclo[3.3.1]nonan mit Bis(9-borabicyclo[3.3.1]nonan). In Dekalin wird beim Erhitzen oberhalb 80° Wasserstoff abgespalten und das *Bis(9-borabicyclo[3.3.1]nonan-9-yl)amin* in 92%iger Ausbeute gewonnen[3]:

$$\text{(C}_8H_{14})B^{\ominus}(H)-NH_3^{\oplus} + 1/2\ (HB(C_8H_{14}))_2 \xrightarrow{-2\ H_2} (C_8H_{14})B-NH-B(C_8H_{14})$$

Bis(9-borabicyclo[3.3.1]nonan-9-yl)amin[3]: Man erhitzt 57,3 g (412 mmol) Ammoniak-9-Borabicyclo[3.3.1]nonan und 50,5 g (207 mmol) Bis(9-borabicyclo[3.3.1]nonan) in 500 *ml* Dekalin langsam bis maximal 185°, wobei 1 mol Wasserstoff bei 80 bis 95°, ein weiteres mol Wasserstoff oberhalb 110° entweicht. Nach Abdestillieren des Dekalins wird i. Vak. (0,1 Torr) sublimiert; Ausbeute: 93,3 g (88%); F: 145°.

---

[1] H. Fussstetter u. H. Nöth, A. **1981**, 633.
[2] W. Haubold u. A. Gemmler, B. **113**, 3352 (1980).
[3] R. Köster u. G. Seidel, A. **1977**, 1837.

α_2) *1,1,3-Triorgano-1,3,2-diborazane*

Die Verbindungen lassen sich aus Amino-diorgano-boranen mit verschiedenen Boranen sowie aus anderen Diborazanen herstellen. Triorganoborane werden nur in Ausnahmefällen zur Gewinnung der 3-Amino-1,1,3-triorgano-diborazane eingesetzt.

$\alpha\alpha_1$) aus Triorganoboranen

Aus Trialkylboranen erhält man mit Isonitrilen in einer mehrstündigen Reaktion cyclische 1,1,3-Triorganodiborazane. Die letzte Stufe ist eine Umlagerung des 1,4,2,5-Diazadiborinans (vgl. S. 16, 76) und wird von Aluminiumtrichlorid katalysiert[1]:

$$2\ R_3B + 2\ C{\equiv}N{-}R^1 \longrightarrow \text{[1,4,2,5-Diazadiborinan]} \xrightarrow[\Delta]{AlCl_3} \text{[1,3,2,4-Diazadiborolidin mit } CR_3\text{]}$$

z. B.: $R = C_4H_9$; $R^1 = C_6H_5$; *2-(1,1-Dibutylpentyl)-1,3-diphenyl-4,5,5-tributyl-1,3,2,4-diazadiborolidin*; 50%; F: 132–133°

$\alpha\alpha_2$) aus Diorgano-thio-boranen

Bis{3-[bis(ethylthio)boryl]propyl}-ethylthio-boran reagiert mit Methylamin zu einem cyclischen, substituierten Triorgano-1,3,2-diborazan[2]:

$$H_5C_2S{-}B[CH_2{-}CH_2{-}CH_2{-}B(S{-}C_2H_5)_2]_2 + 4\ H_3C{-}NH_2 \xrightarrow[-5\ C_2H_5SH]{} \text{[Ring: } B(CH_2CH_2CH_2B(NH{-}CH_3)_2){-}N(CH_3){-}B(NH{-}CH_3)\text{]}$$

2-{3-[Bis(methylamino)boryl]propyl}-1-methyl-6-methylamino-1,2,6-azadiborinan; Kp_1: 132–133°

$\alpha\alpha_3$) aus Aminoboranen

Wichtige Edukte zur Herstellung der cyclischen 3-Amino-1,1,3-triorgano-diborazane sind Amino-diorgano-borane, die z. B. mit Lewissäuren isomerisiert oder mit Diorganohydro-boranen bzw. mit Diorgano-halogen-boranen umgesetzt werden. Bestimmte Amino-dialkyl-borane lassen sich thermisch, einige wie z. B. Azido-dialkyl-borane auch photolytisch in Pentaorganodiborazane überführen. Außerdem sind Herstellungsmethoden aus 1-Halogendiborazanen sowie aus 3-Amino-1,1,3-triorgano-diborazanen durch borferne Reaktionen bekannt.

i_1) aus Amino-diorgano-boranen

1,4,2,5-Diazadiborinane, hergestellt aus Isonitrilen und Triorganoboranen (vgl. S. 16), können in Gegenwart von Lewissäuren unter Ringkontraktion 1,3,2,4-Diazadiborolidine bilden (vgl. oben); z. B. mit überschüssigem Aluminiumtrichlorid in Petrolether. Der

[1] H. Witte, Tetrahedron Letters **1965**, 1127.

[2] B. M. Mikhailov u. V. F. Pozdnev, Probl. Organ. Sinteza Akad. Nauk SSSR **1965**, 220; C. A. **64**, 14203 (1966).

Katalysator wird gegebenenfalls mit Natronlauge entfernt; umkristallisiert wird aus Methanol oder Aceton[1,2].

...-*1,3,2,4-diazadiborolidin*

$R^1 = C_2H_5$; $R^2 = C_6H_5$; *2-(1,1-Diethylpropyl)-1,3-diphenyl-4,5,5-triethyl-...*; 97%; F: 140–141°

$R^2 = 4\text{-}Cl-C_6H_4$; *1,3-Bis[4-chlorphenyl]-2-(1,1-diethylpropyl)-4,5,5-triethyl-...*; 84%; F: 158–160°

$R^1 = C_4H_9$; $R^2 = C_6H_5$; *2-(1,1-Dibutylpentyl)-1,3-diphenyl-4,5,5-tributyl-...*; 91%; F: 131–133°

Die thermische Isomerisierung (vgl. S. 301f.) verläuft bisweilen ergiebiger, muß im allgemeinen jedoch bei relativ hohen Temperaturen (~300°) durchgeführt werden[2].

Aus Arylamino-dialkyl-boranen werden beim Erhitzen BN-Heterocyclen mit BNBN-Atomgruppierung erhalten. Anilino-diethyl-boran erfährt beim Erhitzen im Autoklaven auf 200° eine doppelte Kondensation (Borylierung am Stickstoff-Atom eines Nachbarmoleküls und anschließende intramolekulare Borylierung am Phenyl-Rest), falls Triethylboran und – in katalytischer Menge – Tetraethyldiboran(6) zugesetzt werden. Triethylboran wird vom entstehenden Wasserstoff bei 200° zum Ethyldiboran(6) hydridiert, und aus Anilino-diethyl-boran entsteht durch partiellen Ethyl/Hydrogen-Austausch mit den hydridischen Komponenten Anilino-ethyl-hydro-boran, das vermutlich das unter Hydrogen-Abspaltung wirksame Borylierungs-Agenz darstellt. Die Gesamtreaktion liefert[3]:

$$(H_5C_2)_2B-NH-C_6H_5 \xrightarrow[-H_2]{+(H_5C_2)_3B/\ BH;\ \sim 200°}$$

2,5-Diethyl-1-phenyl-1,2,5-azadiborolidin und 2,4-Diethyl-3-phenyl-1,2,3,4-tetrahydro-⟨benzo-1,3,2,4-diazadiborin⟩[3]: Eine Mischung von 33,4 g (0,201 mol) Anilino-diethyl-boran, 29,1 g (0,297 mol) Triethylboran und 6,4 g (0,086 mol) Tetraethyldiboran(6) wird in einem 200 *ml* Stahlautoklaven unter Schütteln 16 Stdn. auf 180° und 9 Stdn. auf 200° erhitzt (Druckanstieg bis ~50 atm/190°). Nach Abkühlen und Abblasen der Gase wird weitere 2 Stdn. auf 210–225° erhitzt (Druckanstieg bis 30 atm/220°). Die Destillation i. Vak. liefert 52 g einer gelbgrünen Flüssigkeit. Man erhält neben 20,9 g Triethylboran und 12,3 g Rückstand folgende Fraktionen:

$Kp_{0,2}$: 65–73°: 7,4 g (97%ig, GC) *2,5-Diethyl-1-phenyl-1,2,5-azadiborolidin*

$Kp_{0,2}$: 140–150°: 101 g *2,4-Diethyl-3-phenyl-1,2,3,4-tetrahydro-⟨benzo-1,3,2,4-diazadiborin⟩*; F: 62–63,5° (aus Cyclohexan)

Beim Erhitzen von organosubstituierten 3,6-Dihydro-1,4,2,5-diazadiborinanen auf ~300° im geschlossenen Gefäß lassen sich infolge Ringkontraktion (vgl. S. 300f.) 1,3,2,4-Diazadiborolidine herstellen; z. B. *1,3-Bis[4-chlorphenyl]-2-(1,1-diethylpropyl)-4,5,5-triethyl-1,3,2,4-diazadiborolidin* (84%; F: 158–160°)[4]:

---

[1] H. Witte, Tetrahedron Letters **1965**, 1127ff.; C.A. **62**, 16286 (1965).

[2] J. Casanova, Jr. u. H.R. Kiefer, J. Org. Chem. **34**, 2579 (1969); C.A. **71**, 91557 (1969).

[3] R. Köster u. K. Iwasaki, Advan. Chem. Ser. **42**, 148 (1964); C.A. **60**, 10705 (1964).

[4] J. Casanova Jr. u. A.R. Kiefer, Tetrahedron Letters **1968**, 669.

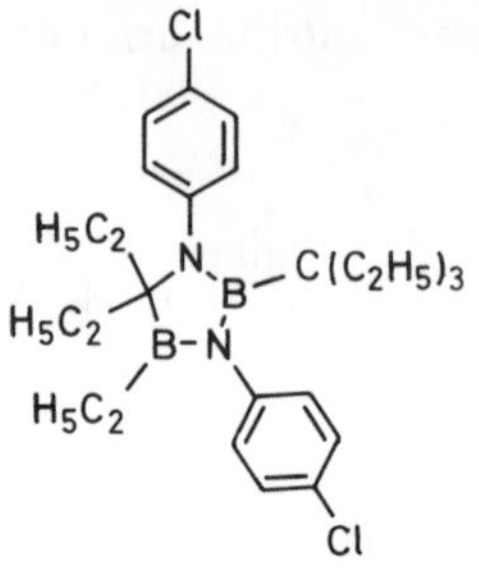

Beim Erhitzen offenkettiger sowie cyclischer Diorgano-(silyl-silyloxy-amino)-borane erhält man 1-(Silyl-silyloxy-amino)-1,2,3,3-tetraorgano-diborazane[1]. Die Thermolyse von 9-(Trimethylsilyl-trimethylsilyloxy-amino]- 9-borabicyclo[3.3.1]nonan liefert z.B. in Gegenwart von Triethylboran bei Abspaltung von Hexamethyldisiloxan 82% *9-Diethyl-boryl-10-ethyl-9-aza-10-bora-bicyclo[3.3.2]decan[1,2-(1,5-Cyclooctandiyl)-1,3,3-tri-ethyl-diborazan]*[1]:

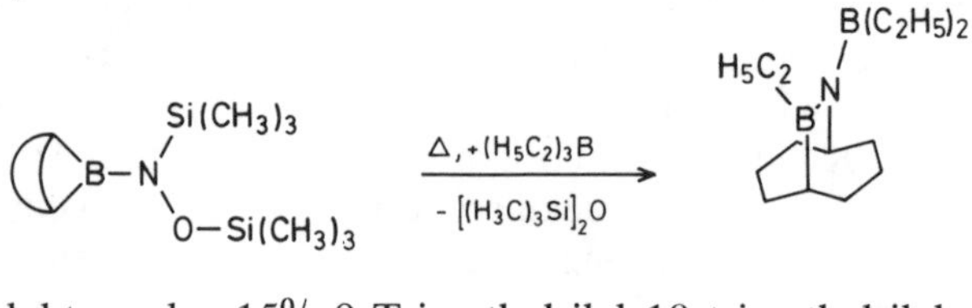

$$\xrightarrow[-\ [(H_3C)_3Si]_2O]{\Delta,\ +(H_5C_2)_3B}$$

Als Nebenprodukt werden 15% 9-Trimethylsilyl-10-trimethylsilyloxy-9-aza-10-bora-bicyclo[3.3.2]decan erhalten.

i_2) aus Amino-halogen-organo-boranen

Die besonders reaktionsfähigen Diorgano-lithioamino-borane eignen sich gut zur Herstellung definierter, offenkettiger 3-Amino-1,1,3-triorgano-diborazane. Beispielsweise gewinnt man *3-Dimethylamino-1,1,2,3-tetramethyl-diborazan* (41%; Kp_{21}: 43–45°) aus Chlor-dimethylamino-methyl-boran mit Dimethyl-(lithio-methyl-amino)-boran[2]:

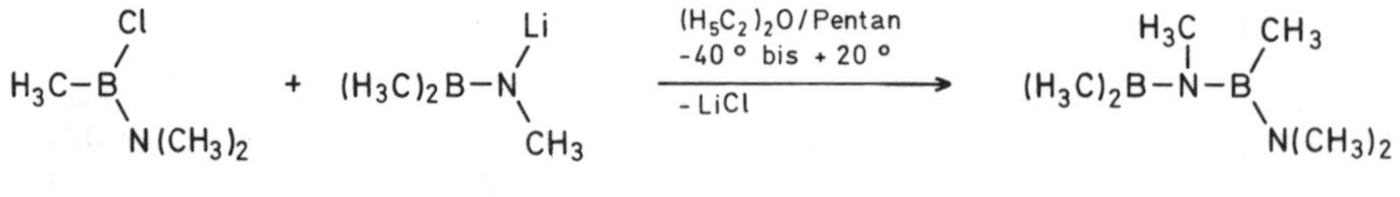

$$H_3C-B(Cl)-N(CH_3)_2 + (H_3C)_2B-N(Li)-CH_3 \xrightarrow[-\ LiCl]{(H_5C_2)_2O/Pentan,\ -40°\ bis\ +20°} (H_3C)_2B-N(CH_3)-B(CH_3)-N(CH_3)_2$$

i_3) aus 1,3,2-Diborazanen

Zur Herstellung von verschiedenen cyclischen 3-Amino-1,1,3-triorgano-diborazanen werden auch andere Diborazane verwendet.

Die Substitution von Halogen am Bor-Atom durch Organo-Reste und borferne Reaktionen am Stickstoff-Atom sind bekannt.

Aus 1,3-Dihalogen-diborazanen lassen sich mit Organomagnesiumhalogeniden in Diethylether oder in Tetrahydrofuran Derivate des 1,2,3,4-Tetrahydro-⟨naphtho[2,1-e]-1,3,2,4-diazadiborins⟩ herstellen[3-5]:

---

[1] P. Paetzold, Technische Hochschule Aachen, unveröffentlicht 1981.
[2] H. Fussstetter, G. Kopietz u. H. Nöth, B. **113**, 728 (1980).
[3] J. Cueilleron u. B. Frange, Bl. **1972**, 107 u. 584; C.A. **76**, 140742 (1972).
[4] B. Frange, Bl. **1973**, 1216 und 2165.
[5] A. Rizzo u. B. Frange, Bl. **1977**, 699.

+2 RMgHal
- 2 MgClHal

...*-1,2,3,4-tetrahydro-⟨naphtho[2,1-e]-1,3,2,4-diazadiborin⟩*
R = CH_3; *1,3-Dimethyl-2-(1-naphthyl)-...*; 48%; F: 160°
R = C_2H_5; *1,3-Diethyl-2-(1-naphthyl)-...*; 56%; F: 140°
R = C_3H_7; *1,3-Dipropyl-2-(1-naphthyl)-...*; 67%; F: 112°

Zu den borfernen Reaktionen der 3-Amino-1,1,3-triorgano-diborazane zählt die Nitrierung an den N-ständigen Phenyl-Kernen der 1,3,2,4-Diazadiborolidine.

Beide Phenyl-Gruppen des 1,3-Diphenyl-1,3,2,4-diazadiborolidins lassen sich mittels Salpetersäure/Acetanhydrid in der *p*-Stellung nitrieren[1,2]:

$HNO_3/(H_3C-CO)_2O$

1,3-Bis[4-nitrophenyl]-2-(1,1-diethyl-propyl)-4,5,5-triethyl-1,3,2,4-diazadiborolidin; 33%; F: 225–228°

α_3) *Diorgano-1,3,2-diborazane*

Zur Verbindungsklasse gehören 1,3-Diorgano- und 1,1-Diorgano-1,3,2-diborazane (vgl. S. 323). Weitere B-Substituenten der Diborazane sind Halogen-, Oxy-, Thio-, Seleno- oder Amino-Reste (vgl. Tab. 64, S. 325).

$\alpha\alpha_1$) 1,3-Diorgano-1,3,2-diborazane

1,3-Diorgano-1,3,2-diborazane sind Verbindungen mit folgenden Atomgruppierungen:

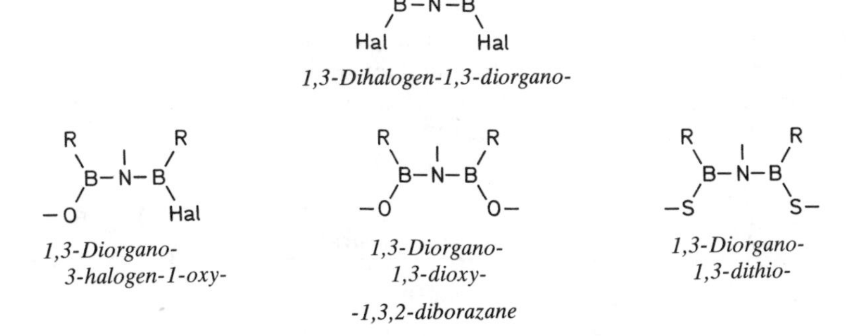

1,3-Dihalogen-1,3-diorgano-

1,3-Diorgano-3-halogen-1-oxy-　*1,3-Diorgano-1,3-dioxy-*　*1,3-Diorgano-1,3-dithio-*

-1,3,2-diborazane

[1] H. WITTE, Tetrahedron Letters **1965**, 1127; C.A. **62**, 16286 (1965).
[2] J. CASANOVA JR. u. H.R. KIEFER, J. Org. Chem. **34**, 2579 (1969).

1-Amino-1,3-diorgano-3-halogen- *1-Amino-1,3-diorgano-3-thio-* *1,3-Diamino-1,3-diorgano-*
-1,3,2-diborazane

Die Herstellung der verschiedenen Verbindungstypen erfolgt im allgemeinen aus 1,3,2-Diborazanen durch Substitution. Borane(3) werden weniger eingesetzt.

i_1) 1,3-Dihalogen-1,3-diorgano-diborazane

1,3-Dihalogen-1,3-diorgano-diborazane

werden aus Dihalogen-organo-boranen oder aus 1-Amino-1,3-diorgano-3-halogen-diborazanen hergestellt.

Dihalogen-organo-borane reagieren mit bifunktionell aktivierten Aminen unter partieller Halogen-Substitution zu 1,3-Dihalogen-1,3-diorgano-diborazanen. Man erhält z.B. *1,3-Dibrom-1,3-dimethyl-2-trimethylsilyl-diborazan* in 65%iger Ausbeute aus Dibrom-methyl-boran mit Tris[trimethylsilyl]amin in Dichlormethan[1]:

$$2\ H_3C{-}BBr_2 + N[Si(CH_3)_3]_3 \xrightarrow{-2\ (H_3C)_3Si{-}Br} (H_3C)(Br)B{-}N(Si(CH_3)_3){-}B(Br)(CH_3)$$

Auch cyclische 1,3-Dihalogen-1,3-diorgano-diborazane sind analog zugänglich, wenn man von bestimmten Edukten ausgeht. So kann man mit Heptamethyldisilazan wegen dessen bifunktioneller Reaktivität aus 2,3-Bis[dichlorboryl]-2-buten bei tiefer Temperatur *2,5-Dichlor-3,4-dimethyl-1,2,5-azadiborolan* in >80%iger Ausbeute gewinnen[2]:

$$Cl_2B(H_3C)C{=}C(CH_3)BCl_2 \xrightarrow[-2(H_3C)_3Si-Cl]{+[(H_3C)_3Si]_2N-CH_3;\ -196°\ bis \le +20°} \text{2,5-Dichlor-3,4-dimethyl-1-methyl-1,2,5-azadiborolan}$$

Aus 1-Amino-1,3-diorgano-3-halogen-diborazanen (vgl. S. 308) sind 1,3-Dihalogen-1,3-diorgano-diborazane zugänglich.

Aus 1-Brom-1,3-dimethyl-3-dimethylamino-2-trimethylsilyl-diborazan gewinnt man mit Tribromboran in siedendem Dichlormethan unter B-Dimethylamino- und Si-Methyl-Substitution durch Brom in 69%iger Ausbeute *2-(Brom-dimethyl-silyl)-1,3-dibrom-1,3-dimethyl-diborazan* (Kp_1: 50–52°)[1]:

$$Br(CH_3)B{-}N(Si(CH_3)_3){-}B(CH_3)N(CH_3)_2 + BBr_3 \xrightarrow[-H_3C-B(Br)N(CH_3)_2]{2\ Stdn.\ Sieden/CH_2Cl_2} [H_3C(Br)B{-}]_2N{-}Si(CH_3)_2Br$$

---

[1] K. Barlos, H. Christl u. H. Nöth, A. **1976**, 2272.

[2] H. Nöth, W. Tinhof u. B. Wrackmeyer, B. **102**, 518 (1974).

i_2) 1,3-Diorgano-3-halogen-1-oxy-diborazane

1,3-Diorgano-1-halogen-3-oxy-diborazane sind aus verschiedenen anderen Diborazanen durch Substitution an den Bor-Atomen zugänglich.

3-Brom-1,3-dimethyl-1-methoxy-diborazane erhält man z.B. aus 1,3-Dibrom-1,3-dimethyl-2-trimethylsilyl-diborazan (Bis[brom-methyl-boryl]-trimethylsilyl-amin) mit Methoxy-trimethyl-silan unter Abspaltung von Brom-trimethyl-silan[1]; z.B.:

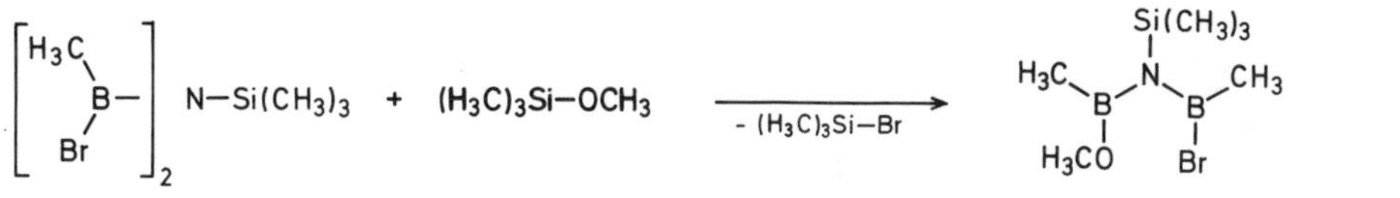

$$[(H_3C)(Br)B-]_2N-Si(CH_3)_3 + (H_3C)_3Si-OCH_3 \xrightarrow{-(H_3C)_3Si-Br} (H_3C)(H_3CO)B-N(Si(CH_3)_3)-B(CH_3)(Br)$$

3-Brom-1,3-dimethyl-1-methoxy-2-trimethylsilyl-diborazan; 70%; Kp_1: 35–36°

Die Herstellung von 1,3-Diorgano-1-halogen-3-organooxy-diborazanen gelingt auch durch Boryl-Dismutation zwischen den 1,3-Dihalogen- und den 1,3-Bis[organooxy]-Derivaten; z.B. *3-Brom-1,3-dimethyl-1-methoxy-2-trimethylsilyl-1,3,2-diborazan* (80%; $Kp_{0,9}$: 33–35°)[1]:

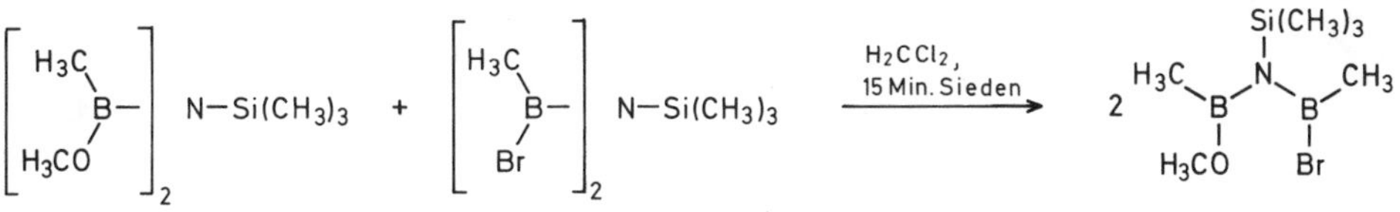

$$[(H_3C)(H_3CO)B-]_2N-Si(CH_3)_3 + [(H_3C)(Br)B-]_2N-Si(CH_3)_3 \xrightarrow[\text{15 Min. Sieden}]{H_2CCl_2} 2\ (H_3C)(H_3CO)B-N(Si(CH_3)_3)-B(CH_3)(Br)$$

i_3) 1,3-Diorgano-1,3-dioxy-diborazane

Zu den 1,3-Diorgano-1,3-dioxy-diborazanen zählen offenkettige und cyclische Verbindungen:

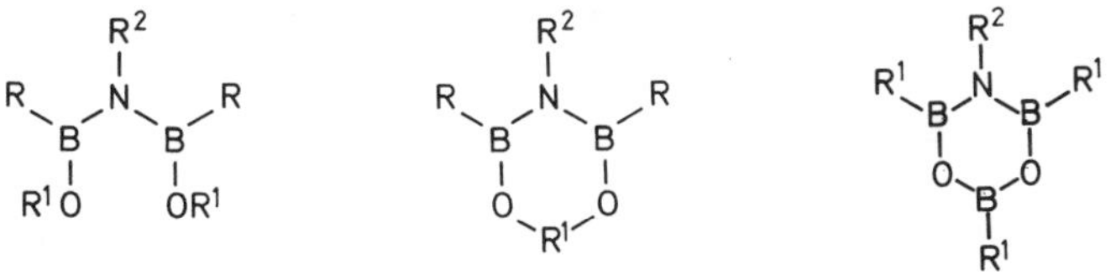

$$R(R^1O)B-N(R^2)-B(R)(OR^1) \qquad R-B\langle O-R^1-O\rangle B-R \ (\text{Ring mit } N-R^2) \qquad R^1-B\langle O-B(R^1)-O\rangle B-R^1 \ (\text{Ring mit } N-R^2)$$

Die Herstellungen der Verbindungen erfolgen aus 1,2,4,3,5-Trithiadiborolanen, 1,3-Dihalogen- oder auch aus den 1,3-Diorgano-1,3-dithio-1,3,2-diborazanen.

3,5-Dimethyl-1,2,4,3,5-trithiadiborolan reagiert mit (4-Fluorphenyl)-sulfinyl-amin in Tetrachlormethan u.a. unter Bildung von *5-(4-Fluorphenyl)-2,4,6-trimethyl-1,3,5,2,4,6-dioxazatriborinan* (39%; Kp_5: 121°; F: 54°)[2]:

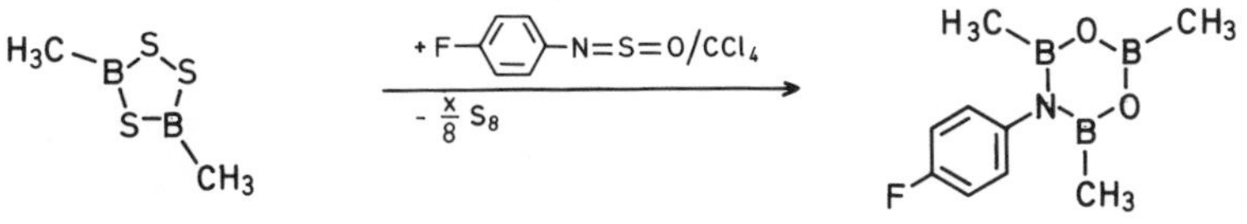

$$\text{3,5-Dimethyl-1,2,4,3,5-trithiadiborolan} \xrightarrow[-\frac{x}{8}S_8]{+F-C_6H_4-N=S=O/CCl_4} \text{5-(4-Fluorphenyl)-2,4,6-trimethyl-1,3,5,2,4,6-dioxazatriborinan}$$

u.a. Produkte (vgl. S. 332)

---

[1] K. Barlos, H. Christl u. H. Nöth, A. **1976**, 2272.

[2] A. Meller, C. Habben, M. Noltemeyer u. G.M. Sheldrick, Z. Naturf. **37b**, 1504 (1982).

Glatt reagieren 1,3-Dihalogen-1,3-diorgano-diborazane mit Organooxy-trimethyl-silanen. Beispielsweise läßt sich das *1,3-Dimethoxy-1,3-dimethyl-2-trimethylsilyl-diborazan* (Kp_1: 22°) wie folgt herstellen[1]:

$$[(H_3C)(Br)B-]_2N-Si(CH_3)_3 \xrightarrow[-2\,(H_3C)_3Si-Br;\ 85\,\%]{+2\,(H_3C)_3Si-OCH_3} [(H_3C)(H_3CO)B-]_2N-Si(CH_3)_3$$

$$H_3C(H_3CO)B-N(Si(CH_3)_3)-B(Br)CH_3 \xrightarrow[-(H_3C)_3Si-Br;\ 76\,\%]{+(H_3C)_3Si-OCH_3} [(H_3C)(H_3CO)B-]_2N-Si(CH_3)_3$$

Mit Bis[trimethylsilyl]peroxid erhält man aus 1,3-Dibrom-1,3-dimethyl-2-trimethylsilyl-diborazan bei −78° in Dichlormethan in 76%iger Ausbeute das bei 20° stabile *3,5-Dimethyl-4-trimethylsilyl-1,2,4,3,5-dioxazadiborolidin*[2]:

$$[(H_3C)(Br)B-]_2N-Si(CH_3)_3 + (H_3C)_3Si-O-O-Si(CH_3)_3 \xrightarrow[-2\,(H_3C)_3Si-Br]{CH_2Cl_2;\ -78°} \text{3,5-Dimethyl-4-trimethylsilyl-1,2,4,3,5-dioxazadiborolidin}$$

3,5-Dimethyl-4-trimethylsilyl-1,2,4,3,5-dioxazadiborolidin[2]**:** Zu 5 *ml* (~25 mmol) Bis[trimethylsilyl]peroxid[2] in 10 *ml* Dichlormethan tropft man unter Rühren bei –78° eine Lösung von 6,6 g (22 mmol) 1,3-Dibrom-1,3-dimethyl-2-trimethylsilyl-diborazan in 10 *ml* Dichlormethan. Nach dem Auftauen und 15 Min. Rühren bei ~20° wird 2 Stdn. zum Rückfluß erhitzt. Nach Abziehen von Lösungsmittel und Brom-trimethyl-silan wird i. Vak. destilliert; Ausbeute: 3 g (76%); Kp_{16}: 74°.

1,3-Bis[organooxy]-1,3-diorgano-diborazane sind auch aus 1,3-Diorgano-1,3-dithio-diborazanen mit z.B. Methanol in Ether bei ~20° zugänglich[1], z.B.:

$$[(H_3C)(H_3CS)B-]_2N-Si(CH_3)_3 \xrightarrow[-2\,CH_3SH]{+CH_3OH/(H_5C_2)_2O;\ -78°\text{ bis }+20°} [(H_3C)(H_3CO)B-]_2N-Si(CH_3)_3$$

1,3-Dimethoxy-1,3-dimethyl-2-trimethylsilyl-diborazan; 75%; Kp_1: 22°

i$_4$) 1,3-Diorgano-1,3-dithio-diborazane

1,3-Diorgano-1,3-dithio-diborazane sind als offenkettige sowie cyclische Verbindungen bekannt; z.B.:

$$R(R^2S)B-N(R^1)-B(SR^2)R \qquad \text{cyclo-}[R-B-S-S-B(R)-N(R^1)-]$$

[1] K. Barlos, H. Christl u. H. Nöth, A. **1976**, 2272.
[2] K. Barlos, D. Nölle u. H. Nöth, Z. Naturf. **32b**, 1095 (1977).

Die Herstellung cyclischer 1,3-Diorgano-1,3-dithio-1,3,2-diborazane erfolgt aus 1,3-Dihalogen-1,3-diorgano-diborazanen sowie aus 3,5-Diorgano-1,2,4,3,5-trithiadiborolanen.

Aus 3,5-Diorgano-1,2,4,3,5-trithiadiborolanen lassen sich mit primären Aminen unter Sulfan-Abspaltung 3,5-Diorgano-1,2,4,3,5-dithiazadiborolidine herstellen. Überschüssiges Amin ist zu vermeiden, da sonst der Heterocyclus unter Bildung von Diamino-organo-boranen aufgespalten wird[1]. Die Reaktion liefert als Nebenprodukte verschiedene BNS- und BN-Heterocyclen[2] (z.B. *2,3,4,5,6-Pentamethyl-1,3,5,2,4,6-thiadiazatriborinan*).

R^1–B(S–S)(S)B–R^1 + $H_2N–R^2$ $\xrightarrow{-H_2S}$ R^1–B(S–S)(N–R^2)B–R^1

z.B.: $R^1 = R^2 = CH_3$; *3,4,5-Trimethyl-1,2,4,3,5-dithiaazadiborolidin*; 58%; Kp_{17}: 82°; F: 38°

3,5-Dimethyl-4-phenyl-1,2,4,3,5-dithiaazadiborolidin (F: 61–62°) erhält man aus 3,5-Dimethyl-1,2,4,3,5-trithiadiborolan in Benzol mit Anilin in 70%iger Ausbeute[1].

3,4,5-Triphenyl-1,2,4,3,5-dithiaazadiborolidin (F: 222°) ist in Toluol zu 42% zugänglich[2]. Mit Anilin im Überschuß bildet sich Dianilino-phenyl-boran (F: 84°)[1].

Aus 1,3-Dihalogen-1,3-diorgano-diborazanen lassen sich mit Organothiometall-Verbindungen wie z.B. mit Bis[methylthio]blei in Benzol 1,3-Bis[methylthio]-1,3-diorgano-diborazane herstellen[2]; z.B.:

$$\left[\begin{matrix} H_3C \\ \quad B- \\ Br \end{matrix}\right]_2 N-Si(CH_3)_3 \xrightarrow[-PbBr_2]{+Pb(SCH_3)_2 / C_6H_6,\ 1\ Stde., -80°} \left[\begin{matrix} H_3C \\ \quad B- \\ H_3CS \end{matrix}\right]_2 N-Si(CH_3)_3$$

1,3-Bis[methylthio]-1,3-dimethyl-2-trimethylsilyl-1,3,2-diborazan; 79%; Kp_1: 54°

i5) 1,3-Diorgano-1,3-diseleno-diborazane

1,3-Diorgano-1,3-diseleno-diborazane werden aus äquimolaren Mengen 1,2,4,3,5-Triselenadiborolanen (vgl. Bd. XIII/3a, S. 895) mit prim. Aminen hergestellt[1,3]:

R^1–B(Se–Se)(Se)B–R^1 $\xrightarrow[-H_2Se]{+H_2N-R^2}$ R^1–B(Se–Se)(N–R^2)B–R^1

z.B.: $R^1 = C_3H_7$; $R^2 = C_6H_5$; *3,5-Dipropyl-4-phenyl-1,2,4,3,5-diselenazadiborolidin*; 47%; Kp_{17}: 128–130°

[1] F. RIEGEL, Dissertation, Universität Würzburg 1973.
[2] K. BARLOS, H. CHRISTL u. H. NÖTH, A. **1976**, 2272.
[3] W. SIEBERT u. F. RIEGEL, B. **106**, 1012 (1973).

i_6) 1-Amino-1,3-diorgano-3-halogen-diborazane

1-Amino-1,3-diorgano-3-halogen-diborazane sind aus 1,3-Dihalogen- oder aus 1,3-Diamino-1,3-diorgano-diborazanen mit Aminosilanen bzw. mit Halogenboranen oder mit Halogenphosphanen zugänglich.

1,3-Dihalogen-1,3-diorgano-diborazane reagieren mit Dimethylamino-trimethyl-silan unter partiellem Brom-/Amino-Austausch; z.B.[1]:

$$\left[(H_3C)(Br)B- \right]_2 N-Si(CH_3)_3 + (H_3C)_3Si-N(CH_3)_2 \xrightarrow[-(H_3C)_3Si-Br]{H_2CCl_2, 20°} H_3C((H_3C)_2N)B-N(Si(CH_3)_3)-B(Br)CH_3$$

3-Brom-1,3-dimethyl-1-dimethylamino-2-trimethylsilyl-diborazan; 76%; Kp_1: 44°

Der Boryl-Austausch zwischen 1,3-Diamino-1,3-diorgano-diborazanen und 1,3-Dihalogen-1,3-diorgano-diborazanen führt zu 3-Amino-1,3-diorgano-1-halogen-diborazanen[1]:

$$\left[(H_3C)((H_3C)_2N)B- \right]_2 N-Si(CH_3)_3 + \left[(H_3C)(Br)B- \right]_2 N-Si(CH_3)_3 \xrightarrow{H_2CCl_2,\ 1\,Stde.\ 20°} H_3C((H_3C)_2N)B-N(Si(CH_3)_3)-B(Br)CH_3$$

3-Brom-1,3-dimethyl-1-dimethylamino-2-trimethylsilyl-diborazan; 94%; Kp_1: 40–44°

1,3-Diamino-1,3-diorgano-diborazane reagieren mit Trichlor- bzw. Tribromboran oder Trihalogenphosphanen unter Bildung von 1-Amino-1,3-diorgano-3-halogen-diborazanen[1]; z.B.:

$$\left[(H_3C)((H_3C)_2N)B- \right]_2 N-Si(CH_3)_3 \xrightarrow[-Hal_2El-N(CH_3)_2]{+ElHal_3/H_2CCl_2,\ 20°} H_3C((H_3C)_2N)B-N(Si(CH_3)_3)-B(Hal)CH_3$$

El : B, P
Hal: Cl, Br

...-1,3-dimethyl-1-dimethylamino-2-trimethylsilyl-diborazan

El = B; Hal = Cl; *3-Chlor-...* 32%; Kp_1: 34°
Hal = Br; *3-Brom-...* 31%; Kp_1: 43–44°
El = P; Hal = Cl; *3-Chlor-...* 83%
Hal = Br; *3-Brom-...* 17%

i_7) 1-Amino-1,3-diorgano-3-oxy-diborazane

Als 1-Amino-1,3-diorgano-3-oxy-diborazane sind offenkettige und cyclische Vertreter bekannt; z.B.:

$$R(R_2^3N)B-N(R^1)-B(OR^2)R$$

1-Amino-3-organooxy-1,2,3-triorganodiborazane

3,4-Dihydro-2H-1,3,5,2,4-oxadiazadiborine

[1] K. Barlos, H. Christl u. H. Nöth, A. **1976**, 2272.

Die Herstellungsmethoden für die verschiedenen 1-Amino-1,3-diorgano-3-oxy-diborazane gehen von Halogen-organo-boranen bzw. von Halogen-organo-diborazanen aus.

Dihalogen-organo-borane reagieren mit 2,2,4,4-Tetramethyl-3-trifluoracetyl-6-trifluormethyl-3,4-dihydro-2H-1,3,5,2,4-oxadiazadisilin in Tetrachlormethan bei 80° durch Si/B-Austausch unter Abspaltung von Dihalogen-dimethyl-silan zu sechsgliedrigen Ringen vom Typ der 1-Amino-1,3-diorgano-3-oxy-diborazane[1]:

2 R—BHal₂ + [F₃C, O, Si(CH₃)₂, N, CO—CF₃, Si(CH₃)₂, N ring] —(- 2 (H₃C)₂SiHal₂)→ [F₃C, O, B—R, N, CO—CF₃, B—R, N ring]

Hal = Cl, Br

. . .-3-trifluoracetyl-6-trifluormethyl-3,4-dihydro-2H-1,3,5,2,4-oxadiazadiborin
$R = CH_3$; *2,4-Dimethyl . . .*; 80%; Kp_{20}: 65°
$R = C_6H_5$; *2,4-Diphenyl . . .*;

2,4-Dimethyl-3-trifluoracetyl- 6-trifluormethyl-3,4-dihydro-2H-1,3,5,2,4-oxadiazadiborin[1]: Zu 67,6 g (0,2 mol) 2,2,4,4-Tetramethyl-3-trifluoracetyl-6-trifluormethyl-3,4-dihydro-2H-1,3,5,2,4-oxadiazadisilin (hergestellt aus Dichlor-dimethyl-silan mit Trifluoracetamid in Gegenwart von Triethylamin in Benzol) in 300 *ml* Tetrachlormethan tropft man langsam 74 g (0,4 mol) Dibrom-methyl-boran in 100 *ml* Tetrachlormethan und erhitzt 4 Stdn. zum Rückfluß. Nach Abziehen von Lösungsmittel und Dibrom-dimethyl-silan (Rotationsverdampfer) wird i. Vak. destilliert; Ausbeute: 44 g (80%); Kp_{20}: 65°.

Wie die Si-N-Bindungen lassen sich auch Li-N-Bindungen durch Halogenborane spalten. Aus Dibrom-methyl-boran erhält man mit N-Lithio-N-trimethylsilyl-trifluoracetamid in ~67%iger Ausbeute ebenfalls *2,4-Dimethyl-3-trifluoracetyl-6-trifluormethyl-3,4-dihydro-2H-1,3,5,2,4-oxadiazadiborin*[1]:

2 H₉C₄—BBr₂ + 2 F₃C—CO—N(Li)—Si(CH₃)₃ —(- 2 (H₃C)₃SiBr, - 2 LiBr)→ [F₃C, O, B—CH₃, N, CO—CF₃, B—CH₃, N ring]

Aus offenkettigen 1-Halogendiborazanen lassen sich mit Amino-trialkyl-silanen durch Halogen/Amino-Substitution 1-Amino-1,3-diorgano-3-oxy-diborazane herstellen. *1,3-Dimethyl-1-dimethylamino-3-methoxy-2-trimethylsilyl-diborazan* (Kp_1: 28°) ist aus dem 1-Brom-Derivat mit Dimethylamino-trimethyl-silan in 45%iger Ausbeute zugänglich[2]:

H₃C(Br)B—N(Si(CH₃)₃)—B(OCH₃)CH₃ + (H₃C)₃Si—N(CH₃)₂ —(1 Stde. Sieden; -(H₃C)₃Si—Br)→ H₃C((H₃C)₂N)B—N(Si(CH₃)₃)—B(OCH₃)CH₃

Aus 3-Brom-1,3-dimethyl-1-dimethylamino-2-trimethylsilyl-diborazan kann mit Methanol in befriedigender Ausbeute ebenfalls das *1,3-Dimethyl-1-dimethylamino-3-methoxy-2-trimethylsilyl-diborazan* hergestellt werden[2]:

H₃C((H₃C)₂N)B—N(Si(CH₃)₃)—B(Br)CH₃ —(+ CH₃OH; - HBr)→ H₃C((H₃C)₂N)B—N(Si(CH₃)₃)—B(OCH₃)CH₃

---

[1] W. MARINGGELE u. A. MELLER, B. **112**, 1595 (1979).
[2] K. BARLOS, H. CHRISTL u. H. NÖTH, A. **1976**, 2272.

Mit Methoxy-trimethyl-silan wird bei 20° ebenfalls *1,3-Dimethyl-1-dimethylamino-3-methoxy-2-trimethylsilyl-diborazan* (79%; Kp_1: 28–29°) gewonnen[1].

Ein vollkommen anderer Weg zur Herstellung cyclischer sowie offenkettiger 1-Amino-1,3-diorgano-3-oxy-diborazane geht von den Tetraorgano-1,3,2,4-diazadiboretanen (vgl. S. 333ff.) aus, die mit Alkenalen oder mit Ketonen sowie mit Nitronen reagieren[2]:

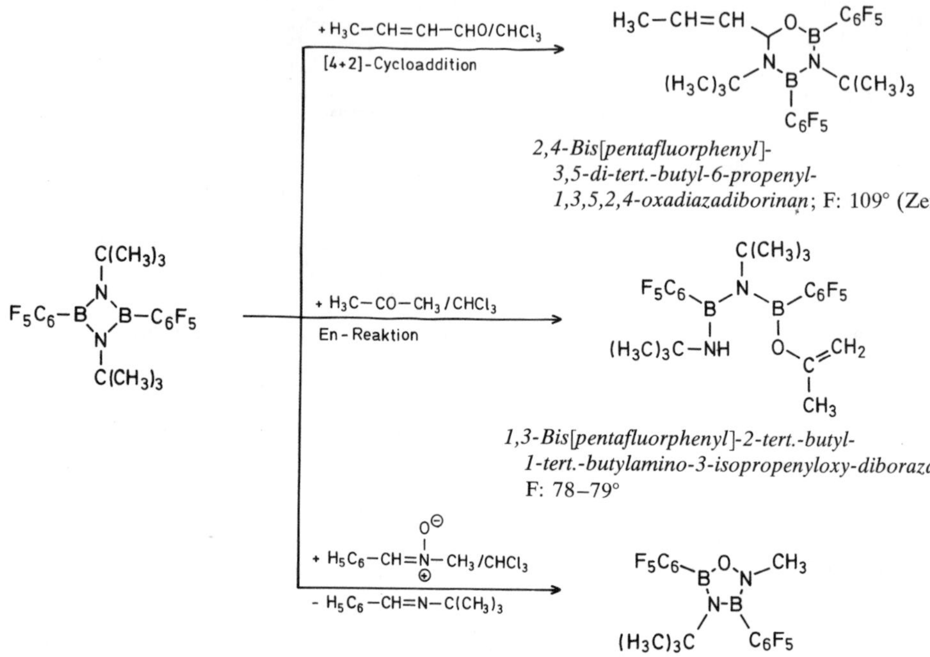

+ $H_3C-CH=CH-CHO/CHCl_3$ [4+2]-Cycloaddition

2,4-Bis[pentafluorphenyl]-3,5-di-tert.-butyl-6-propenyl-1,3,5,2,4-oxadiazadiborinan; F: 109° (Zers.)

+ $H_3C-CO-CH_3/CHCl_3$ En-Reaktion

1,3-Bis[pentafluorphenyl]-2-tert.-butyl-1-tert.-butylamino-3-isopropenyloxy-diborazan; F: 78–79°

+ $H_5C_6-CH=\overset{\oplus}{N}(O^{\ominus})-CH_3/CHCl_3$ − $H_5C_6-CH=N-C(CH_3)_3$

3,5-Bis[pentafluorphenyl]-4-tert.-butyl-2-methyl-1,2,4,3,5-oxadiazadiborolidin; F: 101–103°

i_8) 1-Amino-1,3-diorgano-3-thio-diborazane

Von den 1-Amino-1,3-diorgano-3-thio-diborazanen sind bisher offenkettige und cyclische Vertreter bekannt:

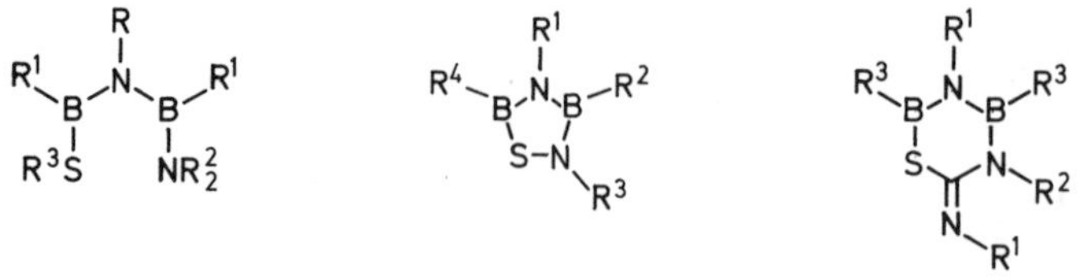

Zur Herstellung werden Halogen-organo-borane sowie Organo-1,3,2-diborazane verwendet.

Aus Brom-dimethyl-boran läßt sich mit 1-(2,6-Dimethyl-phenyl)-3-ethyl-thioharnstoff nach 24stdgm. Erhitzen in Tetrachlormethan (0° – Rückflußkühler!) und destillativer Trennung von Ethylisothiocyanat, 2,6-Dimethylanilin und Dimethyl-(2,6-dimethylanilino)-boran neben 3,5-Diethyl-2,4-dimethyl-1-(2,6-dimethylphenyl)-6-thiono-1H-1,3,5,2,4-triazadiborinan zu 51% 2,4-Dimethyl-3-(2,6-dimethylphenyl)-6-(2,6-dimethyl-phenylimino)-5-ethyl- 1,3,5,2,4-thiadiazadiborinan herstellen[3]:

[1] K. Barlos, H. Christl u. H. Nöth, A. **1976**, 2272.
[2] P. Paetzold, A. Richter, T. Thijssen u. S. Würtenberg, B. **112**, 3811 (1979).
[3] W. Maringgele, B. **115**, 3271 (1982).

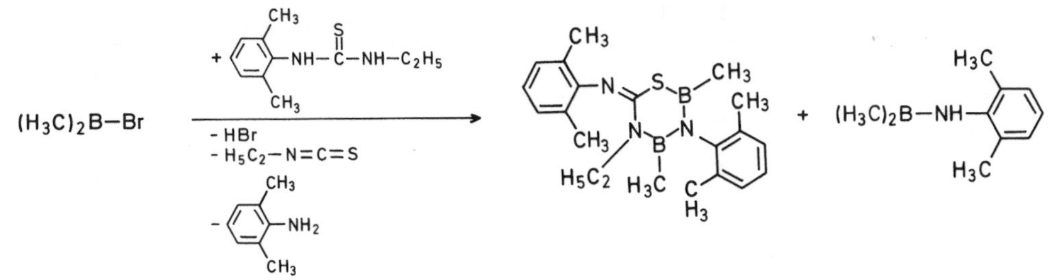

$(H_3C)_2B{-}Br$ + 2,6-$(CH_3)_2C_6H_3{-}NH{-}C(=S){-}NH{-}C_2H_5$ $\xrightarrow[-\ H_5C_2{-}N{=}C{=}S,\ -\ 2,6\text{-}(CH_3)_2C_6H_3{-}NH_2]{-\ HBr}$ (cyclic product with N, S, B, N, B, N; substituents CH_3, H_5C_2, H_3C, CH_3) + $(H_3C)_2B{-}NH{-}C_6H_3(CH_3)_2$

1,3-Dimethyl-1-dimethylamino-3-methylthio-2-trimethylsilyl-diborazan (77%; Kp_1: 50°) wird aus 3-Brom-1,3-dimethyl-1-dimethylamino-diborazan mit äquimolaren Mengen Bis[methylthio]blei hergestellt[1]:

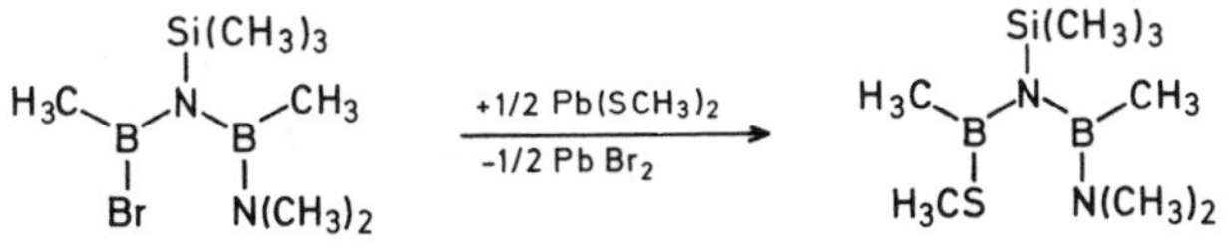

$$H_3C{-}B(Br){-}N(Si(CH_3)_3){-}B(CH_3){-}N(CH_3)_2 \xrightarrow[-1/2\ Pb\,Br_2]{+1/2\ Pb(SCH_3)_2} H_3C{-}B(SCH_3){-}N(Si(CH_3)_3){-}B(CH_3){-}N(CH_3)_2$$

i9) 1,3-Diamino-1,3-diorgano-diborazane

Zur Verbindungsklasse gehören offenkettige sowie cyclische Vertreter wie z.B.:

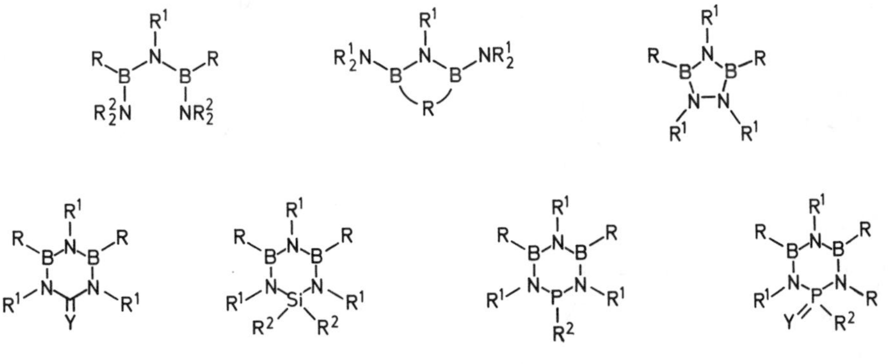

$R(R^2_2N)B{-}NR^1{-}B(NR^2_2)R$; $R^1_2N{-}B{-}NR^1{-}B{-}NR^1_2$ (B–R–B Ring); $R{-}B{-}NR^1{-}B{-}R$ mit $N(R^1){-}N(R^1)$ (Fünfring)

Sechsringe: $R{-}B{-}NR^1{-}B{-}R$ mit $R^1N{-}C(=Y){-}NR^1$; mit $R^1N{-}Si(R^2)_2{-}NR^1$; mit $R^1N{-}P(R^2){-}NR^1$; mit $R^1N{-}P(=Y)(R^2){-}NR$

Die Verbindungen werden aus Halogen-organo-boranen und aus Organo-thio-boranen mit Aminen oder mit Aminosilanen hergestellt. Außerdem werden zur Herstellung Halogen-diborazane eingesetzt.

[1] K. Barlos, H. Christl u. H. Nöth, A. **1976**, 2272.

Tab. 63: 1,3-Diamino-1,3-diorgano-diborazane

Formel	Verbindungstyp	Herstellungsart	s. S.
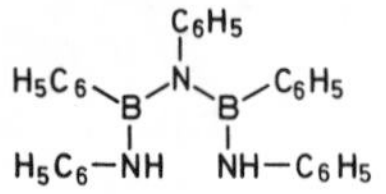 $(H_5C_6)(H_5C_6NH)B{-}N(C_6H_5){-}B(C_6H_5)(NHC_6H_5)$	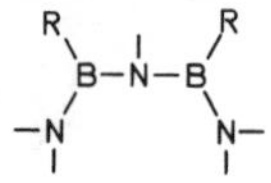 $R(N{<})B{-}N{-}B(N{<})R$	aus $R^1{-}BH_2$ + $R^2{-}NH_2$	313
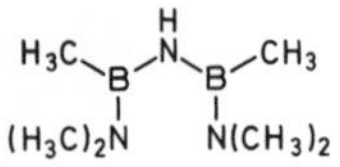 $H_3C((H_3C)_2N)B{-}NH{-}B(CH_3)(N(CH_3)_2)$	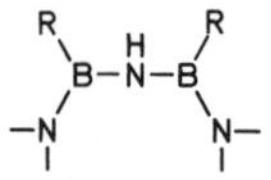 $R(N{<})B{-}NH{-}B(N{<})R$	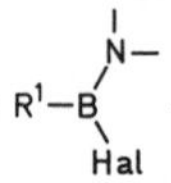 aus $R^1{-}B(N{<})Hal$ + $(R^2_3Si)_2NH$	316
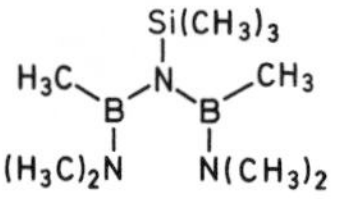 $H_3C((H_3C)_2N)B{-}N(Si(CH_3)_3){-}B(CH_3)(N(CH_3)_2)$	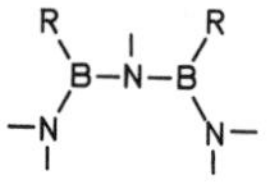 $R(N{<})B{-}N{-}B(N{<})R$	aus $R{-}B(N{-}SiR^2_3)Hal$ + $>N{-}SiR^2_3$ 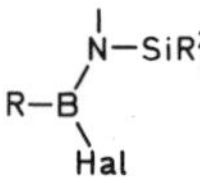 	318
		aus $R^1(N{<})B{-}N{-}B(Hal)R^1$ + $R^2_2Si[N{<}]_2$	318
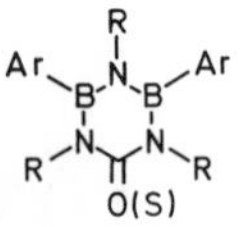 Ar, R, O(S) (Sechsring: R–N, Ar–B, B–Ar, R–N–C(=O(S))–N–R)	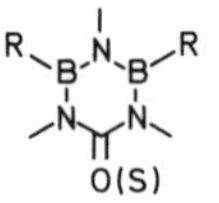 Sechsring $R{-}B{-}N{-}B{-}R$, $N{-}C(=O(S)){-}N$	aus $R{-}BHal_2$ 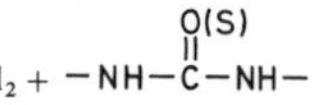 + $-NH{-}C(O(S)){-}NH-$	314
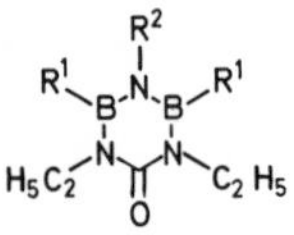 R^1, R^2, H_5C_2, C_2H_5, O (Sechsring) $R^1 = H, CH_3$ $R^2 = CH_3, C_6H_5$	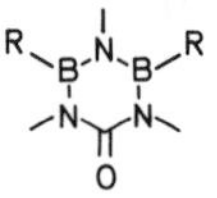 Sechsring $R{-}B{-}N{-}B{-}R$, $N{-}C(=O){-}N$	aus $(R^1BNR^2)_3$ $+ R^3{-}NH{-}CO{-}NH{-}R^3$	314
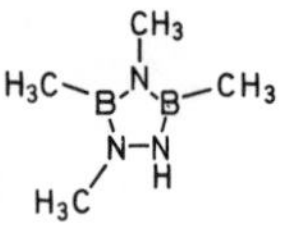 CH_3, $H_3C{-}B$, $B{-}CH_3$, $N{-}NH$, H_3C (Fünfring)	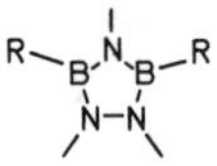 Fünfring $R{-}B{-}N{-}B{-}R$, $N{-}N$	aus $R^1{-}B(SR^3)_2 + H_2N{-}NH{-}R^2$/ $+ R^4{-}NH_2$	315
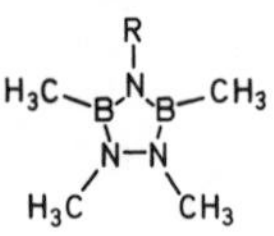 R, $H_3C{-}B$, $B{-}CH_3$, $N{-}N$, H_3C, CH_3 (Fünfring) $R = H, CH_3, C_6H_5$	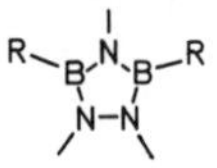 Fünfring $R{-}B{-}N{-}B{-}R$, $N{-}N$	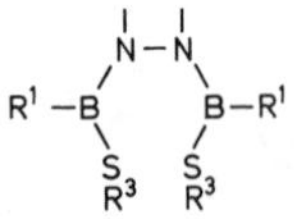 aus $R^1{-}B(SR^3){-}N{-}N{-}B(SR^3){-}R^1$ + $R^2{-}NH_2$	316
$R = HgCH_3$		aus 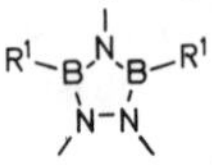 Fünfring $R^1{-}B{-}N{-}B{-}R^1$, $N{-}N$ + $R^2{-}Hg{-}N(SiR^3_3)_2$	319
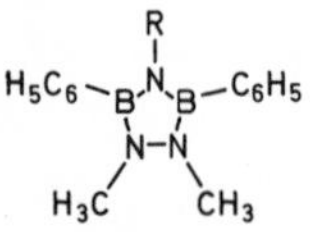 R, $H_5C_6{-}B$, $B{-}C_6H_5$, $N{-}N$, H_3C, CH_3 (Fünfring) $R = H$	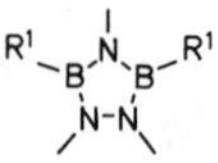 Fünfring $R^1{-}B{-}N{-}B{-}R^1$, $N{-}N$	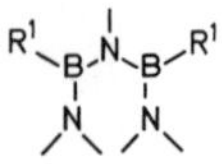 aus $R^1{-}B{-}N{-}B{-}R^1$ (mit $>N$, $N<$) $+ R^2{-}NH{-}NH{-}R^2$	319
$R = C_6H_{11}$		aus 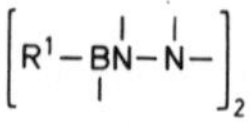 $[R^1{-}BN{-}N{-}]_2$	317

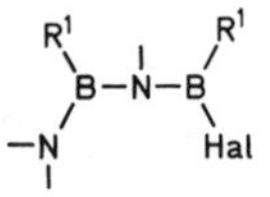

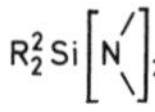

Tab. 63: (Fortsetzung)

Formel	Verbindungstyp	Herstellungsart	s. S.
$[(H_5C_6)(H_3C)$-Triazadiborolyl$(C_6H_5)_2]_n El$; n = 1; El = AsR_2, SnR_3; n = 2; El = Hg, Fe		aus R^1-Triazadiborolidin + R^2—Li + $ElHal_x$	320
		aus R^1-Diazadiboraphosphorin (P–Hal) + R^2—Na	322
$R^1 = CH_3$; $R^2 = CH_3$		aus $R^1-B[N(SiR^2_3)]_2$ + $R^1-B(Hal)-N-Si-Hal$	317
		aus R^1-B-N-B-R^1 ($-N-SiR^2_2Hal$, $N-SiR^2_3$), Δ	319
$R^1 = CH_3$; $R^2 = Si(CH_3)_3$		aus $R^1-B(Hal)-N-SiR^2_3$ + $R^2_2Si[N(Li)]_2$	318
$R^1 = C_4H_9$; $R^2 = CH_3$		aus $R^1-B[N]_2$ $R^2_2Si[N]_2$	317
H_5C_6-B-NH-B-C_6H_5 / HN-Si($CH_3)_2$-NH		aus R^1—$BHal_2$ + $(R^2_2SiN)_3$	315

ii₁) aus Organoboranen(3)

Offenkettige sowie cyclische 1,3-Diamino-1,3-diorgano-diborazane lassen sich aus verschiedenen Organoboranen herstellen.

Durch Erhitzen von 1,2-Diphenyldiboran(6) mit Anilin auf 300° erhält man *1,3-Dianilino-1,2,3-triphenyldiborazan* (Kp_3: 184–204°)[1]:

$$(H_5C_6-BH_2)_2 + 3\ H_5C_6-NH_2 \xrightarrow[-4\ H_2]{} H_5C_6-N\left[-B{<}^{C_6H_5}_{NH-C_6H_5}\right]_2$$

[1] K. NIEDENZU, H. BEYER, J. W. DAWSON u. H. JENNE, B. **96**, 2653 (1963).

Dihalogen-organo-borane reagieren mit geeigneten HN- sowie mit SiN-Verbindungen unter Bildung cyclischer 1,3-Diamino-1,3-diorgano-diborazane.

Aus 2 mol Dihalogen-organo-boran lassen sich mit 1 mol 1,2-Diorganohydrazin 1,2,4,3,5-Triazadiborolidine herstellen.

Denselben Ringtyp gewinnt man aus Dihalogen-organo-boranen mit 1,2-Diborylhydrazinen und mit Aminen.

$2\,R{-}BX_2 + {-}NH_2 +$ HN(–)–HN(–) $\xrightarrow{-4\,HX}$

$2\,R{-}BX_2 + {-}NH_2 +$ HN(B<)–HN(B<) $\xrightarrow{-2\,HX;\ -2\ >B{-}X}$

→ 1,2,4,3,5-Triazadiborolidin (R an B)

X = R, H, Hal, OR^1, SR^1, NR^1_2

Mit Harnstoff-Derivaten erhält man aus Dihalogen-organo-boranen u. a. sechsgliedrige Cyclen mit NBNBN-Atom-Gruppierung[1]; z. B.:

$$3\,H_3C{-}BBr_2 + 3\,H_5C_2{-}NH{-}C(=S){-}NH{-}C_2H_5 \xrightarrow{-6\,HBr} \text{I} + \text{II}$$

I; *2,4-Dimethyl-6-thiono-1,3,5-triethyl- 1,3,5,2,4-triazadiborinan*; Subl.p.$_{0,002}$: 120°; F: 79–98°
II; *4,6-Dithiono-2-methyl- 1,3,5-triethyl-1,3,5,2-triazaborinan*

Aus Dibrom-phenyl-boran läßt sich mit 1,3-dilithiiertem 1,3-Diethylthioharnstoff in Petrolether in 36⁰/₀iger Ausbeute *1,5-Diethyl-2,4-diphenyl-6-thiono-1,3,5,2,4-diazadiborinan* (Kp$_{0,002}$: 121°) herstellen[2]:

$$2\,H_5C_6{-}BBr_2 + (Li{-}N(C_2H_5))_2C{=}S \xrightarrow[-H_5C_2{-}N{=}C{=}N{-}C_2H_5]{-4\,LiBr}$$

Aus 2 mol Dichlor-phenyl-boran erhält man mit 3 mol Heptamethyl-disilazan unter Abspaltung von 4 mol Chlor-trimethyl-silan *1,3-Bis-[methyl-trimethylsilyl-amino]-1,3-diphenyl-2-methyl-diborazan* (Kp$_{0,27}$: 68–73°)[3] (als Nebenprodukt entsteht Bis[methyl-trimethylsilyl-amino]-phenyl-boran; vgl. S. 285)[3]:

$$2\,H_5C_6{-}BCl_2 + 3\,[(H_3C)_3Si]_2N{-}CH_3 \xrightarrow{-4\,(H_3C)_3SiCl} H_3C{-}N[B(C_6H_5){-}N(CH_3){-}Si(CH_3)_3]_2$$

[1] W. MARINGGELE, J. Organometal. Chem. **222**, 17 (1981).
[2] W. MARINGGELE, B. **115**, 3271 (1982).
[3] H. NÖTH u. M. J. SPRAGUE, J. Organometal. Chem. **22**, 11 (1970).

Aus Dibrom-methyl-boran erhält man mit 1,3-Bis[trimethylsilyl]-1-methyl-3-phenyl-harnstoff unter Abspaltung von Brom-trimethyl-silan und Hexamethyldisiloxan *6-Oxo-5-phenyl-1,2,3,4-tetramethyl-1,3,5,2,4-triazadiborinan* (F: 64–68°; $Kp_{0,002}$: 130°) zu 61% (vgl. S. 262) neben anderen Verbindungen (S. 197)[1]:

$$2\,H_3C{-}BBr_2 + 2\,[(H_3C)_3Si{-}N(CH_3)]{-}C(=O){-}[N(C_6H_5){-}Si(CH_3)_3] \xrightarrow[-\,(H_3C)_3Si{-}O{-}Si(CH_3)_3]{-\,2\,(H_3C)_3Si{-}Br} \text{6-Oxo-5-phenyl-1,2,3,4-tetramethyl-1,3,5,2,4-triazadiborinan}$$

Weiteres Produkt ist *4-Oxo-5-phenyl-2,3,6-trimethyl-1,3,5,2,6-oxadiazadiborinan* (30%; F: 40–43°; $Kp_{0,002}$: 95–100°)[1].

Mit 2,2,4,4,6,6-Hexamethylcyclotrisilazan, das eine 1,3-Diamino-Verbindung als reagierendes Fragment enthält, erhält man aus Dichlor-phenyl-boran in siedendem Benzol ein durch Destillation trennbares Gemisch von *6-Phenyl-2,2,4,4-tetramethyl-1,3,5,2,4,6-triazadisilaborinan* (I) und *2,2-Dimethyl-4,6-diphenyl-1,3,5,2,4,6-triazasiladiborinan* (II; 29%; $Kp_{0,1}$: 140–170°; F: 98–101°)[2]:

$$H_5C_6{-}BCl_2 + \text{2,2,4,4,6,6-Hexamethylcyclotrisilazan} \xrightarrow{-\,(H_3C)_2SiCl_2} \text{I} + \text{II}$$

Aus Bis[methylthio]-methyl-boran läßt sich mit äquimolaren Mengen Methylhydrazin und Methylamin *1,3,4,5-Tetramethyl-1,2,4,3,5-triazadiborolidin* (Kp_{15}: 74°) herstellen[3]:

$$2\,H_3C{-}B(SCH_3)_2 + H_3C{-}NH{-}NH_2 + H_3C{-}NH_2 \xrightarrow{-\,4\,H_3C{-}SH} \text{1,3,4,5-Tetramethyl-1,2,4,3,5-triazadiborolidin}$$

Mit Methylhydrazin allein werden 56% *4-Methylamino-1,3,5-trimethyl-1,2,4,3,5-triazadiborolidin* (Kp_3: 49°) erhalten[4-6]:

$$2\,H_3C{-}B(SCH_3)_2 + 2\,H_3C{-}NH{-}NH_2 \xrightarrow{-\,4\,H_3C{-}SH} \text{4-Methylamino-1,3,5-trimethyl-1,2,4,3,5-triazadiborolidin}$$

---

[1] W. MARINGELE, B. **115**, 3271 (1982).
[2] H. NÖTH, W. TINHOF u. T. TAEGER, B. **107**, 3113 (1974).
[3] D. NÖLLE u. H. NÖTH, Z. Naturf. **27b**, 1425 (1972).
[4] D. NÖLLE u. H. NÖTH, B. **111**, 469 (1978).
[5] vgl. D. NÖLLE, Dissertation, Universität München 1975.
[6] H. NÖTH, W. WINTERSTEIN, W. KAIM u. H. BOCK, B. **112**, 2494 (1979).

Zur Herstellung von *Bis[alkyl-amino-boryl]aminen* eignet sich die Umsetzung eines Disilylamins mit der doppelten Menge eines Alkylamino-chlor-organo-borans; z.B.[1]:

$$2\ (H_3C)_2N(H_3C)B{-}Cl + [(H_3C)_3Si]_2NH \xrightarrow[-2\,(H_3C)_3SiCl]{} (H_3C)_2N(H_3C)B{-}NH{-}B(CH_3)N(CH_3)_2$$

Bis[dimethylamino-methyl-boryl]amin[2]: Man erwärmt 10 g (62 mmol) Bis[trimethylsilyl]amin mit 14,7 g (140 mmol) Chlor-dimethylamino-methyl-boran 24 Stdn. auf 100°. Nach Abziehen des Chlor-trimethyl-silans wird i. Vak. destilliert; Ausbeute: 4,1 g (42%); Kp_{13}: 76–80°.

1,2-Bis[methylthio-organo-boryl]-1,2-diorgano-hydrazine reagieren mit Ammoniak oder primären Aminen unter Methanthiol-Abspaltung zu Tetraorgano- bzw. Pentaorgano-1,2,4,3,5-triazadiborolidinen[3]:

$$R(H_3CS)B{-}N(R^1){-}N(R^1){-}B(SCH_3)R + R^2{-}NH_2 \xrightarrow[-2\ H_3C{-}SH]{(H_5C_2)_2O} \text{1-}R^2\text{-}2,3\text{-}R^1_2\text{-}1,2,4,3,5\text{-triazadiborolidin (3,5-}R_2)$$

$R,R^1 = CH_3, C_6H_5$
$R^2 = H, CH_3, C_6H_{11}$

Die Ausbeuten liegen zwischen 60 und 75%. Nebenprodukte sind N-substituierte 2,4,6-Trimethylborazine[3].

1,2,3,5-Tetramethyl-1,2,4,3,5-triazadiborolidin[3]: Zur Lösung von 1,2 Bis[methyl-methylthio-boryl]-1,2-dimethyl-hydrazin in ~90 *ml* Diethylether (hergestellt aus 13,2 g Bis[methylthio]-methyl-boran mit 3 g 1,2-Dimethyl-hydrazin bei 0° in 24 Stdn.), werden bei −70° 1,27 g Ammoniak einkondensiert (zunächst Niederschlag). Man zieht Ether und Methanthiol langsam über einen 50-cm-Vigreuxaufsatz bei ~600 bzw. ~400 Torr ab. Beim anschließenden Fraktionieren erhält man 0,38 g *2,4,6-Trimethylborazin* (Kp_{130}: 58–68°) und nach einer Zwischenfraktion 4,5 g (72%) Produkt (Nadeln; F: 37°; Kp_{130}: 93°).

Am N-Atom silylierte Diamino-organo-borane werden zur Herstellung von 1,3-Diamino-1,3-diorgano-diborazanen verwendet, obwohl nicht immer einheitliche Produkte erhalten werden. Beispielsweise bilden sich aus Bis[methyl-trimethylsilyl-amino]-methyl-boran mit Brom-[(brom-dimethyl-silyl)-methyl-amino]-methyl-boran in Dichlormethan nach 24 Stdn. bei 20° *Heptamethyl-1,3,5,2,4,6-triazasiladiborinan* und *Hexamethylborazin*, die sich beide nebeneinander ^{1}H-NMR-spektroskopisch nachweisen lassen, jedoch nur schwierig voneinander getrennt werden können[4]:

$$H_3C{-}B\left[{-}N(CH_3){-}Si(CH_3)_3\right]_2 + H_3C(Br)B{-}N(CH_3){-}Si(CH_3)_2Br \xrightarrow[-2\ (H_3C)_3Si{-}Br]{CH_2Cl_2} \text{Heptamethyl-1,3,5,2,4,6-triazasiladiborinan} + \text{Hexamethylborazin}$$

[1] D. Nölle u. H. Nöth, B. **111**, 469 (1978); vgl. Dissertation D. Nölle, Universität München 1975.
[2] H. Nöth u. H. Vahrenkamp, J. Organometal. Chem. **16**, 357 (1959).
[3] D. Nölle u. H. Nöth, Ang. Ch. **83**, 112 (1971).
[4] K. Barlos u. H. Nöth, Z. Naturf. **35b**, 415 (1980).

Aus Bis[dimethylamino]-methyl-boran oder -butyl-boran erhält man mit Bis[methylamino]-dimethyl-silan durch Transaminierung Heptaorgano-1,3,5,2,4,6-tri-azasiladiborinane[1]:

$$R-B\left[N(CH_3)_2\right]_2 + (H_3C-NH)_2Si(CH_3)_2 \xrightarrow{-2\ NH(CH_3)_2}$$

...-1,3,5,2,4,6-triazasiladiborinan

R = CH_3; *Heptamethyl-...*; 36%
R = C_4H_9; *4,6-Dibutyl-1,2,2,3,5-pentamethyl-...*; 21%

Heptamethyl-1,3,5,2,4,6-triazasiladiborinan[1]: 10 g (87,9 mmol) Bis[dimethylamino]-methyl-boran und 10,4 g (87,9 mmol) Bis[methylamino]-dimethyl-silan werden 15 Stdn. auf 140° (Rückfluß) erhitzt, wobei Dimethylamin entweicht. Anschließend wird i. Vak. destilliert; Ausbeute: 3,2 g (36%).

(Dilithioamino)-organo-borane reagieren mit bifunktionellen Dihalogenelement-Verbindungen (z.B. Silicium, Phosphor) unter Bildung cyclischer 1,3-Diamino-1,3-diorgano-diborazane. Dabei werden allerdings auch andere Kondensationsprodukte gebildet. Die Ausbeuten an Diborazan sind vielfach mäßig.

Die Kondensation von Bis[*N*-lithio-methylamino]-methyl-boran mit Dichlor-diphenyl-silan bei –30 bis 0° in Ether liefert nicht das BNSiN-Vierringgerüst, sondern neben den Hauptprodukten *Hexamethylborazin* und *2,2,4,4,66-Hexaphenyl-1,3,5-trimethyl-cyclotrisilazan* (16%; *2,2-Diphenyl-pentamethyl-1,3,5,2,4,6-triazasiladiborinan* (I; F: 143–145°) und 10% *Tetramethyl-2,2,4,4-tetraphenyl-1,3,5,2,4,6-triazadisilaborinan* (II)[2]:

$$3\ H_3C-B\left[N(Li)CH_3\right]_2 + 3\ (H_5C_6)_2SiCl_2 \xrightarrow{-6\ LiCl} \text{I} + \text{II}$$

Aus 1,2-Bis[boryl]hydrazinen sind mit Ammoniak oder prim. Aminen bisweilen cyclische Diborazane zugänglich. So lassen sich z.B. 1,2,4,5,3,6-Tetrazadiborinane mit primärem Amin „umaminieren". Man erhält z.B. aus 3,6-Diphenyl-1,2,4,5-tetramethyl-1,2,4,5,3,6-tetrazadiborinan mit Cyclohexylamin unter Ringverengung *4-Cyclohexyl-1,2-dimethyl-3,5-diphenyl-1,2,4,3,5-triazadiborolidin* (F: 100–102°)[3]:

$$+ H_{11}C_6-NH_2 \xrightarrow{-H_3C-NH-NH-CH_3}$$

Dieser Reaktionstyp läßt sich auf entsprechende Edukte mit anderen Liganden übertragen[4].

[1] H. Nöth u. W. Tinhof, B. **108**, 3109 (1975).
[2] I. Geisler u. H. Nöth, B. **103**, 2234 (1970).
[3] H. Nöth u. W. Regnet, Z. Naturf. **18b**, 1138 (1963); C.A. **60**, 9302 (1964).
[4] D. Nölle u. H. Nöth, Ang. Ch. **83**, 112 (1971); engl.: **10**, 126 (1971).

ii_2) aus 1,3-Diorganodiborazanen

Bereits anderweitig hergestellte Diborazane lassen sich zur Herstellung von 1,3-Diamino-1,3-diorgano-diborazanen verwenden. Außer den 1,3-Dihalogen-Derivaten werden 1,3-Diamino-Derivate eingesetzt.

iii_1) durch Reaktionen am Bor-Atom

Aus 1,3-Dihalogen-1,3-diorgano-diborazanen erhält man mit Bis[N-lithio-methylamino]-dimethyl-silan unter Abspaltung von Lithiumhalogeniden entsprechende Heterocyclen. Beispielsweise ist *Hexamethyl-5-trimethylsilyl-1,3,5,2,4,6-triazasiladiborinan* (Kp_2: 63–64°) aus 1,3-Dibrom-1,3-dimethyl-2-trimethylsilyl-diborazan mit Bis[N-lithio-methylamino]-dimethyl-silan in 64%iger Ausbeute zugänglich[1]:

$$[(H_3C)(Br)B-]_2N-Si(CH_3)_3 + [H_3C-N(Li)-]_2Si(CH_3)_2 \xrightarrow[-2\ LiBr]{Hexan} \text{Hexamethyl-5-trimethylsilyl-1,3,5,2,4,6-triazasiladiborinan}$$

Offenkettige 1,3-Diamino-1,3-diorgano-diborazane gewinnt man mit Amino-trialkylsilanen; z.B. *1,3-Bis[dimethylamino]-1,3-dimethyl-2-trimethylsilyl-diborazan* (Kp_{12}: 63°)[2]:

$$[(H_3C)(Br)B-]_2N-Si(CH_3)_3 + 2\ (H_3C)_3Si-N(CH_3)_2 \xrightarrow[-2\ (H_3C)_3Si-Br;\ 68\ \%]{H_2CCl_2,\ 20°} (H_3C)_2N(H_3C)B-N(Si(CH_3)_3)-B(CH_3)N(CH_3)_2$$

$$(H_3C)_2N(H_3C)B-N(Si(CH_3)_3)-B(CH_3)Cl + (H_3C)_3Si-N(CH_3)_2 \xrightarrow[-(H_3C)_3Si-Cl;\ 50\ \%]{CH_2Cl_2,\ 1\ Tag,\ 20°} (H_3C)_2N(H_3C)B-N(Si(CH_3)_3)-B(CH_3)N(CH_3)_2$$

Die Umsetzung erfolgt stufenweise, so daß auch *3-Brom-1,3-dimethyl-1-dimethylamino-2-trimethylsilyl-diborazan* (Kp_1: 44°) (vgl. S. 308) in 76%iger Ausbeute zugänglich ist[2]:

$$[(H_3C)(Br)B-]_2N-Si(CH_3)_3 \xrightarrow[-(H_3C)_3Si-Br]{+(H_3C)_3Si-N(CH_3)_2;\ CH_2Cl_2,\ 20°} (H_3C)_2N(H_3C)B-N(Si(CH_3)_3)-B(CH_3)Br$$

[1] K. Barlos u. H. Nöth, Z. Naturf. **35b**, 415 (1980).

[2] K. Barlos, H. Christl u. H. Nöth, A. **1976**, 2272.

Offenkettige sowie cyclische 1,3-Diamino-1,3-diorgano-diborazane reagieren durch Transaminierung unter Bildung neuer 1,3-Diamino-Derivate. Man setzt mit Hydrazin-Derivaten und Amino-silanen um.

Aus 1,3-Bis[dimethylamino]-1,3-diphenyl-diborazan erhält man mit 1,2-Dimethylhydrazin innerhalb 1 Stde. in siedendem Ether *1,2-Dimethyl-3,5-diphenyl-1,2,4,3,5-triaza-diborolidin* (85%; F: 106–108°; Kp_3: 180–182°)[1]:

H_5C_6–B(–N(CH_3)$_2$)–NH–B(–N(CH_3)$_2$)–C_6H_5 + H_3C–NH–NH–CH_3 $\xrightarrow{-\ 2\ HN(CH_3)_2}$ 1,2-Dimethyl-3,5-diphenyl-1,2,4,3,5-triazadiborolidin

iii₂) durch borferne Reaktionen

Aus 1,2,3,5-Tetramethyl-1,2,4,3,5-triazadiborolidin ist borfern mit (Bis[trimethyl-silyl]amino)-methyl-quecksilber *4-Methylquecksilber-1,2,3,5-tetramethyl-1,2,4,3,5-triazadiborolidin* (F: 95°; Zers.) in 48%iger Ausbeute zugänglich[2]:

1,2,3,5-Tetramethyl-1,2,4,3,5-triazadiborolidin + H_3C–Hg–N[Si(CH_3)$_3$]$_2$ $\xrightarrow{-\ HN[Si(CH_3)_3]_2}$ 4-(H_3C–Hg)-1,2,3,5-tetramethyl-1,2,4,3,5-triazadiborolidin

Bestimmte 1,3-Diamino-1,3-diorgano-diborazane lassen sich borfern ohne Einsatz weiterer Reagenzien kondensieren. Man erhält z.B. aus 1-[(Brom-dimethyl-silyl)-methyl-amino]-3-(methyl-trimethylsilyl-amino)-1,2,3-trimethyl-diborazan beim Erwärmen unter Abspalten von Brom-trimethyl-silan *Heptamethyl-1,3,5,2,4,6-triazasiladiborinan*[3]:

H_3C–B(–N(CH_3)–Si(CH_3)$_2$Br)–N(CH_3)–B(–N(CH_3)–Si(CH_3)$_3$)–CH_3 $\xrightarrow{-\ (H_3C)_3Si-Br}$ Heptamethyl-1,3,5,2,4,6-triazasiladiborinan

Besonderes Interesse beanspruchen die borfernen Reaktionen, die nach N-Lithio-Substitution zu neuen reaktionsfähigen Produkten führen, wodurch mit Monohalogen-element-Verbindungen weitere 1,3-Diamino-1,3-diorgano-diborazane gut zugänglich sind.

Das durch Umsetzung von 1,2-Dimethyl-3,5-diphenyl-1,2,4,3,5-triazadiborolidin mit Methyllithium erhaltene 4-Lithio-Derivat liefert mit Quecksilber(II)-chlorid in Ether bzw. Eisen(II)-chlorid in Diethylether/THF *Bis[1,2-dimethyl-3,5-diphenyl-1,2,4,3,5-triazadiborolidin-4-yl]quecksilber* (I) bzw. *-eisen* (II)[2,3]:

---

[1] K. NIEDENZU, P. FRITZ u. H. JENNE, Ang. Ch. **76**, 535 (1964).

[2] R. GOETZE, Dissertation, S. 125, Universität München 1976.

[3] K. BARLOS u. H. NÖTH, Z. Naturf. **35b**, 415 (1980).

[4] H. NÖTH u. W. REGNET, Z. anorg. Ch. **352**, 1 (1967); C.A. **67**, 64465 (1967).

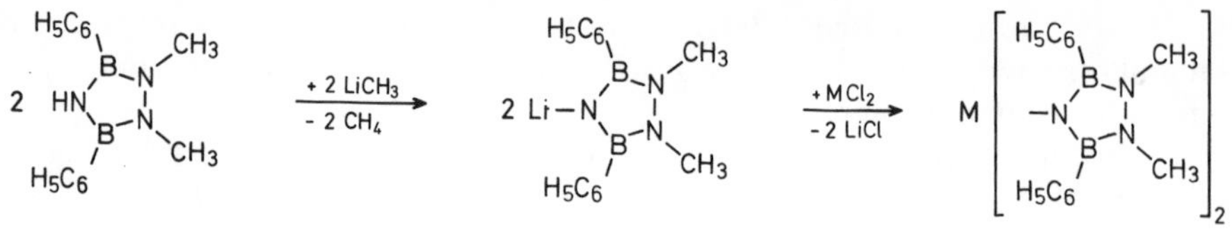

I; M = Hg; 40%; F: 180°
II; M = Fe; 40,5%; F: 109–111°

Bis[1,2-dimethyl-3,5-diphenyl-1,2,4,3,5-triazadiborolidin-4-yl]eisen[1]**:** 4 g (16 mmol) 1,2-Dimethyl-3,5-diphenyl-1,2,4,3,5-triazadiborolidin in 125 *ml* Diethylether läßt man mit der äquivalenten Menge Methyllithium (16,11 mmol) reagieren [unter Abspaltung von 11,82 mmol Methan (73,4% bildet sich die 4-Lithium-Verbindung]. Die erhaltene Lösung wird unter intensivem Rühren rasch zur Suspension von 0,975 g wasserfreiem Eisen(II)-chlorid in 40 *ml* THF getropft. Nach kurzer Zeit wird die Lösung dunkel, nach 3 Stdn. filtriert man vom Lithiumchlorid ab. Das dunkelbraune Filtrat wird i. Vak. zur Trockne eingeengt, anschließend mit 20 *ml* heißem Benzol versetzt, von Ungelöstem abgetrennt und nach Erkalten ganz vorsichtig (langsam) Petrolether zugegeben; dunkelbraune Blättchen fallen aus; Ausbeute: 1,8 g (40,5%); F: 109–111°.

Über die N^2-Lithio-Derivate sind auch weitere N^2-Derivate der 1,3-Diamino-1,3-diorgano-diborazane hergestellt worden; z.B. N^4-Derivate des 1,2,4,3,5-Triazadiborolidins[2]:

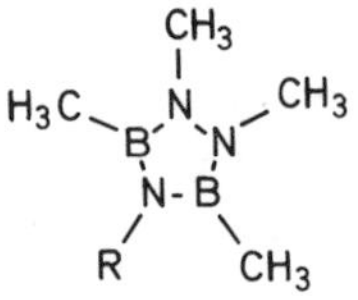

....-1,2,3,5-tetramethyl-1,2,4,3,5-triazadiborolidin

R = $(H_3C)_2As$; *4-Dimethylarsanyl-...*; 79%
R = $(H_3C)_3Sn$; *4-Trimethylstannyl-...*; 60%
R = $(H_5C_6)_3$ PAu; *4-Triphenylphosphangold-...*

R = 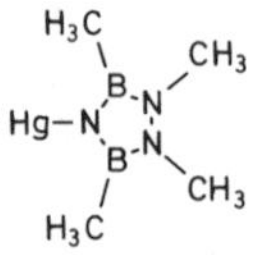 ; *Bis[tetramethyl-1,2,4,3,5-triazadiborolidin-4-yl]quecksilber*

R = 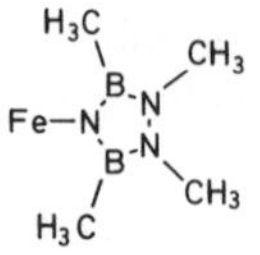 ; *Bis[tetramethyl-1,2,4,3,5-triazadiborolidin-4-yl]eisen*

---

[1] H. Nöth u. W. Regnet, Z. anorg. Ch. **352**, 1 (1967).
[2] R. Goetze, Dissertation, S. 125, Universität München 1976.

Das N-Dimethylarsanyl-Derivat läßt sich in Benzol bei ~20° mit Nonacarbonyldieisen borfern in die Tetracarbonyleisen-Additionsverbindung überführen[1]:

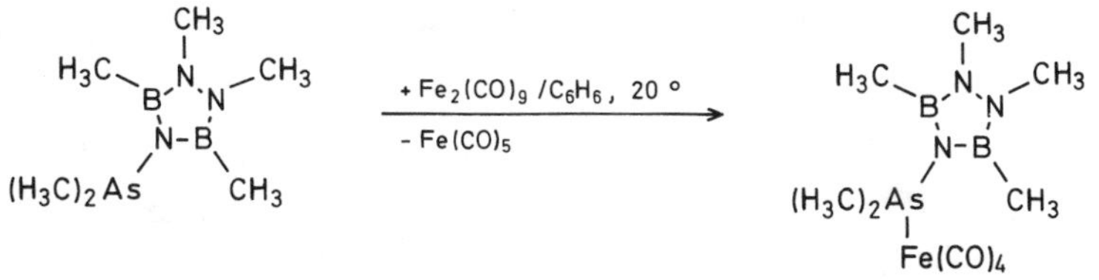

$$\xrightarrow[-\ Fe(CO)_5]{+\ Fe_2(CO)_9\ /C_6H_6,\ 20°}$$

Auch 4-Diorganoboryl-Derivate sind aus der N^4-Lithio-Verbindung des 1,2,4,3,5-Triazadiborolidins entsprechend zugänglich. Die Herstellungsmethoden der Verbindungen mit verzweigten BN-Atomgruppierungen werden auf S. 374 besprochen.

$N^{1,3}$-Silyl-Derivate der 1,3-Diamino-1,3-diorgano-diborazane werden zur Herstellung neuer Ringsysteme mit BNB-Atomgruppierung verwendet. *4,6-Diphenyl-1,2,3,5-tetramethyl-1,3,5,2,4,6-triazaphosphadiborinan-2-oxid* ($Kp_{0,001}$: 156–160°; F: 66–70°) erhält man in 31%iger Ausbeute bei der Kondensation von Bis[(methyl-trimethylsilyl-amino)-phenyl-boryl]-methyl-amin mit äquimolaren Mengen Methanphosphonsäure-dichlorid unter Abspaltung von Chlor-trimethyl-silan[2]:

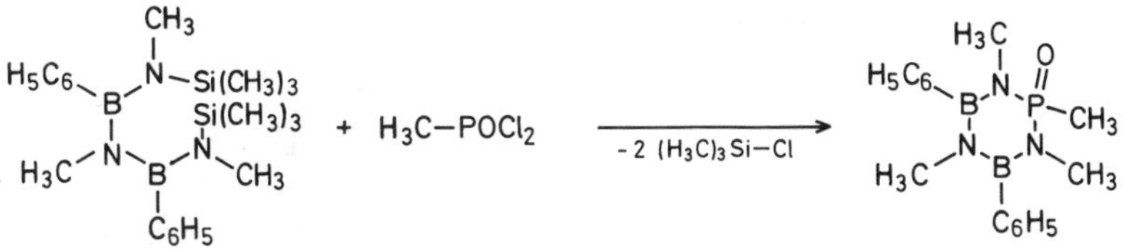

$$+\ H_3C{-}POCl_2 \xrightarrow[-2\ (H_3C)_3Si{-}Cl]{}$$

Man tropft die in Toluol gelöste Base zum Säurechlorid in Ether, erhitzt 15 Stdn. am Rückfluß, filtriert vom Hauptprodukt Borazin ab und arbeitet die Lösung destillativ auf.

Aus Heptamethyl-1,3,5,2,4,6-triazasiladiborinan erhält man mit Trihalogenphosphanen bei tiefer Temperatur *2-Chlor-* (75%; Kp_1: 47°) bzw. *2-Brom-pentamethyl-1,3,5,2,4,6-triazaphosphadiborinan* (33%; Kp_1: 75°)[3,4]:

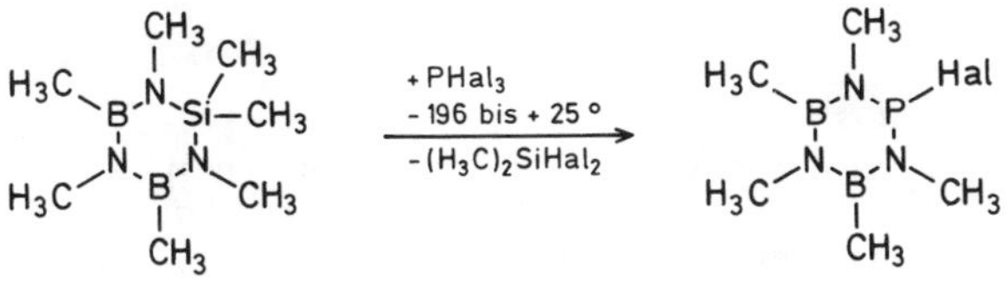

$$\xrightarrow[-196\ bis\ +25°\ /\ -(H_3C)_2SiHal_2]{+\ PHal_3}$$

Hal = Cl (ohne Lösungsmittel)
Hal = Br (in CH_2Cl_2)

Zu den borfernen Reaktionen am Heteroelement cyclischer 1,3-Diamino-1,3-diorgano-diborazane zählen auch Substitutionen und Additionen von Nucleophilen am P-Atom der 1,3,5,2,4,6-Triazaphosphadiborinane[3]. Mit Nucleophilen (Methoxy, Dimethylamino) läßt sich das Halogen-Atom substituieren.

---

[1] R. GOETZE, Dissertation, S. 127, Universität München 1976.
[2] H. NÖTH u. W. TINHOF, B. **107**, 3806 (1974).
[3] K. BARLOS u. H. NÖTH, Z. Naturf. **35b**, 415 (1980).
[4] K. BARLOS, H. NÖTH, B. WRACKMEYER u. W. MCFARLANE, Soc. [Dalton Trans.] **1979**, 801.

...-1,3,4,5,6-pentamethyl-1,3,5,2,4,6-triazaphosphadiborinan

Nu:	OCH_3	$N(CH_3)_2$
Reagenz	$HOCH_3$ *2-Methoxy-...*	$HN(CH_3)_2$ *2-Dimethylamino-...*
Lösungsmittel	Hexan	Pentan
Zusatz	$(H_5C_2)_3N$/Pentan	–
%	70	85
Kp [°C (Torr)]	40 (1)	45–50 (1)

Mit elementarem Schwefel wird das P-Atom sulfidiert[1]:

....-1,3,4,5,6-pentamethyl-1,3,5,2,4,6-triazaphosphadiborinan-2-sulfid

X:	Cl *2-Chlor-...*	$N(CH_3)_2$ *2-Dimethylamino- ...*
Lösungsmittel	ohne	CH_2Cl_2
Temp.	~115	−78
Nachbehandeln	+ CH_2Cl_2	~20°
%	87	75
Kp [°C (Torr)]	75–80 (1)	80 (2)
F [°C]	146	123

ii$_3$) aus 2,4,6-Triorganoborazinen

Wie aus 1,3,5,2,4,6-Triazasiladiborinanen oder aus 1,3,5,2,4,6-Triazaphosphadiborinanen lassen sich auch aus 2,4,6-Triorganoborazinen mit bestimmten Reagenzien neue cyclische 1,3-Diamino-1,3-diorgano-diborazane herstellen.

Ein BNB-Fragment des Borazins kann in einen neuen Sechsring eingebaut werden, wenn man ein Organoborazin mit Harnstoff-Derivaten mehrere Stdn. am Rückfluß erhitzt und destillativ aufarbeitet. Die 6-Oxo-1,3,5,2,4-triazadiborinane erstarren in der Vorlage[2]:

[1] K. Barlos u. H. Nöth, Z. Naturf. **35b**, 415 (1980).
[2] US.P. 3062880 (1962), US Borax & Chemical Corp., Erf.: J.L. Boone; C.A. **58**, 5705 (1963).

$$(R^1BNR^2)_3 + R^3NH-CO-NHR^4 \xrightarrow{-R^1B(NHR^2)_2}$$

...*-1,3,5,2,4-triazadiborinan*

$R^1 = R^3 = R^4 = CH_3$; $R^2 = H$; *6-Oxo-1,2,4,5-tetramethyl-*...
$R^1 = CH_3$; $R^2 = C_6H_5$; $R^3 = R^4 = H$; *2,4-Dimethyl-6-oxo-3-phenyl-*...
$R^1 = C_6H_5$; $R^2 = R^4 = C_2H_5$; $R^3 = H$; *1,3-Diethyl-2,4-diphenyl-6-oxo-*...
$R^1 = 4\text{-}CH_3-C_6H_4$; $R^2 = CH_3$; $R^3 = C_2H_5$; $R^4 = CH_2-CH(CH_3)_2$; *2,4-Bis-[4-methylphenyl]-1-ethyl-5-isobutyl-3-methyl-6-oxo-*...

$\alpha\alpha_2$) 3,3-Diamino-1,1-diorgano-1,3,2-diborazane

3,3-Diamino-1,1-diorgano-diborazane

lassen sich aus Azido-dialkyl-, Diamino-halogen- sowie aus Triamino-boranen herstellen.

Die photochemische Zersetzung bestimmter Azido-diamino-borane führt in Gegenwart von Trialkylboranen zu 1,1-Dialkyl-3,3-diamino-diborazinen. Aus Azido-bis[diisopropylamino]-boran und Triethylboran wird *3,3-Bis[diisopropylamino]-1,1,2-triethyl-diborazan* zu 77% erhalten[1]:

$$\{[(H_3C)_2CH]_2N\}_2B-N_3 + (H_5C_2)_3B \xrightarrow[-N_2]{h\nu,\ \sim 18°,\ 140\ \text{Stdn.}\ \text{Cyclohexan}} \{[(H_3C)_2CH]_2N\}_2B-N(C_2H_5)-B(C_2H_5)_2$$

3,3-Bis[diisopropylamino]-1,1,2-triethyl-diborazan[1]: 10,5 g (41,5 mmol) Azido-bis[diisopropylamino]-boran und 12 g (123 mmol) Triethylboran werden in 300 *ml* Cyclohexan 140 Stdn. bei ~ 18° belichtet (im Photoreaktor mit Flüssigkeitsumwälzung; Quecksilber-Niederdrucklampe; 254 nm). 914 *ml* (98%) Stickstoff entweichen. Anschließend wird i. Vak. destilliert; Ausbeute: 10,4 g (77,5%); $Kp_{0,002}$: 92–95°.

Diamino-halogen-borane reagieren mit Dialkyl-lithioamino-boranen unter Lithiumhalogenid-Abspaltung zu 1,1-Dialkyl-3,3-diamino-diborazanen; z.B.[2]:

$$\xrightarrow[-LiCl]{24\ \text{Stdn.},\ -20°\ \text{bis}\ +20°/\text{Pentan}}$$

1,3-Dimethyl-2-[(dimethylboryl)-(trimethylsilyl)-amino]-1,3,2-diazaborolidin; 46%; Kp_{10}: 37–38°

Aus Triaminoboranen sind 1,1-Dialkyl-3,3-diamino-diborazane mit Dialkyl-halogen-boranen zugänglich. N-silylierte Triaminoborane reagieren mit Diorgano-halogen-boranen.

Aus 1,3-Dimethyl-2-(methyl-trimethylsilyl-amino)-1,3,2-diazaborolidin werden mit 1-Chlor-3-methyl-borolan oder mit Brom-dimethyl-boran die entsprechenden Diborazane gewonnen[3]:

---

[1] W. PIEPER, D. SCHMITZ u. P. PAETZOLD, B. **114**, 3801 (1981).
[2] H. FUSSSTETTER, G. KOPIETZ u. H. NÖTH, B. **113**, 728 (1980).
[3] H. NÖTH u. W. STORCH, B. **109**, 884 (1976).

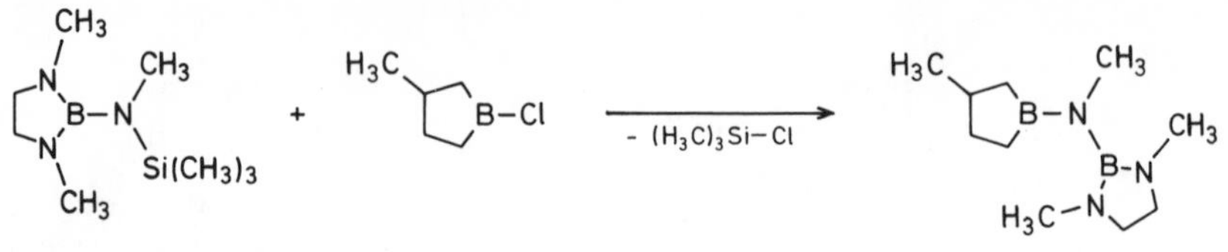

1,3-Dimethyl-2-[methyl-(3-methyl-2-borolanyl)-amino]-1,3,2-diazaborolidin; 42%; $Kp_{0,1}$: 82–84°

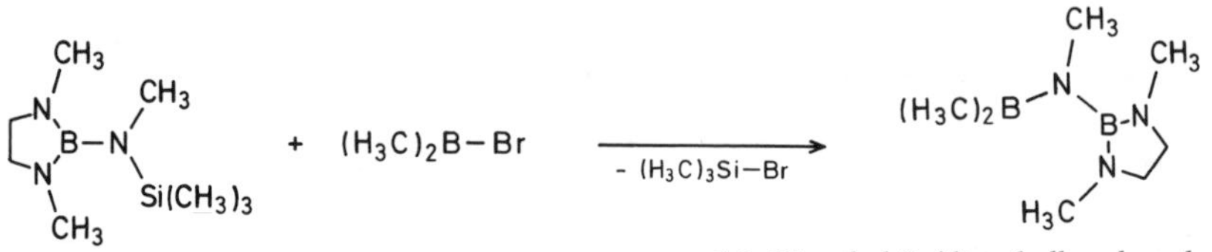

1,3-Dimethyl-2-(dimethylboryl-methyl-amino)-1,3,2-diazaborolidin; 83%; $Kp_{0,1}$: 29–31°

α_4) *Monoorgano-1,3,2-diborazane*

Zur Verbindungsklasse gehören sämtliche offenkettigen und cyclischen 1-Organo-diborazane:

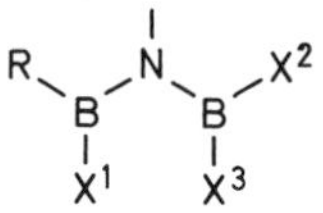

Folgende Verbindungsklassen sind bisher beschrieben worden (vgl. Tab. 64, S. 325f.):

X^1	H	N	Hal	N	N	N
X^2	N	Hal	N	N	N	N
X^3	H	Hal	Hal	H	Hal	N

Die Herstellung erfolgt für die größere Zahl der Verbindungen aus anderen Diborazanen durch Substitution an den Bor-Atomen. Aus Halogenboranen sind einige weitere Verbindungstypen zugänglich (Tab. 64, S. 325f.).

$\alpha\alpha_1$) 3-Amino-1-organo-1,3-dihydro-diborazane

Die Verbindungen mit der Atom-Gruppierung

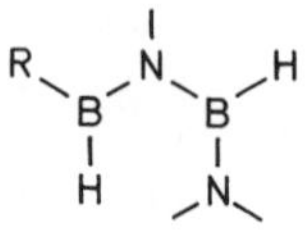

sind aus 3-Amino-1,3-dihalogen-1-organo-diborazanen mit komplexen Metallhydriden herstellbar. Beispielsweise lassen sich 2-Aryl-1,2,3,4-tetrahydro-⟨naphtho[2,1-e]-1,3,2,4-diazadiborine⟩ mit Natriumtetrahydridoborat in Diglyme aus den 1,3-Dichlor-Derivaten herstellen[1]:

[1] B. Frange, Bl. **1973**, 2165; C.A. **80**, 27315 (1974).

Na[BH$_4$] / − NaCl

z. B.: R = 1-Naphthyl; *2-(1-Naphthyl-1,2,3,4-tetrahydro-⟨naphtho[2,1-e]-1,3,2,4-diazadiborin⟩*; 45%; F: 180°

Tab. 64: Monoorgano-1,3,2-diborazane

Formel	Verbindungstyp	Herstellungsart	s. S.
a) 1-Amino-3-organo-1,3,2-diborazane			
	Ar—BH—N—BH—N<	aus Ar–B(Hal)–N–B(Hal)–N< + H$^-$	325
b) 1-Amino-1,3-dihalogen-3-organo-1,3,2-diborazane			
Hal = F, Cl	Ar–B(Hal)–N–B(Hal)–N<	aus Ar–B(Hal^1)–N–B(Hal^1)–N< + MHal	328
	Ar–B(Hal)–N–B(Hal)–N<		
X = Cl		aus BHal$_3$ + Ar—NH$_2$	327
X = J		aus Do—BHal$_3$ + Ar—NH$_2$	328
X = N(CH$_3$)$_2$		aus Ar–B(Hal)–N–B(Hal)–N< + R$_2$NH	330
c) 1-Amino-3,3-dihalogen-1-organo-1,3,2-diborazane			
H_3C–B(N(CH$_3$)$_2$)–N(Si(CH$_3$)$_3$)–BBr$_2$	R–B(N<)–N–BHal$_2$	aus R–B(N<)–N–B(R)–Hal	326
d) 1,3-Diamino-1-Elemento-3-organo- bzw. 3-Organo-1,1,3-triamino-1,3,2-diborazane			
	Ar–B(N<)–N–B(Hal)–N<	aus BHal$_3$ + Ar—NH$_2$	327

Tab. 64: (Fortsetzung)

Formel	Verbindungstyp	Herstellungsart	s. S.
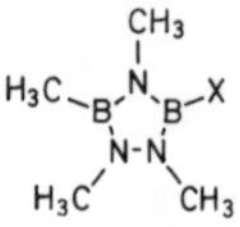 CH_3, H_3C, N, B, X, N-N, H_3C, CH_3	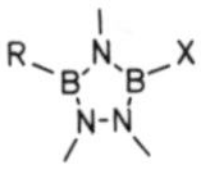 R, N, B, X, N-N		
X = H		aus 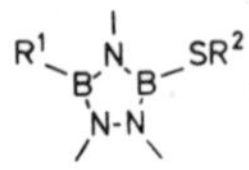 (R[1], N, B, SR^2, N-N) + $H^{\ominus}$	329
X = Cl		aus 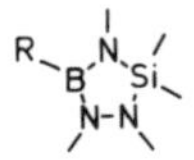 (R, N, B, Si, N-N) + $BHal_3$	329
X = Br		aus 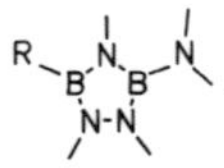 (R, N, B, N, N-N) + R_2B-Hal	328
		aus 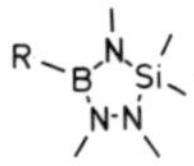 (R, N, B, Si, N-N) + $BHal_3$	329
X = O—$C(CH_3)_3$		aus 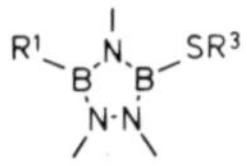 (R[1], N, B, SR^3, N-N) + R^2—OH	329
X = SCH_3		aus 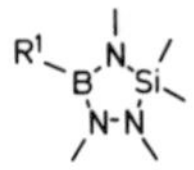 (R[1], N, B, Si, N-N) + $B(SR^2)_3$	330
X = $N(CH_3)_2$		aus 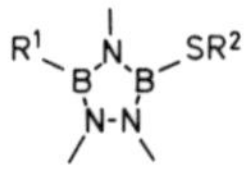 (R[1], N, B, SR^2, N-N) + R_2^3NH	330

$\alpha\alpha_2$) 1-Amino-3,3-dihalogen-1-organo-diborazane

Offenkettige Verbindungen sind aus 1-Dimethylamino-3-halogen-3-methyl-diborazanen mit Tribromboran durch Boryl-Austausch hergestellt worden[1]; z. B. *3,3-Dibrom-1-dimethylamino-1-methyl-2-trimethylsilyl-diborazan* (Kp_1: 58–60°):

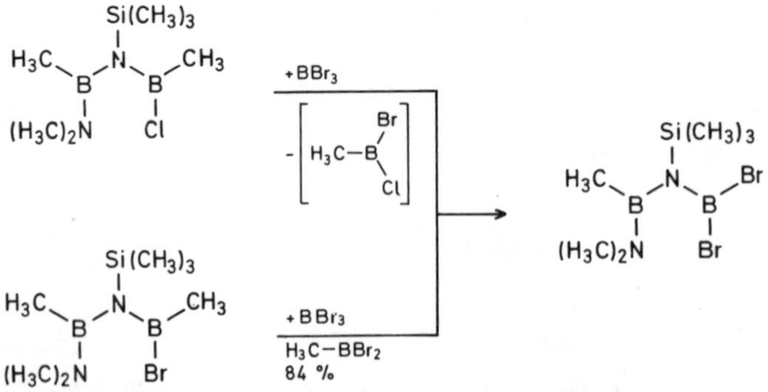

$Si(CH_3)_3$, H_3C, N, CH_3, B, B, $(H_3C)_2N$, Cl — $+BBr_3$ / $-[H_3C-B(Br)Cl]$ → $Si(CH_3)_3$, H_3C, N, Br, B, B, $(H_3C)_2N$, Br

$Si(CH_3)_3$, H_3C, N, CH_3, B, B, $(H_3C)_2N$, Br — $+BBr_3$ / H_3C-BBr_2, 84 % →

$\alpha\alpha_3$) 3-Amino-1,3-dihalogen-1-organo-diborazane

Die Verbindungen sind aus Trichlorboran mit primären Arylaminen sowie aus Diborazanen mit Trihalogenboranen zugänglich. Cyclische 3-Amino-1,3-dichlor-1-organo-diborazane vom Typ

[1] K. Barlos, H. Christl u. H. Nöth, A. **1976**, 2272.

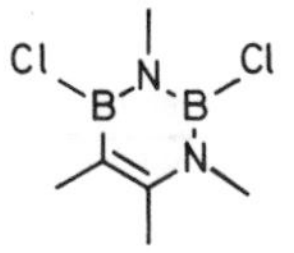

stellt man aus Trihalogenboranen mit Arylaminen her, wobei die Hydrogenchlorid-Abspaltung durch Gegenwart von Basen beschleunigt wird. An die N- und C-Borylierung schließt sich eine Alkylierung an. So wird z.B. Trichlorboran mit 2-Methylanilin am besten in Gegenwart von Triethylamin in Toluol oder auch in siedendem Chlorbenzol umgesetzt. Neben dem *B-Trichlor-N-tris[2-methylphenyl]-borazin* (vgl. S. 353) erhält man *2,4-Dichlor-8-methyl-3-(2-methylphenyl)-1,2,3,4-tetrahydro-⟨benzo-1,3,2,4-diazadiborin⟩*. Analoge Ringschlüsse erzielt man mit 1-Amino-4-brom-naphthalin bzw. 1-Aminoanthracen[1,2].

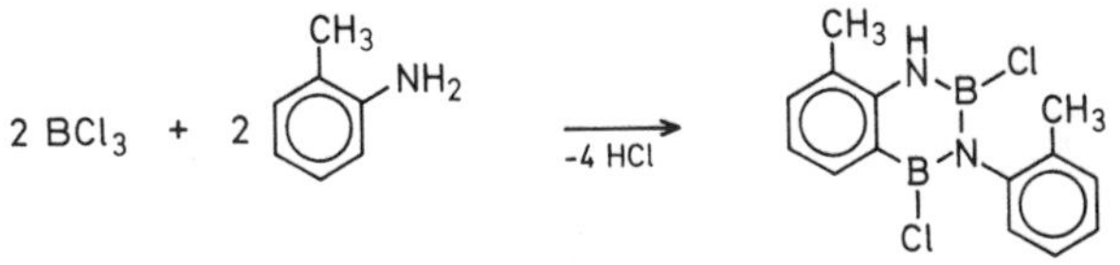

$$2\,BCl_3 + 2\ \text{2-Methylanilin} \xrightarrow{-4\,HCl}$$

Die Kondensation von Trichlorboran mit 1-Aminonaphthalin in siedendem Chlorbenzol eröffnet einen Zugang zum 1,2,3,4-Tetrahydro-⟨naphtho[2,1-e]-1,3,2,4-diazadiborin⟩, das abhängig vom Verhältnis der Reaktionspartner an einem oder beiden Bor-Atomen eine Naphthylamino-Gruppe tragen kann[3]:

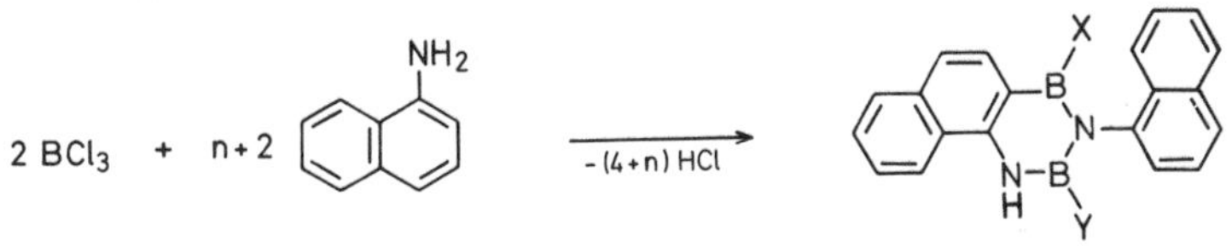

$$2\,BCl_3 + n+2\ \text{1-Aminonaphthalin} \xrightarrow{-(4+n)\,HCl}$$

...*-1,2,3,4-tetrahydro-⟨naphtho[2,1-e]-1,3,2,4-diazadiborin⟩*

n = 1; X = NH–1-$C_{10}H_7$; Y = Cl; *3-Chlor-2-(1-naphthyl)-1-(1-naphthylamino)-...*

n = 2; X = Y = NH–1-$C_{10}H_7$; *1,3-Bis[1-naphthylamino]-2-(1-naphthyl)-...*

Die Herstellung der 1,3-Diorgano-1,2,3,4-tetrahydro-⟨naphtho[2,1-e]-1,3,2,4-diazadiborine⟩ aus Trichlorboran mit Arylaminen verläuft über Amino-dihalogen-borane[4].

In Arenen als Verdünnungsmittel wird *3-(1-Naphthyl)-1,2,3,4-tetrahydro-⟨naphtho[2,1-e]-1,3,2,4-diazadiborin⟩* gebildet. In Heptan erhält man vorwiegend 2,4,6-Trichlor-1,3,5-tri-1-naphthyl-borazin (vgl. S. 357f.)[5,6].

1-Amino-1,3-dihalogen-3-organo-diborazane lassen sich auch durch borferne Reaktionen aus anderen Diborazanen herstellen. Aus 3-Aryl-2,4-dijod-1,2,3,4-tetrahydro-⟨benzo-1,3,2,4-diazadiborinen⟩ erhält man z.B. mit Silberchlorid bzw. mit Cadmiumfluorid die entsprechenden Chlor- oder Fluor-Derivate[7]:

[1] B. Frange, Bl. **1973**, 1216; C.A. **79**, 66434 (1973).
[2] B. Frange, Bl. **1973**, 2165; C.A. **80**, 27315 (1974).
[3] J. Cueilleron u. B. Frange, Bl. **1972**, 584; C.A. **76**, 139683 (1972).
[4] J. Cueilleron u. B. Frange, Bl. **1972**, 107.
[5] A. Rizzo u. B. Frange, J. Organometal. Chem. **76**, 1 (1976).
[6] A. Rizzo u. B. Frange, Bl. **1977**, 699.
[7] J.R. Blackborow u. J.C. Lockhart, Soc. [Dalton Trans.] **1973**, 1303.

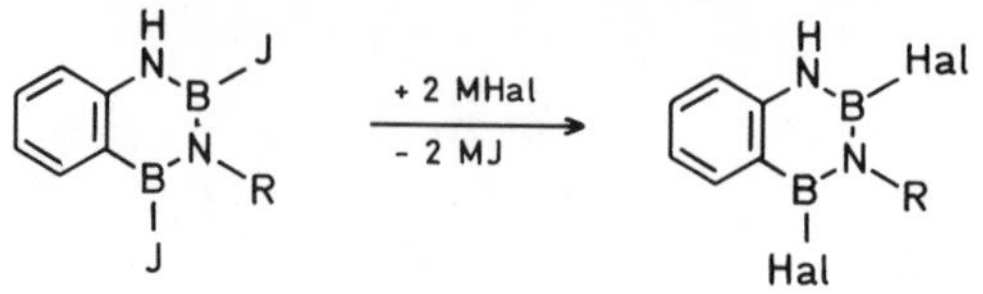

Hal = Cl, F
R = C_6H_5, 2-CH_3–C_6H_4

Aus Arylamin-Trijodboranen lassen sich in siedendem Benzol in Gegenwart von Triethylamin 2,4-Dijod-1,2,3,4-tetrahydro-⟨benzo-1,3,2,4-diazadiborine⟩ herstellen[1]:

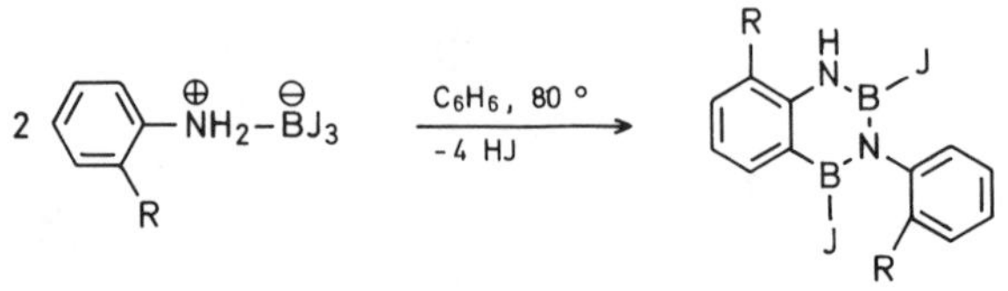

2,4-Dijod-...-1,2,3,4-tetrahydro-⟨benzo-1,3,2,4-diazadiborin⟩ (>90%)
R = H; ...*-3-phenyl-*...
R = CH_3; ...*-8-methyl-3-(2-methyl-phenyl)-*...

αα₄) 1,3-Diamino-3-hydro-1-organo-diborazane

1,2,3,4-Tetramethyl-1,2,4,3,5-triazadiborolidin ist aus dem 3-Methylthio-Derivat mit Lithiumtetrahydridoaluminat in Diethylether zwischen −60° und +20° in 57%iger Ausbeute zugänglich[2]:

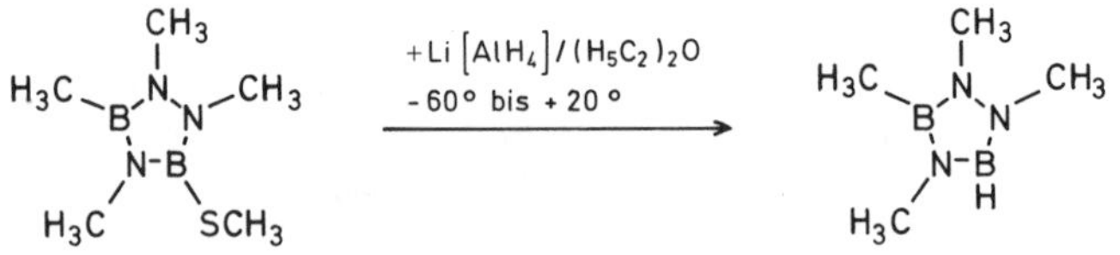

αα₅) 1,3-Diamino-3-halogen-1-organo-diborazane

Von den 1,3-Diamino-3-halogen-1-organo-diborazanen sind lediglich cyclische Verbindungen bekannt:

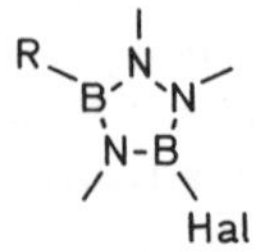

Die Herstellung des *3-Chlor-* oder *3-Brom-*Derivats erfolgt aus der 3-Dimethylamino- oder aus der 3-Methylthio-Verbindung (leicht zugänglich aus dem 3-Dimethylsilyl-Derivat; vgl. S. 329f.) mit Dichlor-phenyl-boran (*3-Chlor-1,2,4,5-tetramethyl-1,2,4,3,5-triazadiborolidin*; Kp_1: 22°; 64%) bzw. mit Brom-dimethyl-boran[1]. Die Austauschreaktion mit Trihalogenboranen verläuft äußerst träge[2]:

---

[1] J. R. Blackborow u. J. C. Lockhart, Soc. [Dalton Trans.] **1973**, 1303.
[2] H. Nöth, W. Reichenbach u. W. Winterstein, B. **110**, 2158 (1977).

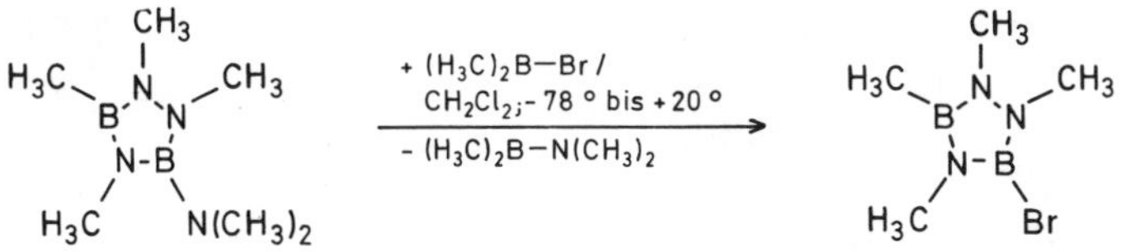

+ $(H_3C)_2B-Br$ / CH_2Cl_2; −78° bis +20°
− $(H_3C)_2B-N(CH_3)_2$

3-Brom-1,2,4,5-tetramethyl-1,2,4,3,5-triazadiborolidin; $Kp_{0,0001}$: 25°

Aus Hexamethyl-1,2,4,3,5-triazasilaborolidin lassen sich mit Trihalogenboranen in Dichlormethan unter Dimethylsilandiyl-Substitution durch Halogenborandiyl-Reste 3-Halogen-1,2,4,5-tetramethyl-1,2,4,3,5-triazadiborolidine herstellen[1]:

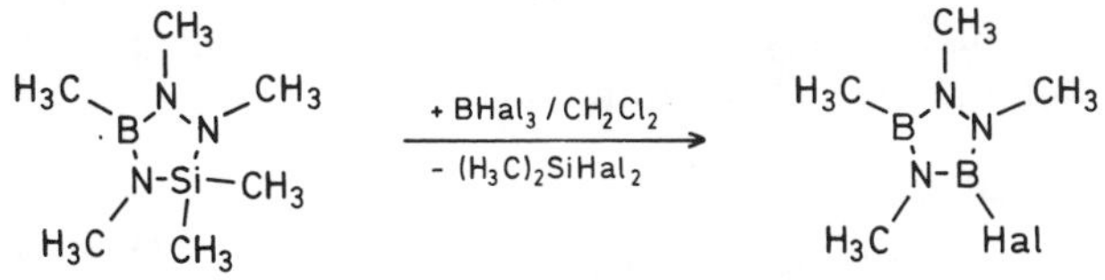

+ $BHal_3$ / CH_2Cl_2
− $(H_3C)_2SiHal_2$

...*-tetramethyl-1,2,4,3,5-triazadiborolidin*
Hal = Cl; *3-Chlor-*...; 56%
Hal = Br; *3-Brom-*...

Aus 3-Chlor-1,2,4,5-tetramethyl-1,2,4,3,5-triazadiborolidin erhält man mit Antimon(III)-fluorid unter Halogen-Austausch am B^3-Atom *3-Fluor-tetramethyl-1,2,4,3,5-triazadiborolidin*[1].

$\alpha\alpha_6$) 1,3-Diamino-1-organo-3-oxy-diborazane

Bisher sind offenkettige sowie cyclische Verbindungen mit der Atom-Gruppierung

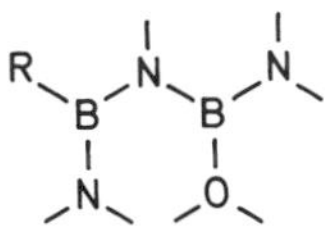

kaum bekannt. Die Reaktion des 3-Methylthio-1,2,3,4-tetramethyl-1,2,4,3,5-triazadiborolidins mit tert.-Butanol in Diethylether liefert bei nur langsamer Abspaltung von Methanthiol *3-tert.-Butyloxy-1,2,4,5-tetramethyl-1,2,4,3,5-triazadiborolidin* (56%)[1]:

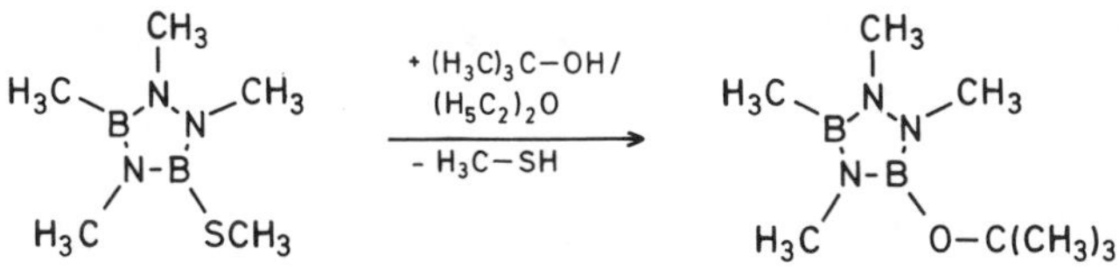

+ $(H_3C)_3C-OH$ / $(H_5C_2)_2O$
− H_3C-SH

Das oberhalb −20° instabile *3-Methoxy-tetramethyl-1,2,4,3,5-triazadiborolidin* (Kp_2: 43°) erhält man mit Trimethoxyboran durch Boran-Austausch in 84%iger Ausbeute[1].

$\alpha\alpha_7$) 1,3-Diamino-1-organo-3-organothio-diborazane

Ein cyclischer Vertreter ist bisher bekannt. Aus Hexamethyl-1,2,4,3,5-triazasilaborolidin erhält man mit Tris[methylthio]boran in Dichlormethan nach 2 Tagen bei 20° *3-Methylthio-tetramethyl-1,2,4,3,5-triazadiborolidin* ($Kp_{0,1}$: 30–32°) in 77%iger Ausbeute[1,2]:

---

[1] H. Nöth, W. Reichenbach u. W. Winterstein, B. **110**, 2158 (1977).
[2] H. Nöth, W. Reichenbach u. W. Winterstein, B. **110**, 2166 (1977).

$\alpha\alpha_8$) 1-Organo-1,3,3-tris[amino]-diborazane

Cyclische Vertreter werden aus anderen Diborazanen hergestellt.

Das aus Trichlorboran mit 2-Methylanilin in Gegenwart von Triethylamin neben B-Trichlor-N-tris[2-methylphenyl]-borazin entstehende 2,4-Dichlor-8-methyl-3-(2-methylphenyl)-1,2,3,4-tetrahydro-⟨benzo-1,3,2,4-diazadiborin⟩ (s. S. 327) läßt sich mit Dimethylamin ins *2,4-Bis[dimethylamino]-8-methyl-3-(2-methylphenyl)-1,2,3,4-tetrahydro-⟨benzo-1,3,2,4-diazadiborin⟩* überführen[1]:

Aus dem 3-Methylthio-Derivat des Tetramethyl-1,2,4,3,5-triazadiborolidins erhält man mit Dimethylamin in Diethylether nach einem Tag bei 20° in ~60%iger Ausbeute *3-Dimethylamino-tetramethyl-1,2,4,3,5-triazadiborolidin* (Kp_4: 56°)[2]:

β) B-Organo-1,3,5,2,4-triboradiazane

Zur Verbindungsklasse gehören offenkettige und cyclische Verbindungen mit der BNBNB-Atomgruppierung, die bis zu fünf Organo-Reste an den drei Bor-Atomen enthalten kann. Pentaorgano- und Tetraorgano-triboradiazane sind noch unbekannt. Beschrieben wurden cyclische sowie auch offenkettige 1,3,5-Triorganotriboradiazane; z.B.:

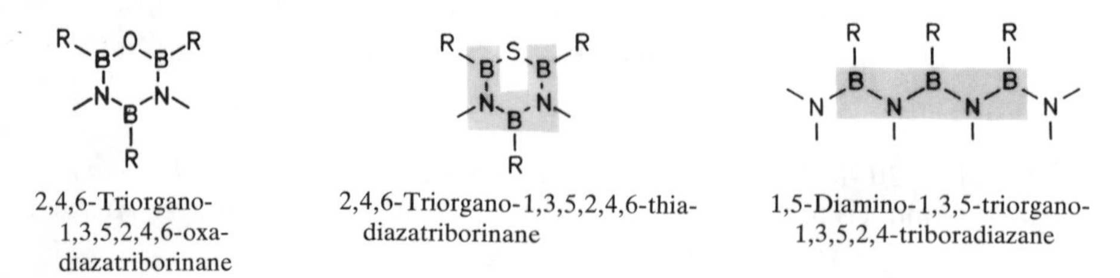

2,4,6-Triorgano-1,3,5,2,4,6-oxadiazatriborinane

2,4,6-Triorgano-1,3,5,2,4,6-thiadiazatriborinane

1,5-Diamino-1,3,5-triorgano-1,3,5,2,4-triboradiazane

Außerdem wurden 1,5-Diorganotriboradiazane und 3-Organotriboradiazane unterschiedlicher Strukturen und Substitution an den Bor-Atomen hergestellt; z.B.:

---

[1] H. S. Turner, R. I. Warne u. I. J. Lawrenson, Chem. Commun. **1965**, 20.

[2] H. Nöth, W. Reichenbach u. W. Winterstein, B. **110**, 2158 (1977).

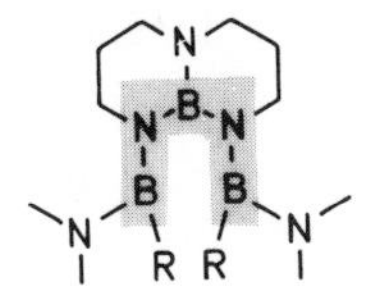

1,5-Diorgano-1,3,5-triamino-1,3,5,2,4-triboradiazane
(5,7-Bis[amino-organo-boryl]-1,5,7-triaza-6-bora-bicyclo[4.4.0]decane)

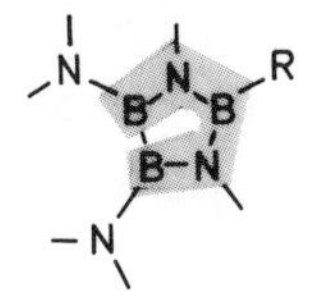

4,5-Diamino-2-organo-1,3,2,4,5-diazatriborolidine

Die Herstellung der Verbindungen erfolgt aus anderen Ring-Systemen durch Austausch von Kettengliedern oder auch aus Amino-organo-boranen mit Hilfe geeigneter Reagenzien bzw. Kondensationsmittel.

β_1) *1,3,5-Triorgano-1,3,5,2,4-triboradiazane*

3,5-Dimethyl-1,2,4,3,5-trithiadiborolan reagiert mit Ammoniak oder mit Methylamin durch Substitution der Schwefel-Atome durch Amino-Funktionen unter Bildung von 1,3-Dimethyldiborazanen (vgl. S. 315) und 2,4,6-Trimethylborazinen (vgl. S. 341) sowie in mäßigen Ausbeuten auch von 1,3,5,2,4,6-Thiadiazatriborinan[1]:

$$\text{3,5-Dimethyl-1,2,4,3,5-trithiadiborolan} \xrightarrow[-H_2S_2]{+2\ NH_3}$$

2,4,6-Trimethyl-1,3,5,2,4,6-thiadiazatriborinan; ~28%

$$\text{3,5-Dimethyl-1,2,4,3,5-trithiadiborolan} \xrightarrow[-H_2S_2]{+2\ H_3C-NH_2}$$

Pentamethyl-1,3,5,2,4,6-thiadiazatriborinan; ~5%; Kp_{10}: 90°

Mit prim. Aminosilanen lassen sich aus Bis-sek.-amino-organo-boranen durch Austausch der Amino-Reste zwischen Silan und Boran und Kondensation unter Austritt von sek. Amin BN-Ketten herstellen. *1,5-Bis[methylamino]-2,4-dimethyl-1,3,5-triphenyl-triboradiazan* (F: 252–256°) erhält man durch 8stdgs. Erhitzen von Bis[dimethylamino]-phenyl-boran mit Bis[methylamino]-diphenyl-silan im Verhältnis 1:2 am Rückfluß[2]:

$$3\ H_5C_6-B[N(CH_3)_2]_2 + 2\ (H_5C_6)_2Si(NH-CH_3)_2 \xrightarrow[-2\ (H_5C_6)_2Si[N(CH_3)_2]_2]{-2\ HN(CH_3)_2} H(H_3C)N-B(C_6H_5)-N(CH_3)-B(C_6H_5)-N(CH_3)-B(C_6H_5)-N(CH_3)H$$

[1] K. Barlos u. H. Nöth, Z. Naturf. **35b**, 415 (1980).
[2] H. Jenne u. K. Niedenzu, Inorg. Chem. **3**, 68 (1964).

Aus 3,5-Dimethyl-1,2,4,3,5-trithiadiborolan sind mit verschiedenen Reagenzien cyclische 1,3,5-Triorgano-1,3,5,2,4-triboradiazane zugänglich[1,2].

Mit (4-Fluorphenyl)-sulfinyl-amin erhält man neben anderen Produkten (vgl. S. 305f.) *1,3-Bis[4-fluorphenyl]-2,4,6-trimethyl-1,3,5,2,4,6-oxadiazatriborinan* (F: 153°) in 45%iger Ausbeute[2]:

u.a. Produkte (vgl. S. 305)

β_2) *1,5-Diorgano-1,3,5,2,4-triboradiazane*

Chlor-dimethylamino-phenyl-boran reagiert mit 5,7-Dilithio-1,5,7-triaza-6-bora-bicyclo[4.4.0]decan unter Abspalten von Lithiumchlorid zu *5,7-Bis[dimethylamino-phenyl-boryl]-1,5,7-triaza-6-bora-bicyclo[4.4.0]decan*[3]:

$$2\ H_5C_6-B(N(CH_3)_2)Cl \xrightarrow{-2\ LiCl}$$

β_3) *3-Organo-1,3,5,2,4-triboradiazane*

1,3,2,4,5-Diazatriborolidine gehören zur Verbindungsklasse der 1,3,5,2,4-Triboradiazane, da die BB-Bindungen definitionsgemäß die BN-Konjugation unterbrechen. Die Herstellung der Organo-1,3,2,4,5-diazatriborolidine erfolgt wegen der energiereichen BB-Bindung ausschließlich aus Diboran(4)-Derivaten (vgl. S. 408ff.).

Trotz vorhandener B–B-Bindung werden die Verbindungen an dieser Stelle besprochen, da nur deren BNB-Gruppierung und nicht deren BB-Gruppierung an Bor-Atome gebundene Organo-Reste enthalten.

Bis[dimethylamino]-1,2-dichlor-diboran(4) reagiert mit Bis[*N*-lithio-methylamino]-organo-boranen nach 4stdgm. Rühren in Ether bei −25° unter Bildung von 2-Organo-1,3,2,4,5-diazatriborolidinen; z.B.[4]:

$$+\ R-B[N(CH_3)Li]_2 \xrightarrow{-2\ LiCl}$$

...-1,3,2,4,5-diazatriborolidin

R = CH_3; *4,5-Bis[dimethylamino]-1,2,3-trimethyl-...*; 30%; $Kp_{0,001}$: 54–55°
R = C_4H_9; *4,5-Bis[dimethylamino]-2-butyl-1,3-dimethyl-...*; 20%; $Kp_{0,001}$: 92–93°

Butyl-Gruppen am B^2-Atom der 1,3,2,4,5-Diazatriborolidine bleiben unverändert erhalten, wenn mit Trichlorboran Dimethylamino-Substituenten an der 4- und 5-Position des Ringes gegen Chlor-Atome ausgetauscht werden[4]:

---

[1] K. Barlos u. H. Nöth, Z. Naturf. **35b**, 415 (1980).
[2] A. Meller, C. Habben, M. Noltemeyer u. G.M. Sheldrick, Z. Naturf. **37b**, 1504 (1982).
[3] P. Fritz, K. Niedenzu u. J.W. Dawson, Inorg. Chem. **4**, 886 (1965).
[4] H. Nöth u. G. Abeler, B. **101**, 969 (1968).

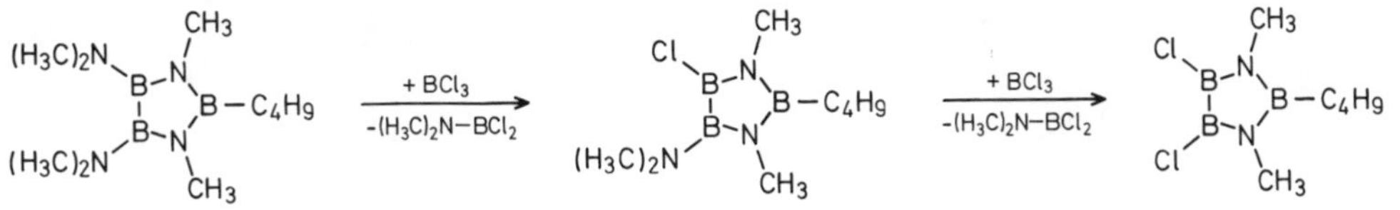

2-Butyl-5-chlor-1,3-dimethyl-4-dimethyl-amino-1,3,2,4,5-di-azatriborolidin

2-Butyl-4,5-dichlor-1,3-dimethyl-1,3,2-4,5-diazatriboro-lidin

γ) Tetraorgano-1,3,2,4-diazadiboretidine

Von den viergliedrig cyclischen Diamino-organo-boranen sind bislang nur solche bekannt, bei denen die NBN-Gruppierung dem Vierring angehört und die Organo-Gruppe *exo*-cyclisch steht.

Die viergliedrigen Cyclen entstehen aus 1,3-Diamino-diborazanen formal durch Cyclisierung über eines der beiden 1,3-Amino-Stickstoff-Atome:

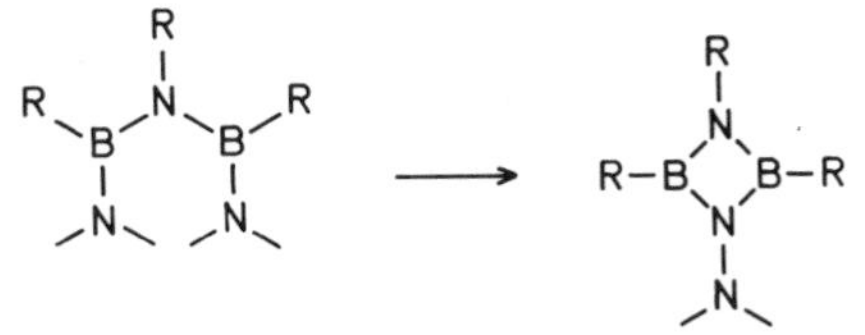

Zur Herstellung der 1,4-Diorgano-1,3,2,4-diazadiboretidine geht man von Triorganoboranen, vor allem aber von Dihalogen-organo-boranen sowie von bestimmten Amino-organo-boranen aus.

γ_1) *aus Diorgano-imino-boranen(2)*

In bestimmten Fällen (Organo-Reste am B- und N-Atom) liefert die Assoziation von Organoimino-organoboranen(2) (Bd. XIII/3a, S. 8ff.) Tetraorgano-1,3,2,4-diazadiboretidine[1].

γ_2) *aus Triorganoboranen*

Aus Triorganoboranen sind 2,4-Diorgano-1,3,2,4-diazadiboretidine zwar nicht direkt, aber über isolierbare Zwischenprodukte zugänglich.

Aus Trialkylboran erhält man in 2-Methylbutan bei −30° mit Benzonitril unter Allyloborierung der C≡N-Bindung das bei 20° isolierbare Dimere des Additionsproduktes (40%; F: 105°). Das 1,3,2,4-Diazoniadiboratidin erfährt beim Schmelzen eine [3.3]-Allyl-Umlagerung zum *1,3-Bis[1-phenylallyl]-2,4-diallyl-1,3,2,4-diazadiboretidin*. Setzt man Acetonitril oder Acrylnitril ein, so kann aus der Reaktionslösung das entsprechende 1,3,2,4-Diazadiboretidin direkt herausdestilliert werden[2]:

[1] P. Paetzold u. C. v. Plotho, Technische Hochschule Aachen, unveröffentlicht 1982.
[2] Y.N. Bubnov, V.S. Bogdanov u. B.M. Mikhailov, Ž. obšč. Chim. **38**, 260 (1968); C.A. **69**, 52200 (1968).

$$2\,(H_2C{=}CH{-}CH_2)_3B \; + \; 2\,R{-}CN \longrightarrow$$

...-2,4-diallyl-1,3,2,4-diazadiboretidin

R = CH_3; *1,3-Bis[1-allyl-1-methyl-3-butenyl]-...*; 92%; $Kp_{1,5}$: 134–135°
R = $CH{=}CH_2$; *1,3-Bis[1,1-diallylallyl]-...*; 68%; $Kp_{1,5}$: 147–149°

γ_3) *aus Halogen-organo-boranen*

Dichlor-organo-borane reagieren mit prim. Aminen im allgemeinen unter Bildung von Amino-chlor-organo-boranen (vgl. S. 140 ff.), aus denen unter Abspaltung von Chlorwasserstoff Hexaorganoborazine (vgl. S. 343) gebildet werden.

$$R^1{-}BCl_2 + H_2N{-}R^2 \xrightarrow{-HCl} R^1(Cl)B{-}NH{-}R^2 \xrightarrow{-HCl} 1/n\,(R^1{-}BN{-}R^2)_n$$

Nur bei Anwesenheit spezieller Reste R und R^1 werden die Cyclodimeren $(RBNR^1)_2$ erhalten. Beispielsweise entsteht aus Dichlor-(pentafluorphenyl)-boran und der äquimolaren Menge 4-Methoxyanilin in siedendem Benzol innerhalb von Tagen als Nebenprodukt zu 13% *1,3-Bis[4-methoxyphenyl]-2,4-bis[pentafluorphenyl]-1,3,2,4-diazadiboretidin*[1]:

$$2\,F_5C_6{-}BCl_2 + 2\,H_2N{-}C_6H_4{-}OCH_3 \xrightarrow{-4\,HCl} H_3CO{-}C_6H_4{-}N(B{-}C_6F_5)_2N{-}C_6H_4{-}OCH_3$$

Zu den extrem hydrolyse- und oxidationsempfindlichen Tetraalkyl-1,3,2,4-diazadiboretidinen gelangt man aus Dibrom-methyl-boran mit 1,3,2,4-Diazadistannetidin durch Austausch der beiden Zinn-Gruppierungen gegen entsprechende Bor-Gruppierungen[2].

Aus Dihalogen-organo-boranen wurden mit Aminostannanen bisher vor allem 1,3,2,4-Diazadiboretidine[2] hergestellt. Die Verwendung der Aminostannane mit der energiereichen Sn–N-Bindung dürfte zur Gewinnung bestimmter Diamino-organo-borane optimal sein; z. B.[2]:

$$R{-}BBr_2 + [(H_3C)_2Sn{-}N(C(CH_3)_3)]_2 \xrightarrow[-(H_3C)_2SnBr_2]{CH_2Cl_2} [R{-}B{-}N(C(CH_3)_3)]_2$$

---

[1] P. I. PAETZOLD u. W. M. SIMSON, Ang. Ch. **78**, 825 (1966); engl.: **5**, 842 (1966).
[2] W. STORCH, W. JACKSTIESS, H. NÖTH u. G. WINTER, Ang. Ch. **89**, 494 (1977); engl.: **16**, 478 (1977).

1,3-Di-tert.-butyl-2,4-dimethyl-1,3,2,4-diazadiboretidin[1]**:** Zu 9,5 g (22 mmol) 1,3-Di-tert.-butyl-2,2,4,4-tetramethyl-1,3,2,4-diazadistannetan in 15 *ml* Dichlormethan tropft man bei −65° unter Rühren 4,1 *ml* (43 mmol) Dibrom-methyl-boran in 10 *ml* Dichlormethan. Nach Auftauen und 2 Stdn. Kochen unter Rückfluß wird alles Flüchtige i. Vak. abkondensiert und der Rückstand fraktionierend sublimiert. Bei 30–65° (Bad) sublimieren 12 g (90%) Dibrom-dimethyl-stannan (bei 10^{-2} Torr) und bei 80–100°/10^{-2} Torr 2,5 g (67%) Diazadiboretidin.

γ_4) *aus Amino- und Azido-organo-boranen*

Tetraorgano-1,3,2,4-diazaboretidine sind aus Verbindungen mit C_2BN- oder CB(N)Hal-Atom-Gruppierung zugänglich.

Die thermische Isomerisierung der Octaalkyl-1,4,2,5-diazadiborinane führt bei ~300° unter Wanderung von Alkyl-Resten von den Bor-Atomen an die Kohlenstoff-Atome und gleichzeitiger (oder anschließender) RBN_2-Bildung zu 2,4-Bis[trialkylmethyl]-1,3-dialkyl-1,3,2,4-diazadiboretidinen[2]:

-300 °

R_3C-B $B-CR_3$; R^1

Aus Azido-diaryl-boranen erhält man unter Stickstoff-Austritt bei der thermischen Umlagerung der Organo-Reste vom Bor- zum N^1-Atom der Azido-Gruppe Tetraaryl-1,3,2,4-diazadiboretidine. Beim Erhitzen bildet sich wahrscheinlich zunächst ein Aryl-arylimino-boran(2) (vgl. Bd. XIII/3a, S. 8), das zum Tetraaryl-1,3,2,4-diazadiboretidin dimerisiert. Durch Hochvakuumdestillation lassen sich die Tetraaryl-1,3,2,4-diazadiboretidine als gelbe, nicht kristallisierende Festkörper isolieren. Verunreinigungen durch Borazine sind nicht auszuschließen[3,4]:

$$2\ Ar_2B-N_3 \xrightarrow{-2N_2} (ArB-NAr)_2$$

Tetra-tert.-butyl-1,3,2,4-diazadiboretidin (F: 92°) läßt sich in 69%iger Ausbeute aus tert.-Butyl-(tert.-butyl-trimethylsilyl-amino)-chlor-boran (vgl. S. 155) durch Thermolyse (530°; vgl. Bd. XIII/3a, S. 9) in Hexan bei 50° gewinnen[5]:

$$(H_3C)_3C-B(Cl)-N(C(CH_3)_3)-Si(CH_3)_3 \xrightarrow[2.\ Hexan/50°]{1.\ 530°\ [-(H_3C)_3Si-Cl]} 1/2\ [(H_3C)_3C-B-N-C(CH_3)_3]_2$$

[1] W. Storch, W. Jackstiess, H. Nöth u. G. Winter, Ang. Ch. **89**, 494 (1977); engl.: **16**, 478.
[2] G. Hesse, H. Witte u. G. Bittner, A. **687**, 9 (1965).
[3] P.I. Paetzold, Z. anorg. Ch. **326**, 53 (1963).
[4] P.I. Paetzold, P.P. Habereder u. R. Müllbauer, J. Organometal. Chem. **7**, 51 (1967).
[5] P. Paetzold u. C. v. Plotho, Technische Hochschule Aachen, unveröffentlicht 1982.

δ) B-Organoborazine

Die Herstellungsmethoden von B-Organoborazinen (den cyclischen B-Organo-1,3,5,2,4,6-triazatriborinanen)[1-3] werden wegen der besonderen Stabilität des Borazin-Rings und der damit verbundenen z. Tl. speziellen Herstellungsmethoden von den übrigen Stoffklassen getrennt behandelt.

Der Abschnitt ist unterteilt in 2,4,6-Triorgano-, 2,4-Diorgano- und 2-Organo-borazine:

$R^1_3B_3N_3B^2_3$ $\qquad$ $R^1_2\,X\,B_3N_3R^2_3$ $\qquad$ $R^1X_2B_3N_3R_3{}^2$

$X = H, F, Cl, Br, CN, N_3, NR^3_2, SR^3$

Außerdem werden alle mehrcyclischen Organoborazine, die über NN- oder BB-Einfachbindungen miteinander verbunden sind (z.B. 1,1'- und 2,2'-Biborazinyle) in einem gesonderten Abschnitt besprochen:

1,1'-Biborazinyl $\qquad$ 2,2'-Biborazinyl

Darüber hinaus werden die Herstellungsmethoden der BN-verknüpften 1,2'-Biborazinyle und der Bis- und Tris[2-borazinyl]amine sowie der Bis- und Tris[1-borazinyl]borazine auf S. 379ff. mit den Verbindungen besprochen, die verzweigte, konjugierte BN-Ketten enthalten.

Organoborazine lassen sich aus Organoboranen durch Aufbau des Borazin-Gerüstes oder aus Borazinen durch Substitutionen herstellen.

Zum Aufbau eines Borazinrings geht man im allgemeinen von einem Boran (R^1BX_2) mit zwei mehr oder weniger leicht abspaltbaren Substituenten X und einem Amin (R^2NA_2) mit zwei leicht abspaltbaren Substituenten A aus:

$$3\ A_2R^2N^{\oplus}\text{—}^{\ominus}BR^1X_2 \xrightarrow{-AX} 3\ R^1(X)B\text{—}N(R^2)A\ (\mathrm{I}) \xrightarrow{-AX} R^1_3B_3N_3R^2_3$$

$AX = H_2, HR^1, HNR^3_2, HOR^3, HSR^3, HCl, HBr, ClSi(CH_3)_3$ u. a.

---

[1] *Gmelin*, 8. Aufl., **51**/17, S. 72, 129, 166; 206, 224, 228 (1978).
[2] *Gmelin*, 8. Aufl., **13**/1, S. 267 (1974).
[3] *Gmelin*, 8. Aufl., **23**/5, S. 121 (1975).

Vielfach ist das Zwischenprodukt I bequem und als reines Aminoboran isolierbar, so daß man es direkt für den Borazin-Aufbau einsetzen kann. In selteneren Fällen spaltet man zur Herstellung der Borazine drei Äquivalente AX aus einem entsprechenden Ammoniumborat II (A = H) ab.

$$[R^2NH_3]^+[R^1BX_3]^- \xrightarrow[-HX]{} \xrightarrow[-HX]{} \xrightarrow[-HX]{} 1/3\ R^1_3B_3N_3R^2_3$$

II

Die Reaktion vom Aminoboran zum Borazin besteht aus mehreren Teilschritten. Setzt man das Aminoboran in nicht allzu hoher Verdünnung ein, geht man also von einer Schmelze des Aminoborans oder einer Lösung gewöhnlicher Konzentration aus, so verläuft die Reaktion über BN-Ketten-Verbindungen als Zwischenprodukte[1], die gelegentlich faßbar sind[2]. So hat man z.B. Ketten vom Typ

$$ANR^2\text{-}BR^1\text{-}NR^2\text{-}BR^1\text{-}NR^2A$$

isoliert und diese dann gezielt mit einem Organoboran (R^3BX_2) zum Borazin des Typs III kondensiert.

$$\text{A-N(R}^2\text{)-B(R}^1\text{)-N(R}^2\text{)-B(R}^1\text{)-N(R}^2\text{)-A} + R^3\text{-}BX_2 \xrightarrow[-2\ AX]{} \text{III}$$

III

Von den abspaltenden Resten A wurde auf breitester Basis das Hydrogen-Atom (A = H) untersucht. Einen sehr bequemen Zugang zu den Borazinen eröffnet auch die von Aminen z.B. $R^2–N[Si(CH_3)_3]_2$, ausgehende „Silazan-Spaltung" [$A = Si(CH_3)_3$], meist in Verbindung mit X = Cl, während die Abspaltung anderer Halbmetall-Reste vom Aminstickstoff, z.B. $A = BR^1_2$, seltener angewendet wird.

Als abspaltender Rest X spielt das Chlorid-Ion die größte Rolle. Aber auch andere Bor-Substituenten, die elektronegativer als das Bor sind, können zur Borazin-Synthese abgespalten werden; z.B. andere Halogenid-Ionen, der Alkoxy-, Alkylthio- und Amino-Rest und – meist bei höherer Temperatur – auch der Alkyl- oder Hydrogen-Rest.

Andere Methoden zum Aufbau des Borazin-Gerüsts spielen demgegenüber keine präparativ interessante Rolle, da die Synthesen der Edukte zu aufwendig und die Borazin-Ausbeuten zu gering sind. Dies gilt u.a. für die unter Umlagerung zerfallenden Azido-diorgano-borane[3–5] bzw. Diorgano-(silyl-silyloxy-amino)-borane[6]:

$$R^2_3\overset{\oplus}{N}—\overset{\ominus}{B}R^1_2—N_3 \xrightarrow[-N_2,\ -R^2_3N]{200°} 1/3(R^1BNR^1)_3$$

$$R_2B—N[Si(CH_3)_3][OSi(CH_3)_3] \xrightarrow[-[(H_3C)_3Si]_2O]{100°} 1/3(RBNR)_3$$

---

[1] vgl. I.B. Atkinson u. B.R. Currell, Inorg. Macromol. Rev. **1**, 203 (1971).
[2] R. Köster, H. Bellut u. S. Hattori, A. **720**, 1 (1968).
[3] P.I. Paetzold, Z. anorg. Ch. **326**, 58 (1963); C.A. **60**, 9302 (1964).
[4] P.I. Paetzold u. H.J. Hansen, Z. anorg. Ch. **345**, 79 (1966); C.A. **65**, 4981 (1966).
[5] P.I. Paetzold, P.P. Habereder u. R. Müllbauer, J. Organometal. Chem. **7**, 51 (1967).
[6] B. Dickmann, Dissertation Technische Hochschule Aachen, 1978.

Zur Herstellung bestimmter B-Organoborazine ist es oft zweckmäßig, von den in der Regel einfach zugänglichen B-Hydro- oder B-Chlor-borazinen auszugehen, die entweder mit einer metallorganischen Verbindung umgesetzt oder an Carbene bzw. Carbenoide addiert werden.

Des weiteren sind zahlreiche borferne Reaktionen der Borazine bekannt, die z.Tl. präparativ interessante Möglichkeiten bieten, Borazin-Derivate herzustellen, die auf anderen Wegen schlecht oder nicht zugänglich sind. Als Beispiele werden die Alkylierung von Ring-NH-Gruppierungen über die *N*-Lithioborazine, die Hydrierung ungesättigter bzw. die Dehydrierung gesättigter Seitenketten sowie die Friedel-Crafts-Reaktionen an aromatischen Ring-Substituenten genannt.

δ_1) *2,4,6-Triorganoborazine*

$\delta\delta_1$) aus Trialkylboranen

Beim Erhitzen von Tripropyl- bzw. Triethyl-boran mit Ammoniak bzw. prim. Aminen im Autoklaven werden unter Abspaltung von Wasserstoff, Alken und Alkan 2,4,6-Trialkylborazine erhalten. Die Ausbeuten sind z.Tl. gut (vgl. a.S. 360)[1]:

$$R^2\text{—}\overset{\oplus}{N}H_2\text{—}\overset{\ominus}{B}R^1_3 \xrightarrow[\substack{-H_2 \\ -\text{Alken} \\ -\text{Alkan}}]{} 1/3\ R^1_3B_3N_3R^2_3$$

Man geht somit von Lewisbase-Triorganoboranen aus und setzt diese am besten im Autoklaven mit Wasserstoff unter Druck (~400 at) bei 180–210° um[2]. Die detaillierte Besprechung der Methode erfolgt auf S. 359ff.

$\delta\delta_2$) aus Hydro-organo-boranen

Die Herstellung von 2,4,6-Triorganoborazinen aus Hydro-organo-boranen mit Aminen verläuft stets über die Amin-Hydro-organo-borane. Die Methode wird daher auf S. 360 beschrieben.

$\delta\delta_3$) aus Halogenboranen

Alkyl-dichlor-borane gehen mit prim. Aminen meist schon ohne starkes Erhitzen in die entsprechenden Borazine über, wenn man das freiwerdende Hydrogenchlorid mit einem Überschuß des Amins abfängt[3]:

$$R^1\text{—}BCl_2 \quad + \quad 3\ R^2\text{—}NH_2 \xrightarrow[-2\,[R^2NH_3]Cl]{} 1/3\ R^1_3B_3N_3R^2_3$$

Nebenprodukte sind vielfach Alkyl-diamino-borane. Im Falle schwach basischer prim. Amine fügt man als Abfangbase Triethylamin zu.

Als Variante ist die Abspaltung von Hydrogenhalogenid aus Alkyl-amino-chlorboranen anzusehen, die in situ hergestellt werden (s.S. 343).

2,4,6-Tri-1-alkenylborazine lassen sich entsprechend den Trialkylborazinen aufbauen. Hierzu wird das primäre Amin an das 1-Alkenyl-dichlor-boran addiert und aus dem

[1] H. Wille u. J. Goubeau, B. **105**, 2156 (1972).
[2] G.C. Culling, M.J.S. Dewar u. P.A. Marr, Am. Soc. **86**, 1125 (1964).
[3] R. Köster, G. Bruno u. P. Binger, A. **644**, 1 (1961).

Addukt thermisch Hydrogenchlorid in Gegenwart überschüssigen primären Amins abgespalten[1–5]:

$$R^1_{en}BCl_2 \; + \; 3\,R^2NH_2 \xrightarrow[-2\,[R^2-NH_3]^+Cl^-]{} 1/3\;(R^1_{en})_3B_3N_3R^2_3$$

z. B.: $R^1_{en} = CH{=}CH{-}CH_3$; $R^2 = C_4H_9$; *1,3,5-Tributyl-2,4,6-tri-1-propenyl-borazin*[2,3]; 75%; $Kp_{0,0001}$: 34°
$R^1_{en} = CH{=}CH{-}Cl$; $R^2 = H$; *2,4,6-Tris[2-chlorvinyl]borazin*[1,2]; 70%; F: 127–128,5°

Zur Herstellung der *2,4,6-Tris[ferrocenyl]borazine* (89%; F: 259°) s. Lit.[5].
Die Herstellung von 2,4,6-Triarylborazinen aus Aryl-dichlor-boranen mit Ammoniak oder prim. Aminen stellt eine breit anwendbare Methode dar. Um gute Ausbeuten zu erzielen, fängt man das freiwerdende Hydrogenchlorid entweder mit einem Überschuß des primären Amins ab, oder man gibt Triethylamin als Abfangmittel hinzu. Statt des prim. Amins kann auch Ammoniak verwendet werden, das man entweder durch oder über die etherische bzw. benzolische Lösung des Borans leitet[1,6–14]:

$$Ar-BCl_2 \; + \; 3\,R-NH_2 \xrightarrow[-2\,[R-NH_3]^+Cl^-]{} 1/3\;Ar_3B_3N_3R_3$$

z. B.: $Ar = C_6H_5$; $R = H$; *2,4,6-Triphenylborazin*[7]; 96%; F: 180–182° (184–185°)[8]
$Ar = 4\text{-}CH_3{-}C_6H_4$; $R = H$; *2,4,6-Tris[4-methylphenyl]borazin*[8,9]; 64–80%; F: 189–190°
$Ar = 4\text{-}Cl{-}C_6H_4$; $R = H$; *2,4,6-Tris[4-chlorphenyl]borazin*[8]; 91%; F: 269–270°
$Ar = 4\text{-}Br{-}C_6H_4$; $R = H$; *2,4,6-Tris[4-bromphenyl]borazin*[8]; 66%; F: 292–293°
$Ar = C_6F_5$; $R = H$; *2,4,6-Tris[pentafluorphenyl]borazin*[12]; F: 211–213°

In Gegenwart von tert. Aminen setzt man äquimolare Mengen Aryl-dichlor-boran und prim. Amin miteinander um:

$$Ar-BCl_2 \; + \; R-NH_2 \; + \; 2\,N(C_2H_5)_3 \xrightarrow[-2\,[(H_5C_2)_3NH]^+Cl^-]{} 1/3\;Ar_3B_3N_3R_3$$

z. B.: $Ar = 2\text{-}CH_3{-}C_6H_4$; $R = CH_3$; *1,3,5-Trimethyl-2,4,6-tris[2-methylphenyl]-borazin*[1]; 100%; F: 217–222°
$Ar = 3\text{-}CH_3{-}C_6H_4$; $R = CH_3$; *1,3,5-Trimethyl-2,4,6-tris[3-methylphenyl]-borazin*[1]; 54%; F: 192°
$Ar = 2\text{-}C_2H_5{-}C_6H_4$; $R = CH_3$; *1,3,5-Trimethyl-2,4,6-tris[2-ethylphenyl]-borazin*[11]; 90%; F: 150–151°
$Ar = C_6H_5$; $R = C_2H_5$; *1,3,5-Triethyl-2,4,6-triphenyl-borazin*[3]; 72%; F: 205–206°
$R = C_3H_7$; *2,4,6-Triphenyl-1,3,5-tripropyl-borazin*[13]; 64%; F: 170–172°
$R = (CH_2)_2{-}CH{=}CH_2$; *1,3,5-Tri-3-butenyl-2,4,6-triphenyl-borazin*[14]; 15%; F: 127°
$R = 4\text{-}N(CH_3)_2{-}C_6H_4$; *2,4,6-Triphenyl-1,3,5-tris[4-dimethylaminophenyl]-borazin*[10]; F: 320–321°
$Ar = 1\text{-Naphthyl}$; $R = C_2H_5$; *1,3,5-Triethyl-2,4,6-tri-1-naphthyl-borazin*[3]; 46%; F: 269–271°

---

[1] W. L. Ruigh, Congr. Intern. Chim. Pure et Appl. 16. Paris 1957, Mem. Séct. Chim. Minérale, S. 545; C. A. **54**, 10914 (1960).
[2] W. L. Ruigh, W. R. Dunnavant, F. C. Gunderloy, jr., N. G. Steinberg, M. Sedlak u. A. D. Olin, Advan. Chem. Ser. **22**, 241 (1961); C. A. **56**, 8904 (1962).
[3] J. Braun, C. R. **256**, 2422 (1963); C. A. **59**, 5181 (1963).
[4] J. Braun u. H. Normant, Bl. **1966**, 2557; C. A. **66**, 2608 (1967).
[5] J. C. Kotz u. W. Painter, J. Organometal. Chem. **32**, 231 (1971).
[6] B. M. Mikhailov u. P. M. Aronovich, Izv. Akad. SSSR **1957**, 1123; C. A. **52**, 6238 (1958).
[7] B. M. Mikhailov u. T. V. Kostroma, Izv. Akad. SSSR **1957**, 1125; C. A. **52**, 6238 (1958).
[8] B. M. Mikhailov, A. N. Blokhina u. T. V. Kostroma, Z. obšč. Chim. **29**, 1483 (1959); C. A. **54**, 8685 (1960).
[9] W. Gerrard, M. Howarth, E. F. Mooney u. D. E. Pratt, Soc. **1963**, 1582.
[10] Japan 7898 (1965/1962), Shionogi & Co, Ltd., Erf.: T. Nakagawa, H. Watanabe, I. Nagawasa u. T. Totani; C. A. **63**, 13314 (1965).
[11] G. C. Brown, B. E. Deuters u. W. Gerrard, J. appl. Chem. **15**, 372 (1965).
[12] R. Appel, H. Heinen u. R. Schöllhorn, B. **99**, 3118 (1966).
[13] B. R. Currell, W. Gerrard u. M. Khodabocus, J. Organometal. Chem. **8**, 411 (1967).
[14] H. Wille u. J. Goubeau, B. **105**, 2156 (1972).

1,3,5-Triethyl-2,4,6-triphenyl-borazin[1]**:** Zu 41,4 g (0,92 mol) Ethylamin in Benzol gibt man bei −30° 31,8 g (0,20 mol) Dichlor-phenyl-boran in Benzol. Innerhalb 2 Stdn. läßt man die Mischung auf 20° kommen und filtriert das Salz ab. Der erste Anteil an Produkt fällt beim Einengen des Filtrats aus. Nach dem Abdestillieren von Bis[ethylamino]-phenyl-boran (Nebenprodukt) läßt sich aus dem Destillationsrückstand mit Hilfe von Benzol/Petrolether der zweite Produktanteil kristallisieren; Gesamtausbeute: 5,5 g (21%); F: 205–207°.

Die Umsetzung gleichmolarer Mengen an Alkyl-dihalogen-boran und Bis[trimethylsilyl]aminen ermöglicht gezielte, glatt verlaufende Borazin-Synthesen[2,3].

$$R^1{-}BHal_2 \quad + \quad R^2{-}N[Si(CH_3)_3]_2 \quad \xrightarrow[-2\,(H_3C)_3SiHal]{} \quad 1/3\ R^1_3B_3N_3R^2_3$$

Hexamethylborazin[3]**:** 7,1 g (38,2 mmol) Dibrom-methyl-boran und 6,73 g (38,5 mmol) Heptamethyldisilazan werden bei der Temp. von flüssigem Stickstoff zusammenkondensiert und die feste Mischung auf −78° erwärmt. In einer heftigen Reaktion entsteht eine farblose Flüssigkeit. Man läßt das Reaktionsgut 2 Tage bei 0° stehen, kondensiert Brom-trimethyl-silan ab und sublimiert das Produkt bei 40° i. Hochvak. aus dem Rückstand heraus; F: 97–98° (aus Pentan).

Auf ähnliche Weise erhält man z. B.[2]:

2,4,6-Trimethylborazin	79%; F: 29–31°; Kp_{720}: 118–120°
2,4,6-Tripropylborazin	87%; Kp_{15}: 117–118°
2,4,6-Tributylborazin	95%; Kp_1: 90–91°
2,4,6-Tri-tert.-butylborazin	91%; F: 32°

Die „Silazanspaltung" stellt auch eine vorzügliche Methode zur Herstellung von B-Arylborazinen dar[2,3]:

$$H_5C_6{-}BCl_2 \quad + \quad R{-}N[Si(CH_3)_3]_2 \quad \xrightarrow[-2\,(H_3C)_3SiCl]{} \quad 1/3\,(H_5C_6)_3B_3N_3R_3$$

z. B.: R = H; *2,4,6-Triphenylborazin*[2]; 86%; F: 181–183°
R = CH_3

1,3,5-Trimethyl-2,4,6-triphenyl-borazin[3]**:** Zu 6,02 g (37,9 mmol) Dichlor-phenyl-boran tropft man 6,62 g (37,7 mmol) Heptamethyldisilazan und läßt die Mischung 3 Wochen bei 20° stehen. Farblose Kristalle scheiden sich ab. 7,91 g (72,8 mmol, 96%) an Chlor-trimethyl-silan lassen sich abkondensieren. Das Rohprodukt wird aus Benzol umkristallisiert; Ausbeute: 4,2 g (96%); F: 267°.

Anstatt von einem Disilazan als Amin-Komponente kann man auch vom entsprechenden 2,2,4,4,6,6-Hexamethylcyclotrisilatriazan ausgehen[4].

Zur Herstellung von 2,4,6-Triorganoborazinen kann man auch von Trichlorboran mit primären Aminen ausgehen und das entstandene 2,4,6-Trichlorborazin dann mit metallorganischen Verbindungen an den Bor-Atomen alkylieren bzw. arylieren. Die Methode wird, da das Trichlorborazin isoliert werden kann, auf S. 353ff. besprochen.

$$BCl_3 \quad + \quad R^2{-}NH_2 \quad \xrightarrow[-2\,HCl]{} \quad \xrightarrow[-MgClBr]{+R^1{-}MgBr} \quad 1/3\ R^1_3B_3N_3R^2_3$$

2,4,6-Triethyl-1,3,5-tris[4-dimethylaminophenyl]- (F: 297–299°)[5] und *1,3,5-Triphenyl-2,4,6-tris[4-dimethylaminophenyl]-borazin* (F: 322°) lassen sich analog gewinnen[6].

[1] B. M. Mikhailov u. P. M. Aronovich, Izv. Akad. SSSR **1957**, 1123; C. A. **52**, 6238 (1958).
[2] H. Nöth, Z. Naturf. **16b**, 618 (1961); C. A. **57**, 15134 (1962).
[3] H. Nöth u. M. J. Sprague, J. Organometal. Chem. **22**, 11 (1970).
[4] E. W. Abel, D. A. Armitage, R. P. Bush u. G. R. Willey, Soc. **1965**, 62.
[5] B. M. Mikhailov u. T. V. Kostroma, Izv. Akad. SSSR **1957**, 1125; C. A. **52**, 6238 (1958).
[6] B. M. Mikahilov u. T. V. Kostroma, Ž. obšč. Chim. **29**, 1477 (1959); C. A. **54**, 8684 (1960).

Auch durch Umsetzung von Aryl-chlor-isobutyloxy-boran mit einem Überschuß an primärem Amin bei 20° werden 2,4,6-Triarylborazine erhalten (über die Zwischenstufen ist wenig bekannt)[1,2]:

$$2\,Ar{-}B[O{-}CH_2{-}CH(CH_3)_2]Cl \;+\; 3\,R{-}NH_2 \xrightarrow[-Ar-B[O-CH_2CH(CH_3)_2]_2]{-2\,[R-NH_3]^+Cl^-} 1/3\,Ar_3B_3N_3R_3$$

z.B.: $Ar = C_6H_5$; $R = H$; *2,4,6-Triphenylborazin*[1]; F: 181–182,5°
$Ar = 4\text{-}CH_3{-}C_6H_4$; $R = H$; *2,4,6-Tris[4-methylphenyl]borazin*[1]; 83%; F: 189–190°
$R = C_6H_5$; *1,3,5-Triphenyl-2,4,6-tris[4-methylphenyl]-borazin*[2]; 39%; F: 282–284°
Ar = 1-Naphthyl; $R = H$; *2,4,6-Tri-1-naphthylborazin*[1]; 85%; F: 185–187°

$\delta\delta_4$) aus Alkoxy-organo-boranen

Die Abspaltung von Alkoholen aus einer Mischung von Aryl-dialkoxy-boranen und primärem Amin hat keine große präparative Bedeutung[3]:

$$H_5C_6{-}B[O{-}CH_2{-}CH(CH_3)_2]_2 \;+\; H_2N{-}C_6H_4{-}CH_3 \xrightarrow[-2\,(H_3C)_2CH-CH_2-OH]{} 1/3\,(H_5C_6)_3B_3N_3(C_6H_4{-}CH_3)_3$$

2,4,6-Triphenyl-1,3,5-tris[4-methylphenyl]-borazin; 42%; F: 325–327°

$\delta\delta_5$) aus Organo-thio-boranen

Leitet man trockenes Ammoniak durch Alkyl-bis[butylthio]-borane, so erhält man unter Abspaltung von Butanthiol in guten Ausbeuten 2,4,6-Trialkylborazine[4,5]:

$$R{-}B(SC_4H_9)_2 \;+\; NH_3 \xrightarrow[-2\,C_4H_9SH]{} 1/3\; R_3B_3N_3H_3$$

z.B.: $R = C_3H_7$; *2,4,6-Tripropylborazin*[4]; 86%; Kp_6: 106,5°
$R = CH(CH_3)_2$; *2,4,6-Triisopropylborazin*[4]; 84%; Kp_7: 87,5–88°
$R = C_4H_9$; *2,4,6-Tributylborazin*[4]; 80%; Kp_4: 135,5°
$R = CH_2{-}CH_2{-}CH(CH_3)_2$; *2,4,6-Tris[3-methylbutyl]borazin*[5]; 88%; $Kp_{0,1}$: 114–115,5°

Aus Allyl-bis[ethylthio]-boran läßt sich in 57%iger Ausbeute *2,4,6-Triallylborazin* herstellen[6].

Die glatt verlaufende Reaktion von Bis[butylthio]-phenyl-boran mit Ammoniak[5], die ohne Zweifel über das Addukt der Komponenten (vgl. S. 635) als Zwischenstufe verläuft, sollte sich als Modellreaktion zur Herstellung einer Fülle von 2,4,6-Triarylborazinen heranziehen lassen:

$$H_5C_6{-}B(SC_4H_9)_2 \;+\; NH_3 \longrightarrow 1/3\;(H_5C_6)_3B_3N_3H_3$$

2,4,6-Triphenylborazin; 95%; F: 178–180°

---

[1] Japan 30170 (64) (1962), Shionogi & Co., Ltd., Erf.: T. NAKAGAWA, T. TOTANI, H. WATANABE u. K. NAGASAWA; C.A. **62**, 13179 (1965).
[2] Japan 30171 (64) (1962), Shionogi & Co., Ltd., Erf.: H. WATANABE, K. NAGASAWA u. T. TOTANI; C.A. **62**, 13180 (1965).
[3] B.M. MIKHAILOV u. P.M. ARONOVICH, Ž. obšč. Chim. **29**, 3124 (1959); C.A. **54**, 13035 (1960).
[4] B.M. MIKHAILOV u. T.K. KOZMINSKAYA, Izv. Akad. SSSR **1960**, 2247; engl.: 2084; C.A. **55**, 14286 (1961).
[5] B.M. MIKHAILOV, T.K. KOZMINSKAYA, N.S. FEDOTOV u. V.A. DOROKHOV, Doklady Akad. SSSR **127**, 1023 (1959); engl.: 643; C.A. **54**, 514 (1960).
[6] B.M. MIKHAILOV u. F.B. TUTORSKAYA, Ž. obšč. Chim. **32**, 833 (1962); engl.: 827; C.A. **58**, 3452 (1963).

Die Aminolysen von Dimethyl-1,2,4,3,5-trithiadiborolan führen in nur untergeordneten Anteilen zu *2,4,6-Trimethylborazinen*. Hauptsächlich werden 1,2,4,3,5-Dithiaazadiborolidine (vgl. S. 307) und 1,3,5,2,4,6-Thiadiazatriborane (vgl. S. 331) sowie auch offenkettige Amino-organo-organothio-borane[1] erhalten.

$\delta\delta_6$) aus Aminoboranen

i_1) aus Amino-diorgano-boranen

Die Abspaltung von Alkanen und Alkenen aus Alkyl-amino-boranen liefert 2,4,6-Trialkylborazine. Beim Erhitzen von Amino-dialkyl-boranen auf ~200° spaltet sich ein Alken unter Wasserstoff-Entwicklung ab, daneben wird je nach Reaktionsbedingungen auch mehr oder weniger Alkan freigesetzt. Flüchtigere Alkyl-amino-borane erhitzt man im Autoklaven unter Wasserstoff-Druck[2], weniger flüchtige zerfallen schon beim Erhitzen zum Rückfluß [z.B. bei der Herstellung von *2,4,6-Tributylborazin* ($Kp_{0,6}$: 105–106°) zu 50% (13 Stdn. Rückfluß)][3]. Die Produkte werden destillativ aufgearbeitet.

$$(C_nH_{2n+1})_2B{-}NH_2 \longrightarrow 1/3\,(C_nH_{2n+1})_3B_3N_3H_3 + x\,H_2 + x\,C_nH_{2n} + (1-x)C_nH_{2n+2}$$

2,4,6-Tripropylborazin[3]: 42 g Amino-dipropyl-boran werden unter 60 at Wasserstoff im 200-*ml*-Autoklaven 22 Stdn. auf 220–260° erhitzt. Der Druck steigt von 60 auf 67 at/20° an (p_{max}: 155 at/260°). 14 g Gas (Wasserstoff, Propen, Propan) werden abgeblasen. Die erhaltenen 27,5 g Flüssigkeit liefern beim Destillieren i. Vak. nach 11,6 *ml* Edukt (Kp: 117–120°) 12 g (~35%) Borazin; Kp_{14-15}: 116–119°.

Auf gleiche Weise erhält man *2,4,6-Triethylborazin* (12 Stdn., 220–260°, 95 bar) (59%; Kp: 192–193°)[3].

Ähnliche Produktgemische, aus denen sich das jeweilige Borazin leicht abtrennen läßt, erhält man beim Erhitzen äquimolarer Mengen an Trialkylboran und Ammoniak bzw. prim. Aminen (s. S. 338, 360).

Das (dimere) Diphenyl-2-pyridylamino-boran (F: 154–156°)[4,5] läßt sich beim Erhitzen auf >130° unter Abspaltung von Benzol ins *2,4,6-Triphenyl-1,3,5-tri-2-pyridyl-borazin* (F: 315–320°) überführen[6]:

$$3/2\left[(H_5C_6)_2B{-}NH{-}C_5H_4N\right]_2 \xrightarrow[-3\,C_6H_6]{>130-180°} \text{2,4,6-}(C_6H_5)_3\text{-1,3,5-}(2\text{-}C_5H_4N)_3B_3N_3$$

Entsprechend ist *2,4,6-Triethyl-1,3,5-tri-2-pyridyl-borazin* bei 180–230° zugänglich[7].

[1] D. Nölle, H. Nöth u. T. Taeger, B. **110**, 1643 (1977).
[2] B.M. Mikhailov u. Y.N. Bubnov, Ž. obšč. Chim. **32**, 1969–70 (1962); C.A. **58**, 5705 (1963).
[3] R. Köster, G. Bruno u. P. Binger, A. **644**, 1 (1961).
[4] W.L. Cook u. K. Niedenzu, Synth. React. Inorg. Metal-org. Chem. **4**, 53 (1974).
[5] V.A. Dorokhov u. B.M. Mikhailov, Ž. obšč. Chim. **44**, 1281 (1974); engl.: 1259; C.A. **81**, 105603 (1974).
[6] B.R. Cragg u. K. Niedenzu, J. Organometal. Chem. **117**, 1 (1976).
[7] B.R. Cragg u. K. Niedenzu, J. Organometal. Chem. **149**, 271 (1978).

Die Thermolyse von Dialkyl-(trimethylsilyl-trimethylsilyloxy-amino)-boranen (vgl. S. 119) bei ~70° liefert unter Abspaltung von Hexamethyldisiloxan und Alkyl-Wanderung Hexaalkylborazine als Trimere der Dialkyliminoborane(2)[1]:

$$R_2B{-}N(Si(CH_3)_3)(O{-}Si(CH_3)_3) \xrightarrow[-(H_3C)_3Si-O-Si(CH_3)_3]{\geq 70°} 1/3\ R_6B_3N_3$$

R: CH_3, C_2H_5, C_3H_7

i₂) aus Alkyl-amino-chlor-boranen

Das aus Alkyl-diamino-boranen mit Alkyl-dichlor-boranen zugängliche Alkyl-amino-chlor-boran (vgl. S. 147) kann zur Abspaltung von Hydrogenchlorid der Einwirkung tertiärer Basen unterworfen werden; z.B. bei der Herstellung von *2,4,6-Triethyl-1,3,5-triphenyl-borazin*[2]:

$$(Cl)(H_5C_2)B{-}NH{-}C_6H_5 \xrightarrow[-[HN(C_4H_9)_3]^+Cl^-]{+N(C_4H_9)_3} 1/3\ (H_5C_2)_3B_3N_3(C_6H_5)_3$$

Die Thermolyse der (tert.-Butyl-dimethyl-silylamino)-chlor-phenyl-borane liefert unter Eliminierung von Chlor-trialkyl-silan 2,4,6-Triphenylborazine[3]:

$$3\ H_5C_6{-}B(Cl){-}N(R){-}Si(CH_3)_2{-}C(CH_3)_3 \xrightarrow[-3\ (H_3C)_2Si(Cl){-}C(CH_3)_3]{80-150\ °} (H_5C_6)_3B_3N_3R_3$$

. . .-*2,4,6-triphenyl-borazin*
R = H (85°, 4 Stdn.); . . .
R = CH_3 (150°, 7 Stdn.); *1,3,5-Trimethyl-*. . .

Aus (tert.-Butyl-trimethylsilyl-amino)-chlor-isopropyl-boran läßt sich bei 530° unter Abspaltung von Chlor-trimethyl-silan beim Ausfrieren (–196°) tert.-Butylimino-isopropyl-boran(2) (vgl. Bd. XIII/3a, S. 9) herstellen, das beim Auftauen der kalten Hexan-Lösung von –78° auf ~20° in 72%iger Ausbeute *1,3,5-Tri-tert.-butyl-2,4,6-triisopropyl-dewarborazin* (S. 667) (*1,3,5-Tri-tert.-butyl-2,4,6-triisopropyl-1-azonia-3,5-diaza-4-borata-2,6-dibora-bicyclo[2.2.0]hexan*; F: 142°) liefert[4] (vgl. S. 217):

$$(H_3C)_2CH{-}B(Cl){-}N(C(CH_3)_3){-}Si(CH_3)_3 \xrightarrow{1.\ +530°\ [-(H_3C)_3Si-Cl];\ 2.\ -196°;\ 3.\ Hexan;\ -78°\ bis\ +20°} 1/3\ \text{Dewarborazin}$$

[5] P. Paetzold u. T. von Bennigsen-Mackiewicz, B. **114**, 298 (1981).
[6] R. Köster u. K. Iwasaki, Advan. Chem. Ser. **42**, 148 (1964); C.A. **60**, 10705 (1964).
[7] J.R. Bowser, R.H. Neilson u. R.L. Wells, Inorg. Chem. **17**, 1882 (1978).
[8] C. von Plotho u. P. Paetzold, Technische Hochschule Aachen, unveröffentlicht 1982.

i_3) aus Alkoxy-amino-aryl-boranen

Thermisch drastische Bedingungen (≥240°) sind notwendig, um Ethoxy-trimethyl-silan aus (Bis[trimethylsilyl]amino)-ethoxy-phenyl-boran abzuspalten. *2,4,6-Triphenyl-1,3,5-tris[trimethylsilyl]-borazin* (F: 156°) kann dabei in guten Ausbeuten erhalten werden[1,2]:

$$(H_5C_6)(H_5C_2O)B{-}N[Si(CH_3)_3]_2 \xrightarrow[-(H_3C)_3Si-OC_2H_5]{\Delta} 1/3\ (H_5C_6)_3B_3N_3[Si(CH_3)_3]_3$$

i_4) aus Diamino-organo-boranen

Die Thermolyse von Aryl-bis[organoamino]-boranen liefert bei 200–300° unter Abspaltung prim. Amine in unterschiedlichen Ausbeuten *2,4,6-Triarylborazine*[3–6]:

$$Ar{-}B(NH{-}R)_2 \xrightarrow[-R-NH_2]{\Delta} 1/3\,Ar_3B_3N_3R_3$$

z.B.: $Ar = C_6H_5$; $R = CH_3$; *1,3,5-Trimethyl-2,4,6-triphenyl-borazin*[5]; 97%; F: 275–276°
$R = C_2H_5$; *1,3,5-Triethyl-2,4,6-triphenyl-borazin*[3,4]; 82%; F: 205–209° (bzw. 99%; F: 209,5–211°)
$R = C_4H_9$; *1,3,5-Tributyl-2,4,6-triphenyl-borazin*[5]; 19%; F: 131–132°
$R = CH_2-CH(CH_3)_2$; *1,3,5-Triisobutyl-2,4,6-triphenyl-borazin*[6]; F: 136°
$Ar = R = C_6H_5$; *Hexaphenylborazin*[3]; 32%; F: >360°
$Ar = 4-CH_3-C_6H_5$; $R = C_6H_5$; *1,3,5-Triphenyl-2,4,6-tris[4-methylphenyl]-borazin*[4]; 34%; F: 282–284°

Die Borazine lassen sich aus Pentan umkristallisieren oder werden in Chloroform aufgenommen und durch Zusatz von Ethanol zur Kristallisation gebracht.

Dianilino-(3-methylbutyl)-boran spaltet bei 300–365° Anilin ab und geht in *1,3,5-Triphenyl-2,4,6-tris[3-methylbutyl]-borazin* (83%; F: 167–168°; $Kp_{0,03}$: 180–181°) über[7]:

$$H_{11}C_5{-}B(NH{-}C_6H_5)_2 \xrightarrow[-H_5C_6-NH_2]{\Delta} 1/3\,(H_{11}C_5)_3B_3N_3(C_6H_5)_3$$

Aus Aryl-bis[diorganoamino]-boranen können beide Amino-Gruppen mit prim. Aminen thermisch als sek. Amin abgespalten werden. Durch „Umaminierung“ erhält man 2,4,6-Triaryl-1,3,5-triorgano-borazine[8,9]:

$$H_5C_6{-}B[N(CH_3)_2]_2 \quad + \quad R{-}NH_2 \xrightarrow[-2\,(H_3C)_2NH]{} 1/3\,(H_5C_6)_3B_3N_3R_3$$

z.B.: $R = CH_3$; *1,3,5-Trimethyl-2,4,6-triphenyl-borazin*[8]; 78%; F: 268°
R = 4-Pyridyl; *2,4,6-Triphenyl-1,3,5-tri-4-pyridyl-borazin*[9]

---

[1] P. Geymayer u. E.G. Rochow, M. **97**, 429 (1966); C.A. **65**, 3897 (1966).
[2] P. Geymayer u. E.G. Rochow, Int. Symp. Organosilicon Chem. Sci. Commun. Prague **1965**, 306; C.A. **65**, 10605 (1966).
[3] B.M. Mikhailov u. P.M. Aronovich, Izv. Akad. SSSR **1957**, 1123; C.A. **52**, 6238 (1958).
[4] B.M. Mikhailov u. T.V. Kostroma, Ž. obšč. Chim. **29**, 1477 (1959); C.A. **54**, 8684 (1960).
[5] J.E. Burch, W. Gerrard u. E.F. Mooney, Soc. **1962**, 2200.
[6] H.S. Turner, R.I. Warne u. I.J. Lawrenson, Chem. Commun. **1965**, 20.
[7] B.M. Mikhailov u. T.K. Kozminskaya, Doklady Akad. SSSR **121**, 656 (1958); C.A. **53**, 1209 (1959).
[8] H. Nöth, Z. Naturf. **16b**, 470 (1961); C.A. **56**, 4786 (1962).
[9] W.L. Cook u. K. Niedenzu, Synth. React. Inorg. Metal-org. Chem. **4**, 53 (1974); C.A. **81**, 13567 (1974).

2,4,6-Tri-1-alkenylborazine sind entsprechend aus 1-Alkenyl-diamino-boranen mit Ammoniak bzw. mit prim. Aminen zugänglich. Sek. Amin wird abgespalten[1]; z.B.:

$$H_2C{=}CH{-}B[N(CH_3)_2]_2 \quad + \quad NH_3 \quad \xrightarrow[-2\,(H_3C)_2NH]{} \quad 1/3\,(H_2C{=}CH)_3B_3N_3H_3$$

2,4,6-Trivinylborazin

Di-prim.-amino-organo-borane reagieren auch mit Diorgano-hydro-boranen unter Wasserstoff-Abspaltung zu Borazinen. *1,3,5-Trimethyl-2,4,6-triphenyl-borazin* (F: 247–249°) erhält man aus Bis[methylamino]-phenyl-boran beim Erhitzen mit stöchiometrischen Mengen Diphenyldiboran(6):

$$6\ H_5C_6{-}B(NH{-}CH_3)_2 \quad + \quad 3\ (H_5C_6{-}BH_2)_2 \quad \xrightarrow[-12\,H_2]{\Delta} \quad 4\ (H_5C_6)_3B_3N_3(CH_3)_3$$

Vermutlich bildet sich zunächst das Kommutierungsprodukt Methylamino-phenyl-diboran(6), aus dem sich Wasserstoff abspalten kann. Eine Variante dieser Methode stellt die Reaktion zwischen 1,2-Diphenyldiboran(6) und Bis[ethylamino]-butyl-boran dar, bei der sich unter mehreren denkbaren Borazinen vorwiegend das *6-Butyl-2,4-diphenyl-1,3,5-triethyl-borazin* (Kp_3: 130–160°) bildet[2].

i_5) aus Diorgano-1,2-azabora-Oligomeren oder -Polymeren

Aus polymeren 1,2-Diethyl-1,2-azaboranen, die u.a. bei der Gasphasenthermolyse von Diethyl-(trimethylsilyl-trimethylsilyloxy-amino)-boran bei ~270° anfallen, bildet sich oberhalb ~150° *Hexaethylborazin*[3]:

$$3\ (H_5C_2B{-}NC_2H_5)_n \quad \xrightarrow{>150\,°} \quad n\ (H_5C_2)_3B_3N_3(C_2H_5)_3$$

i_6) aus Amino-dihydro-boranen

Mit Alkenen lassen sich aus Amino-dihydro-boranen durch Hydroborierung und Abspalten von Wasserstoff 2,4,6-Trialkylborazine herstellen. Beispielsweise geht das trimere Dihydro-methylamino-boran bei 90–250° im geschlossenen Rohr mit 1-Hexen in *2,4,6-Trihexyl-1,3,5-trimethyl-borazin* über[4]:

$$(H_2\overset{\ominus}{B}{-}\overset{\oplus}{N}H{-}CH_3)_3 \quad + \quad 3\ H_2C{=}CH{-}C_4H_9 \quad \xrightarrow[-3\,H_2]{\text{Pyridin, 22 Stdn. 90-250°, geschl. Rohr}} \quad (H_{13}C_6)_3B_3N_3(CH_3)_3$$

---

[1] P. Fritz, K. Niedenzu u. J.W. Dawson, Inorg. Chem. **3**, 626 (1964).
[2] V.V. Korshak, N.I. Bekasova, L.M. Chursina u. V.A. Zamyatina, Izv. Akad. SSSR **1963**, 1645; engl.: 1500; C.A. **59**, 15296 (1963).
[3] P. Paetzold u. T. von Benningsen-Mackiewicz, B. **114**, 298 (1981); dort. S. 302.
[4] V.A. Zamyatina u. V.V. Korshak, Izv. Akad. SSSR **1971**, 1816; C.A. **75**, 151862 (1971).

i_7) aus Organo-1,3,2-diborazanen oder -2,4,1,3,5-diboratriazanen

Pentaorganodiborazane wie z.B. 3,3-Diphenyl-1,1,2-trimethyl-1,3,2-diborazan sind thermisch nicht besonders stabil und zersetzen sich u.a. zu 2,4,6-Triorganoborazinen[1].

1,1,3,3-Tetraethyldiborazan reagiert mit Dimethoxy-methyl-boran unter Abspalten von Diethyl-methoxy-boran zu *2,4,6-Trimethylborazin*[2]:

$$HN[B(C_2H_5)_2]_2 \quad + \quad H_3C{-}B(OCH_3)_2 \quad \xrightarrow[-2\,(H_5C_2)_2B{-}OCH_3]{} \quad 1/3(H_3C)_3B_3N_3H_3$$

Bis(9-borabicyclo[3.3.1]nonan-9-yl)-lithio-amin (S. 124) läßt sich mit Chlor-diethylboran in Diethylether u.a. ins *2,4,6-Triethyl-1,3,5-tris(9-borabicyclo[3.3.1]nonan-9-yl)-borazin* (F: 150–161°) überführen[3]:

$$[(C_8H_{14})B{-}]_2N{-}Li \xrightarrow[-LiCl]{+(H_5C_2)_2B{-}Cl/(H_5C_2)_2O} [(C_8H_{14})B{-}]_2N{-}B(C_2H_5)_2$$

$$\xrightarrow{-(H_5C_2)_3B} [(C_8H_{14})B{-}]_3N$$

$$\xrightarrow{-(C_8H_{14})B{-}C_2H_5} \text{2,4,6-Triethyl-1,3,5-tris(9-borabicyclo[3.3.1]nonan-9-yl)-borazin}$$

Durch die doppelte Halogensilan-Abspaltung aus der NBNBN-Fünferkette des 1,5-Bis[trimethylsilyl]-2,4-diphenyl-1,3,5-trimethyl-2,4,1,3,5-diboratriazans bei der Einwirkung von Dihalogen-organo-boranen hat man die Möglichkeit, zu gemischt organylierten Borazinen zu gelangen[4].

$$(H_3C)_3Si{-}N(CH_3){-}B(C_6H_5){-}N(CH_3){-}B(C_6H_5){-}N(CH_3){-}Si(CH_3)_3 \quad + \quad R{-}BHal_2$$

$$\xrightarrow[2\,(H_3C)_3Si{-}Hal]{} \quad (H_5C_6)_2RB_3N_3(CH_3)_3$$

z.B.: $R = CH_3$; *2,4-Diphenyl-tetramethyl-borazin*; 55%; F: 124°

Auf ähnliche Weise erhält man *Hexamethyl-* (99%)[1] und *1,3,5-Trimethyl-2,4,6-triphenyl-borazin* (82%)[4], die allerdings nur spektroskopisch nachgewiesen wurden.

$\delta\delta_7$) aus Borazinen

Die durch Kondensation aus verschiedenen Boranen hergestellten Borazine lassen sich durch Substitutionen an den Bor-Atomen in Triorganoborazine überführen. Vor allem werden 2,4,6-Trichlorborazine verwendet, die aus Trichlorboran mit primären Aminen oder mit Ammoniak leicht zugänglich sind[5]. Außerdem setzt man B-Organo- und B-Hy-

---

[1] K. Jonas, H. Nöth u. W. Storch, B. **110**, 2783 (1977).
[2] H. Nöth u. H. Vahrenkamp, J. Organometal. Chem. **16**, 357 (1969).
[3] R. Köster u. G. Seidel, A. **1977**, 1643.
[4] H. Nöth, J. Organometal. Chem. **23**, 323 (1970).
[5] D. Seyferth u. M. Takamizawa, J. Org. Chem. **28**, 1142 (1963); C.A. **59**, 648 (1963).

dro-borazine ein. Ferner gibt es borferne Reaktionen der 2,4,6-Triorganoborazine, die unter Substitutionen, Additionen oder Eliminierungen zu neuen 2,4,6-Triorganoborazinen führen.

i_1) aus 2,4,6-Triorganoborazinen

ii_1) durch Substitution der B-Organo-Gruppen

Unmittelbar an den Bor-Atomen der Triorganoborazine lassen sich Organo-Reste austauschen. Allerdings spielt die „Umorganylierung“ von 2,4,6-Triorganoborazinen mit Hilfe von Grignard-Verbindungen präparativ keine große Rolle. Die Überführung von 1,3,5-Triphenyl-2,4,6-tris[2-bromethyl]-borazin in *Hexaphenylborazin* stellt ein Beispiel dar[1]:

$$(Br{-}CH_2{-}CH_2)_3B_3N_3(C_6H_5)_3 \quad + \quad 3\,H_5C_6{-}MgBr \xrightarrow[-3\,Br-CH_2-CH_2-MgBr]{} (H_5C_6)_3B_3N_3(C_6H_5)_3$$

Hexamethylborazin liefert mit Phenylmagnesiumbromid ein Gemisch der vier möglichen Borazine[2].

$$(H_5C_6)_{3-x}(CH_3)_xB_3N_3(CH_3)_3$$

x: 0–3

ii_2) durch Reaktionen der B-Amino-Gruppen

Man kann 2,4,6-Triorganoborazine als Diamino-organo-borane auffassen. Tatsächlich läßt sich der flüchtige Ammoniak beispielsweise aus 2,4,6-Triphenylborazin mit Anilin (als der weniger flüchtigen Base) bei 390° „austreiben“. Man erhält bei dieser Umaminierung durch formal borferne Reaktion *Hexaphenylborazin*[3] (vgl. S. 354):

$$(H_5C_6)_3B_3N_3H_3 \quad + \quad 3\;H_5C_6{-}NH_2 \xrightarrow[-3\,NH_3]{} (H_5C_6)_3B_3N_3(C_6H_5)_3$$

Die radikalisch (?) initiierte Addition der NH-Bindungen des 2,4,6-Tributylborazins an C=C-Bindungen von z.B. 1,6-Bis[acryloylamino]hexan führt borfern zu hitzebeständigen Copolymeren mit 2,4,6-Tributylborazindiyl-Kettengliedern[4].

$$\text{2,4,6-}(C_4H_9)_3B_3N_3H_3 \xrightarrow{H_2C=CH-CO-NH-(CH_2)_6-NH-CO-CH=CH_2} \sim[\text{-N}(B_3N_3H(C_4H_9)_3)\text{N-}CH_2-CH_2-CO-NH-(CH_2)_6-NH-CO-CH_2-CH_2-]\sim$$

---

[1] D. Seyferth u. M. Takamizawa, J. Org. Chem. **28**, 1142 (1963); C.A. **59**, 648 (1963).
[2] J.L. Adcock u. J.J. Lagowski, J. Inorg. & Nuclear Chem. **7**, 473 (1971); C.A. **75**, 36190 (1971).
[3] H. Nöth, Z. Naturf. **16b**, 470 (1961); C.A. **56**, 4786 (1962).
[4] K.N. Karadzhyan u. G.A. Kazaryan, Arm. Khim. Zh. **29**, 1049 (1976); C.A. **86**, 172213 (1977).

NH-Funktionen lassen sich in Borazinen mit metallorganischen Agenzien metallieren. Die Einwirkung von Alkylierungsmitteln führt dann zur Bildung neuer Alkyl-Stickstoff-Funktionen[1−3]. Als Beispiel diene die partielle Methylierung von 2,4,6-Trimethylborazin[1]:

$$(H_3C)_3B_3N_3H_3 \xrightarrow[2.\ +x\,CH_3J(-x\,LiJ)]{1.\ +x\,H_3C{-}Li(-x\,CH_4)} (H_3C)_3B_3N_3(CH_3)_xH_{3-x}$$

1,2,4,6-Tetramethyl- und 1,2,3,4,6-Pentamethyl-borazin[4]: 1,3511 g (11,02 mmol) 2,4,6-Trimethylborazin, einige *ml* Ether und 11,6 *ml* einer 0,95 ether. Methyllithium-Lösung werden bei −196° vereint. Beim Auftauen auf 20° setzt eine Methan-Entwicklung ein, nach deren Ende 4,59 g (11,02 mmol) Methyljodid zugefügt werden. Das Reaktionsrohr wird zugeschmolzen und für 3,5 Stdn. auf 80° erwärmt. Nach dem Abkühlen wird das Rohr geöffnet, die flüchtigen Bestandteile werden entfernt und der Rückstand mehrfach mit Pentan extrahiert. Die gaschromatographische Analyse ergibt folgende Ausbeuten: 34,9% *2,4,6-Trimethyl-*(Edukt), 40,6% *1,2,4,6-Tetramethyl-*, 13,5% *1,2,3,4,6-Pentamethyl-* und 1,1% *Hexamethyl-borazin*.

Zu den borfernen Reaktionen der N-Atome in 2,4,6-Triorganoborazinen gehört z.B. die Komplexierung mit Lewissäuren. Aus dem schwach Lewisbasischen Hexamethylborazin erhält man mit Aluminiumtribromid in Benzol in hoher Ausbeute (~85%) *Hexamethylborazin-Tribromaluminium* (F: 119°) als 1:1 Additionsverbindung[5].

Analog reagiert Hexamethylborazin mit Galliumtrichlorid in 90%iger Ausbeute in Toluol unter Bildung der 1:1-Additionsverbindung (F: 102°), während z.B. Indiumtribromid in siedendem Benzol kein Addukt liefert[6].

Mit Jod erhält man aus Hexamethylborazin in Tetrachlormethan eine 1:1-Additionsverbindung, die im Gleichgewicht mit ihren Edukten steht[7].

ii_3) durch borferne Reaktionen

Die katalytische Hydrierung von 2,4,6-Tri-1-alkinylborazinen führt in befriedigenden Ausbeuten zu den entsprechenden *2,4,6-Tri-cis-1-alkenylborazinen*[8]:

$$(R^1{-}C{\equiv}C)_3B_3N_3R^2_3 \quad + \quad 3\,H_2 \longrightarrow (R^1{-}CH{=}CH)_3B_3N_3R^2_3$$

$R^1 = CH_3$; $R^2 = H$; *2,4,6-Tri-1-propenylborazin*; 60%; Kp_1: 100°
$R^2 = C_6H_5$; *1,3,5-Triphenyl-2,4,6-tri-1-propenyl-borazin*; 81%; Kp: 177–179°
$R^1 = C_6H_5$; $R^2 = H$; *2,4,6-Tris[2-phenylvinyl]borazin*; 65%

Die C=C-Bindung der 2,4,6-Trivinylborazine läßt sich hydrieren[8], bromieren[9], hydridieren (z.B. mit Hydrosilanen oder Hydrostannanen)[10] usw.:

[1] R.I. Wagner u. J.L. Bradford, Inorg. Chem. **1**, 93 (1962).
[2] US.P. 3255244 (1966), American Potash & Chemical Corp., Erf.: R.I. Wagner; C.A. **65**, 7216 (1966).
[3] R.D. Compton u. J.J. Lagowski, Inorg. Chem. **7**, 1234 (1968).
[4] K.N. Karadzhyan u. G.A. Kazaryan, Arm. Khim. Zh. **29**, 1049 (1976); C.A. **86**, 172213 (1977).
[5] K. Anton, H. Fussstetter u. H. Nöth, B. **114**, 2723 (1981).
[6] K. Anton u. H. Nöth, B. **115**, 2668 (1982).
[7] J.E. Frey, G.M. Marchand u. R.S. Bolton, Inorg. Chem. **21**, 3239 (1982).
[8] T. Yoshizaki, H. Watanabe, K. Nagasawa, T. Totani u. T. Nakagawa, Inorg. Chem. **4**, 1016 (1965).
[9] D. Seyferth u. M. Takamizawa, J. Org. Chem. **28**, 1142 (1963).
[10] D. Seyferth u. M. Takamizawa, Inorg. Chem. **2**, 731 (1963).

$$(R{-}CH{=}CH)_3B_3N_3(C_6H_5)_3 \quad + \quad 3\,XY \longrightarrow (R{-}HCX{-}CHY)_3B_3N_3(C_6H_5)_3$$

z. B.: R = H; XY = Br_2; *1,3,5-Triphenyl-2,4,6-tris[1,2-dibromethyl]-borazin*[1]; 76%; F: 257–258°
XY = $Cl_3C{-}Br$ (Dibenzoylperoxid als Starter); *1,3,5-Triphenyl-2,4,6-tris[1-brom-3,3,3-trichlor-propyl]-borazin*[2]; 74%; F: 212–213°
XY = $H_5C_6{-}SH$ (Dibenzoylperoxid als Starter); *1,3,5-Triphenyl-2,4,6-tris[2-phenylthioethyl]-borazin*[1]; 80%; F: 134–135°
XY = $(H_5C_6)_2PH$ (Di-tert.-butylperoxid als Starter); *1,3,5-Triphenyl-2,4,6-tris[2-diphenylphos-phinylethyl]-borazin*[3]; 86%; F: 160–162°
XY = $(H_3C)_2ClSiH$ (H_2PtCl_6 als Kat.); *1,3,5-Triphenyl-2,4,6-tris[2-(chlor-dimethyl-silyl)-ethyl]-borazin*[1]; 81%; F: 164–166°
R = CH_3; XY = BrH (Dibenzoylperoxid als Starter); *1,3,5-Triphenyl-2,4,6-tris[2-brompropyl]-bora-zin*[1]; 80%; F: 165–167°

Die durch Peroxide radikalisch initiierte Autoaddition von *2,4,6-Triallyl-1,3,5-triphenyl-borazin* führt zu festen hochpolymeren Stoffen[4].

1,3,5-Trimethyl-2,4,6-tris[2,4,6-trimethylphenyl]-borazin kann mit *N*-Bromsuccinimid an den Methyl-Gruppen des Bor-Substituenten bromiert werden[5,6]:

$$[H_3C{-}C_6H_2(CH_3)_2{-}]_3B_3N_3(CH_3)_3 + x\ \text{N-Br-succinimid} \longrightarrow [H_3C{-}C_6H_2(CH_3)_2{-}]_{3-x}[H_3C{-}C_6H_2(CH_2Br)(CH_3){-}]_xB_3N_3(CH_3)_3 + x\ \text{Succinimid (NH)}$$

x = 1–3

1,3,5-Trimethyl-2,4,6-tris[2,6-dimethylphenyl]-borazin wird mit Acetylchlorid/Aluminiumtrichlorid zum *1,3,5-Trimethyl-2,4,6-tris[3-acetyl-2,6-dimethyl-phenyl]-borazin* acetyliert[7]:

$$[C_6H_3(CH_3)_2{-}]_3B_3N_3(CH_3)_3 + 3\ H_3C{-}C(O)Cl \xrightarrow{-3\ HCl} [H_3C{-}C(O){-}C_6H_2(CH_3)_2{-}]_3B_3N_3(CH_3)_3$$

Ohne Veränderung des Borazin-Gerüstes und seiner BC-Bindungen sind Abspaltungen von z. B. Wasserstoff möglich. Ein interessantes Beispiel für die katalytische Dehydrierung aliphatischer Seitenketten bietet die Bildung von *Tris[1,2-azaborazino][1,2]-borazin (1,2;3,4;5,6-Tris[1,3-butadien-1,4- diyl]borazin)* (F: 193–195°) aus dem entsprechenden hydrierten Derivat[8,9]:

---

[1] D. Seyferth u. M. Takamizawa, J. Org. Chem. **28**, 1142 (1963).
[2] T. Yoshizaki, H. Watanabe, K. Nagasawa, T. Totani u. N. Nakagawa, Inorg. Chem. **4**, 1016 (1965).
[3] D. Seyferth, Y. Sato u. M. Takamizawa, J. Organometal. Chem. **2**, 367 (1964).
[4] J. Pellon, W. G. Deichert u. W. M. Thomas, J. Polymer Sci. **55**, 153 (1961).
[5] K. Nagasawa, Inorg. Chem. **5**, 442 (1966).
[6] Japan 19184 (1966/1964), Shionogi & Co., Ltd., Erf.: T. Nakagawa u. K. Nagasawa; C. A. **66**, 38041 (1967).
[7] Japan 19185 (1966/1964), Shionogi & Co., Ltd., Erf.: T. Nakagawa u. K. Nagasawa; C. A. **66**, 38042 (1967).
[8] G. C. Culling, M. J. S. Dewar u. P. A. Marr, Am. Soc. **86**, 1125 (1964).
[9] K. M. Davies, M. J. S. Dewar u. P. Rona, Am. Soc. **89**, 6294 (1967).

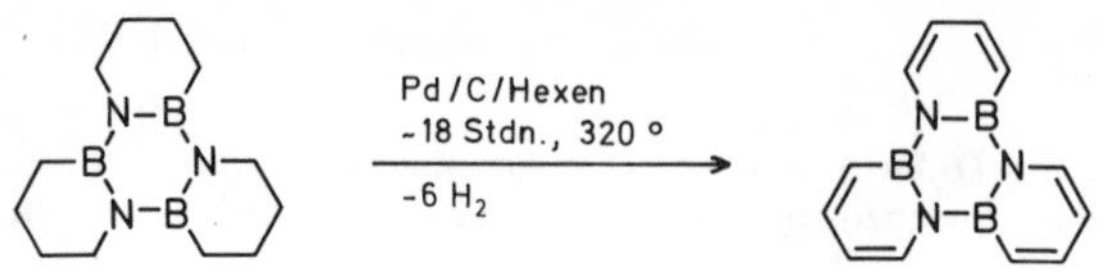

Pd/C/Hexen
-18 Stdn., 320°
$-6\ H_2$

Die Dehydrierung in der N-Seitenkette gelingt bei ortho- oder para-ständigen Ethyl-Gruppen des 2,4,6-Trimethyl-1,3,5-tris[ethylphenyl]-borazins. Die Folge von Bromierung (mit *N*-Bromsuccinimid) und Dehydrobromierung (mit Chinolin als Base) führt zu *2,4,6-Trimethyl-1,3,5-tris[2-vinylphenyl]-borazin* bzw. zum *2,4,6-Trimethyl-1,3,5-tris[4-vinylphenyl]-borazin*[1]:

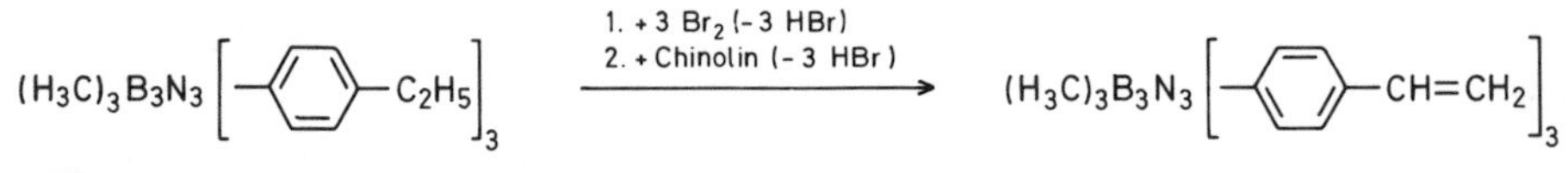

$(H_3C)_3B_3N_3[-C_6H_4-C_2H_5]_3 \xrightarrow[\text{2. + Chinolin (−3 HBr)}]{\text{1. + 3 Br}_2\text{ (−3 HBr)}} (H_3C)_3B_3N_3[-C_6H_4-CH{=}CH_2]_3$

ii$_5$) durch Reaktionen am Borazin-Ring

π-Gebundene Ligand-Übergangsmetall-Verbindungen lassen sich von 2,4,6-Triorganoborazinen ohne sonstige Veränderungen des Ringsystems abspalten. Aus (Hexaalkylborazin)-tricarbonyl-chrom läßt sich mit Triorganophosphiten der Tricarbonylchrom-Ligand entfernen[2]:

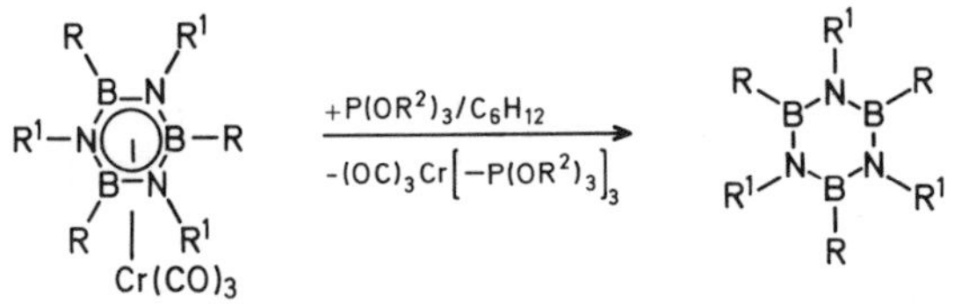

$+P(OR^2)_3/C_6H_{12}$
$-(OC)_3Cr[-P(OR^2)_3]_3$

$Cr(CO)_3$

$R = CH_3, C_2H_5, C_3H_7$
$R^1 = CH_3, C_2H_5, C_3H_7, CH(CH_3)_2$
$R^2 = C_2H_5, C_6H_5$

i$_2$) aus B-Hydroborazinen

ii$_1$) durch intramolekulare C-Borylierung

Bei hoher Temperatur gelingt in speziellen Fällen eine B-Arylierung: >BH-Bindungen von Borazinen reagieren mit aromatischen CH-Bindungen unter Abspaltung von Wasserstoff. Diesem Reaktionstyp folgt z.B. die dreifache intramolekulare Arylierung von 1,3,5-Tris[2-biphenylyl]borazin[3,4]:

---

[1] G.C. Brown, B.E. Deuters u. W. Gerrard, J. appl. Chem. **15**, 372 (1965); C.A. **64**, 6769 (1966).
[2] M. Scotti, H. Werner, D.L.S. Brown, S. Cavell, J.A. Connor u. H.A. Skinner, Inorg. Chim. Acta **25**, 261 (1977).
[3] R. Köster, S. Hattori u. Y. Morita, Ang. Ch. **77**, 719 (1965).
[4] R. Köster, K. Iwasaki, S. Hattori u. Y. Morita, A. **720**, 23 (1968).

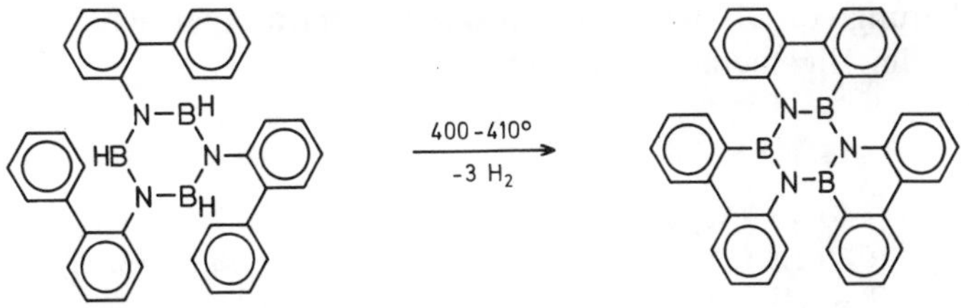

1,2:3,4:5,6-Tris[biphenyl-2,2'-diyl]borazin[1]: 3,5 g (6,5 mmol) 1,3,5-Tris[2-biphenylyl]borazin werden unter Schutzgas in einem 25-*ml*-Kolben auf 400–410° (Bad) erhitzt. In 6,5 Stdn. entwickeln sich 344 Nml (79%) Wasserstoff. Beim langsamen Abkühlen wachsen an der Oberfläche der erstarrenden Schmelze gelbe, 1–2 cm lange Nadeln, die sich mit einem Spatel vom Harz trennen lassen; Ausbeute: 0,62 g (18%); F: 400–403° (nach Waschen mit Benzol).

ii_2) mit metallorganischen Verbindungen

1,3,5-Triorganoborazine lassen sich mit Hilfe von Grignard-Verbindungen in einer präparativ breit variierbaren und gut anwendbaren Methode (vgl. S. 364) in guten Ausbeuten in die entsprechenden 2,4,6-Trialkyl-1,3,5-triorgano-borazine überführen[2-5]. Weniger günstig ist der Einsatz von Alkylalkalimetall-Verbindungen[2,6].

$$H_3B_3N_3R^2_3 \quad + \quad 3\ R^1{-}M \xrightarrow[-3MH]{} R^1_3B_3N_3R^2_3$$

z.B.: $R^1 = CH_3$; $R^2 = CH_3$: *Hexamethylborazin*[2]; 83%; F: 83°
$R^2 = C_6H_5$; *2,4,6-Trimethyl-1,3,5-triphenyl-borazin*[2,3]; 77%; F: 269°
$R^1 = C_2H_5$; $R^2 = C(CH_3)_3$; *1,3,5-Tri-tert.-butyl-2,4,6-triethyl-borazin*[4]; 60%; $Kp_{0,2}$: 101–103°
$R^1 = CH_2{-}C_6H_5$; $R^2 = CH_2{-}CH = CH_2$; *1,3,5-Triallyl-2,4,6-tribenzyl-borazin*[3]
$R^1 = CH_2{-}C_6F_5$; $R^2 = CH_2{-}C_6H_5$; *1,3,5-Tribenzyl-2,4,6-tris[2,3,4,5,6-pentafluorbenzyl]-borazin*[5]; 65%; $Kp_{0,001}$: 102–103°

2,4,6-Triethyl-1,3,5-triisobutyl-borazin[4]: 8,3 g (33,4 mmol) 1,3,5-Triisobutylborazin in 50 *ml* Ether und eine aus 3,5 g (144 mmol) Magnesium und 15,7 g (151 mmol) Bromethan in 100 *ml* Ether bereitete Ethylmagnesiumbromid-Lösung werden vereint und 60 Stdn. am Rückfluß erhitzt. Die Reaktionsmischung wird mit ges. wäßr. Ammoniumchlorid-Lösung hydrolysiert. Die Ether-Phase wird abgetrennt und 5–10 Min. über Magnesiumsulfat getrocknet. Nach der Filtration wird i. Vak. destilliert; Ausbeute: 6,7 g (60%); $Kp_{0,2}$: 101–103°.

Analog zur Alkylierung verläuft die Alkenylierung, die vor allem an 1,3,5-Triphenylborazin mit Grignard-Verbindung untersucht wurde[2]:

$$H_3B_3N_3(C_6H_5)_3 \quad + \quad 3\ R{-}MgBr \xrightarrow[-3\,MgHBr]{} R_3B_3N_3(C_6H_5)_3$$

$R = CH = CH_2$; *1,3,5-Triphenyl-2,4,6-trivinyl-borazin*
$R = CH = CH{-}CH_3$; *1,3,5-Triphenyl-2,4,6-tri-1-propenyl-borazin*
$R = CH_2{-}CH = CH_2$; *2,4,6-Triallyl-1,3,5-triphenyl-borazin*

Die partielle B-Organylierung nach derselben Methode wird auf S. 364 beschrieben.

[1] R. Köster, S. Hattori u. Y. Morita, Ang. Ch. **77**, 719 (1965).
[2] J.H. Smalley u. S.F. Stafiej, Am. Soc. **81**, 582 (1959).
[3] US.P. 2954402 (1960), American Cyanamid Co., Erf.: S.F. Stafiej u. J.H. Smalley; C.A. **55**, 12355 (1961).
[4] A. Grace u. P. Powell, Soc. [A] **1966**, 673; C.A. **65**, 2113 (1966).
[5] A. Meller, M. Wechsberg u. V. Gutmann, M. **97**, 1163 (1966); C.A. **66**, 2610 (1967).
[6] US.P. 2917543 (1959), American Cyanamid Co., Erf.: J.H. Smalley u. S.F. Stafiej; C.A. **55**, 4435 (1961).

Bei der Arylierung von $\rangle$BH-Bindungen sind Grignard-Agenzien[1-5] den Aryllithium-Verbindungen[1,6] im allgemeinen überlegen:

$$H_3B_3N_3R_3 \quad + \quad 3\,Ar{-}MgBr \xrightarrow[-3\,MgBrH]{} Ar_3B_3N_3R_3$$

Ar = C_6H_5; R = H; *2,4,6-Triphenylborazin*[5]; 76%
Ar = C_6H_5; R = CH_2–$CH(CH_3)_2$; *1,3,5-Triisobutyl-2,4,6-triphenyl-borazin*[2,3]; 56%; F: 131–133°
R = C_6H_5; *Hexaphenylborazin*[1]; 76%

$$H_3B_3N_3R_3 \quad + \quad 3\,Ar{-}Li \xrightarrow[-3\,LiH]{} Ar_3B_3N_3R_3$$

Ar = C_6H_5; R = CH_3; *1,3,5-Trimethyl-2,4,6-triphenyl-borazin*[1,6]; 50%; F: 270°;
R = CH_2–CH = CH_2; *1,3,5-Triallyl-2,4,6-triphenyl-borazin*[6]
Ar = 4-CH_3–C_6H_4; R = C_6H_{11}; *1,3,5-Tricyclohexyl-2,4,6-tris[4-methylphenyl]-borazin*[6]
R = C_6H_5; *1,3,5-Triphenyl-2,4,6-tris[4-methylphenyl]-borazin*[1,6]; 33%; F > 300°

1,3,5-Trimethyl-2,4,6-triphenyl-borazin[1]**:** Eine Lösung von 0,095 mol Phenylmagnesiumbromid in 200 *ml* Ether wird tropfenweise zu einer Lösung von 122,6 g (30,0 mmol) 1,3,5-Trimethylborazin in 100 *ml* Ether gegeben. Nach 2stdgm. Erhitzen zum Rückfluß läßt man 12 Stdn. stehen. Nach Entfernen des Lösungsmittels wird der Rückstand 1 Stde. mit siedendem Hexan behandelt und dann mehrere Male filtriert, bis das Filtrat klar ist. Beim Einengen erhält man 5,0 g Produkt. Aus dem Hexan-Unlöslichen lassen sich mit Benzol weitere 1,4 g extrahieren und durch Hexan-Zusatz kristallisieren; Gesamtausbeute: 6,4 g (61%); F: 270°.

Die $\rangle$BH-Bindungen lassen sich auch sukzessiv durch organische Substituenten substituieren, wie die Herstellung von *2-Alkyl-4-methyl-1,3,5,6-tetraphenyl-borazin* zeigt[6].

ii$_3$) mit Carbenoiden

Die Methylierung von 1,3,5-Triphenylborazin mit Diazomethan gelingt bereits bei −50° mit brauchbaren Ausbeuten[7-9]:

$$H_3B_3N_3(C_6H_5)_3 \quad + \quad 3\,CH_2N_2 \xrightarrow[-3\,N_2]{} (H_3C)_3B_3N_3(C_6H_5)_3$$

2,4,6-Trimethyl-1,3,5-triphenyl-borazin; 60–65%; F: 134–146°

Eine entsprechende α-Addition der $\rangle$BH-Gruppierungen von 1,3,5-Triorganoborazinen an den Isonitril-Kohlenstoff erfolgt erst bei 160–170° im Bombenrohr und führt in ~70%iger Ausbeute zu 1,3,5-Triorgano-2,4,6-tris[iminomethyl]-borazinen[10]:

---

[1] J.H. SMALLEY u. S.F. STAFIEJ, Am. Soc. **81**, 582 (1959).
[2] US.P. 2954402 (1960), American Cyanamid Co., Erf.: S.F. STAFIEJ u. J.H. SMALLEY; C.A. **55**, 12355 (1961).
[3] A. GRACE u. P. POWELL, Soc. [A] **1966**, 673; C.A. **65**, 2113 (1966).
[4] DAS 1131672 (1962), US Borax & Chem. Corp., Erf.: H. GOLDSMITH; C.A. **57**, 13801 (1962).
[5] DAS 1131673 (1962), US Borax & Chem. Corp., Erf.: W.D. ENGLISH u. A.L. MCCLOSKEY; C.A. **57**, 13801 (1962).
[6] US.P. 2917543 (1959), American Cyanamid Co., Erf.: J.H. SMALLEY u. S.F. STAFIEJ; C.A. **55**, 4435 (1961).
[7] US.P. 2998449 (1959), American Cyanamid Co., Erf.: S.F. STAFIEJ; C.A. **56**, 1479 (1962).
[8] V.V. KORSHAK, V.A. ZAMYATINA, N.I. BEKASOVA u. L.G. KOMAROVA, Izv. Akad. SSSR **1964**, 2223; C.A. **62**, 7786 (1965).
[9] V.V. KORSHAK, N.I. BEKASOVA u. L.G. KOMAROVA, Izv. Akad. SSSR **1965**, 1462; engl.: 1419; C.A. **63**, 16375 (1965).
[10] A. MELLER u. H. BATKA, M. **101**, 648 (1970); C.A. **73**, 35433 (1970).

$$H_3B_3N_3R^2_3 \quad + \quad R^1{-}NC \quad \longrightarrow \quad (R^1{-}N{=}CH)_3B_3N_3R^2_3$$

z. B.: $R^1 = C_6H_{11}$; $R^2 = CH_3$; *1,3,5-Trimethyl-2,4,6-tris[cyclohexylimino-methyl]-borazin*; $Kp_{0,005}$: 80°
$R^1 = C_6H_5$; $R^2 = CH_3$; *1,3,5-Trimethyl-2,4,6-tris[phenylimino-methyl]-borazin*; F: 71–72°
$R^2 = C_6H_5$; *1,3,5-Triphenyl-2,4,6-tris[phenylimino-methyl]-borazin*; F: 65–66°

Aus B-Butylborazinen I sind *B*-Butyl-*B*-(iminomethyl)-borazine zugänglich; z. B. mit Cyclohexylisonitril *4,6-Bis[cyclohexylimino-methyl]-2-butyl-1,3,5-trimethyl-borazin* (F: 116–118°).

$$(H_9C_4)_{3-x}H_xB_3N_3R^2_3$$

I

i₃) aus B-Halogenborazinen

ii₁) mit metallorganischen Verbindungen

iii₁) mit alkalimetallorganischen Verbindungen

2,4,6-Trichlorborazine sind gebräuchliche Edukte zur Herstellung von 2,4,6-Triorganoborazinen. 2,4,6-Trichlorborazin ist aus Acetonitril-Trichlorboran mit Ammoniumchlorid herstellbar[1].

Von den Reaktionsbedingungen und von der Ausbeute her ist die Alkylierung von B-Halogen-borazinen mit Alkyllithium-Verbindungen der Alkylierung mit Grignard-Agenzien gleichwertig[2–4]:

$$Cl_3B_3N_3R^2_3 \quad + \quad 3\ R^1{-}Li \quad \xrightarrow[-3\,LiCl]{} \quad R^1_3B_3N_3R^2_3$$

z. B.: $R^1 = CH_3$; $R^2 = C_6H_5$; *2,4,6-Trimethyl-1,3,5-triphenyl-borazin*[2]; F: 267–269°
$R^1 = C_2H_5$; $R^2 = 4\text{-}COOC_2H_5{-}C_6H_4$; *2,4,6-Triethyl-1,3,5-tris[4-ethoxycarbonylphenyl]-borazin*[3]; F: 203–204°
$R^2 = 4\text{-}N(CH_3)_2{-}C_6H_4$; *2,4,6-Triethyl-1,3,5-tris[4-dimethylaminophenyl]-borazin*[3]; F: 297–299°
$R^1 = C_4H_9$; $R^2 = C_6H_5$; *2,4,6-Tributyl-1,3,5-triphenyl-borazin*[2]
$R^2 = 2,6\text{-}(CH_3)_2{-}C_6H_3$; *2,4,6-Tributyl-1,3,5-tris[2,6-dimethylphenyl]-borazin*[4]; 60%; F: 175–176°
$R^1 = C_6H_{11}$; $R^2 = C_6H_5$; *2,4,6-Tricyclohexyl-1,3,5-triphenyl-borazin*[2]

Die Arylierung von BCl-Funktionen des 2,4,6-Trichlorborazins mit Arylalkalimetall-Verbindungen verläuft im allgemeinen mit mäßigen Ausbeuten[5]:

$$Cl_3B_3N_3R_3 \quad + \quad 3\,Li{-}Ar \quad \xrightarrow[-3\,LiCl]{} \quad Ar_3B_3N_3R_3$$

[1] H.-J. Becher in G. Brauer, *Handbuch der präparativen anorganischen Chemie*, Bd. II, S. 797, Enke Verlag, Stuttgart 1978.
[2] US. P. 2892869 (1959), American Cyanamid Co., Erf.: S. J. Groszos u. S. F. Stafiej; C. A. **54**, 8869 (1960). vgl. a. DAS 1100629 (1959/1961), American Cyanamid Co.; Erf.: S. J. Groszos u. S. F. Stafiej.
[3] K. Nagasawa, Inorg. Chem. **5**, 442 (1966).
[4] R. K. Bartlett, H. S. Turner, R. J. Warne, M. A. Young u. I. J. Lawrenson, Soc. [A] **1966**, 470; C. A. **64**, 19454 (1966).
[5] S. J. Groszos u. S. F. Stafiej, Am. Soc. **80**, 1357 (1958).

Hexaphenylborazin[1]**:** Aus 1,46 g (0,21 mol) Lithium, 25 *ml* Benzol und 15,7 g (0,10 mol) Brombenzol in 50 *ml* Ether wird eine Phenyllithium-Lösung hergestellt. Zu dieser Lösung gibt man innerhalb 45 Min. eine Suspension von 10,3 g (0,025 mol) 2,4,6-Trichlor-1,3,5-triphenyl-borazin in 100 *ml* Benzol und 200 *ml* Ether und erhitzt die Mischung über Nacht zum Rückfluß. Der entstandene Feststoff wird filtriert, mit Wasser gewaschen und nach dem Trocknen aus Chloroform umkristallisiert; Ausbeute: 2,45 g (18%); F: 413–415°.

Anstelle von 2,4,6-Trichlorborazinen kann man auch von 2,4-Dichlorborazinen ausgehen und mit Aryllithium an den BCl- und den BH-Funktionen arylieren[2]:

$$Cl_2HB_3N_3R_3 \quad + \quad 3\,Li{-}Ar \quad \xrightarrow[-LiH]{-2\,LiCl} \quad Ar_3B_3N_3R_3$$

z. B.: Ar = C_6H_5; R = 2,6-$(CH_3)_2$–C_6H_3; *2,4,6-Triphenyl-1,3,5-tris[2,6-dimethylphenyl]-borazin*; F: 350–353°

Alkenyllithium wird als Alkenylierungsmittel eingesetzt, wenn schonende Bedingungen erforderlich sind; z. B. bei der Herstellung von *2,4,6-Tris[trifluorvinyl]borazin*[3–5]. Die Bildung der Alkenyllithium-Verbindung, z. B. aus Brom-trifluor-ethen mit Methyllithium, und die anschließende Alkenylierung können im Eintopfverfahren durchgeführt werden:

$$Cl_3B_3N_3R^2_3 \quad + \quad 3\,R^1{-}M \quad \xrightarrow[-3\,MCl]{} \quad R^1_3B_3N_3R^2_3$$

M = Li; R^1 = $CF{=}CF_2$, u.a.
M = Na, K; R^1 = C_5H_5, u. a.

Auf die entsprechenden Natrium- oder Kalium-organischen Verbindungen wird dann zurückgegriffen, wenn man den Cyclopentadienyl-Rest oder dessen Derivate einführen will[2–7].

1,3,5-Trimethyl-2,4,6-tris[cyclopentadienyl]-borazin[7, vgl. 5,6,8]**:** Aus 2,58 g (0,066 mol) Kalium und einem Überschuß an frisch destilliertem Cyclopentadien stellt man in Benzol eine Suspension von Kaliumcyclopentadienid her. Man läßt 4,52 g (0,020 mol) 2,4,6-Trichlor-1,3,5-trimethyl-borazin in 100 *ml* Benzol langsam zutropfen und erhitzt 8 Stdn. zum Rückfluß. Nach dem Abkühlen wird filtriert, das Filtrat eingedampft und das Produkt bei 180°/10^{-4} Torr sublimiert; Ausbeute: 2,46 g (38,5%); F: 215–219°.

Auf ähnliche Weise sind zugänglich:

2,4,6-Tris[cyclopentadienyl]-borazin[7]	F: >360°
1,3,5-Trimethyl-2,4,6-tris[methylcyclopentadienyl]-borazin[8]	20%; F: 130–133°
1,3,5-Triphenyl-2,4,6-tris[cyclopentadienyl]-borazin[6]	

[1] S.J. Groszos u. S.F. Stafiej, Am. Soc. **80**, 1357 (1958).
[2] R.K. Bartlett, H.S. Turner, R. Warne, M.A. Young u. I.J. Lawrenson, Soc. [A] **1966**, 470; C.A. **64**, 19454 (1966).
[3] US.P. 2892869 (1959), American Cynamid Co., Erf.: S.J. Groszos u. S.F. Stafiej; C.A. **54**, 8869 (1960).
[4] A.J. Klanica, J.P. Faust u. C.S. King, Inorg. Chem. **6**, 840 (1967).
[5] US.P. 3335180 (1967), Olin Mathieson Chemical Corp., Erf.: J.P. Faust, C.S. King u. A.J. Klanica; C.A. **68**, 79599 (1968).
[6] V. Gutmann, A. Meller u. E. Schaschel, J. Organometal. Chem. **2**, 287 (1964).
[7] D.T. Haworth u. E.S. Matushek, J. Inorg. & Nuclear Chem. **7**, 261 (1971); C.A. **74**, 150451 (1971).
[8] B.L. Therrell, jr., u. E.K. Mellon, Inorg. Chem. **11**, 1137 (1972).

iii$_2$) mit magnesiumorganischen Verbindungen

Eine große präparative Bedeutung hat die Alkylierung der leicht zugänglichen 2,4,6-Trichlor-1,3,5-triorgano-borazine mit Grignard-Verbindungen.

$$Hal^1_3B_3N_3R^2_3 \quad + \quad 3\,R^1\text{—}MgHal^2 \quad \xrightarrow[-3\,MgHal^1Hal^2]{} \quad R^1_3B_3N_3R^2_3$$

Dagegen sind die Ausbeuten oft schlecht, wenn man vom 2,4,6-Trichlorborazin ausgeht, da die metallorganischen Agenzien auch die NH-Bindungen angreifen können, was zur Bildung von Biborazinen und höheren Borazinen (vgl. S. 378) führt.

Die präparativen Verfahrensweisen seien an drei typischen Beispielen verdeutlicht.

2,4,6-Trimethylborazin[1, vgl. a. 2–4]**:** 2 mol Methylmagnesiumbromid in 1700 *ml* Ether werden sehr langsam unter heftigem Rühren zu einer Lösung von 123 g (0,67 mol) 2,4,6-Trichlorborazin in 400 *ml* Benzol getropft. Nach 24 Stdn. wird kurz zum Rückfluß erhitzt, nach dem Erkalten filtriert und die Lösungsmittel abdestilliert; dieser Vorgang muß mehrmals unterbrochen werden, um ausfallendes Magnesiumsalz abzufiltrieren. Das verbleibende Reaktionsgut wird über eine 20-cm-Füllkörper-Kolonne destilliert; Ausbeute: 24,5 g (30%); F: 31,4–32,4°.

Als höher siedende Fraktion erhält man das BN-Biborazin.

Entsprechend sind z.B. zugänglich:

2,4,6-Tributylborazin[5]	21%; $Kp_{0,95}$: 97–102°
Hexakis[trideuteromethyl]borazin[6,7]	100%
2,4,6-Tris[2,3,4,5,6-pentafluorbenzyl]borazin[8]	48%; F: 98–103°; $Kp_{0,001}$: 194°

2,4,6-Triethyl-1,3,5-trimethyl-borazin[9]**:** Zu einer Mischung aus 9,0 g (0,37 mol) Magnesiumspänen, 25 g (0,11 mol) 2,4,6-Trichlor-1,3,5-trimethyl-borazin und 250 *ml* Ether werden innerhalb 1–2 Stdn. langsam 40,0 g (0,36 mol) Bromethan getropft; um die Reaktion zu starten, dient ein Körnchen Jod. Nach 3–4 Stdn. Erhitzen zum Rückfluß filtriert man das Magnesiumsalz ab, wäscht es mehrfach und arbeitet die vereinigten Filtrate destillativ auf; Ausbeute: 15 g (66%); $Kp_{1,8}$: 90° ($Kp_{0,05}$: 73°[10,11]); F: 1–2°.

Auf ähnliche Weise erhält man z.B.:

2,4,6-Tributyl-1,3,5-trimethyl-borazin[9]	74%; $Kp_{1,1}$: 140°
Hexaethylborazin[10,11]	$Kp_{0,2}$: 98°

2,4,6-Tributyl-1,3,5-triphenyl-borazin[12]**:** Eine aus 3,54 g (0,146 mol) Magnesium und 20,1 g (0,146 mol) 1-Brombutan bereitete ether. Grignard-Lösung wird innerhalb 45 Min. zu einer Suspension von 14,1 g (0,0342 mol) 2,4,6-Trichlor-1,3,5-triphenyl-borazin in 15 *ml* Ether getropft. Nach 2stdgm. Erhitzen zum Sieden wird das Reaktionsgemisch unter Eiskühlung und unter schnellerem Rühren tropfenweise mit einer Ammoniumchlorid-Lösung versetzt. Nach Abscheiden aller Salze wird die ether. Phase abdekantiert, durch eine mit Natriumsulfat bedeckte Filterplatte geschickt und auf 75 *ml* eingeengt. Bei Zusatz von Methanol zur siedenden Ether-Lösung scheidet sich das Borazin ab; Ausbeute: 11,7 g (70%); F: 129–132° (nach Umfällen aus Ether).

---

1 A. Meller u. R. Schlegel, M. **96**, 1209 (1965); C.A. **67**, 11521 (1967).
2 D.T. Haworth u. L.F. Hohnstedt, Am. Soc. **82**, 3860 (1960).
3 J.L. Boone u. G.W. Willcockson, Inorg. Chem. **5**, 311 (1966).
4 T. Hirata; U.S. Nat. Techn. Inform. Serv., AD. Rep. 1971, No. 729339; Gov. Rep. Announce **71**, 66 (1971); C.A. **76**, 47910 (1972).
5 J.J. Harris, J. Org. Chem. **26**, 2155 (1961).
6 A. Meller u. M. Wechsberg, M. **98**, 513 (1967); C.A. **66**, 115226 (1967).
7 N.A. Vazilenko, A.S. Teleshova u. A.N. Pravednikov, Ž. obšč. Chim. **43**, 1124 (1973); engl.: 1114; C.A. **79**, 65549 (1973).
8 A. Meller, M. Wechsberg u. V. Gutmann, M. **97**, 1163 (1966); C.A. **66**, 2610 (1967).
9 G.E. Ryschkewitsch, J.J. Harris u. H.H. Sisler, Am. Soc. **80**, 4515 (1958).
10 I.M. Butcher, W. Gerrard, J.B. Leane u. E.F. Mooney, Soc. **1964**, 4528.
11 E.M. Fedneva, I.V. Kryukova u. V.I. Alpatova, Ž. neorg. Chim. **11**, 2058 (1966); C.A. **66**, 2609 (1967).
12 S.J. Groszos u. S.F. Stafiej, Am. Soc. **80**, 1357 (1958).

Analog erhält man:

1,3,5-Triisopropyl-2,4,6-trimethyl-borazin[1]	71%; $Kp_{0,1}$: 95–98°
2,4,6-Trimethyl-1,3,5-triphenyl-borazin[2]	77%; F: 267–269°
1,3,5-Trimethyl-2,4,6-tris[trimethylsilyl-methyl]-borazin[3]	58%; F: 64°
1,3,5-Triphenyl-2,4,6-tripropyl-borazin[2]	84%; F: 169–171°
2,4,6-Triisobutyl-1,3,5-triphenyl-borazin[2]	67%; F: 185–187°
Hexapropylborazin[4]	30%; F: 51,5–52°; $Kp_{0,2}$: 121–122°

Die Alkylierung mit Grignard-Agenzien ist die Methode der Wahl, wenn die restlichen Halogen-Atome in Borazinen substituiert werden sollen[5,6]:

$$Hal^1_xR^1_{3-x}B_3N_3R^3_3 \quad + \quad x\,R^2MgHal^2 \xrightarrow[-xMgHal^1Hal^2]{} R^1_{3-x}R^2_xB_3N_3R^3_3$$

Hal^1 = Cl, Br

$R^1 = R^3 = CH_3$; $R^2 = C_2H_5$; x = 2; *2,2-Diethyl-tetramethyl-borazin*[6]; $Kp_{0,001}$: 68–70°

$R^2 = C_6H_5$; x = 2; *2,4-Diphenyl-tetramethyl-borazin*[6]; F: 125,5–126,5°

$R^1 = CH(CH_3)_2$; $R^2 = CH_3$; R^3 = H; x = 1; *2,4-Dimethyl-6-isopropyl-borazin*[5]

Mit Bis[halogenmagnesium]alkanen wie z.B. mit 1,4-Bis[chlormagnesium]butan werden 1,ω-Bis[borazinyl]alkane erhalten[7]; z.B.: *1,4-Bis[pentamethylborazin-2-yl]butan* (58%; F: 93–94°). Aus 2,4-Dichlor-tetramethyl-borazin erhält man mit 1,6-Bis[brommagnesium]hexan polymeres Hexaorganoborazin mit 1,6-Hexandiyl-Brücken[8].

Zur Herstellung von 2,4,6-Trialkenylborazinen greift man ebenfalls auf die vielseitig anwendbare Alkenylierung der BCl-Bindungen in Trichlorborazinen zurück, die nicht immer mit guten Ausbeuten abläuft. Normalerweise nimmt man als Alkenylierungsmittel die Grignard-Verbindung[9–19]:

$$Cl_3B_3N_3R_3 \quad + \quad 3\ H_{2n-1}C_n-MgBr \xrightarrow[3\,MgBrCl]{} (H_{2n-1}C_n)_3B_3N_3R_3$$

z.B.: n = 2; R = H; *2,4,6-Trivinylborazin*[17]

R = C_2H_5; *1,3,5-Triethyl-2,4,6-trivinyl-borazin*[17];

R = C_6H_5; *1,3,5-Triphenyl-2,4,6-trivinyl-borazin*[10,17,18]; 51%; F: 174–178°

n = 3; R = CH_3; *2,4,6-Triallyl-1,3,5-trimethyl-borazin*[19]; Kp_{13}: 110–112°

R = C_2H_5; *2,4,6-Triallyl-1,3,5-triethyl-borazin*[10]

R = C_4H_9; *1,3,5-Tributyl-2,4,6-tri-1-propenyl-borazin*[13]; 54%; $Kp_{0,4}$: 140°

R = C_6H_5; *1,3,5-Triphenyl-2,4,6-tri-1-propenyl-borazin*[12]; 10%; F: 242–243°
+ *2,4,6-Triallyl-1,3,5-triphenyl-borazin*[10,18]; 73%; F: 98–99°

n = 4; R = H; *2,4,6-Tri-2-butenylborazin*[9]

---

[1] A. GRACE u. P. POWELL, Soc. [A] **1966**, 673; C.A. **65**, 2113 (1966).
[2] S.J. GROSZOS u. S.F. STAFIEJ, Am. Soc. **80**, 1357 (1958).
[3] D. SEYFERTH u. H.P. KOEGLER, J. Inorg. & Nuclear Chem. **15**, 99 (1960); C.A. **55**, 6237 (1961).
[4] A. GRACE u. P. POWELL, Soc. [A] **1966**, 1488; C.A. **65**, 17932 (1966).
[5] Y. PROUX u. R. CLEMENT, Bl. **1970**, 528; C.A. **73**, 25900 (1970).
[6] L.A. MELCHER, J.L. ADCOCK u. J.J. LAGOWSKI, Inorg. Chem. **11**, 1247 (1972).
[7] D. SEYFERTH, W.R. FREYER u. M. TAKAMIZAWA, Inorg. Chem. **1**, 710 (1962).
[8] US.P. 3375274 (1964/1968), Olin Mathieson Chem. Corp., Erf.: J.P. FAUST u. A.J. KLANICA; C.A. **68**, 105677 (1968).
[9] G.E. RYSCHKEWITSCH, J.J. HARRIS u. H.H. SISLER, Am. Soc. **80**, 4515 (1958).
[10] US.P. 2954361 (1960), American Cyanamid Co., Erf.: S.J. GROSZOS u. S.F. STAFIEJ; C.A. **55**, 4042 (1961).
[11] US.P. 2954366 (1960), American Cyanamid Co., Erf.: J.J. PELLON; C.A. **55**, 4043 (1961).
[12] G. HILGETAG, K.H. SCHWARZ, H. TEICHMANN u. G. LEHMANN, B. **93**, 2687 (1960).
[13] US.P. 2954401 (1960), American Cyanamid Co., Erf.: S.J. GROSZOS u. S.F. STAFIEJ; C.A. **55**, 4425 (1961).
[14] J. PELLON, W.G. DEICHERT u. W.M. THOMAS, J. Polymer Sci. **55**, 153 (1961).
[15] T. YOSHIZAKI, H. WATANABE, K. NAGASAWA, T. TOTANI u. T. NAKAGAWA, Inorg. Chem. **4**, 1016 (1965).
[16] J. BRAUN u. H. NORMANT, Bl. **1966**, 2557; C.A. **66**, 2608 (1967).
[17] US.P. 3136812 (1964), US Borax & Chem. Corp., Erf.: J.L. BOONE, R.J. BROTHERTON u. L.L. PETERSON; C.A. **61**, 14231 (1964).
[18] R.K. BARLETT, H.S. TURNER, R.J. WARNE, M.A. YOUNG u. I.J. LAWRENSON, Soc. [A] **1966**, 470; C.A. **64**, 19454 (1966).
[19] K. NAGASAWA, Inorg. Chem. **5**, 442 (1966).

In analoger Weise lassen sich 2-Chlor-4,6-dimethyl-borazine mit Grignard-Verbindungen an der BCl-Bindung alkenylieren[1-3]. So erhält man z.B. *4,6-Dimethyl-2-vinyl-* (85%; $Kp_{0,1}$: 72°)[1,3] und *Pentamethyl-2-vinyl-borazin*[2] (F: 5,2–8°).

Zur Herstellung von 2,4,6-Tri-1-alkinylborazinen[4] steht die Alkinylierung entsprechender 2,4,6-Trichlorborazine mit einer 1-Alkinylmagnesium-Verbindung zur Verfügung[5-7]:

$$Cl_3B_3N_3R^2_3 \quad + \quad 3\,R^1{-}C{\equiv}C{-}MgBr \xrightarrow[-3\,MgBrCl]{} (R^1{-}C{\equiv}C)_3B_3N_3R^2_3$$

$R^1 = CH_3$; $R^2 = H$; *2,4,6-Tri-1-propinylborazin*[5]; 24%; F: 100–102°
$R^2 = CH_3$; *1,3,5-Trimethyl-2,4,6-tri-1-propinyl-borazin*[5]; 82%; F: 187–189°
$R^1 = C_6H_5$; $R^2 = H$; *2,4,6-Tris[phenylethinyl]borazin*[5,6]; 64%; F: 139–140°
$R^2 = C_6H_5$; *1,3,5-Triphenyl-2,4,6-tris[phenylethinyl]-borazin*[5,6]; 83%; F: 240–242°

1,3,5-Trimethyl-2,4,6-tris[phenylethinyl]-borazin[5]**:** Aus 0,75 g (0,031 mol) Magnesium und 3,3 g (0,030 mol) Bromethan wird eine Grignard-Lösung hergestellt. Zu ihr tropft man innerhalb 20 Min. eine Lösung von 2,85 g (0,028 mol) Phenylethin in 10 *ml* Ether. Nach 1,5stdgm. Erhitzen zum Rückfluß ist die Ethan-Entwicklung beendet. Zur erkalteten Lösung gibt man innerhalb 40 Min. eine benzolische Lösung von 2,0 g (8,8 mmol) 2,4,6-Trichlor-1,3,5-trimethyl-borazin und hält dann die Lösung 4 Stdn. am Rückfluß. Beim Stehenlassen über Nacht scheiden sich mitunter zusätzlich zu den Magnesiumsalzen farblose Kristalle ab, die mit etwas Benzol wieder in Lösung gebracht werden. Man filtriert, dampft ein und kristallisiert das Rohprodukt aus Benzol/Petrolether um; Ausbeute: 2,4 g (64%); F: 217–218°.

B-Alkinyl-B-methyl-borazine lassen sich aus den entsprechenden *B*-Chlor-*B*-methyl-borazinen mit 1-Alkinylmagnesium-Salzen herstellen. U.a. erhält man auf diese Weise *Pentamethyl-2-(1-propinyl)-* (85%; $Kp_{0,001}$: 45–47°), *Pentamethyl-2-phenylethinyl-* (80%) bzw. *2,4-Bis[phenylethinyl]-tetramethyl-borazin* (70%). Die Verbindungen polymerisieren oberhalb 70°[8].

Das Mittel der Wahl zur Herstellung von 2,4,6-Triarylborazinen ist die Arylierung der 2,4,6-Trichlorborazine mit Arylmagnesium-Verbindungen[9-20]:

[1] Y. Proux u. R. Clement, C.r. [C] **266**, 890 (1968); C.A. **68**, 96229 (1968).
[2] A.J. Klanica u. J.P. Faust, Inorg. Chem. **7**, 1037 (1968).
[3] Y. Proux u. R. Clement, Bl. **1970**, 528; C.A. **73**, 25900 (1970).
[4] vgl. ds. Handb., Bd. V/2a, S. 382 (1977).
[5] H. Watanabe, T. Totani u. T. Yoshizaki, Inorg. Chem. **4**, 657 (1965).
[6] Japan 21778 (1966) (1963), Shionogi & Co., Ltd., Erf.: T. Nakagawa, H. Watanabe u. T. Totani; C.A. **66**, 46478 (1967).
[7] T. Yoshizaki, H. Watanabe, K. Nagasawa, T. Totani u. T. Kakagawa, Inorg. Chem. **4**, 1016 (1965).
[8] A. Meller u. H. Marecek, M. **99**, 1666 (1958); C.A. **70**, 4183 (1969).
[9] S.J. Groszos u. S.F. Stafiej, Am. Soc. **80**, 1357 (1958).
[10] H.J. Becher u. S. Frick, Z. anorg. Ch. **295**, 93 (1958); C.A. **52**, 18465 (1958).
[11] D.T. Haworth u. L.F. Hohnstedt, Am. Soc. **82**, 3860 (1960).
[12] US.P. 3000937 (1959), US Borax & Chem. Corp., Erf.: W.D. English u. A.L. McCloskey; C.A. **56**, 1479 (1962).
[13] Fr.P. 1321257 (1963); vgl. DAS 1131672 (1960/1962), US Borax & Chemical Corp., Erf.: H. Goldsmith u. G.W. Woods; C.A. **59**, 11557 (1963).
[14] M.A. Molinari u. P.A. McCusker, J. Org. Chem. **29**, 2093 (1964).
[15] A. Meller, M. Wechsberg u. V. Gutmann, M. **96**, 388 (1965); C.A. **63**, 5664 (1965).
[16] K. Nagasawa, Inorg. Chem. **5**, 442 (1966).
[17] O. Glemser u. G. Elter, Z. Naturf. **21b**, 1132 (1966); C.A. **66**, 104759 (1967).
[18] A. Meller, M. Wechsberg u. V. Gutmann, M. **97**, 619 (1966); C.A. **67**, 3110 (1967).
[19] Japan 674593 (1967), Shionogi & Co., Ltd. Erf.: T. Nakagawa u. K. Nagasawa; C.A. **67**, 32772 (1967).
[20] O. Glemser u. G. Elter, Kurznachr. Akad. Wiss. Göttingen Sammelh. **2**, 87 (1966); C.A. **67**, 53802 (1967).

$$Cl_3B_3N_3R_3 \quad + \quad 3\,Ar{-}MgBr \xrightarrow[-3\,MgBrCl]{} Ar_3B_3N_3R_3$$

z. B.: Ar = C_6H_5; R = CH_3; *1,3,5-Trimethyl-2,4,6-triphenyl-borazin*[1]; F: 265–268°
Ar = C_6F_5; R = CH_3; *1,3,5-Trimethyl-2,4,6-tris[pentafluorphenyl]-borazin*[2]
R = C_6F_5; *Hexakis[pentafluorphenyl]borazin*[3–5]; 73%; F: 400–403°
Ar = 2,6-$(CH_3)_2$–C_6H_3; R = CH_3; *1,3,5-Trimethyl-2,4,6-tris[2,6-dimethylphenyl]-borazin*[6,7]; 50%; F: 282,5–183°
Ar = 2,4,6-$(CH_3)_3$–C_6H_2; R = CH_3; *1,3,5-Trimethyl-2,4,6-tris[2,4,6-trimethylphenyl]-borazin*[6]; 50%; F: 196–198°
Ar = 4-C_6H_5–C_6H_4; R = CH_3; *1,3,5-Trimethyl-2,4,6-tris[4-biphenylyl]-borazin*[8]; 61%; F: 214–219°
R = C_6H_5; *1,3,5-Triphenyl-2,4,6-tris[4-biphenylyl]-borazin*[8]; 47%; F: 222–223°
Ar = 1-Naphthyl; R = CH_3; *1,3,5-Trimethyl-2,4,6-tri-1-naphthyl-borazin*[8]; 66%; F: 291–292°

Präparative Schwierigkeiten ergeben sich vielfach aus der Tendenz der Borazine, mit den Magnesiumsalzen Komplexe zu bilden. Im Falle hydrolysestabiler Produkte zerstört man die Komplexe durch Lösen der Salzkomponente in wäßrigem Milieu. Ansonsten lassen sich die Komponenten mit Hilfe tertiärer Amine trennen.

Hexaphenylborazin[9]**:** Aus 2,36 g (0,097 mol) Magnesium und 15,2 g (0,097 mol) Brombenzol wird in 200 *ml* Ether eine Grignard-Lösung hergestellt, die zu einer Suspension von 10 g (0,024 mol) 2,4,6-Trichlor-1,3,5-triphenyl-borazin in 100 *ml* Ether zugetropft wird. Nach 2stdgm. Erhitzen am Rückfluß filtriert man den erhaltenen farblosen Festkörper, wäscht mehrmals mit Ether, trocknet und extrahiert 4 Stdn. mit Chloroform. Die Lösung entfärbt sich beim Behandeln mit Aktivkohle. Beim Einengen und Abkühlen der Lösung kristallisiert das Borazin in 3 Portionen. Es wird aus Chloroform umkristallisiert; Ausbeute: 8,5 g (65%); F: 413–415°.

2,4,6-Triphenylborazin[1,10,11, vgl. a. 12,13]**:** Bei 20° tropft man zu 1,54 g (8,4 mmol) 2,4,6-Trichlorborazin in ~20 *ml* Ether eine ether. Lösung von überschüssigem Phenylmagnesiumbromid, erhitzt 12 Stdn. am Rückfluß und zieht den Ether bei 20° ab. Der Rückstand wird i. Vak. sublimiert; F: 180–182° (farblose Kristalle)[10].

Eine andere Methode der Aufarbeitung besteht darin, daß man zur ether. Reaktionslösung eine geringe Menge an Triethylamin gibt und die sich jetzt abscheidenden Magnesiumsalze abfiltriert. Nach Eindampfen des Filtrats wird der Rückstand aus Cyclohexan umkristallisiert; Ausbeute: 1,9 g (75%); F: 179–180°[11].

Man kann zur Aufarbeitung zunächst auch den Ether langsam durch Toluol ersetzen und die Toluol-Lösung kurz vor Erreichen des Siedepunktes heiß abfiltrieren. Beim Abkühlen fällt das Borazin aus; Ausbeute: 63%[14].

Zu *N*-Alkyl-*B*-aryl-borazinen gelangt man leicht, indem man *N*-Alkyl-*B*-chlorborazine mit Grignard-Agenzien aryliert[15].

Eine verfahrensmäßige Erleichterung kann darin bestehen, das entsprechende 2,4,6-Trichlorborazin aus Trichlorboran mit primärem aliphatischem oder aromatischem Amin herzustellen und, ohne es zu isolieren, mit der Grignard-Verbindung zu organylieren[16]. Ein Beispiel eines durch B-Alkylierung zugänglichen Borazins ist das *2,4,6-Triethyl-*

---

1 H. J. Becher u. S. Frick, Z. anorg. Ch. **295**, 93 (1958); C. A. **52**, 18465 (1958).
2 A. Meller, M. Wechsberg u. V. Gutmann, M. **96**, 388 (1965); C. A. **63**, 5664 (1965).
3 O. Glemser u. G. Elter, Z. Naturf. **21b**, 1132 (1966); C. A. **66**, 104759 (1967).
4 A. Meller, M. Wechsberg u. V. Gutmann, M. **97**, 619 (1966); C. A. **67**, 3110 (1967).
5 O. Glemser u. G. Elter, Kurznachr. Akad. Wiss. Göttingen Sammelh. **2**, 87 (1966); C. A. **67**, 53802 (1967).
6 K. Nagasawa, Inorg. Chem. **5**, 442 (1966).
7 Japan 674593 (1967), Shionogi & Co., Ltd., Erf.: T. Nakagawa u. K. Nagasawa; C. A. **67**, 32772 (1967).
8 M. A. Molinari u. P. A. McCusker, J. Org. Chem. **29**, 2093 (1964).
9 S. J. Groszos u. S. F. Stafiej, Am. Soc. **80**, 1357 (1958).
10 D. T. Haworth u. L. F. Hohnstedt, Am. Soc. **82**, 3860 (1960).
11 Fr. P. 1321257 (1963); vgl. DAS 1131672 (1960/1962), US Borax & Chem. Corp., Erf.: H. Goldsmith u. G. W. Woods; C. A. **59**, 11557 (1963).
12 US. P. 3000937 (1959), US Borax & Chem. Corp., Erf.: W. D. English u. A. L. McCloskey; C. A. **56**, 1479 (1962).
13 US. P. 3031 502 (1962), US Borax & Chem. Corp., Erf.: H. Goldsmith; C. A. **58**, 5723 (1963).
14 H. J. Becher u. S. Frick, Z. anorg. Ch. **295**, 83 (1958); C. A. **52**, 18465 (1958).
15 L. A. Melcher, J. L. Adcock u. J. J. Lagowski, Inorg. Chem. **11**, 1247 (1972).
16 Japan 30170 (1964/1962), Shionogi & Co., Ltd., Erf.: T. Nakagawa, T. Totani, H. Watanabe u. K. Nagasawa; C. A. **62**, 13179 (1965).

1,3,5-tris[4-dimethylaminophenyl]-borazin (F: 297–299°). Ein Beispiel für das Produkt einer B-Arylierung ist *1,3,5-Triphenyl-2,4,6-tris[4-dimethylaminophenyl]-borazin* (F: 92–96°).

Eine Variante besteht darin, daß man nicht vom freien Amin, sondern vom entsprechenden Ammoniumchlorid ausgeht. Setzt man ein Gemisch von Ammoniumchloriden wie z.B. Ammonium- und Methylammoniumchlorid zunächst mit Trichlorboran und dann mit Methylmagnesiumhalogenid um, so erhält man ein destillativ trennbares Gemisch von *1,2,3,4,6-Pentamethyl-* (Kp: 182–190°) und *1,2,4,6-Tetramethyl-borazin* (Kp: 156–161°)[1].

Aus 2,4,6-Trichlor-1,3,5-triethyl-borazin ist in Toluol mit 2-Methylphenylmagnesiumhalogenid in Diethylether ein Gemisch von atropisomeren *1,3,5-Triethyl-2,4,6-tris[2-methylphenyl]-borazinen* (51%) zugänglich, die durch Kristallisation voneinander getrennt werden können[2].

iii₃) mit Silber-Salzen

BCl-Funktionen eröffnen durch Reaktion mit Silber-Salzen den Zugang zu *B*-Cyan-[3] und *B*-Azido-*N*-organo-borazinen[4]:

$$Cl_x(C_4H_9)_{3-x}B_3N_3(CH_3)_3 \quad + \quad x\ AgCN \xrightarrow[-x\ AgCl]{} (NC)_x(C_4H_9)_{3-x}B_3N_3(CH_3)_3$$

z.B.: x = 2; *2-Butyl-4,6-dicyan-1,3,5-trimethyl-borazin*[3]; 90%; F: 40°

ii₂) mit Benzol oder Diazomethan

Die Friedel-Crafts-Borylierung von Benzol mit 2,4,6-Trichlorborazin in Gegenwart von Aluminiumtrichlorid stellt einen zwar interessanten, präparativ aber mit 24%iger Ausbeute wenig ergiebigen Zugang zum *2,4,6-Triphenylborazin* dar[5]:

$$Cl_3B_3N_3H_3 \quad + \quad 3\,C_6H_6 \xrightarrow[-3\,HCl]{} (H_5C_6)_3B_3N_3H_3$$

Mit Diazomethan erhält man bereits bei −65° aus 2,4,6-Trichlorborazin in brauchbarer Ausbeute *2,4,6-Tris[chlormethyl]borazin*[6]:

$$Cl_3B_3N_3H_3 \quad + \quad 3\ CH_2N_2 \xrightarrow[-3\,N_2]{} (ClCH_2)_3B_3N_3H_3$$

δδ₈) aus Lewisbase-Boranen

Die in den voranstehenden Abschnitten besprochenen Herstellungsmethoden der 2,4,6-Triorganoborazine aus verschiedenen Organoboranen mit Aminen verlaufen größtenteils über die Amin-Organoborane. Nicht immer werden diese allerdings isoliert. Daher sind die Reaktionen der Halogen-organo-borane mit Aminen zu 2,4,6-Triorganoborazinen bereits auf S. 338ff. behandelt. Die Herstellungsmethoden der 2,4,6-Triorganoborazine aus Triorganoboranen oder aus Hydro-organo-boranen mit Ammoniak sowie mit primären Aminen werden nachfolgend besprochen.

---

[1] A. Meller u. R. Schlegel, M. **96**, 1209 (1965); C.A. **67**, 11521 (1967).
[2] P.M. Johnson jr. u. E.K. Mellon, Inorg. Chem. **13**, 2769 (1974).
[3] V. Gutmann, A. Meller u. E. Saschel, M. **95**, 1188 (1964); C.A. **62**, 1680 (1965).
[4] A. Meller u. M. Wechsberg, M. **98**, 513 (1967); C.A. **66**, 115226 (1967).
[5] K. Niedenzu u. J.W. Dawson, Ang. Ch. **71**, 651 (1959).
[6] H.S. Turner, Chem. & Ind. **1958**, 1405.

i_1) aus Amin-Triorganoboranen

Aus Ammoniak-Trialkylboranen sowie aus prim.-Amin-Trialkylboranen erhält man beim Erhitzen auf höhere Temperaturen (>320° bis 450°) unter Abspalten von Alkan und Alken in z.Tl. guten Ausbeuten 2,4,6-Trialkylborazine[1–5]:

$$R^2\text{—}\overset{\oplus}{N}H_2\text{—}\overset{\ominus}{B}R^1_3 \xrightarrow[-H_2]{} 1/3\ R^1_3B_3N_3R^2_3 + \text{Alken} + \text{Alkan}$$

z.B.: $R^1 = CH_3$; $R^2 = H$; *2,4,6-Trimethylborazin*[1] (2 Stdn., 320–340°, 20 bar); Kp: 127°; F: 31,8°
$R^1 = C_2H_5$; $R^2 = H$; *2,4,6-Triethylborazin*[2,3] (440–450°; 50 bar); 70%; Kp_{78}: 66–67°
$R^1 = R^2 = CH_3$; *Hexamethylborazin*[4] (3–4 Stdn. 450°, 20 bar); 97%; F: 221°
$R^1 = CH_3$; $R^2 = C_6H_5$; *2,4,6-Trimethyl-1,3,5-triphenyl-borazin*[5] (15 Stdn. 375°); F: 262°

Aus 2-Aminopyridin-Triphenylboran läßt sich in siedendem Toluol unter Benzol-Abspaltung *2,4,6-Triphenyl-1,3,5-tri-2-pyridyl-borazin* (F: 315–320°) in 49%iger Ausbeute herstellen[6]:

$$3\ (2\text{-}H_2N\text{-}C_5H_4\overset{\oplus}{N})\text{—}\overset{\ominus}{B}(C_6H_5)_3 \xrightarrow[-6\ C_6H_6]{\text{Toluol, 24 Stdn. } 110°} (C_6H_5)_3B_3N_3(2\text{-}C_5H_4N)_3$$

i_2) aus Amin-Hydro-organo-boranen

Aus Trimethylamin-Alkyl-dihydro-boranen kann man das Amin mit Ammoniak im Überschuß verdrängen und bei 100–150° in Diglyme in Gegenwart katalytischer Mengen an Ammoniumchlorid Wasserstoff abspalten. Dabei entstehen in guten Ausbeuten 2,4,6-Trialkylborazine[7,8]:

$$(H_3C)_3\overset{\oplus}{N}\text{—}\overset{\ominus}{B}H_2\text{—}R + NH_3 \xrightarrow[-2H_2,\ -(H_3C)_3N]{100-150°} 1/3\ R_3B_3N_3H_3$$

z.B.[1]: $R = C_3H_7$; *2,4,6-Tripropylborazin*; 88%; Kp_9: 108°
$R = CH(CH_3)_2$; *2,4,6-Triisopropylborazin*; 79%; $Kp_{0,5}$: 70°
$R = C_4H_9$; *2,4,6-Tributylborazin*; 91%; $Kp_{0,6}$: 110°
$R = CH(CH_3)-C_2H_5$; *2,4,6-Tris[1-methylpropyl]borazin*; 85%; $Kp_{0,7}$: 94°
$R = C(CH_3)_2$; *2,4,6-Tri-tert.-butylborazin*; 65%; $Kp_{0,1}$: 60°
$R = CH_2-CH(CH_3)_2$; *2,4,6-Triisobutylborazin*; 70%; $Kp_{0,03}$: 72°
$R = C_6H_{13}$: *2,4,6-Trihexylborazin*; 86%; $Kp_{0,05}$: 140°
$R = CH_2-C_6H_5$; *2,4,6-Tribenzylborazin*; 70%

---

[1] E. Wiberg, K. Hertwig u. A. Bolz, Z. anorg. Ch. **256**, 177 (1948); C.A. **43**, 5390 (1949).
[2] A.F. Zigatsch, Congr. Intern. Chim. Pure et Appl. 16. Paris 1957, Mém. Séct. Chim. Minérale **1958**, 467.
[3] R. Köster, G. Bruno u. P. Binger, A. **644**, 1 (1961).
[4] E. Wiberg u. K. Hertwig, Z. anorg. Ch. **255**, 141 (1947); C.A. **43**, 3301 (1949).
[5] H.J. Becher u. S. Frick, Z. anorg. Ch. **295**, 83 (1958); C.A. **52**, 18465 (1958).
[6] B.R. Cragg u. K. Niedenzu, J. Organometal. Chem. **117**, 1 (1976).
[7] M.F. Hawthorne, Am. Soc. **81**, 5836 (1959).
[8] M.F. Hawthorne, Am. Soc. **83**, 833 (1961).

Mit Wasserstoff unter Druck läßt sich die Herstellung von 2,4,6-Trialkylborazinen aus Ammoniak-Trialkylboranen bereits bei 200° durchführen[1]. Beispielsweise erhält man aus Ammoniak-Triethylboran bei 180–220° bei einem H_2-Druck von 150–320 bar *2,4,6-Triethylborazin* (Kp: 192–193°) und Amino-diethyl-boran (vgl. S. 75)[1].

Entsprechend lassen sich aus Ammoniak-Tripropylboran in Gegenwart von Wasserstoff *2,4,6-Tripropylborazin* (Kp_{14-25}: 116–119°) und Amino-dipropyl-boran (Kp: 119–124°) gewinnen[1], aus dem durch erneute Einwirkung von Wasserstoff unter Druck bei 220–260° weiteres 2,4,6-Tripropylborazin erhalten werden kann (vgl. S. 342)[1].

Bei einer Variante vollzieht sich die Hydroborierung intramolekular, da man von einem 4-Amino-1-buten als Amin-Komponente ausgeht[2]:

$$3\ (H_3C)_3\overset{\oplus}{N}-\overset{\ominus}{B}H_3 + 3\ H_2N-CH_2-CH_2-CH=CH_2 \xrightarrow[-6\ H_2,\ -3\ N(CH_3)_3]{\text{Diglyme}, 110°}$$

Tris[butan-1,4-diyl]borazin; 65%; F: 184–185°

Das gleiche Produkt entsteht in sehr viel schlechterer Ausbeute, wenn man Diboran(6)[2] oder Lithium-tetrahydridoborat einsetzt[3].

Ebenfalls unter Wasserstoff-Abspaltung verläuft die Reaktion von Triethylamin-Boran mit Anilino-diethyl-boran. Vermutlich wird zunächst ein B-Ethyl-Rest in letzterem durch einen Hydrid-Rest ausgetauscht, bevor es zur Eliminierung von Wasserstoff kommt[4]:

$$3\,(H_5C_2)_3\overset{\oplus}{N}-\overset{\ominus}{B}H_3 + 3\ (H_5C_2)_2B-NH-C_6H_5 \xrightarrow[-3\,(H_5C_2)_3\overset{\oplus}{N}-\overset{\ominus}{B}H_2-C_2H_5]{}$$

$$3\ H_5C_2-HB-NH-C_6H_5 \xrightarrow[-3H_2]{} (H_5C_2)_3B_3N_3(C_6H_5)_3$$

2,4,6-Triethyl-1,3,5-triphenyl-borazin; F: 151–153°

Da die Komponenten 3,5 Stdn. auf 100–130° erhitzt werden und das Triethylamin-Boran im Überschuß vorliegt, fallen als Nebenprodukte das entsprechende 2-Ethyl- und 2,4-Diethylborazin an. Wird das gesamte Rohprodukt jedoch weitere 3,5 Stdn. mit dem Ethylierungsmittel Triethylboran auf über 100° erhitzt, so werden die B–H-Gruppierungen der Nebenprodukte wieder ethyliert.

$\delta\delta_9$) aus Boraten

Aus verschiedenen Organoboraten lassen sich beim Erhitzen 2,4,6-Triorganoborazine herstellen, deren Stickstoff-Komponente aus Ammonium-Kationen oder auch aus dem Borat stammen können.

---

[1] R. Köster, G. Bruno u. P. Binger, A. **664**, 1 (1961).
[2] H. Wille u. J. Goubeau, B. **105**, 2156 (1972).
[3] G. C. Culling, M. J. S. Dewar u. P. A. Marr, Am. Soc. **86**, 1125 (1964).
[4] R. Köster u. K. Iwasaki, Advan. Chem. Ser. **42**, 148 (1964); C. A. **60**, 10705 (1964).

Aus Alkylammonium-phenyl-trichlor-boraten erhält man nach mehrstündigem Erhitzen in siedendem Toluol in Gegenwart von Trialkylamin als Hydrogenchlorid-Abfänger 1,3,5-Trialkyl-2,4,6-triphenyl-borazine in Ausbeuten von 20–60%[1]:

$$[R-NH_3]^+ \; [H_5C_6-BCl_3]^- \xrightarrow[-3[(H_5C_2)_3NH]^+Cl^-]{+3(H_5C_2)_3N} 1/3$$

R = C_3H_7; *2,4,6-Triphenyl-1,3,5-tripropyl-borazin*; 60%
R = $CH_2-CH(CH_3)_2$; *1,3,5-Triisobutyl-2,4,6-triphenyl-borazin*; 21%

Die Reaktion verläuft nicht einheitlich und ist vor allem deutlich vom Alkyl-Rest des Ammonium-Kations abhängig.

Aus Isobutylammonium-phenyl-trichloro-borat bilden sich beim Erhitzen auch kleine Anteile (~5%) *1,3,5,7-Tetraisobutyl-2,4,6,8-tetraphenyl-1,3,5,7,2,4,6,8-tetraazatetraborocan* (vgl. S. 379)[1]. tert.-Butylammonium-phenyl-trichloro-borat spaltet bei der Pyrolyse ~1 mol tert.-Butylchlorid ab, während aus sek.-Butylammonium-phenyl-trichlor-borat ohne Triethylamin sek.-Butylamin, Trichlorboran und sek.-Butylammoniumchlorid und bei Zusatz des tert. Amins sek.-Butylamino-chlor-phenyl-boran gebildet werden[1].

Aus Hydroboraten lassen sich mit bestimmten Alkenyl-ammonium-halogeniden nach Abspaltung von Wasserstoff und Hydroborierung der C=C-Bindung durch anschließende Kondensation in allerdings nur bescheidenen Ausbeuten Organoborazine herstellen. Aus Lithiumtetrahydridoborat erhält man mit 4-Amino-1-buten-Hydrochlorid in Diethylether ein Produkt, das im Autoklaven bei 150° bis ~300° in 26%iger Ausbeute ins *Tris[1,4-butandiyl]borazin* (F: 184–186°) überführt wird[2,3]:

$$Li^+ \; [BH_4]^- + [H_3N-CH_2-CH_2-CH=CH_2]^+ \; Cl^- \xrightarrow[\substack{-\,3\,H_2 \\ -\,LiCl}]{\substack{1.\ (H_5C_2)_2O \\ 2.\ 150°,\ 2\ Stdn. \\ 3.\ 300-310°,\ 20\ Min.}} 1/3$$

Lithium-[(dimethylboryl-amino)-trimethyl-borat] bildet beim Stehenlassen langsam *2,4,6-Trimethylborazin*[4]:

$$Li^+ \; [(H_3C)_3B-NH-B(CH_3)_2]^- \xrightarrow[-Li^+[(H_3C)_4B]^-]{} 1/3$$

[1] B.R. Currell, W. Gerrard u. M. Khodabocus, J. Organometal. Chem. **8**, 411 (1967).
[2] G.C. Culling, M.J.S. Dewar u. P.A. Marr, Am. Soc. **86**, 1125 (1964).
[3] K.M. Davies, M.J.S. Dewar u. P. Rona, Am. Soc. **89**, 6294 (1967).
[4] H. Fussstetter u. H. Nöth, B. **111**, 3596 (1978).

δ_2) *2,4-Diorgano- und 2-Monoorgano-borazine*

Zur Verbindungsklasse gehören 2,4-Diorgano- sowie 2-Organo-borazine mit beliebigen anderen Substituenten am B^6- bzw. an den B^4- und B^6-Atomen. Wegen der größtenteils nicht spezifischen Reaktionen werden die Herstellungsmethoden der Verbindungen nicht voneinander getrennt besprochen. Die meisten Reaktionen gehen von anderen Borazinen aus.

$\delta\delta_1$) B-Hydro-B-organo-borazine

i_1) aus 2,4,6-Triorganoborazinen

Als Produkte der Quecksilber-photosensibilisierten Radikal-Reaktion des 2,4,6-Trimethylborazins mit Wasserstoff bei 2537 Å erhält man durch Methyl/Hydro-Austausch an den Bor-Atomen *2,4-Dimethyl-* und *2-Methyl-borazin*. Unter Verknüpfung zweier Methyl-Gruppen werden auch *1,2-Bis[borazin-2-yl]ethane* gebildet[1]:

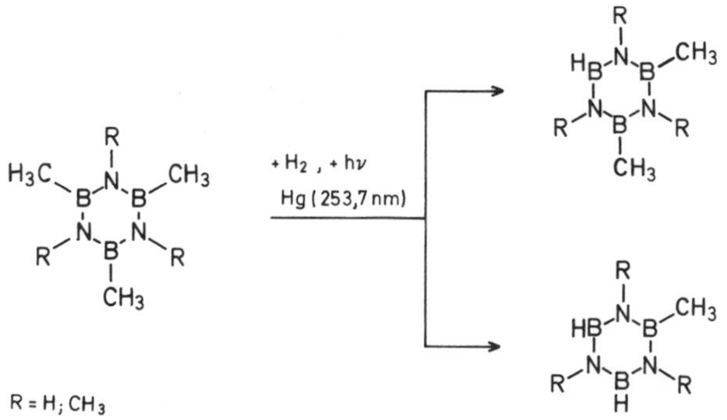

$+H_2$, $+h\nu$; Hg (253,7 nm)

R = H; CH_3

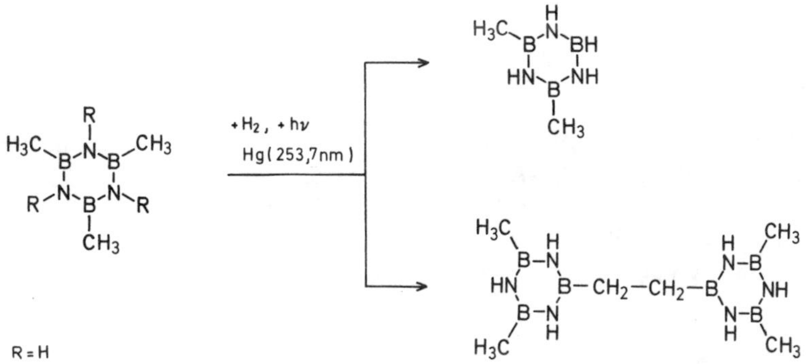

$+H_2$, $+h\nu$; Hg (253,7 nm)

R = H

i_2) aus B-Hydroborazinen

Mit metallorganischen Verbindungen reagieren 1,3,5-Trialkylborazine unter Substitution der Hydro-Reste mit Organo-Resten. Die Reaktionen werden mit Organolithium- sowie -magnesium-Verbindungen durchgeführt, liefern allerdings im allgemeinen Gemische von 2-Organo- und 2,4-Diorgano- sowie 2,4,6-Triorgano-borazinen.

---

[1] G.A. Kline u. R.F. Porter, Inorg. Chem. **16**, 11 (1977).

ii_1) mit 2,4,6-Triorganoborazinen

B-Hydro-borazine werden mit B-Organoborazinen organyliert. Ein Beispiel hierfür ist die Kommutierung von 1,3,5-Trimethyl- und Hexamethyl-borazin im Bombenrohr[1,2]:

$$x\,H_3B_3N_3(CH_3)_3 \;+\; (3-x)\,(H_3C)_3B_3N_3(CH_3)_3 \xrightarrow[\text{geschl. Rohr}]{175-350^\circ} 3\,H_x(CH_3)_{3-x}B_3N_3(CH_3)_3$$

ii_2) mit metallorganischen Verbindungen

Versucht man 1,3,5-Triorganoborazine mit stöchiometrischen Mengen Ethyl- oder Methyl-lithium einfach oder zweifach zu alkylieren, so erhält man stets kleine Mengen an Borazinen mit unerwünschtem Alkylierungsgrad als Nebenprodukte[3,4].

Das am häufigsten angewendete Verfahren zur Herstellung von *B*-Hydro-*B*-organoborazinen ist die Organylierung einer oder zweier ⟩BH-Bindungen mit Grignard-Agenzien. Auch diese Reaktion läßt sich nicht ohne weiteres stöchiometrisch durchführen. Man erhält als Nebenprodukte meist Borazine mit kleinerem und größerem als dem gewünschten Organylierungsgrad x:

$$H_3B_3N_3R^2_3 \;+\; x\,R^1MgHal \xrightarrow[-HMgHal]{} H_{3-x}R^1_xB_3N_3R^2_3$$

x = 1,2
Hal = Br, J

2-Methyl-1,3,5-triphenyl-borazin[5]: Eine aus 1,87 g (0,077 mol) Magnesium und 10,95 g (0,077 mol) Methyljodid in 70 *ml* Ether hergestellte Lösung gibt man innerhalb 1 Stde. unter Rühren zu einer Lösung von 21,6 g (0,070 mol) 1,3,5-Triphenylborazin in 300 *ml* Ether. Nach 2stdgm. Rühren setzt man solange eine ges. wäßr. Ammoniumchlorid-Lösung zu, bis sich die Magnesiumsalze rasch absetzen. Die ether. Phase wird dekantiert und eingedampft und das Rohprodukt aus Hexan umgefällt; Ausbeute: 21,4 g (93%); F: 140–142°.

Auf ähnliche Weise erhält man u.a.

Pentamethylborazin[5,6]	53%; F: 32,8; Kp: 187°
2,4-Dimethyl-1,3,5-triphenyl-borazin[5,6]	86%; F: 206°
1,2,3,5-Tetraphenylborazin[5,6]	66%; F: 215°
1,3,5-Triphenyl-2-(3,3,3-trifluorpropyl)-borazin[7]	F: 128–130°

Man kann das Borazin auch in Toluol-Lösung mit dem Organomagnesiumjodid umsetzen[8]; z.B. zur Herstellung von *2,4-Dimethyl-1,3,5-triisopropyl-* (74%; Kp_{16}: 108–112°)[8], *2,4-Diphenyl-1,3,5-triisopropyl-* (85%; F: 151–153°)[6] und *2-Phenyl-1,3,5-triisopropylborazin* (55%; F: 116–117°).

Zur Herstellung von *2-Methylborazin*[9] sowie *2-Phenylborazin* (19%; F: 73,5–75°) s. Lit.[10].

---

[1] H.C. Newsom, W.G. Woods u. A.L. McCloskey, Inorg. Chem. **2**, 36 (1963).
[2] US.P. 3072718 (1963), US Borax & Chem. Corp., Erf.: H.C. Newsom, W.G. Woods u. A.L. McCloskey; C.A. **59**, 662 (1963).
[3] C.S.G. Phillips, P. Powell, J.A. Semlyen u. P.L. Timms, Fres. **197**, 202 (1963); C.A. **60**, 27 (1964).
[4] P. Powell, J.A. Semlyen, R.E. Blofeld u. C.S.G. Phillips, Soc. **1964**, 280.
[5] J.H. Smalley u. S.F. Stafiej, Am. Soc. **81**, 582 (1959); dort zahlreiche Derivate.
[6] R.I. Wagner u. J.L. Bradford, Inorg. Chem. **1**, 93 (1962).
Zur Herstellung von *1,2,3,5-Tetramethylborazin* s. C.S.G. Phillips, P. Powell u. J.A. Semlyen, Soc. **1963**, 1202.
[7] V.F. Gridina, A.L. Klebanskii u. V.A. Bartashev, Ž. obšč. Chim. **34**, 1401 (1964); C.A. **61**, 5677 (1964).
[8] A. Grace u. P. Powell, Soc. [A] **1966**, 673; C.A. **65**, 2113 (1966).
[9] O.T. Beachley, Jr., Inorg. Chem. **8**, 981 (1969); C.A. **70**, 111260 (1969).
[10] *Gmelin*, 8. Aufl., **51**/17, S. 206–214 (1978).

Mit der Grignard-Methode lassen sich auch nacheinander zwei verschiedene organische Reste einführen, wie die Herstellung von *2-Ethyl-4-methyl-1,3,5-triphenyl-borazin* zeigt[1].

Aus 5-Cyclohexyl-1,3-dimethyl- bzw -1,3-diethyl-borazinen gewinnt man mit Methyl- oder Ethylmagnesiumhalogeniden in Diethylether strukturisomere 2- bzw. 4-Alkylborazine[2].

Aus Borazin läßt sich mit Silbercyanid in ~50%iger Ausbeute *2-Cyanborazin* herstellen[3].

ii$_3$) mit Diazomethan

1,3,5-Triarylborazine lassen sich mit Diazomethan in B-Methyl-1,3,5-triaryl-borazine überführen. Ein oder zwei Methyl-Reste werden bei −78° in Diethylether in vielstündiger Reaktion an den Bor-Atomen eingeführt[4].

$$H_3B_3N_3Ar_3 + x\,CH_2N_2 \xrightarrow[-xN_2]{\text{Ether, 40 Stdn., }-78°} H_{3-x}(CH_3)_xB_3N_3Ar_3$$

z.B.: x = 2; Ar = C_6H_5; *2,4-Dimethyl-1,3,5-triphenyl-borazin*; F: 205–207°
Ar = 4-Br−C_6H_4; *2,4-Dimethyl-1,3,5-tris[4-bromphenyl]-borazin*; F: 211–213°
x = 1; Ar = 4-CH_3−C_6H_4; *2-Methyl-1,3,5-tris[4-methylphenyl]-borazin*; F: 150–151°

i$_3$) aus B-Halogenborazinen

B-Chlor-*B*-methyl-borazine lassen sich in Diglyme mit Natriumtetrahydroborat zu den entsprechenden *B*-Hydro-*B*-methyl-borazinen hydridieren. Man kann so verfahren, daß man die *B*-Chlor-*B*-methyl-borazine nicht isoliert sondern in der Form weiterverarbeitet, wie man sie durch Kommutierung aus 2,4,6-Trichlor-1,3,5-trimethyl- und Hexamethylborazin im Bombenrohr erhält[5]:

$$Cl_3B_3N_3(CH_3)_3 + (H_3C)_3B_3N_3(CH_3)_3 \longrightarrow Cl_2(CH_3)B_3N_3(CH_3)_3 + Cl(CH_3)_2B_3N_3(CH_3)_3$$

$$\xrightarrow[-3\,NaCl,\ -3/2\,B_2H_6]{+3\,Na[BH_4]} H_2(CH_3)B_3N_3(CH_3)_3 + H(CH_3)_2B_3N_3(CH_3)_3$$

1,2,3,5-Tetramethyl-borazin; 58% — *1,2,3,4,5-Pentamethyl-borazin*; 21%

Bei der Organylierung von *B*-Chlor-*N*-hydro-borazinen mit metallorganischen Agenzien wird bevorzugt die BCl-Funktion angegriffen; z.B.[6]:

$$H_2ClB_3N_3H_3 + H_3C{-}MgJ \xrightarrow{-MgClJ} H_2(CH_3)B_3N_3H_3$$

2-Methylborazin

---

[1] J.H. Smalley u. S.F. Stafiej, Am. Soc. **81**, 582 (1959).
[2] P. Powell Inorg. Chem. **12**, 913 (1973).
[3] O.T. Beachley jr., Am. Soc. **93**, 5066 (1971).
[4] US.P. 2998449 (1959), American Cyanamid Co., Erf.: S.F. Stafiej; C.A. **56**, 1479 (1962).
[5] US.P. 3081252 (1963), US Borax & Chemical Corp., Erf.: H.C. Newsom, W.G. Woods u. A.L. McCloskey; C.A. **59**, 7558 (1963).
[6] O.T. Beachley, Jr., Inorg. Chem. **8**, 2665 (1969).

Zur Alkylierung von BCl-Funktionen besonders geeignete Mittel sind Alkylaluminium-Verbindungen (insbesondere Triethyl-, Chlor-diethyl-, Diethyl-ethoxy-aluminium). So kann man 2,4-Dichlor-1,3-diethyl-borazin mit Triethylalan glatt zweimal alkylieren, wenn man das entstehende Aluminiumtrichlorid mit Natriumchlorid komplexiert[1]; z.B.:

$$3\ HCl_2B_3N_3H(C_2H_5)_2 \quad + \quad 2\,(H_5C_2)_3Al \quad + \quad 2\ NaCl \xrightarrow[-2\,Na[AlCl_4]]{} 3\ H(C_2H_5)_2B_3N_3H(C_2H_5)_2$$

1,2,3,4-Tetraethylborazin; 86%; F: 120–122°

2-Chlorborazin reagiert mit Silbercyanid in hoher Ausbeute unter Substitution zum *2-Cyanborazin*[2]. Aus 2,4-Dichlorborazin läßt sich *2,4-Dicyanborazin* herstellen[2].

i_4) aus B-Aminoborazinen

Die Amino-Gruppen von *B*-Amino-*B*-butyl-borazinen lassen sich bereits bei tiefer Temperatur mittels Diboran durch Hydrid-Reste austauschen[3]:

$$(R^1_2N)_x(H_9C_4)_{3-x}B_3N_3R^2_3 \quad + \quad x/2\ B_2H_6 \xrightarrow[-x\ H_2B-NR^1_2]{\text{Ether}, -25 \text{ bis } -10°} H_x(H_9C_4)_{3-x}B_3N_3R^2_3$$

x = 1; R^2 = H; *2,4-Dibutylborazin*; Kp_{11}: 135°
$R^2 = CH_3$; *2,4-Dibutyl-1,3,5-trimethyl-borazin*; $Kp_{0,001}$: 140°
x = 2; $R^2 = CH_3$; *2-Butyl-1,3,5-trimethyl-borazin*; Kp_{35}: 120°

$\delta\delta_2$) B-Halogen-B-organo-borazine

i_1) aus B-Organoborazinen

Zu *B*-Brom-*B*-organo-borazinen gelangt man aus *B*-Alkinyl-*B*-organo-borazinen mit Tribromboran in Benzol bei 20°[4]:

$$(R-C\equiv C)_x(H_3C)_{3-x}B_3N_3(CH_3)_3 \quad + \quad BBr_3 \xrightarrow[-R-C\equiv C-BBr_2]{1\ \text{Std.},\ 20°\ \text{Benzol}} Br_x(H_3C)_{3-x}B_3N_3(CH_3)_3$$

x = 2; *2,4-Dibrom-tetramethyl-borazin*; 60%; F: 130–132°
x = 1; *2-Brom-pentamethyl-borazin*; >70%; F: 116–118°

i_2) aus B-Hydroborazinen

Die >BH-Bindungen von Tetramethyl- und Pentamethyl-borazinen lassen sich mittels Hydrogenchlorid oder -bromid im geschlossenen Rohr in die entsprechenden >BHal-Bindungen überführen. Arbeitet man in Tetrachlormethan als Lösungsmittel, so sind die Ausbeuten geringer als ohne Lösungsmittel[5]:

[1] DAS 1138052 (1962), Kali Chemie A.-G., Erf.: H. Jenkner; C. A. **58**, 5722 (1963).
[2] O. T. Beachley jr., Inorg. Chem. **12**, 2503 (1973).
[3] A. Meller, M. **99**, 1670 (1968); C. A. **69**, 113064 (1968).
[4] A. Meller u. H. Marecek, M. **99**, 1666 (1968); C. A. **70**, 4183 (1969).
[5] R. I. Wagner u. J. L. Bradford, Inorg. Chem. **1**, 93 (1962).

$$H_x(CH_3)_{3-x}B_3N_3(CH_3)_3 \quad + \quad x\,HHal \xrightarrow[-x\,H_2]{\text{2 Stdn. Bombenrohr}} Hal_x(H_3C)_{3-x}B_3N_3(CH_3)_3$$

z.B.: Hal = Cl; x = 1 (130°); *2-Chlor-pentamethyl-borazin*; 96%; F: 127–128,5°
x = 2 (180°); *2,4-Dichlor-tetramethyl-borazin*; 98%; F: 145–146°
Hal = Br; x = 2 (220°); *2,4-Dibrom-tetramethyl-borazin*; 93%; F: 140–142°

i₃) aus B-Halogenborazinen

Zur partiellen Organylierung sowohl von 2,4,6-Trichlor- als auch von 2,4,6-Trifluorborazinen lassen sich lithiumorganische Verbindungen heranziehen. Die Produktgemische verschiedener Organylierungsstufen sind meist durch fraktionierte Destillation oder Sublimation auseinanderzutrennen[1-3]:

$$Hal_3B_3N_3(CH_3)_3 \quad + \quad x\,LiR \xrightarrow[-x\,LiHal]{} Hal_{3-x}R_xB_3N_3(CH_3)_3$$

z.B.: Hal = F; x = 2; R = CH_3; *2-Fluor-pentamethyl-borazin*[3]; 25%; $Kp_{0,1}$: 80°
Hal = Cl; x = 2; R = CH_3; *2-Chlor-pentamethyl-borazin*[2]; F: 120–129°
x = 1; R = C_6H_5; *2,4-Dichlor-6-phenyl-1,3,5-trimethyl-borazin*[1]

Ausgehend von B-Halogen-B-organo-borazinen lassen sich mit Alkalimetallfluoriden in Benzol/Acetonitril Fluor-organo-borazine herstellen[2,3]:

$$Cl_x(R^1)_{3-x}B_3N_3R^2_3 \quad + \quad x\,NaF \xrightarrow[-x\,NaCl]{} F_x(R^1)_{3-x}B_3N_3R^2_3$$

x = 1; $R^1 = C_4H_9$; $R^2 = H$; *2,4-Dibutyl-6-fluor-borazin*[3]; 45%; $Kp_{0,001}$: 90–95°
x = 2; $R^1 = C_4H_9$; $R^2 = CH_3$; *2-Butyl-4,6-difluor-1,3,5-trimethyl-borazin*[3]; 50%; $Kp_{0,001}$: 50–60°

Der einfachste Weg zu *B*-Chlor-*B*-organo-borazinen besteht in der Organylierung einer oder zweier der >BCl-Bindungen von 2,4,6-Trichlorborazinen mit Hilfe von Grignard-Verbindungen. Die Ausbeuten sind im allgemeinen schlecht, da trotz Einhaltung stöchiometrischer Bedingungen auch Produkte mit zu geringer oder zu hoher Organylierungsstufe entstehen[4-10]:

$$Cl_3B_3N_3R^2_3 \quad + \quad R^1MgBr \xrightarrow[-MgClBr]{} Cl_{3-x}R^1_xB_3N_3R^2_3$$

2,4-Dichlor-1,3,5,6-tetramethyl-borazin[4]**:** Eine ether. Lösung von 0,22 mol Methylmagnesiumbromid gibt man tropfenweise unter Rühren zu einer Lösung von 50 g (0,22 mol) 2,4,6-Trichlor-1,3,5-trimethyl-borazin in 250 *ml* Ether, wobei sich die Lösung von selbst zum Rückfluß erwärmt. Nach 20stdgm. Rühren bei 20° wird durch eine mit Glaswolle beschichtete Filterplatte filtriert und das Filtrat zum Rohprodukt eingedampft; durch Waschen des etherunlöslichen Reaktionsguts gewinnt man weiteres Rohprodukt. Abschließend wird aus 1,2-Dimethoxyethan umkristallisiert; Ausbeute: 37 g (82%); F: 145–147.

[1] DAS 1115250 (1959), Kalichemie A.G., Erf.: H. Jenkner; C.A. **54**, 8743 (1960).
[2] R.I. Wagner u. J.L. Bradford, Inorg. Chem. **1**, 93 (1962).
[3] A. Meller, M. Wojnowska u. H. Marecek, M. **100**, 175 (1969); C.A. **70**, 96843 (1969).
[4] R. H. Toeniskoetter u. F.R. Hall, Inorg. Chem. **2**, 29 (1963).
[5] G.E. Ryschkewitsch, J.J. Harris u. H.H. Sisler, Am. Soc. **80**, 4515 (1958).
[6] V. Gutmann, A. Meller u. R. Schlegel, M. **94**, 1071 (1963).
[7] D. Seyferth, W.R. Freyer u. M. Takamizawa, Inorg. Chem. **1**, 710 (1962).
[8] L.A. Melcher, J.L. Adcock u. J.J. Lagowski, Inorg. Chem. **11**, 1247 (1972).
[9] B. Frange, Bl. **1973**, 1216.
[10] A. Meller, M. **94**, 183 (1963).

Auf ähnliche Weise erhält man z.B.:

2-Chlor-pentamethyl-borazin[1]	76%; F: 127–128,5°
2,4-Dichlor-1,3,5,6-tetramethyl-borazin[1]	82%; F: 143,5–145°
2-Chlor-4,6-dibutyl-1,3,5-trimethyl-borazin[2,3]	35%; $Kp_{1,1}$: 120°
6-Chlor-2,4-dibutyl-borazin[4]	~30; $Kp_{0,01}$: ~90°
2,4-Bis[trimethylsilyl-methyl]-6-chlor-1,3,5-trimethyl-borazin[5]	49%; $Kp_{0,03}$: 105–108°

2,4-Dichlor-1,3,5,6-tetraorgano-borazine lassen sich mit Hilfe von Grignard-Agenzien partiell weiter organylieren; z.B. 2,4-Dichlor-tetramethyl-borazin mit Phenylmagnesiumbromid zum *2-Chlor-6-phenyl-1,3,4,5-tetramethyl-borazin*[6] ($Kp_{0,01}$: 92–94°) bzw. 2,4,6-Trichlor-1,3,5-trimethyl-borazin zum *2,4-Dichlor-6-phenyl-1,3,5-trimethyl-borazin* (28%; $Kp_{0,01}$: 95–99°).

i_4) aus B-Alkylthio-borazinen

Der Austausch von Butylthio-Gruppen gegen das Chlor-Atom gelingt mit Hilfe von Quecksilber(II)-chlorid[7]:

$$(H_9C_4S)_2(H_3C)B_3N_3H_3 \quad + \quad HgCl_2 \xrightarrow[-Hg(SC_4H_9)_2]{} Cl_2(H_3C)B_3N_3H_3$$

2,4-Dichlor-6-methyl-borazin; 45%; F: 143–145°

i_5) aus B-Aminoborazinen

Die Chloridierung von B-Amino-Gruppen in siedendem Benzol läßt sich in guten Ausbeuten mit Phosphor(III)-chlorid vornehmen[8]:

$$[(H_3C)_2N]_x(H_3C)_{3-x}B_3N_3(CH_3)_3 \quad + \quad x\,PCl_3 \xrightarrow[-x\,(H_3C)_2NPCl_2]{} Cl_x(H_3C)_{3-x}B_3N_3(CH_3)_3$$

$\delta\delta_3$) B-Organo-B-oxy-borazine

Außer den B-Organo-B-organooxy-borazinen gehören zur Verbindungsklasse auch Bis[borazin-2-yl]oxide sowie lineare und makrocyclische Verbindungen, die durch 2,4-Borazinyl-Reste über Sauerstoff miteinander verbunden sind[9]. Die Herstellung der Verbindungen erfolgt ausschließlich aus Borazinen durch einfache Substitution an den Bor-Atomen oder durch Verknüpfung von zwei B-Funktionen mit Sauerstoff.

---

[1] R.H. Toeniskoetter u. F.R. Hall, Inorg. Chem. **2**, 29 (1963).
[2] G.E. Ryschkewitsch, J.J. Harris u. H.H. Sisler, Am. Soc. **80**, 4515 (1958).
[3] V. Gutman, A. Meller u. R. Schlegel M. **94**, 1071 (1963).
[4] A. Meller, M. **94**, 183 (1963)
[5] D. Seyferth, W. Freyer u. M. Takimizana, Inorg. Chem. **1**, 710 (1962).
[6] L.A. Melcher, J.L. Adcock u. J.J. Lagowski, Inorg. Chem. **11**, 1247 (1972).
[7] B.M. Mikhailov u. A.F. Galkin, Izv. Akad. SSSR **1969**, 604; engl.: 540; C.A. **71**, 61450 (1969).
[8] R.H. Toeniskoetter u. F.E. Hall, Inorg. Chem. **2**, 29 (1963).
[9] I.B. Atkinson u. B.R. Currell, Inorg. Macromol. Rev. **1**, 203 (1971); dort S. 214ff.; C.A. **74**, 64414 (1971).

i_1) aus B-Halogenborazinen

Die einfache bzw. zweifache Alkoxylierung von *B*-Chlor-*B*-organo-borazinen mit Natriumalkanolat in benzolischer Suspension gelingt glatt[1]:

$$Cl_x(H_9C_4)_{3-x}B_3N_3(CH_3)_3 + x\,NaOR \xrightarrow[-x\,NaCl]{} (RO)_x(H_9C_4)_{3-x}B_3N_3(CH_3)_3$$

z.B.: x = 1; R = C_3H_7; *2,4-Dibutyl-6-propyloxy-1,3,5-trimethyl-borazin*; $Kp_{0,008}$: 140°
x = 2; R = $CH_2-CF_2-CF_2H$; *4,6-Bis[2,2,3,3-tetrafluorpropyloxy]-2-butyl-1,3,5-trimethyl-borazin*; $Kp_{0,02}$: 130°

Bis[borazin-2-yl]oxide sind aus Halogenborazinen mit Wasser zugänglich.

Aus 2-Chlor-pentaorgano-borazinen erhält man mit Wasser Bis[pentaorganoborazin-2-yl]oxide[2]:

$$2\ Cl\text{-}B_3N_3(R^1)_2(R^2)_3 + H_2O \xrightarrow[-2\,HCl]{} [(R^1)_2(R^2)_3B_3N_3]\text{-}O\text{-}[B_3N_3(R^1)_2(R^2)_3]$$

Durch Einsatz stöchiometrischer Mengen an Wasser und tertiärem Amin werden die besten Ausbeuten erhalten[3].

Bei der Organylierung von 2,4,6-Trichlorborazinen mit Grignard-Agenzien fallen in geringen Mengen die Monochlor-Derivate mit an. Gibt man zur Abtrennung der Magnesiumsalze zur etherischen Phase gesättigte wäßr. Ammoniumchlorid-Lösung, so wird das Monochlor-Derivat in das entsprechende Bis[borazinyl]oxid übergeführt[4]; z.B.:

$$2\,Cl[(H_3C)_3Si{-}CH_2]_2B_3N_3(CH_3)_3 + H_2O \xrightarrow[-2\,HCl]{} O\{[(H_3C)_3Si{-}CH_2]_2B_3N_3(CH_3)_3\}_2$$

Bis[4,6-bis(trimethylsilyl-methyl)-1,3,5-trimethyl-borazin-2-yl]oxid; F: 95–96°

Dosierte Wassermengen werden auch im System Dimethylformamid/Dimethylamin frei, wenn man 2-Chlor-pentaalkyl-borazin ohne Lösungsmittel zugibt[5]:

$$2\,Cl(H_3C)_2B_3N_3R_3 + (H_3C)_2N{-}CHO + 2\,(H_3C)_2NH \xrightarrow[-[(H_3C)_2NH_2]^+Cl^-]{-[(H_3C)_2N]_2CH{-}Cl} O[(H_3C)_2B_3N_3R_3]_2$$

R = CH_3; *Bis[pentamethylborazin-2-yl]oxid*; 58%; F: 134°
R = C_2H_5; *Bis[4,6-dimethyl-1,3,5-triethyl-borazin-2-yl]oxid*; $Kp_{0,0001}$: 150°

---

[1] A. MELLER, R. SCHLEGEL u. V. GUTMANN, M. **95**, 1564 (1964); C.A. **62**, 11841 (1965).
[2] A. MELLER, H.-J. FÜLLGRABE u. C.D. HABBEN, B. **112**, 1252 (1979).
[3] R.I. WAGNER u. J.L. BRADFORD, Inorg. Chem. **1**, 99 (1962).
[4] D. SEYFERTH u. H.P. KOEGLER, J. Inorg. & Nuclear Chem. **15**, 99 (1960); C.A. **55**, 6237 (1961).
[5] R.H. TOENISKOETTER u. K.A. KILLIP, Am. Soc. **86**, 690 (1964); C.A. **60**, 8051 (1964).

Aus 2,4-Dihalogenborazinen lassen sich mit Wasser in Gegenwart von Triethylamin in Ether Makrocyclen mit O-verbrückten 2,4-Borazinyl-Resten herstellen[1]. Aus 2,4-Dichlor-1,3,5,6-tetramethyl-borazin erhält man in Dimethylformamid[2] in Gegenwart von Dimethylamin in 4%iger Ausbeute ein heptacyclisches Oxaborazinyl-Derivat (1 Großring und 6 Kleinringe) mit Pseudokäfig-Struktur[3]:

CH$_3$ / H$_3$C B N B Cl / H$_3$C N B N CH$_3$ / Cl

$$\xrightarrow{+\ (H_3C)_2N-CHO\ /\ (H_3C)_2NH}$$

[CH$_3$ / H$_3$C B N B O / H$_3$C N B N CH$_3$]$_6$

Lineare und makrocyclische Borazin/Aromaten-Verbindungen mit 2,4,6-Organo-oxy-borazin-Gliedern sind aus 2-Chlor- bzw. 2,4-Dichlor-1,3,5,6-tetramethyl-borazin mit Dinatriumresorcinat in siedendem Benzol zugänglich (Ausbeute: 3,7%)[4].

2 CH$_3$ / H$_3$C B N B Cl / H$_3$C N B N CH$_3$ / Cl + 2 ONa / ONa

$$\xrightarrow[-4\ NaCl]{C_6H_6,\ 21\ Stdn.\ 80^\circ}$$

CH$_3$ / H$_3$C B N B O / H$_3$C N B N CH$_3$ / O / H$_3$C O N B N CH$_3$ / O B N B CH$_3$ / CH$_3$

10,11,12,22,23,24,25,27-Octamethyl-2,8,14,20-tetraoxa-10,12,22,24,25,27-hexaaza-1,9,11,13,21,23-hexabora-pentacyclo[19.3.1.1^{3,7}.1^{9,13},1^{15,19}]octacosa-3,5,7^{28},15,17,19^{26}-hexaen; 3,7%; F: 205° (nach Subl. i. Vak.)

i$_2$) aus B-Alkylthio-borazinen

Der Austausch zweier Butylthio-Reste gegen den Methoxy-[5] bzw. Trimethylsilyloxy-Rest[6] läßt sich in Ether leicht durchführen:

$$(H_9C_4S)_2(H_3C)B_3N_3(C_2H_5)_3 + CH_3OH \xrightarrow[-2\ H_9C_4SH]{} (H_3CO)_2(H_3C)B_3N_3(C_2H_5)_3$$

2,4-Dimethoxy-6-methyl-1,3,5-triethyl-borazin[5]; 48%; Kp$_2$: 147–150°

$$(H_9C_4S)_2(H_3C)B_3N_3(CH_3)_3 + 2\,NaOSi(CH_3)_3 \xrightarrow[-H_9C_4SNa]{} [(H_3C)_3SiO]_2(H_3C)B_3N_3(CH_3)_3$$

2,4-Bis[trimethylsilyloxy]-tetramethyl-borazin[5]; 46%; Kp$_{0,1}$: 83–85°

---

[1] R.I. Wagner u. J.L. Bradford, Inorg. Chem. **1**, 99 (1962).
[2] R.H. Toeniskoetter u. K.A. Killip, Am. Soc. **86**, 690 (1964).
[3] A. Meller u. H.-J. Füllgrabe, B. **111**, 819 (1978).
[4] A. Meller, H.-J. Füllgrabe u. C.D. Habben, B. **112**, 1252 (1979).
[5] B.M. Mikhailov u. A.F. Galkin, Izv. Akad. SSSR **1962**, 619; engl.: 572; C.A. **57**, 16642 (1962).
[6] N.A. Vasilenko, A.F. Galkin, B.M. Mikhailov u. A. N. Pravednikov, Izv. Akad. SSSR **1968**, 2519; engl.: 2385; C.A. **70**, 68458 (1969).

i_3) aus B-Aminoborazinen

Amino-pentaorgano-borazine können zu den entsprechenden Bis[borazin-2-yl]oxiden hydrolysiert werden, wenn man zur Wasserdosierung das System Dimethylformamid/Dimethylamin anwendet[1]:

$$2\,[(H_3C)_2N](H_3C)_2B_3N_3R_3 \;+\; (H_3C)_2N\text{—}CHO \;+\; [(H_3C)_2NH_2]^+Cl^- \xrightarrow[-[(H_3C)_2N]_2CHCl]{-(H_3C)_2NH} O[(H_3C)_2B_3N_3R_3]_2$$

z.B.: $R = CH_3$; *Bis[pentamethylborazin-2-yl]oxid*; ~100%
$R = C_2H_5$; *Bis[4,6-dimethyl-1,3,5-triethyl-borazin-2-yl]oxid*; 50%

$\delta\delta_4$) B-Alkylthio-B-organo-borazine

2-Butylthio- und 2,4-Bis[butylthio]-6-organo-borazine gewinnt man aus 2,4,6-Tris[butylthio]borazinen mit metallorganischen Verbindungen[1-3]. Mit Lithiumalkanen erhält man z.B. *6-Butylthio-2,4-dibutyl-1,3,5-trimethyl-borazin* (62%; $Kp_{0,08}$: 152–160°)[1]:

$$(H_9C_4S)_3B_3N_3(CH_3)_3 \;+\; 2\,LiC_4H_9 \xrightarrow[-2\,C_4H_9SLi]{} (H_9C_4S)(C_4H_9)_2B_3N_3(CH_3)_3$$

Mit Methylmagnesiumbromid lassen sich aus 2,4,6-Tris[butylthio]- und 1,3,5-Trimethyl-2,4,6-tris[butylthio]-borazin ein oder zwei Butylthio-Reste durch die Methyl-Gruppe substituieren[2,3]:

$$(H_9C_4S)_3B_3N_3R^2_3 \;+\; x\,R^1\text{—}MgBr \xrightarrow[-x\,MgBr(SC_4H_9)]{} (C_4H_9S)_{3-x}(R^1)_xB_3N_3$$

z.B.: $x = 2$; $R^1 = CH_3$; $R^2 = H$; *2-Butylthio-4,6-dimethyl-borazin*[3]; 40%; $Kp_{0,07}$: 124–125°
$R^1 = R^2 = CH_3$; *2-Butylthio-pentamethyl-borazin*[2]; 74%; $Kp_{0,1}$: 140–145°
$x = 1$; $R^1 = CH_3$; $R^2 = H$; *2,4-Bis[butylthio]-6-methyl-borazin*[3]; 40%; $Kp_{0,04}$: 54–56°

Im allgemeinen glatt verlaufen auch die Reaktionen der *B*-Halogen-*B*-organo-borazine mit Alkalimetall-alkanthiolaten und benzolthiolaten. Aus 2-Chlor-pentamethyl-borazin erhält man mit Dinatrium-dithioresorcinat *1,3-Bis[pentamethylborazin-2-ylthio]benzol*[4]:

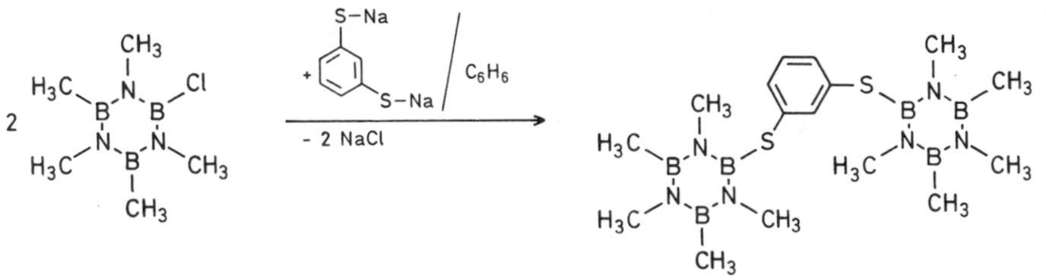

Aus 2,4-Dichlor-tetramethyl-borazin sind mit Natriumpolysulfid in 1,2-Dimethoxyethan unter Rückfluß Polymere mit Borazin-2,4-diyl-Kettengliedern zugänglich[5,6].

[1] B.M. Mikhailov u. A.F. Galkin, Izv. Akad. SSSR **1962**, 619; engl.: 572; C.A. **57**, 16642 (1962).
[2] N.A. Vasilenko, A.F. Galkin, B.M. Mikhailov u. A. N. Pravednikov, Izv. Akad. SSSR **1968**, 2519; engl.: 2385; C.A. **70**, 68458 (1969).
[3] B.M. Mikhailov u. A.F. Galkin, Izv. Akad. SSSR **1969**, 604; engl.: 540; C.A. **71**, 61450 (1969).
[4] A. Meller, H.-J. Füllgrabe u. C.D. Habben, B. **112**, 1252 (1979).
[5] US.P. 3236819 (1961/1966), Union Carbide Corp., Erf.: R.H. Toeniskoetter u. R. Didchenko; C.A. **64**, 14313 (1966).
[6] I.B. Atkinson u. B.R. Currell, Inorg. Macromol. Rev. **1**, 203 (1971); dort S. 216.

$\delta\delta_5$) B-Amino-B-organo-borazine

i_1) aus Halogenboranen

2,4-Bis[ethylamino]-1,3,5-trimethyl-6-phenyl-borazin (49%; $Kp_{0,1}$: 130–140°) ist mit überschüssigem Ethylamin aus Dichlor-phenyl-boran und Trichlorboran zugänglich[1]:

$$H_5C_6{-}BCl_2 + 2\,BCl_3 + 13\,H_5C_2{-}NH_2 \xrightarrow{-8\,[H_5C_2{-}NH_3]^+Cl^-} [(H_5C_2)HN]_2(C_6H_5)B_3N_3(C_2H_5)_3$$

Im ersten Reaktionsschritt wird in der Kälte unter Verbrauch von 16 mol Ethylamin und unter Bildung des Ammoniumsalzes wahrscheinlich ein instabiles Gemisch der durchaminierten Ausgangsborane erhalten, das beim Erhitzen auf 200° unter Abspaltung von 3 mol Ethylamin in das Borazin übergeht.

i_2) aus 1,3,2-Diborazanen

Einen Zugang zu Azabora-Derivaten des Phenalens erhält man aus 1,5,7-Triaza-6-bora-bicyclo[4.4.0]decan bzw. seinen Derivaten auf folgenden Wegen[2]:

Benzol, 3 Stdn. Rückfluß, danach 250° ohne Lsgm.; $-2\,(H_3C)_2NH$

2,4-Diphenyl-1,3,5,9-tetraaza-2,4,13-tribora-tricyclo[7.3.1.0^{5,13}]tridecan; 38%; F: 93–96°; Kp_3: 228–230°

Benzol/Ether, 10 Stdn. Rückfluß, danach 200° ohne Lsgm.; $-2\,(H_3C)_2NH$

2,3,4-Triphenyl-1,3,5,9-tetraza-2,4,13-tri-bora-tricyclo[7.3.1.0^{5,13}]tridecan; 30%; F: 259–260°

i_3) aus Borazinen

Die Herstellung von *B*-Amino-*B*-organo-borazinen aus anderen Borazinen durch Substitution an den Bor-Atomen spielt eine wesentliche Rolle, da das Borazin-Gerüst bei sehr vielen Reaktionen nicht angegriffen wird.

---

[1] Brit. P. 975451 (1964), D. Napier & Son Ltd., Erf.: C. A. PEARCE u. P. G. CHANTRELL; C. A. **62**, 2888 (1965).
[2] P. FRITZ, K. NIEDENZU u. J. W. DAWSON, Inorg. Chem. **4**, 886 (1965); C. A. **63**, 2991 (1965).

ii₁) aus *B*-Hydroborazinen

Die >BH-Bindung im 2,4-Bis[dimethylamino]-1,3,5-tris[2,6-dimethylphenyl]-borazin läßt sich mit Phenyllithium zum *2,4-Bis[dimethylamino]-6-phenyl-1,3,5-tris[2,6-dimethylphenyl]-borazin* (50%; F: 225–256°) phenylieren[1,2]:

$$[(H_3C)_2N]_2HB_3N_3[2,6\text{-}(CH_3)_2{-}C_6H_3]_3 \quad + \quad C_6H_5Li \xrightarrow[-LiH]{\text{2 Stdn. Rückfl./Ether}} [(H_3C)_2N]_2(H_5C_6)B_3N_3[2,6\text{-}(CH_3)_2{-}C_6H_3]$$

ii₂) aus B-Halogenborazinen

iii₁) mit Aminen

Die Aminolyse von 2-Chlor- oder 2,4-Dichlor-borazinen mit der doppelten Menge an Ammoniak, primärem oder sekundärem Amin eröffnet einen breiten Zugang zu den *B*-Amino-*B*-organo-borazinen[3–9] (vgl. Tab. 65, S. 374):

$$Cl_xR^1_{3-x}B_3N_3R^2_3 \quad + \quad 2x\,R^3_2NH \xrightarrow[-x\,[R^3_2NH_2]^+Cl^-]{} (R^3_2N)_xR^1_{3-x}B_3N_3R^2_3$$

2-Methylamino-pentamethyl-borazin[3]: Zu 5,5 g (29,2 mmol) 2-Chlor-pentamethyl-borazin in 100 *ml* Petrolether tropft man bei −78° ~ 2 g (64 mmol) Methylamin, das ebenfalls bei −78° gehalten wird. Man rührt 4 Stdn. bei −78°, erwärmt dann auf 20°, filtriert vom Ammoniumsalz und fraktioniert; Ausbeute: 2,5 g (48%); $Kp_{0,15}$: 48–49°.

Auf ähnliche Weise erhält man z.B.:

2,4-Diamino-tetramethyl-borazin	61%; F: 90°
2,4-Bis[methylamino]-tetramethyl-borazin	51%; Kp_{13}: 102°
2-Dimethylamino-pentamethyl-borazin	Kp_1: 72°

Die Aminolyse läßt sich variieren, indem man von primären Diamino-Verbindungen ausgeht, zur Bindung von Hydrogenchlorid tert. Amin zugibt und so Bis[borazin-2-ylamino]-Derivate erhält[10–12]:

---

1 Brit. P. 1009362 (1965), R.K. Bartlett and H.S. Turner, Erf.: R.K. BARTLETT, H.S. TURNER, R.J. WARNE u. M.A. YOUNG; C.A. **64**, 3596 (1966).
2 R.K. BARTLETT, H.S. TURNER, R.J. WARNE, M.A. YOUNG u. I.J. LAWRENSON, Soc. A **1966**, 470; C.A. **64**, 19454 (1966).
3 R.H. TOENISKOETTER u. F.E. HALL, Inorg. Chem. **2**, 29 (1963).
4 R.H. TOENISKOETTER u. K.A. KILLIP, Am. Soc. **86**, 690 (1964).
5 V. GUTMANN, A. MELLER u. R. SCHLEGEL, M. **94**, 1071 (1963); C.A. **60**, 93008 (1964).
6 Brit. P. 975451 (1964), D. Napier & Son Ltd., Erf.: C.A. PEARCE u. P.G. CHANTRELL; C.A. **62**, 2888 (1965).
7 Y. PROUX u. R. CLEMENT, C.r. [C] **264**, 2123 (1967); C.A. **67**, 73595 (1967).
8 A. MELLER, M. **99**, 1670 (1968); C.A. **69**, 113064 (1968).
9 R. CLEMENT u. Y. PROUX, Bl. **1969**, 558; C.A. **70**, 97297 (1969).
10 V. GUTMANN, A. MELLER u. R. SCHLEGEL, M. **94**, 733 (1963); C.A. **59**, 14020 (1963).
11 A. MELLER, M. WECHSBERG u. V. GUTMANN, M. **97**, 619 (1966); C.A. **67**, 3110 (1967).
12 A. MELLER, H.-J. FÜLLGRABE u. C.D. HABBEN, B. **112**, 1252 (1979).

Tab. 65: B-Amino-B-organo-borazine aus B-Chlor-B-organo-borazinen mit Aminen

R^1	R^2	Amin	Bedingungen	Produkt	Ausbeute [%]	Kp [°C]	Kp [Torr]	Literatur
(2-Cl-borazin: Cl–B, R^2–N, R^1–B)								
CH_3	CH_3	NH_3	ether. Lösung des Borazins zum fl. Amin geben	*2-Amino-pentamethyl-borazin*	80	(F: 89°)		[1]
C_4H_9	H	$HN(C_2H_5)_2$		*2,4-Dibutyl-6-diethyl-amino-borazin*	100	90	0,001	[1]
	CH_3	NH_3		*2-Amino-4,6-dibutyl-1,3,5-trimethyl-borazin*	60	140	0,05	[2]
		$H_2N–CH_3$		*2,4-Dibutyl-6-methyl-amino-1,3,5-trimethyl-borazin*	90	165	0,001	[1]
		$H_2N–C_2H_5$		*2,4-Dibutyl-6-ethylamino-1,3,5-trimethyl-borazin*	90	134	0,08	[2]
		$H_2N–C_6H_5$		*2-Anilino-4,6-dibutyl-1,3,5-trimethyl-borazin*	90	180	0,05	[2]
		$HN(CH_3)_2$		*2,4-Dibutyl-6-dimethyl-amino-1,3,5-trimethyl- borazin*	90	130	0,001	[2]
(2,4-Dichlor-borazin: R^1–B, R^2–N, Cl–B)								
CH_3	CH_3	$H_2N–C_4H_9$	–40° in Benzol/Hexan	*2,4-Bis[butylamino]-tetramethyl-borazin*	85	164	1	[3,4]
	C_2H_5	$H_2N–CH_3$	in Heptan	*2,4-Bis[methylamino]-6-methyl-1,3,5-triethyl-borazin*	–	100	1,5	[5]

[1] A. Meller, M. **99**, 1670 (1968); C.A. **69**, 113064 (1968).
[2] V. Gutmann, A. Meller u. R. Schlegel, M. **94**, 1071 (1963); C.A. **60**, 93008 (1964).
[3] Y. Proux u. R. Clement, C.r. [C] **264**, 2123 (1967); C.A. **67**, 73595 (1967).
[4] R. Clement u. Y. Proux, Bl. **1969**, 558; C.A. **70**, 97297 (1969).
[5] R.H. Toeniskoetter u. K.A. Killip, Am. Soc. **86**, 690 (1964).

Tab. 65 (Forts.)

R^1	R^2	Amin	Bedingungen	Produkt	Ausbeute [%]	Kp [°C]	Kp [Torr]	Literatur
C_4H_9	CH_3	NH_3	ether. Lsg. des Borazins zum fl. Ammoniak geben	*2-Butyl-4,6-diamino-1,3,5-trimethyl-borazin*	40	134	0,12	1
		H_2N-CH_3	in Heptan	*2,4-Bis[methylamino]-6-butyl-1,3,5-trimethyl-borazin*		112	0,6	2
		$H_2N-C_2H_5$	ether. Lsg. des Borazins zum fl. Amin geben	*2,4-Bis[ethylamino]-6-butyl-1,3,5-trimethyl-borazin*	85	128	0,07	1
		$H_2N-C_6H_5$	−40° in Benzol/Hexan	*6-Butyl-2,4-dianilino-1,3,5-trimethyl-borazin*	90	210	0,5	3, 4
			ether. Lsg. des Borazins zum fl. Amin geben		90	210	0,02	1
						115	0,01	
		$HN(CH_3)_2$	ether. Lsg. des Borazins zum fl. Amin geben	*2,4-Bis[dimethylamino]-6-butyl-1,3,5-trimethyl-borazin*				
	C_4H_9	$H_2N-C_4H_9$	in Petrolether	*2,4-Bis[butylamino]-tetrabutyl-borazin*		178–183	0,3	5

[1] V. GUTMANN, A. MELLER u. R. SCHLEGEL, M. **94**, 1071 (1963); C.A. **60**, 93008 (1964).

[2] R.H. TOENISKOETTER u. K.A. KILLIP, Am. Soc. **86**, 690 (1964).

[3] Y. PROUX u. R. CLEMENT, C.r. [C] **264**, 2123 (1967); C.A. **67**, 73595 (1967).

[4] R. CLEMENT u. Y. PROUX, Bl. **1969**, 558; C.A. **70**, 97297 (1969).

[5] Brit.P. 975451 (1964), D. Napier & Son Ltd., Erf.: C.A. PEARCE u. P.G. CHANTRELL; C.A. **62**, 2888 (1965).

$$2\ Cl(H_9C_4)_2B_3N_3(CH_3)_3 + Y(NH_2)_2 + 2\ N(C_2H_5)_3 \xrightarrow[-2\ [(H_5C_2)_3NH]^+Cl^-]{} Y[-NH-B_3N_3(CH_3)_3(C_4H_9)_2]_2$$

Y = octafluor-biphenyl-4,4'-diyl: *4,4'-Bis[4,6-dibutyl-1,3,5-trimethyl-2-borazinylamino]-octafluor-biphenyl*[1]; 73%; F: 201°

Y = $-P(O)(C_6H_5)-$: *Bis[4,6-dibutyl-1,3,5-trimethyl-2-borazinylamino]-phenyl-phosphinoxid*[2]; $Kp_{0,005}$: 330°

Auch makrocyclische Borazin/Aromat-Verbindungen sind so zugänglich[3].

iii$_2$) mit Elementamiden

iiii$_1$) mit Alkalimetallamiden

Aus B-Halogen-B-organo-borazinen lassen sich mit verschiedenen Aminoelement-Verbindungen B-Amino-B-organo-borazine gewinnen. Beispielsweise erhält man B-Azido-B-organo-borazine aus den entsprechenden B-Halogen-B-organo-borazinen mit Lithiumazid[4]; z.B.:

$$Cl_x(H_9C_4)_{3-x}B_3N_3(CH_3)_3 + x\ LiN_3 \xrightarrow[-x\ LiCl]{} (N_3)_x(H_9C_4)_{3-x}B_3N_3(CH_3)_3$$

x = 1; *2-Azido-4,6-dibutyl-1,3,5-trimethyl-borazin*[5]; $Kp_{0,05}$: 150°

Aus 2-Chlor-pentamethyl-borazin ist mit monolithiiertem 2,2,4,4,6,6-Hexamethylcyclotrisilazan in 60%iger Ausbeute *2-(2,2,4,4,6,6-Hexamethylcyclotrisilazan-1-yl)-pentamethyl-borazin* zugänglich[5]:

$$ClB_3N_3(CH_3)_5 + LiN[Si(CH_3)_2NH]_2Si(CH_3)_2 \xrightarrow[-LiCl]{(H_5C_2)_2O,\ \Delta} (CH_3)_5B_3N_3-N[Si(CH_3)_2NH]_2Si(CH_3)_2$$

Lineare sowie makrocyclische Borazin/Aromat-Verbindungen mit *exo*-cyclischer BN-Bindung sind aus 2-Chlor- bzw. aus 2,4-Dichlor-methyl-borazinen mit z.B. dem Dinatriumamid des 1,3-Diaminobenzols zugänglich[3].

Bis[borazin-2-yl]amine stellt man nach der gleichen Methode her.

---

[1] V. Gutmann, A. Meller u. R. Schlegel, M. **94**, 733 (1963); C.A. **59**, 14620 (1967).
[2] V. Gutmann, A. Meller u. R. Schlegel, M. **97**, 617 (1966); C.A. **67**, 3110 (1967).
[3] A. Meller, H.-J. Füllgrabe u. C.D. Habben, B. **112**, 1252 (1979).
[4] A. Meller u. M. Wechsberg, M. **98**, 513 (1967).
[5] D. Enterling, U. Klingebiel u. A. Meller, Z. Naturf. **33b**, 527 (1978).

N,N-Bis[4,6-dibutyl-1,3,5-trimethyl-borazin-2-yl]anilin (>90%; F: 62°; $Kp_{0,05}$: 250–260°) erhält man durch die Borazinylierung des 2,4-Dibutyl-6-(N-lithioanilino)-1,3,5-trimethyl-borazins mit 6-Chlor-2,4-dibutyl-1,3,5-trimethyl-borazin[1]:

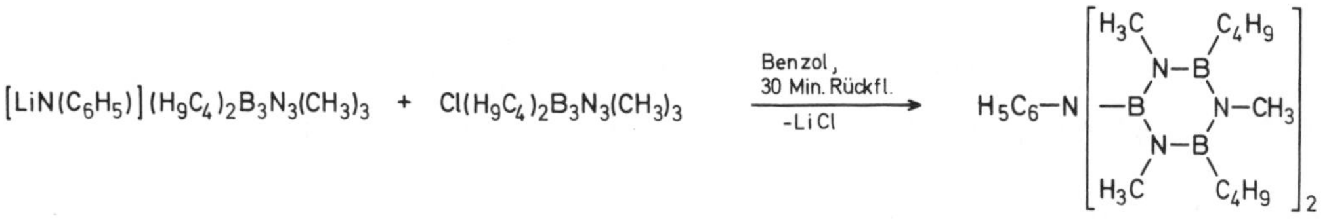

$$[LiN(C_6H_5)](H_9C_4)_2B_3N_3(CH_3)_3 + Cl(H_9C_4)_2B_3N_3(CH_3)_3 \xrightarrow[-LiCl]{\text{Benzol, 30 Min. Rückfl.}} H_5C_6-N[(H_3C)_3(C_4H_9)_2B_3N_3]_2$$

iiii$_2$) mit Silylaminen

Zur Herstellung von B-Amino-B-organo-borazinen werden auch die vielseitig anwendbaren Reaktionen der B-Halogen-B-organo-borazine mit verschiedenen N-Trimethylsilyl-carbonsäureamiden herangezogen.

Aus 2-Chlor-pentamethyl-borazin lassen sich mit trimethylsilylierten Carbonsäureamiden bzw. Thiocarbonsäureamiden 2-(Acylamino)- und 2-(Thioacylamino)-borazine herstellen; z.B.[2]:

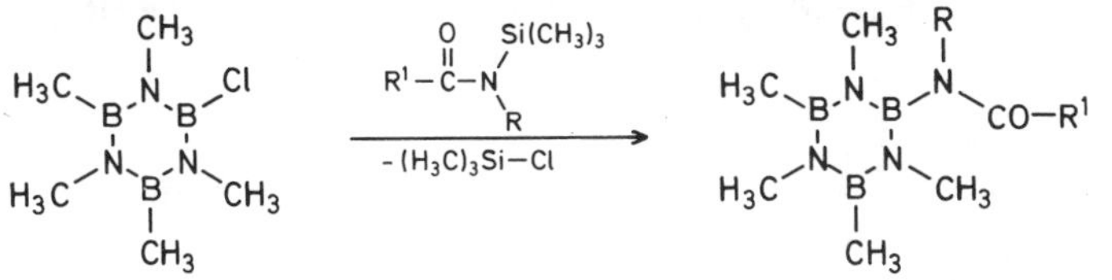

$$(CH_3)_5B_3N_3Cl \xrightarrow[-(H_3C)_3Si-Cl]{R^1-CO-N(R)-Si(CH_3)_3} (CH_3)_5B_3N_3-N(R)-CO-R^1$$

...-pentamethyl-borazin

R,R[1] = CH_3; *2-(Acetyl-methyl-amino)-...*; 81%; $Kp_{0,002}$: 100–105°
R = C_6H_5, R[1] = CH_3; *2-(N-Acetylanilino)-...*; 79%; $Kp_{0,002}$: 125–126°

Mit N-Trimethylsilyl-amidinen erhält man die entsprechenden 2-Amidinoborazine[3]:

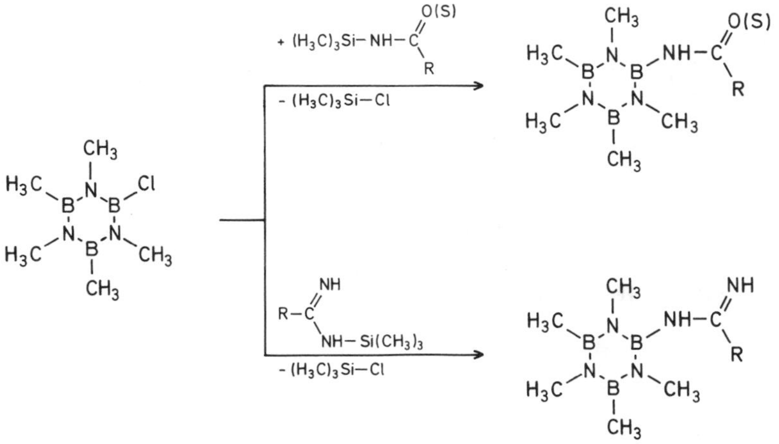

$$(CH_3)_5B_3N_3Cl \xrightarrow[-(H_3C)_3Si-Cl]{+(H_3C)_3Si-NH-C(=O(S))-R} (CH_3)_5B_3N_3-NH-C(=O(S))-R$$

$$(CH_3)_5B_3N_3Cl \xrightarrow[-(H_3C)_3Si-Cl]{R-C(=NH)-NH-Si(CH_3)_3} (CH_3)_5B_3N_3-NH-C(=NH)-R$$

[1] V. GUTMANN, A. MELLER u. R. SCHLEGEL, M. **94**, 1071 (1963); C.A. **60**, 93008 (1964).
[2] A. MELLER, W. MARINGGELE u. K.-D. KABLAU, Z. anorg. Ch. **445**, 122 (1978)
[3] A. MELLER, W. MARINGGELE u. K.-D. KABLAU, Z. Naturf. **33b**, 891 (1978).

Die Aminosilan-Methode eignet sich auch zur Herstellung von linearen sowie makrocyclischen Verbindungen mit 2,4-Borazindiyl-Kettengliedern, die über N-Atome miteinander verknüpft werden und wodurch verzweigte $(BN)_x$-Ketten erhalten werden (s. S. 380ff.).

ii₃) aus B-Alkylthio-B-organo-borazinen

2,4-Bis[butylthio]borazine lassen sich mit prim. oder sek. Aminen aminieren[1]:

$$(H_9C_4S)_2(R^1)B_3N_3(C_2H_5)_3 \quad + \quad 2\,R_2^2NH \xrightarrow[-2\,H_9C_4SH]{\text{Benzol}} [R_2^2N]_2(R^1)B_3N_3(C_2H_5)_3$$

z.B.: $R^1 = C_2H_5$; $R_2^2N = NHCH_3$; *2,4-Bis[methylamino]-1,3,5,6-tetraethyl-borazin;* 73%; $Kp_{0,3}$: 101–103°
$R^1 = C_4H_9$; $R_2^2N = NHCH_3$; *2,4-Bis[methylamino]-6-butyl-1,3,5-triethyl-borazin;* 76%; $Kp_{0,1}$: 100–105°

Auch 1,2-Diaminoethan kann als Amin-Komponente dienen[2]; z.B.:

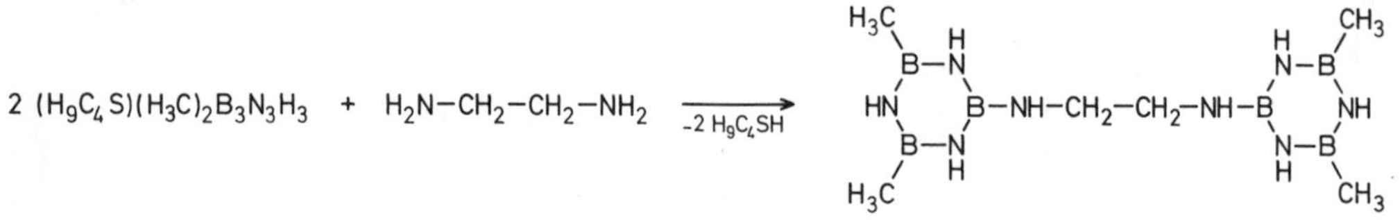

$$2\,(H_9C_4S)(H_3C)_2B_3N_3H_3 \quad + \quad H_2N-CH_2-CH_2-NH_2 \xrightarrow[-2\,H_9C_4SH]{}$$

1,2-Bis[4,6-dimethylborazin-2-ylamino]ethan; F: 71–73°

ii₄) aus B-Amino-B-organo-borazinen

Borazine mit einer *B*-ständigen primären Amino-Gruppe können bei höherer Temperatur unter Amin-Austritt zu Bis[borazin-2-yl]aminen kondensieren[3]:

$$2\,(R^2HN)R_2^1B_3N_3(CH_3)_3 \xrightarrow[-R^2NH_2]{\text{5 Stdn.}} R^2N[R_2^1B_3N_3(CH_3)_3]_2$$

$R^1 = R^2 = CH_3$; *Bis[pentamethyl-2-borazinyl]-methyl-amin;* 50%; F: 124–127°
$R^1 = C_4H_9$; $R^2 = CH_3$; *Bis[4,6-dibutyl-1,3,5-trimethyl-2-borazinyl]-methyl-amin;* 70%; F: 78°; $Kp_{0,001}$: 185°

Die primäre Amino-Gruppe kann auch alkyliert oder acyliert werden, wobei man zweckmäßigerweise das *N*-ständige H-Atom zunächst durch Lithium substituiert[4,5]:

$$(RYN)\,(H_9C_4)_2B_3N_3(CH_3)_3 \xrightarrow[-C_4H_{10}]{+H_9C_4-Li} \longrightarrow (RYN)\,(H_9C_4)_2B_3N_3(CH_3)_3$$

z.B.: R = H; Y = $(H_5C_6)_2PO$; *2,4-Dibutyl-1,3,5-trimethyl-6-(diphenylphosphinoyl-amino)-borazin*[4]; $Kp_{0,05}$: 280°
R = C_6H_5; Y = $(H_9C_4)_2B_3N_3(CH_3)_3$; *N,N-Bis[4,6-dibutyl-1,3,5-trimethyl-borazin-2-yl]anilin*[5]; F: 62°; $Kp_{0,05}$: 250–260°

---

[1] B.M. Mikhailov u. A.F. Galkin, Izv. Akad. SSSR **1969**, 604; engl.: 540; C.A. **71**, 61450 (1969).
[2] B.M. Mikhailov u. A.F. Galkin, Izv. Akad. SSSR **1962**, 619; engl.: 572; C.A. **57**, 16642 (1962).
[3] A. Meller, M. **99**, 1670 (1968); C.A. **69**, 113064 (1968).
[4] V. Gutmann, A. Meller u. R. Schlegel, M. **94**, 733 (1963); C.A. **59**, 14020 (1963).
[5] V. Gutmann, A. Meller, u. R. Schlegel, M. **94**, 1071 (1963); C.A. **60**, 93008 (1964).

δ_3) *Oligoborazine*

Zur Verbindungsklasse zählen 1,1'- sowie 2,2'-Biborazinyle[1], 1,2'-Biborazinyle werden wegen der BN-Konjugation bei den Azabora-Verbindungen mit verzweigter Bor-Kette (vgl. S. 380ff.) besprochen.

$\delta\delta_1$) 1,1' und 2,2'-Biborazinyle

1,1'-Biborazinyle sind bisher nicht bekannt. B-Organo-2,2'-borazinyle wurden hergestellt.

2-Chlor-pentaalkyl-borazine lassen sich mit Alkalimetallen zu 2,2'-Biborazinylen reduzieren[2-5]:

$$2\ ClR^1_2B_3N_3R^2_3 + 2\ M \xrightarrow{-2\ MCl} (R^1_2B_2N_3R^2_3)B\text{–}B(B_2N_3R^2_3R^1_2)$$

$R^1 = R^2 = CH_3$ (K/Heptan, 50°); *Decamethyl-2,2'-biborazinyl*[5, 6, vgl. 4]; 86%; F: 171–173°

$R^1 = C_4H_9$; $R^2 = CH_3$ (Na/K/Pentan); *1,1',3,3',5,5'-Hexamethyl-4,4',6,6'-tetrabutyl-2,2'-biborazinyl*[3]; 80%; F: 53°; $Kp_{0,001}$: 210°

$R^1 = CH_3$; $R^2 = C_6H_5$ (7 Stdn./Xylol); *1,1',3,3',5,5'-Hexaphenyl-4,4',6,6'-tetramethyl-2,2'-biborazinyl*[6]

$\delta\delta_2$) Tetraboratetrazane

1,3,5,7,2,4,6,8-Tetraazatetraborocane lassen sich aus Dihalogen-organo-boranen mit bestimmten 1,3,2,4-Diazadistannetanen herstellen[7]:

$$4\ R\text{–}BHal_2 + 2\ [R^2_2Sn(NR^1)_2SnR^2_2] \xrightarrow{-4\ R^2_2SnHal_2} (RBNR^1)_4$$

$\delta\delta_3$) Hexaborahexazane

Aus der Reihe höherer Azabora-Oligomere mit unverzweigter, konjugierter BN-Kette ist bisher nur eine einzige Verbindung mit sechs BN-Kettengliedern und zwei B-Organo-

[1] *Gmelin*, 8. Aufl., **51**/17, S. 232–248 (1978).
[2] US.P. 3101369 (1963), US Borax & Chemical Corp., Erf.: R.J. Brotherton u. A.L. McCloskey; C.A. **60**, 547 (1964).
[3] V. Gutmann, A. Meller u. R. Schlegel, M. **95**, 314 (1964); C.A. **61**, 733 (1964).
[4] A. Meller u. H. Marecek, M. **99**, 1666 (1968); C.A. **70**, 4183 (1969).
[5] L.A. Melcher, J.L. Adcock u. J.J. Lagowski, Inorg. Chem. **11**, 1247 (1972).
[6] US.P. 3101369 (1963), US Borax & Chemical Corp., Erf.: R.J. Brotherton u. A.L. McCloskey; C.A. **60**, 547 (1964).
[7] W. Storch, Universität München, Imeboron IV, July 1979, Salt Lake City, Abstr. of Papers, S. 80/81.

Resten bekannt geworden[1]. *5,11-Dibutyl-2,4,6,8,10,12-hexamethyl-2,4,6,8,10,12-hexaaza-1,3,5,7,9,11-hexabora- tricyclo[7.3.0.0^{3,7}]dodecan* (F: 118–122°; $Kp_{0,001}$: 190–200°) läßt sich aus 1,2-Bis[dimethylamino]-1,2-dichlor-diboran(4) mit Bis[methylamino]-butyl-boran in Triethylamin und Diethylether herstellen[1]:

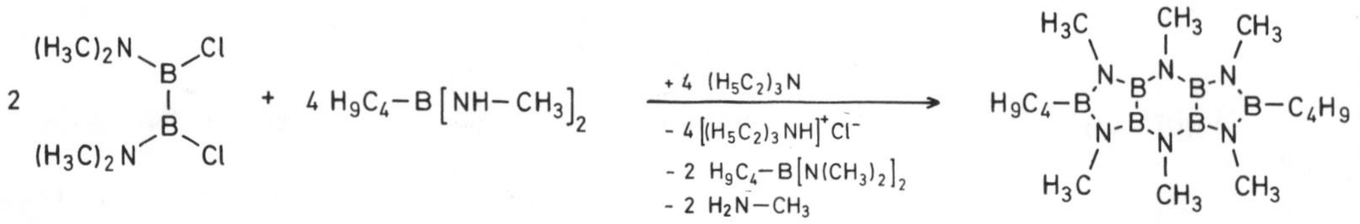

$$2\ [(H_3C)_2N](Cl)B{-}B(Cl)[N(CH_3)_2] + 4\ H_9C_4{-}B[NH{-}CH_3]_2 \xrightarrow[\substack{-4\,[(H_5C_2)_3NH]^+Cl^- \\ -2\,H_9C_4{-}B[N(CH_3)_2]_2 \\ -2\,H_2N{-}CH_3}]{+4\,(H_5C_2)_3N} \text{tricyclo-}(BN)_6(CH_3)_6(C_4H_9)_2$$

3. Organobor-Stickstoff-Verbindungen mit verzweigten $(BN)_x$-Gruppierungen

In diesem Abschnitt werden Herstellungsmethoden von Amino-organo-boranen besprochen, deren alternierende $(BN)_2$-Ketten an den Bor- und/oder an den Stickstoff-Atomen verzweigt sind. Die Borane enthalten entweder ein an drei Stickstoff-Atome gebundenes Bor-Atom oder ein mit drei Bor-Atomen verknüpftes Stickstoff-Atom; z. B.:

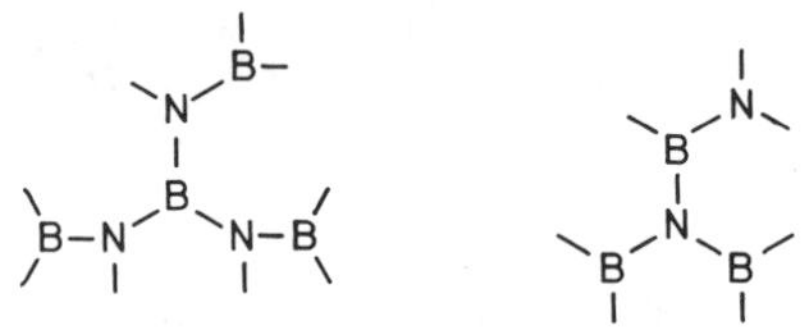

Offenkettige und cyclische verzweigte BN-Kettenmoleküle mit B-Organo-Resten sind bekannt. Darunter gehören auch Verbindungen, deren Bor-Atome an weitere Heteroelemente wie z. B. an Wasserstoff, Halogen, Oxy- oder Thio-Gruppen gebunden sind. Borane, die über Sauerstoff- oder Schwefel-Atome zwei BN-Ketten verknüpfen, werden im Abschnitt auf S. 369ff. besprochen; z. B.:

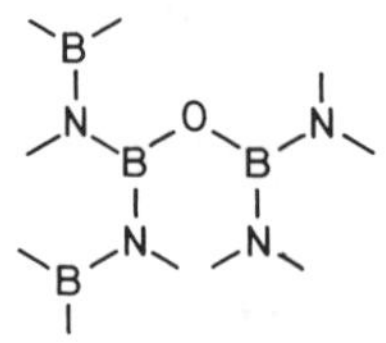

usw.

Borane mit BB- und mit NN-Bindungen gehören zu den Amino-organo-boranen mit verzweigten BN-Gruppierungen. Die Herstellungsmethoden für diese Verbindungstypen findet man bei den Boranen mit linearen, unverzweigten BN-Ketten (vgl. S. 362).

α) Tris[diorganoboryl]amine

Die einfachsten Borane mit verzweigter alternierender BN-Kette sind die Tris[diorganoboryl]amine:

---

[1] H. Nöth u. G. Abeler, B. **101**, 969 (1968).

$$N(BR_2)_3$$

Um eine dritte Diorganoboryl-Gruppe in Bis[diorganoboryl]amine (vgl. S. 291ff.) einzuführen, benötigt man sowohl starke Borylierungsmittel wie z.B. Diorgano-halogen-borane als auch Amine mit stark elektropositiven, leicht austretenden Liganden wie Lithium oder Trimethylstannyl. Die Elektropositivität der Trimethylsilyl-Gruppe reicht offensichtlich nicht aus[1]. Die Herstellung der Tris[diorganoboryl]amine erfolgt daher aus Diorgano-halogen-boranen mit Stannylaminen oder aus Diorgano-(lithioamino)-boranen mit Diorgano-halogen-boranen.

Bekannt sind bisher einheitlich sowie gemischt substituierte, dreifach diorganoborylierte Amine mit Dialkylboryl-, Alkandiylboryl- und Cycloalkandiylboryl-Resten.

α_1) *aus Diorgano-halogen-boranen*

Aus Diorgano-halogen-boranen erhält man Tris[diorganoboryl]amine mit Tris[trimethylstannyl]amin. Als Diorgano-halogen-borane eignen sich z.B. Brom-dimethyl-boran und 1-Chlor-3-methyl-borolan. Man läßt in Toluol oder in Dichlormethan reagieren[2].

$$3\ R_2BBr + N[Sn(CH_3)_3]_3 \xrightarrow[-3\ (H_3C)_3SnBr]{} N(BR_2)_3$$

$-BR_2$: $-B(CH_3)_2$, 3-Methyl-borolan-1-yl

Tab. 66: Tris[diorganoboryl]amine aus Diorgano-halogen-boranen mit Trimethylstannyl-aminen[2]

Ausgangsverbindungen		Tris-[diorganoboryl]-amin	Ausbeute	Kp	
R_2B- [g/mmol]	$(H_3C)_3Sn-N<$ [g/mmol]		[%]	[°C]	[Torr]
$(H_3C)_2B-Br$ 7,6/62,7	$N[Sn(CH_3)_3]_3$ 10,5/20,9	*Tris[dimethylboryl]amin*	56	132	726
1-Chlor-3-methyl-borolan 6,1/38	$N[Sn(CH_3)_3]_3$ 6,25/12,4	*Tris[3-methylborolan-1-yl]amin*	81	73–74	0,01

Die Diorganoborylierung verläuft stufenweise über die Bis[diorganoboryl]amine.

Gemischte Tris[diorganoboryl]amine sind bei Einhaltung der Mengenverhältnisse der Reaktionspartner durch stufenweise Borylierung zugänglich (vgl. S. 381ff.)[2].

---

[1] H. Nöth u. W. Storch, B. **109**, 884 (1976).

[2] W. Storch u. H. Nöth, B. **110**, 1636 (1977); Ang. Ch. **88**, 231 (1976).

α_2) aus Amino-diorgano-boranen

Lithium-bis(9-borabicyclo[3.3.1]nonan-9-yl)amid (vgl. S. 298) reagiert in Diethylether mit 9-Chlor-9-borabicyclo[3.3.1]nonan bzw. 1-Chlor-3-methyl-1-boraindan zu den entsprechenden kristallisierten Tris[diorganoboryl]aminen[1]:

$(H_5C_2)_2O$; $+Cl-B$; $-LiCl$; $+Cl-B$ (3-methyl-1-boraindan); $-LiCl$

Tris(9-borabicyclo[3.3.1]nonan-9-yl)amin[1]:

Lithium-bis(9-borabicyclo[3.3.1]nonan-1-yl)amid[1]: Zur Lösung von 35,1 g (137 mmol) Bis(9-borabicyclo[3.3.1]nonan-1-yl)amin (S. 299) in 200 *ml* Heptan tropft man innerhalb 4 Stdn. bei 58–68° eine Lösung aus 8,8 g (137 mmol) tert.-Butyllithium in 50 *ml* Heptan. Es entwickelt sich Gas und eine farblose Substanz fällt aus. Innerhalb 8,5 Stdn. werden 1,97 *l* (64%) Isobutan erhalten. Die Lösung wird filtriert, der Rückstand mit Heptan gewaschen und i. Vak. (0,1 Torr) getrocknet; Ausbeute: 25,3 g (65%) (farbloses Pulver); F: >280°.

Aus dem Filtrat werden 8,2 g (34%) *9-tert.-Butyl-9-borabicyclo[3.3.1]nonan* ($Kp_{0,1}$: 28–30°) gewonnen.

Tris(9-borabicyclo[3.3.1]nonan-1-yl)amin: Zu 14,6 g (56 mmol) Lithium-bis(9-borabicyclo[3.3.1]nonan-9-yl)amid (S. 298) in 300 *ml* Diethylether tropft man innerhalb 1 Stde. eine Lösung von 9,8 g (63 mmol) 9-Chlor-9-borabicyclo[3.3.1]nonan in 50 *ml* Diethylether (leichter Temperaturanstieg). Nach 3 Stdn. Rückfluß-Kochen filtriert man von 9,2 g ab und destilliert das Lösungsmittel unter Atmosphärendruck. Nach Trocknen des Rückstandes i. Vak. (0,1 Torr) wird das Heptan umkristallisiert; Ausbeute: 14,2 g (68%); F: 193°.

Entsprechend erhält man 45% *Bis(9- borabicyclo[3.3.1]nonan- 9-yl)-(3-methyl-1-boraindan-1-yl)-amin* (F: 135–136°) aus Lithium-bis(9-borabicyclo[3.3.1]nonan-9-yl)amid und 1-Chlor-3-methyl-1-boraindan.

Aus 9-Dilithioamino-9-borabicyclo[3.3.1]nonan erhält man mit der doppelten Menge 9-Chlor-9-borabicyclo[3.3.1]nonan *Tris[9-borabicyclo[3.3.1] nonan-9-yl]amin* (27%; F: 188–190°). Als weitere Reaktionsprodukte fallen in Diethylether *9-Ethoxy-9-borabicyclo[3.3.1]nonan* ($Kp_{0,1}$: 30°) und *Bis[9-borabicyclo[3.3.1]nonan-9-yl]amin* an[1]:

$B-NLi_2$; $+2\ B-Cl/(H_5C_2)_2O$; $-2\ LiCl$; $[B-]_3N$ 27%; $[B-]_2NH$; $B-OC_2H_5$

Diorgano-(bis[trimethylstannyl]amino)-borane sind Zwischenprodukte der Herstellung von Tris[diorganoboryl]aminen aus Diorgano-halogen-boranen mit Tris[trimethylstannyl]amin. Die Verbindungen eignen sich als Edukt zur Herstellung von einheitlich und gemischt substituierten Tris[diorganoboryl]aminen; z. B.[2,3]:

---

[1] R. Köster u. G. Seidel, A. **1977**, 1837.

[2] W. Storch u. H. Nöth, B. **110**, 1636 (1977).

[3] W. Storch u. H. Nöth, Ang. Ch. **88**, 231 (1976).

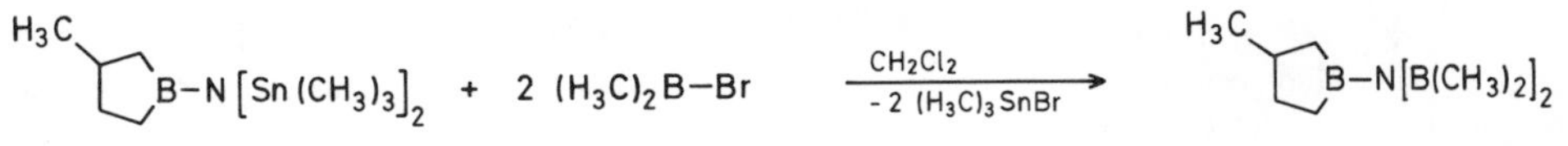

Bis[dimethylboryl]-(3-methylborolan-1-yl)-amin; 71%; $Kp_{0,01}$: 4,0°

β) Bis[amino-organo-boryl]-diorganoboryl-amine

Bisher sind von den Bis[amino-organo-boryl]-diorganoboryl-aminen nur cyclische Verbindungen mit der Atomgruppierung

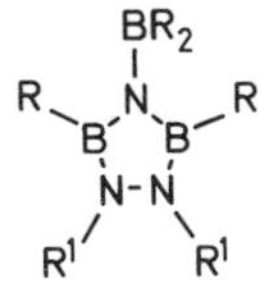

bekannt. Die Herstellung erfolgt aus cyclischen *N*-Lithio-1,3,2-diborazanen mit Diorgano-halogen-boranen oder aus offenkettigen 3-Halogen-2-triorganostannyl-diborazanen beim Erhitzen.

Aus 1,2-Dimethyl-3,5-diphenyl-4-lithio-1,2,4,3,5-triazadiborolidin erhält man mit Chlor-diphenyl-boran in Diethylether *1,2-Dimethyl-3,5-diphenyl-4-diphenylboryl-1,2,4,3,5-triazadiborolidin*[1]:

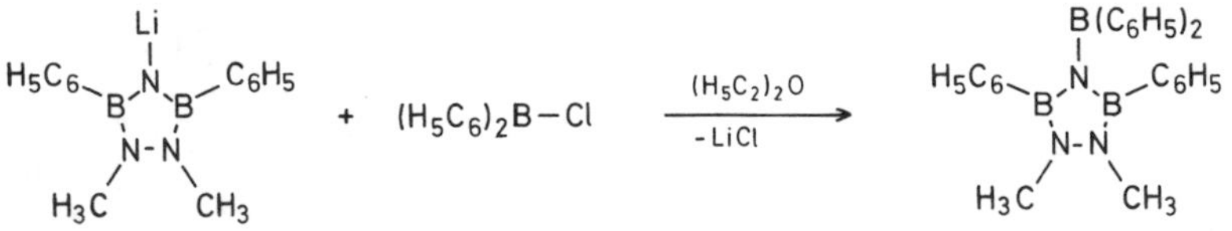

Aus Tetramethyl-4-lithio-1,2,4,3,5-triazadiborolidin ist mit Brom-dimethyl-boran *4-Dimethylboryl-1,2,3,5-tetramethyl-1,2,4,3,5-triazadiborolidin* zugänglich[2].

Die intramolekulare Abspaltung von Halogen-triorgano-stannan aus 3-Halogen-1,1,3-triorgano-2-triorganostannyl-diborazan beim Erhitzen liefert 1,3,5-Tris[diorganoboryl]-2,4,6-triorgano-borazine[3]:

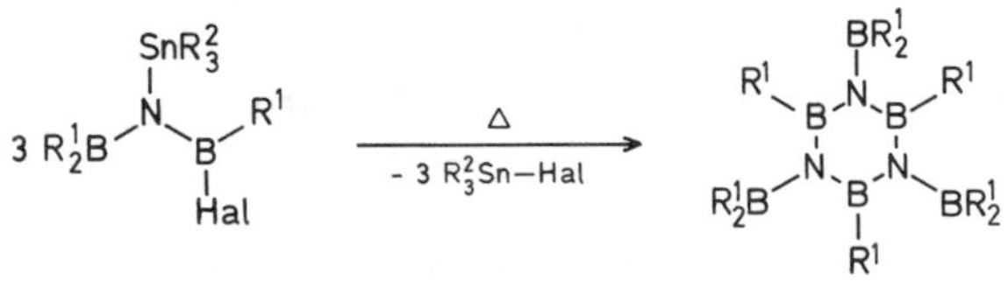

γ) BN-verknüpfte Bi-, Ter- und Quater-borazinyle

Zur Verbindungsklasse gehören die 1,2′-verknüpften Biborazinyle sowie die 1,2′:4′,1″-Terborazinyle, deren Herstellung aus N-metallierten Borazinen oder deren Vorprodukten mit Halogenborazinen erfolgt.

[1] H. Nöth, u. W. Regnet, Z. anorg. Ch. **352**, 1 (1967).
[2] R. Goetze, Dissertation, Universität München 1976.
[3] W. Storch, Universität München; Imeboron IV, July 1979, Salt Lake City Abstr. of Papers, S. 80f.

γ_1) *aus Halogenborazinen*

2,4,6-Trihalogenborazine liefern mit Grignard-Reagenzien hauptsächlich 2,4,6-Trialkylborazine. Als Nebenprodukte erhält man 2,4,4′,6,6′-Pentaalkyl-1,2′-biborazinyl[1-3]:

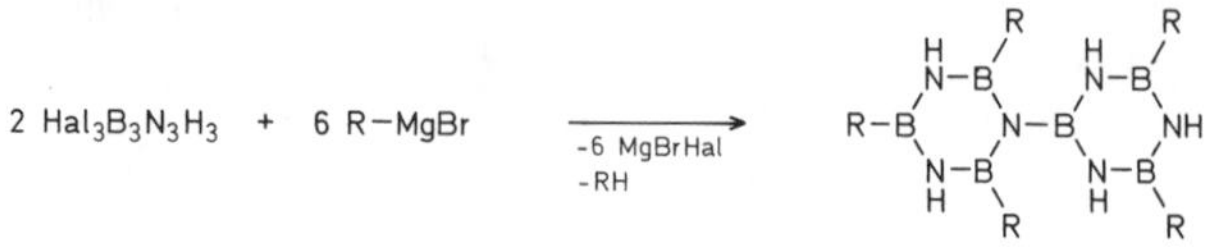

$$2\ Hal_3B_3N_3H_3 + 6\ R{-}MgBr \xrightarrow[-RH]{-6\ MgBrHal}$$

Die Aminosilan-Methode (vgl. S. 376) eignet sich gut zur Herstellung von BN-verknüpften Borazinylen (1,2-Borazinyle).

Aus 2,4-Dichlor-tetramethyl-borazin erhält man mit Hexamethyldisilazan nach Abspalten von Chlor-trimethyl-silan in 60%iger Ausbeute das Cyclotetrakis[aminoborazin]-Derivat[4,5]:

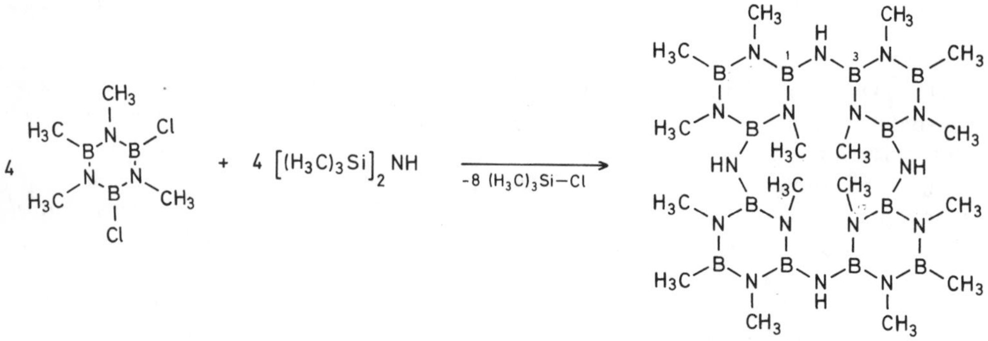

$$4\ \text{(Dichlor-tetramethyl-borazin)} + 4\ [(H_3C)_3Si]_2NH \xrightarrow{-8\ (H_3C)_3Si{-}Cl}$$

4,5,6,10,11,12, 16,17,18,22,23,24,25,26,27,28-Hexadecamethyl-2,4,6,8,10, 12,14,16,18,20,22,24,25,26,27,28-hexadecaaza-1,3,5,7, 9,11,13,15,17,19,21,23-dodecabora-pentacyclo[19.3.1.1^{3,7}.1^{9,13}.1^{15,19}]*octacosan;* F: 350° (Zers.); $Kp_{10^{-5}}$: 250°

In 25%iger Ausbeute wird ein Derivat des Bis[borazin-2-yl]amins isoliert[4]:

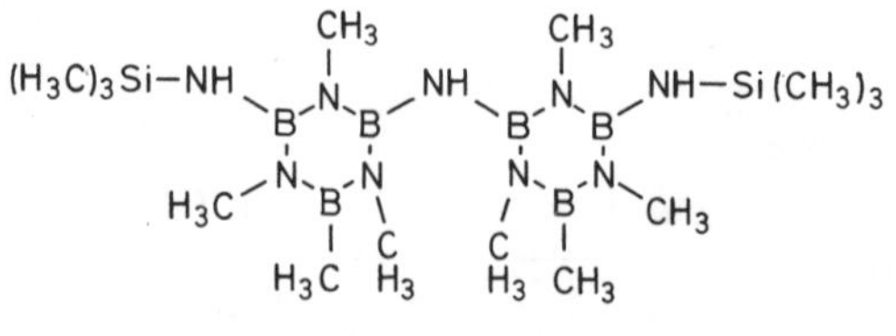

Bis[*tetramethyl-6-trimethylsilylamino-borazin-2-yl*]*amin*; $Kp_{0,001}$: 150°

---

[1] J.J. HARRIS, J. Org. Chem. **26**, 2155 (1961).
[2] A. MELLER u. H. EGGER, M. **97**, 790 (1966); C.A. **65**, 13745 (1966).
[3] A. MELLER u. R. SCHLEGEL, M. **96**, 1209 (1965); C.A. **67**, 11521 (1967).
[4] A. MELLER, W. MARINGGELE u. K.-D. KABLAU, Z. anorg. Ch. **445**, 122 (1978).
[5] A. MELLER, W. MARINGGELE u. K.-D. KABLAU, Z. Naturf. **33b**, 891 (1978).

γ_2) aus Lithioborazinen

Gezielte BN-Verknüpfungen von Borazin-Ringen gelingen, wenn man *N*-Lithioborazine (z. B. 2-Lithio-pentamethyl-borazin), die aus den entsprechenden NH-Borazinen mit Methyl-lithium leicht zugänglich sind, mit B-Chlorborazinen umsetzt[1]; z. B.:

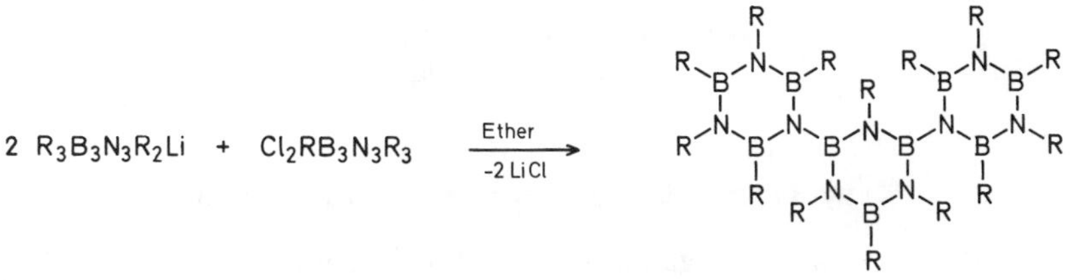

$$2\ R_3B_3N_3R_2Li + Cl_2RB_3N_3R_3 \xrightarrow[-2\,LiCl]{Ether}$$

R = CH_3; *Tetradecamethyl-1,2';4',1''-terborazinyl*; F: 135–138°

Auch tetramere Verbindungen des gleichen Typs sind nach dieser Methode zugänglich[1]:

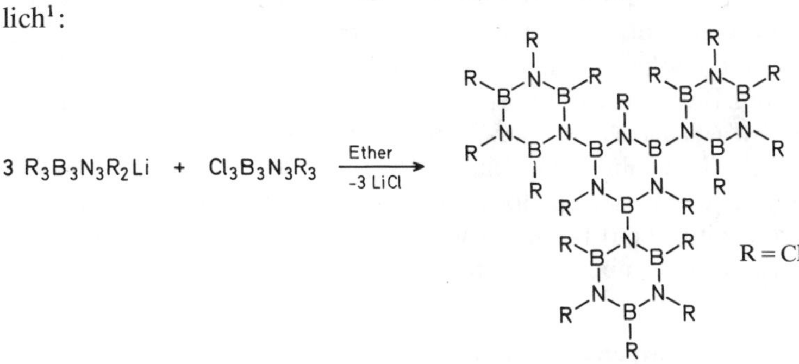

$$3\ R_3B_3N_3R_2Li + Cl_3B_3N_3R_3 \xrightarrow[-3\,LiCl]{Ether}$$

R = CH_3; *6'-(Pentamethyl-1-borazinyl)-tridecamethyl-1,2';4',1''-terborazinyl*; F: 235–245°

1,3-Dilithio-2,4,6-trimethyl-borazine reagieren mit 2-Chlor-pentamethyl-borazinen in Ether unter Bildung von 2,1':3',2'-Terborazinylen[1]:

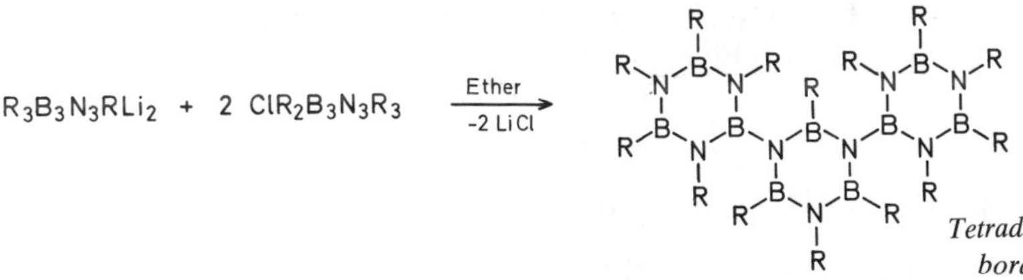

$$R_3B_3N_3RLi_2 + 2\ ClR_2B_3N_3R_3 \xrightarrow[-2\,LiCl]{Ether}$$

Tetradecamethyl-2,1';3',2''-terborazinyl; F: 207–210°

4. Kondensierte B-Organo-(BN)$_x$-Verbindungen

Über kondensierte, konjugierte BN-Systeme mit B-Organo-Resten ist nur wenig bekannt. Die bisherigen Mitteilungen sind zudem auch nicht gesichert.

Bei der Methylierung von 2,4,6-Trichlorborazin mit Methylmagnesiumbromid soll *2,4,8,10-Tetramethyl-1,3,5,7,9-pentaaza-2,4,6,8,10-pentabora-bicyclo[4.4.0]decan* (F: 60,5–61°; Kp_{25}: 138–139°) als Nebenprodukt entstehen[2,3]:

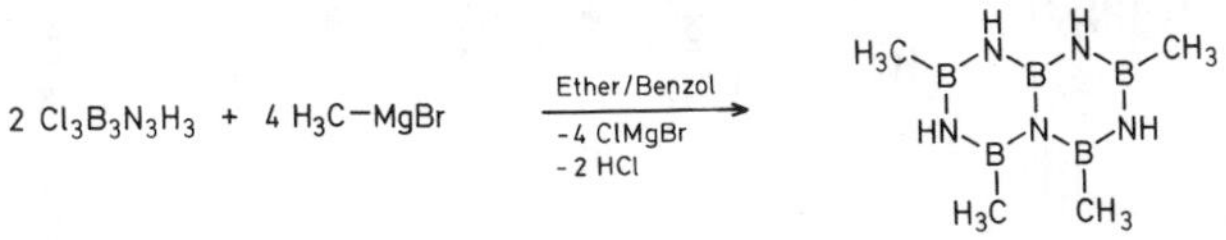

$$2\ Cl_3B_3N_3H_3 + 4\ H_3C{-}MgBr \xrightarrow[-4\,ClMgBr,\ -2\,HCl]{Ether/Benzol}$$ u.a.

Andere Autoren halten dasselbe Produkt für ein *BN'*-Biborazinyl-Derivat (vgl. S. 383ff.)[4,5].

---

[1] US.P. 3288726 (1966), American Potash & Chem. Corp., Erf.: R.I. Wagner; C.A. **66**, 38349 (1967).
[2] J.L. Boone u. G.W. Willcockson, Inorg. Chem. **5**, 311 (1966).
[3] US.P. 3317596 (1964/1967), US Borax & Chem. Corp., Erf.: J.L. Boone; C.A. **67**, 64514 (1967).
[4] A. Meller u. H. Egger, M. **97**, 790 (1966); C.A. **65**, 13745 (1966).
[5] A. Meller u. R. Schlegel, M. **96**, 1209 (1965); C.A. **67**, 11521 (1967).

VII. Organobor-Phosphor- und -Arsen-Verbindungen

bearbeitet von

ROLAND KÖSTER

Max-Planck-Institut für Kohlenforschung
Mülheim a.d. Ruhr

a) Organobor-Phosphor-Verbindungen

Zur Verbindungsklasse der Organobor-Phosphor-Verbindungen zählt im Vergleich zu den Organobor-Stickstoff-Verbindungen bisher nur eine verhältnismäßig kleine Zahl offenkettiger und cyclischer, vielfach dimerer oder trimerer Diorgano-phosphino-borane (vgl. S. 386ff.), von Bis- und Tris[diorganoboryl]phosphanen (vgl. S. 392) sowie Organo-phosphino-boranen mit einem dritten Substituenten (vgl. S. 393). Außerdem gibt es polymere, meist cyclische Organoborane mit zwei Phosphino-Liganden (vgl. S. 395).

Wegen der koordinativen Bindung von Phosphor- und Bor-Atom enthalten Organo-phosphino-borane i.allg. **vierfach koordinierte** Bor-Atome. Die Herstellungsmethoden der Organo-phosphino-borane sollten daher im Kapitel auf S. 466ff. besprochen werden. Wegen der zu den Amino-organo-boranen analogen Zusammensetzung der RBP-Verbindungen wurden die Organo-phosphino-borane sowie andere Organobor-Phosphor-Verbindungen jedoch in dieses Kapitel übernommen.

1. Diorgano-phosphino-borane

Die Herstellung der Verbindungen mit verschiedenartigen Substituenten (vgl. Tab. 67, S. 387) erfolgt hauptsächlich aus Diorgano-hydro- sowie Diorgano-halogen-boranen bzw. aus den entsprechenden Lewisbase-Organoboranen. Außerdem verwendet man in Sonderfällen bestimmte Diorgano-phosphinoxy-, Diorgano-organothio- und Dihalogen-phosphino-borane.

α) aus Diorgano-hydro-boranen

Tetraalkyldiborane(6) reagieren mit Dialkyl-hydro-phosphanen unter Abspaltung von Wasserstoff zu Dialkyl-phosphino-boranen. Bei 220° werden z.B. aus Tetramethyl-diboran(6) mit Phospholan oder Phosphanen polymere Dimethylphospholanyl-borane bzw. *Dimethyl-phosphino-boran* gebildet[1].

$$\frac{1}{2}\ (R_2BH)_2 + \underset{(CH_2)_x}{\overset{H}{P}}\ \xrightarrow[-H_2]{>220^\circ}\ \frac{n}{2}\left[R_2B-P\ (CH_2)_x\right]_n$$

x = 2, 4
R = CH_3, C_3H_7

[1] US.P. 2925440 (1960), American Potash & Chem. Corp.; Erf.: A. B. BURG u. R. I. WAGNER; C. A. **54**, 15408 (1960).

Tab. 67: Diorgano-phosphino-borane

Formel/Name	Verbindungstyp	Herstellungsart	s. S.
$(Alkyl^1)_2B-P(Alkyl^2)_2$	$[R_2B-P<]_2$	aus $R_2B-Cl + (H_3C)_3Si-P<$	390
$[(H_3C)_2B-P(CH_3)_2]_3$	$R_2B-P<$	aus $R_2BH + HP<$	387
$[(H_3C)_2B-P(C_2H_5)_2]_n$	$R^1_2B-P-R-P-BR^1_2$	aus R^1_2B-Hal + $R^2-PH-C_6H_4-PH-R^2$	388
$Alkyl_2B-P(CH_2)_n$ (cycl.)	$R_2B-P<$	aus R_2B-Hal + $HP<$ + R_3N	388
		+ $NaP<$	389
$[(H_3C)_2B-P(CH_3)R]_n$	$R_2B-P<$	aus R_2B-Cl + $LiP<$	388
		aus $R^1_2B-SR^2$ + $R^3_3Sn-P<$	390
$[(H_3C)_2B-PR_2]_n$	$[R_2B-P<]_n$	aus $\overset{\oplus}{Do}-R_2\overset{\ominus}{B}-Hal$ + $LiP<$	392
$(H_5C_2)_2B-P(CH_3)-C_6H_4-P(CH_3)-B(C_2H_5)_2$	$[R_2B-P<]_3$	aus $Hal_2B-P<$ + R_3B	391
		+ R_3Al	391
$Ar^1_2B-PR^2_2$	$[R_2B-P<]_n$	aus $\overset{\oplus}{Do}-R^1_2\overset{\ominus}{B}-Hal$, Δ (+ R^2_3N)	392
$(H_5C_6)_2B-P(C_2H_5)_2$	$[R_2B-P<]_2$	aus $\overset{\oplus}{Do}-R_2\overset{\ominus}{B}-Hal$ + R–Li	392

β) aus Diorgano-halogen-boranen

Diorgano-phosphano-borane werden aus Diorgano-halogen-boranen durch Halogen-Substitution mit Diorgano-hydro-phosphanen, Alkalimetall-diorgano-phosphanen oder mit Diorgano-silyl-phosphanen hergestellt.

β_1) *mit Diorgano-hydro-phosphanen*

Zur Bindung des Halogenwasserstoffs bei der Phosphanolyse von Diorgano-halogen-boranen (Halogen = Fluor, Chlor, Brom) verwendet man tert. Amine wie z. B. Triethylamin[1–4], aber auch Anilin[5].

[1] A. B. BURG u. R. I. WAGNER, Am. Soc. **75**, 3872 (1953).
[2] US.P. 2921095 (1960), A. B. BURG u. R. I. WAGNER; C. A. **54**, 9766i (1960).
[3] G. E. COATES u. J. G. LIVINGSTONE, Soc. **1961**, 5053.
[4] G. E. GOATES u. J. G. LIVINGSTONE, Soc. **1961**, 1000.
[5] US.P. 2948689 (1960), American Potash & Chem. Corp., Erf.: A. B. BURG u. R. I. WAGNER; C. A. **55**, 7355 (1961).

Bei der Herstellung von *(Bis[3-methylphenyl]phosphino)-bis[2,4,6-trimethylphenyl]-boran* aus Bis[2,4,6-trimethylphenyl]-fluor-boran mit Bis[3-methylphenyl]- phosphan ist 1 stdgs. Kochen erforderlich[1].

Diphenyl-diphenylphosphino-boran entsteht aus Chlor-diphenyl-boran mit Diphenylphosphan in Gegenwart von Triethylamin[2].

Diphenyl-diphenylphosphino-boran[2]: 5 g (0,025 mol) Chlor-diphenyl-boran und 50 *ml* Benzol gibt man bei 23° zu einer Mischung von 4,2 g (0,022 mol) Diphenylphosphan, 2,5 g Triethylamin und 50 *ml* Benzol. Es bildet sich ein voluminöser Niederschlag, der sich bei Zugabe von Wasser teilweise löst. Man trennt den verbleibenden Rückstand ab, wäscht mehrmals mit Diethylether, trocknet und reinigt ihn durch Sublimation; Ausbeute: 5,4 g (61%); Subl.$p_{0,001}$: 240°.

Bis[4-biphenylyl]-(bis[3-methylphenyl]phosphino)-boran (46%; F: 77–78°) wird entsprechend aus Bis[4-biphenylyl]-chlor-boran mit Bis[3-methylphenyl]phosphan hergestellt[1]:

$$\text{Bis[4-biphenylyl]-B-Cl} + H_3C\text{-}C_6H_4\text{-PH-}C_6H_4\text{-}CH_3 \xrightarrow[-[(H_5C_2)_3NH]^+ Cl^-]{+(H_5C_2)_3N} \text{Bis[4-biphenylyl]-B-P(}C_6H_4\text{-}CH_3)_2$$

1,4-Bis[diethylboryl-methyl-phosphino]benzol[2] entsteht durch Umsetzung von Brom-diethyl-boran mit 1,4-Bis[methylphosphino]benzol in Gegenwart von Anilin[3]:

$$(H_5C_2)_2B{-}Br + H_3C{-}PH{-}C_6H_4{-}PH{-}CH_3 + Br{-}B(C_2H_5)_2 \xrightarrow[-2\,[H_5C_6-NH_3]^+ Br^-]{+2\,H_2N-C_6H_5} (H_5C_2)_2B{-}P(CH_3){-}C_6H_4{-}P(CH_3){-}B(C_2H_5)_2$$

β_2) mit Alkalimetall-diorgano-phosphan

Zur Herstellung von Diorgano-phosphino-boranen aus Diorgano-halogen-boranen stellt man sich die Alkalimetall-diorgano-phosphane im allgemeinen in situ aus Diorganophosphanen mit alkalimetallorganischen Verbindungen her. Die Diorganophosphinylierung verläuft glatt unter Bildung von Alkalimetallhalogenid.

Unter schonenden Temperaturbedingungen läßt sich in Petrolether aus Brom-dimethyl-boran mit Lithium-dimethyl-phosphan in 27%iger Ausbeute *Octamethyl-1,3,2,4-diphosphoniadiboratetan* herstellen[4]:

$$2\,(H_3C)_2B{-}Br \quad + \quad 2\,LiP(CH_3)_2 \xrightarrow[-10°,\ -2\,LiBr]{\text{Petrolether}} [(H_3C)_2B{-}P(CH_3)_2]_2$$

---

[1] G.E. Coates u. J.G. Livingstone, Soc. **1961**, 5053.
[2] G.E. Coates u. J.G. Livingstone, Soc. **1961**, 1000.
[3] US.P. 2948689 (1960), American Potash & Chem. Corp., Erf.: A.B. Burg u. R.I. Wagner; C.A. **55**, 7355 (1961).
[4] E. Sattler u. W. Schuhmann, Universität Karlsruhe, unveröffentlicht 1982.
vgl. W. Schuhmann, Diplomarbeit, Universität Karlsruhe 1982.

Octamethyl-1,3,2,4-diphosphoniadiboratetane[1]: Zur Aufschlämmung von 4,2 g (6,17 mmol) Lithium-dimethylphosphid in 250 *ml* Petrolether kondensiert man bei –196° 7,5 g (6,19 mmol) Brom-dimethyl-boran, läßt auf –10° auftauen und 3 Tage unter gutem Rühren reagieren. Nach Abtrennen des Niederschlags (G 3-Fritte) wird bei –78° fraktionierend kristallisiert; Ausbeute: 1,7 g (27%).

Aus Chlor-diphenyl-boran entsteht mit Diethylphosphan in Gegenwart von Butyllithium in 84%iger Ausbeute *Diethylphosphino-diphenyl-boran*[2]:

$$(H_5C_6)_2B{-}Cl \quad + \quad HP(C_2H_5)_2 \quad + \quad H_9C_4Li \quad \xrightarrow[-C_4H_{10}]{-LiCl} \quad (H_5C_6)_2B{-}P(C_2H_5)_2$$

Diethylphosphino-diphenyl-boran[2]: 1,6 g (0,025 Mol) Butyllithium in Benzol gibt man bei ~20° zu einer Lösung von 2,3 g (0,025 Mol) Diethylphosphan in Benzol. Man gibt soviel Tetrahydrofuran zu, daß sich der Niederschlag von Lithiumdiethylphosphid löst und gibt die gesamte Mischung langsam zu einer Lösung von 5 g (0,025 Mol) Chlor-diphenyl-boran in 50 *ml* Benzol. Dann gibt man 100 *ml* Wasser zu, trennt die organ. Phase ab, trocknet mit Magnesiumsulfat und zieht das Lösungsmittel i. Vak. ab. Der Rückstand wird aus Benzol umkristallisiert; Ausbeute: 5,3 g (84%); F: 192°.

Entsprechend gewinnt man aus Bis[4-bromphenyl]-chlor-boran mit Diethylphosphan nach P-Lithiierung in 49%iger Ausbeute *Bis[4-bromphenyl]-diethylphosphino-boran* (F: 202°)[2].

Aus Brom-diphenyl-boran ist mit dem Monoglymat des Bis[trimethylsilyl]phosphino-lithium in Cyclopentan bei –30° bis +20° in ~50%iger Ausbeute gelblich kristallines *(Bis[trimethylsilyl]phosphino)-diphenyl-boran* (F: 79–87°; Zers.) zugänglich[3]:

$$(H_5C_6)_4B{-}Br \quad + \quad LiP[Si(CH_3)_3]_2 \quad \xrightarrow[-LiBr]{-30°\ bis\ +20°,\ Cyclopentan} \quad (H_5C_6)_2B{-}P[Si(CH_3)_3]_2$$

Bis[trimethylsilyl]phosphino-dimethyl-boran (53%; F: 107°) ist aus Monoglyme-Brom-dimethylboran mit Lithium-bis[trimethylsilyl]-phosphan zugänglich[2].

Aus Chlor-[2-(chlor-dimethyl-silyl)-1-ethyl-1-propenyl]-ethyl-boran erhält man mit Dilithiumphenylphosphan in Tetrahydrofuran unter Freisetzen von Lithiumchlorid ein oligomeres Produkt (F: 213°)[4].

Bis[2,4,6-trimethylphenyl]-fluor-boran reagiert mit Natrium-bis[3-methylphenyl]-phosphan in Tetrahydrofuran bei –30° bis +65° unter Bildung von *(Bis[3-methylphenyl] phosphino)-bis[2,4,6-trimethylphenyl]-boran* (47%; F: 264–265°)[5]:

$$[2,4,6\text{-}(H_3C)_3C_6H_2]_2BF \quad + \quad Na{-}P[C_6H_4\text{-}3\text{-}CH_3]_2 \quad \xrightarrow[-NaF]{THF} \quad [2,4,6\text{-}(H_3C)_3C_6H_2]_2B{-}P[C_6H_4\text{-}3\text{-}CH_3]_2$$

Aus Chlor-diphenyl-boran läßt sich mit Butylnatrium/Bis[3-methylphenyl]phosphan in 67%iger Ausbeute *(Bis[3-methylphenyl]phosphino)-diphenyl-boran* (F: 123–124°) herstellen[2].

---

[1] E. SATTLER u. W. SCHUHMANN, Universität Karlsruhe, unveröffentlicht 1982.
vgl. W. SCHUHMANN, Diplomarbeit, Universität Karlsruhe 1982.
[2] G.E. COATES u. J.G. LIVINGSTONE, Soc. **1961**, 1000.
[3] G. FRITZ u. W. HÖLDERICH, Z. anorg. Ch. **431**, 61 (1977).
[4] R. KÖSTER u. G. SEIDEL, Mülheim a.d. Ruhr, unveröffentlicht 1983.
[5] G.E. COATES u. J.G. LIVINGSTONE, Soc. **1961**, 5053.

β_3) *mit Silylphosphanen*

Si–P-Bindungen reagieren leicht mit Halogenboranen. Die zunächst entstehenden 1:1-Additionsprodukte gehen beim Erhitzen unter Eliminierung von Halogen-triorgano-silan in Diorgano-phosphino-borane über. Die erhaltenen Borane sind in der Regel dimer oder trimer[1,2].

$$>B{-}Cl \;+\; (H_3C)_3Si{-}P< \xrightarrow[-(H_3C)_3SiCl]{} 1/n\,\left(>B{-}P<\right)_n$$

Sehr glatt lassen sich dimere Dialkylphosphino-diorgano-borane aus Diorgano-halogen-boranen mit äquimolaren Mengen Dialkyl-trimethylsilyl-phosphanen herstellen. Ein Überschuß an Reagenz ist zu vermeiden. Bei der Durchführung muß außerdem darauf geachtet werden, daß man die Dimeren wegen der Bildung der thermodynamisch stabileren Trimeren bei möglichst tiefer Temperatur und aus hochverdünnten Lösungen gewinnt. Ferner müssen die Diorgano-silyl-phosphane frei von Diorgano-hydro-phosphanen sein[3].

Dimeres Diethylphosphino-dimethyl-boran ist in ~96%iger Ausbeute aus Brom-dimethyl-boran mit Diethyl-trimethylsilyl-phosphan in Petrolether zugänglich[3]:

$$2\,(H_3C)_2B{-}Br \;+\; 2\,(H_3C)_3Si{-}P(C_2H_5)_2 \xrightarrow[-2\,(H_3C)_3SiBr]{\text{Petrolether},\ -50°} \left[(H_5C_2)_2P{-}B(CH_3)_2\right]_2$$

Dimeres Diethylphosphino-dimethyl-boran (1,1,3,3-Tetraethyl-2,2,4,4-tetramethyl-1,3,2,4-diphosphonia-diboratetan)[3]: Zur Lösung von 97 g (8,03 mmol) Brom-dimethyl-boran in ~400 *ml* Petrolether tropft man bei –50° 13 g (8,01 mmol) Diethyl-trimethylsilyl-phosphan in ~25 *ml* Petrolether. Nach Auftauen wird bei 20° ~20 Stdn. gerührt, das Lösungsmittel i. Vak. abgezogen und im Hochvak. (10^{-3} Torr) destilliert (Bad: 80–90°); Ausbeute: 10,2 g (98%); F: 49°.

So erhält man z.B. aus Chlor-dipropyl-boran mit Dimethyl-trimethylsilyl-phosphan bei 140° unter Abdestillieren von Chlor-trimethyl-silan *trimeres Dimethylphosphino-dipropyl-boran*[2] (Kp_2: 165–167°). Mit Diethyl-trimethylsilyl-phosphan reagiert Chlor-dipropyl-boran über ein Addukt bei 1-stdgm. Erhitzen auf ~90° zum *dimeren Diethylphosphino-dipropyl-boran*[3] (85%; F: 72–74°).

Dimeres Diethylphosphino-dipropyl-boran[3]: Man läßt bei ~ –40° 2,143 g (13,2 mmol) Diethyl-trimethylsilyl-phosphan und 2,06 ml (13,2 mmol) Chlor-dipropyl-boran miteinander reagieren. Beim Auftauen erstarrt der Kolbeninhalt zum 1:1-Addukt (F: 14–16°). 1 Stde. wird auf 90° erhitzt, wobei sich 12,76 mmol (96,6%) Chlor-trimethyl-silan abspalten, anschließend wird i. Vak. destilliert; Ausbeute: 2,098 g (85,4%); F: 72–74°.

γ) aus Diorgano-thio-boranen

Die Übertragung von Dialkylphosphino-Resten auf Organoborane gelingt mit stannylierten Phosphanen. Aus Butylthio-diphenyl-boran ist mit Diphenylphosphino-trimethyl-stannan in 75%iger Ausbeute *Diphenyl-diphenylphosphino-boran* zugänglich[4]:

$$(H_5C_6)_2B{-}SC_4H_9 \;+\; (H_5C_6)_2P{-}Sn(CH_3)_3 \xrightarrow[-(H_3C)_3Sn{-}S{-}C_4H_9]{} (H_5C_6)_2B{-}P(C_5H_6)_2$$

---

[1] H. Nöth u. W. Schrägle, Z. Naturf. **16b**, 473 (1961).
[2] H. Nöth u. W. Schrägle, B. **98**, 352 (1965).
[3] E. Sattler, Universität Karlsruhe, unveröffentlicht 1982.
[4] T.A. George u. M.F. Lappert, Chem. Commun. **1966**, 463.

δ) aus Dihalogen-phosphino-boranen

Beim Erhitzen der dimeren Dialkyl-dialkylphosphino-borane werden meist die thermodynamisch stabilen trimeren Verbindungen gebildet. Bei der Herstellung der Dimeren müssen daher im allgemeinen möglichst tiefe Temperaturen (≤80°) erzielt werden.

Aus Octamethyl-1,3,2,4-diphosphoniadiboratetan erhält man bereits oberhalb 50° *Dodecamethyl-1,3,5,2,4,6-triphosphoniatriboratinan*[1]:

3 (H3C)2B / P(CH3)2 (viergliedriger Ring: H3C, CH3 an P; H3C, H3C an B; B, CH3, CH3; H3C, CH3 an P) $\xrightarrow{>50°}$ 2 (sechsgliedriger Ring: H3C CH3 an P; H3C, CH3; H3C–B, B–CH3; H3C–P, P–CH3; B; H3C, CH3; H3C CH3)

Die Substitution von Halogen-Atomen durch Alkyl-Reste liefert aus Dihalogen-dimethylphosphino-boranen mit metallorganischen Verbindungen trimere Dialkyl-dimethylphosphino-borane. Man setzt Dihalogen-dimethylphosphino-borane z. B. mit Methyllithium, Methylmagnesiumhalogeniden, Dimethylzink, Trimethylboran oder mit Trialkylaluminium-Verbindungen um[2,3].

Bei 100° wird aus trimerem Difluor-dimethylphosphino-boran mit Trimethylboran *trimeres Dimethyl-dimethylphosphino-boran* (F: 336–338°) gewonnen[2]:

$$[(H_3C)_2P{-}BF_2]_3 \xrightarrow[-3\,H_3C{-}BF_2]{+3(H_3C)_3B,\ \sim 100°} [(H_3C)_2B{-}P(CH_3)_2]_3$$

Phosphinoborane erhält man z. B. aus partiell und vollständig methyliertem, chlorierten 1,1,3,3,5,5-Hexamethyl-2,4,6-trijod-1,3,5,2,4,6-triphosphatriborinan mit Dimethylzink (vgl. S. 394)[3].

Aus Dichlor-dimethylphosphino-boran ist mit Trimethylaluminium bei 125° durch Chlor/Methyl-Austausch in hoher Ausbeute (~95%) trimeres *Dimethyl-dimethylphosphino-boran* zugänglich[3]:

$$[Cl_2B{-}P(CH_3)_2]_3 \xrightarrow[-(H_3C)_2Al{-}Cl]{+(H_3C)_3Al,\ +125°,\ 16\ Stdn.} [(H_3C)_2B{-}P(CH_3)_2]_3$$

Cyclisches trimeres Dimethyl-(dimethylphosphino)-boran[3]**:** Zu 101 mg (0,236 mmol) trimerem Dichlor-(dimethylphosphino)-boran kondensiert man i. Vak. 3 *ml* (2,25 g; 31,2 mmol) Trimethylaluminium bei −196°. Das verschlossene Gefäß wird 16 Stdn. auf 125° erhitzt. Spuren nicht kondensierbaren Gases (Methan?) werden beim Öffnen (−196°) frei. Man destilliert i. Vak. Trimethylaluminium ab oder zerstört den Überschuß durch Protolyse. Der Rückstand wird i. Hochvak. sublimiert (Bad: 90–100°); Ausbeute: 68,8 mg (0,225 mol; 95,3%); F: 336–338°.

ε) aus Lewisbase-Boranen

Dialkyl-diorganophosphino-borane lassen sich aus verschiedenen Lewisbase-Boranen herstellen. Außer Phosphan-Dialkyl-hydro-boranen eignen sich Ether-Diorgano-halogen-borane als Edukte.

Die Thermolyse von z. B. Dimethylphosphan-Dimethyl-hydro-boran liefert unter Abspaltung von Wasserstoff *Dimethyl-dimethylphosphino-boran*[4]:

---

[1] E. Sattler, Universität Karlsruhe, unveröffentlicht 1982.

[2] US.P. 3240815 (1966), American Potash & Chem. Corp., Erf.: R. I. Wagner u. M. H. Goodrow; C. A. **64**, 14127 (1966).

[3] M. H. Goodrow u. R. I. Wagner, Inorg. Chem. **17**, 350 (1978).

[4] A. B. Burg u. R. I. Wagner, Am. Soc. **75**, 3972 (1953).

$$(H_3C)_2\overset{\oplus}{P}H—H\overset{\ominus}{B}(CH_3)_2 \xrightarrow[-H_2]{} (H_3C)_2B—P(CH_3)_2$$

Beim Erhitzen von Diorganophosphan-Chlor-dialkyl-boranen werden in Gegenwart von Triethylamin Dialkyl-diorganophosphino-borane gebildet. Man filtriert vom in Ether ausgefallenen Triethylammoniumchlorid ab. Anschließend zieht man das Lösungsmittel i.Vak. ab. Reine monomere bis trimere Dialkyl-diorganophosphino-borane werden erhalten[1,2].

$$R^3R^4\overset{\oplus}{P}H—\overset{\ominus}{B}R^1R^2Hal \xrightarrow[-[(H_5C_2)_3NH]^+ Hal^-]{+ (H_5C_2)_3N} 1/n\ [R^3R^4P—BR^1R^2]_n$$

n = 1–3

Hal = Cl; $R^1 = R^2 = R^3 = CH_3$; $R^4 = C_6H_5$; *Dimethyl-(methyl-phenyl-phosphino)-boran*
$R^3 = CH_3$; $R^1 = R^2 = C_2H_5$; $R^4 = C_6H_{11}$; *(Cyclohexyl-methyl-phosphino)-diethyl-boran*
$R^1 = R^2 = R^3 = CH_3$; R^4; 1-Naphthyl; *Dimethyl-(methyl-1-naphthyl-phosphino)-boran*

Diethylether-Dimethyl-halogen-borane reagieren mit Lithium-diethyl-phosphan unter Bildung von *oligomerem Diethylphosphino-dimethyl-boran*[3]:

$$(H_5C_2)_2\overset{\oplus}{O}—\overset{\ominus}{B}(Hal)(CH_3)_2 + Li—P(C_2H_5)_2 \xrightarrow[-LiHal,\ -(H_5C_2)_2O]{-78°} 1/n\ [(H_3C)_2B—P(C_2H_5)_2]_n$$

Hal = Cl, Br
n = 2, 3

Aus Dialkyl-hydro-phosphan-Diorgano-halogen-boranen sind mit tert.-Butyllithium infolge Lithiierung am Phosphor-Atom und anschließender Lithiumbromid-Abspaltung dimere Diorgano-dialkylphosphino-borane zugänglich; z.B.[3]:

$$2\,(H_5C_2)_2\overset{\oplus}{P}H—\overset{\ominus}{B}R_2Br \xrightarrow[-2\,C_4H_{10},\ -2\,LiBr]{+2\,(H_3C)_3C—Li,\ \text{Benzol},\ 20°} [R_2B—P(C_2H_5)_2]_2$$

1,1,3,3-Tetraethyl-2,2,4,4-tetramethyl-1,3,2,4-diphosphoniadiboratetan[3]**:** Man tropft bei ~ 20° unter gutem Rühren zu 3,5 g (1,68 mmol) Diethylphosphan-Brom-diethyl-boran in 50 *ml* Benzol eine Lösung von 1,68 mmol tert.-Butyllithium in 25 *ml* Hexan. Vom Lithiumbromid wird abfiltriert und aus dem Filtrat i.Vak. (10^{-3} Torr) Lösungsmittel und Produkt abdestilliert (Bad: 80–90°); Ausbeute: 1,65 g (75,7%).
Der Rückstand enthält das trimere Dimethyl-diethylphosphino-boran.

Entsprechend läßt sich *1,1,3,3-Tetraethyl-2,2,4,4-tetraphenyl-1,3,2,4-diphosphoniadiboratetan* in 84%iger Ausbeute aus Diethylphosphan-Brom-diphenyl-boran (vgl.S.518f.) herstellen[3].

[1] US.P. 2925440 (1960), American Potash & Chem. Corp., Erf.: A.B. BURG u. R.I. WAGNER; C.A. **54**, 15408 (1960).
[2] Y. MORITA u. R. KÖSTER, Mülheim a.d. Ruhr, unveröffentlicht 1965.
[3] E. SATTLER, Universität Karlsruhe, unveröffentlicht 1981.

2. Bis- und Tris[diorganoboryl]phosphane

Von der Verbindungsklasse sind lediglich Bis[diorganoboryl]phosphane beschrieben, die aus Diorgano-halogen- sowie aus bestimmten Phosphan-Diorgano-halogen-boranen hergestellt werden. Tris[diorganoboryl]phosphane wurden noch nicht hergestellt.

Bis[diphenylboryl]-phenyl-phosphan (F: 148–150°) erhält man aus Chlor-diphenyl-boran mit Phenylphosphan in Gegenwart von Triethylamin durch Erhitzen in Xylol[1]:

$$2\ (H_5C_6)_2B{-}Cl\ +\ H_2P{-}C_6H_5\ \xrightarrow[-\ 2\ [(H_5C_2)_3NH]^+\ Cl^-]{+\ 2\ (H_5C_2)_3N,\ 24\ Stdn.\ im\ Rückfluß}\ [(H_5C_6)_2B]_2P{-}C_6H_5$$

Aus Tris[trimethylsilyl]phosphan-Brom-diphenyl-boran ist mit Brom-diphenyl-boran nach Vereinigen in Cyclopentan bei 20° und anschließendem Erwärmen auf 40° (48 Stdn.) unter Abspalten von Brom-trimethyl-silan kristallines *Bis[diphenylboryl]-trimethylsilyl-phosphan* (F: 72°) in 51%iger Ausbeute zugänglich[2]:

$$[(H_3C)_3Si]_3\overset{\oplus}{P}{-}\overset{\ominus}{B}(Br)(C_6H_5)_2\ +\ (H_5C_6)_2B{-}Br\ \xrightarrow[-2\ (H_3C)_3Si{-}Br]{Cyclopentan,\ 40°,\ 48\ Stdn.}\ (H_5C_6)_2B{-}P(Si(CH_3)_3){-}B(C_6H_5)_2$$

3. Organo-phosphino-borane mit beliebigem dritten Substituenten

Die Zahl der bisher hergestellten Organo-phosphino-borane mit einem beliebigen dritten Liganden ist noch klein. Man kennt Hydro-organo-phosphino-, Halogen-organo-phosphino- sowie Amino-organo-phosphino-borane.

α) Hydro-organo-phosphino-borane

Aus den trimeren Dimethylphosphino-halogen-hydro-boranen erhält man mit metallorganischen Verbindungen durch partiellen oder vollständigen Halogen/Organo-Rest-Austausch trimere Dimethylphosphino-hydro-organo-borane[3,4].

Man erhält z.B. aus dem Jod-Derivat I mit Dimethylcadmium bei 130° unter Jod/Methyl-Austausch *1,1,2,3,3,5,5-Heptamethyl-2,4,6-trihydro-1,3,5,2,4,5-triphosphaoniatriboratinan*[4]:

$$\text{I: } [(H_3C)_2P{-}BH(J){-}P(CH_3)_2{-}BH_2{-}P(CH_3)_2{-}BH_2{-}]\ \xrightarrow{+(H_3C)_2Cd,\ 130°}\ [(H_3C)_2P{-}BH(CH_3){-}P(CH_3)_2{-}BH_2{-}P(CH_3)_2{-}BH_2{-}]$$

I

---

[1] G.E. Coates u. J.G. Livingstone, Soc. **1961**, 5053.
[2] G. Fritz u. W. Hölderich, Z. anorg. Ch. **431**, 61 (1977).
[3] M.H. Goodrow u. R.I. Wagner, Inorg. Chem. **17**, 350 (1978).
[4] M.H. Goodrow u. R.I. Wagner, Inorg. Chem. **15**, 2836 (1976).

Mit Diphenylzink läßt sich das entsprechende *2-Phenyl*-Derivat gewinnen.

Die stereoisomeren 2,4,6-Tribrom-Verbindungen reagieren mit Trimethylaluminium bei 125°/~18 Stdn. unter Bildung von stereoisomeren *1,1,2,3,3,4,5,5,6-Nonamethyl-2,4,6-trihydro-1,3,5,2,4,6-triphosphoniatriboratinanen* II (F: 112–115°) in 93⁰/₀iger Ausbeute[1]:

$$\text{I} \xrightarrow{+(H_3C)_3Al,\ 125°,\ 18\ \text{Stdn.}} \text{II}$$

β) Halogen-organo-phosphino-borane

Die partielle Substitution von Halogen in Dihalogen-organo-boranen mit Phosphino-Resten führt präparativ zu Halogen-organo-phosphino-boranen. Der dabei oft nicht auszuschließende vollständige Halogen/Phosphino-Austausch liefert dimere bzw. oligomere Bis[phosphino]-organo-borane (vgl. S. 395f.).

Aus Dichlor-phenyl-boran bildet sich mit Phenylphosphan in Hexan *Phenylphosphan-Dichlor-phenyl-boran* als kristallisierte 1:1-Additionsverbindung (vgl. S. 528)[1].

Nach Erhitzen in Xylol (16 Stdn.) erhält man flüssiges *Chlor-phenyl-phenylphosphino-boran* ($Kp_{0,001}$: 98–100°) neben *Tetraphenyl-1,3,2,4-diphosphadiboretan* (vgl. S. 396)[2].

Im Überschuß von Dichlor-phenyl-boran wird mit Phenylphosphan in siedendem Benzol in 15⁰/₀iger Ausbeute trimeres *Chlor-phenyl-phenylphosphino-boran* als wachsartiges Produkt gebildet[3]:

$$H_5C_6-BCl_2 + H_2P-C_6H_5 \xrightarrow[-HCl]{16\ \text{Stdn. siedendes Xylol}} (H_5C_6)(Cl)B-P(H)(C_6H_5)$$

$$H_5C_6-BCl_2 + H_2P-C_6H_5 \xrightarrow[-HCl]{\text{überschüssiges } H_5C_6-BCl_2,\ \text{siedendes Benzol}} \frac{1}{n}\left[(H_5C_6)(Cl)B-P(H)(C_6H_5)\right]_n$$

n = 1,2,3

Zur Herstellung der im allgemeinen trimeren Halogen-organo-phosphino-borane geht man auch von den trimeren Dihalogen-phosphino-boranen aus und setzt diese mit metallorganischen Verbindungen partiell um.

Aus 2,2,4,4,6,6-Hexachlor-1,1,3,3,5,5-hexamethyl-1,3,5,2,4,6-triphosphoniatriboratinan sind mit Dimethylzink verschiedene B-Chlor-methyl-Derivate zugänglich[4].

[1] M.H. Goodrow u. R.I. Wagner, Inorg. Chem. **15**, 2836 (1976).
[2] G.E. Coates u. J.G. Livingstone, Soc. **1961**, 5053.
[3] A.D. Tevebaugh, Inorg. Chem. **3**, 302 (1964).
[4] M.H. Goodrow u. R.I. Wagner, Inorg. Chem. **17**, 350 (1978).

γ) Amino-organo-phosphino-borane

Die präparative Gewinnung der Amino-organo-phosphino-borane gelingt aus Amino-halogen-phosphino-boranen mit Lithiumalkanen durch Halogen/Alkyl-Austausch in Diethylether bei tiefer Temperatur (−30° bis +20°)[1]:

$$R^1_2N-B(Hal)-PR^2_2 + R^3Li \xrightarrow[-\ LiHal]{(H_5C_2)_2O,\ -30°,\ 2\ Stdn.} R^1_2N-B(R^3)-PR^2_2$$

Butyl-diethylamino-diethylphosphino-boran[1]: Die Lösung von 6,69 g (32,26 mmol) Chlor-diethylamino-diethylphosphino-boran in 20 *ml* Diethylether tropft man bei −30° zu 23,55 *ml* einer 1,37 mol Butyllithium-Lösung in Diethylether. Nach ~2 Stdn. wird vom Lithiumchlorid abfiltriert, der Ether bei 10 Torr vom Filtrat abgezogen und der Rückstand destilliert; Ausbeute: 2,35 g (32%); $Kp_{0,001}$: 74–79°.

Die Substitution von Halogen in Amino-halogen-organo-boranen durch Phosphino-Reste führt ebenfalls zu Amino-organo-phosphino-boranen:

$$R^1_2N-B(Hal)-R^3 + R^2_2PLi \xrightarrow[-\ LiCl]{(H_5C_2)_2O,\ -30°,\ 1\ Stde.} R^1_2N-B(R^3)-PR^2_2$$

R^1, R^2, R^3 = Alkyl

Aus Brom-butyl-dimethylamino-boran erhält man mit Lithiumdiethylphosphid quantitativ *Butyl-diethylphosphino-dimethylamino-boran*[1].

Butyl-diethylphosphino-dimethylamino-boran[1]: In eine auf −30° gekühlte Lösung von 2,06 g (21,5 mmol) Lithium-diethyl-phosphan in ~20 *ml* Diethylether läßt man innerhalb 1 Stde. 4,115 g (21,5 mmol) Brom-butyl-dimethylamino-boran, gelöst in 10 *ml* Diethylether zutropfen. Beim Abziehen des Ethers fällt Lithiumbromid aus. Man versetzt mit Benzol, filtriert vom Lithiumbromid ab und destilliert das Filtrat; Ausbeute: 4,2 g (97%); Kp_{12}: 109–112°.

4. Bis[phosphino]-organo-borane

Zur Verbindungsklasse zählen Organoborane, deren Bor-Atome an zwei Phosphor-Atome gebunden sind. Es gibt offenkettige, niedermolekulare Bis[diorganophosphino]-organo-borane, polymere Verbindungen sowie cyclische Verbindungen wie z.B. die 1,3,2,4-Diphosphadiboretane.

Die Herstellung der verschiedenartigen Verbindungen erfolgt aus Dihalogen-organo-boranen mit Diorganophosphanen, Organophosphanen oder mit Disilyl- bzw. Trisilyl-phosphanen.

Bis[diphenylphosphino]-phenyl-boran entsteht in 78%iger Ausbeute aus Dichlor-phenyl-boran mit Diphenylphosphan[2]:

$$H_5C_6-BCl_2 + 2\ (H_5C_6)_2PH \xrightarrow[-2\ [(H_5C_2)_3NH]^+\ Cl^-]{+2\ (H_5C_2)_3N} [(H_5C_6)_2P]_2B-C_6H_5$$

Bis[diphenylphosphino]-phenyl-boran[2]: 4 g (0,025 mol) Dichlor-phenyl-boran werden in 30 *ml* Benzol gelöst und die Lösung bei 23° in ein Gemisch von 9,3 g (0,05 mol) Diphenylphosphan, 5,1 g (0,05 mol) Triethylamin und 50 *ml* Benzol getropft. Man kocht 24 Stdn. am Rückfluß, kühlt und filtriert unter Stickstoff vom Triethylamin-Hydrochlorid ab. Das Filtrat wird i. Vak. eingeengt, der Rückstand mit Benzol aufgenommen und das Benzol abgezogen. Der verbleibende Rückstand wird aus Benzol/Hexan umkristallisiert; Ausbeute: 9,2 g (78%); F: 143–144°.

---

[1] H. NÖTH u. W. SCHRÄGLE, B. **97**, 2374 (1964).

[2] G.E. COATES u. J.G. LIVINGSTONE, Soc. **1961**, 5053.

Aus Dichlor-phenyl-boran erhält man mit Phenylphosphan in Xylol nach 16 Stdn. Erhitzen *Tetraphenyl-1,3,2,4-diphosphadiboretan* (F: 89–91°)[1]:

$$2\ H_5C_6{-}BCl_2 + 2\ H_5C_6{-}PH_2 \xrightarrow{-4\ HCl} \begin{matrix} H_5C_6 & & C_6H_5 \\ & B{-}P & \\ & |\quad | & \\ & P{-}B & \\ H_5C_6 & & C_6H_5 \end{matrix}$$

Außerdem bildet sich ein polymeres Phosphinoboran[1]:

$$\underset{Cl}{\overset{H_5C_6}{>}}B{-}\left[{-}\underset{C_6H_5}{\underset{|}{P}}{-}\overset{C_6H_5}{\overset{|}{B}}{-}\right]_n{-}P\begin{matrix} H \\ C_6H_5 \end{matrix}$$

$n = \sim 13$

Polymere Organo-phosphino-borane mit BPBP-Atomgruppierung erhält man auch aus Dichlor-phenyl-boran mit Phenylphosphanen in Gegenwart von Triethylamin in Petrolether nach 48 Stdn. bei ~20°[2,3].

Ein gelbliches, kristallines Polymer wird auch aus Dichlor-phenyl-boran mit Bis[trimethylsilyl]-phenyl-phosphan in Petrolether bei ~200° erhalten[4]:

$$H_5C_6{-}BCl_2 + [(H_3C)_3Si]_2P{-}C_6H_5 \longrightarrow [(H_3C)_3Si]_2\overset{H_5C_6}{\overset{|}{\overset{\oplus}{P}}}{-}\overset{\ominus}{B}Cl_2(C_6H_5)$$

$$\xrightarrow[-2\ (H_3C)_3SiCl]{\sim 200°} 1/n\left(H_5C_6{-}\underset{|}{B}{-}\underset{|}{P}{-}C_6H_5\right)_n$$

Aus Dichlor-phenyl-boran bildet sich mit Tris[trimethylsilyl]phosphan ein in glänzenden Plättchen kristallisierendes Addukt (vgl. S. 528), das beim 3stdgn. Erhitzen auf 150° ein ebenfalls gelbliches, jedoch pulveriges Polymer liefert[4]:

$$H_5C_6{-}BCl_2 + [(H_3C)_3Si]_3P \longrightarrow [(H_3C)_3Si]_3\overset{\oplus}{P}{-}\overset{\ominus}{B}Cl_2(C_6H_5)$$

$$\xrightarrow[-2\ (H_3C)_3SiCl]{3\ Stdn,\ 150°} 1/n\left[H_5C_6{-}\underset{|}{B}{-}\underset{|}{P}{-}Si(CH_3)_3\right]_n$$

---

[1] G. E. Coates u. J. G. Livingstone, Soc. **1961**, 5053.

[2] Brit. P. 848656 (1960), US. Borax & Chem. Corp.; C. A. **55**, 7906 (1961).

[3] US. P. 3035095 (1962), US. Borax & Chem. Corp., Erf.: W. D. English; C. A. **57**, 11239 (1962).

[4] H. Nöth u. W. Schrägle, B. **97**, 2374 (1964).

b) Organobor-Arsen-Verbindungen

In Analogie zur Herstellung von Diorgano-phosphino-boranen erhält man Arsino-diorgano-borane[1] aus Chlor-diorgano-boranen mit Alkalimetalldiorganoarsiden[2].

Aus Diaryl-chlor-boranen lassen sich mit Natrium-diaryl-arsanen in Tetrahydrofuran Diaryl-diarylarsino-borane gewinnen[2].

$$R^1_2B{-}Cl \;+\; NaAs(R^2)_2 \xrightarrow[-NaCl]{THF} R^1_2B{-}AsR^2_2$$

$R^1 = R^2 = $ Aryl

Diphenyl-diphenylarsino-boran[2]: Aus 5,8 g (0,025 mol) Diphenylarsan in 20 *ml* Tetrahydrofuran wird bei ~20° mit überschüssigem Natrium Natrium-diphenyl-arsan hergestellt. Die rote Lösung wird unter Stickstoff vom überschüssigen Metall abdekantiert und bei –60° langsam zu einer Lösung von 5 g (0,025 mol) Chlor-diphenylboran in 20 *ml* Tetrahydrofuran getropft. Die rote Farbe verschwindet sofort. Man läßt auf ~20° erwärmen und filtriert unter Stickstoff vom Natriumchlorid ab. Das Filtrat wird i. Vak. eingeengt. Der Rückstand wird aus Benzol umkristallisiert; Ausbeute: 5,8 g (57%); F: 202–204°.

Analog lassen sich *Bis[4-methylphenyl]-diphenylarsino-boran*[1] (69%; F: 224–225°) und *Bis[4-bromphenyl]-diphenylarsino-boran*[2] (67%; F: 244–245°) herstellen.

[1] *Gmelin*, 8. Aufl. **19**/3, S. 145–148 (1973).
[2] G. E. Coates u. J. G. Livingstone, Soc. **1961**, 1000.

VIII. Organobor-Element(IV)-Verbindungen

bearbeitet von

ROLAND KÖSTER

Max-Planck-Institut für Kohlenforschung,
Mülheim an der Ruhr

Zur Verbindungsklasse gehören Organoborane, deren dreifach koordinierte Bor-Atome unmittelbar an ein oder zwei Elemente der IV. Hauptgruppe des Periodensystems gebunden sind. Außer Organo-silyl-, Germanyl-organo und Organo-stannyl-boranen zählen zur Stoffklasse auch Carboranyl-organo-borane, deren C-Atome als „nicht-organisch" gewertete Kohlenstoff-Atome in Carboran-cluster eingebaut sind.

a) Carboranyl-organo-borane

Carboranyl-organo-borane, die zusätzlich einen beliebigen dritten Substituenten enthalten können, werden aus Diorgano-halogen- oder aus Carboranyl-diorgano-boranen hergestellt (vgl. Tab. 68).

Herstellungsmethoden der Borane mit borfernen Carboranyl-Resten im Organo-Rest wie z.B. Carboranylorgano-diorgano- oder Carboranylorgano-diorganooxy-borane sind in den Abschnitten über Triorganoborane bzw. Diorganooxy-organo-boranen zu finden.

Tab. 68: Carboranyl-organo-borane

Formel	Verbindungstyp	Herstellungsart	s.S.
R^1_2B–$C_2B_{10}H_{10}$–R^2	R_2B–Carboranyl	aus R_2B–Hal + Li-Carboran	398
R^1–$B(OR^2)$–$C_2B_{10}H_{10}$–R^3	R^1–$B(OR^2)$–Carboranyl	aus R_2B–Carboran + –CHO	399
R^1–$B(O$–CO–$R^2)$–$C_2B_{10}H_{10}$–R^2	R^1–$B(O$–CO–$R^2)$–Carboranyl	aus R_2B–Carboran + –COOH	400

1. aus Halogen-organo-boranen

Die Herstellung von Carboranyl-diorgano-boranen gelingt aus Diorgano-halogen-boranen mit Lithiumcarboranen. Aus Chlor-dialkyl-boran erhält man z.B. mit 2-(1-Alkenyl)-1-lithio-o-carboran unter Abscheidung von Lithiumchlorid o-Carboranyl-dialkyl-borane[1,2]:

$$R^1_2B{-}Cl + Li{-}C_2B_{10}H_{10}{-}R^2 \xrightarrow[-LiCl]{\text{Hexan oder Benzol}} R^1_2B{-}C_2B_{10}H_{10}{-}R^2$$

$R^1 = C_4H_9$; $R^2 = CH(CH_3)_2$; *Dibutyl-(2-isopropyl-o-carboranyl)-boran*[1,2]; 93%

[1] B.M. MIKHAILOV u. É.A. SHAGOVA, Izv. Akad. SSSR **1972**, 1222; engl.: 1188; C.A. **77**, 101726 (1972).
[2] B.M. MIKHAILOV u. É.A. SHAGOVA, Ž. obšč. Chim. **45**, 1052 (1975); engl.: 1039; C.A. **83**, 97432 (1975).

Diisobutyl-(2-isopropenyl-o-carboran-1-yl)-boran[1]: Zur Lösung von 2-Isopropenyl-1-lithio-o-carboran in Benzol [aus 28,15 g (0,153 mmol) 1-Isopropenyl-o-carboran und 0,152 mol Butyllithium] tropft man bei ~20° 28,4 *ml* Chlor-diisobutyl-boran. Unter Temperaturanstieg bildet sich Lithiumchlorid. Man läßt 1 Stde. bei 60° reagieren, filtriert vom Niederschlag ab und zieht das Benzol i. Vak. ab; Ausbeute: 46,52 g (99%) dickflüssiges Öl, das beim Abkühlen kristallisiert; F: 49–54° (aus Petrolether).

2. aus Carboranyl-diorgano-boranen

Aus offenkettigen Carboranyl-diorgano-boranen sind durch Pyrolyse cyclische Carboranyl-diorgano-borane und mit Aldehyden bzw. H-aciden Verbindungen z.B. Carboranyl-organo-oxy-borane zugänglich.

α) mit Wärme

Die Pyrolyse von 1-Dialkylboryl-2-vinyl-o-carboranen liefert bei 200–230° unter Abspaltung von Alken und intramolekularer Hydroborierung 1-Alkyl-2,3-dihydro-⟨borolo[2,3-a]-o-carborane⟩; z.B.[1]:

$H_2C{=}CH$, $B(C_4H_9)_2$, $B_{10}H_{10}$ —(200 - 230 °; $-C_4H_8$)→ C_4H_9, B, $B_{10}H_{10}$

1-Butyl-2,3-dihydro-⟨borolo[2,3-a]-o-carboran⟩; 55%; Kp_1: 114–116°

Aus 1-Dialkylboryl-2-isopropenyl-o-carboranen erhält man beim Erhitzen auf 200–230° unter zusätzlicher Abspaltung von Wasserstoff 1-Alkyl-3-methyl⟨borolo[2,3-a]- o-carborane⟩; z.B.[1]:

1-Butyl-3-methyl-⟨borolo[2,3-a]-o-carboran⟩	60%; Kp_1: 118°
1-Isobutyl-3-methyl-⟨borolo[2,3-a]-o-carboran⟩	73%; Kp_1: 122–125°

1-Dialkylboryl-2-isopropyl-o-carborane reagieren nach Dehydroborierung ebenfalls unter cyclisierender C-Borylierung (vgl. Bd. XIII/3a, S. 29ff.) z.B.[1]:

$(H_3C)_2HC$, $B(C_4H_9)_2$, $B_{10}H_{10}$ —(1. 200 - 230 ° ($-C_4H_8$); 2. $-H_2$)→ H_3C, B, C_4H_9, $B_{10}H_{10}$

1-Butyl-3-methyl-2,3-dihydro-⟨borolo[2,3-a]-o-carboran⟩; 78%; Kp_1: 129°

β) mit Aldehyden

Aus den cyclischen Carboranyl-diorgano-boranen lassen sich mit aliphatischen Aldehyden durch Alken-Verdrängung und C=O-Hydroborierung 1-Alkoxy-2,3-dihydro-⟨borolo[2,3-a]-o-carborane⟩ herstellen[1]; z.B.:

R, B, C_4H_9, $B_{10}H_{10}$ —(+ R−CHO; $-C_4H_8$)→ R, B, $O{-}CH_2{-}R$, $B_{10}H_{10}$

R = H, CH_3

1-Ethoxy-2,3-dihydro-⟨borolo[2,3-a]-o-carboran⟩[1]: Zu 2,46 g (~10,3 mmol) 1-Butyl-2,3-dihydro-⟨borolo[2,3-a]-o-carboran⟩ tropft man unter Rühren bei ~20° langsam 0,455 g (~10,3 mmol) Acetaldehyd. Buten wird frei. Man erhitzt bis 80° und destilliert i. Vak.; Ausbeute: 1,51 g (64%); Kp_1: 118–121°; F: 65–68° (aus Petrolether).

---

[1] B.M. MIKHAILOV u. É.A. SHAGOVA, Ž. obšč. Chim. **45**, 1052 (1975); engl.: 1039; C.A. **83**, 97432 (1975).

γ) mit Carbonsäuren

Die Reaktion des Dibutyl-(2-isopropyl-o-carboranyl)-borans mit Essigsäure liefert unter Abspaltung von Butan *Acetoxy-butyl-(2-isopropyl-o-carboranyl)-boran*[1]:

$$(H_3C)_2CH\text{-}C_2B_{10}H_{10}\text{-}B(C_4H_9)_2 \xrightarrow[-\ C_4H_{10}]{+\ H_3C-COOH} (H_3C)_2CH\text{-}C_2B_{10}H_{10}\text{-}B(C_4H_9)\text{-}O\text{-}C(=O)\text{-}CH_3$$

Die weitere Acetolyse führt zu *1,2-Bis[2-isopropyl-o-carboranyl-]-1,2-diacetoxy-diboroxanen*[1].

b) Organo-silyl-borane

Die Herstellung von Organo-silyl-boranen erfolgt aus Halogen-organo-boranen mit Alkalimetall-triorgano-silanen unter Halogen/Silyl-Austausch. Zugänglich sind Diorgano-silyl- oder Amino-organo-silyl-borane.

1. Diorgano-silyl-borane

Während definierte Organo-silyl-borate (vgl. S. 867ff.) sich leicht herstellen lassen, sind nur wenige reine Organo-silyl-borane beschrieben worden.

Diorgano-trimethylsilyl-borane sind zwar nicht aus Diorgano-halogen-boranen mit Lithium-trimethyl-silan zugänglich[2,3], doch lassen sich bestimmte Diorgano-(tris[trimethylsilyl]silyl)-borane aus Diorgano-halogen-boranen mit Lithium-tris[trimethylsilyl]silan herstellen.[3,4].

Man erhält z.B. in Toluol aus 9-Chlor-9-borabicyclo[3.3.1]nonan mit dem Tris[tetrahydrofuran]-Lithium-tris[trimethylsilyl]silan in ~25%iger Ausbeute *9-(Tris[trimethylsilyl]silyl)-9-borabicyclo[3.3.1]nonan* (F: 135–140°)[3]:

$$\text{B}-Cl + \{(THF)_3LiSi[Si(CH_3)_3]_3\} \xrightarrow[-LiCl,\ -3\ THF]{\text{Toluol},\ -78°\ \text{bis}\ +20°} \text{B}-Si[Si(CH_3)_3]_3$$

Entsprechend ist aus Brom-dimethyl-boran in ~57%iger Ausbeute kristallines *Dimethyl-(tris[trimethylsilyl]silyl)-boran* (bei 20° instabil) zugänglich[3,4].

Dimethyl-(tris[trimethylsilyl]silyl)-boran[3,4]**:** Bei −60° tropft man zur Lösung von 5,2 g (11 mmol) Tris[tetrahydrofuran]-Tris[trimethylsilyl]silyllithium in 20 *ml* Toluol bei intensivem Rühren innerhalb 1,5 Stdn. 1,33 g (11 mmol) Brom-dimethyl-boran in 15 *ml* Toluol. Innerhalb ~2 Stdn. wird auf 0° erwärmt. Nach Abziehen von THF und Toluol i.Vak. nimmt man den Rückstand in 50 *ml* Hexan auf und trennt vom Lithiumbromid ab. Beim Einengen i.Vak. (50 Torr) erhält man einen festen Rückstand, der i.Vak. sublimiert (50°/0,001 Torr) wird; Ausbeute: 1,8 g (56%).

2. Amino-organo-silyl-borane

Aus Amino-halogen-organo-boranen lassen sich mit Alkalimetallsilanen bei −60° in Ether Amino-organo-silyl-borane herstellen[5]:

---

[1] B.M. Mikhailov u. É.A. Shagova, Izv. Akad. SSSR **1972**, 1222; engl.: 1188; C.A. **77**, 101726 (1972).
[2] R. Schwerthöffer, Dissertation, Universität München 1974.
[3] W. Biffar, Dissertation, Universität München 1981.
[4] W. Biffar u. H. Nöth, Z. Naturf. **36b**, 1509 (1981).
[5] E. Amberger u. R. Römer, Z. anorg. Ch. **345**, 1 (1966).

$$\underset{(H_3C)_2N}{\overset{H_9C_4}{\;}}\!\!>B-Cl \; + \; M-SiR_3 \xrightarrow[-\,MCl]{Ether,\;-60^\circ} \underset{(H_3C)_2N}{\overset{H_9C_4}{\;}}\!\!>B-SiR_3$$

M = Li, K
R = H, C_4H_9

Die luft- und feuchtigkeitsempfindlichen Amino-organo-silyl-borane fallen als farblose Flüssigkeiten an.

Mit Lithium-triphenylsilan ist aus Butyl-chlor-dimethylamino-boran in Diethylether in 55%iger Ausbeute *Butyl-dimethylamino-triphenylsilyl-boran* zugänglich[1,2].

Butyl-dimethylamino-triphenylsilyl-boran[2]**:** Zu 100 *ml* 0,20 m Triphenylsilyllithium-Lösung in Diethylether (0,02 mmol) tropft man bei −65° unter Rühren eine Lösung von 2,96 g (0,02 mmol) Butyl-chlor-dimethylamino-boran in 50 *ml* Diethylether. Beim langsamen Erwärmen fällt Lithiumchlorid aus. Nach 2 Stdn. Rühren bei ~20° trennt man die Lösung unter Stickstoff von 0,840 g Lithiumchlorid (98%) ab, wäscht den Rückstand mit Diethylether und entfernt das Lösungsmittel i. Vak. Das Rohprodukt (7,39 g) liefert bei der Hochvakuumdestillation (Bad: 155–165°) eine viskose Flüssigkeit; Ausbeute: 4,07 g (55%).

Zur Herstellung von *Butyl-dimethylamino-silyl-boran* (21%) s. Lit.[3].

c) Germanyl-organo-borane

Germanyl-organo-borane sind bisher lediglich als B-Germanyl-B-organo-borazine bekannt. Die Verbindungen werden aus B-Chlor-B-organo-borazinen (vgl. S. 366ff.) mit z.B. Triorganogermanylkalium-Verbindungen[4] hergestellt.

Aus 2-Chlor-pentamethyl-borazin ist mit Triphenylgermanylkalium in Tetrahydrofuran in 86%iger Ausbeute *Pentamethyl-2-triphenylgermanyl-borazin* zugänglich[5]:

$$Cl(H_3C)_2B_3N_3(CH_3)_3 \; + \; KGeR_3 \xrightarrow[-KCl]{THF} (R_3Ge)(H_3C)_2B_3N_3(CH_3)_3$$

R = H, C_6H_5

1,3,4,5,6-Pentamethyl-2-triphenylgermanyl-borazin[5]**:** Zur Lösung von 1,758 g (9,5 mmol) 2-Chlor-1,3,4,5,6-pentamethyl-borazin in 80 *ml* Tetrahydrofuran tropft man unter Rühren bei ~20° eine Lösung von 10 mmol Triphenylgermanylkalium [aus 3,34 g (5,5 mmol) Hexaphenyldigerman[5]] in 50 *ml* Tetrahydrofuran. Die rote Lösung des Triphenylgermanylkaliums wird farblos, während sich Kaliumchlorid abscheidet. Nach Abziehen des Tetrahydrofurans i. Hochvak. bei ~20° werden auf den trockenen Rückstand 50 *ml* Benzol kondensiert. Man filtriert unter Luftausschluß von 0,705 g (9,45 mmol) Kaliumchlorid ab, engt i. Vak. ein, wäscht den Rückstand 2mal mit je 25 *ml* Pentan und trocknet i. Vak.; Ausbeute: 3,70 g (86%); F: 98–102° (Zers.); hellgelbes Pulver.

Entsprechend erhält man aus 2,4-Dichlor-1,3,5,6-tetramethyl-borazin *2,4-Bis[triphenylgermanyl]-1,3,5,6-tetramethyl-borazin* (85%); F: 130–135°, (Zers.).

Die Reaktionen mit Germanylkalium verlaufen in 1,2-Dimethoxyethan (Monoglyme)/Tetrahydrofuran analog unter Bildung der B-Germanylborazine[5].

2-Germanyl-1,3,4,5,6-pentamethyl-borazin[5]**:** 30 mmol Germanylkalium [hergestellt aus 672 *ml* (30 mmol) Monogerman und 30 mmol Kalium-Natrium-Legierung] in 50 *ml* 1,2-Dimethoxyethan (Monoglyme) werden unter Rühren zur auf −10° gekühlten Lösung von 5,368 g (29 mmol) 2-Chlor-1,3,4,5,6-pentamethyl-borazin in

---

[1] H. Nöth u. G. Höllerer, B. **99**, 2197 (1966).
[2] vgl. a. R. Schwerthöffer, Dissertation, Universität München 1974.
[3] E. Amberger u. R. Römer, Z. anorg. Ch. **345**, 1 (1966).
[4] vgl. ds. Handb., Bd. XIII/6, S. 163ff. (1978).
[5] E. Amberger u. W. Stoeger, J. Organometal. Chem. **17**, 287 (1969).

40 *ml* Monoglyme und 20 *ml* Tetrahydrofuran getropft. Neben wenig Monogerman und Wasserstoff bildet sich sofort festes Kaliumchlorid. Man kühlt auf −196° und pumpt den Wasserstoff ab.

Die Fraktionierung liefert in dem auf −25° gekühlten Reaktionsgefäß ein Gemenge von Kaliumchlorid und Produkt sowie weiteren nicht flüchtigen Produkten [Kondensat der −196°-Falle: Monoglyme, Tetrahydrofuran und Monogerman (0,7 mmol)].

Man nimmt bei −15° in 80 *ml* Toluol auf und filtriert von 2,073 g (27,8 mmol) Kaliumchlorid (96%) und polymeren Produkten ab. Aus dem Filtrat erhält man nach Abziehen des Toluols (−20°) und aller anderen flüchtigen Bestandteile (−10°) ein hellgelbes Pulver; Ausbeute: 5,42 g (80%); F: −20 bis −15° (>20° langsame Zers.).

Entsprechend gewinnt man aus 2,4-Dichlor-1,3,5,6-tetramethyl-borazin *2,4-Bis[germanyl]-1,3,5,6-tetramethyl-borazin* [76%; F: −20 bis −15° (Zers. >−5°)][1].

d) Organo-stannyl-borane

Aus Dichlor-phenyl-boran erhält man mit Hexamethyldistannan nach Umlagerung des Zwischenproduktes instabiles *(Chlor-dimethyl-stannyl)-methyl-phenyl-boran*[2]:

$$H_5C_6{-}BCl_2 \xrightarrow[-\ (H_3C)_3Sn{-}Cl]{+\ (H_3C)_3Sn{-}Sn(CH_3)_3} \left[(H_5C_6)(Cl)B{-}Sn(CH_3)_3 \right] \xrightarrow{\Delta} (H_5C_6)(H_3C)B{-}Sn(Cl)(CH_3){-}CH_3$$

Beim Erwärmen wird aus dem Stannylboran durch Abspaltung von oligomerem Dimethylstannylen Chlor-methyl-phenyl-boran gebildet.

Aus Bis{1,2-bis[diphenylphosphino]ethan}-bis[diphenylboryl]-cobalt sind mit Chlor- bzw. Brom-methyl-stannanen unter Substitution der Ligand-Übergangsmetall-Gruppierung durch die Stannyl-Gruppe Diphenyl-methylstannyl-borane zugänglich[3,4]:

$$\frac{4-n}{2}\,(diphos)_2Co[B(C_6H_5)_2]_2 \xrightarrow{+\ X_{4-n}Sn(CH_3)_n} \frac{4-n}{2}\,(diphos)_2CoX_2 + [(H_5C_6)_2B]_{4-n}Sn(CH_3)_n$$

diphos = $(H_5C_6)_2P{-}CH_2{-}CH_2{-}P(C_6H_5)_2$
X = Cl, Br
n = 0, 1, 2, 3

Bis[diphenylboryl]-dimethyl-stannan[3]: Eine Lösung von 5,93 g (5,0 mmol) Bis[diphenylboryl]-bis[1,2-bis(diphenylphosphino)ethan]-cobalt und 1,10 g (5,0 mmol) Dichlor-dimethyl-stannan in 100 *ml* Benzol wird 4 Stdn. unter Stickstoff gerührt. Nach Abfiltrieren vom grünlichen Bis[1,2-bis(diphenylphosphino)ethan]cobalt-dichlorid (1,89 g) wird i. Vak. nahezu bis zur Trockne eingeengt. Man nimmt den zähflüssigen Rückstand in 50 *ml* Cyclohexan auf, rührt 8 Stdn. und erhält nach Filtration und Einengen 4,4 g (79%); F: 118–124° (Zers.); farbloses Pulver.

Entsprechend erhält man mit

Chlor-trimethyl-stannan → *Diphenylboryl-trimethyl-stannan*; 97%; F: 110–115° (>115° Zers.)
Methyl-trichlor-stannan → *Methyl-tris[diphenylboryl]-stannan*; 97%; F: 112–118° (>120° Zers.)
Zinn(IV)-bromid → *Tetrakis[diphenylboryl]stannan*; 76%; F: 119–124° (>130° Zers.)

---

[1] E. AMBERGER u. W. STOEGER, J. Organometal. Chem. **17**, 287 (1969).
[2] J. J. EISCH u. H. P. BECKER, J. Organometal. Chem. **171**, 141 (1979).
[3] H. NÖTH, H. SCHÄFER u. G. SCHMID, Z. Naturf. **26 b**, 497 (1971).
[4] vgl. ds. Handb., Bd. XIII/6, 385 (1978).

IX. Organobor-Element(III)-Verbindungen

bearbeitet von

ROLAND KÖSTER

Max-Planck-Institut für Kohlenforschung
Mülheim an der Ruhr

und

GÜNTER SCHMID

Institut für Anorganische Chemie
der Universität Essen

Zu den Element(III)-organo-boranen zählen Organodiborane(4) und Organo-tetraboretane mit Bor-Bor-Bindungen, deren Herstellungsmethoden in diesem Abschnitt beschrieben werden (vgl. Tab. 69).

Organoboryl-Derivate des Aluminiums, Indiums und Thalliums mit dreifach koordinierten Bor-Atomen sind unbekannt. Lediglich *Cyclopentadienylindium-trimethylboran* mit tetraedrisch koordiniertem Bor-Atom ist beschrieben worden. Die Herstellungsmethoden für diese Verbindungen werden auf S. 472 besprochen.

Tab. 69: Organodiborane(4) und Organotetraboretane

Formel	Verbindungstyp	Herstellungsart	s. S.
Tetraorganodiborane(4)			
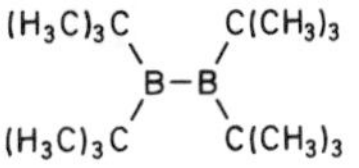 $(H_3C)_3C$ $C(CH_3)_3$ B–B $(H_3C)_3C$ $C(CH_3)_3$	R_2B-BR_2	aus R_2B-Hal + M aus $(R^2O)_2B-B(OR^2)_2 + R^1-Li$	405 406
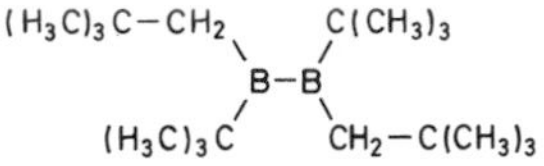 $(H_3C)_3C-CH_2$ $C(CH_3)_3$ B–B $(H_3C)_3C$ $CH_2-C(CH_3)_3$	$R^1R^2B-BR^1R^2$	aus $R^1(R^2O)B-B(OR^2)R^1 + R^2-Li$	406
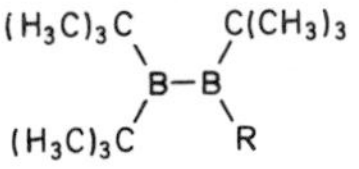 $(H_3C)_3C$ $C(CH_3)_3$ B–B $(H_3C)_3C$ R R = CH_3, $CH_2C(CH_3)_3$	$R^1_2B-BR^1R^2$	aus $R^1_2B-B(OR^2)R^1 + R^2-Li$	406
Triorganodiborane(4)			
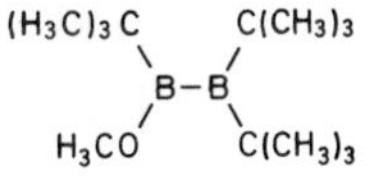 $(H_3C)_3C$ $C(CH_3)_3$ B–B H_3CO $C(CH_3)_3$	$R^1(R^2O)B-BR^1_2$	aus $R^1(R^2O)B-B(OR^2)R^1 + R^1-Li$	407
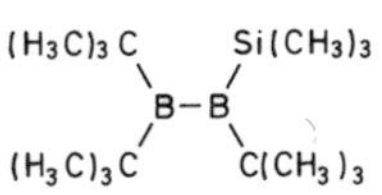 $(H_3C)_3C$ $Si(CH_3)_3$ B–B $(H_3C)_3C$ $C(CH_3)_3$	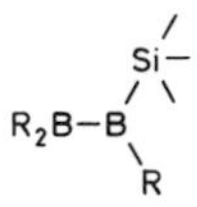 $R_2B-B(R)(Si\lt)$	aus $R^1_2B-B(OR^2)(R^1)$ + Li–Si$\lt$ 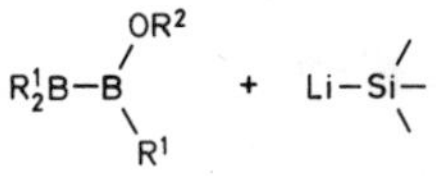	407
1,2-Diorganodiborane(4)			
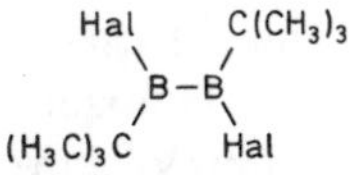 Hal $C(CH_3)_3$ B–B $(H_3C)_3C$ Hal	R(Hal)B–B(Hal)R	aus 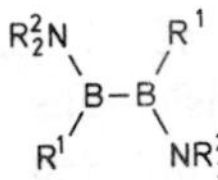 $R^2_2N(R^1)B-B(R^1)NR^2_2$ + BCl_3 + $R-BBr_2$	407 407

Tab. 69 (Forts.)

Formel	Verbindungstyp	Herstellungsart	s. S.
$(H_3C)_3C(H_3CO)B{-}B(OCH_3)C(CH_3)_3$	$R^1(R^2_2N)B{-}B(NR^2_2)R^1$	aus $(R^2O)_2B{-}B(OR^2)_2 + R^1{-}Li$	407
$R((H_3C)_2N)B{-}B(N(CH_3)_2)R$ R = Alkyl, C_6H_5	$R^1(R^2_2N)B{-}B(NR^2_2)R^1$	aus $R^1{-}B(NR^2_2)(Hal)$ + M	408
$(H_3C)_3C((H_3C)_2N)B{-}B(N(CH_3)_2)C(CH_3)_3$	$R^1(R^2_2N)B{-}B(NR^2_2)R^1$	aus $Hal(R^2_2N)B{-}B(NR^2_2)Hal$ $R^1{-}Li$	409
(Benzodiazadiborin, N-H, N-H, B-C_3H_7, B-C_3H_7)	$R^1(R^2{-}HN)B{-}B(NH{-}R^2)R^1$	aus $R^1(R^2_2N)B{-}B(NR^2_2)R^1$ + o-Phenylendiamin ($C_6H_4(NH_2)_2$)	409
(Naphthodiazadiborin, N-H, N-H, B-C_4H_9, B-C_4H_9)	$R^1(R^2_2{-}HN)B{-}B(NH{-}R^2_2)R^1$	aus $R^1(R^2_2N)B{-}B(NR^2_2)R^1$ + 1,2-Diaminonaphthalin	409
(Naphthodiazadiborin, N-H, N-H, B-C_2H_5, B-C_2H_5)	$R^1(R^2_2{-}HN)B{-}B(NH{-}R^2_2)R^1$	aus $R^1(R^2_2N)B{-}B(NR^2_2)R^1$ + 2,3-Diaminonaphthalin	409
$(OC)_3Cr$-(Benzodiazadiborin, N-H, N-H, B-C_4H_9, B-C_4H_9)	$R^1(R^2{-}HN)B{-}B(NH{-}R^2)R^1$	aus (Benzodiazadiborin, N-H, N-H, B-C_4H_9, B-C_4H_9) + LM	410
Monoorganodiborane(4)			
$Cl(H_3C)B{-}BCl_2$	$R(Hal)B{-}BHal_2$	aus $B_2Hal_4 + R_2Hg$	410
Organotetraborane (4)			
$(R{-}B)_4$ (Ring B–B–B–B, je B ein R)	$(R{-}B)_4$	aus $(BCl_4)_4$ + R–Li aus $R(Hal)B{-}B(Hal)R$ + M	410 410
(Ring B_4 mit Hal, R, Hal, R)	$(RB)_2(BHal)_2$	aus $(BCl)_4$ + R–Li	410
(Ring B_4 mit R, Hal, Hal, Hal)	$R{-}B(BHal)_3$	aus $(BCl)_4$ + R–Li	410

a) Organodiborane(4)

Die Herstellung der Organodiborane(4) mit vier, drei, zwei und einem Organo-Rest erfolgt fast ausnahmslos aus Diboran(4)-Verbindungen durch Substitution von Halogen-Atomen oder Alkoxy-Resten durch Organo-Reste mit Hilfe metallorganischer Verbindungen. Außerdem lassen sich Amino-Reste der Organodiborane(6) gegen andere Amino-Gruppierungen austauschen. Ausgehend von Organoboranen(3) werden Organodiborane(4) nur in Sonderfällen hergestellt (vgl. Tab. 69, S. 403).

1. Tetraorganodiborane(4)

Man kennt Tetraorganodiborane(4) mit gleichen und verschiedenartigen stark verzweigten Organo-Resten an den beiden Bor-Atomen[1,2]. Die Herstellung der vollständig alkylierten Diborane(4) erfolgt aus Alkoxy-alkyl-diboranen(4) mit metallorganischen Verbindungen (vgl. Tab. 69, S. 403). Nur in Sonderfällen kann von Diorgano-halogenboranen ausgegangen werden[3].

α) aus Halogenboranen(3)

Aus Di-tert.-butyl-halogen-boranen läßt sich mit Natrium/Kalium-Legierung in Ethern (THF; Mono-, Di- oder Triglyme) bei –10° *Tetra-tert.-butyldiboran(4)* herstellen[3].

Die Verbindung kann als Radikalanion (vgl. S. 405) nachgewiesen werden[3]. Das Tetraalkyldiboran(4) bildet sich nur, da eine H-Wanderung vom α-C-Atom zum Bor-Atom[4,5] (vgl. Bd. XIII/3a, S. 340) nicht eintreten kann.

β) aus Diboran(4)-Verbindungen

Tetraorganodiborane(4) sind aus verschiedenen substituierten Diboran(4)-Verbindungen mit Alkalimetallen bzw. metallorganischen Verbindungen zugänglich.

Das thermisch nicht sonderlich stabile *Tetrakis[2,2-dimethylpropyl]diboran(4)* (20°/ $t_{1/2}$ ~ 30 Min.) läßt sich z.B. mit Alkalimetallen (Kalium/Natrium-Legierung) zu einem thermisch relativ beständigen Radikal-Anion mit π–BB-Einelektronenbindung reduzieren (ESR-Spektren)[6].

$(H_3C)_3C-CH_2$ $CH_2-C(CH_3)_3$
B–B
$(H_3C)_3C-CH_2$ $CH_2-C(CH_3)_3$
+e →
$(H_3C)_3C$ $C(CH_3)_3$
H_2C $B^{\bullet\ominus}B$ CH_2
H_2C CH_2
$(H_3C)_3C$ $C(CH_3)_3$

Mit Kalium/Natrium-Legierung erhält man aus 1,2-Di-tert.-butyl-1,2-dichlor-diboran(4) *Tetra-tert.-butyldiboran(4)*[7].

Allgemeiner anwendbar sind die Herstellungsmethoden für Tetraorganodiborane(4), bei denen von Alkoxydiboranen(4) ausgegangen wird.

Man kann z.B. Alkoxy-triorgano-, 1,2-Dialkoxy-diorgano- oder Tetraalkoxy-diborane(4) einsetzen. Wesentlich ist, daß verzweigte Alkyl-Gruppen wie der tert.-Butyl- oder der 2,2-Dimethylpropyl-Rest mit Alkyllithium-Verbindungen in Pentan bei tiefen Temperaturen (–70° bis +20°) eingeführt werden.

Aus 1,2-Di-tert.-butyl-1,2-dimethoxy-diboran(4) erhält man mit Lithiumalkanen oder Trialkylaluminium Tetraalkyldiborane(4). Mit 2,2-Dimethylpropyllithium ist in 26%iger Ausbeute *1,2-Bis[2,2-dimethylpropyl]-1,2-di-tert.-butyl-diboran(4)* ($Kp_{0,001}$: 67–69°) zugänglich[8]:

---

[1] W. Biffar, H. Nöth u. H. Pommerening, Ang. Ch. **92**, 63 (1980).
[2] H. Nöth u. H. Pommerening, B. **114**, 3044 (1981).
[3] H. Klusik u. A. Berndt, J. Organometal. Chem. **232**, C21 (1982).
[4] R. Köster u. G. Benedikt, Ang. Ch. **76**, 650 (1964).
[5] R. Köster, G. Benedikt u. M.A. Grassberger, A. **719**, 187 (1968).
[6] H. Klusik u. A. Berndt, Ang. Ch. **93**, 903 (1981).
[7] H. Klusik u. A. Berndt, J. Organometal. Chem. **234**, C17 (1982).
[8] K. Schlüter u. A. Berndt, Ang. Ch. **92**, 64 (1980).

$$(H_3CO)[(H_3C)_3C]B{-}B[C(CH_3)_3](OCH_3) \; + \; 2\,Li{-}CH_2{-}C(CH_3)_3 \xrightarrow[-2\,LiOCH_3]{} [(H_3C)_3C{-}CH_2][(H_3C)_3C]B{-}B[C(CH_3)_3][CH_2{-}C(CH_3)_3]$$

Auch Triethylaluminium läßt sich zur Ethylierung von partiell tert.-butyliertem Diboran(4) verwenden. Aus 1,2-Di-tert.-butyl-1,2-dimethoxy-diboran(4) gewinnt man in Pentan in 73%iger Ausbeute *1,2-Di-tert.-butyl-1,2-diethyl-diboran(4)*[1]:

$$(H_3CO)[(H_3C)_3C]B{-}B[C(CH_3)_3](OCH_3) \xrightarrow{+(H_5C_2)_3Al\,/\,Pentan} [(H_3C)_3C](H_5C_2)B{-}B(C_2H_5)[C(CH_3)_3]$$

Ausgehend vom Methoxy-tri-tert.-butyl-diboran(4) kann mit Methyllithium in 30%iger Ausbeute *Methyl-tri-tert.-butyl-diboran(4)* gewonnen werden[1,2]:

$$[(H_3C)_3C]_2B{-}B(OCH_3)[C(CH_3)_3] \xrightarrow[-\,LiOCH_3]{+\,H_3C{-}Li} [(H_3C)_3C]_2B{-}B(CH_3)[C(CH_3)_3]$$

Methyl-tri-tert.-butyl-diboran(4)[1]: Zur Lösung von 1,71 g (7,64 mmol) Methoxy-tri-tert.-butyl-diboran(4) in 10 *ml* Ether tropft man bei −30° 22,3 *ml* einer 0,685 M Methyllithium-Lösung in Ether unter Rühren zu. Man läßt die Suspension auf 20° erwärmen und rührt 6 Stdn. Nach Abfritten vom Unlöslichen und Abziehen des Ethers wird i. Vak. destilliert; Ausbeute: 0,48 g (30%); $Kp_{0,01}$: 41°.

Bei −60° bis 0° wird die Verbindung in Diethylether in 41%iger Ausbeute gewonnen[1].

Entsprechend ist *(2,2-Dimethylpropyl)-tri-tert.-butyl-diboran(4)* ($Kp_{0,01}$: 91°) in 67%iger Ausbeute zugänglich[3].

Aus Tetramethoxydiboran(4) läßt sich mit Isopropyllithium ohne nachweisbares Auftreten teilisopropylierter Diborane(4) in Pentan in 60%iger Ausbeute *Tetraisopropyldiboran(4)* unmittelbar herstellen[1,2]:

$$(H_3CO)_2B{-}B(OCH_3)_2 \; + \; 4\,(H_3C)_2CH{-}Li \xrightarrow[-4\,LiOCH_3]{-70^\circ\ bis\ +20^\circ} [(H_3C)_2CH]_2B{-}B[CH(CH_3)_2]_2$$

Tetraisopropyldiboran(4)[1]: Zu 1,75 g (12 mmol) Tetramethoxydiboran(4) in 10 *ml* Pentan tropft man bei −70° unter Rühren 90 *ml* einer 0,54 M Lösung von Isopropyllithium in Pentan zu. Man läßt 2 Stdn. bei ~20° nachreagieren, trennt vom Unlöslichen ab und entfernt i. Vak. Pentan (10 Torr) sowie entstandenes Triisopropylboran (10^{-3} Torr). Nach Erwärmen bis 40° wird das Produkt i. Vak. (10^{-3} Torr) in eine −30°-Falle überkondensiert und mehrmals fraktionierend kondensiert; Ausbeute: 1,4 g (60%); leicht bewegliche, an der Luft selbstentzündliche Flüssigkeit.

2. Triorganodiborane(4)

Alkoxy-triorgano-diborane(4) und Silyl-triorgano-diborane(4) sind kaum bekannt. Die Verbindungen werden durch Alkoxy/Alkyl- bzw. Alkoxy/Silyl-Austausch mit bestimmten alkalimetallorganischen Verbindungen aus den Alkoxy-organo-diboranen(4) hergestellt. Aus 1,2-Di-tert.-butyl-1,2-dimethoxy-diboran(4) erhält man mit tert.-Butyllithium in Pentan in 67%iger[1,2] bzw. 57%iger[3] Ausbeute *Methoxy-tri-tert.-butyl-diboran(4)* ($Kp_{0,01}$: 46°)[1-3]:

---

[1] H. Nöth u. H. Pommerening, B. **114**, 3044 (1981).
[2] W. Biffar, H. Nöth u. A. Pommerening, Ang. Ch. **92**, 63 (1980).
[3] K. Schlüter u. A. Berndt, Ang. Ch. **92**, 64 (1980).

$$(H_3C)_3C(OCH_3)B{-}B(OCH_3)C(CH_3)_3 \xrightarrow[-LiOCH_3]{+(H_3C)_3C{-}Li/Pentan} ((H_3C)_3C)_2B{-}B(C(CH_3)_3)(OCH_3)$$

Methoxy-tri-tert.-butyl-diboran(4) reagiert mit Lithium-trimethylsilan in Pentan/Hexan bei 0°–20° unter Bildung von *Tri-tert.-butyl-trimethylsilyl-diboran(4)* (75%; F: >80°; Zers.)[1-3]:

$$((H_3C)_3C)_2B{-}B(C(CH_3)_3)(OCH_3) \xrightarrow[-LiOCH_3]{+(H_3C)_3Si{-}Li/Pentan,\ Hexan,\ 0\text{-}20°} ((H_3C)_3C)_2B{-}B(C(CH_3)_3)(Si(CH_3)_3)$$

3. 1,2-Diorganodiborane(4)

Zur Verbindungsklasse gehören 1,2-Dihalogen-1,2-diorgano-, 1,2-Dialkoxy-diorgano- und 1,2-Diamino-1,2-diorgano-diborane(4).

α) 1,2-Dialkyl-1,2-dihalogen-diborane(4)

Aus 1,2-Bis[dimethylamino]-1,2-di-tert.-butyl-diboran(4) erhält man mit Trichlorboran durch Amino/Chlor-Austausch *1,2-Di-tert.-butyl-1,2-dichlor-diboran(4)* (Kp_4: 34°). Als Chlorierungsmittel kann auch Trichlorphosphan verwendet werden[2].

$$(H_3C)_3C((H_3C)_2N)B{-}B(N(CH_3)_2)C(CH_3)_3 \xrightarrow[-2\ Cl_2B{-}N(CH_3)_2]{+2\ BCl_3} (H_3C)_3C(Cl)B{-}B(Cl)C(CH_3)_3$$

1,2-Dibrom-1,2-di-tert.-butyl-diboran(4) ist mit Dibrom-methyl-boran durch Amino/Brom-Austausch zugänglich[2]:

$$(H_3C)_3C((H_3C)_2N)B{-}B(N(CH_3)_2)C(CH_3)_3 \xrightarrow[-H_3C{-}B[N(CH_3)_2]_2]{+H_3C{-}BBr_2} (H_3C)_3C(Br)B{-}B(Br)C(CH_3)_3$$

β) 1,2-Dialkoxy-1,2-diorgano-diborane(4)

Aus Tetramethoxydiboran(4) läßt sich mit tert.-Butyllithium durch zweifachen Methoxy/tert.-Butyl-Austausch *1,2-Di-tert.-butyl-1,2-dimethoxy-diboran(4)* herstellen[1,2,4]. Man läßt in Pentan bei −70° bis +20° reagieren und erhält das Produkt in 66%iger Ausbeute[2]:

$$(H_3CO)_2B{-}B(OCH_3)_2 \xrightarrow[-2\ LiOCH_3]{+2\ (H_3C)_3C{-}Li,\ Pentan,\ -70°\ bis\ +20°} H_3CO((H_3C)_3C)B{-}B(C(CH_3)_3)OCH_3$$

1,2-Di-tert.-butyl-1,2-dimethoxy-diboran(4)[1]: Zur Lösung von 3,33 g (22,4 mmol) Tetramethoxydiboran(4) in 10 *ml* Pentan werden bei −70° unter intensivem Rühren 30 *ml* einer 1,5 M Lösung von tert.-Butyllithium in Pentan getropft. Krustenbildung muß vermieden werden! Man läßt auf ~20° erwärmen (2 Stdn.) und rührt weitere 16 Stdn. Vom Unlöslichen wird abfiltriert und mit Pentan gewaschen. Das Filtrat wird i. Vak. fraktionierend destilliert; Rohausbeute: 3,4 g; $Kp_{0,1-0,5}$: 28–36°; Redestillation: Ausbeute: 2,95 g (66%); Kp_2: 41°.

---

[1] H. Nöth u. H. Pommerening, B. **114**, 3044 (1981).
[2] W. Biffar, H. Nöth u. A. Pommerening, Ang. Ch. **92**, 63 (1980).
[3] W. Biffar, Dissertation, Universität München 1981.
[4] K. Schlüter u. A. Berndt, Ang. Ch. **92**, 64 (1980).

γ) 1,2-Diamino-1,2-diorgano-diborane(4)

Die Verbindungen sind aus Amino-halogen-organo-boranen(3) durch Enthalogenierung sowie aus verschiedenen 1,2-Diaminodiboranen(4) durch Substituenten-Austausch zugänglich.

γ_1) *aus Amino-halogen-organo-boranen(3)*

Die Enthalogenierung von Halogenboranen mit Alkalimetallen bietet den präparativ wichtigsten Weg zu Diboranen(4) aus Boranen(3)[1]. Zur Herstellung von Organodiboranen(4) ist die Methode jedoch nur in Sonderfällen anwendbar. Beispielsweise muß mindestens ein Amino-Rest im Edukt vorhanden sein. Andernfalls erhält man Folgeprodukte (z.B. >BH-Verbindungen)[2] ohne BB-Bindung[3-5].

Aus Dimethylamino-halogen-organo-boranen sind mit Alkalimetallen in Kohlenwasserstoffen 1,2-Bis[dimethylamino]-1,2-diorgano-diborane(4) in guten Ausbeuten zugänglich[6-8]:

$$R(H_3C)_2N\text{B-Hal} + 2\,M + \text{Hal-B}(N(CH_3)_2)R \xrightarrow{-2\,MHal} R((H_3C)_2N)\text{B-B}(N(CH_3)_2)R$$

M = K, Na
Hal = Cl, Br
R = CH_3, C_2H_5, C_3H_7, C_4H_9, C_6H_5

Man führt die Reaktionen je nach Art des eingesetzten Alkalimetalls bzw. der Alkalimetall-Legierung in Pentan oder Xylol durch. Mit Natrium muß z.B. Xylol verwendet werden, da bei 125–140° enthalogeniert wird[7]. Kalium setzt man meist als flüssige Kalium/Natrium-Legierung im K/Na-Molverhältnis = 3:1 bzw. 4:1 ein.

Amino-halogen-organo-borane reagieren bereits bei ~20° oder bei leichtem Erwärmen[3]. Pentan oder Petrolether sind als Lösungsmittel günstig, da die destillative Trennung einfach ist. Die exothermen Enthalogenierungen verlaufen praktisch ohne Nebenreaktionen. Man erhält 1,2-Diamino-1,2-diorgano-diborane(4) in guten Ausbeuten.

1,2-Bis[dimethylamino]-1,2-dimethyl-diboran(4)[8]: Zur Lösung von 34,3 g (0,23 mol) Brom-dimethylamino-methyl-boran[9] in 150 *ml* Pentan tropft man unter Rühren langsam eine flüssige Natrium-Kalium-Legierung (0,35 mol Kalium und 0,15 mol Natrium). Zu Beginn wird nur wenig Legierung zugegeben. Durch gelindes Erwärmen kommt die Reaktion in Gang. Danach gibt man die Legierung so zu, daß das Pentan am Sieden bleibt. Es bildet sich ein blauschwarzer Niederschlag. Nach Zugabe des gesamten Metalles kocht man weitere ≈30 Min. unter Rückfluß, prüft die klare Lösung auf Bromid und erhitzt solange weiter, bis die Lösung bromidfrei ist. Anschließend wird vom Niederschlag abgefrittet, mehrmals mit Pentan gewaschen und von den vereinigten Filtraten das Lösungsmittel abdestilliert. Der Rückstand wird i. Vak. fraktionierend destilliert; Ausbeute: 12,6 g (78%); Kp_{12}: 36–39°.

Entsprechend erhält man z.B. mit Natrium/Kalium-Legierung aus

Chlor-dimethylamino-ethyl-boran → *1,2-Bis[dimethylamino]-1,2-diethyl-diboran(4)*; 61%; $Kp_{1,5}$: 32–34°

Chlor-dimethylamino-propyl-boran → *1,2-Bis[dimethylamino]-1,2-dipropyl-diboran(4)*; 57%; Kp_1: 48°

Butyl-chlor-dimethylamino-boran → *1,2-Bis[dimethylamino]-1,2-dibutyl-diboran(4)*; 84%; Kp_2: 67–70°

---

[1] *Gmelin*, 8. Aufl., Bd. **48**/16, S. 33 (1977); Bd. **23**/5, S. 276–279 (1975).
[2] R. Köster u. G. Benedikt, Ang. Ch. **76**, 650 (1964).
R. Köster, G. Benedikt u. M. A. Grassberger, A. **719**, 187 (1968).
[3] R. W. Auten u. C. A. Kraus, Am. Soc. **74**, 3398 (1952).
[4] G. Urry, T. Wartik, R. E. Moore u. H. I. Schlesinger, Am. Soc. **76**, 5293 (1954).
[5] E. Wiberg u. W. Ruschmann, B. **70**, 1583 (1937).
[6] H. Nöth u. P. Fritz, Ang. Ch. **73**, 408 (1961).
[7] R. J. Brotherton, H. M. Manasevit u. A. L. McCloskey, Inorg. Chem. **1**, 749 (1962).
[8] H. Nöth u. P. Fritz, Z. anorg. Ch. **324**, 129 (1963).
[9] H. Nöth u. P. Fritz, Z. anorg. Ch. **324**, 270 (1963).

1,2-Bis[dimethylamino]-1,2-diphenyl-diboran(4)[1]**:** Zu einer auf 130–140° erhitzten Dispersion von 6 g (0,26 mol) Natrium in 350 *ml* Xylol fügt man unter heftigem Rühren unter Stickstoff eine Lösung von 33,5 g (0,20 mol) Chlor-dimethylamino-phenyl-boran[2] in 50 *ml* Xylol. Das Gemisch wird unter Rückfluß 2 Stdn. erhitzt. Nach dem Abkühlen und Abtrennen des Unlöslichen destilliert man das Xylol i. Vak. ab und kristallisiert die farblosen Kristalle aus Toluol um; Ausbeute: 12 g (46%); F: 101–103°.

γ_2) *aus 1,2-Diaminodiboranen(4)*

Aus 1,2-Diaminodiboranen(4) sind 1,2-Diamino-1,2-diorgano-diborane(4) durch verschiedene Substitutionen zugänglich, ohne daß die BB-Bindung reagiert.

Mit bestimmten Diaminen lassen sich durch Transaminierungen aus 1,2-Bis[dimethylamino]-1,2-dialkyl- (bzw. -diaryl)-diboranen(4) unter Erhalt der Bor-Bor-Bindung andere Amino-organo-diborane(4) herstellen. Vor allem mit aromatischen 1,2-Diaminen werden einheitliche, cyclische 1,2-Diamino-1,2-diorgano-diborane(4) erhalten[3,4]:

$$[(H_3C)_2N](R)B{-}B(R)[N(CH_3)_2] + C_6H_4(NH_2)_2 \xrightarrow[-\,2\,(H_3C)_2NH]{\text{Benzol bzw. Xylol}} C_6H_4(NH)_2B_2R_2$$

2,3-Diphenyl-1,2,3,4-tetrahydro-⟨benzo-1,4,2,3-diazadiborin⟩[3]**:** Ein Gemisch von 0,40 g 1,2-Diaminobenzol und 0,95 g 1,2-Bis[dimethylamino]-1,2-diphenyl-diboran(4) in 40 *ml* Xylol wird unter Stickstoff 72 Stdn. auf 80° erhitzt. Danach werden nicht umgesetzte Ausgangsverbindungen abdestilliert und der Rückstand sublimiert; Ausbeute: ~100%; F: 100–101°.

Mit 1,2- und 2,3-Diaminonaphthalin werden die entsprechenden Naphtho[1,2]- bzw. [2,3]-1,4,2,3-diazadiborine I und II erhalten, z.B.[3]:

I: *2,3-Dibutyl-1,2,3,4-tetrahydro-⟨naphtho [1,2]-1,4,2,3-diazadiborin⟩* ($R = C_4H_9$)

II

2,3-Dipropyl-1,2,3,4-tetrahydro-⟨naphtho[2,3]-1,4,2,3-diazadiborin⟩ (II; R = C_3H_7)[3]**:** 2,93 g (14,9 mmol) 1,2-Bis[dimethylamino]-1,2-dipropyl-diboran(4) und 2,3 g (15 mmol) 2,3-Diaminonaphthalin werden in 10 *ml* Benzol unter Rühren und Luftausschluß auf 80° erhitzt. Nach ≈4 Stdn. ist die Dimethylamin-Entwicklung beendet. Man entfernt das Benzol i. Vak. und erhält ≈ 4 g, die aus Ether umkristallisiert werden; Ausbeute: 2,5 g farblose Schuppen) (63%); F: 184°.

Der Halogen/Alkyl-Austausch bei 1,2-Diamino-1,2-dihalogen-diboranen(4) mit Lithiumalkanen liefert 1,2-Diamino-1,2-dialkyl-diborane(4). Aus 1,2-Bis[dimethylamino]-1,2-dichlor-diboran(4) ist in Diethylether mit Butyllithium in 88%iger Ausbeute *1,2-Bis[dimethylamino]-1,2-dibutyl-diboran(4)* zugänglich[5]:

$$[(H_3C)_2N](Cl)B{-}B(Cl)[N(CH_3)_2] + 2\,H_9C_4{-}Li \xrightarrow[-\,2\,LiCl]{(H_5C_2)_2O} [(H_3C)_2N](H_9C_4)B{-}B(C_4H_9)[N(CH_3)_2]$$

[1] R.J. Brotherton, H.M. Manasevit u. A.L. McCloskey, Inorg. Chem. **1**, 749 (1962).
[2] H. Nöth u. P. Fritz, Z. anorg. Ch. **324**, 270 (1963).
[3] H. Nöth u. P. Fritz, Z. anorg. Ch. **324**, 129 (1963).
[4] US.P. 3120501 (1962/1964), US. Borax & Chem. Corp., Erf.: R.J. Brotherton; C.A. **60**, 12050 (1964).
[5] H. Nöth u. W. Meister, Z. Naturf. **17b**, 714 (1962).

1,2-Bis[dimethylamino]-1,2-dibutyl-diboran(4)[1]**:** Zur Lösung von 3,5 *ml* (20,9 mmol) 1,2-Bis[dimethylamino]-1,2-dichlor-diboran(4) in 20 *ml* Diethylether werden bei −50° unter Rühren langsam 31,5 *ml* einer 1,33 M Butyllithium-Lösung (41,8 mmol) getropft. Man läßt langsam auf ~20° erwärmen und frittet vom Lithiumchlorid ab. Nach Abdestillieren des Ethers wird i. Vak. destilliert; Ausbeute: 4,16 g (88%).

Auch mit tert.-Butyllithium reagiert 1,2-Bis[dimethylamino]-1,2-dichlor-diboran(4) in Hexan/Pentan-Gemisch unter Chlor/Alkyl-Austausch zum *1,2-Bis[dimethylamino]-1,2-di-tert.-butyl-diboran(4)* ($Kp_{10^{-2}}$: 56°)[2].

Die weitere Alkylierung von 1,2-Di-tert.-butyl-1,2-dihalogen-diboranen(4) (Halogen = Chlor, Brom) verläuft unübersichtlich unter B–B-Spaltung und Isomerisierung des tert.-Butyl-Rests[2].

Aus cyclischen 1,2-Bis[arylamino]-1,2-dialkyl-diboranen(4) lassen sich mit Übergangsmetall-Verbindungen durch Addition von Ligand-Übergangsmetall borferne Metall-π-Aren-Derivate herstellen. Aus 2,3-Dibutyl-1,2,3,4-tetrahydro-⟨benzo-1,4,2,3-diazadiborin⟩ erhält man mit Hexacarbonylchrom unter Kohlenoxid-Abspaltung das *2,3-Dibutyl-η⁶-(tricarbonylchrom)-1,2,3,4-tetrahydro-⟨benzo-1,4,2,3-diazadiborin⟩* (82%; F: 90–94°, Zers.)[3]:

$$\text{(benzo-diazadiborin, } C_4H_9 \text{ an B)} \xrightarrow[-3\ CO]{+\ Cr(CO)_6,\ 21{,}5\ Stdn./THF} (OC)_3Cr\text{-Komplex}$$

4. Monoorganodiborane(4)

Monoalkyl-trichlor- und Alkyl-1,2-bis[alkylamino]-chlor-diborane(4) sind beschrieben worden. Die Herstellung erfolgt aus Tetrachlordiboran(4) bzw. 1,2-Diamino-1,2-dichlor-diboranen(4) mit metallorganischen Verbindungen.

Der Chlor/Alkyl-Austausch gelingt mit z. B. Dimethylquecksilber[4]. Aus Tetrachlordiboran(4) erhält man z. B. mit Dimethylquecksilber bei tiefen Temperaturen *Methyl-trichlor-diboran(4)* (**Achtung**, es können heftige **Explosionen** eintreten)[4]:

$$B_2Cl_4 + Hg(CH_3)_2 \xrightarrow[-H_3C-HgCl]{} (H_3C)ClB{-}BCl_2$$

Aus 1,2-Bis[dimethylamino]-1,2-dichlor-diboran(4) ist mit tert.-Butyllithium *1,2-Bis[dimethylamino]-tert.-butyl-chlor-diboran(4)* ($Kp_{0,01}$: 38°) zugänglich[5]:

$$Cl[(H_3C)_2N]B{-}B[N(CH_3)_2]Cl + (H_3C)_3C{-}Li \xrightarrow[-LiCl]{} (H_3C)_3C[(H_3C)_2N]B{-}B[N(CH_3)_2]Cl$$

b) Organotetraborane(4)

Organotetraborane(4) gewinnt man aus Tetrachlortetraboran(4) mit lithiumorganischen Reagenzien[5] oder durch Enthalogenierung von Halogendiboranen(4) mit Alkalimetallen[6].

1,2-Di-tert.-butyl-1,2-dichlor-diboran(4) reagiert mit Natrium/Kalium-Legierung unter Dechlorierung zum *Tetra-tert.-butyltetraboran(4)*[6].

Die Gewinnung von Alkyltetraboranen(4) gelingt auch aus Tetrachlortetraboran(4)[7] mit Alkyllithium-Verbindungen in Pentan. Dabei erhält man partiell chlorierte Alkyltetraborane(4)[5].

---

[1] H. Nöth u. W. Meister, Z. Naturf. **17b**, 714 (1962).
[2] R. Goetze, Dissertation, Universität München 1976, S. 74, 119.
[3] W. Biffar, H. Nöth u. H. Pommerening, Ang. Ch. **92**, 63 (1980).
[4] B. Gassenheimer u. T. Wartik, Inorg. Chem. **10**, 650 (1971).
[5] T. Davan u. J. A. Morrison, Chem. Commun. **1981**, 250.
[6] H. Klusik u. A. Berndt, J. Organometal. Chem. **234**, C 17 (1982).
[7] T. Davan u. J. A. Morrison, Inorg. Chem. **18**, 3194 (1979).

X. Organobor-σ-Metall-Verbindungen

bearbeitet von

Roland Köster

Max-Planck-Institut für Kohlenforschung
Mülheim an der Ruhr

und

Günter Schmid

Institut für Anorganische Chemie
der Universität Essen

Organoborane mit Bor-Metall-σ-Bindung ($L_nM{-}BR_2$) enthalten eine „radikalische" Boryl-Gruppe. Organobor-Metall-Verbindungen mit Bor-Metall-π-Bindung werden in Bd. XIII/3c (S. 1ff.) beschrieben.

a) Organobor-Hauptgruppenmetall(II)- und -metall-(I)-Verbindungen

Definierte Organoboryl-alkalimetall- sowie -erdalkalimetall-Verbindungen sind bisher nicht bekannt. Beim Triphenylbornatrium, bereits 1924 als erste „Bor-Metall-Verbindung" beschrieben[1], handelt es sich wahrscheinlich um eine ionisch aufgebaute Verbindung folgender Zusammensetzung[2]

$$[(H_5C_6)_3B{-}C_6H_4{-}B(C_6H_5)_2H]^{2-}\ 2\,Na^+$$

Somit liegt die Verbindung als Diborat(2–) ohne Metall-Bor-Bindung vor. Ähnlich komplex aufgebaut[3] dürfte das *Dibutylborkalium* sein[4]. Erst seit ~1960 sind Organobor-Verbindungen mit „echten" Bor-Metall-σ-Bindungen bekannt.

b) Organobor-σ-Übergangsmetall-Verbindungen

Verschiedene Organoborane mit Bor-σ-Bindung zum Übergangsmetall sind beschrieben worden. Ihre Herstellung erfolgt aus Diorgano-halogen-boranen mit Alkalimetall-Ligand-Übergangsmetallaten oder mit Übergangsmetall(0)-Verbindungen[5].

1. Organobor-σ-Mangan-Verbindungen

Aus Chlor-diaryl-boranen erhält man mit Natrium-tetracarbonyl-triphenylphosphan-manganat unter Abscheidung von Natriumchlorid *Diarylboryl-tetracarbonyl-triphenyl-phosphan-mangan*:

$$R_2B{-}Cl \quad + \quad NaMn(CO)_4P(C_6H_5)_3 \quad \xrightarrow[-\ NaCl]{} \quad R_2B{-}Mn(CO)_4P(C_6H_5)_3$$

$R_2B = (H_5C_6)_2B$, (9-Borafluorenyl, Strukturformel)

[1] E. Krause u. A. v. Grosse, *Die Chemie der metallorganischen Verbindungen*, Verlag Borntraeger, Berlin 1937.
[2] R. Köster u. H. Polychronou, Mülheim a.d. Ruhr 1963 in R. Köster, Adv. Organometallic Chem. **2**, 257 (1964).
vgl. W. Grimme, K. Reinert u. R. Köster, Tetrahedron Letters **1961**, 624.
[3] G. Schmid, Dissertation, Universität München 1965.
[4] R.W. Auten u. C.A. Kraus, Am. Soc. **74**, 3398 (1952).
[5] G. Schmid, Ang. Ch. **82**, 920 (1970); engl.: **9**, 819.

Diphenylboryl-tetracarbonyl-triphenylphosphan-mangan[1]: Zu 3,86 mmol Natrium-tetracarbonyl-triphenylphosphan-manganat (hergestellt aus 1,66 g Tetracarbonyl-triphenylphosphan-mangan mit Natrium-Amalgam in 150 *ml* Diethylether[2]) werden 0,67 *ml* (3,86 mmol) Chlor-diphenyl-boran gegeben und 2 Stdn. bei ~20° gerührt. Man trennt vom Kochsalz ab und engt die gelbe Lösung i. Vak. auf ein Viertel ihres Vol. ein. Beim Stehen bei −25° fällt ein gelber Niederschlag aus, der nach dem Abfiltrieren aus Petrolether umkristallisiert wird; Ausbeute: 1,38 g (60%); F: 120°.

Aus 9-Chlor-9-borafluoren erhält man auf analoge Weise das gelbe *9-(Tetracarbonyl-triphenylphosphan-mangano)-9-borafluoren* (52,5%; F: >140°)[1].

Die Pentacarbonylmangan-Gruppe scheint zur Stabilisierung der B–Mn-σ-Bindung nicht geeignet, da analoge Reaktionen nicht zum Erfolg führen.

2. Organobor-σ-Cobalt-Verbindungen

Organobor-Cobalt-Verbindungen sind aus Chlor- und Brom-diaryl-boranen mit Bis[1,2-bis(diphenylphosphino)ethan]-hydrido-cobalt[2,3] zugänglich. Unter Wasserstoff-Entwicklung wird neben Bis[1,2-bis(diphenylphosphino)ethan]-dihalogeno-cobalt *Bis-[1,2-bis(diphenylphosphino)ethan]-bis[diarylboryl]-cobalt* gebildet[3–5]:

$$2\,R_2B{-}Hal \;+\; 2\,HCo(diphos)_2 \xrightarrow[-\,H_2]{} Hal_2Co(diphos)_2 \;+\; (R_2B)_2Co(diphos)_2$$

$R_2B = (H_5C_6)_2B$, 9-Borafluoren-9-yl (B)

diphos = $(H_5C_6)_2P{-}CH_2{-}CH_2{-}P(C_6H_5)_2$

Hal = Cl, Br

Bis[1,2-bis(diphenylphosphino)ethan]-bis[diphenylboryl]-cobalt[3,5]: Zu 23,5 g (27,5 mmol) etherfreiem Bis[1,2-bis(diphenylphosphino)ethan]-hydrido-cobalt[1,2] in 120 *ml* Benzol werden 4,21 *ml* (30,5 mmol) Brom-diphenyl-boran unter Rühren und strengstem Luftausschluß getropft. Anschließend kocht man 6 Stdn. unter Rückfluß. Von 12,5 g grünem Bis[1,2-bis(diphenylphosphino)ethan]-dibromo-cobalt wird nach Abkühlen abfiltriert. Man engt das Filtrat auf ~40 *ml* ein und erhält in 24 Stdn. eine Ausfällung von 11,6 g (71%) braunem Produkt; F: 85° (Zers.).

Analog erhält man aus 9-Chlor-9-borafluoren *Bis[1,2-bis(diphenylphosphino)-ethan]-bis[9-borafluoren-9-yl]-cobalt* (79%; F: 186°)[4].

Aus Chlor-diaryl-boranen ist mit Kalium-bis[O-dibutylboryl-dimethylglyoximato]-triphenylphosphan-cobaltat, das im Anion Zwitterionenstruktur aufweist (vgl. S. 732), *Bis[O-dibutylboryl-dimethylglyoximato]-diarylboryl-triphenylphosphan-cobalt* zugänglich[6]:

[1] H. NÖTH u. G. SCHMID, Z. anorg. Ch. **345**, 69 (1966).
[2] F. ZINGALES, F. CANZIANI u. A. CHIESA, Inorg. Chem. **2**, 1303 (1963).
[3] H. NÖTH, H. SCHÄFER u. G. SCHMID, Z. Naturf. **26b**, 497 (1971).
vgl. G. SCHMID, W. PETZ, W. ARLOTH u. H. NÖTH, Ang. Ch. **79**, 683 (1967).
[4] G. SCHMID u. H. NÖTH, B. **100**, 2899 (1967).
[5] G. SCHMID u. H. NÖTH, Z. Naturf. **20b**, 1008 (1965).
[6] G.N. SCHRAUZER u. J. KOHNLE, B. **97**, 3056 (1964).

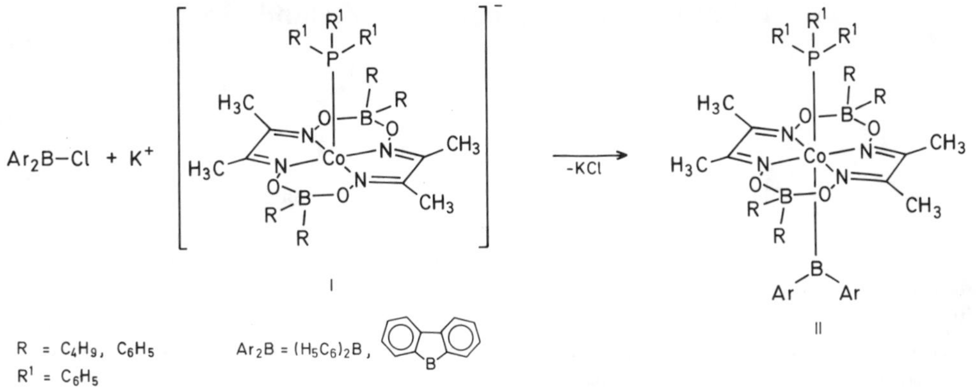

$$Ar_2B{-}Cl + K^+ \left[\text{I} \right]^- \xrightarrow{-KCl} \text{II}$$

I

II

R = C_4H_9, C_6H_5

R^1 = C_6H_5

Ar_2B = $(H_5C_6)_2B$,

3. Organobor-σ-Nickel-Verbindungen

Aus Brom-diphenyl-boran erhält man in Diethylether mit Bis[triphenylphosphan]-ethen-nickel durch Verdrängung von Ethen rotes, kristallines *Bis[triphenylphosphan]-diphenylboryl-nickel* als Diethyletherat in 7%iger Ausbeute[1]:

$$(H_5C_6)_2B{-}Br + 2\ \overset{CH_2}{\underset{CH_2}{\|}}{-}Ni[P(C_6H_5)_3]_2 \xrightarrow[-\,C_2H_4,\ -\,NiBr_2]{+\,(H_5C_2)_2O} \{[(H_5C_6)_3P]_2Ni{-}B(C_6H_5)_2 \cdot 1/2\ O(C_2H_5)_2\}_n$$

4. Organobor-σ-Platin-Verbindungen

Aus äquimolaren Mengen Diorgano-halogen-boran und Tetrakis[triorganophosphan] platin erhält man in Hexan unter oxidativer Addition des Borans Bis[triorganophosphan]-diorganoboryl-halogeno-platin-Verbindungen[2]:

$$R^1_2B{-}Hal + (R^2_3P)_4Pt \xrightarrow{-2\ R^2_3P} (R^2_3P)_2Pt(BR^1_2)(Hal)$$

X = Cl, Br

R^1 = CH_3, C_6H_5

R^2 = C_2H_5, C_6H_5

Aus der doppelten Menge Brom-dimethyl-boran bildet sich mit Tetrakis[triphenylphosphan]platin *Bis[dimethylboryl]-bis[triphenylphosphan]-dibromo-platin*[2].

Bis[dimethylboryl]-bis[triphenylphosphan]-dibromo-platin[2]: Zur Suspension von 1,8 g (1,5 mmol) Tetrakis[triphenylphosphan]platin in 20 *ml* Pentan werden 1,8 g (15 mmol) Brom-dimethyl-boran unter strengstem Licht- und Luftausschluß gegeben. Nach einigen Stdn. entfernt man überschüssiges Brom-dimethyl-boran sowie Lösungsmittel i. Vak. und extrahiert den festen Rückstand mit 50 *ml* Benzol.

Die extrem hygroskopische Verbindung wird durch Pentan-Zugabe ausgefällt; Ausbeute: 0,5 g (29%); F: ~160° (Zers.).

Chloro-diphenylboryl-tris[diethyl-phenyl-phosphan]-platin ist aus Chlor-diphenylboran mit Tetrakis[diethyl-phenyl-posphan]platin zugänglich.

Bis[triphenylphosphan]-chloro-diphenylboryl-platin[2]: 1,25 g (1 mmol) Tetrakis[triphenylphosphan]platin werden in 60 *ml* Cyclohexan bei 70° und unter Ausschluß von Luft gelöst. Man gibt 0,2 *ml* (1,1 mmol) Chlor-diphenyl-boran zu. Nach 2 Tagen können ~0,8 g isoliert werden, die mit Cyclohexan gewaschen und anschließend i. Vak. getrocknet werden; Ausbeute: 0,8 g (90%); F: 244°.

[1] C.S. Cundy u. H. Nöth, J. Organometal. Chem. **30**, 135 (1971).

[2] M. Fishwick, H. Nöth, W. Petz u. M.G. H. Wallbridge, Inorg. Chem. **15**, 490 (1976).

XI. Kationische Organobor(3)-Verbindungen

bearbeitet von

ROLAND KÖSTER

Max-Planck-Institut für Kohlenforschung, Mülheim an der Ruhr

Im letzten Abschnitt der Herstellungskapitel über Organobor-Verbindungen mit dreifach koordinierten Bor-Atomen werden ionische, d.h. salzartige Organobor(3)-Verbindungen besprochen. Dazu gehören Verbindungen mit trigonal planaren Bor-Atomen in Kationen und Anionen. Zwitterionische Organobor(3)-Verbindungen sind nicht bekannt. Derartige Verbindungen sollten wegen des Ladungsausgleichs zwischen Hetero- und Bor-Atom ausschließlich vierfach koordinierte Bor-Atome (vgl. S. 702ff.) enthalten. Der vorliegende Abschnitt umfaßt nur die kationischen Organobor(3)-Verbindungen.

Die Herstellungsmethoden der verschiedenartigen anionischen Organobor(3)-Verbindungen findet man im Text bei den metallhaltigen, neutralen Organobor(3)-Verbindungen. Hierzu gehören vor allem einige metallhaltige Triorganoborane (Bd. XIII/3a, S. 312--317), lithiumsubstituierte Bis[dialkoxyboryl]- und Tris[dialkoxyboryl]-methane (Bd. XIII/3a, S. 729, 736–738) sowie verschiedene alkalimetallhaltige Organobor-Stickstoff-Verbindungen (s.S. 123–127, 320, 438).

Kationische Organoborane(3) der Organo-oxy- und Amino-organo-borane (vgl. Tab. 70, S. 415) sind bekannt. Die positive Ladung kann am bzw. um das Bor-Atom oder an einem borgebundenen bzw. borfernen Hetero-Atom wie z.B. am Stickstoff- oder Phosphor-Atom lokalisiert sein:

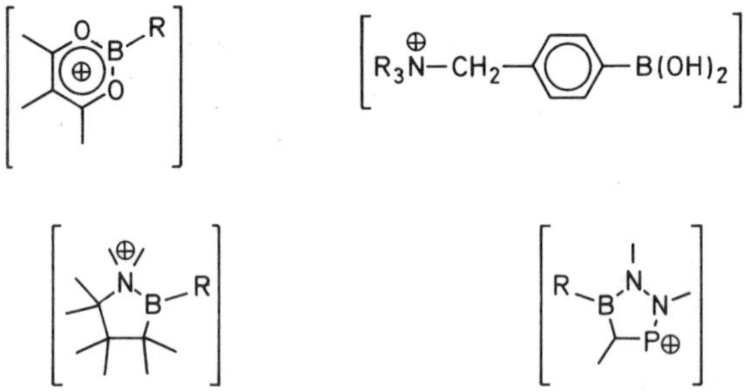

$$\left[R_3\overset{\oplus}{N}-CH_2-C_6H_4-B(OH)_2\right]$$

Kationische Organoboran(3)-Verbindungen werden entweder durch Entzug eines leicht abspaltbaren Anions vom Bor-Atom durch Komplexierung des Bor-Atoms mit einer geeigneten Lewisbase oder durch Kationisierung eines borgebundenen bzw. borfernen Atoms z.B. durch Quarternisierung eines Stickstoff-Atoms hergestellt.

a) Organo-oxy-borane(1+)

Diorgano-oxy- sowie Dioxy-organo-borane(1+) sind bekannt.

1. Diorgano-oxy-borane(1+)

Diaryl-oxy-borane(1+) sind aus Diaryl-halogen-boranen mit bestimmten sauerstoffhaltigen Donator-Verbindungen in Gegenwart von starken Lewissäuren zugänglich. Unter Abspaltung von Halogen-Anion bilden sich Diarylbor(1+)-Verbindungen, die von den O-Donatoren stabilisiert werden können.

Tab. 70: Kationische Organobor(3)-Verbindungen

Formel	Verbindungstyp	Herstellungsart	s. S.
Organo-oxy-borane(1+)			
$[(H_5C_6)_2B\text{-Solvens}]^{\oplus}X^{\ominus}$	$[R_2B–O]^+$	aus R_2B–Hal + Solvens + $AlCl_3$	416
$[C_6H_5\text{–}B(\text{O,O-Chelat, }\oplus)]^+ X^-$	$[R^1–B(OR^2)_2]^+$	aus $R^1–B(OH)_2$ + 1,3-Diketon (enolisierbar)	417
		aus $\overset{\oplus}{Do}–R^1_2\overset{\ominus}{B}–OR^2$ + $HClO_4$	419
$[R_3\overset{\oplus}{N}–CH_2–C_6H_4–B(OH)_2]^+ Br^-$	$[R^{N\oplus}–B(OH)_2]^+$	aus $(R^{Hal}–B–O)_3$ + R_3N/H_2O	418
$[2\text{-}(\overset{\oplus}{N}H_3)C_6H_4–CH_2–CH_2–B(OH)_2]^+ Cl^-$	$[R^{N\oplus}–B(OH)_2]^+$	aus $R–B(N–)(O–)$ + H^+	418
$[(H_3C)_2NH–(CH_2)_n–B(OH)_2]^+Cl^-$	$[R^{N\oplus}–B(OH)_2]^+$		
n = 1		aus $[R_3\overset{\ominus}{B}–R^{N\oplus}]$ + H^+ (borfern)	420
n = 3		aus $\overset{\oplus}{Do}–R–\overset{\ominus}{B}Hal_2$ + H_2O	419
n = 3–6		aus $\overset{\oplus}{Do}–R–\overset{\ominus}{B}Hal_2$ + H^+	419
Polymer–O–CH₂–CH₂–$\overset{\oplus}{N}(C_2H_5)_2$–CH₂–C₆H₄–B(O–C(CH₃)₂–C(CH₃)₂–O)	$[R^{N\oplus}–B(OR^2)_2]^+$	$R^{N\oplus}–\overset{\ominus}{B}(OH)_3$ + H^+ (borfern)	420
		+ HO–R–OH	420
Amin-Organo-borane(1+)			
$[(H_5C_2)_2B–N(C_4H_4)N–B(C_2H_5)_2]^{\cdot+}$	$[R_2\dot{B}N]^+$	aus R_3B + Na/Pyrazin	421
[9-Borafluorenyl–$\overset{\oplus}{N}C_5H_5$]$^+$	$[R_2BN<]^+$	aus R_2B–Hal + Pyridin	421
$[(H_9C_4)_2B–\overset{\oplus}{N}H_2–R]^+$	$[R_2BN<]^+$	aus R^1_2B–Hal + $H_2N–R^2$	421
[Ring: $(H_3C)_2\overset{\oplus}{N}$–B($C_2H_5$), H_3C, C_2H_5, C_2H_5]$^+$	$[R_2BN<]^+$	aus $\overset{\oplus}{Do}–R_3\overset{\ominus}{B}$ + HHal	422
[Ring: H_3C–B, N–CH_3, N–CH_3, $\overset{\oplus}{P}$, N–CH_3]$^+$	$[R–B(N<)_2]^+$	aus $R–B[N<]_2$ + $AlCl_3$	422
$[H_3C–B(\overset{\oplus}{N}H(CH_3)_2)(N(CH_3)_2)]^+$	$[R–B(N<)_2]^+$	aus $R–B[N<]_2$ + HHal	422

Tab. 70 (Forts.)

Formel	Verbindungstyp	Herstellungsart	s. S.
$[(CH_3)_2N_3B_2(CH_3)_2P]^{+}$ (Ring: CH_3–N, H_3C–B, P⊕, H_3C–N, B–CH_3, N–CH_3)	$[P(NR')_3B_2R_2]^{+}$ (Ring: N–P⊕–N, R–B–N–B–R)	aus $(R_2N)B$–N–$B(NR_2)$ (R)(R) + $AlCl_3$ borfern	423
$[(CH_3)_3N_3B_3(CH_3)_3]^{+}$ (Ring mit ⊕)	$[R-B(N-N)_2B-R]^{+}$	aus $R-BN_2$ + $AlCl_3$	423

Chlor-diphenyl-boran bildet mit polaren Verbindungen wie z.B. mit Nitrobenzol oder Butanon in Gegenwart von Aluminiumchlorid *Diphenyl-Solvens-bor(1+)-tetrachlor-aluminate*[1,2]:

$$(H_5C_6)_2B-Cl + \text{Solvens} + AlCl_3 \longrightarrow [(H_5C_6)_2B-\text{Solvens}]^{+}[AlCl_4]^{-}$$

Offensichtlich entsteht zunächst aus äquimolaren Anteilen Chlor-diphenyl-boran (F: 31°) und Butanon eine 1:1-Additionsverbindung (F: 76°)[3], deren ionogenes Chlor- Atom in Lösung leicht als Chlorwasserstoff unter Bildung von *Diphenyl-(1-methyl-1-propenyl-oxy)-boran* (F: 111°) eliminiert wird[4]:

$$(H_5C_6)_2B-Cl + H_3C-CO-CH_2-CH_3 \longrightarrow (H_5C_6)_2B-O-C(Cl)(CH_3)-CH_2-CH_3 \xrightarrow{-HCl} (H_5C_6)_2B-O-C(CH_3)=CH-CH_3$$

Die Eliminierung wird durch Aluminiumchlorid beschleunigt, so daß das *Butanon-di-phenyl-bor(1+)-tetrachloraluminat* nicht ohne weiteres gefaßt werden kann.

Die Angabe, daß die Reaktionsmischung bei Zugabe von Aluminiumchlorid[1,2] gelb wird, kann nicht bestätigt werden[4]. Die erhöhte Leitfähigkeit der Lösung dürfte auf abgespaltenen Chlorwasserstoff zurückzuführen sein. Auch ohne Keton ist die Lösung von reinem Chlor-diphenyl-boran in Nitromethan selbst in Gegenwart von Aluminiumchlorid nicht gelb[4].

9-Methansulfonato-9-borabicyclo[3.3.1]nonan reagiert in Tetrahydrofuran unter Abspaltung der Sulfonato-Gruppe zum *Tetrahydrofuran-9-borabicyclo[3.3.1]nonan (1+)-methansulfonat(1−)* (F: 86–88°)[5]:

---

[1] *Gmelin*, 8. Aufl., Bd. **37**/10, S. 142, 193–197 (1976).
[2] Brit. P. 898740 (1962), Associated Electrical Ind., Ltd., Erf.: J. M. DAVIDSON u. C. M. FRENCH; C. A. **57**, 13800 (1962).
[3] H. NÖTH u. P. FRITZ, Z. anorg. Ch. **322**, 297 (1963).
[4] R. KÖSTER u. G. BENEDIKT, Mülheim a. d. Ruhr, unveröffentlicht 1963/64.
[5] W. V. DAHLHOFF, Mülheim a. d. Ruhr, unveröffentlicht 1981.

Beim Erwärmen i. Vak. läßt sich das Tetrahydrofuran wieder vollständig abspalten. Man erhält kristallines Edukt zurück.

2. Dioxy-organo-borane(1+)

Die unterschiedlich aufgebauten Verbindungen sind aus verschiedenartigen Edukten präparativ zugänglich. Man verwendet Dihydroxy-organo-borane, Trialkylboroxine Amino-organo-oxy-borane sowie verschiedene Lewisbase-Organoborane und zwitterionische Organoborate.

α) aus Dihydroxy-organo-boranen

In Gegenwart bestimmter Anionen sind aus Dihydroxy-organo-boranen mit Chelatbildnern Dioxy-organo-borane(1+) zugänglich.

Dihydroxy-phenyl-boran reagiert mit 1,3-Diketonen in Dichlormethan bei Zugabe von Perchlorsäure unter Bildung von z.B. 1,3-Diketon-phenylbor(1+)-perchloraten. Die Salze mit dreifach koordiniertem Bor-Atom können als Hexachloroantimonate isoliert werden[1-3]:

X = ClO_4, $SbCl_6$
R = CH_3,C_6H_5

β) aus Diorganooxy-(halogenorgano)-boranen

Die borferne Ammoniumsalz-Bildung der Dialkoxy-jodmethyl-borane mit tert. Aminen liefert kationische Diorganooxy-organo-borane. Aus 2-(Jodmethyl)-4,4,5,5-tetramethyl-1,3,2-dioxaborolan lassen sich mit Trialkylaminen (z.B. Triethyl-, Tributylamin, N,N-Dimethylanilin) in Dichlormethan in Ausbeuten bis >90% [(Tetramethyl-1,3,2-dioxaborolan-2-yl)-methyl]-trialkyl-ammoniumjodide herstellen[4]:

...-tetramethyl-1,3,2-dioxaborolan-jodid

R = C_2H_5; *2-(Triethylammoniono-methyl)-...*; 93%; F: 235–237°
R = C_4H_9; *2-(Tributylammoniono-methyl)-...*; 91%; F: 143–144°
R_3N = $N(CH_3)_2(C_6H_5)$; *2-[(N,N-Dimethylaniliniono)-methyl]-...*; 76%; F: 189–191°

[1] A.T. Balaban, A. Arsene, I. Bally, A. Barabas u. M. Paraschiv, Tetrahedron Letters **1965**, 3917.
[2] A. Barabas, C. Mantescu, D. Duta u. A.T. Balaban, Tetrahedron Letters **1965**, 3925.
[3] I. Bally u. A.T. Balaban, Rev. Roumaine Chim. **15**, 635 (1970).
[4] D.S. Matteson u. D. Majumdar, J. Organometal. Chem. **170**, 259 (1979).

γ) aus Tris[halogenorgano]boroxinen

Die Einwirkung von tert. Aminen auf Tris[halogenorgano]boroxine liefert unter Quarternisierung des Amins nach der Protolyse (Ammonionoorgano)-dihydroxy-boran(1+)-halogenide.

Aus Tris[4-brommethyl-phenyl]boroxin erhält man mit Hexamethylentetramin in Chloroform nach Ausfällen mit Ether aus Ethanol *Dihydroxy-[4-(hexamethylentetra-ammoniono-methyl-phenyl]-boran(1+)-bromid* (76%; F: 142–148°, Zers.)[1]:

$$\left[Br-CH_2-C_6H_4-B-O\right]_3 \xrightarrow[\text{2. }+H_2O/H_5C_2-OH]{\text{1. }+\text{Hexamethylentetramin; }CHCl_3} \left[(CH_2)_6N_3\overset{\oplus}{N}-CH_2-C_6H_4-B(OH)_2\right]^+ Br^-$$

Mit Triethylamin in Dimethylformamid erhält man in 87%iger Ausbeute *Dihydroxy-[4-(triethylammoniono-methyl)phenyl]-boran(1+)-bromid* (F: 138–142°)[1].

δ) aus Amino-organo-oxy-boranen

Die Quarternisierung des Stickstoff-Atoms cyclischer Amino-organo-oxy-borane liefert unter Ringöffnung (Ammonionoorgano)-dihydroxy-borane.

Bis(1,2,3,4-tetrahydro⟨benzo-[e]-1,2-azaborin⟩-2-yl)oxid reagiert mit verdünnter wäßr. Salzsäure unter Bildung von *[2-(2-Ammonionophenyl)ethyl]-dihydroxy-boran (1+)-chlorid* (F: 190–192°)[2]:

$$\left[C_6H_4(NH-B)CH_2CH_2\right]_2O \xrightarrow{+3\,H_2O/+2\,HCl} 2\left[C_6H_4(\overset{\oplus}{N}H_3)-CH_2-CH_2-B(OH)_2\right]^+ Cl^-$$

ε) aus Lewisbase-Organoboranen

Zur Herstellung kationischer Dihydroxy-organo-borane(3) eignen sich Amin-Organoborane, die unter Hydrolyse von Hydro- oder Halogen-Gruppen am Bor-Atom und Quarternisierung des Stickstoff-Atoms reagieren.

Die saure Hydrolyse offenkettiger Amin-Dihydro-organo-borane führt zu den basenfreien Dihydroxy-organo-boranen (vgl. Bd. XIII/3a, S. 651)[3]. Cyclische Amin-Dihydro-organo-borane reagieren z. B. mit wäßr. Salzsäure unter Bildung von (Ammonionoorgano)-dihydroxy-boran(1+)-chloriden. Aus 1,1-Dimethyl-1-hydro-1,2-azoniaboratinan erhält man mit siedender 15%iger wäßr. Salzsäure *Dihydroxy-(4-dimethylammoniono-butyl)-boran(1+)-chlorid* (F: 111–112°)[4]:

---

[1] E. I. Pichuzhkina, I. I. Kolodkina u. A. M. Yurkevich, Ž. obšč. Chim. **43**, 2275 (1973); engl.: 2266; C. A. **80**, 59981 (1974).

[2] M. J. S. Dewar u. R. Dietz, Tetrahedron **15**, 26 (1961).

[3] M. F. Hawthorne, Am. Soc. **80**, 4291 (1958).

[4] M. Ferles u. Z. Polívka, Collect. czech. chem. Commun. **33**, 2121 (1968); C. A. **69**, 36200 (1968).

$$\xrightarrow[-\,2\,H_2]{+\,HCl/H_2O,\ 5\ Stdn.\ Rückfluß} \left[(H_3C)_2\overset{\oplus}{N}H-(CH_2)_4-B(OH)_2\right]^+ Cl^-$$

Auf ähnliche Weise erhält man u. a.

Dihydroxy-(3-dimethylammoniono-propyl)-boran(1+)-chlorid (bzw. *-bromid* bzw. *-jodid*)[1] 15 Min. Rückfluß	F: 139–140° (147–149°; 104–106°)
Dihydroxy-(5-dimethylammoniono-pentyl)-boran(1+)-chlorid[2] (5 Stdn. Rückfluß)	F: 125–126°
Dihydroxy-(6-dimethyllammoniono-hexyl)-boran(1+)-chlorid[2] (5 Stdn. Rückfluß)	F: 148–150°

7-Hydro-1-methyl-1-azonia-7-borata-bicyclo[2.2.1]heptan, mit 15%iger Salzsäure in Aceton hydrolysiert, gibt nach Reinigen durch Kochen mit Kohle und Umkristallisieren aus Ethanol *Dihydroxy-(1-methylpiperidinio-4-yl)-boran(1+)-chlorid* (F: 219–222°)[3]:

$$\xrightarrow[-\,2\,H_2]{+2\,H_2O/+HCl} \left[\ldots B(OH)_2 \ldots\right]^+ Cl^-$$

Aus cyclischen Amin-Dihalogen-organo-boranen lassen sich mit Alkohol durch Halogen/Alkoxy-Austausch, Hydrohalogenierung der NB-Bindung und Dissoziation (Ammonionoorgano)-dihydroxy-boran(1+)-halogenide herstellen. Man erhält z.B. aus 2,2-Dihalogen-1,1-dimethyl-1,2-azoniaboratolidin mit Ethanol/Wasser *Dihydroxy-(3-dimethylammoniono-propyl)-boran(1+)-bromid* bzw. *-jodid*[2]:

$$\xrightarrow[-\,HHal]{+2\,H_2O/C_2H_5OH} \left[(H_3C)_2\overset{\oplus}{N}H-(CH_2)_3-B(OH)_2\right]^+ Hal^-$$

Hal = Br, J

Die Abspaltung eines Organo-Rests aus (Alkan-1,3-dionato)-diorgano-boranen mit geeigneten Protonenspendern liefert kationische chelatisierte Organoboran(1+)-Salze.

Die aus Diphenyl-hydroxy-boran mit 1,3-Dioxo-1,3-diphenyl-propan zugängliche Chelat-Verbindung mit tetrakoordiniertem Bor-Atom (vgl. S. 539) reagiert mit Perchlorsäure in Dichlormethan bei 0° unter Benzol-Abspaltung zu *2,4,6-Triphenyl-1,3,2-dioxaborinium-perchlorat* (F: 102°)[4]:

$$\xrightarrow[-C_6H_6]{+HClO_4} \left[\ldots\right]^+ ClO_4^-$$

[1] Z. Polívka u. M. Ferles, Collect. czech. chem. Commun. **34**, 3009 (1969).
[2] M. Ferles u. Z. Polívka, Collect. czech. chem. Commun. **33**, 2121 (1968).
[3] Z. Polívka u. M. Ferles, Collect. czech. chem. Commun. **35**, 2392 (1970).
[4] A.T. Balaban, A. Arsene, I. Bally, A. Barabás, M. Paraschiv, M. Roman u. E. Romaş, Rev. Roumaine Chim. **15**, 635 (1970); Chem. Inform. **1970**, 36-002.

ζ) aus zwitterionischen Organoboraten

Die Herstellung von Ammonionoalkyl-dihydroxy-boran(1+)-halogeniden aus (Trialkylammoniono-methyl)-triorganoboraten mit H-aciden Verbindungen verläuft in hohen Ausbeuten. Aus (Trimethylammoniono-methyl)-triphenyl-borat (vgl. S. 705f.) ist mit Chlorwasserstoff in Eisessig unter vollständiger Abspaltung der Phenyl-Reste als Benzol in praktisch quantitativer Ausbeute (96%) das relativ saure ($pK_a = 5,6$) *Dihydroxy-(trimethylammoniono-methyl)-boran(1+)-chlorid* (F: 195–196°) zugänglich[1]:

$$(H_3C)_3\overset{\oplus}{N}-CH_2-\overset{\ominus}{B}(C_6H_5)_3 \xrightarrow[-3\ C_6H_6]{+HCl/H_3C-COOH} \left[(H_3C)_3\overset{\oplus}{N}-CH_2-B(OH)_2\right]^+ Cl^-$$

(Ammonionoorgano)-diorganooxy-boran(1+)-Salze erhält man aus den zwitterionischen (Ammonionoorgano)-trihydroxy-boraten (s. S. 741) mit Polyhydroxy-Verbindungen in Gegenwart von Protonen-Säuren. An Sephadex gebundene (Ammonionoorgano)-trihydroxy-borat-Gruppierungen bilden mit verschiedenen Polyhydroxy-Verbindungen (z.B. mit Monosacchariden) bei $p_H \sim 6,5$ (Acetat-Puffer) unterschiedlich stabile (Sephadex-ammonionoorgano)-diorganooxy-boran(1+)-Verbindungen und können daher zur Trennung der Monosaccharide herangezogen werden[2]:

$$\text{Sephadex}-O-CH_2-CH_2-\overset{\oplus}{N}(C_2H_5)_2-CH_2-C_6H_4-\overset{\ominus}{B}(OH)_3 + (HO)_2C_2R_4 \underset{+3\ H_2O\ [-H^+]}{\overset{+H^+\ [-3\ H_2O]}{\rightleftharpoons}}$$

$$\left[\text{Sephadex}-O-CH_2-CH_2-\overset{\oplus}{N}(C_2H_5)_2-CH_2-C_6H_4-B\langle O_2C_2R_4\rangle\right]^+$$

b) Amin-Organoborane(1+)

Kationische Organoborane(3) mit BN-Bindungen sind als Amin-Diorganoborane(1+) und als Amin-Amino-organo-borane(1+) bekannt. Gegenionen sind im allgemeinen Halogenid, Tetrachloroaluminat sowie Decachlorotrialuminat.

1. Amin-Diorganoborane(1+)

Die Verbindungen (vgl. Tab. 70, S. 415) sind aus Triorgano-, Diorgano-halogen- oder Amin-Triorganoboranen zugänglich.

α) aus Trialkylboranen

Beim Einwirken von Natrium-Metall auf Triethylboran/Pyrazin in Tetrahydrofuran bildet sich ein Radikal-Kation mit R_2BN-Gruppierung[3]:

---

[1] F. Bickelhaupt u. J. W. F. K. Barnick, R. **87**, 188 (1968).
[2] E. A. Ivanova, S. I. Panchenko, I. I. Kolodkina u. A. M. Yurkevich, Ž. obšč. Chim. **45**, 208 (1975); engl.: 192; C.A. **82**, 156599 (1975).
[3] W. Kaim, Z. Naturf. **36b**, 677 (1981).

$$4\ (H_5C_2)_3B + 2\ \text{Pyrazin} + Na \xrightarrow[-Na^+[(H_5C_2)_4B]^-]{THF} [\text{1,4-Bis}[(H_5C_2)_2B]\text{-pyrazinium}]^{\bullet +}\ [(H_5C_2)_4B]^-$$

1,4-Bis[diethylboryl]-pyrazinium-tetraethylborat-Radikal

β) aus Diorgano-halogen-boranen

Chlor-dialkyl-borane reagieren mit Aminen unter Bildung von Organobor(1+)-Salzen mit dreifach koordiniertem Bor-Atom. Setzt man z. B. bei −30° eine Lösung von Chlor-dibutyl-boran in Diethylether mit einer Mischung aus Methylamin und Isopentan um, so kann mit 91⁰/₀iger Ausbeute *Dibutyl-methylammoniono-bor(1+)-chlorid*[1] isoliert werden. Entsprechend wird das *Dibutyl-ethylammoniono-bor(1+)-chlorid*[1] (F: 94–108°) erhalten.

In Gegenwart der äquivalenten Menge Pyridin wird aus 9-Chlor-9-borafluoren in Pentan das *9-Pyridinio-9-borafluoren(1+)-chlorid* erhalten[2]:

$$\text{9-Chlor-9-borafluoren (B–Cl)} + \text{Pyridin} \xrightarrow{Pentan} [\text{9-Borafluoren-B–N-Pyridin}]^+\ Cl^-$$

9-Pyridinio-9-borafluoren-chlorid[2]**:** 2 g 9-Chlor-9-borafluoren, in 15 *ml* Pentan gelöst, werden mit 0,8 g getrocknetem Pyridin in 5 *ml* Pentan gemischt. Der zunächst schmierige Niederschlag wird nach Zugabe von 40 *ml* Diethylether kristallin; Ausbeute: 2,4 g (86⁰/₀); F: 130°.

Analog erhält man mit Antimon(V)-chlorid in 1,1,2,2-Tetrachlorethan das kristalline, schwach rosafarbene *9-Pyridinio-9-borafluoren(1+)-hexachloroantimonat*[2].

γ) aus Amin-Triorganoboranen

In speziellen Fällen werden bei der Addition von Halogenwasserstoff an Amin-Triorganoborane infolge Umlagerung instabile Ammoniono-diorgano-bor(1+)-Salze gebildet.

Aus 2,2,3-Triethyl-1,1,4-trimethyl-2,5-dihydro-1,2-azoniaboratol (vgl. S. 448), zugänglich aus Natrium-triethyl-1-propinyl-borat mit Dimethyl-methylen-ammonium-chlorid, erhält man mit etherischer Salzsäure unter Chlorwasserstoff-Addition und Ethyl-Wanderung vom Bor-Atom zum Nachbar-C-Atom *2,3,3-Triethyl-1,1,4-trimethyl-1,2-azoniaborolidin(1+)-chlorid*[1].

Das Boran(1+) geht bereits bei 35° in Pentan durch Chlorid-Wanderung zum Bor-Atom in *2-Chlor-2,3,3-triethyl-1,1,4-trimethyl-1,2-azoniaboratolidin* (vgl. S. 517) über[3].

---

[1] T.A. Shchegloleva u. B.M. Mikhailov, Izv. Akad. SSSR **1965**, 714; C.A. **63**, 2992 (1965).

[2] R. Köster u. G. Benedikt, Mülheim a.d. Ruhr, unveröffentlicht 1963/64.

[3] P. Binger u. R. Köster, B. **108**, 395 (1975).

$$\xrightarrow{+HCl/(H_5C_2)_2O} \left[\ \right]^+ Cl^- \xrightarrow{\text{Pentan; } 35°}$$

2,3,3-Triethyl-1,1,4-trimethyl-1,2-azoniaboratolidin(1+)-chlorid[1]: Zu 40 g (0,2 mol) 2,2,3-Triethyl-1,1,4-trimethyl-2,5-dihydro-1,2-azoniaboratol in 50 *ml* Diethylether wird innerhalb ~ 2 Stdn. bei ~ 20° eine Lösung von 7,5 g (~ 0,2 mol) Chlorwasserstoff in 30 *ml* Diethylether getropft. Von der klaren, farblosen Lösung zieht man bei 12 Torr den Ether ab. Die verbleibenden 48 g farbloses Pulver nimmt man in 100 *ml* Pentan auf und filtriert von 30 g (65%) unlöslichem Organo-bor(1+)-chlorid ab.

Aus dem Filtrat werden nach Einengen 17,5 g *2-Chlor-2,3,3-triethyl-1,1,4-trimethyl-1,2-azoniaboratolan* isoliert (F: 61°).

2. Amin-Amino-organo-borane(1+)

Bestimmte salzartige Verbindungen mit dreifach koordiniertem Bor-Atom im Kation erhält man aus Diamino-organo-boranen mit Jodwasserstoff oder mit Aluminiumtrichlorid infolge Ionenpaar-Bildung.

Aus Bis[dimethylamino]-methyl-boran wird mit Jodwasserstoff im Gegensatz zur Reaktion mit Chlor- bzw. Bromwasserstoff aus räumlichen Gründen kein Bor(1+)-Salz mit vierfach koordiniertem Bor-Atom (vgl. S. 699) gebildet. Man erhält viel mehr mit 97%iger Ausbeute *Dimethylammoniono-dimethylamino-methyl-bor(1+)-jodid*[2] (F: 135°, Zers.):

$$[(H_3C)_2N]_2B-CH_3 + HJ \longrightarrow \left[(H_3C)_2\overset{\oplus}{N}H-B(CH_3)-N(CH_3)_2\right]^+ J^-$$

1,2,4,5-Tetramethyl-1,2,4,3,5-triazaphospheniaborolidin(1+)-tetrachloroaluminat[3] läßt sich aus dem 3-Chlor-Derivat mit Aluminiumtrichlorid in Dichlormethan als ölige Verbindung gewinnen (vgl. S. 282)[4,5]:

$$\xrightarrow{+3\,AlCl_3/CH_2Cl_2} \left[\ \right]^+ [Al_3Cl_{10}]^-$$

---

[1] P. BINGER u. R. KÖSTER, B. **108**, 395 (1975).

[2] A.T. BALABAN, A. ARSENE, I. BALLY, A. BARABÁS, M. RARASCHIV u. E. ROMAS, Tetrahedron Letters **1965**, 3917.

[3] s. Houben-Weyl, Bd. **E1**, 63f. (1982).

[4] K. BARLOS, H. NÖTH, B. WRACKMEYER u. W. MCFARLANE, Soc. [Dalton Trans.] **1979**, 801.

[5] K. BARLOS, Dissertation, Universität München 1977.

Auf ähnliche Weise wird *1,3,4,5,6-Pentamethyl-1,3,5,2,4,6-triazaphospheniadiborinan(1+)-tetrachloroaluminat* (Zers.p.: 120°) erhalten[1,2]:

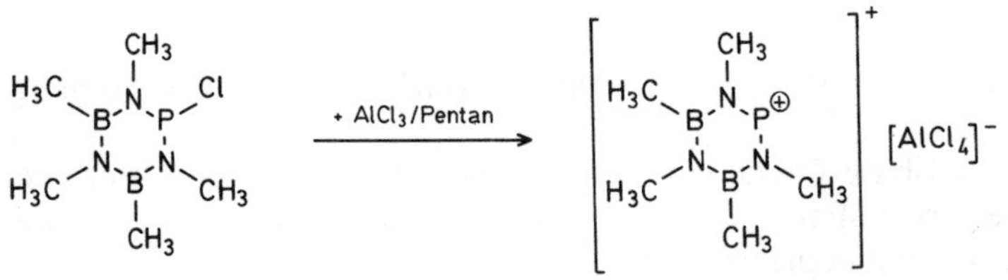

Infolge Einelektronen-Oxidation reagiert 4-Dimethylamino-1,2,3,5-tetramethyl-1,2,4,3,5-triazadiborolidin in Dichlormethan mit Aluminiumtrichlorid unter Bildung des ringerweiterten, isomeren dunkelblauen *Hexamethyl-1,2,4,5,3,6-tetraazadibor(1+)-Radikals*[3]:

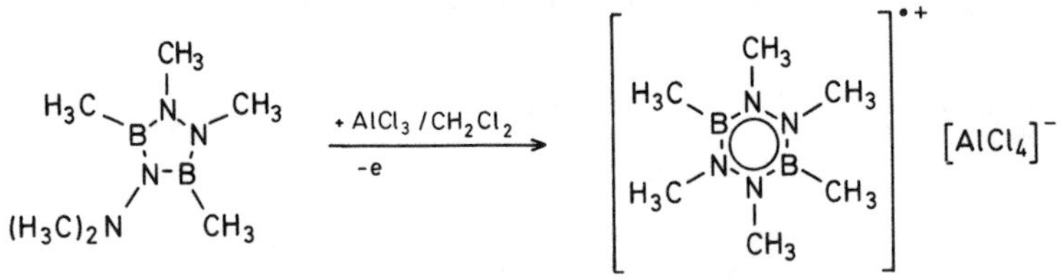

Imin-Amino-organo-bor(1+)-Salze sind offenbar Zwischenverbindungen beim Substituenten-Austausch am Bor-Atom der Organopyrazabole (vgl. S. 649) mit Boranen, deren Bor-Atome (deshalb) nicht im Pyrazabol eingebaut werden[5]:

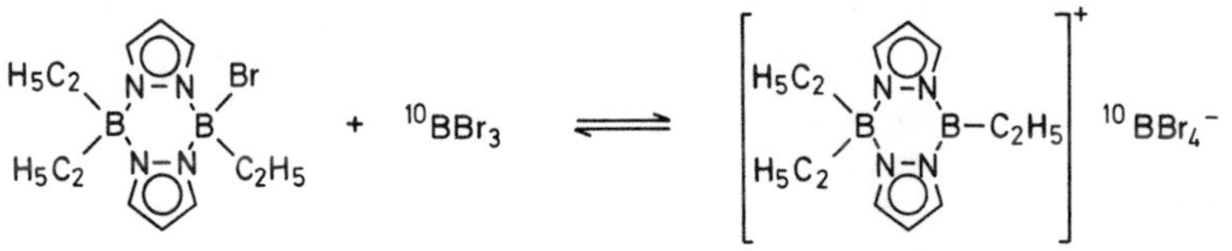

[1] K. Barlos, H. Nöth, B. Wrackmeyer u. W. McFarlane, Soc. [Dalton Trans.] **1979**, 801.
[2] K. Barlos, Dissertation, Universität München 1977.
[3] H. Nöth, W. Winterstein, W. Kaim u. H. Bock, B. **112**, 2494 (1979).
[4] S. Trofimenko, Am. Soc. **88**, 1842 (1966).
[5] K. Niedenzu u. H. Nöth, B. **116**, 1132 (1983); dort S. 1138.

A_3) Organobor-Verbindungen mit vierfach koordinierten Bor-Atomen

Zu den Organobor-Verbindungen mit vierfach koordinierten, σ-gebundenen Bor-Atomen gehören:

Neutrale Lewisbase-Organoborane und ionische Organobor(4)-Verbindungen, die als Lewisbase-Organobor(1+)-Salze, zwitterionische Organoborate und als ionische (salzartige) Organoborate(1−) auftreten.

Die Herstellungsmethoden der Stoffgruppen werden in zwei getrennten Abschnitten besprochen.

I. Lewisbase-Organobor-Verbindungen

bearbeitet von

ROLAND KÖSTER

Max-Planck-Institut für Kohlenforschung
Mülheim an der Ruhr

Die meisten Organoborane(3) mit dreifach koordiniertem Bor-Atom bilden mit verschiedenen Lewisbasen unter Auffüllung des unbesetzten p_z-Orbitals des Bor-Atoms neutrale 1:1-Additionsverbindungen mit tetraedrisch koordiniertem Bor-Atom. Der Elektronenmangel des Bor-Atoms wird damit ausgeglichen. Das sp^3-hybridisierte Bor-Atom trägt eine negative Formalladung und hat wegen der Elektronennegativität der Donor-Atome (Do = O, S, N, P) im allgemeinen eine positive Partialladung:

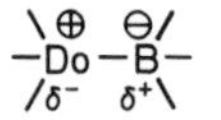

$$\overset{\oplus}{\underset{\delta^-}{\text{Do}}}-\overset{\ominus}{\underset{\delta^+}{\text{B}}}$$

Die Stabilität der Lewisbase-Organoborane(3) ist von der Raumerfüllung und von der Elektronenstruktur sowie der Anzahl der Substituenten am elektrophilen Bor-Atom bzw. am nucleophilen Donator-Atom abhängig. Ammoniak, Trimethylamin oder Pyridin bilden mit zahlreichen Boranen(3) bei 20° stabile, meist präparativ isolierbare Additionsverbindungen. Zahlreiche Donator-Akzeptor-Verbindungen wie z. B. die Etherate sind nur bei tiefen Temperaturen stabil. Oft sind sie nur spektroskopisch nachweisbar.

Außer den häufig auftretenden, einfachen intermolekularen offenkettigen 1:1-Lewisbase-Organoboranen(3) sind cyclische Verbindungen mit intramolekularer Donator-Akzeptor-Funktion bekannt. Hierzu gehören z. B. cyclische Amin-Triorganoborane(3), Sulfan-Monoorganoborane(3) und Diorgano-(4-oxo-2-pentyloxy)-borane (O-Diorganoboryl-2,4-butandione).

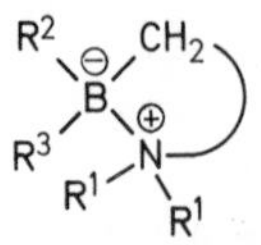

Cyclisches Triorganoamin-Triorganoboran

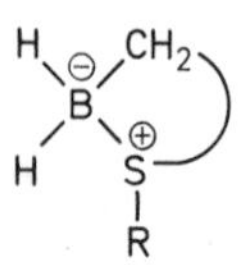

Diorganosulfan-Dihydro-organo-boran

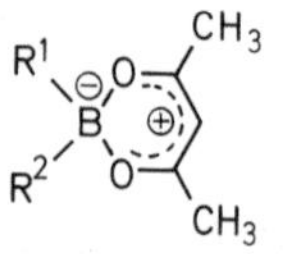

4,6-Dimethyl-2,2-diorgano-1,3,2-dioxaborin-Betain (O-Diorganoboryl-acetylaceton)

Außer den Lewisbase-Organoboran(3)-Assoziationen gibt es auch stabile Dimere von Monoboranen mit jeweils einer Akzeptor- und Donator-Funktion. Hierzu gehören auch die dimeren Alkylidenamino-diorgano-borane mit sechsgliedrigen Ringen:

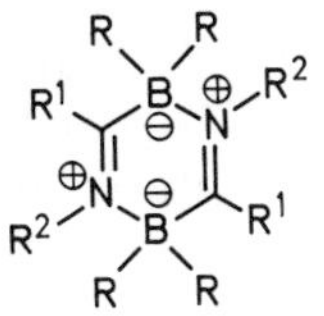

In diesem Abschnitt werden die Herstellungsmethoden für einfache offenkettige sowie für cyclische Lewisbase-Organoborane mit vierfach koordiniertem Bor-Atom besprochen:

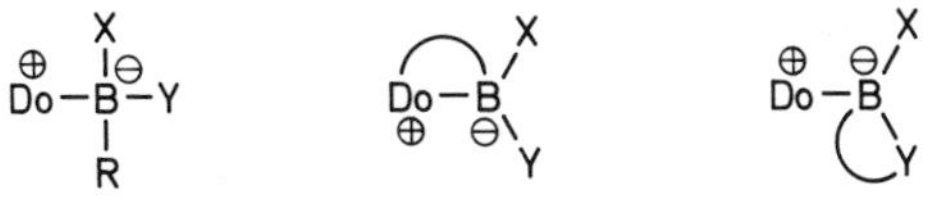

z. B. Do = NR_3, PR_3, OR_2, SR_2
R = Organo-Rest
X, Y = H, OR, SR, NR_2

Vielfach handelt es sich um leicht und in hohen Ausbeuten zugängliche Assoziate, die sich auch als stabile, lagerfähige Zwischenverbindungen für die Isolierung weniger stabiler basenfreier Organoborane(3) eignen. Cyclische Lewisbase-Borane(3) vom Typ

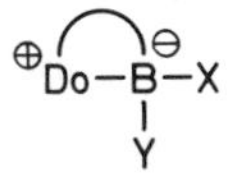

sind meist besser zu reinigen als die offenkettigen Verbindungen. Thermisch besonders stabil sind intramolekulare Chelat-Verbindungen mit fünf- und sechsgliedrigen Ringen, die allerdings zur Herstellung basenfreier Organoborane(3) nicht verwendet werden können.

Die Isolierung sowie die Charakterisierung der Organoborane erfolgen oft über ihre Molekülverbindungen mit Lewisbasen (vgl. S. 437). Ligandenaustauschvorgänge lassen sich dadurch so weitgehend ausschalten. Man erhält Kristalle mit definierten Schmelz- oder Zersetzungspunkten.

Das Freisetzen der Organoborane(3) aus den Molekülverbindungen ist mit Hilfe stärkerer Lewissäuren im allgemeinen glatt möglich (vgl. Bd. XIII/3a, S. 238). Basenfreie Organoborane(3), die chemisch im Gemisch nicht beständig sind, erhält man z. B. über die Molekülverbindungen. Lewisbase-Organoborane(3) haben auch als Zwischenprodukte für Reaktionslenkungen präparative Bedeutung (z. B. Bd. XIII/3a, S. 208, 238).

Lewisbase-Organoborane(3) lassen sich meist aus dem Organoboran(3) mit der Lewisbase herstellen. Wegen der Wärmeentwicklung werden vielfach Verdünnungsmittel verwendet.

a) Lewisbase-Triorganobor-Verbindungen

1. O-Donator-Triorganoborane

Die Additionsverbindungen der Triorganoborane (vgl. Bd. XIII/3a, S. 13ff.) mit O-Donatoren wie z.B. mit Ethern, die man bei 20° nur in sterisch und elektronisch günstigen Fällen gewinnen kann (vgl. Tab. 71, S. 427), sind thermisch wesentlich instabiler als N-Lewisbase-Triorganoborane. In Tetrahydrofuran bilden z.B. 1-Boraadamantane stabile 1:1-Addukte[1-3], während sich eine Wechselwirkung zwischen Triethylboran und Tetrahydrofuran bei ~0° nur ^{11}B-NMR-spektroskopisch (Bd. XIII/3c) nachweisen läßt[4]. Bisweilen sind auch elektronische Gründe zur Stabilisierung der (O–B)-Koordinationsbindung ausreichend. Tris[phenylethinyl]boran bildet z.B. ein Tetrahydrofuranat (vgl. S. 429).

In der Tab. 71 (S. 427) wird eine Übersicht über die bisher bekannten O- und S-Donator-Triorganoborane gegeben.

α) Ether-Triorganoborane

Bekannt sind Additionsverbindungen des *1-Boraadamantan* mit *Tetrahydrofuran*[2] sowie mit *Diethylether*[3]:

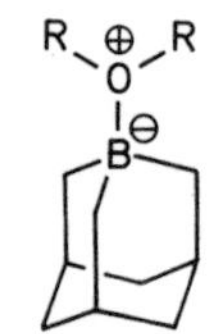

$R_2O = (H_5C_2)_2O$; THF

Die Herstellung der Verbindungen erfolgt aus den Komponenten[3] oder aus Alkoxy-dialkyl-boran mit Hydro-organo-boranen in Gegenwart von Ether oder aus Ether-Hydroboranen mit geeigneten Alkenyl-diorgano-boranen.

α_1) *aus Alkoxy-diorgano-boranen*

Die Hydroborierung geeignet substituierter Alkoxy-diorgano-borane mit Alkyldiboranen(6) führt in Gegenwart von Ethern zu Ether-Triorganoboranen.

1,5-Dimethyl-3-methoxy-7-methylen-3-borabicyclo[3.3.1]nonan, dessen Bor-Atom keine stabile trigonal planare BC_3-Atomgruppierung ausbilden kann, reagiert z.B. mit Tetraethyldiboran(6) in Diethylether unter Bildung von *Diethylether-3,5-Dimethyl-1-boraadamantan*[1,5,6]:

---

[1] B.M. Mikhailov, Pure appl. Chem. **39**, 505 (1974).
[2] B.M. Mikhailov u. K.L. Cherkasova, Izv. Akad. SSSR **1976**, 2056; engl.: 1927; C.A. **86**, 43766 (1977).
[3] B.M. Mikhailov, V.N. Smirnov, O.D. Smirnova, V.A. Kasparov, N.A. Lagutkin, N.I. Mitin u. M.M. Zubairov, Khim. Farm. Zh. **13**, 35 (1979); C.A. **90**, 168661 (1979).
[4] U. Klotz, Max-Planck-Institut für Kohlenforschung, Mülheim a.d. Ruhr 1979; Diplomarbeit Universität Kaiserslautern 1979.
[5] B.M. Mikhailov u. V.N. Smirnov, Izv. Akad. SSSR **1974**, 1137; engl.: 1079; C.A. **81**, 49716 (1974).
[6] B.M. Mikhailov, V.N. Smirnov u. V.A. Kasparov, Izv. Akad. SSSR **1976**, 2302; engl.: 2148; C.A. **86**, 106696 (1977).

Entsprechend ist *Diethylether-4-Chlor-1-boraadamantan* (90%; F: 46–49°) aus 6-Chlor-3-methoxy-7-methylen-3-borabicyclo[3.3.1]nonan zugänglich[1].

Tab. 71: O- und S-Lewisbase-Triorganoborane[a]

Formel	Verbindungstyp	Herstellungsart	s. S.
	Do–B(R)	aus B(R) + Do	426
		R_{en}B–OR^1 + BH/Do	426
		aus Do–BH_3 + R_{en}B–OR^1	428
		aus Do–BH_3 + R_{en}B–R	428
$(H_5C_6–C≡C–)_3B$–O(THF)	Do–$B(R_{in})_3$	aus $[(R_{in})_4B]^-$ + H^+/Do	429
	Do–R_2B–R_{en}	aus $[R_3B–R_{in}]^-$ + $(R^0)^+$	429
			429
		aus $[R_3B–R_{in}]^-$ + R^+	429
	RB–R_{en} / Do–BR_2	aus $R_2B–R_{en}^{B,Hal}$ + RO–Si≡	430
		aus $[R_3B–R_{en}–OSi≡]^-$ + R^+	430
	Do–R_2B–R_{en}	aus $[R_3B–R_{in}]^-$ + $[R–CO]^+$	431
$(H_3C)_2S–B(CH_3)_3$	Do–R_3B	aus R_3B + Do	432
$(H_3C)_2S–B(C_6H_5)_3$	Do–R_3B	aus $[R_4B]^-$ + $[HalSR_2^2]^+$	432

[a] Zur Herstellung zwitterionischer Oxy-triorgano-borate vgl. S. 720.

[1] B. M. MIKHAILOV u. K. L. CHERKASOVA, Izv. Akad. SSSR **1976**, 2056; engl.: 1927; C. A. **86**, 43766 (1977).
B. M. MIKHAILOV u. K. L. CHERKASOVA, J. Organometal. Chem. **246**, 9 (1983).

α_2) *aus Lewisbase-Boranen*

Tetrahydrofuran-Boran reagiert mit 3-Methoxy-7-methoxymethyl-3-borabicyclo [3.3.1]non-6-en in 90%iger Ausbeute unter Bildung von *Tetrahydrofuran-1-Boraadamantan* (F: 84–88°)[1,2]:

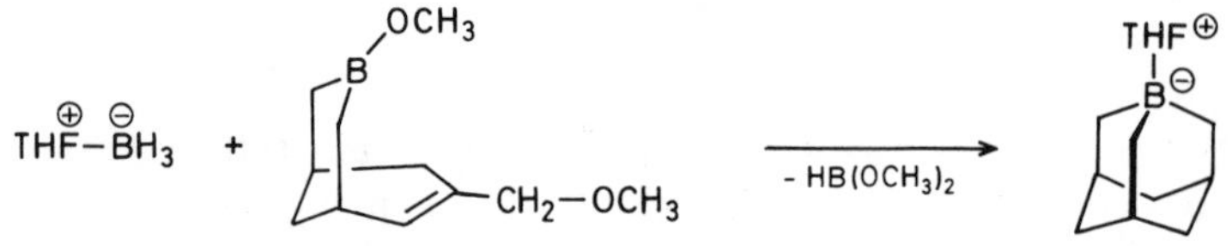

$$THF^{\oplus}-BH_3^{\ominus} + \text{3-Methoxy-7-methoxymethyl-3-borabicyclo[3.3.1]non-6-en} \xrightarrow{-HB(OCH_3)_2} \text{THF}^{\oplus}\text{-}B^{\ominus}\text{-Adamantan}$$

Tetrahydrofuran-1-boraadamantan[2]**:** Zu 15 g (77 mmol) 3-Methoxy-7-methoxymethyl-3-borabicyclo [3.3.1]non-6-en[1] werden unter Rühren innerhalb ~10 Min. 55 *ml* 1,4 M Lösung von THF-Boran in THF getropft, wobei die Temp. von 20° auf ~54° ansteigt. Man erhitzt ~1 Stde. auf ~160°, zieht i.Vak. alles Leichtflüchtige ab und sublimiert den Rückstand bei 80–84° (1 Torr; Ausbeute: 14,3 g (90%); F: 84–88° (aus Hexan).

Aus Tetrahydrofuran-boran erhält man mit 8,9-Dimethyl-3-methoxy-7-methoxymethyl-3-borabicyclo[3.3.1]non-6-en *Tetrahydrofuran-4,6-Dimethyl-1-boraadamantan* (78%; F: 53–56,5°)[3].

Tetrahydrofuran-1-boraadamantan wird auch aus Tetrahydrofuran-Boran und dem Bis-boran I erhalten[4]:

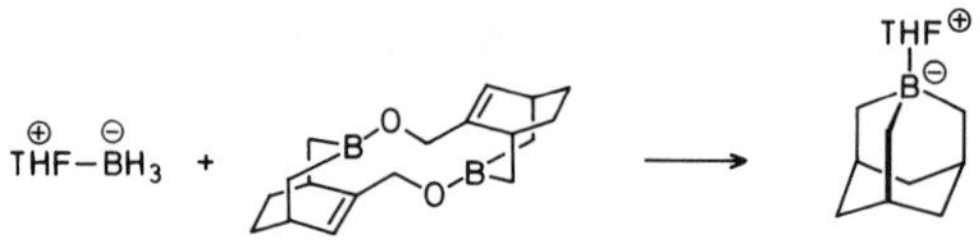

$$THF^{\oplus}-BH_3^{\ominus} + \text{I} \longrightarrow \text{THF}^{\oplus}\text{-}B^{\ominus}\text{-Adamantan}$$

I

Aus Tetrahydrofuran-Trideuteroboran ist mit 1,3,5-Trimethyl-7-methylen-3-borabicyclo[3.3.1]nonan das Additionsprodukt *Tetrahydrofuran-7-Deutero-3,5-dimethyl-1-boraadamantan* (Kp_1: 73–74°) in 86%iger Ausbeute zugänglich[5]:

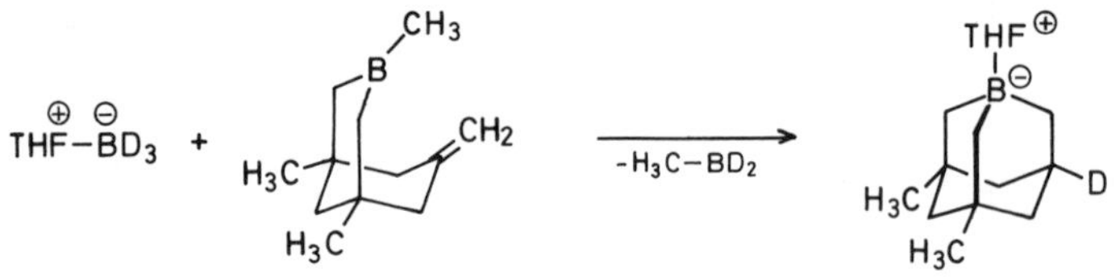

$$THF^{\oplus}-BD_3^{\ominus} + \text{1,3,5-Trimethyl-7-methylen-3-borabicyclo[3.3.1]nonan} \xrightarrow{-H_3C-BD_2} \text{THF}^{\oplus}\text{-}B^{\ominus}\text{-(7-D-3,5-(CH}_3)_2\text{-Adamantan)}$$

α_3) *aus Organoboraten*

Die Herstellung von Ether-Triorganoboranen gelingt aus verschiedenen 1-Alkinyl-organo-boraten mit Elektrophilen.

Elektronische Einflüsse stabilisieren Tetrahydrofuran-Tris[1-alkinyl]borane, die man aus Natrium- bzw. Ammonium-tetrakis[1-alkinyl]boraten(1–) in Tetrahydrofuran mit der

---

[1] B. M. Mikhailov u. T. K. Baryshnikova, Doklady Akad. SSSR **243**, 929 (1978); engl.: 566; C. A. **90**, 121694 (1979).

[2] B. M. Mikhailov, T. K. Baryshnikova, B. G. Kiselev u. A. S. Shashkov, Izv. Akad. SSSR **1979**, 2544; engl.: 2361; C. A. **93**, 8231 (1980).

[3] B. M. Mikhailov, M. E. Gurskii u. A. S. Shashkov, Izv. Akad. SSSR **1979**, 2551; engl.: 2368; C. A. **93**, 46746 (1980).

[4] B. M. Mikhailov u. T. K. Baryshnikova, J. Organometal. Chem. **219**, 295 (1981).

[5] B. M. Mikhailov, M. E. Gursky, T. V. Potapova u. A. S. Shashkov, J. Organometal. Chem. **201**, 81 (1980).

stöchiometrischen Menge etherischer Salzsäure bei −5° herstellt[1,2]. Das Bor-Atom des z.B. so zugänglichen *Tetrahydrofuran-Tris[phenylethinyl]borans* ist aufgrund der drei elektronenabziehenden 1-Alkinyl-Liganden besonders elektrophil:

$$Na^+[(H_5C_6C{\equiv}C)_4B]^- \xrightarrow[-NaCl,\ -H_5C_6-C\equiv CH]{+HCl/THF} \overset{\oplus}{THF}-\overset{\ominus}{B}(C{\equiv}C-C_6H_5)_3$$

Bei Verwendung von THF lassen sich aus Lithium-(9-alkinyl-9-methoxy-9-boratabicyclo[3.3.1]nonanen) thermisch stabile Tetrahydrofuran-9-Alkinyl-9-borabicyclo[3.3.1] nonane herstellen. Die Verbindungen sind bei ~20° über ein Jahr ohne Zersetzungserscheinungen haltbar[3]; z.B.:

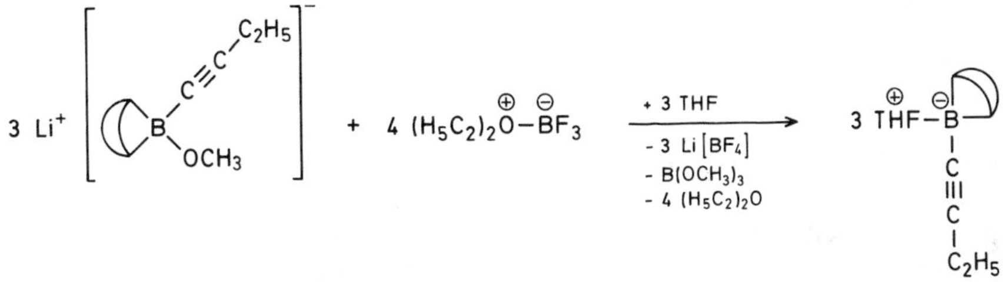

$$3\ Li^+ [\text{9-BBN}(C{\equiv}C-C_2H_5)(OCH_3)]^- + 4\ (H_5C_2)_2\overset{\oplus}{O}-\overset{\ominus}{B}F_3 \xrightarrow[-3\ Li[BF_4],\ -B(OCH_3)_3,\ -4\ (H_5C_2)_2O]{+3\ THF} 3\ \overset{\oplus}{THF}-\overset{\ominus}{B}(\text{9-BBN})-C{\equiv}C-C_2H_5$$

Tetrahydrofuran-9-(1-Butinyl)-9-borabicyclo[3.3.1]nonan; $Kp_{0,5}$: 50–65°

Aus Natrium-1-alkinyl-trialkyl-boraten sind mit Chlormethyl-methyl-ether neben dem *(Z)*-Isomer (45%) *(E)*-(3-Methoxypropenyl)borane in 75%iger Gesamtausbeute hergestellt worden[4]:

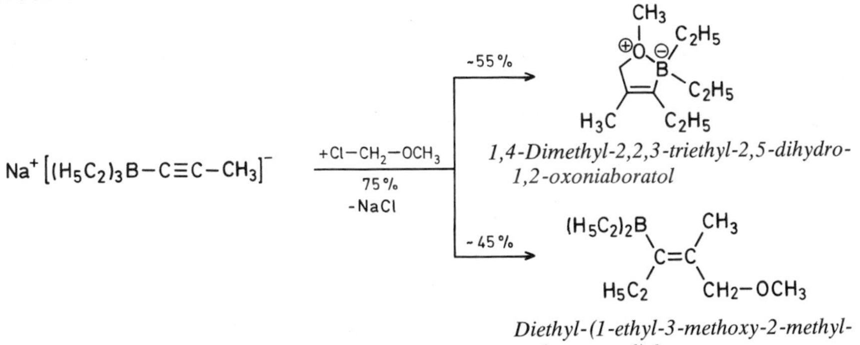

$$Na^+[(H_5C_2)_3B-C{\equiv}C-CH_3]^- \xrightarrow[75\%,\ -NaCl]{+Cl-CH_2-OCH_3}$$

~55% →

1,4-Dimethyl-2,2,3-triethyl-2,5-dihydro-1,2-oxoniaboratol

~45% → $(H_5C_2)_2B(H_5C_2)C{=}C(CH_3)CH_2-OCH_3$

Diethyl-(1-ethyl-3-methoxy-2-methyl-1-propenyl)-boran

Aus Natrium-(3-methoxy-1-propinyl)-triethyl-borat ist mit Triethyloxonium-tetrafluoroborat das *1-Methyl-2,2,3,4-tetraethyl-2,5-dihydro-1,2-oxoniaboratol* in 66%iger Ausbeute zugänglich[4]:

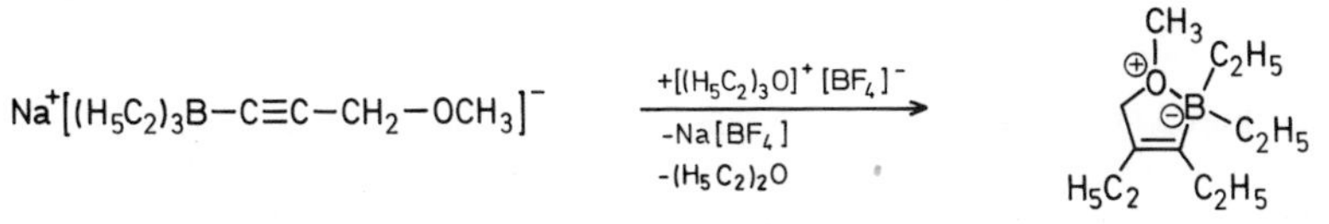

$$Na^+[(H_5C_2)_3B-C{\equiv}C-CH_2-OCH_3]^- \xrightarrow[-Na[BF_4],\ -(H_5C_2)_2O]{+[(H_5C_2)_3O]^+[BF_4]^-}$$

[1] U. Krüerke, Z. Naturf. **11b**, 676 (1956).
[2] E.C. Ashby u. W.E. Foster, J. Org. Chem. **29**, 3225 (1964).
[3] H.C. Brown u. J.A. Sinclair, J. Organometal. Chem. **131**, 163 (1977).
[4] P. Binger u. R. Köster, Synthesis **1974**, 350.

Natrium-(3-methyl-3-trimethylsilyloxy-1-butinyl)-triethyl-borat reagiert mit Chlor-trimethyl-silan unter Bildung von *1,4-Bis[trimethylsilyl]-5,5-dimethyl-2,2,3-triethyl-2,5-dihydro-1,2-oxoniaboratol*[1]:

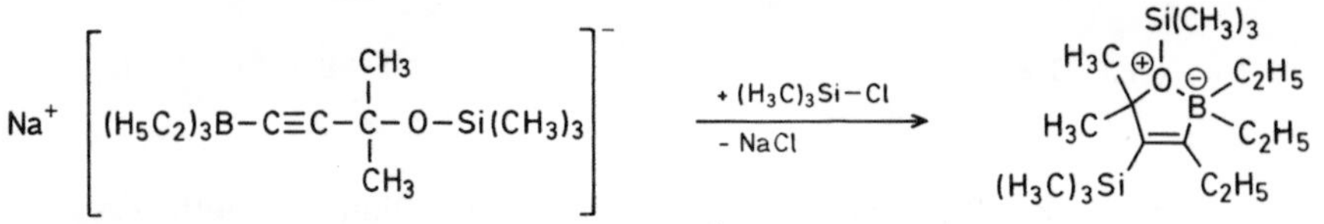

$$Na^+ \left[(H_5C_2)_3B-C{\equiv}C-C(CH_3)_2-O-Si(CH_3)_3 \right]^- \xrightarrow[- NaCl]{+ (H_3C)_3Si-Cl}$$

Die Verbindung lagert sich leicht ins *(1,1-Diethyl-3-methyl-2-trimethylsilyl-2-butenyl)-ethyl-trimethylsilyl-oxy-boran* (vgl. Bd. XIII/3a, S. 601) um[1].

Die Herstellung cyclischer Organooxyboran-Triorganoborane mit OB-Wechselwirkung (Lewisbase-Pentaorganodiboroxane)

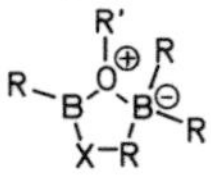

erfolgt aus 1,2-Bis[boryl]alkenen mit Nucleophilen oder aus Oxy-triorgano-boraten mit elektrophilen Reagenzien.

Aus 1-(Chlor-phenyl-boryl)-2-diethylboryl-buten läßt sich mit Methoxy-trimethyl-silan in siedendem Hexan unter Abspaltung von Chlor-trimethyl-silan in 91%iger Ausbeute *2-Diethylboryl-1-(methoxy-phenyl-boryl)-buten* herstellen[2]:

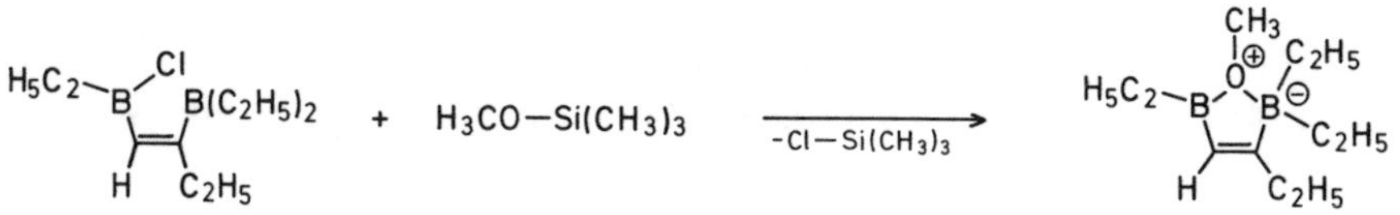

$$+ \ H_3CO-Si(CH_3)_3 \xrightarrow{-Cl-Si(CH_3)_3}$$

Aus Kalium-pentaalkyl-1,3,2-diboroxanat (vgl. S. 850) erhält man mit Jodmethan in Dichlormethan in 93%iger Ausbeute *3-Diethylboryl-4-(ethyl-methoxy-boryl)-3-hexen* ($Kp_{0,001}$: 41–45°) mit O–B-Koordination[3]. Weitere Lewisbase-Organodiboroxane werden auf S. 620 und 624 besprochen.

β) Carbonyl-Triorganoborane

β_1) *aus Triorganoboranen*

In besonderen Fällen lassen sich die Verbindungen aus den Komponenten herstellen. Dies gilt beispielsweise für geeignet substituierte Triorganoborane, die durch Chelateffekte stabile O-Donor-Akzeptor-Verbindungen bilden; z.B.[4]:

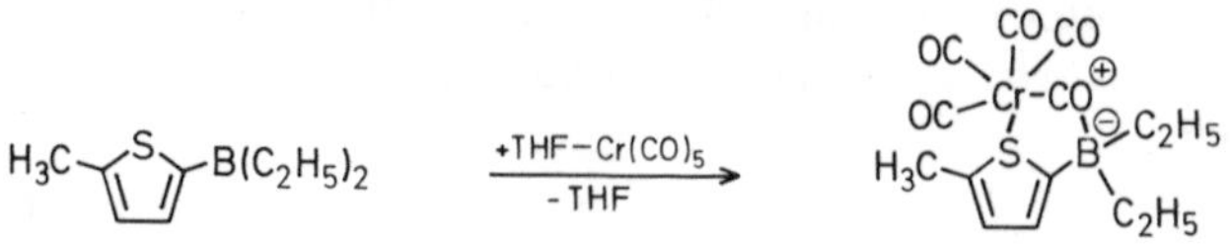

$$\xrightarrow[-THF]{+THF-Cr(CO)_5}$$

Pentacarbonylchrom(0)-Diethyl-(5-methyl-2-thienyl)-boran[4]: Zur frisch hergestellten Lösung von 3 mmol Tetrahydrofuran-Pentacarbonylchrom(0) in 50 *ml* THF gibt man unter intensivem Rühren 3 mmol Diethyl-(5-methyl-2-thienyl)-boran. Man läßt bei ~20° 48 Stdn. reagieren (rote Farbe), engt danach i. Vak. ein, stellt die Lösung 12 Stdn. in eine Tiefkühltruhe, saugt von Verunreinigungen ab und entfernt das restliche Lösungsmittel i. Vak. Abschließend wird aus 1,4-Dioxan/Pentan umgefällt; Ausbeute: 0,73 g (68%); F: 90° (Zers.) (roter, nicht kristalliner Feststoff).

---

[1] R. Köster u. G. Seidel, Mülheim a.d. Ruhr, unveröffentlicht 1978.
[2] G. Menz u. B. Wrackmeyer, Z. Naturf. **32b**, 1400 (1977).
[3] R. Köster u. G. Seidel, Mülheim a.d. Ruhr, unveröffentlicht 1982.
[4] H. Nöth u. U. Schuchardt, J. Organometal. Chem. **125**, 155 (1977).

Aus Triarylboranen sind mit 1,5-Dimethyl-3-oxo-2-phenyl-2,3-dihydro-pyrazol (Antipyrin) (O–B)-Additionsverbindungen in alkoholischer Lösung zugänglich[1].

Aus 1-Boraadamantan können mit Carbonyl-Verbindungen (Aldehyde, Aceton) in Hexan 1:1-Additionsverbindungen in Ausbeuten von ~80% Ausbeute gewonnen werden[2]:

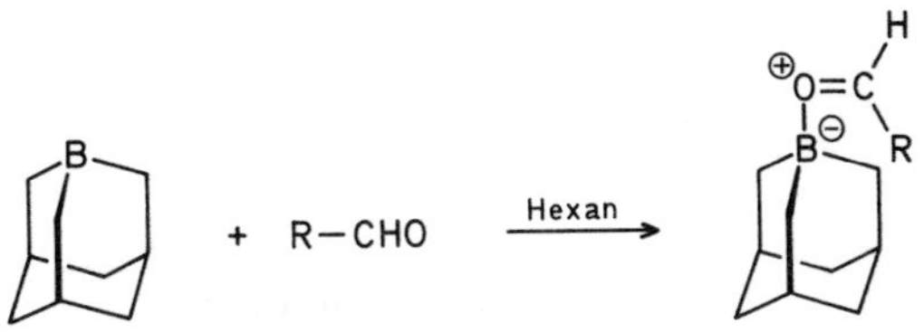

R = C_6H_5, $CH(CH_3)_2$

Carbonyl-Trialkylborane sind Zwischenprodukte bei der radikalischen Alkyloborierung von Vinylcarbonyl-Verbindungen[3].

β_2) *aus Organoboraten*

Aus Alkinyl-trialkyl-boraten bilden sich mit Acylchloriden intermediär fünfgliedrige Cyclen, die Carbonyl-Triorganoboran-Gruppierungen enthalten. Mit Pyridin lassen sich die entsprechenden Pyridin-Dialkyl-(3-oxo-1-alkenyl)-borane abfangen[4]:

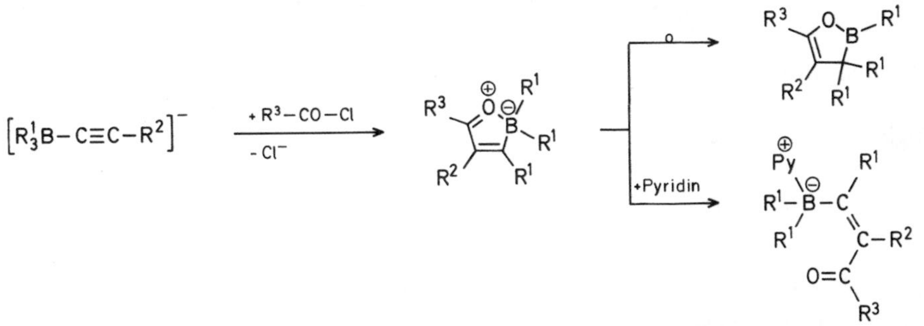

Aus Triethyl-organo-boraten erhält man mit Acylhalogeniden entsprechende Ringverbindungen, die mit Protonensäuren zwitterionische Fünfringe (vgl. S. 725) bilden[5]:

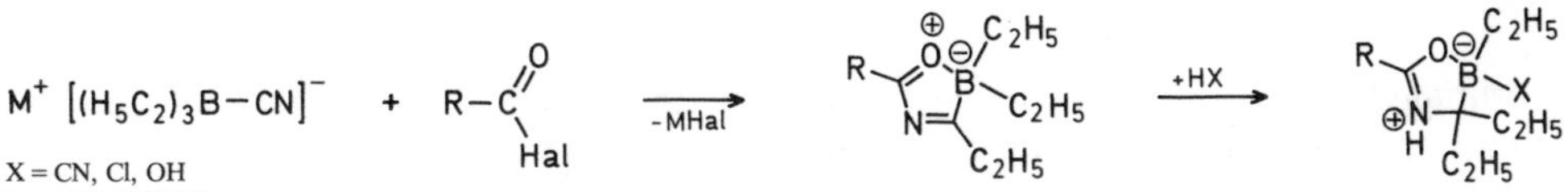

X = CN, Cl, OH
R = CH_3, $C(CH_3)_3$

---

[1] G. A. Yuzhakova, M. I. Belonovich, M. N. Rybakova, T. L. Morozova u. I. I. Lapkin, Ž. obšč. Chim. **52**, 1156 (1982); engl.: 1003; C. A. **97**, 110071 (1982).

[2] B. M. Mikhailov, T. K. Baryshnikova u. A. S. Shaskov, J. Organometal. Chem. **219**, 301 (1981).

[3] A. Arase, Y. Masuda u. A. Suzuki, Bull. Chem. Soc. Japan **49**, 2275 (1976).

[4] P. Binger, Ang. Ch. **79**, 57 (1967).

[5] E. Brehm, A. Haag, G. Hesse u. H. Witte, A. **737**, 70 (1970).

Aus Natrium-phenylethinyl-triethyl-borat werden mit verschiedenen Organosulfonylchloriden 2-Organo-2-oxo-3-phenyl-4,5,5-triethyl-5H-1,2,5-oxoniathiaboratole hergestellt[1]:

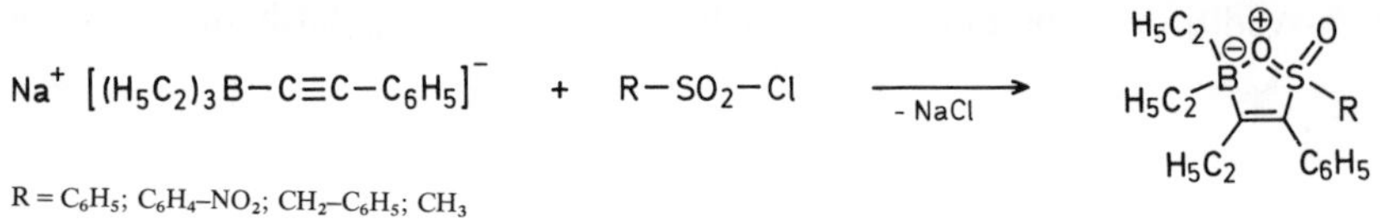

$$Na^+ \ [(H_5C_2)_3B-C{\equiv}C-C_6H_5]^- \ + \ R-SO_2-Cl \xrightarrow[-\ NaCl]{}$$

R = C_6H_5; C_6H_4–NO_2; CH_2–C_6H_5; CH_3

2. Sulfan-Triorganoborane

Organosulfan-Triorganoborane[2] (vgl. Tab. 71, S. 427) sind aus den Komponenten sowie aus Organoboraten mit Organosulfonium-halogeniden zugänglich.

Triorganoborane reagieren mit Sulfan bzw. Organosulfanen unter Bildung von Diorgano-thio-boranen. Als Zwischenstufe bilden sich die instabilen Sulfan-Triorganoborane:

$$R^2_3B \ + \ R^1{-}SH \longrightarrow [R^1{-}\overset{\oplus}{S}H{-}\overset{\ominus}{B}R^2_3] \xrightarrow[-R^2H]{\Delta} R^2_2B{-}SR^1$$

Mit Dimethylsulfan erhält man aus Trimethylboran bei −78° das leicht dissoziierende *Dimethylsulfan-Trimethylboran* (F: −43 bis −41°)[3]:

$$(H_3C)_2S \ + \ B(CH_3)_3 \ \rightleftharpoons \ (H_3C)_2\overset{\oplus}{S}{-}\overset{\ominus}{B}(CH_3)_3$$

Dimethylsulfan-Triphenylboran (92%; F: 180°) ist nicht aus den Komponenten, jedoch aus Natrium-tetraphenylborat in Methanol mit Brom-dimethyl-sulfoniumbromid zugänglich[4]:

$$Na^+[(H_5C_6)\ B]^- \xrightarrow[-NaBr,\ -H_5C_6Br]{+[(H_3C)_2S{-}Br]^+Br^-/CH_3OH} (H_3C)_2\overset{\oplus}{S}{-}\overset{\ominus}{B}(C_6H_5)_3$$

Entsprechend lassen sich *Diisopropylsulfan-* (70%; F: ~165°) und *Dibenzylsulfan-Triphenylboran* (60%) gewinnen[4].

Tetrahydrothiophen-Triphenylboran[4]: Zu 2,5 g Tetrahydrothiophen-1-dibromid in 100 *ml* Methanol gibt man bei 0° bis −5° 3,5 g Natriumtetraphenylborat in 30 *ml* Methanol. Sofort fällt das Produkt aus. Nach Absaugen wird der Niederschlag mit Methanol gewaschen und bei 60° i. Vak. 6 Stdn. getrocknet; Ausbeute: 3 g (90%); F: 132–133°.

Bis[dimethylamino]sulfan-Triphenylboran (F: 253°; Zers.) ist aus Natriumtetraphenylborat mit Bis[dimethylamino]-brom-sulfonium-bromid zugänglich[5]:

$$Na^+[(H_5C_6)_4B]^- \ + \ [\{(H_3C)_2N\}_2S{-}Br]^+Br^- \xrightarrow[-NaBr \atop -Br-C_6H_5]{} [(H_3C)_2N]_2\overset{\oplus}{S}{-}\overset{\ominus}{B}(C_6H_5)_3$$

---

[1] vgl. J. H. NOORDICK u. T. E. M. VAN DEN HARK, Cryst. Struct. Commun. **7**, 287 (1978); Röntgenstrukturanalyse der Verbindung (R = C_6H_5) mit der Notiz des Publikationsvorhabens von B. M. K. NEFKEAS et al. über die Herstellung.

[2] *Gmelin*, 8. Aufl., Bd. **17**/3, S. 58, 59, 63 (1975).

[3] W. A. G. GRAHAM u. F. G. A. STONE, J. Inorg. & Nuclear Chem. **3**, 164 (1956).

[4] H. BÖHME u. E. BOLL, Z. anorg. Ch. **291**, 160 (1957).

[5] H. NÖTH u. G. MIKULASCHEK, B. **97**, 202 (1964).

3. N-Donator-Triorganoborane

In Tab. 72 (S. 433ff.) sind die bisher bekannten Verbindungstypen der N-Donator-Triorganoborane zusammengestellt. Außer den offenkettigen sind zahlreiche 5- und 6-gliedrige Cyclen hergestellt worden. Pyridin- und Imin-Triorganoborane werden auf S. 435ff. beschrieben.

Tab. 72: Amin-Triorganoborane

Formel	Verbindungstyp	Herstellungsart	s. S.
Ammoniak-Triorganoborane			
$H_3\overset{\oplus}{N}-\overset{\ominus}{B}R_3$	Do—BR_3	aus R_3B + Do	435
prim.-Amin-Triorganoborane			
$R^1-\overset{\oplus}{N}H_2-\overset{\ominus}{B}R_3$	Do—BR_3	aus R_3B + Do	437
$H_7C_3-\overset{\oplus}{N}H_2-\overset{\ominus}{B}(C_6H_5)_3$	Do—BR_3	aus $[R—NH_3]^+ + [R_4B]^-$; △	448
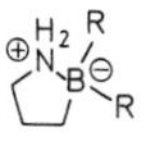 (cycl. $\overset{\oplus}{N}H_2$–$\overset{\ominus}{B}R_2$, 5-Ring)	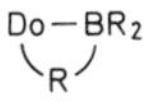 Do—BR_2 (über R verbunden)		
R = Alkyl		aus $R_2BH + R_{en}—NH_2$	439
R = C_3H_7, C_4H_9		aus Do'—$BH_3 + R_3B + R_{en}—NH_2$	444
sek. Amin-Triorganoborane			
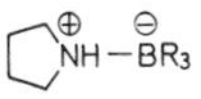 (Pyrrolidin)$\overset{\oplus}{N}H-\overset{\ominus}{B}R_3$	Do—BR_3	aus R_3B + Do	435
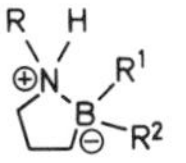 (cycl. R(H)$\overset{\oplus}{N}$–$\overset{\ominus}{B}R^1R^2$, 5-Ring)	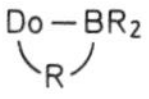 Do—BR_2 (über R verbunden)	aus $R^1_2B—N\langle$ + $R^2—MgX/H^+$	441
$R_2\overset{\oplus}{N}H$–$\overset{\ominus}{B}$ (Boraadamantan)	Do—B—R (cyclisch)	aus Do'—BR_3 + Do	441
tert. Amin-Triorganoborane			
$(H_3C)_3\overset{\oplus}{N}-\overset{\ominus}{B}R^1_2(CH_2-R^2)$	Do—$BR^1_2R^2$	aus R_3B + $H_2C=N\langle$, △	438
		aus Do'—BR_3 + $H_2C=N\langle$, △	442
		aus $R_3\overset{\ominus}{B}-CH_2-\overset{\oplus}{N}\langle$, △	447
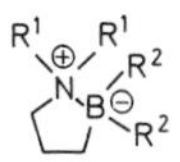 (cycl. $R^1R^1\overset{\oplus}{N}$–$\overset{\ominus}{B}R^2_2$, 5-Ring) R^1 = Alkyl; R^2 = C_4H_9	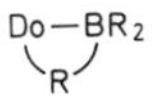 Do—BR_2 (über R verbunden)	aus $R^1_3B + R^2_2N—R_{en}$	437
$R^1 = R^2 = CH_3$		aus Do—$R^1BHal_2 + R^2—MgX$	447
$R^1 = CH_3$; R^2 = Alkyl		aus $R^N—B(OR^2)_2 + R^1—MgX$	440
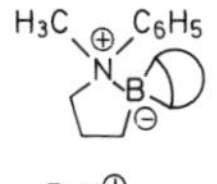 (cycl. $H_3C(C_6H_5)\overset{\oplus}{N}$–$\overset{\ominus}{B}$, spiro)	 Do—B(cycl. R)	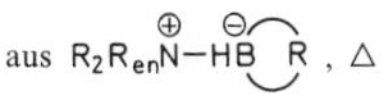 aus $R_2R_{en}\overset{\oplus}{N}-H\overset{\ominus}{B}$(cycl. R), △	443
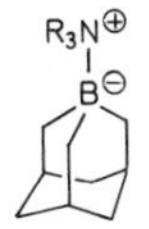 $R_3\overset{\oplus}{N}$–$\overset{\ominus}{B}$ (Boraadamantan) R = Alkyl	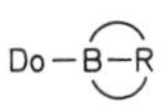 Do—B—R (cyclisch)	aus R_3B + Do	437
		aus Do'—BR_3 + Do	441
R = C_2H_5		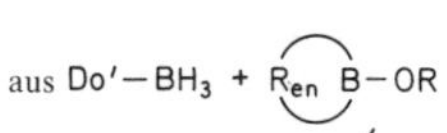 aus Do'—BH_3 + R_{en}B—OR (cyclisch)	444
		aus R_3B + $H_2C=N\langle$	438

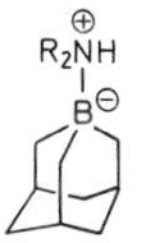

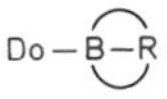

Tab. 72 (1. Fortsetzung)

Formel	Verbindungstyp	Herstellungsart	s. S.
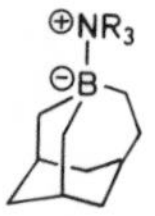 $\oplus NR_3$–$\ominus B$ (Adamantan-Gerüst)	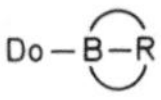 Do–B–R (cyclisch)	aus Do′–BR_3 + $R_3N=CH_2$	442
		aus $\overset{\oplus}{Do}$–CH_2–$\overset{\ominus}{B}R_3$	447
R = CH_3			
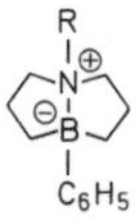 R–$N^{\oplus}$/$^{\ominus}B$–C_6H_5 (bicyclisch)	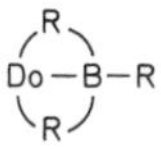 Do–B–R (R, R cyclisch)	aus $R^1_3\overset{\oplus}{N}-\overset{\ominus}{B}H_2-R^2$ + $R-N(R_{en})_2$	443
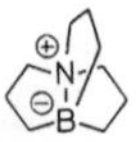 $^{\oplus}N$/$^{\ominus}B$ (tricyclisch)	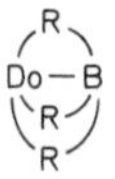 Do–B (R, R, R cyclisch)	aus Do′–BH_3 + $(R_{en})_3N$	444

ungesättigte Amin-Triorganoborane

Formel	Verbindungstyp	Herstellungsart	s. S.
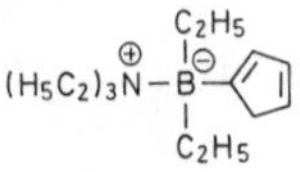 $(H_5C_2)_3\overset{\oplus}{N}-\overset{\ominus}{B}(C_2H_5)_2(C_5H_5)$	Do–BR_2R_{dien}	aus Do–BR_2–Hal + Na–R_{dien}	447
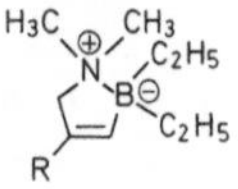 H_3C, CH_3 $\overset{\oplus}{N}$–$\overset{\ominus}{B}(C_2H_5)_2$ (Ring mit R)			
R = CH_3	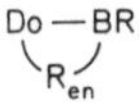 Do–BR_2 (R_{en})	aus $[R_3B-R_{in}]^{\ominus}$ + $[H_2C=N(CH_3)_2]^{\oplus}$	448
R = R_{en}	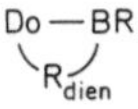 Do–BR_2 (R_{dien})		449
R = R_{in}	Do–BR_2 ($R_{en,\,in}$)	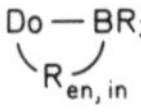	449
$(H_3C)_3\overset{\oplus}{N}-\overset{\ominus}{B}R_2R_{in}$	Do–BR_2R_{in}	aus Do–R_2B-Hal + R_{in}–Li	445
$(H_3C)_3\overset{\oplus}{N}-\overset{\ominus}{B}R(R_{in})_2$	Do–$BR(R_{in})_2$	aus Do–$RBHal_2$ + R_{in}–Li	445
$(H_3C)_3\overset{\oplus}{N}-\overset{\ominus}{B}(C\equiv C-C_6H_5)_3$	Do–$B(R_{in})_3$	aus Do–BR_2R_{in} + ON<	442

Heterofunktionell subst. ges. Amin-Triorganoborane

Formel	Verbindungstyp	Herstellungsart	s. S.
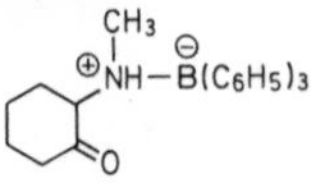 2-($CH_3\overset{\oplus}{N}H-\overset{\ominus}{B}(C_6H_5)_3$)-cyclohexanon	Do^{O}–BR_3	aus Do^{O_2}–BR_3 + Δ	442
$H_3COOC-CH_2-\overset{\oplus}{N}H_2-\overset{\ominus}{B}R_3$	Do^{O}–BR_3	aus R_3B + Do	438
>N–CO–$\overset{\oplus}{N}H_2-\overset{\ominus}{B}R_3$	$Do^{O,N}$–BR_3	aus R_3B + Do	436
$H_2N-NH-CO-\overset{\oplus}{N}H_2-\overset{\ominus}{B}R_3$	$Do^{O,N}$–BR_3	aus R_3B + Do	436
>N–$\overset{\oplus}{N}H_2-\overset{\ominus}{B}R_3$	Do^{N}–BR_3	aus R_3B + Do	437
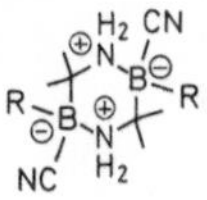 cyclo-($\overset{\oplus}{N}H_2$–$\overset{\ominus}{B}$(R)(CN))$_2$	$(Do-BR_2-R^N)_2$	aus $[R_3B-CN]^-$ + H^+	450

Tab. 72 (2. Fortsetzung)

Formel	Verbindungstyp	Herstellungsart	s. S.
Heterofunktionell subst. ungesättigte Amin-Triorganoborane			
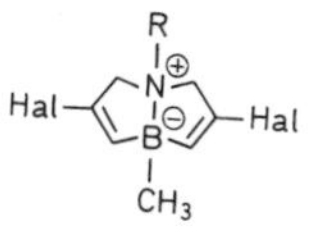 Hal = Cl, Br	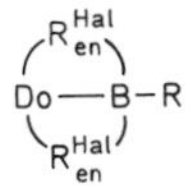	aus R^1—$BHal_2$ + R^2—$N(R_{in})_2$	440
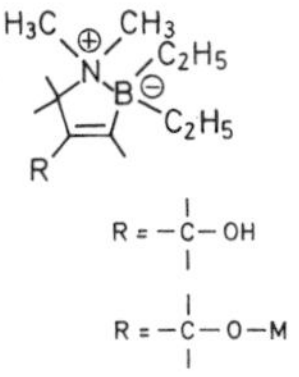	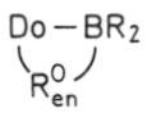	aus $[R_3B{-}R^{O}_{in}]^-$ + $[H_2C{=}N(CH_3)_2]^+$	448
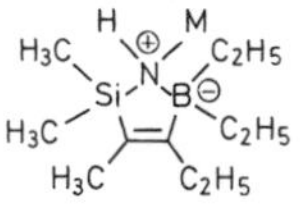 M = Na, K	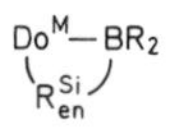	aus $R_2B{-}R^{Si}_{en}$ + MNH_2	438

α) Amin-Triorganoborane

Triorganoborane(3) bilden stabile, vielfach auch unzersetzt destillierbare 1:1-Molekülverbindungen mit Ammoniak[1,3], Methylamin und anderen primären sowie auch mit sekundären und bisweilen auch mit tert. Aminen.

Additionsverbindungen des Trimethylborans mit Hydrazinen, Diaminen, Piperidin, Pyrrolidin und Piperazin wurden ebenfalls charakterisiert. 1:1-Additionsverbindungen der 1-Alkyl-1-borolane, 9-Alkyl-9-borabicyclo[3.3.1]nonane oder der beiden isomeren Perhydro-9b-boraphenalene sind aus sterischen Gründen besonders stabil[4].

α_1) *aus Triorganoboranen*[2,3]

$\alpha\alpha_1$) mit Ammoniak oder Aminen

Amin-Triorganoborane werden am einfachsten in der Kälte durch Zugabe der Stickstoff-Base (z.B. Ammoniak, Amin) zum reinen oder gelösten Triorganoboran bzw. zum Ether-1-Boraadamantan (vgl. S. 426)[5,6] erhalten; z.B.:

Ammoniak-Trimethylboran[5,6]
-Triethylboran[5,6] (Kp_{14}: 57°)[7]
-Tripropylboran (Kp_{14}: 67°)[7]

Pyrrolidin-Trimethylboran[8]
-Triethylboran[9]
Piperidin-Triethylboran[9]

---

[1] E. FRANKLAND, A. **124**, 129 (1862).
[2] E. FRANKLAND, Soc. **15**, 363 (1862).
[3] A. MASSEY u. A.J. PARK, J. Organometal. Chem. **2**, 245 (1964); *Trimethylamin-Tris[pentafluorphenyl]boran* (F: 164–166°).
[4] G.W. ROTERMUND u. R. KÖSTER, A. **686**, 153 (1965).
[5] B.M. MIKHAILOV u. T.K. BARYSHNIKOVA, Doklady Akad. SSSR **243**, 929 (1978); engl.: 566; C.A. **90**, 121694 (1979).
[6] B.M. MIKHAILOV, I.N. SMIRNOV, O.D. SMIRNOVA, V.A. KASPAROV, N.A. LAGUTKIN, N.I. MITIN u. M.M. ZUBAIROV, Khim. Pharm. Zh. **13**, 35 (1979); C.A. **90**, 168661 (1979).
[7] R. KÖSTER, G. BRUNO u. P. BINGER, A. **644**, 1 (1961).
[8] H.C. BROWN u. M.D. TAYLOR, Am. Soc. **69**, 1332 (1947).
[9] W. FENZL, Mülheim a.d. Ruhr, unveröffentlicht 1970.

Chinuclidin-Trimethylboran[1] *Amin-1-Boraadamantane*[2,3]

Weitere N-Lewisbase-Triorganoborane[4–17].

Morpholin liefert mit *Triethylboran* ein kristallines 1:1-Addukt, das in Lösung in eine Mischung von 1:1-, 1:2- und 2:1-Additionsverbindungen übergeht (^{1}H–NMR-Spektren)[18].

Beim Destillieren i. Vak. wird aus sek. Amin-Triethylboranen teilweise Triethylboran abgespalten[18]. Triethylboran läßt sich über sein Ammoniak-Additionsprodukt reinigen[19].

Bei ~20° liegen zwischen z. B. Triethylboran und Diethylamin Austauschgleichgewichte vor (^{1}H–NMR-Messungen)[20]:

$$(H_5C_2)_2\underset{H}{N}-\overset{H_5C_2\ \ C_2H_5}{\underset{C_2H_5}{B}}-\overset{H}{N}(C_2H_5)_2 \underset{-HN(C_2H_5)_2}{\overset{+HN(C_2H_5)_2}{\rightleftharpoons}} (H_5C_2)_2\overset{\oplus}{\underset{H}{N}}-\overset{\ominus}{B}(C_2H_5)_3 \underset{-B(C_2H_5)_3}{\overset{+B(C_2H_5)_3}{\rightleftharpoons}} (H_5C_2)_3B-\overset{H_5C_2\ \ H}{\underset{C_2H_5}{N}}-B(C_2H_5)_3$$

Sterische Effekte sind für die Stabilität der Amin-Triorganoborane entscheidend[5,21]; z. B. bildet Tris[2,4,6-trimethylphenyl]boran aufgrund sterischer Hinderung mit verschiedenen Basen keine Additionsverbindungen[22]. Die Stabilitätsunterschiede einiger Amin-Triorganoborane[23] wurden kalorimetrisch gemessen[24].

Ethylamin-Trimethylboran[25]**:** 24,3 *ml* (17,2 g; 0,38 mol) Ethylamin werden bei ~20° mit 34,2 *ml* (21,2 g; 0,38 mol) Trimethylboran versetzt. Nach einigen Min. wird auf −80° gekühlt und unverbrauchtes Trimethylboran abdestilliert. Die Additionsverbindung wird bei 0° durch Destillation gereinigt; F: 24–24,5°.

---

[1] H. C. Brown u. S. Sujishi, Am. Soc. **70**, 2878 (1948).
[2] B. M. Mikhailov u. T. K. Baryshnikova, Doklady Akad. SSSR **243**, 929 (1978); engl.: 566; C. A. **90**, 121694 (1979).
[3] B. M. Mikhailov, I. N. Smirnov, O. D. Smirnova, V. A. Kasparov, N. A. Lagutkin, N. I. Mitin u. M. M. Zubairov, Khim. Pharm. Zh. **13**, 35 (1979); C. A. **90**, 168661 (1979).
[4] G. W. Rotermund u. R. Köster, A. **686**, 153 (1965).
[5] H. C. Brown, Am. Soc. **67**, 374 (1945).
[6] H. C. Brown, H. Bartholomay u. M. D. Taylor, Am. Soc. **66**, 435 (1944).
[7] A. F. Zhigach, E. B. Kazakova u. E. S. Krongauz, Doklady Akad. SSSR **111**, 1029 (1956); C. A. **51**, 9475 (1957).
[8] A. V. Topchiev, Y. M. Paushkin, A. A. Prokhorova u. M. V. Kurashev, Doklady Akad. SSSR **128**, 110 (1959); engl.: 713; C. A. **54**, 1268 (1960).
[9] A. V. Topchiev, Y. M. Paushkin u. A. A. Prokhorova, Doklady Akad. SSSR **129**, 598 (1959); engl.: 1049; C. A. **54**, 7533 (1960).
[10] J. J. Lapkin u. G. A. Yuzhakova, Ž. obšč. Chim. **35**, 1083 (1965); C. A. **63**, 9975 (1965).
[11] N. N. Greenwood, P. G. Perkins u. M. E. Twentyman, Soc. **1969**, 249.
[12] L. W. Hall, J. D. Odom u. P. D. Ellis, Am. Soc. **97**, 4527 (1975).
[13] I. I. Lapkins, S. E. Ukhanov u. G. A. Yuzhakova, Ž. obšč. Chim. **45**, 1511 (1975); engl.: 1479 ; C. A. **83**, 179177 (1975); Triarylborane mit Hydrazin, Semicarbazid.
[14] A. Nose u. T. Kudo, Yakugaku Zasshi **96**, 988 (1976); C. A. **86**, 29355 (1977); Trialkylborane mit Carbonsäureamiden.
[15] G. A. Yuzhakova, I. I. Lapkin u. N. A. Kozlova, Ž. obšč. Chim. **46**, 2248 (1976); engl.: 2161; C. A. **86**, 100128 (1977); Tris[2-alkoxyphenyl]boran mit 1-(2-Aminoethyl)piperazin.
[16] I. I. Lapkin, G. A. Yuzhkova u. R. P. Drovneva, Ž. obšč. Chim. **48**, 713 (1978); engl.: 653; C. A. **89**, 43547 (1978); Triarylborane mit Harnstoff, Methylharnstoff, Thioharnstoff.
[17] A. G. Massey u. A. J. Park, J. Organometal. Chem. **2**, 245 (1964); *Trimethylamin-Tris[pentafluorphenyl]boran* (F: 164–166°).
[18] H. C. Brown u. M. D. Taylor, Am. Soc. **69**, 1332 (1947).
[19] E. Frankland, Soc. **15**, 363 (1862).
[20] W. Fenzl, Mülheim a. d. Ruhr, unveröffentlicht 1970.
[21] H. C. Brown, Am. Soc. **79**, 1248 (1957).
[22] H. C. Brown u. V. H. Dodson, Am. Soc. **79**, 2188 (1957).
[23] H. C. Brown, M. D. Taylor u. M. Gertstein, Am. Soc. **66**, 431 (1944).
[24] H. C. Brown u. D. Gintis, Am. Soc. **78**, 5378 (1956).
[25] H. C. Brown, Am. Soc. **67**, 1452 (1945).

Ammoniak-Tri-tert.-butylboran[1]: Man leitet in eine Lösung von Tri-tert.-butylboran[1] in Dichlormethan trockenes, gasförmiges Ammoniak ein. Nach Abklingen der schwach exothermen Reaktion wird alles leicht Flüchtige i.Vak. (10 Torr) abgezogen. Die zurückbleibende, feste Additionsverbindung läßt sich i.Hochvak. (10^{-3} Torr) vollständig sublimieren (60°) und schmilzt nach wiederholter Sublimation bei 91–93°.

Amin-Triorganoborane können zur Isolierung bzw. zur Charakterisierung von Isomeren herangezogen werden; z.B. zur Isolierung von *cis-trans-*[2] (I; Centrobor I)[3] und *all-cis-*[2]*Perhydro-9b-boraphenalen* (II; Centrobor II)[3] als Ammoniak-Additionsverbindungen[3]:

I; flüssig
+*Ammoniak*
(F: 38°)

II; fest; F: 31°
+*Ammoniak*
(F: 108°)

Aus *1-Boraadamantan* erhält man mit *Ethylamin, 1-Aminoadamantan, Trimethylamin* und mit *Phenylhydrazin* definierte 1:1-Additionsverbindungen[4]. Aus 1-Phenyl-2,5-dihydro-borol, das aus Dichlor-phenyl-boran und Bis[tetrahydrofuran]-2-buten-1,4-diyl-magnesium in Ether bei –80° zugänglich ist, läßt sich mit Trimethylamin in 84% Ausbeute *Trimethylamin-1-Phenyl-2,5-dihydro-borol* (F:90°) gewinnen[5]:

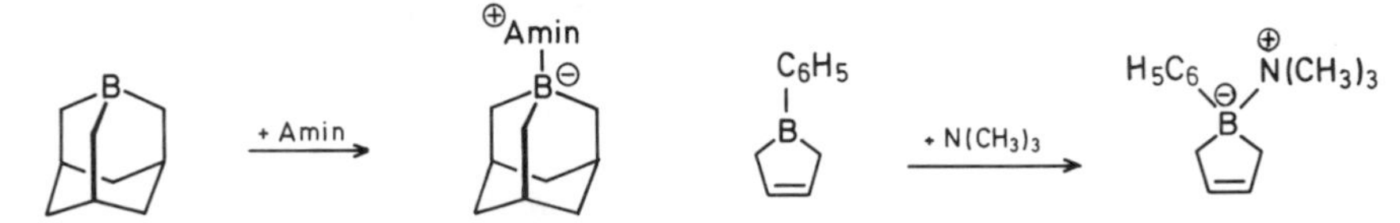

Mit Ammoniak sowie primären Aminen (z.B. Butylamin, Anilin) reagieren auch Dialkyl-organo-borane unter Bildung definierter, größtenteils fester 1:1-Additionsverbindungen[6–8].

Mit *1-Methyl-2-methylen-aziridin* erhält man aus *Triethylboran* eine feste farblose Additionsverbindung, die i.Vak. wieder in Aziridin (Kp: 52–53°) und Triethylboran (Kp: 95°) dissoziiert[9]. 1-Isopropyl-2-methylen-aziridin läßt sich an Triethylboran nicht addieren[9].

Tributylboran reagiert mit Allyl-dimethyl-amin oder Allyl-diethyl-amin unter Dehydroborierung (Abspaltung von Buten) zu 1,1,2,2-Tetraalkyl-1,2-azoniaboratolidinen[10]:

$(H_9C_4)_3B$ — $+ R_2N-CH_2-CH=CH_2$, 185 - 195°, $- C_4H_8$ →

2,2-Dibutyl-...-1,2-azoniaboratolidin
R = CH_3; ...*-1,1-dimethyl-*...; 77%; Kp_2: 98–100°
R = C_2H_5; ...*-1,1-diethyl-*...; 55%; $Kp_{1,5}$: 117–120°

[1] H. Nöth u. T. Taeger, J. Organometal. Chem. **142**, 281 (1977).
[2] Zur strukturellen Zuordnung der beiden stereoisomeren Perhydro-9b-boraphenalene: H.C. Brown u. W.C. Dickason, Am. Soc. **91**, 1226 (1969); vgl. Bd. XIII/3a, S. 26.
[3] G.W. Rotermund u. R. Köster, A. **686**, 153 (1965).
[4] B. Mikhailov, V.N. Smirnov, O.D. Smirnova, V.A. Kasparov, N.A. Lagutkin, N.J. Mitin u. M.M. Zubairov, Khim. Farm. Zh. **13**, 35 (1979); C.A. **90**, 168661 (1979); Biol. Abstr. **68**, 65900 (1979).
[5] G.E. Herberich, B. Hessner u. D. Söhnen, J. Organometal. Chem. **233**, C35 (1982).
[6] J.S. Thayer u. R. West, Adv. Organometallic Chem. **5**, 169 (1967).
[7] E.C. Evers, W.O. Freitag, W.A. Kriner u. A.G. McDiarmid, Am. Soc. **81**, 5106 (1959).
[8] *Gmelin*, 8. Aufl., **46**/15, 161 (1977).
[9] U. Klotz, Mülheim a.d. Ruhr; Diplomarbeit, Universität Kaiserslautern 1979.
[10] N.V. Mostovoi, V.A. Dorokhov, u. B.M. Mikhailov, Izv. Akad. SSSR **1966**, 90; engl.: 70; C.A. **64**, 15908 (1966).

Aus Triethylboran läßt sich mit Glycinmethylester eine i. Vak. unzersetzt destillierbare 1:1-Additionsverbindung gewinnen. Die Amino-Gruppe wird auch in Gegenwart von Katalysatoren wie Diethyl-(2,2-dimethylpropanoyloxy)-boran nicht boryliert[1]:

$$(H_5C_2)_3B + H_2N-CH_2-COOCH_3 \longrightarrow H_3COOC-CH_2-\overset{\oplus}{N}H_2-\overset{\ominus}{B}(C_2H_5)_3$$

Glycinmethylester-Triethylboran; 70%; $Kp_{0,25}$: 65°

Triarylborane bilden auch mit Hydrazin[2] bzw. Semicarbazid[2] oder mit Harnstoffen[3] Additionsverbindungen.

$\alpha\alpha_2$) mit Metallamiden

Aus speziellen Dialkyl-subst.-vinyl-boranen lassen sich mit Alkalimetallamiden N-Alkalimetall-2,5-dihydro-1,2-azoniaboratole herstellen. Aus Diethyl-(1-ethyl-2-trimethylsilyl-propenyl)-boran erhält man mit Natrium- bzw. Kalium-amid in Toluol oder Tetrahydrofuran bei 0–30° unter Methan-Abspaltung substituierte 2,5-Dihydro-1,2,5-azoniasilaboratole[4]:

$(H_5C_2)_2B-C(C_2H_5)=C(CH_3)-Si(CH_3)_3$ $\xrightarrow[-CH_4]{+M-NH_2}$ [Ring: B⊖(C₂H₅)₂–N⊕(H)(M)–Si(CH₃)₂–C(CH₃)=C(C₂H₅)–]

...-4,5,5-triethyl-2,2,3-trimethyl-1,2,5-trihydro-1,2,5-azoniasilaboratol
M = Na; *1-Natrium-...*; 90%; F: >120°
M = K; *1-Kalium-...*; 94%; F: 76°

1-Natrium-4,5,5-triethyl-2,2,3-trimethyl-1,2,5-trihydro-1,2,5-azoniasilaboratol[4]: Zur Suspension von 1,9 g (49 mmol) Natriumamid in 80 *ml* THF tropft man innerhalb 30 Min. bei 0° 8 g (38 mmol) Diethyl-(1-ethyl-2-trimethylsilyl-propenyl)-boran (vgl. Bd. XIII/3a, S. 299)[5,6], rührt 1 Stde. und entfernt das Kühlbad. Beim Erwärmen auf über 25° bis zum Sieden entweichen innerhalb 90 Min. 852 N*ml* Methan (100%). Nach Filtration wird bei 12 Torr eingeengt und der Rückstand bei 60°/10^{-3} Torr getrocknet; Ausbeute: 8 g (90%); F: >120° (Zers.).

$\alpha\alpha_3$) mit Yliden

Mit Yliden lassen sich im allgemeinen aus Triorganoboranen beim Erhitzen unter Wanderung der Organo-Gruppen Amin-Triorganoborane mit einem (oder mehreren) homologen Organo-Rest am B-Atom herstellen. Man geht hierzu meist von Lewisbase-Triorganoboranen (vgl. S. 442) oder von den zwitterionischen Ammonionoorganoboraten (vgl. S. 447, 705) aus[7].

1-Boraadamantan + $(H_3C)_3N=CH_2$ $\xrightarrow{THF, \Delta}$ 1-Boraadamantan-$\overset{\ominus}{B}$–$\overset{\oplus}{N}(CH_3)_3$

Trimethylamin-1-boraadamantan; 60%; F: 150–156°

---

[1] R. Köster u. E. Rothgery, A. **1974**, 112.
[2] I. I. Lapkin, S. E. Ukhanov u. G. A. Yuzhakova, Ž. obšč. Chim. **45**, 1511 (1975); engl.: 1479; C. A. **83**, 179177 (1975).
[3] I. I. Lapkin, G. A. Yuzhakova, R. P. Drovneva u. V. I. Bachurina, Ž. obšč. Chim. **48**, 2312 (1978); engl.: 2099; C. A. **90**, 87541 (1979).
[4] R. Köster u. G. Seidel, Ang. Ch. **93**, 1009 (1981).
[5] P. Binger u. R. Köster, Synthesis **1973**, 369.
[6] R. Köster, Pure Appl. Chem. **49**, 765 (1977).
[7] B. M. Mikhailov, N. N. Govorov, Y. A. Angelyuk, V. G. Kiselev u. M. I. Struchkova, Izv. Akad. SSSR **1980**, 1626; engl.: 1164; C. A. **93**, 293498 (1980).

α_2) aus Hydroboranen

Auch Hydroborane sind Ausgangsverbindungen zur Herstellung von Amin-Triorganoboranen. Beispielsweise führt die Hydroborierung von Mono-, Di- und Triallylaminen zu mono-, bi- sowie tricyclischen Verbindungen.

Tetraalkyldiborane(6) setzen sich mit Allylamin zu 2,2-Diorgano-1,2-azoniaboratolidinen um. Als Nebenprodukt werden durch N-Borylierung Allylamino-diorgano-borane gebildet[1]:

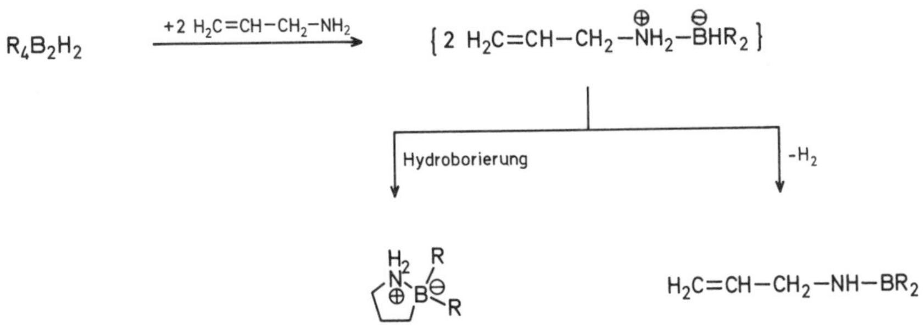

...-1-hydro-1,2-azoniaboratolidin

R = C_3H_7; *2,2-Dipropyl-...*
R = C_4H_9; *2,2-Dibutyl-...*

Die in 3- oder (3 + n)-Stellung zum Bor-Atom gebundenen Heterofunktionen sind gegen spontane Eliminierung (s. Bd. XIII/3a, S. 537ff.) meist stabil. Es bilden sich intra- bzw. intermolekular stabilisierte Lewisbase-Borane, z.B. Amin-Borane:

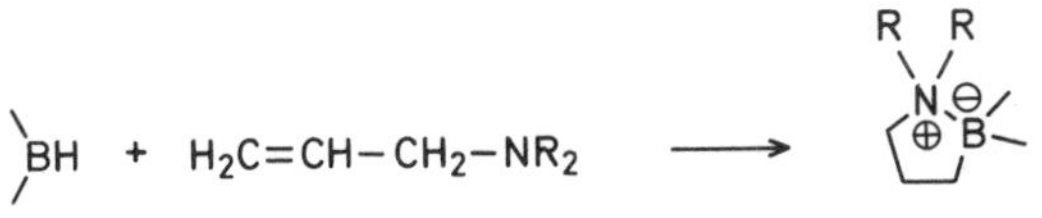

α_3) aus Halogenboranen

Aus Halogen-organo-boranen sind Amin-Triorganoborane durch Substitutionen oder Additionen zugänglich. Halogenborane reagieren mit verschiedenartigen metallorganischen Verbindungen (auch 1-Alkinylmetall-Verbindungen) in Ethern unter Zusatz von Aminen zu Amin-Triorganoboranen[2]. Die Reaktionen verlaufen über Amin-Halogenborane (vgl. S. 515ff.). Pyridin-Triorganoborane sind entsprechend zu gewinnen (vgl. S. 460).

---

[1] B. M. Mikhailov, V. A. Dorokhov u. N. V. Mostovoi, Izv. Akad. SSSR **1964**, 199; engl.: 186; C. A. **60**, 9301 (1964).
[2] W. F. Davidsohn u. M. C. Henry, Chem. Reviews **67**, 73 (1967).

Bestimmte bicyclische sowie tricyclische Amin-(2-Halogenvinyl)-borane lassen sich aus Dihalogen-methyl-boranen bzw. aus Trihalogenboranen (Halogen = Chlor, Brom) mit Di-2-propinyl-organo-aminen oder mit Tri-2-propinylamin durch Haloborierung der C≡C-Bindung in bescheidenen Ausbeuten (~5%) herstellen[1]:

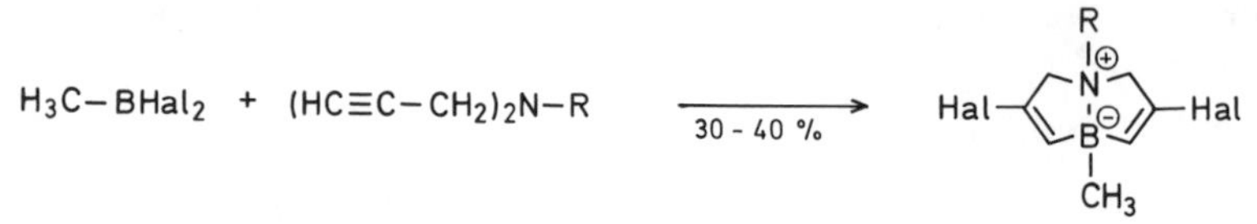

$$H_3C-BHal_2 + (HC{\equiv}C-CH_2)_2N-R \xrightarrow{30-40\,\%}$$

R= CH_3, C_2H_5, C_4H_9, C_6H_5, CH_2–C_6H_5

3,7-Dihalogen-5-methyl-1-organo-1-azonia-5-borata-bicyclo[3.3.0]octa-3,6-dien

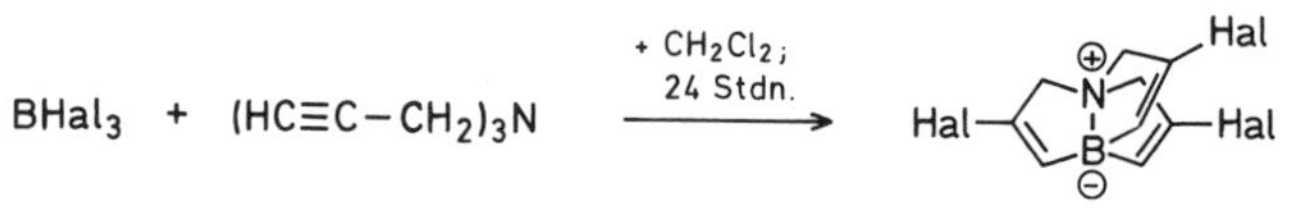

$$BHal_3 + (HC{\equiv}C-CH_2)_3N \xrightarrow[24\ Stdn.]{+\ CH_2Cl_2;}$$

...-azonia-5-borata-tricyclo[3.3.3.0^{1,5}]undeca-3,6,10-trien

Hal = Cl; *3,7,10-Trichlor-...*; 5,5%; F: 159°
Hal = Br; *3,7,10-Tribrom-...*; ~3%; F: 116°

α_4) *aus Oxyboranen*

Ammoniak-Triarylborane können aus Alkoxy-diaryl-boranen mit lithiumorganischen Verbindungen in Gegenwart von Ammoniak hergestellt werden; z.B.[2]:

Ammoniak-Bis[4-chlorphenyl]-phenyl-boran	42%
Ammoniak-Diphenyl-(4-methylphenyl)-boran	53%

Aus Diethoxy-(3-dimethylaminopropyl)-boran sind mit Organomagnesiumhalogeniden in Diethylether 1,1-Dimethyl-2,2-diorgano-1,2-azoniaboratolidine in 70–90% igen Ausbeuten zugänglich[3]:

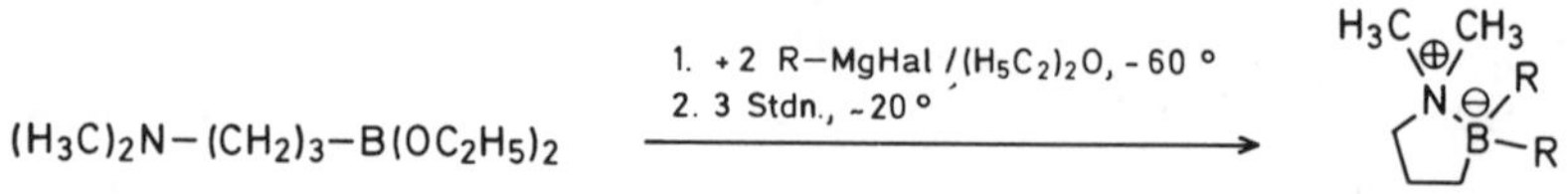

$$(H_3C)_2N-(CH_2)_3-B(OC_2H_5)_2 \xrightarrow[2.\ 3\ Stdn.,\ -20\,°]{1.\ +2\ R-MgHal\ /(H_5C_2)_2O,\ -60\,°}$$

...-1,2-azoniaboratolidin

R = CH_3 (Hal = J); *1,1,2,2-Tetramethyl-...*; 77%; F: 84–85°
R = C_6H_5(Hal = Br); *1,1-Dimethyl-2,2-diphenyl-...*; 87%; F: 153–154°

[1] A. MELLER, F.J. HIRNINGER, M. NOLTEMEYER u. W. MARINGGELE, B. **114**, 2519 (1981).
[2] B.M. MIKHAILOV u. V.A. VAVER, Izv. Akad. SSSR **1957**, 812; C.A. **52**, 3667 (1958).
[3] Z. POLÍVKA u. M. FERLES, Coll. czech. chem. Commun. **34**, 3009 (1969).

α_5) *aus Amino-diorgano-boranen*

Durch Alkylierung am Bor-Atom erhält man aus cyclischen Amino-diorgano-boranen mit metallorganischen Verbindungen nach Hydrolyse Amin-Triorganoborane.

1,2-Diorgano-1,2-azaborolidine reagieren mit magnesiumorganischen Verbindungen unter Bildung nicht isolierter Metall-1,2,2-triorgano-1,2-azaboratolidinate, aus denen durch Hydrolyse gesättigte cyclische Amin-Triorganoborane erhalten werden[1]:

M = MgHal

z.B.: R^1 = H; R^2 = R^3 = C_4H_9; *2,2-Dibutyl-1-hydro-1,2-azonia-boratolidin*; Kp_2: 110–112°; n_D^{20}: 1,4679

α_6) *aus Lewisbase-Boranen*

Amin-Triorganoborane sind auch aus verschiedenen Lewisbase-Boranen zugänglich. Als Edukte verwendet man andere Lewisbase-Triorganoborane, -Hydro-organo-borane, -Trihydroborane sowie Additionsverbindungen der Halogen-organo-borane. Reaktionspartner sind im allgemeinen die gleichen Verbindungen wie bei der Herstellung der Lewisbase-freien Triorganoborane.

$\alpha\alpha_1$) aus Lewisbase-Triorganoboranen

Die Herstellung von Amin-Triorganoboranen ist nach recht unterschiedlichen Methoden möglich. Beispielsweise können Lewisbasen an Triorganoboran gegen Amin ausgetauscht werden[2-7]. Additionsverbindungen des 1-Boraadamantans mit sek. bzw. prim. Aminen (z.B. Dipropylamin, 1-Aminoadamantan, Octadecylamin) erhält man aus Triethylamin-1-Boraadamantan mit Aminen[3].

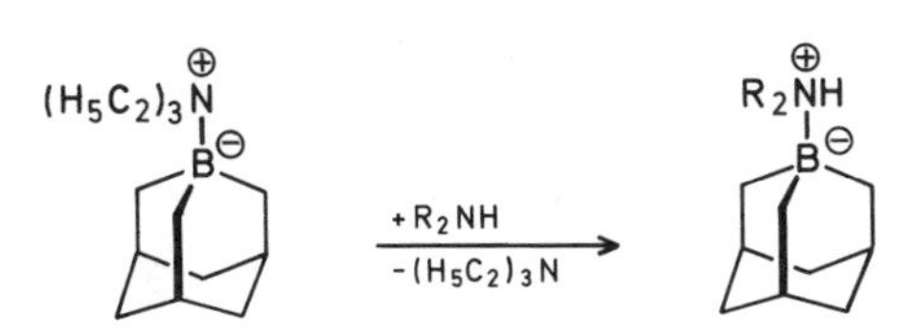

Ammoniak- und *Dimethylamin-Tris[phenylethinyl]boran* werden aus Tetrahydrofuran-Tris[phenylethinyl]boranen mit den entsprechenden N-Basen gewonnen[2]. Auch *Diethylamin-Triethinylboran* ist durch Basen-Austausch zugänglich. Edukt ist Pyridin-Tri-

---

[1] V.A. Dorokhov, O.G. Boldyreva u. B.M. Mikhailov, Ž. obšč. Chim. **43**, 1955 (1973); engl.: 1938; C.A. **78**, 3567 (1973).

[2] U. Krüerke, Z. Naturf. **11b**, 676 (1956).

[3] B.M. Mikhailov, T.K. Baryshnikova, V.G. Kiselev u. A.S. Shashkov, Izv. Akad. SSSR **1979**, 2544; engl.: 2361; C.A. **93**, 8231 (1980).

[4] E.C. Ashby u. W.E. Foster, J. Org. Chem. **29**, 3225 (1964).

[5] H.J. Roth u. C. Schwenke, Ar. **298**, 648 (1965).

[6] R. Köster, H.-J. Horstschäfer u. P. Binger, A. **717**, 1 (1968).

[7] B.M. Mikhailov u. K.L. Cherkasova, J. Organometal. Chem. **246**, 9 (1983); *Trimethylamin-4-Chlor-1-boraadamantan* (87%; F: 74–77°) aus dem Tetrahydrofuran-Derivat mit Trimethylamin in Diethylether bei 20–35°.

ethinylboran[1]. Angewandt wird die Methode auch zur Herstellung von Pyridin-Triorganoboranen aus Tetrahydrofuran-Triorganoboranen (vgl. S. 459).

Amin-Triorganoborane lassen sich auch aus anderen Amin-Triorganoboranen durch thermischen Abbau des Organo-Restes am Stickstoff-Atom gewinnen[2]; z.B.:

$$\xrightarrow[-\ \text{2-Methylen-cyclohexanon}]{\Delta}$$

Methyl-(2-oxocyclohexylmethyl)-amin-Triphenyl-boran; 85%

Von allgemeiner präparativer Bedeutung sind Reaktionen, bei denen die Organo-Reste am Bor-Atom der Lewisbase-Triorganoborane verändert werden. Die Herstellung einiger Triorganoborane durch Ligandensubstitution ist auch in Gegenwart von Stickstoffbasen möglich (vgl. S. 445ff.). Stickstoffbasen wirken bei der Herstellung bestimmter Triorganoborane als Stabilisatoren. Man erhält z.B. *Trimethylamin-Tris[1-alkinyl]borane* aus dreifacher Menge Trimethylamin-1-Alkinyl-dialkyl-boran durch Oxygenierung der Alkyl-Reste mit Trimethylamin-N-oxid[2]; z.B.:

$$3\ (H_3C)_3\overset{\oplus}{N}-\overset{\ominus}{B}R_2-C{\equiv}C-C_2H_5 \xrightarrow[-8\ (H_3C)_3N,\ -2\ B(OR)_3]{+6\ ON(CH_3)_3} (H_3C)_3\overset{\oplus}{N}-\overset{\ominus}{B}(C{\equiv}C-C_2H_5)_3$$

Trimethylamin-Tris[1-butinyl]boran

Mit Trimethylamin-N-oxid im Überschuß werden zwitterionische *Trimethylamin-N-oxid-Tris[1-alkinyl]borane* (vgl. S. 724) gebildet[2].

Die Herstellung von *Trimethylamin-3-Borahomoadamantan* (60%) gelingt aus Tetrahydrofuran-3-Boraadamantan mit Methylen-trimethyl-azaran durch Verdrängung des Ethers und Methylen-Einschub in das Triorganoboran[3]:

$$\xrightarrow[-\text{LiBr},\ -\text{THF}]{+(H_3C)_3N{=}CH_2/\text{LiBr}}$$

$\alpha\alpha_2$) aus Lewisbase-Hydroboranen

Amin-Hydro-organo-borane und Amin-Trihydroborane werden zur Herstellung von Amin-Triorganoboranen unterschiedlicher Strukturen verwendet. Reaktionspartner sind Alkenylamine.

Aus (Allyl-methyl-phenyl-amin)-9-Borabicyclo[3.3.1]nonan erhält man beim Erwärmen unter Hydroborierung *2-(1,5-Cyclooctandiyl)-1-methyl-1-phenyl-1,2-azoniaboratolan*[4]:

---

[1] E.C. ASHBY u. W.E. FOSTER, J. Org. Chem. **29**, 3225 (1964).

[2] H.J. ROTH u. C. SCHWANKE, Ar. **298**, 648 (1965).

[3] B.M. MIKHAILOV, N.N. GOVOROV, YA, A. ANGELYUK, V.G. KISELEV u. M.I. STACHKOVA, Izv. Akad. SSSR **1980**, 1621; engl.: 1164; C.A. **93**, 239498 (1980).

[4] M. BARBOULÈNE, J.-L. TORREGROSA, V. SPÉCIALE u. A. LATTES, Bl. **1980**, II-565; C.A. **95**, 81076 (1981).

Die Hydroborierung von Alkyl-diallyl-aminen liefert bei Einsatz von Triethylamin-Dihydro-phenyl-boran 1-Alkyl-5-phenyl-1-azonia-5-borata-bicyclo[3.3.0]octane in bescheidenen Ausbeuten; denn 1-Alkyl-2-phenyl-1,2-azaborolidine (vgl. S. 77) werden unter Propen-Abspaltung durch N-Borylierung[1] in etwa 3facher Menge gebildet[2,3]:

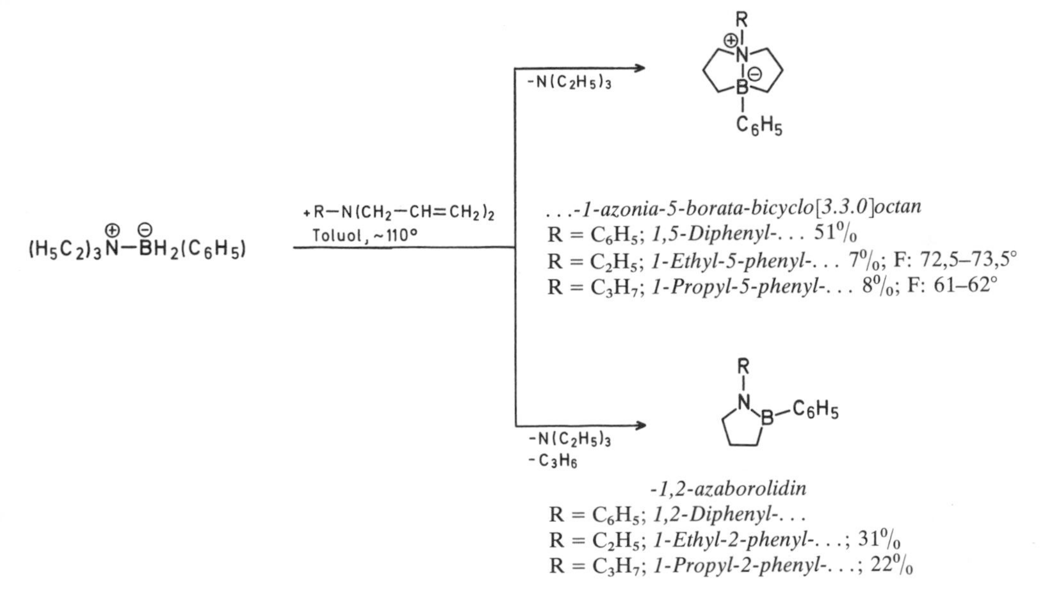

Aus Triethylamin-Dideutero-phenyl-boran erhält man mit Diallyl-phenyl-amin *3,7-Dideutero-1,5-diphenyl-1-azonia-5-borata-bicyclo[3.3.0]octan*[4].

Auch Trialkylamin-Trihydroborane sind zur Herstellung von cyclischen N-Donator-Triorganoboranen gut geeignet, wenn man in Gegenwart von Triorganoboranen mit geeigneten Alkenylaminen reagieren läßt. Beispielsweise erhält man aus Triethylamin-Boran, Trialkylboran und Allylamin im Mengenverhältnis 2:1:3 unter Abspaltung von Triethylamin und Wasserstoff ein Gemisch von 2,2-Diorgano-1-hydro-1,2-azoniaboratolidin I, 2-Alkyl-1,2-azaborolidin II und Allylamino-dialkyl-boran III. Das Mengenverhältnis der Reaktionsprodukte hängt von den Bedingungen, insbesondere von der Aufheizgeschwindigkeit ab[5–7]:

[1] G. B. Butler u. G. L. Statton, Am. Soc. **86**, 518 (1964).
[2] C. L. McCormick u. G. B. Butler, J. Org. Chem. **41**, 2803 (1976).
[3] C. L. McCormick, Dissertation Abstr. Int. B **34**, 4882 (1974); C. A. **81**, 78269 (1974).
[4] C. L. McCormick u. G. B. Butler, J. Miss. Acad. Sci. **21**, 16 (1976); C. A. **87**, 68444 (1977); dort zwölf Aryl-subst. 1,5-Diphenyl-1-azonia-5-borata-bicyclo[3.3.0]octane.
[5] B. M. Mikhailov, V. A. Dorokhov u. N. V. Mostovoi, Izv. Akad. SSSR **1964**, 201; engl.: 189; C. A. **60**, 13261 (1964).
[6] B. M. Mikhailov, V. A. Dorokhov, N. V. Mostovoi, I. P. Jakovlev, Probl. Organ. Sintez., Akad. Nauk SSSR, Otd., J. Obšč. i. Tekhn. Khim. **1965**, 233; C. A. **64**, 14204[b] (1966).
[7] V. A. Dorokhov, O. G. Boldyreva u. B. M. Mikhailov, Ž. obšč. Chim. **43**, 1955 (1973); engl.: 1938; C. A. **80**, 3567[c] (1974).

$$(H_5C_2)_3\overset{\oplus}{N}-\overset{\ominus}{B}H_3 + BR_3 + H_2C{=}CH-CH_2-NH_2 \xrightarrow[-H_2]{-(H_5C_2)_3N} \text{I} + \text{II} + R_2B-NH-CH_2-CH{=}CH_2 \text{ (III)}$$

R = C_3H_7, C_4H_9, $CH_2-CH_2-CH(CH_3)_2$, C_6H_{13}

Mit Triallylamin unter dreifacher Hydroborierung wird das *1-Azonia-5-borata-tricyclo[3.3.3.0[1,5]]undecan* erhalten[1]:

$$(H_5C_2)_3\overset{\oplus}{N}-\overset{\ominus}{B}H_3 + (H_2C{=}CH-CH_2)_3N \xrightarrow[-(H_5C_2)_3N]{\sim 160°}$$

Falls man von Natriumtetrahydroborat (vgl. S. 496) ausgeht, werden Allylamin-Hydrochlorid[2] bzw. Allyl-dimethyl-amin-Hydrochlorid[1] eingesetzt.

Aus Triethylamin-Boran ist mit 3-Methoxy-7-methoxymethyl-3-borabicyclo[3.3.1]non-6-en bei 135–145° durch Hydroborierung und Boran-Disproportionierung *Triethylamin-1-Boraadamantan* (F: 72–75°, aus Hexan; Kp_1: 95–98°) zugänglich[3]:

$$(H_5C_2)_3N-BH_3 + \xrightarrow[-\{-H_2B-OCH_3\}]{135-145°,\ 1\ \text{Stde.}}$$

Außer Triethylamin lassen sich als Boran-Stabilisatoren auch andere tert. Alkylamine sowie 5- und 6-gliedrige N-Heterocyclen verwenden[4].

$\alpha\alpha_3$) aus Lewisbase-Halogenboranen

Zur Herstellung bestimmter N-Donator-Triorganoborane (Pyridin vgl. S. 451) geht man von Amin-Halogen-organo-boranen aus. Vor allem können 1-Alkinyl-Reste am Bor-Atom gut eingeführt werden. Man verwendet lithium-, natrium- und magnesium-organische Verbindungen.

---

[1] N. N. GREENWOOD, J. H. MORRIS u. J. C. WRIGHT, Soc. **1964**, 4753.

[2] Z. POLÍVKA u. M. FERLES, Collect. czech. chem. Commun. **34**, 3009 (1969); C. A. **71**, 113018 (1969).

[3] B. M. MIKHAILOV, T. K. BARYSHNIKOVA, V. G. KISELEV u. A. S. SHASHKOV, Izv. Akad. SSSR **1979**, 2544; engl.: 2361; C. A. **93**, 8231 (1980).

[4] USSR. P. 702022 (1977/1979), B. M. MIKHAILOV u. F. K. BARYSHNIKOVA, Zelinskii, N. D. Inst. für Org. Chemie, Moskau; C. A. **92**, 129074 (1980).

Eine oder mehrere 1-Alkinyl-Gruppen werden ans Bor-Atom verhältnismäßig komplikationslos übertragen, wenn man Halogen-organo- bzw. Trihalogen-borane in Gegenwart von Lewisbasen mit 1-Alkalimetall-1-alkinen umsetzt[1-3]. Die sonst leicht erfolgenden Umlagerungen der intermediär gebildeten Tetraorganoborate (vgl. S. 448ff.) treten nicht ein[1].

Aus Trimethylamin- oder 1-Methylpyrrolidin-Dialkyl-fluor-boranen (vgl. S. 515) erhält man mit 1-Lithium-1-alkinen in Diethylether farblose, meist kristalline Amin-1-Alkinyl-dialkyl-borane nahezu quantitativ[1]:

$$(H_3C)_3\overset{\oplus}{N}-\overset{\ominus}{B}(R^1)_2-F \xrightarrow[- LiF]{+ Li-C\equiv C-R^2,\ 0-10°} (H_3C)_3\overset{\oplus}{N}-\overset{\ominus}{B}(R^1)_2-C\equiv C-R^2$$

Trimethylamin-Diethyl-1-propinyl-boran[1]**:** Zu 16,65 g (0,35 mmol) 1-Lithium-1-propin in 250 *ml* Diethylether werden bei 0–5° unter Rühren innerhalb 1–2 Stdn. 51,3 g (0,35 mmol) Trimethylamin-Diethyl-fluor-boran getropft. Nach Abfiltrieren vom Lithiumfluorid isoliert man bei −80° farblose Kristalle; Ausbeute: 55,5 g (95%); F: 33°.

Auch die Herstellung der Trimethylamin-Alkyl-(di-1-alkinyl)-borane gelingt mit 1-Lithium-1-alkinen zu ~90%[1]:

$$(H_3C)_3\overset{\oplus}{N}-\overset{\ominus}{B}(Hal)_2-R^1 + 2\ Li-C\equiv C-R^2 \xrightarrow[-2\ LiHal]{} (H_3C)_3\overset{\oplus}{N}-\overset{\ominus}{B}(R^1)(C\equiv C-R^2)_2$$

Hal = F, Cl

Bei der Umsetzung von Trimethylamin-Difluor-ethyl-boran mit der doppelten Menge 1-Propinyllithium in Diethylether bei ~0° wird zu 97% *Trimethylamin-(Di-1-propinyl)-ethyl-boran* erhalten[1]:

$$(H_3C)_3\overset{\oplus}{N}-\overset{\ominus}{B}F_2-C_2H_5 + 2\ Li-C\equiv C-CH_3 \xrightarrow[-2\ LiF]{(H_5C_2)_2O,\ -0°} (H_3C)_3\overset{\oplus}{N}-\overset{\ominus}{B}(C_2H_5)(C\equiv C-CH_3)_2$$

Auf analoge Weise[1] gewinnt man u.a.

Trimethylamin-(Di-1-propinyl)-isobutyl-boran	96%; F: 55°
1,2-Bis[dimethylamino]ethan-Bis[(di-1-propinyl)-propyl-boran]	78%; F: 75° (Zers.)

Amin-Dialkyl-ethinyl-borane werden vorteilhaft mit Natriumethin statt mit dem verhältnismäßig schwierig zugänglichen Lithiumethin hergestellt (vgl. Tab. 73, S. 446). Aus Trimethylamin-diethyl-fluor-boran läßt sich z.B. *Trimethylamin-Diethyl-ethinyl-boran* zu 84% gewinnen[1].

[1] R. Köster, H.-J. Horstschäfer u. P. Binger, A. **717**, 1 (1968).
[2] E.C. Ashby u. W.E. Foster, J. Org. Chem. **29**, 3225 (1964).
[3] H. Grundke u. P.I. Paetzold, B. **104**, 1136 (1971).

Tab. 73: Amin-1-Alkinyl-dialkyl-borane aus Amin-Diorgano-halogen-boranen mit Alkalimetall-1-alkinen[1]

Amin-Diorgano-halogen-boran	1-Alkalimetall-1-alkin	Amin-Triorganoboran	Ausbeute [%]	F [°C]	Kp	
					[°C]	[Torr]
$(H_3C)_3\overset{\oplus}{N}-\overset{\ominus}{B}F(C_2H_5)_2$	$HC\equiv C-Na$	*Trimethylamin-Diethyl-ethinyl-boran*	84	+1	30–40	0,001
	$H_3C-C\equiv C-Li$	*Trimethylamin-Diethyl-1-propinyl-boran*	95	33	–	–
	$H_5C_2-C\equiv C-Li$	*Trimethylamin-1-Butinyl-diethyl-boran*	94	–4	40–45	0,001
	$H_3C-(CH_2)_5-C\equiv C-Li$	*Trimethylamin-Diethyl-1-octinyl-boran*	84	–33	48–50	0,0001
1-Methylpyrrolidinium-$\overset{\ominus}{B}F(C_3H_7)_2$ (CH_3, $\oplus N$)	$H_3C-C\equiv C-Li$	*1-Methylpyrrolidin-Dipropyl-1-propinyl-boran*	93	59,5	–	–
$(H_3C)_2\overset{\oplus}{N}(-\overset{\ominus}{B}F(C_3H_7)_2)-CH_2-CH_2-\overset{\oplus}{N}(CH_3)_2(-\overset{\ominus}{B}F(C_3H_7)_2)$	$H_3C-C\equiv C-Li$	*1,2-Bis[dimethylamino]ethan-Bis [dipropyl-1-propinyl-boran]*	80	70 (Zers.)		–

[1] R. Köster, H.-J. Horstschäfer u. P. Binger, A. **717**, 1 (1968).

Aus Amin-Chlor-diorgano-boranen lassen sich mit Natriumcyclopentadien[1] die entsprechenden Amin-(1,3-Cyclopentadienyl)-diorgano-borane herstellen[2]:

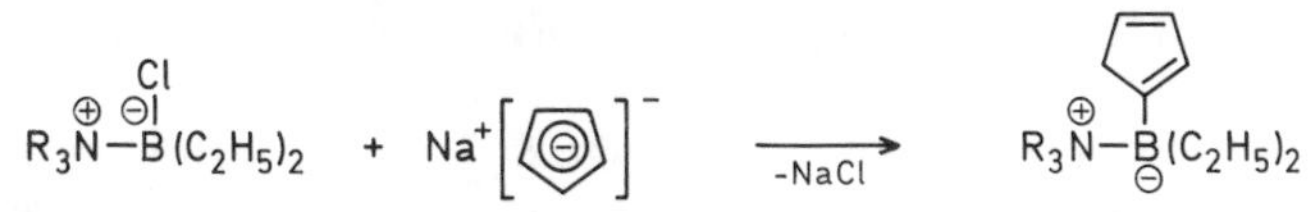

$$R_3\overset{\oplus}{N}-\overset{\ominus}{B}(Cl)(C_2H_5)_2 + Na^+[C_5H_5]^- \xrightarrow{-NaCl} R_3\overset{\oplus}{N}-\overset{\ominus}{B}(C_5H_5)(C_2H_5)_2$$

Beispielsweise erhält man in 60%iger Ausbeute *Triethylamin-(1,3-Cyclopentadienyl)-diethyl-boran* ($Kp_{0,005}$: 45°)[2].

Auch Organomagnesiumhalogenide werden zur Herstellung von Amin-Triorgano-boranen eingesetzt[1,3]. So erhält man z.B. aus 2,2-Dibrom-1,1-dimethyl-1,2-azoniaboratolidin (F: 194–195°) mit Methylmagnesiumjodid in Ether *1,1,2,2-Tetramethyl-1,2-azoniaboratolidin* (F: 84–85°) in ~70%iger Ausbeute[3]:

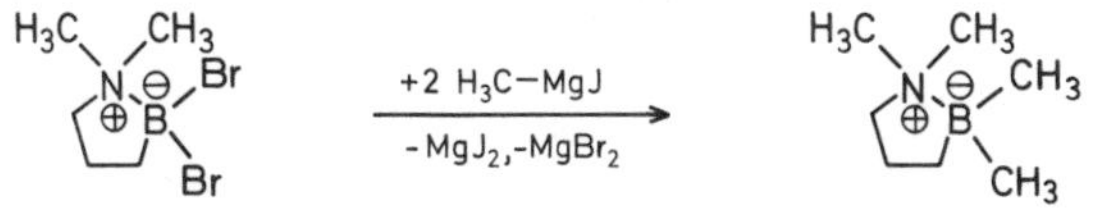

$$\xrightarrow[-MgJ_2,\,-MgBr_2]{+2\ H_3C-MgJ}$$

Mit Phenylmagnesiumbromid ist in Cyclohexan mit 82%iger Ausbeute das *1,1-Dimethyl-2,2-diphenyl-1,2-azoniaboratolidin* (F: 153–154°) zugänglich[3].

α_7) *aus zwitterionischen Organoboraten*

Trialkylammonionomethyl-triorgano-borate (vgl. S. 705) reagieren beim Erwärmen unter Wanderung des Organo-Restes vom Bor- zum C-Atom der Methylen-Gruppe unter Bildung von Amin-Triorganoboranen. Beispielsweise erhält man aus den zwitterionischen Additionsverbindungen der Trialkylborane mit Methylen-trimethyl-azaran (vgl. S. 705f.) nach Alkyl-Wanderung Trimethylamin-Trialkylborane mit einer um ein C-Atom verlängerten Alkyl-Gruppe[4]:

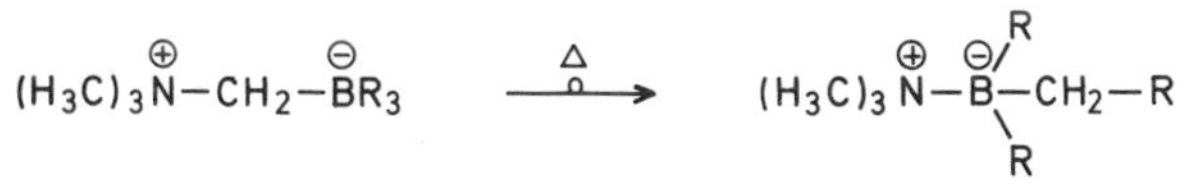

$$(H_3C)_3\overset{\oplus}{N}-CH_2-\overset{\ominus}{B}R_3 \xrightarrow{\Delta} (H_3C)_3\overset{\oplus}{N}-\overset{\ominus}{B}R_2-CH_2-R$$

Cyclische aliphatische Triorganoborane werden nach dieser Methode homologisiert. So erhält man z.B. aus 1-Trimethylammonionomethyl-1-borataadamantan beim Erwärmen unter Umlagerung *Trimethylamin-1-Borahomoadamantan*[5]:

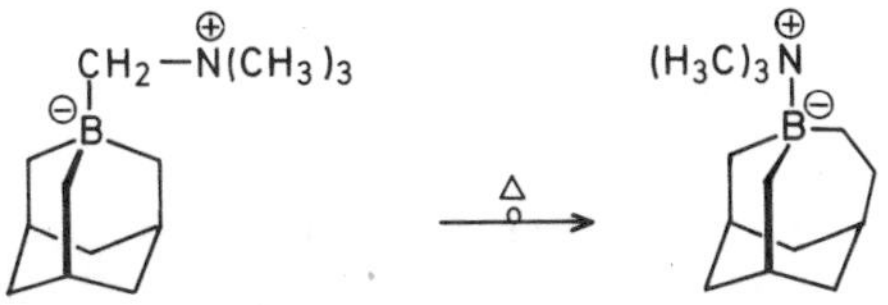

$$\xrightarrow{\Delta}$$

[1] P. Binger, G. Benedikt, G.W. Rotermund u. R. Köster, A. **717**, 21, 39 (1968).
[2] H. Grundke u. P.I. Paetzold, B. **104**, 1136 (1971).
[3] Z. Polívka u. M. Ferles, Collect. czech. chem. Commun. **34**, 3009 (1969); C.A. **71**, 113018 (1969).
[4] W.K. Musker u. R.R. Stevens, Inorg. Chem. **8**, 255 (1969); Tetrahedron Letters **1967**, 995.
[5] B.M. Mikhailov, N.N. Govorov, Y.A. Angelyuk, V.G. Kiselev u. M.I. Struchkova, Izv. Akad. SSSR **1980**, 1621; engl.: 1164; C.A. **93**, 239498 (1980).

α_8) aus Organoboraten

Tetraarylborate und 1-Alkinyl-triorgano-borate sowie Cyano-triorgano-borate werden als Edukte zur Herstellung offenkettiger und cyclischer Amin-Triorganoborane verwendet.

Aus Alkylammonium-tetraphenylboraten (vgl. S. 763ff.) erhält man beim Erhitzen in Abhängigkeit vom Alkyl-Rest und der Temperatur Alkylamin-Triphenylborane oder Alkylamino-diphenyl-borane (vgl. S. 81)[1]. Aus Propylammonium-tetraphenylborat wird bei ~150° ein Mol-Äquivalent Benzol abgespalten. Man erhält *Propylamin-Triphenylboran*:

$$[H_7C_3{-}NH_3]^+[(H_5C_6)_4B]^- \xrightarrow[-C_6H_6]{150-155°} H_7C_3{-}\overset{\oplus}{N}H_2{-}\overset{\ominus}{B}(C_6H_5)_3$$

Bei weiter erhöhter Temperatur (~200°) erfolgt erneut Benzol-Abspaltung unter Bildung des Amino-diphenyl-borans (vgl. S.74ff.).

Aus Tetraethylammonium-tetraphenylborat gewinnt man beim Erhitzen auf 350–370° (mehrere Stunden) *Triethylamin-Triphenylboran*[2]. Entsprechend ist beim Eintragen von Brom-triethylammonium-bromid in eine methanolische Lösung von Natriumtetraphenylborat *Triethylamin-Triphenylboran* (67%; F: 177–178°) zugänglich[3] (vgl. S. 432).

Alkalimetall-1-alkinyl-triorgano-borate reagieren mit Elektrophilen unter Addition/Umlagerung zu Alkenyl-dialkyl-boranen (vgl. Bd. XIII/3a, S. 201ff.). Führt man die Umsetzung in Gegenwart eines Amins durch, so erhält man Amin-Borane. Zu stabilen cyclischen Amin-Triorganoboranen gelangt man mit dem elektrophilen Dimethyl-methylen-ammonium-bromid. In Diethylether erhält man z.B. aus Natrium-1-propinyl-triethyl-borat zu 96% ein ~äquimolares Gemisch von *2,2,3-Triethyl-1,1,4-trimethyl-2,5-dihydro-1,2-azoniaboratol* (*E*-Isomer) und *Z*-Isomer (vgl. Bd. XIII/3a, S. 289). In Benzol bildet sich ein mit dem *E*-Isomer angereichertes (67%) Gemisch in etwas geringerer Ausbeute (72%). Aus Natrium-1-propinyl-trimethyl-borat erhält man reines (*E*)-Isomer in allerdings nur 35%iger Ausbeute[4]:

$$Na^+[(H_3C)_3B{-}C{\equiv}C{-}CH_3]^- \xrightarrow[-\,NaBr]{+\,[(H_3C)_2N{=}CH_2]^+\,Br^-}$$

(E)-1,1,2,2,3,4-Hexamethyl-2,5-dihydro-1,2-azoniaboratol[4]: Zu 22,5 g (0,19 mol) Natrium-1-propinyl-trimethyl-borat in 150 *ml* Ether werden innerhalb 1 Stde. portionsweise 27,6 g (0,2 mol) pulverförmiges Dimethyl-methylen-ammonium-bromid gegeben. Nach 3 Stdn. Kochen wird vom Natriumbromid abfiltriert und i.Vak. destilliert; Rohausbeute: 13,8 g 71%iges (GC) Produkt (Kp_{12}: 57–59°).

Die fraktionierende Destillation (10-cm-Vigreux-Kolonne) liefert 6,1 g 91,3%iges reines Addukt ($Kp_{0,3}$: 32°).

Falls notwendig, können die (*Z*/*E*)-Isomere destillativ ($R_B = CH_3$)[4] oder durch selektive Protolyse des (*Z*)-Isomer ($R_B = C_2H_5$)[4] getrennt werden.

Die Reaktion des Natrium-(1,3-heptadiinyl)-triethyl-borats mit Dimethyl-methylen-ammonium-bromid verläuft z.B. in nur ~22%iger Ausbeute zum allerdings 97%igen, cyclischen (*E*)-Isomer. Hauptprodukt ist mit ~78% 1-Dimethylamino-2,4-octadiin[5] (Wurtz-Produkt):

---

[1] B.R. Currell, W. Gerrard u. M. Khodabocus, J. Organometal. Chem. **8**, 411 (1967),
[2] S.U. Sheikh, T. Mahmood u. M. Haq, Proc. Eur. Symp. Therm. Anal. **2**, 446 (1981); C.A. **16**, 104332 (1982).
[3] H. Böhme u. E. Boll, Z. anorg. Ch. **291**, 160 (1957).
[4] P. Binger u. R. Köster, B. **108**, 395 (1975).
[5] R. Köster u. G. Seidel, Mülheim a.d. Ruhr, unveröffentlicht 1978.

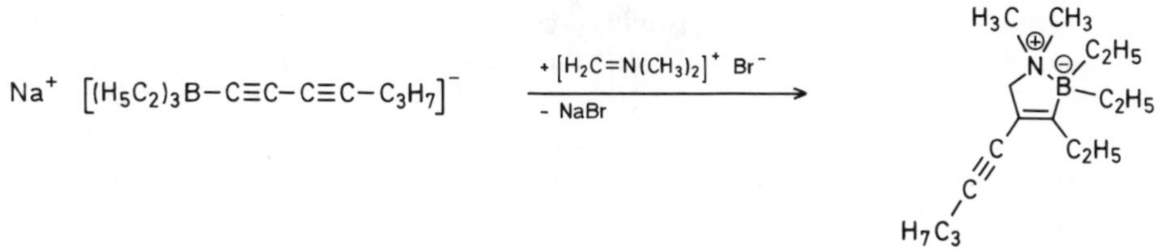

$$Na^+ \; [(H_5C_2)_3B{-}C{\equiv}C{-}C{\equiv}C{-}C_3H_7]^- \xrightarrow[-\ NaBr]{+\,[H_2C{=}N(CH_3)_2]^+\ Br^-}$$

1,1-Dimethyl-4-(1-pentinyl)-2,2,3-triethyl-2,5-dihydro-1,2-azoniaboratol; 22% (*E*: 97%; *Z*: 3%)

Ausgehend von Natrium-(3-diethylboryloxy-1-butinyl)-triethyl-borat bzw. -(3-diethylboryloxy-3-methyl-1-butinyl)-triethyl-borat erhält man mit Dimethyl-methylen-ammonium-bromid in Diethylether die in 4-Stellung durch Diethylboryloxy-alkyl-Reste substituierten 2,5-Dihydro-1,2-azoniaboratole[1]:

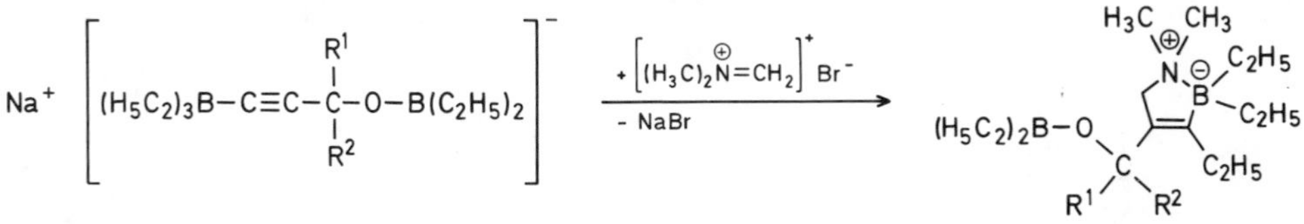

$$Na^+ \left[(H_5C_2)_3B{-}C{\equiv}C{-}C(R^1)(R^2){-}O{-}B(C_2H_5)_2\right]^- \xrightarrow[-\ NaBr]{+\,[(H_3C)_2\overset{\oplus}{N}{=}CH_2]^+\ Br^-}$$

$R^1 = CH_3$
$R^2 = H, CH_3$

4-(1-Diethylboryloxy-alkyl)-1,1-dimethyl-2,2,3-triethyl-2,5-dihydro-1,2-azoniaboratol

Die Diethylboryloxy-Gruppe läßt sich unter Erhalt des cyclischen Lewisbase-Borans protolytisch abspalten. Dabei tritt allerdings auch leicht 1,2-Eliminierung von Diethyl-hydroxy-boran ein[1]:

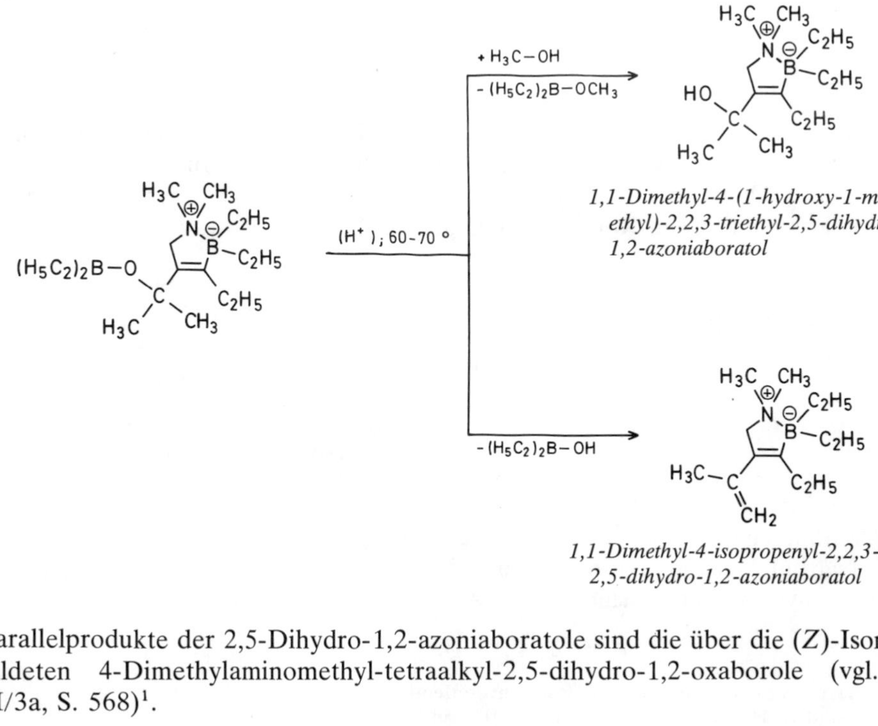

(H⁺); 60–70°

$+ H_3C{-}OH$ / $-(H_5C_2)_2B{-}OCH_3$

1,1-Dimethyl-4-(1-hydroxy-1-methyl-ethyl)-2,2,3-triethyl-2,5-dihydro-1,2-azoniaboratol

$-(H_5C_2)_2B{-}OH$

1,1-Dimethyl-4-isopropenyl-2,2,3-triethyl-2,5-dihydro-1,2-azoniaboratol

Parallelprodukte der 2,5-Dihydro-1,2-azoniaboratole sind die über die (*Z*)-Isomeren gebildeten 4-Dimethylaminomethyl-tetraalkyl-2,5-dihydro-1,2-oxaborole (vgl. Bd. XIII/3a, S. 568)[1].

[1] R. Köster u. G. Seidel, Mülheim a.d. Ruhr, unveröffentlicht 1978/1979.

Aus Natrium-triethyl-(1-trimethylsilyloxy-cyclohexylethinyl)-borat erhält man mit Dimethyl-methylen-ammoniumbromid in Diethylether *1,1-Dimethyl-2,2,3-triethyl-4-(1-trimethylsilyloxy-cyclohexyl)-2,5-dihydro-1,2-azoniaboratol* (I) (87%; $Kp_{0,001}$: 125–130°). Das ebenfalls als cyclische Additionsverbindung stabilisierte Isomer II (*4-Dimethylaminomethyl-2,2,3-triethyl-1-trimethylsilyl-1-oxonia-2-borata-spiro[4.5]dec-3-en*) wird nur zu ~42% gebildet[1]:

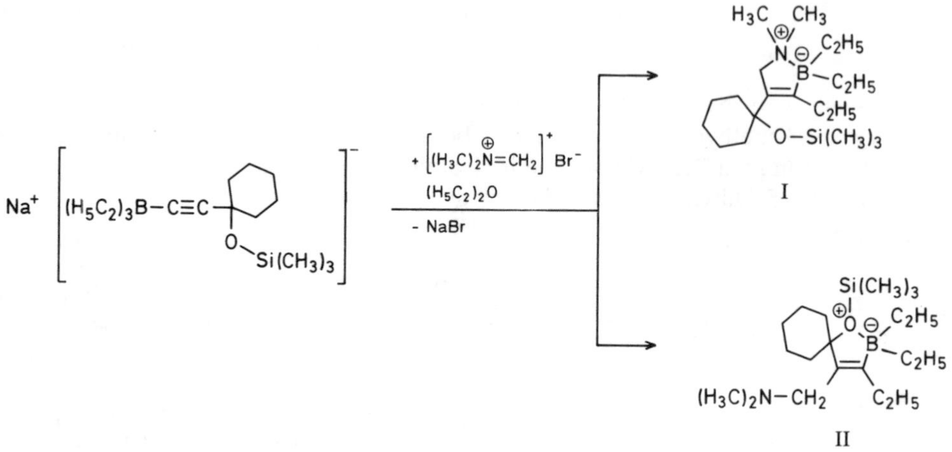

$$Na^+ \left[(H_5C_2)_3B{-}C{\equiv}C{-}C_6H_{10}{-}O{-}Si(CH_3)_3\right]^- \xrightarrow[\text{- NaBr}]{+\,[(H_3C)_2\overset{\oplus}{N}{=}CH_2]^+ Br^-,\ (H_5C_2)_2O} \text{I} + \text{II}$$

I

II

Aus Natrium-(1-cyclohexenylethinyl)-triethyl-borat ist mit dem gleichen Elektrophil in ~43%iger Ausbeute reines *4-(1-Cyclohexenyl)-1,1-dimethyl-2,2,3-triethyl-2,5-dihydro-1,2-azoniaboratol* ($Kp_{0,1}$: 56–60°) zugänglich[1].

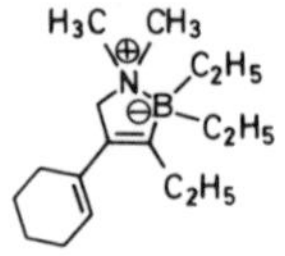

Aus Cyan-trialkyl-boraten lassen sich mit Elektrophilen Amin-Cyan-diorganoborane herstellen, die als Dimere sechsgliedrige Ringe bilden. Aus Lithium-cyan-trialkyl-boraten erhält man beim Ansäuern mit Chlorwasserstoff in Tetrahydrofuran unter Alkyl-Wanderung und Cyan-Komplexierung 1,4,2,5-Diazoniadiboratinane[2]:

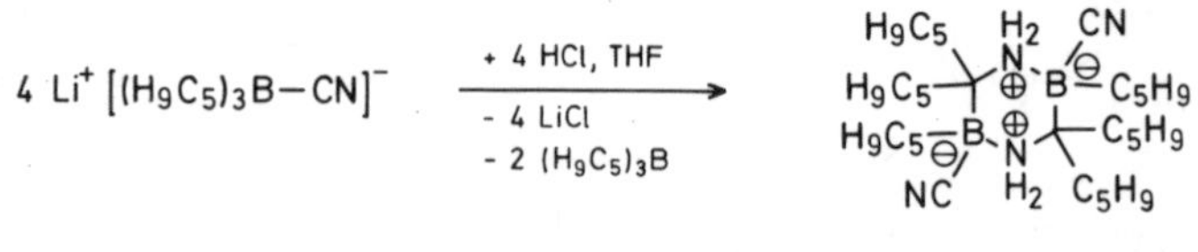

$$4\ Li^+ [(H_9C_5)_3B{-}CN]^- \xrightarrow[\text{- 4 LiCl; - 2 }(H_9C_5)_3B]{+\,4\ HCl,\ THF}$$

2,5-Dicyan-1,2-dihydro-2,3,3,5,6,6-hexacyclopentyl-1,4,2,5-diazonia-diboratinan

Die Methode ist für präparative Zwecke nicht optimiert worden[2].

Aus Natriumtetrahydroborat erhält man mit Allylamin-Hydrochlorid[3] oder mit Allyl-dimethyl-amin-Hydrochlorid[4] 1,2-Azoniaboratolidine.

---

[1] R. Köster u. G. Seidel, Mülheim a. d. Ruhr, unveröffentlicht 1978/1979.

[2] A. Pelter, M. G. Hutchings u. K. Smith, Soc. [Perkin I] **1975**, 142.

[3] N. N. Greenwood, J. H. Morris u. J. C. Wright, Sci. **1964**, 4753.

[4] Z. Polívka u. M. Ferles, Collect. czech. chem. Commun. **34**, 3009 (1964); C. A. **71**, 113018 (1969).

β) Imin-Triorganoborane

Imin-Triorganoborane, zu denen auch die N-Hetaren-Triorganoborane gezählt werden, haben offenkettige sowie vor allem verschiedenartige cyclische Strukturen mit der Atomgruppierung:

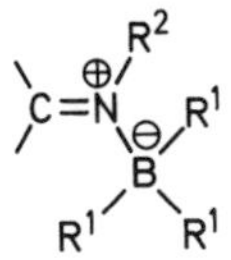

$$>C{=}\overset{\oplus}{N}(R^2)-\overset{\ominus}{B}R^1_3$$

In Tab. 74 sind die wichtigsten Verbindungstypen und deren Herstellungsarten zusammengestellt.

Tab. 74: Imin-, Pyridin-, Hydrazon- und Guanidin-Triorganoborane

Formel	Verbindungstyp	Herstellung	s. S.
Imin-Triorganoborane			
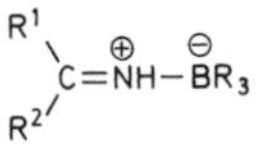 $R^1R^2C{=}\overset{\oplus}{N}H-\overset{\ominus}{B}R_3$	Do—BR_3	aus R_3B + Do	453
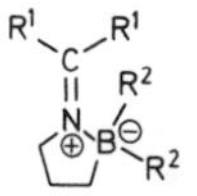	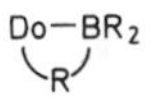 Do—BR_2 (cyclisch, R)	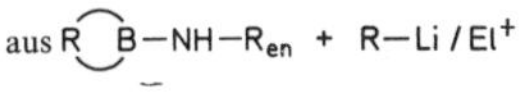 aus R B—NH—R_{en} + R—Li / Et⁺	458
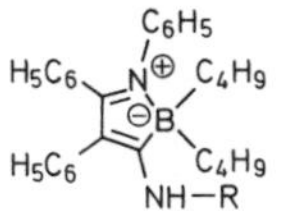	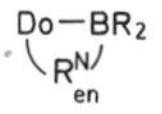 Do—BR_2 (cyclisch, R^N_{en})	aus R^1_2B—NH—R_{en} + CN—R^2	458
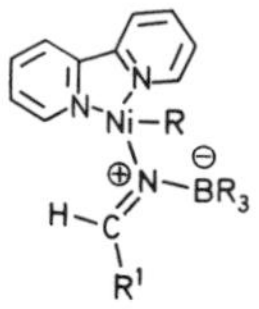 R = C_2H_5	Do—BR_3	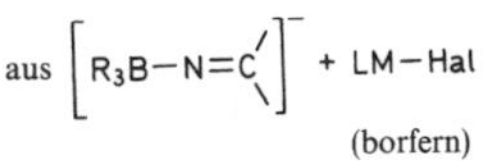 aus $[R_3B-N{=}C<]^-$ + LM—Hal (borfern)	464
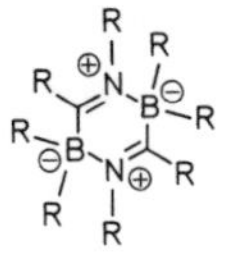	Do—BR_3	aus R^1_3B + CN—R^2	456
Pyridin-Triorganoborane			
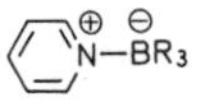 $Py^{\oplus}-\overset{\ominus}{B}R_3$; R = Alkyl, Aryl, Allyl	Do—BR_3	aus R_3B + Do	453
		aus R_2BH + Do—R_{en}	456
		aus R_2B-Hal + R_{in}—MgHal	457
		aus R^1_2B—OR^2 + R^3—Li + R_{in}—MgHal	457
		aus Do'—R^1_2B—OR^2 + R^3—MgHal/Py	462
R = C_6H_5		aus $[R_4B]^-$ + $[Py\text{-}Hal]^+$ Hal^-	463
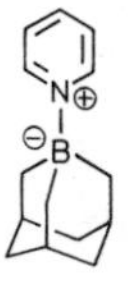	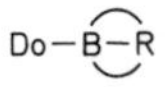 Do—B—R (cyclisch)	aus Do'—BR_3 + Do	459
		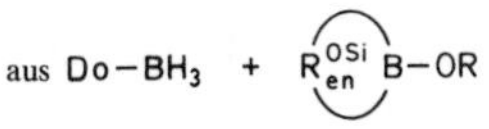 aus Do—BH_3 + R^{OSi}_{en} B—OR	460

Tab. 74 (Fortsetzung)

Formel	Verbindungstyp	Herstellung	s. S.
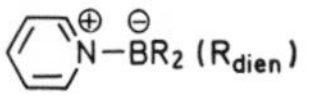	Do—$BR_2(R_{dien})$	aus Do—BR_2-Hal + R_{dien}—M	460
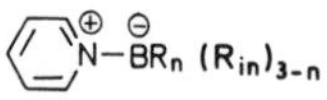	Do—$BR_n(R_{in})_{3-n}$	aus Do—BR_nHal_{3-n} + R_{in}—M	461
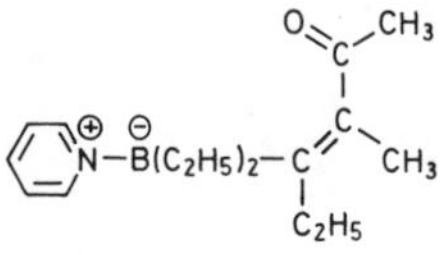	Do—BR_2 ($\overset{O}{R}_{en}$)	aus $[R_3^1B—R_{in}]^-$ + R^2—CO—X/Pyridin	463
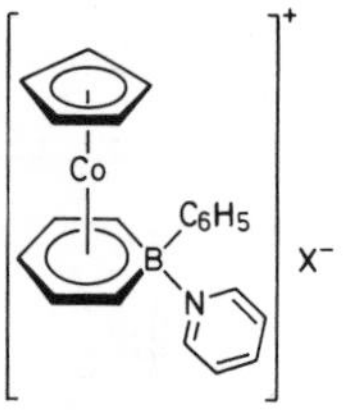	$[Do—BR_3^{ML}]^+$	aus $[LM\text{-}\pi\text{-}BR_3]^+$ + Pyridin	464
Hydrazon-Triorganoborane			
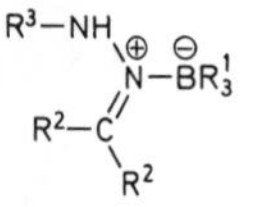	Do—BR_3	aus R_3B + Do	455
Amidin-Triorganoborane			
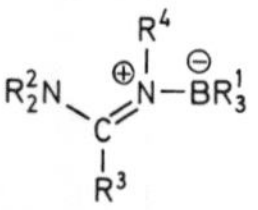	Do—BR_3	aus R_3B + Do	454
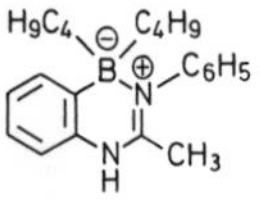	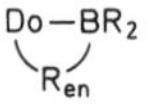	aus 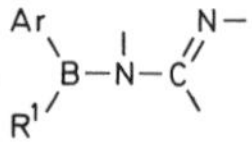 + R^2—Li/H^+	458
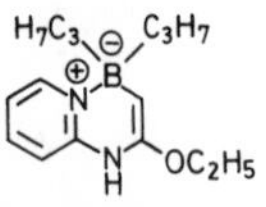	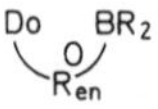	aus 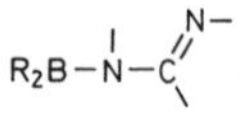 + $\overset{O}{R}_{in}$	459
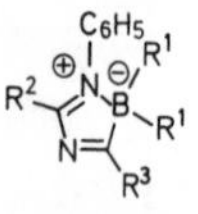	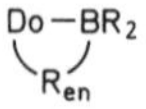	aus R_3B + HCN	455
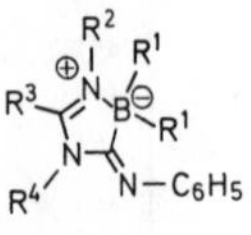	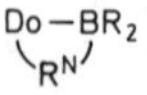	aus 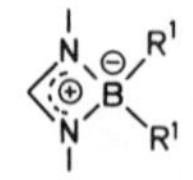 + CN—R^2	462
Guanidin-Triorganoborane			
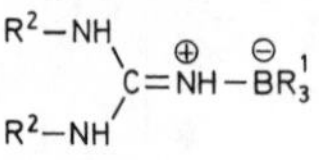	Do—BR_3	aus R_3B + Do	455

β_1) *aus Triorganoboranen*

$\beta\beta_1$) mit Iminen bzw. N-Hetarenen

Triorganoborane(3) bilden stabile 1:1-Molekülverbindungen mit Pyridin[1] und verschiedenen Pyridinbasen[2].

Die Imin-Triorganoborane werden am einfachsten in der Kälte durch Zugabe der Stickstoffbase zum reinen oder zum gelösten Triorganoboran erhalten; z.B.:

Pyridin-Trimethylboran[1]
Pyridin-Triallylboran[3]
2-Aminopyridin-Triphenylboran[4,5]

Pyridin-Triorganoborane können zur Charakterisierung von Isomeren (vgl. S. 437) herangezogen werden[6]; z.B. zur Isolierung von *cis,cis,trans-* (I; *Centrobor I*)[7] und *all-cis-1,5,9-Cyclododecantriylboran* (II; *all-cis-Perhydro-9b-boraphenalen; Centrobor II*)[7] als 1:1-Additionsverbindungen[6]:

I; flüssig
+Pyridin; F: 104–108°

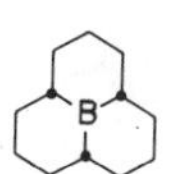

II; fest; F: 31°
+Pyridin; F: 80,5–82°

1-Boraadamantan reagiert mit *Pyridin, 4-Aminopyridin, Benzimidazol* oder mit *4,4'-Bipyridyl* unter Bildung von 1:1-Additionsverbindungen[8]. *Pyridin-1a,1a-Dimethyl-1-bora-homoadamantan* (Kp_1: 123–128°; F: 124–124,5°) erhält man aus den Komponenten in Isopentan zu 71%[9]:

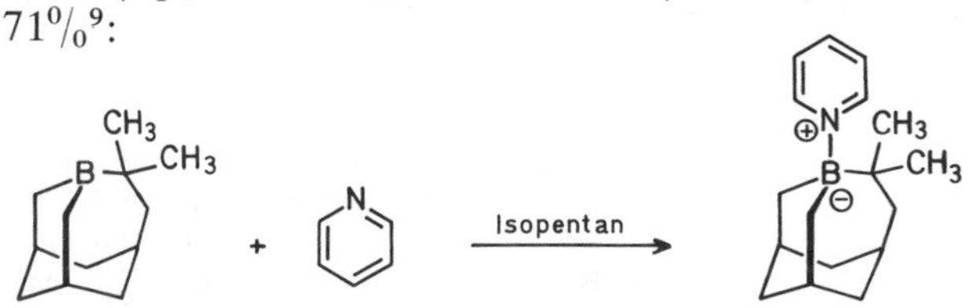

Die durch Hydroborierung von Methylencyclopropan zugänglichen Cyclopropylmethyl-borane isomerisieren bei ~20° auch in Gegenwart von Ethern oder Triethylamin in 3-Butenylborane[10,11] (vgl. Bd. XIII/3a, S. 183). Durch Zusatz von Pyridin läßt sich die Ringöffnung bis ~80° wegen Bildung einer relativ stabilen Additionsverbindung mit tetrakoordiniertem Bor-Atom verhindern[11]:

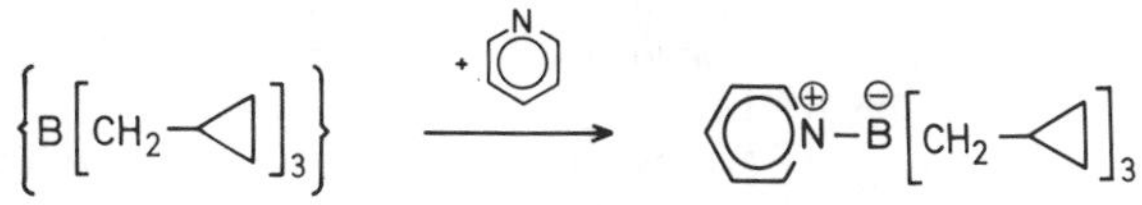

---

[1] H.C. Brown u. G.K. Barbaras, Am. Soc. **69**, 1137 (1947).

[2] E. Krause u. A. v. Grosse, *Die Chemie der metallorganischen Verbindungen,* Verlag Borntraeger, Berlin 1937.

[3] K. Utimoto, N. Sabai, M. Obayashi u. H. Nazaki, Tetrahedron **32**, 769 (1976).

[4] B.R. Gragg u. K. Niedenzu, J. Organometal. Chem. **117**, 1 (1976).

[5] G.A. Yuzhakova, I.I. Lapkin u. T.D. Mamonova, Khimiya Organ. Soedin. Azota, Perm **1981**, 76; C.A. **97**, 216275 (1982).

[6] G.W. Rotermund u. R. Köster, A. **686**, 153 (1965).

[7] Zur strukturellen Zuordnung der beiden stereoisomeren Perhydro-9b-boraphenalene s. H.C. Brown u. W.C. Dickason, Am. Soc. **91**, 1226 (1969); vgl. Bd. XIII/3a, S. 26.

[8] B.M. Mikhailov, V.N. Smirnov, O.D. Smirnova, V.A. Kasparov, N.A. Lagutkin, N.I. Mitin, M.M. Zubairov, Khim. Farm. Zh. **13**, 35 (1979); C.A. **90**, 168661 (1979); Biol. Abstr. **68**, 65900 (1979).

[9] L.S. Vasil'ev, V.V. Veselovskii, M.I. Struchkova u. B.M. Mikhailov, J. Organometal. Chem. **226**, 115 (1982).

[10] R. Köster, S. Arora u. P. Binger, Ang. Ch. **81**, 186 (1969).

[11] S. Arora, Mülheim a.d. Ruhr, Dissertation, Universität Bochum 1971.

Auch Triallylborane bilden mit Pyridin und Pyridinbasen definierte 1:1-Additionsverbindungen[1–6]. *2-Aminopyridin-Triphenylboran*[7] sowie *Pyridin-Tris[pentafluorphenyl] boran*[8] wurden ebenfalls charakterisiert. Aus Triethylboran und Pyrazin erhält man *Pyrazin-1,4-Bis[triethylboran]*[9].

Triallylboran reagiert mit 2,2'-Bipyridyl unter asymmetrischer Spaltung zum *Diallyl-2,2'-bipyridyl-bor(1+)-tetraallylborat*[10] (vgl. S. 683).

Pyridin-Tris[cyclopropylmethyl]boran[11]: 19,2 g (0,353 mol) 96,6%iges Methylencyclopropan in 100 *ml* Pentan werden bei −10° bis 0° durch Einleiten von Diboran(6) (aus 18 g Diethylether-Trifluorboran und 3,6 g Natriumtetrahydroborat) hydroboriert. Man kühlt dann auf ~ −40° ab und gibt vorsichtig 10 g (0,126 mol) Pyridin zu (Wärmeentwicklung!). Das Pentan wird i. Vak. (12 Torr) abgezogen; Ausbeute: 24,7 g (82,5%).

Bei stark ungesättigten Bor-Heterocyclen kann die Bildung der Amin-Additionsverbindungen durch Veränderung der Farbe (Spektren) verfolgt werden[12]; z. B. (grün nach farblos):

$$\text{Heptaphenylborepin} \underset{-\text{Pyridin}}{\overset{+\text{Pyridin}}{\rightleftharpoons}} \text{Pyridin-Heptaphenylborepin } (B^{\ominus}, \text{Pyridin}^{\oplus})$$

Aus Trialkylboran erhält man mit Ketoniminen definierte 1:1-Additionsverbindungen. Meist sind es Flüssigkeiten; z. B.[13]:

$$R^3_3B + R^1R^2C{=}NH \xrightarrow{20-30\,°} R^1R^2C{=}\overset{\oplus}{N}H{-}\overset{\ominus}{B}R^3_3$$

$R^1 = R^2 = C_6H_5$; $R^3 = C_2H_5$; *Benzophenonimin-Triethylboran*
$R^1 = C_6H_5$; $R^2 = R^3 = C_3H_7$; *1-Imino-1-phenyl-butan-Tripropylboran*
$R^2 = C_3H_7$; $R^3 = C_4H_9$; *1-Imino-1-phenyl-butan-Tributylboran*
$R^2 = C_2H_5$; $R^3 = C_4H_9$; *1-Imino-1-phenyl-propan-Tributylboran*; 80%

Triorganoborane bilden auch mit Amidinen entsprechende N-Base-Triorganoborane. Bekannt sind z. B. die aus Tripropyl- bzw. Tributylboran mit Carbonsäureamidinen entstehenden Additionsverbindungen, die i. Vak. unzersetzt destilliert werden können[14]:

---

[1] A. V. Topchiev, Ya. M. Paushkin, A. A. Prokhorova u. M. V. Kurashev, Doklady Akad. SSSR **128**, 110 (1959); engl.: 713; C. A. **54**, 1268 (1960); *Triallylboran* mit *Pyridin*.

[2] B. M. Mikhailov u. V. F. Pozdnev, Izv. Akad. SSSR **1967**, 1477; engl.: 1428; C. A. **68**, 29743 (1968); *Tri-2-butenyl-boran* mit *Pyridin*.

[3] V. S. Bogdanov, Y. B. Bubnov, M. N. Bochkareva u. B. M. Mikhailov, Doklady Akad. SSSR **201**, 605 (1971); engl.: 950; C. A. **78**, 28695 (1973); *Tris[2-methylallyl]boran* mit *Pyridin*.

[4] V. S. Bogdanov, T. K. Baryshnikova, V. G. Kiselev u. B. M. Mikhailov, Ž. obšč. Chim. **41**, 1533 (1971); C. A. **75**, 133612 (1971); *Triallylboran* mit *Pyridin*, *2-* und *3-Methylpyridin*.

[5] S. Schröder u. K.-H. Thiele, Z. anorg. Ch. **428**, 225 (1977); Triallylboran mit Pyridinbasen.

[6] K. Utimoto, N. Sabai, M. Obayashi u. H. Nazaki, Tetrahedron **32**, 769 (1976).

[7] B. R. Gragg u. K. Niedenzu, J. Organometal. Chem. **117**, 1 (1976).

[8] A. G. Massey u. A. J. Park, J. Organometal. Chem. **2**, 245 (1964).

[9] H. Nöth u. B. Wrackmeyer, B. **107**, 3070 (1974).

[10] K.-H. Thiele, S. Schröder u. O. Trapolsi, Z. **13**, 141 (1973); C. A. **79**, 53405 (1973).

[11] S. Arora, Mülheim a. d. Ruhr, Dissertation, Universität Bochum 1971.

[12] J. J. Eisch, State University of New York, Binghamton, N. Y., unveröffentlicht 1978.

[13] B. M. Mikhailov, G. S. Ter-Sarkisyan u. N. N. Govorov, Izv. Akad. SSSR **1977**, 2076; engl.: 1921; C. A. **88**, 6953 (1978).

[14] V. A. Dorokhov, V. I. Seredenko u. B. M. Mikhailov, Ž. obšč. chim. **46**, 1057 (1976); engl.: 1053; C. A. **85**, 108691 (1976).

$$R_3B + R^2{-}N{=}C(R^1){-}N(R^3)R^4 \xrightarrow{70-100\%} R_3\overset{\ominus}{B}{-}\overset{\oplus}{N}(R^2){=}C(R^1){-}N(R^3)R^4$$

R = C_3H_7
R^1 = CH_3, $CH(CH_3)_2$, C_6H_5
R^2 = H, CH_3
R^3 = H, CH_3, C_2H_5
R^4 = H, CH_3, C_2H_5, C_3H_7, $CH(CH_3)_2$, C_6H_5

N,N-Dimethylbenzamidin-Tripropylboran[1]**:** Zu 1 mol N,N-Dimethylbenzamidin in Tetrachlormethan (bzw. Chloroform oder THF) gibt man vorsichtig und tropfenweise sowie unter Kühlen 1 mol Tripropylboran. Nach Abziehen des Lösungsmittels i. Vak. erhält man die Additionsverbindung als Rückstand; Ausbeute: 70%; F: 65–69° (aus 2-Methylbutan).

N,N-Diethylbutanamidin-Tripropylboran (Kp_2: 93–95°; n_D^{20} = 1,4715) ist auf analoge Weise zugänglich.

Triarylborane reagieren mit Guanidinen (Guanidin[2], 1,3-Diphenylguanidin[3,4], 2-Aminopyridin[5], Pyrazol[6]) unter Bildung von kristallinen 1:1-Additionsverbindungen; z. B.:[3]

$$(H_5C_6{-}NH)_2C{=}\overset{\oplus}{N}H{-}\overset{\ominus}{B}(C_6H_5)_3$$

1,3-Diphenylguanidin-Triphenyl-boran; 66%; F: 156°

Triarylborane liefern mit Acetonphenylhydrazon in Ether bei ~0–10° 1:1-Additionsverbindungen mit (N-B)-Koordination[7]; z. B.:

$$(H_5C_6)_3B + (H_3C)_2C{=}N{-}NH{-}C_6H_5 \xrightarrow{Ether;\ 0-10°} (H_3C)_2C{=}\overset{\oplus}{N}(NH{-}C_6H_5){-}\overset{\ominus}{B}(C_6H_5)_3$$

Acetonphenylhydrazon-Triphenylboran; 55%; F: 164°

Aus Trialkylboranen bildet sich bei ~20° beim Einleiten von Hydrogencyanid (Blausäure) in etwa sechsfacher Menge ein farbloses Öl, aus dem sich i. Hochvak. nach den Hexaalkyl-1,4,2,5-diazadiborinanen (vgl. S. 16) die höher siedenden 2-Cyan-2H-2,3,3-trialkyl-1,4,2-azazoniaboratole abdestillieren lassen[8]:

$$R_3B + 3\,HCN \longrightarrow \text{2-Cyan-2H-2,3,3-trialkyl-1,4,2-azazoniaboratol}$$

R = C_2H_5, C_4H_9

[1] V. A. Dorokhov, V. I. Seredenko u. B. M. Mikhailov, Ž. obšč. chim. **46**, 1057 (1976); engl.: 1053; C. A. **85**, 108691 (1976).
[2] G. A. Yuzhakova, R. P. Drovneva, M. I. Vakhrin u. I. I. Lapkin, Ž. obšč. Chim. **48**, 811 (1978); engl.: 740; C. A. **89**, 43548 (1978).
[3] I. I. Lapkin, G. A. Yuzhakova, R. P. Drovneva u. N. V. Audriyanova, Ž. obšč. Chim. **50**, 368 (1980); engl.: 301; C. A. **93**, 7110 (1980).
[4] G. A. Yuzhakova, I. I. Lapkin, R. P. Drovneva u. M. V. Mazilkina, Ž. obšč. Chim. **51**, 880 (1981); engl.: 731; C. A. **95**, 79780 (1981).
[5] G. A. Yuzhakova, I. I. Lapkin u. T. D. Mamanova, Khimiya Organ. Soedin Azota, Perm **1981**, 76; C. A. **97**, 216275 (1982).
[6] I. I. Lapkin, G. A. Yuzhakova, M. N. Rybakova, M. I. Belonovich, T. L. Morozova u. B. L. Ikhlov, Ž. obšč. Chim. **52**, 2772 (1982); C. A. **98**, 143493 (1983).
[7] I. I. Lapkin, G. A. Yuzhakova u. R. P. Drovneva, Ž. obšč. Chim. **51**, 885 (1981); engl.: 736; C. A. **95**, 79502 (1981).
[8] G. Hesse, H. Witte u. H. Haussleiter, Ang. Ch. **78**, 748 (1966).

$\beta\beta_2$) mit Isocyaniden

Triethyl- und Tributylboran reagieren mit Phenylisocyanid in Ether bei ~20° unter Alkyl-Wanderung zu luftbeständigen, kristallinen 2,5-Dihydro-1,4,2,5-diazoniadiboratinen mit zwei vierfach koordinierten Bor-Atomen[1]:

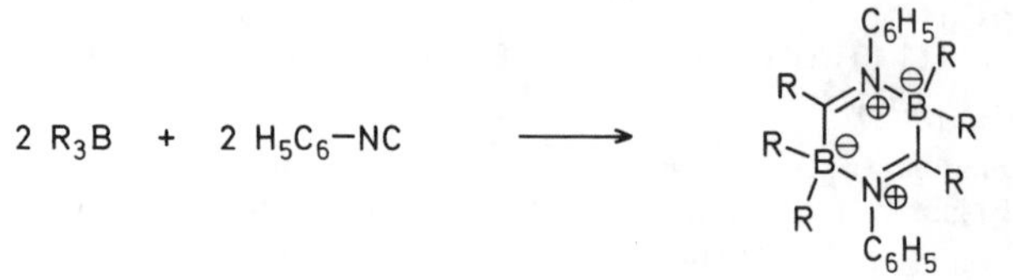

$$2\ R_3B\ +\ 2\ H_5C_6{-}NC \longrightarrow$$

1,4-Diphenyl-...-2,5-dihydro-1,4,2,5-diazoniadiboratin

$R = C_2H_5$; ...*-2,2,3,5,5,6-hexaethyl-*...; 39%; F: 144°
$R = C_4H_9$; ...*-2,2,3,5,5,6-hexabutyl-*...; 58%; F: 125°

Oberhalb 200° tritt eine zweite Alkyl-Wanderung vom Bor- zum α–C-Atom ein. Das erhaltene 1,4,2,5-Diazadiborinan enthält dann zwei dreifach koordinierte Bor-Atome (vgl. S. 76)[1].

Aus Triethylboran bildet sich mit Ethylisocyanid *1,2,2,3,4,5,5,6-Octaethyl-2,5-dihydro-1,4,2,5-diazoniadiboratin* [II; F: >200° (Zers.)] und ein sechsgliedriges, cyclisches zweifaches Amin-Triorganoboran(I) (vgl. S. 467f.)[2]:

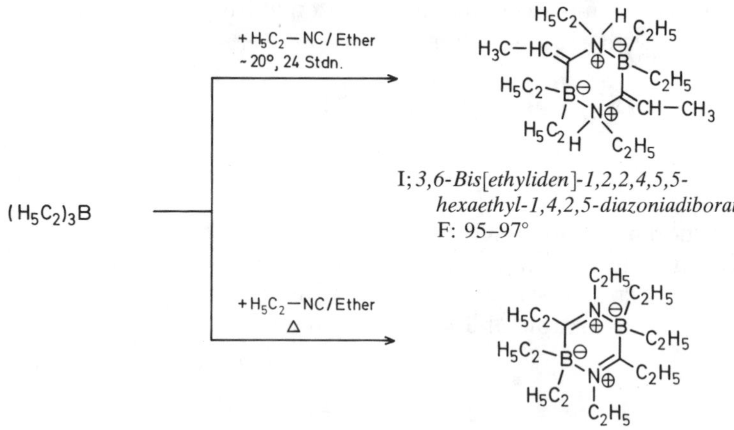

$(H_5C_2)_3B$ — $+H_5C_2{-}NC$ / Ether, -20°, 24 Stdn. → I

I; *3,6-Bis[ethyliden]-1,2,2,4,5,5-hexaethyl-1,4,2,5-diazoniadiboratinan*; F: 95–97°

$(H_5C_2)_3B$ — $+H_5C_2{-}NC$ / Ether, Δ → II

II; *1,2,2,3,4,5,5,6-Octaethyl-2,5-dihydro-1,4,2,5-diazoniadiboratin*; F: >200° (Zers.); vgl. S. 462f.

β_2) *aus Hydro-organo-boranen*

Mit bestimmten Alkendiyl-alkyl-boranen lassen sich aus Hydro-organo-boranen durch Hydroborierung und Substituentenaustausch cyclische Triorganoborane herstellen (vgl. Bd. XIII/3a, S. 73), aus denen in Gegenwart von Stickstoffbasen unmittelbar Amin-Triorganoborane erhalten werden; z.B.[3]:

[1] J. Casanova jr. u. R.E. Schuster, Tetrahedron Letters **1964**, 405.
[2] S. Bresadola, G. Carraro, C. Pecile u. A. Turco, Tetrahedron Letters **1964**, 3185.
[3] B.M. Mikhailov, V.N. Smirnov u. V.A. Kasparov, Izv. Akad. SSSR **1976**, 2302; engl.: 2148; C.A. **86**, 106696 (1977).

$$1/2\,(H_7C_3)_4B_2H_2 \;+\; \text{[7-Methylen-3-propyl-3-bora-bicyclo[3.3.1]nonan]} \xrightarrow[-(H_7C_3)_3B]{+\text{Pyridin}} \text{[Pyridin-1-Boraadamantan]}$$

Pyridin-1-Boraadamantan; 84%; F: 160–162°

β_3) *aus Diorgano-halogen-boranen*

Aus Chlor-diaryl-boranen sind mit 1-Alkinylmagnesiumhalogeniden nach Zusatz von Pyridin und Aufarbeiten mit wäßr. Ammoniumchlorid-Lösung in Ausbeuten von 30 bis maximal 90% Pyridin-1-Alkinyl-diaryl-borane zugänglich; z.B.[1]:

Pyridin-Diphenyl-(1,3-pentadiinyl)-boran	40%; F: 145°
Pyridin-Ethinyl-(4-methylphenyl)-phenyl-boran	50%; F: 128°
Pyridin-(3-Methylphenyl)-phenyl-phenylethinyl-boran	89%; F: 125°

β_4) *aus Organo-oxy-boranen*

Pyridin-Triarylborane sind aus Alkoxy-diaryl-boranen mit lithiumorganischen Verbindungen in Gegenwart von Pyridin direkt zugänglich[2]:

$$R^1_2B{-}OR^2 \xrightarrow[-Li{-}OR^2]{+R^3{-}Li \quad +Py(H_5C_2)_2O} \overset{\oplus}{Py}{-}\overset{\ominus}{B}R^1_2R^3$$

Pyridin-Diphenyl-1-naphthyl-boran[2]**:** Zu 10,1 g (0,04 mol) Diphenyl-isobutyloxy-boran und 3,14 g (0,04 mol) Pyridin in 10 *ml* Diethylether gibt man 8,75 g (0,042 mol) Diethylether-1-Naphthyllithium in 50 *ml* Diethylether. Anschließend wird 4 Stdn. am Rückfluß gekocht, mit Wasser gewaschen, eingeengt und mit Methanol verdünnt. Vom Niederschlag wird abfiltriert; Ausbeute: 8,5 g (57,5%).

Auf analoge Weise erhält man ferner u.a.[2]

Pyridin-Diphenyl-(4-methylphenyl)-boran	77%
-Diphenyl-(2-methylphenyl)-boran	87%
-(Di-1-naphthyl)-phenyl-boran	91%
-Bis[4-bromphenyl]-(2-methylphenyl)-boran	72%

Aus Diaryl-(2-jodethoxy)-boranen sind mit 1-Alkinylmagnesiumbromiden in Tetrahydrofuran nach Pyridin-Zugabe Pyridin-1-Alkinyl-diaryl-borane zugänglich[1,3]:

$$(H_5C_6)_2B{-}O{-}CH_2{-}CH_2{-}J \;+\; R{-}C{\equiv}C{-}MgBr \xrightarrow[-\,BrMg{-}O{-}CH_2{-}CH_2{-}J]{+\text{Pyridin}} C_5H_5\overset{\oplus}{N}{-}\overset{\ominus}{B}(C_6H_5)_2{-}C{\equiv}C{-}R$$

Pyridinbase-Triethylborane bilden sich vermutlich aus thermisch labilen Diethyl-1,4-dihydropyridino-boranen, die bei der Entchlorierung von Pyridinbase-Chlor-diethyl-boranen mit Pyridin-Natrium als Primärprodukte (vgl. S. 79) entstehen. Die Dismutation liefert zusätzlich höhermolekulare Verbindungen unbekannter Strukturen[4].

[1] J. SOULIÉ u. P. CADIOT, Bl. **1966**, 1981.
[2] B.M. MIKHAILOV u. V.A. VAVER, Izv. Akad. SSSR **1957**, 812; C.A. **52**, 3667 (1958).
[3] J. SOULIÉ u. A. WILLEMART, C.r. **251**, 727 (1960).
[4] R. KÖSTER, H. BELLUT, G. BENEDIKT u. E. ZIEGLER, A. **724**, 34 (1969).

β_5) *aus Aminoboranen*

Aus verschiedenen Typen von Amino-diorgano-boranen werden im allgemeinen mit metallorganischen Reagenzien Imin-Triorganoborane hergestellt. Man verwendet lithium- und magnesiumorganische Verbindungen und arbeitet mit Wasser auf.

Aus 2-Butyl-1-(1-cyclohexenyl)-1,2-azaborolidin wird mit Butyllithium in 60%iger Ausbeute *1-Cyclohexyliden-2,2-dibutyl-1,2-azoniaboratolidin* (I; $Kp_{0,5}$: 150–151°; $n_D^{20} = 1{,}4950$) gewonnen. Wird anstelle von Wasser Jodmethan verwendet, so erhält man *2,2-Dibutyl-1-(2-methylcyclohexyliden)-1,2-azoniaboratolidin* (II; $Kp_{0,6}$: 172–173°; $n_D^{20} = 1{,}4935$)[1]:

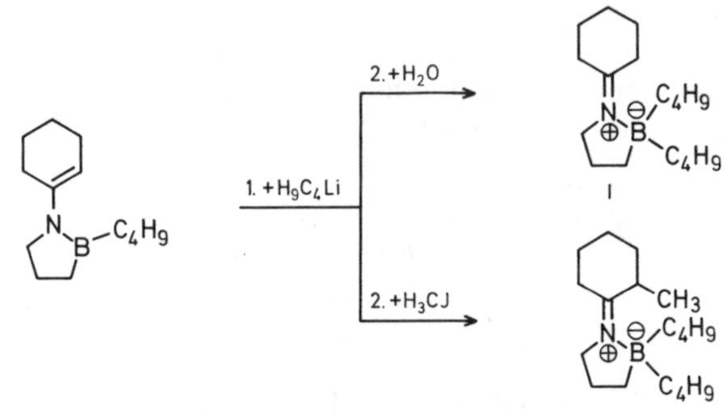

1. + H_9C_4Li; 2. + H_2O → I; 2. + H_3CJ → II

Aus 4-Butyl-2-methyl-3-phenyl-3,4-dihydro-⟨benzo-1,3,4-diazaborin⟩ (vgl. S. 91ff.) ist mit Butyllithium in abs. Benzol bei 0–20° nach Aufarbeiten mit Wasser in 84%iger Ausbeute das *4,4-Dibutyl-2-methyl-3-phenyl-1,4-dihydro-⟨benzo-1,3,4-azaazoniaboratin⟩* zugänglich[2]:

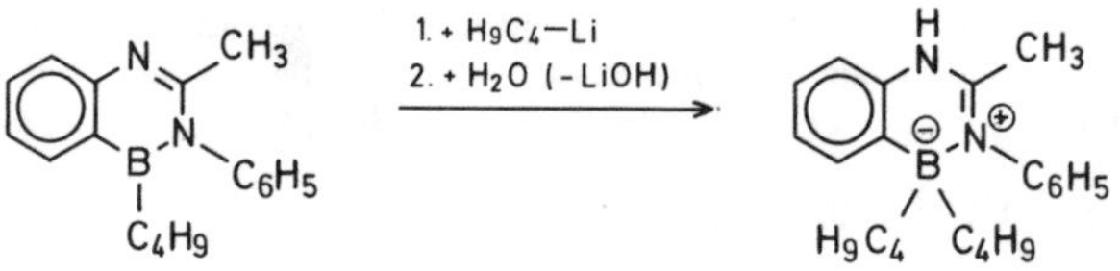

1. + H_9C_4–Li; 2. + H_2O (–LiOH)

Bestimmte cyclische Imin-Triorganoborane lassen sich aus Amino-diorgano-boranen mit Isocyanid herstellen. Aus Dibutyl-vinylamino-boranen erhält man mit tert.-Butyl- oder Phenylisocyanid *3-Amino-2,2-dibutyl-1,4,5-triphenyl-2H-1,2-azoniaboratol*, das oberhalb 100° in cyclisches Diamino-organo-boran umgelagert wird (vgl. S. 251)[3,4]:

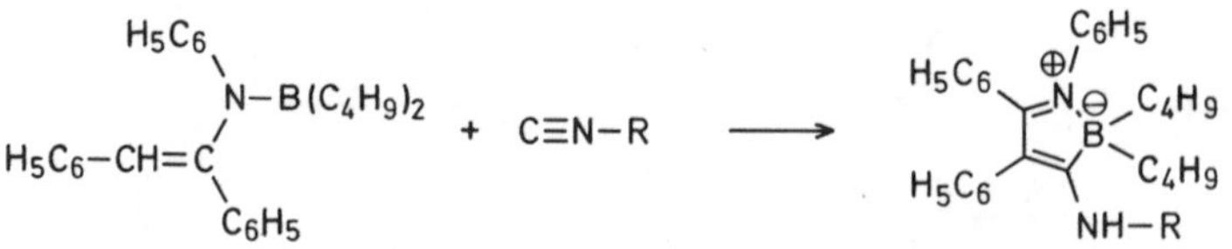

H_5C_6–CH=C(C_6H_5)–N(C_6H_5)–B(C_4H_9)$_2$ + C≡N–R ⟶

---

[1] V. A. Dorokhov, O. G. Boldyreva u. B. M. Mikhailov, Ž. obšč. Chim. **43**, 1955 (1973); engl.: 1938; C. A. **78**, 3567 (1973).

[2] V. A. Dorokhov, O. G. Boldyreva, M. N. Bochkareva u. B. M. Mikhailov, Izv. Akad. SSSR **1979**, 174; engl.: 163; C. A. **90**, 152277 (1979).

[3] V. A. Dorokhov, O. G. Boldyreva, A. S. Shashkov u. B. M. Mikhailov, Izv. Akad. SSSR **1976**, 1431; engl.: 1374; C. A. **85**, 143166 (1976).

[4] V. A. Dorokhov, O. G. Boldyreva, A. S. Shashkov u. B. M. Mikhailov, Heteroc. Sendai **18**, 87 (1982).

3-tert.-Butylamino-2,2-dibutyl-1,5-diphenyl-2H-1,2-azoniaboratol[1]**:** Zu 7,9 g (20 mmol) Dibutyl-[N-(1,2-diphenylvinyl)anilino]-boran tropft man 2,4 g (23 mmol) frisch destilliertes tert. Butylisocyanid (starke Wärmeentwicklung). Nach Abdestillieren des überschüssigen Isonitrils läßt man den Rückstand vollständig kristallisieren und filtriert. Das Kristallisat wird mit kaltem Methanol gewaschen; Ausbeute: 8,5 g (86%).

Auf analoge Weise erhält man *3-tert.-Butylamino-1,5-diphenyl-2,2-dipropyl-2H-1,2-azoniaboratol* zu 89%[1].

Imin-Triorganoborane sind in speziellen Fällen auch durch Aminoborierung aus Amino-diorgano-boranen zu gewinnen. Diorgano-2-pyridylamino-borane (s. S. 91), die auch als Ausgangsverbindungen zur Herstellung von Amin-Amino-diorgano-boranen dienen (s. S. 643), reagieren z. B. mit Ethoxyethin unter Addition an die C≡C-Bindung zum *4,4-Dipropyl-2-ethoxy-1,4-dihydro-⟨pyridio[2,1-b]-1,3,4-azazoniaboratin⟩* (70%)[2]:

$B(C_3H_7)_2$–NH-2-Pyridyl + $HC{\equiv}C{-}OC_2H_5$ ⟶ (Produkt: H_7C_3, H_7C_3–$B^{\ominus}$, OC_2H_5, $^{\oplus}N$, NH)

β_6) *aus Lewisbase-Boranen*

Zur Herstellung von Pyridin- bzw. Imin-Triorganoboranen werden auch verschiedene Additionsverbindungen der Borane mit Lewisbasen eingesetzt. Die Verwendung von Pyridin-Organo-boranen sowie von anderen Lewisbase-Boranen ist stets dann vorteilhaft, wenn intramolekulare Reaktionen wie z. B. Allyl-Wanderungen zu besonderen Verbindungstypen führen. Außerdem kann der Einsatz von Lewisbase-Organoboranen auch günstig sein, wenn durch die Base stabilisierende Einflüsse auf Ausgangs- oder Endstoff ausgehen.

$\beta\beta_1$) aus Lewisbase-Triorganoboranen

Einige Additionsverbindungen der Triorganoborane mit verschiedenen Lewisbasen werden in Sonderfällen zur Herstellung von Imin- oder Pyridinbase-Triorganoboranen verwendet.

Mit Pyridin läßt sich beispielsweise Tetrahydrofuran aus der Additionsverbindung des 1-Boraadamantans glatt und quantitativ verdrängen[3,4]:

$THF^{\oplus}$–$B^{\ominus}$(Adamantan) $\xrightarrow{+\text{Pyridin}}$ $Pyridin^{\oplus}$–$B^{\ominus}$(Adamantan)

Pyridin-1-Boraadamantan; 92%

[1] V. A. Dorokhov, O. G. Boldyreva, A. S. Shashkov u. B. M. Mikhailov, Heteroc. Sendai **18**, 87 (1982).
[2] V. A. Dorokhov u. B. M. Mikhailov, Ž. obšč. Chim. **44**, 1281 (1974); engl.: 1259, C. A. **81**, 105603 (1974).
[3] B. M. Mikhailov u. T. K. Baryshnikova, Doklady Akad. SSSR **243**, 929 (1978); engl.: 566; C. A. **90**, 121694 (1979).
[4] B. M. Mikhailov, N. N. Govorov, Y. A. Angelyuk, V. G. Kiselev u. M. I. Struchkova, Izv. Akad. SSSR **1980**, 1621; engl.: 1164; C. A. **93**, 239498 (1980).

Aus Tetrahydrofuran-4,6-Dimethyl-1-boraadamantan erhält man mit Pyridin in Hexan zu 69% *Pyridin-4,6-Dimethyl-1-boraadamantan* (F: 90,5–91,5°)[1].

Pyridin-Diphenyl-phenylethinyl-boran reagiert beim Belichten in Benzol unter Bildung von Pyridin-Triphenylborinen. Die Additionsverbindung wird allerdings nur als Zwischenprodukt vermutet, aus der in Gegenwart von Bis[4-methylphenyl]-acetylen in ~35%iger Ausbeute *Pyridin-4,5-Bis[4-methylphenyl]-1,2,3-triphenyl-borol* gebildet wird[2]:

$$\text{Py}^{\oplus}\text{-}\overset{\ominus}{B}(C_6H_5)_2\text{-}C\equiv C\text{-}C_6H_5 \xrightarrow[C_6H_6]{+h\nu} \left[\text{Py}^{\oplus}\text{-}\overset{\ominus}{B}(\text{borirene}; H_5C_6, C_6H_5, C_6H_5)\right] \xrightarrow{+R-C\equiv C-R} \text{Pyridin-borol } (R, R, C_6H_5, C_6H_5, C_6H_5)$$

Aus Tetrahydrofuran-Boran erhält man auch mit bestimmten silyloxylierten Alkandiyl-methoxy-boranen nach Hydroborierung und anschließender Pyridin-Zugabe unter Lewisbase-Austausch *Pyridin-1-Boraadamantan* zu 55%[3]:

$$2\ THF-BH_3 + (H_3C)_3Si-O-CH_2-(\text{3-Borabicyclo[3.3.1]non-6-en})B-OCH_3 \xrightarrow{1.\ -B-O-Si(CH_3)_3;\ 2.\ -B-OCH_3;\ 3.\ +\text{Pyridin}\ (-THF)} \text{Pyridin-1-Boraadamantan}$$

Pyridin-1-Boraadamantan[3]**:** Zu 7 g (28 mmol) 3-Methoxy-7-(trimethylsilyloxy-methyl)-3-borabicyclo [3.3.1]non-6-en gibt man 35 *ml* einer 0,8 mol Lösung von Tetrahydrofuran-Boran und erwärmt ~90 Min. zum Rückfluß, wobei die leicht flüchtigen Anteile abdestillieren. Der Rückstand wird in 20 *ml* Hexan aufgenommen und mit 2,2 g (28 mmol) Pyridin versetzt. Der Niederschlag wird aus Ethanol umkristallisiert; Ausbeute: 3,3 g (55%); F: 164–166°.

Pyridin-1-Boraadamantan (F: 162–165°) ist in 65%iger Ausbeute auch aus Tetrahydrofuran-Boran mit 7-Chlormethyl-3-methoxy-3-borabicyclo[3.3.1]non-6-en zugänglich[4].

$\beta\beta_2$) aus Lewisbase-Halogen-organo-boranen

Pyridin-Diorgano-halogen-borane, -Dihalogen-organo-borane und -Trihalogenborane werden mit metallorganischen Verbindungen umgesetzt. Vor allem ungesättigte Organo-Reste (z.B. 1-Alkinyl- und Cyclopentadienyl-Reste) lassen sich so aufs Bor-Atom übertragen.

Aus Pyridin-Chlor-diphenyl-boran erhält man mit Phenylethinyllithium *Pyridin-Diphenyl-phenylethinyl-boran*[2,5].

Pyridin-Di-1-propinyl-isopropyl-boran (F: 115°) ist in 66%iger Ausbeute aus Pyridin-Difluor-isopropyl-boran mit der doppelten Menge 1-Lithium-1-propin zugänglich[6]. Aus Pyridin-Dibutyl-fluor-boran erhält man mit äquimolarer Menge 1-Lithium-1-propin in 85%iger Ausbeute *Pyridin-Dibutyl-1-propinyl-boran* (F: 45°)[6].

---

[1] B.M. Mikhailov, M.E. Gurskii u. A.S. Shashkov, Izv. Akad. SSSR **1979**, 2551; engl.: 2368; C.A. **93**, 46746 (1980).
[2] J.J. Eisch, F. Shen u. K. Tamao, Heteroc. Sendai **18**, 245 (1982).
[3] B.M. Mikhailov u. T.K. Baryshnikova, J. Organometal. Chem. **219**, 245 (1981).
[4] B.M. Mikhailov u. K.L. Cherkasova, J. Organometal. Chem. **276**, 9 (1983).
[5] S. Soulié u. P. Cadiot, Bl. **1966**, 1981.
[6] R. Köster, H.-J. Horstschäfer u. P. Binger, A. **717**, 1 (1968).

Aus Pyridin-Dipropyl-fluor-boran läßt sich mit Ethinylnatrium in Diethylether *Pyridin-Dipropyl-ethinyl-boran* nur zu 33% Ausbeute gewinnen[1].

Pyridin-Triethinylboran (F: 153°) wird aus Pyridin-Trifluorboran mit Natriumethin in Pyridin erhalten (75%)[2-4]:

$$\overset{\oplus}{Py}—\overset{\ominus}{B}F_3 \quad + \quad 3\,Na—C{\equiv}CH \quad \xrightarrow[-3\,NaF]{Py} \quad \overset{\oplus}{Py}—\overset{\ominus}{B}(C{\equiv}CH)_3$$

Aus Pyridin-Chlor-diethyl-boran ist mit 1-Natrium-1-propin in 60%iger Ausbeute *Pyridin-Diethyl-1-propinyl-boran* (F: 47,5°; $Kp_{0,001}$: 70–72°) zugänglich[1].

Pyridin-(1,3-Cyclopentadienyl)-diethyl-boran[5]**:** Zur Aufschlämmung von 32 g (0,38 mol) Natriumcyclopentadien[6] in 250 *ml* abs. Ether werden 64,6 g (0,35 mol) Pyridin-Chlor-diethyl-boran getropft. Nach 24 Stdn. Rückflußkochen wird vom Natriumchlorid abfiltriert, das Filtrat i. Vak. eingeengt und i. Vak. destilliert; Ausbeute: 54,5 g (80%); $Kp_{0,001}$: 78° (zunächst farblose, dann orangerote viskose Flüssigkeit).

Auf analoge Weise erhält man u.a. *Pyridin-Diethyl-(methyl-1,3-cyclopentadienyl)-boran* (84%; $Kp_{0,001}$: 100°)[7].

Aus Pyridin-Chlor-diorgano-boranen erhält man mit Natriumcyclopentadien in Ether Pyridin-(1,3-Cyclopentadienyl)-diorganoborane[7].

Aryl-dichlor-borane reagieren in Gegenwart von Pyridin mit 1-Alkinylmagnesiumhalogeniden unter Bildung von Pyridin-Aryl-(di-1-alkinyl)-boranen[8]:

$$Ar—BCl_2 \quad + \quad 2\;R—C{\equiv}C—MgHal \quad \xrightarrow[-2\,ClMgHal]{+\,Pyridin} \quad \text{Pyridin}^{\oplus}—\overset{\ominus}{B}(Ar)(C{\equiv}C—R)_2$$

Ar = C_6H_5, 2-, 4-H_3C–C_6H_4, 4-H_3CO–C_6H_4
R = CH_3, C_6H_5, $C(CH_3)=CH_2$

ββ₃) aus N-Lewisbase-Oxyboranen

2,2-Diaryl-3-hydro-1,3,2-oxazoniaboratolidine liefern mit Arylmagnesiumbromiden in Tetrahydrofuran in Gegenwart von Pyridin gute Ausbeuten an Pyridin-Triarylboranen[6]:

$$\text{2-}Ar^1\text{-2-}Ar^2\text{-3-hydro-1,3,2-oxazoniaboratolidin} \xrightarrow[-H_2N-CH_2-CH_2-OMgBr]{1.\ +Ar^3-MgBr/THF\quad 2.\ +Py} Ar^1-\overset{\ominus}{B}(Ar^2)(Ar^3)-Py^{\oplus}$$

Diaryl-(2-jodethoxy)-borane[5,9] bzw. 2,2-Diaryl-3-hydro-1,3,2-oxazoniaboratolidine[10] reagieren in Gegenwart von Pyridin auch mit 1-Alkinylmagnesiumbromiden. Man erhält Pyridin-1-Alkinyl-diaryl-borane; z.B.:

---

[1] R. Köster, H.-J. Horstschäfer u. P. Binger, A. **717**, 1 (1968).
[2] E.C. Ashby u. W.E. Foster, J. Org. Chem. **29**, 3225 (1964).
[3] US.P. 3106560 (1963), Ethyl Corp., Erf.: E.C. Ashby, W.E. Foster, J.R. Maugham u. T.H. Pearson; C.A. **60**, 3005 (1964).
[4] vgl. Bd. V/2a, S. 383 (1977); XIII/1, S. 573 (1970).
[5] J. Soulié u. P. Cadiot, Bl. **1966**, 1981.
[6] C. Trottier, C.r. **259**, 2460 (1964).
[7] H. Grundke u. P.I. Paetzold, B. **104**, 1136 (1971).
[8] J. Soulié u. P. Cadiot, Bl. **1966**, 3846.
[9] J. Soulié u. A. Willemart, C.r. **251**, 727 (1960).
[10] D. Giraud, J. Soulié u. P. Cadiot, C.r. **254**, 319 (1960).

$$\text{(cyclic } C_6H_5)_2B\text{-O-}(CH_2)_2\text{-}NH_2 \xrightarrow[-H_2N-(CH_2)_2-O-MgBr]{+Py,\ +R-C\equiv C-MgBr} (H_5C_6)_2\overset{\ominus}{B}(Py^{\oplus})-C\equiv C-R$$

z.B.: R = H, CH_3, C_6H_5, 4-Br–C_6H_4, $Si(CH_3)_3$, CH_2–$Si(CH_3)_3$, S–C_6H_5

$$\text{(cyclic } Ar(Ar^1)B\text{-O-}(CH_2)_2\text{-}NH_2 \xrightarrow[-H_2N-(CH_2)_2-O-MgBr]{+Py,\ +R-C\equiv C-MgBr} Ar(Ar^1)\overset{\ominus}{B}(Py^{\oplus})-C\equiv C-R$$

Ar = C_6H_5; 4-H_3C–C_6H_4
Ar^1 = 2-, 3-, 4-H_3C–C_6H_4, 4-H_3CO–C_6H_4
R = H, CH_3, C_6H_5, CH = CH_2, $C(CH_3)$ = CH_2, C≡C-CH_3

$\beta\beta_4$) aus Lewisbase-Amino-diorgano-boranen

Aus Alkyl-amidino-boranen mit vierfach koordiniertem Bor-Atom erhält man unter 1,1-Addition an Phenylisocyanid in exothermer Reaktion cyclische fünfgliedrige Amidino-dialkyl-borane mit Imin-Triorganoboran-Struktur[1,2]:

$$\text{Amidino-}R^1_2B \xrightarrow{+H_5C_6-NC} H_5C_6-N=\text{(cyclic 4,5-dihydro-1,3,4-azaazoniaboratol)}$$

...-*4,5-dihydro-1,3,4-azaazoniaboratol*

R^1 = CH_3; R^2 = C_6H_5; R^3 = C_4H_9; *2-Butyl-4,4-dimethyl-1,3-diphenyl-5-phenylimino-...*; 77%; F: 140–142°
R^1 = $CH(CH_3)_2$; R^2 = CH_3; R^3 = C_6H_5; *4,4-Diisopropyl-1,3-dimethyl-2-phenyl-5-phenylimino-...*; 87%; F: 143–144°
R^1 = C_4H_9, R^2 = $CH(CH_3)_2$; R^3 = C_6H_5; *4,4-Dibutyl-1,3-diisopropyl-2-phenyl-5-phenylimino-...*; 89%; F: 130–131°

β_7) *aus zwitterionischen Tetraorganoboraten*

Zwitterionische Ammoniono-tetraorganoborate sind als Edukte zur Herstellung von Imin-Triorganoboranen geeignet, werden jedoch vielfach nur in situ erzeugt.

Thermisch lassen sich die zwitterionischen Isonitril-Triphenylborane (vgl. S. 706) unter Phenyl-Wanderung vom Bor- zum C^1-Atom in dimere Diphenyl-(α-organoimino-benzyliden)-borane überführen[3]:

$$2\ R-\overset{\oplus}{N}\equiv C-\overset{\ominus}{B}(C_6H_5)_3 \xrightarrow{\Delta} \text{dimer } [(H_5C_6)_2\overset{\ominus}{B}-C(C_6H_5)=\overset{\oplus}{N}R]_2$$

R = C_6H_{11}, C_6H_5, 4-$(H_5C_2)_2N$–C_6H_4

---

[1] V. A. Dorokov, L. I. Lavrinovich u. B. M. Mikhailov, Doklady Akad. SSSR **245**, 121 (1979); engl.: 99; C.A. **91**, 57081 (1979).
[2] USSR.P. 573014 (1978), B. M. Mikhailov, V. A. Dorokhov, L. I. Lavrinovich, N. I. Mitin, N. A. Logutkin, M. M. Zubairav u. V. A. Starovoitova; C.A. **89**, 109938 (1978).
[3] G. Hesse, H. Witte u. G. Bittner, A. **687**, 9 (1965).

1,4-Diorgano-2,2,3,5,5,6-hexaphenyl-2,5-dihydro-1,4,2,5-diazoniadiboratine[1]: Man erhitzt 0,1 mmol Organoisocyannid-Triphenylboran (vgl. S. 706) ohne Lösungsmittel (Phenyl: 80–90°; Cyclohexyl: 150°; 4-Diethylamino-phenyl: 110°), nimmt die Masse in Benzol auf, fällt mit Methanol und kristallisiert aus Benzol oder Chloroform um.

Auf diese Weise erhält man u.a.

1,4-Dicyclohexyl-2,2,3,5,5,6-hexaphenyl-2,5-dihydro-1,4,2,5-diazoniadiboratin	22%; F: 339–341°
1,2,2,3,4,5,5,6-Octaphenyl-2,5-dihydro-1,4,2,5-diazoniadiboratin	72%; F: 285–288°
1,4-Bis[4-diethylamino-phenyl]-2,2,3,5,5,6-hexaphenyl-2,5-dihydro-1,4,2,5-diazoniadiboratin	89%; F: 275–280°

Aus den zwitterionischen Isoncyanid-Triorganoboranen (vgl. S. 706) sind beim Erhitzen in Gegenwart von Nitrilen[1,2] oder von Azomethinen[1] jeweils fünfgliedrige Ringe mit Betain-Struktur zugänglich (vgl. S. 748).

β_8) *aus Organoboraten*

Zur Herstellung von Pyridin- bzw. Imin-Triorganoboranen wurden bisher außer dem Natriumtetraphenylborat Alkalimetall-1-alkinyl-triorgano-borate und -alkylidenamino-trialkyl-borate verwendet.

Aus Natriumtetraphenylborat erhält man mit 1-Brompyridiniumbromid in methanolischer Lösung *Pyridin-Triphenylboran* (75%; F: 214°)[3]:

$$Na^+[(H_5C_6)_4B]^- + [\text{1-Brompyridinium}]^+ Br^- \xrightarrow[\substack{-NaBr \\ -H_5C_6Br\ (?)}]{\text{in } CH_3OH} C_5H_5\overset{\oplus}{N}-\overset{\ominus}{B}(C_6H_5)_3$$

Lithium-1-isopropenyl-1-boraadamantanat reagiert mit Jod in THF bei –70° bei Pyridin- und Methanol-Zugabe u.a. unter Bildung von *Pyridin-1-boraadamantan* (35%; F: 163–165°) und *7-Isobutenyl-3-methoxy-3-borabicyclo[3.3.1]nonan* ($Kp_{2,5}$: 81–83°)[4].

Aus Natrium-1-propinyl-triethyl-borat erhält man mit Acetylchlorid in Gegenwart von Pyridin das nicht vollständig umgelagerte (vgl. Bd. XIII/3a, S. 567) *Pyridin-Diethyl-(1-ethyl-2-methyl-3-oxo-1-butenyl)-boran*[5]:

$$Na^+ [(H_5C_2)_3B-C\equiv C-CH_3]^- \xrightarrow[-NaCl]{+H_3C-CO-Cl/+\text{Pyridin}} (H_5C_2)_2\overset{\ominus}{B}(\overset{\oplus}{N}C_5H_5)-C(C_2H_5)=C(CH_3)-CO-CH_3$$

Aus Lithium-hydro-trialkyl-borat werden mit Pyrazin radikal-anionische Pyrazin-Bis[trialkylborane] gebildet[6].

Alkalimetall-alkylidenamino-triorgano-borate[7] eignen sich gut zur Herstellung bestimmter Imin-Triorganoborane. So erhält man z.B. aus Natrium-alkylidenamino-triorgano-boraten mit Nickel(II)-bromid bzw. -pentan-2,4-dionat in Gegenwart von 2,2′-Bipyridyl folgende Additionsverbindung[8]:

---

[1] G. Hesse, H. Witte u. G. Bittner, A. **687**, 9 (1965).
H. Witte, P. Mischke u. G. Hesse, A. **722**, 21 (1969).
[2] S. Bresadola, G. Carraro, C. Pecile u. A. Turco, Tetrahedron Letters **1964**, 3185.
[3] H. Böhme u. E. Boll Z. anorg. Ch. **291**, 160 (1957).
[4] B.M. Mikhailov, M.E. Gurskii u. D.G. Pershin, J. Organometal. Chem. **246**, 19 (1983).
[5] Hinweis bei P. Binger, Ang. Ch. **79**, 57 (1967).
[6] vgl. W. Kaim, Ang. Ch. **95**, 201 (1983); dort S. 206f.
[7] H. Hoberg u. V. Götz, J. Organometal. Chem. **118**, C3 (1976).
[8] H. Hoberg, V. Götz u. C. Krüger, J. Organometal. Chem. **169**, 219 (1979).

$$2\,Na^+\ [(H_5C_2)_3B{-}N{=}CH{-}C(CH_3)_3]^- + \text{2,2'-Bipyridyl} \xrightarrow[\substack{-\ (H_5C_2)_2B-N=CH-C(CH_3)_3 \\ -\ 2\,NaBr}]{+\ NiBr_2/\text{Toluol}} (bipy)Ni(C_2H_5){-}\overset{\oplus}{N}(=CH{-}C(CH_3)_3){-}\overset{\ominus}{B}(C_2H_5)_3$$

Die Ethyl-Gruppe am Nickel-Atom stammt vom Bor-Atom des Borats.

N-(2,2'-Bipyridyl-ethyl-nickel)-N-(2,2-dimethylpropyliden)-amin-Triethylboran[1]: Zur Suspension von 9,16 g (35,68 mmol) Nickel(II)-pentan-2,4-dionat und 5,6 g (35,8 mmol) 2,2'-Bipyridyl in 300 *ml* Toluol wird bei −78° eine Lösung von 14,76 g (72 mmol) Natrium-(2,2-dimethylpropylidenamino)-triethyl-borat in 100 *ml* Toluol getropft. Beim Aufwärmen auf ~20° wird die grüne Lösung weinrot. Nach 24 Stdn. wird filtriert und auf −20° gekühlt. Nach ~6 Tagen gewinnt man 9,9 g (65%) kristallines Produkt; F: 112°.

Analog wird *N-Benzyliden-N-(2,2'-bipyridyl-ethyl-nickel)-amin-Triethylboran* (36%; F: 132°, Zers.) erhalten.

Aus Natrium-benzylidenamino-triethyl-borat läßt sich mit dem Produkt aus 2,2'-Bipyridyl-1,5-cyclooctadien-nickel und Brommethan *N-Benzyliden-N-(2,2'-bipyridyl-ethyl-nickel)-amin-Triethylboran* in ~45%iger Ausbeute herstellen[2]:

$$Na^+\ [(H_5C_2)_3B{-}N{=}CH{-}C_6H_5]^- + (bipy)Ni(C_2H_5)Br \xrightarrow[-NaBr]{\text{Toluol}} (bipy)Ni(C_2H_5){-}\overset{\oplus}{N}(=CH{-}C_6H_5){-}\overset{\ominus}{B}(C_2H_5)_3$$

N-Benzyliden-N-(2,2'-bipyridyl-ethyl-nickel)-amin-Triethylboran[2]: Zur Lösung von 5,27 g (16,31 mmol) 2,2'-Bipyridyl-1,5-cyclooctadien-nickel[3] in 400 *ml* Toluol werden bei −20° 1,77 g (16,31 mmol) Brommethan getropft. Nach ~8 Stdn. ergibt die Titration mit Silbernitrat einen Bromid-Gehalt von ~10,2 mmol (62%).

Anschließend werden dann innerhalb 3 Stdn. 3,67 g (16,31 mmol) Natrium-benzylidenamino-triethyl- borat in 150 *ml* Toluol zugegeben, wobei langsam eine Farbänderung von blauviolett nach weinrot eintritt. Nach ~4 Wochen filtriert man bei −15° die ausgefallenen Kristalle ab; Ausbeute: 3,27 g (45%); F: 132°.

Aus Natrium-3-methylindolyl-triethyl-borat erhält man mit Jodmethan in Diethylether *1,1-Dimethyl-1H-indol-Triethylboran* in quantitativer Ausbeute[4].

β_9) *aus Ligand-Übergangsmetall-π-Organoboranen*

η^6-1-Organoborata-Liganden kationischer Ligand-Metall-π-Komplexe (Bd. XIII/3c) reagieren mit Pyridin unter Bildung von Additionsverbindungen. Das tetraedrisch koordinierte Bor-Atom der η^5-1-Organo-1-pyridinio-1-borata-π-Komplex-Verbindungen ist nicht mehr unmittelbar ans Übergangsmetall gebunden[5]:

$$[(C_5H_5)Co(C_5H_5B{-}C_6H_5)]^+\ [PF_6]^- \xrightarrow{+\text{Pyridin}/CH_2Cl_2} [(C_5H_5)Co(C_5H_5\overset{\ominus}{B}(C_6H_5){-}Py^{\oplus})]^+\ [PF_6]^-$$

[1] H. Hoberg u. V. Götz, J. Organometal. Chem. **118**, C3 (1976).
[2] H. Hoberg, V. Götz u. C. Krüger, J. Organometal. Chem. **169**, 219 (1979).
[3] E. Dinjus, J. Gorski u. A. Walther, Z. anorg. Ch. **422**, 8 (1976).
[4] W.V. Dahlhoff, Mülheim a.d. Ruhr, unveröffentlicht 1982.
[5] G.E. Herberich, C. Engelke u. W. Pahlmann, B. **112**, 607 (1979).

η^5-Cyclopentadienyl-η^5-(1-phenyl-1-pyridinio-1-boratin)-cobalt(+)-hexafluorophosphat[1]: Zur Lösung von 50 mg (1,18 mmol) η^5-Cyclopentadienyl-η^5-(1-phenylborata)-cobalt(1+)-hexafluorophosphat in 20 *ml* Dichlormethan gibt man 0,3 *ml* (~3,8 mmol) Pyridin und vervollständigt die Fällung durch vorsichtige Zugabe von 40 *ml* Diethylether. Der Niederschlag wird in 30 *ml* Acetonitril/0,3 *ml* Pyridin gelöst und mit 100 *ml* Diethylether wieder ausgefällt; Ausbeute: 501 mg (~85%, ziegelrote verfilzte Nadeln); Zers.-p.: 161,5°.

Der Komplex ist an trockener Luft beständig, zersetzt sich jedoch in Gegenwart von Feuchtigkeit.

γ) Nitril-Triorganoborane

Additionsverbindungen von Triarylboranen mit Nitril-Basen sind als solche[2] und als Ligand-Übergangsmetall-Komplexe bekannt. Die Herstellung erfolgt aus den Komponenten oder durch Umlagerung aus Isocyanid-Triorganoboranen (vgl. 706).

So reagiert z.B. Triphenylboran in Toluol mit *trans*-Bis[triethylphosphan]-cyano-hydrido-platin zum kristallinen *[(Bis[triethylphosphan]-hydrido-platin)-cyano]-Triphenylboran* (F: 110–111°)[3]:

$$(H_5C_6)_3B + trans\text{-}[(H_5C_2)_3P]_2Pt(H)(CN) \xrightarrow{\text{Toluol}} [(H_5C_2)_3P]_2HPt-C\equiv\overset{\oplus}{N}-\overset{\ominus}{B}(C_6H_5)_3$$

Aus Triphenylboran gewinnt man mit Kalium-carbonyl-cyclopentadienyl-dicyano-ferrat in siedendem Diethylether nach anschließendem Versetzen mit Aceton das *Kalium-bis[triphenylboran-cyano]-carbonyl-cyclopentadienyl-ferrat* (85%)[4]:

$$2\,(H_5C_6)_3B + K^+[C_5H_5Fe(CO)(CN)_2]^- \longrightarrow K^+[C_5H_5Fe(CO)(C\equiv\overset{\oplus}{N}-\overset{\ominus}{B}(C_6H_5)_3)_2]^-$$

(Bis[triethylphosphan]-hydrido-platin)-cyan-Triphenylboran (II) bildet sich auch über den thermisch instabileren zwitterionischen Komplex I (vgl. S. 716)[5,6]:

$$\underset{\text{I}}{[(H_5C_2)_3P]_2H-Pt-\overset{\oplus}{N}\equiv C-\overset{\ominus}{B}(C_6H_5)_3} \xrightarrow{\;\circ\;} \underset{\text{II}}{[(H_5C_2)_3P]_2H-Pt-C\equiv\overset{\oplus}{N}-\overset{\ominus}{B}(C_6H_5)_3}$$

---

[1] G.E. Herberich, C. Engelke u. W. Pahlmann, B. **112**, 607 (1979).

[2] G.A. Yuzhakova, I.I. Lapkin, M.I. Vakhrin u. R.P. Drovneva, Khimiya Organ. Soedin Azota, Perm. **1981**, 80; C.A. **97**, 216274 (1982).

[3] L.E. Manzer u. G.W. Parshall, Soc. [Chem. Commun.] **1975**, 227.

[4] J. Emri, B. Györi u. A. Bakos, J. Organometal. Chem. **112**, 325 (1976).

[5] L.E. Manzer u. W.C. Seidel, Am. Soc. **97**, 1956 (1975).

[6] L.E. Manzer u. M.F. Anton, Inorg. Chem. **16**, 1229 (1977).

4. Phosphan-Triorganoborane

Zur Verbindungsklasse gehören offenkettige und cyclische Phosphan-Borane (vgl. Tab. 75). Die Herstellung erfolgt aus den Komponenten, aus Hydro-organo-boranen[1,2] oder aus Organoboraten[3].

Die Herstellungsmethoden von Phosphonionomethylen-triorgano-boraten mit zwitterionischen Strukturelementen werden entsprechend den Prioritätsregeln (vgl. S. LXII) auf S. 713 besprochen.

Tab. 75: Phosphan-Triorganoborane

Formel	Verbindungstyp	Herstellungsart	s. S.
sek. Phosphan-Triorganoborane			
$(CH_2)_n\ \overset{\oplus}{P}H-\overset{\ominus}{B}(CH_3)_3$ n = 3,4	Do—BR_3	aus R_3B + Do	468
tert. Phosphan-Triorganoborane			
$R^1_3\overset{\oplus}{P}-\overset{\ominus}{B}R^2_3$ $R^1 = R^2 = CH_3$ $R^1 = C_4H_9$; $R^2 = C_6H_5$	Do—BR_3	aus R_3B + Do	467
R^1, R^1, R^2, P⊕, B⊖, R^2 (cyclisch)	Do—BR_2 (über R verbrückt)		
$R^1 = C_6H_{11}$; $R^2 = C_2H_5$		aus $R^2_2BH + R^1_2P—R_{en}$	469
$R^2 = C_4H_9$		aus Do—R^1_2B-Hal + R^2—Li	471
$R^2 = C_6H_5$		aus Do—$R^1_3B + R^2_3B(\rangle BH)$	471
C_6H_5, ⊕P, B⊖, C_6H_5 (bicyclisch)	Do—B—R (über zwei R verbrückt)	aus Do′—$R^1BH_2 + R^2P(R_{en})_2$	471
$H_{11}C_6$, C_6H_{11}, C_2H_5, C_2H_5, P⊕, B⊖, H_5C_2, H_5C_2, B⊖, P⊕, $H_{11}C_6$, C_6H_{11}	$(Do—BR_3)_2$	aus R^1_2B-Hal + LiR—PR^2_2	470
ungesättigte Phosphan-Triorganoborane			
$H_{11}C_6$, C_6H_{11}, P⊕, B⊖, CH=CH_2, C_2H_5	Do—BR (R_{en}) (über R verbrückt)	aus $R_2B—R^{ML}_{en}$ + R_3P	469
H_5C_6, C_6H_5, P⊕, B⊖, R, R	Do—BR_2 (über R_{en} verbrückt)	aus $[R^1_3B—R_{in}]^-$ + R^2_2P—Hal	472
CH_3, H_3C, CH_3, P⊕, H_5C_2, H_5C_2, B, B⊖, C_2H_5, C_2H_5, H_5C_2, C_2H_5	Do, BR_2, R_{en}, BR_2 (cyclisch)	aus R_3B + Do	467

[1] G.B. Butler u. G.L. Statton, Am. Soc. **86**, 5045 (1964).
[2] M.F. Hawthorne, Am. Soc. **80**, 4291 (1958).
[3] P. Binger u. R. Köster, J. Organometal. Chem. **73**, 205 (1974).

α) aus Triorganoboranen

Stabile offenkettige Phosphan-Triorganoborane erhält man aus den Komponenten z.B. in Isooctan bei ~20°.

Tributylphosphan-Triphenylboran[1]: 10,1 g (50 mmol) Tributylphosphan werden bei ~20° zu 12,1 g (50 mmol) Triphenylboran in 30 *ml* Isooctan (2,4,4-Trimethylpentan) gegeben. Man kocht 1 Stde. am Rückfluß, filtriert ab und wäscht mit Isooctan nach. Der Rückstand wird bei 60°/30 Torr getrocknet; F: 118–120°.

Auf analoge Weise sind z.B. *Tributylphosphan-Tris[2-chlorphenyl]boran* (F: 46–51°) und *Triphenylphosphan-Triphenylboran* (F: 207–207,5°) zugänglich[1].

Auch in der Gasphase bei −78° setzen sich Phosphane mit Triorganoboranen um; *Trivinylphosphan-Trimethylboran*[2] (F: −6 bis −4°) bildet sich aus Trimethylboran mit Trivinylphosphan.

Trimethylboran bildet mit Trimethylphosphan[3–6] bzw. mit 4-Methyl-2,6,7-trioxa-1-phospha-bicyclo[2.2.2]octan[7] oder Triethylboran mit Dimethyl-dimethylamino-phosphan[8], Bis[dimethylamino]-methyl-phosphan[8] bzw. Trimethylphosphan[8] 1:1-Additionsverbindungen, die beim Vereinigen der Komponenten als farblose feste Verbindungen anfallen.

Aus *Tris[pentafluorphenyl]boran* bildet sich mit *Triphenylphosphan* in Pentan eine 1:1-Additionsverbindung, die aus Ether als farbloser Niederschlag erhalten wird[9].

Aus 3,4-Bis[diethylboryl]-3-hexen erhält man mit Trimethylphosphan einen fünfgliedrigen Heterocyclus mit BPB-Gruppierung, der beim Erwärmen Trimethylphosphan abspaltet[10]:

$$(H_5C_2)_2B(H_5C_2)C{=}C(C_2H_5)B(C_2H_5)_2 \; + \; (H_3C)_3P \; \underset{}{\overset{\text{Hexan}}{\rightleftharpoons}} \; \text{2,2,3,4,5,5-}(C_2H_5)_6\text{-1,1,1-}(CH_3)_3\text{-1,2,5-phosphoniadiboratolin}$$

2,2,3,4,5,5-Hexaethyl-1,1,1-trimethyl-1,2,5-phosphoniadiboratolin[10]: Man tropft 1 g (13 mmol) Trimethylphosphan in ~5 Min. zu 2,5 g (11,3 mmol) Bis[diethylboryl]-2-penten (vgl. Bd. XIII/3a, S. 213) in 10 *ml* Hexan (Temp.-Anstieg bis ~32°). Nach 1 Stde. Rühren wird i. Vak. (12 Torr) alles Flüchtige abgezogen. Ausbeute: 3,3 g (98%).

Aus Chlormethyl-dimethyl-boran erhält man mit Dimethyl-hydro-phosphan bei 100° *Dimethyl-(dimethylphosphino-methyl)-boran* vgl. Bd. XIII/3a, S. 290)[11], das als Dimer zweifaches, sechsgliedriges Phosphan-Triorganoboran (vgl. S. 470) darstellt.

Chlor-diphenyl-phosphan-Trialkylborane werden als Zwischenprodukte bei der Übertragung von Alkyl-Resten vom Bor- auf das Phosphor-Atom formuliert (vgl. Bd. XIII/3c)[12]:

$$R^1_3B \; + \; R^2_2P{-}Cl \; \longrightarrow \; \left[(Cl)R^2_2\overset{\oplus}{P}{-}BR_3 \right] \; \xrightarrow[-R^2_2P-R^1]{} \; R^1_2B{-}Cl$$

[1] US.P. 3372200 (1960/1964), Plains Chem. Dev. Co.; Erf.: C.J. STERN u. E.G. BUDNICK; C.A. **68**, 95927 (1968).
[2] H.D. KAESZ u. F.G.A. STONE, Am. Soc. **82**, 6213 (1960).
[3] DBP 1044811 (1958), Pirelli Societa p. Azioni, Erf.: E. DUMONT u. H. REINHARDT; C.A. **55**, 1444 (1961).
[4] E.O. BISHOP, K.J. ALFORD, P.R. CAREY u. J.D. SMITH, Soc. [A] **1971**, 2574.
[5] E.C. ASHBY, K.J. ALFORD, E.O. BISHOP u. J.D. SMITH, Soc. [Dalton Trans.] **1974**, 669.
[6] C.W. HEITSCH, Inorg. Chem. **4**, 1019 (1965).
[7] C.W. HEITSCH u. J.G. VERKADE, Inorg. Chem. **1**, 392 (1962).
[8] R.R. HOLMES u. R.P. CARTER, Inorg. Chem. **2**, 146 (1963).
[9] A.G. MASSEY u. A.J. PARK, J. Organometal. Chem. **2**, 245 (1964).
[10] R. KÖSTER u. G. SEIDEL, Mülheim a.d. Ruhr, unveröffentlicht, 1981.
[11] J. RATHKE u. R. SCHAEFFER, Inorg. Chem. **11**, 1150 (1972).
[12] P.M. DRAPER, T.H. CHAN u. D.N. HARPP, Tetrahedron Letters **1970**, 1687.

Tab. 76: Phosphan-Triorganoborane aus Triorganoboranen mit Phosphanen

Triorganoboran	Phosphan	Reaktionsbedingungen	Phosphan-Triorganoboran	Kp_{760} [°C]	F [°C]	Literatur
$(H_3C)_3B$	HP	Gasphase, –78°	*Phospholan-Trimethylboran*	76,8	–15,1 bis –14,2	[1]
	HP	Gasphase, –78°	*Phosphorinan-Trimethylboran*	66,5 (extrap.)	–12,5 bis –12	[1]
$(H_5C_2)_3B$	$P[Si(CH_3)_3]_3$		*Tris[trimethylsilyl]phosphan-Triethylboran*	108° (Zers.)		[2]
$(H_5C_6)_3B$	$(H_9C_4)_3P$	2,2,4-Trimethyloctan, 25°	*Tributylphosphan-Triphenylboran*	–	118–120	[3]
	$(H_5C_6)_3P$	2,2,4-Trimethyloctan, 25°	*Triphenylphosphan-Triphenylboran*	–	207–207,5	[4]

[1] H.L. Morris, M. Tamres u. S. Searles, Inorg. Chem. **5**, 2156 (1966).
[2] A.J. Leffler u. E.G. Teach, Am. Soc. **82**, 2710 (1960).
[3] US.P. 3372200 (1960/1964), Plains Chem. Dev. Co., Erf.: C.J. Stern u. E.G. Budnick; C.A. **68**, 95927 (1968).
[4] R. Köster u. B. Rickborn, Am. Soc. **89**, 2782 (1967).

Aus übergangsmetallhaltigen Triorganoboranen (vgl. Bd. XIII/3a, S. 320) kann man mit chelatisierenden 1,2-Bis[phosphino]ethanen 1,2-Phosphoniaboratolane freisetzen; z.B. *1,1-Dicyclohexyl-2-ethyl-2-vinyl-1,2-phosphoniaboratolan*[1,2]:

$$\xrightarrow[\substack{-\,Ni\,[(H_5C_6)_2P-CH_2-CH_2-P(C_6H_5)_2]_2 \\ -\,C_2H_4}]{+\,2\,(H_5C_6)_2P-CH_2-CH_2-P(C_6H_5)_2}$$

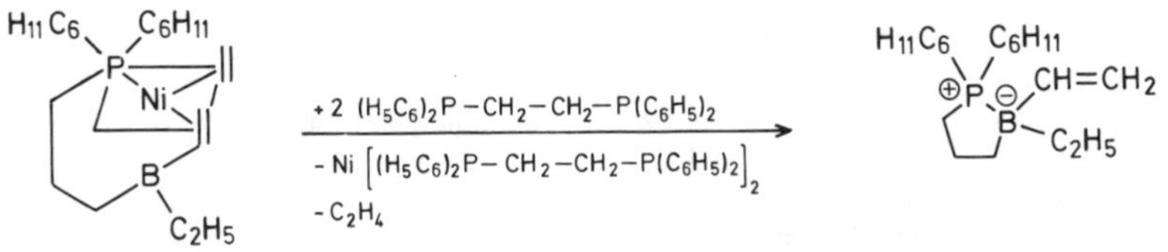

1,1-Dicyclohexyl-2-ethyl-2-vinyl-1,2-phosphoniaboratolan[1]**:** Zu 1,41 g (3,6 mmol) [(3-Dicyclohexylphosphino-propyl)-ethyl-vinyl-boran)]-ethen-nickel(0)] in 20 *ml* THF tropft man 2,86 g (7,2 mmol) 1,2-Bis[diphenylphosphino]-ethan in THF. Nach kurzem Rühren und Abziehen des THF i. Vak. nimmt man in wenig kaltem Pentan auf, filtriert vom Nickel-Komplex ab und hebert die Lösung über eine Glasfilterfritte ab. Nach Abziehen des Lösungsmittels erhält man ein Öl.

Ähnlich läßt sich *1,1-Dicyclohexyl-2-phenyl-2-vinyl-1,2-phosphoniaboratolan* gewinnen[1,2].

β) aus Hydro-organo-boranen

Die Hydroborierung von Allyl-diorgano-phosphanen führt zu cyclischen Triorganophosphan-Trialkylboranen. Ethyldiboran(6) reagiert z.B. mit Allyl-dicyclohexyl- oder Allyl-diphenyl-phosphan unter Bildung von 1,1,2,2-Tetraorgano-1,2-phosphoniaboratolanen[1,2]:

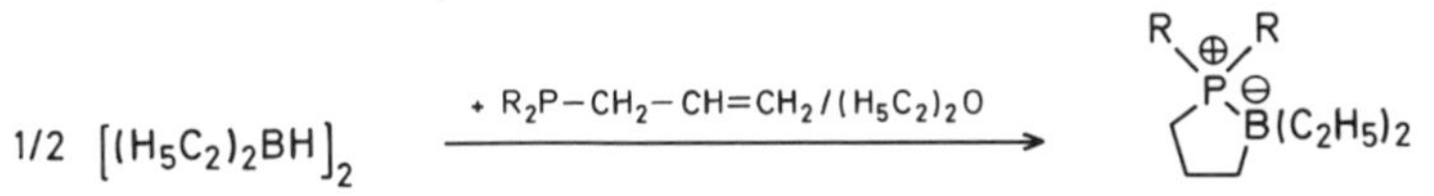

$$1/2\ [(H_5C_2)_2BH]_2 \xrightarrow{+\,R_2P-CH_2-CH=CH_2\,/\,(H_5C_2)_2O}$$

$R = C_6H_{11};\ C_6H_5$

1,1-Dicyclohexyl-2,2-diethyl-1,2-phosphoniaboratolan[1,2]**:** Zur Mischung von 180 g (758 mmol) Allyl-dicyclohexyl-phosphan ($Kp_{0,001}$: ~87°), 150 *ml* Triethylboran und 200 *ml* Diethylether tropft man langsam 4,37 g (756 mmol >BH) Ethyldiboran (1,73% $H^{\ominus}$). Nachdem die stark exotherme Reaktion abgeklungen ist, läßt man 24 Stdn. stehen. Danach werden bei ~20° Ether und Triethylboran i. Vak. abgezogen und der Rückstand i. Vak. destilliert; Ausbeute: 196 g (84%); $Kp_{0,001}$: ~135°; F: 45° (aus Pentan).

Analog erhält man durch Kristallisation aus Pentan *2,2-Diethyl-1,1-diphenyl-1,2-phosphoniaboratolan* (67%; F: 63°).

γ) aus Halogen-organo-boranen

Aus Chlor-diethyl-boran läßt sich mit Dicyclohexylphosphino-methyl-lithium[2] in Tetrahydrofuran unter Abspaltung von Lithiumchlorid *1,1,4,4-Tetracyclohexyl-2,2,5,5-tetraethyl-1,4,2,5-diphosphoniadiboratinan* herstellen[1,2]:

---

[1] K. Jonas u. K. Fischer, Mülheim a.d. Ruhr, unveröffentlicht 1972.

[2] K. Fischer, Mülheim a.d. Ruhr, Dissertation, Universität Bochum 1973.

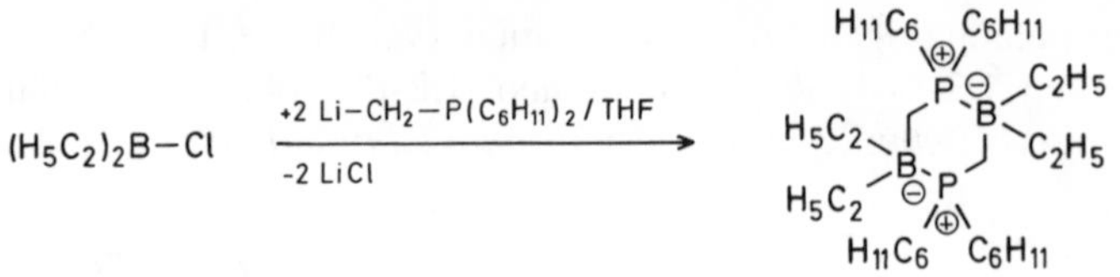

$$(H_5C_2)_2B{-}Cl \xrightarrow[-2\ LiCl]{+2\ Li{-}CH_2{-}P(C_6H_{11})_2\ /\ THF}$$

1,1,4,4-Tetracyclohexyl-2,2,5,5-tetraethyl-1,4,2,5-diphosphoniadiboratinan[1]: Zur Suspension von 2,7 g (12,4 mmol) Dicyclohexylphosphinomethyllithium[2] in 30 *ml* THF tropft man bei 0° langsam 1,6 *ml* (12,6 mmol) Chlor-diethyl-boran in 10 *ml* THF. Nach Abziehen des THF nimmt man in Benzol auf, filtriert vom Lithiumchlorid ab und wäscht mit Wasser. Nach dem Trocknen der organ. Phase mit Natriumsulfat wird die Lösung eingeengt und mit Hexan versetzt. Vom auskristallisierten Produkt wird abfiltriert; Ausbeute: 760 mg (22%).

Brom-dimethyl-boran reagiert mit Dimethyl-lithiomethyl-phosphan in Petrolether in nahezu 50%iger Ausbeute zum reinen kristallisierten *1,1,2,2,4,4,5,5-Octamethyl-1,4,2,5-diphosphoniadiboratinan* (F: 130°)[3]:

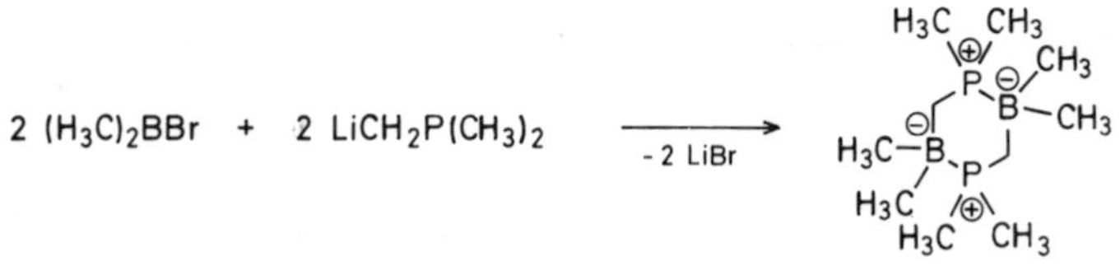

$$2\ (H_3C)_2BBr \ + \ 2\ LiCH_2P(CH_3)_2 \xrightarrow[-2\ LiBr]{}$$

1,1,2,2,4,4,5,5-Octamethyl-1,4,2,5-diphosphoniadiboratinan[3]: Zum gerührten Gemisch von 8,48 g (7,02 mmol) Brom-dimethyl-boran in 300 *ml* Pentan tropft man in 30 Min. bei ~20° eine Suspension von 4,8 g (5,8 mmol) Dimethyl-lithiomethyl-phosphan in 200 *ml* Pentan, läßt 15 Stdn. rühren und filtriert. Beim Abkühlen des Filtrats auf −15° scheiden sich farblose Nadeln aus; Ausbeute: 3,2 g (47%; F: 130°).

Die Verbindung ist auch aus Chlormethyl-dimethyl-boran mit Dimethyl-hydro-phosphan bei 100° zugänglich (vgl. Bd. XIII/3a, S. 290)[4,5].

δ) aus Organo-phosphino-boranen

Aus Dialkylphosphino-dimethyl-boran erhält man beim Erhitzen mit Methylen-triphenyl-phosphoran unter Triphenylphosphan-Austritt 1,1,2,2,3,3,4,4-Octaalkyl-1,3,2,4-diphosphonia-diboratolane[6]:

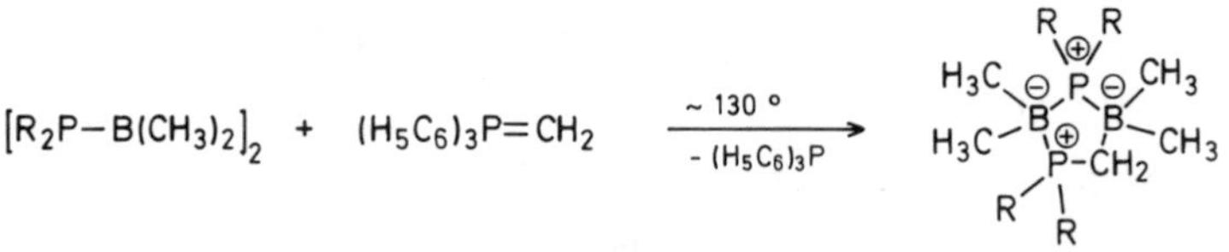

$$[R_2P{-}B(CH_3)_2]_2 \ + \ (H_5C_6)_3P{=}CH_2 \xrightarrow[-\ (H_5C_6)_3P]{\sim 130\,°}$$

Die Ausbeuten an flüssigem *1,1,3,3-Tetraethyl-2,2,4,4-tetramethyl-1,3,2,4-diphosphoniadiboratolan* liegen bei 90%, falls Triphenylphosphan mit Jodmethan als Methyl-triphenyl-phosphoniumjodid aus benzolischer Lösung abgetrennt wird[1].

---

[1] K. Jonas u. K. Fischer, Mülheim a.d. Ruhr, unveröffentlicht 1972.
vgl. K. Fischer, Mülheim a.d. Ruhr, Dissertation, Universität Bochum 1973.
[2] K. Jonas, Mülheim a.d. Ruhr, unveröffentlicht 1971.
[3] E. Sattler, Universität Karlsruhe, unveröffentlicht 1982.
[4] J. Rathke u. R. Schaeffer, Inorg. Chem. **11**, 1150 (1972).
[5] R. Schaeffer u. L.J. Todd, Am. Soc. **87**, 488 (1965).
[6] E. Sattler, Universität Karlsruhe, unveröffentlicht 1981.

Mit der doppelten Menge Methylen-triphenyl-phosphoran ist aus dimerem Diethyl-phosphino-dimethyl-boran in 74%iger Ausbeute *1,1,4,4-Tetraethyl-2,2,5,5-tetramethyl-1,4,2,5-diphosphoniadiboratinan* (F: 123°) zugänglich[1].

Mit Methylen-trimethyl-phosphoran erhält man aus den dimeren Dialkylphosphino-dimethyl-boranen zwitterionische Organobor-Verbindungen (vgl. S. 709, 749)[2].

ε) aus Lewisbase-Organoboranen

1,1-Dicyclohexyl-2,2-diethyl-1,2-phosphoniaboratolan reagiert mit Triphenylboran in Gegenwart von >BH-Boran als Austauschkatalysator zum entsprechenden 2,2-Diphenyl-Derivat[3]:

$$\text{1,1-Dicyclohexyl-2,2-diethyl-1,2-phosphoniaboratolan} \xrightarrow[-\ (H_5C_2)_2B-C_6H_5]{+\ (H_5C_6)_3B,\ [>BH]} \text{1,1-Dicyclohexyl-2,2-diphenyl-1,2-phosphoniaboratolan}$$

1,1-Dicyclohexyl-2,2-diphenyl-1,2-phosphoniaboratolan[3]**:** Man erhitzt 12,9 g (41,9 mmol) 1,1-Dicyclohexyl-2,2-diethyl-1,2-phosphoniaboratolan mit 6,75 g (28 mmol) Triphenylboran in Gegenwart von ~1 *ml* Tetraethyldiboran(6) langsam bis ~100°. Nach ~10 Min. zieht man das Triethylboran i. Vak. ab und reibt den Rückstand mit Pentan an, der dann durchkristallisiert; Ausbeute: 13,5 g (81%).

Amin-Hydro-organo-borane reagieren mit Allylphosphanen unter Hydroborierung der C=C-Bindung zu cyclischen Triorganophosphan-Trialkylboranen[4,5]. Aus Triethylamin-Dihydro-phenyl-boran erhält man mit Diallyl-phenyl-phosphan in Toluol bei ~100° unter Abspaltung von Triethylamin *1,5-Diphenyl-1-phosphonia-5-borata-bicyclo[3.3.0]octan* (F: 75,5–76,5°, aus Aceton) in 28%iger Ausbeute[4]:

$$(H_5C_2)_3\overset{\oplus}{N}-\overset{\ominus}{B}H_2(C_6H_5) + (H_2C{=}CH-CH_2)_2P-C_6H_5 \xrightarrow[-\ (H_5C_2)_3N]{\text{Toluol, } 110°} \text{1,5-Diphenyl-1-phosphonia-5-borata-bicyclo[3.3.0]octan}$$

Mit Butyllithium läßt sich aus 2-Chlor-1,1-dicyclohexyl-2-ethyl-1,2-phosphoniaboratolan *2-Butyl-1,1-dicyclohexyl-2-ethyl-1,2-phosphoniaboratolan* herstellen[1]:

$$\text{2-Chlor-1,1-dicyclohexyl-2-ethyl-1,2-phosphoniaboratolan} \xrightarrow[-\ LiCl]{+\ H_9C_4-Li,\ \text{Hexan/Benzol}} \text{2-Butyl-1,1-dicyclohexyl-2-ethyl-1,2-phosphoniaboratolan}$$

2-Butyl-1,1-dicyclohexyl-2-ethyl-1,2-phosphoniaboratolan[1]**:** Zu 2,9 g (9,24 mmol) 2-Chlor-1,1-dicyclohexyl-2-ethyl-1,2-phosphoniaboratolan in 40 *ml* Benzol tropft man bei ~0° 5,95 *ml* einer 1,55 m (9,22 mmol) Butyllithium-Lösung in Hexan. Man trennt vom Lithiumchlorid ab und destilliert i. Hochvak.; Ausbeute: 950 mg (32%); $Kp_{0,001}$: ~140°.

---

[1] E. SATTLER, Universität Karlsruhe, unveröffentlicht 1981.
[2] E. SATTLER u. W. SCHUHMANN, Universität Karlsruhe, unveröffentlicht 1982.
[3] K. JONAS u. K. FISCHER, Mülheim a.d. Ruhr, unveröffentlicht 1972.
K. FISCHER, Mülheim a.d. Ruhr, Dissertation, Universität Bochum 1973.
[4] G.B. BUTLER u. G.L. STATTON, Am. Soc. **86**, 5045 (1964).
[5] vgl. M.F. HAWTHORNE, Am. Soc. **80**, 4291 (1958).

ζ) aus Organoboraten

Natrium-1-alkinyl-triorgano-borate reagieren mit Chlor-diphenyl- oder Chlor-dicyclohexyl-phosphan in Diethylether unter Addition/Umlagerung sterisch einheitlich zu den (*E*)-isomeren hexasubstituierten 1,2-Phosphoniaboratet-3-enen[1,2]. Die Ausbeuten liegen meist $\geq 90\%$[2]:

$$Na^+[R^1_3B-C\equiv C-R^2]^- \xrightarrow[- NaCl]{+ (H_5C_6)_2P-Cl \;/\; (H_5C_2)_2O}$$

...-1,2-phosphoniaboratet-3-en

$R^1 = R^2 = CH_3$; *1,1-Diphenyl-2,2,3,4-tetramethyl-...*; 71%; F: 50°; Kp_2: 135–139°
$R^1 = C_2H_5$; $R^2 = CH_2-O-Si(CH_3)_3$; *1,1-Diphenyl-2,2,3-triethyl-4-(trimethylsilyloxy-methyl)-...*; 92%
$R^2 = C\equiv C-C_3H_7$; *1,1-Diphenyl-4-(1-pentinyl)-2,2,3-triethyl-...*; 81%
$R^1 = C_6H_5$; $R^2 = CH_3$; *4-Methyl-1,1,2,2,3-pentaphenyl-...*; 95%; F: 165°
$R^2 = CH = CH\text{–}CH_3$; *1,1,2,2,3-Pentaphenyl-4-propenyl-...*; 90%

Aus Natrium-triethyl-1-pentinyl-borat wird mit Chlor-diphenyl-phosphan das *1,1-Diphenyl-4-propyl-2,2,3-triethyl-1,2-phosphoniaboratet-3-en* in nur <50%iger Ausbeute gebildet, da sich Triethylboran unter Bildung des Wurtz-Produkts abspaltet[2].

4-Isopropenyl-1,1,2,2,3-pentaphenyl-1,2-phosphoniaboratet-3-en[2]: Zu 52,8 g (160 mmol) Natrium-(3-methyl-but-3-en-1-inyl)-triphenyl-borat in 300 *ml* Diethylether tropft man innerhalb 45 Min. 34,9 g (158 mmol) Chlor-diphenyl-phosphan (Temp. ~20–35°). Man läßt unter Rühren ~5 Stdn. in der Siedehitze reagieren, trennt anschließend mit Ether (Soxhlet) vom Natriumchlorid ab, engt die Lösung bei 12 Torr ein und kristallisiert den Rückstand aus Xylol um; Ausbeute: 70,2 g (90%); F: 172–174°.

5. Ligand-Metall-σ-Triorganoborane

Ligand-Übergangsmetall-Verbindungen bilden mit zahlreichen ungesättigten, insbesondere 1-Alkenylboranen Übergangsmetall-Organobor-π-Verbindungen (vgl. Bd. XIII/3c). Einige aliphatische Triorganoborane (z.B. Trimethylboran[3,4]) können mit bestimmten Metall-Verbindungen sowie auch mit einigen Ligand-Übergangsmetallen Komplex-Verbindungen bilden, die Metall-Bor-σ-Bindungen enthalten.

Beispielsweise reagiert Trimethylboran mit Cyclopentadienylindium(I) zum *Cyclopentadienylindium-Trimethylboran*[3]:

$$(H_3C)_3B \;+\; H_5C_6In \longrightarrow H_5C_5\overset{\oplus}{In}-\overset{\ominus}{B}(CH_3)_3$$

Cyclopentadienylindium-Trimethylboran[3]: Man löst Cyclopentadienylindium[5] in frisch destilliertem, trockenen Chloroform und kondensiert i. Vak. Trimethylboran (geringer Überschuß) in die gekühlte Lösung. Nach Erwärmen auf ~20° rührt man 30 Min. nach, entfernt i. Vak. Lösungsmittel und nichtumgesetztes Boran und erhält ein hellgelbes Addukt (unlöslich z.B. in Benzol, Tetrachlormethan, Acetonitril, Nitromethan); F: 164° (Zers. unter Dissoziation).

Auch mit Übergangsmetall-Verbindungen werden offenbar Additionsverbindungen der Triorganoborane gebildet; z.B.[2]:

---

[1] P. Binger u. R. Köster, J. Organometal. Chem. **73**, 205 (1974).
[2] R. Köster u. G. Seidel, Mülheim a.d. Ruhr, unveröffentlicht 1978/1979.
[3] J.G. Contreras u. D.G. Tuck, Inorg. Chem. **12**, 2596 (1973).
[4] I.H. Sabherwal u. A.B. Burg, Chem. Commun. **1970**, 1001.
[5] E.O. Fischer u. H.D. Hofmann, Ang. Ch. **69**, 639 (1957).

$$(H_3C)_3B \quad + \quad (ON)_3Co \quad \longrightarrow \quad (ON)_3\overset{\oplus}{Co}-\overset{\ominus}{B}(CH_3)_3$$

Trinitrosylcobalt-Trimethylboran[1]: Nach Lösen von 1 mol Trinitrosylcobalt[2] und ≧1 mol Trimethylboran in Benzol bildet sich eine an der Luft hinreichend und bis 45° thermisch stabile 1:1-Additionsverbindung.

Trinitrosylcobalt ist gegenüber Trimethylboran stärker basisch als Ammoniak oder Trimethylamin.

b) Lewisbase-Organobor-Wasserstoff-Verbindungen

Lewisbase-Diorgano-hydro-borane und -Dihydro-organo-borane (vgl. S. 482) werden von offenkettigen und cyclischen Hydro-organo-boranen (vgl. Bd. XIII/3a, S. 321ff.) gebildet. Lewisbasen sind Ether, Sulfane, Amine, Imine sowie Phosphane (vgl. Tab. 77). Die Additionsverbindungen der Hydro-organo-borane mit C-Donatoren (z.B. Methylen-triorgano-phosphane) zählen zu den zwitterionischen Phosphonionomethyl-triorganoboraten, deren Herstellungsmethoden in einem gesonderten Abschnitt besprochen werden (vgl. S. 713ff.).

Tab. 77: Lewisbase-Diorgano-hydro-borane

Formel	Verbindungstyp	Herstellungsart	s. S.
Ether-Diorgano-hydro-borane			
H, B⊖, THF⊕; H–B⊖, THF⊕	$(Do-BR_2H)_2$	aus $R^1_2B-OR^2 + Do'-BH_3/Do$	476
R^1, R^1, O–B, R^2, ⊕, ⊖, H, O–B, R^1, R^1	$Do-R_2BH$	aus $R^1_2B-O-CO-R^2 + R^1_2BH$	475
Ammoniak-Diorgano-hydro-boran			
$\overset{\oplus}{H_3N}$, B⊖, H	Do–HB R	aus $(R_2BH)_2 + NH_3$	477
prim. Amin-Diorgano-hydro-borane			
$H_3C-\overset{\oplus}{N}H_2-\overset{\ominus}{B}HAr_2$	$Do-BHAr_2$	aus $Ar_2B-OH + H^-/Do$ aus $Do'-BHAr_2 + Do$	478 479
$R-\overset{\oplus}{H_2N}$, B⊖, H	Do–HB R	aus $(R^1_2BH)_2 + R^2-NH_2$	477
$(H_{11}C_6)_2\overset{\ominus}{B}H-\overset{\oplus}{N}H_2-(CH_2)_2-\overset{\oplus}{N}H_2-\overset{\ominus}{B}H(C_6H_{11})_2$	$R_2HB-Do-BHR_2$	aus $(R_2BH)_2$ + >N–R–N<	478

[1] I.H. SABHERWAL u. A.B. BURG, Chem. Commun. **1970**, 1001.

[2] E.O. FISCHER u. H.D. HOFMANN, Ang. Ch. **69**, 639 (1957).

Tab. 77: (1. Fortsetzung)

Formel	Verbindungstyp	Herstellungsart	s. S.
sek. Amin-Diorgano-hydro-borane			
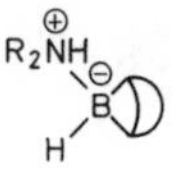 $R_2\overset{\oplus}{N}H-\overset{\ominus}{B}H$ (bicyclisch)	 Do—HB(R)	aus $(R^1_2BH)_2 + R^2_2NH$	477
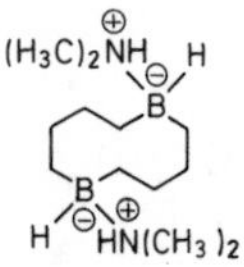 $(H_3C)_2\overset{\oplus}{N}H$–$\overset{\ominus}{B}H$ … $\overset{\ominus}{B}H$–$\overset{\oplus}{H}N(CH_3)_2$ (cyclisch)	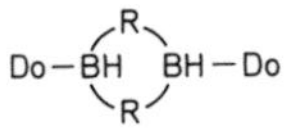 Do—BH(R)(R)BH—Do	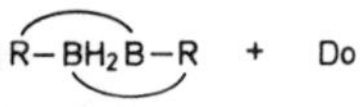 aus R—BH₂B—R (cyclisch) + Do	477
tert. Amin-Diorgano-hydro-borane			
$R^1_3\overset{\oplus}{N}-\overset{\ominus}{B}HR^2_2$	Do—BHR_2	aus $R^2_3B + R^1_3N$, △	476
		$+ R^1_3N + H_2$	476
$R^1 = C_2H_5$; $R^2 = C_3H_7$		aus $(R^2_2BH)_2 + R^1_3N$	477
$R_3\overset{\oplus}{N}-H\overset{\ominus}{B}$ (bicyclisch)	Do—HB(R)	aus $(R\,BH)_2 + R_3N$	477
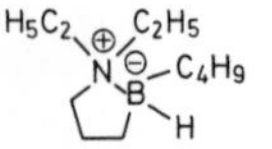 H_5C_2, C_2H_5, N, C_4H_9, B, H (cyclisch)	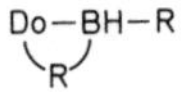 Do—BH—R (R-Ring)	aus $(R^1_2BH)_2 + R^2_2N—R_{en}$	478
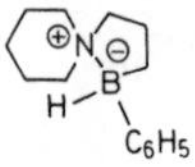 Piperidinium-N–B(H)(C₆H₅) (cyclisch)	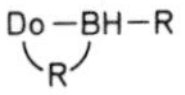 Do—BH—R (R-Ring)	aus $(R^1—BH_2)_2 + R^2_2N—R_{en}$	478
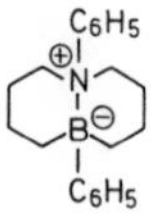 C_6H_5–N–B–C_6H_5 (bicyclisch)	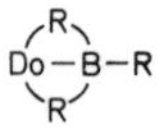 Do—B—R (R, R-Ringe)	aus $Do'—BH_2—R^1 + R^2—N(R_{en})_2$	478
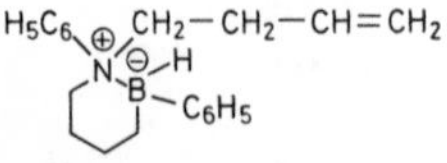 H_5C_6, $CH_2—CH_2—CH{=}CH_2$, N, B, H, C_6H_5 (cyclisch)	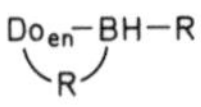 Do_{en}—BH—R (R-Ring)	aus $Do'—BH_2—R^1 + R^2—N(R_{en})_2$	479
$(H_3C)_3\overset{\oplus}{N}-\overset{\ominus}{B}H(CH{=}CH_2)_2$	Do—$BH(R_{en})_2$	aus $(R_{en})_2B—R—BHal_2 + R_3N$, △	476
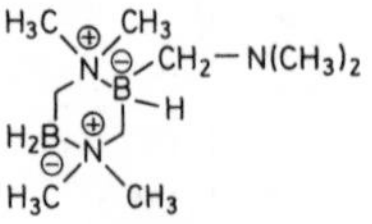 H_3C, CH_3, N, B, $CH_2—N(CH_3)_2$, H, H_2B, N, H_3C, CH_3 (cyclisch)	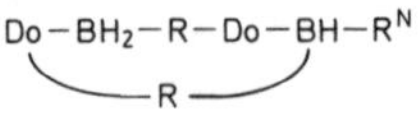 Do—BH₂—R—Do—BH—R^N (—R—)	aus $[Do_2BH_2]^{\oplus}Cl^{\ominus} + R—Li$	479
Imin-Diorgano-hydro-borane			
Pyridin-$\overset{\oplus}{N}-H\overset{\ominus}{B}$ (bicyclisch)	Do—HB(R)	aus $[R\,BH]_2$ + Do	480
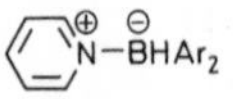 Pyridin-$\overset{\oplus}{N}-\overset{\ominus}{B}HAr_2$	Do—$BHAr_2$	aus $R^1_2B—OR^2 + H^-$/Do	480
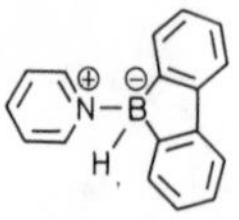 Pyridin-$\overset{\oplus}{N}-\overset{\ominus}{B}$(H)-Biphenylen (9-Borafluoren)	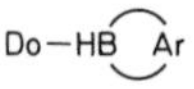 Do—HB(Ar)	aus Do—BH_2—Ar, △	481

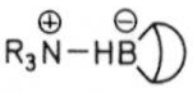

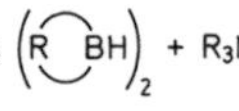

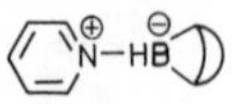

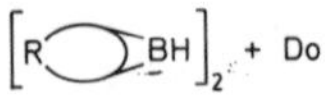

Tab. 77: (2. Fortsetzung)

Formel	Verbindungstyp	Herstellungsart	s. S.
[Pyridin-N⊕–B⊖(H)-9-Phenyl-9-bora-anthracen]	Do–HB Ar	aus Do(RO)B Ar + H^-/Do	481
Phosphan-Diorgano-hydro-borane			
$R_3\overset{\oplus}{P}-H\overset{\ominus}{B}$	Do–HB Ar	aus $R^1_2BH + R^2_3P$ aus $(R^1_2BH_2)^- + [R^2_3PH]^-$	482 482

1. Lewisbase-Diorgano-hydro-borane

Tab. 77 (S. 473f.) gibt eine Übersicht über die Herstellungsmethoden für Lewisbase-Diorgano-hydro-borane.

α) Ether-Diorgano-hydro-borane

Bis-9-borabicyclo[3.3.1]nonan löst sich in Tetrahydrofuran und steht im Gleichgewicht mit ~14% *Tetrahydrofuran-9-Borabicyclo[3.3.1]nonan*[1]:

$$(\text{9-BBN-H})_2 + 2\,THF \rightleftharpoons 2\ \overset{\oplus}{THF}-\overset{\ominus}{B}(H)(\text{C}_8\text{H}_{14})$$

Diorgano-hydro-borane bilden mit bestimmten Acyloxy-diorgano-boranen (vgl. Bd. XIII/3a, S. 578) bei ~20° beständige, z.T. kristallisierte 1:1-Additionsverbindungen mit resonanzstabilisierter Atomgruppierung[2]:

$$1/2\ (R^1_2BH)_2 + R^2-C(=O)-O-BR^1_2 \xrightarrow{\text{Hexan}} R^2-C(O-BR^1_2)_2H \ (\text{cyclisch, } \oplus/\ominus)$$

$R^1_2 = (C_2H_5)_2$, [9-BBN]
$R^2 = C(CH_3)_3, C_7H_{15}, C_6H_5$

9,9′-(2,2-Dimethylpropanoyloxy)-bis(9-borabicyclo[3.3.1]nonan)[2]: Bei ~20° werden 1,792 g (14,8 mmol) 9-Borabicyclo[3.3.1]nonan und 755,7 g (7,4 mmol) 2,2-Dimethylpropansäure vereinigt und ~14 *ml* Heptan zugegeben. Langsam entweicht Wasserstoff. Nach 12 Stdn. Stehen bei ~20° sind 168,8 N*ml* (~100%) Wasserstoff freigesetzt. Vom weißen, kristallinen Produkt wird nach Abkühlen auf –78° abfiltriert (D-3-Fritte). Nach Waschen mit kaltem (–78°) Pentan wird i. Vak. getrocknet; Ausbeute: 1,71 g (67%); F: 127–130° (Zers.), (aus kaltem Heptan: –20 bis 0°).

---

[1] J.A. Soderquist u. H.C. Brown, J. Org. Chem. 46, 4599 (1981).
[2] P. Idelmann, K. Seevogel, W. Schüssler u. R. Köster, Mülheim a.d. Ruhr, unveröffentlicht 1982.

Mit 2,6-Dimethoxy-2,6-diboraadamantan läßt sich aus Dimethylsulfan-Boran in Tetrahydrofuran in 76%iger Ausbeute das *Bis-Tetrahydrofuran-2,6-Dihydro-2,6-diboraadamantan* (F: 145–147°) gewinnen[1]:

$$(H_3C)_2S{-}BH_3 + \text{2,6-Dimethoxy-2,6-diboraadamantan} \xrightarrow[-HB(OCH_3)_2,\ -(H_3C)_2S]{+2\,THF} \text{Bis-THF}^{\oplus}\text{-2,6-dihydro-2,6-diboraadamantan}^{\ominus}$$

β) Sulfan-Diorgano-hydro-borane

Aus Dimethylsulfan-Boran erhält man mit 1,3-Alkadienen (z. B. Isopren) nach Hydroborierung dimere Alkandiyl-hydro-borane (vgl. Bd. XIII/3a, S. 349). Auch *Dimethylsulfan-3-methylborolan* ist so zugänglich[2].

γ) Amin-Diorgano-hydro-borane

γ₁) *aus Triorganoboranen*

Die Herstellung von Amin-Diorgano-hydro-boranen aus Triorganoboranen gelingt in Sonderfällen durch Dehydroborierung beim Erhitzen:

$$R^1_3B + NR^2_3 \xrightarrow[-\text{Alken}]{>120^\circ} R^2_3\overset{\oplus}{N}{-}\overset{\ominus}{B}HR^1_2$$

Im allgemeinen werden Temp. von > 120° benötigt. *Trimethylamin-Divinyl-hydro-boran* wird z. B. bei 120° aus (1,2-Bis[dichlorboryl]ethyl)-divinyl-boran in Gegenwart von Trimethylamin neben den Trimethylamin-Chlorboranen erhalten[3]:

$$(H_2C{=}CH)_2B{-}CH(BCl_2){-}CH_2{-}BCl_2 + (H_3C)_3N \xrightarrow{120^\circ} (H_3C)_3\overset{\oplus}{N}{-}\overset{\ominus}{B}H(CH{=}CH_2)_2$$

$$\longrightarrow Cl_2B{-}CH{=}CH{-}BCl_2 \xrightarrow[-HC\equiv CH]{+N(CH_3)_3} (H_3C)_3\overset{\oplus}{N}{-}\overset{\ominus}{B}Cl_3 + \frac{1}{n}\left[(H_3C)_3N{-}BCl\right]_{3n}$$

(1,2-Bis[difluorboryl]ethyl)-divinyl-boran reagiert analog[3].

Tert.-Amin-Dialkyl-hydro-borane sind aus Trialkylboranen mit Wasserstoff unter Druck oberhalb ~ 140° in Gegenwart von tertiärem Amin zugänglich (vgl. Bd. XIII/3a, S. 325, 353)[4]:

$$R^1_3B \xrightarrow[-R^1H]{+H_2,\ R^2_3N} R^2_3\overset{\oplus}{N}{-}\overset{\ominus}{B}HR^1_2$$

Die Methode ist vor allem zur Herstellung von Trialkylamin-Trihydroboranen ausgearbeitet worden (vgl. Bd. XIII/3a, S. 117; z. B. XIII/3c).

γ₂) *aus Hydro-organo-boranen*

Amin-Diorgano-hydro-borane[5] lassen sich aus Organodiboranen(6) mit Aminen durch Addition[6-10] oder z. B. mit Allylaminen durch Hydroborierung der C=C-Bindung unter Addukt-Bildung[11,12] herstellen.

---

[1] S. U. KULKARAI u. H. C. BROWN, J. Org. Chem. **44**, 1747 (1979).
[2] R. CONTRERAS u. B. WRACKMEYER, Z. Naturf. **35b**, 1229 (1980).
[3] A. K. HOLLIDAY u. R. P. OTTLEY, Soc. [A] **1971**, 886.
[4] R. KÖSTER, G. BRUNO u. P. BINGER, A. **644**, 1 (1961).
[5] Amin-Diorgano-hydro-borane: vgl. *Gmelin*, 8. Aufl., Bd. **46**/15, S. 65–74 (1977).
[6] H. I. SCHLESINGER, N. W. FLODIN u. A. B. BURG, Am. Soc. **61**, 1078 (1939).
[7] R. KÖSTER, G. GRIASNOW, W. LARBIG u. P. BINGER, A. **672**, 1 (1964).
[8] D. E. YOUNG u. S. G. SHORE, Am. Soc. **91**, 3497 (1969).
[9] R. KÖSTER u. K. IWASAKI, Advan. Chem. Ser. **42**, 148 (1964).
[10] R. VAN VEEN u. F. BICKELHAUPT, J. Organometal. Chem. **47**, 33 (1973).
[11] G. B. BUTLER, G. L. STATTON u. W. S. BREY jr., J. Org. Chem. **30**, 4194 (1965).
[12] N. E. MILLER, Inorg. Chem. **13**, 1459 (1974).

Amin-Diorgano-hydro-borane erhält man aus den Komponenten beim Lösen des Organodiborans(6) in Ether. *Trimethylamin-Dimethyl-hydro-boran*[1] (F: −18°) bildet sich z.B. bei −80° aus Tetramethyldiboran(6) mit Trimethylamin. In Abhängigkeit vom Organodiboran(6) und vom Amin kann die BH_2B-Brückenbildung auch unsymmetrisch gespalten werden[2]. Beim 1,2:1,2-Bis[butan-1,4-diyl]diboran(6) mit Dimethylamin treten beide Spaltungsarten ein[2]:

+2 $HN(CH_3)_2$; symm. / asymm.

1,6-Bis[dimethylamin]-1,6-Dibora-cyclodecan

1,1-Bis[dimethylammoniono]-6,6-dihydro-1,6-diborata-cyclodecan

Aus Bisborinan können mit tert. oder sek. Aminen unter symmetrischer Diboran-Spaltung Amin-Borinane hergestellt werden[3].

Aus Bis-9-borabicyclo[3.3.1]nonan sind mit Ammoniak[4] oder mit bestimmten primären, sekundären sowie tertiären Aminen (z.B. mit Trimethylamin, aber nicht mit Triethylamin)[5,6] unter symmetrischer BH_2B-Spaltung 9-Amin-9-Borabicyclo[3.3.1]nonane zugänglich[4–8]:

1/2 [9-BBN-H]₂ —(+ Amin; Benzol, 20-40°)→ Amin⊕–B⊖(H)(9-BBN)

z.B.: Amin = NH_3; F: ~85° (Zers.)[4]

Aus 1,2:1,2-Bis[2-methyl-1,4-butandiyl]diboran(6) entsteht mit Benzylamin bei 0° ein festes Amin-Boran[9]. Aus Tetrapropyldiboran(6) wird mit Triethylamin unter symmetrischer BH_2B-Spaltung das nur schwach assoziierte *Triethylamin-Dipropyl-hydro-boran* gebildet[10]:

$$(H_7C_3)_4B_2H_2 \quad + \quad 2\,N(C_2H_5)_3 \quad \rightleftharpoons \quad 2\,(H_5C_2)_3\overset{\oplus}{N}-\overset{\ominus}{B}H(C_3H_7)_2$$

Sek.-Amine lassen sich im allgemeinen durch prim.-Amine verdrängen (vgl. S. 479)[11]. Tetraalkyldiborane(6) reagieren auch mit 1,2-Diaminoethan unter Bildung von Diamin-Bis-boranen, die für die Lagerung von Dialkyl-hydro-boranen empfohlen werden. Das

[1] H.I. Schlesinger, N.W. Flodin u. A.B. Burg, Am. Soc. **61**, 1078 (1939).
[2] D.E. Young u. S.G. Shore, Am. Soc. **91**, 3497 (1969).
[3] H.C. Brown u. G.G. Pai, J. Org. Chem. **46**, 4713 (1981).
[4] R. Köster u. G. Seidel, A. **1977**, 1837.
[5] H.C. Brown u. S.U. Kulkarni, Inorg. Chem. **16**, 3090 (1977).
[6] H.C. Brown u. K.K. Wang, R. **98**, 117 (1979).
K.K. Wang u. H.C. Brown, Am. Soc. **104**, 7148 (1982).
H.C. Brown, J. Chandrasekharan u. K.K. Wang, Purdue University, unveröffentlicht 1983.
[7] H.C. Brown u. S.U. Kulkarni, J. Org. Chem. **42**, 4169 (1977).
[8] M. Baboulène, J.-L. Torregrosa, V. Spéziale u. A. Lattes, Bl. II **1980**, 565; C.A. **95**, 81072 (1981).
[9] R. Köster u. K. Iwasaki, Advan. Chem. Ser. **42**, 148 (1964).
[10] R. Köster, G. Griasnow, W. Larbig u. P. Binger, A. **672**, 1 (1964).
[11] T.J. Lalor, T. Paxson u. M.F. Hawthorne, Am. Soc. **93**, 3156 (1971).

Freisetzen der Dialkyl-hydro-borane ist daraus mit Ether-Trifluorboran relativ leicht und glatt möglich[1]:

$$(R_2BH)_2 \xrightarrow{+H_2N-CH_2-CH_2-NH_2} \begin{matrix} \overset{\oplus}{N}H_2-\overset{\ominus}{B}HR_2 \\ \overset{\oplus}{N}H_2-\overset{\ominus}{B}HR_2 \end{matrix}$$

z.B.: R = C_6H_{11}; *1,2-Diaminoethan-Bis[dicyclohexyl-hydro-boran]*

Auch mit 1,4-Diazabicyclo[2.2.2]octan (DABCO)[2,3] bzw. 1,2-Bis[dimethylamino]ethan[3] sind z.B. aus Bis-borinan 1:1 sowie 2:1 Additionsverbindungen zugänglich.

Amin-Diorgano-hydro-borane lassen sich auch aus Dihydro-organo-boranen mit Alkenylaminen herstellen. Man erhält vor allem thermisch stabile fünf- und sechsgliedrige 1,2-Azoniaboratacycloalkane in guten Ausbeuten.

1,2-Diphenyldiboran(6) setzt sich mit 1-Allylpiperidin zum *1-Hydro-1-phenyl-5-azonia-1-borata-spiro[5.4]decan* um[4]:

$$1/2\ (H_5C_6BH_2)_2 + H_2C=CH-CH_2-N\langle\text{piperidin}\rangle \longrightarrow \text{(Spiro-Verbindung: } B(H)(C_6H_5)^{\ominus},\ N^{\oplus})$$

Die Hydroborierung von Allyl-diethyl-amin mit Tetrabutyldiboran(6) führt unter Boran-Disproportionierung zu *2-Butyl-1,1-diethyl-1-hydro-1,2-azoniaboratolidin* (62%; Kp_2: 98–100°)[5]:

$$(H_9C_4)_4B_2H_2 + H_2C=CH-CH_2-N(C_2H_5)_2 \xrightarrow[-(H_9C_4)_3B]{} \text{(Ring: } \overset{\oplus}{N}(C_2H_5)_2-\overset{\ominus}{B}(C_4H_9)(H))$$

γ_3) *aus Oxyboranen*

Zur Herstellung von Amin-Hydro-organo-boranen geht man auch von Triorganoboroxinen, Hydroxy-organo- oder von Organo-organooxy-boranen einschließlich der (2-Aminoethoxy)-diorgano-borane (vgl. S. 542ff.) aus. Man setzt z.B. mit Lithiumtetrahydroaluminat in Ether bei 30–40° in Gegenwart der Amine um.

Amin-Diaryl-hydro-borane sind z.B. aus Diaryl-hydroxy-boranen mit Lithiumtetrahydroaluminat in Gegenwart eines Amins zugänglich (Vereinigung von Boran und Aluminat bei −78° in Ether, 2 Stdn. Rühren/~20° und Zugabe des Amins bei −78°). U.a. werden so erhalten[6]:

Methylamin-Diphenyl-hydro-boran	61%; F: 89–90,5°
-Bis[4-fluorphenyl]-hydro-boran	65%; F: 90°
-Bis[4-methoxyphenyl]-hydro-boran	45%; F: 140–142°
Dimethylamin-Bis[3-chlorphenyl]-hydro-boran	61%; F: 127–128°

γ_4) *aus Lewisbase-Organoboranen*

Amin-Diorgano-hydro-borane werden auch aus verschiedenen Lewisbase-Organoboranen wie z.B. aus Amin-Triorganoboranen oder Amin-Hydro-organo-boranen erhalten.

[1] H.C. BROWN u. B. SINGARAM, Inorg. Chem. **18**, 53 (1979).
[2] H.C. BROWN, B. SINGARAM u. P.C. MATHEW, J. Org. Chem. **46**, 4541 (1981).
[3] B. SINGARAM u. C.C. PAI, Heteroc. Sendai **18**, 387 (1982).
[4] G.B. BUTLER, G.L. STATTON u. W.S. BREY jr., J. Org. Chem. **30**, 4194 (1965).
[5] N.V. MOSTOVOI, N.A. DOROKHOV u. B.M. MIKHAILOV, Izv. Akad. SSSR **1966**, 90; engl.: 70; C.A. **64**, 15908 (1966).
[6] F.J. LALOR, T. PAXSON u. M.F. HAWTHORNE, Am. Soc. **93**, 3156 (1971).

$\gamma\gamma_1$) aus Amin-Triorganoboranen

Erhitzt man tert.-Amin-Triorganoboran mit Wasserstoff unter Druck auf ~160–180°, so spalten sich Organo-Reste vom Bor-Atom als Alkan oder als Aren ab. Bei geeigneter Konzentration der Reaktionspartner und nicht zu langer Einwirkungsdauer lassen sich Amin-Diorgano-hydro-borane gewinnen[1,2].

$\gamma\gamma_2$) aus Lewisbase-Diorgano-hydro-boranen

Aus verschiedenen Lewisbase-Diorgano-hydro-boranen können mit Aminen Amin-Diorgano-hydro-borane hergestellt werden.

Amin-Diorgano-hydro-borane reagieren mit anderen Aminen vielfach unter Austausch der Lewisbase. So erhält man z.B. aus äquivalenten Mengen Methylamin-Diaryl-hydro-boranen mit 2,2-Diphenylethylamin in Diglyme unter Abspaltung von Methylamin 2,2-Diphenylethylamin-Diaryl-hydro-borane (70–80%)[3]:

$$H_3C-\overset{\oplus}{N}H_2-\overset{\ominus}{B}HR_2 \xrightarrow[-H_2N-CH_3]{+(H_5C_6)_2CH-CH_2-NH_2/\text{Diglyme}} (H_5C_6)_2CH-CH_2-\overset{\oplus}{N}H_2-\overset{\ominus}{B}HR_2$$

2,2-Diphenylethylamin-...

R = 4-Br–C_6H_4; ...-*Bis[4-bromphenyl]-hydro-boran*; F: 148°
R = 4-OCH_3–C_6H_4; ...-*Bis[4-methoxyphenyl]-hydro-boran*; F: 118°

Amin-Dihydro-organo-borane werden auch zur Herstellung cyclischer Amin-Diorgano-hydro-borane eingesetzt. Die partielle Addition von Trimethylamin-Dihydro-phenyl-boran an (Di-3-butenyl)-phenyl-amin führt zu *1-(3-Butenyl)-1,2-diphenyl-2-hydro-1,2-azoniaboratinan*. Außerdem wird vollständig hydroboriertes *1,6-Diphenyl-1-azonia-6-borata-bicyclo[4.4.0]decan* gebildet[4,5]:

$$(H_3C)_3\overset{\oplus}{N}-\overset{\ominus}{B}H_2-C_6H_5 \xrightarrow[-(H_3C)_3N]{+H_5C_6-N(CH_2-CH_2-CH=CH_2)_2}$$

(Ring structures: N-phenyl-N-($CH_2-CH_2-CH=CH_2$)-B(H)(C_6H_5) azoniaboratinane; and N-C_6H_5, B-C_6H_5 bicyclic azonia-borata-decane)

γ_5) *aus Bis[amin]-dihydro-bor(1+)-halogeniden*

Bis[trimethylamin]-dihydro-bor(1+)-chlorid reagiert mit Butyllithium in Pentan unter Bildung kleiner Mengen *2-Dimethylaminomethyl-2,5-dihydro-1,1,4,4-tetramethyl-1,4,2,5-diazoniadiboratinan*; (I; ~5%; F: 39–48°, Subl.) und wenig *2,5-Dihydro-1,1,4,4-tetramethyl-1,4,2,5-diazoniadiboratinan* (II)[6] (vgl. S. 498ff.).

(Structures I: ring with $(H_3C)_2N^{\oplus}$, $B^{\ominus}(H)(CH_2-N(CH_3)_2)$, $H_2B^{\ominus}$, $N^{\oplus}(CH_3)_2$; II: ring with two $(H_3C)_2N^{\oplus}$ and two $BH_2^{\ominus}$)

I II

---

[1] H.E. Podall, H.E. Petree u. J.R. Zietz, J. Org. Chem. **24**, 1222 (1959).
[2] vgl. R. Köster, G. Bruno u. P. Binger, A. **644**, 1 (1961); dort ältere Literatur.
[3] F.J. Lalor, T. Paxson u. M.F. Hawthorne, Am. Soc. **93**, 3156 (1971).
[4] C.L. McCormick, Dissertation Abstr. Int. B. **34**, 4882 (1974); C.A. **81**, 78269 (1974).
[5] C.L. McCormick u. G.B. Butler, J. Org. Chem. **41**, 2803 (1976).
[6] N.E. Miller, Inorg. Chem. **16**, 2664 (1977).

δ) Imin-Diorgano-hydro-borane

Zur Verbindungsklasse gehören offenkettige und cyclische Imin- bzw. Pyridinbase-Diorgano-hydro-borane (vgl. Tab. 77, S. 474f.).

Die Herstellung erfolgt aus Diorgano-hydro- oder Organo-oxy-boranen sowie Lewisbase-Organoboranen.

δ_1) *aus Diorgano-hydro-boranen*

Pyridinbase- und Imin-Diorgano-hydro-borane sind aus Diorgano-hydro-boranen mit den Lewisbasen bei 20° und darunter ohne Hydroborierung der C=N-Bindung zugänglich; z.B. verschiedene Pyridin-9-Borabicyclo[3.3.1]nonan-Verbindungen[1]; z.B.:

1/2 [BH]₂ + Pyridin —Pentan→

Pyridin-9-Borabicyclo[3.3.1]nonan

Auch mit Iminen werden 1:1-Additionsverbindungen erhalten; z.B. aus Diethyl-hydro-boran[2].

δ_2) *aus Organo-oxy-boranen*

Pyridin-Diorgano-hydro-borane sind aus Diaryl-hydroxy-boranen und vor allem aus Alkoxy-diaryl-boranen mit Lithiumtetrahydroaluminat gut zugänglich[3-5]. Man läßt mit Pyridin in Ether zwischen −70° und ~20° reagieren (vgl. Tab. 78).

Tab. 78: Pyridin-Diaryl-hydro-borane aus Diaryl-organooxy-boranen mit Lithiumtetrahydroaluminat

Diaryl-organooxy-boran	Pyridin-Diaryl-hydro-boran	Ausbeute [%]	F [°C]	Literatur
$(H_5C_6)_2B-OC_2H_5$	*Pyridin-Diphenyl-hydro-boran*	51	106–107	4, 6
	Pyridin-Deutero-diphenyl-boran[a]	–	106–107	5, 7
	Pyridin-Diphenyl-tritio-boran[b]	–	–	4
$[Br-C_6H_4]_2B-OC_2H_5$	*Pyridin-Bis[4-bromphenyl]-hydro-boran*	43	122–124	4
$[H_3CO-C_6H_4]_2B-OC_2H_5$	*Pyridin-Bis[4-methoxyphenyl]-hydro-boran*	64	109–110	4, 6
$[H_3C-C_6H_4]_2B-OC_2H_5$	*Pyridin-Bis[4-methylphenyl]-hydro-boran*	41	110–113	4, 6

[a] mit $Li[AlD_4]$
[b] mit $Li[AlT_4]$; im Produkt sind 10–16% Tritium.

---

[1] J.A. Soderquist u. H.C. Brown, J. Org. Chem. **46**, 4599 (1981).
K.K. Wang u. H.C. Brown, Am. Soc. **104**, 7148 (1982).
H.C. Brown, J. Chandrasekharan u. K.K. Wang, Purdue University, unveröffentlicht 1983.
[2] F. Levelt, Mülheim a.d. Ruhr, Dissertation S. 83/84, Universität Bochum 1977.
[3] M.F. Hawthorne, Chem. & Ind. **1957**, 1242.
[4] M.F. Hawthorne, Am. Soc. **80**, 4293 (1958).
[5] M.F. Hawthorne u. E.S. Lewis, Am. Soc. **80**, 4296 (1958).
[6] M.F. Hawthorne, Chem. & Ind. **1957**, 1242.
[7] E.S. Lewis u. R.H. Grinstein, Am. Soc. **84**, 1158 (1962).

Pyridin-Diphenyl-hydro-boran[1,2]**:** Zur Lösung von 5 g Lithiumtetrahydroaluminat in 500 *ml* Diethylether werden bei −70° 50 *ml* Pyridin gegeben. Bei derselb. Temp. tropft man unter Rühren 25 g Diphenyl-ethoxy-boran in 100 *ml* Ether zu. Das Kühlbad wird anschließend entfernt und bei ~ 20° 10 *ml* Pyridin in 25 *ml* Wasser unter Kühlen langsam zugetropft. Nach dem Filtrieren und Waschen des Niederschlags mit Ether extrahiert man 3mal mit Wasser und trocknet die Ether-Phasen über Magnesiumsulfat. Durch Verdampfen des Lösungsmittels i. Vak. erhält man einen kristallinen Rückstand, der bei 45° in wenig Benzol und Ether gelöst wird. Man tropft Pentan bis zum Ausfallen des Produkts zu, kühlt auf 0° und saugt vom Niederschlag ab; Ausbeute: 15 g (50%); F: 106–107°.

Entsprechend können Diaryl-ethoxy-borane mit Lithiumtetrahydroaluminat, Lithiumtetradeuteroaluminat oder mit T-angereichertem Lithiumtetrahydroaluminat in die entsprechenden Pyridin-Diaryl-hydro-borane übergeführt werden[3,4].

δ_3) *aus Lewisbase-Organoboranen*

Zur Herstellung von Pyridinbase-Diorgano-hydro-boranen sind auch verschiedene Lewisbase-Organoborane geeignet. Außer der einfachen Verdrängung von Lewisbase durch Pyridinbasen (vgl. S. 459) gibt es borylierende Ringschlußreaktionen, durch die in speziellen Fällen cyclische Pyridin-Diorgano-hydro-borane glatt zugänglich sind.

Aus Pyridin-2-Biphenylyl-dihydro-boranen in Paraffin kann man in Analogie zur C-Borylierung mit Organodiboranen(6)[5,6] unter Abspaltung von Wasserstoff das *Pyridin-9-Borafluoren* in 66%iger Ausbeute herstellen:

$H_2\overset{\ominus}{B}-\overset{\oplus}{Py}$ (2-Biphenylyl) $\xrightarrow[-H_2]{-250°}$ H, Py$^{\oplus}$ / $\overset{\ominus}{B}$ (9-Borafluoren)

Pyridin-9-Borafluoren[7]**:** Man erhitzt 397,8 mg (1,6 mmol) Pyridin-2-Biphenylyl-dihydro-boran in 20 *ml* Paraffinöl rasch (~ 3 Min.) auf 250° und kühlt sofort wieder auf −180° (flüss. Stickstoff) ab. Nach Zugabe von ~ 0,2 *ml* getr. Pyridin und 80 *ml* Petrolether (Kp: 28–40°) wird 1 Stde. gerührt, vom Niederschlag abfiltriert und dieser in 3 *ml* Toluol gelöst. Man gibt die Lösung zu einer Mischung (2:7) von Ether und Petrolether und filtriert ab. Beim Abkühlen (−70°) werden 232,9 mg und aus der Mutterlauge weitere 28,2 mg (Gesamtausbeute: 66%) Produkt gewonnen; F: 117–118,5°.

(2-Aminoethoxy)-diaryl-borane (vgl. S. 542) eignen sich gut zur Herstellung von Pyridinbase-Diaryl-hydro-boranen[7,8]. Man setzt mit Lithiumtetrahydroaluminat in Ether in Gegenwart der Pyridinbase um. Zuvor wird mit Salzsäure in Toluol und anschließend mit Ethanol in Benzol die Ausgangsverbindung aufgeschlossen. Beispielsweise erhält man *Pyridin-Hydro-1-naphthyl-phenyl-boran* aus 2-(1-Naphthyl)-2-phenyl-1,2-azoniaboratolidin[8] und *Pyridin-10-Phenyl-5,10-dihydro-⟨dibenzo[b;e]borin⟩*[7] (F: 204–206°) aus dem Lewisbase-Diorgano-oxy-boran:

1. $+H_2O$ / $+HCl$ / Toluol
2. $+H_5C_2-OH$ / Benzol
3. $+LiAlH_4$ / +Pyridin / Ether, −70°

$-HO-CH_2-CH_2-NH_2$

(Edukt: O–CH₂–CH₂–$\overset{\oplus}{N}H_2$ an $\overset{\ominus}{B}$, 10-C_6H_5; Produkt: $Py^{\oplus}$, H an $\overset{\ominus}{B}$, 10-C_6H_5)

---

[1] H.C. Brown u. S.U. Kulkarni, J. Org. Chem. **42**, 4169 (1977).
[2] H.C. Brown u. S.U. Kulkarni, Inorg. Chem. **16**, 3090 (1977).
[3] M.F. Hawthorne u. E.S. Lewis, Am. Soc. **80**, 4296 (1958).
[4] E.S. Lewis u. R.H. Grinstein, Am. Soc. **84**, 1158 (1962).
[5] R. Köster, W. Larbig u. G.W. Rotermund, A. **682**, 21 (1965).
[6] A.B. Burg u. G.W. Campbell, Am. Soc. **74**, 3744 (1952).
[7] R. van Veen u. F. Bickelhaupt, J. Organometal. Chem. **47**, 33 (1973).
[8] M.F. Hawthorne, Am. Soc. **80**, 4293 (1958).

ε) Phosphan-Diorgano-hydro-borane

Diorgano-hydro-borane bilden auch mit Triorganophosphanen offenkettige und cyclische 1:1-Additionsverbindungen.

Triorganophosphan-Diorgano-hydro-borane werden aus Diorgano-hydro-boranen mit Phosphanen oder aus Alkalimetall-dihydro-diorgano-boraten mit Phosphoniumhalogeniden hergestellt. *Dimethylphosphan-Dimethyl-hydro-boran* entsteht z.B. beim Zusammenkondensieren und anschließendem langsamen Erwärmen von Tetramethyldiboran(6) mit Dimethylphosphan[1].

Aus Bis(9-bora-bicyclo[3.3.1]nonan) erhält man mit Triorganophosphanen in Tetrahydrofuran glatt die 1:1-Additionsverbindungen[2]:

$$[(\text{C}_8\text{H}_{14})\text{BH}]_2 + \text{R}_3\text{P} \xrightarrow{\text{THF}} 2\ \text{R}_3\overset{\oplus}{\text{P}}-\overset{\ominus}{\text{B}}\text{H}(\text{C}_8\text{H}_{14})$$

...-9-Borabicyclo[3.3.1]nonan
R = CH_3; *Trimethylphosphan*; F: 67°
R = C_6H_5; *Triphenylphosphan*

Die Methode eignet sich vor allem zur Herstellung der thermisch stabileren Phosphan-Dihydro-organo-borane (vgl. S. 505ff.).

Phosphan-Diorgano-hydro-borane sind auch aus Alkalimetall-diorgano-dihydro-boraten (vgl. S. 813ff.) mit geeigneten Organophosphoniumhalogeniden zugänglich. Man erhält z.B. aus Natrium-1,5-cyclooctandiyl-dihydro-borat mit Trimethylphosphoniumchlorid in Tetrahydrofuran *Trimethylphosphan-9-Borabicyclo[3.3.1]nonan* in >90%iger Ausbeute[2]:

$$\text{Na}^+\left[(\text{C}_8\text{H}_{14})\text{BH}_2\right]^- + \left[(\text{H}_3\text{C})_3\text{PH}\right]^+\text{Cl}^- \xrightarrow[-\text{H}_2,\ -\text{NaCl}]{\text{THF}} (\text{H}_3\text{C})_3\overset{\oplus}{\text{P}}-\text{H}\overset{\ominus}{\text{B}}(\text{C}_8\text{H}_{14})$$

Trimethylphosphan-9-Borabicyclo[3.3.1]nonan[2]: Eine Lösung von 6 g (41 mmol) Natrium-1,5-cyclooctandiyl-dihydro-borat (S. 817) in 40 *ml* THF tropft man innerhalb 90 Min. zu 4,6 g (41 mmol) Trimethylphosphoniumchlorid in 50 *ml* THF, wobei 890 N*ml* (97%) Wasserstoff entweichen. Nach Filtration, Waschen des Niederschlages (Natriumchlorid) mit THF und Einengen des Filtrats bei 14 Torr wird das Filtrat bei 0,01 Torr getrocknet; Ausbeute: 7,2 g (91%); F: 67° (Zers.).

2. Lewisbase-Dihydro-organo-borane

Die relativ große Klasse der Lewisbase-Dihydro-organo-borane besteht aus wenigen offenkettigen und zahlreichen cyclischen Verbindungstypen. Als Lewisbasen kennt man Dialkylthiane, vor allem prim., sek. und tert. Amine sowie Imine. In der Tab. 79 (S. 483) sind die verschiedenartigen N-Lewisbase-Dihydro-organo-borane mit ihren Herstellungswegen zusammengestellt. Außerdem gibt es Phosphan-Dihalogen-organo-borane (vgl. Tab. 80, S. 505), deren Herstellung auf S. 505ff. beschrieben wird.

---

[1] A.B. Burg u. R.I. Wagner, Am. Soc. **75**, 3872 (1953).
[2] R. Köster u. G. Seidel, Mülheim a.d. Ruhr, unveröffentlicht 1978.

Tab. 79: N-Lewisbase-Dihydro-organo-borane

Formel	Verbindungstyp	Herstellung	s. S.
Ammoniak-Dihydro-organo-borane			
$H_3\overset{\oplus}{N}—\overset{\ominus}{B}H_2—CH{=}CH_2$	$Do—BH_2—R_{en}$	aus $Do—BH_3 + (R_{en})_4Pb$	497
$H_3\overset{\oplus}{N}—\overset{\ominus}{B}H_2—COOH$	$Do—BH_2—R^O$	aus $Do'—BH_2—R^O + Do$	491
$H_3\overset{\oplus}{N}—\overset{\ominus}{B}H_2—CN$	$Do—BH_2—R^N$	aus $Do'—BH_2—R^N + Do$ aus $Do'—BH_2—Hal + NaCN/Do$	491 498
prim. Amin-Dihydro-organo-borane			
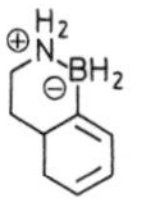 $\overset{\oplus}{N}H_2$–$\overset{\ominus}{B}H_2$ (cyclisch, Aryl)	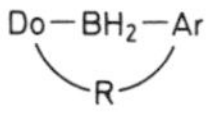 $Do—BH_2—Ar$ (über R verknüpft)	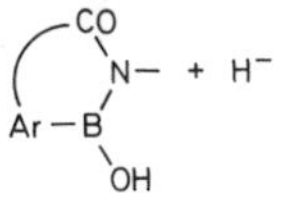 CO–N– / Ar–B–OH (cyclisch) + H^-	490
$Alkyl—H_2\overset{\oplus}{N}—\overset{\ominus}{B}H_2—COOH$	$Do—BH_2—R^O$	aus $Do'—BH_2—R^O + Do$	491
$H_5C_6—H_2\overset{\oplus}{N}—\overset{\ominus}{B}H_2—CN$	$Do—BH_2—R^N$	aus $[R^N—BH_3]^- + [R—NH_3]^+$	501
sek. Amin-Dihydro-organo-borane			
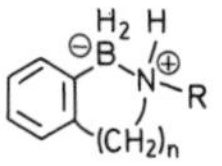 $\overset{\ominus}{B}H_2$–$\overset{\oplus}{N}(H)R$–$(CH_2)_n$ (an Benzolring)	$Do—BH_2—Ar$		
n = 1		aus $Ar—B(OH)_2 + H^-$ (Ar mit $CH{=}N—R$)	489
n = 2		aus $Ar—B(OH)_2 + H^-$ (Ar mit CN)	488
		aus $Ar—B(OH)_2 + H^-$ (Ar mit $CO—NH—R$)	488
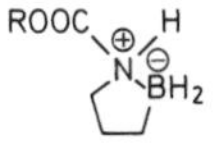 ROOC–$\overset{\oplus}{N}$(H)–$\overset{\ominus}{B}H_2$ (Pyrrolidinring)	$Do—BH_2—R^O$	aus $Do'—BH_3 + R_{en}—NH—COOR$	494
$(H_3C)_2\overset{\oplus}{N}H—\overset{\ominus}{B}H_2—CN$	$Do—BH_2—R^N$	aus $[R^N—BH_3]^- + [R_2NH_2]^+$	501
Offenkettige tert. Amin-Dihydro(Dideutero)-organo-borane			
$Amin\overset{\oplus}{}—\overset{\ominus}{B}H_2—R$	$Do—BH_2—R$	aus $R^1—B(OR^2)_2 + H^-/Do$	489
$(H_3C)_3\overset{\oplus}{N}—\overset{\ominus}{B}H_2—CH_3$	$Do—BH_2—R$	aus $[R^1—BH_3]^- + [R^2_3NH]^+$	500
$(H_5C_2)_3\overset{\oplus}{N}—\overset{\ominus}{B}H_2—Alkyl$	$Do—BH_2—R$	aus $(R^1—BH_2)_2 + En/Do$	488
$Amin\overset{\oplus}{}—\overset{\ominus}{B}H_2—C_6H_5$	$Do—BH_2—Ar$	aus $(R^1—BH_2)_2 + R^2_3N$ aus $(R—BO)_3 + H^-/Do$	486 489
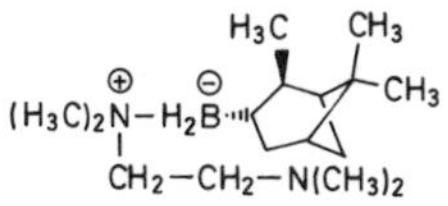 $(H_3C)_2\overset{\oplus}{N}(CH_2—CH_2—N(CH_3)_2)—H_2\overset{\ominus}{B}$–Pinanyl ($H_3C$, CH_3, CH_3)	$Do^N—BH_2—R$	aus $Do'—BH_2—R + Do^N$	490
$(H_3C)_3\overset{\oplus}{N}—\overset{\ominus}{B}H_2—CH_2—Si(CH_3)_3$	$Do—BH_2—R^{Si}$	aus $(R^{Si}—BH_2)_2 + R_3N$	486
$\overset{\oplus}{Amin}—\overset{\ominus}{B}H_2—(CH_2)_4—H_2\overset{\ominus}{B}—\overset{\oplus}{Amin}$	$Do—BH_2—R—BH_2—Do$	aus $H_2B—R—BH_2 + Do$	487
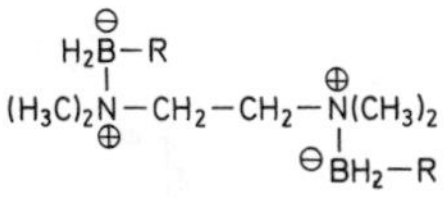 $(H_3C)_2\overset{\oplus}{N}(\overset{\ominus}{B}H_2—R)—CH_2—CH_2—\overset{\oplus}{N}(CH_3)_2(\overset{\ominus}{B}H_2—R)$	$Do—BH_2—R^N$	aus $(R—BH_2)_2 + Do—R—Do$ aus $(Do—BH_2—R^1)_2 + En$	487 491
$(H_5C_2)_3\overset{\oplus}{N}—\overset{\ominus}{B}D_2—C_6H_5$	$Do—BD_2—R$	aus $R^1—BR^2_2 + D^-/R^3_3N$	486

Tab. 79 (1. Fortsetzung)

Formel	Verbindungstyp	Herstellung	s. S.
Cyclische tert.-Amin-Dihydro-organo-borane			
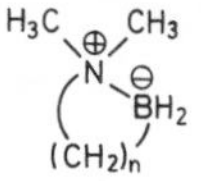 $(H_3C)_2\overset{\oplus}{N}-(CH_2)_n-\overset{\ominus}{B}H_2$ (cyclisch)	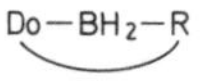 Do—BH$_2$—R (cyclisch)		
n = 3		aus $(BH_3)_2 + R_2N—R_{en}$	488
		aus $Do'—BH_3 + R_2N—R_{en}$	495
n = 4		aus $Do'—BH_3 + R_2N—R_{en}$	495
n = 5		aus $Do'—BH_3 + R_2N—R_{en}$	495
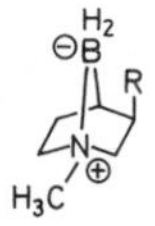 $H_2\overset{\ominus}{B}$, R, H_3C–$\overset{\oplus}{N}$ (bicyclisch)	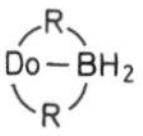 Do—BH$_2$ (R, R bicyclisch)	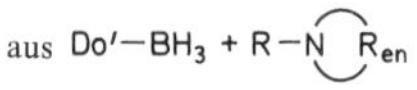 aus $Do'—BH_3 + R—N\ R_{en}$	496
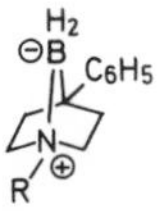 $H_2\overset{\ominus}{B}$, C_6H_5, R–$\overset{\oplus}{N}$ (bicyclisch)	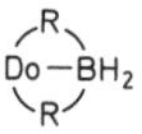 Do—BH$_2$ (R, R bicyclisch)	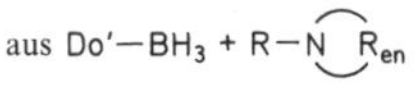 aus $Do'—BH_3 + R—N\ R_{en}$	494
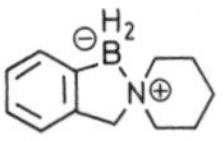 $\overset{\ominus}{B}H_2$, $\overset{\oplus}{N}$ (Benzo-, Piperidinium)	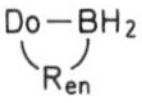 Do—BH$_2$ (R_{en})	aus $Ar—B(OR)_2 + H^-/Do$ (Ar: Hal)	489
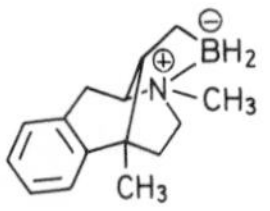 $\overset{\ominus}{B}H_2$, $\overset{\oplus}{N}$–CH_3, CH_3 (Benzo-, polycyclisch)	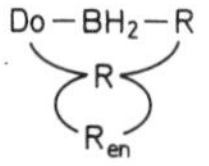 Do—BH$_2$—R (R, R_{en})	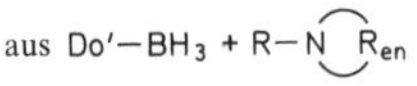 aus $Do'—BH_3 + R—N\ R_{en}$	497
tert. Amin-Dihydro-organo-borane mit Heteroatomen im Organo-Rest			
$(H_3C)_3\overset{\oplus}{N}—\overset{\ominus}{B}H_2—COOH$	Do—BH$_2$—R^{O}	aus Do—BH$_2$—R^{N,O} + H_2O/H^+ (borfern)	492
$(H_3C)_3\overset{\oplus}{N}—\overset{\ominus}{B}H_2—COOC_2H_5$	Do—BH$_2$—R^{O}	aus $[Do—BH_2—C\equiv\overset{\oplus}{N}—R] + RO^-/H^+$ (borfern)	492
$(H_3C)_3\overset{\oplus}{N}—\overset{\ominus}{B}H_2—CO—OSi(CH_3)_3$	Do—BH$_2$—R^{O,Si}	aus Do—BH$_2$—R^{O} + R^-/R_3Si^+ (borfern)	493
$(H_3C)_3\overset{\oplus}{N}—\overset{\ominus}{B}H_2—CO—NH—C_6H_5$	Do—BH$_2$—R^{N,O}	aus Do—BH$_2$—R^{N} + R^+/OH^- (borfern)	492
$(H_3C)_3\overset{\oplus}{N}—\overset{\ominus}{B}H_2—CH_2—N(CH_3)_2$	Do—BH$_2$—R^{N}	aus $[Do_2BH_2]^+$ + R—Li	499
$R_3\overset{\oplus}{N}—\overset{\ominus}{B}H_2—CN$	Do—BH$_2$—R^{N}		
R = CH_3		aus Do—BH$_3$ + AgCN	497
		aus $[R^N—BH_3]^- + [R_3NH]^+$	500
R = C_2H_5		aus $[R^N—BH_3]^- + R_3N/Hal_2$	502
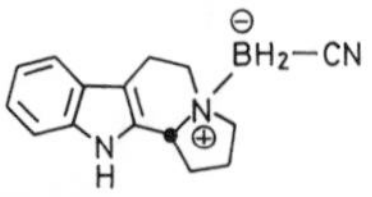 $\overset{\ominus}{B}H_2—CN$ an $\overset{\oplus}{N}$ (Indol-, N–H, polycyclisch)	Do—BH$_2$—R^{N}	aus $[R^N—BH_3]^- + R^1_3N/Hal—COOR^2$	501
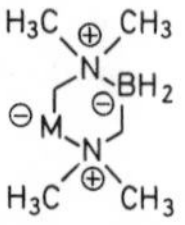 H_3C, CH_3, $\overset{\oplus}{N}$, $\overset{\ominus}{B}H_2$, $\overset{\ominus}{M}$, $\overset{\oplus}{N}$, H_3C, CH_3 (cyclisch)	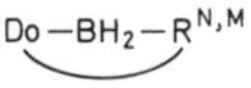 Do—BH$_2$—R^{N,M} (cyclisch)		
M = Li		aus $[Do_2BH_2]^+$ + R—Li/Do'	499
M = $Al(CH_3)_2$		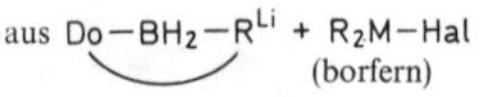 aus Do—BH$_2$—R^{Li} (cyclisch) + $R_2M—Hal$ (borfern)	493
M = $Ga(CH_3)_2$		(wie oben)	493

Tab. 79 (2. Fortsetzung)

Formel	Verbindungstyp	Herstellung	s. S.
H_3C, CH_3 / N / BH_2 / $H_2B-N-CH_3$ / H_3C	$Do-BH_2-R^{N,B,N}$ (cyclisch)	aus $[Do_2BH_2]^+$ + K/Ether	500
1,4,2,5-Diazoniadiboratinane			
H_3C, CH_3 / N / BH_2 / H_2B / N / H_3C, CH_3	$Do-BH_2-R$ / $R-H_2B-Do$	aus $\overset{\oplus}{Do}-\overset{\ominus}{B}H_2-R^N$, △	490
		aus $\overset{\oplus}{Do}-\overset{\ominus}{B}H_2-Hal$ + M	498
		aus $[Do_2BH_2]^+$ + R—Li/Hexan	499
		+ $NaNH_2$/Ether	499

α) S-Lewisbase-Dihydro-organo-borane

Offenkettige Sulfan-Dihydro-organo-borane[1] sind bisher nicht bekannt. Die Herstellung eines unzersetzt destillierbaren fünfgliedrigen Sulfan-Dihydro-organo-borans erfolgt aus Dimethylsulfan-Trihydroboran[2,3] mit Allyl-methyl-sulfan[4]:

$$(H_3C)_2\overset{\oplus}{S}-\overset{\ominus}{B}H_3 + H_3CS-CH_2-CH=CH_2 \xrightarrow[-S(CH_3)_2]{\text{Benzol}} \text{(cycl. } CH_3-\overset{\oplus}{S}-\overset{\ominus}{B}H_2\text{)}$$

2-Hydro-1-methyl-1,2-thioniaboratolan[4]: 39 *ml* (0,374 mol) Dimethylsulfan-Boran[2,3] werden bei 30° zu 50 *ml* (0,489 mol) Allyl-methyl-sulfan in 100 *ml* Benzol getropft. Nach 12stdgm. Rühren werden Benzol und alles Leichtflüchtige unter Atmosphärendruck abdestilliert, der Rückstand i. Vak. an einer Vigreux-Kolonne fraktioniert; Ausbeute: 27 g (71%); Kp_1: 44°; n_D^{25} = 1,5005.

Aus Tetrahydrofuran-Boran erhält man mit Myrten-2-al-1,3-dithian unter Hydroborierung und Komplexierung ein Dithioacetal-Dihydro-organo-boran[5].

β) N-Lewisbase-Dihydro-organo-borane

β₁) *Amin-Dihydro-organo-borane*

Während Organodiborane(6) bei ~20° in Abhängigkeit von den Organo-Resten und der Temperatur im allgemeinen Gleichgewichtsgemische verschiedener Hydro-organo-borane(3) bilden, sind Amin-Dihydro-organo-borane[6] definierte, einheitliche Verbindungen.

Amin-Dihydro-organo-borane lassen sich auch aus verschiedenen Lewisbase-Boranen herstellen. Man läßt Lewisbase-Hydroborane mit Alkenen (Hydroborierung) oder mit Lewisbasen (Basenaustausch) reagieren. Außerdem werden borferne Reaktionen der Amin-Dihydro-organo-borane angewandt, die zu neuen Verbindungen desselben Typs führen und auf anderen Wegen nur schwer zugänglich sind. Borferne Umwandlungen der Amin-Cyan-dihydro-borane sind von Bedeutung.

[1] *Gmelin*, 8. Aufl., Bd. **19**/3, S. 64 (1975).
[2] R. A. Braun, D. C. Brown u. R. M. Adams, Am. Soc. **93**, 2823 (1971).
[3] J. Beres, A. Dodds, A. J. Morabito u. R. M. Adams, Inorg. Chem. **10**, 2072 (1971).
[4] L. M. Braun, R. A. Braun, H. R. Crissman, M. Opperman u. R. M. Adams, J. Org. Chem. **36**, 2388 (1971).
[5] Europ. P.-Anm. 61408 (1981/1982), Soc. d'Expansion Sci., Erf.: C. Aspisi, M. Bonato u. R. Jacquier; C. A. **98**, 89646 (1983).
[6] *Gmelin*, 8. Aufl., Bd. **37**/10, S. 74 (1976).

Amin-Dihydro-organo-borane werden als Zwischenprodukte zur Herstellung z.B. von 1,2-Azaboracycloalkanen[1-3] und von Aminoalkyl-dihydroxy-boranen verwendet[4-7].

$\beta\beta_1$) aus Triorganoboranen

In Gegenwart von Triethylamin läßt sich unter Substituentenaustausch aus Diethyl-phenyl-boran mit Lithiumtetradeuteroaluminat in Diethylether mit >80%iger Ausbeute *Triethylamin-Dideutero-phenyl-boran* (F: 64–65°) herstellen[8]:

$$(H_5C_2)_2B{-}C_6H_5 \quad + \quad (H_5C_2)_3N \quad \xrightarrow[-\,Li[AlD_2(C_2H_5)_2]]{+\,Li[AlD_4],\ (H_5C_2)_2O} \quad (H_5C_2)_3\overset{\oplus}{N}{-}\overset{\ominus}{B}D_2{-}C_6H_5$$

$\beta\beta_2$) aus Hydroboranen

i_1) aus Dihydro-organo-boranen

Tert. Amin-Dihydro-organo-borane sind im allgemeinen aus den Komponenten, z.B. aus Organodiboranen(6) mit tert. Aminen zugänglich[9-14]. Aus offenkettigen Dihydro-organo-boranen werden leicht Amin-Diorgano-hydro-borane gebildet. Die Herstellung definiert zusammengesetzter offenkettiger tert. Amin-Dihydro-organo-borane ist daher nur in Sonderfällen möglich. Beispielsweise trägt die Schwerlöslichkeit des Produkts hierzu bei; z.B.[11]:

$$1/2\,(H_5C_6{-}BH_2)_2 \quad \xrightarrow{+\text{Amin/Ether oder Benzol}} \quad \overset{\oplus}{\text{Amin}}{-}\overset{\ominus}{B}H_2{-}C_6H_5$$

Der nur langsam verlaufende Substituenten-Austausch am Bor-Atom ermöglicht bisweilen die glatte Gewinnung von Amin-Dihydro-organo-boranen[10,12]; z.B. von *Amin-Dihydro-thexyl-boran*[12] oder von *Trimethylamin-Dihydro-(trimethylsilymethyl)-boran*[10]:

$$1/2\,[(H_3C)_3Si{-}CH_2{-}BH_2]_2 \quad \xrightarrow[\text{dann 2 Stdn., }20°]{+(H_3C)_3N/\text{Ether, }-78°} \quad (H_3C)_3\overset{\oplus}{N}{-}BH_2{-}CH_2{-}Si(CH_3)_3$$

Außer durch Disproportionierung der Hydro-organo-borane kann die Herstellung der Amin-Dihydro-organo-borane durch asymmetrische BH_2B-Spaltung beeinträchtigt werden.

---

[1] G.B. BUTLER, G.L. STATTON u. W.S. BREY, jr., J. Org. Chem. **30**, 4194 (1965).
[2] B.M. MIKHAILOV, V.A. DOROKHOV, N.V. MOSTOVOI, O.G. BOLDYREVA u. M.N. BOCHKAREVA, Ž. obšč. Chim. **40**, 1817 (1970); engl.: 1801; C.A. **74**, 42403 (1971).
[3] H. WILLE u. J. GOUBEAU, B. **105**, 2156 (1972); C.A. **77**, 101538 (1972).
[4] M. FERLES u. Z. POLÍVKA, Collect. czech. chem. Commun. **33**, 2121 (1968); C.A. **69**, 36200 (1968).
[5] Z. POLÍVKA u. M. FERLES, Collect. czech. chem. Commun. **34**, 3009 (1969); C.A. **71**, 113018 (1969).
[6] J.W. LEWIS u. A.A. PEARCE, Tetrahedron Letters **1964**, 2039.
[7] Z. POLÍVKA u. M. FERLES, Collect. czech. chem. Commun. **35**, 2392 (1970); C.A. **73**, 66395 (1970).
[8] C.L. MCCORMICK u. G.B. BUTLER, J. Org. Chem. **41**, 2803 (1976).
[9] D.E. YOUNG u. S.G. SHORE, Am. Soc. **91**, 3497 (1969).
[10] B.M. MIKHAILOV u. V.A. DORKHOV, Izv. Akad. SSSR **1962**, 623; engl.: 576; C.A. **57**, 16643 (1962); **58**, 5707 (1963).
[11] J.C. MCMULLEN u. N.E. MILLER, Inorg. Chem. **9**, 2291 (1970).
[12] Europ. Pat. Anm. 10947 (1980), ICI, Erf.: A. PELTER u. D.J. RYDER, C.A. **94**, 4117 (1981).
[13] B. SINGARAM u. J.R. SCHWIER, J. Organometal. Chem. **156**, C 1 (1978).
[14] J.R. SCHWIER, Dissertation Abstr. **1978**, 4819 – B; C.A. **89**, 43546 (1978).

Definiert zusammengesetzte cyclische Dihydro-organo-borane reagieren im allgemeinen einheitlich; z.B. mit Amin[1]:

$$\text{(cycl. Dihydro-organo-boran)} \xrightarrow[-45 \text{ bis } -40°]{+\text{ Amin / 1,4-Dioxan (od. THF, } H_3C-CN)} \overset{\oplus}{\text{Amin}}-\overset{\ominus}{B}H_2-(CH_2)_4-\overset{\ominus}{B}H_2-\overset{\oplus}{\text{Amin}}$$

Mit 1,2-Bis[dimethylamino]ethan bzw. 1,4-Diazabicyclo[2.2.2]octan erhält man aus verschiedenen Alkyldiboranen(6) oder Alkandiyldiboranen(6) zumeist feste 1:1- sowie 1:2-Additionsverbindungen[2-8]:

$$1/2\ (R-BH_2)_2 + (H_3C)_2N-CH_2-CH_2-N(CH_3)_2 \xrightarrow{\text{THF, 25°}} (H_3C)_2N-CH_2-CH_2-\overset{\oplus}{N}(CH_3)_2-\overset{\ominus}{B}H_2-R$$

1,2-Bis[dimethylamino]-ethan-...[2,4]

R = $CH[CH(CH_3)_2]-C(CH_3)_3$; *...-Dihydro-(2,2-dimethyl-1-isopropyl-propyl)-boran*; F: 92–95°
R = $C(CH_3)_2-CH(CH_3)_2$; *...-Dihydro-thexyl-boran*; viskos

$$(R-BH_2)_2 + (H_3C)_2N-CH_2-CH_2-N(CH_3)_2 \longrightarrow R-\overset{\ominus}{B}H_2-\overset{\oplus}{N}(CH_3)_2-CH_2-CH_2-\overset{\oplus}{N}(CH_3)_2-\overset{\ominus}{B}H_2-R$$

1,2-Bis[dimethylamino]-ethan-...[8]

R = $CH[CH(CH_3)_2]-C(CH_3)_3$; *...-Bis[dihydro-(2,2-dimethyl-1-isopropyl-propyl)-boran]*
R = C_5H_9; *...-Bis[cyclopentyl-dihydro-boran]*; F: 118–119°
R = $C(CH_3)_2-CH(CH_3)_2$; *...-Bis[dihydro-thexyl-boran]*; F: 43–45°

$$1/2\ (R-BH_2)_2 + N(C_2H_4)_3N \longrightarrow N(C_2H_4)_3\overset{\oplus}{N}-\overset{\ominus}{B}H_2-R$$

z.B.: R = C_5H_9; *1,4-Diazabicyclo[2.2.2]octan-Cyclopentyl-dihydro-boran*; F: 109–111°

$$(R-BH_2)_2 + N(C_2H_4)_3N \longrightarrow R-H_2\overset{\ominus}{B}-\overset{\oplus}{N}(C_2H_4)_3\overset{\oplus}{N}-\overset{\ominus}{B}H_2-R$$

z.B.: *1,4-Diazabicyclo[2.2.2]octan-Bis[dihydro-isopinocampheyl-boran]*[9]; F: 160–161°

---

[1] D.E. YOUNG u. S.G. SHORE, Am. Soc. **91**, 3497 (1969).
[2] B. SINGARAM u. J.R. SCHWIER, J. Organometal. Chem. **156**, C 1 (1978).
[3] J.R. SCHWIER, Dissertation Abstr. **1978**, 4819–B; C.A. **89**, 43546 (1978).
[4] H.C. BROWN, B. SINGARAM u. J.R. SCHWIER, Inorg. Chem. **18**, 51 (1979).
[5] H.C. BROWN, J.R. SCHWIER u. B. SINGARAM, J. Org. Chem. **43**, 4395 (1978).
[6] vgl. A. PELTER, D.J. RYDER, J.H. SHEPPARD, C. SUBRAHMANYAM, H.C. BROWN u. A.K. MANDAL, Tetrahedron Letters **1979**, 4777.
[7] H.C. BROWN, B. SINGARAM u. P.C. MATHEW, J. Org. Chem. **46**, 4541 (1981).
[8] B. SINGARAM u. C.C. PAI, Heteroc. Sendai **18**, 387 (1982); dort zahlreiche weitere Beispiele.
[9] P.K. JADHAV u. M.C. DESAI, Heteroc. Sendai **18**, 233 (1982).

Aus Dihydro-organo-boranen mit stark verzweigten B-Organo-Resten erhält man mit Alkenen in Gegenwart von tert.-Aminen unter Alkyl-Austausch Amin-Dihydro-organo-borane. Beispielsweise werden tert.-Alkyl-Reste (Thexyl-Gruppe) leicht dehydroborierend abgespalten. Die Dehydroborierung erfolgt z.B. aus Thexylboran über die Alkyl-hydro-thexyl-borane mit Triethylamin bei ~20[1,2]:

$$\frac{1}{2}\left[(H_3C)_2CH-C(CH_3)_2-BH_2\right]_2 \xrightarrow{+\text{Alken},\ -25^\circ} \left\{(H_3C)_2CH-C(CH_3)_2-B(H)-\text{Alkyl}\right\} \xrightarrow{+(H_5C_2)_3N,\ +25^\circ}$$

$$(H_5C_2)_3\overset{\oplus}{N}-\overset{\ominus}{B}H_2-\text{Alkyl} \quad + \quad (H_3C)_2C=C(CH_3)_2$$

i$_2$) aus Diboran

Diboran eignet sich gut zur Herstellung cyclischer Amin-Dihydro-organo-borane. *1,1-Dimethyl-2-hydro-1,2-azoniaboratolidin* (Kp: 185°; n_D^{25} = 1,4538) erhält man aus Diboran(6) mit Allyl-dimethyl-amin[3]:

$$\frac{1}{2}\ B_2H_6 \ + \ (H_3C)_2N-CH_2-CH=CH_2 \longrightarrow \text{(cycl. } (H_3C)_2\overset{\oplus}{N}-\overset{\ominus}{B}H_2\text{, Fünfring)}$$

$\beta\beta_3$) aus Dioxy-organo-boranen

Zur Herstellung von Amin-Dihydro-organo-boranen werden Dihydroxy-organo-, Diorganooxy-organo-borane sowie Triorganoboroxine mit Lithiumtetrahydroaluminat in Tetrahydrofuran oder in Ether eingesetzt.

Aus Aryl-dihydroxy-boranen sind z.B. mit Lithiumtetradeuteroaluminat Amin-Aryl-dideutero-borane zugänglich[4]. Bestimmte stickstoffhaltige Dihydroxy-organo-borane werden mit Lithiumtetrahydroaluminat in THF zu cyclischen Amin-Dihydro-organo-boranen reduziert[5]; z.B.:

$$o\text{-}C_6H_4(B(OH)_2)(CH_2-R) \xrightarrow{+Li[AlH_4]/THF} \text{benzo-cycl. } \overset{\ominus}{B}H_2-\overset{\oplus}{N}(H)R^1$$

R = CN; R[1] = H; *1,1,2,2,3,4-Hexahydro-⟨benzo[c]-1,2-azoniaboratin⟩*; 83%; F: 150–157°

R = CO–NH–CH_2–CH_2–C_6H_5; R[1] = CH_2–CH_2–C_6H_5; *2-(2-Phenylethyl)-1,1,2,2,3,4-hexahydro-⟨benzo[c]-1,2-azoniaboratin⟩*; 29%; F: 120–122°

[1] H.C. Brown, E. Negishi u. J.-J. Katz, Am. Soc. **94**, 5893 (1972); **97**, 2791 (1975).
[2] H.C. Brown, N.M. Yoon u. A.K. Mandal, J. Organometal. Chem. **135**, C 10 (1977).
[3] US.P. 3320310 (1967), Callery Chem. Co., Erf.: M.D. Marshall u. R.M. Adams; C.A. **67**, 64513 (1967).
[4] F.J. Lalor, T. Paxson u. M.F. Hawthorne, Am. Soc. **93**, 3156 (1971).
[5] J.C. Catlin u. H.R. Snyder, J. Org. Chem. **34**, 1664 (1969).

Dihydroxy-(2-organoiminomethyl-phenyl)-borane reagieren mit Lithiumtetrahydroaluminat in Tetrahydrofuran unter Hydroxy/Hydro-Austausch und Hydroborierung der Azomethin-Gruppe zu 1,2,2,3-Tetrahydro-⟨benzo[c]-1,2-azoniaboratolen⟩[1]:

$$C_6H_4(B(OH)_2)(CH{=}N{-}R) \xrightarrow{+Li[AlH_4]/THF} \text{1,2,2,3-Tetrahydro-⟨benzo[c]-1,2-azoniaboratol⟩}$$

R = H; *1,2,2,3-Tetrahydro-⟨benzo[c]-1,2-azoniaboratol⟩*; 17%; F: 88–90° (Zers.)
R = CH_2–CH_2–C_6H_5; *2-(2-Phenylethyl)-1,2,2,3-tetrahydro-⟨benzo[c]-1,2-azoniaboratol⟩*; 43%; F: 122,5–123°

Besonders gut eignen sich verschiedene Aryl- und Alkyl-diorganooxy-borane zur Herstellung der cyclischen sowie der offenkettigen[2,3] Amin-Dihydro-organo-borane. Dabei kann z.B. im Zuge der Hydrid-Einführung die tert.-Amin-Komponente gebildet werden[1]:

$$\xrightarrow[2.\ +Li[AlH_4]/THF]{1.\ +Piperidin/THF}$$

Piperidinia-⟨1-spiro-2⟩-1,2,3-trihydro-⟨benzo[c]-1,2-azoniaboratol⟩; 48%; F: 81–83°

2-Alkyl-⟨benzo-1,3,2-dioxaborole⟩ reagieren mit Lithiumtetrahydridoaluminat in etherischer Lösung zum Hydroboran, das anschließend mit Amin die 1:1-Additionsverbindung liefert[4]:

$$C_6H_4O_2B{-}R \xrightarrow[-Li^+[C_6H_4O_2AlH_2]^-]{+Li[AlH_4]/Ether, 0°} \{R{-}BH_2\} \xrightarrow{+Amin} \overset{\oplus}{Amin}{-}\overset{\ominus}{B}H_2{-}R$$

Ähnlich reagiert Trihydroaluminium[1] in Pentan bei 0°.

Die Herstellung von Amin-Dihydro-organo-boranen gelingt auch aus Triorganoboroxinen mit Hydroaluminaten in Gegenwart von Aminen. Aus Triphenylboroxin erhält man mit Lithiumtetrahydroaluminat in Trimethylamin/Diethylether *Trimethylamin-Dihydro-phenyl-boran*[5,6]:

$$(H_5C_6{-}BO)_3 \quad + \quad (H_3C)_3N \xrightarrow{+Li[AlH_4]/Ether,\ 35°} (H_3C)_3\overset{\oplus}{N}{-}\overset{\ominus}{B}H_2{-}C_6H_5$$

$\beta\beta_4$) aus Acylamino-organo-oxy-boranen

Die Reaktion cyclischer Acylamino-organo-oxy-borane mit Metallhydriden führt zu Amin-Dihydro-organo-boranen.

Aus 1-Hydroxy-3-oxo-1,2,3,4-tetrahydro-⟨benzo[c]-1,2-azaborin⟩ erhält man mit Lithiumtetrahydroaluminat in Tetrahydrofuran zu 62% *1,1,2,2,3,4-Hexahydro-⟨benzo[c]-1,2-azoniaboratin⟩* (F: 135–138°, Zers.)[1]:

---

[1] J.C. Catlin u. H.R. Snyder, J. Org. Chem. **34**, 1664 (1969).
[2] M.F. Hawthorne, Chem. and Ind. **1957**, 1242.
[3] M.F. Hawthorne, Am. Soc. **80**, 4291 (1958).
[4] H.C. Brown u. S.K. Gupta, Am. Soc. **93**, 1818, 4062 (1971); J. Organometal. Chem. **32**, C 1 (1971).
[5] M.F. Hawthorne, Am. Soc. **81**, 5836 (1959).
[6] M.F. Hawthorne, Am. Soc. **83**, 831 (1961).

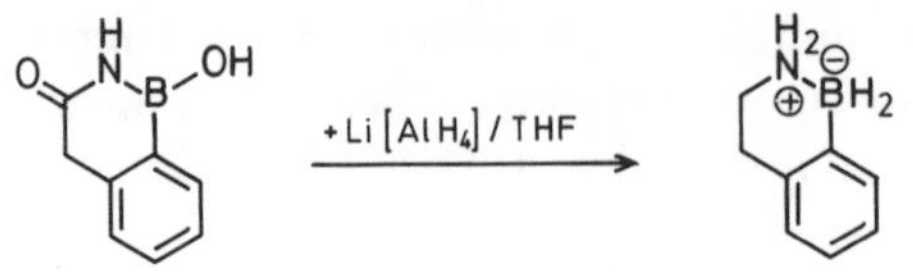

$\xrightarrow{+Li[AlH_4]/THF}$

$\beta\beta_5$) aus Amin-Dihydro-organo-boranen

Aus Amin-Dihydro-organo-boranen lassen sich mit verschiedenen Methoden andere Amin-Dihydro-organo-borane herstellen. In Sonderfällen genügt einfaches Erhitzen. Vielfach führen borferne Reaktionen mit Elektrophilen und anschließend mit nucleophilen Reagenzien zu neuen Verbindungen des gleichen Typs. Amin-Austauschreaktionen sowie Verdrängungen von Organo-Resten am Bor-Atom sind außerdem zur Herstellung von Amin-Dihydro-organo-boranen geeignet.

i_1) mit Wärme

Aus Trimethylamin-Dihydro-dimethylaminomethyl-boran läßt sich bei 120° durch Abspaltung von Trimethylamin *2,5-Dihydro-1,1,4,4-tetramethyl-1,4,2,5-diazoniadiboratinan* gewinnen[1]:

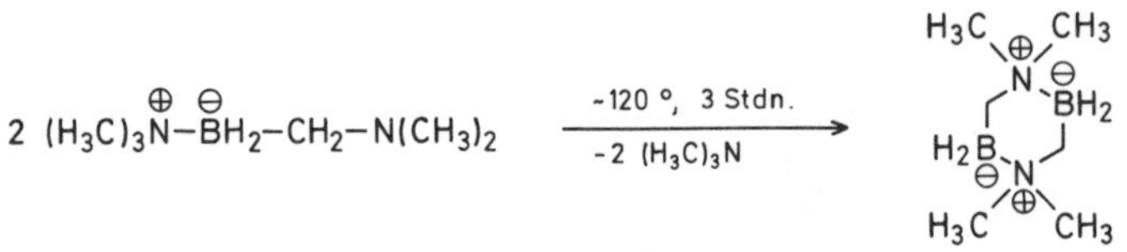

$$2\ (H_3C)_3\overset{\oplus}{N}-\overset{\ominus}{B}H_2-CH_2-N(CH_3)_2 \xrightarrow[-2\ (H_3C)_3N]{-120°,\ 3\ Stdn.}$$

i_2) durch Reaktionen am B-Atom

ii_1) Amin-Austausch

Aus Amin-Dihydro-organo-boranen sind durch Amin-Austausch andere Amin-Dihydro-organo-borane vielfach gut zugänglich[2-4]. Aus Trimethylamin-Dihydro-methylboran erhält man innerhalb 18 Stdn. bei ~20° mit Dimethylamin *Dimethylamin-Dihydro-methyl-boran*[4]. Triethylamin läßt sich durch 1,2-Bis[dimethylamino]ethan verdrängen. Man erhält z.B. *1,2-Bis[dimethylamino]ethan-Dihydro-isopinocampheyl-boran* (... {*(-)-2,6,6-trimethyl-bicyclo[3.1.1]hept-3-yl*}*-boran*) (F: 113–115°)[2,3]:

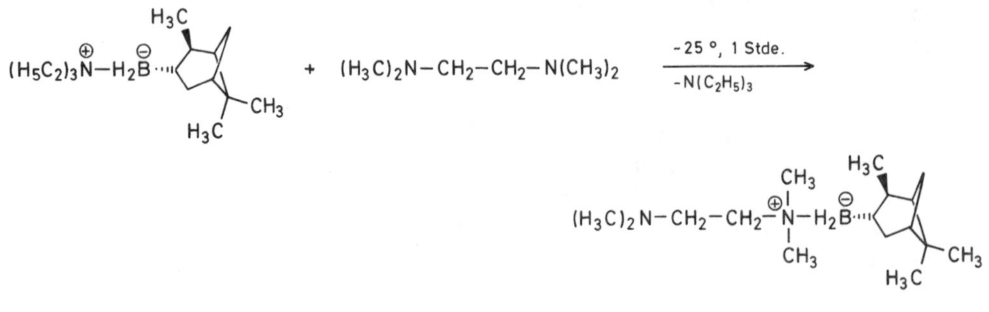

$$(H_5C_2)_3\overset{\oplus}{N}-H_2\overset{\ominus}{B}\text{-}R + (H_3C)_2N-CH_2-CH_2-N(CH_3)_2 \xrightarrow[-N(C_2H_5)_3]{-25°,\ 1\ Stde.} (H_3C)_2N-CH_2-CH_2-\overset{\oplus}{N}(CH_3)_2-H_2\overset{\ominus}{B}\text{-}R$$

[1] N.E. MILLER u. D.L. REZNICEK, Inorg. Chem. **8**, 275 (1969).
[2] B. SINGARAM u. J.R. SCHWIER, J. Organometal. Chem. **156**, C 1 (1978).
[3] J.R. SCHWIER, Dissertation Abstr. **1978**, 4819–B; C.A. **89**, 43546 (1978).
[4] O.T. BEACHLEY jr. u. B. WASHBURN, Inorg. Chem. **14**, 120 (1975).

Aus dem oligomeren Cyan-dihydro-boran ist mit Trimethylamin *Trimethylamin-Cyan-dihydro-boran* zu gewinnen[1,2], das mit flüssigem Ammoniak zum *Ammoniak-Cyan-dihydro-boran* (F: 54–55°) weiterreagiert[3]. Aus Anilin-Cyan-dihydro-boran läßt sich mit Ammoniak die gleiche Verbindung herstellen[4,5]:

$$H_5C_6\overset{\oplus}{N}H_2-\overset{\ominus}{B}H_2-CN \xrightarrow[-H_5C_6-NH_2]{+H_3N} H_3\overset{\oplus}{N}-\overset{\ominus}{B}H_2-CN$$

Zur Herstellung von *Ammoniak-Cyan-dihydro-boran* (30%; F: 54–55°) s. Lit.[5, s.a. 6].
Der Amin-Austausch gelingt auch bei Amin-Carboxy-dihydro-boranen; z.B.[7]:

$$(H_3C)_3\overset{\oplus}{N}-\overset{\ominus}{B}H_2-COOH + R^1R^2NH \xrightarrow{-(H_3C)_3N} R^1R^2\overset{\oplus}{N}H-\overset{\ominus}{B}H_2-COOH$$

...-Carboxy-dihydro-boran

$R^1 = R^2 = H$; *Ammoniak-...*; F: 116°
$R^1 = H$; $R^2 = CH_3$; *Methylamin-...*; F: 108–109° (Zers.)
$R^2 = C_4H_9$; *Butylamin-...*;
$R^1 = R^2 = CH_3$; *Dimethylamin-...*; F: 105° (Zers.)

ii$_2$) Organo-Substituenten-Austausch

Aus Amin-Dihydro-(1,1,2-trimethylpropyl)-boranen lassen sich mit verschiedenen Alkenen wie z.B. mit 2-Methyl-2-buten, 1-Methylcyclopenten, Cyclohexen oder mit 2,6,6-Trimethylbicyclo[3.1.1]hept-2-en unter Verdrängung von 2,3-Dimethyl-2-buten Amin-Dihydro-organo-borane in hohen Ausbeuten herstellen[6,8–10]; z.B. optisch sehr reines *Triethylamin-Dihydro-isopinocampheyl-boran* (... -*{(-)-2,6,6-trimethyl-bicyclo [3.1.1] hept-3-yl}-boran*) in Tetrahydrofuran oder *1,2-Bis[dimethylamino]ethan-Bis[di-hydro-(trans-2-methylcyclopentyl)-boran]* (>98%; F: 123–124°) in Diethylether[8]:

$$(H_3C)_2CH-C(CH_3)_2-\overset{\ominus}{B}H_2-\overset{\oplus}{N}(CH_3)_2-CH_2-CH_2-\overset{\oplus}{N}(CH_3)_2-\overset{\ominus}{B}H_2-C(CH_3)_2-CH(CH_3)_2 \xrightarrow[-2\ (H_3C)_2C=C(CH_3)_2]{+2\ \text{1-Methylcyclopenten},\ (H_5C_2)_2O,\ \sim 35°,\ 0{,}5\ Stde.}$$

$$(\text{2-Methylcyclopentyl})-\overset{\ominus}{B}H_2-\overset{\oplus}{N}(CH_3)_2-CH_2-CH_2-\overset{\oplus}{N}(CH_3)_2-\overset{\ominus}{B}H_2-(\text{2-Methylcyclopentyl})$$

---

[1] S.S. UPPAL u. H.C. KELLY, Chem. Commun. **1970**, 1619.
[2] S.S. UPPAL u. H.C. KELLY, Inorg. Chem. **13**, 1763 (1974).
[3] B.F. SPIELVOGEL, M.K. DAS, A.T. MCPHAIL, K.D. ONAN u. I.H. HALL, Am. Soc. **102**, 6343 (1980).
[4] B.F. SPIELVOGEL, Imeboron Salt Lake City 1979, Boron Chem. **4**, 116ff.; S. 122 (1979); Pergamon Press.
[5] A.T. MCPHAIL, K.D. ONAN, B.F. SPIELVOGEL u. P. WISIAN-NEILSON, J. Chem. Res. (S) **1978**, 205, (M) 2601; C.A. **89**, 224260 (1978).
[6] K.D. HARGRAVE, A.T. MCPHAIL, B.F. SPIELVOGEL u. P. WISIAN-NEILSON, Soc. [Dalton Trans.] **1977**, 2150; vgl. US.-P. 4209510 (1978/1980), USA-Army, Erf.: B.F. SPIELVOGEL, A.T. MCPHAIL, I.H. HALL, P. WISIAN-NEILSON u. K.D. HARGRAVE.
[7] H.C. BROWN, N.M. YOON u. A.K. MANDAL, J. Organometal. Chem. **135**, C 10 (1977).
[8] H.C. BROWN, J.R. SCHUSTER u. B. SINGARAM, J. Org. Chem. **44**, 465 (1979).
[9] H.C. BROWN, A.K. MANDAL, N.M. YOON, B. SINGARAM, J.R. SCHWIER u. P.K. JADHAV, J. Org. Chem. **47**, 5069 (1982).
[10] Europ.P. 34238 (1979/1980), Duke University, Durham N.C., Erf.: B.F. SPIELVOGEL, A.T. MCPHAIL u. I.H. HALL; C.A. **96**, 52491 (1982).

i_3) durch borferne Reaktionen

Verschiedene Amin-Dihydro-organo-borane lassen sich am Organo-Rest borfern in andere Amin-Dihydro-organo-borane überführen. Vor allem Trimethylamin-Dihydro-organo- und Trimethylamin-subst.-Carboxy-dihydro-borane reagieren mit geeigneten Reagenzien ohne Veränderung der $\gt$BH-Bindungen.

Durch borferne Reaktionen sind vor allem Amin-Carboxy-dihydro-borane, die B-Analoga der α-Aminosäuren, zugänglich[1-5]. Während Trimethylamin-Cyan-dihydro-boran (vgl. S. 501) mit starken Säuren oder Basen nicht reagiert bzw. an der $\gt$BH-Bindung hydrolysiert wird, erhält man mit Triethyloxonium-tetrafluoroborat ein *N*-Ethyl-Derivat I, aus dem mit Natronlauge das *Trimethylamin-Dihydro-ethylaminocarbonyl-boran* entsteht[2,4]:

$$(H_3C)_3\overset{\oplus}{N}-\overset{\ominus}{B}H_2-CN \xrightarrow[CH_2Cl_2]{+[(H_5C_2)_3O]^+[BF_4]^-} [(H_3C)_3\overset{\oplus}{N}-\overset{\ominus}{B}H_2-C{\equiv}\overset{\oplus}{N}-C_2H_5]^+[BF_4]^- \xrightarrow[-Na^+\ [BF_4]^-]{+NaOH} (H_3C)_3\overset{\oplus}{N}-\overset{\ominus}{B}H_2-CO-NH-C_2H_5$$

I

Das Amid wird mit Salzsäure in 25%iger Gesamtausbeute zum *Trimethylamin-Carboxy-dihydro-boran* (F: 147°, Zers.)[2,4] hydrolysiert:

$$(H_3C)_3\overset{\oplus}{N}-\overset{\ominus}{B}H_2-CO-NH-C_2H_5 \xrightarrow[-[H_5C_2-NH_3]^+\ Cl^-]{+HCl/+H_2O} (H_3C)_3\overset{\oplus}{N}-\overset{\ominus}{B}H_2-COOH$$

Trimethylamin-Carboxy-dihydro-boran(^{10}B) ist entsprechend zugänglich (vgl. S. 829)[5].

Mit Ethanol erhält man aus dem zwitterionischen Derivat II (vgl. S. 504) *Trimethyl-amin-Dihydro-ethoxycarbonyl-boran* (F: 45–47°)[6]:

$$\underset{II}{[(H_3C)_3\overset{\oplus}{N}-\overset{\ominus}{B}H_2-C{\equiv}\overset{\oplus}{N}-C_2H_5]^+[BF_4]^-} \xrightarrow[-Na^+[BF_4]^-]{+H_5C_2ONa} (H_3C)_3\overset{\oplus}{N}-\overset{\ominus}{B}H_2-C(=N-C_2H_5)-OC_2H_5 \xrightarrow[-H_5C_2-NH_2]{+H_2O\ (H^+)} (H_3C)_3\overset{\oplus}{N}-\overset{\ominus}{B}H_2-COOC_2H_5$$

Die Herstellung von Derivaten der Amin-Carboxy-dihydro-borane ist nur aus den tert.-Amin-carboxy-dihydro-boranen möglich. Ammoniak- sowie prim. Amin- und sek.-Amin-Cyan-dihydro-borane lassen sich nicht in die Amin-Carboxy-dihydro-borane überführen. Als tertiäre Amine sind z.B. Trimethylamin, 4-Methylmorpholin und 1,2-

---

[1] C. WEIDIG, S.S. UPPAL u. H.C. KELLY, Inorg. Chem. **13**, 1763 (1974).
[2] B.F. SPIELVOGEL, L. WOJNOWICH, M.K. DAS, A.T. MCPHAIL u. K.D. HARGRAVE, Am. Soc. **98**, 5702 (1976).
[3] P. WISIAN-NEILSON, M.K. DAS u. B.F. SPIELVOGEL, Inorg. Chem. **17**, 2327 (1978).
[4] B.F. SPIELVOGEL, Imeboron IV, Juli 1979, Abstr. of Papers, S. 28/9; Boron Chemistry – 4, IUPAC, Inorg. Chem. Div., Pergamon Press 1980, S. 119–129.
[5] DOS DE 3112170 (1981/1982), H. MÜCKTER, F. DALLACKER u. W. MÜLLNERS; C.A. **98**, 89645 (1983).
[6] I.H. HALL, C.O. STARNES, A.T. MCPHAIL, P. WISIAN-NEILSON, M.K. DAS, R. HARCHELROAD jr. u. B.F. SPIELVOGEL, J. Pharm. Sci. **69**, 1025 (1980); C.A. **93**, 230746 (1980).

Bis[dimethylamino]ethan geeignet; z.B. zur Herstellung von *1,2-Bis[dimethylamino]-ethan-Bis[carboxy-dihydro-boran]* (~60%; F: 131°, Zers.)[1,2].

Aus Trimethylamin-Carboxy-dihydro-boran läßt sich nach O-Lithiierung mit Butyllithium und anschließender Trimethylsilylierung *Trimethylamin-Dihydro-trimethylsilyl-oxycarbonyl-boran* (58%) gewinnen[3]:

$$(H_3C)_3\overset{\oplus}{N}-\overset{\ominus}{B}H_2-COOH \xrightarrow[-C_4H_{10}]{+H_9C_4-Li} (H_3C)_3\overset{\oplus}{N}-\overset{\ominus}{B}H_2-C(=O)-OLi \xrightarrow[-LiCl]{+Cl-Si(CH_3)_3} (H_3C)_3\overset{\oplus}{N}-\overset{\ominus}{B}H_2-CO-O-Si(CH_3)_3$$

Aus Dimethyl-[(dimethyl-lithiomethyl-aminoboryl)-methyl]-amin[4,5] sind mit Chlor-dimethyl-aluminium oder mit Chlor-dimethyl-gallium durch borferne Reaktion die entsprechenden Dimethylmetallo-Derivate zugänglich[5]:

$$\text{Li-Ringverbindung} \xrightarrow[-LiCl]{+(H_3C)_2M-Cl} \text{M-Ringverbindung}$$

1,1,4,4,5,5-Hexamethyl-2-hydro-...
M = Al; ...*-1,4,2,5-diazoniaborataaluminatinan*; F: −4° bis −10°
M = Ga; ...*-1,4,2,5-diazoniaboratagallatinan*; flüssig

ββ₆) aus Lewisbase-Trihydroboranen

Verschiedene Lewisbase-Trihydroborane sind zur Gewinnung von Amin-Dihydro-organo-boranen gut geeignet.

Zur Herstellung cyclischer Amin-Alkyl-dihydro-borane (1-Azonia-2-borata-cycloalkane) setzt man Diboran in Tetrahydrofuran[6-8] oder Trialkylamin-Borane[6-13] mit Allyl-dialkyl-aminen um. Eine ⟩BH-Bindung wird an das endständige C-Atom des Allyl-Restes addiert. Die cyclischen Amin-Hydroborane reagieren im allgemeinen nicht unter weiterer ⟩BH-Addition. 1-Azonia-2-borata-cycloalkane kann man daher isolieren und im allgemeinen leicht durch Destillation oder Kristallisation abtrennen.

[1] B.F. SPIELVOGEL, F. HARCHELROAD jr. u. P. WISIAN-NEILSON, J. Inorg & Nuclear Chem. **41**, 1223 (1979).
[2] I.H. HALL, C.O. STARNES, B.F. SPIELVOGEL, P. WISIAN-NEILSON, M.K. DAS u. L. WOJNOWICH, J. Pharm. Sci. **68**, 685 (1979); C.A. **91**, 117290 (1979).
[3] B.F. SPIELVOGEL u. P. WISIAN-NEILSON, Duke University Durham, N.C., USA, nicht veröffentlicht 1980.
[4] N.E. MILLER, Am. Soc. **88**, 4284 (1966).
[5] N.E. MILLER, J. Organometal. Chem. **137**, 131 (1977).
[6] US.P. 3320310 (1967), Callery Chem. Co., Erf.: M.D. MARSHALL u. R.M. ADAMS; C.A. **63**, 64513 (1967).
[7] M.A. IORIO, G. NUÑEZ BARRIOS, E. MENICHINI u. A. MAZZEO-FARINA, Tetrahedron **31**, 1959 (1975).
[8] D.N. BUTLER u. A.H. SOLOWAY, Am. Soc. **88**, 484 (1966).
[9] R.D. ADAMS u. F.D. POHOLSKY, Inorg. Chem. **2**, 640 (1963).
[10] M. FERLES u. Z. POLÍVKA, Collect. czech. chem. Commun. **33**, 2121 (1968); C.A. **69**, 36200 (1968).
[11] Z. POLÍVKA, V. KUBELKA, N. HOLUBOVA u. M. FERLES, Collect. czech. chem. Commun. **35**, 1131 (1970); C.A. **72**, 132839 (1970).
[12] Z. POLÍVKA u. M. FERLES, Collect. czech. chem. Commun. **35**, 1147 (1970); C.A. **72**, 131928 (1970).
[13] M. BABOULÈNE, J.-L. TORREGROSA, V. SPÉZIALE u. A. LATTES, Bl. **1980**, II-565; C.A. **95**, 81072 (1981).

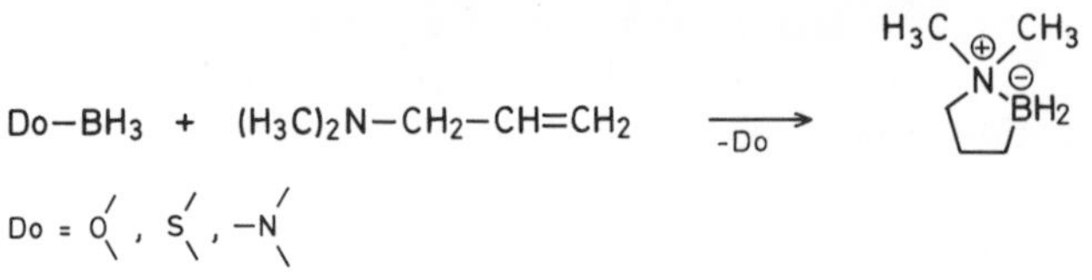
Do–BH3 + (H3C)2N–CH2–CH=CH2
-Do
H3C CH3
N
BH2
Do = O, S, –N

i$_1$) aus Tetrahydrofuran-Boran

Tetrahydrofuran-Boran (Diboran in Tetrahydrofuran) läßt sich zur Herstellung von cyclischen Amin-Alkyl-dihydro-boranen gut verwenden. Die Hydroborierung von 3- oder 5-Methyl-4-phenyl-1,2,5,6-tetrahydro-pyridinen führt zu stabilen cyclischen Amin-Dihydro-organo-boranen[1]:

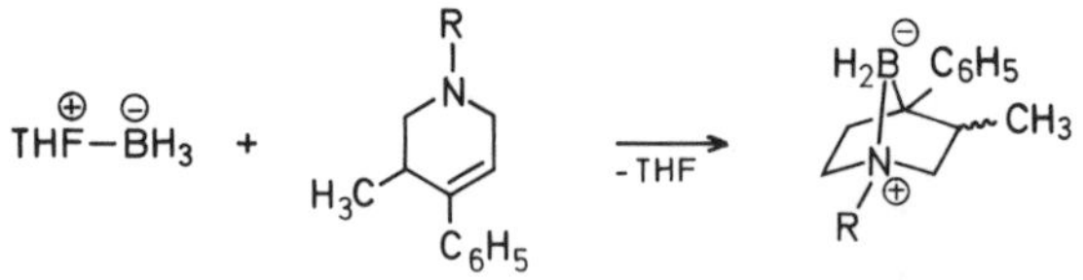
THF–BH3
R
N
H3C
C6H5
-THF
H2B C6H5
CH3
N
R

1-Alkyl-7-hydro-4-phenyl-1-azonia-7-borata-bicyclo[2.2.1]heptane
R = CH_3, CH_2–C_6H_5, CH_2–CH_2–C_6H_5

Wird Tetrahydrofuran-Boran bei 0° in THF mit N-Allylurethanen (N-Allylcarbamaten) umgesetzt, bleibt die Carbonsäureester-Gruppe unverändert[2]:

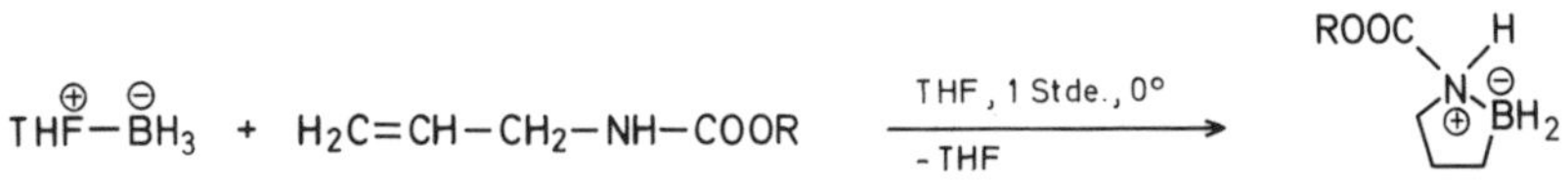
THF–BH3 + H2C=CH–CH2–NH–COOR
THF, 1 Stde., 0°
-THF
ROOC H
N
BH2

. . .-2-hydro-1,2-azoniaboratolidin
R = C_2H_5; *1-Ethoxycarbonyl-. . .*
R = CH_2–C_6H_5; *1-Benzyloxycarbonyl-. . .*

i$_2$) aus Amin-Trihydroboranen

Aus Amin-Trihydroboranen sind verschiedene offenkettige und cyclische Amin-Dihydro-organo-borane mit Alkenylaminen durch Hydroborierung oder mit bestimmten metallorganischen Verbindungen durch Liganden-Austausch zugänglich.

ii$_1$) mit Alkenyl-diorgano-aminen

Trialkylamin-Borane reagieren oberhalb 100° mit Alkenen unter Hydroborierung zu Trialkylboranen und Trialkylamin (z.B. Triethylamin)[3,4]. Setzt man Allyl-dialkyl-amine ein, erfolgt im wesentlichen nur Monohydroborierung. Die $\gtrdot$BH-Bindungen der Amin-Alkyl-dihydro-borane reagieren unter denselben Bedingungen nicht mehr. Verschiedene cyclische Amin-Alkyl-dihydro-borane sind so zugänglich.

[1] M.A. Iorio, G. Nuñez Barrios, E. Menichini u. A. Mazzeo-Farina, Tetrahedron **31**, 1959 (1975).
[2] D.N. Butler u. A.H. Soloway, Am. Soc. **88**, 484 (1966).
[3] R. Köster, Ang. Ch. **69**, 684 (1957); IUPAC Paris 1957, Mém. séct. chim. minérale S. 461–465.
[4] R. Köster, Adv. Organometallic Chem. **2**, 257–324 (1964).

Zur Reaktion mit Allyl-, Alkenyl-dimethyl- oder Alkandiyl-allyl-aminen muß in Toluol oder Xylol zum Sieden erhitzt werden[1–8]. Man erhält unter Abspaltung von Trialkylamin 1-Azonia-2-borata-cycloalkane (65–86% Ausbeute) mit fünf[9,10], sechs[1,10], sieben[10], acht[2] und mehr[3] Ringgliedern. Spirocyclische Amin-Dihydro-organo-borane sind aus Triethylamin-Boran mit Alkandiyl-allyl-aminen mit ~44%iger Ausbeute zugänglich. Isomere, die sich durch unzureichende Regioselektivität kinetisch bilden, lassen sich oft nur schwer ineinander überführen. 1,2-Azoniaboratinane bzw. -epane sind thermodynamisch bevorzugt[4–6]; z.B.:

$$(H_5C_2)_3\overset{\oplus}{N}-\overset{\ominus}{B}H_3 + H_2C{=}CH-(CH_2)_3-N(CH_3)_2 \xrightarrow[-(H_5C_2)_3N]{\text{Xylol},\ >130\,°}$$

1,1-Dimethyl-2-hydro-1,2-azoniaboratepan

2-Hydro-1,1,3-trimethyl-1,2-azoniaboratinan

Aus Trimethylamin-Boran sind mit Dimethyl-(3-methyl- bzw. -3,3-dimethyl-pent-4-enyl)-aminen ebenfalls jeweils zwei isomere Trimethyl-1,2-azaboracycloalkane zugänglich[11]:

$$(H_3C)_3\overset{\oplus}{N}-\overset{\ominus}{B}H_3 + (H_3C)_2N-(CH_2)_2-\underset{}{CH}(CH_3)-CH{=}CH_2 \xrightarrow[-(H_3C)_3N]{\text{Xylol},\ >130\,°}$$

2-Hydro-1,1,3,4-tetramethyl-1,2-azoniaboratinan

2-Hydro-1,1,5-trimethyl-1,2-azoniaboratepan

---

[1] R.D. ADAMS u. F.D. POHOLSKY, Inorg. Chem. **2**, 640 (1963).
[2] M. FERLES u. Z. POLÍVKA, Collect. czech. chem. Commun. **33**, 2121 (1968); C.A. **69**, 36200 (1968).
[3] Z. POLÍVKA, V. KUBELKA, N. HOLUBOVKÁ u. M. FERLES, Collect. czech. chem. Commun. **35**, 1131 (1970); C.A. **72**, 132839 (1970).
[4] Z. POLÍVKA u. M. FERLES, Collect. czech. chem. Commun. **35**, 1147 (1970); C.A. **72**, 131928 (1970).
[5] Z. POLÍVKA u. M. FERLES, Collect. czech. chem. Commun. **34**, 3009 (1969); C.A. **71**, 113018 (1969).
[6] M. BARBOULÈNE, J.L. TORREGROSA, V. SPÉZIALE u. A. LATTES, Bl. **1980**, II–565.
[7] M. FERLES, V. VOŠICKÝ u. Z. POLÍVKA, Z. **8**, 380 (1968).
[8] M. FERLES u. S. KAFKA, Collect. czech. chem. Commun. **47**, 2150 (1982); C.A. **98**, 16749 (1983).
[9] R. KÖSTER, Ang. Ch. **69**, 684 (1957); IUPAC Paris 1957, Mém. sect. chim. minérale S. 461–465.
[10] R. KÖSTER, Adv. Organometallic Chem. **2**, 257–324 (1964).
[11] P. ŠTERN, P. TRŠKA u. M. FERLES, Collect. czech. chem. Commun. **39**, 3538 (1974); C.A. **82**, 155173 (1975).

Falls man *1,1-Dimethyl-2-hydro-1,2-azoniaboratolidin* aus Allyl-dimethyl-amin-Boran herstellt, das z.B. aus Natriumtetrahydroborat mit Allyl-trimethyl-ammoniumchlorid zugänglich ist, muß bei >10 g-Ansätzen ohne Lösungsmittel auf die spontan frei werdende Hydroborierungswärme (vgl. S. 444) geachtet werden[1]. Vorteilhaft wird daher in Verdünnung (z.B. Xylol) zum Rückfluß erhitzt.

$$(H_5C_2)_3\overset{\oplus}{N}-\overset{\ominus}{B}H_3 \;+\; H_2C{=}CH-CH_2-N(CH_3)_2 \xrightarrow[-\,(H_5C_2)_3N]{\text{Xylol},\ >130^\circ}$$

Auch definiert deuterierte Cyclen sind durch die Methode leicht zugänglich[2]; z.B.:

$$(H_5C_2)_3\overset{\oplus}{N}-\overset{\ominus}{B}D_3 \;+\; (H_3C)_2N-(CH_2)_2-CH{=}CH_2 \xrightarrow[-\,(H_5C_2)_3N]{>140^\circ,\ 4\ \text{Stdn.}}$$

1,1-Dimethyl-2,2,4-trideutero-1,2-azoniaboratinan; Kp_{18}: 92°

1,1-Dimethyl-2-hydro-1-azonia-2-borata-cycloalkane; allgemeine Vorschrift[2]:

Methode A: Eine Lösung von 11,5 g (0,1 mol) Triethylamin-Boran in 50 *ml* Xylol tropft man unter Rühren zu 0,1 mol ω-Dimethylamino-1-alken in 250 *ml* Xylol und läßt ~10 Stdn. rühren. Nach Abziehen des Lösungsmittels wird der Rückstand i.Vak. destilliert, anschließend rektifiziert.

Methode B: 0,05 mol ω-Dimethylamino-1-alken tropft man unter Rühren innerhalb ~10 Min. zu 0,05 mol Triethylamin-Boran. Man erhitzt langsam bis 200°, wobei ab ~130–140° Triethylamin abdestilliert (90–97%). Der (polymere) Rückstand wird i.Vak. erhitzt und abdestilliert, dann redestilliert.

Schließlich sind auch bicyclische Amin-Dihydro-organo-borane zugänglich[3,4]. Aus Triethylamin-Boran erhält man mit 1-Methyl- bzw. 1,3-Dimethyl-1,2,3,6-tetrahydro-pyridin in jeweils ~60%iger Ausbeute *7-Hydro-1-methyl-* (Kp_{11}: 56–58°) bzw. *1,3-Dimethyl-7-hydro-1-azonia-7-borata-bicyclo[2.2.1]heptan* (Kp_{15}: 82–83°):

$$(H_5C_2)_3\overset{\oplus}{N}-\overset{\ominus}{B}H_3 \;+\; \xrightarrow[-\,(H_5C_2)_3N]{>140^\circ}$$

R = H, CH_3

Die Hydroborierung kann auch intramolekular erfolgen. Das aus Pyridin-Boran mit dem tricyclischen Enamin I durch Boran-Übertragung zugängliche Amin-Boran II geht in Anisol bei 140–150° ins cyclische Derivat III über[5]:

[1] Z. Polívka u. M. Ferles, Collect. czech. chem. Commun. **34**, 3009 (1969); C.A. **71**, 113018 (1969).
[2] Z. Polívka, V. Kubelka, N. Holubová u. M. Ferles, Collect. czech. chem. Commun. **35**, 1131 (1970); C.A. **72**, 132839 (1970).
[3] Z. Polívka u. M. Ferles, Collect. czech. chem. Commun. **35**, 2392 (1970); C.A. **73**, 66395 (1970).
[4] M. Ferles, P. Štern u. P. Trška, Collect. czech. chem. Commun. **39**, 3317 (1974); C.A. **82**, 125233 (1975).
[5] H. Kujita u. M. Takeda, Chem. Pharm. Bull. (Tokyo) **12**, 1166 (1964); C.A. **62**, 518 (1965).

$\overset{\oplus}{Py}-\overset{\ominus}{B}H_3$ + I $\xrightarrow[-\,Py]{\text{Benzol},\ 70-80°}$ II $\xrightarrow{140-150°,\ \text{Anisol}}$ III

II: *2,5-Dimethyl-7-methoxy-11-methylen-⟨benzo-2-aza-bicyclo[3.3.1]non-6-en⟩-Trihydroboran*; F: 133–135°

III: *4,7-Dimethyl-3-hydro-9-methoxy-⟨benzo-4-azonia-3-borata-tricyclo[5.4.0.0^{4,11}]undec-8-en⟩*

ii$_2$) mit metallorganischen Verbindungen

Aus Amin-Trihydroboranen lassen sich mit metallorganischen Verbindungen bestimmte Amin-Dihydro-organo-borane herstellen.

Mit 1,2-Bis[dimethylamino]ethan-Methylthiomethyllithium bildet sich aus Trimethylamin-Boran in siedendem Toluol *Trimethylamin-Dihydro-methylthiomethyl-boran*[1].

Amin-Dihydro-vinyl-boran ist aus Amin-Trihydroboran mit Tetravinylblei in Monoglyme bei 20° erhältlich[2]:

$$H_3\overset{\oplus}{N}-\overset{\ominus}{B}H_3 \xrightarrow[\{-(H_2C{=}CH)_3PbH\}]{+(H_2C{=}CH)_4Pb/\text{Monoglyme},\ \sim 20°,\ 24\ \text{Stdn.}} H_3\overset{\oplus}{N}-\overset{\ominus}{B}H_2-CH{=}CH_2$$

Aus Trimethylamin-Boran ist beim Erhitzen mit Silbercyanid auf 130° durch H/CN-Austausch unter Abscheiden von metallischem Silber und Wasserstoff-Entwicklung sublimierbares *Trimethylamin-Cyan-dihydro-boran* (F: 62–63°) zugänglich[3].

$\beta\beta_7$) aus Amin-Dihydro-halogen-boranen

Trimethyl-Dihydro-halogen-borane (Halogen = Brom, Jod) reagieren mit bestimmten metallorganischen Verbindungen oder mit Alkalimetallen nach Metallierung einer Methyl-Gruppe unter Halogen-Substitution zu Amin-Dihydro-organo-boranen.

Aus Trimethylamin-Dihydro-jod-boran ist mit Natriumcyanid in Ammoniak durch Halogen/Cyan-Substitution und Trimethylamin/Ammoniak-Austausch *Amin-Cyan-dihydro-boran* zugänglich[4–7]. Die Reaktion läßt sich über ein Natriumjodid-Addukt I (15%; F: 94–95,5°)[5] des hexameren Amin-Cyan-dihydro-borans[6] durchführen.

---

[1] H. Nöth u. D. Sedlack, B. **116**, im Druck (1983).
[2] O.T. Beachley jr. u. B. Washburn, Inorg. Chem. **14**, 120 (1975).
[3] A.K. Holliday u. R.E. Pendlebury, J. Organometal. Chem. **10**, 295 (1967).
[4] P.J. Bratt, M.P. Brown u. K.R. Seddon, Soc. [Dalton Trans.] **1976**, 353.
[5] K.D. Hargrave, A.T. McPhail, B.F. Spielvogel u. P. Wisian-Neilson, Soc. [Dalton Trans.] **1977**, 2150.
[6] A.T. McPhail, K.D. Onan, B.F. Spielvogel u. P. Wisian-Neilson, J. Chem. Res. **1978**, 2601.
[7] US.P. 4209510 (1978/1980), US. Department of the Army, Erf.: I.H. Hall, K.D. Hargrave, A.T. McPhail, B.F. Spielvogel u. P. Wisian-Neilson; C.A. **93**, 173768 (1980).

$$(H_3C)_3\overset{\oplus}{N}-\overset{\ominus}{B}H_2-J \xrightarrow[-(H_3C)_3N,\ -NaJ]{+NaCN/+NH_3} H_3\overset{\oplus}{N}-\overset{\ominus}{B}H_2-CN$$

$$(H_3C)_3\overset{\oplus}{N}-\overset{\ominus}{B}H_2-J \xrightarrow[-(H_3C)_3N]{+NH_3,\ +NaCN} \left[\overset{\oplus}{Na}(H_3\overset{\oplus}{N}-\overset{\ominus}{B}H_2-CN)\right]^+ J^-$$

I

$$\text{I} \xrightarrow[-NaJ]{+(H_5C_2)_2O,\ +H_2O} H_3\overset{\oplus}{N}-\overset{\ominus}{B}H_2-CN$$

Mit Alkalimetallen erzielt man nur bescheidene Ausbeuten an sechsgliedrigen dimeren Amino-dihydro-organo-boranen[1-5].

Aus Trimethylamin-Brom-dihydro-boran erhält man mit Natrium/Kalium-Legierung (~1:3) in Trimethylamin bei ~0° in bis zu 20%iger Ausbeute *2,5-Dihydro-1,1,4,4-tetramethyl-1,4,2,5-diazoniadiboratinan*[1-5]:

$$(H_3C)_3\overset{\oplus}{N}-\overset{\ominus}{B}H_2Br \xrightarrow[-KBr]{+K(Na)} \text{cyclo-}[(H_3C)_2\overset{\oplus}{N}-CH_2-\overset{\ominus}{B}H_2-]_2$$

Die Reaktion verläuft vermutlich über Bis[trimethylamin]-dihydrobor(1+)-Verbindungen (vgl. S. 696).

2,5-Dihydro-1,1,4,4-tetramethyl-1,4,2,5-diazoniadiboratinan[1]**:** Bei 0° rührt man 2,58 g (17 mmol) Trimethylamin-Brom-dihydro-boran[4] in 40 *ml* getr. Trimethylamin 48 Stdn. mit 3 *ml* (~80 mmol) Natrium/Kalium-Legierung. Man kühlt das Gemisch mit dunkelblauen, feinen Festpartikeln auf −78° ab, zieht das Amin i. Vak. in Kühlfallen (−78°, −196°) ab, zum Schluß nach Erwärmen des Reaktionskolbens (100 *ml*) auf ~20°. Das bei −78° aufgefangene feste Kondensat wird bei ~20° mit reinem Hexan extrahiert, das Hexan wird abgezogen; Ausbeute: 0,18–0,24 g (15–20%); F: 89,5–90,5°.

$\beta\beta_8$) aus Bis[trimethylamin]-dihydro-bor(1+)-halogeniden

Bis[trimethylamin]-dihydro-bor(1+)-halogenide eignen sich zur Herstellung verschiedener cyclischer und offenkettiger Amin-Dihydro-subst.-methyl-borane. Als Reaktionspartner verwendet man Nucleophile wie z.B. tert.-Butyllithium[3,6,7], Natriumhydrid[2] und Natriumamid[5] sowie Alkalimetalle[1,5,8]. In Abhängigkeit von den Konzentrationsverhältnissen, der Art der Reaktionspartner und den Arbeitsbedingungen erhält man verschiedene Endprodukte bzw. deren Gemische.

---

[1] T.H. Hseu u. L.A. Larsen, Inorg. Chem. **14**, 330 (1975).
[2] N.E. Miller u. E.L. Muetterties, Inorg. Chem. **3**, 1196 (1964).
[3] N.E. Miller, M.D. Murphy u. D.L. Reznicek, Inorg. Chem. **5**, 1832 (1966).
[4] vgl. H. Nöth u. H. Beyer, B. **93**, 2251 (1960).
[5] B.R. Gragg u. G.E. Ryschkewitsch, Inorg. Chem. **15**, 1209 (1976).
[6] N.E. Miller, Am. Soc. **88**, 4284 (1966).
[7] N.E. Miller, J. Organometal. Chem. **137**, 131 (1977).
[8] B.R. Gragg u. G.E. Ryschkewitsch, Am. Soc. **96**, 4717 (1974).

Bis[trimethylamin]-dihydro-bor(1+)-chlorid reagiert mit Butyllithium in Hexan bei ~20° (Molverhältnis ~1:1,5) unter Methyllithiierung zum offenkettigen *Trimethylamin-Dihydro-dimethylaminomethyl-boran*[1]:

$$\left\{\left[(H_3C)_3\overset{\oplus}{N}\right]_2\overset{\ominus}{B}H_2\right\}^+ Cl^- \xrightarrow[\substack{-C_4H_{10}\\ -LiCl}]{+H_9C_4-Li,\ Hexan} (H_3C)_3\overset{\oplus}{N}-\overset{\ominus}{B}H_2-CH_2-N(CH_3)_2$$

Mit tert.-Butyllithium wird die Verbindung zu 35% gebildet[2,3].

Aus äquimolaren Mengen Bis[trimethylamin]-dihydro-bor(1+)-chlorid ist mit tert.-Butyllithium in Hexan in Gegenwart von Trimethylamin bei ~20° *Dimethyl-lithiummethyl-amin-Dihydro-dimethylaminomethyl-boran* neben anderen Produkten (s.u.) bis in ~60%iger Ausbeute zugänglich[3,4]:

$$\left\{\left[(H_3C)_3\overset{\oplus}{N}\right]_2\overset{\ominus}{B}H_2\right\}^+ Cl^- \xrightarrow[-C_4H_{10}]{\substack{+(H_3C)_3C-Li\\ Hexan\,/\,(H_3C)_3N\\ 12\ Stdn.,\ \sim 20°}} \text{Ring: } (H_3C)_2\overset{\oplus}{N}-\overset{\ominus}{B}H_2-CH_2-\overset{\oplus}{N}(CH_3)_2-\overset{\ominus}{Li}-CH_2-$$

Dimethyl-lithiummethyl-amin-Dihydro-dimethylaminomethyl-boran (sog. Lithiumchelat)[4]: Zu 1,52 g (9,21 mmol) Bis[trimethylamin]-dihydro-bor(1+)-chlorid in 4 *ml* Hexan und 5 mmol Trimethylamin gibt man unter Rühren 14,8 *ml* 1,24 M tert.-Butyllithium-Lösung (9,21 mmol) in Pentan. Nach 12stdgm. Stehen und Entfernen des Lösungsmittels (−35°-Falle) wird i. Hochvak. sublimiert (90–110°); Ausbeute: 740 mg (60%); F: 112–114°.

Die Substanz raucht an der Luft und ist **selbstentzündlich**.

Mit Butyllithium läßt sich aus Bis[trimethylamin]-dihydrobor(1+)-chlorid bei >60°–120° in Abwesenheit von Trimethylamin *2,5-Dihydro-1,1,4,4-tetramethyl-1,4,2,5-diazoniadiboratinan* (F: 89–91°) in bis zu 50%iger Ausbeute herstellen. Nach Entfernen des Lösungsmittels i. Vak. erhitzt man bis ~120°[1,2]:

$$\left\{\left[(H_3C)_3\overset{\oplus}{N}\right]_2\overset{\ominus}{B}H_2\right\}^+ Cl^- \xrightarrow[\substack{-LiCl\\ -C_4H_{10}}]{\substack{+H_9C_4-Li,\ Hexan\\ 8\ Stdn.,\ 60-120°}} \text{Ring: } (H_3C)_2\overset{\oplus}{N}-\overset{\ominus}{B}H_2-CH_2-\overset{\oplus}{N}(CH_3)_2-\overset{\ominus}{B}H_2-CH_2-$$

Mit Natriumamid in 1,2-Dimethoxyethan ist aus Bis[trimethylamin]-bor(1+)jodid *2,5-Dihydro-1,1,4,4-tetramethyl-1,4,2,5-diazoniadiboratinan* (25%) zugänglich[5]:

$$\left\{\left[(H_3C)_3\overset{\oplus}{N}\right]_2\overset{\ominus}{B}H_2\right\}^+ J^- \xrightarrow[\substack{-NaJ\\ -NH_3}]{\substack{+NaNH_2\\ H_3CO-CH_2-CH_2-OCH_3}} \text{Ring: } (H_3C)_2\overset{\oplus}{N}-\overset{\ominus}{B}H_2-CH_2-\overset{\oplus}{N}(CH_3)_2-\overset{\ominus}{B}H_2-CH_2-$$

2,5-Dihydro-1,1,4,4-tetramethyl-1,4,2,5-diazoniadiboratinan[5]: 10,21 g (39,5 mmol) Bis[trimethylamin]-bor(1+)-jodid und 1,56 g (40 mmol) Natriumamid in 75 *ml* 1,2-Dimethoxyethan erwärmt man unter intensivem Rühren zum Rückfluß. 48,4 mmol Gas (Ammoniak, Trimethylamin) spaltet sich innerhalb 5 Stdn. ab. Restliches

[1] N.E. Miller u. D.L. Reznicek, Inorg. Chem. **8**, 275 (1969).
[2] N.E. Miller, M.D. Murphy u. D.L. Reznicek, Inorg. Chem. **5**, 1832 (1966).
[3] N.E. Miller, Am. Soc. **88**, 4284 (1966).
[4] N.E. Miller, J. Organometal. Chem. **137**, 131 (1977).
[5] B.R. Gragg u. G.E. Ryschkewitsch, Inorg. Chem. **15**, 1209 (1976).

Trimethylamin wird mit Inertgas ausgetrieben (~ 1 Stde.). Man filtriert vom Unlöslichen (~ 2,81 g Edukt-Salz + 0,42 g unbekannte Verbindung) ab. Nach dem Einengen des Filtrats i. Vak. und Waschen des trockenen Rückstands mit Dichlormethan wird mit 100 *ml* destilliertem Wasser versetzt. Die organ. Schicht wird abgetrennt, getrocknet und das Dichlormethan entfernt; Ausbeute: 0,55 g (25%).

Bis[trimethylamin]-dihydro-bor(1+)-jodid reagiert in 1,2-Dimethoxyethan bei ~85° (Rückfluß) mit metallischem Kalium unter Methan-Entwicklung zum *2,4-Dihydro-1,1,3,3-tetramethyl-1,3,2,4-diazoniadiboratolidin* (62%)[1,2]:

$$2\left\{\left[(H_3C)_3\overset{\oplus}{N}\right]_2\overset{\ominus}{B}H_2\right\}^+ J^- + 2\,K \xrightarrow[\substack{-2\,KJ \\ -CH_4 \\ -2\,(H_3C)_3N}]{H_3CO-CH_2-CH_2-OCH_3} \text{2,4-Dihydro-1,1,3,3-tetramethyl-1,3,2,4-diazoniadiboratolidin}$$

Die Ausbeute wird bei Anwendung von überschüssigem Kaliummetall deutlich reduziert. Falls man äquimolare Mengen an Bor(1+)-Salz und Kaliummetall einsetzt und einen Inertgasstrom (Stickstoff, Argon) durch die Reaktionslösung leitet, können bis 62% reines Produkt erhalten werden. Trimethylamin wird laufend ausgetrieben. Dadurch wird der transaminierende Ringschluß erleichtert[1].

2,4-Dihydro-1,1,3,3-tetramethyl-1,3,2,4-diazoniadiboratolidin[1]: 5,6 g (217 mmol) Bis[trimethylamin]-dihydro-bor(1+)-jodid und 0,88 g (227 mmol) metallisches Kalium werden in 75 *ml* 1,2-Dimethoxyethan unter gutem Rühren zum Rückfluß erhitzt (~ 85°). 110 *ml* Methan werden in ~ 1 Stde. frei. Nach weiteren 3 Stdn. wird im Inertgas-Strom Trimethylamin ausgeblasen (Salzsäure-Vorlage). Nach dem Filtrieren (~ 36,5 g) wird unter Atmosphärendruck eingeengt. Den Rückstand versetzt man mit destilliertem Wasser. Die viskose, nichtmischbare obere Phase wird abgetrennt, mit Wasser wiederholt gewaschen, über Magnesiumsulfat getrocknet und filtriert; Ausbeute: 8,7 g (62%).

$\beta\beta_9$) aus Hydro-organo-boraten

Alkalimetall-hydro-organo-borate sind zur Herstellung von Amin-Dihydro-organoboranen geeignet. Alkalimetall-alkyl- und -cyan-trihydro-borate liefern so mit Amin-Hydrochloriden unter Protolyse Amin-Dihydro-organo-borane.

i_1) aus Alkalimetall-alkyl-trihydro-boraten

Aus Lithium-methyl-trihydro-borat erhält man mit Trimethylamin-Hydrochlorid unter Abscheiden von Lithiumchlorid und Freisetzen von Wasserstoff *Trimethylamin-Dihydro-methyl-boran*[3]:

$$Li^+[H_3C-BH_3]^- + [(H_3C)_3NH]^+Cl^- \xrightarrow[\substack{-LiCl \\ -H_2}]{} (H_3C)_3\overset{\oplus}{N}-\overset{\ominus}{B}H_2CH_3$$

Lithium-methylthiomethyl-trihydro-borat, zugänglich aus Trimethylamin-Boran mit Lithium-methylthiomethan in Hexan, reagiert mit Trimethylammoniumchlorid unter Bildung von *Trimethylamin-Dihydro-methylthiomethyl-boran*[4].

---

[1] B. R. GRAGG u. G. E. RYSCHKEWITSCH, Inorg. Chem. **15**, 1201 (1976).
[2] B. R. GRAGG u. G. E. RYSCHKEWITSCH, Am. Soc. **96**, 4717 (1974).
[3] O. T. BEACHLEY jr. u. B. WASHBURN, Inorg. Chem. **14**, 120 (1975).
[4] H. NÖTH u. D. SEDLACK, B. **116**, 1479 (1983).

i_2) aus Alkalimetall-cyan-trihydro-boraten

ii_1) mit Amin-Hydrochloriden

Besonders wertvoll ist die Borat-Methode zur Herstellung von Amin-Cyan-dihydro-boranen[1-5]. Man setzt die leicht zugänglichen Alkalimetall-cyan-trihydro-borate[1,6,7] in siedendem Tetrahydrofuran mit Amin-Hydrochloriden um[4]:

$$Na^+[NC{-}BH_3]^- \xrightarrow[-NaCl,\ -H_2]{+Amin \cdot HCl,\ THF,\ 65°} \overset{\oplus}{Amin}{-}\overset{\ominus}{B}H_2{-}CN$$

Amin = $(H_3C)_3N$[8], $(H_3C)_2NH$, $H_3C{-}NH_2$, $H_5C_6{-}NH_2$, $(4\text{-}CH_3{-}C_6H_4)NH_2$

Amin-Cyan-dihydro-borane; allgemeine Arbeitsvorschrift[4]: Eine Lösung von 250–500 mmol Natrium-cyan-trihydro-borat(1–) und ein Überschuß von Amin-Hydrochlorid werden in THF so lange zum Rückfluß erhitzt, bis die Gasentwicklung beendet ist. Nach Abkühlen, Filtration und Waschen des Niederschlags (Natriumchlorid) erhält man beim Abdestillieren des THF i. Vak. das Amin-Cyan-dihydro-boran als Rückstand. Mit Pyridin-Hydrochlorid erfolgt die Gasabspaltung sehr viel rascher.

Mit Diamin-Bis-hydrochloriden erhält man aus der doppelten Menge Natrium-cyan-trihydro-borat in Tetrahydrofuran entsprechende Diamin-Bis[cyan-dihydro-borane][9]:

$$2\ Na^+[NC{-}BH_3]^- + [R_2NH{-}CH_2{-}CH_2{-}NHR_2]^{2+}\ 2\ Cl^- \xrightarrow[-2\ NaCl,\ -2\ H_2]{THF} NC{-}\overset{\ominus}{B}H_2{-}\overset{\oplus}{N}R_2{-}CH_2{-}CH_2{-}\overset{\oplus}{N}R_2{-}\overset{\ominus}{B}H_2{-}CN$$

...-Bis[cyan-dihydro-boran]

R = H; *1,2-Diaminoethan-...*; 59%; F: 147°
R = CH_3; *1,2-Bis[dimethylamino]ethan-...*; 88%; F: 169–171°

Aus Natrium-cyan-trihydro-borat erhält man mit z.B. 1,2,3,5,6,11b-Hexahydro-11H-⟨indolo[3,2-g]indolizin⟩ (Tetrahydrocarbolin) in Tetrahydrofuran nach anschließendem Erhitzen mit Chlorameisensäureethylester neben dem unter reduktiver Ringspaltung entstandenen Urethan-Derivat (58%) 38% *1,2,3,5,6,11b-Hexahydro-11H-⟨indolo[3,2-g]indolizin⟩-cyan-dihydro-boran*[10]:

$Na^+[NC{-}BH_3]^-$ + (Tetrahydrocarbolin) $\xrightarrow[-\ NaCl]{+\ Cl{-}COOC_2H_5}$ ($\overset{\ominus}{B}H_2{-}CN$-Addukt) 38% + ($N{-}COOC_2H_5$-Derivat) 58%

---

[1] S.S. UPPAL u. H.C. KELLY, Chem. Commun. **1970**, 1619.
[2] C. WEIDIG, S.S. UPPAL u. H.C. KELLY, Inorg. Chem. **13**, 1763 (1974).
[3] B.F. SPIELVOGEL, L. WOJNOWICH, M.K. DAS, A.T. MCPHAIL u. K.D. HARGRAVE, Am. Soc. **98**, 5702 (1976).
[4] P. WISIAN-NEILSON, M.K. DAS u. B.F. SPIELVOGEL, Inorg. Chem. **17**, 2327 (1978).
[5] I.H. HALL, C.O. STARNES, A.T. MCPHAIL, P. WISIAN-NEILSON, M.K. DAS, F. HARCHELROAD jr. u. B. F. SPIELVOGEL, J. Pharm. Sci. **69**, 1025 (1980); Chem. Inform. **1981**, 10–289.
[6] G. WITTIG, A. **573**, 209 (1951).
[7] G. WITTIG u. P. RAFF, Z. Naturf. **6b**, 225 (1951).
[8] DOS DE 3112170 (1981/1982), H. MÜCKTER, F. DALLACKER u. W. MÜLLNERS; C.A. **98**, 89645 (1983); *Trimethylamin-Cyan-dihydro-boran* ([10]B) (vgl. S. 829).
[9] B.F. SPIELVOGEL, P. WISIAN-NEILSON u. F. HARCHELROAD jr., J. Inorg. & Nuclear Chem. **41**, 1223 (1979).
[10] M.J. CALVERLEY, Chem. Commun. **1981**, 1209.

ii$_2$) mit Halogenen

Aus Natrium-cyan-trihydro-borat erhält man in 1,2-Dimethoxyethan mit Halogenen (Chlor, Brom, Jod) cyclische Cyan-dihydro-boran-Oligomere, aus denen mit N-Lewisbasen (z.B. mit Triethylamin) bis zu 78% Amin-Cyan-dihydro-borane gewonnen werden[1]:

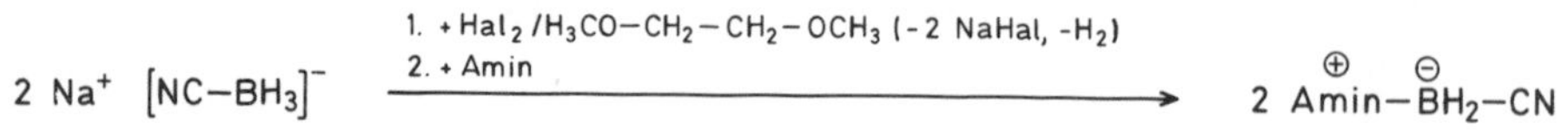

$$2\ Na^+\ [NC-BH_3]^- \xrightarrow[\text{2. + Amin}]{\text{1. + }Hal_2/H_3CO-CH_2-CH_2-OCH_3\ (-2\ NaHal,\ -H_2)} 2\ \overset{\oplus}{Amin}-\overset{\ominus}{B}H_2-CN$$

Hal = Cl, Br, J

Die Methode ist zur Herstellung von Pyridinbase-Cyan-dihydro-boranen ausgearbeitet worden (vgl. S. 504)[1].

β_2) *Imin-Dihydro-organo-borane*

Zur Verbindungsklasse zählen einige offenkettige sowie verschiedene cyclische Imin- und Pyridinbase-Dihydro-organo-borane.

$\beta\beta_1$) aus Hydroboranen

Offenkettige und cyclische Imin-Dihydro-organo-borane sind aus Hydroboranen zugänglich. Mit Aldiminen, Ketiminen oder mit Acylhydrazonen lassen sich Hydroborierungsprodukte isolieren. Auch mit Isonitrilen werden durch Hydroborierung der C≡N-Bindung und anschließende stabilisierende Dimerisierung cyclische Imin-Dihydro-organo-borane erhalten.

Diboran(6) reagiert in 1,2-Dimethoxyethan mit offenkettigen Enhydrazonen wie z.B. mit 3-(2-Benzyliden-1-methyl-hydrazino)-2-butensäureethylester[2,3]; entsprechend erhält man mit Hexadeuterodiboran(6)[2] z.B. das *1,5-Dimethyl-4-ethoxycarbonyl-2-(4-nitrobenzyliden)-3,3,5-trideutero-1,2,3-azaazoniaboratolidin* (62%):

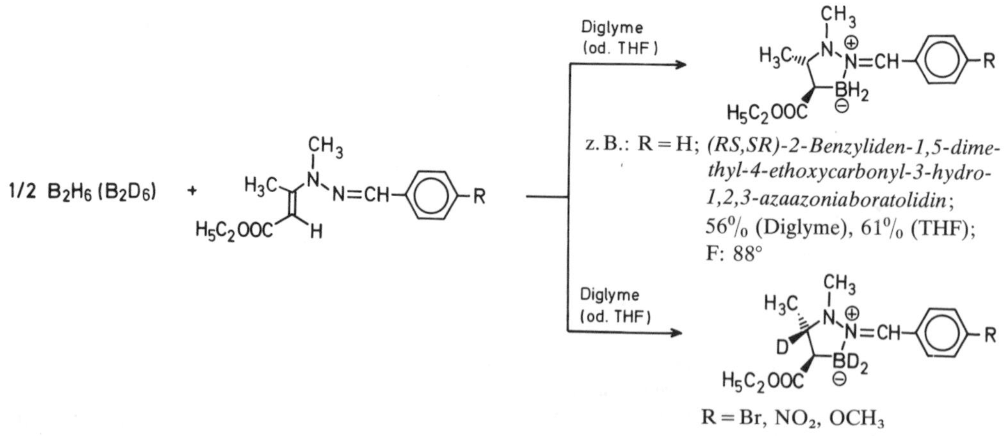

1/2 B_2H_6 (B_2D_6) + $H_3C-C(=CH-COOC_2H_5)-N(CH_3)-N=CH-C_6H_4-R$

→ (Diglyme (od. THF)) cyclisches Produkt mit BH_2:

z.B.: R = H; *(RS,SR)-2-Benzyliden-1,5-dimethyl-4-ethoxycarbonyl-3-hydro-1,2,3-azaazoniaboratolidin*; 56% (Diglyme), 61% (THF); F: 88°

→ (Diglyme (od. THF)) cyclisches Produkt mit BD_2 und D:

R = Br, NO_2, OCH_3

---

[1] D. R. Martin, M. A. Chiusano, M. L. Denniston, D. J. Dye, E. D. Martin u. B. T. Pennington, J. Inorg. & Nuclear Chem. **46**, 9 (1978).

[2] W. Sucrow u. M. Slopianka, B. **105**, 3807 (1972).

[3] W. Sucrow, L. Zühlke, M. Slopianka u. J. Pickardt, B. **110**, 2818 (1977).

Mit Organoisocyaniden sind aus Diboran unter schonenden Temperaturbedingungen sechsgliedrige dimere Imin-Dihydro-organo-borane zugänglich. Leitet man Diboran(6) bei −68° in eine 5%ige Lösung von Phenylisocyanid in Petrolether, so bildet sich bei gutem Rühren sofort eine farblose, kristalline Festsubstanz[1]:

$$B_2H_6 + 2\ H_5C_6{-}NC \xrightarrow{(Petrolether),\ -68°}$$

1,4-Diphenyl-2,2,5,5-tetrahydro-1,4,2,5-diazonia-diboratin (luftempfindlich); Zers.-p.: ~ 135°

Cyclohexylisocyanid reagiert in Ether bei −80° mit Diboran(6) in einem Hydroborierungsschritt quantitativ zu *1,4-Dicyclohexyl-2,2,5,5-tetrahydro-1,4,2,5-diazoniadiboratin* ($Kp_{0,001}$: 95–100°; F: 91°). Beim mehrfachen Sublimieren geht die Verbindung nach einer weiteren „intramolekularen Hydroborierung" in *1,4-Dicyclohexyl-1,4,2,5-diazadiborinan* (F: 117–119°, Zers.) über (vgl. S. 129)[2]:

$$B_2H_6 + 2\ C{\equiv}N{-}C_6H_{11} \longrightarrow \longrightarrow$$

$\beta\beta_2$) aus Dioxy-organo-boranen

Verschiedene Dioxy-organo-borane sind zur Herstellung von Pyridinbase-Dihydro-organo-boranen durch Reaktion mit Lithiumtetrahydroaluminat eingesetzt worden.

Die Substitution von Alkoxy-Resten am Bor-Atom durch Hydro-Gruppen wird in breitem Umfang angewandt[3,4]; z.B. [3]:

$$H_3C{-}C_6H_2(CH_3)_2{-}B(OC_4H_9)_2 \xrightarrow{1.\ (H_5C_2)_2O;\ 2.\ +\ Li[AlH_4]\ /\ +\ Pyridin} C_5H_5N^{\oplus}{-}B^{\ominus}H_2{-}C_6H_2(CH_3)_3$$

Pyridin-Dihydro-(2,4,6-trimethylphenyl)-boran[3]: 0,8 g (21 mmol) Lithiumtetrahydroaluminat werden mit 50 *ml* Diethylether 1 Stde. im Rückfluß erhitzt. Man kühlt auf −80° und gibt 3 *ml* (2,96 g, 37,5 mmol) Pyridin zu. Eine Lösung von 5,2 g (18,85 mmol) Dibutyloxy-(2,4,6-trimethylphenyl)-boran und 15 *ml* Diethylether wird innerhalb 1 Stde. bei −80° zugetropft. Man rührt weitere 30 Min., läßt auf 0° erwärmen und gibt nochmals 2 *ml* (1,975 g, 25 mmol) Pyridin in 4 *ml* Wasser zu. Nach Filtrieren wird i. Vak. zur Trockne eingeengt und der Rückstand aus Diethylether/Pentan (~ 1 : 1) umkristallisiert; Ausbeute: 3,1 g (78%); F: 116–118°.

Aus Diethoxy-phenyl-boran erhält man entsprechend Pyridin-Dihydro-phenyl-boran (77%; F: 83–85°)[4].

---

[1] S. BRESADOLA, F. ROSSETTO u. G. PUOSI, Tetrahedron Letters **1965**, 4775.
[2] J. TANAKA u. J.C. CARTER, Tetrahedron Letters **1965**, 320.
[3] M.F. HAWTHORNE, J. Org. Chem. **23**, 1579 (1958).
[4] M.F. HAWTHORNE, Am. Soc. **80**, 4293 (1958).

Die Reduktion kann auch unmittelbar in Gegenwart von Pyridin durchgeführt werden; Cyclohexyl-dimethoxy-boran liefert *Pyridin-Cyclohexyl-dihydro-boran*[1].

Unter entsprechendem Mehrverbrauch an Hydridierungsmittel reagiert Dihydroxy-phenyl-boran in Pyridin zum *Pyridin-Dihydro-phenyl-boran*[1,2]:

$$H_5C_6-B(OH)_2 + C_5H_5N \xrightarrow[-2\,H_2,\ -1/2\,Li_2Al_2O_4]{+Li[AlH_4]} C_5H_5\overset{\oplus}{N}-\overset{\ominus}{B}H_2(C_6H_5)$$

Auch Tetrahydrofuran-Aluminiumtrihydrid in THF wird verwendet. Zur Aufarbeitung versetzt man die ether. Lösungen mit Wasser, gewinnt die Additionsverbindungen aus der Ether-Schicht und kristallisiert gegebenenfalls aus Pentan um. Die Ausbeuten liegen bei 50–60%[2,3].

ββ3) aus Lewisbase-Boranen

Bestimmte Pyridinbase-Dihydro-organo-borane wie z.B. Pyridinbase-Carboxy-dihydro-borane werden am besten durch borferne Umwandlung anderer Pyridinbase-Dihydro-organo-borane hergestellt. Beispielsweise ist *Pyridin-Carboxy-dihydro-boran* (F: 115–116°, Zers.) aus Pyridin-Cyano-dihydro-boran mit Triethyloxoniumtetrafluoroborat über ein Nitrilium-Salz (vgl. S. 697) nach Aufarbeiten mit Wasser in ~30%iger Ausbeute zugänglich[4,5]:

$$C_5H_5\overset{\oplus}{N}-\overset{\ominus}{B}H_2-CN \xrightarrow[-(H_5C_2)_2O]{+[(H_5C_2)_3O]^+[BF_4]^-} \left[C_5H_5\overset{\oplus}{N}-\overset{\ominus}{B}H_2-C\equiv\overset{\oplus}{N}-C_2H_5\right]^+[BF_4]^- \xrightarrow{+H_2O} C_5H_5\overset{\oplus}{N}-\overset{\ominus}{B}H_2-COOH$$

ββ4) aus Organoboraten

Natrium-cyan-trihydro-borat eignet sich zur Herstellung von Pyridinbase-Cyan-dihydro-boranen. Im einfachsten Fall setzt man das Borat mit Pyridinbase-Hydrochlorid bzw. mit Chlorwasserstoff in Tetrahydrofuran unter Zufügen der Pyridinbase um. Aus Natrium-cyan-trihydro-borat läßt sich mit Pyridin-Hydrochlorid glatt und rasch *Pyridin-Cyan-dihydro-boran* herstellen[6]. Das Natrium-Salz in THF wird langsam unter Rühren zum Pyridin-Hydrochlorid in THF gegeben. Zur Vervollständigung der Reaktion wird zum Rückfluß erhitzt[7]; z.B.:

$$Na^+\left[H_3B-CN\right]^- + \left[H_3C-C_5H_4NH\right]^+Cl^- \xrightarrow[-NaCl,\ -H_2]{} H_3C-C_5H_4\overset{\oplus}{N}-\overset{\ominus}{B}H_2-CN$$

4-Methylpyridin-Cyan-dihydro-boran; 30%; F: 60–61°

---

[1] J.E. Douglass, Am. Soc. **86**, 5431 (1964).

[2] M.F. Hawthorne, Am. Soc. **81**, 5836 (1959).

[3] M.F. Hawthorne, Am. Soc. **83**, 831 (1961).

[4] B.F. Spielvogel, P. Wisian-Neilson u. F. Harchelroad jr., J. Inorg. & Nuclear Chem. **41**, 1223 (1979).

[5] DOS DE 3112170 (1981/1982), H. Mückter, F. Dallacker u. W. Müllners; C.A. **98**, 89645 (1983); *Trimethylamin-Carboxy-dihydro-boran(^{10}B)* (vgl. S. 829, 501, 697).

[6] C. Weidig, S.S. Uppal u. H.C. Kelly, Inorg. Chem. **13**, 1763 (1974).

[7] P. Wisian-Neilson, M.K. Das u. B.F. Spielvogel, Inorg. Chem. **17**, 2327 (1978).

Auch mit Halogenen läßt sich Natrium-cyan-trihydro-borat in Pyridinbase-Cyan-dihydro-borane überführen. Die Ausbeuten liegen zwischen 25 und 75%[1]:

$$2\ Na^+ \left[H_3B{-}CN\right]^- \xrightarrow[(-2\ NaHal;\ -H_2)]{1.+Hal_2/H_3CO{-}CH_2{-}CH_2{-}OCH_3;\ 2.+Pyridinbase} 2\ \overset{\oplus}{Py}{-}\overset{\ominus}{B}H_2{-}CN$$

Hal: Cl, Br, J ...*-Cyan-dihydro-boran*

Py = Pyridin; *Pyridin-...*
Py = H_3C-py; *2-* (bzw. *3*; bzw. *4*)*-Methylpyridin-...*

β_3) *Phosphan-Dihydro-organo-borane*

Die Verbindungsklasse ist nicht umfangreich. Einige offenkettige sowie cyclische Vertreter sind bekannt.

$\beta\beta_1$) aus Hydro-organo-boranen

Aus Hydro-organo-boranen lassen sich mit Phosphanen die thermisch relativ stabilen Phosphan-Dihydro-organo-borane im allgemeinen leicht gewinnen. Man kann von Tetraorganodiboranen oder von Organodiboranen mit höherem Hydrid-Gehalt ausgehen. Die glatte Bildung eines bestimmten Phosphan-Borans hängt allerdings von den P- und B-Substituenten ab. *Triphenylphosphan-Dihydro-ethyl-boran* (F: 115°) ist beispielsweise aus Tetraethyldiboran(6) mit Triphenylphosphan unter Boran-Dismutation leicht zugänglich[2]:

$$(H_5C_2)_4B_2H_2 \quad + \quad (H_5C_6)_3P \quad \xrightarrow[-(H_5C_2)_3B]{<100°} \quad (H_5C_6)_3\overset{\oplus}{P}{-}\overset{\ominus}{B}H_2{-}C_2H_5$$

Aus verschiedenen Alkyl- und Aryl-dihydro-boranen sind mit Trialkyl- oder mit Triphenyl-phosphan die Phosphan-Dihydro-organo-borane auf einfache Weise zugänglich (vgl. Tab. 80)[2-4].

Tab. 80: Phosphan-Dihydro-organo-borane aus Dihydro-organo-boranen mit Triorganophosphanen

Dihydro-organo-boran	Triorgano-phosphan		F [°C]	Literatur
$H_5C_2{-}BH_2$	$(H_5C_6)_3P$	*Triphenylphosphan-Dihydro-ethyl-boran*	115	2
$H_5C_6{-}BH_2$	$(H_9C_4)_3P$	*Tributylphosphan-Dihydro-phenyl-boran*	47–48	3,4
$(4\text{-}Br{-}C_6H_4)BH_2$	$(H_9C_4)_3P$	*Tributylphosphan-(4-Bromphenyl)-dihydro-boran*	39–40	3,4
$(2\text{-}CH_3{-}C_6H_4)BH_2$	$(H_9C_4)_3P$	*Tributylphosphan-Dihydro-(2-methylphenyl)-boran*	($Kp_{10^{-4}}$:55°)	3,4
$[2,4,6\text{-}(CH_3)_3{-}C_6H_2]BH_2$	$(H_9C_4)_3P$	*Tributylphosphan-Dihydro-(2,4,6-trimethylphenyl)-boran*	51–52	3,4

[1] D. R. Martin, M. A. Chiusano, M. L. Denniston, D. J. Dye, E. D. Martin u. B. T. Pennigton, J. Inorg. & Nuclear Chem. **46**, 9 (1978).
[2] R. Köster u. Y. Morita, Ang. Ch. **77**, 589 (1965).
[3] M.F. Hawthorne, W.L. Budde u. D. Walmsley, Am. Soc. **86**, 5337 (1964).
[4] M.F. Hawthorne, D.E. Walmsley u. W.L. Budde, Am. Soc. **93**, 3150 (1971).

$\beta\beta_2$) aus Lewisbase-Organoboranen

Zur Herstellung cyclischer und offenkettiger Phosphan-Dihydro-organo-borane werden auch verschiedene Lewisbase-Organoborane verwendet.

i_1) aus Phosphan-Triorganoboranen

Der B-Substituentenaustausch eignet sich zur Herstellung von Triorganophosphan-Dihydro-organo-boranen aus cyclischen Phosphan-Triorganoboranen. Aus 1,1-Dicyclohexyl-2,2-diethyl-1,2-phosphoniaboratolan erhält man mit Ethyldiboran(6) unter Freisetzen von Triethylboran das *1,1-Dicyclohexyl-2-hydro-1,2-phosphoniaboratolan*[1]:

$$(H_{11}C_6)_2\overset{\oplus}{P}\text{–}\overset{\ominus}{B}(C_2H_5)_2 \text{ (cycl.)} \xrightarrow[-\,(H_5C_2)_3B]{+H_2B-C_2H_5\ [\text{in } (H_5C_2)_3B]} (H_{11}C_6)_2\overset{\oplus}{P}\text{–}\overset{\ominus}{B}H_2 \text{ (cycl.)}$$

1,1-Dicyclohexyl-2-hydro-1,2-phosphoniaboratolan[1]: Man erhitzt 4,45 g (14,4 mmol) 1,1-Dicyclohexyl-2,2-diethyl-1,2-phosphoniaboratolan in 17,2 g (29,7 mmol) Ethyldiboran(6) (17,3‰ H^-) 2 Stdn. zum Rückfluß. Nach Abziehen des Triethylborans wird i. Hochvak. destilliert; Ausbeute: 1,4 g (39%) (farbloses Öl).

i_2) aus Amin-Dihydro-organo-boranen

Die Stabilität der Phosphan-Hydro-organo-borane ist im allgemeinen größer als die der Stickstoffbase-Hydro-organo-borane. Amin-Organo-borane werden daher oft zur Herstellung herangezogen[2-6]. *Triethylphosphan-Dihydro-ethyl-boran* (75%; Kp_2: 82°) bildet sich z.B. aus Triethylamin-Dihydro-ethyl-boran mit Triethylphosphan oder *Tributylphosphan-Butyl-dihydro-boran* (75%; Kp_1: 113°)[3] aus Triethylamin-Butyl-dihydro-boran mit Tributylphosphan. Entsprechend sind *Diethylphosphan-* und *Dipropylphosphan-Dihydro-ethyl-boran*[4] herstellbar.

Auch borferne Umwandlungen von Phosphan-Dihydro-organo-boranen führen zu neuen Phosphan-Dihydro-organo-boranen. Aus Triphenylphosphan-Cyan-dihydro-boran sind mit Elektrophilen (z.B. Triethyloxoniumtetrafluoroborat) unter Abwandlung der Cyan-Gruppe die entsprechenden Phosphan-Carboxy-dihydro-borane zugänglich[7,8]:

$$(H_5C_6)_3\overset{\oplus}{P}-\overset{\ominus}{B}H_2-CN \xrightarrow[2.\ +HO^-]{1.\ +[(H_5C_2)_3O]^+\ [BF_4]^-} (H_5C_6)_3\overset{\oplus}{P}-\overset{\ominus}{B}H_2-COOH \xrightarrow{+H_5C_2O^-} (H_5C_6)_3\overset{\oplus}{P}-\overset{\ominus}{B}H_2-COOC_2H_5$$

Triphenylphosphan-Carboxy-dihydro-boran

Triphenylphosphan-Dihydro-ethoxycarbonyl-boran

---

[1] K. Jonas u. K. Fischer, Mülheim a.d. Ruhr, unveröffentlicht 1972.
K. Fischer, Mülheim a.d. Ruhr, Dissertation, Universität Bochum 1973.

[2] M.F. Hawthorne, W.L. Budde u. D. Walmsley, Am. Soc. **86**, 5337 (1964).

[3] G. Jugie u. J.-P. Laurent, Bl. **1968**, 2010.

[4] G. Jugie, J.-P. Pouyanne u. J.-P. Laurent, C.r.[C] **268**, 1377 (1969).

[5] D.E. Walmsley, W.L. Budde u. M.F. Hawthorne, Am. Soc. **93**, 3150 (1971).

[6] M.J. Byrne u. N.E. Miller, Inorg. Chem. **20**, 1328 (1981).

[7] P. Wisian-Neilson, C.J. Foret u. D.R. Martin, Imeboron IV, Juli 1979, Salt Lake City, Abstr. of Papers 83–84.

[8] P. Wisian-Neilson, M.A. Wilkins, F.C. Weigel, C.J. Foret u. D.R. Martin, J. Inorg. & Nuclear Chem. **43**, 457 (1981).

i_3) aus Phosphoran-Boranen

Alkyliden-triphenyl-phosphoran-Borane lagern sich beim Erhitzen auf 130° zu *Triphenylphosphan-Alkyl-dihydro-boranen* um[1,2]; z.B.[1]:

$$(H_5C_6)_3\overset{\oplus}{P}-\underset{C_6H_5}{\underset{|}{CH}}-\overset{\ominus}{B}H_3 \xrightarrow[\text{o}]{>130\,°,\ 30\ \text{Min.}\ \text{Chlorbenzol}} (H_5C_6)_3\overset{\oplus}{P}-\overset{\ominus}{B}H_2-CH_2-C_6H_5$$

Triphenylphosphan-Dihydro-methyl-boran[1]: Man erhitzt Methylen-triphenyl-phosphoran-Boran 40 Min. in siedendem Chlorbenzol und erhält eine klare Lösung von Triphenylphosphan-Dihydro-methyl-boran (H^--Bestimmung mit verd. Schwefelsäure).

Beim kurzzeitigen Erhitzen in siedenden Dekalin auf ~190° werden Triphenylphosphan-Boran, Triphenylphosphan und Trimethylboran gebildet[1].

Alkyliden-trialkyl-phosphoran-Borane sind thermisch stabil. Die Methode ist zur Herstellung von Trialkylphosphan-Dihydro-organo-boranen deshalb nicht geeignet[3].

i_4) aus Boraten

Zur Herstellung von Phosphan-Dihydro-organo-boranen wird man in Sonderfällen auch Borate einsetzen. Aus Natrium-cyan-trihydro-borat erhält man z.B. mit Halogen (Chlor, Brom, Jod) oligomere Cyan-dihydro-borane, die bei Zusatz von Trimethyl- bzw. Triphenyl-phosphan oder Trimethylphosphit die entsprechenden P-Base-Cyan-dihydro-borane bilden[4]; z.B.:

$$2\ Na^+[H_3B-CN]^- \xrightarrow[2.\ +(H_5C_6)_3P]{1.\ +Br_2(-2\,NaBr;\ -H_2)} 2\ (H_5C_6)_3\overset{\oplus}{P}-\overset{\ominus}{B}H_2-CN$$

Triphenylphosphan-Cyan-dihydro-boran; F: 170–172°

Aus Natriumtetrahydroborat läßt sich mit Methyl-triphenyl-phosphoniumbromid in 1,2-Dimethoxyethan bei 165° *Triphenylphosphan-Dihydro-methyl-boran* gewinnen[1]. Aus Benzyl-triphenyl-phosphonium-tetrahydroborat (F: 150–154°) erhält man beim Erhitzen in siedendem Chlorbenzol in ~60%iger Ausbeute neben ~20% Toluol und Triphenylphosphan-Boran *Triphenylphosphan-Benzyl-dihydro-boran*[1]:

$$[(H_5C_6)_3P-CH_2-C_6H_5]^+[BH_4]^- \xrightarrow[-H_2]{130°} (H_5C_6)_3\overset{\oplus}{P}-\overset{\ominus}{B}H_2-CH_2-C_6H_5$$

---

[1] R. Köster u. B. Rickborn, Am. Soc. **89**, 2782 (1967).
[2] H.J. Bestmann, K. Sühs u. T. Röder, Ang. Ch. **93**, 1098 (1981).
vgl. Bd. E1, S. 700 (1982).
[3] R. Köster u. D. Simić, Mülheim a.d. Ruhr, unveröffentlicht 1969.
D. Simić, Mülheim a.d. Ruhr, Dissertation, Universität Bochum 1970.
[4] D.R. Martin, M.A. Chiusano, M.L. Denniston, D.J. Dye, E.D. Martin u. B.T. Pennington, J. Inorg. & Nuclear Chem. **40**, 9 (1978).
P. Wisian-Neilson, M.A. Wilkins, F.C. Weigel, C.J. Foret u. D.R. Martin, J. Inorg. & Nuclear Chem. **43**, 457 (1981).

c) Lewisbase-Organobor-Halogen-Verbindungen

Die Herstellungsmethoden der Lewisbase-Diorgano-halogen-borane und Lewisbase-Dihalogen-organo-borane werden getrennt besprochen.

Die Herstellungsmethoden der Lewisbase-Organo-pseudohalogen-borane sind in diesem Abschnitt nicht enthalten.

Lewisbase-Azido-organo-borane werden bei den Lewisbase-Amino-organo-boranen (S. 639ff.)

Lewisbase-Cyan-organo-borane bei den Lewisbase-Triorganoboranen (S. 426ff.)

Lewisbase-Cyanat-organo-borane bei den Lewisbase-Organo-oxyboranen (S. 531, 594ff.)

Lewisbase-Organo-thiocyanat-borane bei den Lewisbase-Organo-thio-boranen (S. 631ff.)

besprochen.

Halogen-organo-borane (vgl. Bd. XIII/3a, S. 378ff.) bilden 1:1-Additionsverbindungen mit O-Donatoren (z.B. Ether, Carbonyl-Verbindungen, Amin-N-oxide), mit S-Donatoren (Thioether), mit N-Donatoren (Amine, Imine, Nitrile) und mit P-Donatoren (Phosphane). Die bisher bekannten Verbindungstypen sind zusammen mit den Herstellungsmethoden in der Tab. 81 (S. 509) zusammengestellt.

1. Lewisbase-Diorgano-halogen-borane

Lewisbase-Diorgano-halogen-borane (vgl. Tab. 81, S. 509) sind aus den Komponenten, aber auch aus Lewisbase-Dihydro-organo-boranen durch Hydroborierung und aus anderen Lewisbase-Diorgano-halogen-boranen durch Lewisbasenaustausch zugänglich. Speziell sind Haloborierungen und Hydrohalogenierungen möglich. Außerdem führen Boran-Austauschreaktionen bisweilen zu Lewisbase-Diorgano-halogen-boranen.

α) O-Lewisbase-Diorgano-halogen-borane

Als O-Donatoren für Halogen-organo-borane sind Ether, Alkohole, Carbonsäureester sowie Triorganophosphanoxide auch Triorganoamin-N-oxide eingesetzt worden. Letztere sind zwitterionische Aminoxy- bzw. Iminoxy-triorgano-borate, die auf S. 723 (vgl. Tab. 108, S. 721) besprochen werden.

Diorgano-halogen-borane wurden bisher als 1:1-Additionsverbindungen an O-Donatoren nur in Sonderfällen beschrieben. Die Herstellung erfolgt stets aus dem Diorgano-halogen-boran mit der Lewisbase.

Tab. 81: Lewisbase-Diorgano-halogen-borane

Formel	Verbindungstypen	Herstellungsart	s.S.
O-Donator-Diorgano-halogen-borane			
Hal, ⊕THF, ⊖B (Borolan)	Do—BRHal (R-Ring)	aus R_2B–Hal + Do	510
R^2_1N(R³)C=O⊕–B⊖(Br)(R¹)–R¹	Do–R_2B–Hal	aus R_2B–Hal + Do	511
S-Donator-Diorgano-halogen-borane			
R_2S⊕, B⊖, Cl	Do, Hal, B, Ar	aus R_2B–Hal + Do	511
R_2S⊕, J, B⊖, B⊖, J, SR_2⊕	Do, Hal, B, Ar, Ar, B, Do, Hal	aus R_2B–Hal + Do	512
R_2S⊕, B⊖, Hal Hal: Cl, Br, J	Do, B, R, Hal	aus R_2B–Hal + Do	512
Hal, R_2S⊕–B⊖	Do, B, R, Hal	aus Do–H_2B-Hal + En + Dien	513 514
Hal, B⊖–SR_2⊕, Hal–B⊖, SR_2⊕	Do, B, B, Do, Hal, Hal	aus Do–H_2B-Hal + Tetraen	514
N-Donator-Diorgano-halogen-borane			
–N⊕–B⊖(Hal)(R)–R; N⊕, B⊖, R, Hal	Do–R_2B–Hal	aus R_2B-Hal + Do aus R_2B–N< + HHal aus $[R_2B–N<]^+$ + Hal^- + Δ	515 516 517

Tab. 81 (Forts.)

Formel	Verbindungstypen	Herstellungsart	s.S.
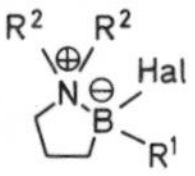 [Strukturformel: N-Donator-Boracyclus, R^2, R^2, Hal, R^1]	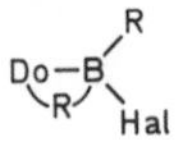 [Strukturformel: Do–B(R)(Hal), cyclisch]	aus $[R_2B{-}N\langle]^+$, △	517
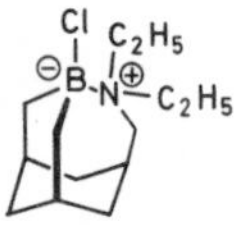 [Strukturformel: Cl, C_2H_5, C_2H_5, Adamantan-Gerüst mit B–N]	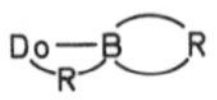 [Strukturformel: Do–B(R), bicyclisch]	aus $R_3B + R_2N{-}Hal$	515
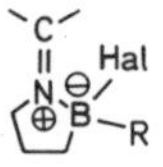 [Strukturformel: C=N-Boracyclus, Hal, R]	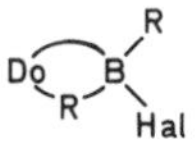 [Strukturformel: Do–B(R)(Hal), cyclisch]	aus $R_2B{-}N\langle(R_{en})$ + HHal aus $Do^1{-}R_2B{-}Hal + Do^2$	518 518
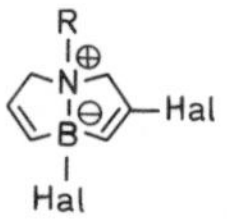 [Strukturformel: R, N, B, Hal, Hal]	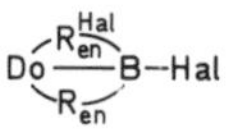 [Strukturformel: Do–B–Hal, R_{en}^{Hal}, R_{en}]	aus $BHal_3 + (HC{\equiv}C{-}CH_2)_2N{-}R$	516
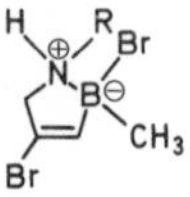 [Strukturformel: H, R, Br, N, B, CH_3, Br]	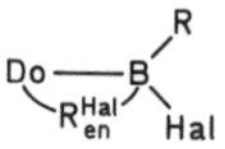 [Strukturformel: Do–B(R)(Hal), R_{en}^{Hal}]	aus $R^1{-}BHal_2 + R_{in}{-}NH{-}R^2$	516
P-Donator-Diorgano-halogen-borane			
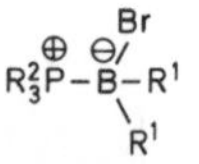 $R^2_3\overset{\oplus}{P}{-}\overset{\ominus}{B}(Br)(R^1){-}R^1$	$Do{-}R_2B{-}Hal$ Do: P	aus $R_2B{-}Hal + Do$	519
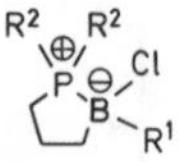 [Strukturformel: P-Donator-Boracyclus, R^2, R^2, Cl, R^1]	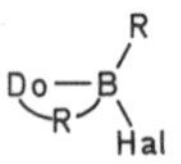 [Strukturformel: Do–B(R)(Hal), cyclisch]	aus $Do{-}R_3B + R_2B{-}Hal$	519
$(H_{11}C_6)_3\overset{\oplus}{P}{-}\overset{\ominus}{B}(C_2H_5)_2{-}Cl$	$Do{-}R_2B{-}Hal$	aus $R_2B{-}Hal + Ni(PR_3)_2$	519

α_1) *aus Diorgano-halogen-boranen mit Ethern*

1-Chlorborolan, das beim Destillieren i.Vak. zunächst als festes Dimer(?) anfällt und bei ~20° langsam in ein viskoses Polymer übergeht[1], reagiert mit Tetrahydrofuran zum i.Vak. unzersetzt destillierbaren *Tetrahydrofuran-1-Chlorborolan* ($Kp_{0,4}$: 40–42°)[2]:

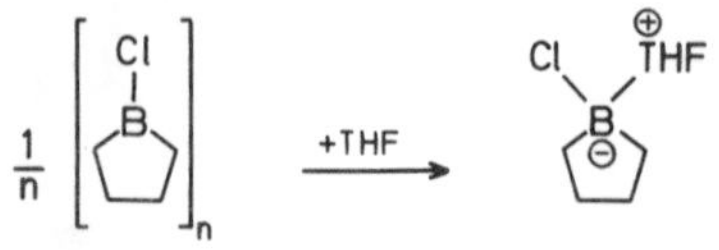

$$\frac{1}{n}\left[\text{1-Chlorborolan}\right]_n \xrightarrow{+THF} \text{Cl}{-}\overset{\ominus}{B}(\overset{\oplus}{THF})\text{(Borolan)}$$

[1] R. Köster, Adv. Organometallic Chem. **2**, 257 (1964).
[2] H.C. Brown u. E. Negishi, Am. Soc. **93**, 6682 (1971).

α_2) *aus Diorgano-halogen-boranen mit Carbonsäureamiden*

Brom-dimethyl-boran addiert sich an die Carbonyl-Gruppe von N,N-Dimethylacetamid[1]:

$$(H_3C)_2B{-}Br + O{=}C(N(CH_3)_2)(CH_3) \longrightarrow (H_3C)_2N(H_3C)C{=}\overset{\oplus}{O}{-}\overset{\ominus}{B}(Br)(CH_3){-}CH_3$$

(O–B)N,N-Dimethylacetamid-Brom-dimethyl-boran[1]: Zu 8,7 g (0,1 mol) N,N-Dimethylacetamid in 250 *ml* Pentan tropft man eine Lösung von 15,08 g (0,125 mol) Brom-dimethyl-boran in 50 *ml* Pentan. Nach 6 Stdn. Rückflußkochen, Abziehen von Lösungsmittel und überschüssigem Boran i. Vak. wird das Rohprodukt i. Hochvak. (0,002 Torr) abdestilliert.

β) S-Lewisbase-Diorgano-halogen-borane

Diorgano-halogen-borane bilden mit offenkettigen Diorganosulfanen 1:1 Additionsverbindungen. Die Herstellung erfolgt vor allem aus Diorgano-halogen-boranen oder aus Lewisbase-Diorgano-halogen-boranen.

β_1) *aus Diorgano-halogen-boranen*

Dialkylsulfan-Diorgano-halogen-borane sind aus Diorgano-halogen-boranen[2] mit Dialkylsulfanen präparativ zugänglich[3]; z.B.:

Dimethylsulfan-Brom-dimethyl-boran	F: 28–29°
Dimethylsulfan-Dimethyl-jod-boran	F: 34–36°[4,5]; flüssig[6]
Dimethylsulfan-Diphenyl-jod-boran	F: 106–107°

Dialkylsulfan-Halogen-organo-borane; allgemeine Arbeitsvorschrift[5]: Zu 10–20 mmol Dialkylsulfan in 20–30 *ml* Pentan oder Schwefelkohlenstoff gibt man bei 0° die äquivalente Menge Halogen-organo-boran in 10–20 *ml* desselben Lösungsmittels. Die ausgefallenen Kristalle werden mit einer Umkehrfritte isoliert, mit Pentan gewaschen und i. Vak. getrocknet. Bestimmte Produkte können durch Vakuum-Destillation gereinigt werden[5,7].

Auch aus cyclischen Halogen-organo-boranen erhält man mit Dialkylsulfanen 1:1-Additionsverbindungen; z.B.[8]:

$$\xrightarrow{+S(CH_3)_2}$$

Dimethylsulfan-5-Chlor-5,10-dihydro-⟨dibenzo[b;e]borin⟩[8]

---

[1] W. Maringgele, Z. anorg. Ch. **468**, 99 (1980).
[2] Mit Sulfanen: *Gmelin* 8. Aufl., Bd. **19**/3, S. 60–63 (1975).
Mit Selenanen: *Gmelin*, 8. Aufl., Bd. **19**/3, S. 90–91.
[3] H.J. Vetter, Z. Naturf. **19b**, 72 (1964).
[4] H.C. Brown u. E. Negishi, Am. Soc. **93**, 6682 (1971).
[5] W. Siebert u. F. Riegel, B. **108**, 724 (1975).
[6] H. Vahrenkamp, J. Organometal. Chem. **28**, 167 (1971).
[7] M. Schmidt u. F.R. Rittig, B. **103**, 3343 (1970).
[8] P. Jutzi, Ang. Ch. **83**, 912 (1971).

Aus 9-Halogen-9-borabicyclo[3.3.1]nonanen lassen sich in Pentan bei ~20° mit Dimethylsulfan in guten bis hohen Ausbeuten Dimethylsulfan-9-Halogen-9-borabicyclo [3.3.1]nonane herstellen[1]:

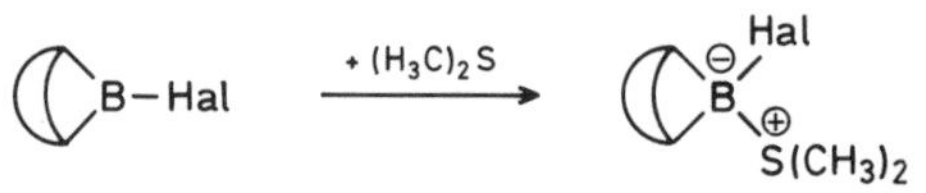

$$\text{B-Hal} \xrightarrow{+(H_3C)_2S} \overset{\ominus}{B}(Hal)-\overset{\oplus}{S}(CH_3)_2$$

Dimethylsulfan . . .-9-borabicyclo[3.3.1]nonan
Hal = Cl; . . .*-9-Chlor-*. . .; 87%; F: 104–105°
Hal = Br; . . .*-9-Brom-*. . .; 91%; F: 128–129°
Hal = J; . . .*-9-Jod-*. . .; 72%; F: 132–133°

Bis[diorgano-halogen-borane] liefern entsprechende Additionsverbindungen mit zwei Äquivalenten Sulfan; z.B.[2]:

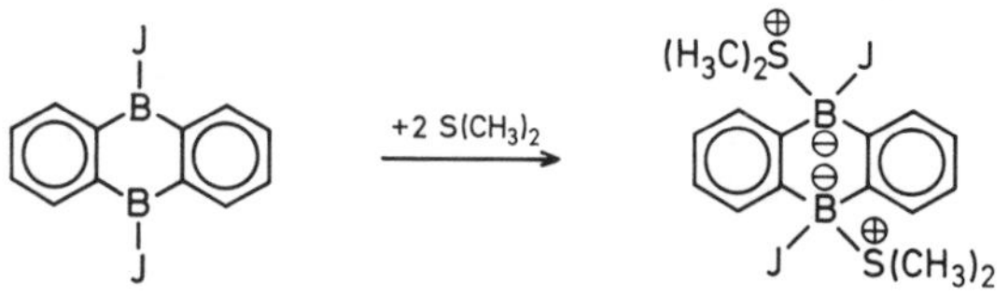

$$\xrightarrow{+2\ S(CH_3)_2}$$

Bis[dimethylsulfan]-5,10-Dijod-5,10-dihydro-⟨dibenzo[b;e]-1,4-diborin⟩; F: 190–195° (Zers.)

Die Additionsverbindung mit einem Äquivalent Sulfan mit je einem sp^2- und sp^3-hybridisierten Bor-Atom ist aus sterischen Gründen (Ringspannung) nicht herstellbar[3]:

Mit Dimethylsulfan ist aus 4,8-Dijod-1,3,5,7-tetramethyl-4H,8H-⟨dithieno-[3,4-b;3',4'-e]-1,4-diborin⟩ ebenfalls nur das 2:1-Addukt (F: 175–177°) zugänglich[4]:

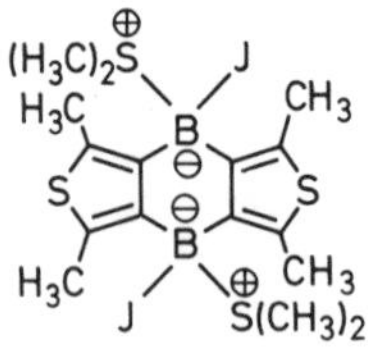

β_2) *aus Lewisbase-Boranen*

Dimethylsulfan-Dihydro-halogen-borane reagieren mit ungesättigten Kohlenwasserstoffen (1-Alkene, Cycloalkadiene, Cycloalkatetraen) unter Hydroborierung zu Dimethylsulfan-Dialkyl-halogen-boranen (Halogen = Chlor, Brom, Jod)[5].

[1] H.C. Brown u. S.U. Kulkarni, J. Organometal. Chem. **168**, 281 (1979).
[2] P. Jutzi, Ang. Ch. **83**, 912 (1971).
[3] C. Spiessmacher, Zulassungsarbeit, Universität Würzburg 1972.
[4] W. Ruf, Zulassungsarbeit, Universität Würzburg 1972.
[5] *Gmelin, Boron Compounds*, 1. Suppl., Bd. 3 (1981), S. 86.

Aus Dimethylsulfan-Brom-dihydro-boran erhält man mit 1-Alkenen wie z. B. mit 1-Buten oder 1-Octen bei ~25° thermisch stabile Dimethylsulfan-Dialkyl-brom-borane[1]; z. B.:

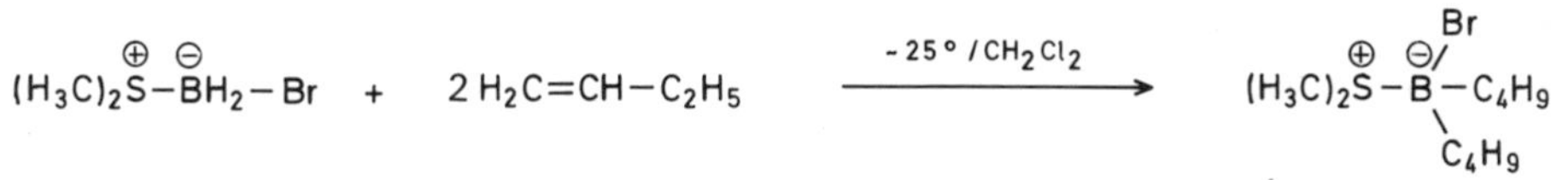

$$(H_3C)_2\overset{\oplus}{S}-\overset{\ominus}{B}H_2-Br \quad + \quad 2\,H_2C{=}CH-C_2H_5 \xrightarrow{-25°\,/\,CH_2Cl_2} (H_3C)_2\overset{\oplus}{S}-\overset{\ominus}{B}(Br)(C_4H_9)-C_4H_9$$

Dimethylsulfan-Brom-dibutyl-boran

Analog reagieren Dimethylsulfan-Chlor-dihydro-boran und Dimethylsulfan-Dihydro-jod-boran. Die Additionsverbindungen dissoziieren allerdings leicht in Dimethylsulfan und Dialkyl-halogen-boran. Auch beim Dimethylsulfan-Brom-di-sek.-alkyl-boran ist dies der Fall. Die Methode eignet sich daher zur Herstellung basenfreier Dialkyl-halogen-borane (vgl. Bd. XIII/3a, S. 429)[2].

Die Herstellung von Dimethylsulfan-Diorgano-halogen-boranen mit verschiedenen Organo-Resten erfolgt aus Dimethylsulfan-Dihalogen-organo-boranen durch Halogen/Hydrid-Austausch und Alken-Hydroborierung[2]. Man läßt auf Dimethylsulfan-Dibrom-organo-boran (vgl. S. 524) in Gegenwart eines Alkens Lithiumtetrahydroaluminat in Diethylether mehrstündig bei 0° einwirken[2]:

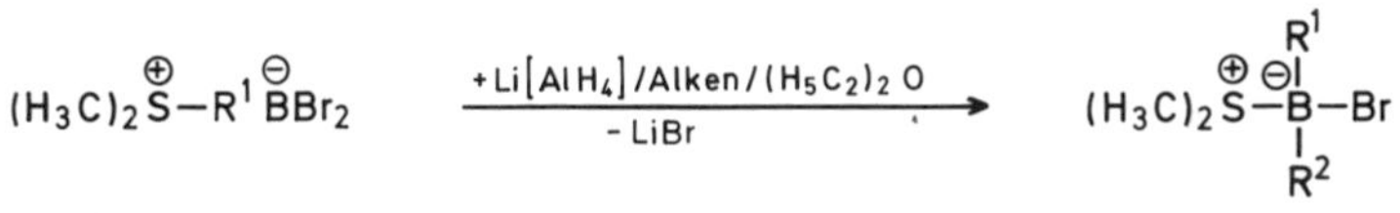

$$(H_3C)_2\overset{\oplus}{S}-R^1\overset{\ominus}{B}Br_2 \xrightarrow[-\,LiBr]{+Li[AlH_4]\,/\,Alken\,/\,(H_5C_2)_2O} (H_3C)_2\overset{\oplus}{S}-\overset{\ominus}{B}(R^1)(R^2)-Br$$

$R = C_5H_{11}, C_6H_{13}$
Alken = $H_9C_4{-}CH{=}CH_2$, $H_{21}C_{10}{-}CH{=}CH_2$

Mit 1,5-Cyclooctadien erhält man aus Dimethylsulfan-Dihydro-halogen-boranen in Dichlormethan bei 25° Isomerengemische von *Dimethylsulfan-9-Halogen-9-borabicyclo[3.3.1]nonan* (I) und *Dimethylsulfan-9-Halogen-9-borabicyclo[4.2.1]nonan* (II), die sich durch Erhitzen auf ~140° in Ausbeuten von 90–98% in einheitliche Dimethylsulfan-9-Halogen-9-borabicyclo[3.3.1]nonane überführen lassen[3]:

[1] H. C. Brown, N. Ravindran u. S. U. Kulkarni, J. Org. Chem. **44**, 2417 (1979).
[2] vgl. S. U. Kulkarni, D. Basavaiah, M. Zaidlewicz u. H. C. Brown, Organometallics **1**, 212 (1982).
[3] H. C. Brown u. S. U. Kulkarni, J. Org. Chem. **44**, 2422 (1979).

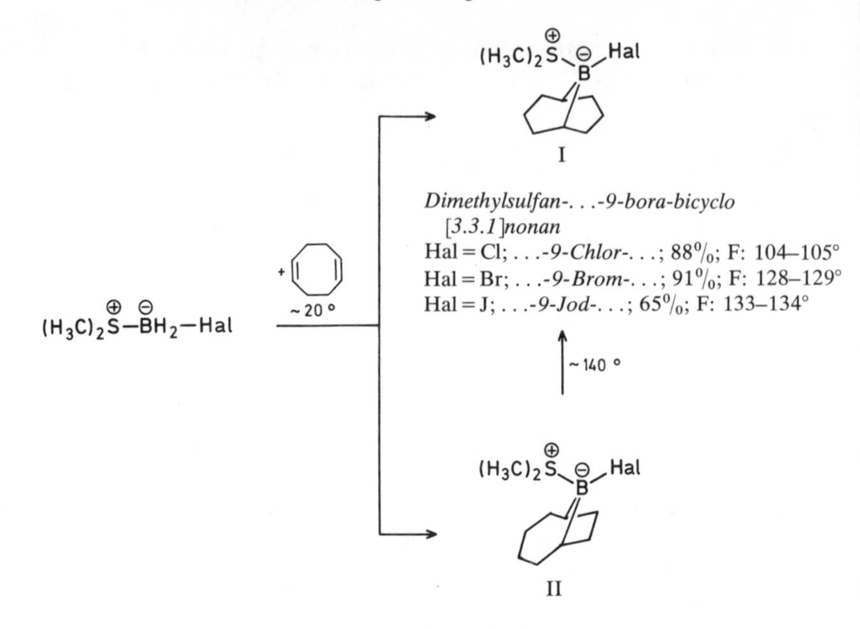

Dimethylsulfan-...-9-borabicyclo[4.2.1]nonan
Hal = Cl; ...*-9-Chlor-*...
Hal = Br; ...*-9-Brom-*....
Hal = J; ...*-9-Jod-*...

Dimethylsulfan-9-Chlor-9-borabicyclo[3.3.1]nonan[1]: Zu 10,5 *ml* (100 mmol) Dimethylsulfan-Chlor-dihydro-boran in 177 *ml* Dichlormethan tropft man unter Rühren und Kühlen mit Eiswasser 12,3 *ml* (100 mmol) 1,5-Cyclooctadien. Nach Erwärmen auf ~25° wird 1 Stde. gerührt, das Lösungsmittel abgezogen und der Rückstand 1 Stde. auf 140° (Rückflußkühler!) erhitzt. Abschließend wird aus Hexan mit 5 *ml* Dimethylsulfan umkristallisiert; Ausbeute: 19,2 g (88%); F: 104–105°.

Auf ähnliche Weise wird *Dimethylsulfan-9-Brom-* (bzw. *9-Jod*)*-9-borabicyclo [3.3.1]nonan* erhalten.

Die Herstellung von *2,6-Bis[dimethylsulfan]-2,6-Dichlor-2,6-diboraadamantan* (F: 167–168°) aus Dimethylsulfan-Chlor-dihydro-boran mit Cyclooctatetraen gelingt in ~60%iger Ausbeute, wenn im Anschluß an die Hydroborierung in Dichlormethan und nach Vertreiben aller leicht flüchtigen Anteile bei 180–200° isomerisiert wird[2]:

$$2\ (H_3C)_2\overset{\oplus}{S}-\overset{\ominus}{B}H_2-Cl \xrightarrow[2.\ +\ 180-200°]{1.\ +\ \text{Cyclooctatetraen};\ CH_2Cl_2}$$

Aus dem Bis[dimethylsulfan]-Addukt läßt sich mit Pyridin quantitativ die 2,6-Bis-[pyridin]-Additionsverbindung herstellen[2].

[1] H.C. Brown u. S.U. Kulkarni, J. Org. Chem. **44**, 2422 (1979).
[2] S.U. Kulkarni u. H.C. Brown, J. Org. Chem. **44**, 1747 (1979).

γ) N-Lewisbase-Diorgano-halogen-borane

Diorgano-halogen-borane bilden mit Stickstoff-Basen stabile, i. Vak. meist unzersetzt destillierbare 1:1-Molekülverbindungen[1]. Chlor-, Brom- und Jod-organo-borane liefern allerdings mit zwei Äquivalenten Stickstoff-Base oft salzartige Bis[amin]-diorgano-bor(1+)-halogenide (vgl. S. 681ff.):

$$1\ R_2B{-}Hal\ +\ 2\ Amin\ \longrightarrow\ [R_2B\ (Amin)_2]^+Hal^-$$

Als Stickstoff-Base für Diorgano-halogen-borane sind aliphatische Amine, Pyridinbasen, Ald- und Ketimine sowie Hydrazone geeignet. Die meisten beschriebenen 1:1-Additionsverbindungen sind Pyridinbase-Diorgano-halogen-borane (Halogen = Fluor, Chlor, Brom, Jod). Ihre Herstellung erfolgt im allgemeinen aus den Komponenten. Außerdem werden Triorganoborane, Amino-organo-borane sowie verschiedene Lewisbase-Borane und einige Organoborate verwendet.

$γ_1$) *Amin-Diorgano-halogen-borane*

$γγ_1$) aus Triorganoboranen

In zufriedenstellenden Ausbeuten erhält man bestimmte Amin-Chlor-diorgano-borane aus Triorganoboranen mit Chlor-diethyl-amin; z. B.[2]:

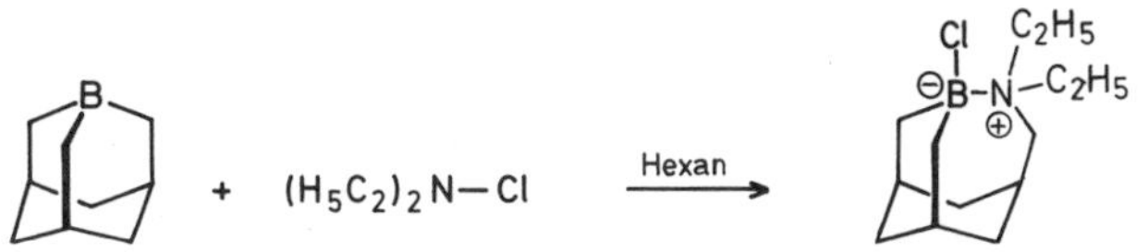

$$\text{(1-Boraadamantan)} + (H_5C_2)_2N{-}Cl \xrightarrow{\text{Hexan}}$$

1-Chlor-1a,1a-diethyl-1a-azonia-1-borata-homoadamantan; 68%; F: 140–146° (Zers.)

$γγ_2$) aus Diorgano-halogen-boranen

Beim Vereinigen von Diorgano-halogen-boranen mit Ammoniak, prim.-[3], sek.- oder tert.-Aminen bilden sich im allgemeinen die 1:1-Additionsverbindungen. Auch Carbonsäuredialkylamide (z. B. Dimethylformamid) liefern derartige Molekül-Verbindungen[4]. Die Reaktionspartner werden in Ether, in Benzol oder auch ohne Verdünnungsmittel vermischt. Mit Amin im Überschuß können Bis[amin]-diorgano-bor(1+)-halogenide gebildet werden[5]:

$$R_2B{-}Hal \xrightarrow{+Amin} \overset{\oplus}{Amin}{-}R_2\overset{\ominus}{B}{-}Hal \xrightarrow{+Amin} [(\overset{\oplus}{Amin})_2\overset{\ominus}{B}R_2]^+\ Hal^-$$

Aus Dibrom-methyl-boran sind mit Alkyl-propargyl-aminen in mäßigen bis zufriedenstellenden Ausbeuten unter Bromborierung der C≡C-Bindung 1-Alkyl-2,4-dibrom-2-methyl-2,5-dihydro-1,2-azoniaboratole zugänglich[6]:

---

[1] Mit Aminen: *Gmelin*, 8. Aufl., Bd. **46**, S. 161–162 (1977).
[2] B. M. M. Mikhailov, E. A. Shagova u. M. Y. Etinger, J. Organometal. Chem. **220**, 1 (1981).
[3] B. M. Mikhailov u. N. S. Fedotov, Izv. Akad. SSSR **1959**, 1482; engl.: 1428; C.A. **54**, 1376 (1960).
[4] S. N. Ushakov u. P. Tudoriu, Izv. Akad. SSSR **1964**, 1838; engl.: 1741; C.A. **62**, 2787 (1965).
[5] H. Nöth, Habilitationsschrift, Universität München 1961.
vgl. H. Nöth in H. Steinberg, Progr. Boron Chem., Bd. **3**, S. 211, Pergamon Press, Oxford 1970.
[6] A. Meller, F. J. Hirninger, M. Noltemeyer u. W. Maringgele, B. **114**, 2519 (1981).

$$H_3C{-}BBr_2 + R{-}NH{-}CH_2{-}C{\equiv}CH \xrightarrow[24\ Stdn.]{CH_2Cl_2}$$

...-2,5-dihydro-1,2-azoniaboratol

R = $CH(CH_3)_2$; *2,4-Dibrom-1-isopropyl-2-methyl-...*; 24%; F: 94°
R = C_3H_7; *2,4-Dibrom-2-methyl-1-propyl-...*; 59%; $Kp_{0,001}$: 65°

$\gamma\gamma_3$) aus Trihalogenboranen

Die zweifache Addition (Chloroborierung) von Trihalogenboran an Dipropargyl-organo-amine liefert bicyclische Amin-Dialkenyl-halogen-borane in ~30–40% Ausbeuten[1]. Das Trihalogenboran wird bei –78° zugetropft bzw. in die Hexan-Lösung eingeleitet[1]:

$$BHal_3 + R{-}N(CH_2C{\equiv}CH)_2 \xrightarrow{24\ Stdn.,\ \sim -78°\ bis\ +20°}$$

...-1-azonia-5-borata-bicyclo[3.3.0]octa-3,6-dien

Hal = Cl; R = C_2H_5; *1-Ethyl-3,5,7-trichlor-...*; 37%; F: 85°
R = $CH(CH_3)_2$; *1-Isopropyl-3,5,7-trichlor-...*; 86%; F: 106°
Hal = Br; R = CH_3; *1-Methyl-3,5,7-tribrom-...*; 34%; F: 125°
R = C_3H_7; *1-Propyl-3,5,7-tribrom-...*; 33%; F: 72°
R = $CH(CH_3)_2$; *1-Isopropyl-3,5,7-tribrom-...*; 42%; F: 116°

$\gamma\gamma_4$) aus Amino-diorgano-boranen

Ausgehend von Amino-diorgano-boranen erhält man mit Halogenwasserstoffen oder mit Carbonsäurechloriden Amin-Diorgano-halogen-borane[2]:

$$R^1_2B{-}NR^2_2 + HHal \longrightarrow R^1_2(Hal)B^{\ominus}{-}N^{\oplus}(H)R^2_2$$

2-Butyl-1,2-azaborolidin reagiert mit Chlorwasserstoff in Diethylether[3]:

$$\xrightarrow{+HCl/(H_5C_2)_2O}$$

2-Butyl-2-chlor-1-hydro-1,2-azoniaboratolidin; 65,5%; $Kp_{2,5}$: 93–95°

[1] A. Meller, F.J. Hirninger, M. Noltemeyer u. W. Maringgele, B. **114**, 2519 (1981).
[2] T.D. Coyle u. F.G.A. Stone in H. Steinberg u. A.L. McCloskey, Progr. Boron Chem., Bd. I, S. 83, McMillan, New York 1964.
[3] N.V. Mostovoi, V.A. Dorokhov u. B.M. Mikhailov, Izv. Akad. SSSR **1966**, 90; engl.: 70; C.A. **64**, 15908 (1966).

Auch mit Acetylchlorid läßt sich aus 2-Butyl-1,2-azaborolidin *2-Butyl-2-chlor-2-hydro-1,2-azoniaboratolidin* in allerdings nur ~26%iger Gesamtausbeute gewinnen. Die doppelte Menge Edukt wird für eine Parallelreaktion verbraucht[1]:

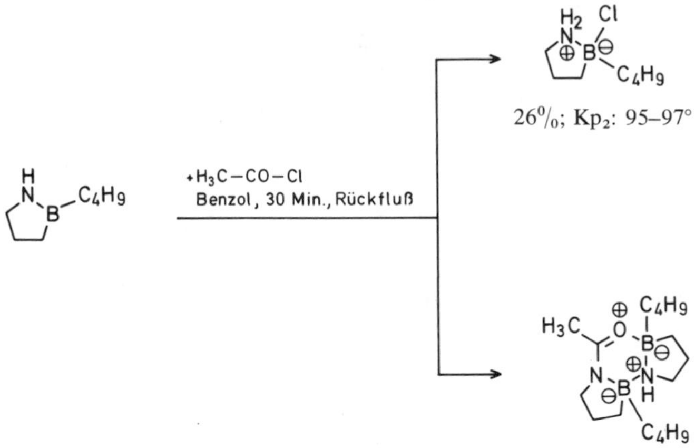

$+H_3C-CO-Cl$
Benzol, 30 Min., Rückfluß

26%; Kp_2: 95–97°

2,9-Dibutyl-1-hydro-7-methyl-8-oxonia-6-aza-1-azonia-2,9-diborata-tricyclo[7.3.0.0^{2,6}]*dodec-7-en*; 61%; Kp_1: 120–125°

$\gamma\gamma_5$) aus Amin-Diorganobor(1+)-halogeniden

Das aus 2,2,3-Triethyl-1,1,4-trimethyl-2,5-dihydro-1,2-azoniaboratol (vgl. S. 448f.) mit Chlorwasserstoff in Diethylether zugängliche 2,3,3-Triethyl-1,1,4-trimethyl-1,2-azoniaborolidin(1+)-chlorid (vgl. S. 422) reagiert beim Erwärmen in siedendem Pentan zum *2-Chlor-2,3,3-triethyl- 1,1,4-trimethyl-1,2-azoniaboratolidin*[2]:

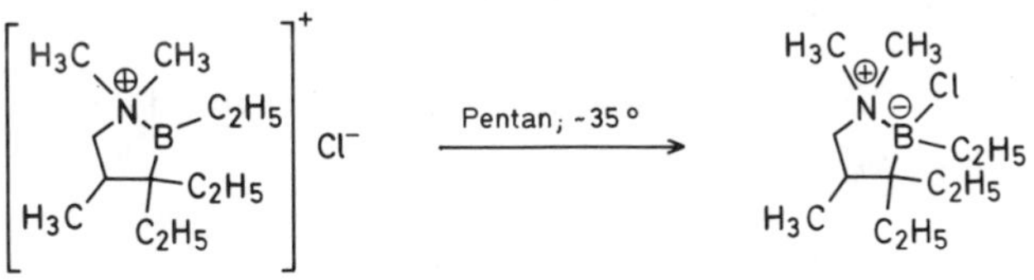

Pentan; -35°

2-Chlor-2,3,3-triethyl-1,1,4-trimethyl-1,2-azoniaboratolidin[2]: Eine Aufschlämmung von 2,42 g (0,1 mol) 2,3,3-Triethyl-1,1,4-trimethyl-1,2-azoniaborolidin(1+)-chlorid (vgl. Bd. XIII/3a, S. 289) in 30 *ml* Pentan wird ~6 Stdn. unter Rückfluß gekocht, anschließend wird Pentan abdestilliert; Ausbeute: 2,4 g (~100%); F: 61°.

γ_2) *Imin-Diorgano-halogen-borane*

Imin-Diorgano-halogen-borane werden aus Diorgano-halogen-boranen mit Pyridinbasen, aus 1-Alkenylamino-dialkyl-boranen mit Halogenwasserstoffen oder aus Amin-Diorgano-halogen-boranen mit Pyridinbasen hergestellt.

---

[1] V. A. Dorokhov u. B. M. Mikhailov, Izv. Akad. SSSR **1970**, 1804; engl.: 1698; C. A. **74**, 125767 (1971).
[2] P. Binger u. R. Köster, B. **108**, 395 (1975).

$\gamma\gamma_1$) aus Diorgano-halogen-boranen

Aus Diorgano-halogen-boranen (Halogen = Fluor, Chlor, Brom, Jod) erhält man mit Pyridinbasen beim Erwärmen 1:1-Additionsverbindungen. Bereits beim Mischen der Komponenten in Ether bzw. in Benzol tritt Adduktbildung ein[1-3].

Pyridin-Chlor-dipropyl-boran[3]: Unter gutem Kühlen mit Eiswasser (5–6°) tropft man zu 206 g (2,6 mol) Pyridin innerhalb ~5 Stdn. 345 g (2,6 mol) Chlor-dipropyl-boran. Die Mischung wird laufend viskoser. Abschließend wird i. Hochvak. destilliert; Ausbeute: 548 g (99%); $Kp_{0,001}$: 110–115°; F: 24°.

$\gamma\gamma_2$) aus Amino-diorgano-boranen

Die Addition von Chlorwasserstoff an ungesättigte cyclische Amino-diorgano-borane liefert Imin-Diorgano-halogen-borane. Aus 2-Butyl-1-(1-cyclohexenyl)-1,2-azaborolidin erhält man mit Chlorwasserstoff in Diethylether durch 1,4-Hydrochlorierung in 43%iger Ausbeute *2-Butyl-2-chlor-1-cyclohexyliden-1,2-azoniaboratolidin*[4]:

+HCl
C_4H_9 → H_9C_4 ... Cl

2-Butyl-2-chlor-1-cyclohexyliden-1,2-azoniaboratolidin[4]: Eine Diethylether-Lösung mit einem Gehalt von 0,04 mol Chlorwasserstoff tropft man unter Rühren zu 8,2 g (40 mmol) 2-Butyl-1-(1-cyclohexenyl)-1,2-azaborolidin in 10 *ml* Diethylether. Man setzt das Rühren 1 Stde. fort, zieht den Ether ab und destilliert den Rückstand; Ausbeute: 4,5 g (43%); $Kp_{0,8}$: 138–139°.

$\gamma\gamma_3$) aus Lewisbase-Diorgano-halogen-boranen

Dimethylsulfan und andere Lewisbasen lassen sich aus den 1:1-Additionsverbindungen der Diorgano-halogen-borane durch Pyridinbasen im allgemeinen leicht verdrängen. Die Methode eignet sich daher gut zur Herstellung von Pyridinbase-Diorgano-halogen-boranen.

2,6-Bis[pyridin]-2,6-Dichlor-2,6-diboraadamantan ist aus dem Dimethylsulfan-Addukt mit Pyridin quantitativ zugänglich[5].

δ) Phosphan-Diorgano-halogen-borane

Die Additionsverbindungen sind aus Diorgano-halogen-boranen mit Phosphanen oder aus cyclischen Phosphan-Triorganoboranen mit Halogenboranen hergestellt worden.

δ_1) *aus Diorgano-halogen-boranen*

Phosphan-Diorgano-halogen-borane lassen sich aus den Komponenten in Diethylether herstellen; z.B.:

---

[1] B.M. Mikhailov u. N.S. Fedotov, Izv. Akad. SSSR **1956**, 1511; C.A. **51**, 8675 (1957); **1959**, 1482; C.A. **54**, 1376 (1960); Z. obšč. Chim. **32**, 93 (1962); C.A. **57**, 16641 (1962).

[2] W. Gerrard, M.F. Lappert u. R. Shafferman, Soc. **1957**, 3828.

[3] R. Köster, H. Bellut, G. Benedikt u. E. Ziegler, A. **724**, 34 (1969).

[4] V.A. Dorokhov, O.G. Boldyreva, V.S. Bogdanov u. B.M. Mikhailov, Ž. obšč. Chim. **42**, 1558 (1972); engl.: 1550; C.A. **77**, 126731 (1972).

[5] S.U. Kulkarni u. H.C. Brown, J. Org. Chem. **44**, 1747 (1979).

Methylphosphan-Brom-dimethyl-boran[1,2]
Butylphosphan-Chlor-dimethyl-boran[3]
Methyl-phenyl-phosphan-Brom-dimethyl-boran[3]

Weitere Derivate s. Lit.[3,4-9]

Aus Brom-diphenyl-boran ist mit Tris[trimethylsilyl]phosphan in Pentan bei −50° bis −20° in >75%iger Ausbeute die 1:1-Additionsverbindung zugänglich[10]:

$$(H_5C_6)_2B{-}Br \; + \; P[Si(CH_3)_3]_3 \xrightarrow{\text{Pentan}} [(H_3C)_3Si]_3\overset{\oplus}{P}{-}\overset{\ominus}{B}(Br)(C_6H_5)_2$$

Tris[trimethylsilyl]phosphan-Brom-diphenyl-boran[10]**:** Bei −50° werden 21,64 g (88,5 mmol) Brom-diphenyl-boran in 100 *ml* Pentan zu 22,2 g (88,5 mmol) Tris[trimethylsilyl]phosphan vorsichtig getropft. Man läßt langsam erwärmen, filtriert ab und erhält beim Einengen und Abkühlen auf −20° weitere Kristalle; Ausbeute: 33,6 g (76%); Zers.p.: 40°.

Aus Chlor-diethyl-boran läßt sich mit Bis[tricyclohexylphosphan]nickel in Toluol unter Phosphan-Übertragung *Tricyclohexylphosphan-Chlor-diethyl-boran* gewinnen[11]:

$$(H_5C_2)_2BCl \; + \; [(H_{11}C_6)_3P]_2Ni \xrightarrow[\text{- NiP(C}_6\text{H}_{11})_3]{\text{Toluol}} (H_{11}C_6)_3\overset{\oplus}{P}{-}\overset{\ominus}{B}(C_2H_5)_2Cl$$

δ_2) *aus Phosphan-Triorganoboranen*

Die Herstellung von Triorganophosphan-Diorgano-halogen-boranen gelingt auch durch Ligandenaustausch aus 1,2-Phosphoniaboratolanen mit z. B. Chlor-diethyl-boran in Gegenwart katalytisch wirksamer >BH-Borane[12]:

$$(H_5C_2)_2B{-}Cl \; + \; \text{1,1-Dicyclohexyl-2,2-diethyl-1,2-phosphoniaboratolan} \xrightarrow[\text{- (H}_5\text{C}_2)_3\text{B}]{\text{+ HB<}} \text{1,1-Dicyclohexyl-2-chlor-2-ethyl-1,2-phosphoniaboratolan}$$

2-Chlor-1,1-dicyclohexyl-2-ethyl-1,2-phosphoniaboratolan; 96%

[1] US.P. 3012076 (1960), Univ. South. Calif., Erf.: A.B. BURG, R.I. WAGNER; C.A. **57**, 10039 (1962).
[2] US.P. 2921095 (1960), American Potash & Chem. Corp., Erf.: A.B. BURG u. R.I. WAGNER; C.A. **54**, 9766 (1960).
[3] US.P. 2920107 (1960); 3188345 (1965), American Potash & Chemical Co., Erf.: A.B. BURG u. R.I. WAGNER; C.A. **54**, 9766 (1960); **63**, 9989 (1965).
[4] US.P. 2944085 (1960), American Potash & Chemical Co., Erf.: R.I. WAGNER; C.A. **54**, 24400 (1960).
[5] H. NÖTH u. W. SCHRÄGLE, Z. Naturf. **16b**, 473 (1961).
[6] R. GOETZE u. H. NÖTH, Z. Naturf. **30b**, 343 (1975).
[7] M.F. HAWTHORNE u. J.A. DUPONT, Am. Soc. **80**, 5830 (1958).
[8] DBP. 1044881 (1958), Pirelli Soc. p.A., Erf.: E. DUMONT u. H. REICHARDT; C.A. **55**, 1444 (1961).
[9] D.R. MARTIN u. P.H. NGUYEN, J. Inorg. & Nuclear Chem. **40**, 1289 (1978); C.A. **90**, 121691 (1979).
[10] G. FRITZ u. W. HÖLDERICH, Z. anorg. Ch. **431**, 61 (1977).
[11] K. JONAS u. R. STABBA, Mülheim a.d. Ruhr, unveröffentlicht 1970.
vgl. a. R. STABBA, Mülheim a.d. Ruhr, Dissertation, S. 12, Universität Bochum 1971.
[12] K. JONAS u. K. FISCHER, Mülheim a.d. Ruhr, unveröffentlicht 1972.
K. FISCHER, Mülheim a.d. Ruhr, Dissertation, Universität Bochum 1973.

2. Lewisbase-Halogen-hydro-organo-borane

Reine basenfreie Halogen-hydro-organo-borane kann man wegen Ligandenaustausch im allgemeinen nicht herstellen. Mit Lewisbasen stabilisierte Verbindungen lassen sich demgegenüber gewinnen.

Beispielsweise erhält man aus Dimethylsulfan-Chlor-dihydro-boran mit 2,3-Dimethyl-2-buten in Dichlormethan bzw. Diethylether in 98%iger Ausbeute das bei ~20° stabile *Dimethylsulfan-Chlor-hydro-(1,1,2-trimethylpropyl)-boran*[1-3]:

$$(H_3C)_2\overset{\oplus}{S}-\overset{\ominus}{B}H_2-Cl \xrightarrow[CH_2Cl_2;\ -25°]{+\ (H_3C)_2C=C(CH_3)_2} (H_3C)_2\overset{\oplus}{S}-\overset{\ominus}{B}(Cl)(H)-C(CH_3)_2-CH(CH_3)_2$$

Aus Dimethylsulfan-Dibrom-hexyl-boran läßt sich mit Lithiumtetrahydroaluminat in Diethylether *Dimethylsulfan-Brom-hexyl-hydro-boran* herstellen[4]:

$$(H_3C)_2\overset{\oplus}{S}-\overset{\ominus}{B}(Br)(C_6H_{13})-Br \xrightarrow[6°,\ 3\ Stdn;\ 25°,\ 1\ Stde.]{+Li^+[AlH_4]^-/(H_5C_2)_2O} (H_3C)_2\overset{\oplus}{S}-\overset{\ominus}{B}(Br)H-C_6H_{13}$$

3. Lewisbase-Dihalogen-organo-borane

Zur Verbindungsklasse mit der Atomgruppierung

$$\overset{\oplus}{Do}-\overset{\ominus}{B}(R)(Hal)_2$$

gehören offenkettige und cyclische 1:1-Additionsverbindungen der Dihalogen-organoborane mit O-Donatoren (Alkohole, Ether, Carbonsäureester), S-Donatoren (Sulfane), N-Donatoren (Ammoniak, Amine, Imine), P-Donatoren (Phosphane) und As-Donatoren (Arsane). Die Herstellungsmethoden gehen vor allem von den Dihalogen-organoboranen sowie von verschiedenen Lewisbase-Organoboranen aus (vgl. Tab. 82, S. 521).

α) O-Lewisbase-Dihalogen-organo-borane

Bekannt sind Additionsverbindungen der Dihalogen-organo-borane mit Alkoholen, Dialkylethern und mit Carbonsäurealkylestern.

---

[1] H.C. Brown, J.A. Sikorski, S.U. Kulkarni u. H.D. Lee, J. Org. Chem. **45**, 4540 (1980).
[2] H.C. Brown, J.A. Sikorski, S.U. Kulkarni u. H.D. Lee, J. Org. Chem. **47**, 863 (1982).
[3] J.A. Sikorski, Dissertation Abstr. **42**, 11 (1982); C.A. **97**, 92361 (1982).
[4] S.U. Kulkarni, D. Basavaiah, M. Zaidlewicz u. H.C. Brown, Organometallics **1**, 212 (1982).

Tab. 82: Lewisbase-Dihalogen-organo-borane

Formel	Verbindungstyp	Herstellungsart	s.S.
O-Donator-Dihalogen-organo-borane			
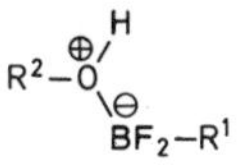 $R^2-\overset{\oplus}{O}(H)-\overset{\ominus}{B}F_2-R^1$	Do–R–BHal$_2$	aus R–BHal$_2$ + Do	522
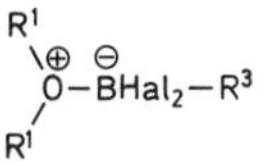 $(R^1)_2\overset{\oplus}{O}-\overset{\ominus}{B}Hal_2-R^3$ Hal: Cl, Br	Do–R–BHal$_2$	aus R–BHal$_2$ + Do aus R$_3$B+ C≡N–R^1 + HHal/Do	523 523
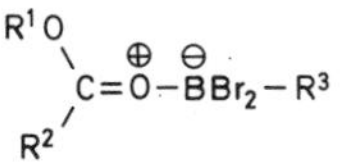 $(R^1O)(R^2)C=\overset{\oplus}{O}-\overset{\ominus}{B}Br_2-R^3$	Do–R–BHal$_2$	aus R–BHal$_2$ + Do	523
S-Donator-Dihalogen-organo-borane			
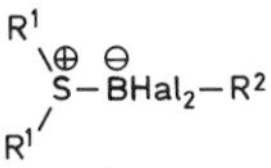 $(R^1)_2\overset{\oplus}{S}-\overset{\ominus}{B}Hal_2-R^2$ Hal: Cl, Br, J	Do–R–BHal$_2$	aus R–BHal$_2$ + Do aus Do–HBHal$_2$ + En	524 524
Amin-Dihalogen-organo-borane			
$R^1_3\overset{\oplus}{N}-\overset{\ominus}{B}Hal_2-R^2$	Do-R-BHal$_2$	aus R–BHal$_2$ + Do aus 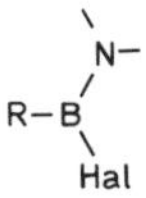 R–B(–N<)(Hal) + HHal	524 524
$(H_9C_4)_3\overset{\oplus}{N}-\overset{\ominus}{B}Cl_2-C_6H_5$	Do–R–BHal$_2$	aus [R–BCl$_3$]$^-$[R$_4$N]$^+$, △	527
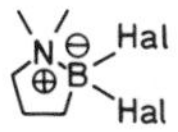 cyclisch: N⊕–B⊖(Hal)$_2$	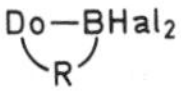 Do–BHal$_2$ (–R–)	aus Do–R$_3$B + BHal$_3$ aus Do–R–BH$_2$ + Hal$_2$	 526
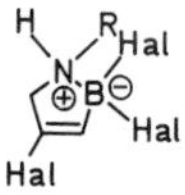 cyclisch: H, R–N⊕–B⊖(Hal)$_2$, Hal	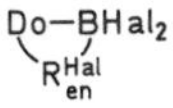 Do–BHal$_2$ (–R$^{Hal}_{en}$–)	aus BHal$_3$+ R–NH–R$_{In}$	525
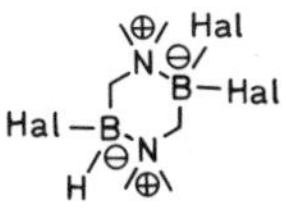 cyclisch: Hal–B⊖(H)–N⊕, N⊕–B⊖–Hal(Hal)	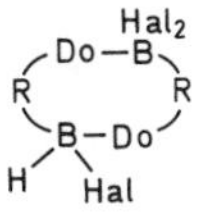 Do–B(Hal$_2$), R, R, B(H)(Hal)–Do	aus Do–RBH$_2$ + Hal$_2$	526
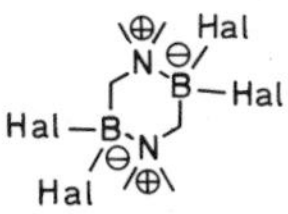 cyclisch: Hal–B⊖(Hal)–N⊕, N⊕–B⊖–Hal(Hal)	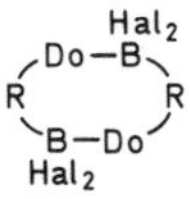 Do–B(Hal$_2$), R, R, B(Hal$_2$)–Do	aus Do–R–BH$_2$ + Hal$_2$	526

Tab. 82 (Forts.)

Formel	Verbindungstyp	Herstellungsart	s.S.
Imin-Dihalogen-organo-borane			
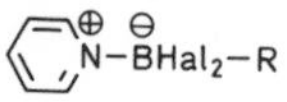 Pyridin-$\overset{\oplus}{N}-\overset{\ominus}{B}Hal_2-R$	Do–R–BHal$_2$	aus R–BHal$_2$ + Do	527
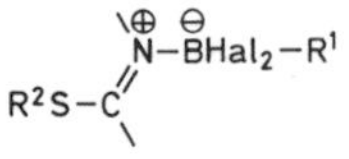 $R^2S-C(=\overset{\oplus}{N}\backslash)-\overset{\ominus}{B}Hal_2-R^1$	Do–R–BHal$_2$	aus R–B(N=)(Hal) + R–SH	527
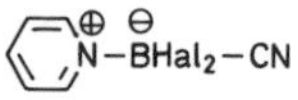 Pyridin-$\overset{\oplus}{N}-\overset{\ominus}{B}Hal_2-CN$	Do–R–BHal$_2$	aus Do–R–BH$_2$ + Hal$_2$	528
Phosphan- bzw. Arsan-Dihalogen-organo-borane			
$R^1_3\overset{\oplus}{P}-\overset{\ominus}{B}Cl_2-R^2$	Do–R–BHal$_2$	aus R–BHal$_2$ + Do	528
$R^1_3\overset{\oplus}{As}-\overset{\ominus}{B}Cl_2-R^2$	Do–R–BHal$_2$	aus R–BHal$_2$ + Do	529

Mit Alkoholen setzen sich Difluor-organo-borane im Verhältnis 2:1 unter Bildung von thermisch leicht zersetzlichen 2:1-Molekülverbindungen um[1]; z.B.:

$$(H_3C)_2CH-CH_2-CH_2-BF_2 \quad + \quad 2\,H_3C-(CH_2)_3-OH \longrightarrow$$

$$[H_3C-(CH_2)_3-OH]_2-BF_2-CH_2-CH_2-CH(CH_3)_2$$

Bis[butanol]-Difluor-(3-methyl-butyl)-boran; Kp$_{10}$: 43–47°

1:1-Verbindungen bilden sich aus Dihalogen-organo-boranen mit Ethern[2,3]. Aus Bis-[dihalogenboryl]alkanen werden entsprechende 1:2-Additionsverbindungen erhalten[4].

Ether-Dihalogen-organo-borane sind Zwischenprodukte bei der Herstellung von Halogen-organo-organo-oxy-boranen (vgl. Bd. XIII/3a, S. 607). Die Additionsverbindungen zersetzen sich unter Etherspaltung; z. B.[5–7]:

[1] B.M. MIKHAILOV u. T.A. SHCHEGOLEVA, Ž. obšč. Chim. **29**, 3443 (1959); C.A. **54**, 15226 (1960).
[2] M.F. HAWTHORNE u. J.A. DUPONT, Am. Soc. **80**, 5830 (1958).
[3] M.J. BIALLAS, Inorg. Chem. **10**, 1320 (1971).
[4] M.J. BIALLAS u. D.F. SHRIVER, Am. Soc. **88**, 375 (1966).
[5] S.H. DANDEGAONKER, W. GERRARD u. M.F. LAPPERT, Soc. **1957**, 2893.
[6] E.W. ABEL, W. GERRARD u. M.F. LAPPERT, Soc. **1957**, 5051.
[7] P.A. MCCUSKER, E.C. ASHBY u. H.S. MAKOWSKI, Am. Soc. **79**, 5182 (1957).

$$R^1{-}BHal_2 \xrightarrow{+R^2{-}O{-}R^3} \left[R^1{-}\overset{\ominus}{B}(Hal)_2{-}\overset{\oplus}{O}R^2R^3 \right] \longrightarrow$$

$$[R^3]^+ \, [R^1{-}BHal_2{-}OR^2]^- \xrightarrow[-R^3Hal]{} R^1{-}B(OR^2)Hal$$

R^1 = Alkyl, Phenyl
R^2 = Alkyl, Phenyl
R^3 = Alkyl
X = Cl, Br

Tetrahydrofuran-Alkyl-dichlor-borane treten bei der Reaktion von Trialkylboranen und Organoisonitrilen in Tetrahydrofuran mit Hydrogenchlorid auf. Unter Tetrahydrofuran-Spaltung werden Alkyl-chlor-(4-chlorbutyloxy)-borane (vgl. Bd. XIII/3a, S. 607) gebildet[1]:

$$(H_5C_2)_3B + H_5C_6{-}NC \xrightarrow{1.\,+THF;\ 2.\,+HCl} \left[H_5C_6{-}NH{-}C(C_2H_5)_2{-}\overset{\ominus}{B}(C_2H_5)(Cl){-}\overset{\oplus}{THF} \right] \xrightarrow[-H_5C_6{-}NH_2]{+HCl}$$

$$\left[(H_5C_2)_3C{-}\overset{\ominus}{B}Cl_2{-}\overset{\oplus}{THF} \right] \longrightarrow (H_5C_2)_3C{-}B(Cl){-}O{-}(CH_2)_4{-}Cl$$

Auch aus Dichlor-ferrocenyl-boran erhält man mit Tetrahydrofuran *Tetrahydrofuran-Dichlor-ferrocenyl-boran* (F: 78–96°) als festes Produkt[2].

Dichlor- und Dibrom-phenyl-boran bilden mit Essigsäureethylester in Dichlormethan quantitativ *(Essigsäureethylester)-Dichlor* (bzw. *-Dibrom)-phenyl-boran* (mit am Bor-Atom gebundener Carbonyl-Gruppe)[3]:

$$(H_5C_2O)(H_3C)C{=}\overset{\oplus}{O}{-}\overset{\ominus}{B}(Hal)_2{-}C_6H_5$$

Hal = Cl; 100%; F: 113–115°
Hal = Br

β) S-Lewisbase-Dihalogen-organo-borane

Dialkylsulfan-Dihalogen-organo-borane[4,5] sind z.B. aus Dihalogen-organo-boranen in Pentan oder Hexan bei 0 bis ~20° leicht zugänglich. Während die Chlor-Verbindungen farblos sind, fallen Dialkylsulfan-Dibrom- und Dijod-organo-borane in gelblicher Farbe an. U.a. werden z.B. hergestellt[6–8]:

---

[1] H. Witte, P. Mischke u. G. Hesse, A. **722**, 21 (1969).
[2] J.C. Klotz u. E.W. Post, Inorg. Chem. **9**, 1661 (1970).
[3] M.F. Lappert u. H. Pyszora, Soc. [A] **1968**, 1024.
[4] *Gmelin*, Boron Compounds 2nd Suppl. Vol. **2**, 196ff. (1982).
[5] *Gmelin*, Boron Compounds 2nd Suppl. Vol. **2**, S. 106 (1982).
[6] W. Siebert u. F. Riegel, B. **108**, 724 (1975).
[7] M. Schmidt u. F.R. Rittig, B. **103**, 3343 (1970).
[8] H. Vahrenkamp, J. Organometal. Chem. **28**, 167 (1971).

Dimethylsulfan-Dichlor-phenyl-boran	F: 37–38°
Dimethylsulfan-Dibrom-methyl-boran	F: 72–74°
Diethylsulfan-Dijod-phenyl-boran	F: 65–67°

Aus Dimethylsulfan-Dihalogen-hydro-boranen (s. Bd. XIII/3a, S. 484) lassen sich in Dichlormethan bei ~40° mit Alkenen Dimethylsulfan-Alkyl-dihalogen-borane herstellen (vgl. Bd. XIII/3a, S. 485)[1]. Dimethylsulfan-Dibrom-organo-borane werden in höheren Ausbeuten gewonnen als Dimethylsulfan-Dichlor-organo-borane[2].

$$(H_3C)_2\overset{\oplus}{S}-\overset{\ominus}{B}Br_2H \; + \; H_2C=CH-R \xrightarrow[86-91\,\%]{H_2CCl_2} (H_3C)_2\overset{\oplus}{S}-\overset{\ominus}{B}Br_2-CH_2-CH_2-R$$

Alken = 1-Hexen, 3-Hexen, Cyclopenten usw.

Mit Alkinen sind aus Dimethylsulfan-Dibrom-hydro-boran in Dichlormethan Dimethylsulfan-Alkenyl-dibrom-borane zugänglich (vgl. Bd. XIII/3a, S. 485)[3].

γ) N-Lewisbase-Dihalogen-organo-borane

Die Additionsverbindungen der Dihalogen-organo-borane mit Ammoniak, Aminen, Iminen, Pyridinbasen und mit Nitrilen werden aus Halogen-organo-boranen oder aus verschiedenen Lewisbase-Boranen hergestellt.

γ_1) *Amin-Dihalogen-organo-borane*

$\gamma\gamma_1$) aus Dihalogen-organo-boranen[4]

Dihalogen-organo-borane[4] reagieren mit Stickstoffbasen beim Erwärmen oder bereits beim Mischen der beiden Partner in Ether bzw. in Benzol unter Bildung der 1:1-Additionsverbindungen, die vielfach als feste Produkte anfallen[5-14].

Aus Dichlor-phenyl-boran erhält man mit 1,4-Diaminobenzol bei Einsatz äquimolarer Mengen in Benzol *1,4-Diaminobenzol-Dichlor-phenyl-boran*[15]:

$$H_5C_6-BCl_2 \; + \; H_2N-C_6H_4-NH_2 \longrightarrow H_2N-C_6H_4-\overset{\oplus}{N}H_2-\overset{\ominus}{B}Cl_2-C_6H_5$$

[1] H.C. Brown, N. Ravindran u. S.U. Kulkarni, J. Org. Chem. **45**, 384 (1980).
[2] vgl. S.U. Kulkarni, D. Basavaiah, M. Zaidlewicz u. H.C. Brown, Organometallics **1**, 212 (1982).
[3] H.C. Brown u. J.B. Campbell jr., J. Org. Chem. **45**, 389 (1980).
[4] *Gmelin* **46**/15, S. 161–162 (1977).
[5] A.B. Burg u. A.A. Green, Am. Soc. **65**, 1838 (1943).
[6] K. Torssell, Acta chem. scand. **8**, 1779 (1954).
[7] B.M. Mikhailov, A.N. Blokhina u. T.V. Kostroma, Ž. obšč. Chim. **29**, 1483 (1959); C.A. **54**, 8685 (1960).
[8] A.K. Holliday u. A.G. Massey, Soc. **1960**, 43.
[9] W.L. Fielder, M.M. Chamberlain u. C.A. Brown, J. Org. Chem. **26**, 2154 (1961).
[10] J.C. Lockhart, Soc. **1962**, 1197.
[11] W. Gerrard, M. Goldstein, C.H. Marsh u. E.F. Mooney, J. appl. Chem. **13**, 239 (1963).
[12] S.N. Ushakov u. P. Tudoriu, Izv. Akad. SSSR **1964**, 1838; engl.: 1741; C.A. **62**, 2787 (1965).
[13] C.N. Welch u. S.G. Shore, Inorg. Chem. **8**, 2810 (1969).
[14] J.C. Kotz u. E.W. Post, Inorg. Chem. **9**, 1661 (1970).
[15] W.L. Fielder, M.M. Chamberlain u. C.A. Brown, J. Org. Chem. **26**, 2154 (1961).

Bei der Addition von Dihalogen-organo-boranen an Stickstoff-Basen wird der elektronische Einfluß des elektronenarmen Bor-Atoms auf die π-Elektronen der Organo-Substituenten aufgehoben. Dadurch unterbleibt z.B. die Umlagerung des an das Bor-Atom gebundenen Cyclopropylmethyl-Rests[1]. Auch das dynamische Verhalten des Pentamethylcyclopentadienyl-Rests läßt sich nicht mehr beobachten[2,3]:

+ $(H_3C)_3N$ / Pentan

(fluktuierende Struktur) $Kp_{0,5}$: 55°

(statische Struktur) F: 135° (Zers.)

Trimethylamin-Dichlor-(pentamethyl-2,4-cyclopentadienyl)-boran[2]**:** Bei −20° gibt man zu 0,4 g (2 mmol) Dichlor-(pentamethyl-2,4-cyclopentadienyl)-boran in 35 *ml* Pentan 0,2 g (3 mmol) Trimethylamin. Der Niederschlag wird abfiltriert und aus Methylcyclohexan umkristallisiert; Ausbeute: 0,4 g (73%); F: 135° (Zers.).

Aus Trihalogenboranen lassen sich mit Organo-2-propinyl-aminen in Dichlormethan bei ~20° unter Haloborierung der C≡C-Bindung in mäßigen Ausbeuten (20–40%) 1-Organo-2,2,4-trihalogen-1,2,5-trihydro-1,2-azoniaboratole gewinnen. Man gibt das Trihalogenboran zur Amin-Lösung und läßt bei 20° reagieren[4]:

$BHal_3$ + $R-NH-CH_2-C \equiv CH$ (CH_2Cl_2; ~20°, 24 Stdn.) →

...-1,2,5-trihydro-1,2-azoniaboratol

Hal = Cl; R = $CH(CH_3)_2$; *1-Isopropyl-2,2,4-trichlor-...*; 39%; F: 89°
R = $CH_2-C_6H_5$; *1-Benzyl-2,2,4-trichlor-...*; 19%; F: 97°
Hal = Br; R = $CH(CH_3)_2$; *1-Isopropyl-2,2,4-tribrom-...*; 19%; F: 127°

$\gamma\gamma_2$) aus Amino-halogen-organo-boranen

Amin-Dihalogen-organo-borane lassen sich auch aus Alkyl-amino-chlor-boranen mit Chlorwasserstoff in ausgezeichneten Ausbeuten herstellen. *Dimethylamin-Dichlor-propyl-boran* (~100%; F: 59–61°) und *Dimethylamin-Butyl-dichlor-boran* [~100%; F: 45–50°; Kp_3: 90–95° (Zers.)] sind so zugänglich[5]:

$$R-B(N(CH_3)_2)(Cl) \xrightarrow{+HCl} (H_3C)_2\overset{\oplus}{N}H-\overset{\ominus}{B}Cl_2-R$$

R = C_3H_7, C_4H_9

[1] vgl. R. Köster, S. Arora u. P. Binger, Ang. Ch. **81**, 186 (1969).
[2] P. Jutzi u. A. Seufert, Ang. Ch. **89**, 44 (1977).
[3] P. Jutzi u. A. Seufert, B. **112**, 2481 (1979).
[4] A. Meller, F.J. Hirninger, M. Noltemeyer u. W. Maringgele, B. **114**, 2519 (1981).
[5] H. Nöth u. P. Fritz, Z. anorg. Ch. **324**, 270 (1963).

$\gamma\gamma_3$) aus Lewisbase-Boranen

Verschiedene Amin-Borane eignen sich zur Herstellung von Amin-Dihalogen-organo-boranen. Man verwendet z.B. cyclische Amin-Triorganoborane oder Amin-Dihydro-organo-borane.

Aus 1,1,2,2-Tetraalkyl-1,2-azoniaboratolidinen gewinnt man mit Trihalogenboranen (Halogen: Chlor, Brom) in guten Ausbeuten (~90%) unter Ligandenaustausch am Bor-Atom 1,1-Dialkyl-2,2-dihalogen-1,2-azoniaboratolidine[1]:

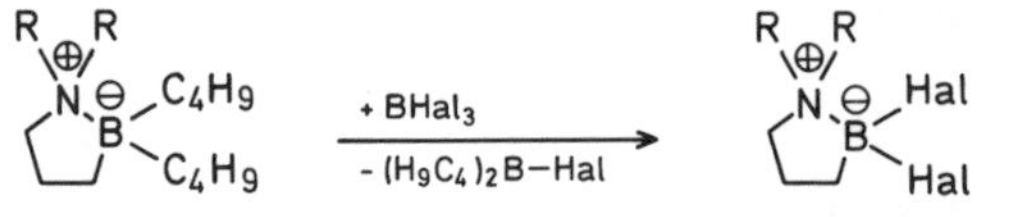

$$\xrightarrow[-\ (H_9C_4)_2B-Hal]{+\ BHal_3}$$

...-1,2-azoniaboratolidin

Hal = Cl; R = CH_3; *2,2-Dichlor-1,1-dimethyl-...*; 51%; F: 176–182°
R = C_2H_5; *2,2-Dichlor-1,1-diethyl-...*; 87%; $Kp_{0,2}$: 110–116°
Hal = Br; R = C_2H_5; *2,2-Dibrom-1,1-diethyl-...*; 91%; $Kp_{0,1}$: 135–140°

Cyclische Amin-Dihydro-organo-borane reagieren mit Chlor oder mit Brom durch Austausch der Hydro-Gruppen zu cyclischen Amin-Dihalogen-organo-boranen. Aus 2,5-Dihydro-1,1,4,4-tetramethyl-1,4,2,5-diazoniadiboratinan erhält man z.B. bei partiellem H/Br-Austausch mit Brom in Dichlormethan das *2-Hydro-1,1,4,4-tetramethyl-2,5,5-tribrom-1,4,2,5-diazoniadiboratinan*[2]:

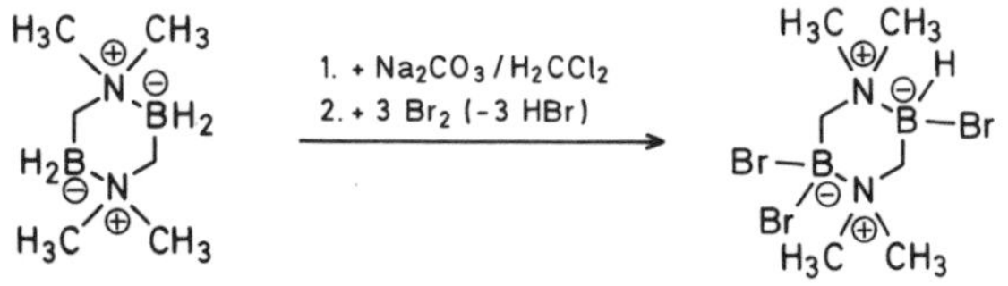

$$\xrightarrow{1.\ +\ Na_2CO_3/H_2CCl_2\quad 2.\ +\ 3\ Br_2\ (-3\ HBr)}$$

Aus 1,1-Dimethyl-2-hydro-1,2-azoniaboratolidin sind mit Brom oder mit Jod die 2,2-Dihalogen-Derivate zugänglich[3]:

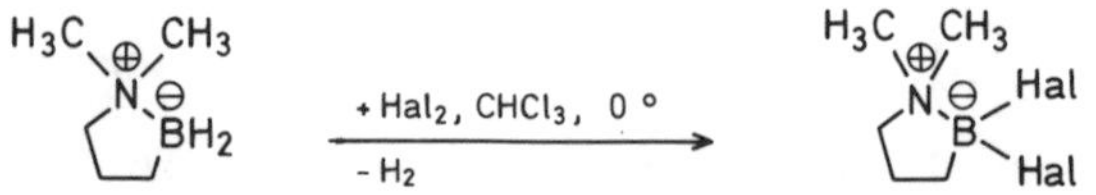

$$\xrightarrow[-\ H_2]{+\ Hal_2,\ CHCl_3,\ 0°}$$

...-1,1-dimethyl-1,2-azoniaboratolidin

Hal = Br: *2,2-Dibrom-...*; 87%; F: 194–195° (instabil)
Hal = J: *2,2-Dijod-...*

$\gamma\gamma_4$) aus Organoboraten

Die Thermolyse von Tetraalkylammonium-phenyl-trichlor-boraten bei 280–310° liefert unter Abspaltung von Chloralkan Trialkylamin-Dichlor-phenyl-borane. Als präparative Methode zur Herstellung von Amin-Dihalogen-organo-boranen ist die Reaktion nicht ausgearbeitet[4]:

---

[1] N.V. Mostovoi, V.A. Dorokhov u. B.M. Mikhailov, Izv. Akad. SSSR **1966**, 90; engl.: 70; C.A. **64**, 15908 (1966).
[2] N.E. Miller u. E.L. Muetterties, Inorg. Chem. **3**, 1196 (1964).
[3] Z. Polívka u. M. Ferles, Collect. czech. chem. Commun. **34**, 3009 (1969); C.A. **71**, 113018 (1969).
[4] S.U. Sheikh, J. Therm. Anal. **18**, 299 (1980); C.A. **93**, 36164 (1980).

$$[(H_9C_4)_4N]^+[H_5C_6{-}BCl_3]^- \xrightarrow[H_9C_4-Cl]{\sim 300°} (H_9C_4)_3\overset{\oplus}{N}{-}\overset{\ominus}{B}Cl_2{-}C_6H_5$$

γ_2) *Imin-Dihalogen-organo-borane*

Eine große Zahl von Pyridinbase-Dihalogen-organo-boranen ist bekannt. Ihre Herstellung erfolgt meist aus den Komponenten.

$\gamma\gamma_1$) aus Halogenboranen

In Ether oder in Benzol reagieren Dihalogen-organo-borane mit Pyridinbasen unter Bildung der meist festen Pyridinbase-Dihalogen-organo-borane[1,2].

Pyridin-Dichlor-propyl-boran[2]: Zu 148,8 g (1,2 mol) Dichlor-propyl-boran in 200 *ml* Benzol tropft man bei ~20° in 3 Stdn. 94,8 g (1,2 mol) Pyridin. Nach Abfiltrieren wäscht man mit etwas Benzol und trocknet i. Vak.; Ausbeute: 225 g (92%); Kp_9: 192°; F: 87°.

Die meisten Stoffpaare liefern 1:1-Additionsverbindungen. Aus Brom-dimethyl-boran bilden sich allerdings mit Pyridin sowie mit 4-Methylpyridin stabile 1:2-Addukte, die als Dipyridin-dimethylbor(1+)-bromide[3] (vgl. S. 686ff.) vorliegen.

Aus Dichlor-ferrocenyl-boran ist mit Pyridin in Hexan eine gelborange-farbene Additionsverbindung (*Pyridin-Dichlor-ferrocenyl-boran*; F: 162–165°) zugänglich, die i. Vak. ohne Zersetzung sublimiert werden kann[4]. Aus Dichlor-(pentamethyl-2,4-cyclopentadienyl)-boran erhält man mit Pyridin in 67%iger Ausbeute *Pyridin-Dichlor-pentamethyl-2,4-cyclopentadienyl)-boran* (F: 125°, Zers.)[5].

Aus Trihalogenboran bilden sich mit Isonitrilen in Dichlormethan nach Addition und Wanderung eines Chlor-Atoms vom Bor- zum C-Atom 1,4-Diorgano-2,2,3,5,5,6-hexahalogen- 2,5-dihydro-1,4,2,5-diazoniadiboratine als dimere Dihalogen-(halogen-imino-methyl)-borane[6].

$\gamma\gamma_2$) aus Amino-halogen-organo-boranen

In Sonderfällen stellt man Amin-Dihalogen-organo-borane auch auf anderen Wegen als aus den Komponenten her.

Thiocarbonsäureimid-Dibrom-organo-borane sind z.B. aus den monomeren Brom-(1-bromalkylidenamino)-organo-boranen bei ~20° mit Alkylthiolen unter Brom-Substitution am C-Atom und Bromwasserstoff-Addition zugänglich[7]:

$$\underset{R^1}{\overset{Br}{>}}B{-}N{=}C\underset{CCl_3}{\overset{Br}{<}} \quad + \quad R^2{-}SH \longrightarrow R^1Br_2\overset{\ominus}{B}{-}\overset{\oplus}{N}H{=}C\underset{CCl_3}{\overset{SR^2}{<}}$$

Das aus Dibrom-methyl-boran mit Butandion-bis-imin in Ether herstellbare 2-Brom-1,3-diphenyl-2,4,5-trimethyl-2H-1,3,2-diazoniaboratol-bromid[8] (vgl. S. 698) bildet sich vermutlich über ein Imin-Dibrom-methyl-boran.

---

[1] M.F. LAPPERT u. H. PYSZORA, Soc. [A] **1968**, 1024.
[2] R. KÖSTER, H. BELLUT, G. BENEDIKT u. E. ZIEGLER, A. **724**, 34 (1969).
[3] D.R. MARTIN u. P.H. NGUYEN, J. Inorg. & Nuclear Chem. **40**, 1289 (1978); C.A. **90**, 121691 (1979).
[4] J.C. KOTZ u. E.W. POST, Inorg. Chem. **9**, 1661 (1970).
[5] P. JUTZI u. A. SEUFERT, B. **112**, 2481 (1979).
[6] A. MELLER u. H. BATKA, M. **100**, 1823 (1969).
[7] A. MELLER u. W. MARINGGELE, M. **102**, 121 (1971); C.A. **74**, 125764 (1971).
[8] L. WEBER u. G. SCHMID, Ang. Ch. **86**, 519 (1974).

$\gamma\gamma_3$) aus Lewisbase-Organoboranen

Zur Herstellung bestimmter Imin-Dihalogen-organo-borane kann auch von Lewisbase-Boranen ausgegangen werden. Beispielsweise ist *Pyridin-Cyan-dichlor-boran* (79%; F: 106–108°) aus Pyridin-Cyan-dihydro-boran mit Chlor in Benzol zugänglich[1]:

$$C_5H_5\overset{\oplus}{N}-\overset{\ominus}{B}H_2-CN \xrightarrow[-\ 2\ HCl]{+\ 2\ Cl_2,\ C_6H_6} C_5H_5\overset{\oplus}{N}-\overset{\ominus}{B}Cl_2-CN$$

γ_3) *Nitril-Dihalogen-organo-borane*

Aus Dihalogen-organo-boranen (Halogen: Chlor, Brom, Jod) erhält man mit Nitrilen oder mit Fluorcyan 1:1-Additionsverbindungen[2–5]:

$$R^1-BHal_2 \quad + \quad R^2-C{\equiv}N \longrightarrow R-C{\equiv}\overset{\oplus}{N}-\overset{\ominus}{B}Hal_2-R^1$$

Hal = Cl, Br, J
R^1 = Alkyl, Aryl
R^2 = Alkyl, Aryl, F

δ) Phosphan-Dihalogen-organo-borane

Molekülverbindungen der Dihalogen-organo-borane mit Phosphanen lassen sich aus den Komponenten in Diethylether herstellen[5–7]; z.B.:

Phenylphosphan-Dichlor-phenyl-boran[5]
Tributylphosphan-Dichlor-ethyl-boran[6] F: 54–58°

Aus Dichlor-phenyl-boran erhält man auch mit Bis[trimethylsilyl]-phenyl-phosphan eine 1:1-Additionsverbindung[8]:

$$H_5C_6-BCl_2 \quad + \quad H_5C_6-P\left[Si(CH_3)_3\right]_2 \longrightarrow [(H_3C)_3Si]_2\overset{\oplus}{P}(C_6H_5)-\overset{\ominus}{B}Cl_2(C_6H_5)$$

Bis[trimethylsilyl]-phenyl-phosphan-Dichlor-phenyl-boran

Bei ~200° werden aus dem Phosphan-Boran 2 Mol Chlor-trimethyl-silan unter Bildung eines gelblichen, kristallinen Polymers abgespalten (vgl. S. 396)[8].

---

[1] D.R. MARTIN, M.A. CHIUSANO, M.L. DENNISTON, D.J. DYE, E.D. MARTIN u. B.T. PENNIGTON, J. Inorg. & Nuclear Chem. **40**, 9 (1978).
[2] J. CHATT, R.L. RICHARDS u. D.J. NEWMAN, Soc. [A] **1968**, 126.
[3] A. MELLER u. H. MARECEK, M. **99**, 1355 (1968).
[4] A. MELLER u. W. MARINGGELE, M. **99**, 1909 (1968).
[5] A. MELLER u. A. OSSKO, M. **100**, 1187 (1969).
[6] Brit.P. 848656 (1960), US Borax & Chem. Corp.; C.A. **55**, 7906 (1961).
[7] US.P. 3117157 (1964), American Potash & Chemical Co., Erf.: R.I. WAGNER; C.A. **60**, 6871 (1964).
[8] H. NÖTH u. W. SCHRÄGLE, Z. Naturf. **16b**, 473 (1961).

Aus 1,1-Dicyclohexyl-2,2-diethyl-1,2-phosphoniaboratolan gewinnt man mit Chlor-diethyl-boran bei ~80° farbloses kristallines *2-Chlor-1,1-dicyclohexyl-2-ethyl-1,2-phosphoniaboratolan* (96%)[1]:

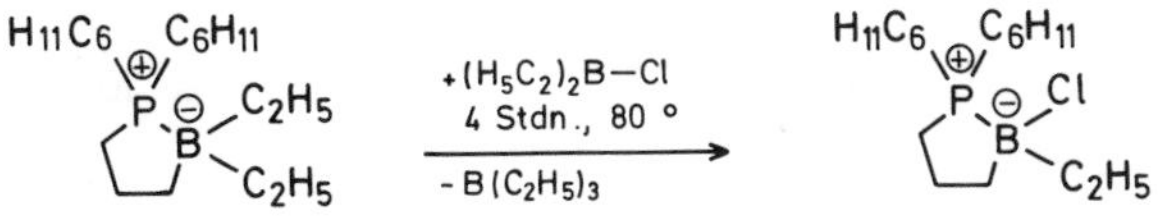

$$\xrightarrow[-B(C_2H_5)_3]{+(H_5C_2)_2B-Cl,\ 4\ Stdn.,\ 80°}$$

Weitere Derivate s. Lit.[2-8].

ε) Arsan-Dihalogen-organo-borane

Auch die Assoziate der Dihalogen-organo-borane mit Triorganoarsanen werden aus den Komponenten in Benzol oder Hexan hergestellt[5].

Triphenylarsan-Dichlor-phenyl-boran[5]**:** Zu 2,43 g (15,4 mmol) Dichlor-phenyl-boran tropft man unter Rühren eine Lösung von 4,65 g (15,2 mmol) Triphenylarsan in 15 *ml* Benzol. Man engt anschließend auf die Hälfte ein, setzt 10 *ml* Hexan zu und läßt bis zum Auskristallisieren im Kühlschrank stehen. Das Produkt wird durch Filtrieren isoliert; Ausbeute: 6,20 g (88%); F: 104–106°.

d) Lewisbase-Organobor-Sauerstoff-Verbindungen

Die Herstellungsmethoden der offenkettigen und cyclischen Lewisbase-Diorgano-oxy-borane (vgl. Tab. 83, S. 530) sowie der Lewisbase-Dioxy-organo-borane (vgl. Tab. 94, S. 600) werden voneinander getrennt besprochen. In einem weiteren Abschnitt werden die Herstellungsmethoden der Lewisbase-Organodiboroxane, -Organotriboroxane und der Organoboroxine zusammengestellt. Lewisbasen sind

O-Donatoren (Ether, Acetal-, Carbonyl-Gruppen von Aldehyden, Ketonen oder Carbonsäure-Derivaten sowie ON-Verbindungen) (vgl. S. 531ff.)
S-Donatoren (Thioketon)
N-Donatoren (Amine, Imine, Carbonsäureamide, Azo-Verbindungen) (vgl. S. 542ff., 558, 579).

Die Hauptabschnitte wurden nach dem jeweiligen Boran-Typ unterteilt. Eine weitere Gliederung erfolgte entsprechend der Prioritätsreihenfolge der Lewisbasen (O- vor S- vor N-Donatoren).

[1] K. Jonas u. K. Fischer, Mülheim a.d. Ruhr, unveröffentlicht 1972.
K. Fischer, Mülheim a.d. Ruhr; Dissertation, Universität Bochum 1973.
[2] US.P. 2920107 (1960); 3188345 (1965), American Potash & Chemical Co., Erf.: A. B. Burg u. R. I. Wagner; C.A. **54**, 9766 (1960); **63**, 9989 (1965).
[3] US.P. 2944085 (1960), American Potash & Chemical Co., Erf.: R.I. Wagner; C.A. **54**, 24400 (1960).
[4] H. Nöth u. W. Schrägle, Z. Naturf. **16b**, 473 (1961).
[5] R. Goetze u. H. Nöth, Z. Naturf. **30b**, 343 (1975).
[6] M.F. Hawthorne u. J.A. Dupont, Am. Soc. **80**, 5830 (1958).
[7] DBP. 1044811 (1958), Pirelli Soc. p.A., Erf.: E. Dumont u. H. Reinhardt; C.A. **55**, 1444 (1961).
[8] D.R. Martin u. P.H. Nguyen, J. Inorg. & Nuclear Chem. **40**, 1289 (1979); C.A. **90**, 121691 (1979).

Tab. 83: O-Lewisbase-Diorgano-oxy-borane

Formel	Verbindungstyp	Herstellung	s. S.
Ether-Diorgano-organooxy-borane			
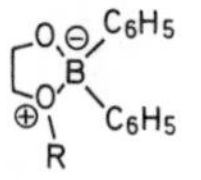	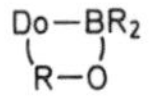 Do—BR₂ / R—O (cyclisch)	aus $R_2B{-}O{-}BR_2$ + Do–R–OH	533
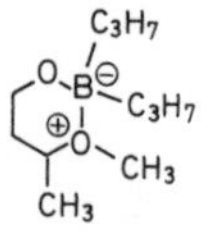	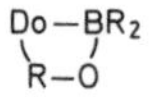 Do—BR₂ / R—O (cyclisch)	aus $(R_2BH)_2$ + Do–R–OH	533
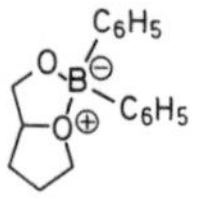	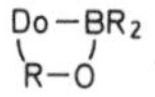 Do—BR₂ / R—O (cyclisch)	aus $R^1_2B{-}OR^2$ + Do–R–OH	534
Ether-Diorgano-elementoxy-borane			
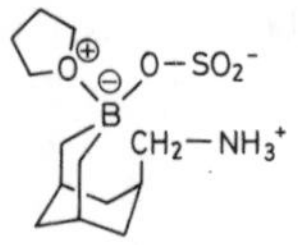	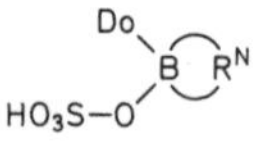 Do, B R^N, $HO_3S{-}O$	aus $R_3B + H_2N{-}O{-}SO_2{-}$	533
Acetal-Diorgano-organooxy-borane			
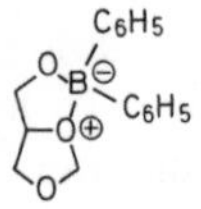	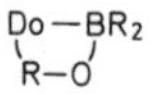 Do—BR₂ / R—O (cyclisch)	aus $R^1_2B{-}OR^2$ + Do–R–OH	534
Carbonyl-Diorgano-organooxy-borane			
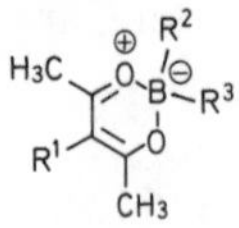	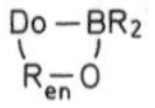 Do—BR₂ / R_{en}—O (cyclisch)		
$R^1 = H$; $R^2 = R^3$ = Alkyl		aus R_3B + Do–R–OH	535
		aus 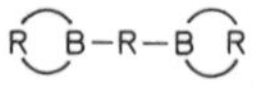 R B–R–B R (cyclisch)	536
		aus $R_2B{-}OR_{en}$ + Do–R–OH	540
$R^2 = R^3 = C_2H_5$		aus $R^1_2B{-}OR^2$ + $R^3_3Si{-}O{-}R^O_{en}$	540
$R^2 = R^3$ = (cyclisch)		 aus R B–R (cyclisch) + Do–R–OH	536
$R^2 = R^3$ 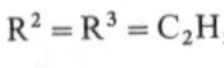 = (Furyl)		aus $R^O_2B{-}OH$ + Do–R–OH	539
$R^1 = CH_3$; $R^2 = R^3 = C_4H_9$		aus 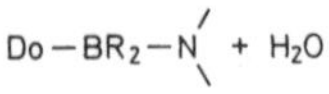 Do–BR₂–N< + H₂O	542
	Do, B R^O_{en}, RO	aus R^O_{en} B–R_{en} (cyclisch) + Do–R–OH	536
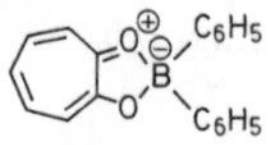	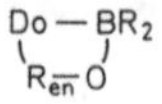 Do—BR₂ / R_{en}—O (cyclisch)	aus $Do'{-}BR^1_2{-}OR^2$ + Do–R–OH	541
	Do—BR₂ / R_{en}—O (cyclisch)	aus $R_2B{-}OH$ + HO—R—CHO	539
		aus $(R_2B)_2O$ + HO—R—CHO	541

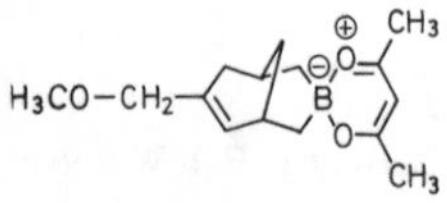

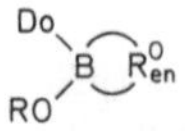

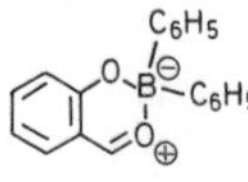

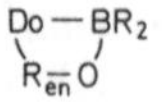

Tab. 83: (Fortsetzung)

Formel	Verbindungstyp	Herstellung	s. S.
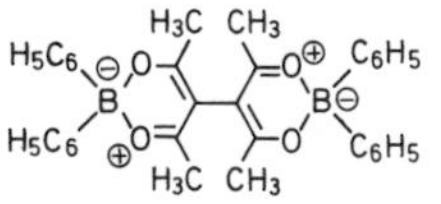 H_3C CH_3; H_5C_6, H_5C_6 ⊖B(O–)(O=) ⊕ – ⊕(O=)B⊖(–O) C_6H_5, C_6H_5; H_3C CH_3	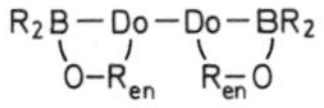 $R_2B-Do-Do-BR_2$ (O–R_{en}, R_{en}–O)	aus $\overset{\oplus}{Do'}-\overset{\ominus}{B}R^1_2-OR^2+Do-R-OH$	541
Carbonsäure-Diorgano-organooxy-borane			
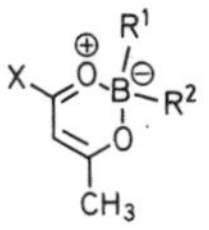 X, ⊕O, B⊖, R^1, R^2, O, CH_3	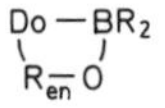 $Do-BR_2$ (R_{en}–O)		
$X = OR^3$		aus $R_3B+HO-R_{en}-COOR$	538
$X = NR^2_2$		aus $R^1_2B-Hal + R^2_3Si-R-CO-N\lt$	539
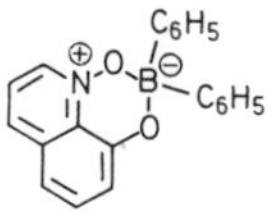 ⊕N, O, B⊖, C_6H_5, C_6H_5, O (Chinolin)	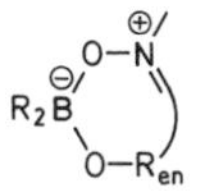 $R_2\overset{\ominus}{B}$(O–$\overset{\oplus}{N}$)(O–R_{en})	aus $R_2B-OH+HO-R-\overset{\|\|}{N}O$	733

1. Lewisbase-Diorgano-oxy-borane

Diorgano-oxy-borane bilden mit verschiedenartigen Lewisbasen 1:1-Additionsverbindungen:

ⓐ Diorgano-hydroxy-borane mit N-Donatoren
ⓑ Diorgano-organooxy-borane mit O-, S- und N-Donatoren
ⓒ Diorgano-(1-oxyalkyloxy)-borane mit O- und N-Donatoren
ⓓ Acyloxy-diorgano-borane mit N-Donatoren
ⓔ Aminoxy-diorgano-borane mit O-, S- und N-Donatoren

α) Lewisbase-Diorgano-hydroxy-borane

Bisher sind definierte Lewisbase-Diorgano-hydroxy-borane mit der Atomgruppierung

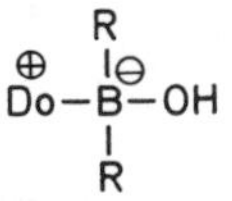

$$\overset{\oplus}{Do}-\overset{\ominus}{\underset{R}{\overset{R}{B}}}-OH$$

kaum beschrieben worden. Bekannt sind ausschließlich N-Lewisbase-Diorgano-hydroxy-borane (Do: Amin, Imin), die man aus Amino-diorgano-boranen mit Wasser herstellt.

Cyclische Amin-Diorgano-hydroxy-borane sind z.B. aus cyclischen Amino-diorgano-boranen mit Wasser zugänglich. 2-Alkyl-1,2-azaborolidine addieren Wasser zu 2-Alkyl-2-hydroxy-1,2-azoniaboratolidinen[1]:

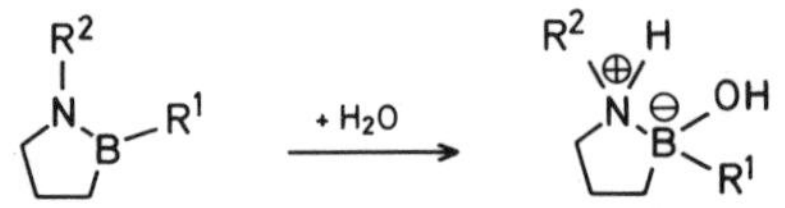

...-1,2-azoniaboratolidin

z.B.: $R^1 = C_4H_9$; $R^2 = H$; *2-Butyl-1-hydro-2-hydroxy-...*; F: 51–52°
$R^1 = CH_2–CH_2–CH(CH_3)_2$; $R^2 = H$; *1-Hydro-2-hydroxy-2-(3-methylbutyl)-...*; F: 68–70°
$R^2 = C_3H_7$; *1-Hydro-2-hydroxy-2-(3-methylbutyl)-1-propyl-...*; F: 63–66°

Die Herstellung des 2-(2-Aminopyridin-Diphenylborylamino)-pyridin-Diphenyl-hydroxy-borans erfolgt aus Diphenyl-2-pyridylamino-boran mit Wasser in Tetrahydrofuran[2]:

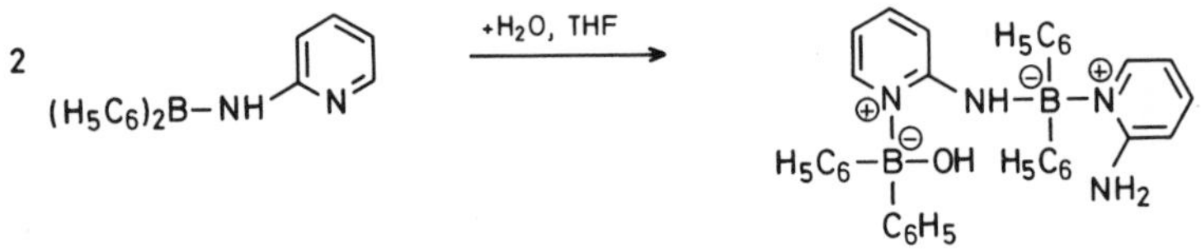

2-(2-Aminopyridin-Diphenylborylamino)-pyridin-Diphenyl-hydroxy-boran[2]: Eine Mischung von 0,14 g (7,8 mmol) Wasser und 4,05 g (15,7 mmol) Diphenyl-2-pyridylamino-boran wird in 75 *ml* THF zum Sieden erhitzt. Nach 30 Min. wird die Lösung klar. Man erhitzt weitere 2,5 Stdn. und gibt ~ 150 *ml* Hexan zu. Nach dem Einengen i. Vak. wird vom farblosen Niederschlag abfiltriert, der mit Wasser gewaschen und i. Vak. getrocknet wird; Ausbeute: 3,3 g (79%); F: 143–144°.

β) Lewisbase-Diorgano-organooxy-borane

In der Tab. 83 (S. 530) sind die wichtigsten Verbindungstypen der Lewisbase-Diorgano-organooxy-borane mit Hinweis auf ihre Herstellungsmethoden zusammengestellt.

$β_1$) *O-Lewisbase-Diorgano-organooxy-borane*

Zur Verbindungsklasse gehören Additionsverbindungen von verschiedenartigen Diorgano-organooxy-boranen mit Ethern, Carbonyl- sowie O–N-Verbindungen (s. Tab. 83, S. 530).

$ββ_1$) Ether-Diorgano-organooxy-borane

Zur Verbindungsklasse gehören die bisher wenig untersuchten cyclischen Ether-Alkoxy-dialkyl-borane. Offenkettige Verbindungen sind thermisch nicht stabil. Auch betainartig stabilisierte Verbindungen sind bekannt (vgl. S. 534ff.).

Meist erfolgt die Herstellung durch O-Borylierung von Alkoxyalkanolen aus Triorgano-, Diorgano-hydro- oder Diorgano-oxy-boranen.

[1] B.M. Mikhailov, V.A. Dorokhov u. N.V. Mostovoi, Probl. Organ. Sinteza, Akad. Nauk SSSR **1965**, 233; C.A. **64**, 14204 (1966).

[2] B.R. Cragg u. K. Niedenzu, J. Organometal. Chem. **117**, 1 (1976).

i_1) aus Triorganoboranen

Auch 1-Boraadamantan reagiert mit Hydroxylamin-O-sulfonsäure in Tetrahydrofuran unter Aminierung einer B–C-Bindung in ~78%iger Ausbeute unter Bildung von *Tetrahydrofuran-7-Aminomethyl-3-sulfoxy-3-borabicyclo[3.3.1]nonan*[1]:

$$\text{1-Boraadamantan} + H_2N{-}O{-}SO_3H \xrightarrow{\text{THF; 1 Stde. Rückfluß}} \text{THF-B}^{\ominus}(O{-}SO_3^-)\ldots CH_2{-}NH_3^+$$

Tetrahydrofuran-7-Aminomethyl-3-sulfoxy-3-borabicyclo[3.3.1]nonan[1]: Zur Lösung von 6,43 g (47 mmol) 1-Boraadamantan in 50 *ml* THF werden 5,42 g (48 mmol) O-Sulfohydroxylamin gegeben. Man erhitzt 1 Stde. zum Rückfluß, filtriert und entfernt das THF i. Vak. Der farblose Rückstand wird nach Waschen mit Hexan i. Vak. getrocknet; Ausbeute: 12,05 g (78%); F: 128–130°.

i_2) aus Diorgano-hydro-boranen

Tetraalkyldiborane(6) reagieren mit 3-Alkoxyalkanolen unter Bildung von Ether-Dialkyl-organooxy-boranen mit tetrakoordiniertem Bor-Atom; z.B.[2]:

$$1/2\ (H_7C_3)_4B_2H_2 + H_3CO{-}CH(CH_3){-}CH_2{-}CH_2{-}OH \xrightarrow{-H_2}$$

1,6-Dimethyl-2,2-dipropyl-1,3,2-oxoniaoxaboratinan; 90%;
Kp_2: 66–69°; n_D^{20} = 1,4199

i_3) aus Diorgano-oxy-boranen

Man setzt Tetraorganodiboroxane oder Diorgano-organooxy-borane mit Organooxyalkanolen bestimmter Kettenlänge ein.

Mit 2-Alkoxy- bzw. 2-Aryloxy-ethanolen erhält man in siedendem Benzol (4 Stdn.) unter Wasser-Abspaltung fünfgliedrige Diphenylboryl-Chelate in >80%[3]:

$$[(H_5C_6)_2B]_2O \xrightarrow[-H_2O]{+2\ RO{-}CH_2{-}CH_2{-}OH\ /\ C_6H_6\ /\ 4\ Stdn.} 2$$

...-1,3,2-oxoniaoxaboratolan

R = CH_3; *2,2-Diphenyl-1-methyl-...*; 91%; F: 151°
R = C_4H_9; *1-Butyl-2,2-diphenyl-...*; 83%; F: 165–167°
R = C_6H_{13}; *2,2-Diphenyl-1-hexyl-...*; 86%
R = C_6H_5; *1,2,2-Triphenyl-...*; F: 78–82°

---

[1] B. M. Mikhailov, E. A. Shagova u. M. Y. Etinger, J. Organometal. Chem. **220**, 1 (1981).
[2] DBP 1227474 (1959), Bayer AG, Erf.: K. Nützel u. K. Lang; C. A. **66**, 38040 (1967).
[3] US. P. 3485864 (1969), Minnesota Mining and Manuf. Co., Erf.: H. A. Birnbaum u. S. T. Quigley; C. A. **72**, 55636 (1970).

Gut geeignet zur Herstellung von chelatartig stabilisierten Ether-Diorgano-organooxy-boranen sind ferner Diorgano-organooxy-borane, die z. B. mit Tetrahydrofurylalkohol oder mit Furfurylalkohol umgesetzt werden[1]; z. B.:

$$(H_5C_6)_2B{-}OC_4H_9 \xrightarrow[-C_4H_9OH]{+\ \text{Tetrahydrofuryl}{-}CH_2{-}OH\ /\ THF}$$

2,2-Diphenyl-1-oxonia-3-oxa-2-borata-bicyclo[3.3.0]octan; 95%

$\beta\beta_2$) Acetal-Diorgano-organooxy-borane

Die Verbindungen sind kaum beschrieben. Vor allem die cyclischen Additionsverbindungen dürften stabil genug sein, um als einheitliche Lewisbase-Organoborane isoliert werden zu können.

Die Herstellung der Acetal-Diorgano-organooxy-borane gelingt z. B. aus Diorgano-organooxy-boranen mit Hydroxyaldehydacetalen; z. B.[1]:

$$(H_5C_6)_2B{-}OC_4H_9 \xrightarrow[-C_4H_9OH]{+\ \text{1,3-Dioxolan-4-yl}{-}CH_2{-}OH\ /\ THF}$$

2,2-Diphenyl-1-oxonia-3,6-dioxa-2-borata-bicyclo[3.3.0]octan; 71%

$\beta\beta_3$) Keton-Diorgano-organooxy-borane

Beschrieben sind vor allem cyclische Keton-Diorgano-organooxy-borane. Aldehyd-Diorgano-organooxy-borane sind bisher nicht isoliert worden. Lediglich bestimmte Acetal-Diorgano-organooxy-borane (vgl. S. 534) wurden hergestellt.

Zur Verbindungsklasse gehören die O-(Diorganoboryl)-2,4-pentandione mit resonanzstabilisierter C_3BO_2-Atomgruppierung. Eine gute und verhältnismäßig allgemein anwendbare Herstellungsmethode geht von Triorganoboranen aus. Auch Diorgano-oxy-borane werden eingesetzt (vgl. S. 539ff.).

i_1) aus Triorganoboranen

Trialkyl- und Triaryl-borane reagieren mit enolisierbaren 1,3-Diketonen bei 20° bis 50° glatt und in sehr hohen Ausbeuten zu den chelatartig stabilisierten Keton-Diorgano-subst.-vinyloxy-boranen.

---

[1] US.P. 3485864 (1969), Minnesota Mining and Manuf. Co., Erf.: H. A. Birnbaum u. S. T. Quigley; C. A. **72**, 55636 (1970).

Am bekanntesten sind resonanzstabilisierte O-(Diorganoboryl)-3-aza-2,4-pentandione (2,2-Diorgano-1,3,2-dioxaborine)[1-6]:

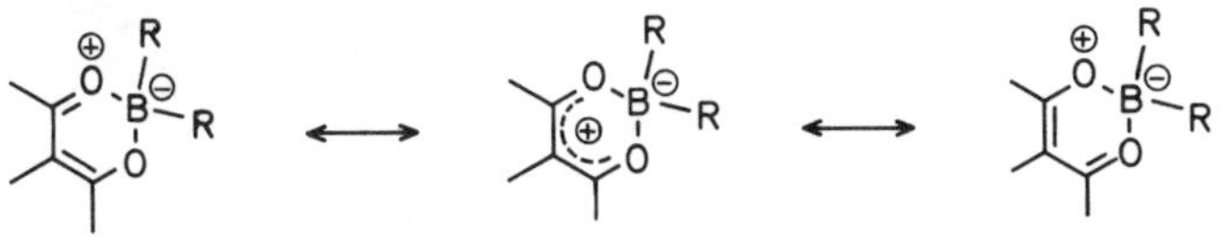

Die 2,2-Dialkyl-4,6-dimethyl-Derivate 2,4-Pentandion sind gelbe bis orangefarbene Flüssigkeiten, teilweise auch fest. 2,2-Diaryl-1,3,2-dioxaborine sind vollkommen farblos[3].

2,2-Diethyl-4,6-dimethyl-1,3,2-dioxaborine[3]: 24,4 g (0,25 mol) Triethylboran werden bei ~20° zu 66,6 g (0,66 mol) 2,4-Pentandion getropft. Unter Erwärmen entwickeln sich bei 40–50° rasch 6,2 *l* (0,25 mol) Ethan. Das erhaltene gelbe Gemisch wird i. Vak. destilliert; Ausbeute: 35,3 g (84%); Kp_{14}: 91,5°; n_D^{20} = 1,4662; d_4^{20} = 0,9062.

Analog sind z.B. zugänglich[3]:

4,6-Dimethyl-2,2-dipropyl-1,3,2-dioxaborin	86%; $Kp_{0,005}$: 40–41°
2,2-Dibenzyl-4,6-dimethyl-1,3,2-dioxaborin	70%; F: 74°; $Kp_{0,001}$: 115–118°
2,2-Dibutyl-4,6-dimethyl-1,3,2-dioxaborin	89%; Kp_{18}: 138–140°

Die isomeren Tripropylborane reagieren als Trialkylborane mit verschiedenartigen BC-Bindungen mit 2,4-Pentandion unterschiedlich rasch: Tripropylboran > Dipropyl-isopropyl-boran usw. Aber $BC_{sek.}$-Bindungen werden dabei protolytisch etwa doppelt so rasch gespalten wie $BC_{prim.}$-Bindungen[3].

Die Chelatbildung der Diorgano-2,4-pentandionato-borane aus Triphenylboran wird zur Strukturbestimmung von Naturstoffen herangezogen; z.B. von Reverin[7]:

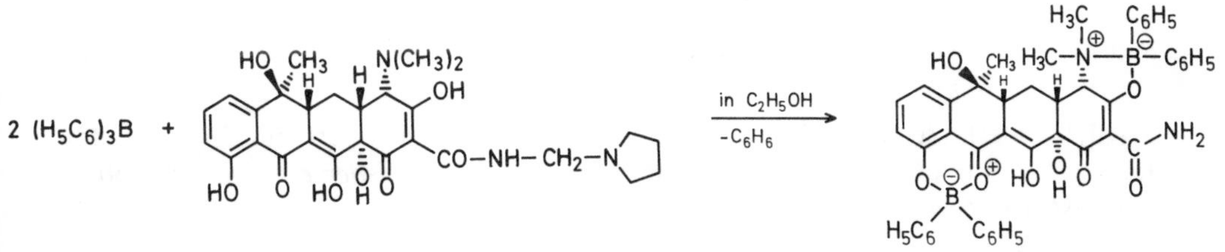

Alkandiylborane reagieren mit 2,4-Pentandion wenig selektiv. Die Lewis-Acidität der Borane, ihre Ringgröße sowie das Verhältnis von $BC_{primär}/BC_{sek.}$-Bindungen beeinflussen die Zusammensetzung der Spaltungsprodukte. 1-Alkylborinane reagieren mit 2,4-Pentandion unter ~20%iger Abspaltung der *exo*-cyclischen Alkyl-Gruppe. 1,4-Bis-[borolano]butan liefert mit 2,4-Pentandion neben *2,2-Dibutyl-4,6-dimethyl-1,3,2-dioxaborin*

[1] B.M. MIKHAILOV u. Y.N. BUBNOV, Izv. Akad. SSSR **1960**, 1883; engl.: 1757; C.A. **55**, 16416 (1961).
[2] M.F. HAWTHORNE u. M. REINTJES, Am. Soc. **86**, 5016 (1964).
[3] R. KÖSTER u. G.W. ROTERMUND, A. **689**, 40 (1965).
[4] M.F. HAWTHORNE u. M. REINTJES, J. Org. Chem. **30**, 3851 (1965).
[5] L.H. TOPORCER, R.E. DESSY u. S.J. GREEN, Inorg. Chem. **4**, 1649 (1965).
[6] V.A. DOROKHOV u. B.M. MIKHAILOV, Ž. obšč. Chim. **43**, 1115 (1973); engl.: 1106; C.A. **79**, 66436 (1973).
[7] H.J. ROTH u. R. BRANDES, Ar. **298**, 34 (1965).

(10,4%; $Kp_{0,001}$: 64°) vor allem *1,4-Bis[2-butyl-4,6-dimethyl-1,3,2-dioxaborin-2-yl] butan* (78%)[1]:

Auch aus 9-Ethyl-9-borabicyclo[3.3.1]nonan erhält man zwei Produkte[1]:

9-(2,4-Pentandionato)-9-borabicyclo[3.3.1]nonan (I) und 2-Cyclooctyl-4,6-dimethyl-2-ethyl-1,3,2-dioxaborin (II)[1]: 20,1 g 9-Ethyl-9-borabicyclo[3.3.1]nonan und 13,5 g 2,4-Pentandion werden auf ~ 70° erwärmt (11,4 *l* Ethan). Beim Abkühlen bilden sich orangerote Kristalle, von denen nach Versetzen mit ~ 30 *ml* Pentan abfiltriert wird; Ausbeute: 9 g I (30,6%); F: 118°.

Nach Abdestillieren des Verdünnungsmittels verbleiben 19,6 g II (58,5%; orangegelbe viskose Flüssigkeit); $Kp_{0,001}$: 87–89°; n_D^{20} = 1,5044.

3-Allyl-7-methoxymethyl-3-borabicyclo[3.3.1]non-6-en reagiert mit 2,4-Pentandion unter regioselektiver Protolyse zum *7-Methoxymethyl-3-(2,4-pentandionato)-3-borabicyclo[3.3.1]non-6-en* in 83%iger Ausbeute[2]:

Aus 1-Adamantyl-dimethyl-boran erhält man mit 2,4-Pentandion unter Abspaltung von Methan in nur 28%iger Ausbeute *2-(1-Adamantyl)-2-methyl-1,3,2-dioxaborin*[3].

Trialkylborane ohne leicht dehydroborierbare Alkyl-Reste (z.B. Ethyl-Gruppen) reagieren mit Malonsäurediestern unter Bildung von Aldol-Kondensaten, falls Katalysatoren zugesetzt werden. Aus 2,2-Dimethylpropansäure-aktiviertem Trialkylboran läßt sich

---

[1] R. KÖSTER u. G.W. ROTERMUND, A. **689**, 40 (1965).
[2] B.M. MIKHAILOV u. M.E. KUIMOVA, Izv. Akad. SSSR **1980**, 1881; engl.: 1355; C.A. **94**, 65741 (1981).
[3] T.A. SHCHEGOLEVA, E.M. SHASHKOV u. B.M. MIKHAILOV, Izv. Akad. SSSR **1981**, 1098; engl.: 858; C.A. **94**, 15790 (1981).

mit Malonsäuredimethylester bei 90–100° in langsam verlaufender Kondensation unter Abspaltung von Ethan und Diethyl-methoxy-boran in Ausbeuten bis max. 30% *2,2,6,6,10,10-Hexaethyl-4,8,12-trimethoxy-⟨tris[1,3,2-dioxaborino][d,d',d'']benzol* (I) erhalten. Außerdem wird in Ausbeuten von 40–55% *2,2-Diethyl-4,6-dimethoxy-1,3,2-dioxaborin* (II)[1] gewonnen:

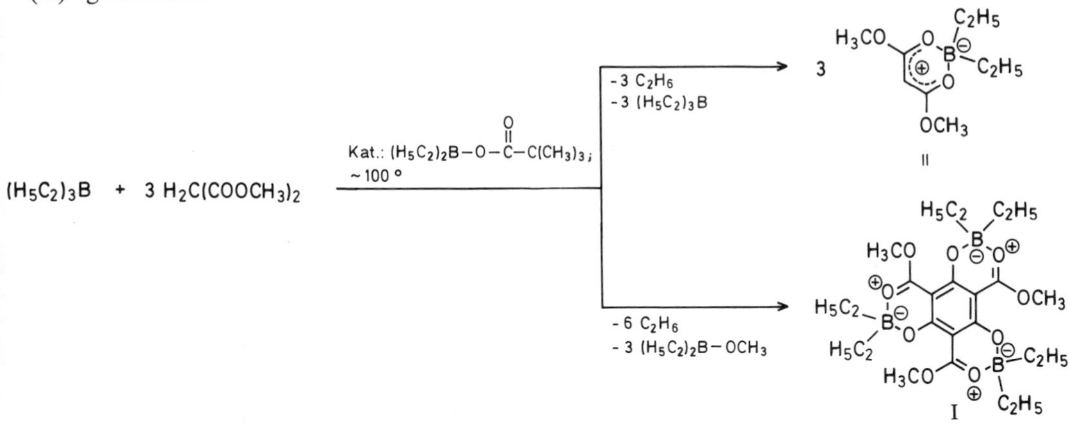

$(H_5C_2)_3B$ + 3 $H_2C(COOCH_3)_2$ —(Kat.: $(H_5C_2)_2B-O-CO-C(CH_3)_3$; ~100°)→

– 3 C_2H_6, – 3 $(H_5C_2)_3B$ → 3 II

– 6 C_2H_6, – 3 $(H_5C_2)_2B-OCH_3$ → I

Hexaethyl-4,8,12-trimethoxy-⟨tris[1,3,2-dioxaborino] [d,d',d'']benzol⟩(I)[1]: Zu 39,8 g (300 mmol) Malonsäure-dimethylester werden nach Zugabe von 1 *ml* Diethyl-(2,2-dimethylpropanoyloxy)-boran in ~7 Stdn. bei 95–100° (wichtig!) 29,4 g (300 mmol) Triethylboran getropft und ~15 Stdn. bei ~98° weitergerührt. 8,12 N*l* (360 mmol) Ethan werden frei. Nach Abkühlen auf ~20° zieht man i. Vak. (10 Torr) alles Leichtflüchtige (Diethyl-methoxy-boran) ab und destilliert anschließend aus dem gelben Rückstand (Kristalle!) 23 g (38%) 2,2-Diethyl-4,6-dimethoxy-1,3,2-dioxaborin(II) ($Kp_{0,2-0,3}$: 23–24°) ab. Vom Produkt wird abfiltriert und die Kristalle mit kaltem (–78°) Pentan gewaschen; Ausbeute: 16,8 g (33%) I (F: 90°); aus Hexan; F: 98°.

Wie die enolisierbaren 1,3-Diketone sind auch 3-Oxocarbonsäureester als Komplexbildner für Diorgano-oxy-borane geeignet[2,3]. Die Herstellungsmethoden der Additionsverbindungen sind denen der Keton-Diorgano-organooxy-borane weitgehend analog. Oxocarbonsäureeester-Diorgano-organooxy-borane sind allerdings resonanzstabilisierte Verbindungen zweier unterschiedlicher Grenzformeln[3]:

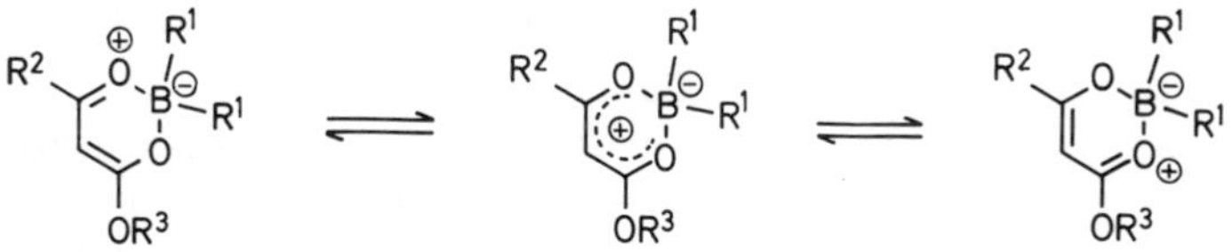

Triorganoborane reagieren mit 3-Oxoalkansäureestern unter Abspaltung von Kohlenwasserstoff zu 4-Alkoxy-2,2-diorgano-1,3,2-dioxaborinen (vgl. Tab. 84, S. 538)[2–4]:

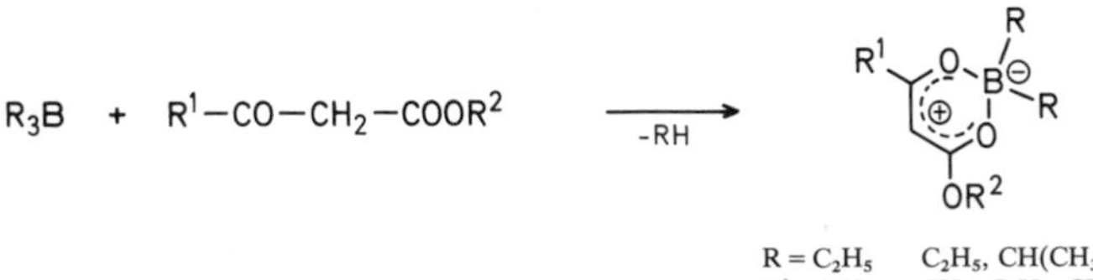

R_3B + $R^1-CO-CH_2-COOR^2$ —(–RH)→

R = C_2H_5 C_2H_5, $CH(CH_3)_2$; $CH_2-CH(CH_3)_2$
R^1 = CH_3 CH_3; C_3H_7, $CH_2-COOC_2H_5$, $C(CH_3)_3$
R^2 = C_2H_5 CH_3, C_2H_5

[1] W. Fenzl, Mülheim a. d. Ruhr, unveröffentlicht 1971.
[2] L. H. Toporcer, R. E. Dessy u. S. J. Green, Inorg. Chem. **4**, 1649 (1965).
[3] R. Köster, W. Fenzl u. J. Kuklinski, Mülheim a. d. Ruhr, unveröffentlicht 1974.
[4] B. M. Mikhailov u. E. A. Shagova, Ž. obšč. Chim. **45**, 1052 (1975); engl.: 1039; C. A. **83**, 97432 (1975).

Aktiviertes Triethylboran[1] reagiert mit 3-Oxobutansäurealkylestern, 3-Oxohexansäureethylester sowie mit 3-Oxoglutarsäurediethylester zu entsprechenden resonanzstabilisierten Sechsringen[2,3]:

$$(H_5C_2)_3B + O{=}C(CH_2{-}COOC_2H_5)(CH_2{-}R) \xrightarrow{-C_2H_6}$$

2,2-Diethyl-6-ethoxy-...-1,3,2-dioxaborin
R = C_2H_5; ...*-4-propyl-*...
R = $COOC_2H_5$; ...*-4-ethoxycarbonylmethyl-*...

Tab. 84: O-Lewisbase-Diorgano-organooxy-borane aus Trialkylboranen mit 3-Oxobutansäurealkylestern

R_3B	$H_3C{-}CO{-}CH_2{-}COOR^1$ R^1	...*-4-methyl-1,3,2-dioxaborin*	Ausbeute [%]	Kp [°C]	Kp [Torr]	Literatur
$(H_5C_2)_3B$	CH_3	*2,2-Diethyl-6-methoxy-*...	90	90–100	15	3
	C_2H_5	*2,2-Diethyl-6-ethoxy-*...	91	30	0,1	3, 4
	$C(CH_3)_3$	*6-tert.-Butyloxy-2,2-diethyl-*...	93	45–48	0,4	3
$(H_7C_3)_3B$	C_2H_5	*2,2-Dipropyl-6-ethoxy-*...	86	50–52	0,2	3
$[(H_3C)_2CH]_3B$	C_2H_5	*2,2-Diisopropyl-6-ethoxy-*...	79	44–45	0,2	3
$[H_3C)_2CH{-}CH_2]_3B$	C_2H_5	*2,2-Bis[2-methylpropyl]-6-ethoxy-*...	89	66	0,3	3

Beim Belichten reagiert Tributylboran mit 3-Oxobutansäureethylester sowie mit 2,4-Pentandion unter 1,4-Carboborierung zu Dibutyl-organooxy-boranen[5].

Die Reaktion der Trialkylborane mit Malonsäurediestern führt präparativ nicht zu den farblosen Dialkylboryl-malonsäurediester-Chelaten, sondern infolge Reduktion zu den isolierbaren Dialkylboryl-malonaldehydsäureester-Chelaten.

Aus Trialkylboranen mit dehydroborierbaren Alkyl-Gruppen lassen sich mit Malonsäurediethylester in Gegenwart von Diethyl-(2,2-dimethylpropanoyloxy)-boran in 30–40%iger Ausbeute 2,2-Dialkyl-4-ethoxy-1,3,2-dioxaborine herstellen[6]:

$$2\,R_3B + H_2C(COOC_2H_5)_2 \xrightarrow[-R_2B{-}OC_2H_5\ /\ -R_{(-H)}\ /\ -RH]{Kat.:\ (H_5C_2)_2B{-}O{-}CO{-}C(CH_3)_3}$$

...*-4-ethoxy-1,3,2-dioxaborin*
R = C_3H_7; *2,2-Dipropyl-* ...; >40%; $Kp_{0,2}$: 44°
R = $CH_2{-}CH(CH_3)_2$; *2,2-Diisobutyl-* ...; ~30%; $Kp_{0,25}$: 59–60°

[1] Aktiviert mit 2,2-Dimethylpropansäure (~0,1 Mol%); vgl. R. Köster, H. Bellut u. W. Fenzl, A. **1974**, 54.
[2] R. Köster u. W. Schüssler, Mülheim a.d. Ruhr, unveröffentlicht 1978.
[3] R. Köster, W. Fenzl u. J. Kuklinski, Mülheim a.d. Ruhr, unveröffentlicht 1974.
[4] K. Utimoto, T. Tanaka u. H. Nozaki, Tetrahedron Letters **1972**, 1167.
[5] L.H. Toporcer, R.E. Dessy u. S.I. Green, Inorg. Chem. **4**, 1649 (1965).
[6] W. Fenzl, Mülheim a.d. Ruhr, unveröffentlicht 1971.

Parallel- und Folgeprodukte sind tiefrote Aldol-Verbindungen des Malonsäurediethylesters, die bei der Aufarbeitung (Destillation) im Rückstand verbleiben[1].

2,2-Dipropyl-4-ethoxy-1,3,2-dioxaborine[1]: 27,4 g (200 mmol) Tripropylboran und 15,5 g (10 mmol) Malonsäurediethylester werden in Gegenwart von 0,5 *ml* Diethyl-(2,2-dimethylpropanoyloxy)-boran 20 Stdn. auf 90–120° erhitzt (4,75 *l* Gas entweichen). Vom tiefroten Gemisch wird i. Vak. bei ~20° alles Flüchtige abgezogen und der Rückstand über eine Füllkörperkolonne destilliert; Ausbeute: 8,6 g (41%); $Kp_{0,2}$: 44° (Verhältnis Propyl/Isopropyl = 3:1).

i_2) aus Diorgano-hydro-boranen

Bis-9-borabicyclo[3.3.1]nonan reagiert in Mesitylen bei 20° mit 2,4-Pentandion ohne dessen Reduktion (Hydroborierung) unter Abspaltung äquimolarer Mengen Dihydrogen zum *2,2-(1,5-Cyclooctandiyl)-4,6-dimethyl-1,3,2-dioxaborin* (~80%; F: 120°)[2]:

$$[(C_8H_{14})BH]_2 + 2\ H_3C{-}CO{-}CH_2{-}CO{-}CH_3 \xrightarrow[-2\ H_2]{\text{Mesitylen},\ \sim 20°} 2\ \text{(Dioxaborin)}$$

i_3) aus Diorgano-halogen-boranen

Sechsgliedrige Carbonyl-Diorgano-organooxy-borane, deren Carbonyl-Funktion von einer Carbonsäureamid-Gruppe stammt, lassen sich in Pentan aus Brom-dialkyl-boranen mit Trimethylsilylacetamiden herstellen[3]:

$$2\ R^1_2B{-}Br + 2\ (H_3C)_3Si{-}CH_2{-}C(=O){-}NR^2_2 \xrightarrow[-2\ (H_3C)_3Si{-}Br,\ -R^1_2B{-}NR^2_2]{\text{Pentan}} \text{(Oxaborin mit } R^2_2N,\ CH_3,\ BR^1_2)$$

$R^1 = CH_3, C_2H_5, C_4H_9$
$R^2 = CH_3, C_2H_5$

i_4) aus Organo-oxy-boranen

Zur Herstellung von O-Donator-Diorgano-organooxy-boranen werden verschiedene Organo-oxy-borane als Edukte eingesetzt. Außer Diorgano-hydroxy-boranen verwendet man Diorgano-organooxy-borane und Tetraorganodiboroxane, die jeweils mit der Hydroxycarbonyl-Verbindung umgesetzt werden.

ii_1) aus Diorgano-hydroxy-boranen

Eingesetzt werden Diorgano-hydroxy-borane mit Hydroxy-carbonyl-Verbindungen. Man entwässert durch azeotrope Destillation[4,5] oder unter Zusatz wasserentziehender Verbindungen wie z. B. mit Perchlorsäure in Dichlormethan[6]. Beispielsweise erhält man aus Diphenyl-hydroxy-boran mit Salicylaldehyd in ~70%iger Ausbeute *2,2-Diphenyl-⟨benzo[d]-1,3,2-oxoniaoxaboratin⟩* (F: 151°)[4]:

$$(H_5C_6)_2B{-}OH + \text{Salicylaldehyd (OH, CHO)} \xrightarrow[-H_2O]{} \text{(Benzoxaboratin mit } B^{\ominus}(C_6H_5)_2,\ O^{\oplus})$$

---

[1] W. FENZL, Mülheim a. d. Ruhr, unveröffentlicht 1971.
[2] R. KÖSTER u. W. SCHÜSSLER, Mülheim a. d. Ruhr, unveröffentlicht 1983.
[3] W. MARINGGELE, Z. anorg. Ch. **468**, 99 (1980).
[4] F. UMLAND u. C. SCHLEYERBACH, Ang. Ch. **77**, 426 (1965).
[5] DOS 2050470 (1969/1971), ICI, Erf.: G. M. DAVIES u. T. LIEGH; C. A. **75**, 110416 (1971).
[6] M. KUHR, B. BOCK u. H. MUSSO, B. **109**, 1195 (1976).

Aus Di-2-furyl-hydroxy-boran läßt sich mit 2,4-Pentandion *2,2-(Di-2-furyl)-4,6-dimethyl-1,3,2-dioxaborin* herstellen[1]:

$$[\text{2-Furyl}]_2B-OH + H_3C-\overset{O}{\overset{\|}{C}}-CH_2-\overset{O}{\overset{\|}{C}}-CH_3 \xrightarrow[-H_2O]{} \text{2,2-(Di-2-furyl)-4,6-dimethyl-1,3,2-dioxaborin}$$

Aus Diaryl-hydroxy-boranen erhält man mit 3,5-Di-tert.-butylbrenzcatechin in Toluol, Pyridin bzw. Tetrahydrofuran paramagnetische Benzo-1,3,2-dioxaboratol-Komplexe, deren Radikalkonzentration durch Dehydrierung mit 1,4-Benzochinon bzw. mit Blei(IV)-oxid erhöht werden kann; z.B.[2]:

$$(H_5C_6)_2B-OH + \text{3,5-}((H_3C)_3C)_2C_6H_2(OH)_2 \xrightarrow[\text{2. Oxidation } (-H^\bullet)]{\text{1. Toluol } (-H_2O)}$$

4,6-Di-tert.-butyl-2,2-diphenyl-⟨benzo-1,3,2-dioxaboratol⟩-Radikal

ii$_2$) aus Diorgano-organooxy-boranen

Anstelle von Wasser lassen sich Alkohole und andere monofunktionelle Verbindungen zur Herstellung sechsgliedriger chelatartiger Carbonyl-Diorgano-organooxy-borane abspalten. Die Umsetzung von Alkoxy-diorgano-boranen[3,4] oder von 1-Alkenoxy-diorgano-boranen[5] mit 2,4-Pentandion führt z.B. glatt zur Bildung entsprechender 2,4-Pentandionato-Derivate; z.B.[5]:

$$\overset{H_5C_2}{\underset{H_5C_6}{}}B-O-CH=\overset{CH_3}{\overset{|}{C}}-C_3H_7 \xrightarrow[-\,H_7C_3-CH(CH_3)-CHO]{+\,H_3C-CO-CH_2-CO-CH_3,\ 50-80°}$$

4,6-Dimethyl-2-ethyl-2-phenyl-1,3,2-dioxaborin; F: 100–101°

Anstelle von 2,5-Pentandion kann zur Abspaltung von Diorganoboryl-Gruppen aus Diorgano-organooxy-boranen auch (1-Methyl-3-oxo-1-butenyloxy)-trimethyl-silan verwendet werden. Man erhält 4,6-Dimethyl-2,2-diorgano-1,3,2-dioxaborine[6]; z.B.:

$$(H_5C_2)_2B-OR + (H_3C)_3Si-O-C(CH_3)=CH-C(=O)-CH_3 \xrightarrow[-\,(H_3C)_3Si-OR]{} \text{4,6-Dimethyl-2,2-diethyl-1,3,2-dioxaborin}$$

Die Reaktion unter Bildung von 2,2-Dialkyl-1,3,2-dioxaborinen erfolgt glatt auch aus Diethyl-(1-oxyalkyloxy)-boranen bzw. aus Acyloxy-diethyl-boranen mit (1-Methyl-3-oxo-1-butenyloxy)-trimethyl-silan[6].

---

1 DOS 2050470 (1969/1971), ICI, Erf.: G.M. DAVIES u. T. LIEGH; C.A. **75**, 110416 (1971).
2 H.B. STEGMANN, G. DENNINGER u. K. SCHEFFLER, Tetrahedron Letters **1979**, 3689.
3 L.H. TOPORCER, R.E. DESSY u. S.I. GREEN, Inorg. Chem. **4**, 1649 (1965).
4 R. KÖSTER u. G.W. ROTERMUND, A. **689**, 40 (1965).
5 R. KÖSTER, H.-J. ZIMMERMANN u. W. FENZL, A. **1976**, 1116.
6 K. TABA u. W.V. DAHLHOFF, Synthesis **1982**, 652.

ii$_3$) aus Tetraorganodiboroxanen

Die Wasser-Abspaltung aus Tetraorganodiboroxanen mit Hydroxyaldehyden ist zur Herstellung von Carbonyl-Diorgano-organooxy-boranen ebenfalls anwendbar. So liefert z.B. Tetraphenyldiboroxan mit Salicylaldehyd unter Abspaltung von Wasser *2,2-Diphenyl-⟨benzo[d]-1,3,2-oxoniaoxaboratin⟩* (F: 151°)[1]:

$[(H_5C_6)_2B]_2O$ + 2 (Salicylaldehyd) $\xrightarrow{-H_2O}$ 2 (2,2-Diphenyl-⟨benzo[d]-1,3,2-oxoniaoxaboratin⟩)

i$_5$) aus Lewisbase-Organoboranen

Chelatartige Carbonyl-Diorgano-organooxy-borane sind auch aus anderen Lewisbase-Diorgano-boranen zugänglich.

Eingesetzt wird z.B. 2,2-Diphenyl-1,3,2-oxaazoniaboratolidin. Mit enolisierbaren 1,2-Diketonen erhält man 1,3,2-Oxoniaoxaboratole; z.B. wird mit Tropolon *2,2-Diphenyl-⟨cyclohept-1,3,2-oxoniaoxaboratol⟩* (F: 119°) gebildet[2]:

(2,2-Diphenyl-1,3,2-oxaazoniaboratolidin) + (Tropolon) $\xrightarrow{-H_2N-(CH_2)_2-OH}$ (2,2-Diphenyl-⟨cyclohept-1,3,2-oxoniaoxaboratol⟩)

Mit 3,4-Diacetyl-2,5-dioxo-hexan erhält man unter Abspaltung von 2-Aminoethanol *4,4',6,6'-Tetramethyl-2,2,2',2'-tetraphenyl-5,5'-bi-(1,3,2-dioxaborinyl)*[3]:

2 (2,2-Diphenyl-1,3,2-oxaazoniaboratolidin) + (3,4-Diacetyl-2,5-dioxo-hexan) $\xrightarrow{-2\ HO-CH_2-CH_2-NH_2}$ (4,4',6,6'-Tetramethyl-2,2,2',2'-tetraphenyl-5,5'-bi-(1,3,2-dioxaborinyl))

Aus 8-Diorganoboryloxy-chinolinen lassen sich mit Curcumin[4] die entsprechenden O-Diphenylboryl-chelate herstellen. Die Übertragung der neuen Chelat-Gruppe erfolgt nach Ansäuern unter Freisetzen der Diorgano-hydroxy-borane (vgl. S. 539)[5]:

(8-Diorganoboryloxy-chinolin, R^1, R^2) $\xrightarrow{1.\ +H^+;\ 2.\ +H_3C-COOH/Ether;\ 3.\ +Curcumin}$

4,6-Bis[2-(4-hydroxy-3-methoxy-phenyl)-vinyl]-...-1,3,2-dioxaborin

$R^1, R^2 = C_6H_5$; *...-2,2-diphenyl-...*; F: 255°

$R^1 = C_6H_5$; R^2 = 2-Thienyl; *...-2-phenyl-2-(2-thienyl)-...*; F: 220°

---

[1] F. Umland u. C. Schleyerbach, Ang. Ch. **77**, 426 (1965).

[2] I. Bally, A. Arsene, M. Romas, M. Paraschiv, E. Romas u. A.T. Balaban, Rev. Roumaine Chim. **13**, 1225 (1968); C.A. **70**, 87245 (1969).

[3] I. Bally u. A.T. Balaban, Rev. Roumaine Chim. **16**, 739 (1971); C.A. **75**, 76880 (1971).

[4] 1,7-Bis[4-hydroxy-3-methoxy-phenyl]-3,5-dioxo-1,6-heptadien.

[5] H. J. Roth u. B. Miller, Ar. **297**, 617 (1964).

Auch der Austausch von Stickstoff- gegen Sauerstoff-Atome im Bor-Heterocyclus ist möglich. Mit verdünnter Salzsäure in Chloroform erhält man aus 2,2-Dibutyl-5,6-dimethyl-4-phenyl-1,2,3-trihydro-1,2,3-azoniaazaboratin Carbonyl-Diorgano-organooxy-borane[1]; z.B.:

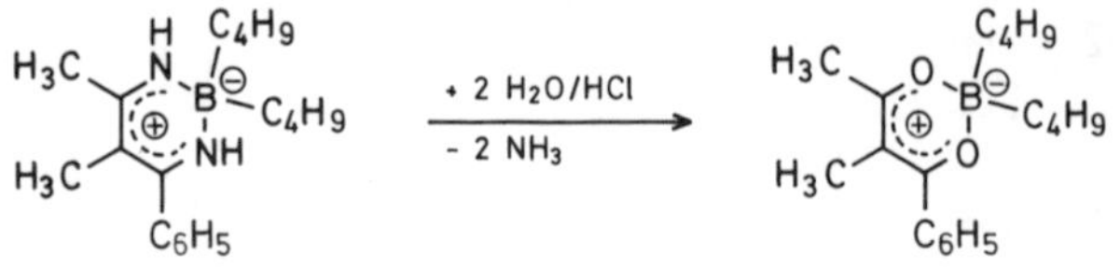

$$\xrightarrow[-\ 2\ NH_3]{+\ 2\ H_2O/HCl}$$

2,2-Dibutyl-5,6-dimethyl-4-phenyl-1,3,2-dioxaborin; 53%

$\beta\beta_4$) NO-Lewisbase-Diorgano-organooxy-borane

Als NO-Funktionen mit O-Donator treten vor allem Amin-N-oxide sowie Nitro-Verbindungen auf. Die NO-Donator-Diorgano-organooxy-borane sind i.a. fünf- und sechsgliedrige Ringverbindungen. Ihre Herstellung erfolgt aus Triorgano-, Diorgano-oxy-boranen sowie aus Lewisbase-Diorganooxy-boranen mit Hydroxy-N-oxid- bzw. Hydroxy-nitro-Verbindungen. Man erhält zwitterionische Diorgano-dioxy-borate mit $\overset{\oplus}{N}$–O–$\overset{\ominus}{B}$-Gruppierung. Die Herstellungsmethoden werden auf S.725–740 beschrieben.

β_2) *N-Lewisbase-Diorgano-oxy-borane*

Die Herstellungsmethoden für die relativ große Verbindungsklasse sind unterteilt in

Amin-Diorgano-oxy-borane (vgl. Tab. 85, S. 544)
Imin-Diorgano-oxy-borane (vgl. S. 558)
Acylamin-Diorgano-oxy-borane (vgl. S. 568)
Azobenzol-Diorgano-oxy-borane (vgl. S. 570)

$\beta\beta_1$) Amin-Diorgano-oxy-borane

Zur Verbindungsklasse gehören offenkettige und cyclische Verbindungen aus Diorgano-hydroxy- und Diorgano-organooxy-boranen mit prim., sek. oder tert. Aminen (vgl. Tab. 85, S. 544), die auch Hetero-Atome enthalten können. Die dimeren Aminooxy-diorgano-borane (vgl. S. 729, 731ff.) zählen nicht zu den Amin-Diorgano-oxy-boranen sondern zu den zwitterionischen Diorgano-dioxy-boraten (vgl. S. 725ff.).

Man stellt die Additionsverbindungen aus Triorganoboranen, Hydro-organo-boranen, Oxyboranen verschiedener Typen, Amino-diorgano-boranen, Lewisbase-Boranen sowie aus Organoboraten her.

i_1) aus Triorganoboranen

Aus Triorganoboranen lassen sich mit Aminoalkoholen unter Abspaltung von Kohlenwasserstoff Amin-Alkoxy-diorgano-borane herstellen. Aus Triarylboranen erhält man z.B. mit 2-Aminoethanol 2,2-Diaryl-3-hydro-1,3,2-oxazoniaboratolidine[2]:

[1] B.M. Mikhailov, G.S. Ter-Sarkisyan u. N.N. Govorov, Izv. Akad. SSSR **1976**, 2756; C.A. **86**, 155726 (1977).
[2] C.S. Rondestvedt jr., R.M. Scribner u. C.E. Wulfman, J. Org. Chem. **20**, 9 (1955).

$$R_3B + H_2N-CH_2-CH_2-OH \xrightarrow[-RH]{C_6H_6}$$

...-3-hydro-1,3,2-oxazoniaboratolidin

R = C_6H_5; *2,2-Diphenyl-...*; F: 188–190°
R = 1-Naphthyl; *2,2-(Di-1-naphthyl)-...*; F: 205° (Zers.)

Die Reaktionen lassen sich durch Zusatz von 2,2-Dimethylpropansäure beschleunigen[1]. Die Aminoalkoholysen von Trialkylboranen verlaufen ebenfalls glatt und einheitlich. Aus Triethylboran erhält man mit 8-Hydroxy-chinolin[2,3] in Benzol unter Abspaltung von einem Mol Ethan in 88%iger Ausbeute kristallisiertes *2,2-Diethyl-⟨chinolio[1,8a,8-c,d]-1,3,2-oxaazoniaboratol⟩* (F: 59°)[2].

Aus 1-Boraadamantan ist mit O-(2,4-Dinitrophenyl)hydroxylamin in Chloroform infolge BC-Aminierung und Komplexierung *3-(2,4-Dinitrophenoxy)-1a-hydro-1a-azonia-1-borata-homoadamantan* (F: 187–189,5°) in 73%iger Ausbeute erhältlich[4]:

$$+ H_2N-O-C_6H_3(NO_2)_2 \xrightarrow{CHCl_3}$$

Allyl-Reste reagieren im allgemeinen rascher als Alkyl- oder Alkandiyl-Reste. Aus Allyl-7-methoxymethyl-3-borabicyclo[3.3.1]non-6-en erhält man mit 2-Aminoethanol in siedendem Benzol (3 Stdn.) unter Abspaltung von Propen 92% *(N-B)-3-(2-Amino-ethoxy)-7-methoxymethyl-3-borabicyclo[3.3.1]non-6-en* (F: 115–116°)[5]:

$$H_5C_3-B\langle\ \rangle-CH_2-OCH_3 + HO-CH_2-CH_2-NH_2 \xrightarrow{-C_3H_6} \quad -CH_2-OCH_3$$

i_2) aus Hydro-organo-boranen

Alkyldiborane(6) reagieren mit Aminoalkoholen oder mit Aminophenolen im allgemeinen unter Abspaltung von Wasserstoff. Mit 2-Aminoethanol erhält man z.B. 2,2-Dialkyl-1-hydro-1,3,2-oxazoniaboratolidin.

Die präparativen Möglichkeiten und Grenzen der nicht näher untersuchten Reaktion lassen sich noch nicht genau abschätzen. Insbesondere ist nicht gesichert, ob Hydroxy- oder Amino- Gruppen bei der Borylierung miteinander konkurrieren und ob >BH-katalysierte Ligandenaustauschreaktionen bei der Herstellung bestimmter Verbindungen stören oder nicht. Beschrieben sind bisher Reaktionen zur Herstellung von Amin-Diorgano-organooxy-boranen aus Amin-Diorgano-hydro-boranen mit Aminoalkoholen (vgl. S. 556).

---

1 R. Köster, H. Bellut u. W. Fenzl, A. **1974**, 69.
2 R. Köster u. G.W. Rotermund, A. **689**, 40 (1965).
3 L.H. Toporcer, R.E. Dessy u. S.I. Green, Inorg. Chem. **4**, 1649 (1965).
4 B.M. Mikhailov, E.A. Shagova u. M.Y. Etinger, J. Organometal. Chem. **220**, 1 (1981).
5 B.M. Mikhailov u. M.E. Kuimova, Izv. Akad. SSSR **1980**, 1881; engl.: 1355; C.A. **94**, 65741 (1981).

Tab. 85: Amin-Diorgano-oxy-borane

Formel	Verbindungstyp	Herstellung	s. S.
prim.-Amin-Diorgano-oxy-borane			
	Do–B(R[1])(OR[2]), R	aus R^1–B(R)NH + R^2–OH	553
	Do–BR_2, R–O		
R = Organo		aus R_3B + Do–R–OH	543
		aus $(R_2BH)_2$ + Do–R–OH	543
		aus $(R_2B)_2O$ + Do–R–OH	549
		aus $B(OR^2)_3$ + R^1–MgHal + Do–R–OH	553
R = C_6H_5		aus Do′–BR^1_2–OR^2 + Do–R–OH	556
		aus $[R_4B]^+$ + Do–R–OH/H^-	558
	Do–B(R), R–O	aus R B–R_{in} + R–NCO + Do–R–OH	554
		aus Do′ B R + Do–R–OH, RO	557
	Do–BR_2, R–O	aus $[R_4B]^-$ + Do–R–OH/H^+	558
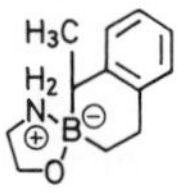	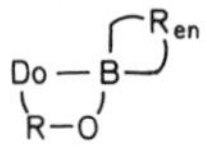 Do–B(R_{en}), R–O	aus $[BH_4]^-$ + Hal–R_{dien}–Hal + Do–R–OH	558
	Do–B(R_{dien}), R–O	aus $(Ar–BO)_3$ + H^+/$B(OR)_3$, △	552
		+ Do–R–OH	552
		aus $B(OR)_3$ + Li–Ar–Li + Do–R–OH	552
A = CH_2, CH–R, NH, CH_2–CH_2		aus 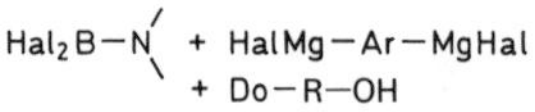 Hal_2B–N< + HalMg–Ar–MgHal + Do–R–OH	555
		aus Do′–HB R_{dien} + Do–R–OH	556
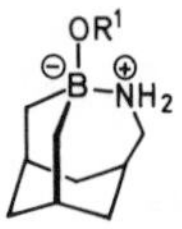	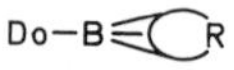 Do–B R	 aus B R + H_2N–OR^2	543
sek. Amin-Diorgano-oxy-borane			
	Do–B(OH)(R), R	aus R_2B–N< + H_2O	553
	Do–B R		
R = CH_3		aus 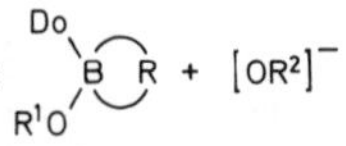 Do, R^1O B R + $[OR^2]^-$	557
R = C_4H_9		aus 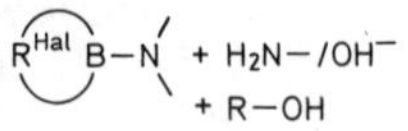 R^{Hal} B–N< + H_2N–/OH^- + R–OH	554

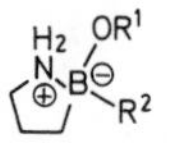

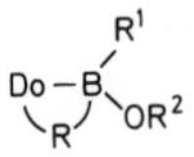

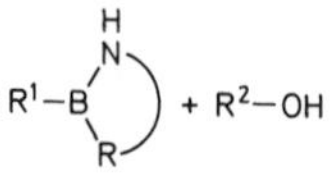

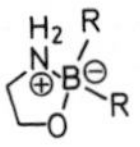

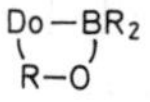

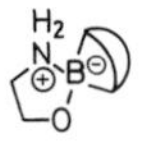

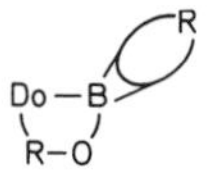

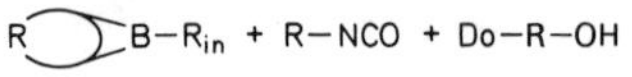

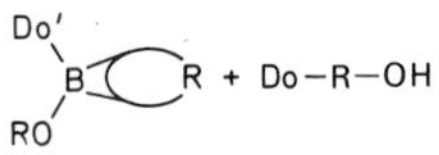

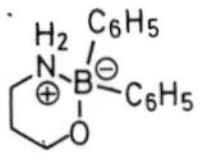

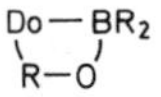

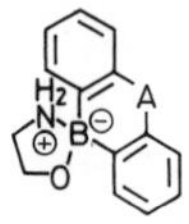

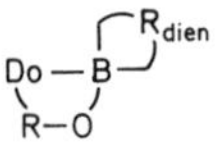

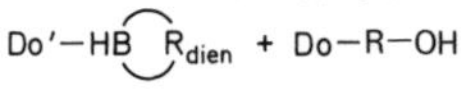

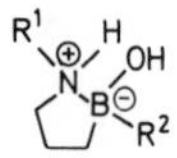

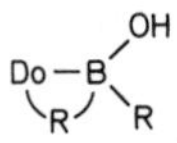

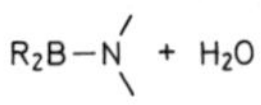

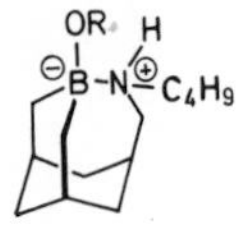

Tab. 85: (Fortsetzung)

Formel	Verbindungstyp	Herstellung	s. S.
tert.-Amin-Diorgano-oxy-borane			
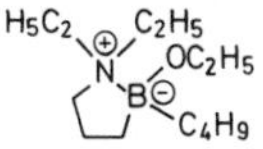 H_5C_2, C_2H_5, $N^{\oplus}$, $B^{\ominus}$, OC_2H_5, C_4H_9	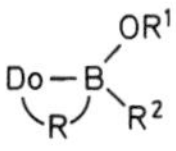 Do—B(OR^1)(R^2), R	aus $Do—BHR^2_2 + R^1—OH$	556
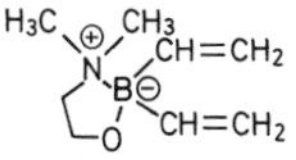 H_3C, CH_3, $N^{\oplus}$, $B^{\ominus}$, $CH=CH_2$, $CH=CH_2$, O	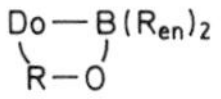 Do—B$(R_{en})_2$, R—O	aus $(R_{en})_2B—OR$ + Do—R—OH	551
Amin-Diorgano-oxy-borane mit Hetero-Atomen			
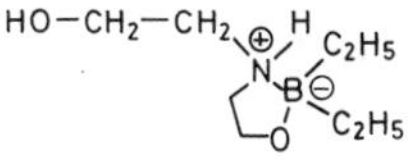 $HO—CH_2—CH_2$, $N^{\oplus}$, H, $B^{\ominus}$, C_2H_5, C_2H_5, O	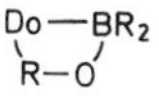 Do—BR_2, R—O	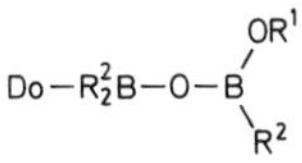 aus Do—R^2_2B—O—B(OR^1)(R^2) + Do—R—OH	557
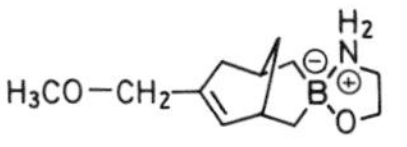 $H_3CO—CH_2$, H_2, $N^{\oplus}$, $B^{\ominus}$, O	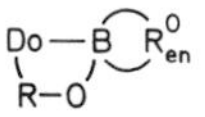 Do—B R^O_{en}, R—O	 aus R^O_{en} B—R_{en} + Do—R—OH	543
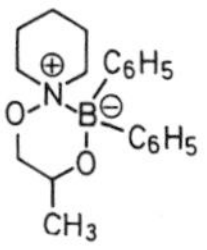 $N^{\oplus}$, $B^{\ominus}$, C_6H_5, C_6H_5, O, O, CH_3	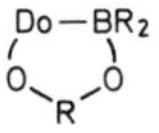 Do—BR_2, O—R—O	aus $(R_2B)_2O$ + Do—R—OH	550
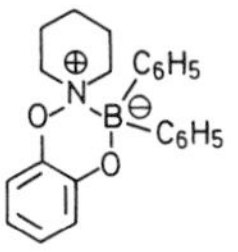 $N^{\oplus}$, $B^{\ominus}$, C_6H_5, C_6H_5, O, O	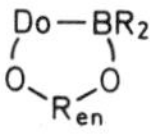 Do—BR_2, O—R_{en}—O	aus $(R_2B)_2O$ + Do—R—OH	550
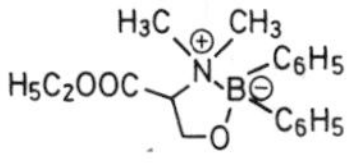 H_3C, CH_3, $N^{\oplus}$, H_5C_2OOC, $B^{\ominus}$, C_6H_5, C_6H_5, O	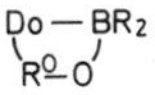 Do—BR_2, R^O—O	aus $R^1_2B—OR^2$ + Do—R^O—OH	549
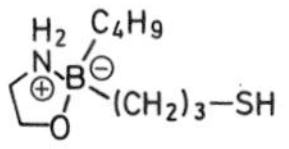 H_2, C_4H_9, $N^{\oplus}$, $B^{\ominus}$, $(CH_2)_3—SH$, O	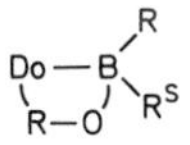 Do—B(R)(R^S), R—O	aus $R^1R^2B—SR^3$ + Do—R—OH	553
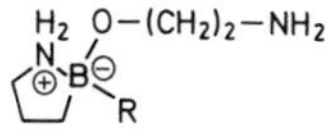 H_2, O—$(CH_2)_2—NH_2$, $N^{\oplus}$, $B^{\ominus}$, R	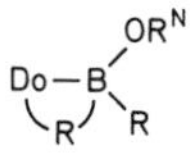 Do—B(OR^N)(R), R	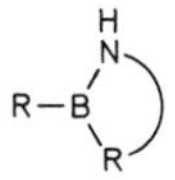 aus R—B(N(H)—R) + Do—R—OH	553
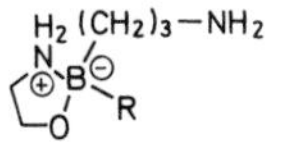 H_2, $(CH_2)_3—NH_2$, $N^{\oplus}$, $B^{\ominus}$, R, O	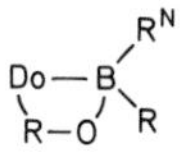 Do—B(R^N)(R), R—O	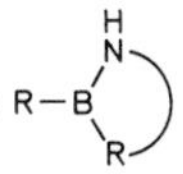 aus R—B(N(H)—R) + Do—R—OH	554
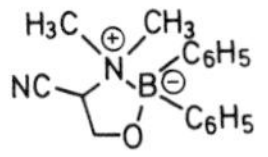 H_3C, CH_3, $N^{\oplus}$, NC, $B^{\ominus}$, C_6H_5, C_6H_5, O	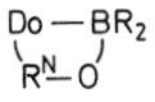 Do—BR_2, R^N—O	aus $R^1_2B—OR^2$ + Do—R^N—OH	549
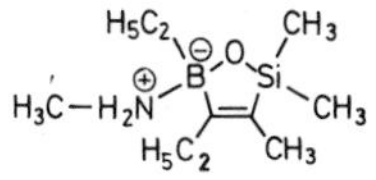 H_5C_2, CH_3, $B^{\ominus}$, O, Si, CH_3, $H_3C—H_2N^{\oplus}$, H_5C_2, CH_3	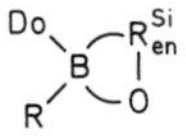 Do, B, R^{Si}_{en}, O, R	aus $R^1R_{en}B—NR^3—SiR^2_3 + H_2O$	553
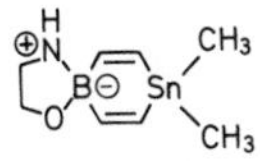 H, $N^{\oplus}$, $B^{\ominus}$, Sn, CH_3, CH_3, O	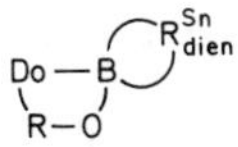 Do—B R^{Sn}_{dien}, R—O	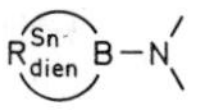 aus R^{Sn}_{dien} B—N< + Do—R—OH	554

i_3) aus Oxyboranen

ii_1) aus Diorgano-oxy-boranen

Zur Herstellung von Amin- und Acylamin-Diorgano-organooxy-boranen werden Diorgano-hydroxy-, Diorgano-organooxy-borane und Tetraorganodiboroxane verwendet. Man läßt mit Aminoalkanolen bzw. Aminophenolen reagieren.

iii_1) aus Diorgano-hydroxy-boranen

Der Wasserentzug aus Diorgano-hydroxy-boranen und 2-Aminoethanol unter Bildung chelatartig stabilisierter 2,2-Diorgano-1,3,2-oxazoniaboratolidine ist lange bekannt[1]. Die Reaktion erfolgt im allgemeinen spontan. Bis[4-dimethylaminophenyl]-hydroxy-boran wird z.B. mit 2-Aminoethanol als *2,2-Bis[4-dimethylaminophenyl]-1,3,2-oxazoniaboratolidin* durch Ausfällung vom gewünschten Dihydroxy-(4-dimethylaminophenyl)-boran abgetrennt[1].

Aus Diphenyl-hydroxy-boran lassen sich mit zahlreichen Amino-hydroxy-Verbindungen in Toluol Amin-Diphenyl-organooxy-borane herstellen (vgl. Tab. 86, S. 547):

Dialkylamino-alkanole[2]
2-Aminoethanol[3]
Ephedrin[4]
1-(2-Hydroxy-2-phenyl-ethyl)-pyrrolidin[5], -morpholin[5], -piperidin[5,6]
1-(2-Hydroxy-2-phenyl-ethyl)-piperidin-1-oxid[6] (s.S. 737)
2-Aminophenol[7]

Auf analoge Weise reagiert (Di-2-thienyl)-hydroxy-boran mit z.B. 2-Aminoethanol[8].

iii_2) aus Diorgano-organooxy-boranen

Diorgano-organooxy-borane lassen sich zur Herstellung der cyclischen Amin-Diorgano-oxyborane vielfältig einsetzen[9,10]. Teilweise werden die Ausgangsverbindungen erst unmittelbar vor der Umsetzung mit dem Amin bzw. mit dem Aminoalkohol hergestellt, z.B. mit Hilfe metallorganischer Verbindungen[11-15]. Es gibt Additionsverbindungen mit prim., sek. und tert. Aminen.

---

[1] K. Torssell, Ark. Kemi **10**, 507 (1957).
[2] H. Weidmann u. H.K. Zimmerman, jr., A. **619**, 28 (1958).
[3] H.K. Zimmerman, jr., J.Org.Chem. **28**, 2484 (1963).
[4] H.J. Roth u. N. Nour El Din, Ar. **295**, 679 (1962).
[5] H.J. Roth, Naturwiss. **49**, 449 (1962).
[6] H. Möhrle u. E. Clauss, Ar. **306**, 721 (1973); **314**, 580 (1981).
[7] H. Möhrle u. C. Miller, Pharma. Acta Helv. **54**, 1 (1979); C.A. **91**, 20273 (1979).
[8] DOS 2050470 (1971), ICI, Erf.: G.M. Davies u. T. Liegh; C.A. **75**, 110416 (1971).
[9] E.W. Abel, W. Gerrard, M.F. Lappert u. R. Shafferman, Soc. **1958**, 2895.
[10] E.W. Abel, W. Gerrard u. M.F. Lappert, Soc. **1957**, 112.
[11] Y. Rasiel u. H.K. Zimmerman jr., A. **649**, 111 (1961).
[12] R.L. Letsinger u. I.H. Skoog, Am. Soc. **77**, 5176 (1955).
[13] R.L. Letsinger u. N. Remes, Am. Soc. **77**, 2489 (1955).
[14] I.G.C. Coutts u. O.C. Musgrave, Soc. [C] **1970**, 2225.
[15] US.P. 2872479 (1957), Callery Chemical Co., Erf.: R.L. Letsinger, I.H. Skogg u. N.L. Remes; C.A. **53**, 13107 (1959).

Tab. 86: Amin-Diorgano-organooxy-borane aus Diaryl-hydroxy-boranen mit 2-Aminoalkoholen

Ausgangsverbindungen		Bedingungen	$O-\overset{\ominus}{B}<$, $\overset{\oplus}{N}-$ (Ring)	Ausbeute [%]	F [°C]	Literatur
Diphenyl-hydroxy-boran	2-Aminoethanol	wäßr. alkohol. Lösung des 2-Aminoethanols zur Lösung der Säure in Ether geben. Produkt fällt sofort aus. Umkristallisation aus Wasser/Ethanol	*2,2-Diphenyl-3-hydro-1,3,2-oxa-azoniaboratolidin*	67	190–192	1, 2, vgl. 3–5
	2-Methylamino-ethanol	Aminoalkohol in Wasser/Ethanol zur Lösung der Säure in Ether geben. Produkt fällt sofort aus. Umkristallisation aus Wasser/Ethanol (3:7) bzw. (2:8)	*2,2-Diphenyl-3-hydro-3-methyl-1,3,2-oxaazoniaboratolidin*	50	193–195	2
	2-Dimethylamino-ethanol		*3,3-Dimethyl-2,2-diphenyl-1,3,2-oxaazoniaboratolidin*	84	166–167	2
	2-Pyrrolidino-ethanol	Säure in 60%igem Ethanol lösen, mit Alkohol mischen	*1,1-Diphenyl-2-oxa-5-azonia-1-borata-spiro[4.4]-nonan*	37	105–107	6
	1-Phenyl-2-pyrrolidino-ethanol	in Ethanol	*1,1,3-Triphenyl-2-oxa-5-azonia-1-borata-spiro[4.4]nonan*	90	148	7
	3-Aminopropanol	Erhitzen stöchiometr. Mengen d. Komp. auf Dampfbad i. Vak.	*2,2-Diphenyl-3-hydro-1,3,2-oxa-azoniaboratinan*	58	190–192	3
	1-Amino-2-propanol	Produkt in Dichlormethan lösen, mit Aktivkohle behandeln, filtrieren, Lösungsmittel verdampfen, umkristallisieren aus Benzol	*2,2-Diphenyl-3-hydro-5-methyl-1,3,2-oxaazoniaboratolidin*	63	180–182	3
	2-Amino-1-phenyl-propanol	Säure in Diisopropylether mit Aminoalkohol mischen	*3-Hydro-4-methyl-2,2,5-triphenyl-1,3,2-oxaazoniaboratolidin*	83	184	8
	Bis-[2-hydroxy-1-naphthylmethyl] amin	in Ethanol bei ~20°, 2 Stdn. Rühren, i. Vak. einengen	*(2-Diphenylboryloxy-1-naphthylmethyl)-(2-hydroxy-1-naphthylmethyl)-amin*	56	158	9

[1] R. NEU, Ar. **294**, 7 (1961).
[2] H. WEIDMANN u. H.K. ZIMMERMAN, A. **619**, 28 (1958).
[3] R. NEU, Naturwiss. **47**, 304 (1960).
[4] J.M. DAVIDSON u. C.M. FRENCH, Soc. **1960**, 191.
[5] R. NEU, Ar. **292**, 437 (1959).
[6] B. SKOWRÓNSKA-SERFAFINOWA, B. USTUPSKA-STEFANIAK u. M. MAKOSZA, Roczniki Chem. **35**, 723 (1961); C.A. **55**, 23396 (1961).
[7] H.J. ROTH, Naturwiss. **49**, 449 (1962).
[8] H.K. ZIMMERMAN, D.W. MÜLLER u. W.F. SEMMELROGGE, A. **655**, 54 (1962).
[9] H. MÖHRLE u. E. ZÜGE, Ar. **314**, 580 (1981); C.A. **95**, 115504 (1981).

Tab. 86 (Forts.)

Ausgangsverbindungen		Bedingungen	[Strukturformel: O–B⊖, ⊕N–, Ring]	Ausbeute [%]	F [°C]	Literatur
Benzyl-hydroxy-phenyl-boran	2-Aminoethanol	Behandeln der Säure mit Ethanolamin	*2-Benzyl-3-hydro-2-phenyl-1,3,2-oxaazoniaboratolidin*	–	208–212,5	[1]
(4-Biphenylyl)-hydroxy-phenyl-boran	2-Aminoethanol	Ethanolamin zur Lösung der Säure in trockenem Ether geben. Produkt kristallisiert langsam aus	*2-(Biphenyl-4-yl)-3-hydro-2-phenyl-1,3,2-oxaazoniaboratolidin*	47	175	[2]
[Strukturformel: 10,11-Dihydro-dibenzo[b;f]borepin mit B–OH]	2-Dimethylamino-ethanol	in Toluol 15 Min. kochen	*3,3-Dimethyl-1,3,2-oxaazoniaboratolidin-⟨2-spiro-5⟩-10,11-dihydro-⟨dibenzo[b;f]borepin⟩*	–	155	[3]

[1] D. R. Nielsen, W. E. McEwen u. C. A. Vanderwerf, Chem. & Ind. **1957**, 1069.

[2] J. M. Davidson u. C. M. French, Soc. **1960**, 191.

[3] Fr. P. 1336364 (1963), A. E. J. J. Debarge, Erf.: Y. L. M. Fellion; C. A. **60**, 1793 (1964).

Eingesetzt werden z. B.:

Butyloxy-diaryl-borane	mit Aminocarbonsäuren[1]
Diphenyl-isobutyloxy-borane	mit 3-Dimethylamino-2-hydroxy-propansäurenitril[2]
	mit Serinethylester[3]
	mit Amino-2-desoxy-D-glucosen[4]
	mit 3-Hydroxy-3-morpholino-butansäurenitril[5]
9-Alkoxy-9-borabicyclo[3.3.1]nonane	mit 2-Aminoethanol[6,7]

Dimethyl-methoxy-boran bildet in Hexan mit Dialkylamin bei tiefer Temperatur *Dimethylamin-Dimethyl-methoxy-boran*[6] (spektroskopischer Nachweis). Thermisch wesentlich stabiler sind zahlreiche cyclische Amin-Diaryl-organooxy-borane:

$$(H_5C_6)_2B-O-CH_2-CH(CH_3)_2 \xrightarrow[- HO-CH_2-CH(CH_3)_2]{+ (H_3C)_2N-CH_2-CH(OH)-CN / (H_5C_2)_2O}$$

5-Cyan-3,3-dimethyl-2,2-diphenyl-1,3,2-oxazonia-boratolidin[3]; 72,5%; F: 146–150°

$$(H_5C_6)_2B-O-CH_2-CH(CH_3)_2 \xrightarrow[-HO-CH_2-CH(CH_3)_2]{+H_2N-CH(COOC_2H_5)-CH_2OH}$$

2,2-Diphenyl-4-ethoxycarbonyl-3-hydro-1,3,2-oxazonia-boratolidin[1]; 63,5%; F: 148–150°

2-(1-Adamantanyl)-2-methyl-1,3,2-oxaazoniaboratolin (F: 174–177°) ist in 96%iger Ausbeute aus 1-Adamantanyl-methoxy-methyl-boran mit 2-Aminoethanol zugänglich[8]. Auch andere Organo-Reste als Phenyl-Gruppen bleiben bei der Herstellung der Amin-Diorgano-organooxy-borane unverändert erhalten. Beispielsweise läßt sich aus Di-2-thienyl-isobutyloxy-boran mit 2-Aminoethanol *2,2-Di-2-thienyl-3-hydro-1,3,2-oxazoniaboratolidin* herstellen[7].

iii₃) aus Tetraorganodiboroxanen

Aus Tetraphenyldiboroxan erhält man mit verschiedenen Aminoalkanolen Amin-Diorgano-organooxy-borane[9–11]:

---

[1] Shih-Hua Tung, Kuo-Min Chang, Shih-Lu Tah, Chia-Chin Liu u. Shih-Lin Chang, K'o Hsueh T'sung Pao **17**, 414 (1966); C. A. **66**, 37990 (1967).

[2] US. P. 2872479 (1957), Callery Chemical Co., Erf.: R. L. Letsinger, I. H. Skoog u. N. L. Remes; C. A. **53**, 13107 (1959).

[3] A. M. Yurkevich u. G. V. Parkhomenko, Ž. obšč. Chim. **37**, 1977 (1967); C. A. **68**, 29737 (1968).

[4] A. M. Yurkevich u. O. N. Shevtsova, Ž. obšč. Chim. **42**, 1172 (1972); engl.: 1165; C. A. **77**, 114753 (1972).

[5] A. M. Yurkevich u. O. N. Shevtsova, Ž. obšč. Chim. **42**, 1993 (1972); engl.: 1987; C. A. **78**, 43562 (1973).

[6] W. Biffar, H. Nöth u. R. Schwerthöffer, A. **1981**, 2067, 2079.

[7] DOS 2050470 (1971), ICI, Erf.: G. M. Davies u. T. Liegh; C. A. **75**, 110416 (1971).

[8] T. L. Shchegoleva, E. M. Shashkova u. B. M. Mikhailov, Izv. Akad. SSSR **1981**, 1098; engl.: 858; C. A. **95**, 169245 (1981).

[9] R. Neu, Fres. **143**, 30 (1954).

[10] Fr. P. M 3036 (1965), Laboratoires Toraude, Erf.: J. L. Delarue u. R. L. Fallard; C. A. **62**, 13179 (1965); dort weitere Beispiele.

[11] B. M. Mikhailov, G. S. Ter-Sarkisyan u. A. N. Nikoleeva, Ž. obšč. Chim. **41**, 1721 (1971); engl.: 1728; C. A. **76**, 3934 (1972).

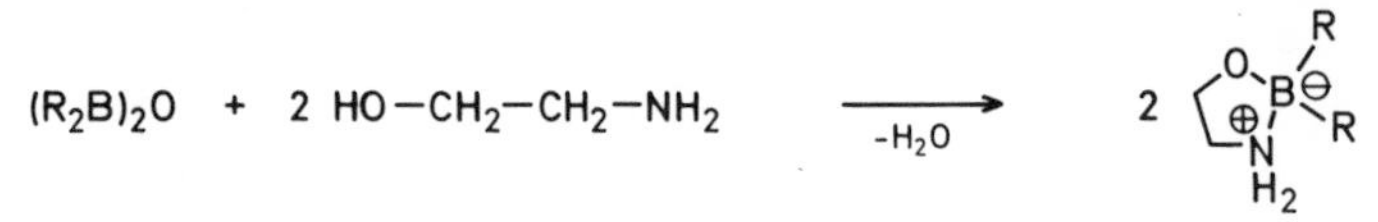

$$(R_2B)_2O + 2\ HO-CH_2-CH_2-NH_2 \xrightarrow[-H_2O]{} 2$$

...-1,3,2-oxaazoniaboratolidin
R = C_6H_5; *2,2-Diphenyl-3-hydro-...*[1]; 80%
R = $CH_2-C_6H_5$; *2,2-Dibenzyl-3-hydro-...*[2];

Auch 1,1:3,3-Bis[organodiyl]diboroxane lassen sich mit 2-Aminoethanol in luftstabile cyclische Amin-Alkoxy-diorgano-borane überführen[3,4]; z.B.[3]:

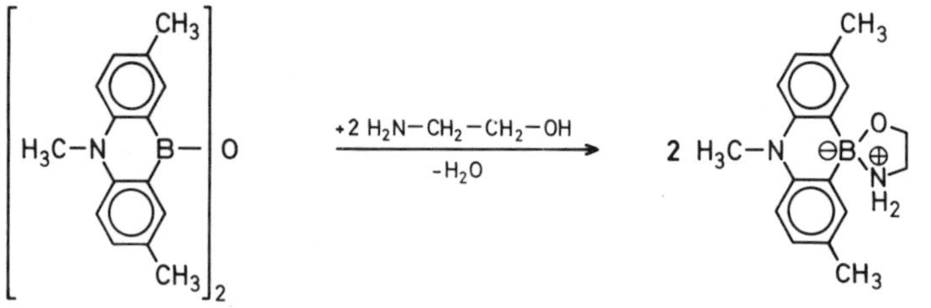

$$\xrightarrow[-H_2O]{+2\ H_2N-CH_2-CH_2-OH}$$

3-Hydro-1,3,2-oxaazoniaboratolidin-⟨2-spiro-10⟩-2,5,8-trimethyl-5,10-dihydro-⟨dibenzo-1,4-azaboratin⟩

Auch 2-Aminomethyl-phenole können eingesetzt werden[5,6]; z.B.:

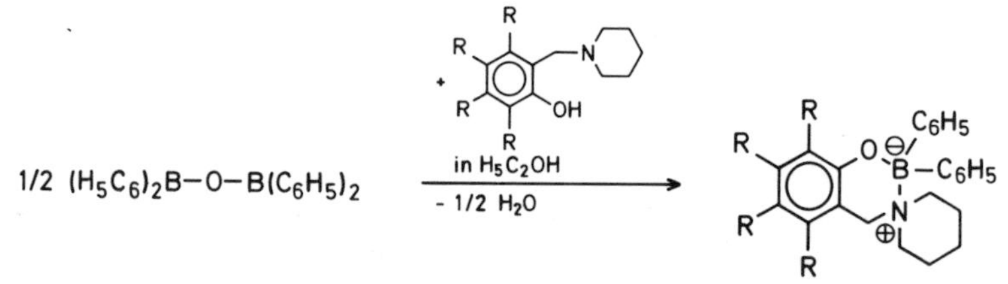

$$1/2\ (H_5C_6)_2B-O-B(C_6H_5)_2 \xrightarrow[-1/2\ H_2O]{\text{in } H_5C_2OH}$$

R = H; Alkyl

z.B.: R = H; *2,2-Diphenyl-3,4-dihydro-2H-⟨benzo[e]-1,3,2-oxa-azoniaboratin⟩-⟨3-spiro-1⟩-piperidinium*[6]; 74%; F: 220°

Aus Tetraphenyldiboroxan erhält man mit 1-(2-Hydroxypropyloxy)piperidin *1,1-Diphenyl-3-methyl-2,5-dioxa-6-azonia-1-borata-spiro[5.5]undecan* (F: 150°)[7]:

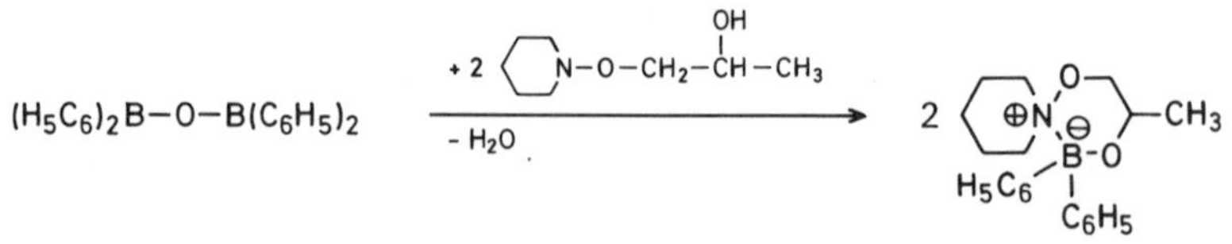

$$(H_5C_6)_2B-O-B(C_6H_5)_2 \xrightarrow[-H_2O]{+2\ \text{Piperidino}-O-CH_2-CH(OH)-CH_3} 2$$

[1] Fr.P. M 3036 (1965), Laboratoires Toraude, Erf.: J.L. DELARUE u. R.L. FALLARD; C.A. **62**, 13179 (1965); dort weitere Beispiele.
[2] B.M. MIKHAILOV, G.S. TER-SARKISYAN u. A.N. NIKOLEEVA, Ž. obšč. Chim. **41**, 1721 (1971); engl.: 1728; C.A. **76**, 3934 (1972).
[3] P.M. MAITLIS, Soc. **1961**, 425.
[4] H.J. ROTH u. B. MILLER, Ar. **297**, 524 (1964).
[5] H. MÖHRLE u. C. MILLER, Pharma. Acta. Helv. **54**, 1 (1979); C.A. **91**, 20273 (1979).
[6] H. MÖHRLE u. E. ZÜGE, Ar. **314**, 580 (1981).
[7] G. ZINNER u. W. RITTER, Ang. Ch. **74**, 217 (1962).

ii$_2$) aus Diorganooxy-organo-boranen

Amin-Diorgano-organo-oxy-borane erhält man aus verschiedenen Diorgano-organo-oxy-boranen mit metallorganischen Verbindungen nach Zusatz von Aminen bzw. von Aminoalkoholen oder Aminophenolen. Als metallorganische Reagenzien verwendet man lithium- und magnesiumorganische Verbindungen.

Gibt man z.B. Phenyllithium zu äquimolaren Mengen Dibutyloxy-phenyl-boran (–60° in Diethylether, 2–10 Stdn. bei –10 bis +20°, versetzt mit verd. Salzsäure) und versetzt mit 2-Aminoethanol, so werden 65% *2,2-Diphenyl-3-hydro-1,3,2-oxaazoniaboratolidin* (F: 190°) isoliert[1]. Auf analoge Weise erhält man ferner z.B.[2]:

3-Hydro-2-(2-methylphenyl)-2-phenyl-1,3,2-oxaazoniaboratolidin 50%; F: 146°
3-Hydro-2-(4-methoxyphenyl)-2-(4-methylphenyl)-1,3,2-oxaazoniaboratolidin 36%; F: 171°

Organomagnesiumhalogenide sind für die Herstellungsmethode in verschiedener Hinsicht verwendbar. Beispielsweise sind so Amin-Diorgano-organooxy-borane instabiler Borane zugänglich. Wird Dibutyloxy-vinyl-boran mit Vinylmagnesiumbromid bei –60° in Tetrahydrofuran umgesetzt, so erhält man eine polymere Verbindung, die mit 2-Dimethylamino-ethanol in 66%iger Ausbeute in *3,3-Dimethyl-2,2-divinyl-1,3,2-oxaazoniaboratolin* ($Kp_{0,1}$: 67–74°)[3] übergeht:

$$H_2C{=}CH{-}B(OC_4H_9)_2 \xrightarrow[-\,H_9C_4O-MgBr]{+\,H_2C=CH-MgBr} \left[(H_2C{=}CH)_2B{-}OC_4H_9 \xrightarrow[-\,C_4H_9OH]{+(H_3C)_2N-CH_2-CH_2-OH}\right]$$

(Produkt: Fünfring O–B–N mit $B^{\ominus}(CH{=}CH_2)_2$ und $N^{\oplus}(CH_3)_2$)

Aus Bis[1,3,2-dioxaborinan-2-yl]-alkanen und -arenen erhält man mit Grignard-Verbindungen ohne Isolierung der zunächst entstehenden Ester nach Zugabe von 2-Aminoethanol kristalline Bis-chelate[4]:

(5,5-Dimethyl-1,3,2-dioxaborinan-2-yl)–A–(5,5-dimethyl-1,3,2-dioxaborinan-2-yl) → 1. +2 R–MgBr; 2. +H$^+$; 3. +2 $H_2N{-}CH_2{-}CH_2{-}OH$ → Bis-chelat: O–$B^{\ominus}$(R)–A–$B^{\ominus}$(R)–O mit je $\overset{\oplus}{N}H_2$ im Fünfring

A = $-(CH_2)_4-$, $-(CH_2)_6-$, $-C_6H_4-$, $-C_6H_4-C_6H_4-$

Bis[3-hydro-2-organo-1,3,2-oxaazoniaboratolidin-2-yl]-alkane bzw. -arene; allgemeine Arbeitsvorschrift[4]: Das Grignard-Reagenz, hergestellt aus 0,22 mol Alkyl- oder Arylbromid, 7 g (0,29 mol) Magnesium-Spänen und 150 *ml* abs. Diethylether, wird bei ≦ –70° unter starkem Rühren zu einer gekühlten Suspension von 0,1 mol Bis[1,3,2-dioxaborinan-2-yl]-alkan bzw. -aren in 400 *ml* THF und 300 *ml* abs. Diethylether gegeben. Danach läßt man auf ~20° erwärmen. Nach 2 Tagen wird mit 300 *ml* eisgekühlter 1 M Salzsäure versetzt und mit Ether ausgeschüttelt. Die organischen Phasen werden auf 300 *ml* eingeengt und mit einer kalten Mischung von 40 *ml* 2-Aminoethanol, 250 *ml* Methanol und 200 *ml* Wasser versetzt. Bei 0° fällt das Produkt aus. Umkristallisieren aus Methanol/Chloroform oder Ausfällen mit Ethylamin nach Lösen in heißer Methanol/Essigsäure-Mischung.

---

[1] J. Soulié u. A. Willemart, C.r. **251**, 727 (1960).
[2] J. Soulié u. P. Cadiot, Bl. **1966**, 1981.
[3] D.S. Matteson, J. Org. Chem. **27**, 275 (1962).
[4] I.G.C. Coutts u. O.C. Musgrave, Soc. [C] **1970**, 2225.

Auf diese Weise erhält man u.a.

1,4-Bis[3-hydro-2-phenyl-1,3,2-oxaazoniaboratolidin-2-yl]butan	21%; F: 115–116°
1,6-Bis[3-hydro-2-phenyl-1,3,2-oxaazoniaboratolidin-2-yl]hexan	38%; F: 153–155°
1,4-Bis[2-cyclohexyl-3-hydro-1,3,2-oxaazoniaboratolidin-2-yl]benzol	51%; F: 234–236°
1,4-Bis[3-hydro-2-(4-methoxyphenyl)-1,3,2-oxaazoniaboratolidin-2-yl]benzol	72%; F: 251–252°
4,4'-Bis[3-hydro-2-phenyl-1,3,2-oxaazoniaboratolidin-2-yl]biphenyl	26%; F: 224–225°

ii_3) aus Triorganoboroxinen

Amin-Diorgano-organooxy-borane sind über mehrere Zwischenstufen auch aus Triorganoboroxinen zugänglich. Man setzt mit metallorganischen Verbindungen um und läßt dann mit Alkohol und Amin reagieren:

$$1/3\ (R^1{-}BO)_3 \xrightarrow{+R^2-M} 1/2\ (R^1R^2B)_2O \xrightarrow[2.\ +\ Amin]{1.\ +\ R^3-OH} \overset{\oplus}{Amin}{-}\overset{\ominus}{B}(R^1)(R^2){-}OR^3$$

Bestimmte cyclisierbare Organoborane können auch aus Triorganoboroxinen mit Lithiumtetrahydridoaluminat über Hydro-organo-borane hergestellt werden. Dafür wird in erster Stufe auf ~220° erhitzt und anschließend mit 2-Aminoethanol versetzt; z.B.[1]:

1/3 [2-(BO–)-C6H4–CH(R)–C6H5]3 —(1. +Li[AlH4]; 2. +B(OC4H9)3; 3. - 220 °; 4. +H2N–CH2–CH2–OH)→ (Spiro-Oxaazoniaboratolidin, O, NH2, B, R)

ii_4) aus Triorganooxyboranen

Auch Triorganooxyborane lassen sich zur Herstellung von Amin-Diorgano-organooxy-boranen verwenden. Man setzt zunächst mit Organolithium- bzw. Organomagnesium-Verbindungen um und läßt dann mit Aminoalkohol reagieren; z.B.[2]:

$B(OC_4H_9)_3$ + (Dilithio-dibenzo-Verbindung, Li Li) —(-2 $LiOC_4H_9$)→ (Dibenzoboratepin, B–OC_4H_9) —(+ $HO{-}CH_2{-}CH_2{-}NH_2$; $-H_9C_4OH$)→ (Spiro-Verbindung, B, $H_2N\oplus$, O)

3-Hydro-1,3,2-oxaazoniaboratolidin-⟨2-spiro-5⟩-10,11-dihydro- 5H-⟨dibenzo- [b;f]-boratepin⟩[2]: Eine Lösung von 100 g (0,294 mol) 1,2-Bis[2-bromphenyl]ethan in 600 *ml* Diethylether wird langsam bei 5° zur Lösung von 0,632 mol Butyllithium in 578 *ml* Diethylether getropft. Anschließend wird 1 Stde. gekocht. Die Mischung wird aus einem Tropftrichter langsam zu 67,5 g (0,294 mol) Tributyloxyboran und 700 *ml* Diethylether bei −70° getropft. 12 Stdn. später wird mit 400 *ml* 2 N Salzsäure hydrolysiert. Mit 700 *ml* Toluol und 10 *ml* Butanol wird die ether. Phase destilliert. Die bei 2 Torr von 157–200° siedenden Fraktionen werden mit 2-Aminoethanol und Toluol gemischt und nochmals destilliert. Nach völliger Entfernung überschüssigen 2-Aminoethanols, jedoch bevor das Toluol völlig abdestilliert ist, läßt man die Mischung erkalten; Ausbeute: 30,82 g (42%); F: 195–196°.

---

[1] R. van Veen u. F. Bickelhaupt, J. Organometal. Chem. **47**, 33 (1973).
[2] R.L. Letsinger u. I.H. Skoog, Am. Soc. **77**, 5176 (1955).

Aus Tributyloxyboran werden mit Arylmagnesiumbromiden *2,2-Diaryl-1,3,2-oxaazoniaboratolidine* erhalten, wenn man 2-Aminoethanol zum Reaktionsgemisch gibt[1,2]:

$B(OC_4H_9)_3$ — 1. + Ar–MgBr / THF; 2. + $H_2N{-}CH_2{-}CH_2{-}OH$ →

...-1,3,2-oxaazoniaboratolidin

Ar = C_6H_5; *3-Hydro-2,2-diphenyl-...*[1]; F: 192°
Ar = 4-OCH_3–C_6H_4; *2,2-Bis[4-methoxyphenyl]-3-hydro-...*[2]; 60%; F: 183–185°
Ar = 4-Br–C_6H_4; *2,2-Bis[4-bromphenyl]-3-hydro-...*[2]; F: 236–237°
Ar = 3-CH_3–C_6H_4; *2,2-Bis[3-methylphenyl]-3-hydro-...*[2]; F: 187°
Ar = 1-Naphthyl; *2,2-(Di-1-naphthyl)-3-hydro-...*[1]; 58%; F: 205–206°

i_4) aus Diorgano-organothio-boranen

Amin-Diorgano-oxy-borane sind im allgemeinen leicht aus Diorgano-organothio-boranen mit Aminoalkoholen[3] oder mit geeigneten chelatbildenden Acylaminen[3] zugänglich.

2-Butyl-1,2-thiaborolan (Kp_2: 48–50°) reagiert mit 2-Aminoethanol unter Spaltung der BS-Bindung zum *2-Butyl-3-hydro-2-(3-mercaptopropyl)-1,3,2-oxaazoniaboratolidin* (F: 65–73°)[3]:

+ $H_2N(CH_2)_2OH$ →

i_5) aus Aminoboranen

ii_1) aus Amino-diorgano-boranen

Aus Amino-diorgano-boranen sind Amin-Diorgano-organooxy-borane mit Wasser, Alkanolen oder mit Aminoalkanolen zugänglich. Auch die Addition an Keten wird angewandt.

Aus bestimmten cyclischen Amino-diorgano-boranen lassen sich mit Wasser unter Substitution der Amino-Gruppe und Addition von Amin am Bor-Atom cyclische Amin-Diorgano-oxy-borane glatt herstellen. Aus 4,5-Diethyl-1,2,2,3-tetramethyl-2,5-dihydro-1,2,5-azasilaborol erhält man in Tetrahydrofuran mit Wasser quantitativ das *5-Methylamin-4,5-Diethyl-2,2,3-trimethyl-2,5-dihydro-1,2,5-oxasilaborol*[4]:

+ H_2O —THF→

5-Methylamin-4,5-Diethyl-2,2,3-trimethyl- 2,5-dihydro-1,2,5-oxasilaborol[4]: Man tropft 1,02 g (57 mmol) Wasser in 15 *ml* THF innerhalb 1 Stde. zu 10,7 g (55 mmol) 4,5-Diethyl-1,2,2,3-tetramethyl-2,5-dihydro-1,2,5-azasilaborol in 25 *ml* THF. Es setzt sofort Reaktion ein und die Temp. steigt auf ~40° an. Alles Leichtflüchtige wird bei einer Badtemp. von ~40° i. Vak. abgezogen; Ausbeute: 11,3 g (97%); F: 135–136° (farblos); $Subl.p._{0,001}$: ~20°.

---

[1] R. L. Letsinger u. N. Remes, Am. Soc. **77**, 2489 (1955).
[2] Y. Rasiel u. H. K. Zimmerman jr., A. **649**, 111 (1961).
[3] B. M. Mikhailov, N. V. Mostovoi u. V. A. Dorokhov, Izv. Akad. SSSR **1964**, 1358; engl.: 1274; C. A. **61**, 12023 (1964).
[4] R. Köster u. G. Seidel, Mülheim a. d. Ruhr, unveröffentlicht 1981.

Die Addition von 2-Alkyl-1,2-azaborolidin an Alkohole (Methanol, Ethanol) liefert 2-Alkoxy-2-alkyl-1-hydro-1,2-azoniaboratolidine[1]; z.B.:

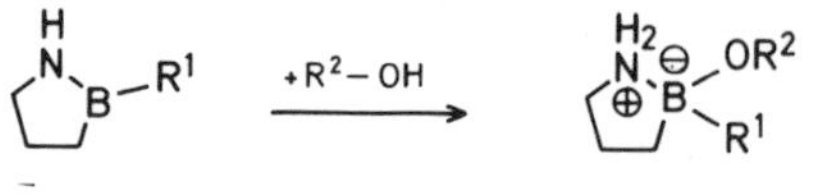

$+R^2-OH$

$R^1 = -CH_2-CH_2-CH(CH_3)_2,\ C_6H_{13}$
$R^2 = CH_3,\ C_2H_5$

Mit 2-Aminoethanol werden zwei Isomere gebildet[1]; z.B.:

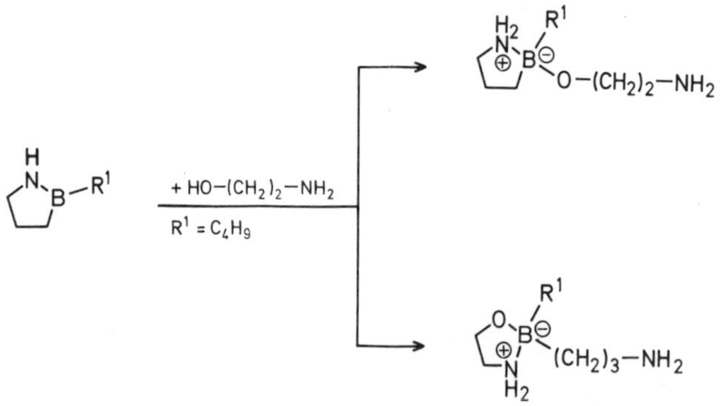

$+HO-(CH_2)_2-NH_2$; $R^1 = C_4H_9$

2-(2-Aminoethoxy)-2-butyl-1-hydro-1,2-azoniaboratolidin; F: 67–70°

2-(3-Aminopropyl)-2-butyl-3-hydro-1,3,2-oxazoniaboratolidin

Die Abspaltung von Dimethylamin aus Dimethylamino-diorgano-boranen gelingt mit 2-Aminoalkanolen meist sehr glatt; z.B.[2]:

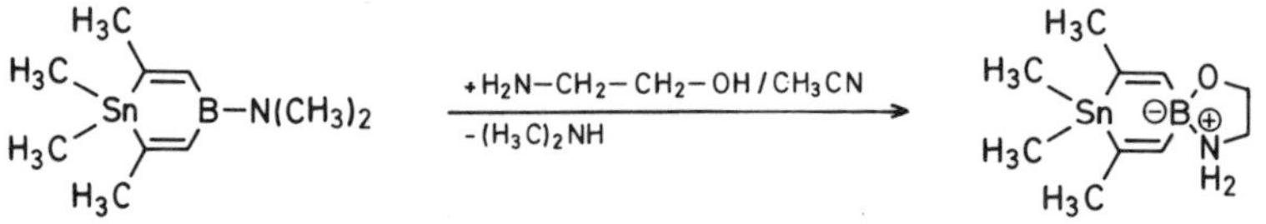

$+H_2N-CH_2-CH_2-OH / CH_3CN$; $-(H_3C)_2NH$

4-Hydro-7,8,8,9-tetramethyl-1-oxa-4-azonia-5-borata-8-stanna-spiro[4.5]deca-6,9-dien; 85%; F: 143–144°

Aus 7-Brommethyl-3-butylamino-3-borabicyclo[3.3.1]nonan erhält man nach Aminierung in 7-Stellung und alkalischer Kondensation durch Addition von Butanol *1a-Butyl-1-butyloxy-1a-hydro-1a-azonia-1-borata-homoadamantan* (85%)[3]:

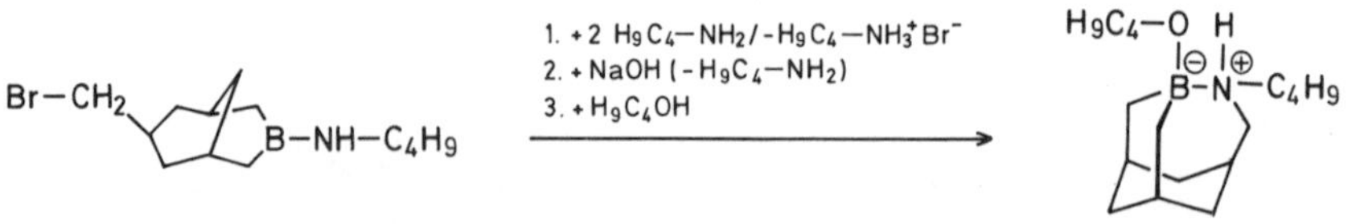

1. $+2\ H_9C_4-NH_2 / -H_9C_4-NH_3^+Br^-$
2. $+NaOH\ (-H_9C_4-NH_2)$
3. $+H_9C_4OH$

Die in situ aus 9-(1-Alkinyl)-9-borabicyclo[3.3.1]nonanen mit Organoisocyanaten erzeugten 9-(O–B-Acylureido)-9-borabicyclo[3.3.1]nonane reagieren mit 2-Aminoethanol unter Abspaltung von (2-Propinoyl)-harnstoffen zum *2,2-(1,5-Cyclooctandiyl)-3-hydro-1,3,2-oxaazoniaboratolidin (9-Boratabicyclo[3.3.1]nonan-⟨9-spiro-2-⟩-3-hydro-1,3,2-oxaazoniaboratolidin)*[4]:

---

[1] B.M. Mikhailov, V.A. Dorokhov u. N.V. Mostovoi, Probl. Organ. Sinteza, Akad. Nauk SSSR **1965**, 233; C.A. **64**, 14204 (1966).
[2] H.-O. Berger, H. Nöth, G. Bub u. B. Wrackmeyer, B. **113**, 1235 (1980).
[3] B.M. Mikhailov, L.S. Vasil'ev u. V.V. Veselovskii, Izv. Akad. SSSR **1980**, 1106; engl.: 813.
[4] G.A. Molander u. H.C. Brown, Synthesis **1979**, 104.

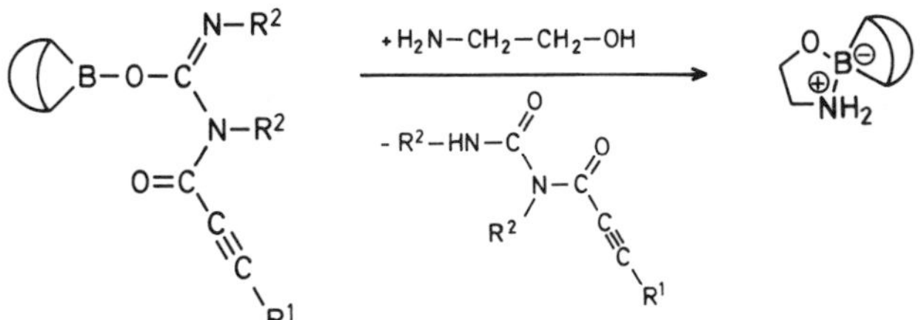

$R^1 = C(CH_3)_3, C_4H_9$
$R^2 = CH_3, C_6H_5$, 1-Naphthyl

ii$_2$) aus Dialkylamino-dihalogen-boranen

Dialkylamino-dichlor-borane sind zur Herstellung bestimmter Amin-Diorgano-organooxy-borane mit Spiro-Konstitution verwendet worden. Man läßt zunächst mit einer metallorganischen Verbindung (z.B. Grignard-Verbindung) reagieren und setzt anschließend mit 2-Aminoethanol um[1]:

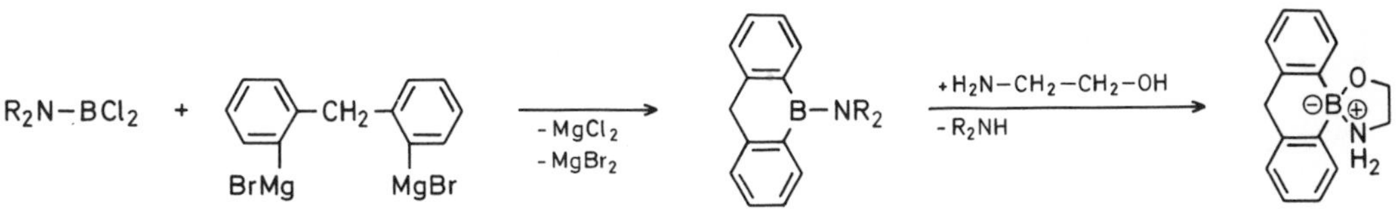

$R = CH_3, C_2H_5$

3-Hydro-1,3,2-oxaazoniaboratolidin-⟨2-spiro-5⟩-5,10-dihydro-⟨dibenzo[b;e]boratin⟩

i$_6$) aus Lewisbase-Organoboranen

Zur Herstellung cyclischer Amin-Diorgano-organooxy-borane werden Lewisbase-Diorgano-hydro- bzw. Amin-Diorgano-organooxy-borane mit Aminoalkanolen umgesetzt.

ii$_1$) aus Ether-Diorgano-oxy-boranen

(N–B)-7-Aminomethyl-3-methoxy-3-borabicyclo[3.3.1]nonan (F: 193–194,5°) läßt sich aus Tetrahydrofuran-7-Aminomethyl-3-sulfoxy-3-borabicyclo[3.3.1]nonan mit Natriummethanolat in THF in einer Ausbeute von 74% herstellen[2]:

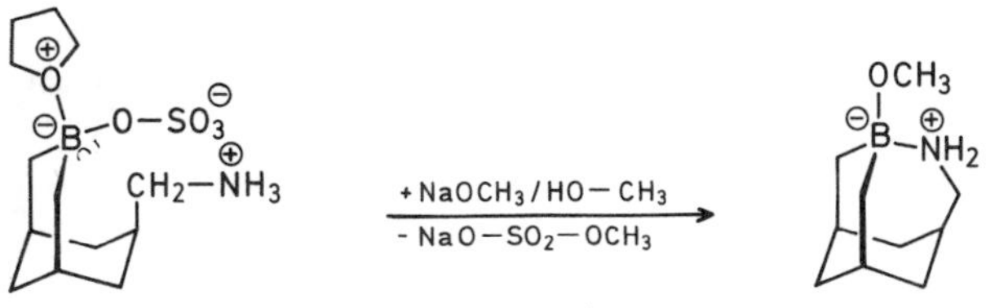

[1] R. VAN VEEN u. F. BICKELHAUPT, J. Organometal. Chem. **24**, 589 (1970).
[2] B.M. MIKHAILOV, E.A. SHAGOVA u. M.Y. ETINGER, J. Organometal. Chem. **220**, 1 (1981).

ii_2) aus Amin-Diorgano-hydro-boranen

Das aus Pyridin-(2-Benzylphenyl)-dihydro-boran durch Pyrolyse unter C-Borylierung zugängliche Pyridin-5,10-Dihydro-⟨dibenzo[b;e]borin⟩ läßt sich mit 2-Aminoethanol ins chelatartig stabilisierte *3-Hydro-1,3,2-oxazoniaboratolidin-⟨2-spiro-5⟩-5,10-dihydro-⟨dibenzo[b;e]boratin⟩* überführen[1]:

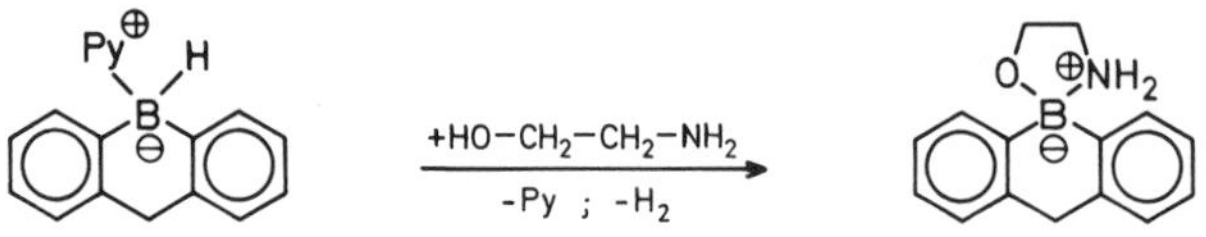

$$\xrightarrow[-Py\ ;\ -H_2]{+HO-CH_2-CH_2-NH_2}$$

Aus 2-Butyl-1,1-diethyl-2-hydro-1,2-azoniaboratolidin erhält man mit Ethanol unter Abspaltung von Wasserstoff *2-Butyl-1,1-diethyl-2-ethoxy-1,2-azoniaboratolidin* (70%; Kp_1: 86°)[2]:

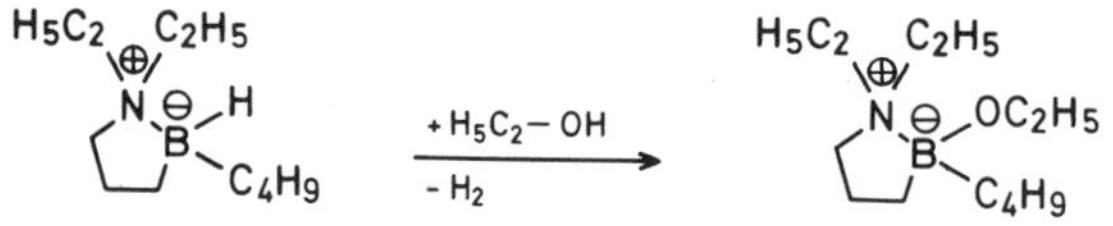

$$\xrightarrow[-H_2]{+H_5C_2-OH}$$

ii_3) aus Amin-Diorgano-organooxy-boranen

Ausgehend von 2,2-Diorgano-3-hydro-1,3,2-oxaazoniaboratolidin lassen sich mit anderen Komplexbildnern oft in sehr guten Ausbeuten neue Amin-Diorgano-organooxy-borane gewinnen[3-5].

Aus 2,2-Diphenyl-3-hydro-1,3,2-oxaazoniaboratolidin bildet sich in Diethylether mit 2-Amino-2-methyl-propanol (in Methanol) *4,4-Dimethyl-2,2-diphenyl-3-hydro-1,3,2-oxaazoniaboratolidin*[3,4] (100%; F: 197–198°). 3-Hydro-2-(1-naphthyl)-2-phenyl-1,3,2-oxaazoniaboratolidin wird zunächst mit Ethanol und verdünnter Salzsäure in Ethoxy-1-naphthyl-phenyl-boran überführt und dann mit 2-Amino-2-methyl-propanol umgesetzt. Es entsteht *4,4-Dimethyl-3-hydro-2-(1-naphthyl)-2-phenyl-1,3,2-oxaazoniaboratolidin*[5] (87%; F: 199–200°):

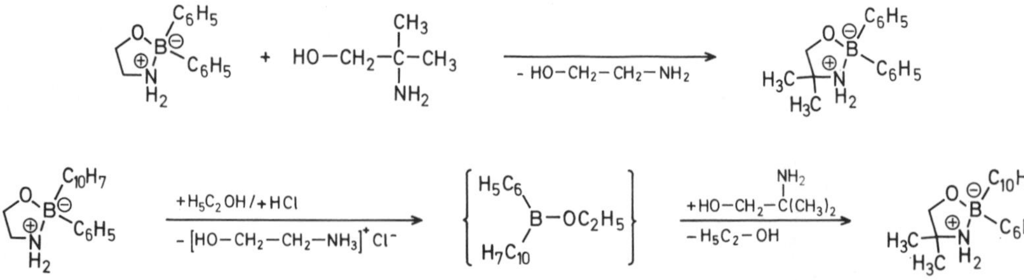

$$+\ HO-CH_2-\overset{CH_3}{\underset{NH_2}{C}}-CH_3 \xrightarrow{-HO-CH_2-CH_2-NH_2}$$

$$\xrightarrow[-[HO-CH_2-CH_2-NH_3]^+Cl^-]{+H_5C_2OH/+HCl} \left\{ (H_5C_6)(H_7C_{10})B-OC_2H_5 \right\} \xrightarrow[-H_5C_2-OH]{+HO-CH_2-C(CH_3)_2-NH_2}$$

[1] R. van Veen u. F. Bickelhaupt, J. Organometal. Chem. **47**, 33 (1973).
[2] N.E. Miller, Inorg. Chem. **13**, 1459 (1974).
[3] M.K. Zimmerman, D.W. Müller u. W.F. Semmelrogge, A. **655**, 54 (1962).
[4] R.L. Letsinger u. N. Remes, Am. Soc. **77**, 2489 (1955).
[5] H.C. Brown u. S.K. Gupta, Am. Soc. **93**, 2802 (1971).

9-Pyridin-9-Alkoxy-9-borabicylo[3.3.1]nonan reagiert mit 2-Aminoethanol unter Abspaltung von Pyridin und Alkohol zum *2,2-(1,5-Cyclooctandiyl)-3-hydro-1,3,2-oxaazoniaboratolidin (3-Hydro-1,3,2-oxaazoniaboratolidin-⟨2-spiro-9⟩-9-boratabicyclo [3.3.1.]nonan)*[1]:

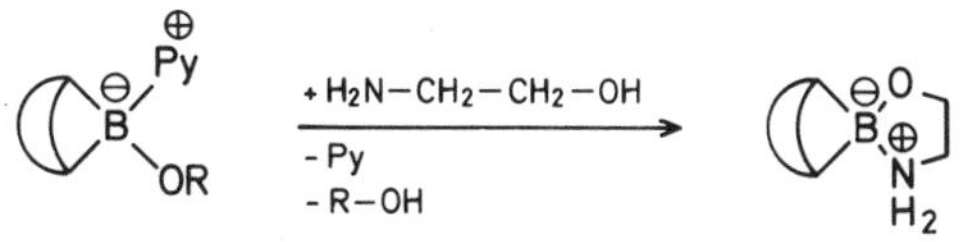

$$\xrightarrow[-Py,\ -R-OH]{+H_2N-CH_2-CH_2-OH}$$

Exo-cyclische Alkoxy-Gruppen am Bor-Atom lassen sich mit Alkalimetallalkanolaten austauschen; z.B. erhält man aus 1a-Butyl-1-butyloxy-1a-hydro-1a-azonia-1-borata-homoadamantan mit Natriummethanolat *1a-Butyl-1a-hydro-1-methoxy-1a-azonia-1-borata-homoadamantan*[2]:

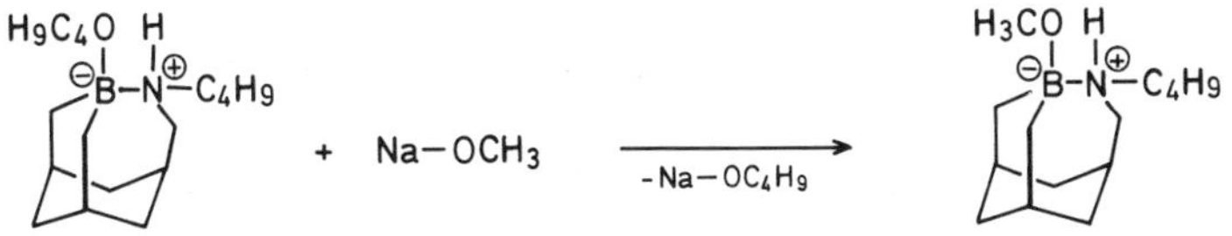

$$+\ Na-OCH_3 \xrightarrow[-Na-OC_4H_9]{}$$

ii$_4$) aus Lewisbase-Diboroxanen

4-Isopropyliden-2,5,5-triethyl-1,3,4,2,5-dioxaazoniaboraboratolidin bildet mit Bis[2-hydroxyethyl]amin unter Spaltung der BOB-Gruppierung *2,2-Diethyl-3-hydro-3-(2-hydroxyethyl)-1,3,2-oxaazoniaboratolidin* (84%) und *1-Ethyl-5-hydro-2,8-dioxa-5-azonia-1-borata-bicyclo[3.3.0]octan* (75%)[3]:

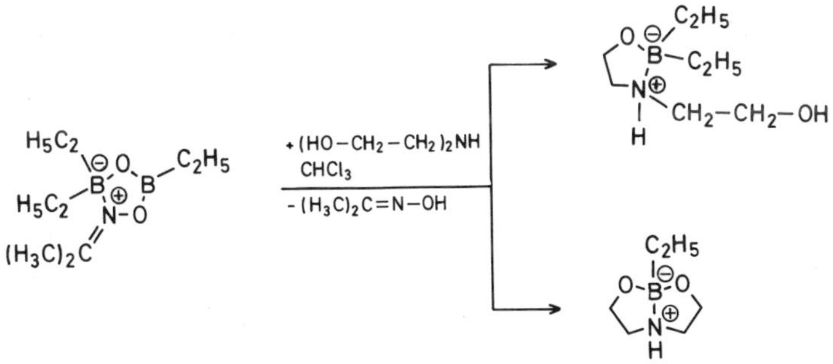

$$\xrightarrow[-(H_3C)_2C=N-OH]{+(HO-CH_2-CH_2)_2NH,\ CHCl_3}$$

i$_7$) aus Hydro- und Organo-boraten

Natriumtetraphenylborat reagiert mit Aminoalkanolen unter Bildung von (Aminoalkoxy)-diorgano-boranen mit tetrakoordiniertem Bor-Atom[4-6]. Man läßt entweder in konz. Essigsäure reagieren, oder man baut das Tetraphenylborat mit Salzsäure ab:

---

[1] H.C. BROWN u. S.U. KULKARNI, J. Org. Chem. **42**, 4169 (1977).
[2] B.M. MIKHAILOV, L.S. VASIL'EV u. V.V. VESELOVSKY, Izv. Akad. SSSR **1980**, 1106; engl.: 813; C.A. **93**, 114589 (1980).
[3] O.P. SHITOV, S.L. IOFFE, L.M. LEONT'EVA u. V.A. TARTAKOVSKIÍ, Ž. obšč. Chim. **43**, 1266 (1973); engl.: 1257; C.A. **79**, 66439 (1973).
[4] R. NEU, Tetrahedron Letters **1962**, 917.
[5] F. UMLAND u. D. THIERIG, Fres. **197**, 151 (1963).
[6] R. NEU, Mikrochim. Acta. **1961**, 32.

$$Na^+ [(H_5C_6)_4B]^- + H_2N-(CH_2)_n-OH \xrightarrow[-NaCl,\ -2\,C_6H_6]{+HCl}$$

n = 2; *2,2-Diphenyl-3-hydro-1,3,2-oxaazoniaboratolidin*
n = 3; *2,2-Diphenyl-3-hydro-1,3,2-oxaazoniaboratinan*

Die Herstellung von Amin-Diorgano-organooxy-boranen aus Organoboraten dürfte im allgemeinen nur geringes Interesse haben. Auf die Reaktion des Natriumtetraphenylborats (Kalignost®) mit 2-Aminoethanol in salzsaurer-wäßriger Lösung sei hingewiesen. Zu 86% wird *2,2-Diphenyl-3-hydro-1,3,2-oxaazoniaboratolidin* (*Flavognost®*; F: 184–186°)[1] erhalten:

$$Na^+ [(H_5C_6)_4B]^- + HO-CH_2-CH_2-NH_2 \xrightarrow[-2\,C_6H_6,\ -NaOH]{+H^+/+H_2O}$$

Aus Natriumtetrahydridoborat ist mit 2-(1-Bromvinyl)-1-(2-bromvinyl)-benzol in Diglyme ein Boran zugänglich, das mit 2-Aminoethanol *3-Hydro-1,3,2-oxaazoniaboratolidin-⟨2-spiro-2⟩-1-methyl-1,2,3,4-tetrahydro-⟨benzo[c]boratin⟩* liefert[2]:

$$2\,Na^+ [BH_4]^- + \xrightarrow[2.\ +H_2N-(CH_2)_2-OH\ (-H_2)]{1.\ Diglyme\ (-2\,NaBr)}$$

$\beta\beta_2$) Imin-Diorgano-oxy-borane

Zur Verbindungsklasse zählen Alkylidenamin- sowie Pyridinbase-Diorgano-organo-oxy-borane.

Es handelt sich durchweg um fünf- und sechsgliedrige Heterocyclen mit *endo-* sowie *exo*cyclischer Organooxy-Gruppe. In der Tab. 87 (S. 559) sind die Verbindungstypen und deren wichtigste Herstellungsmethoden zusammengestellt.

i_1) aus Triorganoboranen

Trialkylborane reagieren mit α,β-ungesättigten β-Aminoketonen bei 80–100° unter Abspaltung von Alkan zu Imin-Dialkyl-organooxy-boranen, als 6π-resonanzstabilisierte 2,2-Dialkyl-3-hydro-4,5,6-triorgano-2H-1,3,2-oxazoniaboratine[3]:

$$R^1_3B + \xrightarrow{-R^1H}$$

Aus Triethylboran sind mit Salicylaldehydiminen in Heptan unter Abspaltung von Ethan die gelben 2,2-Diethyl-3-hydro-3-organo-2H-⟨benzo[e]-1,3,2-oxazoniaboratine⟩ in hohen Ausbeuten leicht herstellbar; z.B. gelbes *(N–B)-Diethyl-(2-phenyliminomethyl-phenoxy)-boran* (96%; F: 87–88°)[4]:

---

[1] R. Neu, Ar. **292**, 437 (1959).
[2] G. Brieger, Dissertation Abstr. **22**, 1824 (1961); C.A. **56**, 8731 (1962).
[3] R. Köster u. W. Fenzl, Ang. Ch. **80**, 756 (1967).
[4] R. Köster u. W. Schüssler, Mülheim a.d. Ruhr, unveröffentlicht 1983.

Tab. 87: Imin-Diorgano-oxy-borane

Formel	Verbindungstyp	Herstellung	s. S.
Imin-Diorgano-oxy-borane			
(Cyclohexyliden-pyrrolidinium-Boranat, OC_4H_9, C_4H_9)	Do–B(OR^2)–R^1 mit R-Brücke	aus R^1_2B–N–R_{en} + R^2–OH	566
(R^1, C_2H_5, H_3C, R^2, R^3)	Do–BR_2 / R–O	aus R^1_2B–N–R_{en} + R^2–C(=O)–R^3	566
($H_{11}C_6$, C_2H_5, C_6H_5)	Do–BR_2 / R–O	aus R^1_2B–N–R_{en} + R^2–CHO	567
(H, R, CH_3)	Do–BR_2 / R_{en}–O	aus R^1_3B + H_2N–R_{en}–C(=O)–	558
		+ –C(=O)– + R^2–CN	561
		aus R^1_2B–OH + HO–R_{en}–NH_2	561
		$(R^1_2B)_2O$ + OHC–R–OH / R^2–NH_2	561
		aus R^1_2B–OR_{en} + R^2–CN	562
(R, C_6H_5)	Do–BR_2 / R_{en}–O	aus R_2B–OH + HO–R–Do	562
		aus Do–BR_3 + Do–R–OH	567
(H, C_6H_5)	Do–BR_2 / R_{en}–O	aus Do'–BR^1_2–OR^2 + Do	568
Pyridin-Diorgano-oxy-borane			
(R, R)	Do–BR_2 / R_{en}–O		
R = Organo		aus R_2B–OR_{en} + Do–R–OH	562
		aus $(R–BO)_3$ + R_3B + Do'–BH_3	565
		aus R_2B–NH_2 + Do–R–OH	566
R = C_6H_5		aus $[R_4B]^-$ + H^+/Do–R–OH	568
R = (2-Thienyl)		aus R^2_3B + Do–R–OH	561
[–O–(C_5H_4N)–B(C_6H_5)$_2$–]$_n$	Do–R^1_2B–OR^2	aus Do^O–BR_2–Hal, △	567

Tab. 88: 2,2-Diethyl-3-hydro-2H-1,3,2-oxazoniaboratine aus Triethylboran mit Keton und Nitril[1]

Ausgangsverbindungen		Bedingungen	...-2H-1,3,2-oxaazoniaboratin	Ausbeute [%]	Kp	
Keton	Nitril				[°C]	[Torr]
$H_3C-CO-CH_3$	H_5C_6-CN	Triethylboran (0,5 mol), Keton (0,5 mol) Nitril (~1 mol) 5 Stdn. bei ~160° im Autoklaven	*2,2-Diethyl-3-hydro-6-methyl-4-phenyl-...*	10	94–96	0,09
$(CH_2)_5C{=}O$	H_5C_6-CN		*2,2-Diethyl-3,5,6,7,8-pentahydro-4-phenyl-2H-⟨benzo[e]-1,3,2-oxazoniaboratin⟩*	80	138	0,13
$H_5C_6-CO-C_2H_5$	H_3C-CN		*2,2-Diethyl-4,5-dimethyl-3-hydro-6-phenyl-...*	66	124–126	10^{-4}
$H_3C-CO-C_4H_9$	H_5C_6-CN	Zutropfen von 0,1 mol Nitril zu Triethylboran	*2,2-Diethyl-3-hydro-6-methyl-4-phenyl-5-propyl-...*	57	114–116	0,13
	H_5C_2-CN	Keton (je 0,1 mol) bei 120°; 3–4 Stdn. bei 145°	*3-Hydro-6-methyl-5-propyl-2,2,4-triethyl-...*	37	98	0,2

[1] R. Köster u. W. Fenzl, Ang. Ch. **80**, 756 (1968).

Bestimmte substituierte Imin-Dialkyl-organooxy-borane lassen sich aus Trialkylboranen mit Ketonen und Benzonitril herstellen (vgl. Tab. 88, S. 560)[1]. Aus Triethylboran erhält man mit Acetophenon bzw. Benzonitril bei ~160° infolge Addition der intermediär entstehenden Diethyl-(subst.-vinyloxy)-borane (vgl. Bd. XIII/3a, S. 522) thermisch und hydrolysestabile, meist gelb- bis orangefarbene Imin-Diethyl-organooxy-borane; z.B.[1]:

$$(H_5C_2)_3B + H_5C_6-CO-CH_3 + N\equiv C-C_6H_5 \xrightarrow{-C_2H_6}$$

Benzonitril katalysiert die Bildung des zunächst entstehenden (vgl. Bd. XIII/3a, S. 522) Diethyl-(1-phenyl-vinyloxy)-borans.

2,2-Diethyl-4,6-diphenyl-3-hydro-2H-1,3,2-oxaazoniaboratin[1]: 49 g Triethylboran, 60 g Acetophenon (je 0,5 mol) und 103 g Benzonitril werden im 500-*ml*-Autoklaven 5 Stdn. bei 160° geschüttelt. Nach Abblasen von 10,1 *l* Gas (C_2H_6, C_2H_4, H_2) erhält man 196 g rotbraune Flüssigkeit, die i. Vak. destilliert wird (82 g Vorlauf); Ausbeute: 108 g (70%); F: 83–85° (aus Hexan).

Aus Tri-2-thienylboran erhält man mit 5-Chlor-8-hydroxy-7-jod-chinolin ein Di-2-thienylbor-Chelat[2]:

7-Chlor-2,2-(di-2-thienyl)-9-jod-2H-⟨chinolio [1,8a,8-c,d]-1,3,2-oxazoniaboratol⟩

i$_2$) aus Hydro-organo-boranen

Aus Bis-9-borabicyclo[3.3.1]nonan ist mit Salicylaldehydiminen unter Wasserstoff-Abspaltung z.B. *2,2-Cyclooctan-1,5-diyl)-3-phenyl-2H-⟨benzo[e]-1,3,2-oxaazoniaboratin⟩* [96%; F: 132–133° (aus Heptan)] zugänglich[3].

i$_3$) aus Diorgano-oxy-boranen

Verschiedene Diorgano-oxy-borane (Diorgano-hydroxy-, Diorgano-vinyloxy-borane, Tetraorganodiboroxane) lassen sich zur Herstellung von Imin-Diorgano-organooxy-boranen verwenden.

Aus Diphenyl-hydroxy-boran erhält man mit α,β-ungesättigten β-Aminoketonen unter Wasser-Austritt chelatartig stabilisierte Diphenyl-organooxy-borane; z.B.[4]:

$$(H_5C_6)_2B-OH + H_3C-C(NH_2)=CH-CO-CH_3 \xrightarrow{-H_2O}$$

4,6-Dimethyl-2,2-diphenyl-3-hydro-2H-1,3,2-oxaazoniaboratin

---

[1] R. Köster u. W. Fenzl, Ang. Ch. **80**, 756 (1968).
[2] DOS 2050470 (1969/1971), ICI, Erf.: G.M. Davies u. T. Liegh; C.A. **75**, 110416 (1971).
[3] R. Köster u. W. Schüssler, Mülheim a.d. Ruhr, unveröffentlicht 1983.
[4] I. Bally, E. Ciornei, A. Vasilescu u. A.T. Balaban, Tetrahedron **29**, 3185 (1973).

Mit Salicylaldehydiminen werden Imin-Aryloxy-diphenyl-borane erhalten; z.B.[1]:

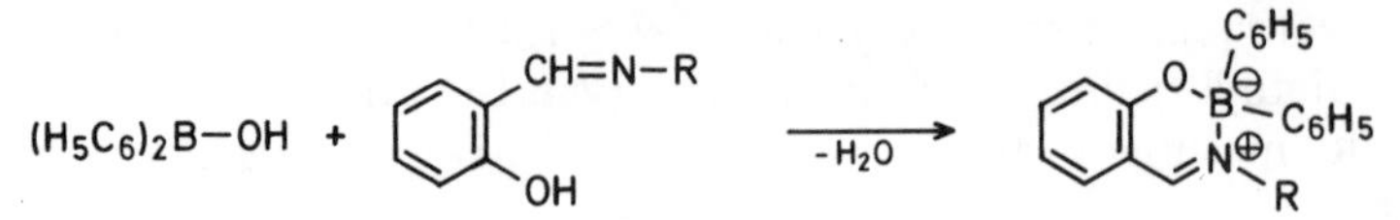

$$(H_5C_6)_2B-OH + \text{(2-HO-}C_6H_4\text{-CH=N-R)} \xrightarrow{-H_2O}$$

...-2H-⟨benzo[e]-1,3,2-oxaazoniaboratin⟩
R = H; *2,2-Diphenyl-3-hydro-...*; F: 193°
R = OH; *2,2-Diphenyl-3-hydroxy-...*; F: 157°
R = C_3H_7; *2,2-Diphenyl-3-propyl-...*; F: 103°
R = C_6H_5; *2,2,3-Triphenyl-...*; F: 154°

Auch 8-Hydroxychinolin[2-5] bzw. 2-Hydroxymethyl-pyridine[6,7] können eingesetzt werden (vgl. Tab. 89, S. 563).

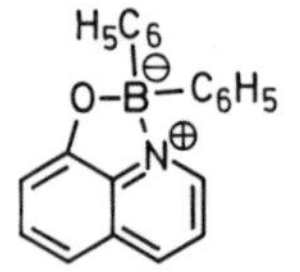

2,2-Diphenyl-2H-⟨chinolio [1,8a,8-c,d]-1,3,2-oxaazoniaboratol⟩

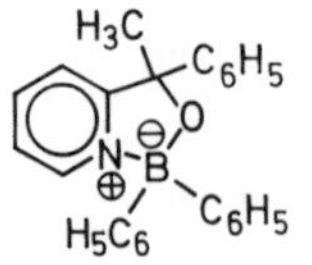

1-Methyl-1,3,3-triphenyl-1,3-dihydro-⟨pyridio-[1,2-c]-1,3,2-oxaazonia-boratol⟩; F: 226–227°

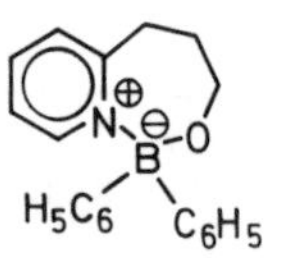

6,6-Diphenyl-6,8,9,10-tetra-hydro-6H,8H-⟨pyridio-[1,2-c]-1,3,2-oxaazonia-boratepin⟩[6]; F: 119–120°

Aus Diorgano-organooxy-boranen lassen sich mit Hydroxypyridinen durch Protolyse oder mit Nitrilen unter Aldol-Addition Imin-Diorgano-organooxy-borane gewinnen.

Di-3-butenyl-[(1*E*)-2-methyl-1,5-heptadienyloxy]-boran reagiert unter Aldehyd-Abspaltung mit 8-Hydroxychinolin in 84⁰/₀iger Ausbeute zum Chelat[8]:

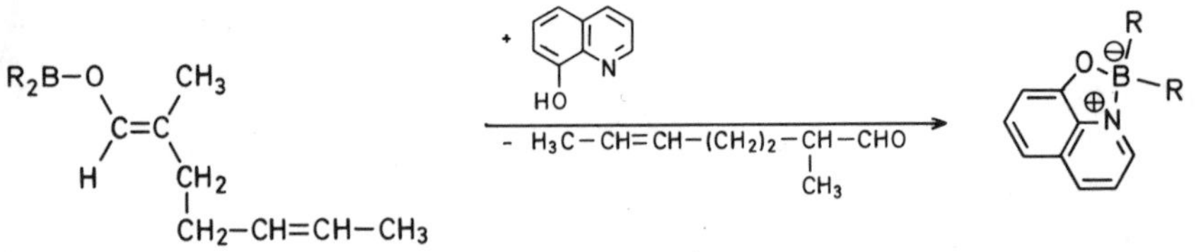

$$R_2B-O-CH=C(CH_3)-CH_2-CH_2-CH=CH-CH_3 \xrightarrow[- H_3C-CH=CH-(CH_2)_2-CH(CH_3)-CHO]{+\ \text{8-Hydroxychinolin}}$$

Die Addition von Diorgano-vinyloxy-boranen (Bd. XIII/3a, S. 522) an Nitrile führt in bis >70⁰/₀iger Ausbeute[9] zu Imin-Diorgano-vinyloxy-boranen[9,10]:

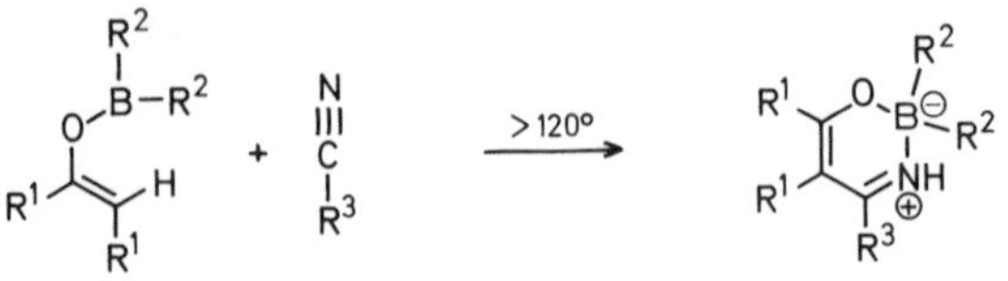

$$R^2_2B-O-C(R^1)=CH(R^1) + N{\equiv}C-R^3 \xrightarrow{>120°}$$

[1] F. Umland u. C. Schleyerbach, Ang. Ch. **77**, 426 (1965).
[2] H.J. Roth u. B. Miller, Ar. **297**, 513 (1964); C.A. **61**, 14698 (1964).
[3] R. Neu, Fres. **142**, 335 (1954).
[4] J.E. Douglass, J. Org. Chem. **26**, 1312 (1961).
[5] H.J. Roth u. B. Miller, Naturwiss. **50**, 732 (1963).
[6] H.K. Zimmerman, U.S. Dept. Com., Office Tech. Serv. AD 264472; C.A. **59**, 2802 (1963).
[7] H.K. Zimmerman, Texas J. Sci. **15**, 192 (1963).
[8] R. Köster, H.-J. Zimmermann u. W. Fenzl, A. **1976**, 1116.
[9] R. Köster u. W. Fenzl, Ang. Ch. **80**, 756 (1968).
[10] J. Hoog u. J. Oudenes, Synth. Commun. **12**, 189 (1982).

Tab. 89: Imin-Diorgano-organooxy-borane aus Diaryl-hydroxy-boranen mit Hydroxypyridinen

Ausgangsverbindungen		Bedingungen	Produkte	Ausbeute [%]	F [°C]	Literatur
$(H_5C_6)_2B-OH$	2-Pyridyl-CH_2-OH	Säure in Petrolether, Alkohol in Benzol lösen, zusammengeben	*3,3-Diphenyl-1,3-dihydro-⟨pyridio[-1,2-c]-1,3,2-oxa-azoniaboratol⟩*	84	147	[1]
	8-Hydroxychinolin (HO, N)		*2,2-Diphenyl-2H-⟨chinolio-[1,8a,8-c,d]-1,3,2-oxazonia-boratol⟩*		204–205	[2,3]
	2-Pyridyl-CH(OH)–CH(OH)-2-pyridyl	in Ethanol	*1,1'-Bi-(3,3-diphenyl-1,3-dihydro-⟨pyridio[1,2-c]-1,3,2-oxazoniaboratol⟩-yl)* (Formel: H_5C_6, C_6H_5, B⊖, N⊕, O)	100	279–281	[4]
$(H_5C_2)(H_5C_2-CH(CH_3))B-OH$	8-Hydroxychinolin (HO, N)	in Toluol 15 Min. kochen	*2-Ethyl-2-(1-methylpropyl)-2H-⟨chinolio[1,8a,8-c,d]-1,3,2-oxazonia-boratol⟩*	100	($Kp_{0,5}$: 139–140°)	[5]

[1] R. Neu, Ar. **294**, 173 (1961).
[2] R. Neu, Ar. **294**, 7 (1961).
[3] J.E. Douglass, J. Org. Chem. **26**, 1312 (1961).
[4] J. Roth, Naturwiss. **49**, 449 (1962).
[5] H.C. Brown u. Y. Yamamoto, Am. Soc. **93**, 2796 (1971).

Tab. 89 (Forts.)

Ausgangsverbindungen		Bedingungen	Produkte	Ausbeute [%]	F [°C]	Literatur
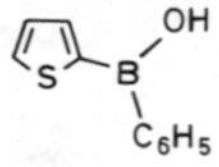 S, B, OH, C_6H_5	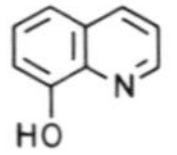 HO, N		*2-Phenyl-2-(2-thienyl)- . . .* *2H-⟨chinolio[1,8a,8-c,d] 1,3,2-oxaazoniaboratol⟩*	–	181–183	1
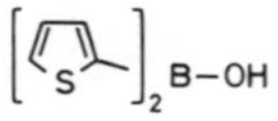 [S]$_2$B–OH	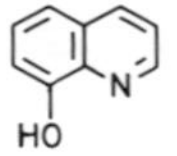 HO, N		*2,2-Di-2-thienyl- . . .*	–	162–163	1
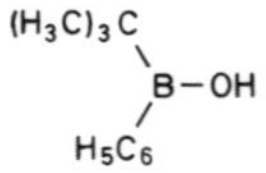 $(H_3C)_3C$, B–OH, H_5C_6	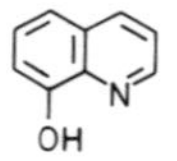 OH, N	20%ige Lösung des 8-Hydroxychinolins in 95%igem Alkohol zu Lösung der Säure in 95%igem Alkohol geben; Produkt kristallisiert aus. Umkristallisieren aus 95%igem Alkohol	*2-tert.-Butyl-2-phenyl- . . .*	–	108–109	2

[1] H. J. ROTH u. B. MILLER, Naturwiss. **50**, 732 (1963); s. Ar. **297**, 513 (1964).
[2] J. E. DOUGLASS, J. Org. Chem. **26**, 1312 (1961).

Auch aus Tetraphenyldiboroxan lassen sich mit 2-Hydroxymethyl-pyridinen bzw. 8-Hydroxychinolinen kristalline Diphenylbor-Chelate in hohen Ausbeuten herstellen[1]; z.B.:

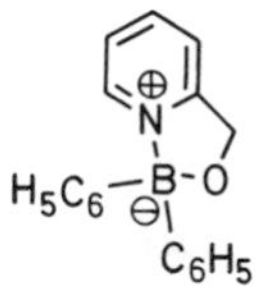

3,3-Diphenyl-1,3-dihydro-⟨pyridio[1,2-c]-1,3,2-oxaazoniaboratol⟩; F: 147°

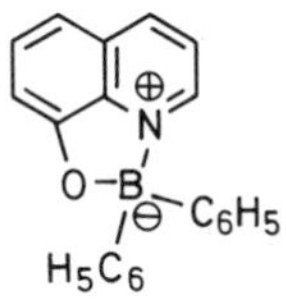

2,2-Diphenyl-2H-⟨chinolio[1,8a,8-c,d]-1,3,2-oxaazoniaboratol⟩; F: 204°

Mit Salicylaldehyd erhält man in Gegenwart von Alkylamin oder 2-Aminophenol in Ethanol aus Tetraphenyldiboroxan mit 50–55% Ausbeute die im allgemeinen gelben Diphenylbor-Chelate der Salicylaldimine[2-7]:

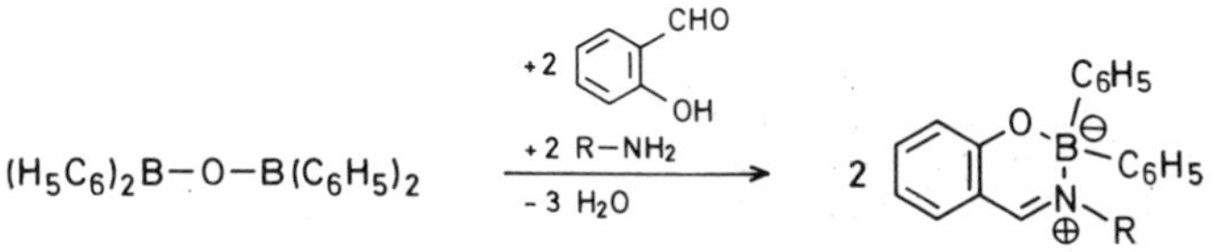

$$(H_5C_6)_2B-O-B(C_6H_5)_2 \xrightarrow[-3\ H_2O]{+2\ \text{Salicylaldehyd};\ +2\ R-NH_2} 2\ \text{Chelat}$$

2,2-Diphenyl-...-2H-⟨benzo[e]-1,3,2-oxaazoniaboratin⟩

z.B.: R = C_7H_{15}; *...-3-heptyl-...*; F: 80°; 90° (2 Formen)
R = $C_{10}H_{21}$; *...-3-decyl-...*; F: 66°
R = 2-HO–C_6H_5; *...-3-(2-hydroxyphenyl)-...*[5]; F: 159° (Zers.) (Methanol-Addukt)
R = $(CH_2)_4$–OH; *...-3-(4-hydroxybutyl)-*[6]*...*; F: 117°

Mit verschiedenen 2-Hydroxyacetophenonimin-Derivaten erhält man aus Tetraphenyldiboroxan die 2,2-Diphenyl-3-subst.-4-methyl-2H-(benzo[e]-1,3,2-oxaazoniaboratine) in Ausbeuten von 50–70%[7].

N–B-8-Chinolyloxy-dialkyl-borane sind aus Tris[2-alkylphenoxy]boranen mit Trialkylboranen in Gegenwart von Tetrahydrofuran-Boran als Austausch-Katalysator mit 8-Hydroxychinolin in hohen Ausbeuten zugänglich[8]:

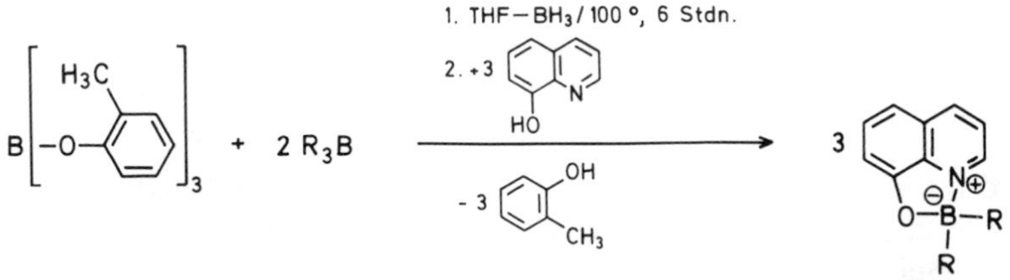

$$B[-O-C_6H_4-CH_3]_3 + 2\ R_3B \xrightarrow[-3\ \text{2-Methylphenol}]{1.\ THF-BH_3/100°,\ 6\ Stdn.;\ 2.\ +3\ \text{8-Hydroxychinolin}} 3\ \text{Chelat}$$

...-2H-⟨chinolio[1,8a,8-c,d]-1,3,2-oxaazoniaboratol⟩

R = C_4H_9; *2,2-Dibutyl-...*; 98%; $Kp_{0,3}$: 152°
R = CH_2–$CH(CH_3)_2$; *2,2-Diisobutyl-...*; 95%; $Kp_{0,25}$: 136°
R = C_6H_5; *2,2-Diphenyl-...*; 90%; F: 126–130°

---

[1] E. Hohaus u. F. Umland, B. **102**, 4025 (1969).
[2] F. Umland u. C. Schleyerbach, Ang. Ch. **77**, 426 (1965).
[3] F. Umland, E. Hohaus u. K. Brodte, B. **106**, 2427 (1973).
[4] E. Hohaus, M. **111**, 863 (1980).
[5] R. Allmann, E. Hohaus u. S. Olejnik, Z. Naturf. **37b**, 1450 (1982).
[6] E. Hohaus, Z. anorg. Ch., im Druck (1983).
[7] E. Hohaus, Z. anorg. Ch. **484**, 41 (1982).
E. Hohaus, Fr., im Druck (1983); Diphenylbor-bis-chelate mit aliphatischen Diaminen.
[8] H.C. Brown u. S.K. Gupta, Am. Soc. **93**, 2802 (1971).

i_4) aus Amino-diorgano-boranen

Im einfachsten Fall lassen sich Imin-Diorgano-organooxy-borane aus Amino-diorgano-boranen mit Hydroxypyridinen durch Protolyse herstellen; z.B.[1]:

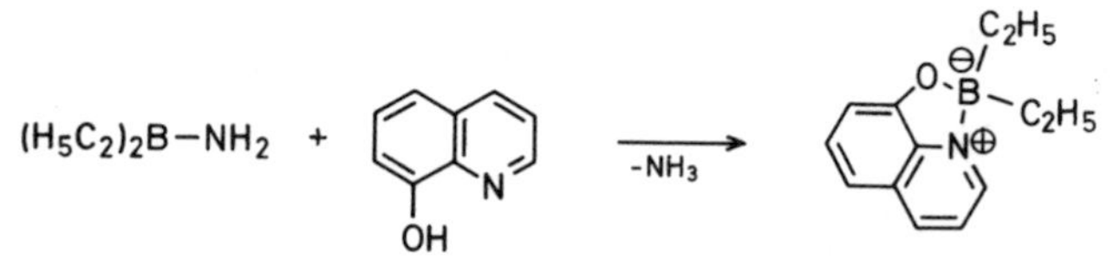

$$(H_5C_2)_2B-NH_2 + \text{8-Hydroxychinolin} \xrightarrow{-NH_3}$$

2,2-Diethyl-2H-⟨chinolio[1,8a,8-c,d]-1,3,2-oxaazoniaboratol⟩

Imin-Diorgano-organooxy-borane sind aus Dialkyl-vinylamino-boranen mit Alkoholen durch 1,4-Hydroalkoxylierung zugänglich; z.B.[2]:

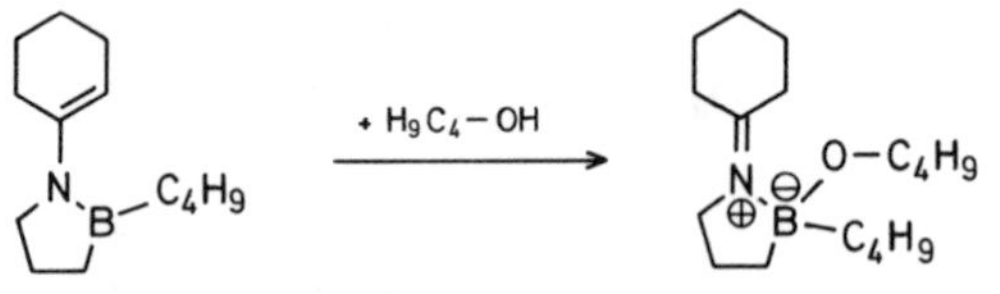

$$\xrightarrow{+ H_9C_4-OH}$$

2-Butyl-2-butyloxy-1-cyclohexyliden-1,2-azonia-boratolidin; 64%; Kp_2: 99–101°

Dialkyl-vinylamino-borane reagieren unter [4+2]-Addition mit Carbonyl-Verbindungen zu cyclischen Imin-Dialkyl-organooxy-boranen[3,4]:

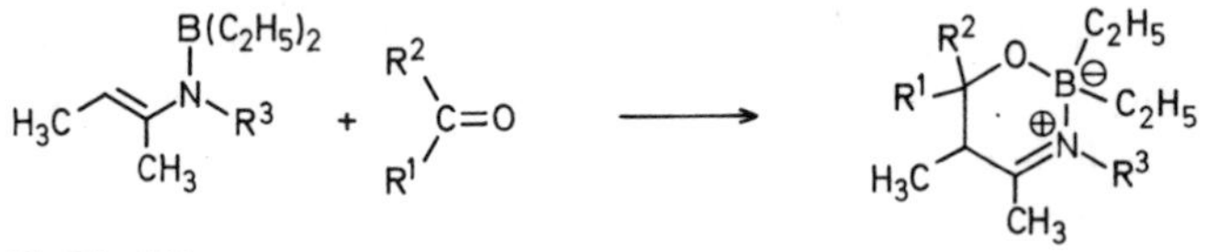

R^1: CH_3, C_6H_5
R^2: CH_3, H
R^3: $CH(CH_3)_2$, C_6H_{11}

Stabil sind im allgemeinen die Verbindungen mit *erythro*-Konfiguration in 5,6-Stellung[1]. In Sonderfällen lassen sich jedoch die kinetisch kontrolliert gebildeten *threo*-Isomeren isolieren. Beispielsweise erhält man aus (Cyclohexyl-1-cyclopentenyl-amino)-diethyl-boran mit Benzaldehyd in Heptan bei 0° zu 96% *5,6-threo-2-Cyclohexyl-3,3-diethyl-5-phenyl-4-oxa-2-azonia-3-borata-bicyclo[4.3.0]non-1-en*[5]:

---

[1] R. KÖSTER u. H. VOSHEGE, Mülheim a.d. Ruhr, unveröffentlicht 1982.
vgl. P. KÖNIG u. H. VOSHEGE, Mülheim a.d. Ruhr, Studienarbeit, GHS-Essen 1973.

[2] V.A. DOROKHOV, O.G. BOLDYREVA, V.S. BOGDANOV u. B.M. MIKHAILOV, Ž. obšč. Chim. **42**, 1558 (1972); engl.: 1550; C.A. **77**, 126731 (1972).

[3] R. KÖSTER, W. FENZL u. F.J. LEVELT, A. **1981**, 734.

[4] F.J. LEVELT, Mülheim a.d. Ruhr, Dissertation, Universität Bochum 1977; auch Herstellung von *2-Cyclohexyl-3,3-diethyl-5-phenyl-4-oxa-2-azonia-3-borata-bicyclo[4.4.0]dec-1-en* (97%; F:93°).

[5] W. FENZL u. R. KÖSTER, Mülheim a.d. Ruhr, unveröffentlicht 1979.

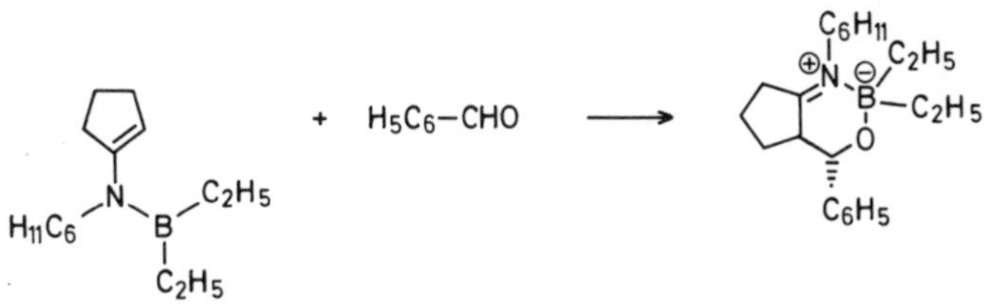

5,6-threo-2-Cyclohexyl-3,3-diethyl-5-phenyl-4-oxa-2-azonia-3-borata-bicyclo[4.3.0]non-1-en[1]: Zu 4,4 g (18,9 mmol) (Cyclohexyl-1-cyclopentenyl-amino)-diethyl-boran in 15 *ml* abs. Hexan gibt man bei ~ 0° eine Lösung von 2,15 g (20,3 mmol) Benzaldehyd in ~ 10 *ml* Heptan tropfenweise zu. Nach 3 Stdn. Rühren wird filtriert; Ausbeute: 4,7 g (74%) (F: 100–101°). Beim Einengen des Filtrats fallen weitere 1,4 g Produkt an; Gesamtausbeute: 6,1 g (96%).

Aus (1-Cyclohexenyl-cyclohexyl-amino)-diethyl-boran bildet sich mit Benzaldehyd bereits bei der Addition rasch das *5,6-erythro-2-Cyclohexyl-3,3-diethyl-5-phenyl-4-oxa-2-azonia-3-borata-bicyclo[4.4.0]dec-1-en*[1].

i₅) aus Lewisbase-Organoboranen

Aus 2,2-Diphenyl-3-hydro-1,3,2-oxaazoniaboratolidin erhält man mit Iminen des Salicylaldehyds *2,2-Diphenyl-3-(2-hydroxyethyl)-2H-⟨benzo[e]-1,3,2-oxaazoniaboratin⟩* (F: 145°)[2]:

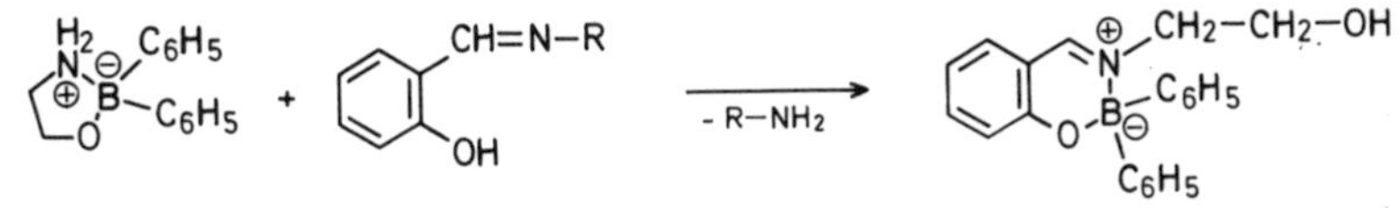

R = C_6H_5; 2-HO–C_6H_4

Die Verbindung (F: 145–148°) ist auch aus 2,2-Diphenyl-1,3,2-oxaazoniaboratolidin mit Salicylaldehyd in Ethanol nach kurzem Erhitzen unter Abspaltung von Wasser zugänglich[3]. Mit verschiedenen 2,2-Diaryl-1,3,2-oxaazoniaboratolidinen sind mit Salicylaldehydiminen in Methanol kristalline Chelat-Verbindungen zugänglich[4]. Entsprechend erhält man aus 2-Hydroxy-5-methyl-isophthaldialdehyd-bis-benzylimin ein Chelat[5].

Aus 4-Methoxypyridin-Chlor-diethyl-boran wird beim Erwärmen auf ~ 100° Chlormethan abgespalten und es wird ein Polymer gebildet[6]:

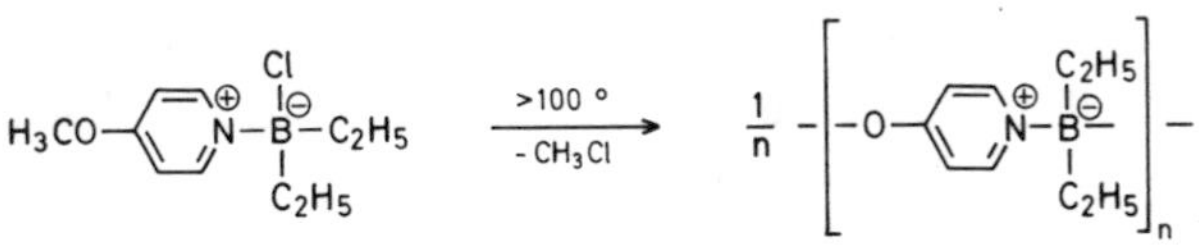

2,2-Diphenyl-3-hydro-1,3,2-oxazoniaboratolidin (Flavognost®) kann als Edukt zur Herstellung zahlreicher Diorganobor-Chelate eingesetzt werden. Mit 1-Methyl-4,5,6,7-tetrahydro-indigo erhält man durch Umesterung das tiefblaue *6,6-Diphenyl-12-methyl-13-oxo-8,9,10,11,12,13-hexahydro-6H-⟨indolo[2,3-e]-indolio[1,2-c]-1,3,2-oxaazonia-boratin⟩*[7]; z.B.:

---

[1] W. Fenzl u. R. Köster, Mülheim a.d. Ruhr, unveröffentlicht, 1979.
[2] F. Umland u. C. Schleyerbach, Ang. Ch. **77**, 426 (1965).
[3] E. Hohaus, Universität–GHS Siegen 1982; vgl. Z. anorg. Chem., im Druck (1983).
[4] M.S. Korobev, L.E. Nivorozkhin, L.V. Belen'kaya, L.E. Konstaninovskii u. V.I. Minkin, Ž. obšč. Chim. **52**, 860 (1982); C.A. **97**, 55861 (1982).
[5] A.J. Boulton u. C.S. Prado, Chem. Commun. **1982**, 1008.
[6] R. Köster, H. Bellut, G. Benedikt u. E. Ziegler, A. **724**, 34 (1969).
[7] G. Pfeiffer u. H. Bauer, Ch. Z. **102**, 323 (1978).

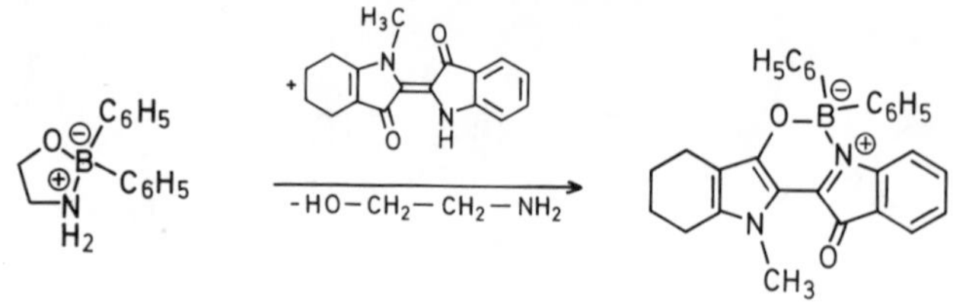

$-HO-CH_2-CH_2-NH_2$

Mit 2-Aminotropon reagiert 2,2-Diphenyl-1,3,2-oxaazoniaboratolidin in Benzol/Ethanol zum *2,2-Diphenyl-3-hydro-2H-⟨cyclohept-1,3,2-oxaazoniaboratol⟩* (F: 160–161°)[1]:

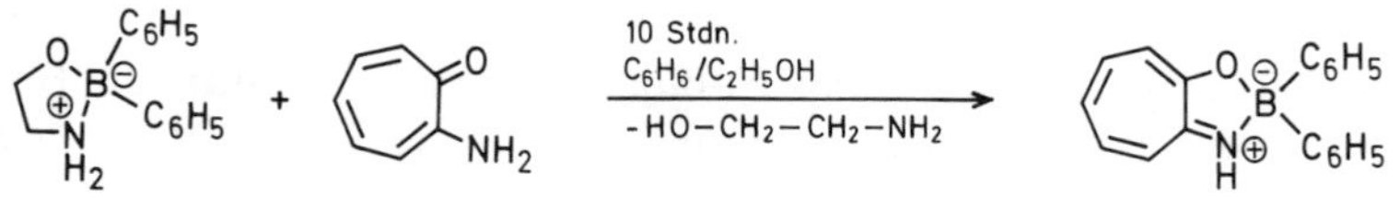

10 Stdn. C_6H_6/C_2H_5OH, $-HO-CH_2-CH_2-NH_2$

i₆) aus Tetraorganoboraten

Auch Alkalimetalltetraorganoborate eignen sich zur Herstellung von Imin- bzw. Pyridinbase-Diorgano-organooxy-boranen. Aus Natriumtetraphenylborat läßt sich z.B. mit 8-Hydroxychinolin in methanolischer Salzsäure das *2,2-Diphenyl-2H-⟨chinolio[1,8a,8-c,d]-1,3,2-oxaazoniaboratol⟩* (F: 203–206°) herstellen[2]:

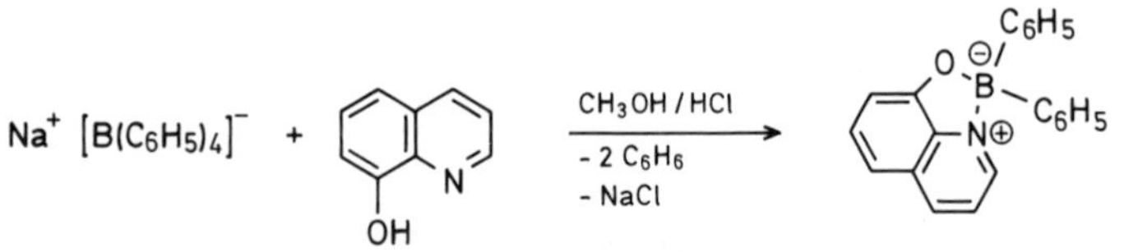

$Na^+ [B(C_6H_5)_4]^-$ + 8-Hydroxychinolin; CH_3OH/HCl, $-2\ C_6H_6$, $-NaCl$

ββ₃) Acylamin-Diorgano-oxy-borane

Die Verbindungsklasse umfaßt die 1:1-Additionsverbindungen der Organooxy-borane mit Carbonsäureamid-Derivaten, die im allgemeinen als Fünf- und Sechsringe auftreten. Ihre Herstellung erfolgt aus Amino-diorgano-boranen und aus Tetraorganodiboroxanen.

i₁) aus Diorgano-oxy-boranen

Aus Tetraphenyldiboroxan erhält man mit 2-(2-Hydroxyphenyl)-Derivaten des 1,3-Benzthiazols, 1,3-Benzoxazols, Benzimidazols und des Indols in Benzol, 1,4-Dioxan oder in Diethylether nach 1–2stdgm. Kochen am Rückfluß kristallisierte, farbige Bor-Chelate[3]:

[1] I. Bally, A. Arsene u. A. Balaban, Rev. Roumaine Chim. **13**, 1391 (1968); C.A. **71**, 38873 (1969).
[2] R. Neu, Ar. **292**, 437 (1959).
[3] F. Umland u. E. Hohaus, Ang. Ch. **79**, 1072 (1967).

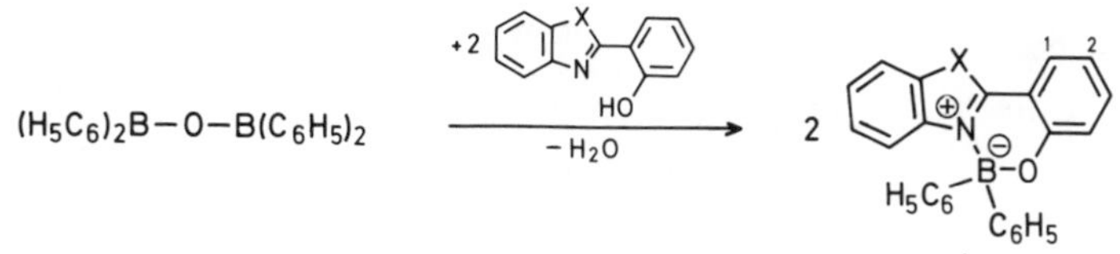

$$(H_5C_6)_2B-O-B(C_6H_5)_2 \xrightarrow[-H_2O]{+2\ \text{(2-(2-Hydroxyphenyl)-benzazol)}} 2\ \text{Bor-Chelat}$$

X = O; *6,6-Diphenyl-6H-⟨benzo[e]-1,3-benzoxaazolio[3,2-c]-1,3,2-oxaazoniaboratin⟩*; F: 195°
X = S; *6,6-Diphenyl-6H-⟨benzo[e]-1,3-benzthiazolio[3,2-c]-1,3,2-oxaazoniaboratin⟩*; F: 220°
X = NH; *6,6-Diphenyl-6H,12H-⟨benzo[e]-benzimidazolio[1,2-c]-1,3,2-oxaazoniaboratin⟩*; F: 440° (Zers.)

Die Diphenylboryl-Verbindung des 2-(2-Hydroxyphenyl)-1,3-benzthiazols läßt sich aus Tetraphenyldiboroxan mit 2-(2-Hydroxyphenyl)-2,3-dihydro-1,3-benzthiazol unter gleichzeitiger Dehydrierung des Heterocyclus herstellen. Falls Sauerstoff zugegen ist, bildet sich das monodiphenylborylierte Disulfan[1]:

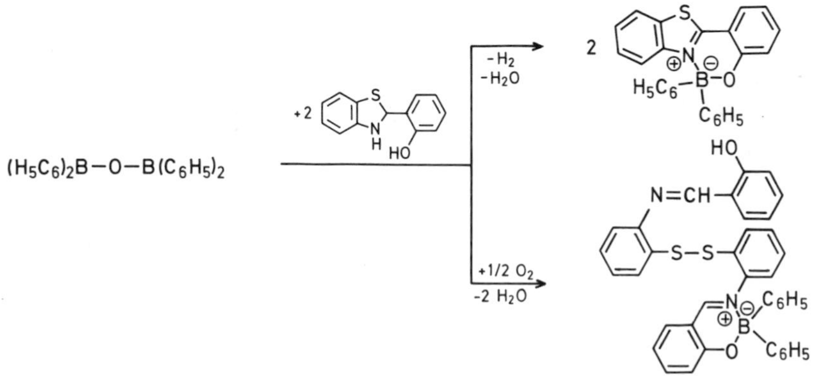

$$(H_5C_6)_2B-O-B(C_6H_5)_2 \xrightarrow[-H_2,\ -H_2O]{+2} 2\ \text{Bor-Chelat} \quad \text{F: } 220°\,[2]$$

$$\xrightarrow[-2\,H_2O]{+1/2\,O_2}$$

2,2-Diphenyl-3-{2-[2-(2-hydroxybenzylidenamino)-phenyl-disulfano]-phenyl}-2H-⟨benzo[e]-1,3,2-oxaazoniaboratin⟩; ~25%; F: 130–135°

i₂) aus Amino-diorgano-boranen

(Alkyl-trimethylsilyl-amino)-dialkyl-borane reagieren mit Carbonsäureamiden unter Aminosilan-Abspaltung zum Bor-Chelat (keine Ausbeuteangaben[3]):

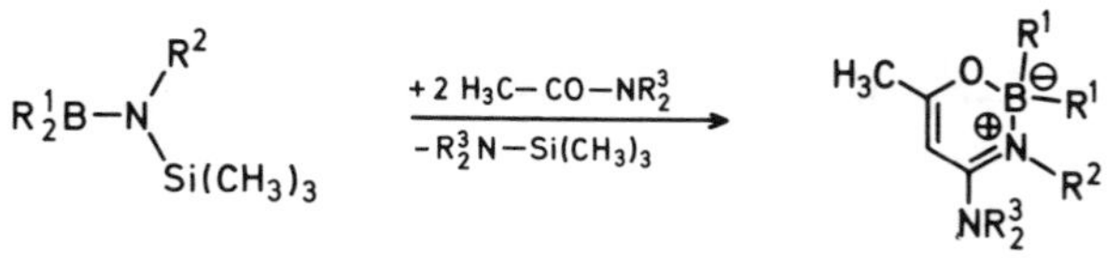

$$R^1_2B-N(R^2)-Si(CH_3)_3 \xrightarrow[-R^3_2N-Si(CH_3)_3]{+2\ H_3C-CO-NR^3_2}$$

4-Diorganoamino-6-methyl-2,2,3-triorgano-2H-1,3,2-oxaazoniaboratine

$R^1 = CH_3, C_2H_5, C_4H_9$
$R^2 = CH_3, CH(CH_3)_2, CH(CH_3)-C_2H_5, Si(CH_3)_3$

Aus 4,5-Dihydro-1H-1,3,4-diazaborolen sind mit Alkoholen entsprechend substituierte 4,5-Dihydro-3H-1,3,4-azoniaazaboratole zugänglich[4]:

[1] F. Umland u. E. Hohaus, Ang. Ch. **79**, 1072 (1967).
[2] C. Schleyerbach, Dissertation, Technische Hochschule Hannover 1965.
[3] W. Maringgele, Z. anorg. Ch. **468**, 99 (1980).
[4] H. Witte, P. Mischke u. G. Hesse, A. **722**, 21 (1969).

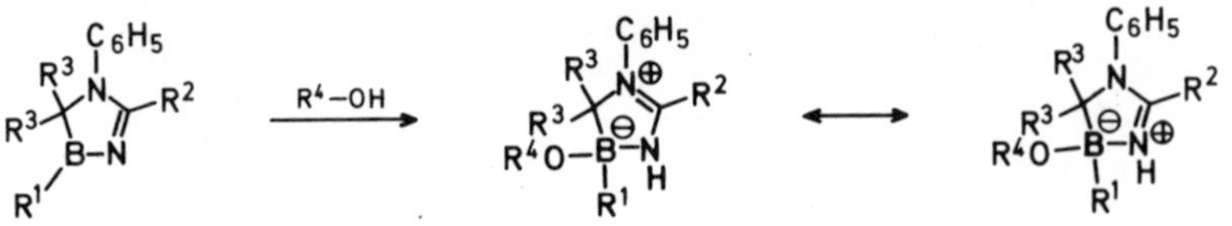

$$R^1 = CH_3;\ R^2 = C_6H_5;\ R^3 = R^4 = CH_3$$

...*-3,4,5-trihydro-3H-1,3,4-azaazoniaboratol*

$R^1 = CH_3$; $R^2 = C_6H_5$; $R^3 = R^4 = CH_3$; *1,2-Diphenyl-4-methoxy-4,5,5-trimethyl-...*; F: 114–116°
$R^1 = C_2H_5$; $R^2 = C_6H_5$; $R^3 = CH_3$; $R^4 = H$; *5,5-Dimethyl-1,2-diphenyl-4-ethyl-4-hydroxy-...*; F: 136–137°

Eine besondere Herstellungsmethode für cyclische Acylamin-Diorgano-organooxy-borane geht von Dialkyl-dimethylamino-boranen aus, die mit Keten reagieren. Nach Aminoborierung wird ein zweites Mol Keten aminocarboriert. Man läßt bei ~20° einen Überschuß von trockenem, frisch destillierten Keten einwirken. Die Ausbeuten an gewünschtem Produkt sind bescheiden (10–24%)[1-3].

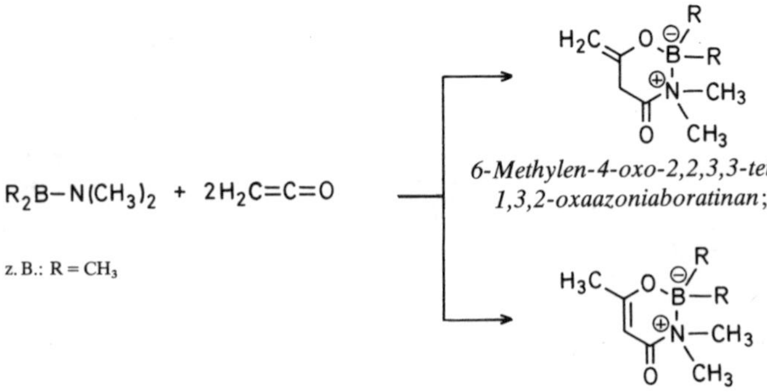

$$R_2B{-}N(CH_3)_2 + 2\,H_2C{=}C{=}O$$

z.B.: $R = CH_3$

6-Methylen-4-oxo-2,2,3,3-tetramethyl-1,3,2-oxaazoniaboratinan; 12%

4-Oxo-2,2,3,3,6-pentamethyl-3,4-dihydro-2H-1,3,2-oxaazoniaboratin; 24%

ββ₄) Azobenzol-Diorgano-oxy-borane

Die Verbindungsklasse[4] ist aus Diphenyl-hydroxy-boran oder aus Tetraorganodiboroxan mit Hydroxyazobenzol bzw. dessen Derivaten durch Erhitzen in Ethanol/Benzol oder in der Schmelze hergestellt worden; z.B.[5]:

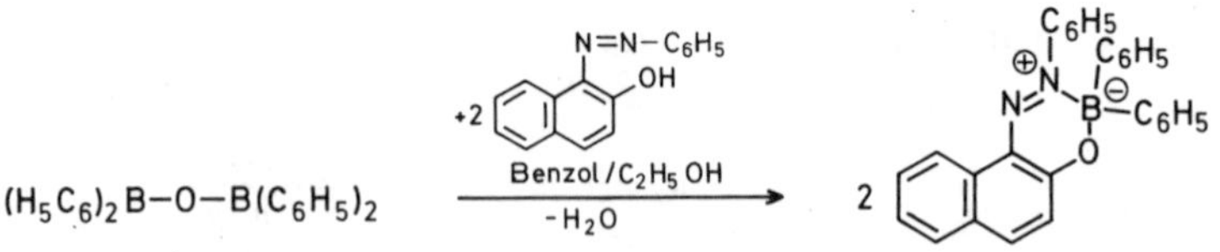

$$(H_5C_6)_2B{-}O{-}B(C_6H_5)_2 \xrightarrow[-H_2O]{Benzol/C_2H_5OH}$$

2,3,3-Triphenyl-3H-⟨naphtho[1,2-e]-1,3,4,2-oxaazoniaazaboratin⟩; 66% (dunkelrote Nadeln); F: 203°

[1] S. Kosma, Dissertation, Technische Hochschule Aachen 1971.
[2] vgl. P.I. Paetzold u. H. Grundke, Synthesis **1973**, 635.
[3] P. Paetzold u. S. Kosma, B. **112**, 654 (1979).
[4] US.P. 3726854 (1973), American Cyanamid Co., Erf.: C.E. Lewis; C.A. **79**, 6763 (1973).
[5] E. Hohaus u. K. Wessendorf, Z. Naturf. **35b**, 319 (1980).

$$(H_5C_6)_2B{-}O{-}B(C_6H_5)_2 \xrightarrow[-\,H_2O]{+2\ \text{(2-HO-C}_6\text{H}_4\text{)-N=N-(2-HO-5-H}_3\text{CO-C}_6\text{H}_3\text{)};\ \text{Schmelze}} 2\ \text{[Produkt]}$$

2,2-Diphenyl-3-(2-hydroxy-5-methoxy-phenyl)-2H-⟨benzo-1,3,4,2-oxaazoniaazaboratin⟩; 81%; F: 147°

γ) Lewisbase-Diorgano-(1-heteroelementalkyloxy)-borane

Zur Stoffklasse gehören Additionsverbindungen von Lewisbasen mit Diorgano-(1-oxyalkyloxy)- und (1-Aminoalkyloxy)-diorgano-boranen, die durch folgende Atom-Gruppierungen charakterisiert sind:

$$\text{O}{-}\overset{|}{\underset{|}{C}}{-}O{-}\overset{\ominus}{B}R_2({\leftarrow}\overset{\oplus}{Do}) \qquad \text{N}{-}\overset{|}{\underset{|}{C}}{-}O{-}\overset{\ominus}{B}R_2({\leftarrow}\overset{\oplus}{Do})$$

z. B.: Do: $-N\langle$, $-N(O)\langle$, $\rangle N{=}C(N)\langle$, $\rangle N(O){=}C\langle$

γ₁) *aus Diorgano-oxy-boranen*

Die Herstellungsmethode von N-Base-Diorgano-(1-oxyalkyloxy)-boranen geht von Diorgano-oxy-boranen aus. Man kondensiert diese mit Halbacetalen in Gegenwart der N-Base-Funktionen oder mit Reaktionsprodukten aus Formaldehyd und Aminoxiden.

γγ₁) aus Diorgano-hydroxy-boranen

Aus Diphenyl-hydroxy-boran erhält man mit N,N-Diorganohydroxylamin in Gegenwart von Formaldehyd *1,1-Diphenyl-2,4-dioxa-5-azonia-1-borata-spiro[4.4]nonan* (F: 154–158°)[1]:

$$(H_5C_6)_2B{-}OH + \text{1-Hydroxy-pyrrolidin} \xrightarrow[-\,H_2O]{+CH_2O} \text{[Spiroverbindung]}$$

Mit N,N-Dimethyl-O-hydroxymethyl-hydroxylamin ist *2,2-Dimethyl-3,3-diphenyl-1,4,2,3-dioxaazoniaboratolidin* (F: 154–158°) zugänglich[2]:

$$(H_5C_6)_2B{-}OH + (H_3C)_2N{-}O{-}CH_2{-}OH \xrightarrow{-\,H_2O} \text{[Ringverbindung]}$$

[1] G. Zinner u. R. Moll, B. **99**, 1292 (1966).
[2] G. Zinner u. W. Kliegel, Ar. **299**, 166 (1966); C. A. **64**, 17586 (1966).

$\gamma\gamma_2$) aus Diorgano-organooxy-boranen

Diphenyl-isobutyloxy-boran reagiert mit 2-Amino-2-desoxy-D-glucose in Ethanol unter Abspaltung von Isobutanol zum entsprechenden D-Glucosamin-Diphenyl-(1-oxy-alkyloxy)-boran [z. B.: (*Glucosamin-α-O)-diphenyl-boran*; 87%][1]:

$$(H_5C_6)_2B-O-CH_2-CH(CH_3)_2 \xrightarrow[-(H_3C)_2CH-CH_2-OH]{C_2H_5OH}$$

Aus Butyloxy-diorgano-boranen lassen sich z. B. mit 2-Aminopyridin in Gegenwart von Ketonen wie z. B. von Cyclohexanon oder Aceton sechsgliedrige Chelate herstellen[2,3]:

$$R_2B-OC_4H_9 + \text{2-Aminopyridin} \xrightarrow[-H_9C_4-OH]{+\text{Cyclohexanon} \;/\; +(H_3C)_2CO}$$

$R = C_3H_7, C_4H_9, C_6H_5$

Weiterhin können auch Acetaldehyd, 2-Butanon oder Acetophenon verwendet werden[1,4].

Aus Butyloxy-diphenyl-boran erhält man mit Aldehyden in Gegenwart von Carbonsäureamidin-Hydrochloriden im Zuge einer Aldol-Addition sechsgliedrige Heterocyclen mit Amidin-(1-Aminoalkyloxy)-diorgano-boran-Struktur[5]:

$$(H_5C_6)_2B-OC_4H_9 + R^1-CHO \xrightarrow[-H_9C_4-OH]{+R^2-C(=N-R^4)-NH-R^3 \cdot HCl}$$

$R^1 = CH_3, C_3H_7; C_6H_7; C_6H_5; R^2 = CH_3$
$R^1 = CH_3, C_3H_7; R^1 = R^4 = CH_3; R^3 = C_6H_5$
$R^1 = CH_3, C_3H_7; R^2 = CH_3; R^3 = R^4 = C_6H_5$

4,6-Diorgano-2,2-diphenyl- bzw. 2,2-Diphenyl-3,4,5,6-tetraorgano-2H-1,3,5,2-oxaazoniaazaboratin

[1] A. M. Yurkevich u. O. N. Shevtsova, Ž. obšč. Chim. **42**, 1172 (1972); engl.: 1166; C. A. **77**, 114753 (1972).
[2] G. W. Kramer u. H. C. Brown, J. Org. Chem. **42**, 2292 (1977).
[3] V. A. Dorokhov, B. M. Zolotarev, O. S. Chizhov u. B. M. Mikhailov, Izv. Akad. SSSR **1977**, 1587; engl.: 1458; C. A. **87**, 152296 (1977).
[4] G. Zinner u. W. Ritter, Ang. Ch. **74**, 217 (1962).
[5] V. A. Dorokhov, V. I. Seredenko u. B. M. Mikhailov, Ž. obšč. Chim. **45**, 1772 (1975); engl.: 1737; C. A. **84**, 5031 (1976).

6-Alkyl-2,2-diphenyl-4-methyl-3,5,6-trihydro-2H-1,3,5,2-oxaazoniaazaboratine; allgemeine Arbeitsvorschrift[1]: Zu 0,02–0,04 mol Butyloxy-diphenyl-boran wird zunächst eine äquimolare Menge wäßr. Alkalimetallhydroxids gegeben, dann 0,025–0,045 mol Aldehyd zugefügt und schließlich eine wäßr. Lösung von 0,02–0,04 mol von Acetamidin-Hydrochlorid zugetropft. 20–30 Min. wird gerührt, vom Niederschlag abfiltriert, dieser mit Wasser gewaschen und i. Vak. getrocknet. Aus Benzol oder Toluol wird umkristallisiert.

$\gamma\gamma_3$) aus Tetraorganodiboroxanen

Tetraphenyldiboroxan reagiert mit 1-Hydroxymethoxy-piperidin unter Bildung von *1,1-Diphenyl-2,4-dioxa-5-azonia-1-borata-spiro[4.5]decan* (F: 166°)[2]:

$$(H_5C_6)_2B-O-B(C_6H_5)_2 + 2\ \text{(Piperidino)}N-O-CH_2-OH \xrightarrow[-H_2O]{} 2\ \text{(Spiro-Verbindung)}$$

Die Herstellung von verschiedenen Imin-(1-Aminoalkyloxy)-diorgano-boranen erfolgt aus Diorgano-organooxy-boranen mit Carbonsäureamidinen (auch 2-Aminopyridine) in Gegenwart von Carbonyl-Verbindungen.

γ_2) *aus Amino-diorgano-boranen*

Die im voranstehenden Abschnitt geschilderte Herstellungsmethode für 5,6-Dihydro-2H-1,3,5,2-oxazoniaazaboratine kann auch stufenweise durchgeführt werden. Man geht z. B. von bereits hergestelltem 2-Diorganoborylamino-pyridin aus und setzt mit Aldehyden oder mit Ketonen um[3,4]:

$$R^3_2B-NH-(2\text{-Pyridyl}) \xrightarrow{+\ R^1R^2C=O} \text{(Cyclisches Produkt)}$$

R^1 = Alkyl
R^2 = H, Alkyl
R^3 = C_3H_7, C_4H_9, C_6H_5

2,4,4-Tripropyl-1,2-dihydro-4H-⟨pyridio[1,2-c]-1,3,5,2-oxaazoniaazaboratin⟩ (R^1 = H; R^2 = R^3 = C_3H_7)[4]: Zur Lösung von 12,5 g (66 mmol) 2-Dipropylborylamino-pyridin in 40 *ml* Hexan gibt man portionsweise 7 *ml* Butanal. Vom Niederschlag wird abfiltriert und mit Hexan gewaschen; Ausbeute: 15,5 g (90%); F: > 85° (Zers.).

γ_3) *aus Lewisbase-Diorgano-oxy-boranen*

Aus 2,2-Diphenyl-3-hydro-1,3,2-oxaazoniaboratolidin (Flavognost®) werden mit Hydroxylaminen bzw. Oximen die stabileren Lewisbase-Diorgano-(1-oxyalkoxy)-borane gewonnen[5]:

---

[1] V. A. DOROKHOV, V. I. SEREDENKO u. B. M. MIKHAILOV, Ž. obšč. Chim. **45**, 1772 (1975); engl.: 1737; C. A. **84**, 5031 (1975).
[2] G. ZINNER u. W. RITTER, Ang. Ch. **74**, 217 (1962).
[3] B. R. GRAGG, R. E. HANDSHOE u. K. NIEDENZU, J. Organometal. Chem. **116**, 135 (1976).
[4] V. A. DOROKHOV, B. M. ZOLOTAREV, O. S. CHIZHOV u. B. M. MIKHAILOV, Izv. Akad. SSSR **1977**, 1587; engl.: 1458; C. A. **87**, 152296 (1977).
[5] G. ZINNER u. W. KLIEGEL, B. **99**, 895 (1966).

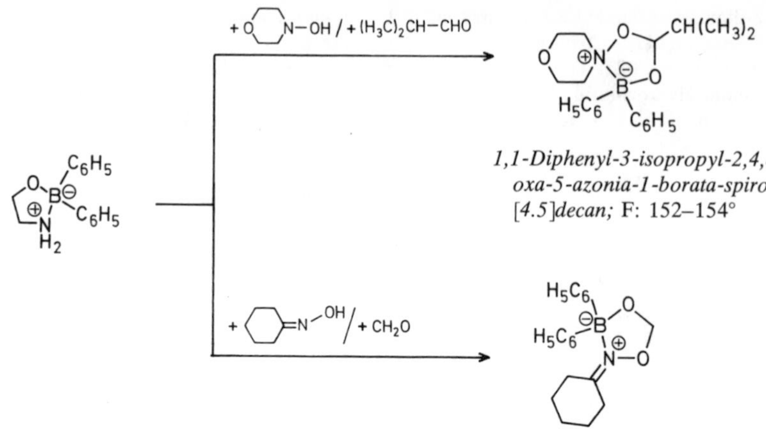
+ O N–OH / + $(H_3C)_2CH–CHO$
CH(CH$_3$)$_2$
H_5C_6
C_6H_5
+ =N–OH / + CH_2O

1,1-Diphenyl-3-isopropyl-2,4,8-tri-oxa-5-azonia-1-borata-spiro-[4.5]decan; F: 152–154°

2-Cyclohexyliden-3,3-diphenyl-1,4,2,3-dioxazoniaboratolidin; F: 137–138°

1,1-Diphenyl-3-isopropyl-2,4,8-trioxa-5-azonia-1-borata-spiro[4.5]decan[1]: Einige Tropfen N-Hydroxy-morpholin erwärmt man in 2*ml* Ethanol zusammen mit einigen Tropfen Isobutanal und fügt eine Spatelspitze 2,2-Diphenyl-1,3,2-oxazoniaboratolidin zu. Nach kurzem Aufkochen scheidet sich in der Kälte das Chelat ab; F: 152–154° (aus Ethanol).

Mit N,N-Dimethylhydroxylamin in wäßriger Formaldehyd-Lösung erhält man Dimethyl-hydroxymethoxy-amin, mit dem 2,2-Diphenyl-3-hydro-1,3,2-oxaazoniaboratolidin unter Bildung von *2,2-Dimethyl-3,3-diphenyl-1,4,2,3-dioxaazoniaboratolidin* (F: 191–192°) reagiert[2]:

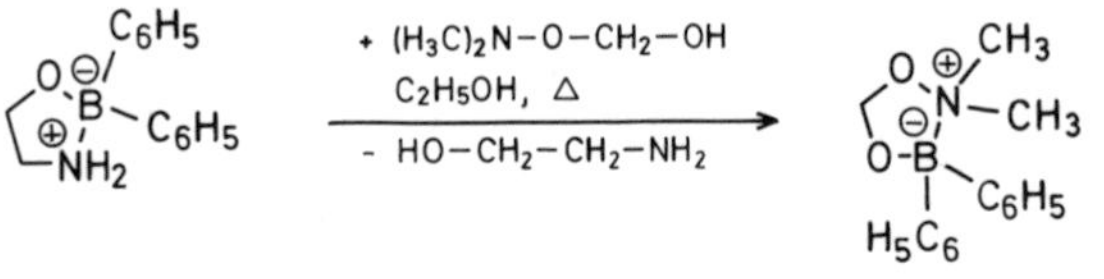
+ $(H_3C)_2N–O–CH_2–OH$
C_2H_5OH, Δ
- $HO–CH_2–CH_2–NH_2$

δ) Lewisbase-Acyloxy-diorgano-borane

Die Verbindungsklasse umfaßt monocyclische 1:1-Additionsverbindungen der Acyl-oxy-diorgano-borane mit verschiedenartigen Lewisbasen wie z.B. mit O-Donatoren (Carbonsäureamide, Amin-N-oxide), vor allem aber mit Aminen und auch von Iminen (Pyridinbasen) (Überblick s. Tab. 90, S. 575).

δ_1) *Amin-Acyloxy-diorgano-borane*

$\delta\delta_1$) aus Triorganoboranen

Trialkylborane eignen sich ausgezeichnet zur Herstellung von cyclischen Amin-Acyl-oxy-dialkyl-boranen. Man erhitzt mit Aminocarbonsäuren[3] oder läßt diese in Gegenwart von Katalysatoren reagieren[4].

[1] G. Zinner u. W. Kliegel, B. **99**, 895 (1966).
[2] G. Zinner u. W. Kliegel, Ar. **299**, 166 (1966).
[3] R. Köster u. E. Rothgery, A. **1974**, 112.
[4] DBP. 1130445 (1959), Bayer AG, Erf.: K. Lang, K. Nützel u. F. Schubert; C.A. **58**, 1488 (1963).

Tab. 90: Lewisbase-Acyloxy-diorgano-borane

Formel	Verbindungstyp	Herstellung	s. S.
prim. Amin-Acyloxy-diorgano-borane			
$H_2N^{\oplus}$–$B^{\ominus}$($O-CO-CH_3$)(C_4H_9) (cyclisch)	Do–B(R)(O–CO–) (cyclisch, R)	aus $R^1_2B-N\langle$ + R^2-COOH	577
		+ $(R^2-CO)_2O$	578
$H_2N^{\oplus}$–$B^{\ominus}R_2$–O–C(=O) (Ring)	Do–BR_2, R–C(=O)–O (Ring)		
R = C_3H_7		aus R_3B + Do–R–COOH (Kat.)	576
R = Ar		aus $R^1_2B-OR^2$ + Do–R–COOH	577
R = C_6H_5		aus $[R_4B]^-$ + Do–R–COOH/H^+	578
O=C–O–$B^{\ominus}R_2$–$^{\oplus}NH_2$ (Ring)	Do–BR_2, R–C(=O)–O (Ring)	aus R_3B + Do–R–COOH	576
O=C–O–$B^{\ominus}R_2$–$^{\oplus}NH_2$ (Benzo-Ring)	Do–BR_2, R_{en}–C(=O)–O (Ring)	aus R_3B + Do–R–COOH	vgl. 576
sek. Amin-Acyloxy-diorgano-borane			
H–$N^{\oplus}$–$B^{\ominus}R_2$–O–C(=O) (bicyclisch)	Do–BR_2, R–C(=O)–O (Ring)	aus $[R_4B]^-$ + Do–R–COOH	579
Borylamin-Acyloxy-diorgano-borane			
$(H_5C_2)_2B$, H, $^{\oplus}N$–$B^{\ominus}(C_2H_5)_2$–O–C(=O) (Ring)	Do–BR_2, R–C(=O)–O (Ring)	aus R_3B + Do–R–COOH	576
$(H_3C)_3C-CO-O-B(C_2H_5)$–$^{\oplus}N$(H)–$B^{\ominus}(C_2H_5)_2$–O–C(=O) (Ring)	Do–BR_2, R–C(=O)–O (Ring)	aus $R_2B-O-CO-$ + R_3B/ Do–R–COOH	577
tert. Amin-Acyloxy-diorgano-borane			
H_3C, CH_3, $N^{\oplus}$–$B^{\ominus}$($O-CO-CH_3$)(C_4H_9) (Ring)	Do–R(R)(O–CO–) (cyclisch, R)	aus Do–BR^1_3 + R^2–COOH	578
Imin-Acyloxy-diorgano-borane			
Cyclohexyliden=$N^{\oplus}$–$B^{\ominus}$($O-CO-CH_3$)(C_4H_9) (Ring)	Do–B(R)(O–CO–) (cyclisch, R)	aus $R^1_2B-N(-)-R_{en}$ + R^2–COOH	579
$^{\oplus}N$(Pyridin)–$B^{\ominus}R_2$–O–C(=O) (Ring)	Do–BR_2, R_{en}–C(=O)–O (Ring)	aus $(R_2B)_2O$ + Do–R–COOH	vgl. 577

Beispielsweise sind aus Tripropylboran mit Aminocarbonsäuren oberhalb 120° unter Abspaltung von 1 Mol-Äquivalent Propan verschiedene Amin-Acyloxy-diorgano-borane zugänglich. Mit Glycin oder Methionin erhält man bei 120–150° *2,2-Dipropyl-3-hydro-5-oxo-* bzw. *2,2-Dipropyl-3-hydro-4-(2-methylthio-ethyl)-5-oxo-1,3,2-oxaazoniaboratolidin*[1,2]:

$$(H_7C_3)_3B \;+\; R{-}\underset{\displaystyle NH_2}{\underset{|}{C}H}{-}COOH \;\xrightarrow[-C_3H_8]{>120°,\ 4\ Stdn.}$$

R = H, $CH_2{-}CH_2{-}SCH_3$

Mit *β*-Alanin wird *2,2-Dipropyl-3-hydro-6-oxo-1,3,2-oxaazoniaboratinan* gebildet[1]. Anthranilsäure reagiert unter den gleichen Bedingungen unter Abspaltung von zwei Mol-Äquivalent Propan zum cyclischen Acyloxy-amino-propyl-boran (vgl. S. 161)[1].

In Gegenwart von 2,2-Dimethylpropansäure (1–2 mol%) als Katalysator (vgl. S. 12f.) lassen sich aus Triethylboran mit verschiedenen *α*- und *β*-Aminocarbonsäuren in Acetonitril bei ~80° fünf- und sechsgliedrige cyclische Amin-Acyloxy-diethyl-borane herstellen. Mit Glycin oder *β*-Alanin sind in fast quantitativer Ausbeute folgende Heterocyclen zugänglich[3]:

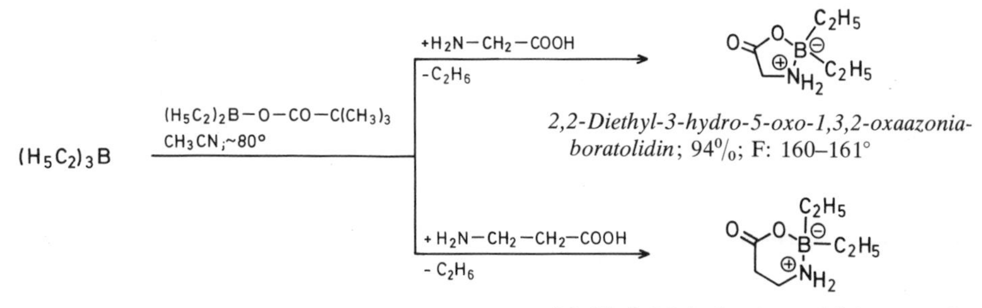

2,2-Diethyl-3-hydro-5-oxo-1,3,2-oxaazonia-boratolidin; 94%; F: 160–161°

2,2-Diethyl-3-hydro-6-oxo-1,3,2-oxaazonia-boratinan; 96%; F: 131–133°

2,2-Diethyl-3-hydro-5-oxo-1,3,2-oxaazoniaboratolidin[3]**:** Zu einer Suspension von 24,3 g (0,33 mol) Glycin in 150 *ml* Acetonitril gibt man unter Argon bei gutem Rühren und langsamem Erwärmen bis zum Rückfluß innerhalb 90 Min. 64,7 g (93 *ml*, 0,66 mol) Triethylboran, dem ~0,4 *ml* Diethyl-(2,2-dimethylpropanoyloxy)-boran zugesetzt ist. Es entweicht Ethan. Man kühlt auf 23°, wobei Kristalle ausfallen, und engt i. Vak. auf ein Drittel des Vol. ein, isoliert den Niederschlag durch Filtrieren, wäscht ihn unter Argon mit Hexan und trocknet i. Vak.; Ausbeute: 44,2 g (94%; F: 160–161°).

Mit Sarkosin, Phenylalanin sowie mit 4-Aminobutansäure oder 6-Aminohexansäure erhält man aus aktiviertem Triethylboran entsprechende feste Amin-Acyloxy-diethyl-borane in sehr hohen Ausbeuten[3].

Der Einsatz von äquimolaren Mengen an Triethylboran und 3- bis *ω*-Aminocarbonsäuren ist allerdings notwendig, da andernfalls im Überschuß von Triethylboran auch N-Diethylborylierung erfolgt. Herstellbar sind aus überschüssigem Triethylboran mit 4-Aminobutansäure bzw. mit 6-Aminohexansäure die ebenfalls festen N-Diethylboryl-amin-Acyloxy-diethyl-borane, die bei steigender Kettenlänge stärker dissoziieren[3].

---

[1] DBP. 1130445 (1959), Bayer AG, Erf.: K. Lang, K. Nützel u. F. Schubert; C. A. **58**, 1488 (1963).
[2] DBP. 1097446 (1961), Bayer AG, Erf.: K. Nützel u. K. Lang; C. A. **56**, 1478 (1962).
[3] R. Köster u. E. Rothgery, A. **1974**, 112.

2,2-Diethyl-3-diethylboryl-3-hydro-9-oxo-1,3,2-oxaazoniaboratinan[1]: Man erwärmt ein Gemisch von 6,8 g (51,8 mmol) 6-Aminohexansäure und 25,8 g (263 mmol) Triethylboran, dem 0,1 *ml* Diethyl-(2,2-dimethylpropanoyloxy)-boran zugesetzt ist. Ab ~ 70° entweicht Ethan. Die Reaktion ist nach ~ 2 Stdn. beendet. Nach weiteren 2 Stdn. Rückflußkochen zieht man überschüssiges Triethylboran bei max. 60°/12 Torr ab. Der Rückstand wird über eine Fritte abgesaugt, mehrmals mit Hexan gewaschen und i.Vak. getrocknet; Ausbeute: 13,1 g (95%); F: 80–82°.

Analog erhält man z.B. *2,2-Diethyl-3-diethylboryl-3-hydro-7-oxo-1,3,2-oxaazoniaboratepan* (84%; F: 148–150°).

Die N-Diethylborylierung der α- und β-Aminocarbonsäuren ist wegen der Stabilität der fünf- und sechsgliedrigen Amin-Acyloxy-diethyl-borane (S. 576f.) nicht mit aktiviertem Triethylboran, jedoch mit reinem Diethyl-(2,2-dimethylpropanoyloxy)-boran möglich (vgl. S. 673).

$\delta\delta_2$) aus Diorgano-oxy-boranen

Zur Herstellung cyclischer Amin-Acyloxy-diorgano-borane verwendet man auch Diorgano-organooxy-borane, die mit Aminocarbonsäuren unter Abspaltung von Alkohol umgesetzt werden. Mit Hilfe der Methode[2–4] konnte eine große Zahl von 5-Oxo-1,3,2-oxaazoniaboratolidinen aus Butyloxy-diaryl-boranen hergestellt werden[5]:

$Ar^1Ar^2B{-}OC_4H_9$ $\xrightarrow[-HOC_4H_9]{+H_2N-CH(R)-COOH}$ (cyclisches Produkt: O=C–O–B$^{\ominus}$(Ar^1)(Ar^2)–$N^{\oplus}H_2$–CH(R))

...-1,3,2-oxaazoniaboratolidin

z.B.: $Ar^1 = Ar^2 = C_6H_5$; R = H; *2,2-Diphenyl-3-hydro-5-oxo-...*; 49%; F: 238,5–239°
R = CH_2SH; *2,2-Diphenyl-3-hydro-4-mercaptomethyl-5-oxo-...*; 51%; F: 220–221°
R = $CH(CH_3)_2$; *2,2-Diphenyl-3-hydro-4-isopropyl-5-oxo-...*; 80%; F: 232–233°
R = (S/R)-2-C_4H_9; *4-(S/R)-2,2-Diphenyl-3-hydro-4-(1-methylpropyl)-5-oxo-...*; 63%; F: 191–192°
R = $-CH_2-$(3H-Indol-3-yl); *2,2-Diphenyl-3-hydro-4-[3H-(S/R)-indol-3-ylmethyl]-5-oxo-...*; 81%; F: 224,6°

$\delta\delta_3$) aus Amino-diorgano-boranen

Aus cyclischen Amino-diorgano-boranen sind mit freien Carbonsäuren oder Carbonsäureanhydriden Amin- und Imin-Acyloxy-diorgano-borane (vgl. S. 581) zugänglich.

Aus 2-Butyl-1,2-azaborolidin erhält man mit Eisessig unter 1,2-Hydroacetoxylierung *2-Acetoxy-2-butyl-1-hydro-1,2-azoniaboratolidin* (74%; $Kp_{0,2}$: 76–80°)[6]:

2-Butyl-1,2-azaborolidin (NH, B–C_4H_9) $\xrightarrow[60°,\ 2\ Stdn.]{+H_3C-COOH}$ Ring mit $N^{\oplus}H_2$–$B^{\ominus}$($O{-}CO{-}CH_3$)(C_4H_9)

[1] R. Köster u. E. Rothgery, A. **1974**, 112.
[2] R.L. Letsinger u. I. Skoog, Am. Soc. **77**, 2491 (1955).
[3] US.P. 2872479 (1957), Callery Chemical Co., Erf.: R.L. Letsinger, I.H. Skoog u. N.L. Remes; C.A. **53**, 13107 (1959).
[4] US.P. 2839566 (1958), Callery Chem. Co., Erf.: R.L. Letsinger u. I.H. Skoog; C.A. **55**, 21153 (1961).
[5] Shih-Hua Tung, Kuo-Min Chang, Shih Lu Tah, Chia-Chin Liu u. Shih-Lin Chang, K'o Hsueh T'sung Pao **17**, 414 (1966); C.A. **66**, 37990 (1967).
[6] N.V. Mostovoi, V.A. Dorokhov u. B.M. Mikhailov, Izv. Akad. SSSR **1966**, 90; engl.: 70; C.A. **64**, 15908 (1966).

Aus 2-Alkyl-1,2-azaborolidinen sind auch mit Essigsäureanhydrid 2-Acetoxy-2-alkyl-1-hydro-1,2-azoniaboratolidine zugänglich. Als Parallelprodukt fällt allerdings die 1:1-Additionsverbindung des Edukts mit 1-Acetyl-2-alkyl-1,2-azaborolidin mit BNB-Gruppierung (vgl. S. 667, 674) an. Die Methode ist daher im Vergleich zur Essigsäure-Addition weniger ergiebig[1]; z.B.:

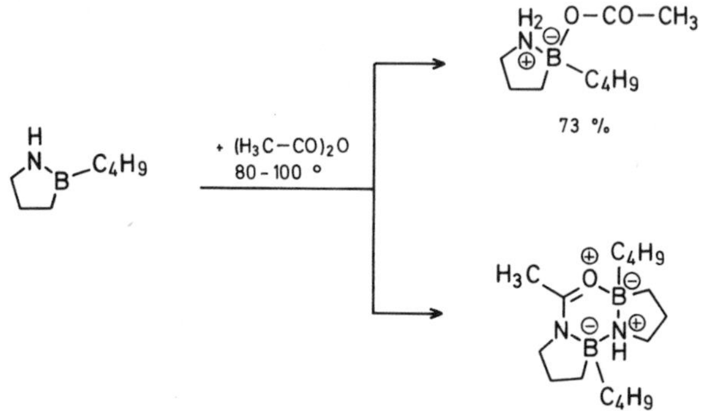

+ $(H_3C-CO)_2O$, 80-100°

73%

2,9-Dibutyl-1-hydro-7-methyl-8-oxonia-6-aza-1-azonia-2,9-diborata-tricyclo[*7.3.0.0*^{2,6}] *dodec-7-en* (vgl. S. 674)

δδ₄) aus Lewisbase-Organoboranen

Cyclische Amin-Triorganoborane reagieren mit Carbonsäuren durch Acidolyse einer *exo*cyclischen Organo-Gruppe unter Bildung von Amin-Acyloxy-diorgano-boranen.

Aus 2,2-Dibutyl-1,1-dimethyl-1,2-azoniaboratolidin erhält man mit Eisessig bei 200–210° nach Abspaltung von Butan in 74⁰/₀iger Ausbeute *2-Acetoxy-2-butyl-1,1-dimethyl-1,2-azoniaboratolidin* (Kp_1: 99–100°)[2]:

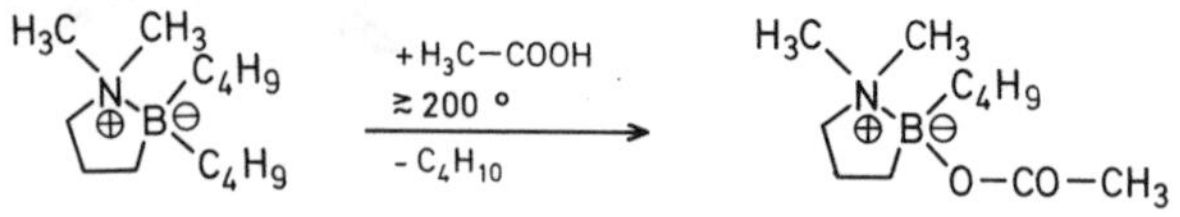

$+ H_3C-COOH$, ≥ 200°, $- C_4H_{10}$

δδ₅) aus Organoboraten

Amin-Acyloxy-diorgano-borane können auch aus Tetraorganoboraten hergestellt werden. Als Reaktionspartner verwendet man die Hydrochloride von Aminocarbonsäuren.

Zwei BC-Bindungen des Natriumtetraphenylborats werden beispielsweise bei Einwirkung von Glycin oder Glycin-Hydrochlorid als Benzol abgespalten[3,4]:

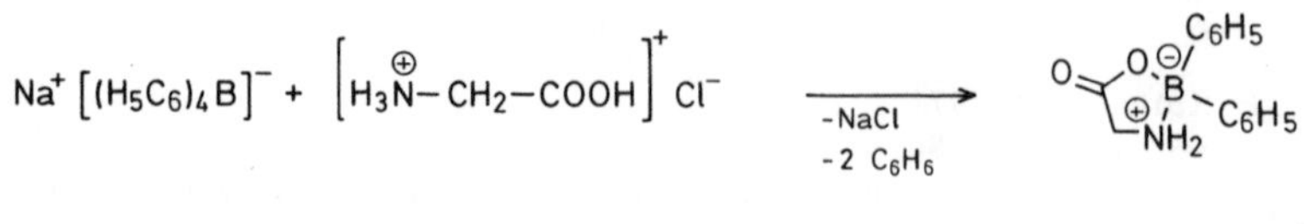

$$Na^+ [(H_5C_6)_4B]^- + [H_3\overset{\oplus}{N}-CH_2-COOH]^+ Cl^- \xrightarrow[-2\ C_6H_6]{-NaCl}$$

[1] V.A. Dorokhov u. B.M. Mikhailov, Izv. Akad. SSSR **1970**, 1804; engl.: 1698; C.A. **74**, 125767 (1971).
[2] M.N. Bochkareva, V.A. Dorokhov, O.G. Boldyreva, V.S. Bogdanov u. B.M. Mikhailov, Ž. obšč. Chim. **45**, 780 (1975); engl.: 768; C.A. **83**, 77887 (1975).
[3] G. Baum, J. Organometal. Chem. **22**, 269 (1970).
[4] M. Wieber u. W. Künzel, Z. anorg. Ch. **403**, 107 (1974).

2,2-Diphenyl-3-hydro-5-oxo-1,3,2-oxaazoniaboratolidin[1]**:** Ein Gemisch von 0,15 g (2 mmol) Glycin, 0,68 g (2 mmol) Natriumtetraphenylborat und 50 *ml* Wasser wird 18 Stdn. am Rückfluß gekocht. Man filtriert, wäscht das Filtrat erst sorgfältig mit Wasser, dann mit Benzol und trocknet es; Ausbeute: 0,28 g (60%); F: 234°.

Weitere entsprechend hergestellte Boranchelate sind in Tab. 91 zusammengestellt.

Tab. 91: 2,2-Diphenyl-3-hydro-4-organo-5-oxo-1,3,2-oxazoniaboratolidine aus Natriumtetraphenylborat mit Aminocarbonsäure[2]

Aminocarbonsäure	Bedingungen	*2,2-Diphenyl-3-hydro-... 1,3,2-oxazoniaboratolidin*	Ausbeute [%]	F [°C]
DL-Alanin	Hydrochlorid in 50 *ml*	*...4-methyl-5-oxo-...*	83	266
DL-Phenylalanin	H_2O, 18 Stdn. kochen, Abfiltrieren, Filtrat	*...-4-benzyl-5-oxo-...*	85	219
L-Tyrosin	mit H_2O und mit Benzol waschen, Trocknen	*...-4-(4-hydroxybenzyl)-5-oxo-...*	43	243
L-Cystein	i. Vak.	*...-4-mercaptomethyl-5-oxo-...*	41	210
DL-Prolin		*2,2-Diphenyl-1-hydro-4-oxo-3-oxa-1-azonia-2-borata-bicyclo[3.3.0]octan* H_5C_6, H, B, C_6H_5, ⊕N, ⊖, O, O	70	272

δ_2) *Imin-Acyloxy-diorgano-borane*

Ein Imin-Acyloxy-diorgano-boran mit *exo*cyclischer Acyloxy-Gruppe wird aus 2-Butyl-1-(1-cyclohexenyl)-1,2-azaborolidin mit Eisessig durch 1,4-Hydroacetoxylierung erhalten[2,3]:

$$\text{(1-Cyclohexenyl)-N-B-}C_4H_9 + H_3C{-}COOH \longrightarrow \text{Cyclohexyliden}{=}\overset{\oplus}{N}\text{-}\overset{\ominus}{B}(C_4H_9){-}O{-}CO{-}CH_3$$

2-Acetoxy-2-butyl-1-cyclohexyliden-1,2-azoniaboratolidin[2]**:** Tropfenweise gibt man 2,94 g (49 mmol) Essigsäure zu 9,8 g (48 mmol) 2-Butyl-1-(1-cyclohexenyl)-1,2-azaborolidin. Nach beendeter Zugabe wird destilliert; Ausbeute: 7,5 g (58%); Kp_1: 123–125°.

ε) Lewisbase-(O- und N-Acylamino)-diorgano-borane

Die 1:1-Additionsverbindungen der Acylamino-diorgano-borane mit O-Donatoren wie z.B. Carbonyl-Gruppen von *endo*- sowie *exo*cyclischen Carbonsäureamiden und mit N-Donatoren von Amidinen, Hydrazonen oder Azo-Verbindungen sind bekannt.

[1] G. Baum, J. Organometal. Chem. **22**, 269 (1970).
[2] N.V. Mostovoi, V.A. Dorokhov u. B.M. Mikhailov, Izv. Akad. SSSR **1966**, 90; engl.: 70; C.A. **64**, 15908 (1966).
[3] V.A. Dorokhov, O.G. Boldyreva, V.S. Bogdanov u. B.M. Mikhailov, Ž. obšč. Chim. **42**, 1558 (1972); engl.: 1550; C.A. **77**, 126731 (1972).

ε_1) *Carbonyl-Acylamino-diorgano-borane*

Die Carbonyl-O-Acylamino-diorgano-borane sind verschiedenartige sechsgliedrige Cyclen mit 6π-Resonanzstruktur. Die Verbindungen lassen sich z.B. aus Diorgano-halogen-boranen oder aus Diorgano-organothio-boranen herstellen.

Aus Brom-dimethyl-boran sind mit Oxalsäurebis[methylamid] in Abhängigkeit vom Mengenverhältnis *5-Methylamino-4-oxo-2,2,3-trimethyl-3,4-dihydro-2H-1,3,2-oxonia-azaboratol* oder *3,3,4,7,7,8-Hexamethyl-2,6-dioxonia-4,8-diaza-3,7-diborata-bicyclo [3.3.0] octan* zugänglich[1]:

$(H_3C)_2B-Br$ + $H_3C-NH-CO-CO-NH-CH_3$ → (1:1, $-HBr$) / (2:1, $-2\,HBr$)

5-Methylamino-4-oxo-2,2,3-trimethyl-3,4-dihydro-2H-1,3,2-oxoniaazaboratol[1]: Zu 11,6 g (100 mmol) Oxalsäurebis[methylamid] in 300 *ml* Tetrachlormethan tropft man 12,1 g (100 mmol) Brom-dimethyl-boran in 50 *ml* Tetrachlormethan und erhitzt 48 Stdn. unter Rückfluß (Bromwasserstoff-Abspaltung). Nach Abziehen des Tetrachlormethans (Rotationsverdampfer) i. Vak. wird das Produkt i. Vak. sublimiert und aus Tetrachlormethan umkristallisiert; Ausbeute: ~12 g (~75%).

Entsprechend ist *3,3,4,7,7,8-Hexamethyl-2,6-dioxonia-4,8-diaza-3,7-diborata-bicyclo[3.3.0]octan* (~75%) aus Brom-dimethyl-boran mit Oxalsäurebis[dimethylamid] im Mengenverhältnis 2:1 zugänglich[1].

Aus Alkylthio-dialkyl-boranen erhält man mit Diacetylamin bei 30–50° i. Vak. unter Abziehen des freigesetzten Alkylthians die chelatartig stabilisierten sechsgliedrigen Cyclen[2]:

$R^1_2B-SR^2$ + $(H_3C-CO)_2NH$ → ($-R^2-SH$)

...-1,3,5,2-dioxazoniaboratin

z.B.: $R^1 = R^2 = C_2H_5$; *2,2-Diethyl-4,6-dimethyl-...*; 54%; Kp_7: 56–57°
$R^1 = C_4H_9$; $R^2 = C_6H_{13}$; *2,2-Dibutyl-4,6-dimethyl-...*; Kp_8: 104–109°

[1] W. Maringgele, G.M. Sheldrick, M. Noltemeyer u. A. Meller, B. **116**, im Druck (1983).
[2] V.A. Dorokhov, L.I. Lavrinovich u. B.M. Mikhailov, Doklady Akad. SSSR **195**, 1100 (1970); engl.: 904; C.A. **75**, 5998 (1971).

ε_2) *Imin-Acylamino-diorgano-borane*

Die Verbindungen sind aus Triorgano-, Diorgano-organooxy-[1] oder aus Diorgano-organothio-boranen[2] mit N-Acylamidinen zugänglich. Die 6π-resonanzstabilisierten sechsgliedrigen Ringe lassen sich auch aus Amino-diorgano-boranen mit Nitrilen herstellen[3].

Wegen der beiden mesomeren Grenzformeln I und II

I II

werden die Herstellungsmethoden der Verbindungen entsprechend der Formel I auf S. 649ff. bei den Carbonyl-Amidino-diorgano-boranen besprochen.

Bestimmte Dimere der O-Acylamino-diorgano-borane gehören zur Klasse der Imino-O-Acylamino-diorgano-borane. Beispielsweise reagiert Triethylboran mit 2-Hydroxypyridin unter Abspaltung von Ethan zu einem Dimeren[3] mit vermutlich folgender Struktur:

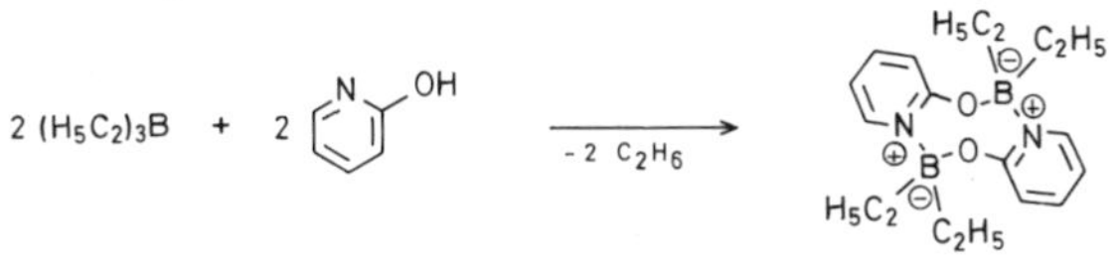

$$2\ (H_5C_2)_3B + 2\ \text{(2-Hydroxypyridin)} \xrightarrow{-2\ C_2H_6}$$

Aus Tributylboran ist mit 2-Benzoylamino-pyridin bei 110° in 87%iger Ausbeute *4,4-Dibutyl-2-phenyl-4H-⟨pyridio[1,2-c]-1,3,5,2-oxazoniaazaboratin⟩* zugänglich[4]:

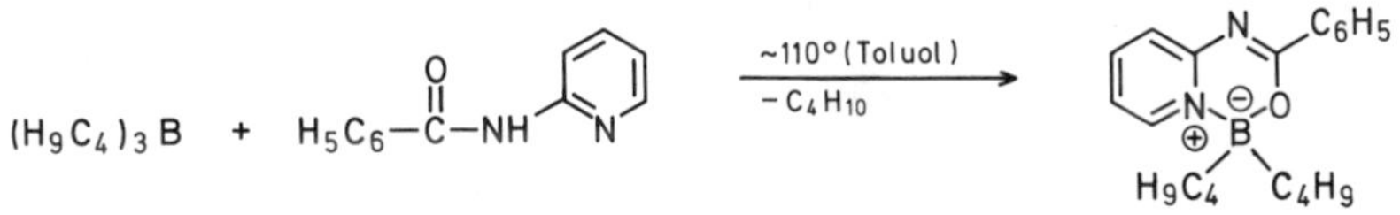

$$(H_9C_4)_3B + H_5C_6-\overset{O}{\overset{\|}{C}}-NH-\text{(2-Pyridyl)} \xrightarrow[-C_4H_{10}]{\sim 110°\ (Toluol)}$$

ζ) Lewisbase-(Aminocarbonyloxy) und (Aminocarbonylamino)-diorgano-borane

Zur Verbindungsklasse gehören O-Donator- sowie N-Donator-Aminocarbonyloxy-(amino)-diorgano-borane:

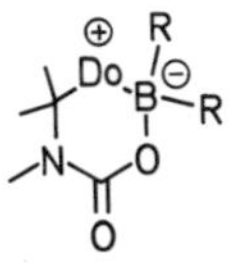

Do = Ether, Carbonyl-Verbindung, Amin, Imin

---

[1] V. A. Dorokhov, L. I. Lavrinovich, M. N. Bochkareva, V. S. Bogdanov u. B. M. Mikhailov, Ž. obšč. Chim. **43**, 1115 (1973); engl.: 1106; C. A. **79**, 66436 (1973).

[2] V. A. Dorokhov, L. I. Lavrinovich, I. P. Yakolev u. B. M. Mikhailov, Ž. obšč. Chim. **41**, 2501 (1971); C. A. **76**, 140935 (1972).

[3] L. H. Toporcer, R. E. Dessy u. S. I. E. Green, Inorg. Chem. **4**, 1649 (1965).

[4] N. A. Lagutkin, N. I. Mitin, M. M. Zubairov, V. A. Dorokhov u. B. M. Mikhailov, Khim. Farm. Zh. **16**, 695 (1982).

Vor allem O- und N-Donator-Diorgano-isoureido-borane sind bekannt, z.B.:

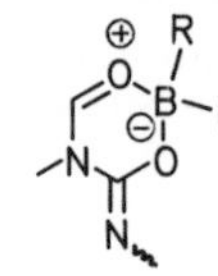

Carbonyl-Diorgano-isoureido-borane

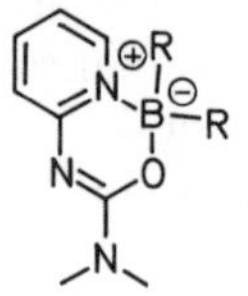

Imin-Diorgano-isoureido-borane

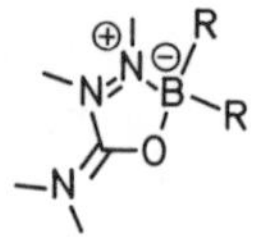

Azo-Diorgano-isoureido-borane

Die Verbindungen können sich auch als isomere Lewisbase-Diorgano-ureido-borane stabilisieren (s. S. 658ff.).

Die Herstellung erfolgt aus Triorganoboranen, Diorgano-oxy-boranen, Diorgano-thio-boranen bzw. aus Lewisbase-Organoboranen.

ζ_1) *aus Triorganoboranen*

Aus 9-(1-Alkenyl)-9-borabicyclo[3.3.1]nonanen erhält man mit Organoisocyanaten (Mengenverhältnis 1:2) in Ether bei 25° die entsprechenden Chelat-Verbindungen[1]:

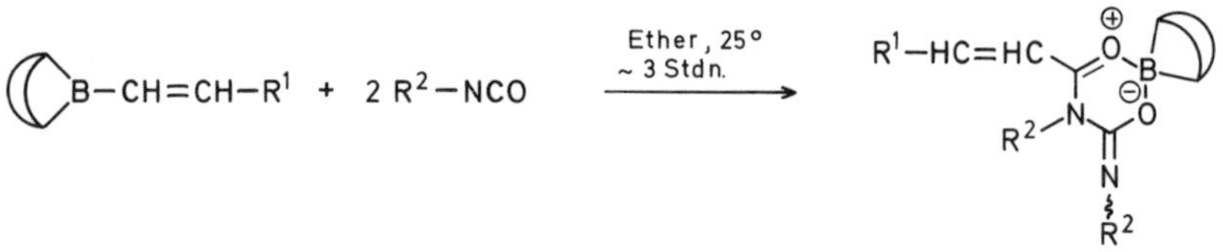

$$\text{B–CH=CH–R}^1 + 2\,\text{R}^2\text{–NCO} \xrightarrow[\sim 3\,\text{Stdn.}]{\text{Ether, }25^\circ}$$

...*-4,5-dihydro-1,3,5,2-oxoniaoxaazaboratin*

$R^1 = C_4H_9$; $R^2 = C_6H_{11}$; *5-Cyclohexyl-4-cyclohexylimino-2,2-(1,5-cyclooctandiyl)-6-(1-hexenyl)-*...; 80%; F: 138–140°

R^2 = 1-Naphthyl; *2,2-(1,5-Cyclooctandiyl)-6-(1-hexenyl)-5-(1-naphthyl)-4-(1-naphthylimino)-*...; 90%; F: 129–131°

$R^1 = C(CH_3)_3$; $R^2 = C_6H_5$; *2,2-(1,5-Cyclooctandiyl)-6-(3,3-dimethylbutenyl)-5-phenyl-4-phenylimino-*...; 93%; F: 178–180°

Entsprechend reagieren 9-(1-Alkinyl)-9-borabicyclo[3.3.1]nonane in Tetrahydrofuran mit Organoisocyanaten[2].

Aus Dicyclohexyl-1-octenyl-boran wird mit Butylisocyanat eine R–BO_2–Verbindung mit dreifach koordiniertem Bor-Atom gebildet[3].

Die thermisch relativ labilen Imin-Diorgano-isoureido-borane mit 6π-resonanzstabilisiertem Sechring sind aus Triorganoboranen oder aus Diorgano-organothio-boranen zugänglich. Aus Amino-diorgano-boranen erhält man ausschließlich die thermodynamisch stabileren isomeren Imin-N-Ureido-diorgano-borane.

Setzt man z.B. Tributylboran mit N^1-Aryl-N^2-2-pyridyl-harnstoffen in siedendem Toluol um, erhält man unter Butan-Abspaltung nach Vertreiben des überschüssigen Trialkylborans in hohen Ausbeuten (80–90%) Isomerengemische der Chelate I und II[4]; z.B.:

---

[1] B. Singaram, G.A. Molander u. H.C. Brown, Heteroc. Sendai **15**, 231 (1981).

[2] G.A. Molander u. H.C. Brown, Synthesis **1979**, 164.

[3] B. Singaram, G.A. Molander u. H.C. Brown, Heteroc. Sendai **15**, 231 (1981); C.A. **95**, 43209 (1981).

[4] V.A. Dorokhov, L.I. Lavrinovich, M.N. Bochkareva, B.M. Zolotarev, V.A. Petukhov u. B.M. Mikhailov, Izv. Akad. SSSR **1979**, 1340; engl.: 1253; C.A. **92**, 42020 (1980).

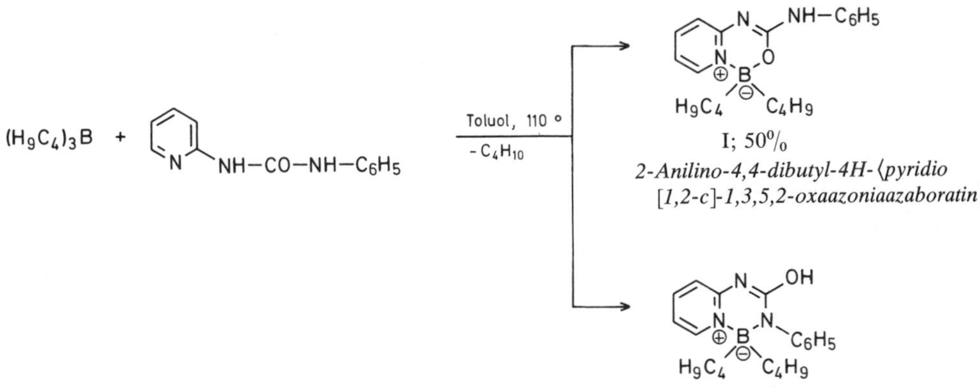

$(H_9C_4)_3B$ + 2-Pyridyl-NH–CO–NH–C_6H_5 $\xrightarrow[-C_4H_{10}]{\text{Toluol, 110°}}$

I; 50%
2-Anilino-4,4-dibutyl-4H-⟨pyridio[1,2-c]-1,3,5,2-oxaazoniaazaboratin⟩

II; 50%
4,4-Dibutyl-2-hydroxy-3-phenyl-3,4-dihydro-⟨pyridio[1,2-c]-1,5,3,2-diazaazoniaboratin⟩; F: 143–146°

Mit N[1]-(2-Methylphenyl)-N[2]-2-pyridyl-harnstoff erhält man ein analoges Isomerengemisch von I : II = ~37% : 52%. Oberhalb ~150° werden die Chelate I vollständig in die Chelate II umgelagert (s. S. 659). Mit N[1]-Methyl-N[2]-2-pyridyl-harnstoff entsteht aus Butylthio-diphenyl-boran unmittelbar das Chelat II (s. S. 584)[1].

ζ₂) *aus Diorgano-oxy-boranen*

Azo-Diorgano-isoureido-borane sind kaum bekannt. Die Verbindungen werden z. B. aus Tetraorganodiboroxanen hergestellt.

Aus Tetraphenyldiboroxan erhält man mit reinem (nicht in situ hergestelltem) 1,5-Diphenylcarbazon in Eisessig *5-Phenylhydrazono-2,2,3-triphenyl-2,5-dihydro-1,3,4,2-oxazoniaazaboratol* (F: 191°)[2]:

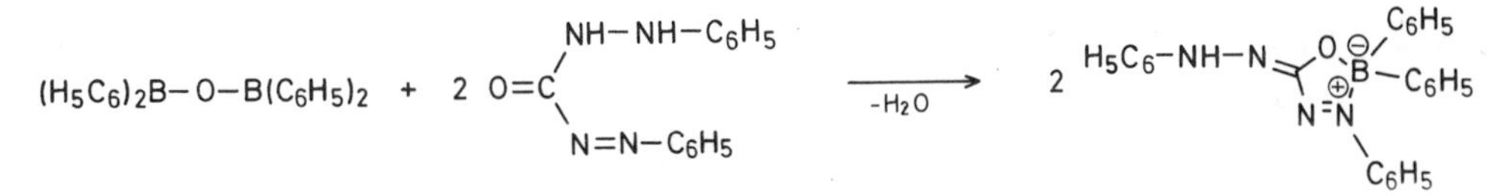

$(H_5C_6)_2B-O-B(C_6H_5)_2$ + 2 O=C(NH–NH–C_6H_5)(N=N–C_6H_5) $\xrightarrow{-H_2O}$ 2 H_5C_6–NH–N=

ζ₃) *aus Diorgano-thio-boranen*

Aus Butylthio-diphenyl-boran läßt sich mit N[1]-Aryl-N[2]-2-pyridyl-harnstoffen in Tetrahydrofuran bei ~20° ein leicht trennbares Gemisch der Chelate I und II erhalten[1]:

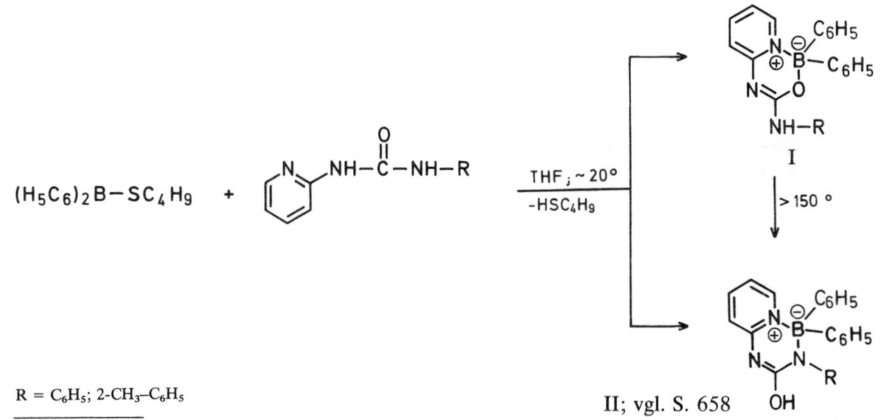

$(H_5C_6)_2B-SC_4H_9$ + 2-Pyridyl-NH–CO–NH–R $\xrightarrow[-HSC_4H_9]{\text{THF; ~20°}}$ I $\xrightarrow{>150°}$ II

R = C_6H_5; 2-CH_3–C_6H_4

I

II; vgl. S. 658

[1] V. A. Dorokhov, L. I. Lavrinovich, M. N. Bochkareva, B. M. Zolotarev, V. A. Petukhov u. B. M. Mikhailov, Izv. Akad. SSSR **1979**, 1340; engl.: 1253; C. A. **92**, 42020 (1980).

[2] B. Friese u. F. Umland, Anal. Chim. Acta **96**, 303 (1978).

Dimethyl-methylthio-boran reagiert mit N-Sulfinylbenzamid bei ~20° in quantitativer Ausbeute zum dimeren *Dimethyl-([(BN)-α-methyldisulfanimino-benzyloxy]-boran)*[1].

ζ_4) *aus Amino-diorgano-boranen*

Man erhält Imin-O-Carbamid-diorgano-borane aus Amidino-diorgano-boranen mit Kohlendioxid. Beispielsweise läßt sich aus Diphenyl-2-pyridylamino-boranen mit Kohlendioxid in siedendem Benzol *4,4-Diphenyl-2-hydroxy-4H-⟨pyridio[1,2-c]-1,3,5,2-oxaazoniaazaboratin⟩* (43%; F: 200–203°) herstellen[2]:

$(H_5C_6)_2B{-}NH{-}(2\text{-pyridyl}) + CO_2$ → (Benzol, 65°, 23 Stdn) → 4,4-Diphenyl-2-hydroxy-4H-⟨pyridio[1,2-c]-1,3,5,2-oxaazoniaazaboratin⟩ + 2-Pyridyl-NH–B(C_6H_5)–O–B(C_6H_5)$_2$

Dialkyl-(2-pyridylamino)-borane reagieren mit Harnstoff oder N-Organoharnstoffen bei 150–160° unter Bildung von 4,4-Dialkyl-2-oxo-1,4-dihydro-⟨pyridio[1,2-c]-1,3,5,4-diazaazoniaboratinen⟩[3].

ζ_5) *aus Lewisbase-Organoboranen*

Aus 2,2-Diphenyl-3-hydro-1,3,2-oxazoniaboratolidin wird mit 1,5-Diphenyl-1-methyl-carbazon das *5-(Methyl-phenyl-hydrazono)-2,2,3-triphenyl-2,5-dihydro-1,3,4,2-oxaazoniaazaboratol* (88%; F: 178–179°) gebildet,

2,2-Diphenyl-3-hydro-1,3,2-oxazoniaboratolidin + $O{=}C(NH{-}N(CH_3)C_6H_5)(N{=}N{-}C_6H_5)$ → ($-H_2N{-}CH_2{-}CH_2{-}OH$) → $(H_3C)(H_5C_6)N{-}N{=}$C-Ring (O–$B^{\ominus}(C_6H_5)_2$–$N^{\oplus}(C_6H_5){=}N$)

das auch mit 1,5-Diphenyl-1-methyl-carbohydrazid nach Dehydrierung mit N-Bromsuccinimid in Dimethylformamid erhalten wird[4].

[1] A. Meller, W. Maringgele u. H. Fetzer, B. **113**, 1950 (1980).
[2] B. R. Gragg u. K. Niedenzu, J. Organometal. Chem. **117**, 1 (1976).
[3] N. A. Lagutkin, N. I. Mitin, M. M. Zubairov, V. A. Dorokhov u. B. M. Mikhailov, Khim. Farm. Zh. **16**, 695 (1982).
[4] B. Friese u. F. Umland, M. **109**, 711 (1978).

η) Lewisbase-Diorgano-heteroelementoxy-borane

Die Verbindungsklasse umfaßt sämtliche Lewisbase-Diorgano-elementaminooxy-borane mit z.B. den Atomgruppierungen:

Als Lewisbasen sind außer O-Donatoren wie Metallalkanolaten, Carbonyl-Funktionen und N-Oxid-Gruppierungen auch S-Donatoren sowie zahlreiche N-Donatoren (Amine, Oxamine, Carbonsäureamide und -amidine, Imine, Pyridinbasen, Hydroximine) bekannt (s. Tab. 92, S. 586).

Die fünf-, sechs- und mehrgliedrigen Ringstrukturen sind in der Tab. 92 (S. 586) mit den Hinweisen auf deren Herstellungswege zusammengestellt.

η_1) *Lewisbase-Aminooxy-diorgano-borane*

$\eta\eta_1$) aus Triorganoboranen

Als O-Donator-Aminooxy-diorgano-borane sind Metallalkanolat-Aminooxy-diorgano-borane bekannt.

Aus Triphenylboran lassen sich mit Übergangsmetallverbindungen des Salicylaldoxims O-Diphenylboryl-Derivate herstellen[1]:

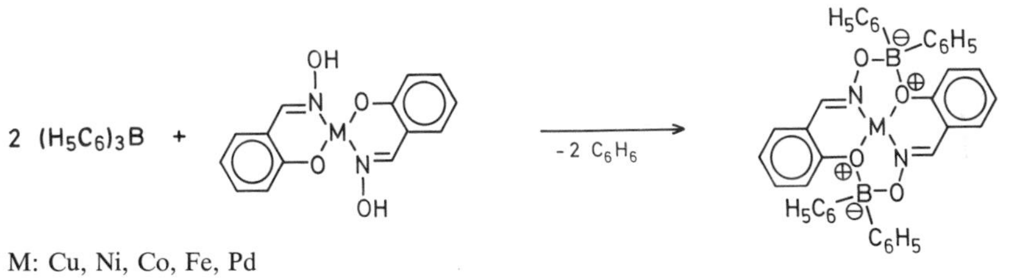

$$2\ (H_5C_6)_3B \xrightarrow{-2\ C_6H_6}$$

M: Cu, Ni, Co, Fe, Pd

Verschiedene N-Donator-Aminooxy-diorgano-borane sind aus Triorganoboranen zugänglich.

Reaktionspartner der Triorganoborane zur Herstellung von Imin-Aminooxy-diorgano-boranen sind Ald- und Ketoxime. Aus Trimethylboran läßt sich in Toluol bei 90° mit Pyridin-2-aldoxim durch Abspaltung von 1 Mol-Äquivalent Methan in langsamer Reaktion *1,1-Dimethyl-1H-⟨pyridio[1,2-c]-1,3,6,2-oxaazoniaazaboratin⟩* (F: 132°, aus Benzol) herstellen[2]:

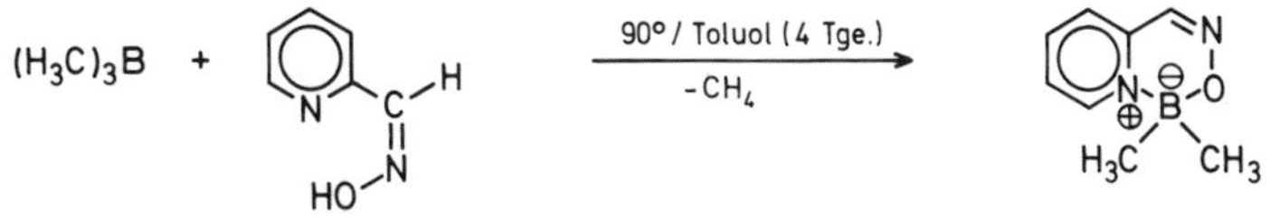

$$(H_3C)_3B \xrightarrow[-CH_4]{90°\ /\ Toluol\ (4\ Tge.)}$$

[1] F. UMLAND u. D. THIERIG, Ang. Ch. **75**, 685 (1963).
[2] I. PATTISON u. K. WADE, Soc. [A] **1968**, 2618.

Tab. 92: Lewisbase-Aminooxy-diorgano-borane

Formel	Verbindungstyp	Herstellung	s. S.
O-Donator-Aminoxy-diorgano-borane			
	Do—BR₂ / N—NO (cyclisch)	aus R_3B + Do—N—OH	587
		aus $[R_4B]^-$ + Do–R–OH/H⁺	592
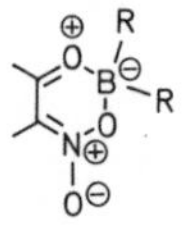	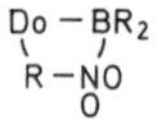 Do—BR₂ / R—NO, O (cyclisch)	aus R_2B—Hal + MO—N(O)—Do	588
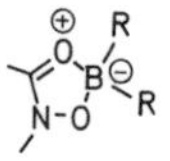	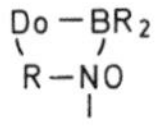 Do—BR₂ / R—NO (cyclisch)	aus R_2B—OH + Do—N—OH	590
		Do—BR^1_2—OR^2 + Do—N—OH	591
S-Donator-Aminoxy-diorgano-borane			
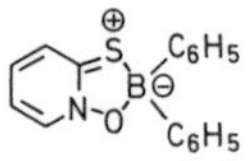	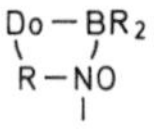 Do—BR₂ / R—NO (cyclisch)	aus $(R_2B)_2O$ + HS—C(=N—O)	590
Amin-Aminoxy-diorgano-borane			
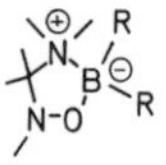	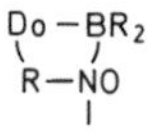 Do—BR₂ / R—NO (cyclisch)	aus R_2B—N< + Do—N—OH	591
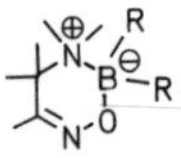	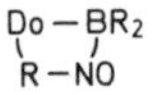 Do—BR₂ / R—NO (cyclisch)	aus R_2B—OH + >C=N—OH	589
Acylamino-Diorgano-nitroxy-borane			
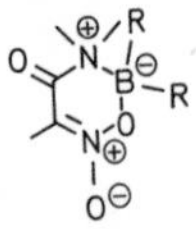	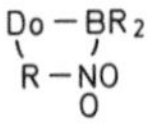 Do—BR₂ / R—NO, O (cyclisch)	aus R_2B—Hal + MO—N(=)—O—	588
Imin-Aminoxy-diorgano-borane			
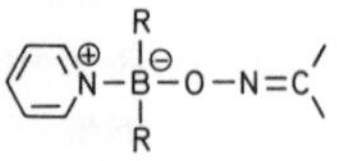	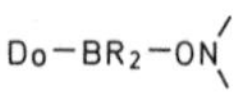 Do—BR_2—ON<	aus R_2B—O—N= + Do	590
		aus Do-BR_2–ON + Py	591
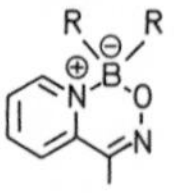	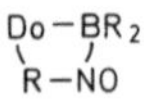 Do—BR₂ / R—NO (cyclisch)	aus R_3B + Do—N—OH	585
Dimere Aminoxy-diorgano-borane			
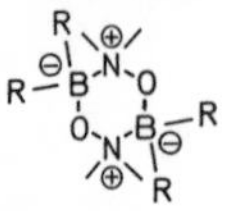	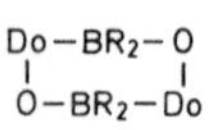 Do—BR_2—O / O—BR_2—Do (cyclisch)	aus R_2B—OH + >N—OH	589
		aus R_3B + Do—N—OH	587
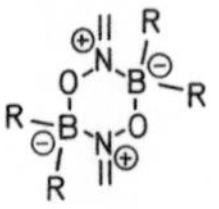	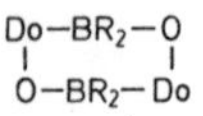 Do—BR_2—O / O—BR_2—Do (cyclisch)	aus R_2B—Hal + HO—N=C<	588
		aus R_2B—N< + HO—N=C<	590

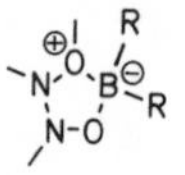

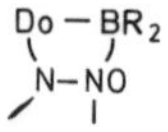

Aus Triethylboran erhält man mit Acetaldoxim in Benzol bereits bei 40–50° Diethyl-ethylidenaminoxy-boran (F: 79–81°) in 89%iger Ausbeute[1]. Über die Bildung von Dimeren mit Imin-Boran-Struktur wird nicht berichtet[1,2].

Mit Hilfe von Katalysatoren läßt sich die O-Dialkylborylierung der Aldoxime und Ketoxime deutlich beschleunigen[3]. Bei Zusatz von Diethyl-(2,2-dimethylpropanoyloxy)-boran erhält man aus Triethylboran mit Aldoximen bzw. mit gemischt substituierten Ketoximen bei ~20° (*Z*/*E*)-Isomere, deren Trennung z.B. beim O-Diethylboryl-2-butanonoxim und -benzaldoxim leicht möglich ist[4]:

$(H_5C_2)_3B$ + $H_5C_6-CH=N-OH$ / $-C_2H_6$ → 1/2 (dimeres Chelat) (*Z*)-Form; $H_5C_6(H)C=N-O-B(C_2H_5)_2$ (*E*)-Form

Benzylidenaminoxy-diethyl-boran (*E*-Form) und 2,5-Bis[benzyliden]-3,3,6,6-tetraethyl-1,4,2,5,3,6-dioxadiazoniadiboratinan (*Z*-Form)[4]: Zur Lösung von 13,4 g (0,14 mol) Triethylboran und 1 *ml* Diethyl-(2,2-dimethylpropanoyloxy)-boran in 70 *ml* abs. Heptan tropft man bei ~20° langsam 16,2 g (0,13 mol) Benzaldoxim. Unter Ethan-Entwicklung steigt die Temp. auf ~55° (~2,5 Stdn.). Nach Abkühlen auf ~20° fallen farblose Nadeln aus, die aus Heptan umkristallisiert werden. Waschen mit auf −60° gekühltem Pentan liefert das dimere (*Z*)-Isomere im Rückstand; Ausbeute: 3,8 g (15,5%); F: 111°.

Aus dem Filtrat destilliert nach ~3 g Vorlauf ($Kp_{0,1}$: 42–50°) das (*E*)-Isomere ab; Ausbeute: 12,6 g (51%); $Kp_{0,03}$: 43–46° (Badtemp.: 70°).

Triorganoborane werden auch mit Ammonium-Salzen von Chelatbildnern eingesetzt. So setzt sich z.B. Triphenylboran mit Kupferron unter Abspaltung von Benzol zum *2,2,5-Triphenyl-2H,5H-1,3,4,5,2-oxaoxoniadiazaboratol* um. Ammoniak entweicht, da die entstehende Chelatverbindung sehr stabil ist[5].

$(H_5C_6)_3B$ + $[C_6H_5-N(NO)-O]^-$ NH_4^+ → ($-C_6H_6$, $-NH_3$) 2,2,5-Triphenyl-2H,5H-1,3,4,5,2-oxaoxoniadiazaboratol

---

[1] O.P. Shitov, L.M. Leont'eva, S.L. Ioffe, B.N. Khasanov, V.M. Novikov, A.U. Stepanyants u. V.A. Tartakovskii, Izv. Akad. SSSR **1974**, 2782; engl.: 2684, C.A. **82**, 125430 (1975).

[2] O.P. Shitov, S.F. Ioffe, L.M. Leont'eva u. V.A. Tartakovskii, Ž. obšč. Chim. **43**, 1266 (1973); engl.: 1257; C.A. **79**, 66439 (1973).

[3] R. Köster u. W. Schüssler, Mülheim a.d. Ruhr, unveröffentlicht 1972.

[4] R. Köster u. A. Deege, Mülheim a.d. Ruhr, unveröffentlicht 1975.

[5] F. Umland u. D. Thierig, Ang. Ch. **75**, 685 (1963).

$\eta\eta_2$) aus Diorgano-halogen-boranen

O-Donator- und N-Donator-Aminooxy-diorgano-borane sind aus Diorgano-halogen-boranen zugänglich.

Aus Chlor-diethyl-boran erhält man mit Nitroalkansäuremethylestern in Diethylether bei −30° bis −40° unter Abscheiden von Chlorid (2-Methoxycarbonyl-alkannitronato)-diethyl-borane[1], die als sechsgliedrige Ringverbindungen mit tetrakoordiniertem Bor-Atom in hohen Ausbeuten isoliert werden[2,3]:

$$(H_5C_2)_2B{-}Cl \; + \; M^+ \left[O_2N{-}\underset{R}{C}{-}COOCH_3\right]^- \xrightarrow[-MCl]{(H_5C_2)_2O,\ -30°} \text{[cycl. Produkt]}$$

M = K, Na

...-1,3,4,2-oxoniaoxaazaboratin-4-oxid

R = H; *2,2-Diethyl-6-methoxy-...*[1]; 84%
R = CH_3; *2,2-Diethyl-6-methoxy-5-methyl-...*[1]; 97%
R = $COOCH_3$; *2,2-Diethyl-6-methoxy-5-methoxycarbonyl-...*[1]; 86%

Aus Chlor-diethyl-boran lassen sich mit den Natriumsalzen des Nitroessigsäureamids bzw. -propansäureamids sechsgliedrige Amin-Oxaminooxy-diethyl-borane herstellen[3]:

$$(H_5C_2)_2B{-}Cl \; + \; NaO{-}\overset{\oplus}{N}(O^{\ominus}){=}C(CH_3){-}CO{-}NH_2 \xrightarrow[-NaCl]{(H_5C_2)_2O,\ -30°\ \text{bis}\ +20°} \text{[cycl. Produkt]}$$

2,2-Diethyl-4,6-dioxo-5-methyl-3,4,4-trihydro-2H-1,6,3,2-oxazaazoniaboratin[3]: Zu 3,6 g Natrium-nitronopropansäureamid in 45 *ml* Diethylether tropft man bei −30° 2,7 g Chlor-diethyl-boran und rührt ~ 1 Stde. Nach dem Erwärmen auf ~ 20° wird abfiltriert, mit Ether gewaschen und das Filtrat i. Vak. eingeengt; Ausbeute: 4,15 g (94%); F: 110°.

Aus Brom-dimethyl-boran lassen sich in Tetrachlormethan mit Aldoximen sowie mit Ketoximen in Ausbeuten von 25–60% Alkylidenaminoxy-dimethyl-borane herstellen. Die Verbindungen sind im allgemeinen dimer und fallen als sechsgliedrige Cyclen an[4]; z.B.:

$$2\ (H_3C)_2B{-}Br \; + \; HO{-}N{=}C(R^1)(R^2) \xrightarrow[-2\,HBr]{CCl_4} \text{[dimeres cycl. Produkt]}$$

...-3,3,6,6-tetramethyl-1,4,2,5,3,6-dioxadiazoniadiboratinan

R^1 = H; R^2 = CH_3; *2,5-Bis[ethyliden]-...*; F: 87°
R^2 = C_6H_5; *2,5-Bis[benzyliden]-...*; F: 80–82°
R^1−R^2 = −$(CH_2)_4$−; *2,5-Bis[cyclopentyliden]-...*; F: 126°
R^1 = R^2 = C_6H_5 (monomer) (vgl. Bd. XIII/3a, S. 594)[5]

---

[1] Die bei −30° hergestellten und bei ~ 20° isolierten Verbindungen sind extrem hydrolyseempfindlich.

[2] O.P. Shitov, S.F. Ioffe, L.M. Leont'eva u. V.A. Tartakovskii, Ž. obšč. Chim. **43**, 1127 (1973); engl.: 1118; C.A. **79**, 66429 (1973).

[3] O.P. Shitov, L.M. Leont'eva, S.L. Ioffe, B.N. Khasapov, V.M. Novikov, A.V. Stepanyants u. V.A. Tartakovskii, Izv. Akad. SSSR **1974**, 2782; engl.: 2684; C.A. **82**, 125430 (1975).

[4] R. Köster u. A. Deege, Mülheim a.d. Ruhr, unveröffentlicht 1975.

[5] W. Maringgele u. A. Meller, M. **106**, 1369 (1975); dort weitere Literaturangaben über Alkylidenaminoxy-borane.

$\eta\eta_3$) aus Diorgano-oxy-boranen

Diorgano-hydroxy-, Aminooxy-dialkyl-borane sowie Tetraorganodiboroxane sind Edukte zur Herstellung verschiedener Typen von Lewisbase-Aminooxy-diorgano-boranen.

Aus Diorgano-hydroxy-boranen sind mit Aminoketoximen sowie mit Hydroxylamin verschiedenartige Amin-Aminooxy-diorgano-borane jeweils unter Wasserabspaltung und Sechsringbildung zugänglich.

Läßt man auf (*Z*/*E*)-Oxime der ω-tert.-Aminoacetophenone Diphenyl-hydroxy-boran in ethanolischer Lösung auf dem Wasserbad einwirken, so erhält man aus den *Z*-Isomeren gut kristallisierte, relativ schwer lösliche 3,3-Diorgano-2,2,5-triphenyl-3,4-dihydro-2H-1,3,6,2-oxaazaazoniaboratine[1]:

$(H_5C_6)_2B{-}OH$ + $H_5C_6{-}C({=}N{-}OH){-}CH_2{-}NR_2$ $\xrightarrow{-H_2O}$

1,1,4-Triphenyl-...

z. B.: R–R = –$(CH_2)_5$–; ...*-2-oxa-3-aza-6-azonia-1-borata-spiro[5.5]undecen-(3)*; F: 158°
R–R = –$(CH_2)_2$–O–$(CH_2)_2$–; ...*-2,9-dioxa-3-aza-6-azonia-1-borata-spiro[5.5]undecen-(3)*; F: 147–148°

Die aus den (*E*)-Isomeren entstehenden Diphenyl-subst.-iminoxy-borane fallen vergleichsweise verunreinigt (mit Lösungsmittel) an[1].

Aus Dibutyl-hydroxy-boran erhält man mit Hydroxylamin unter Wasser-Abspaltung in alkoholischer Lösung das *2,5-Dihydro-3,3,6,6-tetrabutyl-1,4,2,5,3,6-dioxadiazoniadiboratinan* (Zers. p.: 130°)[2]:

$$2\ (H_9C_4)_2B{-}OH + 2\ NH_2OH \xrightarrow{-2\ H_2O}$$

Das aus Diphenyl-hydroxy-boran mit Hydroxylamin in 59%iger Ausbeute erhältliche *Aminooxy-diphenyl-boran* (F: 214–216°)[3] sowie das aus Dibutyl-hydroxy-boran mit N-Butylhydroxylamin herstellbare *Butylaminooxy-dibutyl-boran* (F: 92–94°)[3] sind ebenfalls dimer. Wegen ihrer Sechsring-Struktur mit charakteristischer Atomfolge werden die Verbindungen auch als BONBON-Verbindungen bezeichnet[2]. Das aus Dibutyl-hydroxy-boran mit N,N-Dibutylhydroxylamin herstellbare *Dibutyl-dibutylaminooxy-boran* ist dagegen monomer ($Kp_{2,5}$: 78°)[2].

Aus Diorgano-elementoxy-boranen lassen sich Lewisbase-Diorgano-elementoxy-borane herstellen. Beispielsweise lassen sich die dimeren Alkylidennitronato-diethyl-borane (vgl. Bd. XIII/3a, S. 594f.) mit Pyridin spalten. Man erhält Pyridin-Alkylidennitronato-diethyl-borane[4]:

---

[1] H. Möhrle, B. Gusowski u. R. Feil, Tetrahedron **27**, 221 (1971).
[2] L.P. Kuhn u. M. Inatome, Am. Soc. **85**, 1206 (1963).
[3] H.J. Roth u. B. Miller, Ar. **277**, 744 (1964).
[4] S.L. Ioffe, A.V. Kalinin, B.N. Khasapov, L.M. Leont'eva u. A.V. Tartakovskii, Izv. Akad. SSSR **1978**, 1172; engl.: 1019; C.A. **89**, 122101 (1978).

$$\left[(H_5C_2)_2B{-}O{-}\overset{O^{\ominus}}{\overset{|}{N^{\oplus}}}{=}C(R^1)(R^2)\right]_2 \xrightarrow{+2\,Py} 2\ \overset{\oplus}{Py}{-}\overset{\ominus}{B}(C_2H_5)_2{-}O{-}\overset{O^{\ominus}}{\overset{|}{N^{\oplus}}}{=}C(R^1)(R^2)$$

Tetraorganodiboroxane werden zur Herstellung von Lewisbase-Aminooxy-diorgano-boranen verwendet.

Tetraphenyldiboroxan reagiert mit N-Methylacethydroxamsäure unter Wasser-Abspaltung zum chelatartig stabilisierten *4,5-Dimethyl-2,2-diphenyl-2H,4H-1,3,4,2-oxoniaoxazaboratol*[1]:

$$(H_5C_6)_2B{-}O{-}B(C_6H_5)_2 + 2\ H_3C{-}C({=}O){-}N(CH_3){-}OH \xrightarrow{-H_2O} 2\ \text{(Chelat, } B(C_6H_5)_2\text{)}$$

Thiocarbonyl-Aminooxy-diorgano-borane sind kaum beschrieben.

Fünfgliedrige Donor-Akzeptor-Verbindungen mit koordinativer BS-Bindung erhält man aus Tetraphenyldiboroxan mit 2-Natriumthio-pyridin-N-oxid in Methanol[2]:

$$(H_5C_6)_2B{-}O{-}B(C_6H_5)_2 + 2\ \text{(2-Mercapto-pyridin-N-oxid)} \xrightarrow{-H_2O} 2\ \text{(Bicyclus)}$$

8,8-Diphenyl-9-oxa-7-thionia-1-aza-8-borata-bicyclo[4.3.0]nona-2,4,6-trien; F: 127–128°

$\eta\eta_4$) aus Amino-diorgano-boranen

Dimethylamino-diorgano-borane sind zur Herstellung von Amin-Aminoxy-diorgano-boranen geeignet. Mit H-aciden Chelatbildnern läßt sich Dimethylamin im allgemeinen leicht austreiben. Mit 1,3-dipolaren Verbindungen kann Aminoborierung eintreten.

Aus Dimethylamino-diphenyl-boran läßt sich mit Acetonoxim in siedendem Heptan unter Abspaltung von Dimethylamin *2,5-Bis[isopropyliden]-3,3,6,6-tetraphenyl-1,4,2,5,3,6-dioxadiazoniadiboratinan* (64%; F: 160–166°) herstellen[3]:

$$2\ (H_5C_6)_2B{-}N(CH_3)_2 \xrightarrow[-2\,(H_3C)_2NH]{+2\,HO{-}N{=}C(CH_3)_2,\ \sim 100°,\ Heptan} [(H_3C)_2C{=}\overset{\oplus}{N}{-}O{-}\overset{\ominus}{B}(C_6H_5)_2]_2$$

Aus Diphenyl-2-pyridylamino-boran ist mit Acetonoxim in Benzol bei 80° durch Addition *2-Aminopyridin-Diphenyl-isopropylidenaminoxy-boran* (F: 137–138°) herstellbar[3]:

$$(H_5C_6)_2B{-}NH{-}(2\text{-}C_5H_4N) \xrightarrow{+HO{-}N{=}C(CH_3)_2,\ Benzol,\ 80°,\ 2\ Stdn.} (2\text{-}H_2N{-}C_5H_4\overset{\oplus}{N}){-}\overset{\ominus}{B}(C_6H_5)_2{-}O{-}N{=}C(CH_3)_2$$

---

[1] S.J. Rettig, J. Trotter, W. Kliegel u. D. Nanninga, Can. J. Chem. **56**, 1676 (1978).
[2] E. Hohaus u. F. Umland, Naturwiss. **56**, 636 (1969).
[3] D.W. Palmer u. K. Niedenzu, Synth. React. Inorg. Met-org. Chem. **9**, 13 (1979).

Dimethyl-dimethylamino-boran reagiert in siedendem Benzol/Toluol-Gemisch mit N-Methylbenzaldehydimin-N-oxid durch [3+2]-Addition unter Bildung eines fünfgliedrigen Heterocyclus[1]:

$$(H_3C)_2B{-}N(CH_3)_2 + H_3C{-}\overset{\oplus}{N}(O^{\ominus}){=}CH{-}C_6H_5 \xrightarrow[2\,Stdn.\,Rückfluß]{C_6H_6\,/\,Toluol}$$

2,2,3,3,5-Pentamethyl-4-phenyl-1,5,3,2-oxaazaazoniaboratolidin

$\eta\eta_5$) aus Lewisbase-Organoboranen

Bisweilen lassen sich Imin-Aminoxy-diorgano-borane auch aus anderen Lewisbase-Organoboranen verschiedenartiger Typen herstellen.

Bestimmte Carbonyl-Aminoxy-diorgano-borane werden aus anderen Lewisbase-Diorgano-oxy-boranen z.B. mit N-Phenylbenzhydroxamsäure hergestellt[2,3]; z.B.:

$$\xrightarrow[-H_2N-(CH_2)_2-OH]{H_3C-COOH}$$

2,2,4,5-Tetraphenyl-2H,4H-3,1,4,2-oxaoxoniaazaboratol[2]; F: 153°

Analog erhält man *4-Methyl-2,2,5-triphenyl-2H,4H-3,1,4,2-oxaoxoniaazaboratol*[3] (F: 115°).

Aus dem dimeren Diphenyl-isopropylidenaminoxy-boran (vgl. Bd. XIII/3a, S. 593ff.) erhält man z.B. mit 2-Aminopyridin in Dichlormethan bei ~20° *2-Aminopyridin-Diphenyl-isopropylidenaminoxy-boran* (F: 134–136°) als gut kristallisierte Additionsverbindung in 94%iger Ausbeute[4]. Die Methode erlaubt die Gewinnung reinster Additionsverbindungen[4,5] auf sehr ergiebige Weise.

$$\xrightarrow[20\,°,\,2\,Stdn.]{CH_2Cl_2} 2\ \text{(2-Aminopyridin)}\overset{\oplus}{N}{-}\overset{\ominus}{B}(C_6H_5)_2{-}O{-}N{=}C(CH_3)_2$$

Azo-Aminooxy-diorgano-borane werden aus 2,2-Diphenyl-3-hydro-1,3,2-oxaazoniaboratolidin mit 1,3-Diphenyl-3-hydroxy-triazen *2,4,5,5-Tetraphenyl-2,5-dihydro-1,2,3,4,5-oxadiazaazoniaboratol* hergestellt[2]:

$$\xrightarrow{-H_2N-CH_2-CH_2-OH}$$

[1] P. PAETZOLD u. G. SCHIMMEL, Z. Naturf. **35b**, 568 (1980).
[2] F. UMLAND u. C. SCHLEYERBACH, Ang. Ch. **77**, 169 (1965).
[3] W. KLIEGEL, Organometal. Chem. Rev. [A] **8**, 153, 173 (1972).
[4] D.W. PALMER, A.V. KALININ, B.N. KHASAPOV, L.M. LEONT'EVA u. V.A. TARTAKOVSKII, Izv. Akad. SSSR **1978**, 1172; engl.: 1019; C.A. **89**, 122101 (1978).
[5] S.L. IOFFE, A.V. KALININ, B.N. KHASAPOV, L.M. LEONT'EVA u. V.A. TARTAKOVSKII, Izv. Akad. SSSR **1978**, 1172; engl.: 1019; C.A. **89**, 122101 (1978).

$\eta\eta_5$) aus Organoboraten

Auch Tetraorganoborate können zur Herstellung von Lewisbase-Aminoxy-diorganoboranen herangezogen werden. Beispielsweise reagiert Natriumtetraphenylborat in Gegenwart von Säuren (z.B. wäßr. Salzsäure) mit dem Ammonium-Salz des N-Nitroso-N-phenyl-hydroxylamins (Kupferron). Man erhält *2,2,5-Triphenyl-2,5-dihydro-1,3,4,5,2-oxaazoniadiazaboratol*[1]:

$$Na^+ [(H_5C_6)_4B]^- + H_5C_6-N(NO)-O^- NH_4^+ \xrightarrow[-NaCl;\ -2\ C_6H_6;\ -NH_4Cl]{+2\ HCl}$$

η_2) *Lewisbase-Diorgano-sulfonyloxy-borane*

3-Methyl-1-methylsulfonyloxy-2-phenyl-4-propyl-1,2-dihydro-⟨benzo-1,3,4-azaazoniaboratin⟩ (~80%; F: 196–197°) ist auf folgende Weise zugänglich[2]:

$$\xrightarrow[C_6H_6]{+H_3C-SO_3H}$$

2. Lewisbase-Halogen-organo-oxy-borane

Die bekannten Lewisbase-Halogen-organo-oxy-borane sind sechsgliedrige Heterocyclen mit (O–B)- und (N–B)-Koordinationsbindungen.

α) Carbonyl-Halogen-organo-organooxy-borane

Die Verbindungen sind aus Dihalogen-organo-boranen mit verschiedenen Chelatbildnern oder aus Carbonyl-Diorgano-organooxy-boranen hergestellt worden.

Man gewinnt beispielsweise Carbonyl-Alkenyloxy-alkyl-halogen-borane[3,4] als 6π-resonanzstabilisierte 2,4-Dionato-Verbindungen aus Alkyl-dihalogen-boranen mit 2,4-Pentandion; z.B.[3]:

$$2\ R-BF_2 + H_3C-CO-CH_2-CO-CH_3 \xrightarrow[-H^+[R-BF_3]^-]{}$$

$R = C_5H_{11}$; *Fluor-(pentan-2,4-dionato)-pentyl-borat*
$R = C_6H_{13}$; *Fluor-hexyl-(pentan-2,4-dionato)-borat*

Als Nebenprodukte werden Difluor- bzw. Dialkyl-(pentan-2,4-dionato)-borate gebildet[3].

Chlor-phenyl-(3-tetracarbonylrhenaalkan-2,4-dionato)-borate lassen sich aus Dichlor-phenyl-boran mit Acetyl-acyl-tetracarbonyl-rhenium in Pentan bei −10° bis ~0° in Ausbeuten von 20–40% gewinnen[5]:

---

[1] F. Umland u. D. Thierig, Ang. Ch. **75**, 685 (1963).

[2] V.A. Dorokhov, O.G. Boldyreva, M.N. Bochkareva u. B.M. Mikhailov, Izv. Akad. SSSR **1979**, 174; engl.: 162.

[3] J.-P. Tuchagues, P. Castan, G. Commenges u. J.-P. Laurent, Synth. React. Inorg. Metal-org. Chem. **5**, 279 (1975).

[4] J.P. Costes, G. Cros u. J.-P. Laurent, Synth. React. Inorg. Metal-org. Chem. **11**, 383 (1981); orangefarbenes *Chlor-(pentan-2,4-dionato)-propyl-borat*.

[5] C.M. Lukehart u. L.F. Warfield, J. Organometal. Chem. **187**, 9 (1980); Inorg. Chem. **17**, 201 (1978).

$$H_5C_6{-}BCl_2 + (OC)_4Re(CO{-}CH_3)(CO{-}R) \xrightarrow[-H^+[H_5C_6{-}BCl_3]^-]{\text{Pentan; -10° bis 0°}}$$

R = CH_3; $CH_2{-}C_6H_5$; $CH(CH_3)_2$

Carbonyl-Chlor-organooxy-propyl-borane bilden sich aus den Carbonyl-Dichlor-organooxy-boranen mit Carbonyl-Dipropyl-organooxy-boranen durch Substituentenaustausch am Bor-Atom im Gleichgewichtsgemisch[1].

β) Imin-Halogen-organo-organooxy-borane

Amidin-O-Acylamin-halogen-organo-borane sind aus Dihalogen-organo-boranen mit N-Silylcarbonsäureamiden zugänglich.

Die früher beschriebenen 1:2-Verbindungen des Chlor-organooxy-phenyl-borans mit Pyridin – herstellbar aus den Komponenten in Dichlormethan[2] – dürften vermutlich Bis[pyridin]-organooxy-phenyl-bor(1+)-chloride sein (vgl. S. 700).

Aus Dihalogen-organo-boranen erhält man mit 2,2,2-Trifluor-N-trimethylsilyl-acetamid unter Abspaltung von Halogen-trimethyl-silan 4,6-Bis[trifluormethyl]-2-halogen-3-hydro-2-organo-2H-1,5,3,2-oxaazaazoniaboratine[3]:

$$R{-}BHal_2 \xrightarrow[-2\ (H_3C)_3Si{-}Hal]{+2\ F_3C{-}CO{-}NH{-}Si(CH_3)_3}$$

X = Cl, Br
R = CH_3, C_4H_9, C_6H_5

4,6-Bis[trifluormethyl]-2-brom-3-hydro-2-methyl-2H-1,5,3,2-oxaazaazoniaboratin (X = Br; R = CH_3)[3]: Zu 37 g (0,2 mol) 2,2,2-Trifluor-N-trimethylsilyl-acetamid in 500 *ml* Benzol tropft man bei ~20° 0,2 mol Dibrom-methyl-boran. Nach 2 Stdn. Erhitzen zum Rückfluß wird i. Vak. eingeengt und der Rückstand i. Vak. destilliert; Ausbeute: 15,5 g (67%); $Kp_{0,02}$: 56°.

Imin-Halogen-organo-oxy-borane sind als Rhenium-Komplexe aus Dichlor-phenyl-boran mit Acetyl-(1-iminoethyl)-tetracarbonyl-rhenium zugänglich[4]:

$$\xrightarrow[-NaCl,\ -H_2]{+NaH} \quad \xrightarrow[-HCl]{+H_5C_6{-}BCl_2}$$

2-Chlor-4,6-dimethyl-3-hydro-2-phenyl-5,5,5,5-tetracarbonyl-2H-1,3,2,5-oxazoniaboratarhenin

[1] J.P. Costes u. G. Cros, J. Chem. Res. **1982**, 37; C.A. **97**, 38973 (1982).
[2] S.H. Dandegaonker, W. Gerrard u. M.F. Lappert, Soc. **1957**, 2876.
[3] W. Maringgele u. A. Meller, B. **112**, 1595 (1979).
[4] C.M. Lukehart u. M. Raja, Inorg. Chem. **21**, 2100 (1982).

3. Lewisbase-Dioxy-organo-borane

Zu den Lewisbase-Dioxy-organo-boranen zählen:

1. Lewisbase-Dihydroxy-organo-borane (vgl. Tab. 93, S. 595)
2. Lewisbase-Hydroxy-organo-organooxy-borane (vgl. Tab. 93, S. 595)
3. Lewisbase-Diorganooxy-organo-borane (vgl. Tab. 94, S. 600)
4. Lewisbase-Acyloxy-organo-oxy-borane (vgl. S. 615)
5. Lewisbase-Diacyloxy-organo-borane (vgl. S. 617)
6. Lewisbase-Elementoxy-organo-organooxy-borane (vgl. S. 618)

α) Lewisbase-Dihydroxy-organo-borane

Cyclische Lewisbase-Dihydroxy-organo-borane, von denen zahlreiche verschiedenartige Vertreter bekannt sind (vgl. Tab. 93, S. 595), lassen sich als thermisch stabile Verbindungen isolieren. Als Lewisbasen fungieren O-Donatoren (Alkoxy-, Carbonyl- und Oxamin-Gruppen) und N-Donatoren (Amine, Imin- bzw. Amidin-Gruppen). Die Herstellung der Verbindungen erfolgt hauptsächlich aus Dihydroxy-organo-boranen mit geeigneten Donator-Verbindungen, aber auch aus verschiedenen Lewisbase-Organoboranen mit Wasser. Ausgehend von Trihalogenboranen werden Imidin-Aryl-dihydroxy-borane gewonnen.

α_1) *O-Lewisbase-Dihydroxy-organo-borane*

Definierte 1 : 1-Additionsverbindungen der Dihydroxy-organo-borane mit Ethern, Alkoholen oder Wasser können wegen zu geringer thermischer Stabilität im allgemeinen nicht isoliert werden. Bei intramolekularer O–B-Koordination lassen sich jedoch stabile, einheitliche Ether-Dihydroxy-organo-borane gewinnen. Bekannt ist bisher ein sechsgliedriges cyclisches (O-Alkyl-N-alkyliden-hydroxylamin)-Dihydroxy-organo-boran.

1,1-Dihydroxy-2-methyl-1H-⟨benzo[d]-1,2,6-oxoniaazaboratin⟩ (F: 87–87,5°) ist aus Dihydroxy-(2-formylphenyl)-boran mit O-Methylhydroxylamin-Hydrochlorid in 93%iger Ausbeute zugänglich[1].

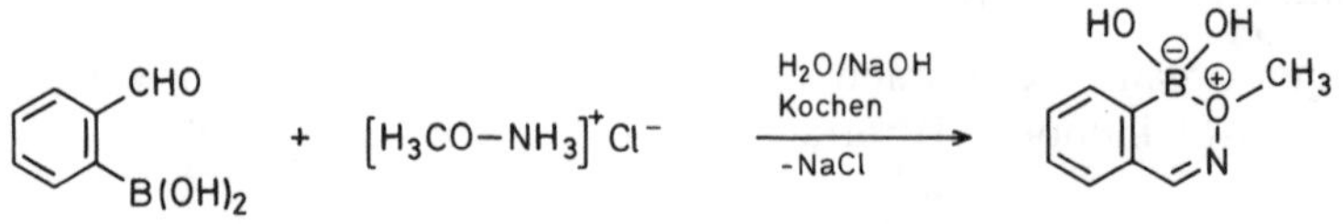

Ein intramolekulares Enol-Dihydroxy-phenyl-boran vermutet man als Reaktionsprodukt von Dihydroxy-[2-(2-pyridylethinyl)phenyl]-boran mit Wasser in Dimethylformamid[2]:

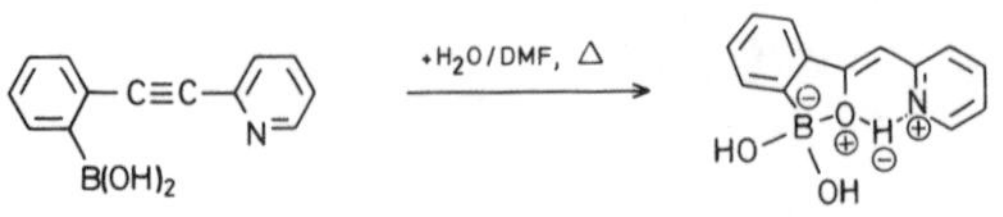

[1] H. E. Dunn, J. C. Catlin u. H. R. Snyder, J. Org. Chem. 33, 4483 (1968).

[2] R. L. Letsinger, Ang. Ch. 75, 729 (1963).

Tab. 93: Lewisbase-Hydroxy-organo-borane

Formel	Verbindungstyp	Herstellungsart	s. S.
O-Donator-Dihydroxy-organo-borane			
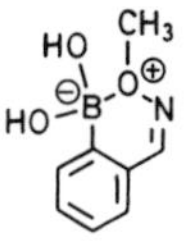	$Do–RB(OH)_2$	aus $R–B(OH)_2$ + –CHO/HOR^1/H^+	594
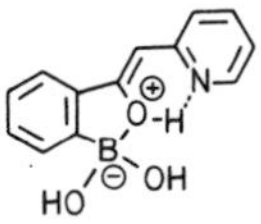	$Do–RB(OH)_2$	aus $Ar–R_{in}–Ar–B(OH)_2$ + H_2O/Δ	594
N-Donator-Dihydroxy-organo-borane			
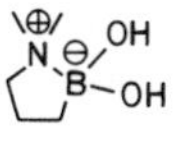	$Do–RB(OH)_2$	aus $Do–BR_3$ + H_2O aus $R–B(OH)_2$ + –CHO/HN< aus $Do–RBH_2$ + H_2O	598 597 vgl. 607
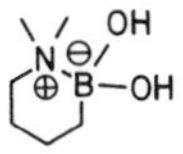	$Do–RB(OH)_2$	aus $R^{Hal}–B(OH)_2$	597
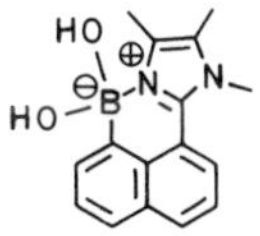	$Do–RB(OH)_2$	aus $BHal_3$ + HN<	596
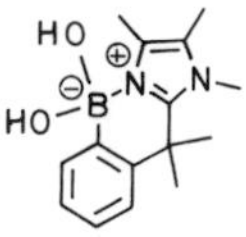	$Do–RB(OH)_2$	aus $BHal_3$ + Do–R–N–H	597
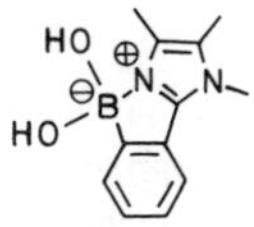	$Do–RB(OH)_2$	aus $BHal_3$ + Do–R–N–H	596
Lewisbase-Hydroxy-organo-organooxy-borane			
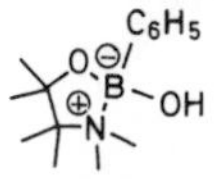	$Do–B(R^1)(OR^2)(OH)$	aus $R–B(OH)_2$ + HO–R–Do aus $R–B(OR^1)_2$ + HO–R–Do	598 598

α_2) *N-Lewisbase-Dihydroxy-organo-borane*

Amin-Dihydroxy-organo-borane werden aus Dihydroxy-organo-boranen oder aus verschiedenen Amin-Organoboranen mit Wasser hergestellt. Imin-Dihydroxy-organo-borane sind aus Trihalogenboranen mit bestimmten Heterocyclen durch anschließende Hydrolyse zugänglich.

$\alpha\alpha_1$) aus Trihalogenboranen

Die Herstellung von cyclischen Amidin-Dihydroxy-organo-boranen erfolgt aus Trichlorboran mit z.B. 2-arylsubstituierten Imidazolen durch Dichloroborierung am Aryl-Substituenten und anschließende Hydrolyse.

Mit 2-(1-Naphthyl)benzimidazol ist in siedendem Benzol aus Trichlorboran ein Produkt zugänglich, das nach Aufarbeiten mit Natronlauge in 95% Ausbeute *6,6-Dihydroxy-6,13-dihydro-⟨naphtho[1,8-c,d]-benzimidazolio[2,1-f]-1,2-azoniaboratin⟩* (F: >300°) liefert[1]:

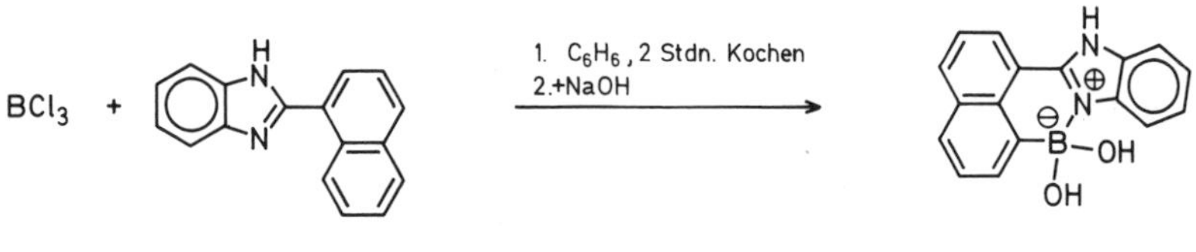

BCl_3 + … 1. C_6H_6, 2 Stdn. Kochen; 2. +NaOH →

Erhitzt man Trichlorboran mit 2-Phenyl- bzw. mit 2-Benzyl-benzimidazol in der Schmelze, so lassen sich Amidin-Dihydroxy-organo-borane isolieren[2]; z.B.:

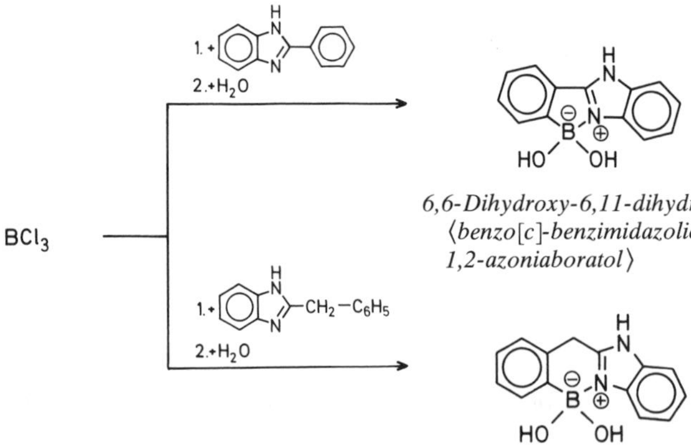

BCl_3 — 1. + …; 2. + H_2O →

6,6-Dihydroxy-6,11-dihydro-⟨benzo[c]-benzimidazolio[2,1-e]-1,2-azoniaboratol⟩

BCl_3 — 1. + …$-CH_2-C_6H_5$; 2. + H_2O →

6,6-Dihydroxy-11,12-dihydro-6H-⟨benzo[c]-benzimidazolio[2,1-f]-1,2-azoniaboratin⟩

Aus Trichlorboran wird mit 2-(1,2-Diphenylethyl)-4,5-dihydro-imidazol in Xylol in Gegenwart von Aluminiumtrichlorid bei ~20° durch Arenborylierung ein Dichlorboryl-Derivat erhalten, aus dem nach Versetzen mit wäßr. Salzsäure und Aufarbeiten mit Aceton in 38%iger Ausbeute *7-Benzyl-2,2-dihydroxy-⟨benzo-7-aza-1-azonia-2-borata-bicyclo[4.3.0] nona-1⁶,3-dien⟩* gewonnen wird[3]:

---

[1] R.L. Letsinger, J.M. Smith, J. Gilpin u. D.B. McLean, J. Org. Chem. **30**, 807 (1965).
[2] R.L. Letsinger u. D.B. McLean, Am. Soc. **85**, 2230 (1963); Ang. Ch. **75**, 729 (1963).
[3] J.J. Kankare u. J. Varhiala, Acta chem. scand. B **31**, 914 (1977).

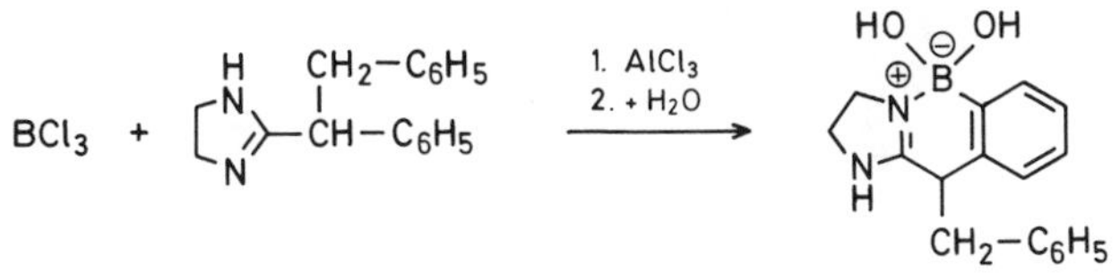

$\alpha\alpha_2$) aus Dihydroxy-organo-boranen

Dihydroxy-organo-borane bilden mit Ammoniak, Aminen oder Hydrazinen im allgemeinen 1:1-Additionsverbindungen. Beispielsweise erhält man die Verbindungen in alkoholischer Lösung aus Dihydroxy-(2- und 4-ethoxycarbonylphenyl)-boranen mit Ammoniak oder Hydrazin[1]. Aus 3 mol Dihydroxy-phenyl-boran werden mit 1 mol Amin in feuchtem Ether Additionsverbindungen gebildet[2].

Durch borferne Kondensation bzw. Substitution sind aus Dihydroxy-organo-boranen mit funktionellen Aminen oder Amin-Salzen verschiedene cyclische Amin-Dihydroxy-organo-borane zugänglich[3]; z.B.:

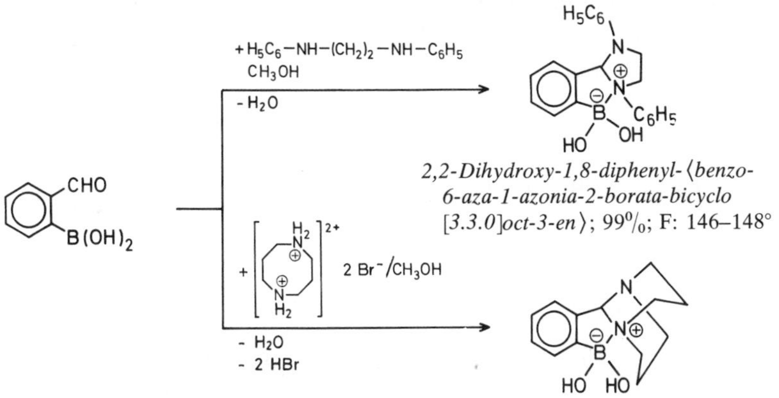

2,2-Dihydroxy-1,8-diphenyl-⟨benzo-6-aza-1-azonia-2-borata-bicyclo[3.3.0]oct-3-en⟩; 99%; F: 146–148°

2,2-Dihydroxy-⟨benzo-6-aza-1-azonia-2-borata-tricyclo[4.3.3.0^{1,5}]dodec-3-en⟩; 65%; F: 297–299°

Aus (4-Chlorbutyl)-dihydroxy-boran erhält man mit Dimethylamin *2,2-Dihydroxy-1,1-dimethyl-1,2-azoniaboratinan*[4]:

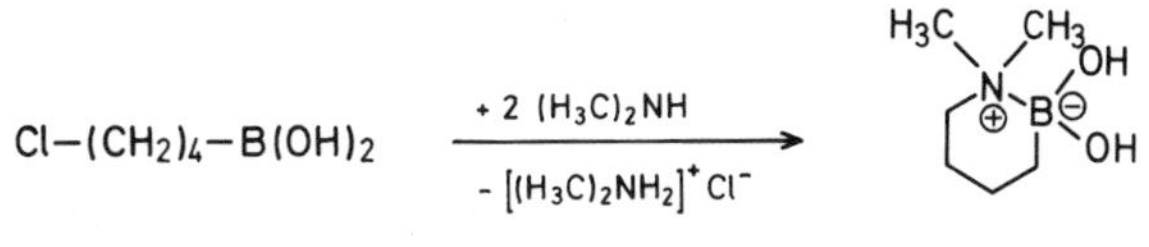

$\alpha\alpha_3$) aus Lewisbase-Organoboranen

1-Azonia-5-borata-tricyclo[3.3.3.0^{1,5}]undecan liefert bei der Wasserdampfdestillation unter zweifacher BC-Spaltung *2,2-Dihydroxy-1,1-dipropyl-1,2-azoniaboratolidin* (F: 107°)[5]:

---

[1] B. Skowrónska-Serafinowa, M. Szretter u. M. Makosza, Roczniki Chem. **35**, 489 (1961); C.A. **55**, 23397 (1961).
[2] D.L. Yabrott u. G.E.K. Branch, Am. Soc. **55**, 1663 (1933).
[3] P. Tschampel u. H.R. Snyder, J. Org. Chem. **29**, 2168 (1964).
[4] C.E. Erickson u. E.G. Meloni, U.S. Dept. Com., Office Techn. Serv., AD 261231; C.A. **59**, 4766 (1963).
[5] N.N. Greenwood, J.H. Morris u. J.C. Wright, Soc. **1964**, 4753.

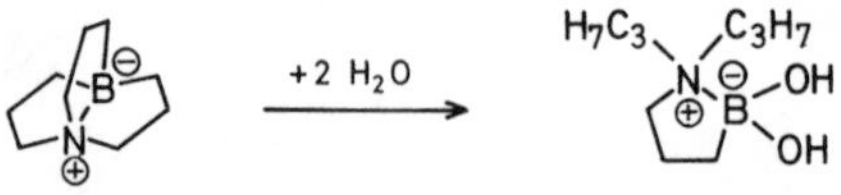

$$\xrightarrow{+2\,H_2O}$$

Die Hydrohalogenid-Vorstufen der Amin-Dihydroxy-organo-borane sollten sich relativ leicht mit Natronlauge in die cyclischen Amin-Borane überführen lassen.

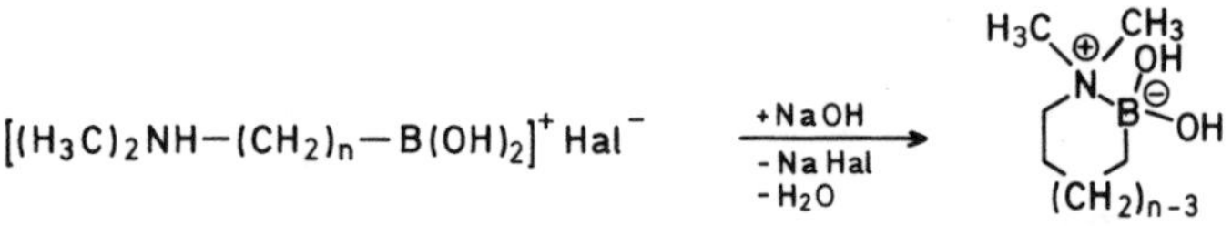

$$[(H_3C)_2NH-(CH_2)_n-B(OH)_2]^+\,Hal^- \xrightarrow[-NaHal,\ -H_2O]{+NaOH}$$

β) Lewisbase-Hydroxy-organo-organooxy-borane

Von den zahlreichen möglichen Amin-Hydroxy-organo-organooxy-boranen sind bisher nur einige Derivate des 2-Hydroxy-2-phenyl-1,3,2-azoniaboratolidins bekannt und aus Dioxy-organo-boranen hergestellt worden. Die Verbindungen erhält man z.B. aus Dihydroxy-phenyl-boran mit 2-Amino-2-alkyl-1,3-propandiolen in Aceton in ~90%iger Ausbeute[1]:

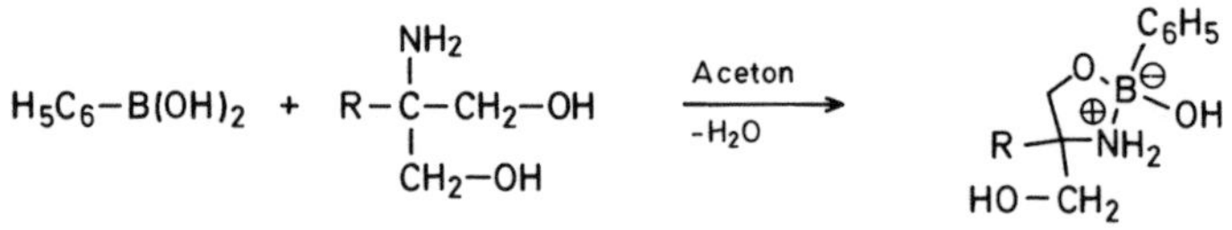

$$H_5C_6-B(OH)_2 + R-C(NH_2)(CH_2-OH)-CH_2-OH \xrightarrow[-H_2O]{Aceton}$$

Aus 5-Nitro-5-organo-2-phenyl-1,3,2-dioxaborinanen lassen sich durch elektrochemische Reduktion in chlorwasserstoffhaltigem Ethanol unterhalb 35° ebenfalls *3-Hydro- 2-hydroxy-4-hydroxymethyl-4-organo-2-phenyl-1,3,2-oxaazoniaboratolidine* (~90%) herstellen[1]:

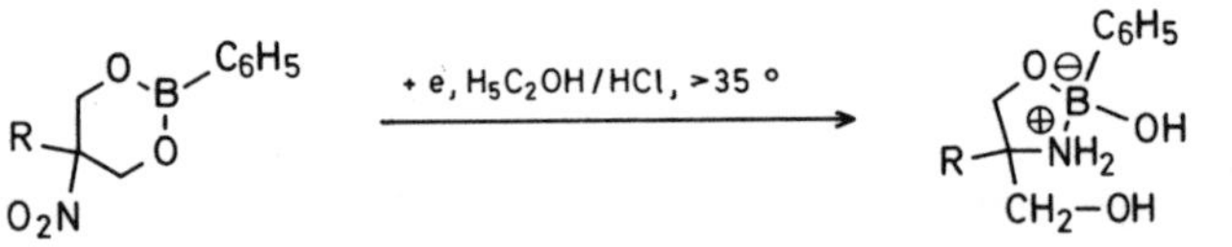

$$\xrightarrow{+e,\ H_5C_2OH/HCl,\ >35\,°}$$

...-2-phenyl-1,3,2-oxaazoniaboratolidin

$R=CH_3$; *3-Hydro-2-hydroxy-4-hydroxymethyl-4-methyl-...*; F: 128–137°
$R=C_2H_5$; *4-Ethyl-3-hydro-2-hydroxy-4-hydroxymethyl-...*; F: 129–136°

Die Verbindungstypen sind in besonderen Fällen auch aus cyclischen Acyloxy-hydroxy-organo-boranen mit Amino-alkoholen bzw. -phenolen unter Protolyse und Austritt von Wasser zugänglich. Aus dem cyclischen Anhydrid der 2-Boronophenylessigsäure erhält man mit 2-Aminophenol in siedendem Xylol zu >50% das *6,12-Dihydroxy-13-hydro-⟨1,3,2-benzooxaazoniaboratolo[3,2-a]-2,1-benzoazoniaboratin⟩* (F: 179–180°)[2]:

---

[1] B. SERAFIN u. A. JONCZYK, Roczniki Chem. **38**, 931 (1964); C.A. **61**, 10696 (1964).
[2] J.C. CATLIN u. H.R. SNYDER, J. Org. Chem. **34**, 1660 (1969).

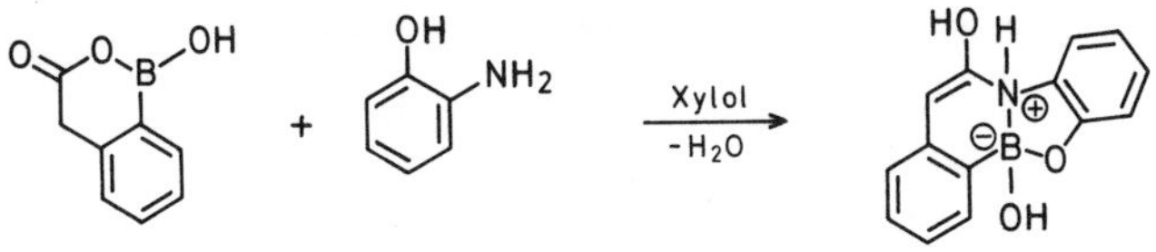

γ) Lewisbase-Diorganooxy-organo-borane

γ_1) *O-Lewisbase-Diorganooxy-organo-borane*

Die verschiedenen Strukturen der cyclischen O-Donator-Diorganooxy-organo-borane sind mit den Herstellungsmethoden in der Tab. 94 (S. 600) zusammengestellt. Als O-Donatoren treten Ether-, Carbonyl- und Azoxo-Verbindungen auf. Amin-, Imin- und Azo-Diorganooxy-organo-borane werden auf S. 601, 611, 613 besprochen.

Die Sauerstoff-Atome der Hydroxy- und Alkoxy-Verbindungen sind Donator-Atome von Diorganooxy-organo-boranen. Additionsverbindungen mit Wasser, Alkoholen, Ethern und Oximethern sind bekannt bzw. diskutiert worden. Die Herstellung der Molekülverbindungen erfolgt meist aus Dioxy-organo-boranen oder deren O-Donator-Verbindungen.

Aus 1-Hydroxy-⟨benzo[d]-1,2,6-oxazaborinen⟩ erhält man mit 1,2-Dihydroxybenzol in Ethanol in 60%iger Ausbeute *2-Hydro-1,1-(phenylen-1,2-dioxy)-1H-⟨benzo[d]-1,2,6-oxoniaazaboratin⟩*[2]:

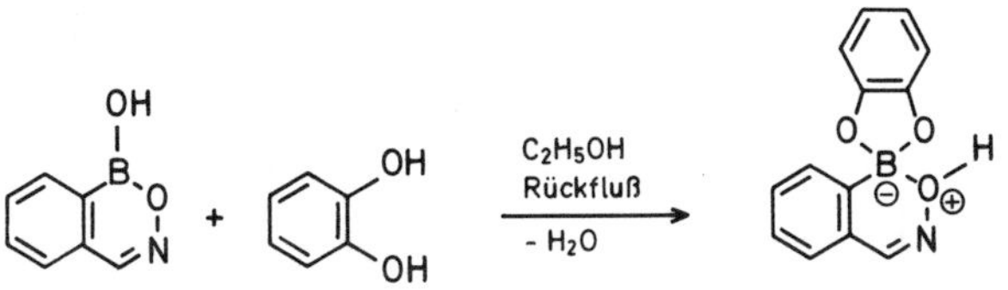

C_2H_5OH, Rückfluß, $-H_2O$

Aus 2-(8-Chinolyl)-1,3,2-dioxaborolan bildet sich mit Alkohol eine 1:1-Additionsverbindung[2-4]:

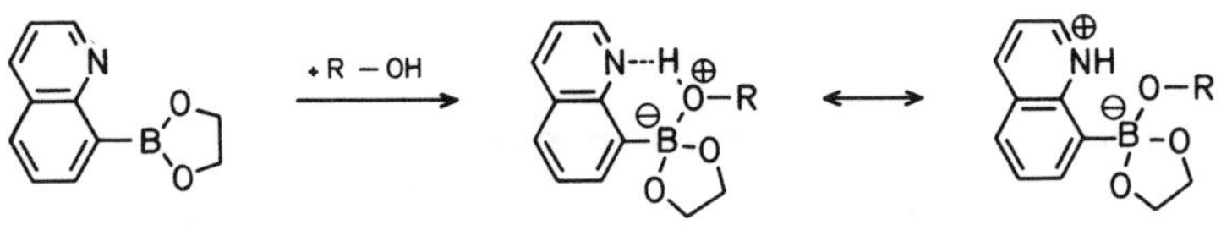

+R–OH

Aus 1,1-Dihydroxy-2-methyl-1H-⟨benzo[d]-1,2,6-oxoniaazaboratin⟩ erhält man unter Erhalt der O–B-Koordinationsbindung mit 1,2-Dihydroxybenzol *2-Methyl-1,1-(phenylen-1,2-dioxy)-1H-⟨benzo[d]-1,2,6-oxoniaazaboratin⟩* (75%; F: 102–103°)[1]:

[1] H.E. Dunn, J.C. Catlin u. H.R. Snyder, J. Org. Chem. **33**, 4483 (1968).
[2] J.D. Morrison u. R.L. Letsinger, J. Org. Chem. **29**, 3405 (1964).
[3] vgl. W. Kliegel, Organometal. Chem. Rev. [A] **8**, 153 (1972); S. 164.
[4] R.L. Letsinger, Ang. Ch. **75**, 729 (1963).

Tab. 94: Lewisbase-Diorganooxy-organo-borane

Formel	Verbindungstyp	Herstellung	s. S.
O-Donator-Diorganooxy-organo-borane			
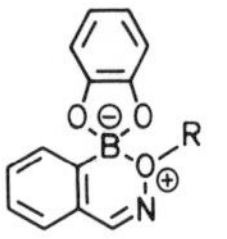 R = H	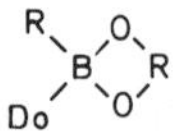	aus $R-B(O-N=)(OH)$ + HO–R–OH	599
R = CH_3		aus $Do-RB(OH)_2$ + HO–R–OH	601
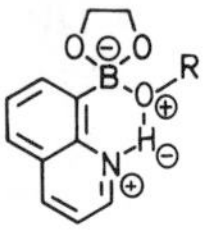	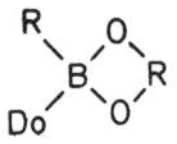	aus $Do-R^1B(OR^2)_2 + R^3-OH$	599
Amin-Diorganooxy-organo-borane			
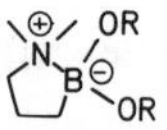	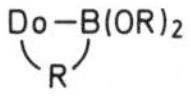 $Do-B(OR)_2$	aus $Do-BR^2[N]_2 + R^1-OH$	611
		aus $R-B(OH)_2$ + Do–R–OH	602 f.
		aus $R-B(OR)_2$ + Do–R–OH	604
		aus $(R-BO)_3$ + Do–R–OH	605 f.
		aus $Do'-BR^1_2-OR^2$, △	608
		aus $R-B(OH)_2$ + Do–R–OH	602
		aus $R^1-B(OR^2)_2$ + Do–R–OH	604
		aus $Do-BH_2-R^1 + R^2-OH$	608
		aus $Do-B(OR^2)_2-R^1$ + HO–R–OH	609
		aus $Do'-BR_2-O-BR$ + –NH–OH	611
Imin-, Amidin-, Azo- und Hydrazon-Diorganooxy-organo-borane			
		aus $R-B(OH)_2$ + Do–R–OH	612
		aus $Do-(R-BO)_3$ + HO–R–OH	612
		aus $Do-BR^1_2-OR^2$ + HO-(intra), △	613
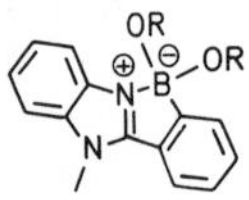	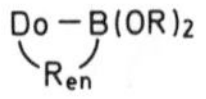 $Do-B(OR)_2$	aus $Do-B(OH)_2-R^1 + R^2-OH$	613
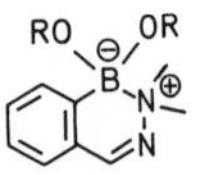	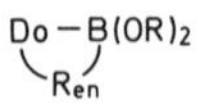 $Do-B(OR)_2$	aus $R^F-B(OH)_2 + H_2N-NH-$ + R–OH	604
		aus $R-B(OH)_2 + (HO-R-)_2Do$	613
		aus $[R^1_4B]^- + (HO-R-)_2/R^2-COOH/Do$	614

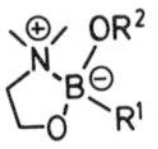

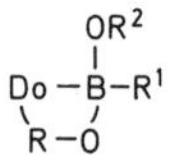

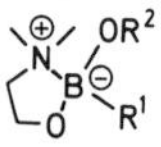

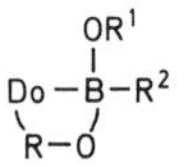

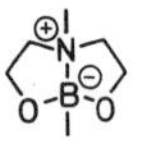

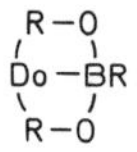

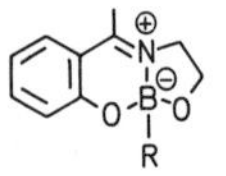

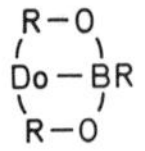

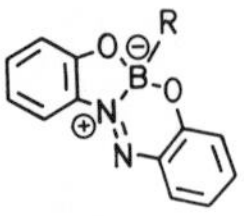

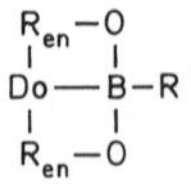

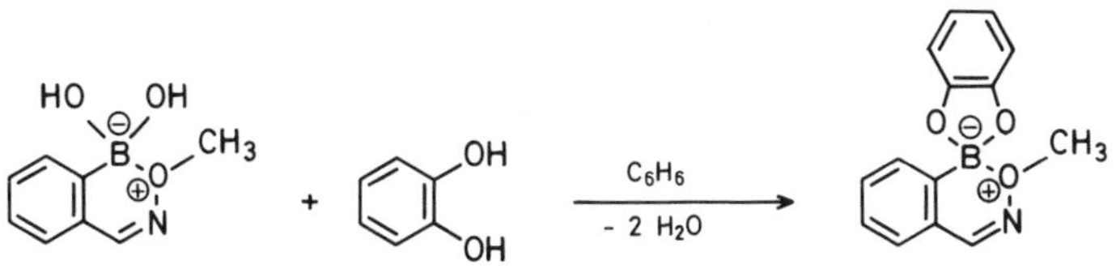

γ_2) *N-Lewisbase-Diorganooxy-organo-borane*

In der Tab. 94 (S. 600) sind die verschiedenartigen N-Base-Diorganooxy-organo-borane mit den wichtigsten Herstellungsmethoden zusammengestellt. Außer Aminen sind Hydrazone und Carbonsäureamide Komplexpartner der Diorganooxy-organo-borane. Imin- sowie Azo-Borane werden auf S. 611, 613 besprochen.

Zur Herstellung der fünf- und sechsgliedrigen Ringverbindungen geht man meist von Dihydroxy- und Diorganooxy-organo-boranen aus. Auch Lewisbase-Organoborane werden verwendet. Reaktionspartner sind im allgemeinen Hydroxyalkyl-amine.

$\gamma\gamma_1$) Amin-Diorganooxy-organo-borane

i_1) aus Dioxy-organo-boranen

Aus Dihydroxy-organo-boranen sind mit Aminoalkanolen oder -phenolen monocyclische Amin-diorganooxy-borane zugänglich. Mit geeigneten Bis[hydroxyalkyl]aminen werden bicyclische Amin-diorganooxy-organo-borane gebildet; z.B.:

Dihydroxy-phenyl-boran kann stufenweise verestert werden. Mit 2-(Dimethylamino-methyl)-3,4,6-trichlor-phenol erhält man in Aceton *3,3-Dimethyl-2-hydroxy-2-phenyl-5,6,8-trichlor-3,4-dihydro-2H-⟨benzo[e]-1,3,2-oxazoniaboratin⟩*, das mit Methanol das *2-Methoxy*-Derivat liefert[1]:

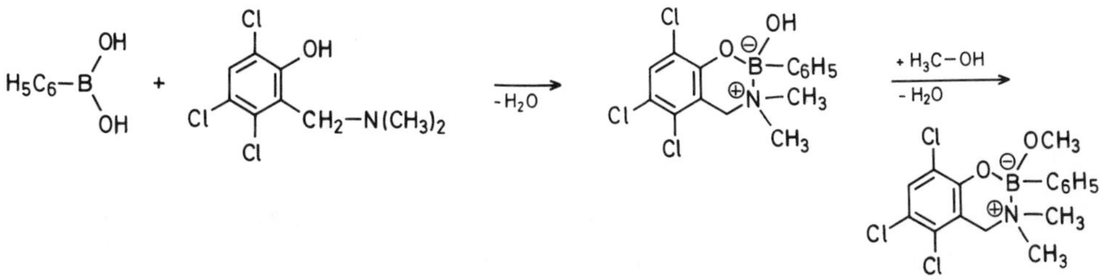

Ähnlich verläuft die Veresterung von Dihydroxy-phenyl-boran mit Dialkyl-(2-hydroxyalkyl)-aminen. Das in diesem Fall nicht isolierte Zwischenprodukt läßt sich mit Phenol weiter verestern[2]:

[1] A. Jonczyk, B. Serafin u. H. Rutkowska, Roczniki Chem. **45**, 1793 (1971); C.A. **76**, 113286 (1972).
[2] W. Kliegel, A. **763**, 61 (1972).

$R^1 = H$; $R^2 = CH_3$; *3,3-Dimethyl-2-phenoxy-2-phenyl-1,3,2-oxazoniaboratolidin*; 56%; F: 190–192°
R^2–R^2 = –$(CH_2)_4$–; *1-Phenoxy-1-phenyl-2-oxa-5-azonia-1-borata-spiro[4.4]nonan*; 61%; F: 112–114°
$R^1 = C_6H_5$; R^2–R^2 = –$(CH_2)_2$–O–$(CH_2)_2$–; *1,4-Diphenyl-1-phenoxy-2,8-dioxa-5-azonia-1-borata-spiro[4.5] decan*; 45%; F: 158–160°

1-Alkyl-2,8-dioxa-5-azonia-1-borata-bicyclo[3.3.0]octane lassen sich aus Alkyl-dihydroxy-boranen mit Bis[2-hydroxyethyl]amin unter Abdestillieren des Wassers mit Hilfe von Benzol in Ausbeuten von 50–90% herstellen[1]:

$$R-B(OH)_2 \xrightarrow[-\,2\,H_2O]{+\,HN(CH_2-CH_2-OH)_2,\ Benzol}$$

...-2,8-dioxa-5-azonia-1-borata-bicyclo[3.3.0]octan

$R = C_2H_5$; *1-Ethyl-5-hydro-...*; 77%; F: 161–163°
$R = C(CH_3)_3$; *1-tert.-Butyl-5-hydro-...*; 52%; F: 220–222°
$R = CH_2$–C_6H_5; *1-Benzyl-5-hydro-...*; 55% d.Th.; F: 211–213°
$R = CH_2$–1-Naphthyl; *5-Hydro-1-(1-naphthylmethyl)-...*; 90%; F: 196–198°

Analog verläuft die Veresterung mit Bis[2-hydroxyethyl]amin[2] oder mit 1,1-Bis[hydroxymethyl]ethylaminen[3]:

R^1: CH_3, –$CH_2N(CH_3)_2$
R^2: H, CH_3

Aus Dihydroxy-organo-boranen sind nach der gleichen Methode auch Hydrazin(on)-Diorganooxy-organo-borane zugänglich. Die Verbindungsklasse ist allerdings bisher kaum untersucht worden. Hergestellt wurde aus Dihydroxy-(2-formylphenyl)-boran mit 2,4-Dinitrophenylhydrazin und nachfolgend mit Ethanol das *1,1-Diethoxy-2-(2,4-dini-*

[1] S.-O. Lawesson, Arkiv Kemi **10**, 171 (1956); C.A. **51**, 6532 (1957).
[2] Ch'eng-Hsun Lu, Hsiao Shu Li, Wei-Fu Li u. Hsin-Te Feng, K'o Hsueh T'ung Pao **17**, 410–411 (1960); C.A. **66**, 105011 (1967).
[3] J. Bartulin, M. Zarraga u. H. Zunza, Bol. Soc. Chil. Quim. **27**, 138 (1982); C.A. **97**, 92358 (1982).

Tab. 95: Funktionell substituierte Amin-Diorganooxy-organo-borane aus Dihydroxy-organo-boranen mit substituierten Bis[hydroxyalkyl]aminen

Ausgangsverbindungen		Bedingungen	Chelat	Ausbeute [%]	F [°C]	Literatur
Boran	Amin					
$H_5C_6-B(OH)_2$	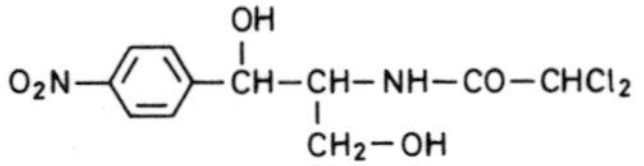 $O_2N-C_6H_4-CH(OH)-CH(CH_2-OH)-NH-CO-CHCl_2$	stöchiometr. Mengen in Aceton lösen, Wasser bis zur leichten Trübung zusetzen, org. Phase i. Vak. entfernen	*Bis[2-dichloracetamino-3-hydroxy-3-(4-nitro-phenyl)-propyloxy]-phenyl-boran*		178	1
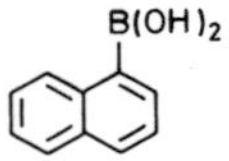 1-Naphthyl-$B(OH)_2$	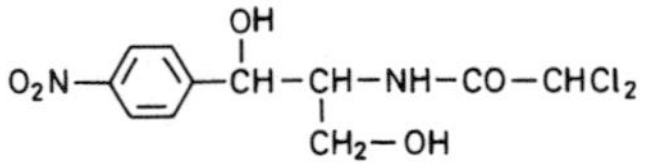 $O_2N-C_6H_4-CH(OH)-CH(CH_2-OH)-NH-CO-CHCl_2$	stöchiometr. Mengen in Aceton lösen, Wasser bis zur leichten Trübung zugeben, org. Phase i. Vak. entfernen	*Bis[2-dichloracetamino-3-hydroxy-(4-nitro-phenyl)-propyloxy]-1-naphthyl-boran*	–	195	1
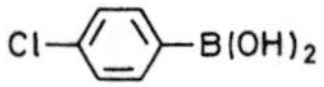 $Cl-C_6H_4-B(OH)_2$	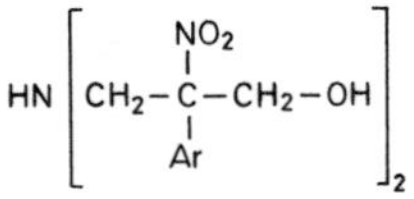 $HN[CH_2-C(NO_2)(Ar)-CH_2-OH]_2$	Base + Boran in Benzol unter H_2O–Destillation erhitzen	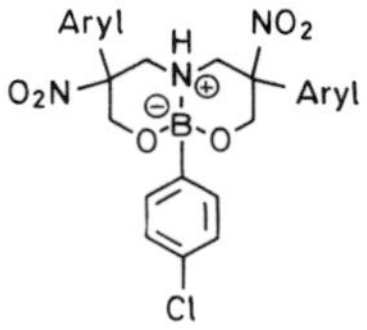 Aryl, NO_2, O_2N, Aryl, H, $N^{\oplus}$, $O-B^{\ominus}-O$, C_6H_4-Cl	~100	–	2

[1] J. PLOQUIN u. L. SPARFEL, C. r. [D] **268**, 1820 (1969); C. A. **71**, 2040 (1969).
[2] W. DANIEWSKI u. T. URBANSKI, Tetrahedron Letters **1966**, Suppl. 8, II, 663.

trophenyl)-1,2,2-trihydro-⟨benzo[d]-1,2,3-azazoniaboratin⟩ (F: 247–249°) in 97%iger Ausbeute[1]:

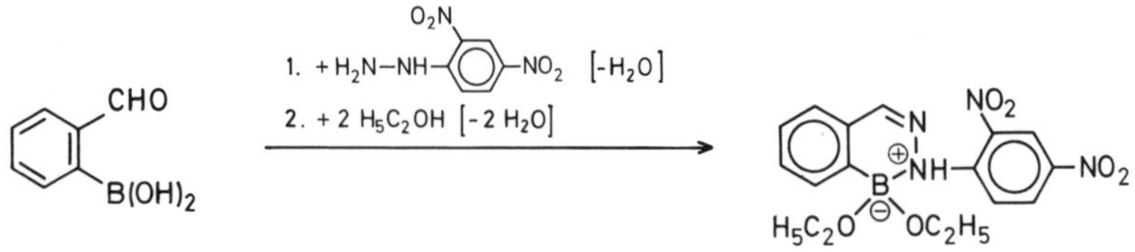

Aus offenkettigen sowie aus cyclischen Diorganooxy-organo-boranen sind mit 2-Aminoethanol oder mit Bis[2-hydroxyethyl]amin mono- bzw. bicyclische Amin-Diorganooxy-organo-borane zugänglich[2]; z.B.:

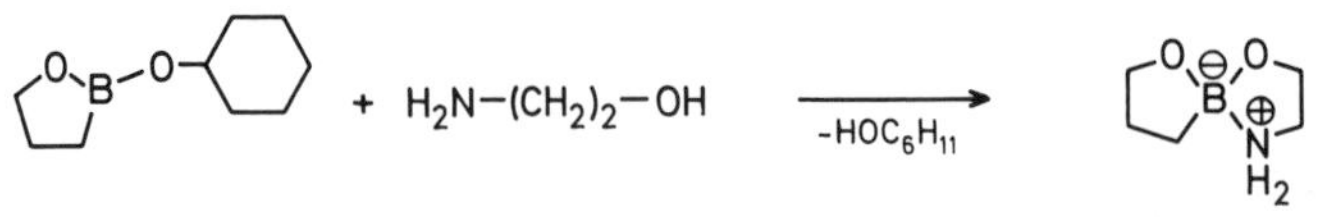

4-Hydro-1,6-dioxa-4-azonia-5-borata-spiro[4.4]nonan; F: 161–163°

Aus Dialkoxy-vinyl-boranen lassen sich mit Bis[2-hydroxyethyl]aminen durch Umestern in siedendem Toluol 5-Organo-1-vinyl-2,8-dioxa-5-azonia-1-borata-bicyclo [3.3.0]octane herstellen[3,4]:

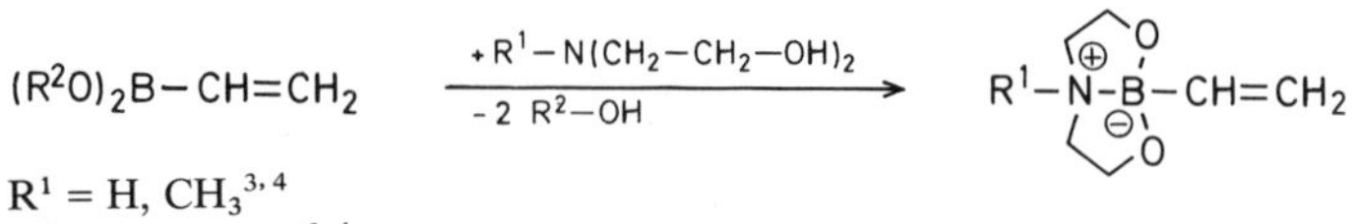

$R^1 = H, CH_3$[3,4]
$R^2 = CH_3; C_4H_9$[3,4]

Aus Bis[dimethoxyboryl]alkanen erhält man mit Bis[2-hydroxyethyl]amin unter Abspalten von Methanol 1,ω-Bis {2,8-dioxa-5-azonia-1-borata-bicyclo[3.3.0]oct-1-yl}-alkane[5,6]:

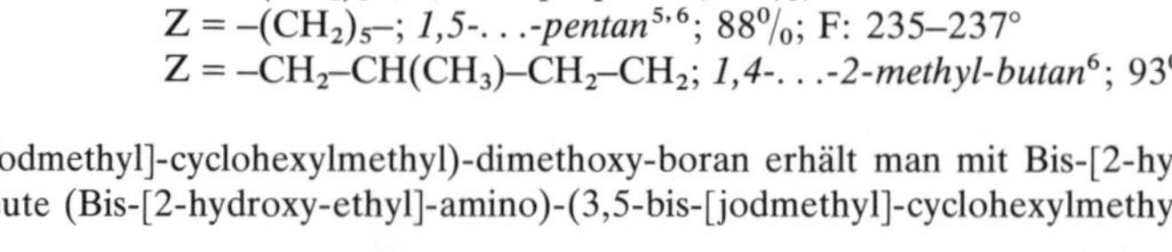

...-Bis-{2,8-dioxa-5-azonia-1-borata-bicyclo[3.3.0]oct-1-yl}-

z.B.: Z = $-(CH_2)_3-$; *1,3-...-propan*[5,6]; 88%; F: 248–250°
Z = $-(CH_2)_5-$; *1,5-...-pentan*[5,6]; 88%; F: 235–237°
Z = $-CH_2-CH(CH_3)-CH_2-CH_2$; *1,4-...-2-methyl-butan*[6]; 93%; F: 200,5–201°

Aus (3,5-Bis-[jodmethyl]-cyclohexylmethyl)-dimethoxy-boran erhält man mit Bis-[2-hydroxy-ethyl]-amin in 65%iger Ausbeute (Bis-[2-hydroxy-ethyl]-amino)-(3,5-bis-[jodmethyl]-cyclohexylmethyl)-boran (F: 151–154°; Zers.).[7]

---

[1] P. TSCHAMPEL u. H.R. SNYDER, J. Org. Chem. **29**, 2168 (1964).
[2] B.M. MIKHAILOV u. V.A. DOROKHOV, Izv. Akad. SSSR **1965**, 1661; engl.: 1618; C.A. **64**, 2117 (1966).
[3] US.P. 3069454 (1961/1962), US Borax & Chem. Corp.; Erf.: G.W. WILLCOCKSON, D.L. HUNTER u. I.S. BENGELSDORF; C.A. **58**, 10235 (1963).
[4] P.M. ARONOVICH u. B.M. MIKHAILOV, Izv. Akad. SSSR **1968**, 2745; engl.: 2599; C.A. **70**, 87876 (1969).
[5] L.I. ZAKHARKIN u. A.I. KOVREDOV, Izv. Akad. SSSR **1962**, 1564; engl.: 1480; C.A. **58**, 9107 (1963).
[6] L.I. ZAKHARKIN u. A.I. KOVREDOV, Izv. Akad. SSSR **1969**, 106; engl.: 93; C.A. **70**, 115200 (1969).
[7] B.M. MIKHAILOV, M.E. GURSKII u. D.G. PERSHIN, J. Organometal. Chem. **246**, 19 (1983).

Zur Herstellung von *1-(3-Ureidopropyl)-* (F: 237–238°)[1], *1-Vinyl-* (88%; F: 135–136°)[2] und *1-Ethyl-* (75%)[3] *-5-hydro-2,8-dioxa-5-azonia-1-borata-bicyclo[3.3.0]octan* s. Lit.

Aus Diorganooxy-organo-boranen lassen sich Amin-Diorganooxy-organo-borane auch durch einleitende borferne Reaktion herstellen. Insbesondere 2-Organo-1,3,2-dioxaborolane erwiesen sich bei vielen Umwandlungen chemisch stabil; z.B.[4]:

CH_2-Br + Isoindol (NH); Toluol; $-HBr$ →

2H-Isoindolio-⟨2-spiro-2-⟩-1,1-ethylendioxy-2,3-dihydro-⟨benzo[c]-1,2-azoniaboratol⟩; 48%; F: 173–175°

Aus Triorganoboroxinen lassen sich mit Bis[2-hydroxyethyl]aminen sowie mit (2-Hydroxyalkylamino)alkanolen[5] bicyclische Amin-Diethyloxy-organo-borane herstellen[4–9]:

$$1/3\ (Ar-BO)_3 \xrightarrow[-2\ H_2O]{+R-N(CH_2-CH_2-OH)_2,\ C_6H_6} R-\overset{\oplus}{N}-\overset{\ominus}{B}-Ar$$

Ar = C_6H_5, 4-CH_3–C_6H_4, 4-OCH_3–C_6H_4, 4-Br–C_6H_4, 3-NO_2–C_6H_4
R = H, C_4H_9, $CH(CH_3)_2$, CH_2–C_6H_5, $C(CH_3)_3$

Aus Tris[2-dimethylaminomethyl-phenyl]boroxin ist z.B. mit 1,1-Diphenyl-1,2-ethandiol in siedendem Toluol *2,2-Dimethyl-1,1-(1,1-diphenylethan-1,2-dioxy)-2,3-dihydro-⟨benzo[c]-1,2-azoniaboratol⟩* (F: 129–132°) zu 74% zugänglich[9]:

$$1/3\ [2\text{-}(CH_2-N(CH_3)_2)C_6H_4-BO-]_3 + H_5C_6-C(C_6H_5)(OH)-CH_2-OH \xrightarrow[-H_2O]{Toluol,\ \Delta}$$

Weitere Beispiele sind in der Tab. 96 (S. 606) zusammengestellt.

[1] D.N. BUTLER u. A.N. SOLOWAY, Am. Soc. **86**, 2961 (1964).
[2] P.M. ARONOVICH u. B.M. MIKHAILOV, Izv. Akad. SSSR **1968**, 2745; engl.: 2599; C.A. **70**, 87876 (1969).
[3] O.P. SHITOV, S.L. IOFFE, L.M. LEONT'EVA u. V.A. TARTAKOVSKII, Ž. obšč. Chim. **43**, 1266 (1973); engl.: 1257; C.A. **79**, 66439 (1973).
[4] T. BURGEMEISTER, R. GROBE-EINSLER, R. GROTSTOLLEN, A. MANNSCHRECK u. G. WULFF, B. **114**, 3403 (1981).
[5] R. CSUK, H. HÖNIG u. C. ROMANIN, M. **113**, 1025 (1982).
[6] O.C. MUSGRAVE u. T.O. PARK, Chem. & Ind. **1955**, 1552.
[7] HWEI-CHOUNG FU, T. PSARRAS, H. WEIDMANN u. H.K. ZIMMERMAN jr., A. **641**, 116 (1961).
[8] T.G. PSARRAS, H.K. ZIMMERMAN jr., Y. RASIEL u. H. WEIDMANN, A. **655**, 48 (196).
[9] R. CSUK, J. HAAS, H. HÖNIG u. H. WEIDMANN, M. **112**, 879 (1981).

Tab. 96: Amin-Diorganooxy-organo-borane aus Triorganoboroxinen mit Bis[2-hydroxyalkyl]aminen

Ausgangsverbindungen		Reaktionsbedingungen	...-5-hydro-2,8-dioxa-5-azonia-1-borata-bicyclo[3.3.0]octan	Ausbeute [%]	F [°C]	Literatur
$(H_5C_6-BO)_3$	$(HO-CH_2-CH_2)_2NH$	azeotrope Destillation des Wassers mit Benzol	*1-Phenyl-...*	–	209,5–210	[1]
	$(HO-CH(CH_3)-CH_2)_2NH$	azeotrope Destillation des Wassers mit Benzol	*3,7-Dimethyl-1-phenyl-...*	100	251–252	[2]
$(HO-CH_2-CH_2)_2N-CH_2-CH_2-N(CH_2-CH_2-OH)_2$			*1,2-Bis{1-phenyl-2,8-dioxa-5-azonia-1-borata-bicyclo[3.3.0]oct-5-yl}ethan* 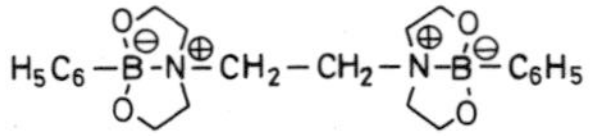 $H_5C_6-\overset{\ominus}{B}(OCH_2CH_2)_2\overset{\oplus}{N}-CH_2-CH_2-\overset{\oplus}{N}(CH_2CH_2O)_2\overset{\ominus}{B}-C_6H_5$	86	264	[2]

[1] O.C. Musgrave u. T.O. Park, Chem. & Ind. **1955**, 1552.
[2] T.G. Psarras, H.K. Zimmerman, Y. Rasiel u. H. Weidmann, A. **655**, 48 (1962).

i_2) aus Acylamino-organo-oxy-boranen

Mit 1,2-Dihydroxy-Verbindungen reagieren bestimmte Acylamino-organo-oxy-borane unter Protolyse zu cyclischen Acylamino-Diorganooxy-organo-boranen. Aus dem cyclischen Imid der 2-Boronophenylessigsäure erhält man mit Brenzcatechin in Xylol zu 30% *3-Hydroxy-1,1-(1,2-phenylendioxy)-1,2,2-trihydro-⟨benzo[c]-1,2-azoniaboratin⟩* (F: 135–137°)[1]:

Xylol, Rückfluß; $-H_2O$

i_3) aus Lewisbase-Boranen

Cyclische Amin-Diorganooxy-organo-borane werden vorteilhaft z.B. aus Tetrahydrofuran-Boran mit Alkenylaminen/Alkohol oder aus THF- bzw. Amin-Dihydro-organoboranen mit Alkoholen oder mit Dihydroxy-Verbindungen hergestellt. Auch Lewisbase-Organooxy-borane werden als Edukte verwendet.

Zur Herstellung von *2-hexyl-1,3,6,2-dioxaazaborocan* (81%; F: 142°) s. Lit.[2].

Aus Tetrahydrofuran-Boran erhält man mit N-Alkenyl-harnstoffen Hydroborierungsprodukte, aus denen mit Methanol unter Wasserstoff-Abspaltung cyclische Acylamin-Diorganooxy-organo-borane gebildet werden[3]; z.B.:

$\overset{\oplus}{THF}-\overset{\ominus}{BH_3}$ 1. + $H_2C=CH-NH-CO-NH_2$; 2. + CH_3OH ($-H_2$) →

4,4-Dimethoxy-3-hydro-2-oxo-1,3,4-azaazoniaboratinan; 80%; F: 65–68°

N-(ω-Dimethoxyboryl-alkyl)-harnstoff-Derivate; allgemeine Arbeitsvorschrift[3]: Zur frisch hergestellten Lösung von 2–3 g Diboran(6) in 400 *ml* THF wird bei ~0° 0,1 mol N-(1-Alkenyl)harnstoff in 150 *ml* THF in 30–45 Min. unter Rühren zugetropft. Die Temp. soll 5° nicht übersteigen. Man rührt danach weitere 30 Min. und tropft 75 *ml* Methanol zu (Temp. = 10°). Beim Einengen erhält man kristalline Produkte, die aus Methanol/Diethylether-Gemischen umkristallisiert werden können. Die N-(ω-Dimethoxyboryl-alkyl)urethane lassen sich i. Vak. destillieren.

U.a. werden auf diese Weise erhalten:

4,4-Dimethoxy-3-hydro-2-oxo-1,3,4-azaazoniaboratinan (aus N-Vinylurethan); $Kp_{0,35}$: 84–88°
5,5-Dimethoxy-4-hydro-3-oxo-2-aza-4-azonia-5-borata-bicyclo[4.4.0]decan [aus N-(1-Cyclohexenyl)harnstoff]; F: 145–147°

Aus 1,1,2,2,3,4-Hexahydro-⟨benzo[c]-1,2-azoniaboratin⟩ erhält man mit 1,2-Dihydroxybenzol unter Wasserstoff-Abspaltung *1,1-(Phenylen-1,2-dioxy)-1,2,2,3,4-pentahydro-⟨benzo[c]-1,2-azoniaboratinan⟩*[4]:

$-2\ H_2$

[1] J.C. Catlin u. H..R. Snyder, J. Org. Chem. **34**, 1660 (1969).
[2] R. Contreras, C. Garcia, T. Mancilla u. B. Wrackmeyer, J. Organometal. Chem. **246**, 213 (1983).
[3] D.N. Butler u. A.E. Soloway, Am. Soc. **88**, 484 (1966).
[4] J.C. Catlin u. H.R. Snyder, J. Org. Chem. **34**, 1664 (1969).

Aus 2-(2-Phenylethyl)-1,2,2,3-tetrahydro-1H-⟨benzo[c]-1,2-azoniaboratol⟩ wird mit 1,2-Dihydroxybenzol *1,1-(Phenylen-1,2-dioxy)-2-(2-phenylethyl)-2,2,3-trihydro-1H-⟨benzo [c]-1,2-azoniaboratol⟩* gebildet[1]:

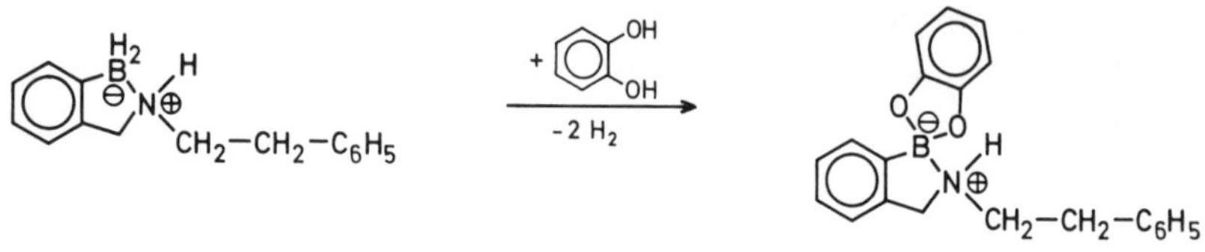

$$\xrightarrow[-2\ H_2]{+\ C_6H_4(OH)_2}$$

Amin-Diorganooxy-organo-borane sind aus anderen Lewisbase-Organo-oxy-boranen durch intramolekulare Redoxreaktion, durch verschiedene Substitutionen am Bor-Atom oder auch durch borferne Reaktionen herstellbar.

Aus den zwitterionischen cyclischen Aminoxid-Diorgano-organooxy-boranen (vgl. S. 726) erhält man beim Erhitzen durch die bei offenkettigen Verbindungen schon bei 20° erfolgende Redox-Reaktion[2] (vgl. Bd. XIII/3c) fünfgliedrige Amin-Diorganooxy-organoborane[3]. Aus 4,4-Dialkyl-2,2-diphenyl-1,3,4,2-dioxazoniaboratinanen sind beim Erhitzen auf ~150–170° bei spontaner (**Vorsicht!**) Verflüssigung *3,3-Dialkyl-2-phenoxy-2-phenyl-1,3,2-oxazoniaboratolidine* in hohen Ausbeuten zugänglich[3]:

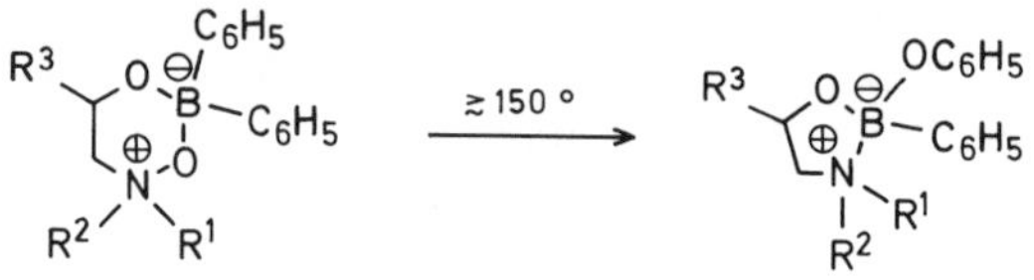

$$\xrightarrow{\gtrsim 150°}$$

z.B.: $R^1 = R^2 = CH_3$; $R^3 = H$; *3,3-Dimethyl-2-phenoxy-2-phenyl-1,3,2-oxazoniaboratolidin*; 100%; F: 190–192°

R^1–R^2 = –$(CH_2)_4$–; $R^3 = H$; *1-Phenoxy-1-phenyl-2-oxa-5-azonia-1-borata-spiro[4.4]nonan*; 88%; F: 112–114°

R^1–R^2 = –$(CH_2)_2$–O–$(CH_2)_2$; $R^3 = H$; *1-Phenoxy-1-phenyl-2,8-dioxa-5-azonia-1-borata-spiro[4.5] decan*; 100%; F: 158–160°

Aus cyclischen Amin-Dihydroxy-organo-boranen lassen sich mit Alkandiolen in Benzol unter Abspaltung von Wasser Amin-Diorganooxy-organo-borane herstellen. Aus 1,1-Dihydroxy-2,2-dimethyl- 2,3-dihydro-1H-⟨benzo[c]-1,2-azoniaboratol⟩ erhält man z.B. mit Glykol *2,2-Dimethyl-1,1-(1,2-ethandioxy)-2,3-dihydro-⟨benzo[c]-1,2-azoniaboratol⟩* (Kp_{15}: 128–130°; F: 104°). Entsprechend reagieren Butan-1,4-diol und Pentan-1,5-diol[4]:

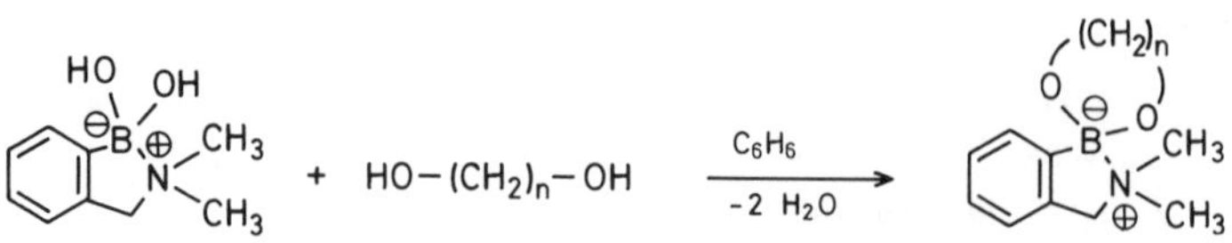

$$+\ HO-(CH_2)_n-OH \xrightarrow[-2\ H_2O]{C_6H_6}$$

n = 4; *1,1-(1,4-Butandioxy)-2,2-dimethyl-2,3-dihydro-1H-⟨benzo[c]-1,2-azoniaboratol⟩*; F: 90°

n = 5; *2,2-Dimethyl-1,1-(1,5-pentandioxy)-2,3-dihydro-1H-⟨benzo[c]-1,2-azoniaboratol⟩*; $Kp_{0,3}$: 117–118°; F: 69°

---

[1] J.C. Catlin u. H.R. Snyder, J. Org. Chem. **34**, 1664 (1969).

[2] R. Köster u. Y. Morita, Ang. Ch. **78**, 589 (1966); A. **704**, 70 (1967).

[3] W. Kliegel, A. **763**, 61 (1972).

[4] R. Clement u. M. François, C.r. [C] **265**, 923 (1967).

Verschiedene Amin-Diorganooxy-organo-borane lassen sich mit Alkandiolen oder mit Dihydroxybenzolen unter Abspaltung von Alkoholen in cyclische bzw. in kettenförmige oligomere bzw. polymere Amin-Diorganooxy-organo-borane überführen[1,2].

Beispielsweise erhält man aus 1,1-Diethoxy-2,2-dimethyl-2,3-dihydro-1H-⟨benzo [c]-1,2-azoniaboratol⟩ mit Hydrochinon bzw. mit 1,4-Bis[hydroxymethyl]benzol beim Erhitzen in Toluol hochmolekulare, hydrolyse-resistente Amin-Diorganooxy-organo-borane[2]:

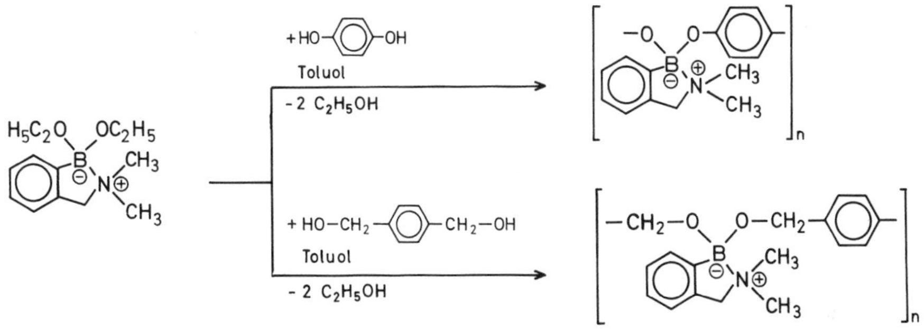

H_5C_2O OC_2H_5 B CH_3 N CH_3

+ HO–C_6H_4–OH / Toluol / $- 2\ C_2H_5OH$ → [–O, O–C_6H_4–, B, N, CH_3, CH_3]$_n$

+ HO–CH_2–C_6H_4–CH_2–OH / Toluol / $- 2\ C_2H_5OH$ → [–CH_2–O, O–CH_2–C_6H_4–, B, N, CH_3, CH_3]$_n$

Amin-2-Methoxy-1,2-oxaborolan reagiert mit Bis[2-hydroxyethyl]amin unter Abspaltung von Amin und Methanol unter Ringöffnung[3,4]:

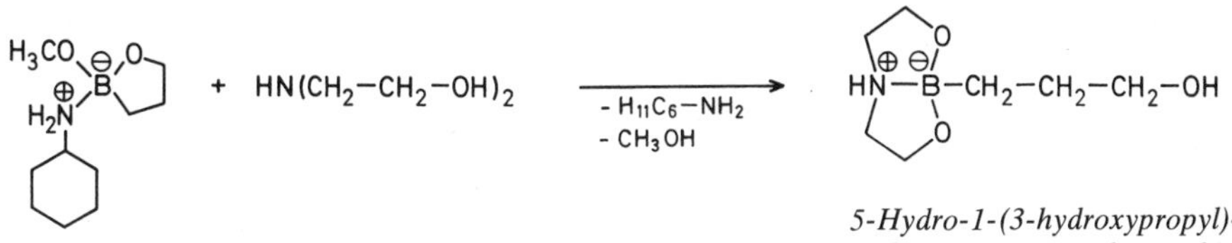

H_3CO, B, O, H_2N + $HN(CH_2-CH_2-OH)_2$ → ($- H_{11}C_6-NH_2$, $- CH_3OH$) HN–B–CH_2–CH_2–CH_2–OH

5-Hydro-1-(3-hydroxypropyl)-2,8-dioxa-5-azonia-1-borata-bicyclo[3.3.0]octan; F: 90–93°

Borferne Reaktionen der Amino-Dialkoxy-organo-borane sind am B-Organo-Rest bzw. am N-Substituenten möglich.

Durch borferne Addition (z. B. Hydroborierung) sind aus bicyclischen Amin-Alkenyl-dialkoxy-boranen z. B. mit Hydroboranen neue bicyclische Amin-subst.-Alkyl-dialkoxy-borane zugänglich; z. B.[5]:

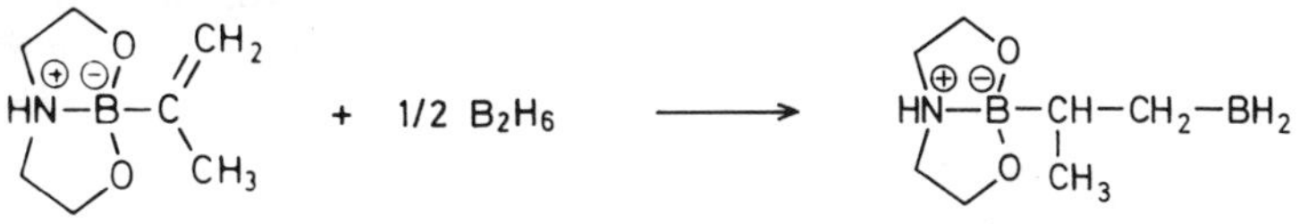

HN–B–C(=CH_2)–CH_3 + 1/2 B_2H_6 → HN–B–CH(CH_3)–CH_2–BH_2

5-(2-Boryl-1-methyl-ethyl)-5-hydro-2,8-dioxa-5-azonia-1-borata-bicyclo[3.3.0]octan

1 R. Clement u. M. François, C. r. [C] **265**, 923 (1967).
2 M. François u. R. Clement, C. r. [C] **265**, 977 (1967).
3 B. M. Mikhailov u. V. A. Dorokhov, Izv. Akad. SSSR **1965**, 1661; engl.: 1618; C. A. **64**, 2117 (1966).
4 L. I. Zakharkin u. A. I. Kovredov, Izv. Akad. SSSR **1962**, 1564; engl.: 1480; C. A. **58**, 9107 (1963).
5 P. M. Aranovitsch, V. S. Bogdanov u. B. M. Mikhailov, Izv. Akad. SSSR **1969**, 362; engl.: 314; C. A. **71**, 13163 (1969).

Aus 5-Hydro-1-phenyl-2,8-dioxa-5-azonia-1-borata-bicyclo[3.3.0]octan gewinnt man mit einem Tetracyclin-Derivat im Zuge einer borfernen Amino-Alkylierung durch Formaldehyd-Kondensation (Mannich-Reaktion) ein am N-Atom substituiertes bicyclisches Amin-Diorganooxy-organo-boran[1]:

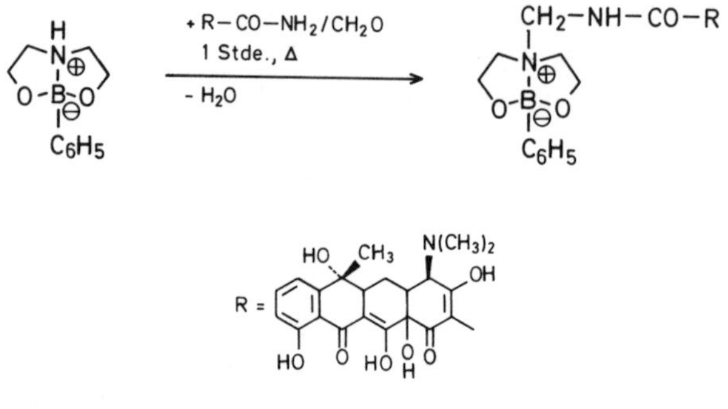
+R–CO–NH2/CH2O
1 Stde., Δ
- H2O
CH2–NH–CO–R
C6H5
R =
HO
CH3
N(CH3)2
OH

Aus 1-Aryl-5-hydro-2,8-dioxa-5-azonia-1-borata-bicyclo[3.3.0]octan erhält man mit Salicylamid/Formaldehyd in Methanol durch borferne Mannichbasen-Bildung die in 1-Stellung substituierten Derivate[2]:

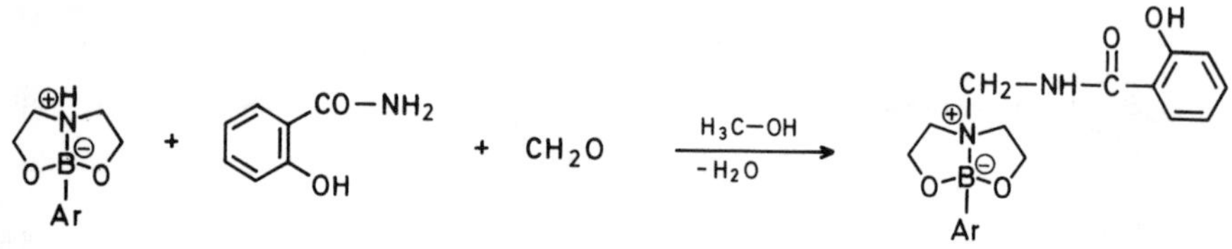
CO–NH2
OH
+ CH2O
H3C–OH
- H2O
CH2–NH–C
Ar

...-2,8-dioxa-5-azonia-1-borata-bicyclo[3.3.0]octan

Ar = C_6H_5; *5-(2-Hydroxybenzoylamino-methyl)-1-phenyl-...*; 81%; F: 154–156°
Ar = 4-Br–C_6H_4; *1-(4-Bromphenyl)-5-(2-hydroxybenzoylamino-methyl)-...*; 86%; F: 157–160°
Ar = 4-OCH_3–C_6H_4; *5-(2-Hydroxybenzoylamino-methyl)-1-(4-methoxyphenyl)-...*; 43%; F: 116–118°

Die Spaltung fünfgliedriger Alkylidenaminoxy-triorgano-diboroxane (vgl. S. 618) mit Bis[2-hydroxyethyl]amin liefert unter Abspaltung von Ketoximen cyclische Amin-Diorganooxy-organo-borane und Amin-Diorgano-organooxy-borane[3,4]; z.B.:

---

[1] C.W. ROSCOE, J.W. PHILLIPS u. W.C. GILLCHRIEST, J. Pharm. Sci. **66**, 1505 (1977); C.A. **88**, 37867 (1978).
[2] R. CSUK, J. HAAS, H. HÖNIG u. H. WEIDMANN, M. **112**, 879 (1981); C.A. **95**, 204022 (1981).
[3] O.P. SHITOV, S.L. IOFFE, L.M. LEONT'EVA u. V.A. TARTAKOVSKII, Ž. obšč. Chim. **43**, 1266 (1973); engl.: 1257; C.A. **79**, 66439 (1973).
[4] vgl. O.P. SHITOV, L.M. LEONT'EVA, S.L. IOFFE, B.N. KHASAPOV, V.M. NOVIKOV, A.U. STEPANYANTS u. V.A. TARTAKOVSKII, Izv. Akad. SSSR **1974**, 2782; engl.: 2684; C.A. **82**, 125430 (1975).

2,2-Diethyl-3-hydro-3-(2-hydroxyethyl)-1,3,2-oxazoniaboratolidin; 81%; F: 96–99°

1-Ethyl-3-hydro-2,8-dioxa-5-azonia-1-borata-bicyclo[3.3.0] octan; 75%; F: 158–160°

Auch Amin-Diamino-organo-borane werden zur Herstellung von Amin-Diorganooxy-organo-borane verwendet. Die Ethanolyse von 1,1-Bis[dimethylamino]-2,2,3-trihydro-1H-⟨benzo[c]-1,2-azoniaboratol⟩ in siedendem Toluol liefert *1,1-Diethoxy-2,2,3-trihydro-1H-⟨benzo[c]-1,2-azoniaboratol⟩* (Kp_1: 96–97°)[1]:

γγ₂) Imin-Diorganooxy-organo-borane

Zur Verbindungsklasse zählen die in der Tab. 94 (S. 600) aufgeführten cyclischen Fünf- und Sechsringe der Aldimin- bzw. Ketimin- sowie der Amidin-Diorgano-organo-borane.

Die Herstellung der Additionsverbindungen geht von Dihydroxy-organo-boranen sowie von verschiedenartigen Lewisbase-Dioxy-organo-boranen aus, die mit hydroxylierten Lewisbasen oder mit Hydroxy-Verbindungen umgesetzt werden. Auch Tetraorganoborate werden als Edukte verwendet.

i₁) aus Dioxy-organo-boranen

Zur Herstellung von Aldimin-Diorganooxy-organo-boranen verwendet man Dihydroxy-organo-borane oder Triorganoboroxine.

Dihydroxy-phenyl-boran reagiert mit N-(Hydroxyalkyl)salicylaldiminen oder mit N-(Hydroxyphenyl)salicylaldiminen in siedendem Toluol beim Abdestillieren des entstehenden Wassers in Ausbeuten von 75–85% unter Bildung von Salicylaldimin-Diorganooxy-phenyl-boranen[2]:

[1] M. François u. R. Clement, C. r. [C] **265**, 977 (1967).
[2] S. M. Tripathi u. J. R. Tandom, Indian J. Chem. **171**, 618 (1979); C. A. **93**, 204720 (1980).

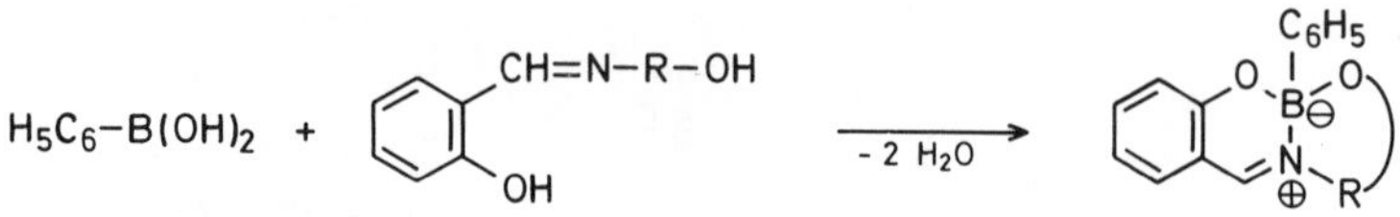

z.B.: R = $-CH_2-CH_2-$; *1-Phenyl-⟨3,4-benzo-2,9-dioxa-6-azonia-1-borata-bicyclo[4.3.0]nona-3,5-dien⟩*; F: 277–278°

R = (1,2-Phenylen); *1-Phenyl-⟨3,4;7,8-dibenzo-2,9-dioxa-6-azonia-1-borata-bicyclo[4.3.0]nona-3,5,7-trien⟩*; F: 184–186°

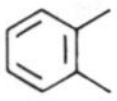

Mit 2-Hydroxy-3-(2-hydroxyethyliminomethyl)- bzw. -(3-hydroxypropyliminomethyl)-naphthalin sind die entsprechenden Additionsverbindungen zugänglich[1]:

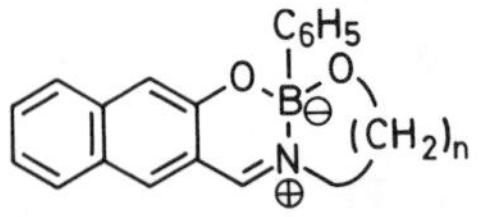

n = 2; *1-Phenyl-⟨naphtho[2,3-c]-2,9-dioxa-6-azonia-1-borata-bicyclo[4.3.0]nona-3,5-dien⟩*; F: 288°
n = 3; *1-Phenyl-⟨naphtho[2,3-c]-2,10-dioxa-6-azonia-1-borata-bicyclo[4.4.0]deca-3,5-dien⟩*; F: 270°

Mit 1,2-Bis[2-hydroxybenzylidenamino]ethan bzw. 1,3-Bis[2-hydroxybenzylidenamino]propan erhält man Imin-Diorgano-phenyl-borane, die jeweils eine komplexierte und eine freie N=C-Gruppierung enthalten[1]:

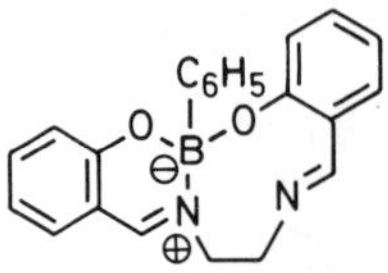

1-Phenyl-⟨3,4;11,12-dibenzo-2,13-dioxa-6-aza-9-azonia-1-borata-bicyclo[7.4.0]trideca-3,5,9,11-tetraen⟩; F: 240°

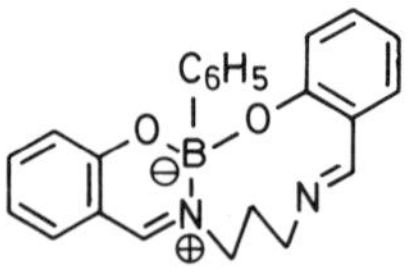

1-Phenyl-⟨3,4;12,13-dibenzo-2,14-dioxa-6-aza-10-azonia-1-borata-bicyclo[8.4.0]tetradeca-3,5,10,12-tetraen⟩; F: 256–258°

Die aus Tris[2-formylphenyl]boroxin mit primären Aminen zugänglichen Tris[2-organoiminomethyl-phenyl]boroxine reagieren mit 1,2-Dihydroxybenzol unter Bildung von Imin-Diorganooxy-organo-boranen[2]:

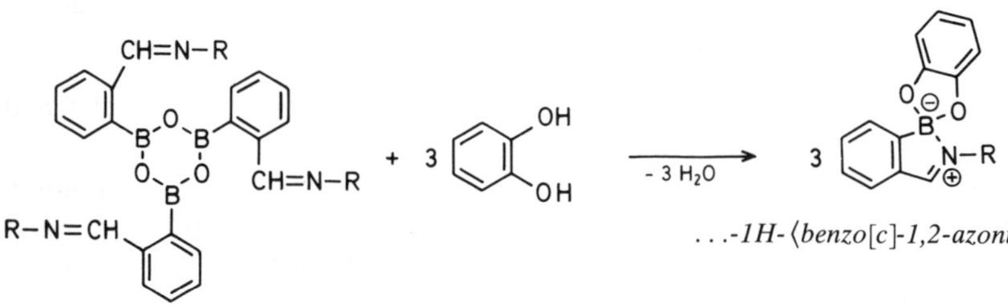

...-1H-⟨benzo[c]-1,2-azoniaboratol⟩

R = C_6H_5; *2-Phenyl-1,1-(phenylen-1,2-dioxy)-...*; F: 156–159°
R = $CH_2-C_6H_5$; *2-Benzyl-1,1-(phenylen-1,2-dioxy)-...*; F: 164–166°
R = C_3H_7; *1,1-(Phenylen-1,2-dioxy)-2-propyl-...*; F: 154–155°

---

[1] S.M. TRIPATHI u. J.R. TANDOM, Indian J. Chem. **171**, 618 (1979); C.A. **93**, 204720 (1980).
[2] H.E. DUNN, J.C. CATLIN u. H.R. SNYDER, J. Org. Chem. **33**, 4483 (1968).

i_2) aus Lewisbase-Organoboranen

Aus bestimmten, in geeigneter Position hydroxylierten Imin-Diorgano-organo-oxy-boranen lassen sich beim Erhitzen unter intramolekularer protolytischer Abspaltung eines Organo-Rests Imin-Diorganooxy-organo-borane gewinnen; z.B.[1,2]:

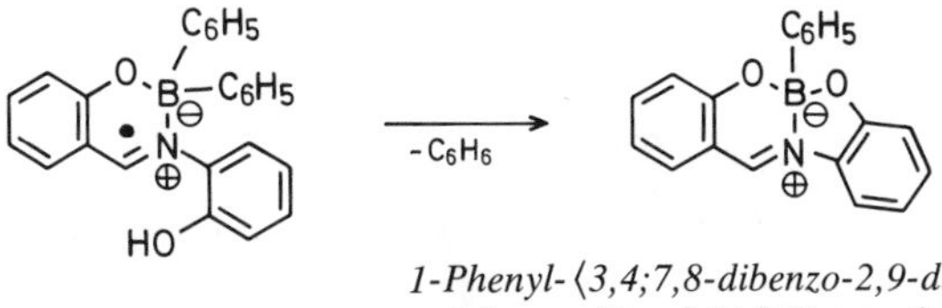

$-C_6H_6$

1-Phenyl-⟨3,4;7,8-dibenzo-2,9-dioxa-6-azonia-1-borata-bicyclo[4.3.0]nona-3,5,7-trien⟩

Aus Amidin-Dihydroxy-organo-boranen sind in besonderen Fällen mit geeigneten Dihydroxy-Verbindungen Amidin-Diorganooxy-organo-borane zugänglich; z.B.[3]:

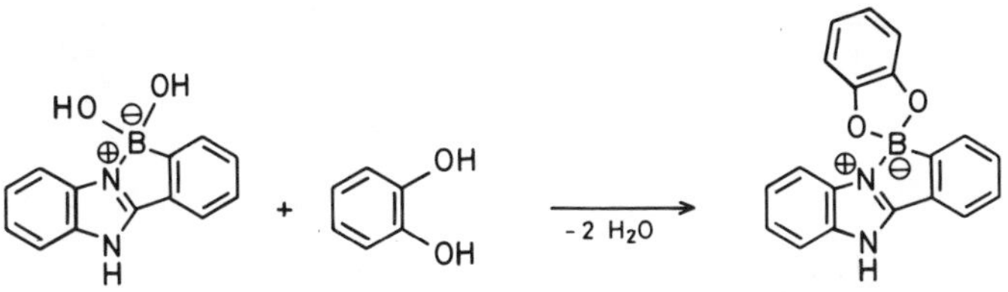

$-2\ H_2O$

6,6-(Phenylen-1,2-dioxy)-6,11-dihydro-⟨benzo[c]-benzimidazolio[2,1-e]-1,2-azoniaboratol⟩; F: 285–286°

$\gamma\gamma_3$) Azobenzol-Diorganooxy-organo-borane

(N-B)-Azobenzol-Diorganooxy-organo-borane sind aus Dioxy-organo-boranen und aus Tetraorganoboraten mit Dihydroxyazoarenen hergestellt worden.

Aus Dihydroxy-organo-boranen erhält man mit verschiedenen 2,2′-Dihydroxy-azobenzolen bzw. 2-Hydroxy-1-(2-hydroxyphenylazo)-naphthalin unter Wasser-Abspaltung in siedendem Toluol im allgemeinen gut kristallisierte Organobor-Chelate[4]; z.B.:

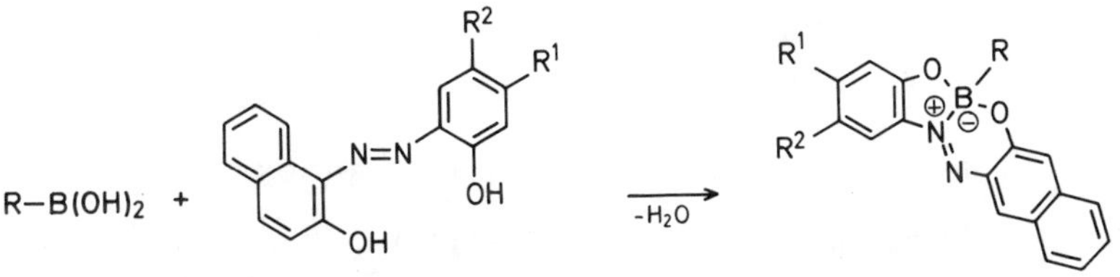

$R-B(OH)_2$ + … $\xrightarrow{-H_2O}$

R^1 = H, NO_2
R^2 = H, Cl
R = C_8H_{17}, C_6H_5, 3-NO_2–C_6H_4

6-Organo-⟨naphtho[2,3-e]-(benzo-1,3,2-oxaazoniaboratolo)[2,3-b]-1,4,3,2-oxaaza-azoniaboratin⟩

---

[1] E. Hohaus, Universität-GHS Siegen, unveröffentlicht 1980.
[2] E. Hohaus, Z. anorg. Ch. **484**, 41 (1982).
[3] R.L. Letsinger u. D.B. McLean, Am. Soc. **85**, 2230 (1963).
[4] US.P. 3726854 (1970/1973), American Cyanamid Co., Erf.: C.F. Lewis; C.A. **79**, 6763 (1973).

Aus Dibutyloxy-phenyl-boran erhält man die gleiche Verbindung in Toluol unter Abspaltung von Butanol[1]. Aus Tetraphenyldiboroxan werden mit 2-Hydroxy-1-(2-hydroxyphenylazo)-naphthalin und Derivaten in Xylol ebenfalls Azo-Diorganooxy-phenyl-borane erhalten[2].

Man kann zur Herstellung der Azobenzol-Dioxy-organo-borane auch vom Natriumtetraphenylborat ausgehen, das man mit den Chelatbildnern in Eisessig umsetzt[2]:

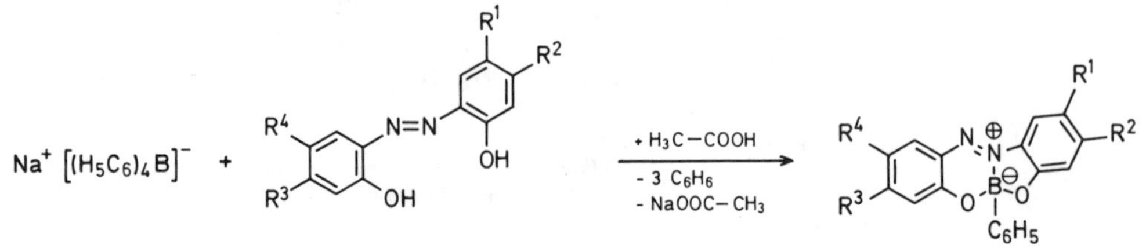

$$Na^+ [(H_5C_6)_4B]^- + \text{(R}^1\text{,R}^2\text{,R}^3\text{,R}^4\text{-substituiertes 2,2'-Dihydroxyazobenzol)} \xrightarrow[\substack{-\,3\,C_6H_6 \\ -\,NaOOC-CH_3}]{+\,H_3C-COOH} \text{Chelat-Boran } (B-C_6H_5)$$

6-Phenyl-⟨benzo-(benzo-[e]1,3,2-oxaazoniaboratolo) [2,3-b]-1,3,4,2-oxaazoniaboratin⟩ (R = H): In 75 *ml* Eisessig werden 1,7 g (5 mmol) Natriumtetraphenylborat und 1,07 g (5 mmol) 2,2'-Dihydroxyazobenzol 60 Min. unter Rückfluß erhitzt. Nach Einengen i. Vak. (30 Torr) und mehrstdgm. Stehen über Blaugel erhält man dunkelrote, säulenartige Kristalle, die aus Hexan/Benzol (~3:1) umkristallisiert werden; Ausbeute: 1 g (70%); F: 128°.

δ) Lewisbase-Organo-oxy-(1-oxyalkoxy)-borane

Definierte Additionsverbindungen von Lewisbasen mit Bis[1-oxyalkoxy]-organo-boranen (Bd. XIII/3a, S. 774) oder mit Organo-organooxy-(1-oxyalkoxy)-boranen (Bd. XIII/3a, S. 794) sind kaum beschrieben worden. Aus den Tetrakis[organoborandiyldioxy]cyclobutanen (Bd. XIII/3a, S. 774) erhält man mit tert. Aminen stabile 1:2-Additionsverbindungen[3]; z. B.:

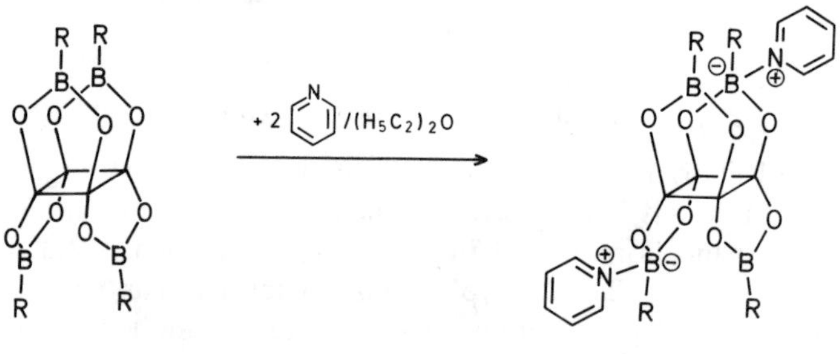

$$\text{Tetrakis[organoborandiyldioxy]cyclobutan} \xrightarrow{+\,2\,\text{Pyridin}\,/\,(H_5C_2)_2O} \text{1:2-Pyridin-Addukt}$$

R = C_2H_5, C_3H_7, $CH(CH_3)_2$; C_6H_5

ε) Lewisbase-Acyloxy-organo-organooxy-borane

Die Ringverbindungen mit drei verschiedenartigen funktionellen Gruppen am Bor-Atom sind als Additionsverbindungen der Borane mit O-Donatoren (Hydroxy-Gruppen von Carboxy-, Carbonyl-Gruppen) und mit N-Donatoren (Amine, Imine, Pyridinbasen, Imidine) bekannt (vgl. S. 615ff.).

Die Verbindungen werden aus Organo-oxy-boranen, z.Tl. auch aus Lewisbase-Organo-oxy-boranen hergestellt.

---

[1] US.P. 3726854 (1970/1973), American Cyanamid Co., Erf.: C. E. Lewis; C. A. **79**, 6763 (1973).
[2] E. Hohaus u. K. Wessendorf, Z. Naturf. **35b**, 319 (1980).
[3] M. Yalpani, R. Köster u. G. Wilke, B. **116**, 1336 (1983).

ε_1) *O-Lewisbase-Acyloxy-organo-organooxy-borane*

Die Herstellung von Carbonyl-Acyloxy-organo-organooxy-boranen gelingt aus Carbonyl-Diorgano-organooxy-boranen mit Carbonsäuren bei 120–140° durch Acidolyse eines Organo-Rests[1]:

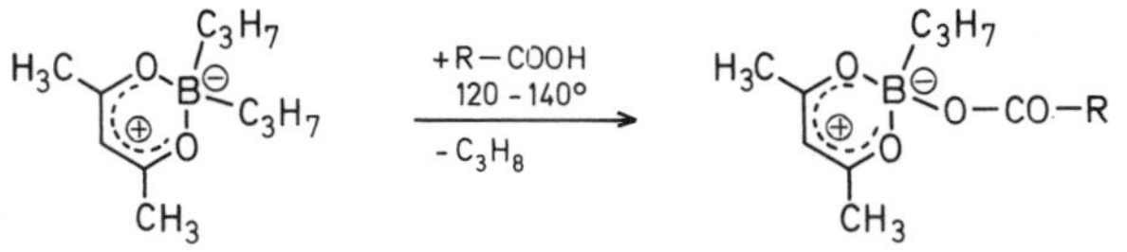

$$\xrightarrow[-C_3H_8]{+R-COOH,\ 120-140°}$$

...*-4,6-dimethyl-2-propyl-1,3,2-dioxaborin*

R = CH_3; *2-Acetoxy-...*; 82%; Kp_3: 100–104°; F: 45–50°
R = $C(CH_3)_3$; *2-(2,2-Dimethylpropanoyloxy)-...*; 86%; $Kp_{0,2}$: 84–86°

ε_2) *N-Lewisbase-Acyloxy-organo-oxy-borane*

Cyclische Amin-Acyloxy-borane lassen sich aus bestimmten substituierten Dihydroxy-organo-boranen herstellen.

Bekannt sind z. B. Amin-Acyloxy-hydroxy-organo-borane sowie Imin- bzw. Thiokohlensäureamid- und Azobenzol-Acyloxy-organo-organooxy-borane.

Die Hydrierung von Dihydroxy-[2-(2,2-dibenzyloxycarbonyl-2-phenylacetamino-ethyl)-phenyl]-boran mit Palladium/Kohle-Katalysator führt in 99%iger Ausbeute zum *7-Carboxy-10-hydro-1-hydroxy-8-oxo-⟨benzo-7-oxa-8-azonia-1-borata-bicyclo[3.2.1]oct-2-en⟩*[2] (F: 249–262°):

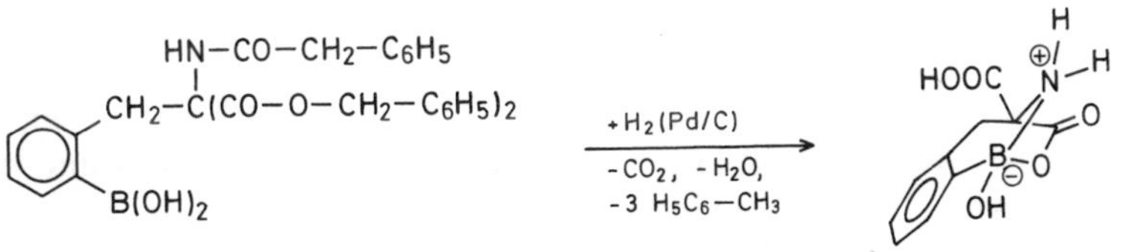

$$\xrightarrow[-CO_2,\ -H_2O,\ -3\ H_5C_6-CH_3]{+H_2(Pd/C)}$$

Setzt man eine konz. wäßr. Lösung des Amin-Borans mit Tetrahydrofuran (Wasser: THF ~ 4:1) bzw. mit tert.-Butanol (Wasser: Butanol ~ 1:10) um, so erhält man eine kristalline Komplex-Verbindung [F: 248–264° bzw. F: 250–253° (Zers.)] nach Trocknen i. Vak.[2].

Die cyclischen Imin-Acyloxy-organo-organooxy-borane werden aus verschiedenen Organo-oxy-boranen bzw. aus Amin-Diorgano-organooxy-boranen mit Carboxyl-hydroxy-azomethinen gewonnen.

---

[1] B. M. Mikhailov, V. A. Dorokhov u. V. I. Seredenkov, Ž. obšč. Chim. **43**, 862 (1973); engl.: 862; C. A. **79**, 66440 (1973).

[2] J. R. Kuszewski, W. J. Lennarz u. H. R. Snyder, J. Org. Chem. **33**, 4479 (1968).

Aus Dihydroxy-phenyl-boran läßt sich mit 2-(2-Hydroxybenzylidenamino)benzoesäure in Gegenwart von Basen unter Wasser-Abspaltung *8-Oxo-6-phenyl-8H-⟨3,1,2-benzooxazoniaboratino[2,1-b]-1,3,2-benzooxazoniaboratin⟩* herstellen[1]:

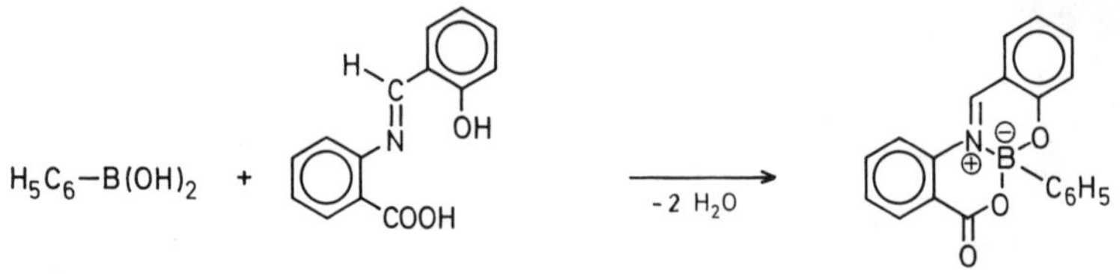

$H_5C_6-B(OH)_2$ + 2-(2-Hydroxybenzylidenamino)benzoesäure $\xrightarrow{-2\,H_2O}$ Produkt

Ausgehend von Tetraphenyldiboroxan erhält man dieselbe Verbindung unter Abspaltung von Benzol und Wasser[1].

Auch aus 2,2-Diphenyl-1,3,2-oxazoniaboratolan bzw. aus Natriumtetraphenylborat kann die Verbindung gewonnen werden[1]. Die Addition von 5-Oxo-1,3,2-dioxaborolanen an Pyridin bei ~20° liefert thermisch stabile Pyridin-5-Oxo-1,3,2-dioxaborolane[2]; z.B.:

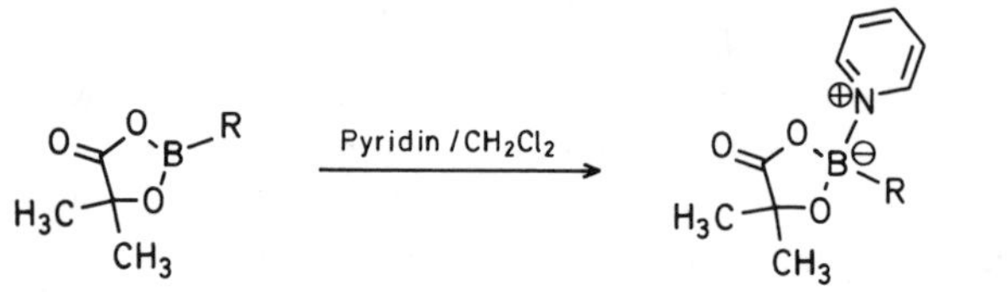

$\xrightarrow{\text{Pyridin}/CH_2Cl_2}$

Pyridin-...-1,3,2-dioxaborolan

$R = CH_3$; ...*-5-Oxo-2,4,4-trimethyl-*...; F: 114–116°

$R = C_6F_5$; ...*-4,4-Dimethyl-5-oxo-2-(pentafluorphenyl)-*...; F: 87–89°

Aus 2-Amino-4,4-dihydroxy-5,5-dimethyl-3,4,5-trihydro-1,3,4-thiazoniaboratol erhält man mit Natriumacetylacetat unter Ringschluß über den Carboxy- und Alkenyloxy-Rest ein Imin-Acyloxy-organo-organooxy-boran[3]:

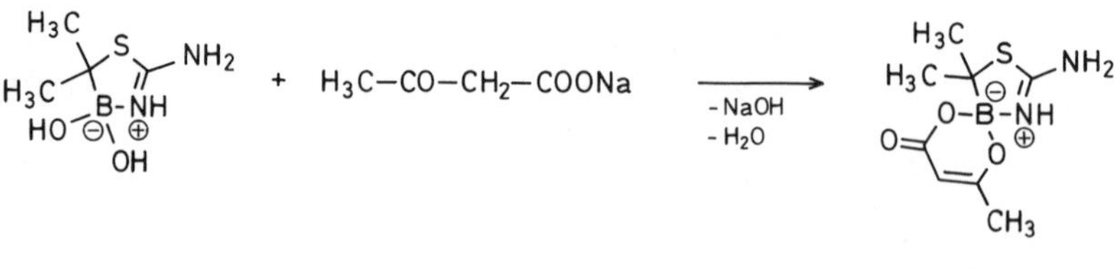

+ $H_3C-CO-CH_2-COONa$ $\xrightarrow[-H_2O]{-NaOH}$

2-Amino-1-hydro-4,4,7-trimethyl-9-oxo-6,10-dioxa-3-thia-1-azonia-5-borata-spiro[4.5]deca-1,7-dien; F: 252–254°

Mit Azobenzol-Acyloxy-organo-organooxy-boranen lassen sich aus Dihydroxy-phenyl-boran mit 2-(2-Hydroxy-5-subst.-phenylazo)-benzoesäuren intramolekulare 1:1-Additionsverbindungen des Acyloxy-phenoxy-phenyl-borans mit Azo-Donator-

---

[1] F. Umland u. B.K. Poddar, Ang. Ch. **77**, 1012 (1965).

[2] P. Paetzold, P. Bohm, A. Richter u. E. Scholl, Z. Naturf. **31b**, 754 (1976).

[3] D.S. Matteson u. G.D. Schaumberg, J. Organometal. Chem. **8**, 359 (1967).

gruppierung herstellen, z.B. *2-Methoxy-* (bzw. *2-Methyl)-8-oxo-6-phenyl-8H-⟨3,1,2-benzooxazoniaboratino [2,1-b]-1,4,3,2-benzoxaazaazoniaboratin⟩* (80%; F: 196°)[1]:

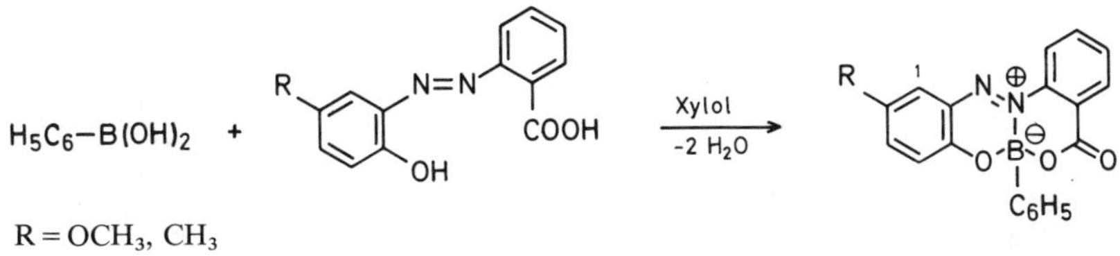

$H_5C_6-B(OH)_2$ + [R-substituiertes 2-(2-Hydroxyphenylazo)benzoesäure] $\xrightarrow[-2\,H_2O]{Xylol}$ [Produkt]

$R = OCH_3, CH_3$

ζ) Lewisbase-Diacyloxy-organo-borane

Zur Verbindungsklasse zählen Additionsverbindungen der cyclischen Diacyloxy-organo-borane mit O-Donatoren (Ether) und N-Donatoren (Imine, Pyridinbasen) (S. 617f.).

Die Herstellung der Verbindungen erfolgt aus Dihalogen-organo-boranen mit Dicarbonsäuren in Gegenwart der Lewisbase oder aus Diacyloxy-organo-boranen mit der Lewisbase bzw. aus Lewisbase-Dihydroxy-organo-boranen mit Dicarbonsäuren.

ζ1) *O-Lewisbase-Diacyloxy-organo-borane*

Man erhält *Diethylether-4,5-Dioxo-2-phenyl-1,3,2-dioxaborolan* aus Dichlor-phenylboran mit Oxalsäure in Diethylether unter Abspaltung von 2 Mol-Äquivalenten Chlorwasserstoff[2]:

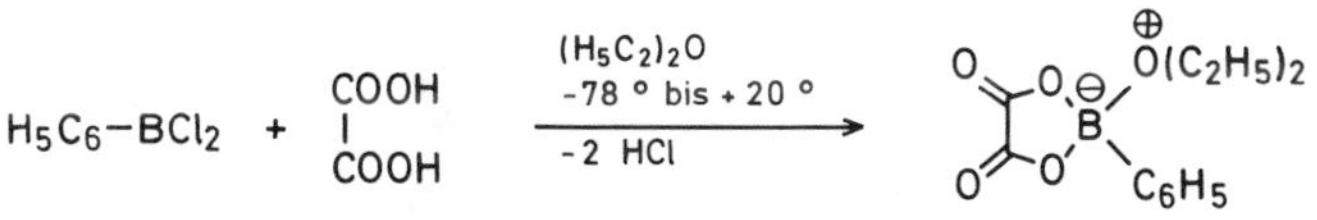

$H_5C_6-BCl_2$ + $(COOH)_2$ $\xrightarrow[-2\,HCl]{(H_5C_2)_2O,\ -78°\ bis\ +20°}$ [Produkt mit $\overset{\oplus}{O}(C_2H_5)_2$ und C_6H_5 am B]

ζ2) *N-Lewisbase-Diacyloxy-organo-borane*

Aus den stark lewissauren 4,5-Dioxo-2-organo-1,3,2-dioxaborolanen sind auch mit Pyridin in hohen Ausbeuten 1:1-Additionsverbindungen zugänglich[2]:

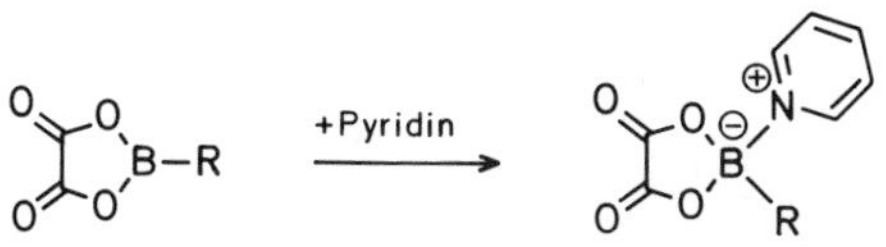

[Dioxaborolan B–R] $\xrightarrow{+Pyridin}$ [Pyridin-Addukt]

Pyridin-4,5-Dioxo-...-1,3,2-dioxaborolan

z.B.: $R = CH_3$; ...*-2-methyl-*...; 99%; F: 110–112°
$R = C_6F_5$; ...*-2-(pentafluorphenyl)-*...; F: 139°

[1] E. Hohaus u. K. Wessendorf, Z. Naturf. **35b**, 319 (1980).
[2] P.I. Paetzold, W. Scheibitz u. E. Scholl, Z. Naturf. **26b**, 646 (1971).

Aus dem Hydrobromid des (1-Aminoiminocarbonylthio-1-methyl-ethyl)-dihydroxy-borans erhält man mit Malonsäure in wäßr. Lösung in 70%iger Ausbeute *2-Amino-4,4-dimethyl-7,9-dioxo-1-hydro-6,10-dioxa-3-thia-1-azonia-5-borata-spiro[4.5]dec-1-en* (F: 226–228°)[1]:

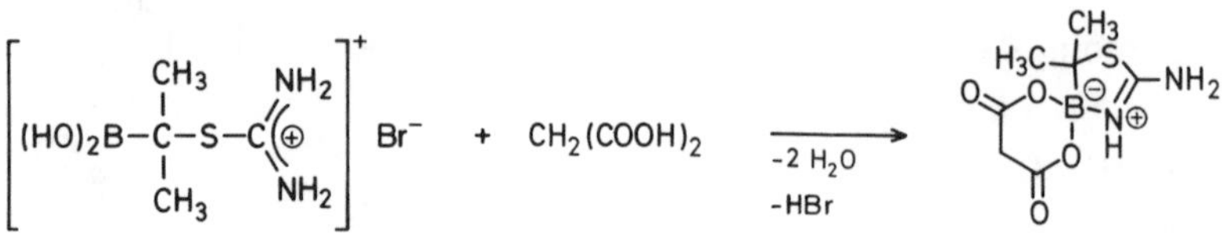

$$[(HO)_2B-C(CH_3)_2-S-C(NH_2)_2]^+ Br^- + CH_2(COOH)_2 \xrightarrow[-HBr]{-2\,H_2O}$$

2-Amino-4,4-dimethyl-7,9-dioxo-1-hydro-6,10-dioxa-3-thia-1-azonia-5-borata-spiro[4.5]dec-1-en[1]: Eine Lösung von 0,5 g (2,05 mmol) Dihydroxy-2-(S-thioureidopropyl)-bor(1+)-bromid (vgl. S. 419)[2] in 2 *ml* Wasser wird mit 0,23 g (2,2 mmol) Malonsäure in 1 *ml* Wasser vermischt. Durch Reiben und Kühlen wird die Kristallisation ausgelöst; Ausbeute: 0,34 g (70%); F: 226–228° (aus Wasser).

η) Lewisbase-Heteroelementoxy-organo-organooxy-borane

Bisher bekannte Elementoxy-Funktionen sind Azoxy- und Perchlorato-Gruppen. Die Herstellung der Verbindungen erfolgt aus den Elementoxy-organo-oxy-boranen mit Lewisbasen oder aus Lewisbase-Organo-dioxy-boranen mit geeigneten Hydroxy-element-Verbindungen.

Bekannt sind bisher Carbonyl-Organo-organooxy-perchlorato-borane, die aus Carbonyl-Diorgano-organooxy-boranen mit Perchlorsäure gebildet werden. Die Verbindungen sind nicht sonderlich stabil und dissoziieren in Ionenpaare von Organo-1,3,2-dioxaborin(1+)-Ionen (vgl. S. 419) und Perchlorat-Anionen[3]:

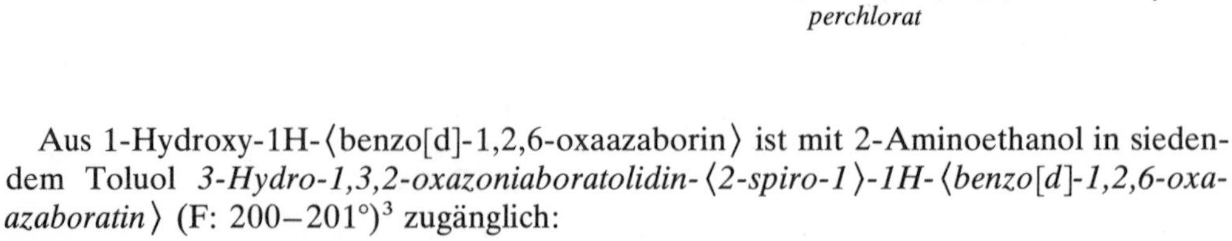

$$\xrightarrow[-C_6H_6]{+HClO_4} \qquad \longrightarrow \qquad ClO_4^-$$

2,4,6-Triphenyl-1,3,2-dioxaborinylium-perchlorat

Aus 1-Hydroxy-1H-⟨benzo[d]-1,2,6-oxaazaborin⟩ ist mit 2-Aminoethanol in siedendem Toluol *3-Hydro-1,3,2-oxazoniaboratolidin-⟨2-spiro-1⟩-1H-⟨benzo[d]-1,2,6-oxa-azaboratin⟩* (F: 200–201°)[3] zugänglich:

[1] D.S. Matteson u. G.D. Schaumberg, J. Organometal. Chem. **8**, 359 (1967).
[2] A.T. Balaban, A. Arsene, I. Bally, A. Barabás, M. Paraschiv, M. Roman u. E. Romaş, Rev. Roumain Chim. **15**, 635 (1970); Chem. Inform. **1970**, 36–002.
[3] M.J.S. Dewar u. R.C. Dougherty, Am. Soc. **86**, 433 (1964).

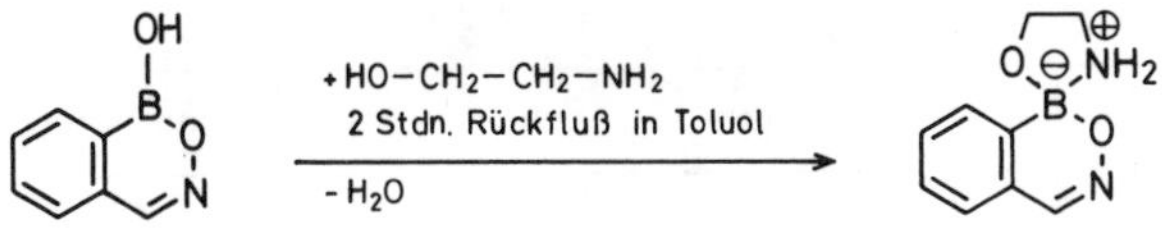

$$\xrightarrow[-H_2O]{+HO-CH_2-CH_2-NH_2,\ 2\ \text{Stdn. Rückfluß in Toluol}}$$

4. Lewisbase-Organooligoboroxane

Organodiboroxane, -triboradioxane und -triboratrioxane (Organoboroxine) bilden mit Lewisbasen verschiedene Typen von Additionsverbindungen. Die Herstellungsmethoden der 1:1- bis 3:1-Addukte werden in diesem Abschnitt besprochen.

Tab. 97: Mono(Lewisbase)- Organooligoboroxane

Formel	Verbindungstyp	Herstellung	s. S.
Lewisbase-Pentaorganodiboroxane			430
Lewisbase-Tetraorganodiboroxane			
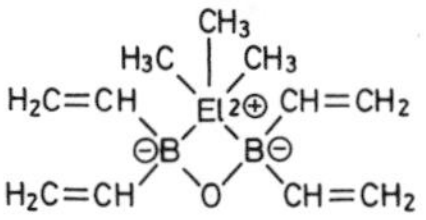 $(CH_3)_3El^{2\oplus}$, $\ominus B(CH=CH_2)_2$–O–$B(CH=CH_2)_2\ominus$	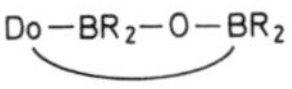 $Do-BR_2-O-BR_2$ (cyclisch)	aus $(R^1_2B)_2O + R^2_3El$	621
Lewisbase-Triorganodiboroxane			
$R^1R^2C=N$–O, $B(C_2H_5)_2$; $R^1 = R^2 =$ Organo	Do—BR_2, O–B(R)–O (cyclisch)	aus $(R^1_2B)_2O + R^2_2B-O-N=C<$	622
$R^1 =$ Organo; $R^2 = CH_3$		aus $(R_2B-O-N=C<)_2$, Δ	622
$R^1 = R^2 = CH_3$		aus $(R^1_2B)_2O$ 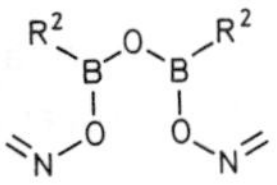 + $R^2B(O-N=)-O-B(O-N=)R^2$	622
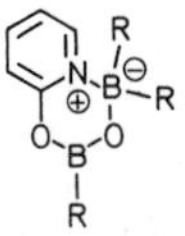 Pyridin-N→BR_2, O–B(R)–O	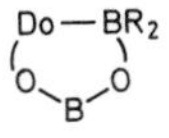 Do—BR_2, O–B–O (cyclisch)	aus $(R^1_2B)_2O$ + Do–R–OH	621
Lewisbase-1,3-Diorganodiboroxane			
H_3C, H_3C, H–N–O, B–C_6H_5, O–B(–C_6H_5)–O	R–O, Do—B–R, O–B(R)–O (cyclisch)	aus R_2B-OH + HO–R–N–OH	623
		aus $(R_2B)_2O$ + HO–R–N–OH	623
$(CH_3)_3N^{\oplus}$, HO–$B^{\ominus}$–O–B–OH (Naphthalin)	OH, Do–B–O, B–R, R (cyclisch)	aus R(OH)B–O–B(OH)R + Do	624

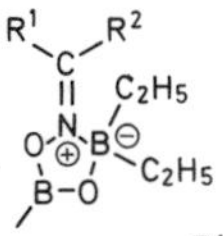

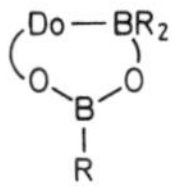

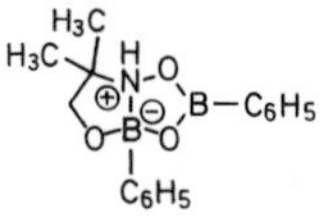

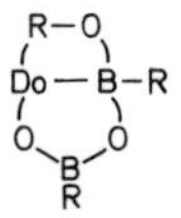

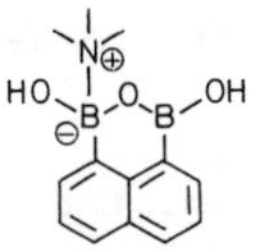

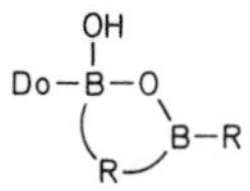

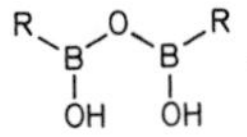

Tab. 97: (Fortsetzung)

Formel	Verbindungstyp	Herstellung	s. S.
Lewisbase-Organotriboradioxane			
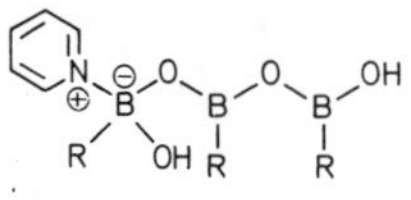	Do—BR(OH)(O^B)	aus R—$B(OH)_2$ + Do	628
Lewisbase-Triorganoboroxine (1 : 1-Additionsverbindungen)			
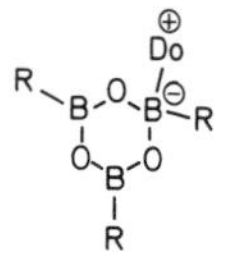	Do—$(R—BO)_3$		
Do = $N(CH_3)_3$, Pyridin		aus R—$B(OH)_2$ + Do	629
		aus R^1—$B(OR^2)_2$ + H_2O/Do	629
		aus $(R—BO)_3$ + Do	629
		aus $B(OR^2)_3$ + R^1—MgHal/H^+	630
		+ H_2O/Do	630
		aus 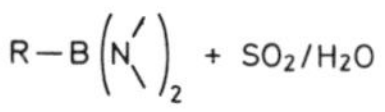 R—B(N)$_2$ + SO_2/H_2O	630
		aus $(R^1—BNR^2)_3$ + H_2O/Do	631
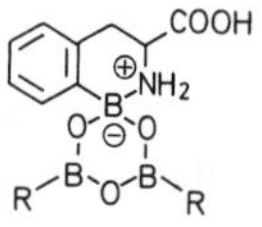	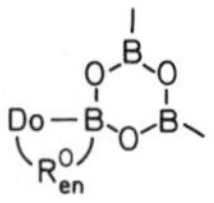	aus Do_3—$(R^{Hal}—BO)_3$, borfern, △ + Ac—NH—R—$COOR^1$/$NaOR^2$	631

α) Lewisbase-Organodiboroxane

α_1) *Mono[Lewisbase]-Organodiboroxane*

Zur Verbindungsklasse gehören 1:1-Additionsverbindungen der Tetra-, Tri-, Di- und Monoorgano-diboroxane mit Lewisbasen. Pentaorganodiboroxane mit 2,1,3-Oxonia-boraborata-Gruppierung, die Alkoxyborane als Lewisbase enthalten, werden auf S. 430 beschrieben. Als Lewisbasen der Mono(Lewisbase)-Organodiboroxane sind bisher Amine, Imine sowie Phosphane addiert worden. Intermolekulare Carbonyl-Organo-diboroxane sind vermutlich existent, doch dürfte ihre Isolierung wegen der relativ schwachen O–B-Koordinationsbindung nicht ohne weiteres möglich sein (vgl. S. 431).

Zahlreiche Lewisbase-Organoborane sind stabilisierte Fünf- und Sechsringe mit verschiedenartigen Strukturen (vgl. Tab. 97, S. 619). Die Herstellungen erfolgen im allgemeinen aus Halogen-organo-boranen oder aus Organo-diboroxanen mit Lewisbasen.

$\alpha\alpha_1$) Lewisbase-Tetraorganodiboroxane

Die 1:1-Additionsverbindungen der Tetraorganodiboroxane mit verschiedenen Lewisbasen sind bisher kaum bekannt. Im Rahmen von spektroskopischen Untersuchungen wurden lediglich 1:1-Addukte des *Tetravinyldiboroxans* mit *Trimethylamin*, *Trimethylphosphan* und mit *Dimethylphosphan* hergestellt[1].

[1] J. D. ODOM, A. J. ZOZULIN, S. A. JOHNSTON, J. R. DURIG, S. RIETHMILLER u. E. J. STAMPF, J. Organometal. Chem. **201**, 351 (1980).

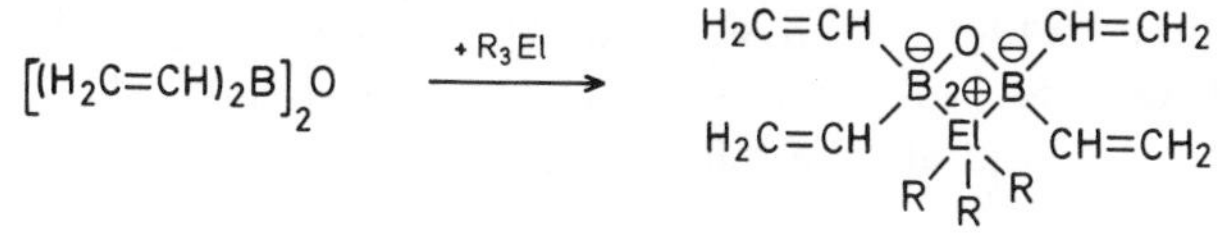

$[(H_2C{=}CH)_2B]_2O \xrightarrow{+R_3El}$ $(H_2C{=}CH)_2B^{\ominus}(O)(El^{\oplus}R_3)B^{\ominus}(CH{=}CH_2)_2$

2,2,4,4-Tetravinyl-3,3,3-trimethyl-...
$ElR_3 = N(CH_3)_3$; ...*-1,3,2,4-oxaazoniadiboratetidin*
$ElR_3 = P(CH_3)_3$; ...*-1,3,2,4-oxaphosphoniadiboratetan*

1:2-Additionsverbindungen des Tetravinyldiboroxans mit den Lewisbasen lassen sich nicht herstellen[1].

Tetraethyldiboroxan (vgl. Bd. XIII/3a, S. 814) bildet mit Chinuclidin oder mit Pyridin 1:1-Additionsverbindungen, die im Gleichgewicht mit den Komponenten stehen. Aus 1,1:3,3-Bis[cyclooctan-1,5-diyl]diboroxan (vgl. Bd. XIII/3a, S. 816) lassen sich mit den beiden Lewisbasen in Benzol jeweils kristallisierte, thermisch stabile 1:1-Additionsverbindungen folgender fixierter Strukturen herstellen[2,3]:

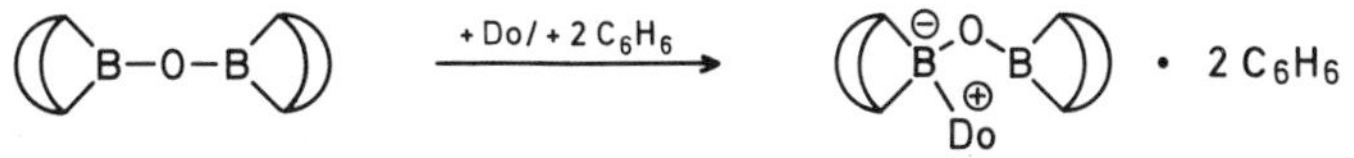

$\text{B–O–B} \xrightarrow{+Do/+2\,C_6H_6}$ $\cdot\ 2\,C_6H_6$

Do = Pyridin, Chinuclidin

$\alpha\alpha_2$) Lewisbase-Triorganodiboroxane

Bekannt sind verschiedene Imin-Oxy-triorgano-diboroxane. Die Verbindungen sind aus Tetraorganodiboroxanen oder aus Lewisbase-Diorgano-elementoxy-boranen zugänglich.

i_1) aus Tetraorganodiboroxanen

Tetrapropyl- sowie Tetrabutyl-diboroxan reagieren mit äquimolaren Mengen 2-Hydroxypyridin durch partielle Protolyse der BC-Bindungen unter Bildung sechsgliedriger Heterocyclen mit Diboroxan-Struktur[4]:

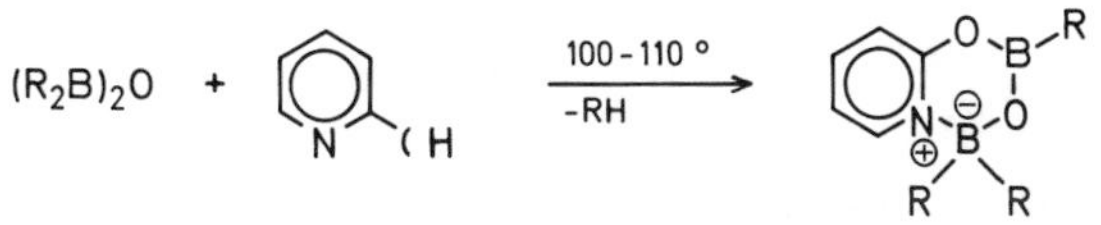

$(R_2B)_2O$ + 2-Hydroxypyridin $\xrightarrow[-RH]{100-110°}$

...-⟨*pyridinio-[1,2-e]-1,3,5,2,4-dioxazoniaboraboratin*⟩
$R = C_3H_7$; *2,4,4-Tripropyl-...*; 40%
$R = C_4H_9$; *2,4,4-Tributyl-...*; 80%

---

[1] J. D. ODOM, A. J. ZOZULIN, S. A. JOHNSTON, J. R. DURIG, S. RIETHMILLER u. E. J. STAMPF, J. Organometal. Chem. **201**, 351 (1980).

[2] R. KÖSTER u. J. SERWATOWSKI, Mülheim a. d. Ruhr, unveröffentlicht 1982.

[3] C. KRÜGER, Röntgenstrukturanalyse, Mülheim a. d. Ruhr, unveröffentlicht 1983.

[4] V. A. DOROKOV, L. I. LAVRINOVICH, B. M. ZOLOTAREV u. B. M. MIKHAILOV, Izv. Akad. SSSR **1977**, 1919; engl.: 1783; C. A. **87**, 168121 (1977).

Aus Tetraalkyldiboroxanen lassen sich mit Alkylidenaminoxy-diethyl-boranen beim Einleiten von getrockneter Luft (Sauerstoff) in guten Ausbeuten 4-Alkyliden-2,5,5-triethyl-1,3,4,2,5-dioxazoniaboraboratolidine herstellen[1]:

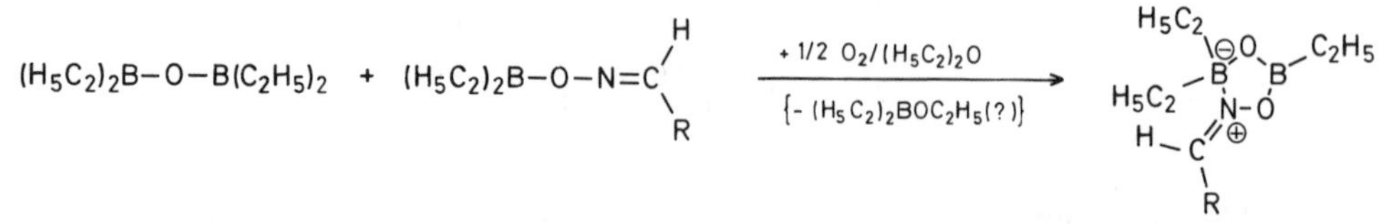

...-2,5,5-triethyl-1,3,4,2,5-dioxa-azoniaboraboratolidin

$R = CH_3$; *4-Ethyliden-*...; 64%; Kp_2: 71–72°
$R = C_3H_7$; *4-Butyliden-*...; 81%; $Kp_{0,3}$: 60–64°

Entsprechend reagiert Tetraethyldiboroxan mit 1,3-Bis[alkylidenaminoxy]-1,3-diorgano-diboroxan in siedendem Benzol[2]; z.B.:

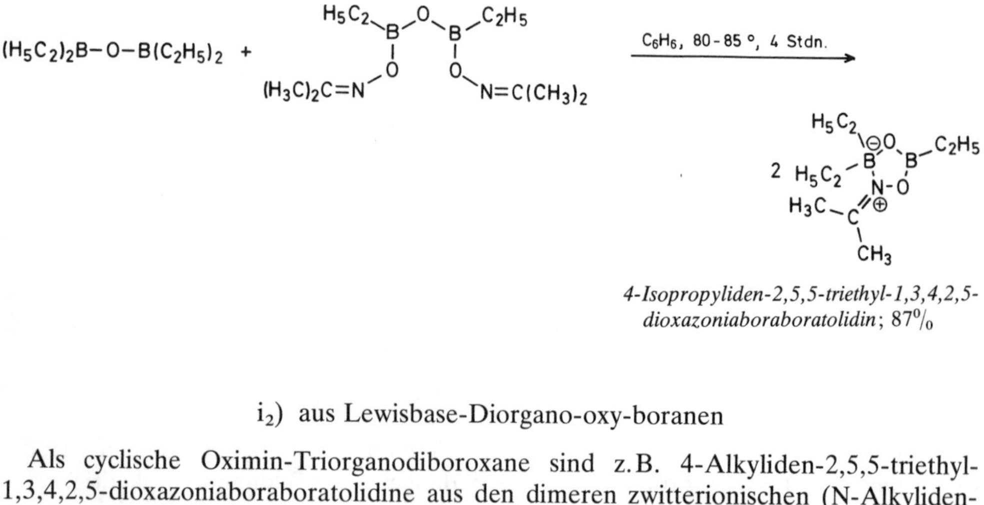

4-Isopropyliden-2,5,5-triethyl-1,3,4,2,5-dioxazoniaboraboratolidin; 87%

i_2) aus Lewisbase-Diorgano-oxy-boranen

Als cyclische Oximin-Triorganodiboroxane sind z.B. 4-Alkyliden-2,5,5-triethyl-1,3,4,2,5-dioxazoniaboraboratolidine aus den dimeren zwitterionischen (N-Alkyliden-N-oxo-amino-oxy)-diethyl-boranen (vgl. S. 729ff.) nach mehrstündigem Stehen bei 20° oder nach einigen Stdn. bei 35–40° unter Kondensation zugänglich[2]:

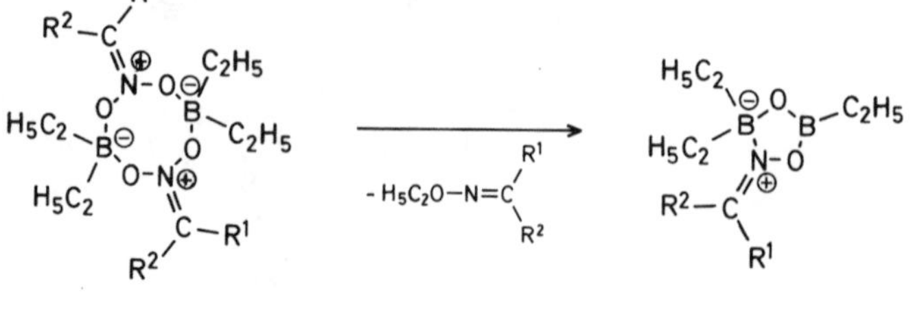

[1] O.P. Shitov, L.M. Leont'eva, S.L. Ioffe, B.N. Khasapov, V.M. Norikov, A.U. Stepanyants u. V.A. Tartakovskii, Izv. Akad. SSSR **1974**, 2782;engl.: 2684, C.A. **82**, 125430 (1975).

[2] O.P. Shitov, S.L. Ioffe, L.M. Leont'eva u. V.A. Tartakovskii, Ž. obšč. Chim. **43**, 1266 (1973); engl.: 1257; C.A. **79**, 66439 (1973).

4-Isopropyliden-2,5,5-triethyl-1,3,4,2,5-dioxazoniaboraboratolidin[1]: Eine Lösung von 6,3 g (19 mmol) Diethyl-(isopropyliden-oxo-aminooxy)-boran in 20 *ml* Diethylether wird 6 Stdn. auf 35–40° erwärmt und anschließend das Lösungsmittel i. Vak. abgezogen; Ausbeute: 3 g (77%); $Kp_{0,6}$: 53–56°.

αα₃) Lewisbase-1,3-Diorgano-1,3-dioxy-diboroxane

Von der Verbindungsklasse sind bisher nur Amin-1,3-Diorganodiboroxane bekannt, die aus Diorgano-hydroxy-boranen oder aus anderen Organodiboroxanen hergestellt werden.

Diphenyl-hydroxy-boran reagiert mit 2-Hydroxyamino-2-methyl-propanol in siedendem Ethanol unter Abspaltung von Benzol und Wasser zu einem bicyclischen Oxyamin-1,3-Diphenyldiboroxan[2]:

$$2\ (H_5C_6)_2B{-}OH\ +\ HO{-}NH{-}C(CH_3)_2{-}CH_2{-}OH\ \xrightarrow[-2\ C_6H_6,\ -H_2O]{C_2H_5OH,\ \text{Rückfluß}}$$

8,8-Dimethyl-3,5-diphenyl-1-hydro-2,4,6-trioxa-1-azonia-3-bora-5-borata-bicyclo [3.3.0]octan; F: 215–216°

Aus Tetraphenyldiboroxan sind mit 2-Hydroxamino-alkanolen in siedendem Ethanol in Ausbeuten bis zu 90% 3,5-Diphenyl-1-hydro-2,4,6-trioxa-1-azonia-3-bora-5-borata-bicyclo[3.3.0]octane zugänglich[3,4].

$$(H_5C_6)_2B{-}O{-}B(C_6H_5)_2\ +\ HO{-}N{-}C(R^1)(R^2){-}C(R^3)(R^4){-}OH\ \xrightarrow[-2\ C_6H_6]{H_5C_2OH}$$

Mit α-Hydroxaminocarbonsäuren erhält man aus Aryl-dihydroxy-boranen in Benzol oder Toluol nach Ausschließen des Wassers 3,5-Diaryl-1-hydro-7-oxo-2,4,6-trioxa-1-azonia-3-bora-5-borata-bicyclo[3.3.0]octane in Ausbeuten von ≥90%[5]:

$$2\ Ar{-}B(OH)_2\ +\ HO{-}NH{-}C(R^1)(R^2){-}COOH\ \xrightarrow[-3\ H_2O]{\text{Toluol}}$$

Falls man vom Hydrochlorid der α-(N-Alkylhydroxamino)carbonsäure ausgeht, gibt man wäßr. 6N Natronlauge zu und kreist mit Benzol das Wasser aus. Man erhält z. B. *3,5-Diphenyl-1-isopropyl-7-oxo-2,4,6-trioxa-1-azonia-3-bora-5-borata[3.3.0]octan* (F: 129°) in 82%iger Ausbeute. In wäßrigem Ethanol bilden sich infolge Protolyse unter Abspalten von Dihydroxy-phenyl-boran die zwitterionischen 2-Hydroxy-6-oxo-1,3,4,2-dioxaazoniaboratinane (vgl. S. 735)[5].

---

[1] O. P. Shitov, S. L. Ioffe, L. M. Leont'eva u. V. A. Tartakovskii, Ž. obšč. Chim. **43**, 1266 (1973); engl.: 1257; C. A. **79**, 66439 (1973).
[2] S. J. Rettig, J. Trotter, W. Kliegel u. H. Becker, Canad. J. Chem. **54**, 3142 (1976).
[3] W. Kliegel u. H. Becker, B. **110**, 2090 (1977).
[4] W. Kliegel, B. Enders u. H. Becker, A. **1982**, 1712.
[5] W. Kliegel u. J. Graumann, Ch. Z. **106**, 378 (1982).

Ammoniak-1,3-Dihydroxy-1H,3H-⟨naphtho[1,8a,8-c,d]-1,2,6-oxadiborin⟩ läßt sich aus den Komponenten in Diethylether herstellen[1]:

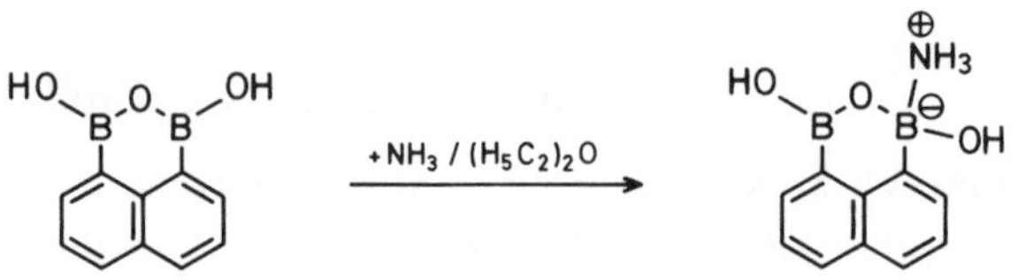

$$\xrightarrow{+NH_3\ /\ (H_5C_2)_2O}$$

Ammoniak-1,3-Dihydroxy-1H,3H-⟨naphtho[1,8a,8-c,d]-1,2,6-oxadiborin⟩[1]: In eine Lösung von 0,3 g (1,5 mmol) 1,3-Dihydroxy-1H,3H-⟨naphtho[1,8a,8-c,d]-1,2,6-oxadiborin⟩ in wasserfreiem Diethylether wird solange Ammoniak eingeleitet, bis kein Niederschlag mehr ausfällt. Nach dem Filtrieren wird der Niederschlag getrocknet; Ausbeute: 0,288 g (88%); F: 293–296°.

α_2) *Bis[Lewisbase]-Organodiboroxane*

Zur Verbindungsklasse gehören die in der Tab. 98 (S. 625) zusammengestellten cyclischen Verbindungstypen mit jeweils zwei vierfach koordinierten Bor-Atomen. Als Lewisbasen sind O-Donatoren (Ether- sowie Carbonyl-Funktionen) und N-Donatoren (Imin-Gruppierungen) bekannt. Die Herstellung der Verbindungen erfolgt aus Halogen-organo-boranen, aus verschiedenen Diboroxanen, aus Triorganoboroxinen bzw. aus Lewisbase-Diboroxanen.

$\alpha\alpha_1$) aus Diorgano-halogen-boranen

Aus Brom-diphenyl-boran wird mit Diisopropylaminocarbonyllithium[2,3] in erster Stufe infolge Ligandenaustausch Diisopropylaminocarbonyl-diphenyl-boran gebildet. Die Einwirkung eines zweiten mol Brom-diphenyl-boran führt über das O-Donator-Brom-diphenyl-boran bei Einwirken von Wasser zum fünfgliedrigen Heterocyclus (vgl. S. 725)[4–6]:

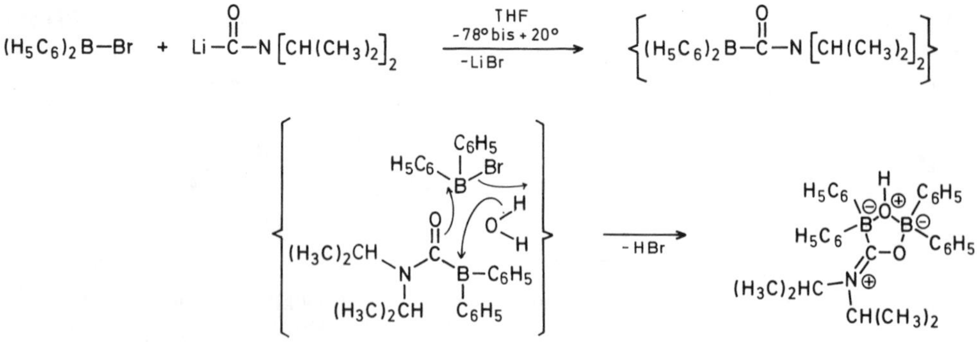

$$(H_5C_6)_2B{-}Br \;+\; Li{-}\overset{O}{\overset{\|}{C}}{-}N\left[CH(CH_3)_2\right]_2 \xrightarrow[-LiBr]{THF,\ -78°\,bis\,+20°} \left\{(H_5C_6)_2B{-}\overset{O}{\overset{\|}{C}}{-}N\left[CH(CH_3)_2\right]_2\right\}$$

$$\xrightarrow{-HBr}$$

---

[1] R. Letsinger, J.M. Smith, J. Gilpin u. D.B. McLean, J. Org. Chem. **30**, 807 (1964).
[2] R.R. Fraser u. P.R. Hubert, Canad. J. Chem. **52**, 185 (1974).
[3] A.S. Fletcher, K. Smith u. K. Swaminathan, Soc. [Perkin I] **1977**, 1881.
[4] A.S. Fletcher, W.E. Paget, K. Smith, K. Swaminathan, J.H. Beynon, R.P. Morgan, M. Bozorgzadeh u. M.J. Haley, Chem. Commun. **1979**, 347.
[5] K. Smith, A.S. Fletcher, W.E. Paget, K. Swaminathan u. M.J. Haley, Imeboron IV, Juli 1979, Abstr. of Papers S. 74.
[6] A.S. Fletcher, W.E. Paget u. K. Smith, Heteroc. Sendai **18**, 107 (1982).

Tab. 98: Bis[Lewisbase]-Organodiboroxane

Formel	Verbindungstyp	Herstellung	s. S.
Bis[Lewisbase]-Hexa(Penta)organodiboroxane			
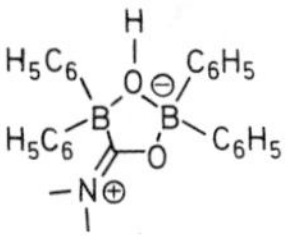	Do_2—$(R_2B)_2O$	aus R^1_2B-Hal + Li—CO—NR^2_2/H_2O	624
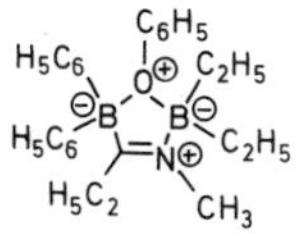	Do_2—$(R_2B)_2O$	aus Do_2—$(R^1_2B)_2S$ + R^2O^-	627
Bis[Lewisbase]-Diorganodiboroxane			
	Do_2—[R(N)B–O–C(=N)]$_2$O	aus Do_2[Hal–B(–O)]$_2$O + AgCN	628
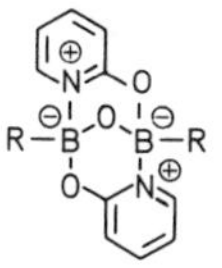	$Do_2[R^1(R^2O)B]_2O$	aus $(R_2B)_2O$ + Do–R–OH	626
	Do_2[R–B–O–C(=N)]$_2$O	aus $(R-BO)_3$ + $R_2B-O-C(=N-)$	626
	Do_2[R–B(–N<)–O–C(=N)]$_2$O	aus R^1(–N<)B–O–B(>N–)R^1 + –CO–NH	627
		+ R^2–NCO	627

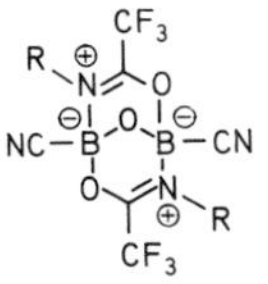

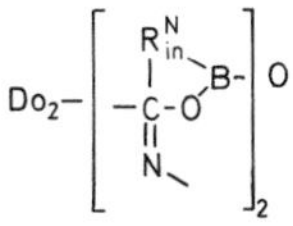

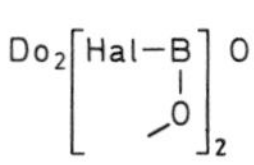

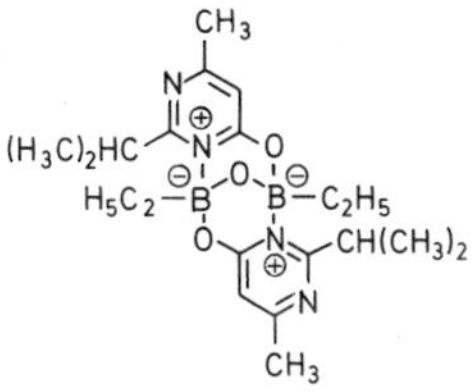

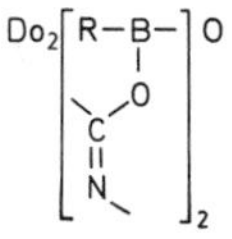

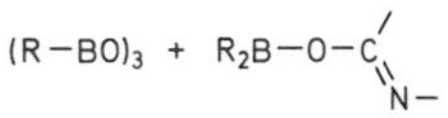

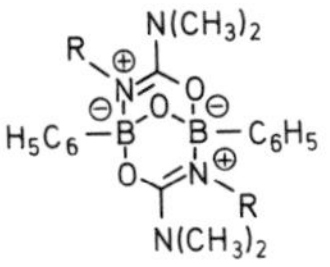

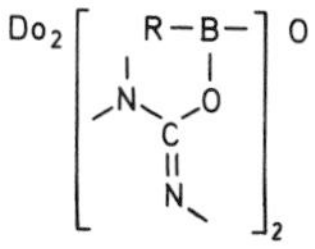

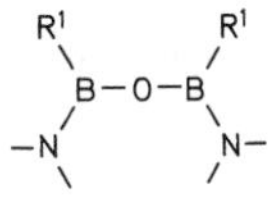

4-Diisopropyliminio-1-hydro-2,2,5,5-tetraphenyl-1,3,2,5-oxoniaoxadiboratolan[1]: Man gibt 0,65 g (50 mmol) Brom-diphenyl-boran zur auf $-78°$ abgekühlten THF-Lösung (5 *ml*) von 2,45 g (10 mmol) Diisopropylaminocarbonyl-lithium[2,3], erwärmt auf ~20° und entfernt i. Vak. das Lösungsmittel. Das viskose, luftempfindliche Öl wird in Ether aufgenommen und mit Wasser gewaschen. Nach Trocknen über Magnesiumsulfat und Einengen wird der Rückstand aus Ether/Hexan umkristallisiert; Ausbeute: 1,8 g (~80%); F: ~100° bzw. 179°[4].

[1] A.S. Fletcher, W.E. Paget, K. Smith, K. Swaminathan, J.H. Beynon, R.P. Morgan, M. Bozorgzadeh u. M.J. Haley, Chem. Commun. **1979**, 347.

[2] R.R. Fraser u. P.R. Hubert, Canad. J. Chem. **52**, 185 (1974).

[3] A.S. Fletcher, K. Smith u. K. Swaminathan, Soc. [Perkin I] **1977**, 1881.

[4] A.S. Fletcher, W.E. Paget u. K. Smith, Heteroc. Sendai **18**, 107 (1982).

$\alpha\alpha_2$) aus Organo-oxy-boranen

Bis[Lewisbase]-1,3-Diorganodiboroxane sind aus Tetraorganodiboroxanen bzw. aus Triorganoboroxinen präparativ zugänglich.

Tetrapropyl- und Tetrabutyl-diboroxan reagieren mit zwei mol 2-Hydroxypyridin unter Abspaltung von zwei mol Alkan zu *1,8-Dialkyl-⟨dipyridio[2,1-c;2',1'-g]-2,6,9-trioxa-4,8-diazonia-1,5-diborata-bicyclo[3.3.1]nona-3,7-dien⟩*[1-3]:

$(R_2B)_2O$ + 2 (2-Hydroxypyridin) $\xrightarrow[-2\ RH]{+110-170°}$

$R = C_3H_7, C_4H_9$

Aus Triethylboroxin erhält man mit Diethyl-(2-isopropyl-6-methyl-4-pyrimidyloxy)-boran (vgl. Bd. XIII/3a, S. 582) unter Ligandenaustausch praktisch quantitativ Bis[4-pyrimidyloxy]-1,3-diethyl-1,3-dioxy-diboroxan[4]:

2 $(H_5C_2{-}BO)_3$ + 6 $(H_5C_2)_2B{-}O$-(2-isopropyl-6-methyl-4-pyrimidyl) $\xrightarrow{-3\ [(H_5C_2)_2B]_2O}$ 3

1,8-Diethyl-6,13-diisopropyl-4,11-dimethyl-⟨bis[pyrimidio]-[4,3-c;4',3'-g]-2,6,9-trioxa-4,8-diazonia-1,5-diborata-bicyclo[3.3.1]nona-3,7-dien⟩; 97%; F: 80–83° (Zers.)

1,3-Bis[2-isopropyl-6-methyl-pyrimidyl-4-oxy]-1,3-diethyl-diboroxan[4]: Man versetzt 16,2 g (73,6 mmol) Diethyl-(2-isopropyl-6-methyl-pyrimidin-4-oxy)-boran mit 7 *ml* (~5,1 g; 30,3 mmol) Triethylboroxin. Es entsteht ein farbloser Niederschlag. Alles Flüchtige wird bei 0,05 Torr und einer Badtemp. von ~40° abgezogen; Ausbeute: 14,2 g (97%); F: 80–83° (Zers.).

$\alpha\alpha_3$) aus Amino-organo-boranen

1,3-Diamino-1,3-diorgano-1,3,2-diboroxane sind Edukte zur Herstellung von bicyclischen Bis[Lewisbase]-Organoboroxanen.

1,3-Bis[dimethylamino]-1,3-diphenyl-diboroxan reagiert mit Carbonsäure-monoalkylamiden oder mit Organoisocyanaten unter Bildung der gleichen Additionsverbindungen.

Man erhält mit N-Methylacetamid unter Abspaltung von Dimethylamin das resonanzstabilisierte Produkt[5]:

---

[1] V. A. Dorokhov, L. I. Lavrinovich, B. M. Zolotarev u. B. M. Mikhailov, Izv. Akad. SSSR **1977**, 1919; engl.: 1783; C. A. **87**, 168121 (1977).

[2] V. A. Dorokhov, L. I. Lavrinovich, M. N. Boshkareva, B. M. Zolotarev u. B. M. Mikhailov, Izv. Akad. SSSR **1978**, 253; engl.: 223; C. A. **88**, 170216 (1978).

[3] *Gmelin*, 8. Aufl., 1. Erg. Bd. Bor 1, S. 295 (1980).

[4] W. Fenzl, Mülheim a. d. Ruhr, unveröffentlicht 1980.

[5] W. Weber, Dissertation, S. 74, 89–91, Universität Mainz 1979.

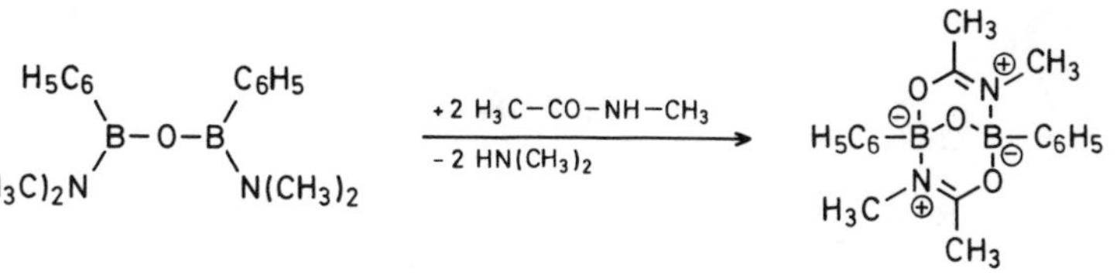

1,5-Diphenyl-3,4,7,8-tetramethyl-2,6,9-trioxa-4,8-diazonia-1,5-diborata-bicyclo[3.3.1]nona-3,7-dien; 79%; F: 226° (Zers.)

Entsprechend wird *1,3-Bis[N-methylformamidino]-1,3-diphenyl-diboroxan* (60%; F: 170–172°) erhalten[1].

Mit Methyl- oder mit Phenylisocyanat werden unter zweifacher Aminoborierung 1,3-Bis[trimethylureido]-1,3-diorgano-diboroxane gebildet[1]:

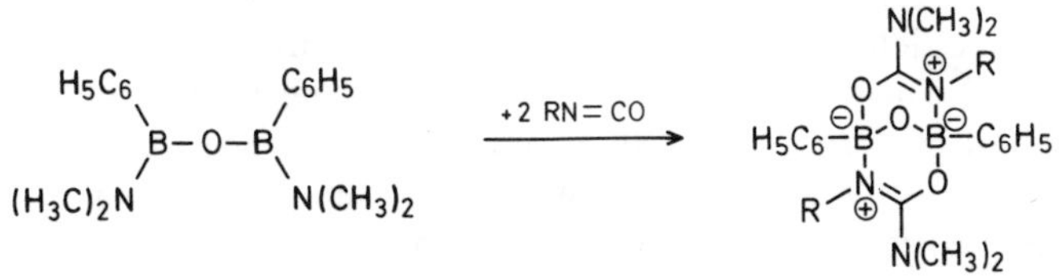

3,7-Bis[dimethylamino]-...-2,6,9-trioxa-4,8-diazonia-1,5-diborata-bicyclo[3.3.1]nona-3,7-dien
$R = CH_3$; ...*-4,8-dimethyl-1,5-diphenyl-*...
$R = C_6H_5$; ...*-1,4,5,8-tetraphenyl-*...

$\alpha\alpha_4$) aus Lewisbase-Organoboranen

Bis[Lewisbase]-Diboroxane und -1,3,2-Thiadiboroxane sind Edukte für Bis[Lewisbase]-Organodiboroxane.

Aus den cyclischen 1:1-Additionsverbindungen von Alkyl-(1-alkyliminoalkyl)-organothio-boranen und Dialkyl-organothio-boranen lassen sich in Methanol mit Natriummethanolat bei 60° durch Thiophenolat/Methanolat-Austausch 1,2,2,3,4,5-Hexaalkyl-5-methoxy-2,5-dihydro-1,3,2,5-oxoniaazoniadiboratoline herstellen[2,3]; z.B.:

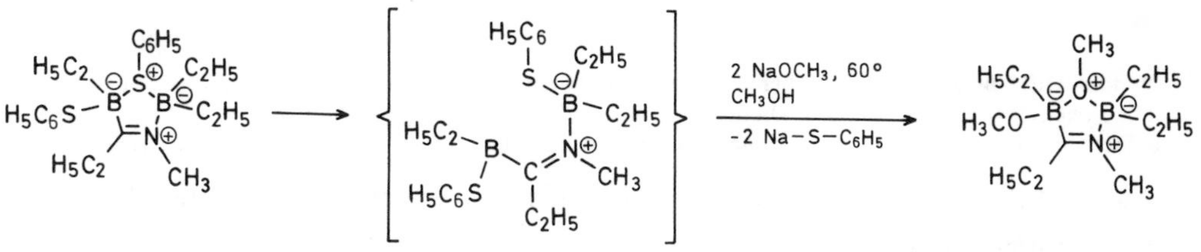

1,3-Dimethyl-5-methoxy-2,2,4,5-tetraethyl-2,5-dihydro-1,3,2,5-oxoniaazonia-diboratol; ~50%; $Kp_{10^{-3}}$: 70°

Aus 3,7-Bis [trifluormethyl]- 4,8-diaryl-1,5-dichlor- 2,6,9-trioxa- 4,8-diazonia-1,5-diborata-bicyclo[3.3.1]nona-3,7-dien sind mit Silbercyanid durch Chlor-Substitution die entsprechenden 1,5-Dicyan-Verbindungen zugänglich[4]:

---

[1] W. Weber, Dissertation, S. 74, 89–91, Universität Mainz 1979.
[2] G. Hesse u. H. Witte, A. **687**, 1 (1965).
[3] A. Haag u. G. Hesse, Intra-Sci. Chem. Rep. **7**, 105 (1973); C.A. **80**, 96051 (1974).
[4] A. Meller, W. Maringgele, K. Hennemuth u. U. Sicker, Z. anorg. Ch. **449**, 71 (1979); C.A. **90**, 204167 (1979).

...-1,5-dicyan-2,6,9-trioxa-4,8-diazonia-1,5-diborata-bicyclo[3.3.1]nona-3,7-dien
R = 2,4,6-$(CH_3)_3$–C_6H_2; *3,7-Bis[trifluormethyl]-4,8-bis[2,4,6-trimethylphenyl]-...*; 30%
R = 2,6-$(CH_3)_2$–C_6H_3; *4,8-Bis[2,6-dimethylphenyl]-3,7-bis[trifluormethyl]-...*; 30%

β) Lewisbase-Organotriboradioxane

Zur Verbindungsklasse zählen 1:1-Additionsverbindungen der offenkettigen Organotriboroxane und der cyclischen Organotriboroxine mit Aminen und Iminen.

Die offenkettigen Organo-1,3,5,2,4-triboradioxane addieren Lewisbasen. Bisher sind allerdings nur wenige definierte Additionsverbindungen hergestellt worden.

1,3-Dihydroxy-1,3,5-triorgano-1,3,5,2,4-triboradioxane sind offenkettige Zwischenprodukte der Dehydratisierung von Dihydroxy-organo-boranen zu Triorganoboroxinen (vgl. Bd. XIII/3a, S. 838). Werden Verbindungen mit funktionell besonders substituierten Aryl-Resten dehydratisiert, kann die Wasser-Abspaltung bisweilen gehemmt und daher unvollständig sein. Mit Pyridin oder anderen Lewisbasen lassen sich Zwischenverbindungen als Additionsverbindungen abfangen.

Wird eine Lösung von (5-Brom-2-hydroxy-phenyl)-dihydroxy-boran in abs. Diethylether 3 Stdn. bei ~20° mit wasserfreiem Pyridin versetzt, erhält man unter Abspaltung von zwei mol Wasser *1- oder 3-Pyridin-1,5-Dihydroxy-1,3,5-tris[5-brom-2-hydroxy-phenyl]-triboroxan* (F: 137–139°)[1]:

Pyridin-Tris[5-brom-2-hydroxy-phenyl]boroxin-Monohydrat[1]: Man versetzt 1,1 g Dihydroxy-(5-brom-2-hydroxy-phenyl)-boran in 10 *ml* abs. Diethylether mit 1 *ml* abs. Pyridin, läßt 3 Stdn. bei ~20° stehen und zieht alle flüchtigen Verbindungen i.Vak. ab und kristallisiert das Chelat aus Benzol/Ligroin um; F: 137–139°.

Auf ähnliche Weise werden die folgenden, jedoch wasserfreien Addukte erhalten:

Pyridin-Trivinylboroxin[2]	98%;	F: 49–52,5°; $Kp_{0,1}$: 50–80°
Pyridin-Tris[2-chlor-5-methoxy-phenyl]boroxin[3]		F: 172–175°
Pyridin-Trimethylboroxin[4]	82%;	F: 91,5–95,5°; Kp_{700}: 139–143°
Trimethylamin-Trimethylboroxin[4,5]		F: 67°

γ) Lewisbase-Triorganoboroxine

Amin- sowie Imin-Triorganoboroxine sind vor allem als 1:1-Additionsverbindungen bekannt. Es gibt außerdem 3:1-Addukte (vgl. S. 631). Die Herstellung der 1:1-Verbin-

[1] B. SERAFINOVA, H. DUDA u. M. MAKOSZA, Roczniki Chem. **37**, 765 (1963); C.A. **60**, 2997 (1964).
[2] D.S. MATTESON, J. Org. Chem. **27**, 3712 (1962).
[3] H.G. KUIVILA, L.E. BENJAMIN, C.J. MURPHY, A.D. PRICE u. J.H. POLEVY, J. Org. Chem. **27**, 825 (1962).
[4] D.S. MATTESON, J. Org. Chem. **29**, 3399 (1964).
[5] A.B. BURG, Am. Soc. **62**, 2228 (1940).

dungen erfolgt im allgemeinen aus Triorganoboroxinen mit der Lewisbase. Andere Präparationen gehen von Dioxy-organo-boranen oder von Trioxyboranen sowie von Diamino-organo-boranen aus.

γ_1) *Mono[Lewisbase]-Triorganoboroxine*

$\gamma\gamma_1$) aus Dioxy-organo-boranen

Dihydroxy-organo- und Diorganooxy-organo-borane werden als Edukte zur Herstellung von Amin- und Imin-Triorganoboroxinen verwendet.

Alkyl-dihydroxy-borane lassen sich mit Pyridin ins wasserfreie Pyridinat überführen. Auch wasserhaltige Produkte mit der Zusammensetzung $Py(H_2O)\text{-}(R\text{–}BO)_3$ sind herstellbar[1].

Aus Alkyl-dialkoxy-boranen gewinnt man mit Wasser unter Zusatz von Pyridin Pyridin-Trialkylboroxine:

$$3\ R^1\text{—}B(OR^2)_2 \quad + \quad 3\ H_2O \xrightarrow[R^2\text{—}OH]{+Py} Py\text{—}(R^1\text{—}BO)_3$$

Die Reaktionen, die bereits bei ~20° bzw. wenig darüber praktisch quantitativ ablaufen, werden vor allem zur Herstellung von Komplexen der hydrolyseempfindlichen Trivinyl- bzw. Triarylboroxine angewandt.

Pyridin-Trivinylboroxin[2]**:** 92,1 g (0,5 mol) Dibutyloxy-vinyl-boran und 0,5 g Phenothiazin in 250 *ml* Wasser werden über eine Kolonne mit Vakuummantel (20 mm Ø und 30 cm lang, Podbielniak-Wendeln) so lange destilliert, bis das Butanol/Wasser-Azeotrop mit der Hauptmenge Wasser abdestilliert ist. Der Rückstand wird mit 175 *ml* Pyridin versetzt und das Azeotrop aus Pyridin/Wasser abdestilliert; Rohausbeute: 39,5 g (98%); $Kp_{0,1}$: 50–80°; F: 49–52,5° (nach zweimaligem Sublimieren).

Mit Säuren lassen sich Pyridin-Trialkylboroxine in Pyridinsalz und freies Trialkylboroxin spalten[3]. Das relativ leicht flüchtige Trimethylboroxin bewahrt man am besten als Trimethylaminat auf.

Pyridin-Bis[2,2,2-trichlorethoxy]-phenyl-boran[4]**:** 5,17 g (65,4 mmol) Pyridin werden zu einer Schmelze von 8,37 g (21,9 mmol) Bis[2,2,2-trichlor-ethoxy]-phenyl-boran bei 60° gegeben. Man läßt auf ~20° abkühlen und erhält eine viskose Flüssigkeit, aus der nach einigen Tagen der Komplex auskristallisiert. Bei 0,2 Torr/20° wird das überschüssige Pyridin abgezogen (~8 Stdn.); Ausbeute: 10 g (99%); F: 111–116°.

Am besten werden Lewisbase-Triorganoboroxine verschiedener Zusammensetzung direkt aus den Komponenten gewonnen[2,5,6], z.B. 1:1- und 2:1-Molekülverbindungen aus Triorganoboroxinen mit Ammoniak[7]. Mit Trimethylamin[7], Chinuceidin[8] oder Pyridin[2] werden i. allg. 1:1-Additionsverbindungen gebildet. Kristallines *Trimethylamin-Trimethylboroxin* erhält man z.B. beim Einleiten von Trimethylamin in Trimethylboroxin[7].

Trimethylamin-Trimethylboroxin[7]**:** Das Kondensat von 17,8 *ml* gasförmigem Trimethylamin und 5,1 *ml* gasförmigem Trimethylboroxin wird langsam auf ~20° erwärmt. Nach Entfernen von Trimethylamin i.Vak. (12,7 *ml*) verbleibt das farblose Chelat als Rückstand; Ausbeute: 5,1 *ml*; nach Kristallisation; F: 67° (sublimierbar).

Aus Triphenylboroxin erhält man in Benzol mit 1,4-Diaminobenzol eine 2:3-Additionsverbindung mit definiertem Schmelzpunkt (F: 167–168°)[8,9].

---

[1] B. SERAFINOVA, H. DUDA u. M. MAKOSZA, Roczniki Chem. **37**, 765 (1963); C.A. **60**, 2997 (1964).
[2] D.S. MATTESON, J. Org. Chem. **27**, 3712S(1962).
[3] D.S. MATTESON, J. Org. Chem. **29**, 3399 (1964).
[4] P.B. BRINDLEY, W. GERRARD u. M.F. LAPPERT, Soc. **1956**, 1540.
[5] H. R. SNYDER, M.S. KONECKI u. W.J. LENNARZ, Am. Soc. **80**, 3611 (1958).
[6] R.T. HAWKINS, W.J. LENNARZ u. H.R. SNYDER, Am. Soc. **82**, 3053 (1960).
[7] A.B. BURG, Am. Soc. **62**, 2228 (1940).
[8] M. YALPANI u. R. BOESE, Strukturermittlung (vgl. Bd. XIII/3c) mit Hilfe von Röntgenbeugung, Mülheim a.d. Ruhr und Essen 1982.
[9] D.S. MATTESON, J. Org. Chem. **27**, 3712 (1962).

$\gamma\gamma_2$) aus Triorganooxyboranen

Pyridin-Trialkylboroxine lassen sich auch aus Trialkoxyboranen mit Alkyl-magnesium-halogeniden und anschließend mit Pyridinbase herstellen[1]:

$$B(OCH_3)_3 \xrightarrow[\substack{3.\ +H_9C_4-OH \\ 4.\ +H_2O/Pyridin}]{\substack{1.\ +H_3C-MgBr/(H_5C_2)_2O \\ 2.\ +HCl/H_2O}} \overset{\oplus}{Py}-(H_3C-\overset{\ominus}{B}O)_3$$

Pyridin-Trimethylboroxin[1]**:** Bei ~ −55° gibt man eine Lösung von 2,4 mol Methylmagnesiumbromid in Diethylether (800 *ml*) bei gutem Rühren zu 300 *ml* Trimethoxyboran in 1 *l* Diethylether. Die Mischung wird mit einer durch Natriumchlorid ges. 3N Salzsäure geschüttelt, getrennt und 3mal mit 250 *ml* Butanol extrahiert. Nach Waschen der organischen Phase mit 150 *ml* ges. Kochsalz-Lösung extrahiert man mit 100 g Natriumhydroxid in 180 *ml* Wasser, gibt 2mal 20 g Natriumhydroxid in 36 *ml* Wasser zu und wäscht schließlich mit 100 *ml* Wasser. Die wäßr. Natriumsalz-Lösungen des Dihydroxy-methyl-borans werden i. Vak. (~ 20 Torr) konzentriert, bis bei ~ 60–80° (Innentemp.) der Rückstand halbfest wird. Man gibt 400 *ml* Pyridin und 50 *ml* Wasser zu, dann tropfenweise eine Lösung von Pyridiniumhydrogensulfat (aus 90 *ml* Pyridin und 110 *ml* konz. Schwefelsäure) zur gut gerührten Suspension und erhitzt anschließend 2 Stdn. zum Rückfluß. Nach Abkühlen und Abfiltrieren vom Natriumsulfat wird mit 250 *ml* Benzol gewaschen, das Wasser (140 *ml*) nach Zugabe von Benzol über eine 30-cm-Füllkörperkolonne azeotrop abdestilliert und restliches Benzol mit Pyridin i. Vak. entfernt; Ausbeute: 134 g (82%); Kp_{700}: 139–143°; F: 91,5–95,5° (nach Sublimieren i. Vak.).

$\gamma\gamma_3$) aus Amino-organo-boranen

Diamino-organo-borane und 2,4,6-Triorganoborazine eignen sich zur Herstellung von Amin-Triorganoboroxinen.

Aus Alkyl-bis[dialkylamino]-boranen entstehen im Gegensatz zu den Aryl-bis[dialkylamino]-boranen mit Schwefeldioxid in Gegenwart von Feuchtigkeit Amin-Trialkylboroxine, die erst oberhalb 20° dissoziieren; z. B. *Trimethylamin-Trimethylboroxin* bei ~ 80°[2]. Aus Bis[dimethylamino]-butyl-boran wird mit Schwefeldioxid in 74%iger Ausbeute *Dimethylamin-Tributylboroxin* erhalten[3]:

$$3\ H_9C_4-B[N(CH_3)_2]_2 + 3\ SO_2 \xrightarrow{+3H_2O} [(H_3C)_2NH]_3(H_9C_4-BO)_3 + 3\ OS[N(CH_3)_2]_2$$

Dimethylamin-Tributylboroxin[3]**:** Zu 7,46 g (47,8 mmol) Bis[dimethylamino]-butyl-boran kondensiert man bei −60° ~ die 20fache Menge flüssiges Schwefeldioxid, rührt anschließend bei ~ −20°, erwärmt danach sehr langsam auf ~ 20° und destilliert aus der gelbbraunen Flüssigkeit i. Vak. (10 Torr) überschüssiges Schwefeldioxid ab [Gewichtszunahme ~ 3,03 g (47,2 mmol)]. Rohfraktionieren liefert 3,86 g Tetramethylthionylamid (Kp_9: 72–76°), 2,7 g Zwischenfraktion (Kp_9: 70–127°) und 2,69 g farblose Flüssigkeit (Kp_9: 125°).

Bei der Redestillation von Mittel- und Endfraktion werden weitere 1,35 g Tetramethylthionylamid abgetrennt [insgesamt: 5,2 g (80%)]; Ausbeute: 3,5 g (74%); Kp_9: 125°.

Der Stickstoffgehalt nimmt bei wiederholter Destillation laufend ab und liegt nach 5maligem Destillieren bereits < 1%.

Auch Borazine sind als Ausgangsverbindungen zur Herstellung von Amin-Triorganoboroxinen geeignet. Beispielsweise läßt sich aus Hexamethylborazin mit Wasser bei 90–100° in 80–90%iger Ausbeute *Methylamin-Trimethylboroxin* (Subl.p.: 162,4°) gewinnen. Oberhalb 140° wird Trimethylboroxin freigesetzt[4]. Entsprechend reagiert 2,4,6-Trimethylborazin mit Wasser unter Bildung von *Ammoniak-Trimethylboroxin*[5].

Eine Additionsverbindung aus 3 mol Dihydroxy-methyl-boran mit 1 mol Ammoniak entsteht bei langsamer Hydrolyse von Trimethylborazin bei 0°[5].

---

[1] D.S. Matteson, J. Org. Chem. **29**, 3399 (1964).
[2] A.B. Burg, Am. Soc. **62**, 2228 (1940).
[3] H. Nöth u. P. Schweizer, B. **97**, 1464 (1964).
[4] E. Wiberg u. K. Hertwig, Z. anorg. Ch. **255**, 141 (1948).
[5] E. Wiberg, K. Hertwig u. A. Bolz, Z. anorg. Ch. **256**, 177 (1948).

γ_2) *Tris[Lewisbase]-Triorganoboroxine*

Nur bei intramolekularer BN-Koordination sind alle drei Bor-Atome der Triorganoboroxine an Amin-Stickstoff-Atome zu binden. Mit geeigneten Substituenten am Organo-Rest der Triorganoboroxine kann dies erreicht werden. Die Herstellung der 3 : 1-Additionsverbindungen von Amin und Triorganoboroxinen geht von bestimmt substituierten Triorganoboroxinen aus, die borfern umgewandelt werden.

Aus Tris[2-brommethyl-phenyl]boroxin läßt sich z.B. mit Acetylamino-malonsäurediethylester in Gegenwart von Natrium-tert.-butanolat nach anschließender Hydrolyse ein intramolekular stabilisiertes Tris[amin]-Triorganoboroxin herstellen[1]:

1. $+H_3C-CO-NH-CH(COOC_2H_5)_2/NaO-C(CH_3)_3$
2. $+H^+/H_2O$
3. $+OH^-$

220°, $-3\ CO_2$

7-Carboxy-10-hydro-1-hydroxy-8-oxo-⟨benzo-7-oxa-8-azonia-1-borata-bicyclo[3.2.1]oct-2-en⟩

2,12,21-Tricarboxy-1,11,20-trihydro-⟨tribenzo-7,14,21-trioxa-1,9,16-triazonia-6,8,15-triborata-trispiro[5.1.5.1.5.1]heneicosa-4,12,19-trien⟩; 73%; F: 252–262°

Die aus Dihydroxy-(2-formylphenyl)-boran mit prim. Aminen (z.B. Anilin) in siedendem Benzol unter Wasser-Abspaltung herstellbaren Tris[2-organoiminomethyl-phenyl]boroxine enthalten offensichtlich nur schwache (N–B)-Koordinationsbindungen[2].

$+R^1-NH_2$, $-H_2O$

Tris[2-phenyliminomethyl-phenyl]boroxin[2]: Zunächst werden 4,5 g (30 mmol) Dihydroxy-(2-formylphenyl)-boran in 100 *ml* Benzol 2 Stdn. im Wasserabscheider zum Rückfluß erhitzt. Nach Abtrennen des Wassers gibt man 2,79 g (30 mmol) frisch destilliertes Anilin zur Lösung, erhitzt erneut unter Abtrennen des Wassers und trennt nach Abkühlen die weiße Festsubstanz ab; Ausbeute: 4,64 g (74,7%); F: 229,5–230,5° (Zers.) (aus Chloroform/Cyclohexan).

d) Lewisbase-Organobor-Schwefel-Verbindungen

Die Verbindungsklasse umfaßt Lewisbase-Diorgano-thio-, Lewisbase-Halogen-organo-thio-, Lewisbase-Dithio-organo-borane sowie Lewisbase-Organo-1,3,2-diborathiane, die meist als cyclische Verbindungen vorliegen.

[1] J.R. KUSZEWSKI, W.J. LENNARZ u. H.R. SNYDER, J. Org. Chem. **33**, 4479 (1968).
[2] H.E. DUNN, J.C. CATLIN u. H.R. SNYDER, J. Org. Chem. **33**, 4483 (1968).

Tab. 99: Lewisbase-Diorgano-thio-borane

Formel	Verbindungstyp	Herstellungsart	s. S.
Ether-Diorgano-thio-borane			
$R_2B^{\ominus}(SR)-O^{\oplus}$(Tetrahydrofuran)	$Do-R_2B-SR^1$	aus $Do^1-R^1_2B-SR^2$ + Do	632
S-Donator-Diorgano-thio-borane			
$R_2B^{\ominus}(SR^1)-{}^{\oplus}SR^2_2$	$Do-R_2B-SR^1$	aus $Do^1-R^1_2B-SR^2$ + Do	633
$R_2N-C(S)(S^{\oplus})$–$B^{\ominus}R_2$ (Ring)	$Do-R_2B-S-C(=N-)$	aus R^1_2B-Hal + $>N-S-N<$	633
N-Donator-Diorgano-thio-borane			
cyclisches $S-B^{\ominus}(R)-N^{\oplus}$	$Do-R_2B-SR^1$	aus $R^1_2B-SR^2$ + Do	634
cyclisches $S-B^{\ominus}(R)(R)-N^{\oplus}$	$Do-R_2B-SR^1$	aus $R_2B-O-C(-)(-)-S-$ + Do	633
cyclisches $N^{\oplus}-B^{\ominus}(R^1)(SR^2)$	$Do-R_2B-SR^1$	aus $Do-R^1_2BH$ + HSR^2	634
$R_2B^{\ominus}(S-C\equiv N)-N^{\oplus}$(Pyridin)	$Do-R_2B-S-C\equiv$	aus R^1_2B-S- + Do	634
$R^1_2B^{\ominus}(SR^2)-{}^{\oplus}N\equiv C-R^3$	$Do-R_2B-SR^1$	aus $Do-R_2B-S-$ + Do′	633

1. Lewisbase-Diorgano-thio-borane

In der Tab. 99 sind die Verbindungstypen und deren Herstellungsmethoden zusammengestellt. Als Lewisbasen sind Amin-N-oxide, Thiocarbonyl-Gruppierungen, Amine und Imine bekannt. Zur Herstellung der Verbindungen geht man hauptsächlich von Halogen-organo-boranen und von Organo-thio-boranen aus.

α) O-Lewisbase-Diorgano-organothio-borane

Tetrahydrofuran-Butylthio-dibutyl-boran (F: 66–66,5°) bildet sich aus Phenylacetonitril-Butylthio-dibutyl-boran in Tetrahydrofuran[1]:

$$H_5C_6-CH_2-C\equiv\overset{\oplus}{N}-\overset{\ominus}{B}(C_4H_9)_2-SC_4H_9 \xrightarrow[-H_5C_6-CH_2-CN]{+THF} THF\overset{\oplus}{-}\overset{\ominus}{B}(C_4H_9)_2-SC_4H_9$$

[1] T. Mukaiyama, S. Yamamoto u. K. Inomata, Bl. chem. Soc. Japan **44**, 2807 (1971).

β) S-Lewisbase-Diorgano-organothio-borane

Verschiedene S-Donator-Diorgano-organothio-borane sind aus Diorgano-halogen-boranen oder aus Lewisbase-Organoboranen zugänglich.

Bekannt sind S-Dialkylboryl-Derivate von Dithiocarbonsäureamiden. Die Herstellung erfolgt aus Diorgano-halogen-boranen.

Dimethyl-jod-boran reagiert mit Bis[dimethylamino-thiocarbonyl]disulfan unter Jod-Abscheidung zu *2,2-Dimethyl-4-dimethylamino-2H-1,3,2-thiathioniaborateten* ($Kp_{0,1}$: 56°)[1]:

$$2\ (H_3C)_2B{-}J + [(H_3C)_2N{-}C(=S){-}S{-}]_2 \xrightarrow{-J_2} 2\ (H_3C)_2N{-}C\langle S^{\oplus}, S \rangle B^{\ominus}(CH_3)_2$$

Die 2,2-Dibutyl-Verbindung kann so nicht hergestellt werden. Dibutyl-jod-boran liefert unter denselben Bedingungen das Aminoboran[2,3].

Mit Bis[diethylamino]sulfan erhält man aus Dimethyl-jod-boran in Schwefelkohlenstoff *4-Diethylamino-2,2-dimethyl-2H-1,3,2-thiathioniaborateten* ($Kp_{0,1}$: 67°)[1]:

$$2\ (H_3C)_2B{-}J + (H_5C_2)_2N{-}S{-}N(C_2H_5)_2 + 2\ CS_2 \xrightarrow[-1/8\ S_8]{-J_2} 2\ (H_5C_2)_2N{-}C\langle S^{\oplus}, S \rangle B^{\ominus}(CH_3)_2$$

Aus Phenylacetonitril-Butylthio-dibutyl-boran wird mit Dimethylsulfan im Gleichgewicht *Dimethylsulfan-Butylthio-dibutyl-boran* gebildet[4]:

$$H_5C_6{-}CH_2{-}C{\equiv}\overset{\oplus}{N}{-}\overset{\ominus}{B}(C_4H_9)_2{-}SC_4H_9 + S(CH_3)_2 \rightleftharpoons (H_3C)_2\overset{\oplus}{S}{-}\overset{\ominus}{B}(C_4H_9)_2{-}SC_4H_9 + H_5C_6{-}CH_2{-}C{\equiv}N$$

γ) N-Lewisbase-Diorgano-organothio-borane

Die verschiedenen Verbindungstypen sind aus Diorgano-organooxy-, Diorgano-organothio- sowie aus Amin-Diorgano-hydro-boranen zugänglich.

Das aus 2-Butyl-1,2-thiaborolan mit Benzaldehyd bei 20° zugängliche 2-Butyl-7-phenyl-1,6,2-oxathiaborepan reagiert mit Piperidin unter Abspaltung von Benzaldehyd zu *Piperidin-2-Butyl-1,2-thiaborolan*[5]:

$$\text{2-Butyl-7-phenyl-1,6,2-oxathiaborepan} + \text{Piperidin} \xrightarrow{-H_5C_6{-}CHO} \text{Piperidin-2-butyl-1,2-thiaborolan}$$

Amin- bzw. Imin-Diorgano-organothio-borane sind aus den Komponenten oder aus Diorgano-organothio-boranen mit Isothiocyanaten zugänglich.

---

[1] W. SIEBERT, Habilitationsschrift, Universität Würzburg 1971.
[2] H. NÖTH u. P. SCHWEIZER, B. **102**, 161 (1969).
[3] M. SCHMIDT u. E. GAST, Z. Naturf. **23b**, 1258 (1968).
[4] T. MUKAIYAMA, S. YAMAMOTO u. K. IMOMATA, Bl. chem. Soc. Japan **44**, 2807 (1971).
[5] V.A. DOROKHOV, O.G. BOLDYREVA u. B.M. MIKHAILOV, Izv. Akad. SSSR **1971**, 191; engl.: 176; C.A. **75**, 36197 (1971).

Aus Diorgano-organothio-boranen bilden sich mit Aminen oder mit Pyridinbasen 1:1-Additionsverbindungen[1-3]. Die im Vergleich zu den offenkettigen Verbindungen größere Reaktionsbereitschaft cyclischer Diorgano-organothio-borane gegenüber Basen ist auf deren geringere Energie zur Umhybridisierung des Bors zurückzuführen. Aus 2-Organo-1,2-thiaborolan erhält man mit aliphatischen Aminen bzw. mit Pyridin 1:1-Addukte[1]. Die Verbindungen werden ohne Zugabe von Verdünnungsmitteln hergestellt[1]:

R = C_4H_9; Base = Pyridin; *Pyridin-2-Butyl-1,2-thiaborolan*; 81%; $Kp_{4,5}$: 70–71°
Base = $(H_3C)_2NH$; *Diethylamin-2-Butyl-1,2-thiaborolan*; 67%; Kp_2: 44–48°; F: 53–55,5° (aus Isopentan)
Base = Piperidin; *Piperidin-2-Butyl-1,2-thiaborolan*; 89%; F: 105–107,5°
R = CH_2–CH_2–$CH(CH_3)_2$; Base = NH_3; *Ammoniak-2-(3-Methylbutyl)-1,2-thiaborolan*; 62,5%; F: 65–70°

Auch Pyridin-Diorgano-thiocyanato-borane sind aus den Komponenten herstellbar[2].

Pyridin-Diphenyl-thiocyanat-boran[2]: Zu Diphenyl-thiocyanat-boran gibt man einen Überschuß Pyridin in Benzol. Man läßt stehen und zieht das Lösungsmittel ab. Der Rückstand wird umkristallisiert; F: 153–155°.

Aus Butylthio-dibutyl-boran werden auch mit Organoisothiocyanat[2] bzw. mit Carbodiimid[1] 1:1-Addukte gebildet. Butylthio-dibutyl-boran liefert mit Organoisocyanaten 1:2-Addukte, die allerdings unter Thioborylierung der N=C-Bindung weiterreagieren[2].

Aus Amin-Diorgano-hydro-boranen lassen sich durch Thiolyse Amin-Diorgano-organothio-borane herstellen. Man erhält aus 2-Butyl-1,1-diethyl-2-hydro-1,2-azoniaboratolidin mit Butanthiol unter Wasserstoff-Abspaltung *2-Butyl-2-butylthio-1,1-diethyl-1,2-azoniaboratolidin*[4]:

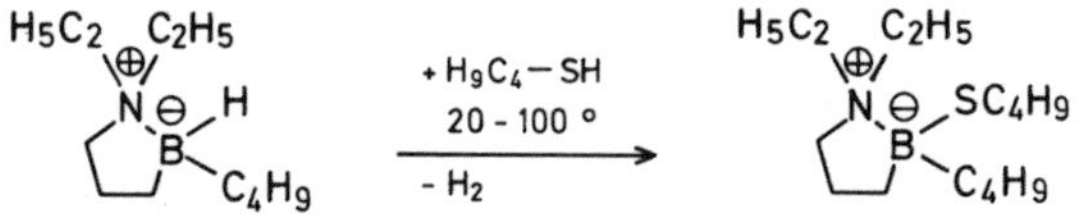

2. Lewisbase-Halogen-organo-thio-borane

Bekannt sind 1:1-Additionsverbindungen von S-Basen mit offenkettigen und cyclischen Halogen-organo-thio-boranen

(S–B)-Sulfan-Halogen-organo-thio-borane (S–B)-Dithiocarbamid-Halogen-organo-thio-borane.

Halogen-organo-thio-borane mit koordinativer Schwefel-Bor-Bindung erhält man z. B. aus Alkyl-dichlor-boranen mit Natriumdimethyldithiocarbaminat[5]:

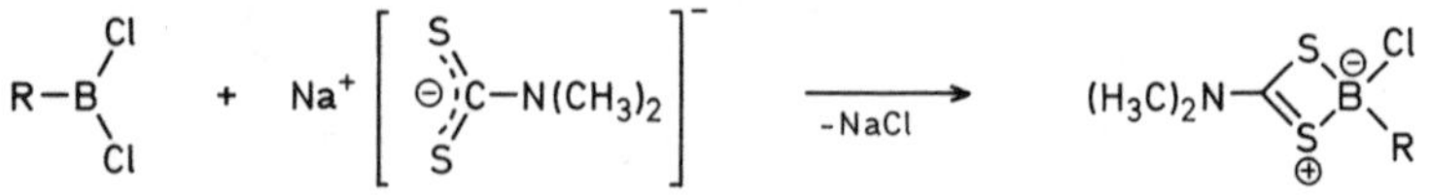

...-2H-1,3,2-thiathioniaborateten
R = C_4H_9; *2-Butyl-2-chlor-4-dimethylamino-...*; F: 77°
R = C_6H_5; *2-Chlor-4-dimethylamino-2-phenyl-...*; F: 95°

[1] B. M. Mikhailov, V. A. Dorokhov u. N. N. Mostovoi, Dokl. Akad. SSSR **166**, 1114 (1966); engl.: 202; C.A. **64**, 19653 (1966).
[2] T. Wizemann, H. Müller, D. Seybold u. K. Dehnicke, J. Organometal. Chem. **20**, 211 (1969).
[3] T. Mukaiyama, S. Yamamoto u. K. Inomata, Bl. chem. Soc. Japan **44**, 2807 (1971).
[4] N. E. Miller, Inorg. Chem. **13**, 1459 (1974).
[5] G. Abeler, H. Nöth u. H. Schick, B. **101**, 3981 (1968).

3. Lewisbase-Dithio-organo-borane

Die Herstellung der 1:1-Additionsverbindungen offenkettiger und cyclischer Dithio-organo-borane mit S- und N-Basen (vgl. Tab. 99, S. 632)[1] erfolgt aus Halogen-organo-boranen, aus Organo-thio-boranen und häufig auch aus Diamino-organo-boranen.

α) aus Halogen-organo-boranen

Die Protolyse von Dihalogen-organo-boranen mit Aminoalkanthiolen führt zu Amin-Diorganothio-organo-boranen.

In Toluol gewinnt man z. B. aus Dichlor-phenyl-boran mit Bis[2-mercaptoethyl]amin in Gegenwart von einem Überschuß an Trimethylamin zum Abfangen des freiwerdenden Chlorwasserstoffs *5-Hydro-1-phenyl-5-azonia-1-borata-2,8-dithia-bicyclo[3.3.0]octan* (47%; F: 158–160°)[2]:

$$H_5C_6-BCl_2 \quad + \quad (HS-CH_2-CH_2)_2NH \xrightarrow[-2\,[(H_5C_2)_3NH]^+\,Cl^-]{+2\,(H_5C_2)_3N\ /\ Toluol}$$

β) aus Dithio-organo-boranen

Offenkettige und cyclische Dithio-organo-borane sind Ausgangsverbindungen zur Herstellung von Amin- und Imin-Dithio-organo-boranen.

1:1-Additionsverbindungen offenkettiger Dithio-organo-borane mit Stickstoffbasen bilden sich z. B. aus Bis[methylthio]-methyl-boran mit z. B. Trimethylamin oder Pyridin[3]; z. B.:

$$H_3C-B(S-CH_3)_2 \quad + \quad Base \longrightarrow H_3C-\overset{\ominus}{B}(SCH_3)_2-\overset{\oplus}{Base}$$

. . .-*Bis[methylthio]-methyl-boran*
Base: *Trimethylamin-*. . .; F: 55–57°
Pyridin-. . .; F: 34–36°

Auch 2-Organo-1,3,2-dithiaborolane setzen sich mit Pyridin oder mit 4-Methylpyridin zu 1:1-Additionsverbindungen um. 2-Methyl- und 2,4,6-Trimethylpyridin bilden keine stabilen Addukte[4,5]:

$$\text{(cyclo-S-CH}_2\text{-CH}_2\text{-S-)B-R} \quad + \quad Base \longrightarrow \text{(cyclo-S-CH}_2\text{-CH}_2\text{-S-)}\overset{\ominus}{B}(R)-\overset{\oplus}{Base}$$

Pyridin- bzw. *4-Methylpyridin-2-Methyl* (bzw. *Phenyl)-1,3,2-dithiaborolan*

---

[1] *Gmelin*, 8. Aufl., Bd. **19**/3 (1975)
mit Phosphanen: S. 136–138
mit Arsanen: S. 145–146
mit Stibanen: S. 149
mit N-Basen: S. 69–74
mit Sulfanen: S. 62, 64, 67.

[2] M. Pailer u. H. Huemer, M. **95**, 373 (1964).

[3] H. Nöth u. U. Schuchardt, B. **107**, 3104 (1974).
vgl. U. Schuchardt, Dissertation, Universität München 1973.

[4] M. Wieber u. W. Künzel, Z. anorg. Ch. **403**, 107 (1974).

[5] R. Künzel, Dissertation, Universität Würzburg 1972.

γ) aus Diamino-organo-boranen

Die Herstellung von Amin-Dithio-organo-boranen erfolgt auch aus Diamino-organo-boranen mit Dithiolen oder mit Schwefelkohlenstoff. Die Thiolyse von Diamino-organo-boranen liefert unmittelbar Amin-Diorganothio-organo-borane.

Dimethylamin-2-Phenyl-1,3,2-dithiaborinan[1] kristallisiert beim mehrstündigen Kochen von Bis[dimethylamino]-phenyl-boran mit 1,3-Propandithiol in Hexan aus:

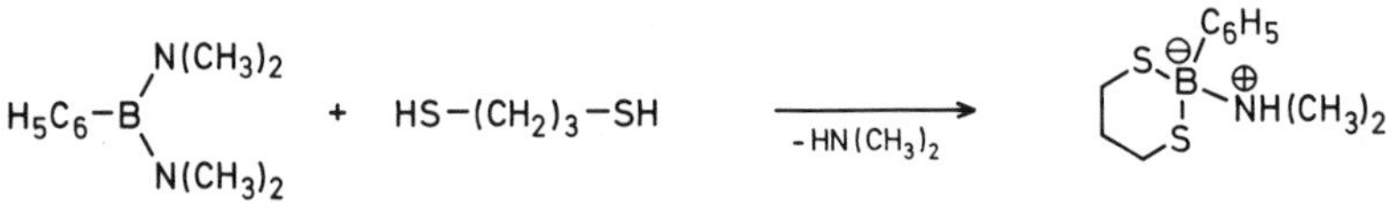

$$H_5C_6-B[N(CH_3)_2]_2 + HS-(CH_2)_3-SH \xrightarrow{-HN(CH_3)_2}$$

(S–B)-Dithiocarbamid-Dithiocarbamido-organothio-borane sind aus Bis[dimethylamino]-organo-boran mit Schwefelkohlenstoff durch Addition der BN-Bindung an die S=C-Bindung zugänglich. Man erhält Bis[dimethylamino-thiocarbonylthio]-organo-borane mit koordinativer BS-Bindung[2]:

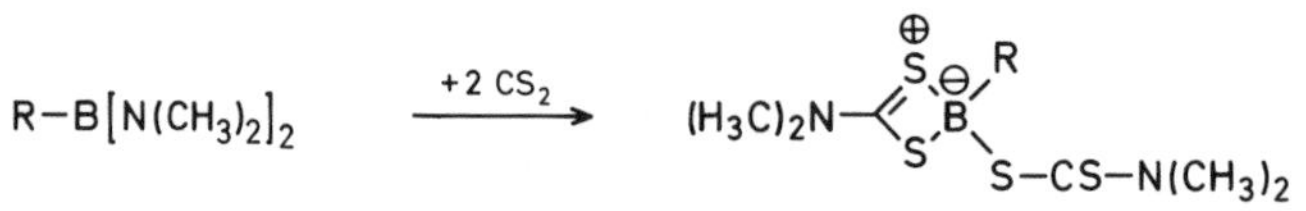

$$R-B[N(CH_3)_2]_2 \xrightarrow{+2\,CS_2}$$

4-Dimethylamino-2-(dimethylamino-thiocarbonylthio)-...
-2H-1,3,2-thiathioniaboreten

$R = CH_3$; ...*-2-methyl-*...; 5%; F: 92°
$R = C_6H_5$; ...*-2-phenyl-*...; 83%; F: 112°

4. Lewisbase-Organo-1,3,2-diborathiane

Additionsverbindungen der Organo-1,3,2-diborathiane mit einem oder zwei Molekülen Lewisbase (S-Donatoren, N-Donatoren) sind bekannt. Die Herstellung erfolgt aus Diorgano-organothio-boranen und aus Organo-1,3,2-diborathianen. Es gibt Additionsverbindungen der 1,1,3,3-Tetraalkyl-1,3,2-diborathiane und der 1,3-Dihalogen-1,3-diorgano-1,3,2-diborathiane, die in diesem Abschnitt gemeinsam behandelt werden.

α) aus Diorgano-organothio-boranen

Aus Diethyl-organothio-boranen erhält man mit Isocyaniden durch Einschiebung des Kohlenstoffs in die B–S-Bindung und anschließender 1,3-Cycloaddition eines weiteren Organothio-borans ein cyclisches 2,5-Dihydro-1,3,2,5-thioniaazoniadiboratol vom Typ I, das sich thermisch unter Erhalt der Ringstruktur unter Platztausch von Organothio- und Ethyl-Gruppe zum Typ II isomerisieren läßt[3,4]:

[1] K. Niedenzu, J. W. Dawson, P. W. Fritz u. W. Weber, B. **100**, 1898 (1967).
[2] R. H. Cragg, M. F. Lappert, H. Nöth, P. Schweizer u. B. P. Tilley, B. **100**, 2377 (1967).
[3] A. Grote, A. Haag u. G. Hesse, A. **755**, 67 (1972).
[4] A. Haag u. G. Hesse, Intra-Sci. Chem. Rep. **7**, 105 (1973); C. A. **80**, 96051 (1974).

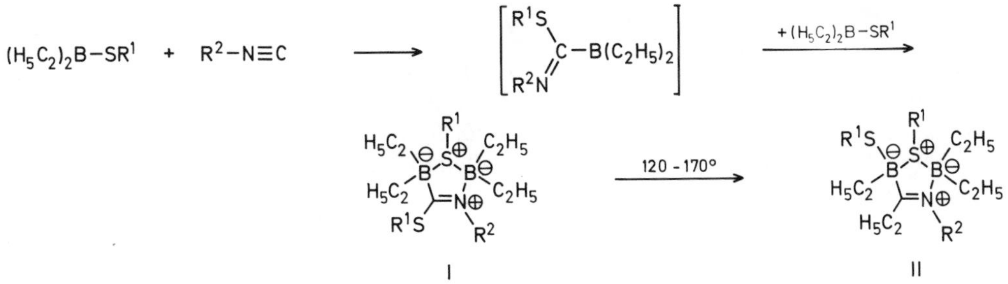

$(H_5C_2)_2B{-}SR^1 + R^2{-}N{\equiv}C \longrightarrow [R^1S{-}C(=NR^2){-}B(C_2H_5)_2] \xrightarrow{+(H_5C_2)_2B-SR^1}$ I $\xrightarrow{120-170°}$ II

3-Methyl-1-phenyl-4-phenylthio-2,2,5,5-tetraethyl-2,5-dihydro-1,3,2,5-thioniaazoniadiboratol[1] (Typ I): Unter Rühren werden zu 19,1 g (0,107 mol) Diethyl-phenylthio-boran in 20 *ml* Diethylether 2,2 g (0,054 mol) Methyl-isocyanid in 20 *ml* Diethylether bei 0° getropft. Nach 1 Stde. wird das Lösungsmittel i. Vak. abdestilliert und der viskose Rückstand mit wenig Methanol angerieben. Das kristalline Produkt wäscht man mit Methanol und kristallisiert aus Acetonitril um; Ausbeute: 19,4 g (91%); F: 50–53°.

3-Methyl-1-phenyl-5-phenylthio-2,2,4,5-tetraethyl-2,5-dihydro-1,3,2,5-thioniaazoniadiboratol[1] (Typ II): 5 g (0,013 mol) obiger Verbindung werden 1,5 Stdn. auf 110° erhitzt, wobei ein viskoses Öl entsteht, das bei Anreiben mit Methanol zu farblosen, völlig luftstabilen Kristallen erstarrt; Ausbeute: 4 g (80%); F: 79°.

β) aus Organo-1,3,2-diborathianen

1:1- sowie 1:2-Additionsverbindungen von 1,3-Diorgano-1,3,2-diborathianen sind aus den Komponenten zugänglich. Beispielsweise bilden 1,3-Dihydro-⟨benzo-1,2,5-thiadiborole⟩ in Abhängigkeit von den Substituenten in 2,5-Stellung mit Dimethylsulfan 1:2- bzw. 1:1-Addukte. Chlor als Substituent liefert auch bei einem Überschuß an Base nur ein 1:1-Addukt. Die Brom-Verbindung bildet sowohl das 1:1- sowie das 1:2-Addukt, während aus der Jod-Verbindung das 1:2-Addukt entsteht[2].

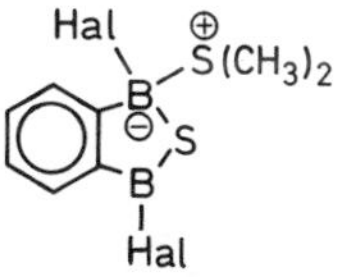

Dimethylsulfan-. . .-1,3-dihydro-⟨benzo-1,2,5-thiadiborol⟩
Hal = Cl; . . .-*1,3-Dichlor-*. . .; F: 73–75°
Hal = Br; . . .-*1,3-Dibrom-*. . .; F: 68–69°

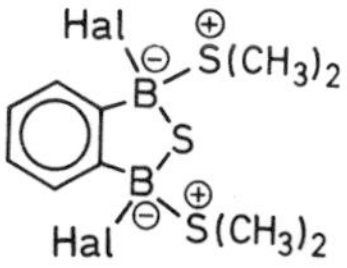

Bis-[dimethylsulfan]-. . .-1,3-dihydro-⟨benzo-1,2,5-thiadiborol⟩
Hal = Br; . . .-*1,3-Dibrom-*. . .; F: 80–83°
Hal = J; . . .-*1,3-Dijod-*. . .; F: 127–129°

Bis[dimethylsulfan]-1,3-Dijod-1,3-dihydro-⟨benzo-1,2,5-thiadiborol⟩[2]: Zu 4 g (10,8 mmol) 1,3-Dijod-1,3-dihydro-⟨benzo-1,2,5-thiadiborol⟩ in 30 *ml* Schwefelkohlenstoff gibt man 0,65 g (10,4 mmol) Dimethylsulfan. Es fällt ein gelbliches Produkt aus. Zum Filtrat gibt man weitere 0,65 g (10,4 mmol) Dimethylsulfan, worauf weitere Donor-Akzeptor-Verbindung ausfällt; Ausbeute: 1,3 g; F: 127–129°.

[1] A. Grote, A. Haag u. G. Hesse, A. **755**, 67 (1972).
[2] B. Asgarouladi, R. Full, K.-J. Schaper u. W. Siebert, B. **107**, 34 (1974).

γ) aus Triorganotriboratrithianen

Aus 2,4,6-Triphenylborthiin lassen sich mit Tricarbonyl-tris[acetonitril]-molybdän oder -wolfram in siedendem 1,4-Dioxan (~20 Stdn.) durch Verdrängung von Acetonitril in 31–34%iger Ausbeute *(η^6-2,4,6-Triphenylborthiin)-tricarbonyl-molybdän* bzw. *-wolfram* herstellen. Die Komplexverbindungen fallen als 1,4-Dioxanate mit wahrscheinlich folgender Struktur an[1]:

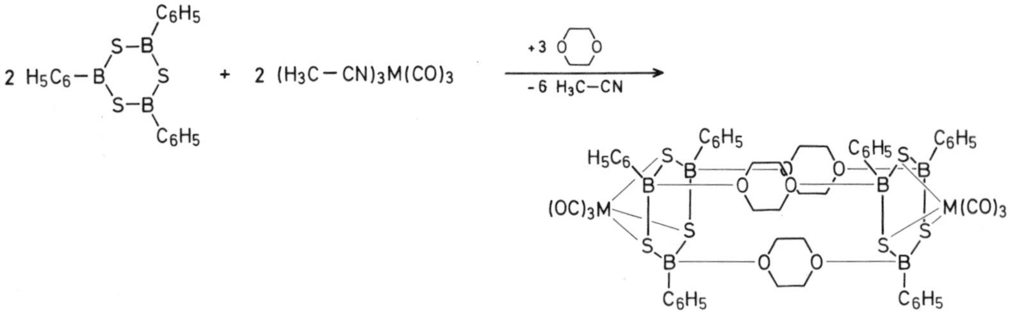

$$2\ (H_5C_6BS)_3 + 2\ (H_3C-CN)_3M(CO)_3 \xrightarrow[-6\ H_3C-CN]{+3\ \text{Dioxan}}$$

M = Mo, W

e) Lewisbase-Organobor-Selen-Verbindungen

Die 1:1-Additionsverbindungen sind bisher kaum beschrieben worden. Pyridin-Diorgano-hydroseleno-borane werden aus den Komponenten hergestellt. Beispielsweise erhält man *Pyridin-Dimethyl-hydroseleno-boran* (Zers.p.: >100°) aus Dimethyl-hydro- seleno-boran mit Pyridin in Pentan in 47% Ausbeute[2]:

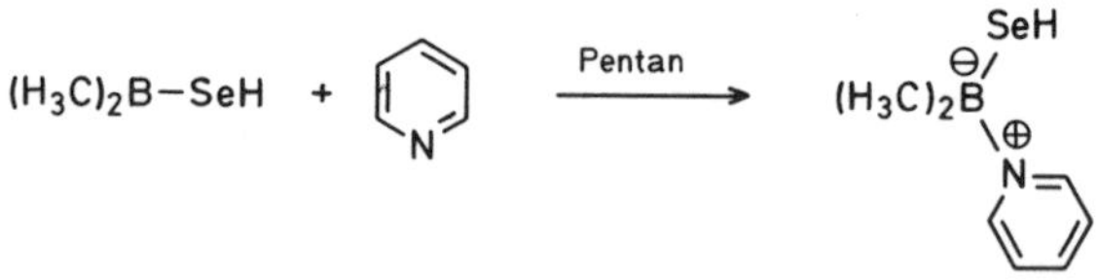

$$(H_3C)_2B-SeH + C_5H_5N \xrightarrow{\text{Pentan}} (H_3C)_2\overset{\ominus}{B}(SeH)-\overset{\oplus}{N}C_5H_5$$

Pyridin-Dimethyl-hydroseleno-boran[3]**:** 0,45 g (3,72 mmol) Dimethyl-hydroseleno-boran in 12 *ml* Pentan werden unter Eiskühlung bei 0° tropfenweise mit 0,29 g (3,72 mmol) Pyridin versetzt. Der Niederschlag wird abfiltriert; Ausbeute: 0,35 g (47%); Zers.p.: >100°.

f) Lewisbase-Organobor-Stickstoff-Verbindungen

Zur Verbindungsklasse gehören 1:1-Additionsverbindungen der Amino-diorgano-, der Amino-halogen(oxy, thio)-organo- und der Diamino-organo-borane sowie 1:1- und 1:2-Additionsverbindungen der Organodiborazane mit Lewisbasen (O-, S- und N-Basen). Zahlreiche mono- sowie bicyclische Additionsverbindungen von sehr unterschiedlicher Zusammensetzung (vgl. Tab. 100, S. 639) gehören zur Verbindungsklasse.

[1] H. Nöth u. U. Schuchardt, J. Organometal. Chem. **134**, 297 (1977).
[2] W. Siebert, E. Gast, F. Riegel u. M. Schmidt, J. Organometal. Chem. **90**, 13 (1975).
[3] F. Riegel, Dissertation, Universität Würzburg 1973.

1. Lewisbase-Amino-diorgano-borane

Zu den Lewisbase-Amino-diorgano-boranen gehören folgende Verbindungstypen:

Lewisbase
- -Dialkylamino-diorgano-borane
- -Diorgano-hydrazino-borane
- -Amido-diorgano-borane
- -Amidino-diorgano-borane
- -Diorgano-ureido-borane
- -Diorgano-guanidino-borane

α) Carbonyl-Amino-diorgano-borane

Die verschiedenen Verbindungstypen (vgl. Tab. 100) werden aus Triorgano-, Diorgano-oxy-, Amino-diorgano-boranen sowie aus Lewisbase-Organoboranen hergestellt.

Tab. 100: O-Lewisbase-Amino-diorgano-borane

Formel	Verbindungstyp	Herstellung	s. S.
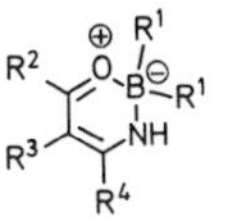 [Formel]	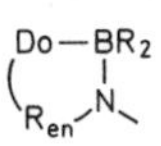 Do—BR_2 / R_{en}—N	aus Do—R_2B—OR_{en} + NH_3	641
$R^1 = C_2H_5$; $R^2 = R^4 = CH_3$; $R^3 = H$		aus R_3B + Do—R—NH_2	640
$R^1 = C_6H_5$; $R^2 = R^4 = CH_3$; $R^3 = H$		aus R_2B—OH + Do—R—NH_2	640
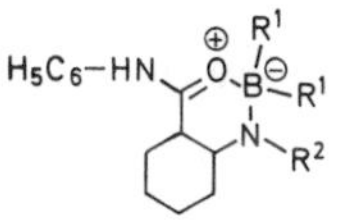 [Formel]	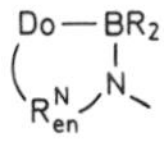 Do—BR_2 / R^N_{en}—N	aus R^1_2B—N< + R^2—NCO	641
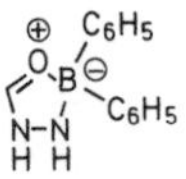 [Formel]	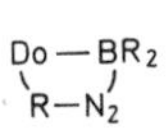 Do—BR_2 / R—N_2	aus R_2B—N< + —NH—N(—CO—)	641
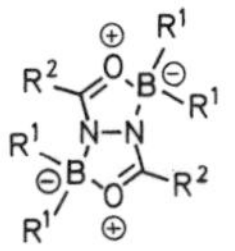 [Formel]	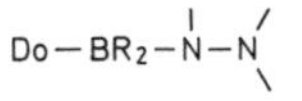 Do—BR_2—N—N<	aus R_3B + —CO—N=N—CO—	640

O-Donator-Amino-diorgano-borane sowie Diorgano-hydrazino-borane erhält man aus Triorganoboranen mit einzelnen Chelatbildnern.

Beispielsweise lassen sich aus Triethylboran mit 2-Amino-4-oxo-2-penten unter Ethan-Abspaltung die sechsgliedrigen, resonanzstabilisierten Keton-Amino-diorgano-borane herstellen[1]:

[1] R. KÖSTER u. W. FENZL, Ang. Ch. **80**, 756 (1968).

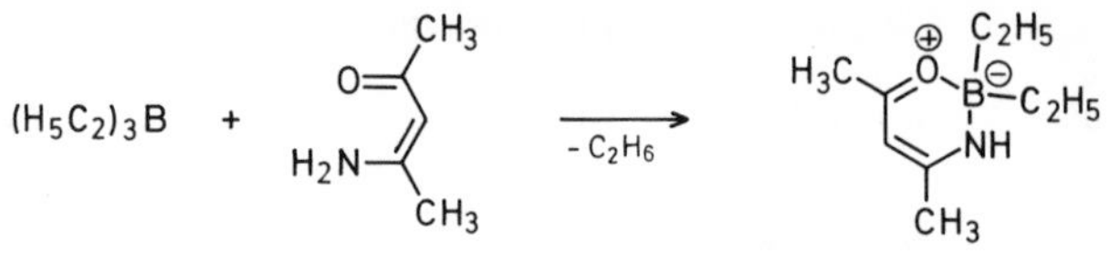

$$(H_5C_2)_3B + \text{(2-Amino-4-oxo-2-penten)} \xrightarrow{-C_2H_6}$$

2,2-Diethyl-4,6-dimethyl-2,3-dihydro-1,3,2-oxoniaazaboratin; Kp_{10}: 101–103°

Auch die stabilisierten 1,2-Bis[diorganoboryl]hydrazine erhält man z.B. aus Tributyl- bzw. Triethyl-boran mit Azodicarbonsäurediethylester (oder Dibenzoyldiazen) in Diethylether oder Tetrachlormethan. Durch Dehydroborierung bei –10 bis –20° erhält man die folgenden Derivate[1] (~80% Ausbeute)[1,2]:

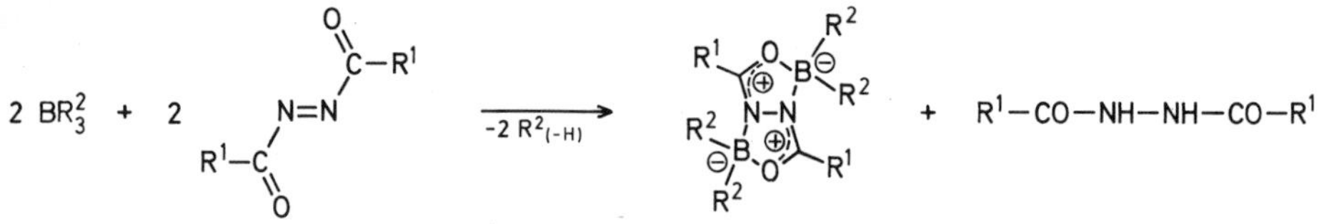

$$2\ BR^2_3 + 2\ R^1-CO-N{=}N-CO-R^1 \xrightarrow{-2\ R^2_{(-H)}} \ldots + R^1-CO-NH-NH-CO-R^1$$

$R^1 = OC_2H_5, C_6H_5$
$R^2 = C_2H_5, C_4H_9$

2,2,6,6-Tetraorgano-3,7-dioxonia-1,5-diaza-2,6-diborata-bicyclo[3.3.0]octa-3,7-diene; allgemeine Arbeitsvorschrift[1]: Beim Zutropfen des Triorganoborans zur orangeroten Lösung der Azoverbindung in Diethylether oder in Tetrachlormethan bei −10° bis −20° wird spontan in exothermer Reaktion Alken freigesetzt. Die Verbindungen fallen in Tetrachlormethan sofort, in Diethylether nach Beendigung der Gasentwicklung bzw. bei Entfärbung aus. Die kristallisierten Verbindungen lassen sich z.T. unzersetzt destillieren.

Auf diese Weise erhält man u.a.

4,8-Dimethoxy-2,2,6,6-tetraethyl-...	$Kp_{0,4}$: 100°; F: 35°
4,8-Dimethoxy-2,2,6,6-tetrabutyl-...	$Kp_{0,05}$: 115°; F: 65°
4,8-Diphenyl-2,2,6,6-tetrabutyl-...	$Kp_{0,01}$: 180°; F: 60°

Cyclische Keton-Amino-diorgano-borane sind auch aus Diorgano-hydroxy-boranen mit 2-Amino-4-oxo-2-penten unter Wasser-Abspaltung zugänglich[3]:

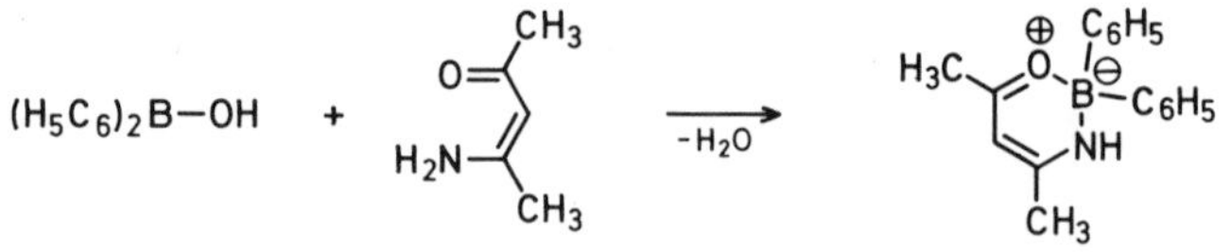

$$(H_5C_6)_2B-OH + \text{(2-Amino-4-oxo-2-penten)} \xrightarrow{-H_2O}$$

4,6-Dimethyl-2,2-diphenyl-2,3-dihydro-1,3,2-oxoniaazaboratin

Die Herstellung sechsgliedriger 6π-resonanzstabilisierter Imin-Amido-diorgano-borane (Acylamin-Amin-diorgano-borane)

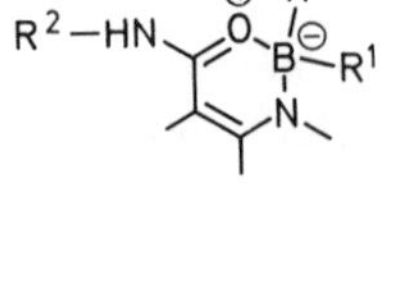

[1] A. Haag u. H. Baudisch, Tetrahedron Letters **1973**, 401

[2] H. Nöth, W. Regnet, H. Rihl u. R. Standfest, B. **104**, 722 (1971).

[3] I. Bally, E. Ciornei, A. Vasilescu u. A.T. Balaban, Tetrahedron **29**, 3185 (1973).

erfolgt auch aus bestimmten cyclischen Enamino-diorgano-boranen mit Phenylisocyanat durch Addition bei 130–180° in Ausbeuten von ~60–85%[1]:

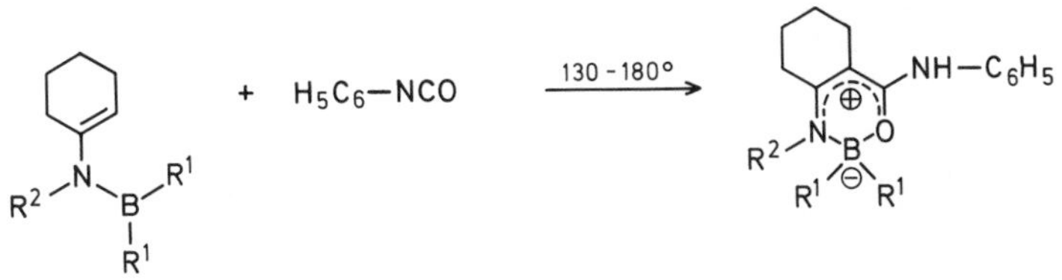

Mit Phenylthioisocyanat tritt bereits bei 90–100° Cyclisierung ein[1].

5-Anilino-3,3-dimethyl-2-phenyl-4-oxa-2-azonia-3-borata-bicyclo[4.4.0]deca-1,5-dien[1]: Eine Mischung aus 9,7 g (45,5 mmol) Dimethyl-[N-(1-cyclohexenyl)-anilino]-boran und 3,9 g (33 mmol) Phenylisocyanat wird 4 Stdn. auf 130–150° erhitzt. Nach Abkühlung auf ~20° werden 1–2 *ml* Hexan zugegeben. Durch Anreiben fällt ein kristalliner Niederschlag aus, der abfiltriert und mit Hexan gewaschen wird; Ausbeute: 10,4 g (76%); F: 80–84° (aus Hexan).

Die resonanzstabilisierten Carbonyl-Diorgano-hydrazino-borane werden aus Diethyl-amino-diphenyl-boran mit Acylhydrazinen gewonnen[2]:

...-2,3,4-trihydro-1,3,4,2-oxaazaazoniaboratol
R = CH_3; *2,2-Diphenyl-5-methyl-...*; F: 116–120°
R = C_6H_5; *2,2,5-Triphenyl-...*; F: 165°

Als Ausgangs-Bor-Verbindungen werden zur Herstellung von Carbonyl-Amino-diorgano-boranen auch (O–B)-Diorgano-(2,4-pentandionato)-borane verwendet, die mit Ammoniak unter Wasser-Abspaltung 2,3-Dihydro-1,3,2-oxoniaazaboratine liefern[3]:

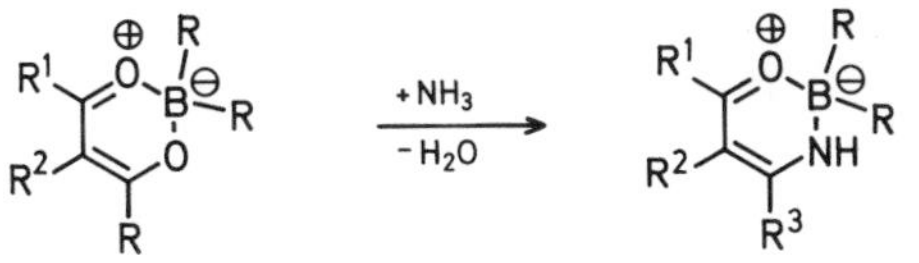

β) N-Lewisbase-Amino-diorgano-borane

Zur Verbindungsklasse gehören die in der Tab. 101 (S. 642) aufgeführten offenkettigen und cyclischen Additionsverbindungen der Amino-diorgano-borane mit N-Lewisbasen. Die Herstellung erfolgt aus Triorgano-, Diorgano-halogen-, Diorgano-oxy-, Diorgano-thio- bzw. Amino-diorgano-boranen sowie aus Lewisbase- und aus verschiedenen Organoboraten.

[1] V. A. DOROKHOV, O. G. BOLDYREVA u. B. M. MIKHAILOV, Izv. Akad. SSSR **1980**, 1876; engl.: 1350; C. A. **94**, 15787 (1981).
[2] H. NÖTH, W. REGNET, H. RIHL u. R. STANDFEST, B. **104**, 722 (1971).
[3] B. M. MIKHAILOV u. Y. N. BUBNOV, Izv. Akad. SSSR **1960**, 1883; engl.: 1757; C.A. **55**, 16416 (1961).

Tab. 101: Lewisbase-Amino-diorgano-borane

Formel	Verbindungstyp	Herstellung	s. S.
Offenkettige N-Lewisbase-Amino-diorgano-borane			
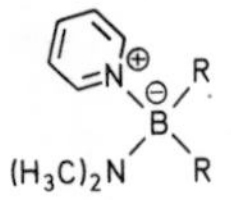 Pyridinium–$B^{\ominus}R_2$–$N(CH_3)_2$	$Do-BR_2-N\langle$	aus $R_2B-N\langle$ + $H_2N-C(=N-)$	647
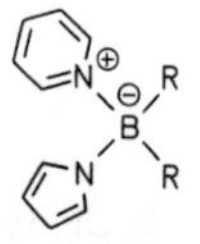 Pyridinium–$B^{\ominus}R_2$–Pyrrol-1-yl	$Do-BR_2-N\langle$	aus $R_2B-N\langle$ + Do	646
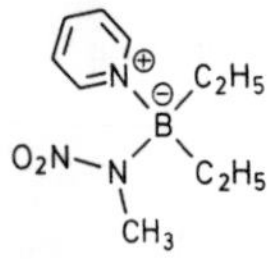 Pyridinium–$B^{\ominus}(C_2H_5)_2$–$N(CH_3)NO_2$	$Do-BR_2-N-N^0$	aus R_2B-Hal + $Ag-N(Do)-N^0$	644
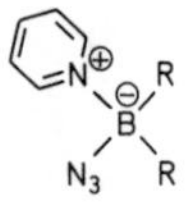 Pyridinium–$B^{\ominus}R_2$–N_3	$Do-BR_2-N-$	aus $Do-BR_2-Hal + MN_3$	644
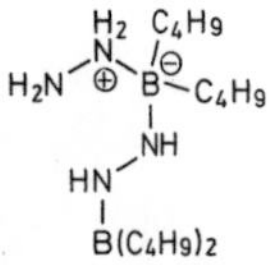 $H_2N-NH_2^{\oplus}-B^{\ominus}(C_4H_9)_2-NH-NH-B(C_4H_9)_2$	$Do-BR_2-N-N\langle$	aus $R_2B-N-N-BR_2$ + Do	647
Cyclische Imin-Amino-diorgano-borane			
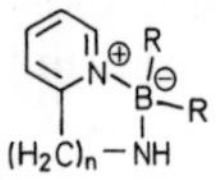 2-Pyridyl–$(H_2C)_n$–NH–$B^{\ominus}R_2$ (cyclisch), n = 1, 2	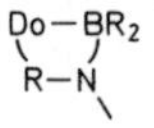 $Do-BR_2$, $R-N\langle$ (Ring)	aus $R_3B + Do-R-NH_2$	643
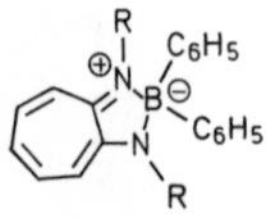 Cyclohepta-Ring mit $N^{\oplus}R$ und NR, $B^{\ominus}(C_6H_5)_2$	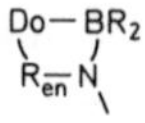 $Do-BR_2$, $R_{en}-N\langle$ (Ring)	aus $R_2^1B-OR^2 + Do-R-NH-$	645
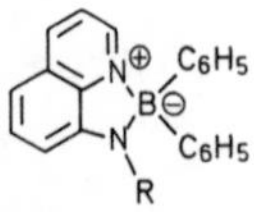 Chinolin-8-yl-NR–$B^{\ominus}(C_6H_5)_2$	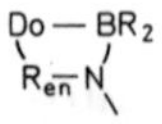 $Do-BR_2$, $R_{en}-N\langle$ (Ring)	aus $(R_2B)_2O + Do-R-NH-$	645
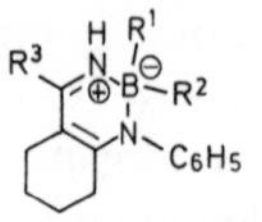 R^3, H, R^1, $B^{\ominus}$–R^2, $N-C_6H_5$ (Cyclohexeno-Ring)	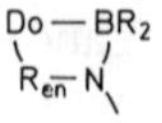 $Do-BR_2$, $R_{en}-N\langle$ (Ring)	aus $R_2^1B-SR^2$ + $\rangle C=N-R^3$ + R^3-CN	646
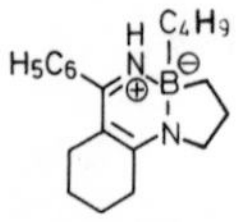 H_5C_6, H, C_4H_9, $B^{\ominus}$ (Pyrrolidino, Cyclohexeno-Ring)	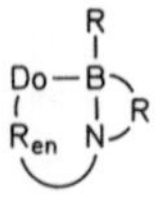 $Do-B(R)$, R_{en}, $N-R$ (Ring)	aus $R_2^1B-N\langle$ + R^2-CN	648
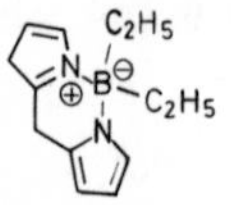 Pyrrolyl–CH_2–Pyrrolyl, $B^{\ominus}(C_2H_5)_2$	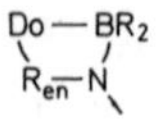 $Do-BR_2$, $R_{en}-N\langle$ (Ring)	aus $R_2B-N\langle$ + $\rangle C=O$	647

Tab. 101 (Fortsetzung)

Formel	Verbindungstyp	Herstellung	s. S.
Cyclische N,N-Donator-Amino-diorgano-borane			
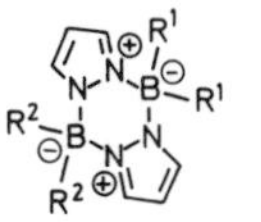 $R^1, R^2 = C_2H_5, C_6H_5$	$(Do{-}BR_2)_2$	aus $H_2B[N{-}N]_2^-$ + $R_2B{-}O{-}SO_2{-}$	649
		aus R_3B 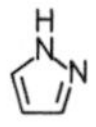 + Pyrazol	644
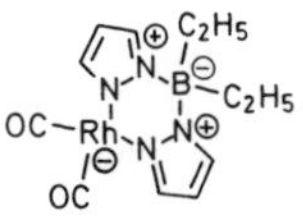	$Do{-}BR_2{-}N{-}N$	aus $\{R_2B[N{-}N]_2\}_2^{2-}$ + $LMHal_2$	649
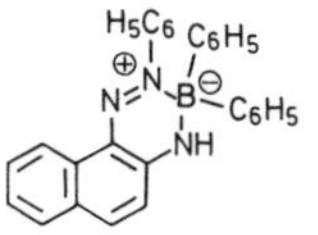	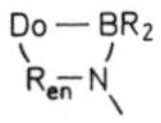 $Do{-}BR_2$, $R_{en}{-}N$	aus $(R_2B)_2O + Do{-}NH_2$	646
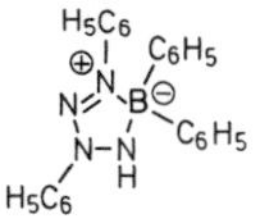	 $Do{-}BR_2$	aus $Do'{-}BR^1_2{-}OR^2$ + $Do{-}N{-}NH_2$	648
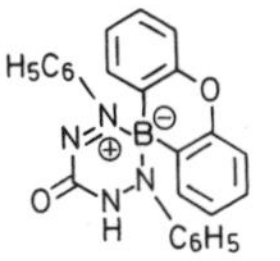	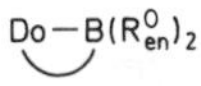 $Do{-}B(R^O_{en})_2$	aus $(R_2B)_2O$ + $Do{-}N{-}NH{-}$	645

β_1) *aus Triorganoboranen*

Trialkylborane reagieren mit 2-(ω-Aminoalkyl)pyridinen unter Bildung von 1:1 bis 2:1-Additionsverbindungen, aus denen sich beim Erhitzen Alkan abspaltet und cyclische Dialkyl-[ω-(2-pyridinyl)alkylamino]-borane mit koordinativer BN-Bindung erhalten werden[1,2]:

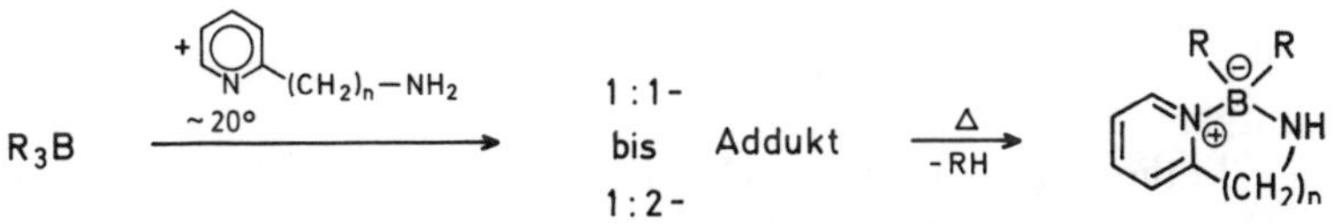

$$R_3B \xrightarrow[\sim 20^\circ]{+\ 2\text{-}Py{-}(CH_2)_n{-}NH_2} \text{1:1- bis 1:2-Addukt} \xrightarrow[-RH]{\Delta} \text{Py}^{\oplus}{-}B^{\ominus}R_2{-}NH{-}(CH_2)_n$$

n = 1,2

Beispielsweise erhält man aus Triethylboran ($R = C_2H_5$) mit ω-(2-Pyridyl)alkylaminen unter Ethan-Abspaltung beim Erwärmen bicyclische Pyridin-Amino-diethyl-borane in >90%iger Ausbeute[2]. Tripropylboran reagiert unter Bildung von bicyclischem Pyridin-Amino-dipropyl-boran (n = 1) bzw. Amino-dipropyl-boranen (n = 1,2) mit dreifach koordiniertem Bor-Atom (vgl. S. 11)[2].

[1] K. NIEDENZU, Imeboron IV, Juli 1979, Salt Lake City, Abstr. of Papers S. 80.
[2] K. NIEDENZU u. R. B. READ, Z. anorg. Ch. **473**, 139 (1981).

Triethyl-, Triisopropyl- oder Triphenyl-boran reagieren mit Pyrazol unter Abspaltung von Alkan bzw. Benzol zu Diorgano-pyrazolo-boranen. Die Verbindungen dimerisieren und liegen formal als Imin-Diorgano-hydrazino-borane vor; z.B.[1,2]:

$$2\ R_3B \xrightarrow[-2\ RH]{+2\ \text{Pyrazol}} \text{Dimer}$$

$R = C_2H_5,\ CH(CH_3)_2,\ C_6H_5$

2,2,8,8-Tetraalkyl-1,7-diaza-3,9-diazonia-2,8-diborata-tricyclo[7.3.0.0^{3,7}]dodeca-3,5,9,11-tetraen; allgemeine Arbeitsvorschrift: Äquimolare Mengen Pyrazol und Trialkylboran werden unter Rühren in siedendem Xylol erhitzt. 1 mol Kohlenwasserstoff pro mol Pyrazol wird abgespalten. Nach Abdestillieren des Lösungsmittels i.Vak. wird durch Umkristallisieren oder Sublimation gereinigt.

Aus Trimethylboran erhält man mit 3-Methylpyrazol im geschlossenen Gefäß bei 100°/24 Stdn. unter Methan-Abspaltung in ~90%iger Ausbeute ein Gemisch von zwei Isomeren im Verhältnis 4:3[3].

β_2) *aus Diorgano-halogen-boranen*

N-Donator-Amino-diorgano-borane sind auch aus Diorgano-halogen-boranen mit geeigneten metallorganischen Reagenzien zugänglich. Beispielsweise werden Imin-Azido-diorgano-borane aus Pyridin-Diorgano-halogen-boranen mit Alkalimetallazid hergestellt[4-6]. Auch *Diazido-phenyl-boran* läßt sich mit *Pyridin* stabilisieren[4].

Pyridin-Azido-diorgano-borane; allgemeine Arbeitsvorschrift[6]: 50–100 mol Halogen-diorgano-boran werden in Pyridin gelöst und ~120 mol (Überschuß) Natrium(oder Lithium)azid einsuspendiert. Man rührt 20 Stdn. bei 80°, filtriert, engt das Filtrat ein und kristallisiert den Rückstand aus Benzol/Cyclohexan um; Ausbeuten: 40–75% (F: s. Lit.[6]).

Aus Chlor-diethyl-boran ist mit dem Silbersalz des Methylnitramins in Ether bei −30° ein Isomeren-Gemisch von Boranen zugänglich, das mit Pyridin in das bis +20° beständige *Pyridin-Diethyl-methylnitramino-boran* (44%; F: 79–83°) überführt wird[7]:

$$(H_5C_2)_2B{-}Cl + H_3C{-}N(NO_2)Ag \xrightarrow[2.\ +\text{Pyridin}]{1.\ (H_5C_2)_2O\ (-AgCl)} C_5H_5\overset{\oplus}{N}{-}\overset{\ominus}{B}(C_2H_5)_2{-}N(NO_2)CH_3$$

β_3) *aus Diorgano-oxy-boranen*

Zur Herstellung von N-Donator-Amino-diorgano-boranen geht man von Diorgano-organooxy-, Diorgano-sulfonato-boranen oder von Tetraorganodiboroxanen aus.

Aus Diphenyl-ethoxy-boran lassen sich mit 1-Organoamino-7-organoimino-1,3,5-cycloheptatrienen in Toluol unter Abspaltung von Ethanol in 90%iger Ausbeute *1,3-Diorgano-2,2-diphenyl-2,3-dihydro-⟨cyclohept-1,3,2-azoniaazaboratole⟩* herstellen[8]:

---

[1] Brit.P. 1061120 (1965), Du Pont; C.A. **67**, 3332 (1967).
[2] S. TROFIMENKO, Accounts Chem. Res. **4**, 17 (1971).
[3] L.K. PETERSON u. K.I. THÉ, Canad. J. Chem. **57**, 2520 (1979).
[4] P.I. PAETZOLD, Z. anorg. Ch. **326**, 58 (1963).
[5] P.I. PAETZOLD u. H.-J. JANSEN, Z. anorg. Ch. **345**, 79 (1966).
[6] P.I. PAETZOLD, P.P. HABEREDER u. R. MÜLLBAUER, J. Organometal. Chem. **7**, 45 (1967).
[7] S.I. IOFFE, L.M. LEONT'EVA, A.L. BLYUMENF'ELD, O.P. SHITOV u. B.A. TARTAKOVSKII, Izv. Akad. SSSR **1974**, 1659; engl.: 1584; C.A. **81**, 91613 (1974).
[8] H.E. HOLMQUIST u. R.E. BENSON, Am. Soc. **84**, 4720 (1962).

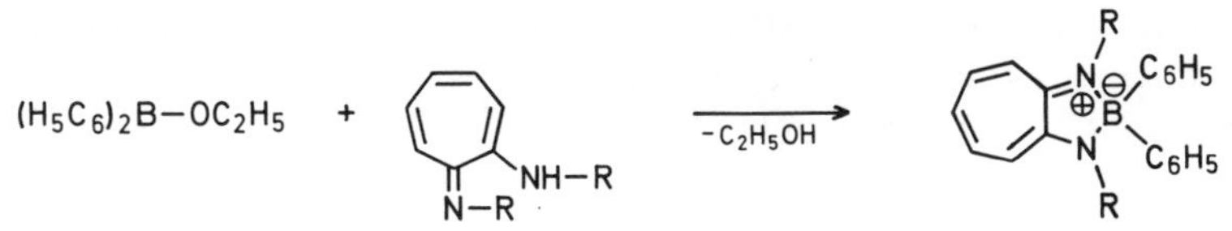

$$(H_5C_6)_2B-OC_2H_5 \; + \; \text{[cyclohepta-amidine: N-R, NH-R]} \xrightarrow{-C_2H_5OH}$$

...-2,2-diphenyl-2,3-dihydro-⟨cyclohept-1,3,2-azoniaazaboratol⟩

R = CH_3; *1,3-Dimethyl-...*; 90%
R = 4-OCH_3–C_6H_4; *1,3-Bis[4-methoxyphenyl]-...*; 93%; F: 181°

Wasser läßt sich aus Tetraphenyldiboroxan z.B. mit 8-Amino- bzw. 8-Ethoxycarbonylamino-chinolin in Ethanol/Tetrahydrofuran/1,4-Dioxan (3:1:1) abspalten[1]:

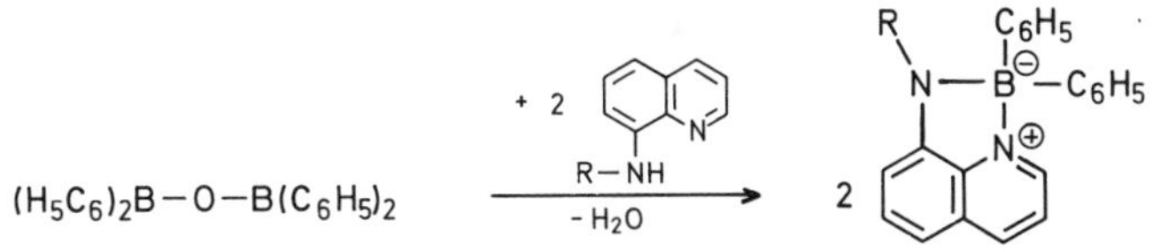

$$(H_5C_6)_2B-O-B(C_6H_5)_2 \xrightarrow[-H_2O]{+2 \text{ 8-(R-NH)-chinolin}} 2$$

...-1,2-dihydro-⟨chinolio[1,8a,8-c,d]-1,3,2-azaazoniaboratol⟩
R = H; *2,2-Diphenyl-...*; F: 215°
R = $COOC_2H_5$; *2,2-Diphenyl-1-ethoxycarbonyl-...*; F: 263–264°

Die 1:1-Additionsverbindungen von Azo-Verbindungen mit Diorgano-hydrazino-boranen und analogen Boranen stellt man aus Diorgano-oxy-boranen her. Zur Verbindungsklasse gehört z.B. das Chelat *1,3,5,5-Tetraphenyl-4,5-dihydro-3H-1,2,3,4,5-azoniatriazaboratol*[2] (vgl. S. 648)[2]:

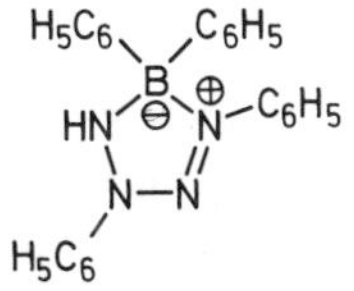

Mit Diphenylcarbazon erhält man aus Bis[10H-⟨dibenzo-1,4-oxaborin⟩-4-yl]oxid in Eisessig eine Chelat-Verbindung mit Azo-Donatorgruppierung[3,4]:

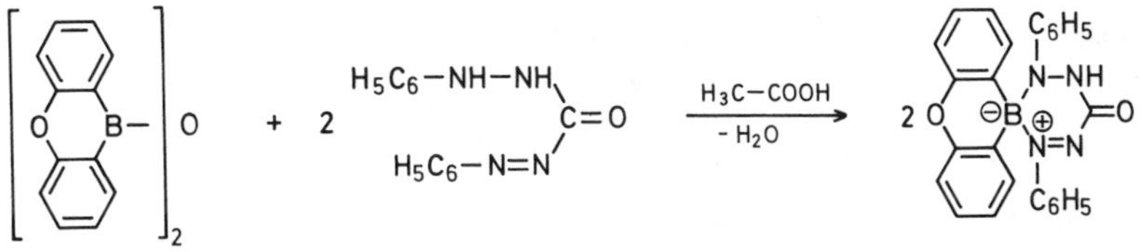

$$[\text{dibenzo-oxaborin-B}-]_2O \; + \; 2 \; H_5C_6-NH-NH-C(=O)-N=N-C_6H_5 \xrightarrow[-H_2O]{H_3C-COOH} 2$$

2,4-Diphenyl-6-oxo-3,4,5,6-tetrahydro-1,4,5,2,3-triazaazonia-boratin-⟨3-spiro-10⟩-10H-⟨dibenzo-1,4-oxaboratin⟩[3]; F: 215° (blau)

---

[1] E. Hohaus u. F. Umland, B. **102**, 4025 (1969).
[2] F. Umland u. F. Hohaus, Ang. Ch. **79**, 1072 (1967).
[3] H.J. Roth u. B. Miller, Ar. **297**, 524 (1964).
[4] vgl. R. Neu, Fres. **176**, 343 (1960); Reaktionen von Diaryl-hydroxy-boranen mit Diphenylcarbazon erstmals beschrieben (Farbreaktion).

Aus Tetraphenyldiboroxan läßt sich mit 2-Amino-1-phenylazo-naphthalin in Ethanol durch zweistündiges Erhitzen das *2,3,3-Triphenyl-3,4-dihydro-⟨naphtho[2,1-e]-1,4,2,3-diazaazoniaboratin⟩* (F: 198°) herstellen[1]:

$$(H_5C_6)_2B{-}O{-}B(C_6H_5)_2 \;+\; 2\;\text{(2-Amino-1-phenylazo-naphthalin)} \xrightarrow[-\,H_2O]{C_2H_5OH,\ 2\ \text{Stdn.}\ \Delta} 2\;\text{(Produkt)}$$

β_4) *aus Diorgano-thio-boranen*

Alkylthio-dipropyl- oder Alkylthio-dibutyl-borane liefern mit N-Cyclohexylidenanilin in Gegenwart von Aceto- bzw. Butyronitril bei 170–180° durch Aldol-Addition chelatartig stabilisierte Imin-Amino-diorgano-borane mit resonanzstabilisierten Sechsringen[2-4] (Ausbeuten: 30–60%):

$$(H_9C_4)_2B{-}SR \;+\; \text{(N-Cyclohexylidenanilin)} \;+\; R^1CN \xrightarrow[-\,HSR]{170-180°} \text{(Produkt)}$$

$R^1 = CH_3, C_3H_7$

3,3-Dibutyl-4-hydro-5-methyl(propyl)-2-phenyl-2-aza-4-azonia-3-borata-bicyclo[4.4.0]deca-1⁶,4-dien

β_5) *aus Amino-diorgano-boranen*

Verschiedenartige Imin-Amino-diorgano-borane sind aus Amino-diorgano-boranen zugänglich. Außer einfachen Additionen der Lewisbasen an Amino-diorgano-borane sind vor allem Additionen und Kondensationen zu cyclischen Imin-Amino-diorgano-boranen mit Ketonen und Nitrilen bekannt.

Amino-organo- sowie Amino-hydro-organo-borane bilden mit Stickstoffbasen stabile Molekülverbindungen. Die Verbindungen gewinnt man leicht und nahezu quantitativ aus den entsprechenden Komponenten.

Pyridin-Dimethyl-pyrrolo-boran[5]: Zu 4 g 80%igem Dimethyl-pyrrolo-boran (30 mmol) in 10 *ml* abs. Pentan tropft man innerhalb 1 Stde. unter schwachem Rückflußkochen eine Lösung von 2,85 g (36 mmol) Pyridin in 10 *ml* abs. Pentan. Es bilden sich zwei Phasen, aus denen sich das Pyridinat langsam abscheidet. Man filtriert ab, wäscht mit Pentan und trocknet i. Vak.; Ausbeute: 5 g (90%); F: 72°.

Auf analoge Weise erhält man z. B.:

Pyridin-Diethyl-pyrrolo-boran	93%; $Kp_{10^{-4}}$: 40–45°; F: 70–72°
(4-Methylpyridin)-Diethyl-pyrrolo-boran	91%; $Kp_{10^{-4}}$: 50–53°
Pyridin-Dipropyl-pyrrolo-boran	97%; $Kp_{10^{-4}}$: 45–47°; F: 67°

---

[1] E. Hohaus u. K. Wessendorf, Z. Naturf. **35b**, 319 (1980).

[2] B. M. Mikhailov, V. A. Dorokhov u. O. G. Boldyreva, Izv. Akad. SSSR **1978**, 2754; engl.: 2301; C.A. **90**, 87542 (1979).

[3] B. M. Mikhailov, V. A. Dorokhov u. O. G. Boldyreva, Izv. Akad. SSSR **1973**, 2643; engl.: 2587; C.A. **80**, 59840 (1974).

[4] V. A. Dorokhov u. B. M. Mikhailov, Doklady Akad. SSSR **187**, 1300 (1969); engl.: 666; C.A. **71**, 124551 (1969).

[5] H. Bellut u. R. Köster, A. **738**, 86 (1970).

Zur Reinigung der Dialkyl-pyrrolo-borane (vgl. S. 12, 80) werden z.B. deren Pyridinate ausgefällt

und das Pyridin anschließend mit Diethylether-Trifluorboran (vgl. S. 81) entfernt[1].

Aus Diphenyl-isocyanat-boran ist mit Pyridin die 1:1-Additionsverbindung (*Pyridin-Diphenyl-isocyanat-boran*; F: 172–175°) quantitativ zugänglich[2].

Aus Amino- sowie Imino-diorgano-boranen erhält man mit verschiedenen Stickstoffbasen stabile 1:1-Additionsverbindungen leicht und nahezu quantitativ. Die N-Base-Amino-diorgano-borane können zur Reinigung der Amino-diorgano-borane verwendet werden[1].

Aus Dialkylamino-diorgano-boranen sind mit 2-Aminopyridin und seinen Substitutionsprodukten stabilisierte Pyridin-Amino-diorgano-borane zugänglich[3,4]:

(2-Aminopyridin)-Dimethylamino-diphenyl-boran; F: 97–100°

Aus Dimethylamino-dipropyl-boran erhält man mit Pyrazol in 96%iger Ausbeute dimeres *(BN)-Dipropyl-pyrazolo-boran* (F: 109°)[5]. Aus 1,3-Dimethyl-2-pyrazolo-1,3,2-diazaborolan[5] bzw. -1,3,2-diazaborinan[6] sind mit Dimethylamino-dialkyl-boranen in >80%iger Ausbeute dimere (BN)-Dialkyl-pyrazolo-borane zugänglich[6].

Die einfache Vereinigung von Amino-diorgano-boranen mit Lewisbasen führt auch zu N-Donator-Diorgano-hydrazino-boranen.

Aus äquimolaren Mengen *1,2-Bis[dibutylboryl]hydrazin* und *Hydrazin* bildet sich beim mehrtägigen Stehen die 1:1-Verbindung *Hydrazin-1,2-Bis[dibutylboryl]hydrazin* (F: 39–40,5°)[7].

In Sonderfällen sind aus Diorgano-pyrrolo-boranen mit Ketonen Imin-Amin-diorgano-borane zugänglich[8]. Die Kondensation von Diethyl-pyrrolo-boran mit Dialkylketonen bei ~100° verläuft formal unter 2-Substitution am Pyrrol-Ring. Man erhält *2,2,8,8-Tetraethyl-1-aza-3-azonia-2-borata-tricyclo[7.3.0.0^{3,7}]dodeca-3^7,5,9,11-tetraen* (F: 157°; $R^1 = R^2 = C_2H_5$)[8]:

$R^1 = R^2 = CH_3, C_2H_5, C_3H_7$

---

[1] H. Bellut u. R. Köster, A. **738**, 86 (1970).
[2] M.F. Lappert u. H. Pyszora, Soc. A. **1968**, 1024.
[3] V.A. Dorokhov, L.I. Lavrinovich u. B.M. Mikhailov, Izv. Akad. SSSR **1976**, 1432; engl.: 1375; C.A. **85**, 143167a (1976).
[4] B.R. Gragg u. K. Niedenzu, J. Organometal. Chem. **117**, 1 (1976).
[5] F. Alam u. K. Niedenzu, J. Organometal. Chem. **240**, 107 (1982).
[6] F. Alam u. K. Niedenzu, J. Organometal. Chem. **243**, 19 (1983).
[7] B. Mikhailov u. Y.N. Bubnov, Izv. Akad. SSSR **1960**, 368; engl.: 340; C.A. **54**, 20934 (1960).
[8] H. Bellut, C.D. Miller u. R. Köster, Synth. React. Inorg. Metal-org. Chem. **1**, 83 (1971).

2,2,8,8-Tetraethyl-1-aza-3-azonia-2-borata-tricyclo[7.3.0.0^{3,7}]dodeca-3^7,5,9,11-tetraen ($R^1 = R^2 = C_2H_5$)[1]: 36,2 g (270 mmol) Diethyl-pyrrolo-boran und 13,3 g (150 mmol) 3-Pentanon werden 8 Stdn. zum Rückfluß erhitzt (Badtemp. 120°). Man läßt bei ~20° einige Stdn. stehen; Ausbeute: 8,9 g (36,5%); F: 157°.
Aus der Mutterlauge werden weitere 3,3 g (13,5%) gewonnen.

Zur Herstellung bestimmter Imin-Amino-diorgano-borane werden Amino-diorgano-borane mit verschiedenen Nitrilen umgesetzt.

(1-Alkenylamino)-dialkyl-borane reagieren mit Nitrilen unter Aldol-Addition zu chelatartig stabilisierten Sechsring-Verbindungen mit definierten Schmelzpunkten[2]:

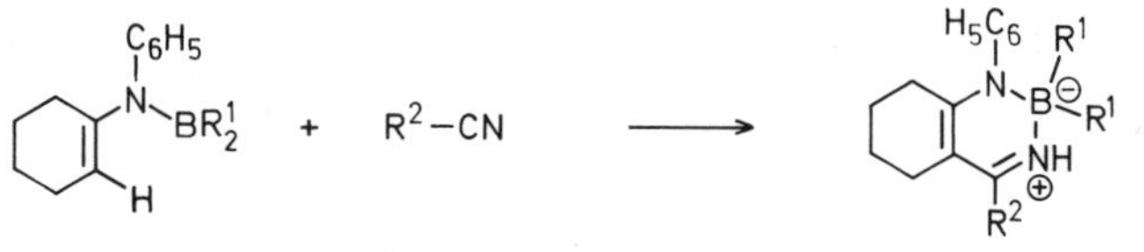

$R^1 = C_3H_7, C_4H_9$
$R^2 = CH_3, C_3H_7, C_6H_5$

Aus 2-Butyl-1-(1-cyclohexenyl)-1,2-azaborolidin erhält man mit Benzonitril *10-Butyl-9-hydro-8-phenyl-1-aza-9-azonia-10-borata-tricyclo[8.3.0.0^{2,7}]trideca-2^7,8-dien* (83%; Kp_2: 193–193,5°)[3]:

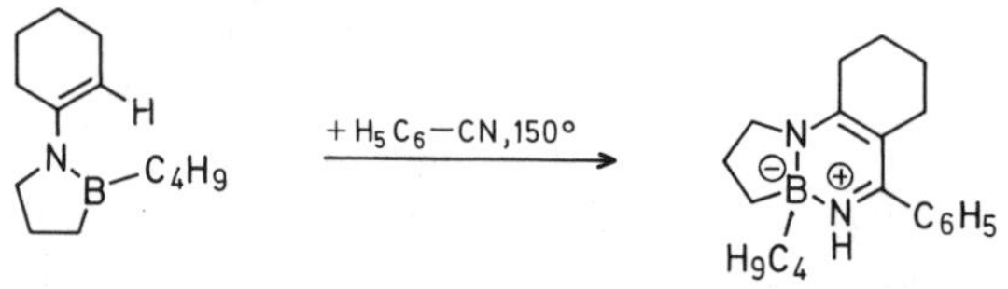

Aus (N-Cyclohexylanilino)-dibutyl-boran ist mit Phenylisothiocyanat (90–100°/6 Stdn.) in 60%iger Ausbeute *3,3-Dibutyl-2,4-diphenyl-5-thiono-2-azonia-4-aza-3-borata-bicyclo[4.4.0]dec-1-en* (F: 124–126°) zugänglich[4].

β$_6$) *aus Lewisbase-Organoboranen*

Auch Chelatbildner lassen sich mit Azo-Chelatbildnern aus Lewisbase-Organoboranen verdrängen. So läßt sich z.B. aus 2,2-Diphenyl-3-hydro-1,3,2-oxaazoniaboratolidin mit 2,4-Diphenyltetrazen unter Abspaltung von 2-Aminoethanol *2,4,5,5-Tetraphenyl-2,5-dihydro-1H-1,2,3,4,5-triazaazoniaboratol* (F: 130°, Zers.) gewinnen[5,6]:

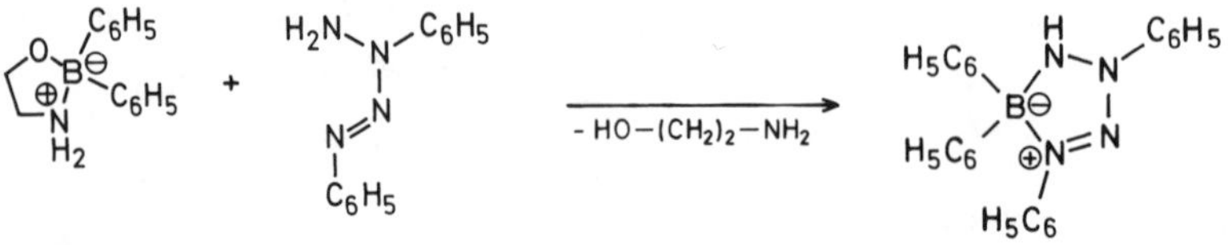

[1] H. Bellut, C.D. Miller u. R. Köster, Synth. React. Inorg. Met-org. Chem. **1**, 83 (1971).
[2] V.A. Dorokhov u. B.M. Mikhailov Doklady Akad. SSSR **187**, 1300 (1969); engl.: 666; C.A. **71**, 124551 (1969).
[3] V.A. Dorokhov, O.G. Boldyreva, V.S. Bogdanov u. B.M. Mikhailov, Ž. obšč. Chim. **42**, 1558; engl.: 1550; C.A. **77**, 126731 (1972).
[4] V.A. Dorokhov, O.G. Boldyreva u. B.M. Mikhailov, Izv. Akad. SSSR **1980**, 1876; engl.: 1350.
[5] F. Umland u. C. Schleyerbach, Ang. Ch. **77**, 169 (1965).
[6] F. Umland u. F. Hohaus, Ang. Ch. **79**, 1072 (1967).

β₇) aus Organoboraten

Dialkyl-dipyrazolo-borate eignen sich gut zur Herstellung von Mischdimeren mit Pyrazolo-Übergangsmetall-Verbindungen.

Aus dem Zink-Salz des Diethyl-dipyrazolo-borats erhält man mit Tetracarbonyldirhodiumdichlorid in Pentan unter Zinkchlorid-Abscheidung *8,8-Dicarbonyl-2,2-diethyl-1,7-diaza-3,9-diazonia-2-borata-8-rhodata-tricyclo*[$7.3.0.0^{3,7}$]*dodeca-3,5,9,11-tetraen* in 95%iger Ausbeute[1]:

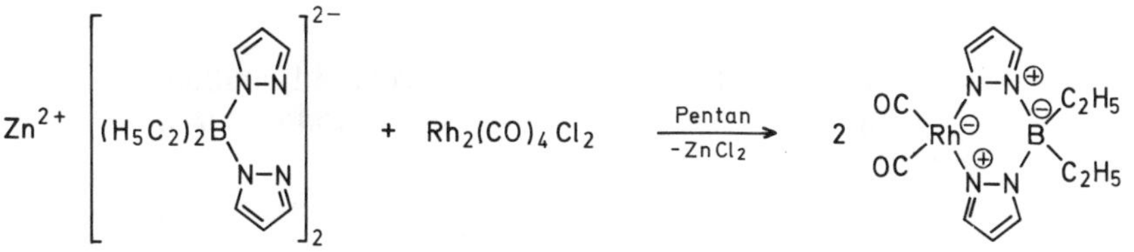

Die Mischdimeren sind stabile Verbindungen. Durch borferne Reaktionen können z.B. die Carbonyl-Liganden gegen Isocyanid-Liganden ausgetauscht werden[1].

Auch Alkalimetall-dihydro-dipyrazolo-borate sind Edukte zur Herstellung von N-Donator-Diorgano-pyrazolo-boranen.

Zur Herstellung der nicht unmittelbar aus Trialkylboran mit Pyrazol zugänglichen 2,2-Dialkyl-Derivate werden in situ erzeugte Dialkyl-methylsulfonato-borane verwendet. Mit Dibutyl-methylsulfonyloxy-boran, hergestellt aus Tributylboran mit Methansulfonsäure, erhält man aus Kalium-dihydro-dipyrazolo-borat das *2,2-Dibutyl-8-hydro-1,5-diaza-3,9-diazonia-2,8-diborata-tricyclo*[$7.3.0.0^{3,7}$]*dodeca-3,5,9,11-tetraen* ($Kp_{1,7}$: 142–144°) in 62%iger Ausbeute[2]:

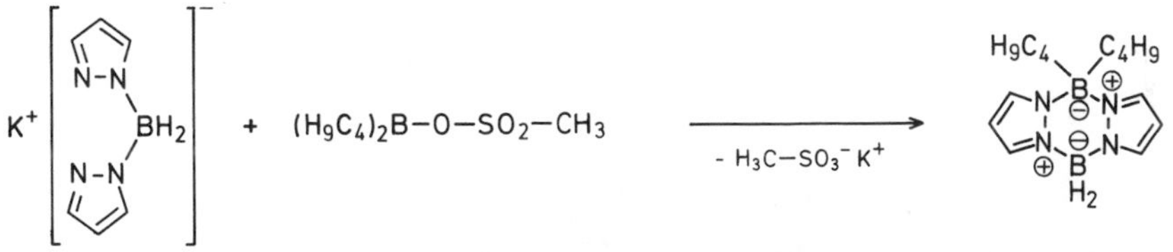

2. Lewisbase-Amidino-diorgano-borane

α) Carbonyl-Amidino-diorgano-borane

Die Additionsverbindungen werden aus Triorgano-, Diorgano-oxy- oder aus Diorgano-thio-boranen sowie Acylamino-diorgano-boranen hergestellt. Man erhält sechsgliedrige Ringe mit resonanzstabilisiertem 6π-Elektronensystem:

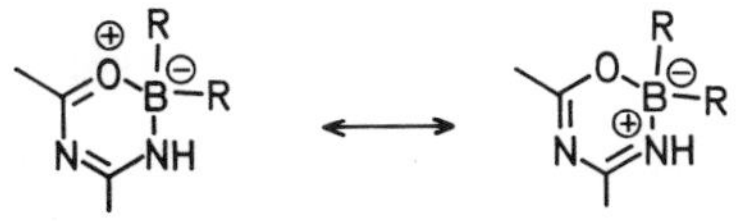

Die Verbindungen liegen bevorzugt in der Form der Imin-O-Amido-diorgano-borane vor (vgl. S. 581). Ihre Herstellungsmethoden werden trotzdem auch an dieser Stelle besprochen.

---

[1] H.C. Clark u. S. Goel, J. Organomet. Chem. **165**, 383 (1979).

[2] S. Trofimenko, Am. Soc. **91**, 2139 (1969).

α_1) *aus Triorganoboranen*

Aus Tripropylboran erhält man mit äquivalenten Mengen Benzamid und Benznitril in siedendem Tetrahydrofuran unter Propan-Abspaltung 6π-resonanzstabilisierte Heterocyclen[1]:

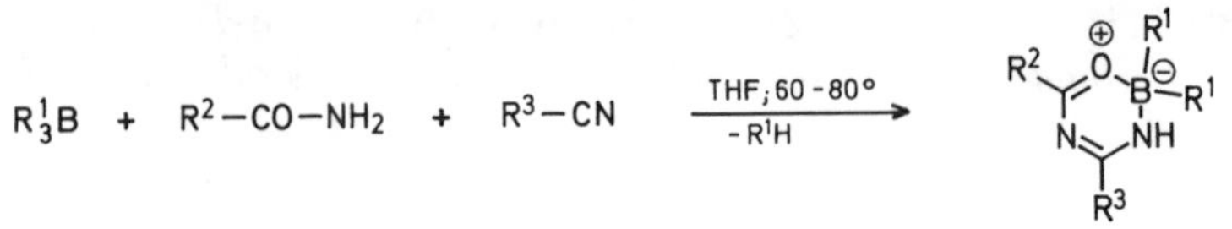

$$R^1_3B + R^2{-}CO{-}NH_2 + R^3{-}CN \xrightarrow[-R^1H]{THF;\ 60-80°}$$

Man kann auch das in situ aus Tributylboranen mit Acetamid anfallende Acetamino-dibutyl-boran mit Acetonitril durch Aldol-Addition ins *2,2-Dibutyl-4,6-dimethyl-2,3-dihydro-1,3,5,2-oxoniadiazaboratin* überführen[2]:

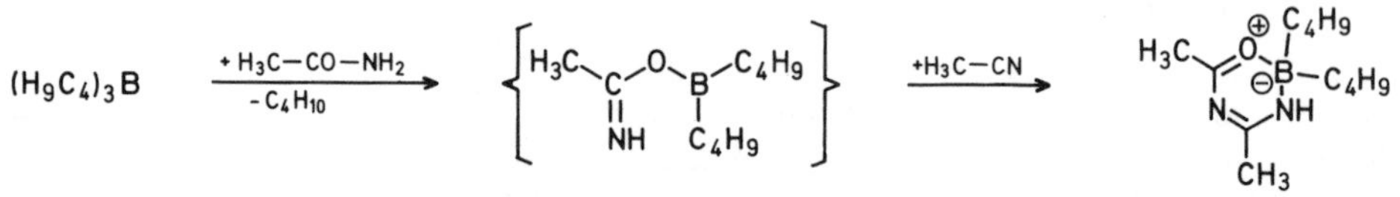

$$(H_9C_4)_3B \xrightarrow[-C_4H_{10}]{+H_3C{-}CO{-}NH_2} \left\{ H_3C{-}C({=}NH){-}O{-}B(C_4H_9)_2 \right\} \xrightarrow{+H_3C{-}CN}$$

Die Synthese ist auch auf andere Triorganoborane und Nitrile übertragbar[3].

Schließlich lassen sich Trialkylborane auch mit N-Acylamidinen in die gleichen Heterocyclen überführen. Aus Tripropylboran erhält man mit N-Benzoylbenzamidin *4,6-Diphenyl-2,2-dipropyl-2,3-dihydro-1,3,5,2-oxoniadiazaboratin* (83%)[3]:

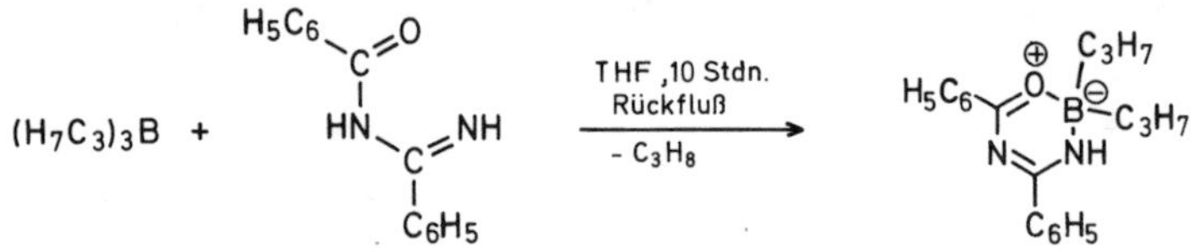

$$(H_7C_3)_3B + H_5C_6{-}C({=}O){-}HN{-}C({=}NH){-}C_6H_5 \xrightarrow[-C_3H_8]{THF,\ 10\ Stdn.\ Rückfluß}$$

α_2) *aus Diorgano-oxy-boranen*

Diphenyl-ethoxy-boran reagiert mit N-Benzoylbenzamidin unter Abspaltung von Ethanol zu 6π-resonanzstabilisierten Sechsringen[3] (vgl. S. 651); z.B.:

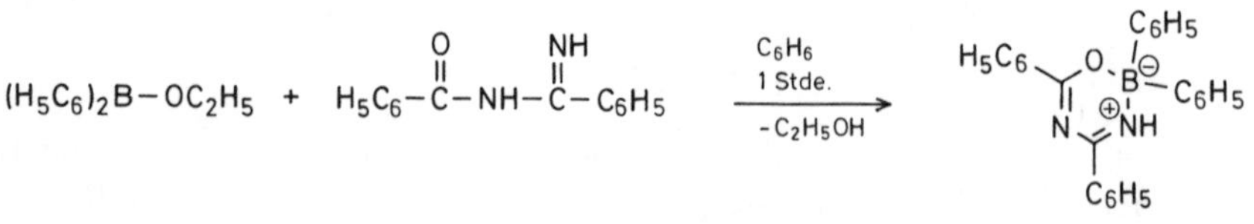

$$(H_5C_6)_2B{-}OC_2H_5 + H_5C_6{-}C({=}O){-}NH{-}C({=}NH){-}C_6H_5 \xrightarrow[-C_2H_5OH]{C_6H_6,\ 1\ Stde.}$$

3-Hydro-2,2,4,6-tetraphenyl-2H-1,5,3,2-oxaazaazonia-boratin

---

[1] B.M. Mikhailov u. V.A. Dorokhov, Izv. Akad. SSSR **1971**, 201; engl.: 190; C.A. **75**, 5433 (1971).

[2] V.A. Dorokhov, L.I. Lavrinovich, I.P. Yakovlev u. B.M. Mikhailov, Ž. obšč. Chim. **41**, 2501 (1971); C.A. **76**, 140935 (1972).

[3] V.A. Dorokhov, L.I. Lavrinovich, M.N. Bochkareva, V.S. Bogdanov u. B.M. Mikhailov, Ž. obšč. Chim. **43**, 1115 (1973); engl.: 1106; C.A. **79**, 66436 (1973).

α_3) *aus Diorgano-organothio-boranen*

Die verhältnismäßig leichte Spaltbarkeit der BS-Bindung mit z. B. Carbonsäureamiden wird zur Herstellung von Imin-Diorgano-organooxy-boranen mit resonanzstabilisierten sechsgliedrigen Ringverbindungen angewandt[1-5]:

$R^2_2B-SC_4H_9$ $\xrightarrow[-H_9C_4SH]{+H_2N-CO-R^1,\ 60-90°}$ $1/2\,[R^2_2B-NH-CO-R^1]_2$ ⟶ $\{R^2_2B-O-C(R^1)=NH\}$

$\{R^2_2B-O-C(R^1)=NH + N\equiv C-R^3\}$ $\xrightarrow{80-100°}$

Aus Dialkyl-organothio-boranen lassen sich mit Acetamid und nachfolgend Acetonitril ebenfalls die sechsgliedrigen ringförmigen Boran-Chelate gewinnen[3]:

$R^1_2B-SR^2$ $\xrightarrow{1.\ +H_3C-CO-NH_2\ (-R^2-SH);\ 2.\ +H_3C-CN}$

...-3-hydro-2H-1,5,3,2-oxaazaazoniaboratin

$R^1 = C_3H_7$; *4,6-Dimethyl-2,2-dipropyl-...*
$R^1 = C_4H_9$; *2,2-Dibutyl-4,6-dimethyl-...*

α_4) *aus Amino-diorgano-boranen*

Die resonanzstabilisierten Amidin-Diorgano-(1-iminoalkoxy)-borane sind auch aus Amido-diorgano-boranen mit Nitrilen zugänglich[2]:

$R^1_2B-NH-CO-R^2$ $\xrightarrow{R^3-CN}$ ⇌

[1] B. M. Mikhailov u. V. A. Dorokhov, Izv. Akad. SSSR **1970**, 1446; engl.: 1373; C.A. **74**, 53881 (1971).

[2] B. M. Mikhailov, V. A. Dorokhov, V. S. Bogdanov, I. P. Yakovlev u. A. D. Naumov, Doklady Akad. SSSR **194**, 595 (1970); engl.: 690; C.A. **74**, 36759 (1971).

[3] V. A. Dorokhov, L. I. Lavrinovich u. B. M. Mikhailov, Ž. obšč. Chim. **43**, 1115 (1973); engl.: 1106; C.A. **79**, 6643 (1973).

[4] B. M. Mikhailov u. V. A. Dorokhov, Izv. Akad. SSSR **1971**, 201; engl.: 190; C.A. **75**, 5433 (1971).

[5] V. A. Dorokhov, L. I. Lavrinovich, I. P. Yakovlev u. B. M. Mikhailov, Ž. obšč. Chim. **41**, 2501 (1971); C.A. **76**, 140935 (1972).

β) N-Lewisbase-Amidino-diorgano-borane

N-Lewisbase-Amidino-diorgano-borane mit der Atomgruppierung

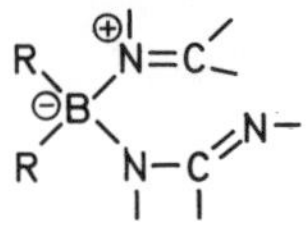

haben unterschiedliche Strukturen (vgl. Tab. 102,S. 654). Die beiden Stickstoff-Funktionen können voneinander getrennt sein, wozu z.B. sechsgliedrige 6π-resonanzstabilisierte Heterocyclen gehören:

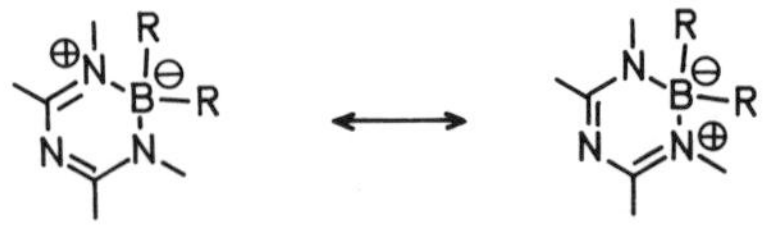

Imin- und Amidino-Funktionen über zwei gemeinsame Stickstoff-Atome sind in folgenden Heterocyclen enthalten:

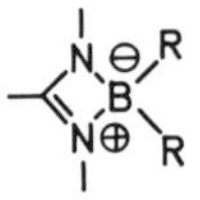

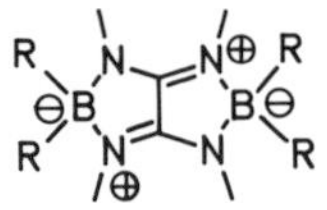

Imin-Amidino-diorgano-borane werden aus Triorgano-, Diorgano-oxy-, Diorgano-thio- sowie Amino-diorgano-boranen oder aus verschiedenen Lewisbase-Organoboranen hergestellt.

β_1) *aus Triorganoboranen*

Mit Amidinen erhält man aus Trialkylboranen unter Abspaltung von 1 Mol-Äquivalent Alkan intramolekular assoziierte Amidin-Amidino-diorgano-borane[1-3]:

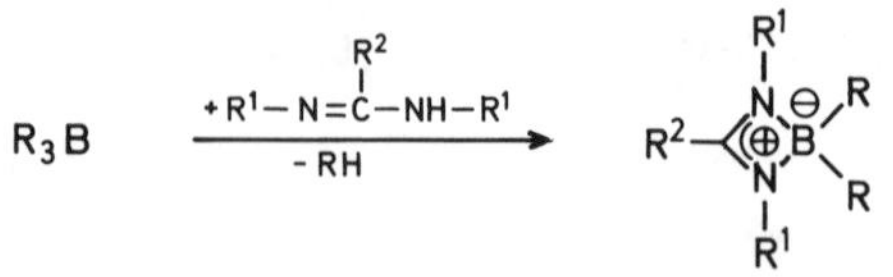

$$R_3B \xrightarrow[-RH]{+R^1-N=C(R^2)-NH-R^1}$$

$R = C_3H_7$, C_4H_9, CH_2–$CH;CH_3)_2$, $CH(CH_3)_2$
$R^1 = CH_3$, $CH(CH_3)_2$, C_6H_5, CH_2–C_6H_5, CH_2–$CH(CH_3)_2$
$R^2 = C_6H_5$

Aus Tripropylboran ist in siedendem Tetrahydrofuran mit N,N′-Diphenylacetamidin in ~70%iger Ausbeute *1,3-Diphenyl-2,2-dipropyl-4-methyl-2,3-dihydro-1,3,2-azaazonia-boratet* (F: 115–125°) zugänglich[3]:

---

[1] V.A. Dorokhov, L.I. Lavrinovich u. B.M. Mikhailov, Doklady Akad. SSSR **245**, 121 (1979); engl.: 99; C.A. **91**, 57081 (1979).

[2] B.M. Mikhailov, V.A. Dorokhov u. L.I. Lavrinovich, Izv. Akad. SSSR **1978**, 2578; engl.: 2304; C.A. **90**, 87543 (1979).

[3] V.A. Dorokhov, O.G. Boldyreva u. M.N. Bochkareva u. B.M. Mikhailov, Izv. Akad. SSSR **1979**, 174; engl.: 163; C.A. **94**, 15786 (1981).

$$(H_7C_3)_3B + H_3C-C(=N-C_6H_5)(-NH-C_6H_5) \xrightarrow[-C_3H_8]{THF;\ 2\ Stdn.\ 60-80°} H_3C-C(\oplus N(C_6H_5))(N(C_6H_5))B^{\ominus}(C_3H_7)_2$$

Zu den Amidin-Amidino-diorgano-boranen gehören auch die Diorganoboryl-Derivate der Oxalsäurebis[amidine]. Man erhält die bicyclischen Verbindungen aus Triorganoboranen mit sym.-tetrasubstituierten Oxamidinen in Ausbeuten von 65–90%[1,2]:

$$2\ R_3B + R^1-N=C(-NH-R^1)-C(=N-R^1)-NH-R^1 \xrightarrow{-2\ RH}$$

R = C_2H_5, C_6H_5
R^1 = CH_3, C_2H_5, C_3H_7, C_6H_5

2,4,6,8-Tetramethyl-3,3,7,7-tetraphenyl-4,8-diaza-2,6-diazonia-3,7-diborata-bicyclo[3.3.0]octa-1,5-dien (R = C_6H_5; R^1 = CH_3)[2]: Man erhitzt 29 g (0,12 mol) Triphenylboran und ~8,5 g (0,06 mol) Oxalsäure-bis[N,N'-dimethylamidin] in 250 *ml* 1,2-Dichlorbenzol, bis kein Benzol mehr abdestilliert. Nach dem Einengen i. Vak. wird aus Dimethylformamid umkristallisiert. Man erhält nach Eluieren mit Ether und dann mit Methanol zusätzliches Produkt aus dem Filtrat der ersten Fraktion; Gesamtausbeute: 10,4 g (44%); F: 281–282°.

Aus Trialkylboranen lassen sich mit Benzamidin und Benzonitril (äquimolare Mengen) beim Erhitzen auf 100–120° unter Alkan-Abspaltung (6–8 Stdn.) in Ausbeuten von 66–80% 2,2-Dialkyl-1,2,3-trihydro-1,5,3,2-diazaazoniaboratine gewinnen[3]; z.B.:

$$R^1_3B \xrightarrow[2.\ +R^2-CN]{1.\ +H_5C_6-C(=NH)NH_2\ \ [-R^1H]}$$

...-1,2,3-trihydro-1,5,3,2-diazaazoniaboratin

z.B.: R^1 = C_3H_7; R^2 = CH_3; *2,2-Dipropyl-4-methyl-6-phenyl-...*; 66%; F: 88–92°
R^2 = C_6H_5; *4,6-Diphenyl-2,2-dipropyl-...*; 78%; F: 89–93°
R^1 = $CH(CH_3)_2$; R^2 = C_6H_5; *2,2-Diisopropyl-4,6-diphenyl-...*; 80%; F: 117–121°

Aus Tributylboran ist mit Benzonitril und N-Methylbenzamidin in 84%iger Ausbeute *2,2-Dibutyl-4,6-diphenyl-3-methyl-1,2-dihydro-1,5,3,2-diazaazoniaboratin* (F: 52–54°)[4] erhältlich:

$$(H_9C_4)_3B + H_3C-NH-C(=NH)-C_6H_5 + H_5C_6-CN \xrightarrow{-C_4H_{10}}$$

[1] US.P. 3326957 (1967/1969), Du Pont, Erf.: S. TROFIMENKO; C.A. **67**, 90918 (1967).
[2] S. TROFIMENKO, Am. Soc. **89**, 7014 (1967).
[3] B.M. MIKHAILOV, V.A. DOROKHOV u. V.I. SEREDENKO, Doklady Akad. SSSR **199**, 1328 (1971); engl.: 712; C.A. **76**, 14623 (1972).
[4] B.M. MIKHAILOV, V.A. DOROKHOV u. V.I. SEREDENKO, Izv. Akad. SSSR **1978**, 1385; engl.: 1205; C.A. **89**, 197626 (1978).

Tab. 102: N-Lewisbase-Amidino-diorgano-borane

Formel	Verbindungstyp	Herstellung	s. S.
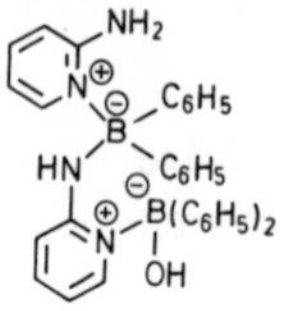	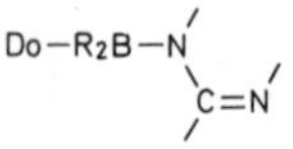 Do–R$_2$B–N< (C=N)	aus R$_2$B–N< (C=N) + H_2O	656
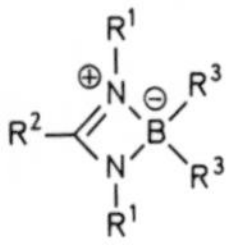	 Do–BR$_2$ (cyclisch)	aus R$_3$B + –NH–C(=N–)	653
		aus R$^1_2$B–SR^2 + –NH–C(=N–)	655
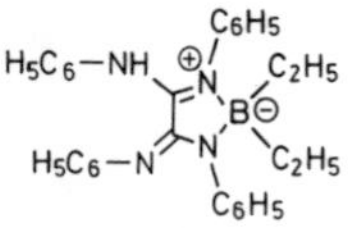	 Do–BR$_2$ (cyclisch)	aus R$_2$B–O–SO$_2$– + –NH–C(=N–)	655
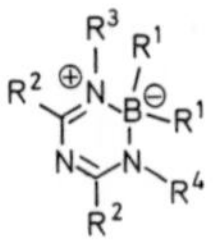	 Do–BR$_2$ (cyclisch)	aus $\overset{\oplus}{Do}'$–$\overset{\ominus}{B}$R$^1_3$ + R^2–CN	657
		aus $\overset{\oplus}{Do}$–$\overset{\ominus}{B}$R$^1_2$–O–C(=N–) + R^2–NH$_2$ /+ R^3–CN	657
$R^1 = C_2H_5$; $R^2 = C_6H_5$; $R^3 = R^4 = H$		aus R$^1_2$B–N< + R^2–CN	656
$R^1 = C_4H_9$; R^2 CH_3; $R^3 = R^4$ H		aus R$^1_2$B–N< + R^2–CN	656
$R^2 = C_6H_5$; $R^3 = CH_3$; $R^4 = H$		aus R$^1_3$B + –NH–C(=NH)– + R^2–CN	655
		+ H$_2$N–CO–/H$_2$N– + R^2–CN	655
		aus R$^1_2$B–SR^2 + H$_2$N–C(=NH) + R^2–CN	655
$R^4 = CH_3$		aus $\overset{\oplus}{Do}$–$\overset{\ominus}{B}$R$^1_2$–N–C(=N–) + R^2–Li/R^3–Hal (borfern)	658
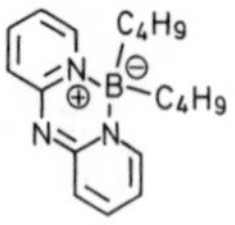	 Do–BR$_2$ (cyclisch)	aus R$^1_2$B–SR^2 + HN[2-Pyridyl]$_2$, Δ	655
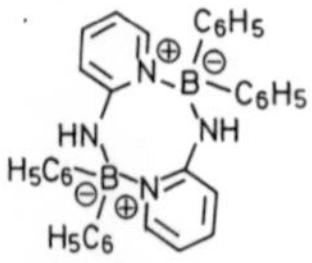	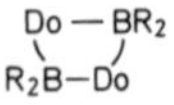 Do–BR$_2$ / R$_2$B–Do	aus $\overset{\oplus}{Do}$–$\overset{\ominus}{B}$R$_2$–N<, Δ	657
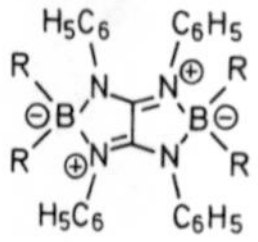	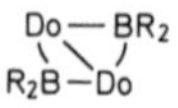 Do–BR$_2$ / R$_2$B–Do	aus R$_3$B + HN< (C=N<)	653
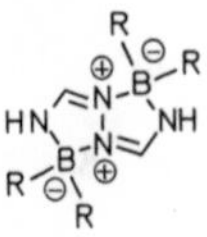	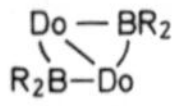 Do–BR$_2$ / R$_2$B–Do	aus [R$^1_2$B–N<]$_2$ + R^2–CN	657

Die gleichen Amidin-Amidino-diorgano-borane sind auch aus Triorganoboranen mit Benzamid und Nitril zugänglich, wenn man in Gegenwart von Ammoniak oder einem primären Amin ~5 Stdn. erhitzt[1]; z.B.:

$$(H_9C_4)_3B \xrightarrow[3.\ +H_5C_6-CN]{1.\ +H_5C_6-CO-NH_2/H_5C_6-CN(-C_4H_{10}) \quad 2.\ +H_7C_3-NH_2(-H_5C_6-CO-NH-C_3H_7)}$$

H, C_4H_9, H_5C_6, N, B⊖, C_4H_9, ⊕, N, NH, C_6H_5

2,2-Dibutyl-4,6-diphenyl-1,2,3-trihydro-1,5,3,2-diazaazoniaboratin

Diethyl-methylsulfonato-boran reagiert mit dem Natriumsalz des Oxalsäurebis [N,N'-diphenylamidins] unter Abspaltung von Natrium-methylsulfonat zu *4-Anilino-2,2-diethyl-1,3-diphenyl-5-phenylimino-2,5-dihydro-1H-1,3,2-azaazoniaboratol* (74%)[2]:

$$(H_5C_2)_2B-O-SO_2-CH_3 \ + \ Na^+ \left[\begin{matrix} H_5C_6 & C_6H_5 \\ HN & N \\ N & N \\ H_5C_6 & C_6H_5 \end{matrix}\right]^- \xrightarrow{-NaO-SO_2-CH_3}$$

C_6H_5, H_5C_6-N, N⊖, C_2H_5, B, C_2H_5, N⊕, HN, C_6H_5, C_6H_5

β_2) *aus Diorgano-thio-boranen*

Aus Diorgano-organothio-boranen lassen sich mit Carbonsäureamidinen durch Abspaltung von Organothiolen N,N'-Diorgano-N-diorganoboryl-amidine herstellen, die als monocyclische Verbindungen mit Amidin-Amidino-diorgano-boran-Struktur auftreten[3]:

$$R^1_2B-SR^2 \ + \ R^3-C(=N-R^4)-NH-R^4 \xrightarrow{-R^2SH}$$

R^4, N, R^1, R^3, B⊖, ⊕N, R^1, R^4

$R^1 = CH(CH_3)_2, C_4H_9$ $\quad R^3 = CH_3, C_6H_5$

$R^2 = C_4H_9$ $\quad R^4 = CH_3, C_3H_7, C_6H_5$

Mit Benzamidin erhält man aus Butylthio-dialkyl-boranen unter Abspaltung von Butanthiol ein Zwischenprodukt, aus dem mit Acetonitril *2,2-Dipropyl(Dibutyl)-6-methyl-4-phenyl-1,2,3-trihydro-1,5,3,2-diazaazoniaboratin* erhalten wird[4]:

$$R_2B-S-C_4H_9 \xrightarrow[2.\ +H_3C-CN]{1.\ +H_5C_6-C(=NH)-NH_2 \quad [-H_9C_4-SH]}$$

H, R, H_3C, N, B⊖, R, ⊕, N, NH, C_6H_5

$R = C_3H_7, C_4H_9$

[1] B.M. Mikhailov, V.A. Dorokhov u. L.I. Lavrinovich, Ž. obšč. Chim. **44**, 1888 (1974); engl.: 1855; C.A. **82**, 31368 (1975).

[2] S. Trofimenko, Am. Soc. **91**, 2139 (1969).

[3] V.A. Dorokhov, L.I. Lavrinovich u. B.M. Mikhailov, Doklady Akad. SSSR **245**, 121 (1979); engl.: 99; C.A. **91**, 57081 (1979).

[4] B.M. Mikhailov, V.A. Dorokhov u. V.I. Seredenko, Doklady Akad. SSSR **199**, 1328 (1971); engl.: 712; C.A. **76**, 14623 (1972).

β_3) aus Amino-diorgano-boranen

Amidin-Amidino-diorgano-borane erhält man aus Amino-diorgano-boranen mit Wasser oder mit Nitrilen.

Die partielle Hydrolyse von Diphenyl-(2-pyridylamino)-boran führt zum *(2-Aminopyridin)-Diphenyl-[(diphenyl-hydroxy-boran)-2-pyridylamino]-boran* (79%; F: 143–144°), das eine Amidin-Amidino-diphenyl-boran-Komponente enthält[1]:

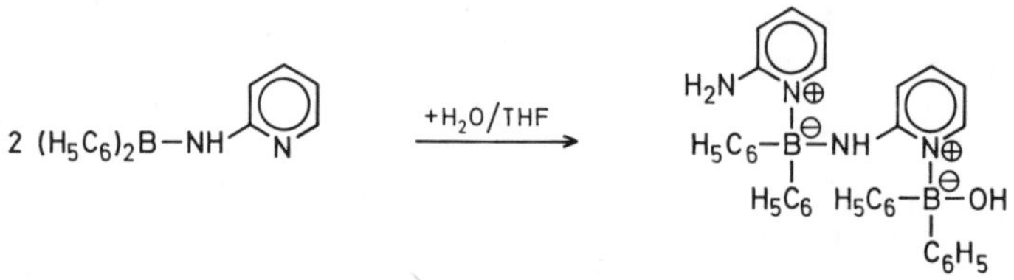

2 $(H_5C_6)_2B-NH$–(2-Pyridyl) $\xrightarrow{+H_2O/THF}$ (2-Aminopyridin)$N^{\oplus}-B^{\ominus}(C_6H_5)_2-NH$–(2-Pyridyl-$N^{\oplus}$)$-B^{\ominus}(C_6H_5)_2-OH$

Aus 1 mol Amino-diethyl-boran erhält man mit >2 mol Benzonitril im Autoklaven (160°, 40 Stdn.) in ~10%iger Ausbeute *2,2-Diethyl-4,6-diphenyl-1,2,3-trihydro-1,5,3,2-diazazoniaboratin*[2]:

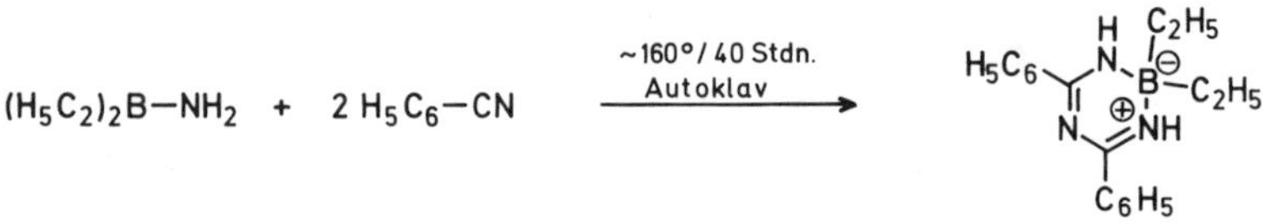

$$(H_5C_2)_2B-NH_2 \quad + \quad 2\ H_5C_6-CN \xrightarrow[\text{Autoklav}]{\sim 160°/40\ \text{Stdn.}}$$

Aus Amino-dibutyl-boran läßt sich mit Nitril im Druckgefäß bei ~160° (~4 Stdn.) unter langsamer Aminoborierung der C≡N-Bindung und nachfolgender rascher Hydroaminierung eines weiteren Nitrils Dibutylboryl-imidoylamidinat herstellen[3]; z.B.:

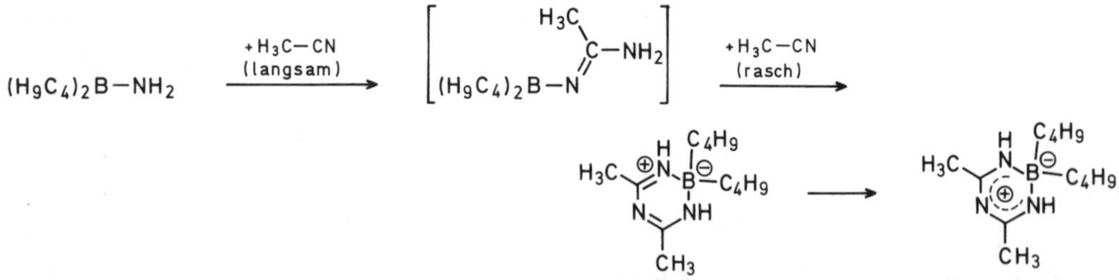

$$(H_9C_4)_2B-NH_2 \xrightarrow[\text{(langsam)}]{+H_3C-CN} \left[(H_9C_4)_2B-N{=}C(CH_3)-NH_2\right] \xrightarrow[\text{(rasch)}]{+H_3C-CN}$$

2,2-Dibutyl-4,6-dimethyl-1,2,3-trihydro-1,5,3,2-diazaazoniaboratin; F: 114–116° (aus Hexan)

Auch 1,2-Bis[diorganoboryl]hydrazine reagieren mit Nitrilen beim mehrstündigen Erhitzen durch doppelte Hydrazinoborierung unter Bildung bicyclischer Lewisbase-Amido-diorgano-borane[4]:

---

[1] B.R. Gragg u. K. Niedenzu, J. Organometal. Chem. **117**, 1 (1976).

[2] W. Fenzl, Mülheim a.d. Ruhr, unveröffentlicht 1970.

[3] V.A. Dorokhov, G.A. Stashina, V.M. Zhulin u. B.M. Mikhailov, Doklady Akad. SSSR **258**, 351 (1981); engl.: 202; C.A. **95**, 132992 (1981).

[4] T.-T. Wang u. K. Niedenzu, J. Organometal. Chem. **35**, 231 (1972).

$$(H_5C_6)_2B-NH-NH-B(C_6H_5)_2 \xrightarrow{+2\ R-CN}$$

...-3,7-diaza-1,5-diazonia-2,6-diborata-bicyclo[3.3.0]octa-1⁸,4-dien

R = CH_3; *4,8-Dimethyl-2,2,6,6-tetraphenyl-...*; 75%; F: 310° (Zers.)

R = C_6H_5; *2,2,4,6,6,8-Hexaphenyl-...*; F: 295° (Zers.)

β_4) *aus Lewisbase-Organoboranen*

Die Reaktion der sechsgliedrigen, 6π-resonanzstabilisierten Amidin-O-Acylamino-diorgano-borane mit Ammoniak oder mit prim. aliphatischen Aminen liefert in Gegenwart von Nitrilen unter Carbonsäureamid-Abspaltung die sechsgliedrigen 6π-resonanzstabilisierten Amidin-Amidino-diorgano-borane[1]:

$$\xrightarrow[-R^3-CO-NH-R^4]{+R^4-NH_2/+R^5-CN}$$

...-1,2,3-trihydro-1,5,3,2-diazazoniaboratin

z.B.: $R^1 = C_3H_7$; $R^2 = R^5 = H$; *2,2-Dipropyl-...*

$R^1 = C_4H_9$; $R^2 = R^5 = C_3H_7$; *2,2-Dibutyl-4,6-dipropyl-...*

Aus Ammoniak-Triorganoboranen lassen sich mit Nitrilen unter Druck (~10000 kg/cm²) bei 160–190° (2–5 Stdn.) in bis zu ~80%iger Ausbeute Dialkylboryl-acetamidoylacetamidate herstellen[2]:

$$H_3\overset{\oplus}{N}-\overset{\ominus}{B}R^1_3 + 2\ R^2-CN \xrightarrow[-R^1H]{\sim 160°,\ 4-5\ Stdn.\ /\ Druck}$$

...-1,2,3-trihydro-1,5,3,2-diazazoniaboratin

$R^1 = R^2 = C_3H_7$; *2,2,4,6-Tetrapropyl-...*; ~80%; F: 91–94° (aus Hexan)

$R^1 = C_3H_7$; $R^2 = C_6H_5$; *4,6-Diphenyl-2,2-dipropyl-...*; 56%

$R^1 = C_4H_9$; $R^2 = CH_3$; *2,2-Dibutyl-4,6-dimethyl-...*; 65%; F: 114–116° (aus Hexan)

Auch aus Lewisbase-Amino-diorgano-boranen sind Amidin-Amidino-diorgano-borane zugänglich. Beispielsweise erhält man aus 2-Aminopyridin-Dimethylamino-diphenyl-boran (F: 97–100°) in Hexan unter Abspaltung von Dimethylamin in quantitativer Ausbeute das dimere *Diphenyl-2-pyridylamino-boran* (99%; F: 154–156°)[3]:

$$2\ \ldots -\overset{\ominus}{B}(C_6H_5)_2-N(CH_3)_2 \xrightarrow[-2\ (H_3C)_2NH]{\text{Hexan, 48 Stdn. Rückfluß}}$$

[1] B.M. Mikhailov, V.A. Dorokhov u. L.I. Lavrinovich, Ž. obšč. Chim. **44**, 1888 (1974); engl.: 1855; C.A. **82**, 31368 (1975).

[2] V.A. Dorokhov, G.A. Stashina, V.M. Zhulin u. B.M. Mikhailov, Doklady Akad. SSSR **258**, 351 (1981); engl.: 202; C.A. **95**, 132992 (1981).

[3] B.R. Cragg u. K. Niedenzu, J. Organometal. Chem. **117**, 1 (1976).

Die 6π-resonanzstabilisierten Amidin-Amidino-diorgano-borane lassen sich auch durch borferne Reaktionen in andere Amidin-Amidino-diorgano-borane überführen. Beispielsweise gelingt mit Methyllithium in Diethylether die zweifache N-Lithiierung zum N-Dilithio-Derivat, aus dem mit Jodmethan das *2,2-Dibutyl-1,3-dimethyl-4,6-diphenyl-1,2-dihydro-1,5,3,2-diazaazoniaboratin* (54%; F: 83–86°, aus Hexan) gewonnen wird[1]:

1. + 2 $H_3C{-}Li$ / $(H_5C_2)_2O$ (−2 CH_4)
2. + 2 $H_3C{-}J$ / $(H_5C_2)_2O$ (−2 LiJ)

3. Lewisbase-Diorgano-ureido (guanidino)-borane

Bei den Verbindungen handelt es sich um N-Lewisbase-Diorgano-ureido- bzw. -guanidino)-borane, die als sechsgliedrige Heterocyclen aus verschiedenen Organoboranen mit Harnstoff-Derivaten oder aus Amino-diorgano-boranen mit Isocyanaten bzw. Carbodiimiden zugänglich sind.

α) aus Triorganoboranen

Tributylboran läßt sich mit N-Aryl-N′-(2-pyridyl)-harnstoffen in Toluol am Rückfluß unter Butan-Abspaltung in ein I:II-Isomeren-Gemisch (~2:3) überführen, aus dem beim anschließenden 1–3stdgm. Erhitzen auf ~150° nahezu einheitlich das 2-Pyridin-Dibutyl-ureido-boran II erhalten wird[2,3]:

$(H_9C_4)_3B$ + R–NH–CO–NH–(2-Pyridyl) → (Toluol, −C_4H_{10}) → I + II; I → II (>140°)

4,4-Dibutyl-2-hydroxy-. . .-3,4-dihydro-⟨pyridio[1,2-c]-1,5,3,2-diazaazoniaboratin⟩
R = C_6H_5; . . .*-3-phenyl-*. . .
R = 2-CH_3–C_6H_4; . . . .*-3-(2-methylphenyl)-*. . .

---

[1] B.M. Mikhailov, V.A. Dorokhov u. V.I. Seredenko, Izv. Akad. SSSR **1978**, 1385; engl.: 1205; C.A. **89**, 197626 (1978).

[2] V.A. Dorokhov, L.I. Lavrinovich, M.N. Bochkareva, B.M. Zolotarev u. B.M. Mikhailov, Izv. Akad. SSSR **1978**, 253; C.A. **88**, 170216 (1978).

[3] V.A. Dorokhov, L.I. Lavrinovich, M.N. Bochkareva, B.M. Zolotarev, V.A. Petukhov u. B.M. Mikhailov, Izv. Akad. SSSR **1979**, 1340; engl.: 1253; C.A. **92**, 42020 (1980).

β) aus Diorgano-thio-boranen

Die Reaktion der Butylthio-diorgano-borane mit N-Aryl-N'-(2-pyridyl)-harnstoffen liefert nach 6–8stdgm. Erhitzen in siedendem Tetrahydrofuran unter Butylthiol-Abspaltung ein Isomerengemisch[1]:

$R^1_2B-SR^2$ + $R^3-NH-CO-NH-$(2-pyridyl) →(THF, 6-8 Stdn. Δ; $-R^2-SH$) I + II (I ⇌ II, ≈180°)

$R^1 = C_6H_5, C_4H_9$
$R^2 = C_4H_9$
$R^3 = C_6H_5$, 2-CH_3–C_6H_4

Das Isomere II läßt sich entweder durch Filtration des THF-Reaktionsgemisches abtrennen oder nach Einengen und Aufnehmen des Rückstands in Hexan als schwerer lösliche Verbindung gewinnen. Zur Isomerisierung von I→II muß einige Stdn. auf >150°, möglichst auf 180–190° erhitzt werden[1].

6,6-Dibutyl-12-dehydro-⟨bis[pyridio][1,2- c;2',1'-f]-1,3,5,2-diazaazoniaboratin⟩[2] erhält man aus Butylthio-dibutyl-boran mit Di-2-pyridylamin beim Erhitzen auf ~100° (81%; Kp_1: 151–155°)[3,4]:

$(H_9C_4)_2B-SC_4H_9$ + $HN[$2-pyridyl$]_2$ →(Δ; $-H_9C_4-SH$)

γ) aus Amino- und Amidino-diorgano-boranen

Verschiedene R_2BN-Verbindungen eignen sich zur Herstellung von Lewisbase-Diorgano-ureido(guanidino)-boranen. Aus Amino-diorgano-boranen sind mit Kohlensäure-Derivaten und Formamid cyclisch stabilisierte Imino-Diorgano-thioureido-borane zugänglich[5]:

$3(H_9C_4)_2B-NH_2$ + 2-Amino-thiazol + $HC(O)-NH_2$ →($(H_3C)_2N-CHO$, 140-160°; $-3NH_3$, $-[(H_9C_4)_2B]_2O$)

[1] V. A. Dorokhov, L. I. Lavrinovich, M. N. Bochkareva, B. M. Zolotarev, V. A. Petukhov u. B. M. Mikhailov, Izv. Akad. SSSR **1979**, 1340; engl.: 1253; C. A. **92**, 42020 (1980).
[2] V. A. Dorokhov, L. I. Lavrinovich, A. S. Shashkov u. B. M. Mikhailov, Izv. Akad. SSSR **1981**, 1371; engl.: 1097; C. A. **96**, 20145 (1982).
[3] V. A. Dorokhov, L. I. Lavrinovich u. B. M. Mikhailov, Izv. Akad. SSSR **1977**, 1921; engl.: 1785; C. A. **87**, 201625 (1977).
[4] N. A. Lagutkin, N. I. Mitin, M. M. Zubairov, V. A. Dorokhov u. B. M. Mikhailov, Khim.-Farm. Zh. **16**, 695 (1982); C. A. **97**, 120K158 (1982).
[5] V. A. Dorokhov, B. M. Zolotarev u. B. M. Mikhailov, Izv. Akad. SSSR **1981**, 869; engl.: 649; C. A. **95**, 97874 (1981).

5,5-Dibutyl-6-hydro-5H-⟨1,3-thiazolo[3,2-c]-1,3,5,2-azoniadiazaboratin⟩[1]: Ein Gemisch von 4,8 g (48 mmol) 2-Amino-1,3-thiazol, 20,3 g (144 mmol) Amino-dibutyl-boran und 4 *ml* Formamid erhitzt man mit 5 *ml* Dimethylformamid 2,5 Stdn. auf 140–160°. Die beim Destillieren i. Vak. anfallende z. T. kristallisierende Fraktion (Kp_1: 140–160°) wird mit Hexan gewaschen; Ausbeute: 6,7 g (55%); F: 64–66° (aus Hexan).

Verschiedenartige Amidino-diorgano-borane, die durch Assoziation tetrakoordinierte Bor-Atome aufweisen,

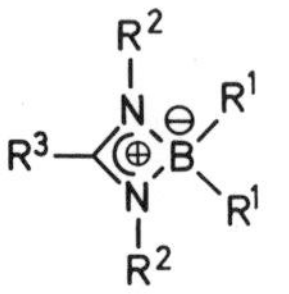

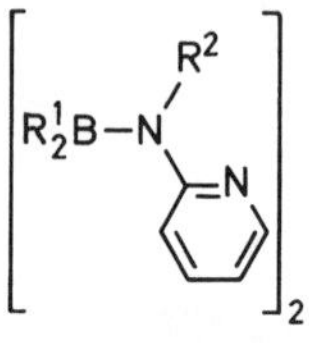

reagieren mit Organoisocyanaten durch Amidinoborierung zu sechsgliedrigen, 6π-resonanzstabilisierten Imin-Amidino-diorgano-boranen.

Aus 1,3-Dimethyl-2,2-dipropyl-4-phenyl-1,3,2-azaazoniaborateten erhält man mit Methylisocyanat beim Erwärmen auf >80° in Benzol oder Toluol das cyclische Imin-Dipropyl-ureido-boran[2]:

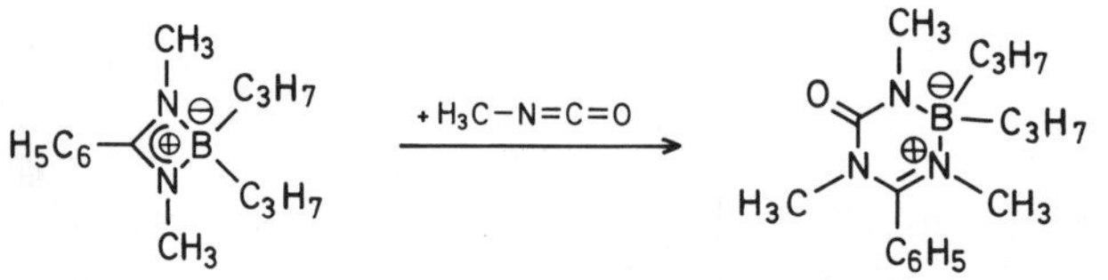

$$\xrightarrow{+H_3C-N=C=O}$$

2,2-Dipropyl-6-oxo-4-phenyl-1,3,5-trimethyl-1,2,5,6-tetrahydro-1,5,3,2-diazaazoniaboratin

Die 1,2-Additionen von 2-Diorganoborylamino-pyridinen an Organo-isocyanate bzw. -isothiocyanate liefern bei ~80° entsprechend chelatartig stabilisierte Sechsringe[3–6]:

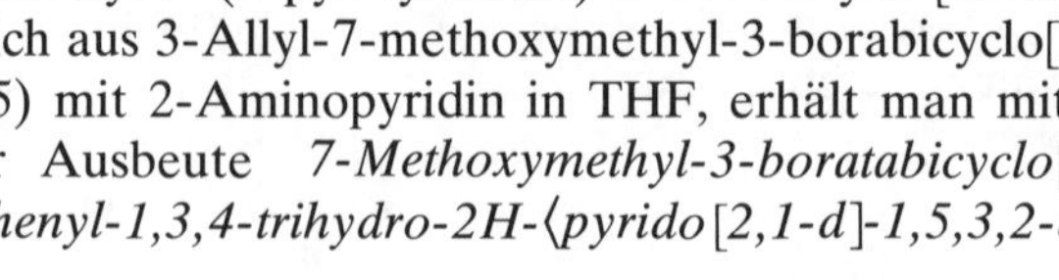

$$R^1_2B-NH-\text{(2-Pyridyl)} \xrightarrow[60-85\ \%]{+R^2-N=C=O}$$

$R^1 = C_2H_5$[3], C_3H_7[3–5], C_4H_9[3–5], C_6H_5[3]
$R^2 = CH_3$[4,5], C_6H_5[3–6]

Aus 7-Methoxymethyl-3-(2-pyridylamino)-3-borabicyclo[3.3.1]non-6-en ($Kp_{0,5}$: 168–170°), zugänglich aus 3-Allyl-7-methoxymethyl-3-borabicyclo[3.3.1]non-6-en (vgl. Bd. XIII/3a, S. 275) mit 2-Aminopyridin in THF, erhält man mit Phenylisocyanat in Hexan in 80%iger Ausbeute *7-Methoxymethyl-3-boratabicyclo[3.3.1]non-6-en-⟨3-spiro-2⟩-4-oxo-3-phenyl-1,3,4-trihydro-2H-⟨pyrido[2,1-d]-1,5,3,2-diazaazoniaboratin⟩* (F: 118–119°)[7]:

---

[1] V. A. Dorokhov, B. M. Zolotarev u. B. M. Mikhailov, Izv. Akad. SSSR **1981**, 869; engl.: 649; C. A. **95**, 97874 (1981).

[2] B. M. Mikhailov, V. A. Dorokhov u. L. I. Lavrinovich, Izv. Akad. SSSR **1978**, 2578; engl.: 2304; C.A. **90**, 87543 (1979).

[3] R. Handshoe, K. Niedenzu u. D. W. Palmer, Synth. React. Inorg. Metal-org. Chem. **7**, 89 (1977); C. A. **87**, 85071 (1977).

[4] USSR.P. 600966 (1976/1979), B. M. Mikhailov, V. A. Dorokhov, L. I. Lavrinovich, N. I. Mitin, N. A. Lagutkin, M. M. Zubairov u. F. A. Badaev; C. A. **91**, 140729 (1979).

[5] V. A. Dorokhov, L. I. Lavrinovich u. B. M. Mikhailov, Izv. Akad. SSSR **1979**, 1085; engl.: 1014; C. A. **91**, 108032 (1979).

[6] V. A. Dorokhov, L. I. Lavrinovich, M. N. Bochkareva, B. M. Zolotarev, V. A. Petukhov u. B. M. Mikhailov, Izv. Akad. SSSR **1979**, 1340; engl.: 1253; C.A. **92**, 42020 (1980).

[7] B. M. Mikhailov u. M. E. Kuimova, Izv. Akad. SSSR **1980**, 1881; engl.: 1355; C. A. **94**, 65741 (1981).

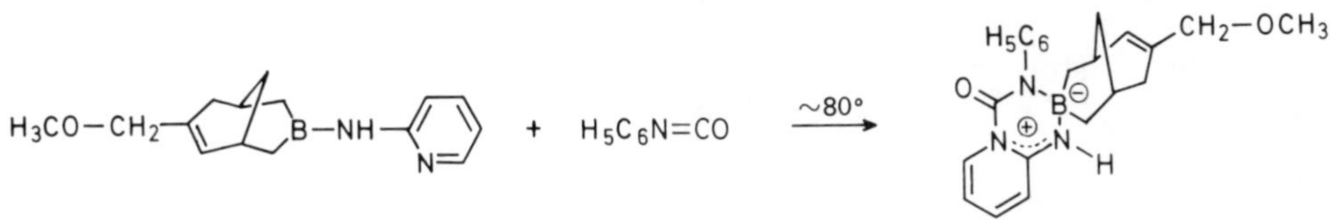

Aus 1-Adamantyl-methyl-2-pyridylamino-boran erhält man mit Phenylisocyanat das *2-(1-Adamantyl)-2-methyl-4-oxo-3-phenyl-1,3,4-trihydro-2H-⟨pyrido[2,1-d]-1,5,3,2-diazaazoniaboratin⟩*[1]:

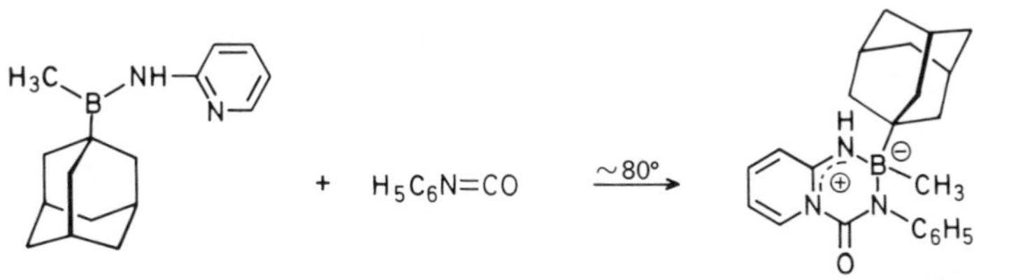

Aus (Bis[2-pyridyl]amino)-dibutyl-boran ist mit Phenylisocyanat in 88⁰/₀iger Ausbeute *2,2-Dibutyl-4-oxo-3-phenyl-1-(2-pyridyl)-3,4-dihydro-2H-⟨pyrido[2,1-d]-1,5,3,2-diazaazoniaboratin⟩* zugänglich[2]:

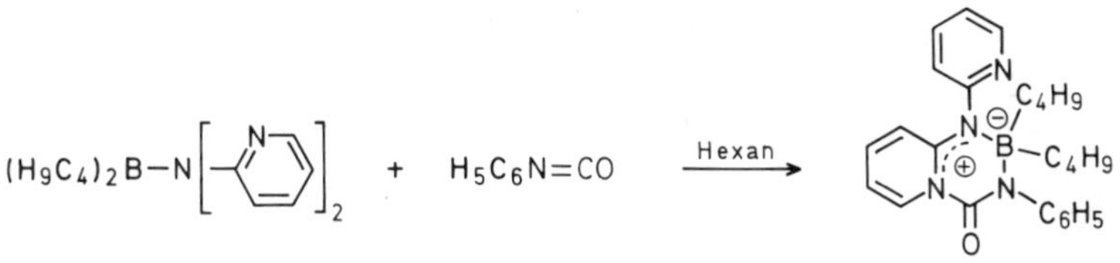

2,2-Dibutyl-4-oxo-3-phenyl-1-(2-pyridyl)-3,4-dihydro-2H-⟨pyrido[2,1-d]-1,5,3,2-diazaazoniaboratin[2]: Zu 5,1 g (17 mmol) (Bis[2-pyridyl]amino)-dibutyl-boran in 10 *ml* Hexan gibt man 2 *ml* Phenylisocyanat. Von den ausgefallenen Kristallen wird abfiltriert, mit Hexan gewaschen und i. Vak. getrocknet; Ausbeute: 6,3 g (88⁰/₀); F: 99–101°.

Die aus Triorganoboranen oder Diorgano-organothio-boranen mit Carbonsäure-N,N′-diorgano-amidinen leicht zugänglichen Amidino-diorgano-borane (vgl. S. 90, 93) aminoborieren Carbodiimide und liefern cyclische Imin-Diorgano-guanidino-borane[3–5].

Aus Dialkyl-(N-isopropylbenzamidino)-boranen in situ erhält man mit Dicyclohexylcarbodiimid sechsgliedrige 6π-resonanzstabilisierte Heterocyclen[3–5]:

[1] T. A. Shchegoleva, E. M. Shashkova u. B. M. Mikhailov, Izv. Akad. SSSR **1981**, 1098; engl.: 858; C. A. **95**, 169245 (1981).
[2] V. A. Dorokhov, L. I. Lavrinovich, A. S. Shaskhov u. B. M. Mikhailov, Izv. Akad. SSSR **1981**, 1371; engl.: 1097; C.A. **96**, 20145 (1982).
[3] V. A. Dorokhov, L. I. Lavrinovich u. B. M. Mikhailov, Doklady Akad. SSSR **245**, 121 (1979); engl.: 99; C.A. **91**, 57081 (1979).
[4] V. A. Dorokhov, I. P. Yakolev u. B. M. Mikhailov, Izv. Akad. SSSR **1980**, 663; engl.: 485; C.A. **93**, 71837 (1980).
[5] V. A. Dorokhov, L. I. Lavrinovich u. B. M. Mikhailov, Izv. Akad. SSSR **1980**, 659; engl.: 481; C.A. **93**, 71836 (1980).

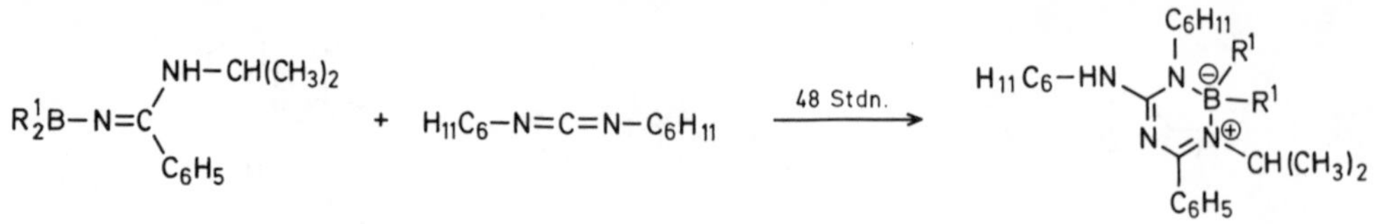

1-Cyclohexyl-6-cyclohexylamino-...-3-isopropyl-4-phenyl-1,2-dihydro-1,5,3,2-diazazoniaboratin
$R^1 = C_3H_7$; ...*-2,2-dipropyl-...*; 26%; F: 79–81°
$R^1 = C_4H_9$; ...*-2,2-dibutyl-...*; 67%; F: 114–117°

Aus 2-Dialkylborylamino-pyridinen[1] und -pyrimidinen[2] sowie aus 2-Diorganoborylamino-1,3-thiazolen[3] werden mit Dicyclohexylcarbodiimid ebenfalls entsprechende Heterocyclen erhalten.

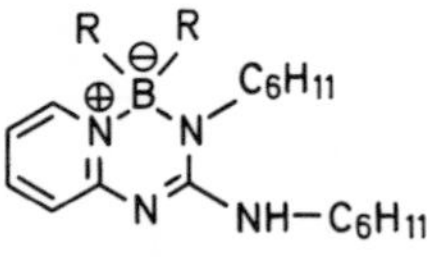

74–97%
R = $CH(CH_3)_2$, C_4H_9

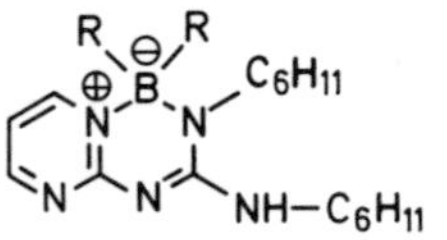

63–88%
R = C_2H_5, C_3H_7, C_4H_9, C_6H_5

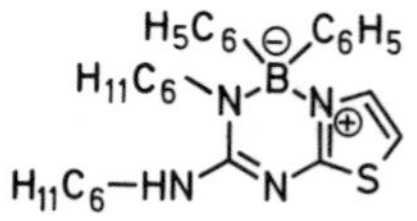

6-Cyclohexyl-7-cyclohexylamino-5,5-diphenyl-5,6-dihydro-⟨1,3-thiazolio-[3,2-c]-1,5,3,2-diazazoniaboratin⟩; 83%; F: 159–161°

δ) aus Lewisbase-Organoboranen

Ausgehend von 2,2-Diphenyl-1,3,2-oxazoniaboratolan läßt sich mit 8-Ethoxycarbonylamino-chinolin unter Abspaltung von 2-Aminoethanol das *2,2-Diphenyl-1-ethoxycarbonyl-1,2-dihydro-⟨chinolio[1,8a,8-c,d]-1,3,2-azazoniaboratolo[3,4,5-d,e,f]chinolinium⟩* herstellen[4]:

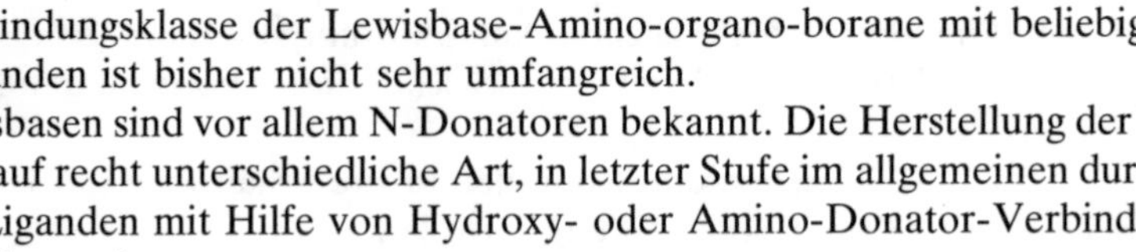

$-H_2N-CH_2-CH_2-OH$

4. Lewisbase-Amino-hydro(halogen, oxy, thio)-organo-borane

Die Verbindungsklasse der Lewisbase-Amino-organo-borane mit beliebigen anderen dritten Liganden ist bisher nicht sehr umfangreich.

Als Lewisbasen sind vor allem N-Donatoren bekannt. Die Herstellung der Verbindungen erfolgt auf recht unterschiedliche Art, in letzter Stufe im allgemeinen durch Substitution eines Liganden mit Hilfe von Hydroxy- oder Amino-Donator-Verbindungen.

Hergestellt werden so

Lewisbase-Amino-hydro-organo-borane
Lewisbase-Amino-halogen-organo-borane
Lewisbase-Amino-organo-organooxy-borane
Lewisbase-Acyloxy-amino-organo-borane
Lewisbase-Amino-organo-thio-borane

[1] V. A. Dorokhov, L. I. Lavrinovich u. B. M. Mikhailov, Doklady Akad. SSSR **245**, 121 (1979); engl.: 99; C.A. **91**, 57081 (1979).
[2] V. A. Dorokhov, I. P. Yakolev u. B. M. Mikhailov, Izv. Akad. SSSR **1980**, 663; engl.: 485; C.A. **93**, 71837 (1980).
[3] V. A. Dorokhov, B. M. Zolotarev u. B. M. Mikhailov, Izv. Akad. SSSR **1981**, 869; engl.: 649; C. A. **95**, 97874 (1981).
[4] E. Hohaus u. F. Marland, B. **102**, 4025 (1969).

α) Lewisbase-Amino-hydro-organo-borane

Molekülverbindungen der Amino-hydro-organo-borane mit Stickstoffbasen erhält man durch Hydrogenolyse von Amino-halogen-organo-boranen mit Lithiumtetrahydridoaluminat in Gegenwart einer Stickstoffbase[1]:

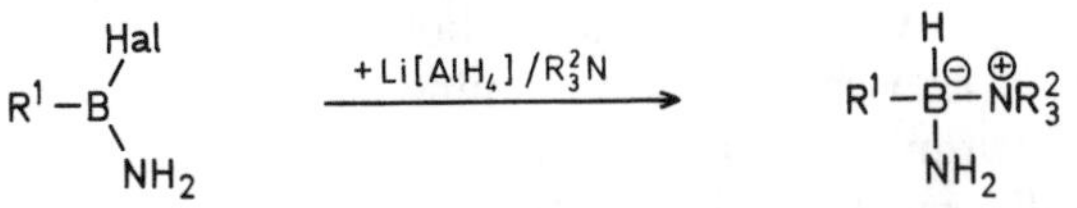

$$R^1-B(Hal)(NH_2) \xrightarrow{+Li[AlH_4]\,/\,R^2_3N} R^1-\overset{H}{\underset{NH_2}{B^{\ominus}}}-\overset{\oplus}{N}R^2_3$$

Aus dem Tris-1,4-dioxanat des Natrium-cyan-dipyrrolo-hydro-borats erhält man mit Amin-Hydrochloriden in THF bei ~20° Amin-Cyan-hydro-pyrrolo-borane in Ausbeuten bis zu ~80%[2]. 4-Cyanpyridin läßt sich aus der 1:1-Additionsverbindung mit anderen Pyridinbasen verdrängen[2].

β) Lewisbase-Amino-halogen-organo-borane

Bekannt sind ein cyclisches O-Nitrobenzol-Amino-chlor-phenyl-boran[3,4] sowie ein offenkettiges *Pyridin-Chlor-isocyanat-phenyl-boran* (F: 120–122°)[5].

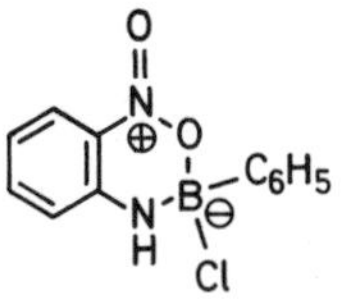

3-Chlor-3-phenyl-3,4-dihydro-1H-⟨benzo-1,3,6,2-oxazaazonia-boratin⟩-1-oxid

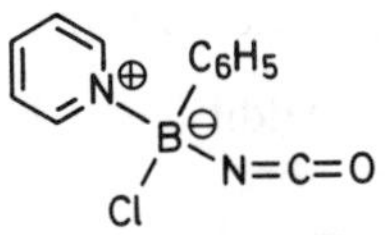

Die Additionsverbindungen gewinnt man aus Dichlor-phenyl-boran mit 2-Nitroanilin[3,4] bzw. aus Bis[isocyanat]-phenyl-boran mit Dichlor-phenyl-boran und anschließend mit Pyridin (99%)[5].

Aus der Verbindung I bildet sich mit Tribromboran-^{10}B in Dichlormethan unter Substituenten-Austausch am Bor-Atom die Verbindung II[6]:

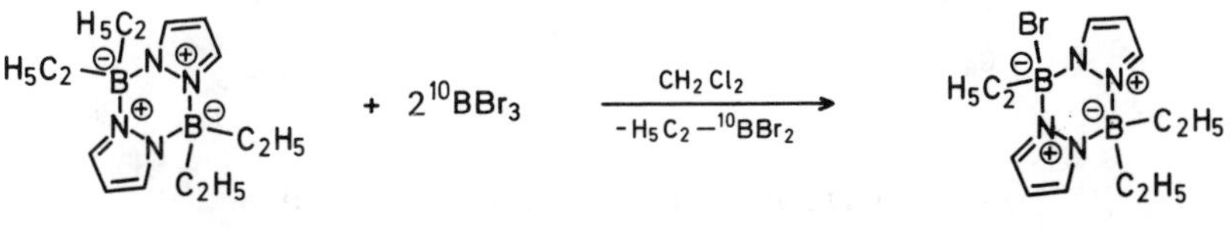

$$\text{I} + 2\,{}^{10}BBr_3 \xrightarrow[-H_5C_2-{}^{10}BBr_2]{CH_2Cl_2} \text{II}$$

I

II; *5-Brom-5,10,10-triethyl-4H,10H-⟨bis[pyrazolio][1,2-a;1′,2′-d]-1,4,2,5,3,6-diazadiazoniadiboratin⟩*, 63%; F: 202–205°

---

[1] G.E. Ryschkewitsch u. J.W. Wiggins, Inorg. Synth. **12**, 116 (1970).
[2] B. Györi u. J. Emri, J. Organometal. Chem. **238**, 159 (1982).
[3] J.C. Lockhart, Chem. & Ind. **1961**, 2006.
[4] J.C. Lockhart, Soc. A **1966**, 809.
[5] M.F. Lappert u. H. Pyszora, Soc. A **1968**, 1024.
[6] K. Niedenzu u. H. Nöth, B. **116**, 1132 (1983).

γ) Lewisbase-Amino-organo-oxy-borane

γ_1) *Lewisbase-Amino-organo-organooxy-borane*

Die Herstellung erfolgt im allgemeinen aus Dihalogen-organo-boranen, aus Dioxy-organo-boranen oder aus Lewisbase-Organoboranen.

Die partielle Aminolyse von Aryl-dialkoxy-boranen verläuft mit geeigneten Chelatbildnern und liefert N-Lewisbase-Alkoxy-amino-aryl-borane. Aus Diethoxy-(subst.-phenyl)-boran lassen sich mit 1-Amino-7-imino-cycloheptatrienen mit >90%iger Ausbeute chelatartig stabilisierte 1,2-Dihydro-⟨cyclohept-1,3,2-azaazoniaboratole⟩ herstellen; z.B.[1]:

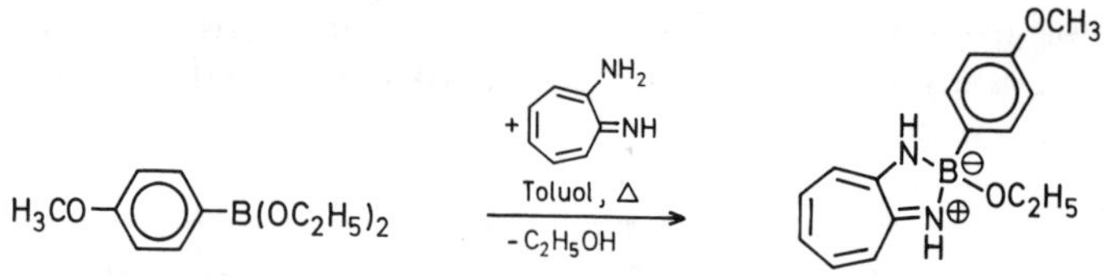

2-Ethoxy-2-(4-methoxyphenyl)-1,2,3-trihydro-⟨cyclohept-1,3,2-azaazonia-boratole⟩; 93%; F: 181°

γ_2) *Lewisbase-Acyloxy-amidino-organo-borane*

Zur Klasse der 1:1-Additionsverbindungen von dreifach gemischt substituierten Boranen mit Lewisbasen gehören auch die 6π-resonanzstabilisierten Imin-Acyloxy-alkyl-amidino-borane, die aus Imin-Amidino-dibutyl-boran (vgl. Tab. 102, S. 654) mit Carbonsäuren zugänglich sind.

4,6-Dimethyl-2,2-dipropyl-1,3,2-oxaoxoniaboratin reagiert mit Eisessig oder 2,2-Dimethylpropansäure bei 120–140° unter Spaltung einer BC-Bindung[2]. Aus dem sechsgliedrigen resonanzstabilisierten 2,2-Dibutyl-4,6-diphenyl-1,2,3-trihydro-1,5,3,2-diazaazoniaboratin läßt sich bei 120–130° mit Eisessig unter Abspaltung von 1 mol Butan das entsprechende *2-Acetoxy-2-butyl-4,6-diphenyl-1,2,3-trihydro-1,5,3,2-diazaazoniaboratin* des gleichen Ringsystems herstellen[2].

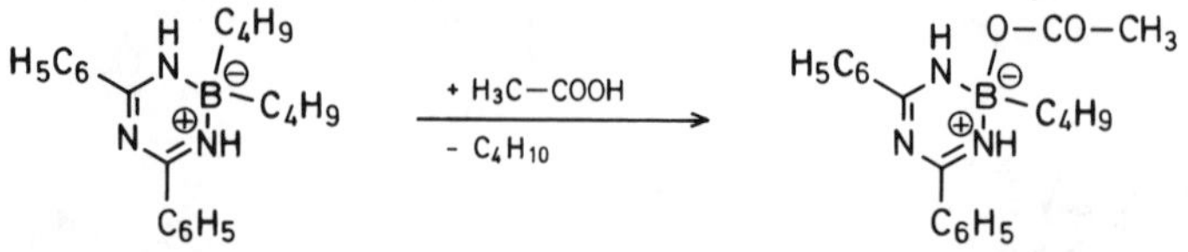

γ_3) *Azobenzol-Acyloxy-amino-organo-borane*

Aus Dihydroxy-phenyl-boran läßt sich bei 2stdgm. Erhitzen mit 2-(2-Amino-1-naphthylazo)benzoesäure in Pentanol Wasser abspalten. Man erhält in 65%iger Ausbeute das Chelat (F: 321°)[3]:

---

[1] H.E. Holmquist u. R.E. Benson, Am. Soc. **84**, 4720 (1962).

[2] B.M. Mikhailov, V.A. Dorokhov u. V.I. Seredenko, Ž. obšč. Chim. **43**, 862 (1973); engl.: 862; C.A. **79**, 66440 (1973).

[3] E. Hohaus u. K. Wessendorf, Z. Naturf. **35b**, 319 (1980).

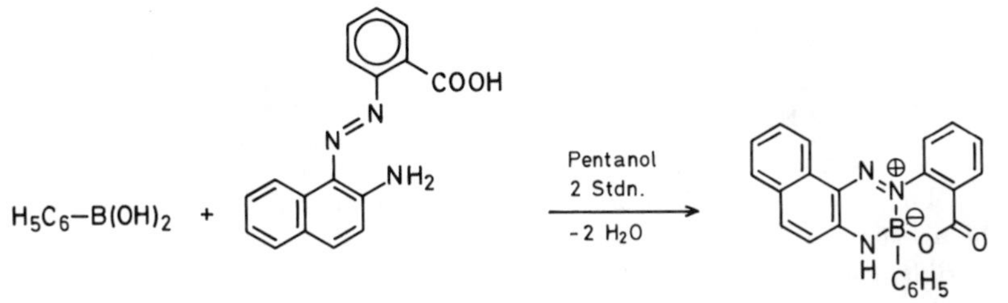

$H_5C_6-B(OH)_2$ + [2-(2-Amino-naphthyl-1-azo)-benzoesäure] $\xrightarrow[-2\ H_2O]{\text{Pentanol, 2 Stdn.}}$

12-Oxo-10-phenyl-⟨benzo[i]-naphtho[1,2-c]-7-oxa-2,5-di-aza-1-azonia-6-borata-bicyclo[4.4.0]deca-1,3,9-trien⟩; 65%

δ) Lewisbase-Amino-organo-thio-borane

Bekannt sind z.B. S-Base-Amino-organo-thio-borane, die komplexfrei als Amino-di-thiocarbamino-organo-borane aufzufassen sind. Man erhält die Verbindungen aus Diamino-organo-boranen durch Aminoborierung von Schwefelkohlenstoff. Beispielsweise reagieren Bis[diethylamino]- sowie Bis[ethylamino]-organo-borane aus sterischen Gründen nur mit einem mol Schwefelkohlenstoff[1]:

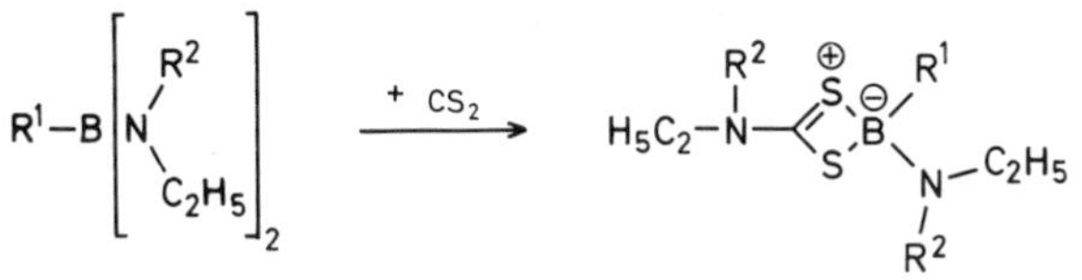

$$R^1-B\left[N(R^2)C_2H_5\right]_2 \xrightarrow{+\ CS_2}$$

2,4-Bis[ethylamino]-2H-1,3,2-thiathioniaboratetene

4. Lewisbase-Diamino-organo-borane

Bei den Diamino-organo-boranen ist die Elektronenlücke am Bor-Atom infolge π-Rückkoordination weitgehend abgesättigt. Die Stickstoff-Atome werden daher auch als Elektronendonator gegenüber Lewissäuren wie z.B. Zinn(IV)-chlorid[2] oder auch Boranen[3] wirksam.

Additionsverbindungen des 1,2,3-Trimethyl-1,3,2-diazaborolidin mit 4,6-Dibrom-1,2,3,5,4,6-tetrathiadiborinan bilden sich z.B. als nicht isolierbare Zwischenprodukte beim Substituenten-Austausch der beiden Borane[4]:

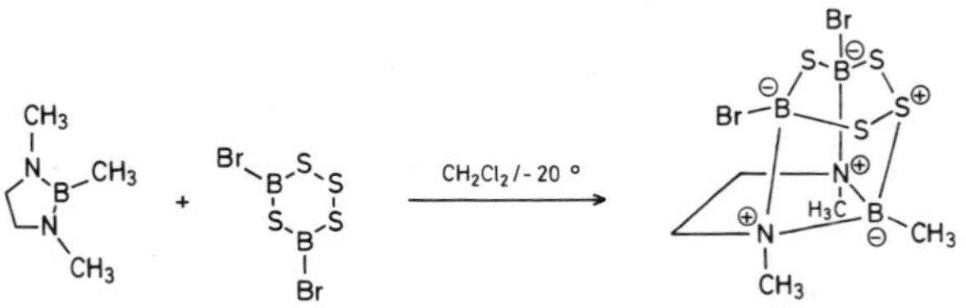

$\xrightarrow{CH_2Cl_2 / -20°}$

Aus Bis[isocyanat]- bzw. Bis[isothiocyanat]-organo-boranen lassen sich mit Essigsäureethylester oder mit Pyridin 1:1-Molekülverbindungen gewinnen[4].

---

[1] R.H. Cragg, M.F. Lappert, H. Nöth, P. Schweizer u. B.P. Tilley, B. **100**, 2377 (1967).
[2] M.F. Lappert u. G. Sristava, Inorg. Nucl. Chem. Letters **1**, 53 (1965).
[3] H. Nöth u. R. Staudigl, B. **115**, 813 (1982).
[4] M.F. Lappert u. H. Pyszora, Soc. [A] **1968**, 1024.

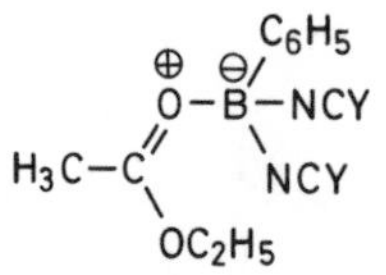

Y = O; *Essigsäureethylester-Bis[isocyanat]-phenyl-boran*; 100%
Y = S; . . .-*Bis[isothiocyanat]-phenyl-boran*; 99%; F: 46–48°

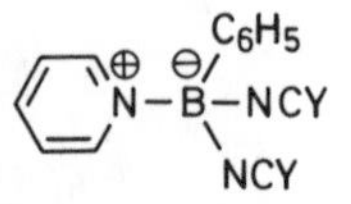

Y = O; *Pyridin-Bis[isocyanat]-phenyl-boran*; 100%; F: 143–145°
Y = S; . . .-*Bis[isothiocyanat]-phenyl-boran*; 91%; F: 153–155°

Aus Bis[dimethylamino]-phenyl-boran läßt sich mit Benzol in siedendem Benzol unter partieller Abspaltung von Dimethylamin ein Mischdimer (83%) oder bei 25° das *Dimethylamin-Bis[pyrazolo]-phenyl-boran*[1] herstellen:

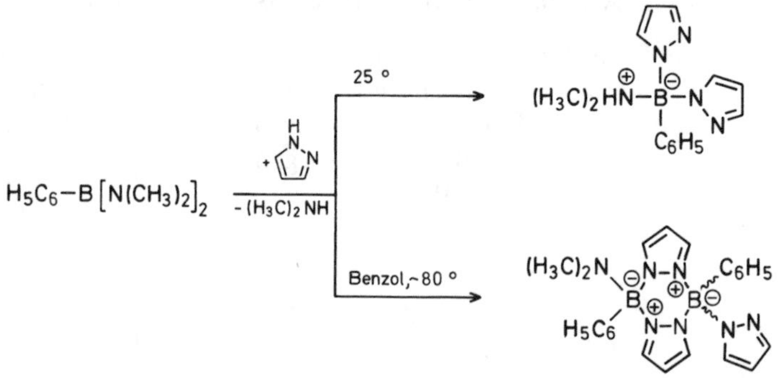

5-Dimethylamino-5,10-diphenyl-5- pyrazolo-5,10-dihydro-⟨bis[pyrazolio] [1,2-a;1′2′-d]-1,4,2,5,3,6-diaza-diazoniadiboratin⟩[1]**:** Unter Rühren gibt man zu einer Lösung von 17,3 g (98 mmol) Bis[dimethylamino]-phenyl-boran in 30 *ml* siedendem Benzol tropfenweise 5,9 g (87 mmol) Pyrazol in 60 *ml* Benzol zu. Nach 2 Stdn. Erhitzen unter Rückfluß wird das Lösungsmittel i. Vak. entfernt, der Rückstand in 40 *ml* Hexan aufgenommen und das Festprodukt abfiltriert. Nach Waschen mit Hexan wird der Rückstand i. Vak getrocknet; Ausbeute: 9,9 g (83%); F: 150–152° (bis 165°).
Das weniger lösliche Isomere wird aus Toluol durch langsames Kristallisieren gewonnen.

6. Lewisbase-Amino-organo-diboroxane und -triboradioxane

Zur Verbindungsklasse gehören Mono[Lewisbase]-Amino-organo-diboroxane und Bis[Lewisbase]-Amino-organo-diboroxane:

α) Mono[Lewisbase] -Amino-organo- diboroxane

Die 1:1-Additionsverbindungen sind aus Tetraorganodiboroxanen, Amino-organoboranen und Amino-organo-diboroxanen zugänglich.

Imin-3-Amino-1,1,3-triorgano-1,3,2-diboroxane erhält man aus Tetraalkyldiboroxanen mit 2-Aminopyridin bei 150–175° unter Abspaltung von 1 Mol Äquivalent Alkan. Nach Aufarbeiten in Hexan lassen sich z.B. Pyridin-Amino-1,1,3-trialkyl-diboroxane isolieren[2]:

[1] K. Niedenzu, S.S. Seelig u. W. Weber, Z. anorg. Ch. **483**, 51 (1981).
[2] V.A. Dorokhov, L.I. Lavrinovich, B.M. Zolotarey u. B.M. Mikhailov, Izv. Akad. SSSR **1977**, 1919; engl.: 1783; C.A. **87**, 168121 (1977).

$R_2B-O-BR_2$ + 2-Aminopyridin $\xrightarrow[-RH]{150-175°}$

...-1,2-dihydro-4H-⟨pyridio[2,1-d]-1,3,5,2,6-oxaazaazoniadiboratin⟩

R = C_3H_7; *2,4,4-Tripropyl-...*; 72%; F: 83–87°
R = C_4H_9; *2,4,4-Tributyl-...*; 80%; F: 65–68°

Auch aus Amino-diorgano-boranen sind Lewisbase-organo-diboroxane zugänglich. Diphenyl-2-pyridylamino-boran reagiert in Benzol beim Erwärmen auf ~60° in Gegenwart von Sauerstoff durch partielle Oxygenierung und Aminolyse unter Bildung von *2,4,4-Triphenyl-1,2-dihydro-4H-⟨pyridio[2,1-d]-1,3,5,2,6-oxaazaazoniadiboratin⟩* in ~50%iger Ausbeute[1]:

2 $(H_5C_6)_2B-NH$-(2-pyridyl) $\xrightarrow{+O_2;\ C_6H_6;\ -60°}$

β) Bis[Lewisbase]-Amino-organo-diboroxane

Die Bor-Atome der 1,3-Diamino-1,3-diorgano-1,3,2-diboroxane (vgl. S. 197) addieren sich intramolekular an Donator-Atome von z.B. Acylamino-Resten. Man erhält Bis[Lewisbase]-Amino-organo-diboroxane aus 1,3-Diamino-1,3-diorgano-diboroxanen mit verschiedenen Reagenzien.

1,3-Bis[dimethylamino]-1,3-diphenyl-diboroxan reagiert mit N-Methylacetamid in siedendem Toluol bei Abspaltung von Dimethylamin unter Bildung von *1,3-Bis[N-methylacetamido]-1,3-diphenyl-diboroxan* (79%; F: 226°, Zers.), das vierfach koordinierte Bor-Atome enthält[2,3] (vgl. Tab. 103, S. 669).

Entsprechend wird *1,3-Bis[N-methylformamido]-1,3-diphenyl-diboroxan* (60%; F: 170–172°) gewonnen[2,3].

γ) Bis[Lewisbase]-Amino-organo-triboradioxane

Aus 1,3-Bis[N-methylacetamido]-1,3-diphenyl-diboroxan läßt sich mit äquimolaren Mengen Triphenylboroxin und Bis[dimethylamino]-phenyl-boran in siedendem Toluol eine Verbindung herstellen, deren 1,3,5-Tribora-2,4-dioxa-Gruppierung durch zwei Donator-Funktionen als Hetero-bicyclo]3.3.1]nonan stabilisiert ist[2,3].

7. Lewisbase-Organo-1,3,2-diborazane

Zur Verbindungsklasse gehören die in der Tab.103 (S.668f.) aufgeführten Additionsverbindungen der Organo-1,3,2-diborazane, deren Bor-Atome unter Addition von einer bzw. zwei Lewisbasen dreifach und vierfach koordiniert sind. Außerdem werden in dem Abschnitt die Herstellungsmethoden von Lewisbase-Amino-organo-diboroxanen besprochen, von denen bisher nur wenige Verbindungstypen bekannt sind (vgl. Tab. 103, S. 668).

Das erste hergestellte Dewar-Organoborazin (vgl. S. 217, 343) kann als N-Lewisbase-Triboradiazan aufgefaßt werden und gehört damit formal zu der hier zu besprechenden Verbindungsklasse[4].

---

[1] B.R. Gragg u. G.E. Ryschkewitsch, Inorg. Chem. **15**, 1201 (1976).
[2] U. Gerwarth u. W. Weber, Universität Mainz, unveröffentlicht 1979.
[3] W. Weber, Dissertation, Universität Mainz 1979.
[4] C. von Plotho, P. Paetzold, Technische Hochschule Aachen 1982, zusammen mit G. Schmid u. R. Boese, Universität Essen, unveröffentlicht 1983.

Tab. 103: Lewisbase-Organo-1,3,2-diborazane und -Amino-organo-1,3,2-diboroxane

Formel	Verbindungstyp	Herstellung	s. S.
Mono[Lewisbase]-Organo-1,3,2-diborazane			
	$Do-R_2B-N(-)-BR_2$	aus $R_2B-N(-)-BR_2$	674
	Do^B-BR_2, R^O-O	aus $R_2B-O-CO- + -CO-NH_2/R_3B$	673
Bis[Lewisbase]-Organo-1,3,2-diborazane			
	$Do'-BR_2-Do$, BR_2	aus $R_2B-N\langle + R_2B-O-CO-$ aus $\overset{\oplus}{Do}-R_2\overset{\ominus}{B}-O-CO- + R_3B$	675 677
	$Do'-BR_2-Do$	aus $R_2B-N(Do)\langle + R_2B-N\langle$	676
	$Do'-BR_2-Do$	aus $R_2B-N(Do)\langle + R_2B-N\langle$	675
	$Do'-BR_2-Do$, BR_2	aus $R_2B-N(Do)\langle + R_2B-N\langle$	675
	$Do'-BR_2-Do$, BR_2	aus $R_2B-NH-CO- + R_2B-N\langle$	675
	$Do'-BR_2-Do$, BR_2	aus $R_3B + -CN$ aus $(R_{en})_3B + -CN$ aus $R_2BH + -CN$ aus $R^1_2B-SR^2 + -CN$ aus $R_2B-N\langle + H_2\overset{\oplus}{N}=C\langle$	670 670 671 f. 673 676
Tris[Lewisbase]-Organo-1,3,5,2,4-triboradiazane			
X = CH		aus $BHal_3 + Do-R-NH_2$	672
X = N		aus $BHal_3 + Do-C(=NH)-NH_2$	673

Tab. 103 (Fortsetzung)

Formel	Verbindungstyp	Herstellung	s. S.
Lewisbase-Amino-organo-1,3,2-diboroxane			
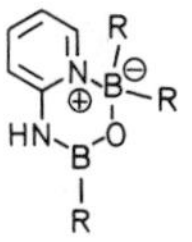 (2-Aminopyridin-Ring; HN, B, O, B⊖, N⊕, R)	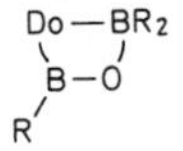 Do—BR$_2$ / B—O / R (Ring)	aus $(R_2B)_2O$ + Do—NH$_2$	667
		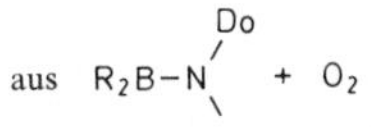 aus R_2B—N(Do)< + O_2	667
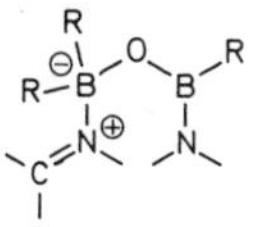 R$_2$B⊖–O–B(R)–N<; C=N⊕ (Ring)	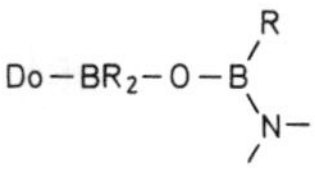 Do—BR$_2$—O—B(R)—N<	aus $(R_2B)_2O$ + Do—NH$_2$	666
Bis[Lewisbase]-Amino-organo-1,3,2-diboroxane			
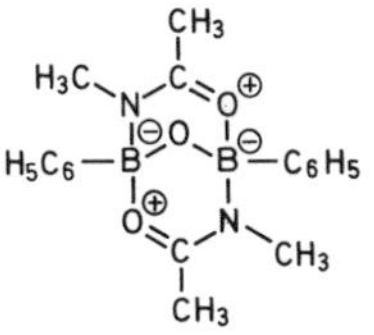 CH_3, H_3C, N, C, O⊕, H_5C_6—B⊖–O–B⊖—C_6H_5, O⊕, N, CH_3	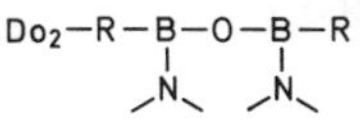 Do_2—R—B(N<)—O—B(N<)—R	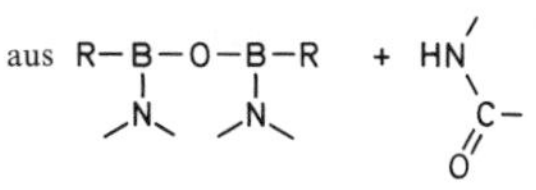 aus R—B(N<)—O—B(N<)—R + HN<, C(=O)—	667
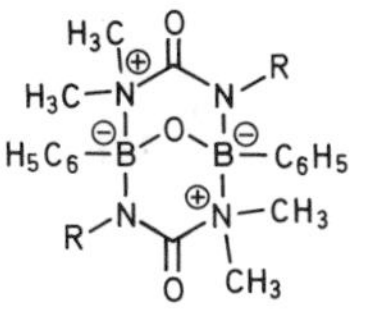 H_3C, O, H_3C—N⊕, N—R, H_5C_6—B⊖–O–B⊖—C_6H_5, R—N, N⊕—CH_3, O, CH_3	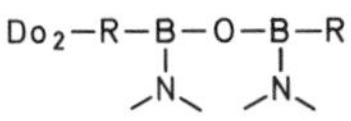 Do_2—R—B(N<)—O—B(N<)—R	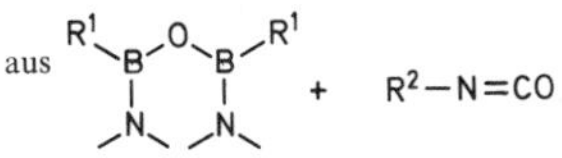 aus R^1—B(N<)—O—B(N<)—R^1 + R^2—N=CO	667
Bis[Lewisbase]-Organotriboradioxane			
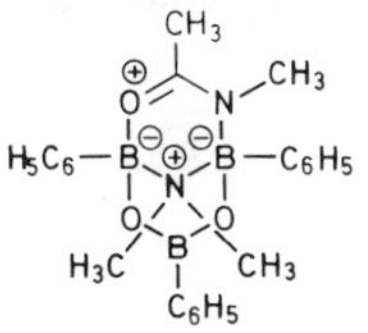 CH_3, O⊕, N—CH_3, H_5C_6—B⊖–N⊕–B⊖—C_6H_5, O, O, H_3C, B, CH_3, C_6H_5	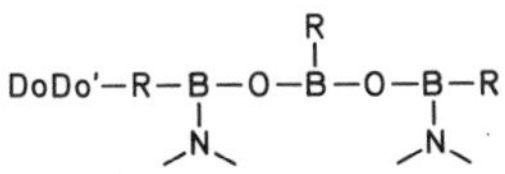 DoDo'—R—B(N<)—O—B(R)—O—B(N<)—R	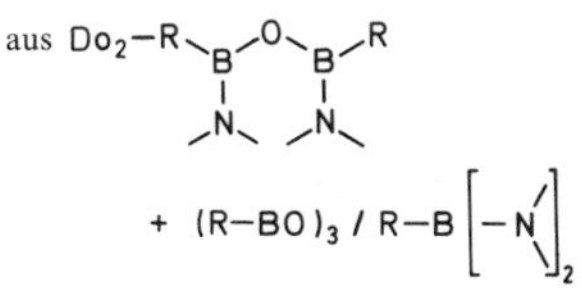 aus Do_2—R—B(N<)—O—B(N<)—R + $(R—BO)_3$ / R—B[—N<]$_2$	667

Die sehr verschiedenartigen Verbindungstypen (vgl. Tab. 103) werden aus Triorgano-, Hydro-organo-, Organo-oxy-, Organo-thio-, Amino-organo-boranen und Lewisbase-Organoboranen hergestellt.

α) aus Triorganoboranen

Aus Triorganoboranen erhält man mit Nitrilen oder Organothiocyanaten durch Organoborierung der C≡N-Bindung 2,2,4,4-Tetraorgano-1,3,2,4-diazoniadiboratetane.

Alkylidenamino-diorgano-borane (vgl. S. 81ff.) haben als Dimere 1,3,2,4-Diazonia-diboratetidin-Struktur:

$$2\ R^1_2B-N=C(R^2)(R^3) \rightleftharpoons [R^1_2\overset{\ominus}{B}-\overset{\oplus}{N}(=C(R^2)R^3)]_2$$

R^1 = Organo-Rest, H
R^2 = H, Alkyl, Aryl, Hal, SR^4
R^3 = Alkyl, Aryl

Besonders leicht addieren sich B-Allyl-Gruppen an die Nitril-Funktion. Aus Allyl-dialkyl-boranen werden 2,2,4,4-Tetraalkyl-1,3,2,4-diazoniadiboratetane gewonnen[1]:

$$2\ R^1_2B-CH_2-CH=CH_2 + 2\ R^2-CN \longrightarrow [R^1_2\overset{\ominus}{B}-\overset{\oplus}{N}(=C(R^2)-CH_2-CH=CH_2)]_2$$

Entsprechend reagieren Triallylborane mit Nitrilen[2,3]:

$$2\ R^2_3B + 2\ R^1-C\equiv N \longrightarrow 2\ R^2_3\overset{\ominus}{B}-\overset{\oplus}{N}\equiv C-R^1 \xrightarrow{\circ} 2\ R^2_2B-N=C(R^1)(R^2) \longrightarrow [R^2_2\overset{\ominus}{B}-\overset{\oplus}{N}(=C(R^2)R^1)]_2$$

$R^1 = CH_3, C_6H_5, CH=CH_2$
$R^2 = CH_2-CH=CH_2$

Wesentlich träger als Triallylborane reagieren Trialkylborane mit Nitrilen. Trialkylborane spalten erst bei höheren Temperaturen unter Dehydroborierung Alken ab. Die Dialkyl-hydro-borane addieren sich an die CN-Dreifachbindung der Nitrile und bilden dimere Dialkyl-(1-unsubst.-alkylidenamino)-borane mit vierfach koordinierten Bor-Atomen; z.B.:

$$(H_9C_4)_3B + (H_3C)_3C-CN \xrightarrow[-C_4H_8]{} [(H_9C_4)_2\overset{\ominus}{B}-\overset{\oplus}{N}(=CH-C(CH_3)_3)]_2$$

1,3-Bis[2,2-dimethyl-propyliden]-2,2,4,4-tetrabutyl-1,3,2,4-diazoniadiboratetidin[4,5]: Man fügt innerhalb 5 Stdn. bei 150–160° zu 12,6 g (0,7 mol) Tributylboran 7 g (0,8 mol) 2,2-Dimethylpropansäurenitril. 2,3 g Butene werden frei (−78°). Man arbeitet destillativ auf; Ausbeute: 8,1 g (56%); $Kp_{0,3}$: 72–75°. Das Addukt kristallisiert bei der Kondensation (F: 74–76°).

Die Reaktionstemp. kann etwas gesenkt werden, wenn man geringe Mengen an Triethylamin-Boran zusetzt. Die Reaktionen von Triarylboranen mit 3-Amino-2-butensäurenitril wurden untersucht.[6]

---

[1] Y.N. Bubnov, A.V. Tsyban u. B.M. Mikhailov, Izv. Akad. SSSR **1976**, 2842; engl.: 2653; C.A. **86**, 190048 (1977).
[2] Yu. N. Bubnov u. B.M. Mikhailov, Izv. Akad. SSSR **1967**, 472; engl.: 467; C.A. **67**, 11523 (1967).
[3] Yu.N. Bubnov, V.S. Bogdanov u. B.M. Mikhailov, Ž. obšč. Chim. **38**, 260 (1968); C.A. **69**, 52200 (1968).
[4] V.A. Dorokhov u. M.F. Lappert, Chem. Commun. **1968**, 250; C.A. **68**, 87329 (1968).
[5] V.A. Dorokhov u. M.F. Lappert, Soc. [A] **1969**, 433.
[6] G.A. Yuzhakova, I.I. Lapkin, M.I. Vakhrin u. R.P. Drovneva, Khimiya Organ. Soedin Azota, Perm. **1981**, 80; C.A. **97**, 216274 (1982).

Triisopropylboran reagiert bei ~ 130° mit Phenylthiocyanat unter Isopropylborylierung zu *1,3-Bis [2-methyl-1-phenylthio-propyliden]-2,2,4,4-tetraisopropyl-1,3,2,4-diazonia-diboratetidin* (~ 20%; $Kp_{0,001}$: ~ 75°)[1], das bei 20° im Gleichgewicht mit seinem Monomeren vorliegt[1]:

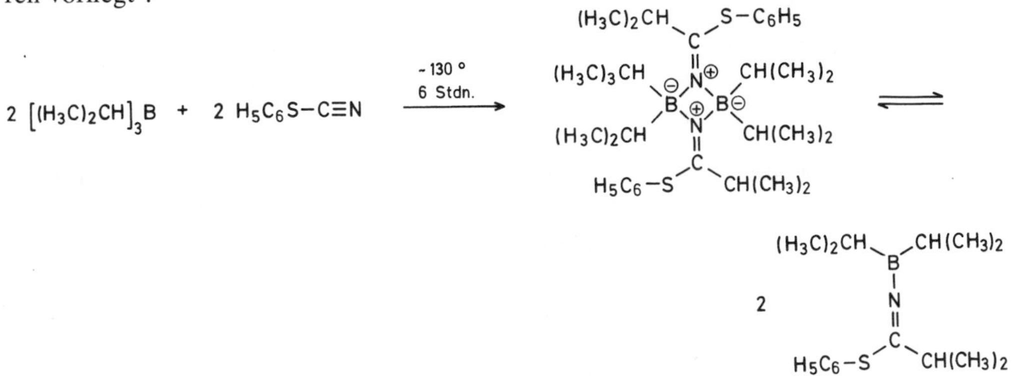

2 $[(H_3C)_2CH]_3B$ + 2 $H_5C_6S-C\equiv N$ —(~130°, 6 Stdn.)→ [cyclic dimer: $(H_3C)_2CH$, $S-C_6H_5$, $CH(CH_3)_2$] ⇌ 2 $(H_3C)_2CH-B(CH(CH_3)_2)-N=C(S-C_6H_5)CH(CH_3)_2$

β) aus Diorgano-hydro-boranen

Dialkyl-hydro-borane[Tetraalkyldiborane(6)] reagieren mit Acetonitril durch C≡N-Hydroborierung zu dimeren Dialkyl-ethylidenamino-boranen[2]:

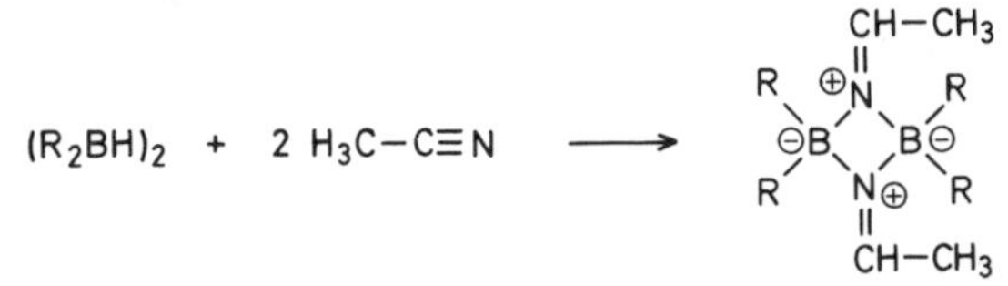

$(R_2BH)_2$ + 2 $H_3C-C\equiv N$ ⟶ [cyclic dimer with $CH-CH_3$]

$R = CH_3, C_2H_5$

1,3-Bis[ethyliden]-2,2,4,4-tetramethyl(tetraethyl)-1,3,2,4-diazoniadiboratetidin

Aus dem Hydroboran I werden mit Nitrilen entsprechende 1,3,2,4-Diazoniadiboratetane erhalten[3]:

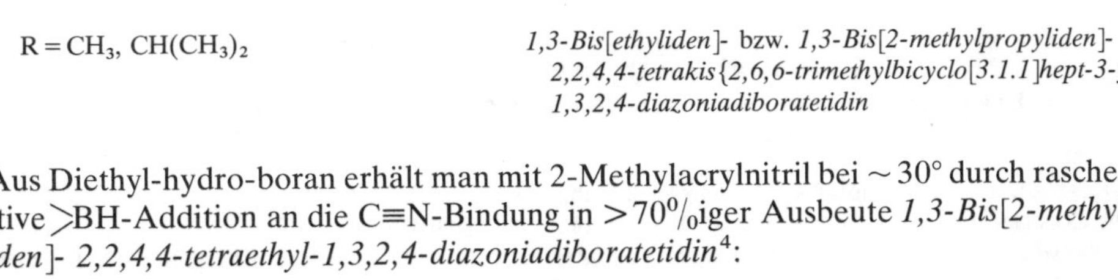

2 [pinanyl]$_2$BH (I) + 2 $R-C\equiv N$ ⟶ [cyclic dimer]

$R = CH_3, CH(CH_3)_2$

1,3-Bis[ethyliden]- bzw. *1,3-Bis[2-methylpropyliden]-2,2,4,4-tetrakis{2,6,6-trimethylbicyclo[3.1.1]hept-3-yl}-1,3,2,4-diazoniadiboratetidin*

Aus Diethyl-hydro-boran erhält man mit 2-Methylacrylnitril bei ~ 30° durch rasche selektive >BH-Addition an die C≡N-Bindung in >70%iger Ausbeute *1,3-Bis[2-methylallyliden]- 2,2,4,4-tetraethyl-1,3,2,4-diazoniadiboratetidin*[4]:

---

[1] A. MELLER u. A. OSSKO, M. **102**, 131 (1971); C.A. **74**, 125763 (1971).
[2] J.E. LLOYD u. K. WADE, Soc. **1964**, 1649.
[3] U.E. DINER, M. WORSLEY, J.W. LOWN u. J.A. FORSYTHE, Tetrahedron Letters **1972**, 3145.
[4] R. KÖSTER u. H.J. ZIMMERMANN, Mülheim a.d. Ruhr, unveröffentlicht 1970.
H.J. ZIMMERMANN, Mülheim a.d. Ruhr, Dissertation, Universität Bochum 1971.

$$[(H_5C_2)_2BH]_2 + 2\ H_2C{=}C(CH_3){-}CN \longrightarrow$$

1,3-Bis[2-methylallyliden]-2,2,4,4-tetraethyl-1,3,2,4-diazoniadiboratetidin[1]: Bei 30–35° tropft man zu 8,9 g 99%igem 2-Methylacrylnitril 9,1 g (127 mmol >BH) Tetraethyldiboran (1,4% Hydrid-H). Die tiefgrüne Mischung liefert beim Destillieren i. Vak. nach 2,1 g Vorlauf 15,3 g gelbliche Flüssigkeit, die in der Vorlage langsam erstarrt; Ausbeute: 12,6 g (71%); $Kp_{0,001}$: 46–52°; F: 63° (aus Pentan).

γ) aus Halogenboranen

Tris[imin]-Tris[diorganoborylamino]borane sind intramolekulare Additionsverbindungen von Pyridinbasen an verzweigte BN-Atomgruppierungen (vgl. S. 380).

Die Herstellung von Tris[amidin]- bzw. Tris[guanidin]-Tris[diorganoborylamino]boranen erfolgt aus Trichlorboran mit 2-Aminopyridinen und nachfolgend mit magnesiumorganischen Verbindungen zur Einführung der Organobor-Reste.

Setzt man Trichlorboran mit 2-Aminopyridin um und fügt zu der Reaktionslösung eine Alkyl-Grignard-Verbindung, so erhält man Trimere mit drei vierfach koordinierten Bor-Atomen[2,3]:

$$4\ BCl_3 + 3\ (2\text{-Aminopyridin}) + 6\ R{-}MgHal \xrightarrow[-6\ HCl,\ -6\ MgHalCl]{Toluol}$$

$R = CH_3$; C_2H_5, C_4H_9[2,3]
$R = C_6H_5$ (38%; F: 304–306°)[4]

In analoger Weise erhält man mit 2-Amino-4-chlor- bzw. 2-Amino-5-methyl-pyridin die entsprechenden trimeren Derivate[5,6].

...-⟨*Tris-[pyridio][1,2-c; 1',2'-g; 1'',2''-k]-1,5,9-triaza-3,7,11-triazonia-13-bora-2,6,10-triborata-tricyclo[7.3.1.0*^{5,13}*] trideca-3,7,11-trien*⟩

$R^2 = C_2H_5$; $R^1 = 4$-Cl; *2,2,9,9,16,16-Hexaethyl-6,13,20-trichlor-...*; F: 166–169°
$R^2 = C_4H_9$; $R^1 = 5$-CH_3; *2,2,9,9,16,16-Hexabutyl-5,12,19-triethyl-...*; F: 168–169°

---

[1] R. Köster u. H. J. Zimmermann, Mülheim a. d. Ruhr, unveröffentlicht 1970.
H. J. Zimmermann, Mülheim a. d. Ruhr, Dissertation, Universität Bochum 1971.
[2] H. Watanabe, K. Nagasawa, T. Totani, T. Yoshizaki u. T. Nakagawa Advan. Chem. Ser. **42**, 116 (1964).
[3] Jap. P. 30173 (1963/1964), Shionogi & Co Ltd., Erf.: T. Nakagawa, H. Watanabe, K. Nagasawa u. T. Totani; C. A. **62**, 13179 (1965).
[4] Jap. P. 25341 (1965), Shionogi & Co., Ltd.; Erf.: T. Nakagawa, H. Watanabe, K. Nagasawa u. T. Yoshizaki; C. A. **64**, 8235 (1966).
[5] K. Nagasawa, T. Yoshizaki u. H. Watanabe, Inorg. Chem. **4**, 275 (1965).
[6] Jap. P. 26426 (1965), Shionogi & Co., Ltd., Erf.: T. Nakagawa, H. Watanabe, K. Nagasawa u. T. Yoshizaki; C. A. **64**, 8235[f] (1966).

Mit 2-Aminopyrimidin erhält man z.B. *2,2,9,9,16,16-Hexabutyl-⟨tris[pyrimidio][1,2-c;1'2'-g;1'',2''-k]-1,5,9-triaza-3,7,11-triazonia-13-bora-2,6,10-triborata-tricyclo[7.3.1.0^5,13]trideca-3,7,11-trien⟩* (35%; F: 105–106°)[1]:

$$BCl_3 \xrightarrow[2.+R-MgHal]{1.+\text{2-Aminopyrimidin}} \text{Produkt}$$

$R = C_4H_9$

δ) aus Diorgano-oxy-boranen

1:1-Additionsverbindungen der 1,1,3-Triorgano-1,3,2-diborazane und der 1-Amino-1,3,3-triorgano-diboroxane sind aus verschiedenen Diorgano-oxy-boranen präparativ zugänglich.

Die N-Borylierung der α- und β-Aminocarbonsäuren (vgl. S. 576f. erfolgt z.B. in Tetrahydrofuran mit stöchiometrischen Mengen Diethyl-(2,2-dimethylpropanoyloxy)-boran in Gegenwart von Triethylboran. Aus Glycin erhält man unter Abspaltung von zwei Mol-Äquivalenten Ethan einen fünfgliedrigen Heterocyclus[2]:

$$(H_5C_2)_2B-O-CO-C(CH_3)_3 + (H_5C_2)_3B + H_2N-CH_2-COOH \xrightarrow{-2\ C_2H_6}$$

2,2-Diethyl-3-[(2,2-dimethylpropanoyloxy)-ethyl-boryl]-3-hydro-5-oxo-1,3,2-oxaazoniaboratolidin[2]: Zur Suspension von 3,8 g (50 mmol) Glycin und 5,1 g (50 mmol) 2,2-Dimethylpropansäure in 50 *ml* THF tropft man innerhalb ~ 1 Stde. unter gutem Rühren 22 *ml* (150 mmol) Triethylboran. Nachdem alles gelöst ist, wird 3 Stdn. unter Rückfluß erhitzt (3 *l* Gas werden frei). Vom Ungelösten wird abfiltriert, Lösungsmittel und Triethylboran i. Vak. abgezogen. Der weiße, feste Rückstand wird zerkleinert und in Pentan aufgeschlämmt. Man filtriert und wäscht mit Pentan; Ausbeute: 12,5 g (89%); F: 96–98° (aus Hexan).

ε) aus Diorgano-organothio-boranen

Auch Alkylthio-dialkyl-borane reagieren mit Acetonitril unter Sulfoborierung in Tetrachlormethan zu 2,2,4,4-Tetraalkyl-1,3,2,4-diazoniadiboratetanen. Aus Butylthio-dipropyl-boran erhält man in 77%iger Ausbeute *1,3-Bis[1-butylthioethyliden]-2,2,4,4-tetrapropyl-1,3,2,4-diazoniadiboratetidin* (F: 86–87°)[3]:

$$2\ (H_7C_3)_2B-SC_4H_9 + 2\ H_3C-C\equiv N \longrightarrow$$

[1] Jap. P. 26426 (1965), Shionogi & Co., Ltd., Erf.: T. Nakagawa, H. Watanabe, K. Nagasawa u. T. Yoshizaki; C.A. **64**, 8235 (1966).

[2] R. Köster u. E. Rothgery, A. **1974**, 112.

[3] B.M. Mikhailov, V.A. Dorokhov u. I.P. Yakovlev, Izv. Akad. SSSR **1966**, 332; engl.: 298; C.A. **64**, 17623 (1966).

ζ) aus Amino-diorgano-boranen

Verschiedene R_2BN-Verbindungen sind Edukte zur Herstellung von Lewisbase-Diborazanen unterschiedlicher Typen.

1,1,3,3-Tetraorgano-μ-hydro-1,3,2-diborazane sind 1:1-Additionsverbindungen von Amino-diorgano-boranen und Hydro-diorgano-boranen, die man aus den Komponenten herstellt. Die Verbindungen haben eine koordinative BN-Bindung und eine BHB-Brükkenbindung (μ-Hydro-Brücken)[1].

Aus äquimolaren Mengen Bis(9-amino-9-borabicyclo[3.3.1]nonan) und Bis(9-borabicyclo[3.3.1]nonan) erhält man beim Erwärmen in Benzol auf 60° quantitativ *1,1:2,2-Bis[cyclooctan-1,5-diyl]-μ-amino-diboran(6)* als kristallisierte Verbindung[1]:

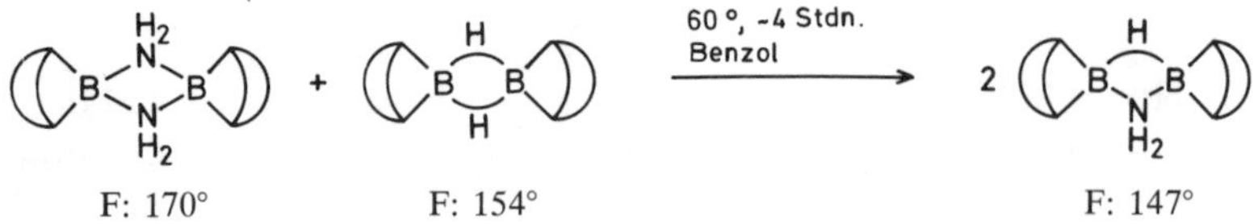

60°, -4 Stdn. Benzol

F: 170° F: 154° F: 147°

1,1:2,2-Bis[cyclooctan-1,5-diyl]-μ-amino-diboran(6)[1]**:** Man erhitzt eine Mischung von 8,08 g (33 mmol) Bis(9-borabicyclo[3.3.1]nonan) und 9,08 g (33 mmol) Bis(9-amino-9-borabicyclo-[3.3.1]nonan) in 100 *ml* Benzol unter Rühren ~4 Stdn. auf 60°. Aus der farblosen, klaren Lösung werden nach Verdampfen des Benzols i. Vak. 16,8 g (98%) reines μ-Amino-diboran(6) (F: 147°, Zers.) gewonnen.

Carbonyl-1,1,3,3-tetraorgano-1,3,2-diborazane sind Mischdimere der Acyloxy-diorgano-[2] bzw. der Acylamino-diorgano-borane[3] mit Amino-diorgano-boranen. Die Verbindungen haben 6π-resonanzstabilisierte Sechsringstruktur. Ihre Herstellung erfolgt aus offenkettigen bzw. cyclischen Amino-diorgano-boranen oder aus Lewisbase-Organoboranen (vgl. S. 677).

Aus 2-Butyl-1,2-azaborolan erhält man mit Essigsäureanhydrid unter N-Acetylierung und Dimerisierung *9-Butyl-1-hydro-8-oxonia-6-aza-1-azonia-2,9-diborata-tricyclo [7.3.0.0^{2,6}]dodec-7-en* neben *2-Acetoxy-2-butyl-1-hydro-1,2-azoniaboratolidin* (vgl. S. 674)[4,5]:

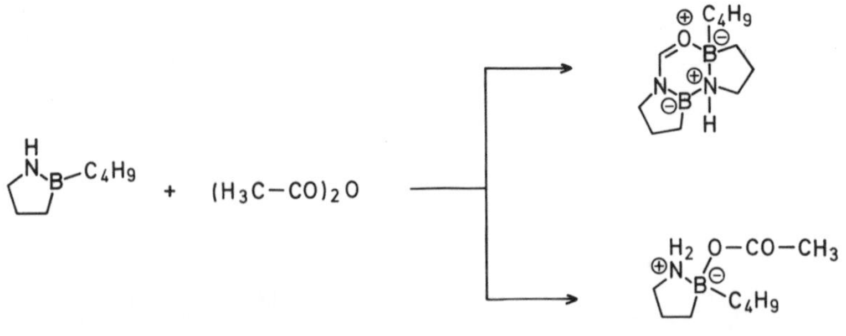

$$(H_3C-CO)_2O$$

Entsprechend ist aus 2-Butyl-1,2-azaborolidin mit Acetoxy-dibutyl-boran eine definierte sechsgliedrige Ringverbindung zugänglich[4]:

---

[1] R. Köster u. G. Seidel, A. **1977**, 1837.

[2] V. A. Dorokhov u. B. M. Mikhailov, Izv. Akad. SSSR **1970**, 1804; engl.: 1698; C.A. **74**, 125767 (1971).

[3] B. M. Mikhailov, V. A. Dorokhov, V. S. Bogdanov, I. P. Yakolev u. A. D. Naumov, Doklady Akad. SSSR **194**, 595 ;1970); engl.: 690; C.A. **74**, 36759 (1971).

[4] V. A. Dorokhov u. B. M. Mikhailov, Ž. obšč. Chim. **44**, 1281 (1974); engl.: 1259; C.A. **81**, 105603 (1974).

[5] B. M. Mikhailov, V. A. Dorokhov u. L. I. Lavrinovich, Izv. Akad. SSSR **1978**, 2578; engl.: 2304; C.A. **90**, 87543 (1979).

6-Hydro-3-methyl-1,5,5-tributyl-4-oxa-2-oxonia-6-azonia-1,5-diborata-bicyclo[4.3.0]non-2-en; 80%; Kp_1: 97–99°

Entsprechend erhält man unzersetzt i.Vak. destillierbare Mischdimere aus Acetylamino-dialkyl-boranen mit Amino-dialkyl-boranen bzw. mit 2-Alkyl-1,2-azaborolidinen[1]:

6-Methyl-2,3,3,4,5-pentahydro-1,5,3,2,4-oxoniaazaazoniadiboratin

R = C_3H_7; ...*-2,2,4,4-tetrapropyl-*...; $Kp_{0,5}$: 93–94°

R = C_4H_9; ...*-2,2,4,4-tetrabutyl-*...;76%; $Kp_{1,5}$: 121–123°

z.B.: R = C_4H_9; *6-Hydro-3-methyl-1,5,5-tributyl-2-oxonia-4-aza-6-azonia-1,5-diborata-bicyclo[4.3.0]non-2-en*; 64%; $Kp_{0,4}$: 111–112°

Die Herstellung der Amin-2,2,4,4-tetraorgano-1,3,2-diborazane erfolgt ebenfalls aus den Komponenten.

Aus Dipropyl-2-pyridylamino-boran – leicht herstellbar z.B. aus Tripropylboran mit 2-Aminopyridin in Tetrahydrofuran (vgl. S. 90) – sind mit Amino-dipropyl-boran oder mit 2-Butyl-1,2-azaborolidin 1:1-Additionsverbindungen zugänglich[2]:

2,2,4,4-Tetrapropyl-1,2,3,3,4-pentahydro-⟨pyridio[1,2-e]-1,3,5,2,4-azadiazoniadiboratin⟩

9-Butyl-2,2-dipropyl-1-hydro-⟨pyridio[2,1-d]-3-aza-1,5-diazonia-2,6-diborata-bicyclo[4.3.0]non-4-en⟩

[1] B.M. Mikhailov, V.A. Dorokhov, V.S. Bogdanov, I.P. Yakovlev u. A.D. Naumov, Doklady Akad. SSSR **194**, 595 (1970); engl.: 690; C.A. **74**, 36759 (1971).

[2] V.A. Dorokhov u. B.M. Mikhailov, Ž. obšč. Chim. **44**, 1281 (1974); engl.: 1259; C.A. **81**, 105603 (1974).

Aus N,N'-Dimethylbenzamidino-dipropyl-boran erhält man mit Amino-dipropyl-boran das entsprechende Chelat[1]:

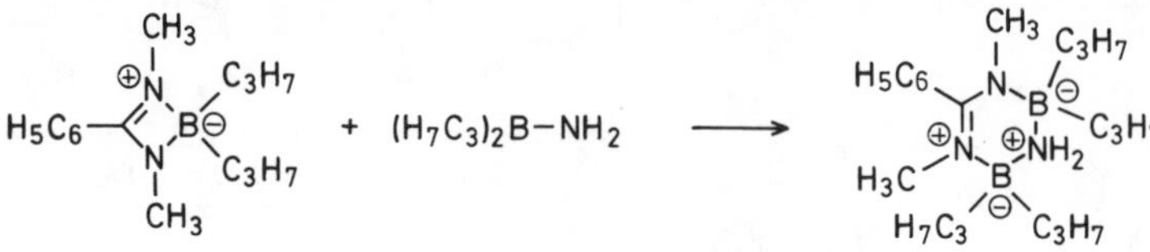

1,5-Dimethyl-6-phenyl-2,2,4,4-tetrapropyl-1,2,3,3,4-pentahydro-1,3,5,2,4-azadiazoniadiboratin; 84%; F: 60–62°

Die dimeren Alkylidenamino-dialkyl-borane sind durch Transaminierung von Amino-dialkyl-boranen mit Ketimin-Hydrochloriden zugänglich[2]. Durch Transaminierung von Diethylamino-diphenyl-boran oder Diphenyl-ethylamino-boran mit Benzophenon-imin-Hydrochlorid erhält man unter Amin-Hydrochlorid-Abscheidung *1,3-Bis[diphenylmethylen]-2,2,4,4-tetraphenyl-1,3,2,4-diazoniadiboratetidin* (F: 142–144,5°, aus Hexan)[2–5]:

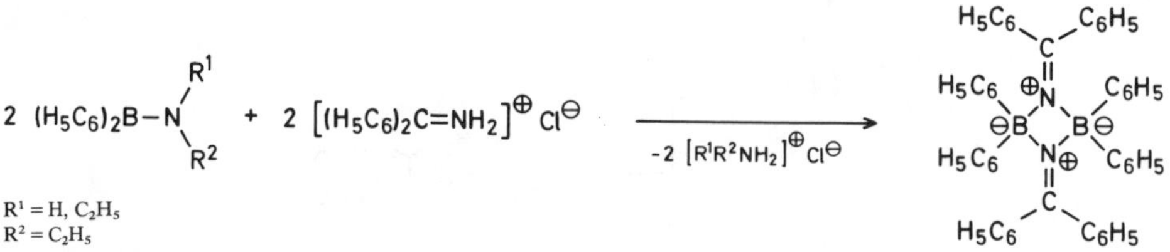

$R^1 = H, C_2H_5$
$R^2 = C_2H_5$

Man vereinigt äquimolare Mengen der Ausgangsverbindungen in Dichlormethan und erhitzt 2,5 Stdn. am Rückfluß. Zur vollständigen Ausfällung des Amin-Hydrochlorids wird nach fast vollständigem Abziehen des Dichlormethans Heptan zugefügt.

Verschiedene dimere Alkylidenamino-diphenyl- bzw. -dipropyl-borane sind auf diesem Weg in Ausbeuten von 46–76% zugänglich[5]; z.B.:

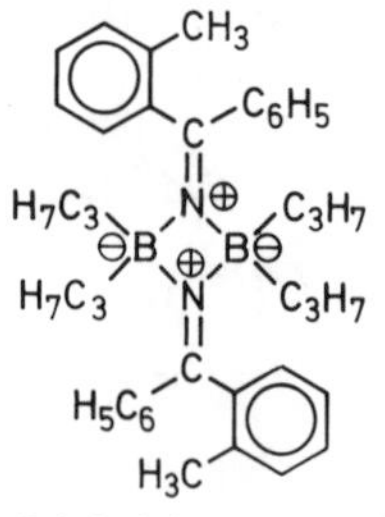

1,3-Bis[2-methyl-α-phenyl-benzyliden]-2,2,4,4-tetrapropyl-1,3,2,4-diazoniaboratetidin

1,3-Bis[diphenylmethylen]-2,2,4,4-tetrapropyl-1,3,2,4-diazoniadiboratetidin[2]: 7,72 g (46 mmol) Diethyl-amino-dipropyl-boran in 10 *ml* Dichlormethan werden innerhalb 25 Min. zu einer Suspension von 9,15 g

[1] B.M. Mikhailov, V.A. Dorokhov u. L.I. Lavrinovich, Izv. Akad. SSSR **1978**, 2578; engl.: 2304; C.A. **90**, 87543 (1979).

[2] B.M. Mikhailov, G.S. Ter-Sarkisvan, N.A. Nikolaeva u. V.G. Kiselev, Ž. obšč. Chim. **43**, 857 (1973); engl.: 857; C.A. **79**, 53407 (1973).

[3] J.C. Huffman, D.C. Moody, J.W. Rathke u. R. Schaeffer, Chem. Commun. **1973**, 308.

[4] B.M. Mikhailov, G.S. Ter-Sarkisyan u. N.A. Nikolaeva, Izv. Akad. SSSR **1972**, 2372; engl.: 2320; C.A. **78**, 43561 (1973).

[5] B.M. Mikhailov, G.S. Ter-Sarkisyan, N.N. Govorov, N.A. Nikolaeva u. V.G. Kiselev, Izv. Akad. SSSR **1976**, 870; engl.: 848; C.A. **85**, 63112 (1976).

(42 mmol) Benzophenonimin-Hydrochlorid in 50 *ml* Dichlormethan getropft. Die Mischung wird 2 Stdn. bei 20° gerührt, sodann nach Abfiltrieren des Diethylamin-Hydrochlorids destillativ aufgearbeitet; Ausbeute: 6,35 g (53%); Kp_2: 155–156°.

Analog erhält man *1,3-Bis[diphenylmethylen]-2,2,4,4-tetrabutyl-1,3,2,4-diazoniadiboratetidin* (60%; $Kp_{1,5}$: 156,5°)[1].

Die Herstellung der 4-Organo-2,2,4-trihydro- 1,3,2,4-diazoniadiboratetane erfolgt aus Amino-hydro-organo-boranen mit Amino-dihydro-boranen durch Boran-Austausch.

Läßt man etwa gleiche molare Mengen Dihydro-dimethylamino- und Dimethyl-dimethylamino-boran bei 100° 3 Stdn. ohne Lösungsmittel miteinander reagieren, so erhält man in 35%iger Ausbeute das *Dimethylamino-hydro-methyl-boran*:

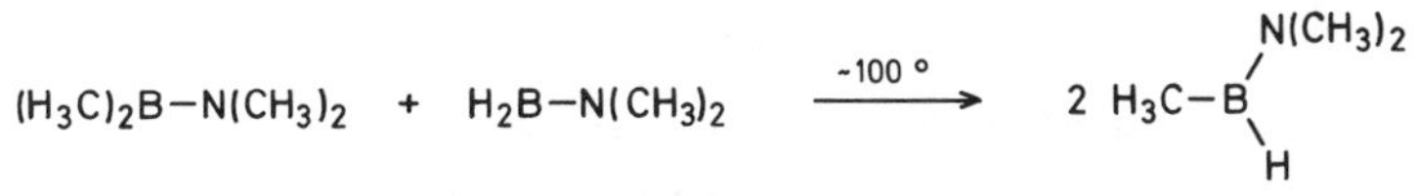

$$(H_3C)_2B{-}N(CH_3)_2 + H_2B{-}N(CH_3)_2 \xrightarrow{-100°} 2\ H_3C{-}B(H){-}N(CH_3)_2$$

Es besteht ein temperaturabhängiges Monomer-Dimer-Gleichgewicht[2,3]. Mit überschüssigem Dihydro-dimethylamino-boran kann die monomere Spezies zu einer Vierring-Verbindung cyclisieren[3] (s. S. 133):

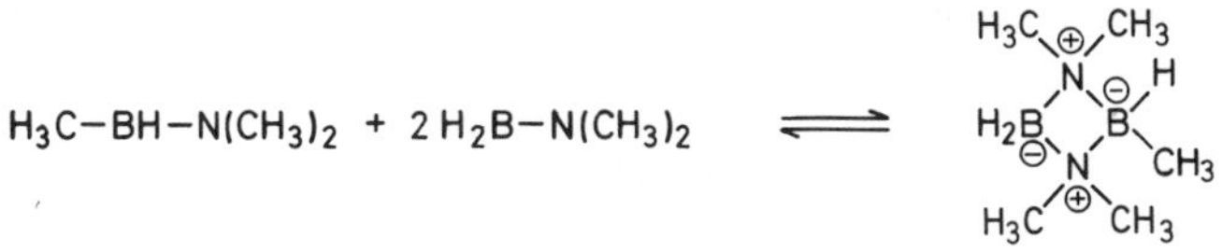

$$H_3C{-}BH{-}N(CH_3)_2 + 2\ H_2B{-}N(CH_3)_2 \rightleftharpoons$$

1,1,2,3,3-Pentamethyl-2,4-dihydro-1,3,2,4-diazoniadiboratetidin

Beim Erhitzen im geschlossenen, evakuierten Kolben spaltet sich der Vierring wieder in seine Ausgangskomponenten auf.

η) aus Lewisbase-Organoboranen

Verschiedene einfache sowie komplexe Lewisbase-Borane sind Edukte für die Herstellung von verschiedenen Typen der Bis(Lewisbase)-Organodiboroxane.

Aus Amin-Diethyl-(2,2-dimethylpropanoyloxy)-boran ist mit Triethylboran unter Abspaltung von 1 Mol-Äquivalent Ethan eine sechsgliedrige 1:1-Additionsverbindung zugänglich[4,5]:

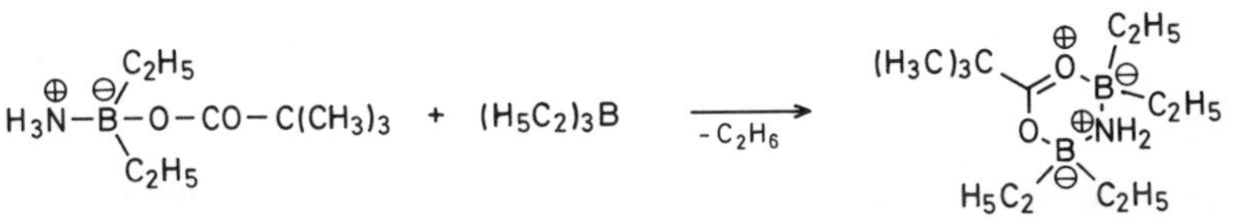

$$\overset{\oplus}{H_3N}{-}\overset{\ominus}{B}(C_2H_5)_2{-}O{-}CO{-}C(CH_3)_3 + (H_5C_2)_3B \xrightarrow[-C_2H_6]{}$$

6-tert.-Butyl-2,2,4,4-tetraethyl-3,3,4-trihydro-2H-1,5,3,2,4-oxaoxoniaazoniadiboratinen; 85%; $Kp_{0,001}$: 50°

---

[1] J.C. Huffman, D.C. Moody, J.W. Rathke u. R. Schaeffer, Chem. Commun. **1973**, 308.

[2] A.B. Burg u. J.L. Boone, Am. Soc. **78**, 1521 (1956); C.A. **50**, 13725 (1956).

[3] W. Haubold u. R. Schaeffer, B. **104**, 513 (1971); C.A. **74**, 88098 (1971).

[4] E. Rothgery u. R. Köster, A. **1974**, 101.

[5] vgl. B.M. Mikhailov, V.A. Dorokhov, V.S. Bogdanov, I.P. Yakovlev u. A.D. Naumov, Doklady Akad. SSSR **194**, 595 (1978); engl.: 690; C.A. **74**, 36759 (1971).

2,4-Dihydro-2,4-diorgano-1,3,2,4-diazoniaboratetidine erhält man durch Hydroborierung von Nitrilen[1,2]. Als Hydroborierungsreagenzien werden Amin-Dihydro-organoborane eingesetzt. Aus Trimethylamin-tert.-Butyl-dihydro-boran erhält man z.B. mit Benzonitril in Diglyme bei 100° *1,3-Bis[benzyliden]-2,4-di-tert.-butyl-2,4-dihydro-1,3,2,4-diazoniadiboratetidin*[2]:

$$2\ (H_3C)_3\overset{\oplus}{N}-\overset{\ominus}{B}H_2-C(CH_3)_3 \quad + \quad 2\ N{\equiv}C-C_6H_5 \xrightarrow[-2\ N(CH_3)_3]{}$$

cis- und *trans-*Isomere lassen sich durch Destillation i. Vak. voneinander trennen[1,2].

1,3-Bis[alkyliden]-2,4-di-tert.-butyl-2,4-dihydro-1,3,2,4-diazoniadiboratetidin; allgemeine Arbeitsvorschrift[2]**:** Zu 0,1 mol Nitril in 25 *ml* Diglyme werden unter Rühren bei 100° 13 g (0,1 mol) Triethylamin-tert.-Butyl-dihydro-boran innerhalb 1 Stde. zugetropft. Anschließend wird eine weitere Stde. erhitzt, auf ~20° abgekühlt und 200 *ml* Wasser zugefügt. Nach Extrahieren mit Diethylether, Waschen mit Wasser (3 mal 50 *ml*) und Trocknen (Magnesiumsulfat) erhält man i. Vak. die dimeren Alkylidenamino-diorgano-borane.

Entsprechend lassen sich u. a. folgende ...*-1,2,3,4-tetrahydro-1,3,2,4-diazoniadiboratetidine* erhalten[2]:

R = CH_3; *2,4-Di-tert.-butyl-1,3-dimethyl-...*; 22%; F: 75–78°; $Kp_{0,8}$: 72–78°
R = $CH(CH_3)_2$; *2,4-Di-tert.-butyl-1,3-diisopropyl-...*; 41%; F: 57–60°; $Kp_{0,4}$: 84–94°
R = C_6H_5; *2,4-Di-tert.-butyl-1,3-diphenyl-...*; 63%; F: 141–143°
R = 4-F–C_6H_4; *1,3-Bis[4-fluorphenyl]-2,4-di-tert.-butyl-...*; 93% (roh); F: 137–139°
R = 3-CH_3–C_6H_4; *1,3-Bis[3-methylphenyl]-2,4-di-tert.-butyl-...*; 90% (roh); F: 124–126° (roh)

Aus 1,1,3,3-Tetramethyl-2,4-dihydro-1,3,2,4-diazoniadiboratolidin erhält man mit Brom in Dichlormethan das *1,1,3,3-Tetramethyl-2,4,4-tribrom-2-hydro-1,3,2,4-diazoniadiboratolidin* (~90%; F: 119–121°)[3]:

$$\xrightarrow[-3\ HBr]{+\ 3\ Br_2/CH_2Cl_2}$$

1,3,2,4-Diazoniadiboratolidine enthalten mindestens eine B–C-Bindung.

Es sind bisher verschiedene 2-Hydro- und 2-Halogen-4-hydro-Derivate bekannt.

[1] J.I. Lloyd u. K. Wade, Soc. **1964**, 1649.
[2] M.F. Hawthorne, Tetrahedron **17**, 117 (1962).
[3] B.R. Gragg u. G.E. Ryschkewitsch, Inorg. Chem. **15**, 1201 (1976).

Die Herstellung der 1,3,2,4-Diazoniadiboratolidine geht von Bis[trimethylamin]-dihydro-bor(1+)-halogeniden aus. Weitere Derivate lassen sich durch Substituenten-Austausch der 1,3,2,4-Diazoniadiboratolidine gewinnen[1].

Bis[trimethylamin]-dihydrido-bor(1+)-jodid reagiert in 1,2-Dimethoxyethan bei ~85° (Rückfluß) mit metallischem Kalium unter Methan-Entwicklung zum *1,1,3,3-Tetramethyl-2,4-dihydro-1,3,2,4-diazoniadiboratolidin* (62%)[1]:

$$\{[(H_3C)_3N]_2BH_2\}^+ \; J^- \xrightarrow[-\,CH_4\,,\;-KJ]{+K\,/\,Glyme}$$

Die Einwirkung von Jodwasserstoff führt zum 2,4-Dijod-Derivat[1], das mit Jod zum 2,4,4-Trijod-Derivat I weiterreagiert[1,2].

$$\xrightarrow[-\,2\,H_2]{+2\,HJ} \qquad \xrightarrow[-HJ]{+J_2}$$

...-1,3,2,4-diazoniadiboratolidin

2,4-Dijod-1,1,3,3-tetramethyl-2,4-dihydro-...

1,1,3,3-Tetramethyl-2,4,4-trijod-2-hydro-...

g) Lewisbase-Element(IV)yl-organo-borane

Zur Verbindungsklasse zählen Additionsverbindungen der Carboranyl-organo-borane (vgl. S. 398) mit verschiedenen Lewisbasen. Lewisbase-Organo-silyl-borane sowie Lewisbase-Organo-stannyl-borane sind noch nicht beschrieben.

Die Herstellung der Carboranyl-organo-boran-Addukte erfolgt aus Carboranyl-diorgano-boranen bzw. aus anderen z.Tl. organogruppenfreien Additionsverbindungen[3]. Die Einführung des Carboranyl-Restes gelingt z.B. mit Lithiumcarboranen[4]:

$$(H_3C)_3\overset{\oplus}{N}-\overset{\ominus}{B}H_2-J \;+\; Li\text{-}C_2B_{10}H_{10} \xrightarrow{-LiJ} (H_3C)_3\overset{\oplus}{N}-\overset{\ominus}{B}H_2\text{-}C_2B_{10}H_{10}$$

---

[1] B.R. GRAGG u. G.E. RYSCHKEWITSCH, Inorg. Chem. **15**, 1201 (1976).

[2] B.R. GRAGG u. G.E. RYSCHKEWITSCH, Am. Soc. **96**, 4717 (1974).

[3] B.M. MIKHAILOV u. E.A. SHAGOVA, Ž. obšč. Chim. **45**, 1052 (1975); engl.: 1039; C.A. **83**, 97432 (1975).

[4] D.N. RAI, C.R. VENKATACHELAM u. R.W. RUDOLPH, Synth. React. Inorg. Metal-org. Chem. **3**, 129 (1973); C.A. **79**, 18798 (1973).

Die Additionsverbindungen werden aus Carboranyl-diorgano-boranen oder aus Lewis-base-Carboranyl-organo-boranen hergestellt.

Carbonyl-Carboranyl-organo-borane erhält man aus Carboranyl-diorgano-boranen mit bestimmten H-aciden Carbonyl-Verbindungen.

Auch aus Carboranyl-diorgano-boranen sind mit 2,4-Pentandion unter Abspaltung einer Alkyl-Gruppe als Alkan bzw. eines Alkenyl-Rests als Alken 2-Carboranyl-4,6-dimethyl-2-organo-1,3,2-dioxaborine zugänglich[1]; z. B.:

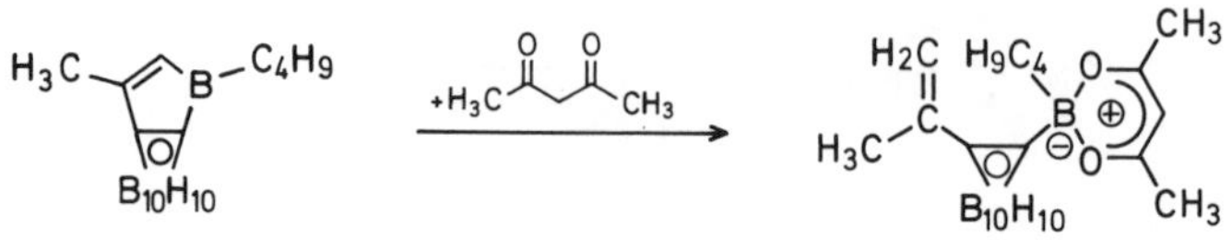

H_3C ... $B-C_4H_9$ ... $B_{10}H_{10}$ $\xrightarrow{+H_3C-CO-CH_2-CO-CH_3}$ $H_2C{=}C(CH_3)$ ... H_9C_4 ... $B_{10}H_{10}$ ... CH_3 ... CH_3

2-Butyl-4,6-dimethyl-2-(2-isopropenyl-1-carboranyl)-5-dihydro-1,3,2-dioxaborin-Betain; 68,5%; F: 75–78°

Aus Diethylether-1,2-(4-Methylboratolano[2,3])-o-carboran erhält man mit Trimethylamin unter Verdrängen des Ethers *Trimethylamin-3-Methyl-2,3-dihydro-⟨boratolo [2,3-a]-o-carboran⟩* (F: 126–129°)[1]:

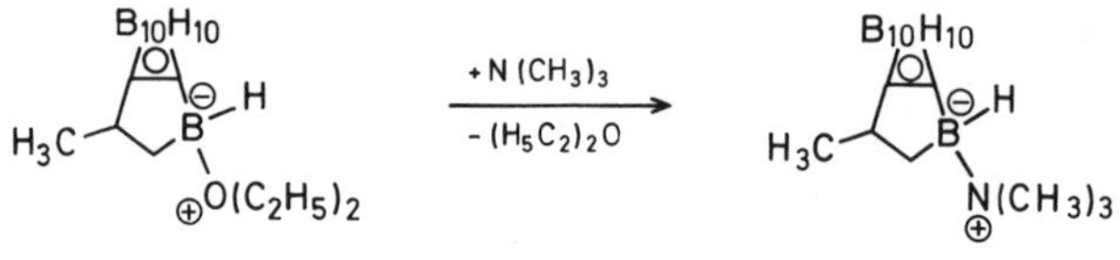

$B_{10}H_{10}$ ... H_3C ... $B^{\ominus}-H$ ... ${}^{\oplus}O(C_2H_5)_2$ $\xrightarrow[-(H_5C_2)_2O]{+N(CH_3)_3}$ $B_{10}H_{10}$ ... H_3C ... $B^{\ominus}-H$ ... ${}^{\oplus}N(CH_3)_3$

[1] B. M. Mikhailov u. E. A. Shagova, Ž. obšč. Chim. **45**, 1052 (1075); engl.: 1039; C. A. **83**, 97432 (1975).

II. Ionische Organobor(4)-Verbindungen

bearbeitet von

ROLAND KÖSTER

Max-Planck-Institut für Kohlenforschung
Mülheim an der Ruhr

Zur Verbindungsklasse zählen Organobor-Verbindungen mit vierfach koordiniertem, zentralem Bor-Atom im Kation (S. 681ff.), in zwitterionischen Verbindungen (vgl. S. 702ff.) und im Anion (vgl. S. 749ff.).

a) Kationische Organobor(4)-Verbindungen

Die Verbindungsklasse umfaßt salzartige Verbindungen des zentralen, vierfach koordinierten, an zwei oder einem Organo-Rest gebundenen Bor-Atoms im Kation[1]. Die Diorganoboryl- und Monoorganoboryl-Gruppierungen sind mit zwei Molekülen Lewisbase stabilisiert. Außer Stickstoff-Basen wie den aliphatischen Aminen, Pyridinbasen oder anderen Stickstoff-Heterocyclen treten chelatbildende Diamine sowie 2,2′-Bipyridyl als stabilisierende Liganden des zentralen Bor-Atoms auf. Ferner können Aldimine und Ketimine an die Boryl-Kationen addiert sein. Phosphane sind bisher nur in Sonderfällen als Liganden des vierfach koordinierten, organisch gebundenen Bor-Atoms im Kation erwähnt worden (vgl. Tab. 104, 105, S. 682, 695).

Die Herstellungsmethoden der Organobor(1+)-Verbindungen werden in zwei Abschnitte unterteilt. Nach den Bis-Lewisbase-Diorganobor(1+)-Verbindungen werden die Bis[Lewisbase]-Monoorganobor(1+)-Verbindungen mit einem beliebigen weiteren Substituenten am Bor-Atom besprochen.

1. Bis[Lewisbase]-Diorganobor(1+)-Verbindungen

Die Herstellung der Bis[Lewisbase]-Diorganobor(1+)-Verbindungen mit vierfach koordiniertem Bor-Atom[2]

$$\left[\begin{matrix} R & & Base \\ & B & \\ R & & Base \end{matrix}\right]^{+} Hal^{-}$$

erfolgt im allgemeinen aus Diorgano-halogen-boranen oder deren Additionsverbindungen mit Lewisbasen. Man kann in Sonderfällen auch Triorganoborane, Diorgano-hydro-, Diorgano-organooxy- und Amino-diorgano-borane verwenden. Ferner werden Lewisbase-Diorgano-oxy- und Lewisbase-Diorgano-thio-borane eingesetzt. Da Bis[Lewisbase]-Diorganobor(1+)-halogenide in Wasser und anderen Solventien meist stabile Verbindungen sind, lassen sich verschiedene borferne Austauschreaktionen der Anionen zur Herstellung von Diorganobor(1+)-Verbindungen anwenden (vgl. Tab. 104, S. 682).

---

[1] *Gmelin*, 8. Aufl., Bd. **37**/10, S. 126–141 (1976).
[2] *Gmelin*, 8. Aufl., Bd. **37**/10, S. 32–36, 130–141 (1976).

Tab. 104: Diorganobor(1+)-Verbindungen mit vierfach koordiniertem Bor-Atom

Formel/Name	Verbindungstyp	Herstellungsart	s. S.
$[(H_2C{=}CH{-}CH_2)_2B(2,2'\text{-Bipyridyl})]^+$	$R_2B[N]_2^+$	aus $B(R_{en})_3$/+ Do–Do	683
$(H_3C{-}NH_2)_2B^{\oplus}(C_4H_8)_2BH_2^{\ominus}$	$R_2B[N]_2^+$	aus R_2BH + 2 Do	683
$[R_2B(\text{Amin})_2]^+$	$R_2B[N]_2^+$	aus R_2B–Hal + 2 Do + Do–Do aus $[R_2BDo_2]^+$ + $ElHal_n$ borfern + $M[BR_4]$ borfern	684 694 694
$\{(H_5C_2)_4B_2[\text{Pyridin}]_4\}^+$	$R_2B[N]_4^+$	aus R_2B–Hal + Na–Py/Py	691
$[R^1_2B(\text{N–N})_2CR^2_2]^+$	$R_2B[N]_2^+$	R_2B–OX + Do–Do	689
$[(H_9C_4)_2B(NH{=}C{<})_2]^+ Cl^-$	$R_2B[N]_2^+$	aus R_2B–N< + $[H_2N{=}C{<}]^+$	690
$[(C_8H_{14})B(\text{Pyridin})_2]^+$	$R_2B[N]_2^+$	aus $\overset{\oplus}{Do}$–$R_2\overset{\ominus}{B}$–Hal + Do	692
$[R_2B(\text{Pyridin})_2]^+$	$R_2B[N]_2^+$	aus $\overset{\oplus}{Do}$–$R_2\overset{\ominus}{B}$–Hal + Na–R aus R_2B–O–NO– + 2Py aus $\overset{\oplus}{Do}$–$R^1_2\overset{\ominus}{B}$–$SR^2$ + Py/H_2CCl_2	692 693 693
$[((H_3C)_3P)_2B(CH_3)_2]^+$	$R_2B[P]_2^+$	aus Do–R_2B–Hal + Do	698

α) aus Triorganoboranen

Allyl-Reste der Triorganoborane werden zwischen Bor-Atomen verhältnismäßig leicht ausgetauscht, was präparativ zur Herstellung von Diorganoboryl(1+)-tetraorganoboraten(1−) ausgenutzt werden kann.

Aus Triallylboran erhält man mit 2,2′-Bipyridyl im Verhältnis 2:1 unter Übertragung eines Allyl-Restes von einem auf das andere Bor-Atom *2,2′-Bipyridyl-diallylbor(1+)-tetraallylborat*[1]:

[1] K.H. THIELE, S. SCHRÖDER u. O. TRAPOLSI, Z. **13**, 141 (1973).

$$2\ (H_2C{=}CH{-}CH_2)_3B + \text{2,2'-Bipyridyl} \longrightarrow [(\text{Bipyridyl})B(CH_2{-}CH{=}CH_2)_2]^+\ [(H_2C{=}CH{-}CH_2)_4B]^-$$

Trialkylborane reagieren im Gegensatz zu den Trialkylaluminium-Verbindungen[1] nicht mit 2,2'-Bipyridyl.

Aus Triphenylboran und 2,2'-Bipyridyl bildet sich *2,2'-Bipyridyl-diphenyl-bor(1+)-tetraphenylborat(1−)*, aus dem mit metallischem Kalium in THF oder Benzol paramagnetische Lösungen entstehen, deren ESR-Spektrum auf 2,2-Bipyridyl-Diphenylboryl-Radikal hinweist[2]:

β) aus Hydro-organo-boranen

Die unsymmetrische Spaltung der BH_2B-Bindung der Tetraorganodiborane(6) mit Aminen liefert Diorganobor(1+)-Verbindungen mit tetrakoordinierten Bor-Atomen. In Konkurrenz zur symmetrischen BH_2-B-Spaltung, die unter Bildung von Lewisbase-Diorgano-hydro-boranen (vgl. S. 477) verläuft, treten diese Reaktionen allerdings nur in Sonderfällen ein. Organodiboran(6) und Lewisbase bestimmen das Reaktionsgeschehen gleichermaßen.

Aus Tetramethyldiboran(6) bildet sich z.B. mit Ammoniak unter unsymmetrischer Spaltung der BH_2B-Bindung das thermisch instabile *Bis[ammoniak]-dimethylbor(1+)-dihydro-dimethyl-borat*[3]. Analog reagieren bestimmte cyclische Tetraorganodiborane(6) mit Aminen entweder vollständig oder teilweise unter unsymmetrischer BH_2B-Spaltung[4]; z.B.:

$$\text{(Bis-butan-1,4-diyl-diboran(6), } B{-}H{-}B) + 2\ H_3C{-}NH_2 \longrightarrow (H_3C{-}NH_2)_2\overset{\oplus}{B}\ \overset{\ominus}{B}H_2$$

1,2:1,2-Bis[butan-1,4-diyl]-2,2-bis-[methylamin]-1,1-dihydro-2-bor(1+)-1-borat

γ) aus Halogen-organo-boranen

Die aus Halogen-diorgano-boranen mit Stickstoffbasen zugänglichen Bis[amin]-diorgano-bor(1+)-halogenide werden zumeist als *Chloride* isoliert. Die Chloride sind in der Regel in Wasser stabil. Das Chlorid-Ion kann leicht gegen andere Ionen wie z.B. gegen *Perchlorat-, Jodid-, Thiocyanat-, Azid-, Methandithiophosphonat-* oder *Tetraphenylborat-*Ionen ausgetauscht werden, falls die Bor(1+)-chloride nicht zu schwer löslich sind (vgl. S. 693f.)[3].

Diorgano-halogen-borane bilden mit Stickstoff-Basen 1:1-Additionsverbindungen III. Mit zwei Molen Stickstoff-Base erhält man im allgemeinen Bis[amin]-diorganobor(1+)-halogenide (I).

---

[1] vgl. H. Lehmkuhl, G. Fuchs u. R. Köster, Tetrahedron Letters **1965**, 2511.
[2] W. Kaim, B. **114**, 3789 (1981).
[3] P.C. Moews u. R.W. Parry, Inorg. Chem. **5**, 1552 (1966).
[4] D.E. Young u. S.G. Shore, Am. Soc. **91**, 2497 (1969).

$$R_2B{-}Hal \xrightarrow{+Amin} [\overset{\oplus}{Amin}{-}Hal\overset{\ominus}{B}R_2] \xrightarrow{+Amin} \{R_2B(Amin)_2\}^+Hal^-$$

III → I

$$\{R_2B(Amin)_2\}^+Hal^- \xrightarrow{-[AminH]^+Hal^-} R_2BAmino \text{ (II)}$$

$$\text{III} \xrightarrow[-[AminH]^+Hal^-]{+Amin} R_2BAmino \text{ (II)}$$

Das als Neben- oder Hauptprodukt anfallende Amino-diorgano-boran II wird aus dem Bor(1+)-Salz oder aus der 1:1-Additionsverbindung III gebildet. Die relative Basizität des Amins gegenüber dem Boran bestimmt Reaktionsablauf und Endprodukt. Als Elektronendonatoren eignen sich Ammoniak sowie prim., sek. und tert. offenkettige und cyclische Amine. Stickstoff-Heterocyclen (z.B. 2-Dimethylaminomethyl-pyridin, 2,2′-Bipyridyl) sind besonders wirksame chelatartig bindende Stickstoffbasen. Die Reaktionen werden zur vollständigen Isolierung der Bor(1+)-Salze in Kohlenwasserstoffen bzw. in Ethern wie z.B. in Diethylether oder Tetrahydrofuran durchgeführt.

γ_1) *mit aliphatischen Aminen*

Aus Chlor-dibutyl-boran erhält man mit Methylamin in Isopentan/Diethylether bei −30° in 91%iger Ausbeute *Bis[methylamin]-dibutyl-bor(1+)-chlorid*[2]:

$$(H_9C_4)_2B{-}Cl \;+\; 2\,H_3C{-}NH_2 \xrightarrow[\text{Ether}]{H_3C{-}CH_2{-}CH(CH_3)_2} \left[(H_9C_4)_2B(NH_2{-}CH_3)_2\right]^+ Cl^-$$

Entsprechend lassen sich Bis[amin]-dibutyl-bor(1+)-chloride mit Ammoniak oder mit Ethylamin herstellen. Mit Butylamin wird dagegen Butylamino-dibutyl-boran (vgl. S. 28) gebildet. Bis[amin]-dibutyl-bor(1+)-chloride haben im allgemeinen keine scharfen Schmelzpunkte[1].

Chlor-diphenyl-boran liefert mit Methyl-, Ethyl- oder Isobutyl-amin in Diethylether z.Tl. scharf schmelzende Bis[amin]-diphenyl-bor(1+)-chloride: z.B. *Bis[ethylamin]-* (F: 125–126°), *Bis[isobutylamin]-diphenyl-bor(1+)-chlorid* (85%; F: 129–131° im geschlossenen Rohr)[2].

Unterschiedlich reagieren die Bis[methylphenyl]-chlor-borane mit prim. Aminen[3]. Während Bis[2-methylphenyl]-chlor-boran kein Bor(1+)-Salz liefert, erhält man aus Bis[4-methylphenyl]-chlor-boran und Ethylamin 86% *Bis[ethylamin]-bis-[4-methylphenyl]-bor(1+)-chlorid* (F: 138–139°) neben 7,5% *Bis[4-methylphenyl]-ethylamino-boran* und mit Butylamin 42% *Bis[butylamino]-bis[4-methylphenyl]-bor(1+)-chlorid* (F: 163–165°) neben 55% *Bis[4-methylphenyl]-butylamino-boran*[3].

---

[1] T.A. SHCHEGOLEVA u. B.M. MIKHAILOV, Izv. Akad. SSSR **1965**, 714; engl.: 690; C.A. **63**, 2992 (1965).

[2] B.M. MIKHAILOV u. N.S. FEDOTOV, Izv. Akad. SSSR **1961**, 1913; vgl. **1959**, 1482; C.A. **56**, 7341 (1962); **54**, 1376 (1960).

[3] B.M. MIKHAILOV u. N.S. FEDOTOV, Doklady Akad. SSSR **154**, 1128 (1964); engl.: 157; C.A. **60**, 11863 (1964).

Aus 1-Chlor-boracycloalkanen lassen sich mit prim. aliphatischen Aminen oder mit Anilin Bis[amin]-alkandiyl-bor(1+)-chloride herstellen, die beim Erhitzen unter Abspalten von Organoammoniumchloriden in 1-Aminoborolane (vgl. S. 28) übergehen[1].

$$\text{(C}_4\text{H}_8\text{)B–Cl} + 2\,\text{HNR}^1\text{R}^2 \longrightarrow \left[\text{(C}_4\text{H}_8\text{)B(NHR}^1\text{R}^2)_2\right]^+ \text{Cl}^-$$

z.B.: $R^1 = H$; $R^2 = C_2H_5$; *Bis[ethylamin]-1,4-butandiyl-bor(1+)-chlorid*
$R^2 = C_4H_9$; *Bis[butylamin]-1,4-butandiyl-bor(1+)-chlorid*
$R^2 = C_6H_5$; *Bis[anilin]-1,4-butandiyl-bor(1+)-chlorid*

1-Chlor-1-borolan setzt sich mit Methyl- bzw. Ethyl-amin bei $-15°$ in Isopentan zum *1,1-Bis[methylamin]-* (F: 178–197°, Zers.) bzw. *Bis[ethylamin]-1,4-butandiyl-bor(1+)-chlorid* (F: 110–130°, Zers.) um[2].

Bei der Aminierung von 1-Chlorborepan mit einem Überschuß an primärem Amin entsteht ein Gemisch aus 1-Aminoborepan und Bis[amin]-1,6-hexandiyl-bor(1+)-chlorid. Die Aminoboran-Komponente läßt sich destillativ abtrennen (vgl. S. 31)[1,3]:

$$\text{(C}_6\text{H}_{12}\text{)B–Cl} + 3\,\text{R–NH}_2 \xrightarrow{-\text{HCl}} \text{(C}_6\text{H}_{12}\text{)B–NH–R} + \left[\text{(C}_6\text{H}_{12}\text{)B(NH}_2\text{–R)}_2\right]^+ \text{Cl}^-$$

$R = C_2H_5$; *Bis[ethylamino]-1,6-hexandiyl-bor(+)-chlorid*; Kp_{16}: 82–84°
$R = C_3H_7$; *Bis[1-propylamino]-1,6-hexandiyl-bor(1+)-chlorid*; Kp_{17}: 86°
$R = C_6H_5$; *Bis[1-anilino]-1,6-hexandiyl-bor(1+)-chlorid*; Kp_2: 91°

1-Chlor-1-boraindan sowie 1-Chlor-1-boratetralin reagieren mit prim. aliphatischen Aminen unter Bildung der entsprechenden Bis[amin]-diorgano-bor(1+)-chloride[1].

γ_2) *mit Hydrazinen*

Aus Chlor-dialkyl-boranen in Ether erhält man bei 0° mit Hydrazin Bis[hydrazin]-dialkyl-bor(1+)-chloride[4,5]:

$$\left[R_2B(NH_2–NH_2)_2\right]^+ Cl^-$$

z.B.: $R = C_4H_9$; *Bis[hydrazin]-dibutyl-bor(1+)-chlorid*

Mit 1,1-Dimethylhydrazin wird kein Organobor(1+)-Salz gebildet. Man erhält *Dialkyl-(1,1-dimethylhydrazino)-boran* und 1,1-Dimethylhydrazin-Hydrochlorid (vgl. S. 107)[4,5].

$$R_2B–Cl + 2\,H_2N–N(CH_3)_2 \xrightarrow{-[H_3N–N(CH_3)_2]^+Cl^-} R_2B–NH–N(CH_3)_2$$

[1] B.M. Mikhailov, T.K. Kozminskaya u. L.V. Tarasova, Doklady Akad. SSSR **160**, 615 (1965); engl.: 107; C.A. **62**, 14714 (1965).
[2] R. Köster u. G. Benedikt, Mülheim a.d. Ruhr, unveröffentlicht 1963/1964.
[3] B.M. Mikhailov u. T.K. Kozminskaya, Izv. Akad. SSSR **1963**, 1703, engl.: 1567; C.A. **59**, 15294 (1963).
[4] H. Nöth, Ang. Ch. **75**, 730 (1963).
[5] H. Nöth, Z. Naturf. **16b**, 471 (1961).

γ_3) *mit Pyridinbasen*

Mit Pyridin sowie einigen Alkylpyridinen lassen sich aus Chlor-diorgano-boranen in Pentan oder Ether Bis[pyridinbase]-diorgano-bor(1+)-chloride herstellen[1,2]. Brom-dialkyl-borane reagieren entsprechend[2,3].

Bis[pyridin]-dibutyl-bor(1+)-chlorid[2]: 1,49 g Pyridin in 10 *ml* Pentan werden bei ~20° mit 1,51 g Chlor-dibutyl-boran in 10 *ml* Pentan vermischt. Unter Erwärmen fällt sofort ein farbloser Niederschlag aus. Nach Vertreiben des Verdünnungsmittels i. Vak. und Waschen mit Pentan erhält man 2,92 g (97%); F: 63–66°.

Auf analoge Weise wird *Bis[pyridin]-dibutyl-bor(1+)-bromid* (96%; F: 125–132°) erhalten[2].

Aus Chlor-diethyl-boran erhält man mit 2 mol Pyridin in Diethylether das farblose, gut kristallisierte *Bis[pyridin]-diethyl-bor(1+)-chlorid* (F: 109°)[1]:

$$\left[(H_5C_2)_2B(NC_5H_5)_2\right]^+ Cl^-$$

Bis[pyridin]-diethylbor(1+)-chlorid[1]: Zu 21,5 g Chlor-diethyl-boran in 100 *ml* abs. Ether werden unter Eiswasserkühlung 32 g getrocknetes Pyridin getropft (anfangs starke Wärmeentwicklung). Beim 20stdgn. Rückflußkochen scheidet sich das Bor(1+)-Salz ab. Nach Abfiltrieren, Waschen mit Ether wird i. Vak. getrocknet; Ausbeute: 49,7 g (92%); F: 109°.

Beim Erhitzen unter Atmosphärendruck wird ab ~100° Pyridin abgespalten. Man erhält flüssiges, farbloses *Pyridin-Chlor-diethyl-boran* (Kp: 255°; Kp_{15}: 160°).

Der Einfluß der Alkyl-Substituenten der Pyridine auf die Art der entstehenden Addukte ist deutlich. Aus Chlor-diethyl-boran erhält man mit 2-Methylpyridin lediglich ein 1:1-Addukt. Mit 2,4,6-Trimethylpyridin bildet sich keine stabile Additionsverbindung[4]. Dagegen reagiert Chlor-diethyl-boran mit 4-Methylpyridin unter Bildung von *Bis[4-methylpyridin]-bor(1+)-chlorid*[5].

Aus dem gelben 9-Chlor-9-borafluoren erhält man mit zwei mol Pyridin farbloses *Bis[pyridin]-2,2'-biphenyldiyl-bor(1+)-chlorid*[1,5]:

$$\text{9-Chlor-9-borafluoren (B–Cl)} + 2\ C_5H_5N \longrightarrow \left[(C_{12}H_8)B(NC_5H_5)_2\right]^+ Cl^-$$

Bis[pyridin]-2,2'-biphenyldiyl-bor(1+)-chlorid[6]: 2 g gelbes 9-Chlor-9-borafluoren werden in 10 *ml* getrocknetem Pyridin gelöst. Nach längerem Stehen scheiden sich farblose Kristalle ab, die mit Ether gewaschen werden (F: 137°); Ausbeute: quantitativ.

---

[1] R. KÖSTER u. G. BENEDIKT, Mülheim a. d. Ruhr, unveröffentlicht 1963/1964.
[2] W. GERRARD, M. F. LAPPERT u. R. SHAFFERMAN, Soc. **1957**, 3828.
[3] D. R. MARTIN u. P. H. NGUYEN, J. Inorg. & Nuclear Chem. **40**, 1289 (1978); C. A. **90**, 121691 (1979).
[4] R. KÖSTER, H. BELLUT, G. BENEDIKT u. E. ZIEGLER, A. **724**, 34 (1969).
[5] R. KÖSTER u. N. DAS, Mülheim a. d. Ruhr, unveröffentlicht 1964.

γ_4) *mit chelatbildenden Bis-Stickstoffbasen*

Chelat-bildende Bis-Stickstoff-Basen sind zur Gewinnung von Bis[amin]-diorgano-bor(1+)-halogeniden besonders gut geeignet. 2,2′-Bipyridyl wird hauptsächlich verwendet[1-4].

Setzt man z.B. Chlor-diphenyl-boran mit 2,2′-Bipyridyl (Molverhältnis 1:1) um, so wird *2,2′-Bipyridyl-diphenyl-bor(1+)-chlorid* erhalten[2-4]:

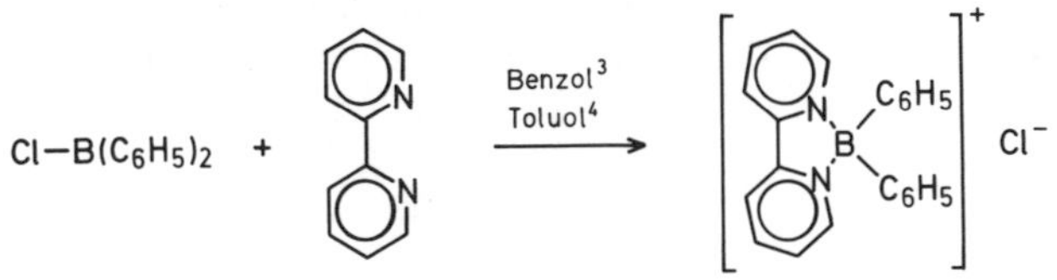

$Cl{-}B(C_6H_5)_2$ + 2,2′-Bipyridyl $\xrightarrow{\text{Benzol}^3,\ \text{Toluol}^4}$ $[(C_{10}H_8N_2)B(C_6H_5)_2]^+\ Cl^-$

2,2′-Bipyridyl-diphenyl-bor(1+)-chlorid[2]: Zu 290 mg (1,45 mmol) Chlor-diphenyl-boran in 15 *ml* Nitrobenzol gibt man 226 mg (1,45 mmol) 2,2′-Bipyridyl, ebenfalls in 15 *ml* Nitrobenzol. Nach Abklingen der exothermen Reaktion läßt man in einer Trockenbox abkühlen. Innerhalb 24 Stdn. kristallisiert das Bor(1+)-Salz aus, das mit Ether gewaschen und bei 60°/0,1 Torr getrocknet wird; Ausbeute: 400 mg (78%); F: 333° (Zers.).

Ebenfalls in Toluol werden *Diphenyl-1,10-phenanthrolin-bor(1+)-chlorid* (F: 157–163°; Zers.) und *2,2′-Bipyridyl-dibutyl-bor(1+)-chlorid* hergestellt[3].

Aus 10-Chlor-10H-⟨dibenzo-1,4-oxaborin⟩ wird mit 2,2′-Bipyridyl *10,10-(2,2′-Bipyridyl)-(diphenylether-2,2′-diyl)-bor(1+)-chlorid* gewonnen[2]:

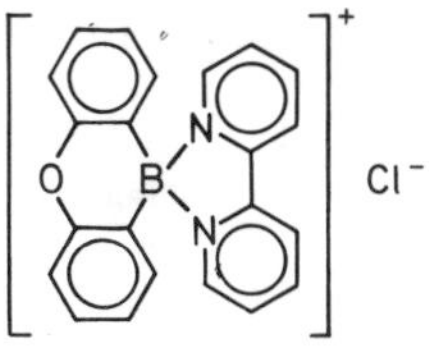

$[\ldots]^+\ Cl^-$

Wird Chlor-diphenyl-boran mit 2,2′-Bipyridyl im Molverhältnis 2:1 umgesetzt, so wird *2,2′-Bipyridyl-diphenyl-bor(1+)-dichlor-diphenyl-borat* (vgl. S. 830) erhalten[2]:

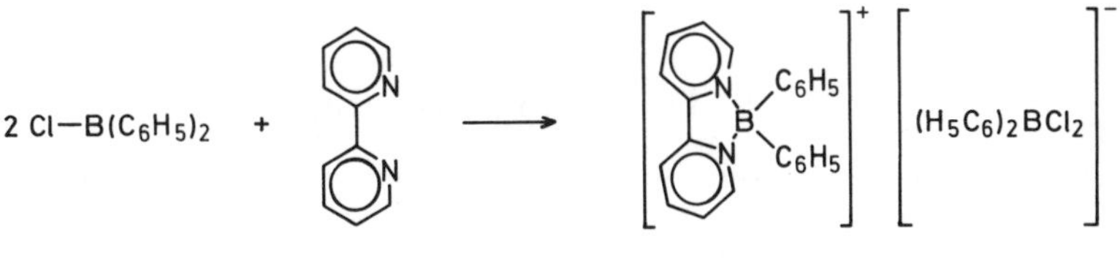

$2\ Cl{-}B(C_6H_5)_2$ + 2,2′-Bipyridyl $\longrightarrow$ $[(C_{10}H_8N_2)B(C_6H_5)_2]^+\ [(H_5C_6)_2BCl_2]^-$

2,2′-Bipyridyl-diphenyl-bor(1+)-dichlor-diphenyl-borat[2]: 760 mg (3,8 mmol) Chlor-diphenyl-boran in 20 *ml* Petrolether (Kp: 30–50°) tropft man innerhalb 5 Min. zu 291 mg (1,9 mmol) 2,2′-Bipyridyl, gelöst in einer minimalen Menge Benzol. Das Salz scheidet sich als flockige farblose Substanz aus, die abfiltriert und mit Petrolether gewaschen wird; Ausbeute: 960 mg (93%).

---

[1] J.M. Davidson u. C.M. French, Chem. & Ind. **1959**, 750.
[2] J.M. Davidson u. C.M. French, Soc. **1962**, 3364.
[3] L. Banford u. G.E. Coates, Soc. **1964**, 3564.
[4] H. Holzapfel, P. Nenning, G. Kerns u. C. Tuschick, Z. **7**, 467 (1967).

Aus Chlor-diphenyl-boran läßt sich mit 2,2′-Bipyridyl in Nitromethan in Gegenwart von Silberperchlorat unmittelbar *2,2′-Bipyridyl-diphenyl-bor(1+)-perchlorat* gewinnen[1].

2,2′-Bipyridyl-diphenyl-bor(1+)-perchlorat[1]: Zu 1,139 g (5,7 mmol) Chlor-diphenyl-boran in 5 *ml* Nitromethan gibt man 1,184 g (5,7 mmol) Silberperchlorat in 10 *ml* Nitromethan. Die gelbe Lösung wird vom ausgeschiedenen Silberchlorid abfiltriert und 0,882 g 2,2′-Bipyridyl zugegeben. Die Lösung entfärbt sich. Beim Auskristallisieren fügt man 50 *ml* Ether zu, saugt ab, löst nochmals in Nitromethan und fällt erneut mit Ether; Ausbeute: 1,8 g (75,5%).

Auch mit anderen Chelatbildnern sind aus Chlor-diorgano-boranen wie z.B. aus Chlor-diethyl-boran Bis[amin]-diorgano-bor(1+)-chloride zugänglich. Mit 2-(Dimethylamino-methyl)pyridin erhält man [2-(Dimethylamino-methyl)pyridin]-diorgano-bor(1+)-Salze[2]:

$$\left[\begin{array}{c} N \\ R-B-N(CH_3)_2 \\ R \end{array} \right]^{+}$$

γ_5) *mit Triorganophosphanen*

In Analogie zur Herstellung von Bis[trimethylphosphan]-dihydro-bor(1+)-halogeniden[3] läßt sich z.B. aus Brom-dimethyl-boran mit der doppelten Menge Trimethylphosphan Bis[trimethylphosphan]-dimethyl-bor(1+)-bromid (Zers.-P. >150°) herstellen[4,5]:

$$(H_3C)_2B-Br \quad + \quad 2\,(H_3C)_3P \xrightarrow{60°,\ 10\ Tage} \{[(H_3C)_3P]_2\,B(CH_3)_2\}^+\,Br^-$$

Bis[trimethylphosphan]-dimethyl-bor(1+)-bromid[4]: 3 g (40 mmol) Trimethylphosphan und 2,4 g (20 mmol) Brom-dimethyl-boran werden im Bombenrohr 10 Tage auf 60° erwärmt. Das farblose Festprodukt wäscht man mit Ether und trocknet i.Vak. (0,01 Torr); Ausbeute: 4,42 g (81%); Zers.: >150°.

δ) aus Diorgano-oxy-boranen

Bestimmte Diorgano-oxy-borane reagieren mit chelatisierenden Diaminen unter Bildung von Bis[amin]-diorgano-bor(1+)-Salzen, deren Anion die ursprünglich am Bor-Atom gebundene Oxy-Gruppe bildet. Besonders gut geeignet sind für die ansonsten ungewöhnliche Herstellungsmethode Diorgano-oxy-borane mit Benzol- bzw. Alkansulfonyloxy-Gruppen, während die Trifluoracetoxy-Gruppe weniger leicht und die Acetoxy-Gruppe nur äußerst träge vom Bor-Atom abgespalten werden.

---

[1] J.M. Davidson u. C.M. French, Chem. & Ind. **1959**, 750.
[2] R. Köster u. H. Bellut, Mülheim a.d. Ruhr, unveröffentlicht 1966.
[3] H. Schmidbaur u. G. Müller, M. **111**, 1233 (1980).
[4] G. Müller, Dissertation, S. 50f., 144, Technische Universität München 1980.
[5] G. Müller, D. Neugebauer, W. Geike, F.H. Köhler, J. Pebler u. H. Schmidbaur, Organometallics **2**, 257 (1983).

$X = SO_2\text{–}R, CO\text{–}CF_3, CO\text{–}CH_3$

$R^1 = C_2H_5$
$R^1 = H, CH_4$

Diorganobor(1+)-Verbindungen lassen sich im allgemeinen gut als Hexafluorophosphate oder als Dodecahydrododecaborate(2-) isolieren. Man erhält z.B. aus Diethyl-trifluoracetoxy-boran, in situ hergestellt aus Triethylboran mit Trifluoressigsäure (vgl. Bd. XIII/3a, S. 579), mit Dipyrazolomethan in Tetrahydrofuran nach Versetzen mit Dinatrium-dodecahydrododecaborat(2−) in Wasser in 30%iger Ausbeute *(Dipyrazolomethan)-diethylbor(1+)-dodecahydrododecaborat(2−)*[1].

(2,2′-Dipyrazolomethan)-diethylbor(1+)-dodecahydrododecaborat(2−)[1]: Eine Mischung von 14,1 *ml* (0,1 mol) Triethylboran, 7,5 *ml* (11,4 g; 0,1 mol) Trifluoressigsäure und 150 *ml* Benzol wird unter Stickstoff unter Rühren erhitzt, bis sich die theoret. Menge Ethan entwickelt hat (2,4 *l*). Langsam gibt man eine Lösung von 14,8 g (0,1 mol) Dipyrazolo-methan in 100 *ml* Tetrahydrofuran zu, engt das Gesamtvol. auf ~ 100 *ml* ein, gibt Benzol zu. Die Lösung wird so lange mit Wasser ausgeschüttelt, bis die wäßr. Extrakte mit Dinatrium-dodecahydrododecaborat(2−) keinen Niederschlag mehr geben. Die vereinigten wäßr. Extrakte werden mit einer wäßr. Lösung von 5 g Dinatrium-dodecahydro-dodecaborat(2−) behandelt, die ausgefallenen Kristalle aus Acetonitril umkristallisiert; Ausbeute: 8,6 g (30%); F: 260° (Zers.).

Aus Diethyl-tosyloxy-boran erhält man in Toluol mit Tetrakis[pyrazolo]methan durch einfache Chelatisierung in wäßr. Ammoniumhexafluorophosphat-Lösung *Diethyl-(tetrakis[pyrazolo]methan)-bor(1+)-hexafluorophosphat*[1]:

$(H_5C_2)_2B\text{–}OTos$ + $[\text{Pyrazolyl–}]_4C$ $\xrightarrow[-Tos-OH]{[PF_6]^-}$ $[\ldots]^+ [PF_6]^-$

Diethyl-(tetrakis[pyrazolo]methan)bor(1+)-hexafluorophosphat[1]: Zur Suspension von 2,8 g (0,01 mol) Tetrakis[pyrazolo]methan in 80 *ml* Toluol gibt man unter Stickstoff 11 *ml* einer 1,0 M Lösung von Diethyl-tosyloxy-boran in Toluol, kocht 30 Min. am Rückfluß und rührt 12 Stdn. bei 20°. Der entstandene Niederschlag wird in 50 *ml* Wasser gelöst, die organ. Phase mit weiteren 50 *ml* Wasser ausgeschüttelt. Die wäßr. Extrakte werden mit einem Überschuß wäßr. Ammoniumhexafluorophosphat-Lösung behandelt, der Niederschlag wird abfiltriert, in Dichlormethan gelöst, mit Magnesiumsulfat getrocknet und eingeengt. Der Rückstand wird mit Ether gerührt, filtriert und getrocknet; Ausbeute: 4,2 g (86%); F: 223–225°.

Aus Diethyl-[1-oxo-2-tosyl-diazenoxy]-boran läßt sich mit Pyridin das *Bis[pyridin]-diethylbor(1+)*-Salz (87%; F: 83–87°) gewinnen[2].

---

[1] S. Trofimenko, Am. Soc. **92**, 5118 (1970); dort zahlreiche weitere Beispiele.

[2] S.L. Ioffe, L.M. Leont'eva, L.M. Makarenkova, A.I. Blyumenfel'd, V.F. Pyaterikov u. V.A. Tartakovskii, Izv. Akad. SSSR **1975**, 1146; engl.: 1053; C.A. **83**, 97448 (1975).

$$(H_5C_2)_2B{-}O{-}\overset{\oplus}{N}(O^{\ominus}){=}N{-}SO_2{-}C_6H_4{-}CH_3 + 2\ \text{Pyridin} \xrightarrow{CH_2Cl_2} [(H_5C_2)_2B(C_5H_5N)_2]^+\ [H_3C{-}C_6H_4{-}SO_2{-}N{=}\overset{\oplus}{N}(O^{\ominus})_2]^-$$

Aus Diethyl-dimethoxycarbonylmethylnitronato-boran (vgl. Bd. XIII/3a, S. 591); erhält man mit Pyridin in Diethylether bei 0 bis 20° in 35%iger Ausbeute *Bis[pyridin]-diethylbor(1+)-dimethoxycarbonylmethannitronat* (F: 78–80°)[1]:

$$(H_5C_2)_2B{-}O{-}\overset{\oplus}{N}(O^{\ominus}){=}C(COOCH_3)_2 \xrightarrow[(H_5C_2)_2O]{+2\ \text{Pyridin}} [(H_5C_2)_2B(C_5H_5N)_2]^+\ [(H_3COOC)_2C{=}NO_2]^-$$

ε) aus Amino-diorgano-boranen

Die Herstellung von Bis[Lewisbase]-diorganobor(1+)-halogeniden gelingt auch aus Amino-diorgano-boranen mit z.B. Ketimin-Hydrochloriden. Man erhält aus Dibutyl-diethylamino-boran mit 1-Phenylpropylidenamin-Hydrochlorid in Dichlormethan bei ~20° unter Abscheiden von Diethylammoniumchlorid in 65%iger Ausbeute *Bis[1-phenylpropylidenamin]-dibutylbor(1+)-chlorid* neben Dibutyl-(1-phenylpropylidenamino)-boran (Kp_4: 142–150°)[2]:

$$(H_9C_4)_2B{-}N(C_2H_5)_2 + 2\,[(H_5C_6)(H_5C_2)C{=}NH_2]^+Cl^- \xrightarrow[-[(H_5C_2)_2NH_2]^+Cl^-]{CH_2Cl_2} [(H_9C_4)_2B(NH{=}C(C_2H_5)C_6H_5)_2]^+\ Cl^-$$

[1] O.P. Shitov, L.M. Leont'eva, S.L. Ioffe, B.N. Khasanov, V.M. Novikov, A.V. Stepanyants u. V.A. Tartakovskii, Izv. Akad. SSSR **1974**, 2782; engl.: 2684; C.A. **82**, 125430 (1975).

[2] B.M. Mikhailov, G.S. Ter-Sarkisyan u. N.N. Govorov, Izv. Akad. SSSR **1976**, 2053; engl.: 1924; C.A. **86**, 5506 (1977).

ζ) aus Lewisbase-Boranen

ζ_1) *aus Amin-Diorganobor-Radikalen*

Die beim Enthalogenieren von z.B. Chlor-diethyl-boran mit „Pyridin-natrium" in Diethylether zugänglichen, intensiv grünen, stark luftempfindlichen Lösungen enthalten das Radikal *Pyridin-Diethylbor*:

$$C_5H_5N-\dot{B}(C_2H_5)_2$$

Gibt man weiteres Pyridin in Diethylether zu, so scheidet sich ein Radikalsalz ab, das nach Filtrieren und Trocknen i. Vak. die Zusammensetzung von *Tetrakis[pyridin]-bis[diethylbor(1+)]-chlorid*[1] besitzt:

$$\left[(C_5H_5N-)_4B_2(C_2H_5)_4\right]^+ Cl^-$$

Tetrakis[pyridin]-bis[diethylbor(1+)]-chlorid[1]**:** Zu 47 g (0,23 mol) „Pyridin-natrium"[2] (11,3% Na) in 460 *ml* Diethylether werden unter kräftigem Rühren bei 0 bis 3° innerhalb 1,5 Stdn. 55 g (527 mmol) Chlor-diethyl-boran getropft. Unter Grünfärbung bilden sich zunächst harte Klumpen, die sich nach Zugabe von ~50% Chlor-diethyl-boran langsam wieder auflösen. Man saugt ab (Rückstand: 21,7 g) und erhält aus dem Filtrat nach dem Eindampfen i. Vak. 72 g. Davon werden 61 g in 200 *ml* Ether aufgenommen und mit 30 g Pyridin versetzt. Ein dunkelblauer, feinkristalliner Niederschlag fällt aus, der nach Abfiltrieren und Trocknen i. Vak. 50,5 g blaues Salz liefert, das in Wasser und Alkoholen mit tiefblauer Farbe sehr leicht löslich, in Ether unlöslich ist.

ζ_2) *aus Lewisbase-Diorganobor(1+)-Verbindungen*

Die in Gegenwart geeigneter Donator-Moleküle (z.B. Lösungsmittel) und Anionen aus Diorgano-halogen-boranen sich bildenden Lewisbase-Diorganobor(1+)-Salze mit dreifach koordinierten Bor-Atomen (vgl. S. 414ff.) reagieren mit chelatbildenden Bis-Stickstoffbasen unter Bildung von Bis[amin]-diorgano-bor(1+)-Salzen mit vierfach koordinierten Bor-Atomen.

Behandelt man z.B. das mit Silbersalzen starker Säuren aus Chlor-diaryl-boranen hergestellte Lewisbase-Diaryl-bor(1+)-perchlorat mit 2,2'-Bipyridyl, so erhält man das *2,2'-Bipyridyl-diarylbor(1+)-perchlorat*[3,4]:

$$\left[\text{Solvent}-B(Ar)_2\right]^+ ClO_4^- + \text{2,2'-Bipyridyl} \longrightarrow \left[(\text{2,2'-Bipyridyl})B(Ar)_2\right]^+ ClO_4^-$$

[1] R. KÖSTER, H. BELLUT, G. BENEDIKT u. E. ZIEGLER, A. **724**, 34 (1969).
[2] B. EMMERT, B. **47**, 2598 (1914).
[3] J.M. DAVIDSON u. C.M. FRENCH, Soc. **1962**, 3364.
[4] J.M. DAVIDSON u. C.M. FRENCH, Chem. & Ind. **1959**, 750.

ζ_3) *aus neutralen Lewisbase-Boranen*

Die Herstellung von Bis[amin]-diorganobor(1+)-Salzen gelingt aus verschiedenen Amin-Boranen.

Aus Trimethylamin-Boran ist in Hexan/Toluol mit Lithium-methylthiomethan nach Zugabe von Trimethylammoniumchlorid, Abtrennen von Lithiumchlorid und Reaktion mit Jodmethan *Dimethyl-(trimethylamin-borylmethyl)-sulfoniumjodid* (53%; F: 134–135°) zugänglich[1].

Aus 9-Pyridin-9-Chlor-9-borabicyclo[3.3.1]nonan erhält man mit Pyridin in Xylol bei 70–80° in praktisch quantitativer Ausbeute *Bis[pyridin]-1,5-cyclooctandiylbor(1+)-chlorid*[2]:

Cl, B, N, ⊖, ⊕ + N —Xylol→ [B, N, N]$^+$ Cl^-

Bis[pyridin]-1,5-cyclooctandiylbor(1+)-chlorid[2]: Zur nahezu vollständigen Lösung von 4 g (16,9 mmol) 9-Pyridin-9-Chlor-9-borabicyclo[3.3.1]nonan in 25 *ml* p-Xylol gibt man bei 70–85° ~ 4 g (50 mmol) Pyridin. Ein Niederschlag bildet sich. Man engt i. Vak. weitgehend ein (Kp_{19}: 36–40°) und erhält nach Trockensaugen bei 0,4 Torr eine Festsubstanz, die in Pentan aufgeschlämmt und auf einer G-3-Fritte gewaschen wird; Ausbeute: 4,5 g (84%); F: 131°.

Aus bestimmten Lewisbase-Diorgano-halogen-boranen sind mit metallorganischen Reagenzien durch Halogen/Organo-Rest-Austausch Salze mit Bis[Lewisbase]-diorgano-bor(1+)-Ionen zugänglich. Gegenionen sind Tetraorganoborate(1−) (vgl. S. 749ff.).

Man erhält z.B. aus Pyridin-Chlor-diethyl-boran mit 1-Propinylnatrium neben Pyridin-Diethyl-1-propinyl-boran auch das *Bis[pyridin]-diethylbor(1+)-Diethyl-di-1-propinyl-borat(1+)*[3]:

$$2\ (H_5C_2)_2\overset{\ominus}{B}(Cl)-\overset{\oplus}{N}C_5H_5 + 2\ H_3C-C\equiv C-Na \xrightarrow{-2\,NaCl} \{(H_5C_2)_2B[-NC_5H_5]_2\}^+\ [(H_5C_2)_2B(C\equiv C-CH_3)_2]^-$$

Die Ausbeuten an den Diorganobor(1+)-Salzen hängen von den Reaktionsbedingungen wie z.B. von der Art der Vereinigung der Reaktanden ab.

Bis[pyridin]-diethylbor(1+)-diethyl-di-1-propinyl-borat(1−)[3]: Zu 24,1 g (389 mmol) Natrium-1-propin in 220 *ml* abs. Ether werden unter Rühren bei ~20° in 4 Stdn. ~75% von insgesamt 71,3 g (389 mmol) Pyridin-Chlor-diethyl-boran getropft. Der Ether siedet lebhaft auf. Nach 14 Stdn. wird das restliche Pyridin-Chlor-diethyl-boran rasch zugegeben. Aus der roten, viskosen Mischung scheiden sich 36 g gelblicher Niederschlag mit Kochsalz vermischt und 13 g (18%) rohes Salz ab. Bei ~20° wird in THF aufgenommen, abfiltriert und auf ~ −78° abgekühlt. Nach Filtration und Trocknen i. Vak. (12 Torr) bei 35° erhält man 7 g Salz; F: 94–96° (Zers.).

Aus dem Ether-Filtrat werden beim Abkühlen 32 g (30%) *Pyridin-Diethyl-1-propinyl-boran* erhalten.

---

[1] H. Nöth u. D. Sedlak, B. **116**, 1479 (1983).
[2] R. Köster u. L. Weber, Mülheim a.d. Ruhr, unveröffentlicht 1970.
[3] R. Köster, H.-J. Horstschäfer u. P. Binger, A. **717**, 1 (1968).

Aus Pyridin-Dimethyl-methylthio-boran bildet sich mit Pyridin im Überschuß in Dichlormethan in 56%iger Ausbeute *Bis[pyridin]-dimethylbor(1+)-chlorid*[1]:

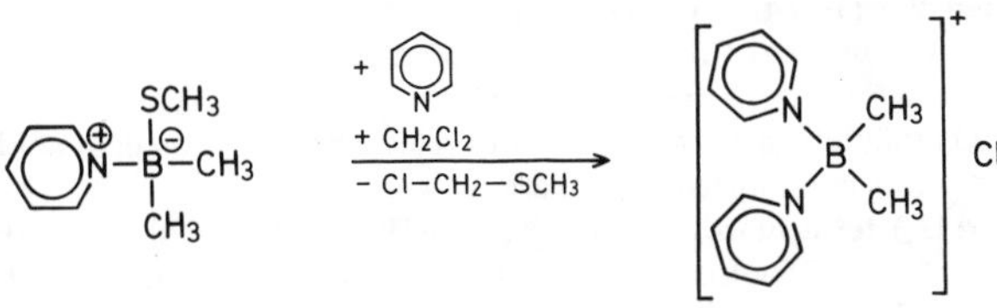

Bis[pyridin]-dimethylbor(1+)-chlorid[1]: Eine Lösung von 2 g (22,7 mmol) Pyridin-Dimethyl-methylthio-boran und 5,3 g (68 mmol) Pyridin in 25 *ml* Dichlormethan wird 24 Stdn. gekocht. Nach Zugabe von Pentan trübt sich die Lösung. Zunächst scheidet sich eine ölige Phase ab, aus der in 7 Tagen (Tiefkühlschrank) Prismen ausfallen, die abfiltriert, mit Pentan gewaschen und i. Vak. getrocknet werden; Ausbeute: 3 g (56%); F: 88–90° (Zers.).

Die Addition von Chlorwasserstoff an Imin-Amino-dialkyl-borane (vgl. Tab. 101, S. 642ff.) liefert praktisch quantitativ Bis[imin]-dialkylbor(1+)-chloride[2]; z.B.:

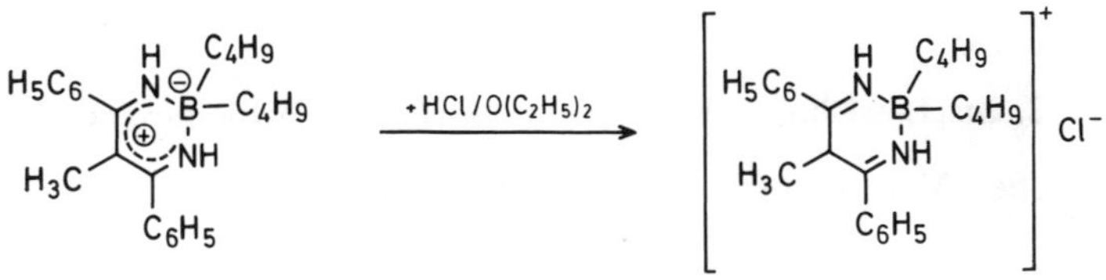

2,2-Dibutyl-4,6-diphenyl-5-methyl-1,4-dihydro-1,3,2-diazoniaboratol(1+)-chlorid; F: 108–112°

Mit Tetrafluoroborsäure erhält man die Tetrafluoroborate[2].

ζ_4) *aus Bis[Lewisbase]-Diorganobor(1+)-chloriden*

Die borfernen Umwandlungen der Bis[amin]-Diorganobor(1+)-chloride liefern unter Komplexierung oder Austausch des Anions neue Diorganobor(1+)-Salze:

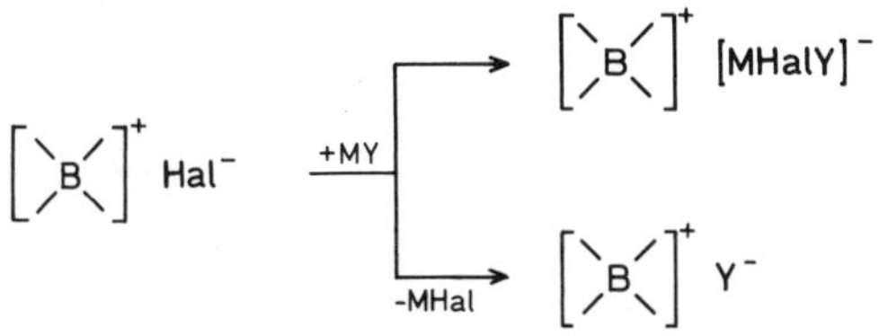

[1] H. Nöth u. U. Schuchardt, B. **107**, 3104 (1974).

[2] B. M. Mikhailov, G. S. Ter-Sarkisyan u. N. N. Govorov, Izv. Akad. SSSR **1976**, 2756; engl.: 2566; C. A. **86**, 155726 (1977).

Mit Metallchloriden wie z.B. Eisen(III)-, Zinn(IV)-, Antimon(V)-chlorid lassen sich unter Anion-Komplexierung meist gut kristallisierte Komplexsalze [z.B. *Tetrachloroferrate(III), Hexachlorostannate(IV), Hexachloroantimonate(V)*] erhalten[1,2].

Bis[methylamin]-diphenylbor(1+)-tetrachloroferrat(III)[1]**:** Zu einer Lösung von 0,7 g Bis[methylamin]-diphenyl-bor(1+)-chlorid (hergestellt aus Chlor-diphenyl-boran und Methylamin in Pentan bei ~20°) in 75 *ml* abs. Chloroform werden 0,39 g Eisen(III)-chlorid in 20 *ml* abs. Ether gegeben. Man destilliert Ether und Chloroform bis auf ~7 *ml* ab und erhält einen Niederschlag (hellgelbe Prismen), von dem abfiltriert wird; Ausbeute: 0,77 g (70%); F: 104–105° (abgeschmolzene Kapillare).

Bis[pyridin]-diethylbor(1+)-tetrachloroferrat(III)[2]**:** 5,35 g Bis[pyridin]-diethylbor(1+)-chlorid werden in 20 *ml* Dichlormethan gelöst und mit 3,35 g Eisen(III)-chlorid in 20 *ml* Diethylether versetzt, wobei eine schwache Wärmetönung auftritt. Nach Zugabe von 60 *ml* Ether bilden sich zwei flüssige Schichten, von denen die untere rote abgetrennt wird. Nach Abdampfen der Lösungsmittel bei ~15 Torr erhält man 7,6 g (89%) pulverisierbares gelbes Salz (F: 64°).

Durch Chlorid/Tetraphenylborat-Austausch erhält man aus Bis[pyridin]-diethylbor(1+)-chlorid mit Natriumtetraphenylborat in wäßr. Lösung *Bis[pyridin]-diethylbor(1+)-tetraphenylborat* (F: 168°)[3].

2. Bis[Lewisbase]-Monoorganobor(1+)-Verbindungen[4]

Die verschiedenen Verbindungstypen (vgl. Tab. 105, S. 695) mit den Kationen

$$\left[\begin{array}{ccc} R & & Amin \\ & B & \\ H & & Amin \end{array}\right]^+ \quad \left[\begin{array}{ccc} R & & Amin \\ & B & \\ Hal & & Amin \end{array}\right]^+ \quad \left[\begin{array}{ccc} R^1 & & Amin \\ & B & \\ R^2O & & Amin \end{array}\right]^+ \quad \left[\begin{array}{ccc} R^1 & & Amin \\ & B & \\ R^2S & & Amin \end{array}\right]^+ \quad \left[\begin{array}{ccc} R & & Phosphan \\ & B & \\ H & & Amin \end{array}\right]^+$$

werden nach sehr unterschiedlichen Methoden hergestellt.

α) Bis[amin]-hydro-organo-bor(1+)-Verbindungen

Offenkettige und cyclische Vertreter der Verbindungsklasse sind bekannt. Die Herstellung erfolgt aus Amin-Dihydro-organo-boranen oder aus Amin-Halogen-hydro-organo-boranen.

---

[1] B.M. Mikhailov, N.S. Fedotov, T.A. Shchegoleva u. W.B. Schtuljakov, Doklady Akad. SSSR **145**, 340 (1962); engl.: 605; C.A. **58**, 3084 (1963).

[2] R. Köster u. G. Benedikt, Mülheim a.d. Ruhr, unveröffentlicht 1963/1964.

[3] R. Köster u. L. Weber, Mülheim a.d. Ruhr, unveröffentlicht 1970.

[4] *Gmelin*, 8. Aufl., Bd. **37**/10, S. 32–36, 126–130 (1976).

Tab. 105: Bis[Lewisbase]-Monoorganobor(1+)-Verbindungen

Formel	Verbindungstyp	Herstellungsart	s. S.
Bis[amin]-hydro-organo-bor(1+)-Salze			
$[R(H)B(Amin)_2]^+ X^-$	$[R(H)B[N\lessgtr]_2]^+$	aus $\overset{\oplus}{Do}$–R–$\overset{\ominus}{B}H_2$ + Do	696
Bis[N-Base]-halogen-organo-bor(1+)-Salze			
$[R(Hal)B(Amin)_2]^+$	$[R(Hal)B[N\lessgtr]_2]^+$	aus $R-B[N\lessgtr]_2$ + HHal	697
		aus $R-B[N\lessgtr]_2$ + HHal	699
$[R(Hal)B(NC_5H_5)_2]^+ X^-$	$[R(Hal)B[N\lessgtr]_2]^+$	aus $R–BHal_2$ + Pyridin	698
$[(H_3C)_2C_2(NC_6H_5)_2B(CH_3)Br]^+$	$[R(Hal)B[N\lessgtr]_2]^+$	aus $R-BHal_2$ + $-N=\overset{\vert}{C}-\overset{\vert}{C}=N-$	698
Bis[hydrazin]-bis[halogen-organo-bor(1+)]-Salze			
$[R(Hal)B(N-N)_2B(Hal)R]^{2+}$	$[R(Hal)B[N\lessgtr]_2]^+$	aus $R-B[N\lessgtr]_2$ + HHal	700
Bis[N-Base]-organo-organooxy-bor(1+)-Salze			
$[R^1(R^2O)B(NC_5H_5)_2]^+$	$[R^1(R^2O)B[N\lessgtr]_2]^+$	aus $R^1-B(OR^2)Hal$	700
Bis[N-Base]-organo-organothio-bor(1+)-Salze			
$[R^1(R^2S)B(NC_5H_5)_2]^+$	$[R^1(R^2S)B[N\lessgtr]_2]^+$	aus $C_5H_5\overset{\oplus}{N}-\overset{\ominus}{B}(SR^2)(Hal)-R^1$ + $C_5H_5\overset{\oplus}{N}-\overset{\ominus}{B}(R^1)(SR^2)-SR^2$	701

Tab. 105 (Forts.)

Formel	Verbindungstyp	Herstellungsart	s.S.
(Amin-phosphan)-hydro-organo-bor(1+)-Salze			
$[R(H)B(P{<})(N{<})]^+$	$[R(H)B(P{<})(N{<})]^+$	aus Do–R^{Si}–BH–Hal + R^1_3P	701

α_1) aus Amin-Dihydro-organo-boranen

Die Herstellung von Bis[amin]-hydro-organo-bor(1+)-Salzen erfolgt aus Amin-Dihydro-organo-boranen (vgl. S. 485ff.) mit Jod und Amin durch Hydro/Jod-Substitution am Bor-Atom[1-3]:

$$\geqslant\overset{\oplus}{N}-\overset{\ominus}{B}H_2-R(H) + J_2 + HN{<} \xrightarrow{-[H_2N{<}]^+ J^-} \geqslant\overset{\oplus}{N}-\overset{\ominus}{B}(H)(J)-R(H) \xrightarrow{+\ N{\leqslant}} \left[(\geqslant N)_2B(H)R(H)\right]^+ J^-$$

Bis[pyridin]-hydro-phenyl-bor(1+)-jodid (F: 199–202°, Zers.) wird aus Pyridin-Hydro-phenyl-boran mit Pyridin und Jod in 70%iger Ausbeute gewonnen[3].

Bis[amin]-hydro-organo-bor(1+)-jodide; allgemeine Arbeitsvorschrift[3]: Bei ~20° gibt man eine Lösung von 20 mmol Jod in 60 *ml* Chloroform tropfenweise unter Rühren zu einer Mischung aus 20 mmol Amin-Dihydro-organo-boran und 40 mmol des Amins in 20 *ml* Chloroform. Das Rühren wird nach beendeter Zugabe (~1 Stde.) 30 Min. fortgesetzt. Vom ausgefallenen Ammoniumjodid wird abfiltriert, das Filtrat auf die Hälfte eingeengt. Man gibt die gleiche Menge Hexan zu, worauf das Bor(1+)-Salz ausfällt. Das Jodid wird aus Chloroform/Hexan umkristallisiert; Ausbeute: 55–70%.

Entsprechend erhält man:

Bis[pyridin]-hydro-phenyl-bor(1+)-jodid	F: 199–202° (Zers.)
Bis[pyridin]-cyclohexyl-hydro-bor(1+)-jodid	F: 206–209° (Zers.)

Trimethylammoniono-(trimethylammonionomethyl)-dihydro-bor(1+)-halogenide stellt man aus Trimethylamin-Dimethylaminomethyl-dihydro-boran (S. 499) mit Jodmethan und anschließendem Halogenid-Austausch her[4].

Aus Trimethylamin-Dihydro-(trimethylsilylmethyl)-boran sind mit Jod in Chloroform und nachträglicher Basenzugabe die *Bis[base]-hydro-(trimethylsilylmethyl)-bor(1+)-jodide* zugänglich[5]:

$$(H_3C)_3\overset{\oplus}{N}-\overset{\ominus}{B}H_2-CH_2-Si(CH_3)_3 \xrightarrow[-1/2\ H_2]{+1/2\ J_2} (H_3C)_3\overset{\oplus}{N}-\overset{\ominus}{B}(J)(H)-CH_2-Si(CH_3)_3 \xrightarrow{+\text{ Lewisbase Do}} \left[(H_3C)_3N(Do)B(H)-CH_2-Si(CH_3)_3\right]^+ J^-$$

Do = Pyridin, $P(CH_3)_3$

---

[1] J. E. DOUGLASS, Am. Soc. **84**, 121 (1962).
[2] W. GERRARD u. M. F. LAPPERT, Chem. Reviews **58**, 1081 (1958).
[3] J. E. DOUGLASS, Am. Soc. **86**, 5431 (1964).
[4] G. F. WARNOCK u. N. E. MILLER, Inorg. Chem. **18**, 3620 (1979).
[5] J. C. MCMULLEN u. N. E. MILLER, Inorg. Chem. **9**, 2291 (1970).

Amin-Cyan-dihydro-borane (vgl. S. 501) reagieren mit Elektrophilen borfern unter Bildung von Amin-Dihydro-subst.-cyan-bor(1+)-Salzen (vgl. S. 504); z.B. *Trimethyl-amin-Dihydro-(N-ethylcyan)-bor(1+)- tetrafluoroborat*(^{10}B)[1]:

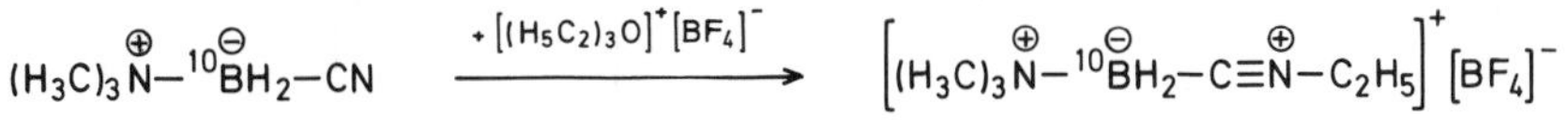

$$(H_3C)_3\overset{\oplus}{N}-{}^{10}\overset{\ominus}{B}H_2-CN \xrightarrow{+[(H_5C_2)_3O]^+[BF_4]^-} \left[(H_3C)_3\overset{\oplus}{N}-{}^{10}\overset{\ominus}{B}H_2-C\equiv\overset{\oplus}{N}-C_2H_5\right]^+ [BF_4]^-$$

α_2) *aus Amin-Halogen-hydro-organo-boranen*

4-Jod-1,1,3,3-tetramethyl-1,3,2,4-diazoniadiboratolan reagiert mit Trimethylamin oder mit Pyridin-Basen in Benzol unter Jodid-Abspaltung und Amin-Addition am B^4-Atom zu *4-Amin-1,1,3,3-tetramethyl-1,3,2,4-diazoniadiboratolan(1+)-jodid*[2]:

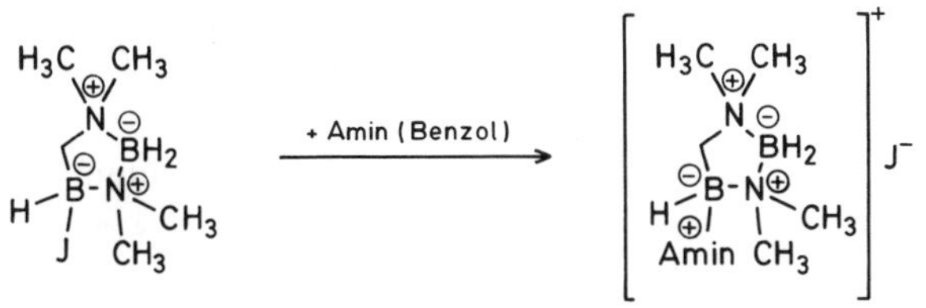

β) Bis[amin]-Halogen-organo-bor(1+)-Verbindungen

Die Salze sind aus Dihalogen-organo-boranen mit Stickstoff-Basen, aus Diamino-organo-boranen mit Halogenwasserstoffen und aus den koordinativ ungesättigten Amin-Amino-organo-bor(1+)-halogeniden (vgl. S. 422) durch Addition von Halogenwasserstoff zugänglich; z.B.:

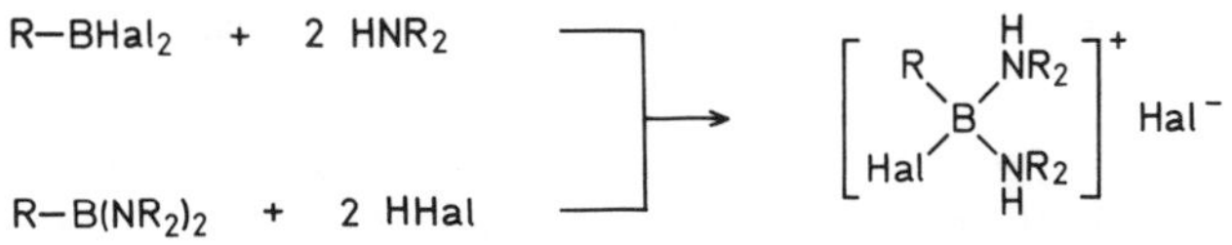

$$\left.\begin{array}{l} R-BHal_2 + 2\ HNR_2 \\ R-B(NR_2)_2 + 2\ HHal \end{array}\right\} \longrightarrow \left[\begin{array}{c} R \quad \overset{H}{N}R_2 \\ B \\ Hal \quad \underset{H}{N}R_2 \end{array}\right]^+ Hal^-$$

β_1) *aus Dihalogen-organo-boranen*

Alkyl-dichlor-borane reagieren mit Pyridin bzw. anderen N-Basen zunächst unter Bildung von 1:1-Additionsverbindungen. Mit überschüssigem Pyridin werden 9,9-Bis[pyridin]-halogen-organo-bor(1+)-chloride gebildet; z.B.[3]:

---

[1] DOS DE 3112170 (1981/1982), H. MUECKTER, F. DALLACKER u. W. MÜLLNERS; C.A. **98**, 89645 (1983).

[2] B.R. GRAGG u. G.E. RYSCHKEWITSCH, Inorg. Chem. **15**, 1205 (1976).

[3] R. KÖSTER u. G. BENEDIKT, Mülheim a.d. Ruhr, unveröffentlicht 1963/1964; das am Bor-Atom im Kation gebundene Chlor-Atom kann erst nach alkalisch wäßr. Aufschluß nachgewiesen werden.

$$H_5C_2-BCl_2 + 2\ \text{Pyridin} \longrightarrow [(H_5C_2)(Cl)B(NC_5H_5)_2]^+ Cl^-$$

Bis[pyridin]-chlor-ethyl-bor(1+)-chlorid

Die B-Substituenten beeinflussen die Salz-Bildung. Beispielsweise liefert Dichlor-phenyl-boran mit Dimethylamin im 1:2-Molverhältnis *Bis[dimethylamin]-chlor-phenyl-bor(1+)-chlorid*[1]. Mit Pyridin erhält man lediglich die 1:1-Additionsverbindung[2]. Dichlor-phenyl-boran reagiert aber mit 2,2'-Bipyridyl unter Bildung des wasserlöslichen *2,2'-Bipyridyl-chlor-phenyl-bor(1+)-chlorids*[2].

Bis[dimethylamin]-chlor-phenyl-bor(1+)-chlorid[1]**:** 5,5 g (34,6 mmol) Dichlor-phenyl-boran werden in 50 *ml* Benzol gelöst. Bei 0–5° werden 3,2 g (71 mmol) Dimethylamin unter Rühren eingeleitet. Die Lösung bleibt nahezu klar, bis etwa die Hälfte des Amins verbraucht ist. Dann bildet sich rasch ein unlöslicher Niederschlag, der abfiltriert und getrocknet wird; Ausbeute: 8,3 g (95,5%); F: 145–156°.

Dibrom-methyl-boran reagiert mit Butandion-bis[phenylimin] zum *(Butandion-bis[phenylimin])-brom-methyl-bor(1+)-bromid*[3]:

$$H_3C-BBr_2 + H_3C-C(=N-C_6H_5)-C(=N-C_6H_5)-CH_3 \xrightarrow[93\ \%]{\text{Ether}} [\text{(Butandion-bis[phenylimin])}B(CH_3)Br]^+ Br^-$$

(Butandion-bis[phenylimin])-brom-methyl-bor(1+)-bromid[3]**:** 1,95 g (10 mmol) Dibrom-methyl-boran werden unter Kühlen in 100 *ml* wasserfreiem Ether gelöst und gleichzeitig mit einer Lösung von 2,48 g (10 mmol) Butandion-bis[phenylimin] in 100 *ml* Ether bei ~20° unter gutem Rühren zu 500 *ml* Ether getropft. Das schwerlösliche rotbraune Salz wird nach Filtration mit Ether gewaschen und i. Vak. getrocknet; Ausbeute: 4,13 g (93%).

Entsprechend sind *(Butandion-bis[phenylimin])-chlor-phenyl-bor(1+)chlorid* (75%)[4] aus Dichlor-phenyl-boran mit Butandion-bis[phenylimin] in Ether bzw. *(Glyoxal-bis[tert.-butylimin])-brom-methyl-bor(1+)-bromid* (70%)[5] aus Dibrom-methyl-boran mit 1,2-Bis[tert.-butylimino]ethan in Petrolether zugänglich.

β₂) aus Diamino-organo-boranen

Bis[amin]-halogen-organo-bor(1+)-halogenide lassen sich aus Diamino-organo- bzw. Bis[hydrazino]-organo-boranen oder aus Amin-amino-organo-bor(1+)-jodiden mit Chlorwasserstoff herstellen.

[1] J.E. Douglass, Am. Soc. **86**, 5431 (1964).
[2] R. Köster u. G. Benedikt, Mülheim a.d. Ruhr, unveröffentlicht 1963/64.
[3] L. Weber u. G. Schmid, Ang. Ch. **86**, 519 (1974).
[4] G. Schmid u. J. Schulze, B. **110**, 2744 (1977).
[5] J. Schulze u. G. Schmid, B. **114**, 495 (1981).

$\beta\beta_1$) aus Diamino- bzw. Bis[hydrazino]-organo-boranen

Bis[dimethylamino]-organo-borane verhalten sich je nach Art und Größe der B-Organo-Gruppe gegenüber Halogenwasserstoffen unterschiedlich. Bei größerem Raumbedarf (Propyl- und Butyl-Gruppe) wird eine Dimethylamino-Gruppe gegen ein Halogen-Atom substituiert, bei geringerem Raumbedarf (Methyl-Gruppe) bilden sich die entsprechenden Organobor(1+)-Salze[1,2]:

$$[(H_3C)_2N]_2B{-}R \;+\; 2\,HCl \;\longrightarrow\; (H_3C)_2N(Cl)B{-}R \;+\; [(H_3C)_2NH_2]^+\,Cl^-$$

$R = C_3H_7, C_4H_9$

$$[(H_3C)_2N]_2B{-}CH_3 \;+\; 2\,HCl \;\longrightarrow\; \left[\,[(H_3C)_2NH]_2B(CH_3)Cl\,\right]^+\,Cl^-$$

Bis[dimethylamino]-ethyl-boran setzt sich nur mit geringer Ausbeute zum *Bis[dimethylamin]-chlor-ethyl-bor(1+)-chlorid* um. Auch die Größe des Halogen-Atoms beeinflußt die Reaktion. Während Bis[dimethylamino]-methyl-boran mit Bromwasserstoff noch ein Brom-methyl-bor(1+)-Salz mit vierfach koordiniertem Bor-Atom bildet, ist dies mit Jodwasserstoff nicht mehr der Fall[2] (vgl. S. 422).

Bis[dimethylamin]-chlor-methyl-bor(1+)-chlorid[2]: 16 g (0,14 mol) Bis[dimethylamino]-methyl-boran in 50 *ml* Diethylether werden mit einer Eis-Kochsalz-Mischung gekühlt und unter Rühren mit 100 *ml* einer 2,8 molaren ether. Chlorwasserstoff-Lösung (0,28 mol) tropfenweise versetzt. Der Niederschlag wird über eine Fritte abfiltriert, mehrmals mit Ether gewaschen und getrocknet; Ausbeute: 25 g (96%); F: 127–133° (Zers.).

Bis[dimethylamin]-brom-methyl-bor(1+)-bromid (70%; F: 131°, Zers.) wird in Pentan durch Einleiten von Bromwasserstoff-Gas erhalten[2].

Die Umsetzung von Bis[dimethylamino]-phenyl-boran mit Chlorwasserstoff führt in 98%iger Ausbeute ebenfalls zum *Bis[dimethylamin]-chlor-phenyl-bor(1+)-chlorid* (F: 147–151°), wobei der stabilisierende Effekt der Phenyl-Gruppe auf die B-N-Bindung den sterischen Effekt kompensiert[1].

1,2,4,5,3,6-Tetraazadiborinane reagieren mit Chlorwasserstoff unter Bildung kationischer Organobor-Verbindungen. Aus 3,6-Diphenyl-1,2,4,5-tetramethyl-1,2,4,5,3,6-tetraazadiborinan erhält man mit Chlorwasserstoff *Bis[1,2-dimethylhydrazin]-bis-[chlor-phenyl-bor(1+)]-dichlorid*[3]:

[1] H. Nöth, S. Lukas u. P. Schweizer, B. **98**, 962 (1965).
[2] H. Nöth u. P. Fritz, Z. anorg. Ch. **322**, 297 (1963).
[3] H. Nöth u. W. Regnet, Z. Naturf. Ch. **18b**, 1138 (1963).

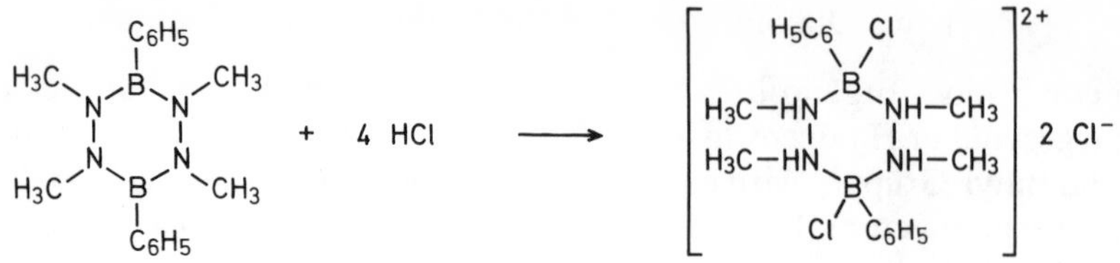

$$\text{[1,3,5-Trimethyl-2,4-diphenyl-1,2,3,4,5,6-diazadiborin (}C_6H_5\text{-B, }H_3C\text{-N)]} + 4\,HCl \longrightarrow \left[\text{Cyclo-}(H_5C_6)ClB(NH{-}CH_3)_2\ldots\right]^{2+}\ 2\,Cl^-$$

ββ₂) aus Ammoniono-organo-bor(3)-jodiden

Zwischenprodukt der voranstehenden Reaktion sind Organobor-Kationen mit dreifach koordinierten Bor-Atomen (vgl. S. 422), die sich im allgemeinen leicht in Organo-bor(1+)-Verbindungen mit vierfach koordinierten Bor-Atomen überführen lassen. Aus Dimethylammoniono-dimethylamino-methyl-bor(1+)-jodid erhält man mit Salzsäure *Bis[dimethylamin]-chlor-methyl-bor(1+)-jodid* (F: 130°, Zers.)[1]:

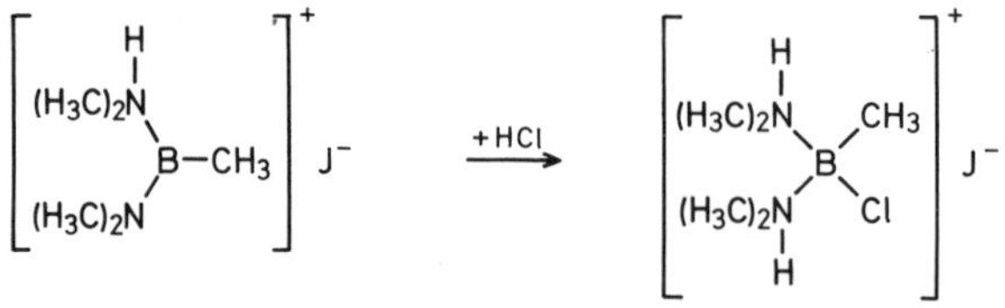

$$\left[((H_3C)_2NH)((H_3C)_2N)B{-}CH_3\right]^+ J^- \xrightarrow{+HCl} \left[((H_3C)_2NH)_2B(CH_3)Cl\right]^+ J^-$$

γ) Bis[N-Base]-Organo-organooxy-bor(1+)-Verbindungen

Chlor-organo-organoxy-borane reagieren mit Pyridin unter Bildung der Bis[pyridin]-organo-organoxy-bor(1+)-chloride[2,3]:

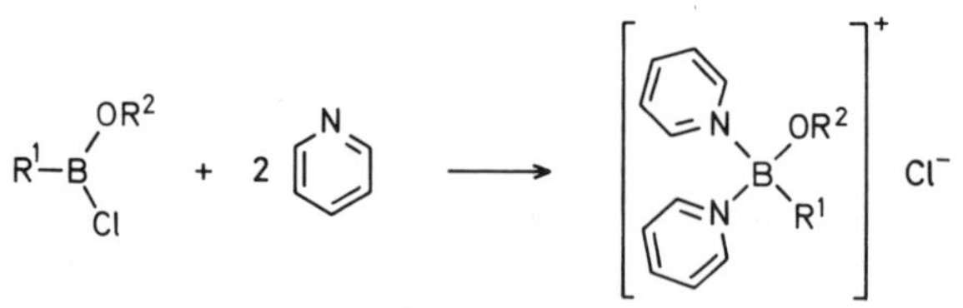

$$R^1{-}B(OR^2)Cl + 2\,C_5H_5N \longrightarrow \left[(C_5H_5N)_2B(OR^2)R^1\right]^+ Cl^-$$

$R^1 = C_4H_9$; $R^2 = C_2H_5$	*Bis[pyridin]-butyl-ethoxy-bor(1+)-chlorid*[2]; 99%; F: 105–107°
$R^2 = C_4H_9$;	*Bis[pyridin]-butyl-butyloxy-bor(1+)-chlorid*[1]
$R^1 = C_6H_5$; $R^2 = C_4H_9$;	*Bis[pyridin]-butyloxy-phenyl-bor(1+)-chlorid*[1]; 49%
$R^2 = 2\text{-}CH_3{-}C_6H_4$;	*Bis[pyridin]-(2-methylphenoxy)-phenyl-bor(1+)-chlorid*[2]; 98%; F: 111–113°

Bis[pyridin]-organooxy-phenyl-bor(1+)-chloride[3]**:** >2 mol Pyridin gibt man bei −78° innerhalb 20 Min. zu 1 mol Chlor-organooxy-phenyl-boran. Man läßt die viskose Mischung auf ~20° kommen und 24 Stdn. stehen. Anschließend wird mit Pentan versetzt, dieses wieder abdekantiert und der Rückstand i. Vak. (2 Stdn. bei 20°/12 Torr und 5 Stdn. bei 20°/0,05 Torr) getrocknet. Man erhält farblose hygroskopische Kristalle.

---

[1] H. Nöth u. P. Fritz, Z. anorg. Ch. **322**, 297 (1963).
[2] S.H. Dandegaonker, W. Gerrard u. M.F. Lappert, Soc. **1957**, 2872.
[3] P.B. Brindley, W. Gerrard u. M.F. Lappert, Soc. **1956**, 1540.

Nebenreaktion ist eine Disproportionierung des Ausgangsborans[1]; z. B.:

$$2\ H_9C_4-B(OC_4H_9)Cl \ +\ C_5H_5N \longrightarrow C_5H_5N^{\oplus}-B^{\ominus}Cl_2-C_4H_9 \ +\ H_9C_4-B(OC_4H_9)_2$$

δ) Bis[N-Base]-organo-organothio-bor(1+)-Verbindungen

Bis[methylthio]-methyl-boran bildet einen stabilen Pyridin-Komplex, der mit Chlorkohlenwasserstoffen wie z.B. mit Dichlormethan zu *Bis[pyridin]-methyl-methylthio-bor(1+)-chlorid* weiterreagiert[2]:

$$C_5H_5N^{\oplus}-B^{\ominus}(CH_3)(SCH_3)_2 \ +\ CH_2Cl_2 \xrightarrow{-H_3CS-CH_2Cl} C_5H_5N^{\oplus}-B^{\ominus}(CH_3)(SCH_3)Cl \xrightarrow[-\ H_3CB(SCH_3)_2]{+\ C_5H_5N^{\oplus}-B^{\ominus}(CH_3)(SCH_3)_2} [(C_5H_5N)_2B(CH_3)(SCH_3)]^+\ Cl^-$$

Bis[pyridin]-methyl-methylthio-bor(1+)-chlorid[2]: Eine Lösung von 5,9 g (29,6 mmol) Pyridin-Bis[methylthio]-methyl-boran in 30 *ml* Dichlormethan wird mit 50 *ml* Pentan versetzt. Während 15 Stdn. Stehen im Kühlschrank bilden sich farblose Kristalle; Ausbeute: 3,5 g (89%); F: 150–160° (Zers.).

ε) (Amin-Phosphan)-Hydro-organo-bor(1+)-Verbindungen

Bis[Lewisbase]-Organobor(1+)-Salze mit zwei verschiedenartigen Lewisbasen sind kaum bekannt. Die Herstellung erfolgt aus Lewisbase-Halogen-boranen mit Lewisbase unter Halogenid-Verdrängung.

Aus Trimethylamin-Hydro-jodo-trimethylsilylmethyl-boran läßt sich mit Trimethylphosphan als gemischt substituiertes Bor(1+)-Salz das *Trimethylamin-trimethylphosphan-hydro-trimethylsilylmethyl-bor(1+)-jodid* gewinnen. Das Salz wird als *Hexafluorophosphat* (F: 113–114°) isoliert[3]:

$$(H_3C)_3N-BHJ-CH_2-Si(CH_3)_3 \xrightarrow{+(H_3C)_3P} [(H_3C)_3N\,(H_3C)_3P\,BH-CH_2-Si(CH_3)_3]^+\ J^- \xrightarrow[-[NH_4]^+J^-]{+[NH_4]^+[PF_6]^-} [(H_3C)_3N\,(H_3C)_3P\,BH-CH_2-Si(CH_3)_3]^+\ [PF_6]^-$$

---

[1] S. DANDEGAONKER, W. GERRARD u. M.F. LAPPERT, Soc. **1957**, 2872.

[2] H. NÖTH u. U. SCHUCHARDT, B. **107**, 3104 (1974).

[3] J.C. MCMULLEN u. N.E. MILLER, Inorg. Chem. **9**, 2291 (1970).

b) Zwitterionische Organobor(4)-Verbindungen

Wie die Lewisbase-Organoborane (vgl. S. 424ff.) treten auch die zwitterionischen Organoborate nach außen als Neutralmoleküle auf. Positive und negative Ladung sind jedoch bei den betainartig aufgebauten Verbindungen durch mindestens ein Isolator-Atom voneinander getrennt. Es handelt sich um intramolekular neutralisierte Organoborate (vgl. S. 749ff.).

Die Verbindungsklasse umfaßt Organoborate verschiedenster Strukturen mit jeweils tetrakoordiniertem Bor-Atom. Der negativen (Formal)Ladung am Bor-Atom steht eine positive (Formal)Ladung am Sauerstoff-, Stickstoff-, Phosphor- oder am Metall-Atom im selben Molekül gegenüber. Bekannt sind zwitterionische Organoborate mit vier BC-Bindungen sowie solche, die außer den BC-Bindungen noch Hydro-, Halogen- oder Oxy-Reste am Bor-Atom tragen.

Die Herstellungsmethoden der zwitterionischen Organoborate, die sich von denen der salzartigen Organoborate (vgl. S. 749ff.) vielfach unterscheiden, sind nach Stoffklassen unter Berücksichtigung der unmittelbar ans Bor-Atom gebundenen Atome unterteilt. Den Tetraorganoboraten mit Stickstoff-, Phosphor- oder Metall-Atom folgen nach einem kurzen Kapitel über zwitterionische Hydro-organo- und Halogen-organo- die zwitterionischen Organo-oxy-borate verschiedenartiger Strukturen.

1. Zwitterionische Tetraorganoborate

Zur Verbindungsklasse gehören gesättigte und ungesättigte Tetraorganoborate mit borfernen Stickstoff-, Phosphor- oder Metall-Atomen, an denen im allgemeinen die positive Gegenladung zur negativen Ladung am zentralen Bor-Atom weitgehend lokalisiert ist. Allerdings gibt es auch zwitterionische Tetraorganoborate mit borferner, über mehrere Atome resonanzstabilisierter positiver Ladung (vgl. Tab. 106, S. 703). Zur Verbindungsklasse zählen z. B. die N-Ylid-Triorganoborane, die als Ammonio-Organoborate aufzufassen sind. Charakteristisch für zwitterionische Tetraorganoborate ist, daß diese zwischen Bor-Atom und Heteroatom eines Organo-Restes mindestens ein sog. Isolator-Atom enthalten. Meist handelt es sich dabei um ein Kohlenstoff-Atom wie z. B. bei den Isocyanid-Triorganoboranen oder den Methylenphosphoran-Triorganoboranen. Vinyloge oder alkinyloge Methylen-triorganoamin-Triorganoborane gehören ebenfalls zur Stoffklasse (vgl. Tab. 106, S. 703).

Der Herstellungsteil ist in Abschnitte über stickstoff-, phosphor- und metallhaltige Tetraorganoborate mit Zwitterionenstruktur unterteilt.

Die Herstellung der gesättigten und ungesättigten stickstoffhaltigen zwitterionischen Tetraorganoborate erfolgt aus Triorganoboranen, Lewisbase-Triorganoboranen sowie aus stickstoffhaltigen Alkalimetall-1-alkinyl-triorgano-boraten. Außerdem lassen sich zwitterionische N-haltige Tetraorganoborate durch Substitutionen in andere stickstoffhaltige betainartige Verbindungen überführen (vgl. Tab. 106, S. 704).

Die Herstellung phosphorhaltiger zwitterionischer Tetraorganoborate geht von Triorgano- bzw. Diorgano-halogen-boranen sowie Hydro-triorgano-boraten und zwitterionischen Phosphino-trihalogen-boraten aus (vgl. Tab. 106, S.704).

Tetraorganoborate mit metallhaltigem Kation im selben Molekül sind vor allem von Tetraarylboraten bekannt. Außerdem gibt es zwitterionische Tetraorganoborate mit Cyan- und mit Cyclopentadienyl-Resten. Die Metalle sind an die Aryl- oder Cyclopentadienyl-Reste im allgemeinen π-gebunden. Als Metalle zwitterionischer Tetraorganoborate sind Lithium, Molybdän, Eisen und Ruthenium sowie Cobalt, Rhodium und Iridium bekannt (vgl. Tab. 106, S. 704f.).

Die Herstellung der verschiedenen zwitterionischen metallhaltigen Tetraorganoborate erfolgt hauptsächlich aus Alkalimetall-tetraarylboraten. Außerdem werden vereinzelt Triorgano- bzw. Aryl-dihydroxy-borane oder Ligand-Übergangsmetall-π-Triorganoborane eingesetzt (vgl. Tab. 106, S. 704f.).

Tab. 106: Zwitterionische Tetraorganoborate

Formel	Verbindungstyp	Herstellung	s. S.
1. Stickstoffhaltige zwitterionische Tetraorganoborate			
Ammoniono-organo-borate			
$(H_3C)_3\overset{\oplus}{N}-CH_2-\overset{\ominus}{B}(C_6H_5)_3$	$R_3\overset{\ominus}{B}-R^{N\oplus}$	aus R^1_3B + $\{H_2C=NR^2_3\}$	706
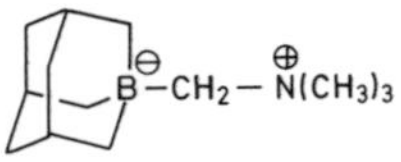 (Adamantan-Borat)$\overset{\ominus}{B}-CH_2-\overset{\oplus}{N}(CH_3)_3$	$R_3\overset{\ominus}{B}-R^{N\oplus}$	aus $Do-R^1_3B$ + $\{H_2C=NR^2_3 \cdot LiHal\}$	709
$(H_5C_2)_2\overset{\oplus}{N}(R^2)-CH_2-C\equiv C-\overset{\ominus}{B}(C_2H_5)_3$	$R_3\overset{\ominus}{B}-R^{4-N\oplus}_{1-in}$	aus $[R^1_3B-R^{4-N}_{1-in}]^-$ + R^{2+}	712
Amidiono-organo-borate			
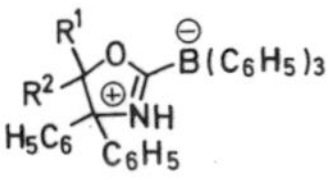 (Oxazolin-Ring mit R^1, R^2, H_5C_6, C_6H_5, $\overset{\oplus}{N}H$)$-\overset{\ominus}{B}(C_6H_5)_3$	$R_3\overset{\ominus}{B}-R^{\overset{\oplus}{N},O}$	aus $R_3\overset{\ominus}{B}-C\equiv\overset{\oplus}{N}-C(Li)<$ + $>C=O/H^+$	711
Amidiniono-organo-borate			
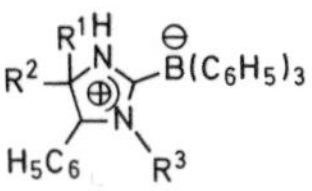 (Imidazolin-Ring mit R^1, H, R^2, H_5C_6, R^3, $\oplus$)$-\overset{\ominus}{B}(C_6H_5)_3$	$R_3\overset{\ominus}{B}-R^{\overset{\oplus}{N}2}$	aus $R_3\overset{\ominus}{B}-C\equiv\overset{\oplus}{N}-C-Li$ + H^+	711
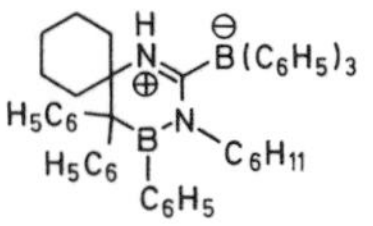 (Cyclohexan-spiro-Ring mit H, N, $\oplus$, H_5C_6, H_5C_6, B, N, C_6H_{11}, C_6H_5)$-\overset{\ominus}{B}(C_6H_5)_3$	$R_3\overset{\ominus}{B}-R^{\overset{\oplus}{N}2(B)}$	aus 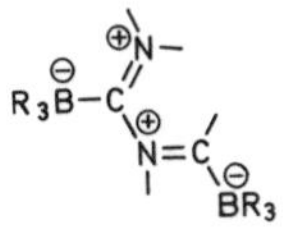 $R_3\overset{\ominus}{B}-C(=\overset{\oplus}{N}<)-\overset{\oplus}{N}=C-\overset{\ominus}{B}R_3$	710
Nitriliono-organo-borate			
$R-\overset{\oplus}{N}\equiv C-\overset{\ominus}{B}(C_6H_5)_3$ R = Alkyl, Aryl	$R_3\overset{\ominus}{B}-R^{N\oplus}_{1-in}$	aus R^1_3B + $R^2-N\equiv C$	706

Tab. 106 (1. Forts.)

Formel	Verbindungstyp	Herstellung	s. S.
(Amid-bis-oniono)-tris[organoborate]			
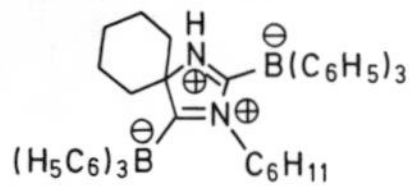 $(H_5C_6)_3\overset{\ominus}{B}$, $\overset{\ominus}{B}(C_6H_5)_3$, C_6H_{11} (Spiro-Cyclohexan, NH, $\oplus$, $=N\oplus$)	$R_3\overset{\ominus}{B}-R^{N\oplus}$	aus 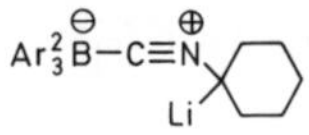 $Ar^2_3\overset{\ominus}{B}-C\equiv\overset{\oplus}{N}$–C(Li)-Cyclohexyl + H^+	711
2. Phosphorhaltige zwitterionische Tetraorganoborate			
$R^1_3\overset{\oplus}{P}-CH_2-\overset{\ominus}{B}R^2_3$	$R_3\overset{\ominus}{B}-R^{P\oplus}$	aus R_3B + $R^1_3P=C\langle$	707
$(H_5C_6)_3\overset{\oplus}{P}-CH_2-\overset{\ominus}{B}R_3$	$R_3\overset{\ominus}{B}-R^{P\oplus}$	aus $[R_3BH]^-$ + $[R_4P]^+$	713
$(H_5C_6)_3\overset{\oplus}{P}-CH_2-\overset{\ominus}{B}(C_6H_5)_3$	$R_3\overset{\ominus}{B}-R^{P\oplus}$	aus $[R^{P\oplus}-\overset{\ominus}{B}Hal_3]$ + Ar–MgHal	712
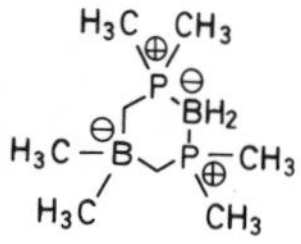 H_3C, CH_3, $\overset{\oplus}{P}$, $\overset{\ominus}{B}H_2$, $H_3C-\overset{\ominus}{B}$, $\overset{\oplus}{P}-CH_3$, H_3C, CH_3 (Ring)	$R^1_2\overset{\ominus}{B}(-R^{P,B})-R^{P\oplus}$	aus R_2B-Hal + $Li-R-P\langle$	708
3. Metallhaltige zwitterionische Tetraorganoborate (s. a. Tab. 113, S. 771)			
$R^{Li}-N\equiv C-\overset{\ominus}{B}(C_6H_5)_3$	$[R_3\overset{\ominus}{B}-R^{N^{Li}\oplus}]$	aus $R^1_3\overset{\ominus}{B}-R^{N\oplus}_{1-in}$ (borfern) + R–Li	710
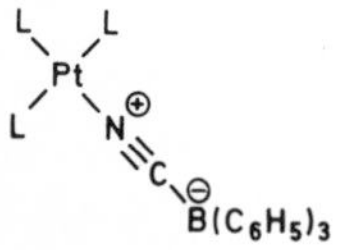 $L_3Pt-\overset{\oplus}{N}\equiv C-\overset{\ominus}{B}(C_6H_5)_3$	$R_3\overset{\ominus}{B}-R^{\overset{\oplus}{N}(Pt)}_{1-in}$	aus $[R_3B-R^N_{1-in}]^-$ + LM Hal_2	716
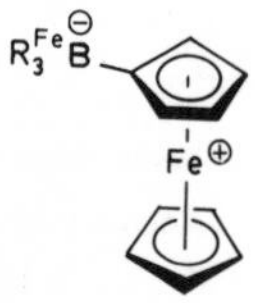 $R^{Fe}_3\overset{\ominus}{B}$–$C_5H_4$–$Fe^\oplus$–$C_5H_5$	$[R_3{}^{Fe}\overset{\ominus}{B}-R^{Fe\oplus}]$	aus $R_3B + R^{Fe}-Li + O_2$	708
		aus $[R_4{}^{Fe}B]^-$ + O_2	715
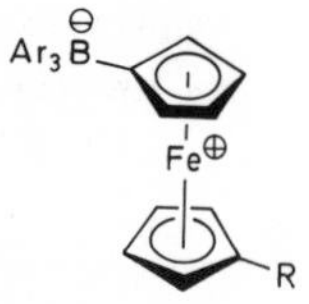 $Ar_3\overset{\ominus}{B}$–C_5H_4–$Fe^\oplus$–C_5H_4R; R = Cl	$[Ar_3\overset{\ominus}{B}-R^{Fe\oplus}]$	aus $R-B(OH)_2$ + Ar–MgHal	708
R = H		aus $[R_3B-R^{Fe}]^-$ + O_2	715

Tab. 106 (2. Forts.)

Formel	Verbindungstyp	Herstellung	s. S.
Mo⊕ (Cyclopentadienyl, Cycloheptatrienyl-B⊖–CN, C_6H_5)	$R_2\overset{\ominus}{B}\frown R^{Mo^{\oplus}L}$	aus $[LMo-R_3B]^+$ + CN^-	716
Mo⊕, $\overset{\ominus}{B}(C_6H_5)_3$	$[R_3\overset{\ominus}{B}-R^{Mo^{\oplus}L}]$	aus $[R_4B]^-$ + LM^+	714
M⊕, $\overset{\ominus}{B}(C_6H_5)_3$; M = Fe, Mo	$R_3\overset{\ominus}{B}-R^{M^{\oplus}L}$	aus $[R_4B]^-$ + LM^+	714
$\overset{\ominus}{B}(C_6H_5)_3$, M⊕, $(RO)_3P$, $P(OR)_3$	$R_3\overset{\ominus}{B}-R^{M^{\oplus}L}$		
M = Co		aus $[R_4B]^-$ + LM^+	714
M = Rh		aus $[R_4B]^-$ + $L_4Rh_2Hal_2$	714

Weitere Produkte s. Tab. 113, S. 772.

α) aus Triorganoboranen

Zur Herstellung stickstoff-, phosphor- und metall-haltiger zwitterionischer Tetraorganoborate kann man von Triorganoboranen ausgehen. Man setzt mit geeigneten heteroatomhaltigen Nucleophilen um. Triorganoborane reagieren durch 1:1-Komplexierung mit Triorganoamin-methylenen oder mit Isocyaniden zu zwitterionischen stickstoffhaltigen Tetraorganoboraten, die thermisch jedoch meist nicht allzu stabil sind.

Die mit Methylen-triorgano-aminen entstehenden (Triorganoammonio-methylen)-triorgano-borate lagern sich in Abhängigkeit von den Organo-Resten mehr oder weniger leicht in Triorganoamin-Diorgano-organomethyl-borane (vgl. S. 447) um.

In einigen Fällen lassen sich die zwitterionischen Verbindungen jedoch glatt herstellen. Aus Triphenylboran erhält man mit dem Reaktionsgemisch von Tetramethylammoniumbromid/Phenyllithium in Diethylether/Tetrahydrofuran in 77%iger Ausbeute *(Trimethylammonio-methyl)-triphenyl-borat*[1] (F: 146,5–147,5°):

[1] F. Bickelhaupt u. J. W. K. Barnick, J. Organometal. Chem. **87**, 188 (1968).

$$(H_5C_6)_3B \; + \; [(H_3C)_4N]^+ \; Br^- / H_5C_6{-}Li \xrightarrow[- LiBr \; - C_6H_6]{(H_5C_2)_2O / THF}$$

Triphenylboran reagiert mit verschiedenen Organoisocyaniden unter 1:1-Addition zu präparativ isolierbaren Organoisocyanid-Triphenylboranen[1]:

$$(H_5C_6)_3B \; + \; C{\equiv}N{-}R \xrightarrow{THF} \left[R{-}\overset{\oplus}{N}{\equiv}C{-}\overset{\ominus}{B}(C_6H_5)_3\right]$$

Organoisocyanid-Triphenylborane; allgemeine Arbeitsvorschrift[1]: Zur Lösung von 24 g (0,1 mol) Triphenylboran in 100 *ml* abs. THF tropft man bei Eiskühlung und unter Rühren 0,1 mol Organoisocyanid. Nach weitgehendem Abziehen des Lösungsmittels i. Vak. bei 30–40° versetzt man mit 150 *ml* Methanol und saugt nach kurzem Stehenlassen ab. Die Additionsverbindungen lassen sich aus Aceton umkristallisieren bzw. aus Aceton mit Methanol umfällen.

Auf diese Weise erhält man u.a.

Butylisocyanid-Triphenylboran	65%; F: 94–97°
tert. Butylisocyanid-Triphenylboran	73%; F: 150° (Zers.)
Cyclohexylisocyanid-Triphenylboran	81%; F: 126–128° (Zers.)
Phenylisocyanid-Triphenylboran	52%; F: 75–85° (Zers.)
(4-Diethylamino-phenylisocyanid)-Triphenylboran	72%; F: 109–111° (Zers.)

Aus Trialkylboranen lassen sich mit Organoisocyaniden im allgemeinen keine 1:1-Additionsverbindungen herstellen, da diese sich leicht in 2,5-Dihydro-1,4,2,5-diazadiborine (vgl. S. 76) umlagern[2–6].

Aus Trimethylboran läßt sich jedoch bei –190° bis –60° mit tert.-Butylisocyanid *tert.-Butylisocyanid-Trimethylboran* (F: 68–70°) quantitativ herstellen. Die thermische Umlagerung erfolgt leicht[3]. Triethylboran reagiert in Diethylether bei 20° z.B. mit Ethylisocyanid unter Addition und rascher Ethyl-Wanderung (vgl. S. 76)[4].

Die Addition von Trialkylboranen an Diazo-ketone[7], -carbonsäureester[8] oder -carbonsäurenitrile[8] liefert 1:1-Verbindungen, die sich im allgemeinen unter Stickstoff-Abspaltung und Alkyl-Wanderung rasch umlagern:

$$R_3B \; + \; N_2{=}CH{-}CO{-}X \longrightarrow \left\{N{\equiv}\overset{\oplus}{N}{-}\underset{}{\overset{CO-X}{CH}}{-}\overset{\ominus}{B}R_3\right\} \xrightarrow[-N_2]{} X{-}CO{-}\overset{R}{CH}{-}BR_2$$

$CO{-}X = CO{-}CH_3, COOC_2H_5, CN$

Triorganoborane bilden mit Triorgano-alkyliden-phosphoranen durch 1:1-Addition zwitterionische (Triorganophosphoniono-methyl)-triorgano-borate[9–13].

Trialkylborane reagieren in Pentan (Trimethylboran) oder in Benzol (Triethylboran) mit Methylen-trialkyl-phosphoranen[13] unter Bildung der (Trialkylphosphonionomethyl)-trialkyl-borate in Ausbeuten von >80% bis nahezu 100% (vgl. Tab. 107, S. 707)[10,11]:

---

[1] G. Hesse, H. Witte u. G. Bittner, A. **687**, 9 (1965).
H. Witte, P. Mischke u. G. Hesse, A. **722**, 21 (1969).
[2] G. Hesse u. H. Witte, Ang. Ch. **75**, 791 (1963).
[3] J. Casanova jr. u. R.E. Schuster, Tetrahedron Letters **1964**, 405.
[4] S. Bresadola, G. Carraro, C. Pecile u. A. Turco, Tetrahedron Letters **1964**, 3185.
[5] J. Casanova jr., H.R. Kiefer, D. Kuwada u. A.H. Boulton, Tetrahedron Letters **1965**, 703.
[6] H. Witte, P. Mischke u. G. Hesse, A. **722**, 21 (1969).
[7] J. Hooz u. S. Linke, Am. Soc. **90**, 5936 (1968).
[8] J. Hooz u. S. Linke, Am. Soc. **90**, 6891 (1968).
[9] D. Seyferth u. S.O. Grim, Am. Soc. **83**, 1613 (1961).
[10] R. Köster u. B. Rickborn, Am. Soc. **89**, 2782 (1967).
[11] D. Simič, Mülheim a.d. Ruhr, Dissertation, Universität Bochum 1970.
[12] R. Köster u. W. Nolte, Mülheim a.d. Ruhr, unveröffentlicht 1969.
[13] R. Köster, D. Simič u. M.A. Grassberger, A. **279**, 211 (1970).

$$R^2_3B + R^1_3P{=}CH_2 \xrightarrow{\text{Pentan oder Benzol}} [R^1_3\overset{\oplus}{P}{-}CH_2{-}\overset{\ominus}{B}R^2_3]$$

$R^1 = CH_3, C_2H_5, C_4H_9$
$R^2 = CH_3, C_2H_5$

Aus Tribenzylboran sind in Benzol mit Methylen-trialkyl (triaryl)-phosphoranen ebenfalls 1:1-Additionsverbindungen zugänglich[1-3].

3-Methyl-1-propyl-2,3-dihydro-1-benzoborol liefert mit Alkyliden-triorgano-phosphoranen ohne Lösungsmittel 3-Methyl-1-propyl-1-(1-triorganophosphoniono-alkyl)-2,3-dihydro-1-benzoboratole[3].

Triphenylboran reagiert mit Methylen-triphenyl-phosphoran in Benzol/Diethylether in ~70%iger Ausbeute unter Bildung von *Triphenyl-(triphenylphosphoniono-methyl)-borat* (F: 215–217°). Entsprechend sind *Triphenyl-(1-triphenylphosphoniono-ethyl)-* (56%; F: 161°) und *(Chlor-triphenylphosphoniono-methyl)-triphenyl-borat* (F: 122–125°) zugänglich[1].

Aus Triphenylboran lassen sich auch mit Alkyliden-trialkyl-phosphoranen[3-6] in Benzol 1:1-Additionsverbindungen präparativ gewinnen. Mit (2-Butenyliden)-trimethyl-phosphoran erhält man in 94%iger Ausbeute reines *Triphenyl-(1-trimethylphosphoniono-2-butenyl)-borat* (F: 136°)[4,5].

$$(H_5C_6)_3B + (H_3C)_3P{=}CH{-}CH{=}CH{-}CH_3 \xrightarrow{\text{Benzol}} (H_3C)_3\overset{\oplus}{P}{-}\underset{\displaystyle CH{=}CH{-}CH_3}{\underset{|}{CH}}{-}\overset{\ominus}{B}(C_6H_5)_3$$

Entsprechend sind (1-Triethylphosphoniono-alkyl)-triphenyl-borate zugänglich[4,5].

Die Herstellung metallhaltiger Tetraorganoborate mit Zwitterionen-Struktur gelingt aus Triorganoboranen mit übergangsmetallhaltigen Verbindungen geeigneter Organometall-Verbindungen.

Tab. 107: (Trialkylphosphoniono-methyl)-triorgano-borate aus Triorganoboranen mit Methylen-trialkyl-phosphoranen[7]

Produkt	...-borat	Ausbeute [%]	F[°C]
$[(H_3C)_3\overset{\oplus}{P}{-}CH_2{-}\overset{\ominus}{B}(CH_3)_3]$	*(Trimethyl-(trimethylphosphoniono-methyl)-...*	80	161
$[(H_5C_2)_3\overset{\oplus}{P}{-}CH_2{-}\overset{\ominus}{B}(CH_3)_3]$	*(Triethylphosphoniono-methyl)-trimethyl-...*	84	41
$[(H_3C)_3\overset{\oplus}{P}{-}CH_2{-}\overset{\ominus}{B}(C_2H_5)_3]$	*Triethyl- (trimethylphosphoniono- methyl)-...*	84	36
$[(H_5C_2)_3\overset{\oplus}{P}{-}CH_2{-}\overset{\ominus}{B}(C_2H_5)_3]$	*Triethyl-(triethylphosphoniono-methyl)-...*	96	65
		81	65
$[(H_3C)_3\overset{\oplus}{P}{-}CH_2{-}\overset{\ominus}{B}(C_6H_5)_3]$	*(Trimethylphosphoniono-methyl)-triphenyl-...*	81,5	180 (Zers.)
$[(H_5C_2)_3\overset{\oplus}{P}{-}CH_2{-}\overset{\ominus}{B}(C_6H_5)_3]$	*(Triethylphosphoniono-methyl)-triphenyl-...*	92	142

Aus Triphenylboran ist mit Bis[triphenylphosphoranyliden]-methan das monomere zwitterionische *Triphenyl-(triphenylphosphoniono-triphenylphosphoranyliden-methyl)-borat* (F: 254–256°) zugänglich[8].

$$(H_5C_6)_3B + (H_5C_6)_3P{=}C{=}P(C_6H_5)_3 \longrightarrow (H_5C_6)_3P\overset{\overset{\displaystyle \overset{\ominus}{B}(C_6H_5)_3}{|}}{\underset{\oplus}{\overset{C}{\frown}}}P(C_6H_5)_3$$

[1] D. Seyferth u. S.O. Grim, Am. Soc. **83**, 1613 (1961).
[2] R. Köster u. B. Rickborn, Am. Soc. **89**, 2782 (1967).
[3] D. Simič, Mülheim a.d. Ruhr, Dissertation, Universität Bochum 1970.
[4] R. Köster u. W. Nolte, Mülheim a.d. Ruhr, unveröffentlicht 1971.
[5] R. Köster, D. Simič u. M.A. Grassberger, A. **279**, 211 (1970).
[6] vgl. W. Nolte, Mülheim a.d. Ruhr, Universität Bochum, unveröffentlicht 1972.
[7] R. Köster u. D. Simič, Mülheim a.d. Ruhr, unveröffentlicht 1969.
vgl. D. Simič, Mülheim a.d. Ruhr, Dissertation, Universität Bochum 1970.
[8] J.S. Driscoll, D.W. Grisley, jr., J.V. Pustinger, J.E. Harris u. C.N. Matthews, J. Org. Chem. **29**, 2427 (1964).

Aus Tributylboran entsteht mit Ferrocenyllithium im Überschuß über das rote Triferrocenylboran (F: 162–163°)[1,2] *Lithiumtetraferrocenylborat*, das durch Oxidation (vgl. Tab. 114, S. 786) das zwitterionische *(Ferrocenio-1-yl)-triferrocenyl-borat* bildet[3]:

$$(H_9C_4)_3B + 4\ \text{Fc-Li} \xrightarrow[\{-3\ LiC_4H_9\}]{} Li^+ \{[\text{Fc}]_4 B\}^- \xrightarrow[-1/2\ Li_2O]{+1/4\ O_2} \text{Fc}^{\oplus}\text{-}\overset{\ominus}{B}[\text{Fc}]_3$$

β) aus Diorgano-halogen-boranen

Die Substitution von Lithium-Kationen durch Dialkylboryl-Gruppen liefert Phosphoniono-tetraorgano-borate. Aus Brom-dimethyl-boran läßt sich z.B. mit 2-Hydro-1,1,3,3-tetramethyl-1,3,5,2-diphosphonialithiaboratinan durch Lithium/Boryl-Austausch kristallines *1,1,3,3,5,5-Hexamethyl-2-hydro-1,3,2,5-diphosphoniadiboratinan* (F: 59°) herstellen[4]:

$$(H_3C)_2B{-}Br + [\text{Li-Ring}] \xrightarrow[-LiBr]{-20\,°/THF} \text{Ring}$$

γ) aus Organo-oxy-boranen

(1′-Chlorferrocenyl)-dihydroxy-boran läßt sich mit Phenylmagnesiumbromid in Diethylether durch Hydroxy/Phenyl-Austausch und Komplexierung nach Zusatz von 1-Ethylpyridinium-bromid ins *1-Ethylpyridinium-(1′-chlorferrocenyl)-triphenyl-borat* überführen, aus dem bei der Oxidation mit 1,4-Benzochinon das zwitterionische *(1′-Chlorferrocenio-1-yl)-triphenyl-borat* in bescheidener Ausbeute (~ 1%) zugänglich ist[5]:

1. $+ H_5C_6{-}MgBr$
2. $+ H_2O / [C_5H_5N{-}C_2H_5]^+ Br^-$
3. $+ O{=}C_6H_4{=}O$

δ) aus Diorgano-phosphino-boranen

Aus dem dimeren Diethylphosphino-dimethyl-boran (vgl. S. 387) sind mit Methylen-trimethyl-phosphoran in Abhängigkeit von den Mengenverhältnissen *1,1,4,4-Tetraethyl-4,4,6,6-tetramethyl-1,4,2,6-diphosphoniadiboratin* (72%; F: 119°)[6] oder *1,1,5,5-Tetraethyl-3,3,7,7-tetramethyl-1,5,3,7-diphosphoniadiboratocan* (80%; F: 213°)[7] zugänglich:

---

[1] H. ROSENBERG u. F.L. HEDBERG, Abstr. 3 Int. Symp. Organometal. Chem. **1967**, S. 108.
[2] E.W. POST, R.G. COOKS u. J.C. KOTZ, Inorg. Chem. **6**, 1670 (1970).
[3] D.O. COWAN, P. SHU, F.L. HEDBERG, M. ROSSI u. T.J. KISTENMACHER Am. Soc. **101**, 1304 (1979).
[4] H. SCHMIDBAUER, H.-J. FÜLLER, G. MÜLLER u. A. FRANK, B. **112**, 1448 (1979).
H. SCHMIDBAUR, G. MÜLLER, Dissertation, S. 155, Technische Universität München 1980.
[5] A.N. NESMEYANOV, V.A. SAZONOVA, V.A. BLINOVA u. S.G. D'YACHENKO, Doklady Akad. SSSR **200**, 1365 (1971); engl.: 869; C.A. **77**, 34672 (1972).
[6] E. SATTLER, Universität Karlsruhe, unveröffentlicht 1980.
[7] E. SATTLER u. W. SCHUHMANN, Universität Karlsruhe, unveröffentlicht 1982.
vgl. W. SCHUHMANN, Diplomarbeit, Universität Karlsruhe 1982.

$[(H_5C_2)_2P-B(CH_3)_2]_2$ $\xrightarrow[-(H_3C)_2PH]{+(H_3C)_3P=CH_2}$ (Diphosphadiborabicyclus) ; $\xrightarrow[130°, 20 Stdn.; -2(H_3C)_3P]{+2(H_3C)_3P=CH_2}$ (Diphosphonia-diboratin)

1,1,2,2,4,4,6,6-Octamethyl-1,4-diphosphonia-2,6-diboratin (F: 101°) wird in 52%iger Ausbeute aus Octamethyl-1,3,2,4-diphosphadiboretan mit Methylen-trimethyl-phosphoran erhalten[1].

ε) aus Lewisbase-Organoboranen

Die Substitution von Tetrahydrofuran durch Methylen-trimethyl-amin gelingt beim 1-Boraadamantan. Tetrahydrofuran-1-Boraadamantan reagiert mit dem aus Tetramethylammoniumbromid mit Phenyllithium hergestellten Methylen-trimethyl-amin/Lithiumbromid-Komplex bei −65° in Tetrahydrofuran unter Bildung (NMR-spektroskopisch nachweisbar) von *(Trimethylammonio-methyl)-1-borataadamantan*[2] (vgl. Tab. 106, S. 703).

Die Addition von Cyanwasserstoff an bestimmte cyclische Carbonyl-Triorganoborane liefert stickstoffhaltige zwitterionische Tetraorganoborate. Aus 5-Alkyl-2,2,3-triethyl-2H-1,4,2-oxoniaazaboratol erhält man mit Cyanwasserstoff unter Addition und Umlagerung z.B. *5-tert.-Butyl-2-cyan-2,3,3-triethyl-* bzw. *2-Cyan-5-methyl-2,3,3-triethyl-2,3-dihydro-1,4,2-oxazoniaboratol*[3]:

$\xrightarrow{+HCN}$

R = CH_3, $C(CH_3)_3$

ζ) aus Bis[Lewisbase]-Organobor(1+)-Verbindungen

Bis[trimethylphosphan]-dihydro-bor(1+)-halogenide eignen sich als Edukte zur Herstellung von Chelatliganden für Metalle. Auch aus Bis[trimethylphosphan]-diorgano-bor(1+)-halogeniden sind mit Nucleophilen Übergangsmetall-Chelate zugänglich. Aus Bis[trimethylphosphan]-dimethyl-bor(1+)-bromid (vgl. S. 688) erhält man mit Alkyllithium unter Alkan-Abspaltung eine Lithium-Verbindung (vgl. S. 708), die mit Ligand-Übergangsmetall-halogeniden *Bis[2,2,3,3,4,4-hexamethyl-2,4,3-diphosphoniaborata-1,5-diyl]-nickel* liefert[4].

η) aus zwitterionischen Organoboraten

Stickstoff-, phosphor- und bestimmte metall-haltige zwitterionische Tetraorganoborate sind aus anderen zwitterionischen Verbindungen präparativ zugänglich.

Aus bestimmten Organoisocyanid-Triphenylboranen[4] erhält man durch borferne Reaktionen in THF mit Phenyllithium α-Lithio-organoisocyanid-triphenyl-borane (Nitril-Ylide)[5].

---

[1] E. SATTLER, Universität Karlsruhe, unveröffentlicht 1980.
[2] B. M. MIKHAILOV, N. N. GOVOROV, Y. A. ANGELYUK, V. G. KISELEV u. M. I. STRUCHKOVA, Izv. Akad. SSSR **1980**, 1621; engl.: 1164; C.A. **93**, 239498 (1980).
[3] E. BREHM, A. HAAG, G. HESSE u. H. WITTE, A. **737**, 70 (1970).
[4] G. HESSE, H. WITTE u. G. BITTNER, A. **687**, 9 (1965).
[5] G. BITTNER, H. WITTE u. G. HESSE, A. **713**, 1 (1968).

$$R^1\text{-}\underset{R^1}{CH}\text{-}\overset{\oplus}{N}\equiv C\text{-}\overset{\ominus}{B}(C_6H_5)_3 \xrightarrow[-R^2H]{+R^2\text{-}Li} R^1\text{-}\underset{Li}{\overset{R^1}{C}}\text{-}\overset{\oplus}{N}\equiv C\text{-}\overset{\ominus}{B}(C_6H_5)_3$$

$R^1 = CH_3, C_6H_5$
$R^1_2CH = C_6H_{10}$
$R^2 = C_6H_5$

α-Lithio-diphenylmethylisocyanid-Triphenylboran[1]**:** Zu 4,35 g (10 mmol) Diphenylmethylisocyanid-Triphenylboran in 20 *ml* abs. THF tropft man unter Eiswasserkühlung 10 *ml* 1,1 M Phenyllithium-Lösung in Diethylether. Die gelbbraune Lösung verwendet man für weitere Reaktionen (vgl. S. 711).

Die offenkettigen Organoisocyanid-Triphenylborane reagieren nach Lithiierung mit Phenyllithium mit Methanol durch Protolyse unter Bildung cyclischer Amidinio-triphenyl-borate; z.B.[1]:

$$2\ (H_3C)_2CH\text{-}\overset{\oplus}{N}\equiv C\text{-}\overset{\ominus}{B}(C_6H_5)_3 \xrightarrow[-\,LiB(C_6H_5)_4]{1.\ +2\ H_5C_6\text{-}Li/THF \quad 2.\ +H_3C\text{-}OH\ (-LiOCH_3)}$$

(Produkt: cyclisches Amidinio-triphenyl-borat mit H_3C, H_3C, H_5C_6, N–H, $\overset{\ominus}{B}(C_6H_5)_3$, $CH(CH_3)_2$)

(5,5-Dimethyl-1-hydro-3-isopropyl-4-phenyl-4,5-dihydro-1,3-diazolium-2-yl)-triphenyl-borat[1]**:** Man versetzt 3,1 g (10 mmol) Isopropylisocyanid-Triphenylboran in 20 *ml* abs. THF bei 0° innerhalb ~5 Min. mit 10 *ml* 1,1 M Phenyllithium-Lösung in Ether. Die dunkelrote Farbe verschwindet beim anschließenden Zusatz von Methanol. Nach dem Einengen gewinnt man kristallines Borat; Ausbeute: 2,7 g (59%); F: 190–192°.

Beim Erhitzen läßt sich aus der zweifach-zwitterionischen Verbindung I die einfach-zwitterionische Verbindung II in ~40%iger Ausbeute herstellen[1]:

$$\text{I} \xrightarrow{\Delta,\ \sim 140°} \text{II}$$

3-Cyclohexyl-1-hydro-4,5,5-triphenyl-2-triphenylboratyl-3-aza-1-azonia-4-bora-spiro[5.5]undec-1-en[1]**:** 3,5 g 2,4-Bis[triphenylboratyl]-3-cyclohexyl-1-hydro-1,3-diazonia-spiro[4.5]deca-1,3-dien in Dimethylformamid werden 10 Min. auf ~140° erhitzt. Nach Abkühlen versetzt man mit Methanol und Wasser. Das ausgefallene Produkt wird aus Benzol/Methanol umkristallisiert; Ausbeute: 1,42 g (41%); F: 190–192° (Zers.).

Aus lithiierten stickstoffhaltigen zwitterionischen Tetraorganoboraten erhält man mit Elektrophilen bzw. mit Carbonyl-Verbindungen stickstoffhaltige zwitterionische Tetraorganoborate. Die wäßr./methanolische Protolyse der (1-Lithiumcyclohexylisocyanid)-Triphenylborane liefert durch Protonierung, Abspaltung von Lithiumborat und Addition cyclische Amidinio-triphenyl-borate; z.B.[1]:

$$2\ (1\text{-Li-cyclohexyl})\text{-}\overset{\oplus}{N}\equiv C\text{-}\overset{\ominus}{B}(C_6H_5)_3 \xrightarrow[-LiOCH_3 \quad -Li^+[(H_5C_6)_2B(OCH_3)_2]^-]{+2\ H_3C\text{-}OH/H_2O}$$

(Produkt: spirocyclisches Amidinio-triphenyl-borat mit $\overset{\ominus}{B}(C_6H_5)_3$, N–H, H_5C_6, N-Cyclohexyl)

[1] G. Bittner, H. Witte u. G. Hesse, A. **713**, 1 (1968).

3-Cyclohexyl-1-hydro-4-phenyl-2-triphenylboratyl-3-aza-1-azonia-spiro[4.5]dec-1-en[1]: 3,5 g (10 mmol) Cyclohexylisocyanid-Triphenylboran in 20 *ml* THF werden bei ~0° innerhalb 5 Min. mit 10 *ml* einer 1,1 M Phenyllithium-Lösung in Ether versetzt. Zur dunkelroten Lösung gibt man Methanol bis zum Verschwinden der Farbe, engt ein und gibt Methanol zu. Der Niederschlag wird abfiltriert; Ausbeute: ~2 g (78%); F: 204–206° (Zers.; aus Benzol/Methanol).

Das *(5,5-Dimethyl-1-hydro-3-isopropyl-4-phenyl-1,3-imidazolium-2-yl)-triphenyl-borat* [F: 190–192° (Zers.); aus Methanol/Aceton] erhält man in 59%iger Ausbeute.

(1-Lithiumcyclohexylisocyanid)-Triphenylboran reagiert mit etherischem Chlorwasserstoff durch Protonierung und Dimerisierung in 82%iger Ausbeute unter Bildung von *2,4-Bis[triphenylboratyl]-3-cyclohexyl-1-hydro-1,3-diazonia-spiro[4.5]deca-1,3-dien*[1]:

$$2\ \text{(1-Li-cyclohexyl)}-\overset{\oplus}{N}\equiv C-\overset{\ominus}{B}(C_6H_5)_3 \xrightarrow[2.\ +\ H_3C-OH\ (-\ LiOCH_3)]{1.\ +\ HCl\ /\ (H_5C_2)_2O\ (-\ LiCl)} \text{Spiro-diazonia-dien mit } \overset{\ominus}{B}(C_6H_5)_3,\ (H_5C_6)_3\overset{\ominus}{B},\ C_6H_{11}$$

2,4-Bis[triphenylboratyl]-3-cyclohexyl-1-hydro-1,3-diazonia-spiro[4.5]deca-1,3-dien[1]: Zu 3,51 g (10 mmol) Cyclohexylisocyanid-Triphenylboran in 20 *ml* abs. THF gibt man 10 *ml* 1,1 M Phenyllithium-Lösung in THF. Zur tiefroten Lösung wird so lange ether. Chlorwasserstoff zugetropft, bis Entfärbung ($p_H < 7$) erreicht ist. Nach Zugabe von viel Methanol fällt ein Niederschlag aus, der abfiltriert wird; Ausbeute: 2,88 g (82%); F: 172–174° (Zers.) (aus Benzol mit Methanol).

Aus (1-Lithiumalkylisocyanid)-Triphenylboranen sind mit Formaldehyd, Benzaldehyd oder Benzophenon sowie mit Aceton nach Zugabe von Methanol durch Protonierung entsprechende sauerstoff- und stickstoffhaltige cyclische zwitterionische Tetraorganoborate („Oxazoliumbetaine") zugänglich[1]:

$$H_5C_6-\underset{Li}{\overset{C_6H_5}{C}}-\overset{\oplus}{N}\equiv C-\overset{\ominus}{B}(C_6H_5)_3 + \underset{R^2}{\overset{R^1}{}}\!\!>C=O \longrightarrow Li^+\left[\text{Oxazolin-Ring mit } R^1, R^2, H_5C_6, C_6H_5, \overset{\ominus}{B}(C_6H_5)_3\right]^- \xrightarrow[-\ LiOCH_3]{+\ H_3C-OH} \text{Oxazolium-Ring mit } R^1, R^2, H_5C_6, H_5C_6, \overset{\oplus}{N}H, \overset{\ominus}{B}(C_6H_5)_3$$

$R^1 = H, CH_3, C_6H_5$
$R^2 = H, CH_3, C_6H_5$

(4,4-Diphenyl-3,4,5-trihydro-1,3-oxazolium-2-yl)-triphenyl-borat[1]: Zu 4,35 g (10 mmol) Diphenylmethylisocyanid-Triphenylboran in 20 *ml* abs. THF tropft man 10 *ml* 1,1 M Phenyllithium-Lösung in Ether. In die gelbbraune Lösung leitet man bei ~20° gasförmigen Formaldehyd ein, bis sich die Farbe aufhellt. Nach Zusatz von 50–80 *ml* Methanol kristallisiert das Produkt aus; Ausbeute: 3,95 g (85%); F: 137–138° (Zers.) (aus Dichlormethan/Methanol).

Analog erhält man mit

		...-3,4,5-trihydro-1,3-oxazolium-2-yl)-triphenyl-borat	
Aceton	→	*(5,5-Dimethyl-4,4-diphenyl-...*	83%; F: 182–185° (Zers.)
Benzaldehyd	→	*(4,4,5-Triphenyl-...*	93%; F: 169–171° (Zers.)
Benzophenon	→	*(4,4,5,5-Tetraphenyl-...*	81%; F: 192–194° (Zers.)

[1] G. Bittner, H. Witte u. G. Hesse, A. **713**, 1 (1968).

Aus Trihalogen-(triphenylphosphonionomethyl)-boraten lassen sich mit Arylmagnesiumbromiden in Diethylether durch Halogen/Aryl-Austausch am Bor-Atom in mäßigen bis brauchbaren Ausbeuten Triaryl-(triphenylphosphoniono-methyl)-borate herstellen. Aus Trifluor-(triphenylphosphoniono-methyl)-borat erhält man mit Phenylmagnesiumbromid in allerdings nur 11%iger Ausbeute *Triphenyl-(triphenylphosphoniono-methyl)-borat*[1]:

$$\left[(H_5C_6)_3\overset{\oplus}{P}-CH_2-\overset{\ominus}{B}F_3\right] + 3\ H_5C_6-MgBr \xrightarrow[-3\ FMgBr]{(H_5C_2)_2O} \left[(H_5C_6)_3\overset{\oplus}{P}-CH_2-\overset{\ominus}{B}(C_6H_5)_3\right]$$

Triphenyl-(triphenylphosphoniono-methyl)-borat[1]**:** 20 *ml* einer 1,15 M Lösung von Phenylmagnesiumbromid in Diethylether (23 mmol) gibt man rasch zu einer Suspension von 2 g (5,8 mmol) Trifluor-(triphenylphosphoniono-methyl)-borat in 20 *ml* Diethylether. Die exotherme Reaktion bringt das Gemisch unter Bildung gröberer Partikel zum Sieden. Man kocht noch 10 Min. am Rückfluß und filtriert. Die festen Bestandteile (eine Mischung aus dem Reaktionsprodukt und Magnesiumsalzen) werden mit Aceton extrahiert. Die Aceton-Lösung wird filtriert, aus dem Filtrat das Betain mit Wasser gefällt; Ausbeute: 11%, F: 215–217°.

(Triphenylphosphoniono-methyl)-tris[3-trifluormethyl-phenyl]-borat wird in 48%iger Ausbeute (F: 159–160°) erhalten[1].

Trimethyl-(triphenylphosphoniono-methyl)-borat läßt sich nach der Methode nicht gewinnen, da Trimethylboran unter den Reaktionsbedingungen abgespalten wird[1].

ϑ) aus Organoboraten

Verschiedenartige Typen der stickstoff-, phosphor- und metallhaltigen zwitterionischen Tetraorganoborate werden aus Tetraphenyl-, 1-Alkinyl-triorgano-, Hydro-triorgano- oder Cyan-triorgano-boraten hergestellt.

Zur Herstellung zwitterionischer stickstoffhaltiger Tetraorganoborate eignen sich (Dialkylamino-1-alkinyl)-triorgano- sowie Cyan-triorgano-borate und deren stickstoffsubstituierte Derivate (sog. „Nitrilylide").

Aus Natrium-(3-diethylamino-1-propinyl)-triethyl-borat (vgl. S. 793) erhält man mit Elektrophilen in Dichlormethan [(Diethyl-organoammonio)-1-propinyl]-triethyl-borate[2]:

$$Na^+ \left[(H_5C_2)_3B-C\equiv C-CH_2-N(C_2H_5)_2\right]^- \xrightarrow[-NaX]{+R-X} \left[(H_5C_2)_2\overset{R}{\underset{|\oplus}{N}}-CH_2-C\equiv C-\overset{\ominus}{B}(C_2H_5)_3\right]$$

$R = CH_3, C_2H_5$

Triethyl-(3-triethylammoniono-1-propinyl)-borat[2]**:** Zu 21 g (90 mmol) Natrium-(3-diethylamino-1-propinyl)-triethyl-borat in 50 *ml* Dichlormethan wird bei 25–30° in 4 Stdn. eine Lösung von 17 g (90 mmol) Triethyloxoniumtetrafluoroborat in 50 *ml* Dichlormethan getropft. Man kocht 1 Stde. unter Rückfluß, filtriert vom Natriumtetrafluoroborat (11 g) ab und zieht das Lösungsmittel ab; Ausbeute: 17,9 g (85%); F: 76°.

Auf ähnliche Weise erhält man mit Dimethylsulfat in Diethylether 95% *[3-(Diethyl-methyl-ammoniono)-1-propinyl]-triethyl-borat* (F: 90–91°)[2].

[3-(Diethyl- methyl-ammoniono)-1-propinyl]- triethyl-borat[2]**:** Zu 42 g (0,18 mol) Natrium-(3-diethylamino-1-propinyl)-triethyl-borat in 150 *ml* Ether werden bei ~20° 22,5 g (0,19 mol) Dimethylsulfat getropft. Nach

---

[1] H. Seyferth u. S. O. Grim, Am. Soc. **83**, 1613 (1961).
[2] P. Binger u. R. Köster, B. **108**, 395 (1975.

3 Stdn. Kochen wird abfiltriert (54,2 g), der Niederschlag mit 250 *ml* Ether extrahiert (48 Stdn., Soxhlet). Man filtriert den Niederschlag (25,2 g) ab, dampft das Filtrat ein und erhält weitere 13 g; Ausbeute: 38,2 g (95%); F: 90–91°.

Aus Natrium-cyan-triaryl-boraten (vgl. S. 791 ff.) lassen sich mit Elektrophilen oder mit Ligand-Metall-Verbindungen zwitterionische Isocyanid-Triorganoborane herstellen.

Natrium-cyan-triphenyl-borat reagiert mit Benzoldiazoniumtetrafluoroborat über das isolierbare Diazonium-Borat zum *Phenyldiazoisocyanid-Triphenylboran* (F: 79–81°)[1]:

$$Na^+ \ [(H_5C_6)_3B-C\equiv N]^- \xrightarrow[- Na^+ \ [BF_4]^-]{+ [N\equiv N-C_6H_5]^+ \ [BF_4]^-} \left[H_5C_6-N=N-\overset{\oplus}{N}\equiv C-\overset{\ominus}{B}(C_6H_5)_3\right]$$

Phosphorhaltige zwitterionische Tetraorganoborate bilden sich aus Hydro-triorgano-boraten mit Phosphoniumhalogeniden.

Thermisch stabile Triorgano-triphenylphosphoniomethyl-borate lassen sich aus Natrium-hydro-triorgano-boraten mit Alkyl-triphenyl-phosphoniumhalogeniden in Diglyme herstellen[2,3]:

$$Na^+ \ [R_3BH]^- \ + \ [(H_5C_6)_3P-CH_2-R]^+ \ Hal^- \xrightarrow[- NaHal,\ - H_2]{Diglyme} (H_5C_6)_3\overset{\oplus}{P}-\underset{}{\overset{R}{\overset{|}{C}}}H-\overset{\ominus}{B}R_3$$

Falls Natrium-hydro-triethyl-borat mit Methyl-triphenyl-phosphonium-bromid in siedendem Triethylboran (~95°) oder in Diglyme (~120°) erhitzt wird, entwickelt sich der Wasserstoff unter Rotfärbung der Lösung[2,4–6]:

$$Na^+ \ [(H_5C_2)_3BH]^- \xrightarrow[- NaBr,\ - H_2]{in\ (H_5C_2)_3B,\ \sim 95°;\ + [(H_5C_6)_3P-CH_3]^+ \ Br^-} \left[(H_5C_6)_3\overset{\oplus}{P}-CH_2-\overset{\ominus}{B}(C_2H_5)_3\right]$$

Triethyl-(triphenylphosphoniono-methyl)-borat

Die präparativ nicht erprobte Methode zur Herstellung der (Trialkylphosphoniono-methyl)-triorgano-borate sollte glatt verlaufen, da eine thermische Isomerisierung der (Trialkylphosphoniono-methyl)-triorgano-borate zu Trialkylphosphan-Diorgano-organoalkyl-boranen nicht eintritt[6].

Aus Alkalimetalltetraphenylboraten und anderen Tetraorganoboraten sind mit Ligand-Übergangsmetallhalogeniden oder durch Oxidation metallhaltige zwitterionische Tetraorganoborate zugänglich.

Natriumtetraphenylborat reagiert mit (η^7-Cycloheptatrienyl)-dicarbonyl-molybdän-jodid in siedendem Tetrahydrofuran in Ausbeuten von 60–80% unter Bildung von *(η^7-Cycloheptatrienyl)-(η^6-triphenylboratyl-benzol)-molybdän* (F: 225–228°)[7]:

---

[1] E. Brehm, A. Haag, G. Hesse u. H. Witte, A. **737**, 70 (1970).
[2] R. Köster, D. Simić u. M. A. Grassberger, A. **279**, 211 (1970).
[3] D. Simić, Mülheim a. d. Ruhr, Dissertation, S. 108–116, Universität Bochum 1970.
[4] R. Köster u. W. Nolte, Mülheim a. d. Ruhr, unveröffentlicht 1971.
vgl. W. Nolte, Mülheim a. d. Ruhr, Dissertation, Universität Bochum 1972.
[5] D. Simić, Mülheim a. d. Ruhr, Dissertation, S. 108, Universität Bochum 1970.
[6] R. Köster u. D. Simić, Mülheim a. d. Ruhr, unveröffentlicht 1969.
vgl. D. Simić, Mülheim a. d. Ruhr, Dissertation, Universität Bochum 1970.
[7] M. B. Hossain u. D. van der Helm, Inorg. Chem. **17**, 2893 (1978).

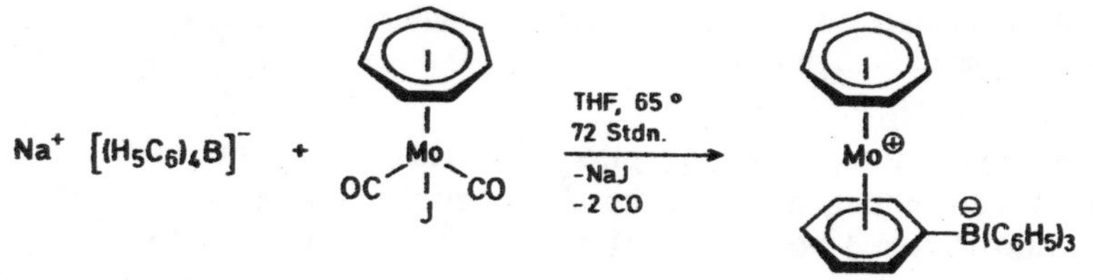

Aus Natriumtetraphenylborat erhält man in Ethern (1,2-Dimethoxyethan, Tetrahydrofuran) beim Erhitzen auf 60–80° mit Ligand-Übergangsmetallhalogeniden unter Abscheidung von Natriumhalogenid Ligand-Übergangsmetall(1+)-tetraphenylborate(1–) (vgl. Tab. 113, S. 771)[1]. Ein oder zwei Phenyl-Reste können dabei am Übergangsmetall π-gebunden werden, so daß sich zwitterionische Verbindungen bilden; z.B.: *(η^5-Cyclopentadienyl-eisen)-η^6-phenyl)-triphenyl-borat* (65%; F: 275–278°)[2]:

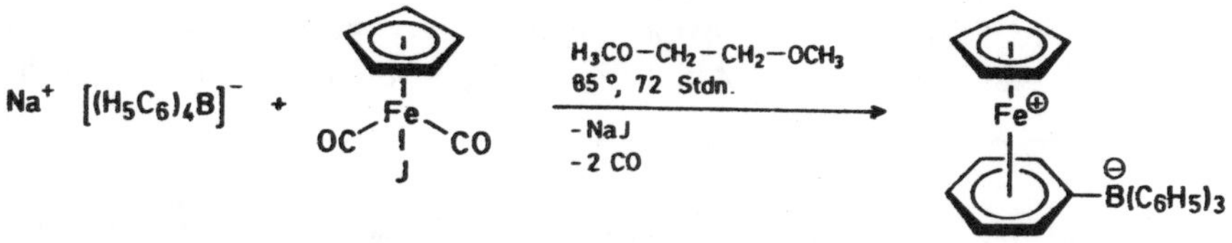

Aus Natriumtetraphenylborat läßt sich auch *(η^5-Cyclopentadienyl-eisen-η^6-phenyl)-(η^5-cyclopentadienylmangan-η^6-phenyl)-diphenyl-borat* (F: 124°, Zers.) herstellen[2]:

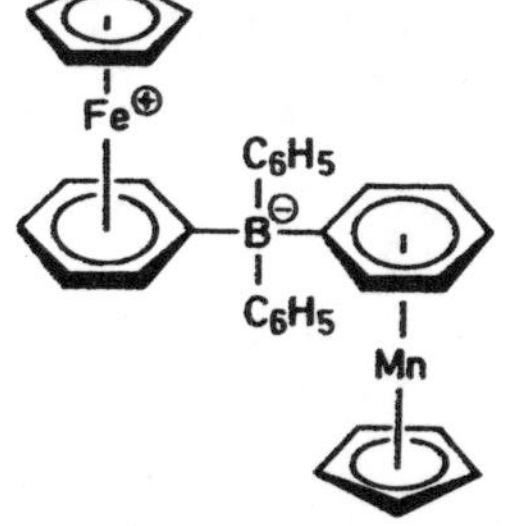

Mit Tris[triethylphosphit]cobaltchlorid erhält man unter Abspaltung von Natriumchlorid und Verdrängung von 1 Äquivalent Triethylphosphit *{(Bis[triethylphosphit]cobalt(1+)-η^6-phenyl}-triphenyl-borat*[3]:

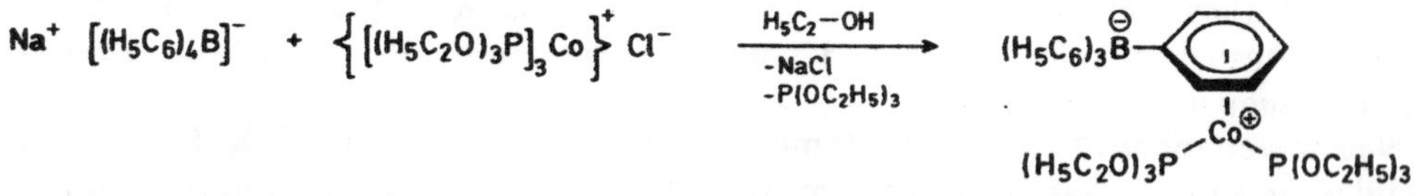

{(Bis[triethylphosphit]cobalt(1+)- η^6-phenyl}-triphenyl-borat[3]: Zur Lösung von 8 g (13,5 mmol) Tris[triethylphosphit]cobaltchlorid in 25 *ml* wasserfreiem Ethanol gibt man 50 *ml* Ethanol-Lösung mit 5 g (14,6 mmol) Natriumtetraphenylborat. Nach 6 Stdn. bei ~20° wird eine braune Festsubstanz gebildet. Man kühlt auf –35° ab; Ausbeute: 9,1 g (95%).

Entsprechend ist z.B. *{1,2-Bis[diethylphosphino]ethan-rhodium(1+)-η^6-phenyl}-triphenyl-borat* zugänglich[4].

[1] M.B. Hossain u. D. van der Helm, Inorg. Chem. **17**, 2893 (1978).

[2] D.A. Owen, A. Siegel, R. Lin, D.W. Slocum, B. Conway, M. Moronski u. S. Duray, Ann. N.Y. Acad. Sci. **333**, 90 (1980).

[3] L.W. Gosser u. G.W. Parshall, Inorg. Chem. **8**, 1947 (1974).
s.a. M.J. Nolte u. G. Gafner, Acta crystallogr., Sect. B **30**, 738 (1974); *{Bis[trimethylphosphit]rhodium(1+)-η^6-phenyl}-triphenyl-borat.*

[4] P. Albano, M. Aresta u. M. Manassero, Inorg. Chem. **19**, 1069 (1980).

Mit dem dimeren Bis[triethylphosphit]rhodiumchlorid ist aus Natriumtetraphenylborat in Methanol unter Natriumchlorid-Abscheidung das zwitterionische *{(Bis[triethylphosphit]rhodium(1 +)-η⁶-phenyl}-triphenyl-borat*[1,2] präparativ zugänglich[3].

Aus {Pentakis- und Tetrakis[trialkylphosphit]rhodium(1 +)-tetraphenylboraten erhält man in Methanol bei Luftzutritt {Bis[trialkylphosphit]rhodium(1 +)-η⁶-phenyl}-triphenyl-borate; z.B. *{Bis[triethylphosphit]rhodium(1 +)-η⁶-phenyl}-triphenyl-borat* (F: 114°)[4].

Tetraphenylborate mit π-komplexierten Ligandiridium-Verbindungen sind ebenfalls zu gewinnen[2].

Aus übergangsmetallhaltigen Tetraorganoboraten lassen sich durch Oxidation zwitterionische übergangsmetallhaltige Tetraorganoborate herstellen. Die Luftoxidation des Ferrocenyl-triphenyl-borats liefert das in Lösung stabile *(Ferrocenio-1-yl)-triphenyl-borat*[5,6].

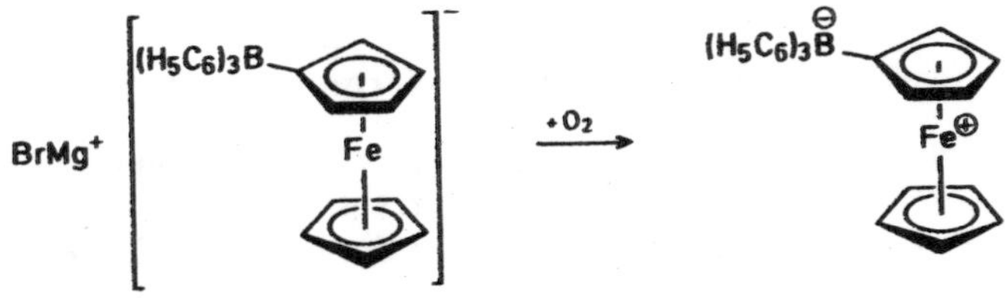

Aus Lithiumtetrakis[ferrocenyl]borat läßt sich durch Luftoxidation das zwitterionische *Ferrocenyl(1 +)-tris[ferrocenyl]-borat* herstellen[7]:

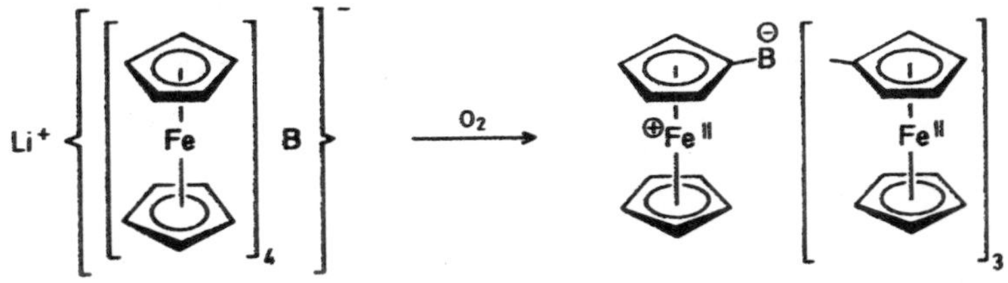

Aus Natrium-cyan-triaryl-boraten erhält man mit *trans*-Bis[triethylphosphan]-chlor-hydrido-platin[8] in Methanol oder Tetrahydrofuran in Ausbeuten von 45–97% definierte *[trans-Bis(triethylphosphan)-hydrido-platin]-isocyanid-Triarylborane*, die nach ~5stdgm. Kochen in Benzol zu den thermodynamisch stabileren [Ligand-Metall]-cyan-triaryl-boranen (vgl. S. 760) isomerisiert werden[9,10]:

---

[1] M.J. Nolte, G. Gafner u. L.M. Haines, Chem. Commun. **1969**, 1406.
[2] R.R. Schrock u. J.A. Osborn, Inorg. Chem. **9**, 2339 (1970).
[3] R. Uson, P. Lahuerta, J. Reyes u. L.A. Oro, Transition Metal Chem. **4**, 332 (1979); C.A. **91**, 221661 (1979). vgl. R.P. Hughes, Comprehensive Organometallic Chem. **5**, 489f. (1982).
[4] L.M. Haines, Inorg. Chem. **10**, 1685 (1970).
[5] A.N. Nesmeyanov, V.A. Sazonova, V.A. Blinova u. S.G. D'yachenko, Doklady Akad. SSSR **200**, 1365 (1971); engl.: 869; C.A. **77**, 34672 (1972).
[6] A.N. Neymeyanov, V.A. Sazonova u. V.A. Blinova, Doklady Akad. SSSR **198**, 848 (1971); engl.: 467; C.A. **75**, 63636 (1971).
[7] D.O. Cowan, P. Shu, F.L. Hedberg, M. Rossi u. T.J. Kistenmacher, Am. Soc. **101**, 1304 (1979).
[8] G.W. Parshall, Inorg. Synth. **12**, 28 (1970).
[9] L.E. Manzer u. W.C. Seidel, Am. Soc. **97**, 1956 (1975).
[10] L.E. Manzer u. M.F. Anton, Inorg. Chem. **16**, 1229 (1977).

$$Na^+ [R_3B-CN]^- \xrightarrow[- NaCl]{+ (H_5C_2)_3P-Pt(H)(Cl)-P(C_2H_5)_3,\ CH_3OH} (H_5C_2)_3P-Pt(H)(P(C_2H_5)_3)-\overset{\oplus}{N}{\equiv}C-\overset{\ominus}{B}R_3$$

{(trans-Bis[triethylphosphan]-hydrido-platin)-isocyanid}-...

R = $CH_2-C_6H_5$; ....-*Tribenzylboran*; 97%
R = 4-CH_3–C_6H_4; ...-*Tris[4-methylphenyl]boran*; 45%; F: 101–102°
R = 1-Naphthyl; ...-*Tri-1-naphthylboran*; 46%; F: 165–166°

Die Triarylborane an der Isocyanid-Gruppe lassen sich bei ~20° mit anderen Triarylboranen austauschen[1].

ι) aus Ligand-Übergangsmetall-π-Organobor-Verbindungen

(η^5-Pentamethylcyclopentadienyl)-(η^6-1-phenylborin)-rhodium(1+)-chlorid (vgl. Bd. XIII/3c) reagiert mit Alkalimetallcyaniden unter Bildung von Ligand-rhodium-(η^5-1-cyan-1-phenyl-borinat). Entsprechend erhält man die Iridium-Verbindung[2]:

$$[(\eta^5\text{-}C_5(CH_3)_5)M(\eta^6\text{-}C_5H_5B-C_6H_5)]^+ Cl^- \xrightarrow[- NaCl]{+ NaCN} (\eta^5\text{-}C_5(CH_3)_5)\overset{\oplus}{M}(C_5H_5\overset{\ominus}{B}(CN)-C_6H_5)$$

M = Rh, Ir

2. Zwitterionische Hydro- und Halogen-organo-borate

Stickstoffhaltige sowie phosphorhaltige Hydro- bzw. Halogen-organo-borate mit Zwitterionenstruktur sind bekannt (vgl. S. 716–720).

Zu den thermisch stabilen N-haltigen Hydro-organo-boraten gehören vor allem einige Phosphoran-Diorgano-hydro-borane, während sich die bisher nachgewiesenen zwitterionischen Hydro-organo-borate leicht in Amin-Triorganoborane umlagern.

$$R^2_3\overset{\oplus}{N}-CH_2-\overset{\ominus}{B}HR^1_2 \xrightarrow{\ \alpha\ } R^2_3\overset{\oplus}{N}-\overset{\ominus}{B}(CH_3)(R^1)-R^1$$

[1] L.E. Manzer u. M.F. Anton, Inorg. Chem. **16**, 1229 (1977).
[2] G.E. Herberich, C. Engelke u. W. Pahlmann, B. **112**, 607 (1979).

Stickstoffhaltige zwitterionische Halogen-organo-borate sind bekannt. Ihre Herstellung erfolgt aus Trihalogenboranen bzw. aus Lewisbase-Dihalogen-organo-boranen. Die Herstellung der weiteren zwitterionischen Verbindungen kann z.B. aus Hydro-organo-boranen, Lewisbase-Hydro-organo-boranen oder aus Dihydro-diorgano-boraten sowie aus zwitterionischen, kationischen Amin-Ammoniono-organo-dihydro-boranen erfolgen.

α) aus Diorgano-hydro-boranen

Die Herstellung betainartiger Diorgano-hydro-(triorganophosphoniono-alkyliden)-borate gelingt aus Hydro-organo-boranen mit Alkyliden[1]- oder mit Allyliden-trialkyl-phosphoranen[2].

Hydro-organo-phosphonionomethyl-borate lassen sich aus Diorgano-hydro-boranen mit Alkyliden-triorgano-phosphoranen durch 1:1-Addition herstellen. Aus Bis(9-bora-bicyclo[3.3.1]nonan) erhält man mit Methylen-trimethyl-phosphoran in Tetrahydrofuran oder mit Methylen-triphenyl-phosphoran in Toluol festes *(1,5-Cyclooctandiyl)-hydro-[trimethyl* (bzw. *triphenyl)phosphonionomethyl]-borat {9-Hydro-9-[trimethyl-* (bzw. *triphenyl)phosphoniono-methyl]-9-borata-bicyclo[3.3.1]nonan}*[3]:

$$\text{(C}_8\text{H}_{14}\text{)BH} + R_3P{=}CH_2 \longrightarrow R_3\overset{\oplus}{P}{-}CH_2{-}\overset{\ominus}{B}H(C_8H_{14})$$

$R = CH_3, C_6H_5$

β) aus Halogenboranen

Trihalogenborane reagieren in Dichlormethan mit Organoisocyaniden durch 1:1-Komplexierung zu borstabilisierten zwitterionischen Organoisocyanid-Trihalogen-boranen in ~70%iger Ausbeute[4]:

$$BHal_3 + R{-}N{\equiv}C \longrightarrow R{-}\overset{\oplus}{N}{\equiv}C{-}\overset{\ominus}{B}Hal_3$$

Hal = Cl, Br
$R = CH_3, C_2H_5$

Die Verbindungen lassen sich i. Hochvak. sublimieren und werden als farblose bis gelbliche Produkte isoliert[4].

γ) aus Lewisbase-Organoboranen

Zwitterionische Dihydro-organo-(triorganophosphoniono-methyl)-borate sind aus Amin-Dihydro-organo-boranen (vgl. S. 485ff.) mit Methylen-triorgano-phosphoranen durch Austausch der Lewisbase am Bor-Atom zugänglich.

---

[1] R. Köster, D. Simič u. M.A. Grassberger, A. **739**, 211 (1970).
[2] W. Nolte, Dissertation, Mülheim a.d. Ruhr, Universität Bochum 1972.
[3] R. Köster u. G. Seidel, Mülheim a.d. Ruhr, unveröffentlicht 1978.
[4] M.F. Hawthrone, Am. Soc. **83**, 367 (1961).

Beispielsweise erhält man aus Trimethylamin-Alkyl-dihydro-boranen bzw. aus Trimethylamin-Dihydro-phenyl-boran mit Methylen-triphenyl-phosphoran bei 80° in Benzol durch Verdrängung von Trimethylamin Dihydro-organo-(triphenylphosphoniono-methyl)-borate[1]:

$$(H_3C)_3\overset{\oplus}{N}-\overset{\ominus}{B}H_2-R \xrightarrow[-(H_3C)_3N]{+(H_5C_6)_3P=CH_2} [(H_5C_6)_3\overset{\oplus}{P}-CH_2-\overset{\ominus}{B}H_2-R]$$

...-(triphenylphosphoniono-methyl)-borat
(% bez. auf Phosphoniumbromid)
$R = CH_3$; *Dihydro-methyl-...*; 63%; F: 151–155°
$R = C(CH_3)_3$; *tert.-Butyl-dihydro-...*; 44%; F: 130–134°
$R = C_6H_5$; *Dihydro-phenyl-...*; 57%; F: 153–156°

Zwitterionische Trihydro-triorganophosphonionomethyl-borate sind aus Tetrahydrofuran-Boran mit den entsprechenden Alkyliden-triorgano-phosphoranen zugänglich[2]:

$$THF-BH_3 + R^1_3P=CH-R^2 \xrightarrow{-THF} R^1_3\overset{\oplus}{P}-\underset{}{\overset{R^2}{C}}H-\overset{\ominus}{B}H_3$$

Dichlor-(x-dimethylammoniono-phenyl)-phenyl-borat erhält man aus N,N-Dimethyl-anilin-Dichlor-phenyl-boran in siedendem Benzol durch Arylborylierung[3]:

$$(H_3C)_2\overset{\oplus}{N}(C_6H_5)-\overset{\ominus}{B}Cl_2-C_6H_5 \xrightarrow{\sim 80°/Benzol} (H_3C)_2\overset{\oplus}{N}H-C_6H_4-\overset{\ominus}{B}Cl_2(C_6H_5)$$

δ) aus Organobor(1+)-Verbindungen

Die Reaktion des Trimethylammoniono-(trimethylammoniono-methyl)-dihydro-bor (1+)-chlorids (vgl. S. 696) mit tert.-Butyllithium in Hexan/Pentan liefert nach Lithiierung und Abspaltung von Trimethylamin *1,1-Dimethyl-3-hydro-1,3-azoniaboratetidin* (F: 88–89°) in 67%iger Ausbeute[4]:

$$[(H_3C)_3\overset{\oplus}{N}-\overset{\ominus}{B}H_2-CH_2-\overset{\oplus}{N}(CH_3)_3]^+ Cl^- \xrightarrow[-C_4H_{10};\ -(H_3C)_3N;\ -LiCl]{+H_9C_4-Li;\ Hexan/Pentan} (H_3C)_2\overset{\oplus}{N}<(CH_2)_2>\overset{\ominus}{B}H_2$$

1,1-Dimethyl-3-hydro-1,3-azoniaboratetidin[4]: Man gibt zu 524 mg (2,9 mmol) Trimethylammoniono-(trimethylammoniono-methyl)-dihydro-bor(1+)-chlorid in ~5 *ml* Hexan 1,5 *ml* (2,9 mmol) 2 M tert.-Butyllithium-Lösung in Pentan. Nach heftiger Reaktion (2 Min.) und Gelbfärbung wird ~20 Stdn. gerührt, alles Leichtflüchtige abdestilliert und der Rückstand i. Vak. bei 40–80° sublimiert. Man gewinnt 164 mg (67%) Rohprodukt, das in Wasser aufgenommen wird. Die Lösung wird filtriert und vorsichtig eingeengt. Der Rückstand wird sublimiert (F: 88,5–89,5°).

---
[1] M. F. Hawthorne, Am. Soc. **83**, 367 (1961).
[2] G. Müller, Dissertation, S. 142–144, Technische Universität München 1980.
[3] J. R. Blackborow u. J. C. Lockhart, Soc. [A] **1971**, 1343.
[4] G. F. Warnock u. N. E. Miller, Inorg. Chem. **18**, 3620 (1979).

ε) aus Hydro-organo-boraten

Diorgano-hydro-(triorganophosphoniono-methyl)-borate sind auch aus Dihydro-diorgano-boraten mit Tetraorganophosphoniumhalogeniden durch P-Ylid-Bildung und Komplexierung (vgl. S. 707) zugänglich. Aus Natrium-(1,5-cyclooctandiyl)-dihydro-borat erhält man mit Tetramethylphosphoniumbromid in Diglyme bei 90–120° unter Wasserstoff-Abspaltung *(1,5-Cyclooctandiyl)-hydro-(trimethylphosphoniono-methyl)-borat* {*9-Hydro-9-(trimethylphosphoniono-methyl)-9-borata-bicyclo[3.3.1]nonan*; F: 161°} in 92%iger Ausbeute[1]:

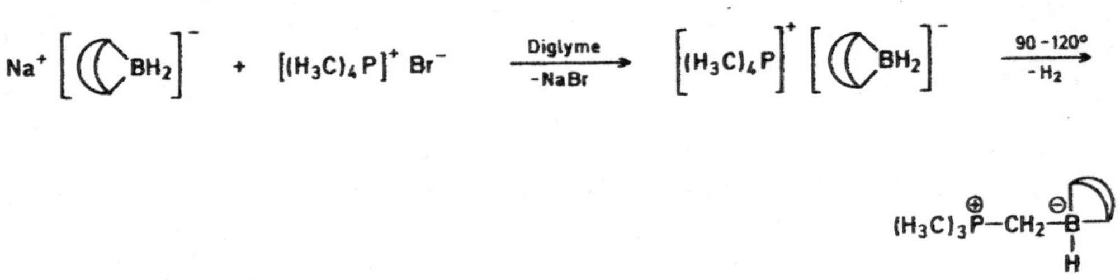

$$Na^+ \left[(\text{C}_8\text{H}_{14})BH_2\right]^- + [(H_3C)_4P]^+ Br^- \xrightarrow[-NaBr]{\text{Diglyme}} [(H_3C)_4P]^+ \left[(\text{C}_8\text{H}_{14})BH_2\right]^- \xrightarrow[-H_2]{90-120°} (H_3C)_3\overset{\oplus}{P}-CH_2-\overset{\ominus}{B}(H)(\text{C}_8\text{H}_{14})$$

Aus Natrium-cyan-trihydro-borat lassen sich mit verschiedenen Übergangsmetallhalogeniden unter Natriumhalogenid-Abscheidung Cyan-trihydro-borate herstellen, deren Cyan-Gruppen im allgemeinen über das Stickstoff-Atom ans Übergangsmetall komplexiert sind.

Mit Eisen(II)-chlorid-Bis-hydrat erhält man in Gegenwart von Trialkylphosphiten in Methanol *Bis[cyano-trihydro-borat]-tetrakis[trimethyl* (bzw. *triethyl)phosphit]-eisen* in 58% bzw. 74%iger Ausbeute[2] als *trans*-Isomere[2]:

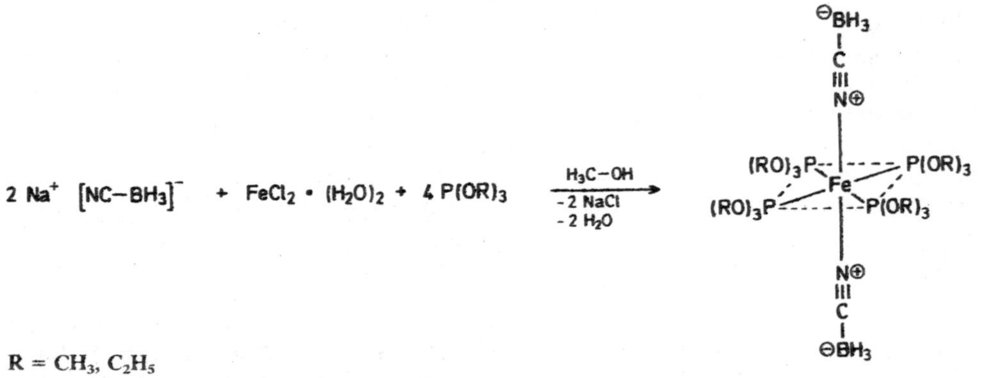

$$2\,Na^+ [NC-BH_3]^- + FeCl_2 \cdot (H_2O)_2 + 4\,P(OR)_3 \xrightarrow[-2\,NaCl,\ -2\,H_2O]{H_3C-OH} trans\text{-}[(RO)_3P]_4Fe(\overset{\oplus}{N}\equiv C-\overset{\ominus}{B}H_3)_2$$

R = CH_3, C_2H_5

---

[1] R. Köster u. G. Seidel, Mülheim a.d. Ruhr, unveröffentlicht 1978.

[2] A. Drummond, J.F. Kay, J.H. Morri u. D. Reed, Soc. [Dalton] **1980**, 284.

In Acetonitril erhält man auch Anteile der *cis*-Isomeren[1]:

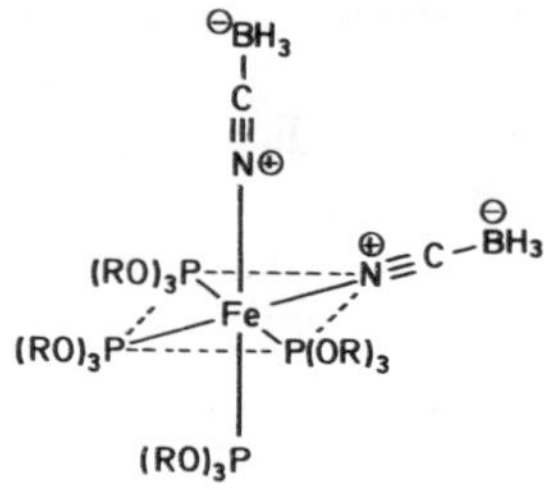

$$\left[Fe(P(OR)_3)_4(N{\equiv}C{-}\overset{\ominus}{B}H_3)_2 \right]$$

cis-Isomer

3. Zwitterionische Organo-oxy-borate

Zwitterionische Oxy-triorgano-, Diorgano-halogen-oxy- (vgl. S. 724) Diorgano-dioxy- (vgl. S. 725) und Organo-trioxy-borate (vgl. S. 740) mit Ammoniono- oder Phosphoniono-Funktionen sind bekannt. Die Verbindungen haben sehr unterschiedliche Zusammensetzung (vgl. Tab. 108–110, S. 721, 726f., 728).

α) Zwitterionische Oxy-triorgano-borate

Als zwitterionische Oxy-triorgano-borate sind (Ammoniono- bzw. Pyridiniono-alkoxy)-triaryl-, Ammoniooxy-triorgano- sowie Amidonio-cyan-diorgano-borate bekannt. Die Herstellung geht von Triorganoboranen, von Diorgano-iminocarbonyloxy-boranen oder von Lewisbase-Triorganoboranen aus (vgl. Tab. 108, S. 721).

$α_1$) *aus Triorganoboranen*

Aus Triphenylboran lassen sich mit tert. aliphatischen Aminen und Formaldehyd durch Aminomethoxylierung zwitterionische (tert.-Ammoniono-methoxy)-triphenyl-borate herstellen[2]:

$$(H_5C_6)_3B \xrightarrow{+R_3N/+H_2CO} R_3\overset{\oplus}{N}{-}CH_2{-}O{-}\overset{\ominus}{B}(C_6H_5)_3$$

...-triphenyl-borat

$R_3N = N(CH_3)_3$; *(Trimethylammoniono-methoxy)-...*; F: 180–182° (Zers.)

R_3N = (Pyrrolidin)N–CH_3; *[(1-Methylpyrrolidinio)-methoxy]-...*; F: 134–135° (Zers.)

R_3N = (Piperidin)N–CH_3; *[(1-Methylpiperidinio)-methoxy]-...*; F: 143–144° (Zers.)

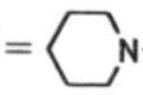

---

[1] A. Drummond, J. F. Kay, J. H. Morri u. D. Reed, Soc. [Dalton] **1980**, 284.
[2] W. Kliegel, Organometal. Chem. Rev. A **8**, 153, 162 (1972).

Tab. 108: Zwitterionische Oxy-triorgano-borate

Formel	Verbindungstyp	Herstellungsart	s. S.
Ammonionoalkyl-triorgano-borate			
$R_3\overset{\oplus}{N}-CH_2-O-\overset{\ominus}{B}(C_6H_5)_3$	$R_3B^{\ominus}-OR^{N\oplus}$	aus $R^1_3B + R^2_3N/H_2CO$	720
$R_3\overset{\oplus}{N}-CH_2-CH_2-O-\overset{\ominus}{B}(C_6H_5)_3$	$R_3B^{\ominus}-OR^{N\oplus}$	aus R^1_3B + R^2_3N / Oxiran	722
3,4-Dimethyl-pyridinio: $H_3C-C_5H_3N(CH_3)^{\oplus}-CH_2-CH(C_6H_5)-O-\overset{\ominus}{B}(C_6H_5)_3$	$R_3B^{\ominus}-OR^{N\oplus}$	aus R_3B + Dimethylpyridin + Phenyloxiran (C_6H_5)	722
2-[$CH_2-O-\overset{\ominus}{B}(C_6H_5)_3$]-pyridinio-$\overset{\oplus}{N}-CH_3$	$R_3B^{\ominus}-OR^{N\oplus}$	aus R_3B + $[$1-CH_3-2-(CH_2-OH)-pyridinium$]^+$ OH^-	722
R, H, R; $B\oplus B^{\ominus}$; R; O; $N^{\oplus}$ (cyclisch)	$R_2B-O(-)-BR_2$; $R^{N\oplus}$	aus R_2B-Hal + $Li-CO-N\langle / H_2O$	723
Amidonio-triorgano-borate			
R–C(O)(=N⊕H)–C(C_2H_5)$_2$–$\overset{\ominus}{B}$(C_2H_5)(CN) (cyclisch)	$R^1_2\overset{\ominus}{B}(R^2)-O-C(=\overset{\oplus}{N}\langle)$		
R = C(CH₃)₃		aus $R_2B-O-C(=\overset{\oplus}{N}\langle)$ + HCN	724
R = CH₃, CH₂–C₆H₅		aus $[R_3B-CN]^-$ + El^+	724
Ammonionooxy-triorgano-borate			
$(H_3C)_3\overset{\ominus}{N}-O-\overset{\ominus}{B}(C\equiv C-CH_3)_3$	$[R_3\overset{\ominus}{B}-O-\overset{\oplus}{N}\langle]$	aus $Do-R_3B$ + $ON\langle$	724
Iminionooxy-triorgano-borate			
$-C(\langle)=\overset{\oplus}{N}(R)-O-\overset{\ominus}{B}(C_6H_5)_3$	$R_3\overset{\ominus}{B}-O-\overset{\oplus}{N}=$	aus R_3B + $ON=$	723
Pyridin-$\overset{\oplus}{N}-O-\overset{\ominus}{B}(C_6H_5)_3$	$R_3\overset{\ominus}{B}-O-\overset{\oplus}{N}=$	aus R_3B + $ON=$	723

Triorganoborane reagieren mit Trialkylamin/Oxiran bzw. deren Reaktionsprodukten durch Aminoethoxylierung zu (2-Trimethylammoniono-ethyloxy)-triorgano-boraten. Aus Triphenylboran erhält man mit tert. Aminen in Gegenwart von Oxiran die entsprechenden kristallisierten (2-tert.-Ammoniono-ethyloxy)-triphenyl-borate[1]:

[1] W. KLIEGEL, Organometal. Chem. Rev. A **8**, 153, 162 (1972).

$$(H_5C_6)_3B \xrightarrow{+R_3N,\ +\text{Ethylenoxid}} R_3\overset{\oplus}{N}-CH_2-CH_2-O-\overset{\ominus}{B}(C_6H_5)_3$$

...-triphenyl-borat

$R_3N = (H_3C)_3N$; *(2-Trimethylammoniono-ethoxy)-...*; F: 252–253°
R_3N = Pyrrolidin-N-CH₃; *[2-(1-Methylpyrrolidinio)-ethoxy]-...*; F: 194–195°
R_3N = Piperidin-N-CH₃; *[2-(1-Methylpiperidinio)-ethoxy]-...*; F: 185–186°

Mit 1-(2-Hydroxy-2-phenyl-ethyl)pyridiniumhydroxiden erhält man aus Triphenylboran stabile, isolierbare zwitterionische (1-Phenyl-2-pyridinio-ethoxy)-triphenyl-borate[1]:

$$(H_5C_6)_3B + \left[\text{1-}(CH_2-CH(OH)-C_6H_5)\text{-2-}R^2\text{-4-}R^1\text{-pyridinium}\right]^+ OH^- \xrightarrow{-H_2O} \left[R^1\text{-pyridinio(}R^2\text{)-}N-CH_2-CH(C_6H_5)-O-\overset{\ominus}{B}(C_6H_5)_3\right]$$

...-triphenyl-borat

$R^1 = H$; $R^2 = H$; *(1-Phenyl-2-pyridinio-ethoxy)-...*; 17%; F: 205–210°
$R^2 = CH_3$; *[2-(2-Methylpyridinio)-1-phenyl-ethoxy]-...*; 66%; F: 215–220°
$R^1 = R^2 = CH_3$; *[2-(2,4-Dimethylpyridinio)-1-phenyl-ethoxy]-...*; 79%; F: 203–205°

[2-(4-Methylpyridinio)-1-phenyl-ethoxy]-triphenyl-borat[1]**:** 1,5 g (5 mmol) 1-(2-Hydroxy-2-phenyl-ethyl)-4-methyl-pyridinium-bromid in 15 *ml* Ethanol versetzt man mit 2 g stark basischem Ionenaustauscher (Merck III) bei 20° (20 Min. unter Stickstoff), filtriert, versetzt das Filtrat mit einer Lösung von 1,2 g (5 mmol) Triphenylboran in 10 *ml* Ethanol und rührt 30 Min. bei ~50°. Man läßt 24 Stdn. bei 0° stehen, filtriert das ausgefallene Produkt ab. Nach Waschen mit Wasser wird wiederholt mit Ethanol ausgekocht; Ausbeute: 1,22 g (53,5%); F: 205–210°.

Triphenylboran reagiert mit 2-Hydroxymethyl-1-methyl-pyridiniumhydroxid unter Bildung von *(1-Methylpyridinium-2-yl-methoxy)-triphenyl-borat*[2]:

$$(H_5C_6)_5B + \left[\text{1-}CH_3\text{-2-}(CH_2-OH)\text{-pyridinium}\right] OH^{\ominus} \xrightarrow{-H_2O} \text{1-}CH_3\text{-pyridinium-2-}CH_2-O-\overset{\ominus}{B}(C_6H_5)_3$$

Aus Triphenylboran erhält man mit 2-Hydroxymethyl-1-methyl-pyridinium-jodid in Ethanol in Gegenwart basischer Ionenaustauscher verschiedene zwitterionische Pyridinio-borate[2]; z.B.:

$$2\left[\text{1-}CH_3\text{-2-}(CH_2-OH)\text{-pyridinium}\right]^+ J^- \xrightarrow[2.\ +(H_5C_6)_3B\ /H_5C_2-OH]{1.\ \text{Ionenaustauscher}/\ H_5C_2-OH,\ \sim 20°}$$

2,2-Diphenyl-5-(1-methyl-2-pyridinioyl)-4-(1-methyl-1-triphenylboratyl-1,2-dihydro-pyridinium-2-yliden)-1,3,2-dioxaboratolan; 77%; F: 225°

[1] H.J. Roth u. S. Al Sarraj, Ar. **299**, 385 (1966).
[2] H.J. Roth u. S. Al Sarraj, Ar. **300**, 44 (1967); C.A. **67**, 21209 (1967).

Die Redoxreaktion zwischen Triorganoboranen und Amin-N-oxiden (vgl. Bd. XIII/3c) tritt in Abhängigkeit von den Organo-Resten am Bor-Atom und der Art des N-Oxids bei sehr unterschiedlichen Temperaturen ein. Man kann daher aus bestimmten Triorganoboranen mit N-Oxiden Oxyammoniono-triorgano-borate herstellen.

Aus Triarylboranen sowie Tri-1-alkinylboranen lassen sich mit Amin-N-oxiden 1:1-Additionsverbindungen gewinnen[1,2]. Trialkylborane werden dagegen schon bei ~20° zumindest an einer BC-Bindung oxygeniert[1,3].

Triphenylboran reagiert mit verschiedenen NO-Verbindungen unter Addition zu Ammonionooxy-triphenyl-boraten.

Die bei den Trialkylboranen mit Trialkylamin-N-oxiden oder mit Pyridin-N-oxiden im allgemeinen bei 20° erfolgende Redox-Reaktion unter Bildung von Alkoxy-dialkyl-boranen[4,5] tritt bei den Triarylboranen erst bei erhöhter Temperatur ein[6].

Aus Triphenylboran gewinnt man mit Trimethylamin-N-oxid bzw. mit Pyridin-N-oxiden die entsprechenden 1:1-Additionsverbindungen; z.B. *Trimethylammonionooxy-triphenyl-borat* (F: 112–113°, Zers.)[6]:

$$(H_5C_6)_3B + \text{R-Pyridin-N-oxid} \longrightarrow \text{R-C}_5\text{H}_4\overset{\oplus}{N}-O-\overset{\ominus}{B}(C_6H_5)_3$$

...-triphenyl-borat

R = H; *Pyridiniooxy-...*; F: 141°
R = 2–CH_3; *(2-Methylpyridiniooxy)-...*; F: 154–155°
R = 3–CH_3; *(3-Methylpyridiniooxy)-...*; F: 126–127°

Aus Triphenylboran ist mit Benzaldehydmethylnitron in Toluol *(Benzyliden-methyl-ammonionooxy)-triphenyl-borat* [~100%; F: 146° (Zers.)] zugänglich[3]:

$$(H_5C_6)_3B + H_5C_6-CH=\overset{\oplus}{N}(\overset{\ominus}{O})-CH_3 \xrightarrow{\text{Toluol, 5 Stdn.}} H_5C_6-CH=\overset{\oplus}{N}(CH_3)-O-\overset{\ominus}{B}(C_6H_5)_3$$

Weitere Ammonionooxy-trialkyl-borate werden als Zwischenprodukte der Reaktionen von Trialkylboranen mit NO-Verbindungen (z.B. mit 2-Methyl-2-nitroso-propan, Di-tert.-alkylnitroxide, N,N-Diethylhydroxylamin oder Cyclohexanonoxim) diskutiert, präparativ allerdings nicht isoliert[7].

α_2) *aus Diorgano-halogen-boranen*

Die Übertragung der Aminocarbonyl-Gruppierung vom Lithium- aufs Bor-Atom liefert (Ammonionoorganooxy)-diorgano-borane, die mit Diorgano-hydroxy-boranen als zwitterionische Immoniono-organo-borate assoziieren können[8,9] (vgl. Tab. 108, S. 721).

[1] R. Köster, H.J. Horstschäfer u. P. Binger, A. **717**, 1 (1968).
[2] W. Kliegel, Organometal. Chem. Rev. A. **8**, 153 (1972).
[3] P. Paetzold u. G. Schimmel, Z. Naturf. **35b**, 568 (1980).
[4] R. Köster u. Y. Morita, Ang. Ch. **78**, 589 (1966).
[5] R. Köster u. Y. Morita, A. **704**, 70 (1967).
[6] W. Kliegel, Organometal. Chem. Rev. A. **8**, 153, 159 (1972).
[7] K.G. Foot u. B.P. Roberts, Soc. C **1971**, 3475.
[8] A.S. Fletcher, W.E. Paget, K. Smith, K. Swaminathan, J.H. Beynon, R.P. Morgan u. M. Bozorgzadeh, Chem. Commun. **1979**, 347.
[9] A.S. Fletcher, W.E. Paget, K. Smith u. K. Swaminathan, Chem. Commun. **1979**, 573.

α_3) *aus Diorgano-oxy-boranen*

Cyclische Diorgano-iminocarbonyloxy-borane reagieren mit Hydrogencyanid in Ether durch Komplexierung zu zwitterionischen Verbindungen; z.B.[1]:

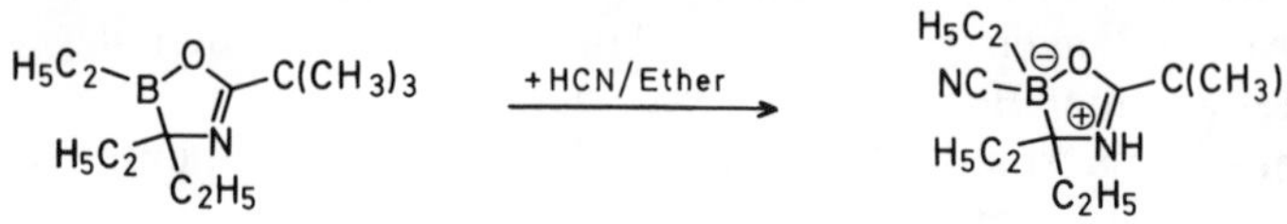

+HCN/Ether

5-tert.-Butyl-2-cyan-2,2,3-triethyl-2,3,4-trihydro-1,4,2-oxaazoniaboratol; 96%

α_4) *aus Lewisbase-Organoboranen*

Trimethylamin-1-Alkinyl-dialkyl-borane reagieren mit Trimethylamin-N-oxid unter Oxygenierung und Ligandenaustausch. Aus Trimethylamin-Diethyl-1-propinyl-boran erhält man *Trimethylammonionooxy-tri-1-propinyl-borat* (F: 185°, Zers.) in 98%iger Ausbeute[2]:

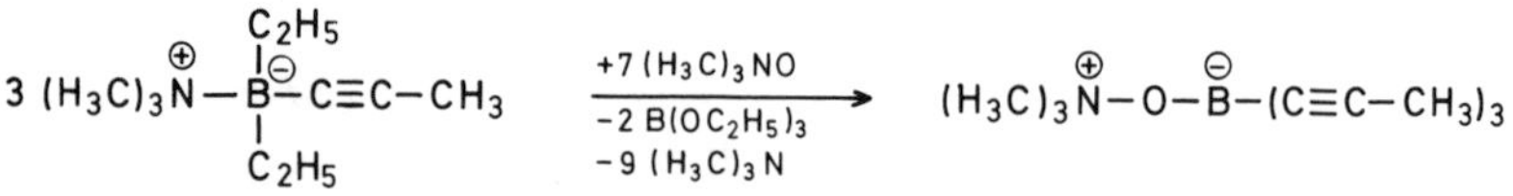

$$3\ (H_3C)_3\overset{\oplus}{N}-\overset{\ominus}{B}(C_2H_5)_2-C\equiv C-CH_3 \xrightarrow[-2\ B(OC_2H_5)_3 \atop -9\ (H_3C)_3N]{+7\ (H_3C)_3NO} (H_3C)_3\overset{\oplus}{N}-O-\overset{\ominus}{B}-(C\equiv C-CH_3)_3$$

α_5) *aus Organoboraten*

Die Einwirkung von Acyl-Elektrophilen auf Alkalimetall-cyan-trialkyl-borate liefert durch Addition am N-Atom und zweifache Alkyl-Wanderung vom Bor-Atom zum α- C-Atom (vgl. Bd. XIII/3a, S. 567) unter Ringstabilisierung zwitterionische, fünfgliedrige Imminiocarbonyloxy-triorgano-borate; z.B.[1]:

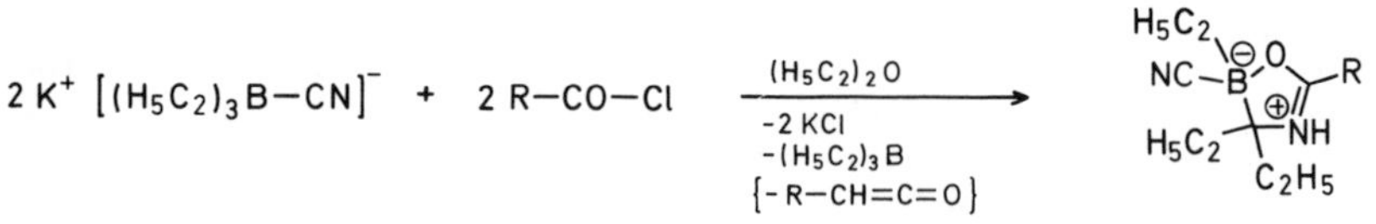

$$2\ K^+\ [(H_5C_2)_3B-CN]^- + 2\ R-CO-Cl \xrightarrow[-2\ KCl \atop -(H_5C_2)_3B \atop \{-R-CH=C=O\}]{(H_5C_2)_2O}$$

2-Cyan-5-methyl-2,2,3-triethyl-2,3,4-trihydro-1,4,2-oxaazoniaboratol[1]: Zu 22,3 g (136 mmol) Kalium-cyan-triethyl-borat in 100 *ml* abs. Ether tropft man innerhalb 30 Min. 10,7 g (136 mmol) Acetylchlorid in 50 *ml* Ether. Kaliumchlorid scheidet unter Dunkelfärbung ab. Man läßt 2 Stdn. bei ~20° rühren, filtriert von 10 g (99%) Kaliumchlorid ab und entfernt i. Vak. bis ~50° alles Leichtflüchtige. Der Rückstand wird i. Hochvak. destilliert; Ausbeute: 10,8 g (82%); $Kp_{5\cdot 10^{-4}}$: 120–130°; F: 133–135°.

Auf analoge Weise wird *5-Benzyl-2-cyan-2,3,3-triethyl-2,3,4-trihydro-1,4,2-oxaazoniaboratol* (79%; F: 120–123°) erhalten.

β) Zwitterionische Diorgano-halogen-oxy-borate

Verschiedenartige zwitterionische Diorgano-halogen-oxy-borate werden aus Diorgano-halogen-boranen oder aus Lewisbase-Boranen hergestellt.

[1] E. Brehm, A. Haag, G. Hesse u. H. Witte, A. **737**, 70 (1970).
[2] R. Köster, H.-J. Horstschäfer u. P. Binger, A. **717**, 1 (1968).

Aus Diorgano-halogen-boranen sind mit N-Nitroso-dimethylamin in 95%iger Ausbeute 1:1-Additionsverbindungen[1] zugänglich:

$$R_2B-Hal \xrightarrow{+ (H_3C)_2N-NO} (H_3C)_2\overset{\oplus}{N}-N=O-\overset{\ominus}{B}R_2-Hal$$

Aus Tris[dimethylamino]phosphanoxid erhält man mit Chlor-diphenyl-boran in Diethylether quantitativ die 1:1-Additionsverbindung mit koordinativer B–O-Bindung ($Kp_{0,2}$: 174–178°; F: 159–160°)[2].

Aus 5-Alkyl-2,2,3-triethyl-2H-1,4,2-oxoniaazaboratol erhält man mit Chlorwasserstoff unter Addition und Umlagerung *5-tert.-Butyl-2-chlor-2,3,3-triethyl-* bzw. *2-Chlor-5-methyl-2,3,3-triethyl-2,3,4-trihydro-1,4,2-oxaazoniaboratol*[3]:

R = CH_3, $C(CH_3)_3$

Aus der 5-Cyan-Verbindung wird mit Chlorwasserstoff in Methanol unter Substitution *2-Chlor-5-methyl-2,3,3-triethyl-2,3,4-trihydro-1,4,2-oxaazoniaboratol* (97%; F: 123–125°) erhalten[3]:

$$\xrightarrow[- HCN]{+ H_3C-OH/HCl,\ H_2O;\ 2\ Stdn,\ 90°} \cdot H_2O$$

γ) Zwitterionische Diorgano-dioxy-borate

Ammonionooxy-diorgano-oxy-, Ammonionooxy-diorgano-organooxy-, Aminoxy-ammonionooxy-diorgano- sowie zahlreiche andere stickstoffhaltige und phosphorhaltige Diorgano-dioxy-borate mit Zwitterionenstruktur sind bekannt (vgl. Tab. 109, S. 726). Die Herstellung der Verbindungen erfolgt aus Triorgano-, Diorgano-halogen- bzw. Diorgano-hydroxy-boranen, Tetraorganodiboroxanen, Lewisbase-Diorgano-oxy-boranen sowie salzartigen und zwitterionischen Organoboraten.

Bei den metallhaltigen zwitterionischen Diorgano-oxy-boraten (vgl. Tab. 109, S. 726) handelt es sich um thermisch stabile, fünfgliedrige Bor-Heterocyclen mit borfernen Übergangsmetallen.

Die Herstellung der metallhaltigen zwitterionischen Diorgano-dioxy-borate erfolgt aus Triorgano-, Diorgano-halogen-boranen aus Lewisbase-Organoboranen oder aus anderen zwitterionischen, metallhaltigen Boraten mit Diorgano-oxy-boranen.

γ_1) *aus Triorganoboranen*

Aus Triorganoboranen sind mit Hydroxyorgano-ammonium-Salzen oder mit Hydroxyalkyl-amin-N-oxiden und entsprechenden Verbindungen durch Protolyse und Komplexierung verschiedene zwitterionische Verbindungen zugänglich.

Aus Triphenylboran erhält man mit 2-Hydroxymethyl-1-methyl-pyridinium-hydroxid (aus Jodid mit alkalischem Ionenaustauscher) in ethanolischer Lösung unter Dimerisierung

[1] A. Meller, W. Maringgele u. H.G. Köhn, M. **107**, 89 (1976).
[2] H.J. Vetter, Z. Naturf. **19b**, 72 (1964).
[3] E. Brehm, A. Haag, G. Hesse u. H. Witte, A. **737**, 70 (1970).

Tab. 109: Zwitterionische Diorgano-dioxy-borate mit einem Bor-Atom

Formel/Name	Verbindungstyp	Herstellungsart	s. S.
N-haltige			
H_3C, O–CO–CH_3, $\ominus$B, C_2H_5, C_2H_5, N$\oplus$, H_5C_6, C_2H_5	$R_2B^{\ominus}$(O–C=N$^{\oplus}$)(O–CO–)	aus R^1B + CN–R^2 + –COOH	729
H_3C, O, B$\ominus$, C_2H_5, OH, HN$\oplus$, C_2H_5, C_2H_5	$R_2B^{\ominus}$(O–C=N$^{\oplus}$)(OH)	aus $R_2B^{\ominus}$(Hal)(O–C=N$^{\oplus}$) + OH^-	739
R, R, N$\oplus$, O, B$\ominus$, O, C_6H_5, C_6H_5	$R_2B^{\ominus}$(O)(O)N$^{\oplus}$	aus R_2B-OH + R_2N-CH_2-OH	733
C_6H_5, O, $\ominus$B, C_6H_5, $\oplus$N, O, R, R	$R^1_2B^{\ominus}$(O–N$^{\oplus}$)(OR^2)	aus R_3B + HO–R–NO	728
		aus B–O–B + HO–R–NO	735
		aus B–OH + HO–R–NO	733
		aus Do–BR^1_2–OH + HO–R–NO	738
H_5C_6, C_6H_5, O, B$\ominus$, O, N$\oplus$–CH_2–C_6H_5, HO	$R_2B^{\ominus}$(O–N$^{\oplus}$)(OR)	aus Do–R^1_2B–OR^2 + HO–R–NO	738
O, O, $\ominus$B, C_6H_5, C_6H_5, $\oplus$O, N	$R_2B^{\ominus}$(O–N$^{\oplus}$)(O–CO–)	aus B–OH + HOOC–R–NO	734
O, B$\ominus$, C_6H_5, C_6H_5, $\oplus$N, O	$R^1_2B^{\ominus}$(O–N$^{\oplus}$)(OR)	aus B–OH + HO–R–NO	734
C_6H_5, O, $\ominus$B, C_6H_5, $\oplus$N, O, =C	$R^1_2B^{\ominus}$(O–N$^{\oplus}$)(OR^2)	aus R_2B-OH + HO–R–NO	733
		aus $R_2B-O-BR_2$ + HO–R–NO	736
O, O, $\ominus$B, C_6H_5, C_6H_5, $\oplus$N, O	$R_2B^{\ominus}$(O–N$^{\oplus}$)(O–CO–)	aus BR_2-O-BR_2 + HOOC–R–NO	736
H_5C_6–N$\oplus$, O, B$\ominus$, C_6H_5, C_6H_5, N–O	$R_2B^{\ominus}$(ON$^{\oplus}$)(ON)	aus $[R_4B]^-$ + NH_4^+ $[R-N(=O)-NO]^-$	739
		aus R_2B-OH + NH_4^+ $[R-N(=O)-NO]^-$	734

Tab. 109 (Forts.)

Formel/Name	Verbindungstyp	Herstellungsart	s. S.
P-haltige			
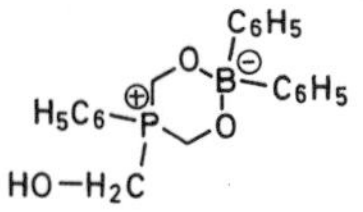	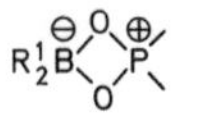	aus $R^1_2B{-}OR^1$ + $R^3{-}P(CH_2{-}OH)_2$ + CH_2O	735
		aus $R^1_2B^{\ominus}(OR^P)(OR^2)$ + R^{3+}	740
Metallhaltige			
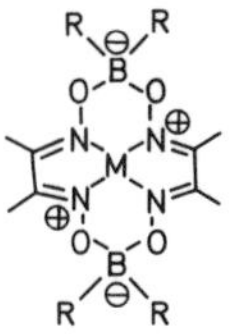	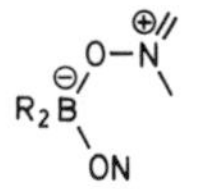	aus R_3B + $HO{-}R{-}NO$	730
		aus $R_2B{-}Hal$ + $K^+[HO{-}R{-}NO]^-$	732
		aus $Do{-}R^1_2B{-}OR^2$ + $HO{-}R{-}NO$	738
		aus $(HO)_2B^{\ominus}(ON^{\oplus})(ON)$ + $(R^1_2B)_2O$	739

und Benzol-Abspaltung *2,2-Diphenyl-5-(1-methyl-pyridinium-2-yl)-4-(1-methyl-1-triphenylboratyl-1,2-dihydro-pyridium-2-yliden)-1,3,2-dioxaboratolan* (67%; F: 225°)[1]:

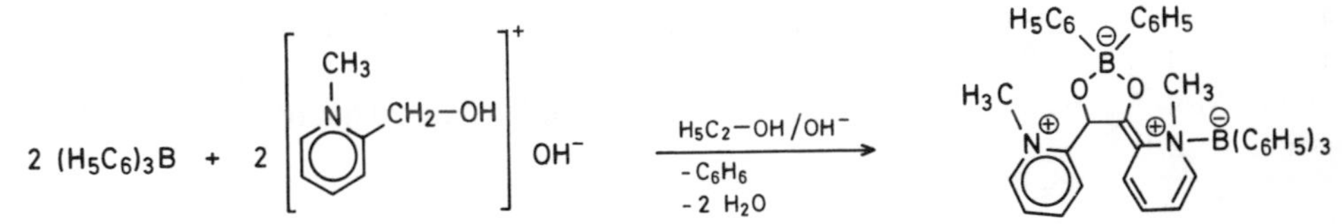

$$2\ (H_5C_6)_3B + 2\ [\text{1-Methyl-2-hydroxymethyl-pyridinium}]^+\ OH^- \xrightarrow[-C_6H_6,\ -2\ H_2O]{H_5C_2{-}OH\ /\ OH^-}$$

Aus Triphenylboran erhält man mit dem Disulfan I in Ethanol ein Bis-ethanolat mit zweifacher Zwitterionen-Struktur[2]:

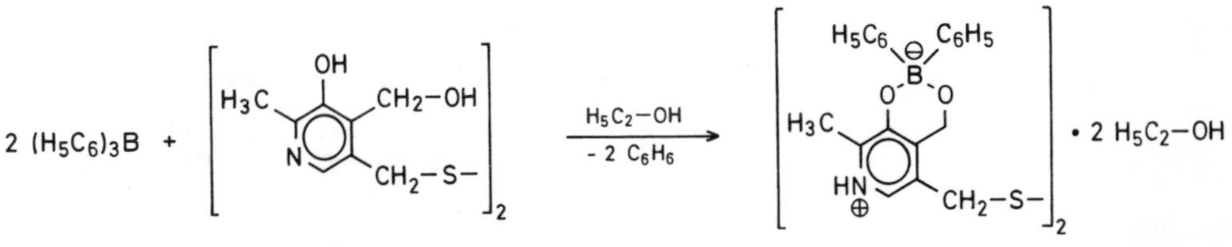

$$2\ (H_5C_6)_3B + [\ldots{-}CH_2{-}S{-}]_2\ (\text{I}) \xrightarrow[-2\ C_6H_6]{H_5C_2{-}OH} [\ldots{-}CH_2{-}S{-}]_2 \cdot 2\ H_5C_2{-}OH$$

I

Bis{2,2-diphenyl-7-hydro-8-methyl-4H-⟨pyridio-[3,4-d]-1,3,2-dioxaboratin⟩-5-ylmethyl}-disulfan

[1] H. J. ROTH u. S. AL SARRAJ, Ar. **300**, 44 (1967); C.A. **67**, 21209 (1967).
[2] H. J. ROTH u. K.-H. SURBORG, Ar. **301**, 646 (1968); C.A. **70**, 40655 (1969).

Tab. 110: Zwitterionische Diorgano-dioxy-borate mit zwei Bor-Atomen im Molekül

Formel	Verbindungstyp	Herstellungsart	s. S.
H_5C_6, C_6H_5, H_3C, O, B, O, CH_3, N⊕, ⊖, N, $B(C_6H_5)_3$, ⊕	$R^1_2\overset{\ominus}{B}(OR^2)_2-C=\overset{\oplus}{N}-$	aus R_3B + [⊕N(CH_3)-CH_2-OH]$^+$ Hal^-/OH^-	727
N⊕, O⊖, C_6H_{13}, B, C_6H_{13}, $H_{13}C_6$, B⊖, O, N⊕, $H_{13}C_6$	$\overset{\ominus}{R_2B}[O-C=\overset{\oplus}{N}]_2$	aus R_2B-Hal + $Li-CO-NR_2$	731
C, N-O, C_6H_5, O, ⊕, B⊖, C_6H_5, H_5C_6, B⊖, ⊕O, O-N, H_5C_6, C	$R_2\overset{\ominus}{B}(O-\overset{\oplus}{N}=)(ON)$	aus R_3B + $C=C-NO_2$ aus R_2B-Hal + $El-\overset{O}{N}=C$	729 731
N⊕, O⊖, C_6H_5, B, H_5C_6, ⊖B-O⊕, C_6H_5, H, C_6H_5	$Do_2-(R_2B)_2O$	aus R_2B-Hal + $Li-CO-NR_2$ + H_2O	745

4,4-Di- sowie 4,4,6-trisubstituierte 2,2-Diphenyl-1,3,4,2-dioxaazoniaboratinane lassen sich aus Triphenylboran mit Dialkyl-(2-hydroxyalkyl)-amin-N-oxiden unter Abspalten von 1 Mol-Äquivalent Benzol in siedendem Ethanol in nahezu quantitativer Ausbeute herstellen[1]; z.B.:

$$(H_5C_6)_3B + HO-CH(R^1)-CH_2-\overset{\oplus}{N}(CH_3)_2-O^{\ominus} \xrightarrow[-C_6H_6]{C_2H_5OH,\ Sieden}$$

Produkt: Ring mit R^1, O, $B^{\ominus}(C_6H_5)_2$, O, $\overset{\oplus}{N}(CH_3)_2$ (H_3C, CH_3)

4,4-Dimethyl-...-1,3,4,2-dioxaazoniaboratinan

$R^1 = H$; ...*-2,2-diphenyl-*...
$R^1 = C_6H_5$; ...*-2,2,6-triphenyl-*...

[1] W. KLIEGEL, A. **763**, 61 (1972).

Die Oxygenierung der BC-Bindungen[1] erfolgt erst bei Temperaturen >150°[2].
Aus Trialkylboranen sind mit Nitroalkenen unter 1,4-Carborierung die dimeren Alkylidennitronato-dialkyl-borane zugänglich.

Triethylboran reagiert mit 2-Nitro-2-buten in Ether bei 35–40° durch 1,4-Addition an die O=N–C=C-Gruppierung unter Bildung von *Diethyl-(1,2-dimethylbutylidennitronato)-boran*, das in >70%iger Ausbeute als festes Dimer anfällt[1]:

$$2\ (H_5C_2)_3B + 2\ H_3C{-}CH{=}C(NO_2){-}CH_3 \xrightarrow{(H_5C_2)_2O;\ 35\text{-}40°}$$

2,6-Bis[1,2-dimethylbutyliden]-4,4,8,8-tetraethyl-1,3,5,7,2,4,8-tetraoxadiazoniadiboratocan[3]: 11,2 g Triethylboran werden bei 30–35° zu 11 g 2-Nitro-2-buten in 45 *ml* Diethylether gegeben. Nach 3 Stdn. kühlt man auf –70° und filtriert die Kristalle ab; Ausbeute: 16,32 g (72%); F: 64–66°.

Aus Triorganoboranen sind mit Organoisocyaniden (O–B)-Carbonsäureamid-Acyl-oxy-diorgano-borane zugänglich, wenn die Zwischenprodukte mit Carbonsäuren versetzt werden. Das aus Triethylboran mit Phenylisocyanid in Tetrahydrofuran bei –78° hergestellte Diethyl-(1-phenylimino-propyl)-boran reagiert mit Essigsäure beim Auftauen und anschließendem Stehen bei 20° in >50%iger Ausbeute zu einem fünfgliedrigen Bor-Heterocyclus[4]:

$$(H_5C_2)_3B + H_5C_6{-}N{\equiv}C \xrightarrow{THF,\ -78°} (H_5C_2)_2B{-}C(=N{-}C_6H_5){-}C_2H_5$$

$$\xrightarrow{+H_3C{-}COOH} \left[H_5C_2{-}B(O{-}CO{-}CH_3){-}C(H_5C_2)(C_2H_5){-}NH{-}C_6H_5 \right] \xrightarrow[-H_2O]{+H_3C{-}COOH}$$

2-Acetoxy-5-methyl-4-phenyl-2,3,3-triethyl-2,3-dihydro-1,4,2-oxa-azoniaboratol; F: 82%; Kp_{10-4}: 112–115°

[1] R. Köster u. Y. Morita, Ang. Ch. **78**, 589 (1966).
[2] W. Kliegel, A. **763**, 61 (1972).
[3] O. P. Shitov, S. L. Ioffe, L. M. Leont'eva u. V. A. Tartakovskii, Ž. obšč. Chim. **43**, 1127 (1973); engl.: 1118; C. A. **79**, 66429 (1973).
[4] H. Witte, P. Mischke u. G. Hesse, A. **722**, 21 (1969); vgl. Z. Naturf. **22b**, 677 (1967).

Aus Trialkylboranen lassen sich mit Übergangsmetall-bis-dimethylglyoximen (Metall = Nickel, Palladium) bei 20–80° in Benzol Dialkylboryl-Chelate[1] herstellen[2]:

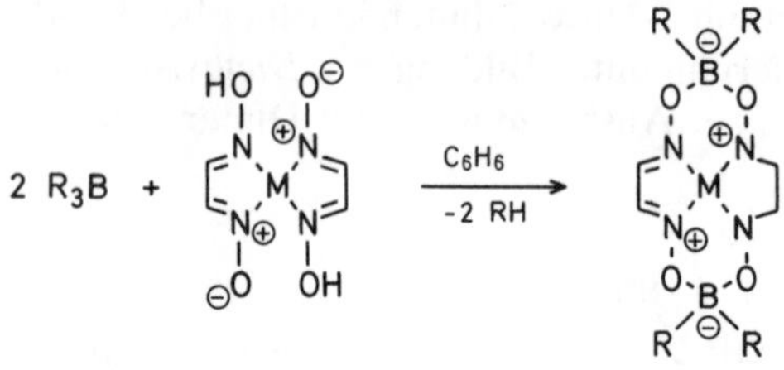

$2\ R_3B$ + ... $\xrightarrow[-2\ RH]{C_6H_6}$ ...

M = Ni; R = CH_3; C_3H_7, C_4H_9, $CH_2{-}CH(CH_3)_2$
M = Pd; R = C_3H_7
M = Ni, Cu; R = C_2H_5 (Diethylether/1,4-Dioxan)[3]

Die Herstellung der Dialkylboryl-Chelate der Übergangsmetall-bis-dimethylglyoxime ist auch in Gegenwart von Neutralliganden oder von Halogenid am Zentral-Atom möglich. Außerdem sind einige borferne Reaktionen wie z. B. die Reduktion des Zentralmetalls in Gegenwart der Dialkylboryl-Chelatgruppierung ohne weiteres möglich. Diese bleibt dabei unverändert erhalten. Beispielsweise ist aus Tributylboran mit Bis[dimethylglyoximato]-triphenylphosphan-cobalt(III)-chlorid[4] *Bis[O-dibutylboryl-dimethylglyoximato]-triphenylphosphan-cobalt(III)-chlorid(I)* zugänglich, das mit Kalium zum *Kalium-bis-[O-dibutylboryl-dimethylglyoximato]-triphenylphosphan-cobaltat(II)*[5] reduziert wird.

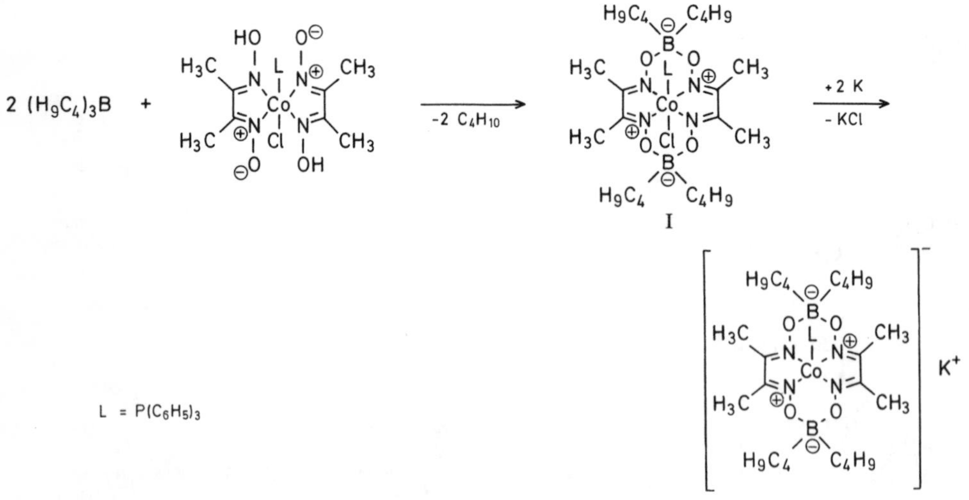

$2\ (H_9C_4)_3B$ + ... $\xrightarrow{-2\ C_4H_{10}}$ I $\xrightarrow[-KCl]{+2\ K}$ II

L = $P(C_6H_5)_3$

---

[1] F. Umland, *Theorie und Praktische Anwendung von Komplexbildnern*, S. 119f., 130, 154, Akad. Verlagsgesellschaft Frankfurt/Main 1971.
[2] G. N. Schrauzer, B. **95**, 1438 (1962).
[3] Y. Nonaka u. K. Hamada, Bull. Chem. Soc. Japan **54**, 3185 (1981); C. A. **96**, 45239 (1982).
[4] L. Tschugaeff, B. **40**, 3498 (1907).
[5] G. N. Schrauzer u. J. Kohnle, B. **97**, 3056 (1964).

γ_2) *aus Diorgano-hydro-boranen*

Aus Bis-9-borabicyclo[3.3.1]nonan erhält man mit N-Alkylnitronen des Salicylaldehyds Chelat-Verbindungen mit Zwitterionenstruktur; z. B. *4-Methyl-2,2-(cyclooctan-1,5-diyl)-4,5-dihydro-⟨benzo[f]-1,3,4,2-dioxaazoniaborepin⟩* (96%; F: 168°)[1].

γ_3) *aus Diorgano-halogen-boranen*

Brom-dihexyl-boran reagiert in Tetrahydrofuran unter Bildung von *4,6-Bis[diisopropylimminio]-2,2,5,5-tetrahexyl-1,3,2,5-dioxadiboratinan* (F: 58°)[2], das bei der Hydrolyse als *5-Diisopropylimminio-3-hydro-2,2,4,4-tetrahexyl-1,3,2,4-oxaoxoniadiboratolan* isoliert wird[2]:

$$2\ (H_{13}C_6)_2B{-}Br \;+\; 2\ [(H_3C)_2CH]_2N{-}\overset{O}{\overset{\|}{C}}{-}Li \xrightarrow[-2\ LiBr]{THF,\ -78°\ bis\ +20°}$$

Die dimeren Alkylidennitronato-dialkyl-borane lassen sich aus Dialkyl-halogen-boranen mit Metallsalzen der Nitroalkane herstellen.

Aus Chlor-diethyl-boran erhält man mit den Natrium-*aci*-nitroalkanen dimere Alkylidennitronato-diethyl-borane[3]:

$$2\ (H_5C_2)_2B{-}Cl \;+\; 2\ NaO{-}\overset{O^{\ominus}}{\overset{|}{N}}{}^{\oplus}{=}C(R^1)(R^2) \xrightarrow{-2\ NaCl}$$

2,6-Bis[ethyliden]-4,4,8,8-tetraethyl-1,3,5,7,2,6,4,8-tetraoxadiazoniadiboratocan (R^1 = H; R^2 = CH_3)[3]: Zu 8,3 g Ethannitronsäure-Natriumsalz in 60 *ml* Diethylether gibt man bei −40 bis −30° 8,5 g Chlor-diethyl-boran und rührt 1 Stde. Bei −30° wird das Natriumchlorid abfiltriert und mit wenig Diethylether gewaschen. Die Ether-Lösung wird auf ein Drittel eingeengt und die Kristalle durch Abkühlen auf −70° isoliert; Ausbeute: 6 g (54%).

Aus Chlor-diethyl-boran lassen sich auch mit den Alkalimetallsalzen der 1-Methoxycarbonyl-alkannitronsäuren in Diethylether bei −30° die assoziierten Alkylidennitronato-diethyl-borane herstellen. Diese bilden offensichtlich nicht – wie zunächst vermutet[3] – monomere cyclische Carbonyl-Diethyl-nitronato-borane, sondern ebenfalls dimere Assoziate mit NO-Donator-Boran-Struktur[4].

Eine verbesserte Herstellungsmethode verwendet anstelle der Metallsalze der Nitroalkane die O-Trimethylsilyl-*aci*-nitroalkane (Alkannitronsäuretrimethylsilylester). Aus Chlor-diethyl-boran erhält man z. B. mit 2-Propannitronsäuretrimethylsilylester nach Abziehen des Chlor-trimethyl-silans i. Vak. in 95%iger Ausbeute *2,6-Bis[isopropyliden]-4,4,8,8-tetraethyl-1,3,5,7,2,6,4,8-tetraoxadiazoniadiboratocan* (F: 62°)[4]:

---

[1] W. Kliegel u. D. Nanninga, J. Organometal. Chem. **243**, 373 (1983).
[2] A. S. Fletcher, W. E. Paget, K. Smith u. K. Swaminathan, Chem. Commun. **1979**, 573.
[3] O. P. Shitov, L. M. Leont'eva, S. L. Ioffe, B. N. Khasanov, V. M. Norikov, A. U. Stepanyants u. V. A. Tartakovskii, Izv. Akad. SSSR **1974**, 2782; engl.: 2684; C. A. **82**, 125430 (1975).
[4] S. L. Ioffe, A. V. Kalinin, T. N. Golovina, B. N. Khasanov u. V. A. Tartakovskii, Izv. Akad. SSSR **1978**, 942; engl.: 816; C. A. **89**, 43544 (1978).

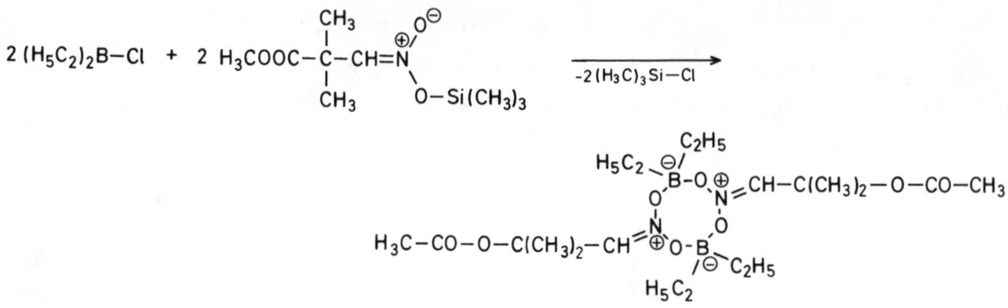

$$2\,(H_5C_2)_2B{-}Cl \;+\; 2\,H_3COOC{-}C(CH_3)_2{-}CH{=}\overset{\oplus}{N}(O^{\ominus}){-}O{-}Si(CH_3)_3 \xrightarrow{-2\,(H_3C)_3Si-Cl}$$

Mit 2-Methyl-2-methoxycarbonyl-propannitronsäuretrimethylsilylester wird aus Chlor-diethyl-boran in ~70%iger Ausbeute das ebenfalls dimer assoziierte Diethyl-subst.-nitronato-boran gebildet[1].

O-Diethylboryl-Derivate des Methylnitramins[2] und des N-Nitro-p-toluolsulfon-amids[3,4] sind monomer und werden daher bei den Aminoxy-diorgano-boranen mit dreifach koordinierten Bor-Atomen besprochen (vgl. Bd. XIII/3a, S. 595).

N-Oxid-Azoxy-diorgano-borate lassen sich auch aus Diorgano-halogen-boranen mit entsprechenden Chelatbildnern herstellen. Chlor-diphenyl-boran reagiert mit dem Kaliumcobaltat I[5] unter Bildung von *Bis[O-diphenylboryl-dimethylglyoximato]-triphenyl-phosphan-cobalt* (S. 412f.)[6]:

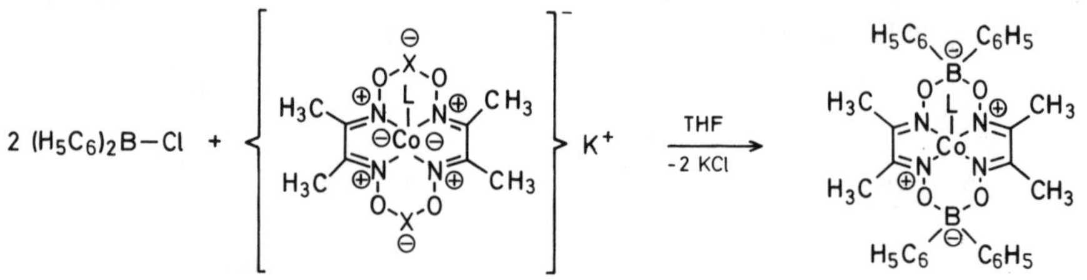

$$2\,(H_5C_6)_2B{-}Cl \;+\; \mathbf{I} \xrightarrow[-2\,KCl]{THF}$$

$L = P(C_6H_5)_3$ I ; X = H, K

Bis[O-diphenylboryl-dimethylglyoximato]-triphenylphosphan-cobalt[6]: In einem Dreihalskolben, versehen mit KPG-Rührer, Rückflußkühler mit Blasenzähler zur Stickstoffüberleitung und Tropftrichter, werden zu 5,9 g (10,0 mmol) Bis[dimethylglyoximato]-triphenylphosphan-cobaltchlorid[7] in 150 *ml* Tetrahydrofuran 0,78 g (20 mmol) Kalium gegeben und unter kräftigem Rühren zum Sieden erhitzt. Das Kalium verschwindet in 2–3 Stdn. unter Bildung einer dunklen Lösung von Kalium-bis[dimethylglyoximato]-triphenylphosphan-cobaltat. Man fügt zur siedenden Lösung 1,75 *ml* (10,0 mmol) Chlor-diphenyl-boran, gelöst in wenig Tetrahydrofuran. In 20–24 Stdn. bildet sich eine dunkelrote bis braune Lösung unter Abscheiden eines braunen, unlöslichen Festprodukts. Nach dem Erkalten trennt man vom Niederschlag ab, zieht i. Vak. das Lösungsmittel größtenteils ab und erhält beim Stehenlassen in der Kälte rotbraune bis violettstichige Kristalle; Ausbeute: ~90%; F: 225°.

Aus Brom-diphenyl-boran lassen sich mit Eisen(II)-dioximen entsprechende Bis[1-alkylimidazol]-bis[O-diphenylboryl-dimethylglyoximato]-ferrate herstellen[8].

---

[1] S. L. Ioffe, A. V. Kalinin, T. N. Golovina, B. N. Khasapov u. V. A. Tartakovskii, Izv. Akad. SSSR **1978**, 942; engl.: 816; C. A. **89**, 43544 (1978).

[2] S. L. Ioffe, L. M. Leont'eva, A. L. Blyumenfel'd, O. P. Shitov u. V. A. Tartakovskii, Izv. Akad. SSSR **1974**, 1659; engl.: 1584; C. A. **81**, 91613 (1974).

[3] S. L. Ioffe, L. M. Leont'eva, L. M. Makarenkova, A. L. Blyumenfel'd, V. F. Tyaterikov u. V. A. Tartakovskii, Izv. Akad. SSSR **1975**, 1146; engl.: 1053; C. A. **83**, 97448 (1975).

[4] G. N. Schrauzer u. J. Kohnle, B. **97**, 3056 (1964).

[5] L. Tschugaeff, B. **40**, 3498 (1907).

[6] G. Schmid, P. Powell u. H. Nöth, B. **101**, 1205 (1968).

[7] C. G. Schleyerbach, Dissertation, Technische Hochschule Hannover 1965.

[8] M. Verhage, D. A. Hoogwater, H. van Bekkum u. J. Reedijk, R. **101**, 351 (1982); Chem. Inform. **1983**-03-310.

γ_4) *aus Diorgano-oxy-boranen*

Zwitterionische Diorgano-dioxy-borate erhält man aus Diaryl-hydroxy-boranen bzw. aus Tetraaryldiboroxanen mit Hydroxygruppenhaltigen Trialkylamin-N-oxiden oder Nitronen. Zugänglich sind unter Abspaltung von Wasser:

Ammonionooxy-diorgano-organo-oxy-borate	Acyloxy-ammo-nionooxy-diorgano-borate	Immonionooxy-diorgano-organooxy-borate	Alkoxy-diorgano-2-pyridiniooxy-borate	Acyloxy-diorgano-2-pyridiniooxy-borate

Diphenyl-hydroxy-boran reagiert mit N-Oxiden der (1- und 2-Hydroxyalkyl)-amine unter Bildung von zwitterionischen Amin-N-oxid-Diorgano-organooxy-boranen[1-4]; z.B.:

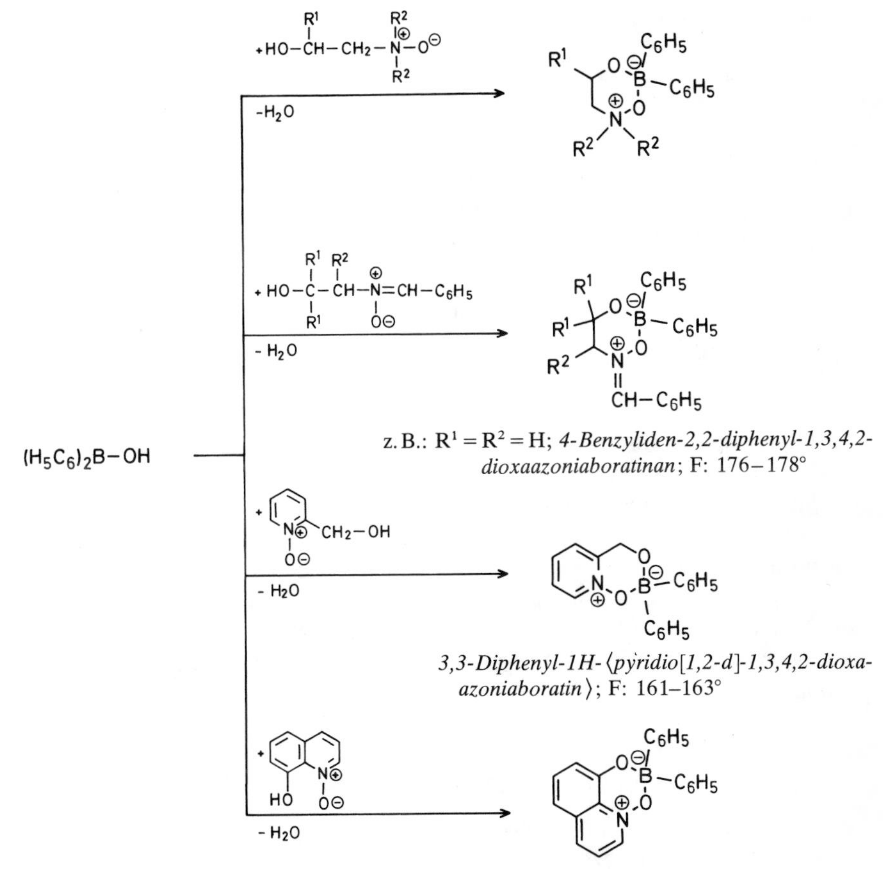

z.B.: $R^1 = R^2 = H$; *4-Benzyliden-2,2-diphenyl-1,3,4,2-dioxaazoniaboratinan*; F: 176–178°

3,3-Diphenyl-1H-⟨pyridio[1,2-d]-1,3,4,2-dioxa-azoniaboratin⟩; F: 161–163°

2,2-Diphenyl-⟨chinolio[1,8a,8-d,e]-1,3,4,2-dioxaazo-niaboratin⟩; F: 240°

---

[1] W. KLIEGEL, Z. **9**, 112 (1969); Tetrahedron Letters **1969**, 223.
[2] G. ZINNER, W. RITTER u. W. KLIEGEL, Pharmazie **20**, 291 (1965); C.A. **63**, 13302 (1965).
[3] G. ZINNER u. R. MOLL, B. **99**, 1292 (1966).
[4] G. ZINNER u. W. RITTER, Ang. Ch. **74**, 217 (1962).

Auch die fünfgliedrigen Cyclen sind aus Diorgano-hydroxy-boranen mit Dialkyl-(1-hydroxyalkyl)-aminoxiden zugänglich; z.B.:

$$(H_5C_6)_2B{-}OH \;+\; R^1_2\overset{\oplus}{N}(O^{\ominus}){-}CH(R^2){-}OH \xrightarrow{-H_2O}$$

...-*1,3,4,2-dioxazoniaboratolidin*

z.B.: $R^1 = C_2H_5$; $R^2 = H$; *4,4-Diethyl-2,2-diphenyl-...*; F: 150°
$R^2 = C_3H_7$; *4,4-Diethyl-2,2-diphenyl-5-propyl-...*; F: 135–136°
R^1–R^1 = $(CH_2)_4$; R^2 = H; *2,2-Diphenyl-1,3-dioxa-5-azonia-2-borata-spiro[4.4]nonan*; F: 155–157°
R^1–R^1 = $(CH_2)_6$; R^2 = H; *2,2-Diphenyl-1,3-dioxa-5-azonia-2-borata-spiro[4.6]undecan*; F: 124–125°

Cyclische Acyloxy-ammonionooxy-diaryl-borate sind nach derselben Methode aus Diphenyl-hydroxy-boranen mit Amin-N-oxid-carbonsäuren zugänglich; z.B.:

$$(H_5C_6)_2B{-}OH \;+\; R^1_2\overset{\oplus}{N}(O^{\ominus}){-}CH_2{-}COOH \xrightarrow{-H_2O}$$

4,4-Dialkyl-2,2-diphenyl-6-oxo-1,3,4,2-dioxaazoniaboratinane[1,2]

Aus Diphenyl-hydroxy-boran erhält man mit dem Ammoniumsalz des N-Nitroso-N-phenyl-hydroxylamins (Kupferron) unter Abspaltung von Ammoniak und Wasser *2,2,5-Triphenyl-1,3,4,5,2-dioxaazaazoniaboratol* (F: 102°)[3-5]:

$$(H_5C_6)_2B{-}OH \;+\; [H_5C_6{-}N(NO){-}O]^-\,[NH_4]^+ \xrightarrow[-NH_3]{-H_2O}$$

Zu den zwitterionischen Diorgano-dioxy-phosphoniono-boraten gehören betainartige $R^1B(OR^2)_2$-Verbindungen mit positiver Formalladung am Phosphor-Atom eines Alkoxy-Substituenten und negativer Formalladung am Bor-Atom. Die Herstellung erfolgt aus Diorgano-oxy-boranen bzw. aus Alkalimetall-diorgano-oxy-phosphonionoorganooxy-boraten.

Die präparative Gewinnung cyclischer Phosphonio-diphenyl-diorganooxy-borate geht von Alkoxy-diphenyl-boranen aus. Mit Bis[hydroxymethyl]-phenyl-phosphan erhält man in Gegenwart von Formaldehyd *5-Hydroxymethyl-2,2,5-triphenyl-1,3,5,2-dioxaphosphoniaboratinan*[6,7]:

---

[1] W. KLIEGEL, Organometal. Chem. Rev. A **8**, 153, 176 (1972).
[2] W. KLIEGEL, Z. **9**, 112 (1969).
[3] C.G. SCHLEYERBACH, Dissertation, Technische Hochschule Hannover 1965.
[4] F. UMLAND u. C. SCHLEYERBACH, Ang. Ch. **77**, 169 (1965).
[5] F. UMLAND u. D. THIERIG, Ang. Ch. **75**, 685 (1963).
[6] B.A. ARBUZOV, O.A. ERASTOV, G.N. NIKONOV, A.A. ESPENBETOV, A.I. YANOWSKII u. Y.T. STRUCHKOV, Izv. Akad. SSSR **1981**, 1545; engl.: 1243; C.A. **95**, 149824 (1981).
[7] B.A. ARBUZOV, O.A. ERASTOV, G.N. NIKONOV, T.A. ZYABLIKOVA, Y.Y. EFREMOV u. R.Z. MUSIN, Izv. Akad. SSSR **1982**, 676; engl.: 602; C.A. **97**, 38976 (1982); Bildung (13%) in Gegenwart von Benzonitril ohne Formaldehyd-Zusatz.

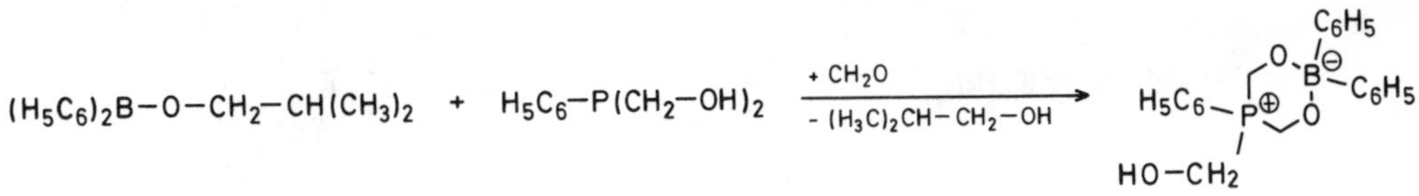

$$(H_5C_6)_2B-O-CH_2-CH(CH_3)_2 + H_5C_6-P(CH_2-OH)_2 \xrightarrow[-\ (H_3C)_2CH-CH_2-OH]{+\ CH_2O}$$

Aus Tetraphenyldiboroxan werden mit den verschiedenen Dialkyl-(hydroxyalkyl)-aminoxiden[1-8] sowie mit 2-Hydroxymethyl-pyridin-N-oxid[2] und mit 8-Hydroxy-chinolin-N-oxid[1,7] die betainartigen Ammonionooxy-diphenyl-organooxy-borate bzw. Diphenyl-amminiooxy-organooxy-borate hergestellt; z.B.:

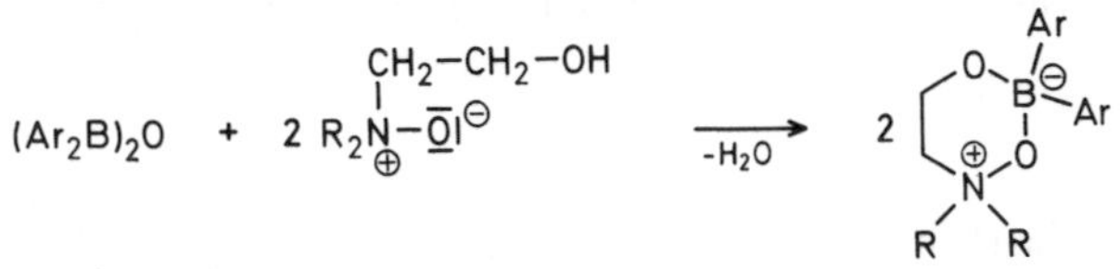

$$(Ar_2B)_2O + 2\ R_2\overset{\oplus}{N}(CH_2-CH_2-OH)-\overline{\underline{O}}|^{\ominus} \xrightarrow{-H_2O} 2$$

4,4-Dimethyl-2,2-diphenyl-1,3,4,2-dioxaazoniaboratinan[9]**:** Eine ethanol. Lösung von 0,5 *ml* Tetraphenyldiboran und 1 mol Dimethyl-(2-hydroxyethyl)-aminoxid wird zum Sieden erhitzt. Nach dem Abkühlen bilden sich farblose Kristalle, die aus Ethanol/Acetonitril umkristallisiert werden; Ausbeute: ~ 100%; F: 156–158° (unter Redox-Reaktion).

Mit α-(N-Alkylhydroxyamino)alkansäureester sind aus Tetraphenyldiboroxan in Gegenwart von Formaldehyd 4-Alkyl-2,2-diphenyl-4-ethoxycarbonylmethyl-1,3,4,2-dioxazoniaboratolane (50–80%) zugänglich[10,11].

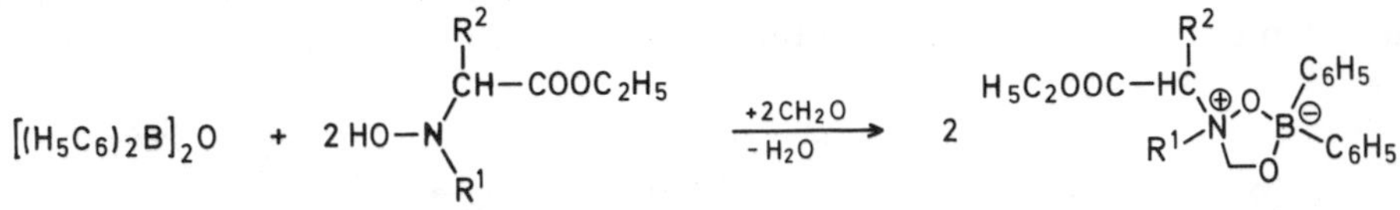

$$[(H_5C_6)_2B]_2O + 2\ HO-N(R^1)-CH(R^2)-COOC_2H_5 \xrightarrow[-\ H_2O]{+2\ CH_2O} 2$$

Aus Tetraphenyldiboroxan stellt man mit Hydroxy-N-hetaren-N-oxiden in siedendem Methanol, Ethanol, 1,4-Dioxan oder auch in Lösungsmittelgemischen in praktisch quantitativer Ausbeute folgende Diphenylbor-Chelate her[7,12,13]:

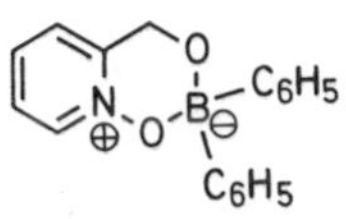

3,3-Diphenyl-1H-⟨pyridio[1,2-d]-1,3,4,2-dioxaazoniaboratin⟩; F: 163°[7]; 161–169°[12,13] (farblos)

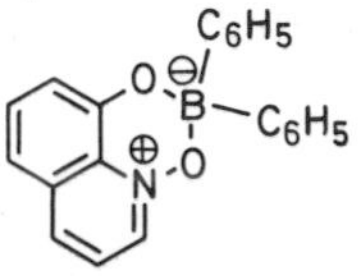

2,2-Diphenyl-⟨chinolio[1,8a,8-d,e]-1,3,4,2-dioxaazoniaboratin⟩; F: 238°[7]; 240°[12,13] (gelb)

Mit 2-Carboxy-pyridin-N-oxid ist das zwitterionische Acyloxy-diphenyl-1-pyridinooxy-borat zugänglich[13]:

---

[1] W. KLIEGEL, Z. **9**, 112 (1969).
[2] W. KLIEGEL, Tetrahedron Letters **1969**, 223.
[3] W. KLIEGEL, A. **763**, 61 (1972).
[4] H. MÖHRLE u. E. CLAUSS, Ar. **306**, 721 (1973).
[5] W. KLIEGEL u. A. BECKER, B. **110**, 2090 (1977).
[6] H. MÖHRLE u. H. TIETZE, Ar. **313**, 2 (1980).
[7] E. HOHAUS u. F. UMLAND, B. **102**, 4025 (1969).
[8] W. KLIEGEL, B. ENDERS u. H. BECKER, A. **1982**, 1712; B. **116**, 27 (1983).
[9] C.G. SCHLEYERBACH, Dissertation, Technische Hochschule Hannover 1965.
[10] J. GRAUMANN u. W. KLIEGEL, Ch. Z. **106**, 345 (1982).
[11] W. KLIEGEL u. J. GRAUMANN, Ch. Z. **106**, 378 (1982).
W. KLIEGEL u. D. NANNINGA, J. Organometal. Chem. **243**, 373 (1983).
[12] F. UMLAND u. C. SCHLEYERBACH, Ang. Ch. **77**, 169 (1965).
[13] F. UMLAND u. D. THIERIG, Ang. Ch. **75**, 685 (1963).

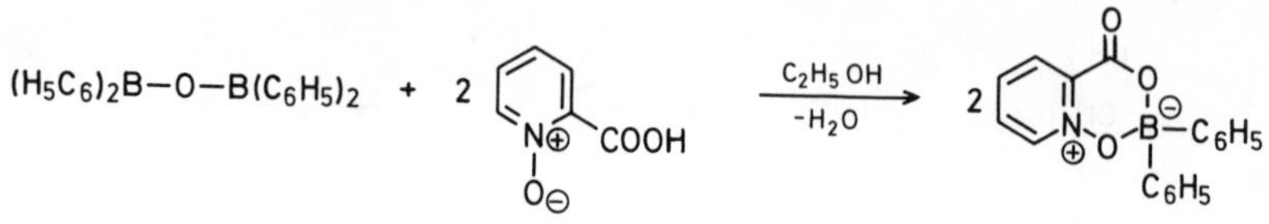

$$(H_5C_6)_2B{-}O{-}B(C_6H_5)_2 + 2\ \text{Pyridin-N-oxid-2-carbonsäure} \xrightarrow[-H_2O]{C_2H_5OH} 2\ \text{Produkt}$$

3,3-Diphenyl-1-oxo-1H,3H-⟨pyridio[1,2-d]-1,3,4,2-dioxaazoniaboratin⟩; ~100%; F: 167° (farblos)

Tetraphenyldiboroxan reagiert mit Nitronen in siedendem Ethanol unter Bildung entsprechender 4-Alkyliden-1,3,4,2-dioxaazoniaboratinanen; z.B.[1,2]:

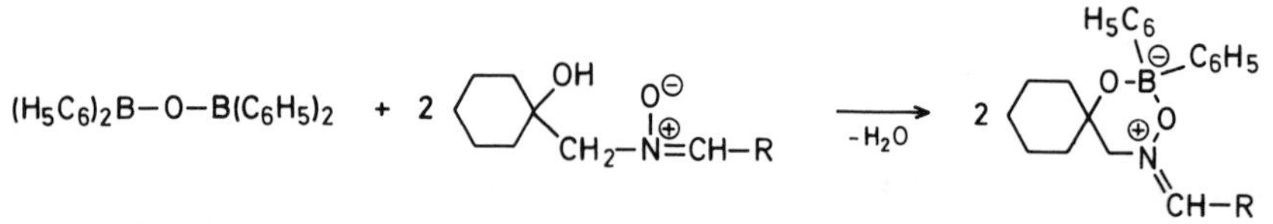

$$(H_5C_6)_2B{-}O{-}B(C_6H_5)_2 + 2\ \text{1-Hydroxy-cyclohexyl-}CH_2{-}\overset{\oplus}{N}(O^{\ominus}){=}CH{-}R \xrightarrow{-H_2O} 2\ \text{Produkt}$$

. . .*-1,3-dioxa-4-azonia-2-borata-spiro[5.5]undecan*

R = CH_3; *2,2-Diphenyl-4-ethyliden-*. . .; 65%; F: 158–160°

R = C_6H_{11}; *4-Cyclohexylmethylen-2,2-diphenyl-*. . .; ~100%

Aus Tetraphenyldiboroxan erhält man mit hydroxyhaltigen Nitronen unter Wasser-Abspaltung fünfgliedrige zwitterionische Immonionooxy-diorgano-organooxy-borate[2–4]:

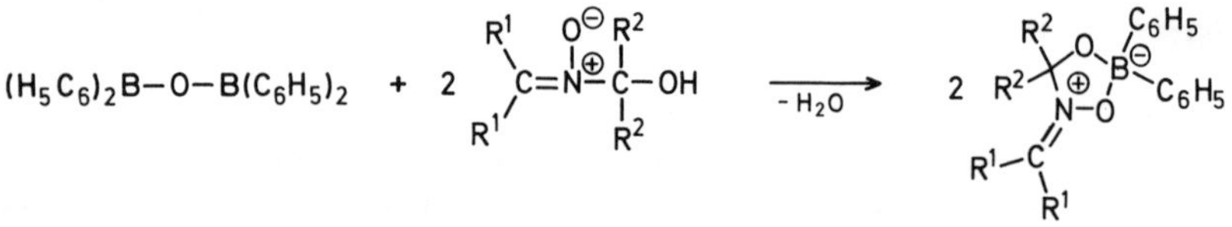

$$(H_5C_6)_2B{-}O{-}B(C_6H_5)_2 + 2\ R^1_2C{=}\overset{\oplus}{N}(O^{\ominus}){-}CR^2_2{-}OH \xrightarrow{-H_2O} 2\ \text{Produkt}$$

Entsprechend erhält man auch 5-alkyl- bzw. 5-aryl-substituierte 1,3,4,2-Dioxaazoniaboratinane[1]:

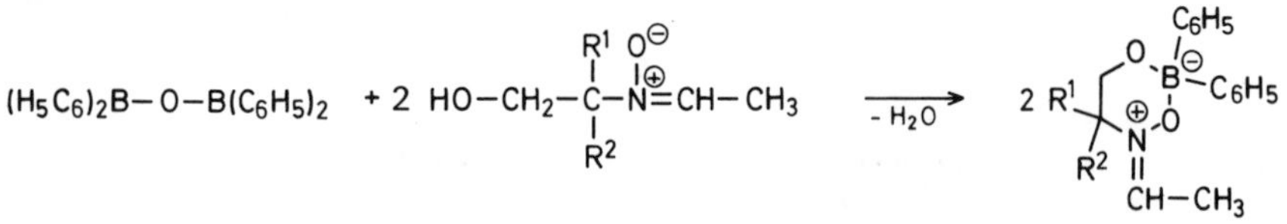

$$(H_5C_6)_2B{-}O{-}B(C_6H_5)_2 + 2\ HO{-}CH_2{-}CR^1R^2{-}\overset{\oplus}{N}(O^{\ominus}){=}CH{-}CH_3 \xrightarrow{-H_2O} 2\ \text{Produkt}$$

. . .*-1,3,4,2-dioxaazoniaboratinan*

$R^1 = R^2 = CH_3$; *5,5-Dimethyl-2,2-diphenyl-4-ethyliden-*. . .; 34%; F: 129–131°

$R^1 = H$; $R^2 = C_6H_5$; *4-Ethyliden-2,2,5-triphenyl-*. . .; 80%; F: 143–144°

Mit (2-Hydroxyallyl)-isopropyliden-amin-N-oxiden werden entsprechend erhalten[5]:

4-Isopropyliden-2,2,5-triphenyl-1,3,4,2-dioxaazoniaboratinan 98%; F: 183–185°

Cyclohexan-⟨spiro-6⟩-2,2-diphenyl-4-isopropyliden-1,3,4,2-dioxaazoniaboratinan 90%; F: 145–147°

---

[1] W. KLIEGEL u. A. BECKER, B. **110**, 2090 (1977).

[2] W. KLIEGEL, Organometal. Chem. Rev. A **8**, 153 (1972), S. 175.

[3] W. KLIEGEL, Z. **9**, 112 (1969).

[4] W. KLIEGEL, Tetrahedron Letters **1960**, 223.

[5] W. KLIEGEL, B. ENDERS u. H. BECKER, A. **1982**, 1712; B. **116**, 27 (1983).

Die Bildung von Diphenylbor-Betainen aus Tetraphenyldiboroxan mit bicyclischen Dialkyl-(hydroxyalkyl)-aminoxiden erfolgt nur dann, wenn die Hydroxy-Gruppe die geeignete Konformation einnehmen kann. Mit 5(a)-Hydroxy-1-aza-*trans*-bicyclo[4.4.0]decan-1-oxid und nicht mit dem 5(e)-Isomeren bildet sich ein Diphenylbor-Betain[1]:

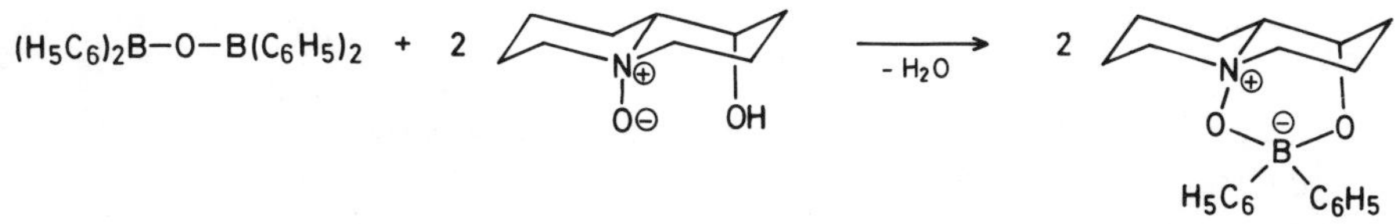

$(H_5C_6)_2B-O-B(C_6H_5)_2$ + 2 [Aminoxid] $\xrightarrow{-H_2O}$ 2 [Betain]

9,9-Diphenyl-8,10-dioxa-1-azonia-9-borata-tricyclo [5.3.3.0^1,6^]tridecan; 100%; F: 150–152° (Zers.)

Mit (a,e)-5-Hydroxy-1-aza-*cis*-bicyclo[4.4.0]decan-1-oxid erhält man quantitativ das entsprechende Diphenylbor-Chelat[1]:

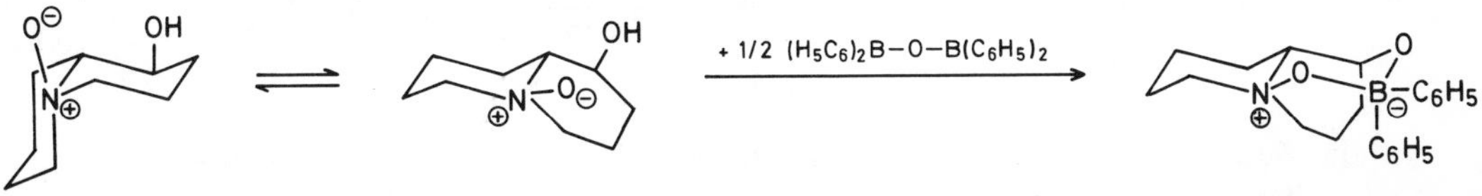

$\xrightarrow{+ 1/2\ (H_5C_6)_2B-O-B(C_6H_5)_2}$

F: 155–157° (Zers.)

γ_5) *aus Lewisbase-Organoboranen*

Stickstoff- und metallhaltige zwitterionische Diorgano-dioxy-borate sind zugänglich. Die Addition von Wasser an 5-Alkyl-2,2,3-triethyl- 2H-1,4,2-oxoniaazaboratol liefert in H-acider Lösung unter Ethyl-Gruppenwanderung *5-Alkyl-2-hydroxy-2,3,3-triethyl-2,3,4-trihydro-1,4,2-oxaazoniaboratole*[2]:

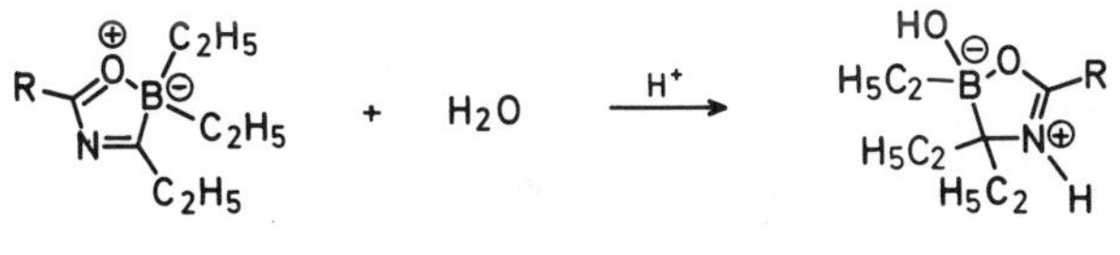

[Oxoniaazaboratol] + H_2O $\xrightarrow{H^+}$ [Oxaazoniaboratol]

2,2-Diaryl-1,3,2-oxaazoniaboratolidin ist als Edukt zur Herstellung zwitterionischer Ammonionooxy-diaryl-organooxy-borate sowie von anderen Verbindungen mit betainartiger Ladungsverteilung gut geeignet.

Mit Bis- bzw. Tris[2-hydroxyalkyl]aminoxiden kann man Derivate des 2,4-Dioxa-1-azonia-3-borata-bicyclo[3.3.1]nonans herstellen[2-4]. Die BC-Bindungen werden wegen der Fixierung der NOB-Gruppierung im Ring vom N-Oxid[5] bis ~150° nicht oxygeniert.

---

[1] H. Möhrle u. H. Tietze, Ar. **313**, 2 (1980).
[2] W. Kliegel u. E. Ahlenstiel, B. **109**, 3547 (1976).
[3] W. Kliegel, A. **763**, 61 (1972).
[4] H. Möhrle u. E. Clauss, Ar. **306**, 721 (1973).
[5] R. Köster u. Y. Morita, A. **704**, 70 (1967).

1-Benzyl-...-7-hydroxy-2,4-dioxa-1-azonia-3-borata-bicyclo[3.3.1]nonan

R = H; Ar = C_6H_5; ...-*3,3-diphenyl-*...; 50%; F: 144°
Ar = 4-Cl–C_6H_4; ...-*3,3-bis-[4-chlorphenyl]-*...; 67%; F: 155°
R = CH_3; Ar = 1-Naphthyl; ...-*5,7-dimethyl-3,3-(di-1-naphthyl)-*...; 29%; F: 176°

Mit N-Nitroso-N-phenyl-hydroxylamin läßt sich *2,2,5-Triphenyl-2,5-dihydro-1,3,4,5,2-dioxaazaazoniaboratol* (F: 102°) herstellen[1]:

Beim Zusammenschmelzen von 2,2-Diphenyl-3-hydro-1,3,2-oxaazoniaboratolidin mit Nickel- bis-dimethylglyoximat bei ~200° erhält man unter Abspaltung von 2-Aminoethanol das *Bis[O-diphenylboryl-dimethylglyoximato]nickel(II)* (F: 305–310°; Zers.)[2,3]:

Ähnlich werden die entsprechenden Palladium(II)-, Kupfer(II)- bzw. Eisen(II)-Chelate erhalten[4].

2,2-Diphenyl-1,3,2-oxaazoniaboratolidin reagiert auch mit einer wäßr. Nickelsalz-Lösung und einer methanolischen Dimethylglyoxim-Lösung unter Bildung des Diphenylbor-Nickel-glyoxim-Chelats[4].

Aus 2,2-Diphenyl-1,3,2-oxaazoniaboratolidin gewinnt man mit verschiedenen Bis-glyoximato-Nickel-Verbindungen Mono- und Bis[diphenylboryl-glyoximato]nickel-Derivate[5].

Bis[O-diphenylboryl-dimethylglyoximato]nickel(II) läßt sich elektrochemisch zum Monoanion reduzieren[6].

[1] F. UMLAND u. C. SCHLEYERBACH, Ang. Ch. **77**, 169 (1965).
[2] F. UMLAND u. D. THIERIG, Ang. Ch. **74**, 388 (1962).
[3] s.a. E. BREHM, A. HAAG, G. HESSE u. H. WITTE, A. **737**, 70 (1970).
[4] F. UMLAND u. D. THIERIG, Ang. Ch. **74**, 388 (1962).
[5] W. FEDDER, F. UMLAND u. E. HOHAUS, M. **111**, 971 (1980).
[6] R.R. GAGNE u. D.M. INGLE, Inorg. Chem. **20**, 420 (1981).

γ_6) *aus zwitterionischen Organoboraten*

Der Liganden-Austausch am Bor-Atom cyclischer zwitterionischer Borate ist präparativ in vielfältiger Weise möglich. Man kennt z.B. den Halogen/Hydroxy-Austausch ohne Veränderung der Organo-Reste sowie Reaktionen, die unter Einführen von Organo-Resten verlaufen.

Aus 2-Chlor-5-methyl-2,3,3-triethyl-2,3,4-trihydro-1,4,2-oxaazoniaboratol ist mit verdünnter Natronlauge das *2-Hydroxy-5-methyl-2,3,3-triethyl-2,3,4-trihydro-1,4,2-oxaazoniaboratol* (F: 110–113°) in 70%iger Ausbeute zugänglich[1]:

H_5C_2, Cl–B, O, CH_3, NH, H_5C_2, C_2H_5 —[+ NaOH / H_2O; - NaCl]→ H_5C_2, HO–B, O, CH_3, NH, H_5C_2, C_2H_5

Das entsprechende *5-tert.-Butyl-2-hydroxy-2,3,3-triethyl-2,3,4-trihydro-1,4,2-oxaazoniaboratol* (F: 94–97°) bildet sich in 85%iger Ausbeute aus dem 5-Chlor-Derivat an feuchter Luft[1].

Mit Hilfe von Tetraphenyldiboroxan lassen sich metallhaltige Immonio-borate am Bor-Atom durch Hydroxy/Phenyl-Austausch phenylieren. Aus Bis[dihydroxyboryl-diamino-glyoximato]nickel erhält man mit Tetraphenyldiboroxan in siedendem Dimethylformamid das solvatisierte *Bis[diamino-diphenylboryl-glyoximato]nickel*[2]:

Ni-Komplex (HO, OH, B, H_2N, NH_2) + $[(H_5C_6)_2B]_2O$ —[DMF, 150°; $-H_2O$; $-2/3\ (HO{-}BO)_3$]→ Ni-Komplex (H_5C_6, C_6H_5, B, H_2N, NH_2)

γ_7) *aus Organoboraten*

Immonio-dioxy-diphenyl-borate sind aus Dioxy-diphenyl-boraten präparativ zugänglich. Natriumtetraphenylborat reagiert mit dem Ammonium-Salz des N-Nitroso-N-phenyl-hydroxylamins (Kupferron) in wäßr. Salzsäure unter Bildung von *2,2,5-Triphenyl-1,3,4,5,2-dioxaazaazoniaboratolidin*[3]:

$Na^+\ [(H_5C_6)_4B]^- + NH_4^+\ [H_5C_6{-}N(O^\ominus){-}NO]^- + 2\ HCl$ —[H_2O; $-2\ C_6H_6$; $-NaCl$; $-NH_4Cl$]→ H_5C_6–N, O, B, C_6H_5, C_6H_5, N–O

---

[1] E. Brehm, A. Haag, G. Hesse u. H. Witte, A. **737**, 70 (1970).
[2] W. Fedder, F. Umland u. E. Hohaus, M. **111**, 971 (1980).
[3] F. Umland u. D. Thierig, Ang. Ch. **75**, 685 (1963).

Die Quarternierung des Phosphor-Atoms im Diphenyl-(hydroxymethyl-phenyl-phosphanylmethoxy)-methoxy-borat mit wäßr. Salzsäure[1] oder mit Jodmethan[2] liefert die entsprechenden 1,3,5,2-Dioxaphosphoniaboratinane; z.B.:

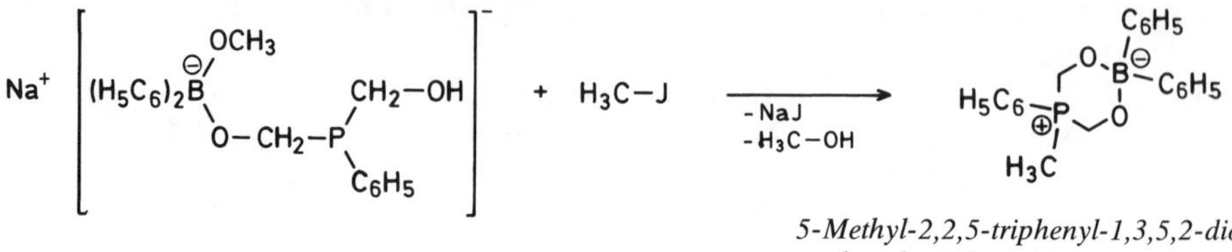

5-Methyl-2,2,5-triphenyl-1,3,5,2-dioxaphosphoniaboratinan

δ) Zwitterionische Organo-trioxy-borate

Zur Verbindungsklasse zählen z.B. Ammonionooxy-diorganooxy-organo-borate und Nitroniono-dioxy-organo-borate.

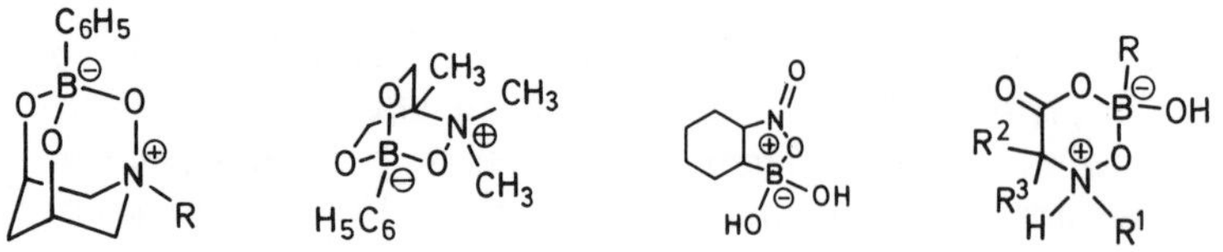

Bekannt ist auch ein Aminocarbonyl-Dihydroxy-organo-boran, das als achtgliedriger Heterocyclus vorliegen soll[3]:

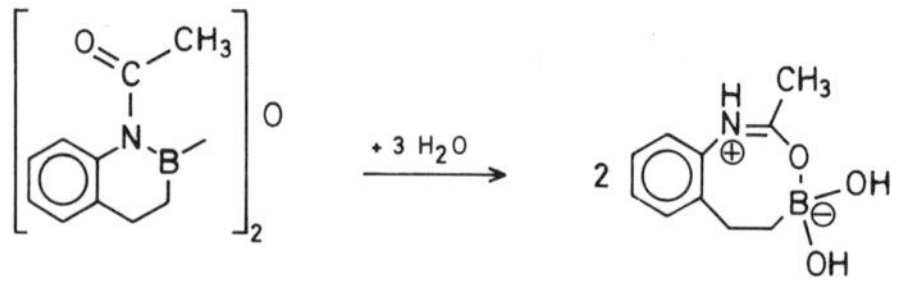

4,4-Dihydroxy-2-methyl-1,5,6-trihydro-4H-⟨benzo[d]-1,8,2-oxaazoniaboratocin⟩; F: >127°

Ammonionooxy-dioxy-organo-borate und Immonionooxy-dioxy-organo-borate lassen sich aus verschiedenen Dioxy-organo-boranen mit hydroxyhaltigen Triorganoamin-N-oxiden herstellen. Ammonionoorgano- und Immonionoorgano-trioxy-borate verschiedenartiger Strukturen sind aus Organo-oxy-boranen, aus Lewisbase-Organo-oxy-boranen und aus Organo-trihydroxy-boraten präparativ zugänglich (vgl. S. 741ff.).

[1] B.A. Arbuzov, O.A. Erastov, G.N. Nikonov, T.A. Zyablikova, R.P. Arslinava u. R.A. Kadyrov, Izv. Akad. SSSR **1979**, 2349; engl.: 2170; C.A. **93**, 220326 (1980).
[2] B.A. Arbuzov, O.A. Erastov, G.N. Nikonov, A.A. Espenbetov, A.I. Yanovskii u. Y.T. Struchkov, Izv. Akad. SSSR **1981**, 1545; engl.: 1243; C.A. **95**, 149824 (1981).
[3] M.J.S. Dewar u. R. Dietz, Tetrahedron **15**, 26 (1961).

Die an Sephadex gebundenen Ammonionoorgano-trihydroxy-borate (vgl. S. 420) werden aus (4-Brommethyl-phenyl)-dihydroxy-boran mit modifizierten[1] DEAE-Sephadex A-25 hergestellt[1,2].

δ_1) *aus Dioxy-organo-boranen*

Aryl-dihydroxy-borane reagieren mit 3,5-Dihydroxypiperidin-N-oxid und dessen 3,5-Dimethyl-Derivat zu adamantoiden Ringverbindungen[3,4]:

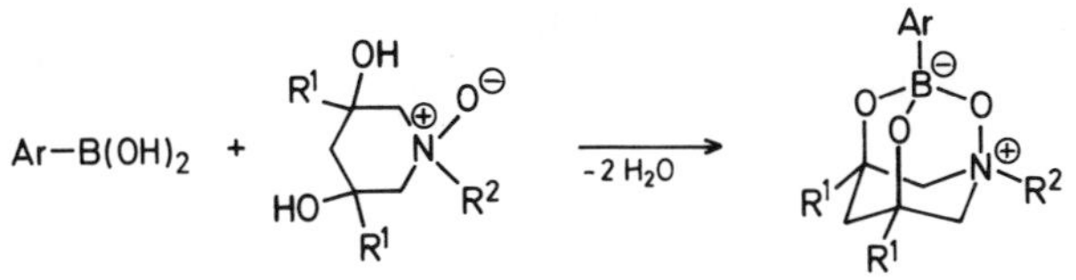

$$Ar{-}B(OH)_2 + \text{[Piperidin-N-oxid]} \xrightarrow{-2\,H_2O} \text{[adamantoide Verbindung]}$$

3-Benzyl-1-phenyl-2,8,9-trioxa-3-azonia-1-borata-tricyclo-[3.3.1.1^{3,7}]decan[3]: Eine Lösung von 1 mmol 1-Benzyl-3,5-dihydroxy-piperidin-1-oxid und 1 mmol Dihydroxy-phenyl-boran in 20 *ml* Ethanol wird 1 Stde. zum Sieden erwärmt. Nach Abdestillieren des Lösungsmittels kristallisiert das Produkt spontan oder beim Zusatz von Ether aus; Ausbeute: 13%; F: 185° (aus Ethanol/Ether).

Aus Dihydroxy-phenyl-boran ist mit Eisen(II)bis[diphenylglyoximato]-bis-[1-methyl-imidazol] und Benzyldioxim in 69%iger Ausbeute das zwitterionische, reine *O,O',O''; O'',O''',O''''-Bis [phenylboratatriyl]-tris[diphenylglyoximato]-eisen* zugänglich[5]:

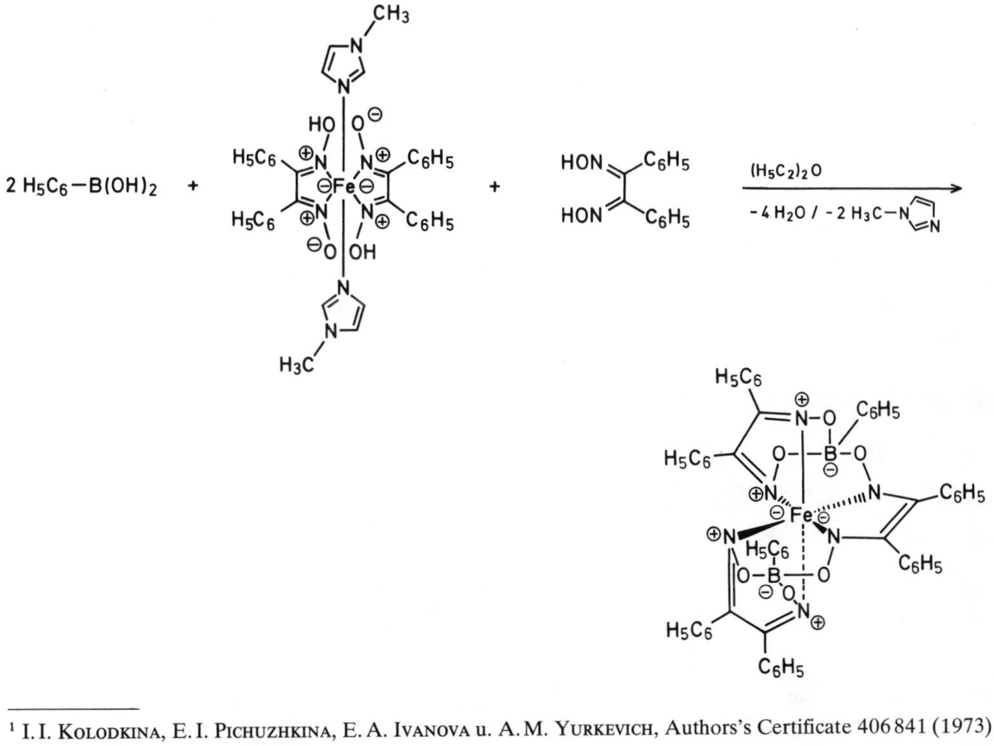

$$2\,H_5C_6{-}B(OH)_2 + \text{[Fe-Komplex]} + \text{[Benzyldioxim]} \xrightarrow[-4\,H_2O\,/\,-2\,H_3C{-}\text{Imidazol}]{(H_5C_2)_2O} \text{[Produkt]}$$

---

[1] I. I. Kolodkina, E. I. Pichuzhkina, E. A. Ivanova u. A. M. Yurkevich, Authors's Certificate 406841 (1973); Byul. Izobret., Nr. 46 (1973).

[2] E. A. Ivanova, S. I. Panchenko, I. I. Kolodkina u. A. M. Yurkevich, Ž. obšč. Chim. **45**, 208 (1975); engl.: 192; C. A. **82**, 156599 (1975).

[3] W. Kliegel u. E. Ahlenstiel, B. **109**, 3547 (1976).

[4] W. Kliegel, Z. **10**, 437 (1970).

[5] M. Verhage, D. A. Hoogwater, H. van Bekkum u. J. Reedijk, R. **101**, 351 (1982); Chem. Inform. **1983**-03-310.

1-Aryl-3,3,4-trimethyl-2,6,7-trioxa-3-azonia-1-borata-bicyclo[2.2.2]octane lassen sich aus Aryl-dihydroxy-boranen mit (1,3-Dihydroxy-2-methyl-2-propyl)-dimethyl-amin-N-oxid in siedendem Ethanol nach dem Einengen i. a. bei Zusatz von wenig Ether in Ausbeuten von 30–70% gewinnen[1]:

$$R{-}B(OH)_2 + (HO{-}CH_2)_2C(CH_3){-}\overset{\oplus}{N}(CH_3)_2{-}O^{\ominus} \xrightarrow[-2\,H_2O]{C_2H_5OH}$$

...-3,3,4-trimethyl-2,6,7-trioxa-3-azonia-1-borata-bicyclo[2.2.2]octan

R = C_6H_5; *1-Phenyl-...*; 47%; F: 185–187°
R = 3-NO_2–C_6H_4; *1-(3-Nitrophenyl)-...*; 71%; F: 107–109°
R = 4-Cl–C_6H_4; *1-(4-Chlorphenyl)-...*; 28%; F: 193°
R = 1-Naphthyl; *1-(1-Naphthyl)-...*; 74%; F: 191–193°

Aus Dihydroxy-phenyl-boran sind mit α-Hydroxyamino-carbonsäuren 2,4-Diorgano-2-hydroxy-6-oxo-1,3,4,2-dioxaazoniaboratine zugänglich, falls das Organobor-Reagenz in äquimolarer Menge eingesetzt wird bzw. das zunächst entstehende Amin-Diboroxan-Produkt (vgl. S. 745) aus Wasser umkristallisiert wird[2]:

$$H_5C_6{-}B(OH)_2 + R^1(HO)N{-}CR^2R^3{-}COOH \xrightarrow[-H_2O]{\text{Rückfluß},\ H_5C_2{-}OH}$$

z. B.: $R^1 = CH(CH_3)_2$; $R^2 = R^3 = H$; *4-Hydro-2-hydroxy-4-isopropyl-6-oxo-2-phenyl-1,3,4,2-dioxaazoniaboratinan*

Aus stickstoffhaltigen Diorganooxy-organo-boranen erhält man mit Elektrophilen nach Quarternisierung des Stickstoff-Atoms beim Hydroxylieren des Bor-Atoms Diorganooxy-hydroxy-(triorganoammoniono-alkyl)-borate mit Zwitterionen-Struktur. Aus 2-Piperidiniomethyl-⟨benzo-1,3,2-dioxaborolan⟩ ist mit Jodmethan in wäßr.-alkalischem Medium *2-Hydroxy-2-(1-methylpiperidiniomethyl)-⟨benzo-1,3,2-dioxaboratol⟩* (F: >250°) zugänglich[3]:

$$\xrightarrow[2.\ +OH^-\ (-J^-)]{1.\ +H_3C{-}J}$$

[1] W. Kliegel u. E. Ahlenstiel, B. **110**, 1623 (1977).
[2] W. Kliegel u. J. Graumann, Ch. Z. **106**, 378 (1982).
[3] D.S. Matteson u. T.C. Cheng, J. Org. Chem. **33**, 3055 (1968).

2-Organo-5-oxo-1,3,2-dioxaborolane addieren sich an verschiedene N-Oxide (Nitrone) unter Bildung von 1:1-Molekülverbindungen[1]:

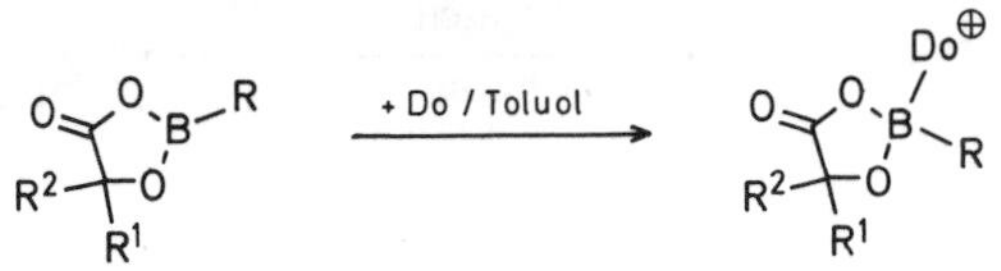

+ Do / Toluol

2-N-Oxid-5-oxo-1,3,2-dioxaborolane

$R = CH_3, C_2H_5, CH(CH_3)_2, CH_2–C_6H_5, C_6H_5, C_6F_5$
$R^1 = H, CH_3, C_6H_5, H, H$
$R^2 = H, CH_3, C_6H_5, CH_3, C_6H_5$

Do = ; $H_5C_6-CH=N(CH_3)-O^{\ominus}$

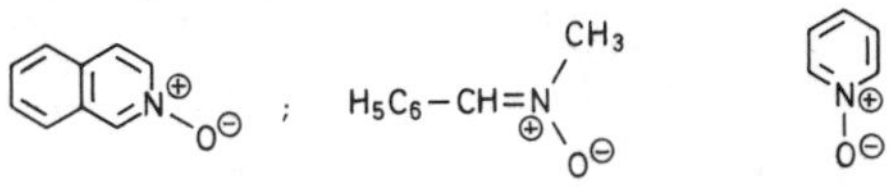

Nitron-2-Organo-5-oxo-1,3,2-dioxaborolane[1]: Zur Suspension von ~3 mmol 5-Oxo-1,3,2-dioxaborolan in 20 *ml* Toluol gibt man Lösungen des N-Oxids in 20 *ml* Toluol (bzw. Tetrachlormethan) im kleinen Überschuß. Man läßt bis 20 Stdn. bei ~20° rühren, filtriert und trocknet das feste Produkt.

Dihydroxy-trialkylammonionoorgano-bor(1+)-halogenide mit dreifach koordiniertem Bor-Atom (vgl. S. 418f.) lassen sich mit geeigneten Dihydroxy-Verbindungen in Gegenwart von Halogenid-Fängern in zwitterionische Borate überführen.

Aus Dihydroxy-[4-(triethylammoniono-methyl)phenyl]-bor(1+)-bromid erhält man mit Brenzcatechin in Gegenwart von Silberoxid in Dimethylformamid beim Erwärmen unter Bildung von *2-Hydroxy-2-[4-(triethylammoniono-methyl)phenyl]-⟨benzo-1,3,2-dioxaboratol⟩*[2]:

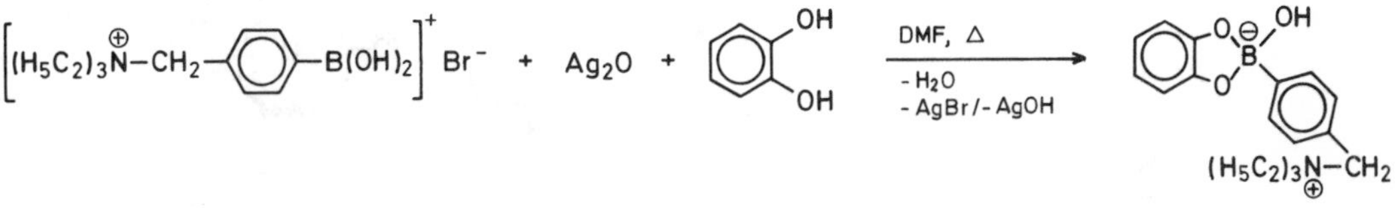

$[(H_5C_2)_3\overset{\oplus}{N}-CH_2-C_6H_4-B(OH)_2]^+ Br^- + Ag_2O + C_6H_4(OH)_2 \xrightarrow[-H_2O,\ -AgBr/-AgOH]{DMF,\ \Delta}$ (Benzo-dioxaboratol mit B–OH und $C_6H_4-CH_2-\overset{\oplus}{N}(C_2H_5)_3$)

δ_2) *aus Lewisbase-Diorgano-organooxy-boranen*

Aus Amin-Diaryl-organooxy-boranen lassen sich mit sterisch geeigneten Dihydroxy-triorgano-amin-N-oxiden unter Abspaltung von 2-Aminoethanol und Benzol N-Oxid-Aryl-diorganooxy-borane herstellen.

Aus 2,2-Diphenyl-3-hydro-1,3,2-oxaazoniaboratolidin erhält man z. B. mit 1-Benzyl-3,5-dihydroxy-3,5-dimethyl-piperidin-N-oxid in siedendem Ethanol *3-Benzyl-5,7-dimethyl-1-phenyl-2,8,9-trioxa-3-azonia-1-borata-tricyclo[3.3.1.1^{3,7}]decan* in 29%iger Ausbeute (F: 255°)[3]:

[1] P. Paetzold, P. Bohm, A. Richter u. E. Scholl, Z. Naturf. **31b**, 754 (1976).
[2] E. I. Pichuzhkina, I. I. Kolodkina u. A. M. Yurkevich, Ž. obšč. Chim. **43**, 2275 (1973); engl.: 2266; C.A. **80**, 59 981 (1974).
[3] W. Kliegel u. E. Ahlenstiel, B. **109**, 3547 (1976).

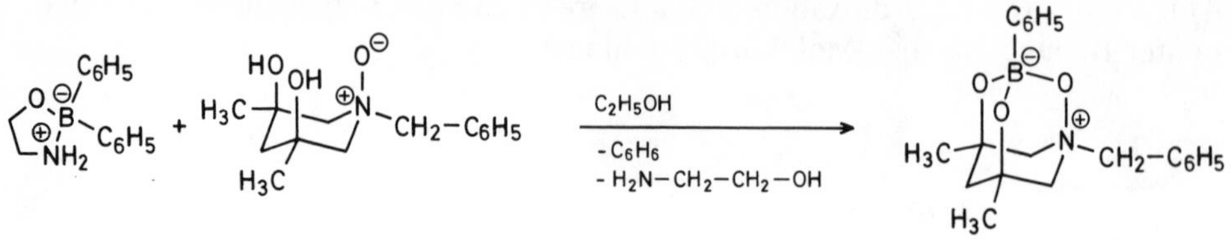

Mit (1,1-Bis[hydroxymethyl]ethyl)-dimethyl-amin-N-oxid läßt sich *3,3,4-Trimethyl-1-phenyl-2,6,7-trioxa-3-azonia-1-borata-bicyclo[2.2.2]octan* in 85%iger Ausbeute herstellen[1]:

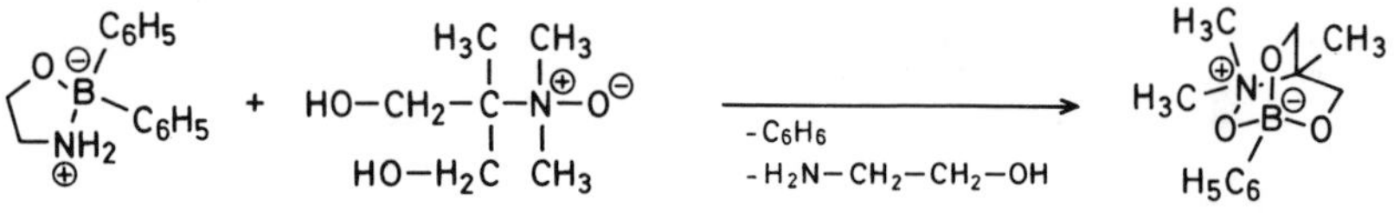

δ_3) *aus Organoboraten*

Zwitterionische Phenyl-trioxy-borate mit kationischer Ladung am Stickstoff-Atom im Organooxy-Rest sind aus Alkalimetall-phenyl-trihydroxy-boraten mit hydroxyhaltigen Stickstoffbasen zugänglich. Aus Kalium-phenyl-trihydroxy-borat erhält man mit verschiedenen Nucleosiden durch Transkomplexierung am Bor-Atom und Wasser-Abspaltung Diorganooxy-hydroxy-phenyl-borate; z.B.[2,3]:

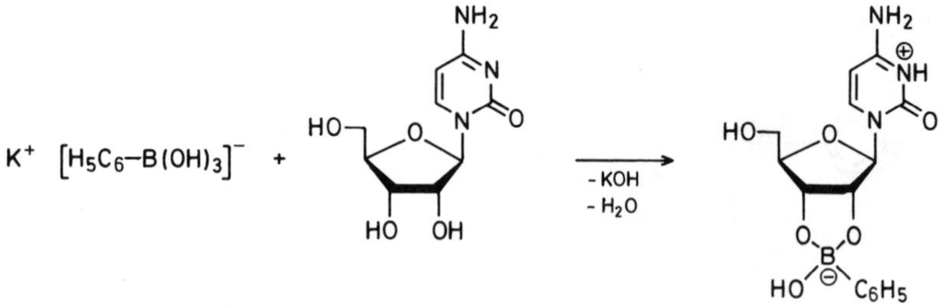

N-Hydro-2',3'-O-(hydroxy-phenyl-boratyliden)-cytidinium

ε) Zwitterionische Organo-1,3,2-diboroxane

Organo-1,3,2-diboroxane (vgl. Bd. XIII/3a, S. 810ff.) mit Zwitterionen-Struktur sind bisher kaum bekannt. Aus Diorgano-halogen-boran konnte mit einem metallierten Kohlensäure-Derivat durch partielle Hydrolyse des Produkts eine fünfgliedrige Ringverbindung gewonnen werden, deren BOB-Gruppierung mit einer *exo*cyclischen Imino-Gruppe ein Zwitterion bildet.

[1] W. Kliegel u. E. Ahlenstiel, B. **110**, 1623 (1977).

[2] A.M. Yurkevich, L.S. Varshavskaya, I.I. Kolodkina u. N.A. Preobrazhenskii, Ž. obšč. Chim. **37**, 2002 (1967); C.A. **68**, 78 536 (1968).

[3] A.M. Yurkevich, I.I. Kolodkina, L.S. Varshavskaya, V.I. Borodulina-Shvets, I.P. Rudakova u. N.A. Preobrazhenskii, Tetrahedron **25**, 477 (1969).

Brom-diphenyl-boran reagiert mit Diisopropylaminocarbonyllithium[1] bei −78° in Tetrahydrofuran oder in Tetrahydrofuran/Ether/Hexan. Man erhält beim Auftauen auf ~20° (Diisopropylaminocarbonyl)-diphenyl-boran, das beim Waschen mit Wasser durch partielle Hydrolyse *5-(Diisopropylimminio)-3-hydro-2,2,4,4-tetraphenyl-1,3,2,4-oxa-oxoniadiboratolan* liefert[2] (Beispiel vgl. S. 624):

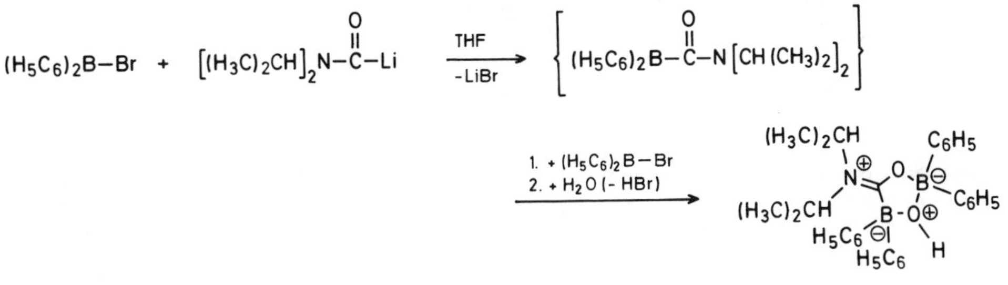

$$(H_5C_6)_2B{-}Br \; + \; [(H_3C)_2CH]_2N{-}\overset{O}{\overset{\|}{C}}{-}Li \xrightarrow[-LiBr]{THF} \left\{(H_5C_6)_2B{-}\overset{O}{\overset{\|}{C}}{-}N[CH(CH_3)_2]_2\right\}$$

$$\xrightarrow[2.\;+H_2O\,(-HBr)]{1.\;+(H_5C_6)_2B{-}Br}$$

(H3C)2CH, (H3C)2CH, N⊕, O, B⊖, C6H5, C6H5, B⊖, O⊕, H, H5C6, H5C6

In Abwesenheit von Wasser werden zwitterionische Diorgano-dioxy-borate ohne BOB-Gruppierung gebildet (vgl. S. 731).

ζ) Zwitterionische Organo-thio-borate

Die einzige bisher bekannt gewordene Verbindung mit N-Oxid-Donator liegt vermutlich in der tautomeren Thiocarbonyl-Donator-Form vor:

⊕N-O, B⊖, S, C6H5, C6H5 ⇌ N-O, B⊖, S⊕, C6H5, C6H5

2,2-Diphenyl-2H-⟨pyridio[2,1-d]-1,3,5,2-oxathiazonia-boratol⟩; F: 127–128°

Die nahezu farblose, lichtempfindliche Verbindung wird aus Tetraphenyldiboroxan mit dem Natriumsalz des 2-Mercaptopyridin-N-oxids in siedendem Methanol hergestellt[3].

η) Zwitterionische Amino-organo-borate

Betainartige Organoborate mit BN-Bindung sind als offenkettige, besonders aber als cyclische Verbindungen bekannt. Die Herstellung erfolgt aus Triorgano-, Organo-oxy-boranen sowie aus Lewisbase-Organoboranen.

Die Herstellung von 1-Alkyl- sowie 1,8-Dialkyl-3,5-diphenyl-7-oxo-2,4,6-trioxa-1-azonia-3-bora-5-borata-bicyclo[3.3.0]octanen gelingt aus Dihydroxy-phenyl-boran mit α-(N-Alkylhydroxamino)carbonsäure-Hydrochlorid nach Zugabe von wäßriger 6N Natronlauge in Benzol durch Auskreisen des Wassers[4]:

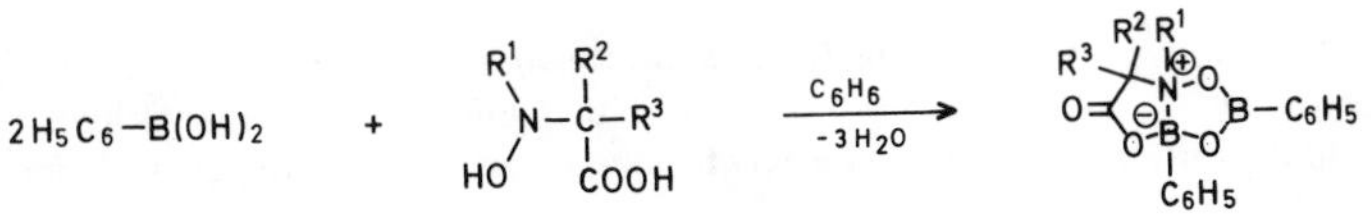

$$2\,H_5C_6{-}B(OH)_2 \; + \; HO{-}N(R^1){-}C(R^2)(R^3){-}COOH \xrightarrow[-3\,H_2O]{C_6H_6}$$

R2, R1, R3, ⊕N, O, O=, ⊖B, O, O, B−C6H5, C6H5

---

[1] A. S. Fletcher, K. Smith u. K. Swaminathan, Soc. [Perkin I] **1977**, 1881.

[2] A. S. Fletcher, W. E. Paget, K. Smith, K. Swaminathan, J. H. Beynon, R. P. Morgan, M. J. Haley u. M. Bozorgzadeh, Chem. Commun. **1979**, 347.

[3] E. Hohaus u. F. Umland, Naturwiss. **56**, 636 (1969).

[4] W. Kliegel u. J. Graumann, Ch. Z. **106**, 378 (1982).

η_1) *aus Triorganoboranen*

Die einfachste Art der Herstellung von zwitterionischen Ammoniono-organo-boraten besteht in der Vereinigung von Organoboranen mit 1,2-dipolaren Lewisbasen.

Amin-N-imid-Triorganoborane lassen sich aus den Komponenten herstellen. Aus Triphenylboran ist mit Trimethylamin-N-imid in Diethylether das farblose kristalline *Trimethylammonionoamino-triphenyl-borat* zu 90% zugänglich[1]:

$$(H_5C_6)_3B \; + \; (H_3C)_3N{=}NH \longrightarrow (H_3C)_3\overset{\oplus}{N}{-}N(H){-}\overset{\ominus}{B}(C_6H_5)_3$$

Trimethylammonionoamino-Triphenylborat[1]**:** Zur Suspension von 5,6 g Trimethylamin-imid in 100 *ml* Ether läßt man unter Rühren langsam eine Lösung von 6,1 g Triphenylboran in 150 *ml* Ether tropfen. Nach 2 Stdn. Rühren wird abgesaugt, mit Ether gewaschen und i. Vak. getrocknet; Ausbeute: 7,1 g (90%); F: 151–152° (Zers., aus Benzol farblose Kristalle).

η_2) *aus Diorgano-oxy-boranen*

Zur Herstellung von zwitterionischen Imminiono- bzw. Hydraziniono-organo-boraten mit $R_2\overset{\ominus}{B}(O)\overset{\oplus}{N}$-Gruppierung werden Diorgano-hydroxy-borane und deren Anhydride (Tetraorganodiboroxane) eingesetzt. Man läßt mit geeigneten H-aciden Verbindungen reagieren, die eine dipolare Donator-Gruppe enthalten.

Beispielsweise sind Pentaorgano-1,3,4,2-oxaazaazoniaboratinane aus Diphenyl-hydroxy-boran oder aus Tetraphenyldiboroxan mit Diorgano-hydroxyalkyl-amin-N-iminen herstellbar, wobei diese lediglich in situ erzeugt werden[2]:

$$R^1_2N{-}NH_2 \xrightarrow{+\text{ Oxiran } (R^2)} \; ; \quad R^1_2N{-}CH_2{-}CH(R^2){-}OH \xrightarrow{+H_2N{-}O{-}SO_3H\,(OH^-)}$$

$$(H_5C_6)_2B{-}OH \; + \; R^1{-}\overset{R^1}{\underset{CH_2-CH(R^2)-OH}{\overset{\oplus}{N}}}{-}\overset{\ominus}{N}H \xrightarrow{-H_2O} \text{2,2-Diphenyl-4,4-}R^1_2\text{-6-}R^2\text{-1,3,4,2-oxaazaazoniaboratinan}$$

2,2-Diphenyl-4,4,6-triorgano-1,3,4,2-oxaazaazoniaboratinane[2]**:** Man setzt zunächst eine Mischung von je 5 mmol 1,1-Dialkylhydrazin und Oxiran in 5 *ml* Ethanol um und gibt 5 mmol Diphenyl-hydroxy-boran bzw. 2,5 mmol Tetraphenyldiboroxan zu. Nach kurzer Zeit tritt spontan bzw. nach Anreiben mit dem Glasstab Kristallbildung ein. Man filtriert und isoliert.

Auf diese Weise erhält man z.B. *2,2-Diphenyl-4,4,6-trimethyl-1,3,4,2-oxaazaazoniaboratinan* ($R^1 = R^2 = CH_3$) Ausbeute: 93%; F: 203°.

---

[1] R. Appel, H. Heinen u. R. Schöllhorn, B. **99**, 3118 (1966).

[2] E. Hohaus u. F. Umland, B. **102**, 4025 (1969).

Die Herstellung aus *2,2-Diphenyl-1-ethoxycarbonyl-1,2-dihydro-⟨chinolio[8,8a,1-d,e]-1,3,6,2-oxaazaazoniaboratin⟩* (F: 189–190°) gelingt aus Tetraphenyldiboroxan durch Wasser-Abspaltung mit dem chelatisierenden Carbonsäureamid-Amin-N-oxid; z.B.[1]:

$$(H_5C_6)_2B-O-B(C_6H_5)_2 + 2 \text{ (8-(Ethoxycarbonylamino)-chinolin-N-oxid)} \xrightarrow[-H_2O]{C_2H_5OH/1,4\text{-Dioxan } (4:1)} 2 \text{ (Produkt)}$$

Das aus Diphenyl-isobutyloxy-boran und Bis[hydroxymethyl]-phenyl-phosphan entstehende Produkt reagiert mit Acetonitril unter Bildung von zwitterionischen *5-Hydroxymethyl-4-methyl-2,2,5-triphenyl-5,6-dihydro-2H-1,3,5-oxaazaphosphonia-boratin*[2].

η_3) *aus Amino-diorgano-boranen*

Die aus Diethylamino-diphenyl-boran mit Acylhydrazinen zugänglichen 2,2-Diphenyl-5-organo-2,3,4-trihydro-1,3,4,2-oxaazaazoniaboratole sind resonanzstabilisierte Fünfringe mit einem Anteil an Zwitterionen-Struktur[3]:

$$(H_5C_6)_2B-N(C_2H_5)_2 + R-\overset{O}{\overset{\|}{C}}-NH-NH_2 \xrightarrow{-(H_5C_2)_2NH} \text{(Produkt)}$$

...-2,3,4-trihydro-1,3,4,2-oxaazaazoniaboratol
R = CH_3; *2,2-Diphenyl-5-methyl-...*; F: 111–120°
R = C_6H_5; *2,2,5-Triphenyl-...*; F: 165°

η_4) *aus Diorgano-phosphino-boranen*

Dimere Dialkylphosphino-dimethyl-borane reagieren in Xylol bei ~130° mit Methylen-trimethyl-phosphoran unter Bildung von z.B. *Octaethyl-1,4,2,6-diphosphoniadiboratinanen* (vgl. S. 708f.)[4,5].

η_5) *aus Lewisbase-Organoboranen*

Aus 3-Hydro-2,2-diphenyl-1,3,2-oxaazoniaboratolidin erhält man in Ethanol mit 1,3-Diphenyl-3-hydroxy-triazen durch Transkomplexierung das *2,4,5,5-Tetraphenyl-4,5-dihydro-1,3,4,2,5-oxadiazaazoniaboratol*[6]:

$$\text{(Oxaazoniaboratolidin)} + H_5C_6-N{=}N-N(OH)C_6H_5 \xrightarrow[-HO-CH_2-CH_2-NH_2]{H_5C_2-OH} \text{(Produkt)}$$

Aus Trimethylamin-Cyan-dihydro-boran (vgl. S. 501) läßt sich mit Triethyloxoniumtetrafluorborat ein zwitterionisches Kation (vgl. S. 492) herstellen[7].

---

[1] W. Kliegel, A. **721**, 4025 (1969).
[2] B.A. Arbuzov, O.A. Erastov, G.N. Nikonov, T.A. Zyablikova, Y.Y. Efremov u. R.Z. Musin, Izv. Akad. SSSR **1982**, 676; engl.: 602; C.A. **97**, 38976 (1982).
[3] H. Nöth, W. Regnet, H. Rihl u. R. Standfort, B. **104**, 722 (1971).
[4] E. Sattler u. W. Schuhmann, Universität Karlsruhe, unveröffentlicht 1982.
[5] W. Schuhmann, Diplomarbeit, Universität Karlsruhe 1982.
[6] F. Umland u. C. Schleyerbach, Ang. Ch. **77**, 169 (1965).
[7] I.H. Hall, C.O. Starnes, A.T. McPhail, P. Wisian-Neilson, M.K. Das, R. Harchelroad jr. u. B.F. Spielvogel, J. Pharm. Sci. **69**, 1025 (1980); C.A. **93**, 230746 (1980).

η_6) aus zwitterionischen Tetraorganoboraten

Aus Isocyanid-Triorganoboranen erhält man mit Nitrilen beim Erwärmen die zwitterionischen 2,2,3,4,5-Pentaorgano-2H-1,4,2-azaazoniaboratole[1,2]:

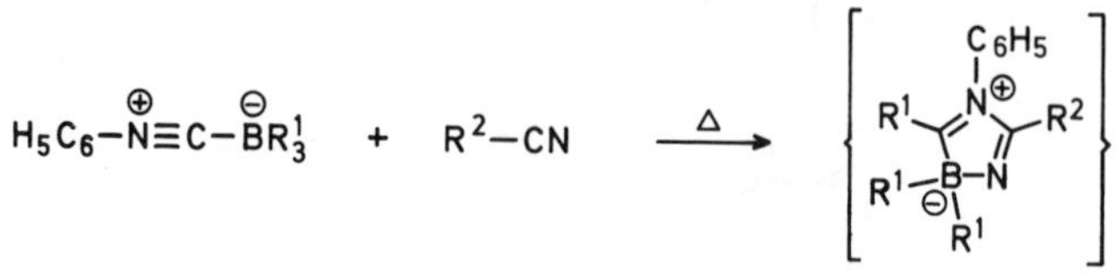

$$H_5C_6-\overset{\oplus}{N}\equiv C-\overset{\ominus}{B}R^1_3 \quad + \quad R^2-CN \xrightarrow{\Delta}$$

Mit Iminen werden aus Isocyanid-Triorgano-boranen beim Erwärmen 1,2,2,3,4,5-Hexaorgano-2,5-dihydro-1,4,2-azaazoniaboratole gewonnen[1]:

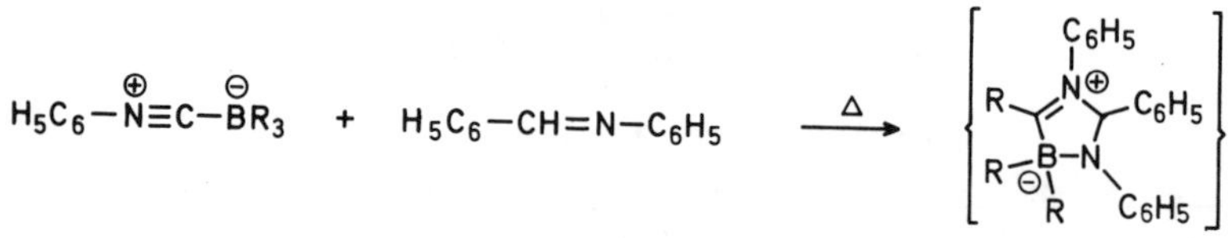

$$H_5C_6-\overset{\oplus}{N}\equiv C-\overset{\ominus}{B}R_3 \quad + \quad H_5C_6-CH=N-C_6H_5 \xrightarrow{\Delta}$$

η_7) aus Organoboraten

Borferne Reaktionen chelatbildender Diamino-diorgano-borate liefern Diamino-diorgano-borate mit zwitterionischem Aufbau. Aus Diethyl-dipyrazolo-boraten (vgl. S. 860ff.) erhält man mit Ligand-Übergangsmetall-halogeniden unter Bildung von Metall-halogenid die metallhaltigen betainartigen Diethyl-dipyrazolo-borate[3-6]:

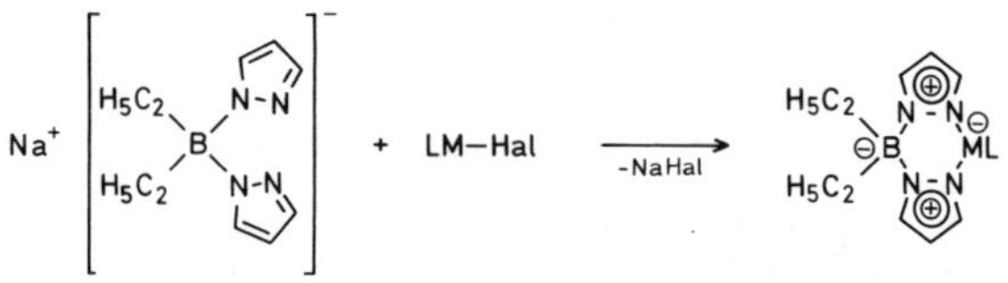

$$Na^+ [(H_5C_2)_2B(N\text{-}N)_2]^- \quad + \quad LM-Hal \xrightarrow{-NaHal}$$

M = Cu, Co, Ni

Man läßt in Tetrahydrofuran[5], in Pentan[3] oder in Benzol[3] reagieren.

Bis[dipyrazolo-dimethyl-borato-N^2,$N^{2'}$]metall-Verbindungen sind aus Natrium-dimethyl-dipyrazolo-borat mit verschiedenen Metallhalogeniden in THF zugänglich[5]:

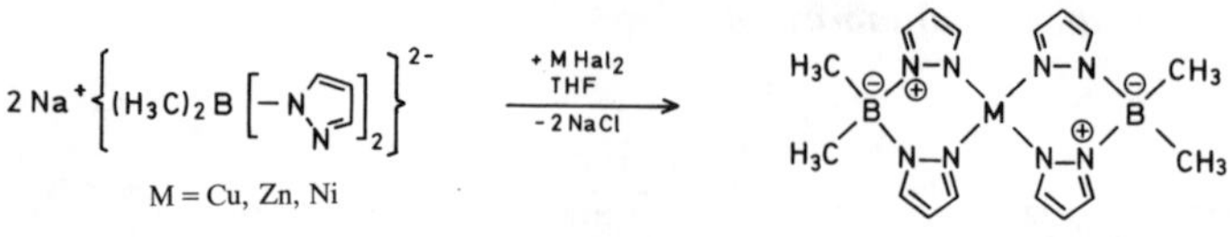

$$2\,Na^+ \left\{(H_3C)_2B\left[-N\right]_2\right\}^{2-} \xrightarrow[-2\,NaCl]{+\,MHal_2,\ THF}$$

M = Cu, Zn, Ni

Metallhaltige zwitterionische Diamino-organo-borate mit $R\text{-}BN_3$-Gruppierung sind z.B. aus dem Natrium-Salz der Alkyl-tripyrazolo-borate (vgl. S. 863) mit Metallhalogeniden zugänglich. Man erhält in jeweils >90%iger Ausbeute Alkyl-trichlorzirkonylium-tripyrazolo-borate[7]:

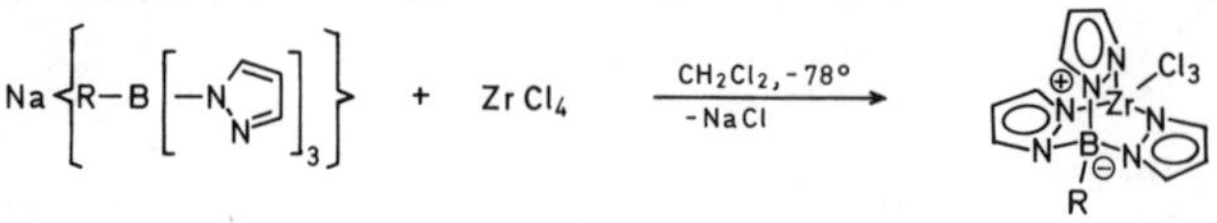

$$Na\left\{R-B\left[-N\right]_3\right\} \quad + \quad ZrCl_4 \xrightarrow[-NaCl]{CH_2Cl_2,\ -78°}$$

[1] H. Witte, W. Gulden u. G. Hesse, A. **716**, 1 (1968).
[2] H. Witte, P. Mischke u. G. Hesse, A. **722**, 21 (1969).
[3] S. Trofimenko, Accounts Chem. Res. **4**, 17 (1971).
[4] S. Trofimenko, Advan. Chem. Ser. **150**, 289 (1976).
[5] K.R. Breakell, D.J. Patmore u. A. Storr, Soc. [Dalton Trans.] **1975**, 749.
[6] H.C. Clark u. S. Goel, J. Organometal. Chem. **165**, 383 (1979); dort weitere Literatur.
[7] D.L. Reger u. M.E. Tarquini, Inorg. Chem. **21**, 840 (1982).

Cobalthaltige zwitterionische 4-subst.-Phenyl-tripyrazolo-borate sind aus dem Natrium-Salz (vgl. S. 864) mit Cobalt(II)-chlorid zugänglich[1].

ϑ) Zwitterionische Organo-phosphino-borate

Dimere Dialkyl-dialkylphosphino-borane reagieren mit äquimolaren Mengen Methylen-trimethyl-phosphoran zu zwitterionischen Verbindungen mit Sechsringstruktur. Beispielsweise erhält man in Toluol aus Octamethyl-1,3,2,4-diphosphadiboretan mit Methylen-trimethyl-phosphan ein Produkt, das beim vielstündigen Erhitzen (≥20 Stdn.) unter Abspaltung von Dimethylphosphan in 52%iger Ausbeute *1,1,2,2,4,4,6,6-Octamethyl-1,4,2,6-diphosphoniadiboratin* (F: 101°) liefert[2]:

$$[(H_3C)_2B-P(CH_3)_2]_2 + (H_3C)_3P=CH_2 \xrightarrow{-(H_3C)_2PH}$$

Entsprechend ist *1,1,4,4-Tetraethyl-4,4,6,6-tetramethyl-1,4,2,6-diphosphoniadiboratin* (72%; F: 119°) zugänglich[2].

Mit der doppelten Menge Methylen-trimethyl-phosphoran sind achtgliedrige Ringverbindungen mit zwei Tetraorganophosphoniono-tetraorganoborat-Gruppierungen (vgl. S. 709) zugänglich[2].

c) Anionische Organobor(4)-Verbindungen

Die Verbindungsklasse umfaßt Organobor-Verbindungen mit vierfach koordiniertem zentralen Bor-Atom im Anion, dem ein ionisch getrenntes Kation gegenübersteht. Die Herstellungsmethoden zwitterionischer Verbindungen mit Organoborat-Funktionen wurden im voranstehenden Abschnitt auf S. 702ff. besprochen.

Zur Verbindungsklasse zählen außer den Tetraorganoboraten mit vier gleich- oder verschiedenartigen Organo-Resten auch sämtliche salzartigen Organoborate mit drei, zwei oder einem Organo-Rest. Offenkettige und cyclische Organoborate mit einem oder mehreren Hydro- sowie Hetero-Atomen am Bor-Atom werden jeweils zusammen in folgenden Abschnitten besprochen, und zwar

Hydro-organo-borate	Amino-organo-borate
Halogen-organo-borate	Phosphino-organo-borate
Organo-oxy-borate	Element(IV)-organo-borate
Organo-thio-borate	

1. Tetraorganoborate

Die Herstellungsmethoden der Tetraorganoborate wurden unterteilt:

Tetraalkylborate	Organoborate mit ungesättigten Organo-Resten
Aryl-organo-borate, Tetraarylborate	Alkenyl-organo-borate
Heteroatomhaltige Tetraorganoborate	Alkinyl-organo-borate

Tetraorganoborate mit mono-, bi- und trifunktionellen Organo-Resten am Bor-Atom werden bei gleicher Herstellungsmethode jeweils in einem Abschnitt besprochen. Dies gilt auch für Tetraorganoborate mit verschiedenen Kationen.

Die Herstellungsmethoden zwitterionischer Tetraorganoborate mit Betain-Struktur sind auf S. 702 ff. zusammengestellt.

---

[1] D. L. White u. J. W. Faller, Am. Soc. **104**, 1548 (1982).

[2] E. Sattler u. W. Schuhmann, Universität Karlsruhe, unveröffentlicht 1982. vgl. W. Schuhmann, Diplomarbeit, Universität Karlsruhe 1982.

Tab. 111: Aliphatische Tetraorganoborate

Formel		Verbindungstyp	Herstellungsart	s.S.
$M^+[Alkyl_4B]^-$		$[R_4B]^-$	aus $BHal_3$ + R–M	751
	M = Li		aus R_3B + R–Li	751
			aus R_2BH + R–Li	756
	M = Na		aus R_3B + R–Hal/Na	752
			+ $Na[R_3Al–OR]$	754
$M^+[(H_5C_2)_4B]^-$		$[R_4B]^-$		
	M = Li		aus R_3B + $LiNH_2$	754
	M = Na		aus R_3B + Na/Ether	751
			+ Na/Amin	751
			+ Na/R_2Hg	755
	M = K		aus $K^+[R^1_4B]^\ominus$ + M^{2+}	757
	M = Ca		aus R_3B + Ca/R_2Hg	755
	M = Sr		aus R_3B + Sr/R_2Hg	758
	M = Ba		aus R_3B + Ba/R_2Hg	758
$Li^+[(H_9C_4)_4B]^-$		$[R_4B]^-$	aus Do–$BHal_3$ + R–Li	757
			aus R_3B + $[R^1_3Al–OR^2]^-$ Li^+	754
$Na^+[H_5C_6–CH_2)_4B]^-$		$[R_4B]^-$	aus $[R^1_4B]^-$ + R^2_3B	757
Na^+ [spiro-B]$^-$		[R⌒B⌒R]$^-$	aus [R⌒B(R^1)(OR^2)]$^-$ + Δ	761
			aus R⌒B–R–B⌒R + MOR^1	754
$M^+[R^1_3B–R^2]^-$		$[R^1_3B–R^2]^+$		
	$M = [R_4B]^+$		aus $M^+[R_3B–R^1]^-$ + $[R_4N]^+Hal^-$	758
	M = Na		aus $[R_3BH]^-$ + En	759
Na^+ [⌒B(R^1)(R^2)]$^-$		[R⌒B(R^1)(R^2)]$^-$	aus [R⌒B(R^1)(H)]$^-$ + En	760
Li^+ [⌒B(R)(R)]$^-$		[R⌒BR_2]$^-$	aus ⌒B–R + R–Li	752

α) Aliphatische Tetraorganoborate

Aliphatische Alkalimetall- und Erdalkalimetall-tetraorganoborate lassen sich im allgemeinen aus Trialkylboranen bzw. aus Alkandiyl-alkyl-boranen oder aus anderen cyclischen aliphatischen Triorganoboranen mit metallorganischen Verbindungen herstellen. Außerdem setzt man auch Halogenborane sowie Lewisbase-Halogenborane ein. In Sonderfällen können Amino-dialkyl-borane verwendet werden. Metall- und Ammonium-tetraalkylborate lassen sich vor allem durch Kationen-Austausch herstellen (vgl. Tab. 111).

α_1) *aus Trialkylboranen*

Die Herstellung von Alkalimetall-tetraalkylboraten erfolgt aus Trialkylboranen mit Alkyl- bzw. mit potentiellen Alkylmetall-Verbindungen. In Sonderfällen werden auch Alkalimetalle eingesetzt.

$\alpha\alpha_1$) mit Alkalimetallen

Die Reaktionen haben zur Herstellung von Alkalimetall-tetraalkylboraten nur geringe Bedeutung. Triethylboran, das im Gegensatz zum Triphenylboran (vgl. S. 811) mit metallischem Natrium oder Kalium auch in der Siedehitze nicht reagiert, bildet in Gegenwart bestimmter Ether wie z.B. Bis[2-methoxyethyl]ether Alkalimetall-tetraethylborate, die als Etherate anfallen[1]. Außerdem dürften sich Folgeprodukte des Diethylboryl-Radikals ohne oder mit dem Lösungsmittel bilden[2]. In Gegenwart von Pyrazin erhält man aus Triethylboran mit metallischem Natrium in Tetrahydrofuran Lösungen paramagnetischer Verbindungen[3].

$\alpha\alpha_2$) mit Metallalkanen

Aus Trialkylboranen erhält man mit Alkalimetallalkanen[4] unter Komplexierung Alkalimetall-tetraalkylborate:

$$R^1_3B \quad + \quad R^2\text{—}M \quad \longrightarrow \quad M^+[R^1_3B\text{—}R^2]^-$$

R^1, R^2 = Alkyl, Cycloalkyl
M = Li, Na, K

Vor allem aliphatische Lithiumtetraorganoborate mit gleichen oder verschiedenen Alkyl- und Alkandiyl-Resten sind in Diethylether[5] oder in Hexan[6] bzw. in Tetrahydrofuran[7] gut zugänglich. Natrium- sowie Kalium-tetraalkylborate werden aus Trialkylboranen gewonnen, die zur Suspension oder Lösung der Alkalimetallalkane während deren Herstellung zugefügt werden. Rubidium- sowie Cäsium-tetraalkylborate erhält man aus den Lithium- bzw. Natrium-Verbindungen durch Kationen-Austausch (vgl. S. 758).

Lithiumtetrabutylborat[1]**:** In einem Dreihalskolben mit Rührer, Rückflußkühler, Tropftrichter und Gaseinleitungsrohr legt man eine ether. Butyllithium-Lösung [aus 8 g (1,14 mol) Lithium] vor. Unter Stickstoff tropft man in 30 Min. 60 g (0,33 mol) Tributylboran zu, wobei der Diethylether zum Sieden kommt. Man rührt 1 Stde. und läßt weitere 12 Stdn. unter Stickstoff stehen. Nach Abdestillieren des Diethylethers wird der Rückstand 4 Stdn. bei 100°/0,2 Torr getrocknet; Ausbeute: 80 g (~ 100%); F: 205° (Zers.)[3].

In Hexan sind aus Triethyl- bzw. Tributyl-boran folgende Lithiumtetraalkylborate zugänglich[6]:

Lithium-butyl-triethyl-borat	92–93%; F: 122° (Zers.)
...-dodecyl-triethyl-borat	77–85%; F: 93° (Zers.)
...-tetrabutylborat	85–92%; F: 208° (Zers.)
...-dodecyl-tributyl-borat	86%; F: 142° (Zers.)

Zur Herstellung von Lithium-alkandiyl-dialkyl-boraten aus Alkandiyl-alkyl-boranen können auch aromatische Kohlenwasserstoffe als Verdünnungsmittel verwendet werden. Aus 9-Ethyl-9-borabicyclo[3.3.1]nonan erhält man mit Ethyllithium in Benzol in quantitativer Ausbeute *Lithium-1,5-cyclooctandiyl-diethyl-borat*[8]:

---

[1] US. P. 3 187 014 (1962/1964), Ethyl Corp., Erf.: R.C. PINKERTON; C.A. **63**, 7043 (1965).
[2] R. KÖSTER, Mülheim a.d. Ruhr, unveröffentlicht 1965/1966.
[3] W. KAIM, Z. Naturf. **36b**, 677 (1981).
[4] *Gmelin*, 8. Aufl., Bd. **33**/8, S. 158–216 (1976).
[5] H. JÄGER u. G. HESSE, B. **95**, 345 (1962).
[6] R. DAMICO, J. Org. Chem. **29**, 1971 (1964).
[7] E. NEGISHI, M.J. IDACAVAGE, K.-W. CHIU, T. YOSHIDA, A. ABRAMOVITCH, M.E. GOETTEL, A. SILVEIRA jr. u. H.D. BRETHERICK, Soc. [Perkin II] **1978**, 1225; C.A. **90**, 102983 (1979).
[8] R. KÖSTER u. G. SEIDEL, Mülheim a.d. Ruhr, unveröffentlicht 1976.

$$\text{C}_8\text{H}_{14}\text{B}{-}C_2H_5 + C_2H_5Li \xrightarrow{\text{Benzol}} Li^+ [(H_5C_2)_2B(C_8H_{14})]^-$$

Lithium-1,5-cyclooctandiyl-diethyl-borat[1]: 24,7 g (164 mmol) 9-Ethyl-9-borabicyclo[3.3.1]nonan tropft man innerhalb 70 Min. zu 4,8 g (133 mmol) Ethyllithium in 100 *ml* Benzol. Unter Wärmeentwicklung fällt das Borat aus. Nach 3 Stdn. Rühren bei ~ 20° destilliert man das Benzol i. Vak. (14 Torr) ab, nimmt den Rückstand in Hexan auf und erhitzt 1 Stde. am Rückfluß. Vom voluminösen Salz wird abfiltriert. Man wäscht mit Hexan und trocknet den Rückstand bei 0,1 Torr; Ausbeute: 24 g (97%); F: 168–170° (Zers.).

Aus Trialkylboranen sind mit Alkylkupfer-Verbindungen (z.B. Methylkupfer) bei −78° – zumindest in situ – Kupfer(I)-tetraalkylborate (z.B.: *Kupfer-methyl-triethyl-borat*, *Kupfer-butyl-1,5-cyclooctandiyl-methyl-borat*) zugänglich[2,3].

Alkalimetalltetraalkylborate werden aus Trialkylboranen auch mit Alkalimetallhydrid/Alken hergestellt; Alkalimetall-hydro-trialkyl-borate (vgl. S. 803) sind Zwischenprodukte. Letztere können auch als Edukte verwendet werden (vgl. S. 759). Aus Triethylboran erhält man mit Lithiumhydrid/Ethen im Autoklaven in 59%iger Ausbeute reines *Lithiumtetraethylborat*[4]:

$$(H_5C_2)_3B + LiH + H_2C{=}CH_2 \longrightarrow Li^+[(H_5C_2)_4B]^-$$

Lithiumtetraethylborat[4]: 30 g (3,75 mol) Lithiumhydrid und 600 g (6,1 mol) Triethylboran werden im 2-*l*-Rührautoklaven unter Rühren 2,5 Stdn. auf 180–200° erhitzt. Man preßt dann in der Hitze Ethen (25 atm) auf. Innerhalb ~ 8 Stdn. fällt der Druck auf ungefähr 10 atm. Man preßt erneut ~ 25 atm Ethen auf und läßt weitere 8 Stdn. bei 180–190° reagieren (Druckabfall bis auf ~ 15 atm). Nach Abkühlen wird der Inhalt mit Hexan herausgespült und vom festen Salz abgesaugt. Das rohe Salz löst man in der Hitze (100°) in Toluol, aus dem beim Abkühlen die Verbindung auskristallisiert. Weitere Anteile gewinnt man bei Zugabe von Hexan; Ausbeute: 298 g (2,23 mol) reines Salz (59%); F: 189° (Zers.) (etwas löslich in warmem Benzol).

Natriumtetraethylborat läßt sich bei striktem Feuchtigkeitsausschluß und unter Inertgas aus Triethylboran mit Natriumhydrid und Ethen herstellen. Natrium-hydro-triethylborat (vgl. S. 806) bildet sich in situ[5].

Natriumtetraethylborat[5]: 4,8 g (0,2 mol) Natriumhydrid, 250 *ml* Hexan und 27,5 g (0,28 mol) Triethylboran werden in einem 1-*l*-Rührautoklaven auf ~ 150° erhitzt. Nach Aufpressen von ~ 120 atm Ethen hält man unter Rühren 8 Stdn. ~ 150°, wobei stetiger Druckabfall eintritt. Nach Abkühlen und Abblasen des unverbrauchten Ethens erhält man das Borat, das mit Hexan gewaschen und i. Vak. getrocknet wird; Ausbeute: 27 g (90%); F: 143–144°.

Natriumtetraalkylborate werden aus Trialkylboranen mit Natrium/Alkylhalogenid hergestellt[6–8]:

$$R_3B + 2\,Na + RX \xrightarrow[-\,NaX]{} Na^+[R_4B]^-$$

---

[1] R. Köster u. G. Seidel, Mülheim a.d. Ruhr, unveröffentlicht 1976.
[2] Y. Yamamoto u. K. Maruyama, ACS-Meeting, Frühjahr 1980; Abstr. of Papers ORGN Nr. 78.
[3] A. Suzuki u. N. Miyaura, Imeboron IV, Juli **1979**, Salt Lake City, Abstr. of Papers S. 75/76.
[4] R. Köster u. P. Binger, Mülheim a.d. Ruhr, unveröffentlicht 1964.
[5] J.B. Honeycutt u. J.M. Riddle, Am. Soc. **83** 369 (1961).
[6] K. Ziegler u. H. Hoberg, Ang. Ch. **73**, 577 (1961).
[7] US.P. 3007970 (1961), Ethyl Corp., Erf.: E.C. Ashby; C.A. **56**, 6000 (1962).
[8] R. Damico, J. Org. Chem. **29**, 1971 (1964).

Die Reaktionen werden bei −10° bis +50° durchgeführt[1]. Folgereaktionen der bereits gebildeten Borate mit überschüssigem Alkylhalogenid im Sinne einer Wurtz-Reaktion

$$Na^+[R_4B]^- \quad + \quad RX \quad \longrightarrow \quad R_3B \quad + \quad NaX \quad + \quad R{-}R$$

erfolgen erst oberhalb ~90°[2]. Als Lösungsmittel verwendet man Ether wie vor allem Tetrahydrofuran. Die Natriumtetraalkylborate lassen sich leicht von den im allgemeinen etherunlöslichen Begleitstoffen wie Natriumhalogeniden abtrennen. Kohlenwasserstoffe eignen sich wegen der Unlöslichkeit der Borate meist nicht.

Das metallische Natrium wird vor der Reaktion in eine feinverteilte Suspension übergeführt. Da bei der Zugabe von Trialkylboran zu den Natrium-Suspensionen das Metall bisweilen koaguliert, gibt man bei der Herstellung der Natrium/Kohlenwasserstoff-Suspension kleine Mengen Trialkylaluminium zu. Dadurch wird etwas metallisches Aluminium auf dem feinverteilten Natrium abgeschieden. Das unerwünschte Zusammenballen des Natriums wird so verhindert. Trotzdem bleibt das metallische Natrium für die Reaktion mit dem Alkylchlorid aktiv. Die Reaktionen verlaufen zwischen 0–50° exotherm. Vom entstehenden Natriumchlorid lassen sich die etherlöslichen Komplexsalze im allgemeinen gut abtrennen.

Natriumtetramethylborat[3]**:** In eine Suspension von 46 g (2 mol) Natrium in 300 *ml* THF werden bei −20° 120 g (2,1 mol) Trimethylboran einkondensiert. Man läßt auf ~20° erwärmen (Verwendung eines Tieftemperatur-Rückflußkühlers) und leitet unter kräftigem Rühren Methylchlorid ein. Die Reaktion beginnt oft erst nach längerem Einleiten (~30 Min., erkenntlich durch plötzliche Wärmeentwicklung). Nach Ende der Reaktion (~4 Stdn.) erwärmt man auf 40° und zieht überschüssiges Methylchlorid mit nicht umgesetztem Trimethylboran in eine Pyridin-Vorlage. Vom Kochsalz wird abfiltriert. Nach Abdestillieren des Tetrahydrofurans entstehen 90 g (95%) Rückstand, die aus einem Tetrahydrofuran/Toluol-Gemisch (1:2) umgelöst werden (Filtrieren bei ~−80°) (F: 180°).

Falls man keine Suspension von metallischem Natrium herstellt, wird das Natrium portionsweise in sehr kleinen Stücken zur Mischung von Trialkylboran und Halogenalkan in Diethylether gegeben. Man vermeidet so die Koagulation des Metalls[3].

Natriumtetraethylborat[3]**:** In 98 g (1 mol) Triethylboran in 400 *ml* Diethylether leitet man bei 4° 64,5 g (1 mol) Ethylchlorid ein. In 4 Portionen gibt man anschließend bei 4–10° 46 g (2 mol) Natrium während ~2 Stdn. zu. Man läßt die purpurrote Mischung auf ~20° erwärmen, filtriert vom Kochsalz ab und kühlt das Filtrat auf −80°. Das ausfallende Borat wird nach Isolieren zum Befreien von Ether auf 100°/1 Torr erhitzt; Ausbeute: 112 g (74%); F: 145°[4].

Aus Tributylboran läßt sich mit Butylnatrium in Octan[5] *Natriumtetrabutylborat* (20%; F: 93°, Zers.) herstellen[1]. Auch gemischte Natriumtetraalkylborate können so erhalten werden. Beispielsweise erhält man aus Triethylboran mit Natrium und Butylchlorid in 75%iger Ausbeute *Natrium-butyl-triethyl-borat*[3]. Aus Triethylboran erhält man mit Dodecylnatrium in Octan 32% *Natrium-dodecyl-triethyl-borat* (F: 45°, Zers.)[1].

$\alpha\alpha_3$) mit Lithiumamid

Während Trialkylborane mit Natrium- bzw. Kaliumamid unter Bildung von Alkalimetall-amino-trialkyl-boraten reagieren, erhält man mit Lithiumamid aus Triethylboran

[1] R. Damico, J. Org. Chem. **29**, 1971 (1964).
[2] K. Ziegler u. H. Hoberg, Ang. Ch. **73**, 577 (1961).
[3] J.B. Honeycutt u. J.M. Riddle, Am. Soc. **83**, 369 (1961).
[4] P. Binger u. R. Köster, Inorg. Synth. **15**, 136, 139 (1974).
[5] A.A. Morton, F.D. Marsh, R.D. Coombs, A.L. Lyons, S.E. Penner, H.E. Ramsden, V.B. Baker, E.L. Little u. R.L. Letsinger, Am. Soc. **72**, 3785 (1950).

ohne Lösungsmittel oder in Kohlenwasserstoffen unter Dismutation des Borans *Lithium-tetraethylborat* und Amino-diethyl-boran (vgl. S. 75)[4]:

$$2(H_5C_2)_3B \quad + \quad LiNH_2 \quad \xrightarrow{(H_5C_2)_3B\ \text{od. KW}} \quad Li^+[(H_5C_2)_4B]^- \quad + \quad (H_5C_2)_2B{-}NH_2$$

Lithiumtetraethylborat[1]: Zu 97 g (0,99 mol) Triethylboran gibt man portionsweise unter Rühren 4,6 g (0,2 mol) Lithiumamid. Unter Wärmetönung löst sich das Amid auf. Nach vollständiger Zugabe fällt ein farbloses Salz aus, von dem abfiltriert wird. Nach Waschen mit Pentan und Trocknen i. Vak. (10^{-4} Torr) erhält man 9,4 g (35%); F: 185° (Zers.). Beim Abdestillieren des Pentans fallen weitere 14,5 g (55%) Lithiumtetraethylborat (F: 185°) aus; Gesamtausbeute: 23,9 g (90%).

In Ethern bildet sich kein Lithiumtetraethylborat. Man erhält Etherate des Lithium-amino-triethyl-borats (vgl. S. 852)[1].

$\alpha\alpha_4$) mit Alkalimetallalkanolaten

In Sonderfällen lassen sich aus aliphatischen Triorganoboranen mit Alkalimetallalkanolaten unter Liganden-Austausch und Boran-Dismutation Alkalimetalltetraalkylborate herstellen:

$$2R^1_3B \quad + \quad R^2{-}OM \quad \longrightarrow \quad M^+[R^1_4B]^- \quad + \quad R^1_2B{-}OR^2$$

Die Reaktion des 1,4-Bis[borolan-1-yl]butans mit Kaliummethanolat liefert beim Erhitzen auf 100–150° in Xylol *Kalium-bis[1,4-butandiyl]borat* und 1-Methoxyborolan[2]:

$$\text{(borolan-1-yl)}{-}(CH_2)_4{-}\text{(borolan-1-yl)} \quad + \quad H_3CO{-}K \quad \xrightarrow[-\ \text{1-Methoxyborolan (B}{-}OCH_3)]{>100°} \quad K^+\left[\text{spiro-B}(C_4H_8)_2\right]^-$$

Mit an Trialkylaluminium-Verbindungen komplexierten Natrium- bzw. Kaliumalkanolaten verlaufen die Reaktionen glatter. Die Methode ist allgemeiner anwendbar und eignet sich gut zur Herstellung von Natrium- und Kalium-tetraalkylboraten.

Die Alkoxy-trialkyl-aluminate verhalten sich wie Gemische von Alkoxy-dialkyl-aluminium-Verbindungen und Alkalimetallalkanen. Die entstehenden Aluminium-Verbindungen lassen sich im allgemeinen destillativ oder als in Kohlenwasserstoffen leicht lösliche Stoffe abtrennen[3]:

$$R_3B \quad + \quad Na^+[R_3Al{-}OR]^- \quad \xrightarrow[R_2Al{-}OR]{\text{Hexan}} \quad Na^+[R_4B]^-$$

Natriumtetraethylborat[3]: 82,5 g (0,28 mol) Natrium-decyloxy-triethyl-aluminat werden in 150 *ml* trockenem Hexan gelöst. Unter Rühren läßt man 27,4 g (0,28 mol) Triethylboran zutropfen, wobei das schwer lösliche Natriumtetraethylborat als farbloses Pulver anfällt. Es wird noch 30 Min. bei 60–70° gerührt und nach Abkühlen abgesaugt. Der Niederschlag wird in 100 *ml* Hexan suspendiert und nochmals abgesaugt. Bei 100°/10^{-3} Torr wird getrocknet; Ausbeute: 30,3 g (72%); F: 145°.

Entsprechend lassen sich *Kalium-tetraethyl-* (70%; F: 159°), *Lithium-tetraethyl-* (F: 189°, Zers.), *-tetrapropyl-* (F: 160–162°, Zers.) und *-tetrabutyl-borat* (F: 115–120°) herstellen[3].

---

[1] R. Köster u. H. Voshege, Mülheim a. d. Ruhr, unveröffentlicht 1973; vgl. H. Voshege, Studienarbeit, Mülheim a. d. Ruhr 1973.
[2] R. Köster u. L. Weber, Mülheim a. d. Ruhr, unveröffentlicht 1968.
[3] Fr. P. 1327331 (1963), K. Ziegler; C. A. **59**, 11556 (1963).

$\alpha\alpha_5$) mit Metall/Diethylquecksilber

Aus Triethylboran erhält man mit Alkalimetallen (Natrium, Kalium) oder mit Erdalkalimetallen (Calcium, Strontium, Barium) in Gegenwart stöchiometrischer Mengen von Ethylierungsmitteln (z.B. Diethylquecksilber) Alkalimetalltetraethylborate[1,2] sowie *Erdalkalimetallbis[tetraethylborate]*[3]. Die Reaktionen werden in Diethylether oder auch ohne Lösungsmittel (Calcium) durchgeführt.

Zur Herstellung von *Natriumtetraethylborat* erwärmt man ein Gemisch von Triethylboran und Diethylquecksilber in Diethylether und gibt portionsweise Natrium-Metall zu. Man erhält das Salz als schwer lösliches Diethyletherat, das durch Erwärmen i.Vak. etherfrei gewonnen wird[1,2].

$$2(H_5C_2)_3B \quad + \quad (H_5C_2)_2Hg \quad + \quad 2\,Na \quad \xrightarrow[-Hg]{} \quad 2\,Na^+[(H_5C_2)_4B]^-$$

Natriumtetraethylborat[1]**:** Zu einer gut durchgerührten Mischung von 50 *ml* (0,35 mol) Triethylboran und 46,5 g (0,18 mol) Diethylquecksilber in 400 *ml* Diethylether werden bei 5–10° portionsweise 8,3 g (0,36 g-Atom) Natrium gegeben. Nach beendeter Zugabe (~2 Stdn.) rührt man noch 22 Stdn. bei ~20° und filtriert vom dunklen Niederschlag ab. Kühlen des Filtrats auf −80° liefert 55 g (70%) farblose Nadeln. Umkristallisieren aus Diethylether (Kühlen auf −80°), Trocknen bei 2,5 Torr und anschließendes Erhitzen auf 120°/1 Torr liefert das etherfreie Borat (Subl.p.$_{1,2}$: 160–170°).

Mit Calcium-Metall ist in Kohlenwasserstoffen oder ohne Lösungsmittel *Calcium-bis[tetraethylborat]* zugänglich[3,4]:

$$(H_5C_2)_3B \quad + \quad (H_5C_2)_2Hg \quad + \quad Ca \quad \xrightarrow[-Hg]{} \quad Ca[(H_5C_2)_4B]_2$$

Die in aliphatischen und aromatischen Kohlenwasserstoffen sowie in Triethylboran gut lösliche Calcium-Verbindung spaltet bei 100° Ethen und Triethylboran ab[3].

Calciumbis[tetraethylborat][3]**:** 30 g (0,75 mol) Calcium-Granulat, 147 g (1,5 mol) Triethylboran und 194 g (0,75 mol) Diethylquecksilber werden 96 Stdn. unter kräftigem Rühren bei 80–90° gehalten. Man trennt vom abgeschiedenen Quecksilber und destilliert das Filtrat i. Vak. Bis zum Kp$_1$: 80° geht ein Gemisch (~70 g, entspr. 80%-igem Umsatz) von nicht umgesetztem Triethylboran und Diethylquecksilber über. Der Rückstand (172 g, 78%) wird destilliert; Ausbeute: 139 g (63%); Kp$_{0,001}$: 75–85°; F: 35°.

Mit Strontium- und Barium-Metall reagieren Triethylboran/Diethylquecksilber erst in Diethylether als Lösungsmittel[3]. *Bariumbis[tetraethylborat]* (Zers.-p.: 150°) läßt sich z.B. in 62%iger Ausbeute herstellen[3].

Anstelle von Diethylquecksilber kann man auch Erdalkalimetall-Amalgam mit Diethylmagnesium als Ethylierungsmittel verwenden. *Bariumbis[tetraethylborat]* erhält man in ~30%iger Ausbeute[3].

Bariumbis[tetraethylborat][3]**:** Eine Lösung aus 5,8 g (70 mmol) Diethylmagnesium, 13,7 g (140 mmol) Triethylboran und 10,4 g (0,14 mol) Diethylether in 100 *ml* Hexan wird 24 Stdn. mit 4 g Barium-Amalgam (0,33%ig; 96 mmol Ba) bei 70° durchgerührt. Das Amalgam wird abgetrennt und die Lösung langsam unter Abdestillieren des Lösungsmittels auf 80° (bis 15 Torr) erwärmt. Der feste Rückstand wird 2mal mit je 80 *ml* Benzol bei 70° gewaschen und dann mit Ether aufgenommen. Die Ether-Lösung wird filtriert und das Filtrat bei 80°/10 Torr eingedampft; Ausbeute: 7,8 g (29%); Zers.p.: 150° (Reinheitsgrad 92%, Mg-Gehalt 1,3%).

---

[1] J.B. HONEYCUTT u. J.M. RIDDLE, Am. Soc. **83**, 369 (1961).
[2] US.P. 2944084 (1960), Ethyl Corp., Erf.: S.M. BLITZER u. T.H. PEARSON; C.A. **54**, 24398 (1960).
[3] H. LEHMKUHL u. W. EISENBACH, A. **705**, 42 (1967).
[4] vgl. H. LEHMKUHL, Ang. Ch. **75**, 1090 (1963).

α_2) *aus Alkyl-hydro-boranen*

Die Einwirkung von Alkyllithium auf Dialkyl-hydro-borane liefert in bestimmten Fällen unter Ligandenaustausch Lithium-tetraalkylborate und -dialkyl-dihydro-borate. Aus Bis-9-borabicyclo[3.3.1]nonan erhält man mit Alkyllithium *Lithium-1,5-cyclooctandiyl-dialkyl-borate*[1]:

$$(\text{C}_8\text{H}_{14}\text{BH})_2 + 2\,H_9C_4{-}Li \longrightarrow Li^+[\text{C}_8\text{H}_{14}\text{B}(C_4H_9)_2]^- + Li^+[\text{C}_8\text{H}_{14}\text{BH}_2]^-$$

Für präparative Zwecke ist die Methode nicht ausgearbeitet.

α_3) *aus Halogenboranen*

Die Herstellung von Alkalimetalltetraalkylboraten aus Trihalogenboranen mit alkalimetallorganischen Verbindungen bei 50–80° hat keine präparative Bedeutung[2].

$$BHal_3 \;+\; 4\,R{-}M \xrightarrow[-3\,MHal]{} M^+[R_4B]^-$$

Auch Lewisbase-Trihalogenborane werden eingesetzt (vgl. S. 757).

α_4) *aus Oxyboranen*

Trialkoxyborane lassen sich mit Alkylaluminium-Verbindungen unter Alkoxy/Alkyl-Austausch in Trialkylborane überführen (vgl. Bd. XIII/3a, S. 109), die in situ z.B. mit Natriummetall/Chloralkan in Tetrahydrofuran zur Herstellung von Alkalimetalltetraalkylboraten verwendet werden.

Aus Tributyloxyboran erhält man mit Trimethyldialuminiumtrichlorid Trimethylboran, das mit Chlormethan in eine Suspension von Natrium-Metall eingeleitet wird. *Natriumtetramethylborat* fällt in ~25%iger Ausbeute an[3]:

$$(H_9C_4O)_3B \xrightarrow[-(H_9C_4O)_3Al_2Cl_3]{+(H_3C)_3Al_2Cl_3} (H_3C)_3B \xrightarrow[-NaCl]{+2\,Na/CH_3Cl/THF} Na^+[(H_3C)_4B]^-$$

α_5) *aus Lewisbase-Boranen*

Zur Herstellung von Alkalimetalltetraalkylboraten können Ether-Trialkylborane oder Ether-Trifluorborane verwendet werden. Man setzt mit metallorganischen Verbindungen um.

Aus Tetrahydrofuran-1-Boraadamantan sind mit Methyl- bzw. Butyllithium-Verbindungen *Lithium-1-methyl-* (bzw. *1-butyl)-1-borataadamantan* zugänglich[4]:

$$\text{1-Boraadamantan}\cdot\text{THF} \;+\; R{-}Li \xrightarrow[-THF]{} Li^+[\text{1-R-1-borataadamantan}]^-$$

$R = CH_3,\ C_4H_9$

---

[1] J.L. Hubbard u. G.W. Kramer, J. Organometal. Chem. **156**, 81 (1978).

[2] Brit. P. 856304 (1960), US. Borax & Chemical Corp.; C.A. **55**, 26384 (1961).

[3] H. Hoberg, Mülheim a.d. Ruhr, unveröffentlicht 1965.

[4] B.M. Mikhailov, M.E. Gurskii, T.V. Potapova u. A.S. Shashkov, J. Organometal. Chem. **201**, 81 (1980).

Aus Diethylether-Trifluorboran erhält man mit Methylmagnesiumbromid in Ether eine Lösung von Trimethylboran, die mit einer kalten etherischen Lösung von Methyllithium vereinigt, *Lithiumtetramethylborat*[1] liefert. Entsprechend läßt sich *Lithiumtetrabutylborat* herstellen[2]:

$$4\,(H_5C_2)_2\overset{\oplus}{O}{-}\overset{\ominus}{B}F_3 \quad + \quad 4\,H_9C_4{-}Li \quad \xrightarrow[-4\,(H_5C_2)_2O]{-3\,Li[BF_4]} \quad Li^+[(H_9C_4)_4B]^-$$

α_6) *aus Boraten*

Zur Herstellung von Alkalimetalltetraalkylboraten sind verschiedene Typen von Alkalimetallboraten geeignet. Eingesetzt werden z.B. Tetraalkylborate, die durch Alkyl- oder Kationen-Austausch umgewandelt werden. Präparativ verwendet man auch Hydro-trialkyl-borate. Weitere Bildungswege für Tetraalkylborate gehen von Oxy- bzw. Amino-trialkyl-boraten sowie von Trimethylsilylboraten aus.

$\alpha\alpha_1$) aus anderen Tetraalkylboraten

Durch Alkyl/Benzyl-Austausch lassen sich aus Alkalimetalltetraethylboraten mit Tribenzylboran in hohen Ausbeuten (~90%) *Alkalimetalltetrabenzylborate* herstellen[3]:

$$3\,M^+[(H_5C_2)_4B]^- \quad + \quad 4\,(H_5C_6{-}CH_2)_3B \quad \rightleftharpoons \quad 3\,M^+[(H_5C_6{-}CH_2)_4B]^- \quad + \quad 4\,(H_5C_2)_3B$$

M = Li, Na

Lithiumtetraethylborat reagiert rascher als das Natriumsalz. Zu beachten ist, daß Trialkylborane mit Alkyl-Resten ab C_3 bei der Reaktionstemperatur leicht Alkene abspalten. Man erhält Alkalimetall-alkyl-hydro-borate[3] (s.S. 812).

Natriumtetrabenzylborat[3]**:** Beim Erhitzen von 14,2 g (50 mmol) Tribenzylboran und 5,68 g (37,8 mmol) Natriumtetraethylborat auf 140° destillieren langsam 3,6 g Triethylboran ab. Der Rückstand wird mit 30 *ml* wasserfreiem Benzol aufgekocht, von 13,65 g Salz abfiltriert und das Filtrat bis auf ~5 *ml* eingeengt, wobei nochmals 0,6 g Salz ausfallen; Reinausbeute 14,25 g (95%).

Mit 1,4-Bis[3,4-dimethylborolan-1-yl]-2,3-dimethyl-butan reagiert Natriumtetraethylborat unter Bildung von *Natriumbis[2,3-dimethyl-1,4-butandiyl]borat* (91%; F: 30°)[3]:

$$3\,Na^+\,[(H_5C_2)_4B]^- \quad + \quad 2\ \text{(3,4-Dimethylborolan-1-yl)}{-}CH_2{-}CH(CH_3){-}CH(CH_3){-}CH_2{-}\text{(3,4-Dimethylborolan-1-yl)} \quad \xrightarrow{-4\,(H_5C_2)_3B} \quad 3\,Na^+\left[\text{Bis(3,4-dimethyl-1,4-butandiyl)borat}\right]^-$$

[1] F.W. Frey, P. Kobetz, G.C. Robinson u. T.O. Sistrunk, J. Org. Chem. **26**, 2950 (1961).
[2] D.K. Jenkins u. C. Dixon, Chem. & Ind. **1966**, 1887.
[3] M.A. Grassberger u. R. Köster, Ang. Ch. **81**, 261 (1969).

Aus Natriumtetraalkylboraten werden mit 1-Alkenen durch Verdrängung von Alkyl-Resten als Alken neue Natriumtetraalkylborate hergestellt. In erster Stufe bilden sich Borate mit ungleichen Alkyl-Resten[1]:

$$Na^+[R^1_4B]^- + R^2_{en} \rightleftharpoons Na^+[R^1_3B{-}R^2]^- + R^1_{en}$$

Alkalimetalltetraethylborate reagieren nur mit einer Ethyl-Gruppe[1].

Aus Alkalimetall- bzw. aus Erdalkalimetall-bis[tetraethylboraten] lassen sich andere Metalltetraethylborate durch Kationen-Austausch herstellen. Durch Ausnutzung der unterschiedlichen Komplexstabilitäten gelingt die quantitative Gewinnung von *Kaliumtetraethylborat* aus Natriumtetraethylborat mit Kalium-Amalgam in Tetrahydrofuran bei ~60°[2]:

$$Na^+[(H_5C_2)_4B]^- + K(Hg) \xrightarrow[-Na(Hg)]{THF,\ \sim 60°} K^+[(H_5C_2)_4B]^-$$

Kaliumtetraethylborat[2]**:** 22,7 g (152 mmol) Natriumtetraethylborat in 100 *ml* THF werden intensiv mit 3500 g (0,55 Gew.-% Kalium) Kalium-Amalgam (~495 mmol Kalium) bei 60° für ~10 Min. gerührt. (Der 3–4fache Kalium-Überschuß ist wegen der relativ ungünstigen Gleichgewichtslage der Reaktion notwendig; Gleichgewichtskonstante ~40). Man läßt das Quecksilber absitzen, hebert die überstehende klare Lösung ab, wäscht das Amalgam mehrere Male mit 20–30 *ml* THF und dampft anschließend die vereinigten Lösungen ein. Nach Abdestillieren des größten Teils des Lösungsmittels wird das zurückbleibende Salz 1 Stde. bei 50° und 10^{-3} Torr getrocknet; Ausbeute: 25 g (99%); F: 163°.

Tetrabutylphosphoniumtetraalkylborate werden aus Lithiumtetraalkylboraten mit Tetrabutylphosphoniumbromiden gewonnen; z.B. *Tetrabutylphosphonium-tetrabutylborat* (80%; F: 52–55° Zers.)[3].

Zur präparativen Gewinnung von Erdalkalimetallbis[tetraethylboraten] eignet sich wegen seiner geringen Komplexstabilität *Magnesiumbis[tetraethylborat]*, das aus Triethylboran mit Diethylmagnesium im 1:2-Molverhältnis als thermisch labiles Produkt zugänglich ist. Die Verbindung läßt sich mit Strontium- oder Barium-Amalgam zu *Strontium*- bzw. *Barium-bis[tetraethylborat]* umsetzen (vgl. S. 755)[4].

$$Mg[(H_5C_2)_4B]_2 + Sr(Hg) \rightleftharpoons Sr[(H_5C_2)_4B]_2 + Mg(Hg)$$

Aus Lithiumtetraalkylboraten sind mit Tetraalkylammoniumbromiden in wäßr. Lösung unter Kationen-Austausch Tetraalkylammoniumtetraalkylborate zugänglich[3,5,6]. Man erhält z.B. *Tetraethylammonium-hexyl-triethyl-borat*[5]:

$$Li^+[(H_5C_2)_3B{-}C_6H_{13}]^- + [(H_5C_2)_4N]^+Br^- \xrightarrow[-LiBr]{H_2O} [(H_5C_2)_4N]^+[(H_5C_2)_3B{-}C_6H_{13}]^-$$

Hexyl-triethyl-ammonium-hexyl-triethyl-borat[5]**:** 41,4 g (0,45 mol) Hexyllithium in ~300 *ml* Hexan und 45 g (0,46 mol) Triethylboran in ~300 *ml* Hexan werden bei ~20° in 1 Stde. unter Rühren vereinigt. Man gibt nach und nach ~800 *ml* Hexan zu, so daß die Suspension nicht zusammenklumpt. Man filtriert und löst das feste Lithium-hexyl-triethyl-borat in 300 *ml* Wasser. Eine Lösung von 87 g (0,47 mol) Hexyl-triethyl-ammonium-bromid [F: 108°][5] in 120 *ml* Wasser wird zugegeben, wobei laufend kräftig durchgerührt wird. Nach Phasentrennung wird die obere Phase mit dem geschmolzenen Salz 6 mal mit jeweils 150 *ml* Wasser gewaschen. Man trocknet i. Vak. (10^{-3} Torr) bei ~25° (12 Stdn.); Ausbeute: 138,6 g (83%).

---

[1] R. Köster, Mülheim a.d. Ruhr, unveröffentlicht 1960.
[2] H. Lehmkuhl, Mülheim a.d. Ruhr, unveröffentlicht 1965.
[3] R. Damico, J. Org. Chem. **29**, 1971 (1964).
[4] H. Lehmkuhl u. W. Eisenbach, A. **705**, 42 (1967).
[5] W.T. Ford, R.J. Hauri u. D.J. Hart, J. Org. Chem. **38**, 3916 (1973).
[6] R.J. Hauri, Dissertation Abstr. Int. B. **34**, 5901 (1974); C.A. **81**, 91 617 (1974).

Auch aus Natriumtetraalkylboraten sind Tetramethylammoniumtetraalkylborate zugänglich[1]; z.B.:

Tetramethylammonium-butyl-triethyl-borat	89%; F: 103–105° (Zers.)
...-tetrabutylborat	91%; F: 110–112° (Zers.)
...-dodecyl-triethyl-borat	84%; Oel

$\alpha\alpha_2$) aus Hydro-trialkyl-boraten

Alkalimetall-hydro-trialkyl-borate (vgl. S. 803) reagieren mit 1-Alkenen durch Hydroborierung unter Bildung von Alkalimetalltetraalkylboraten. Die Reaktionen erfolgen in etherfreiem Medium ab ~140°[2–8]:

$$M^+[R^1_3BH]^- \quad + \quad H_2C{=}CH{-}R^2 \quad \xrightleftharpoons{\gtrsim 140°} \quad M^+[R^1_3B{-}CH_2{-}CH_2{-}R^2]^-$$

Bei Temperaturen ~150° reagieren Alkalimetalltetraalkylborate bereits unter Alken-Abspaltung (Dehydroborierung) zu Alkalimetall-hydro-trialkyl-boraten. Vor allem Tetraalkylborate mit langen Alkyl-Resten werden bei hohen Temperaturen rascher zersetzt als aufgebaut. Natriumtetraethylborat spaltet bis 200° kein Ethen ab. Aus Natriumtetrapropylborat[9] entweicht aber bereits bei 160° langsam Propen[10].

Die Additionen (Hydroborierungen) lassen sich in hohen Ausbeuten durchführen, wenn man für gute Durchmischung der Reaktionspartner sorgt. Mit gasförmigen Alkenen läßt man unter Druck reagieren. Kohlenwasserstoffe und Trialkylborane sind als Lösungsmittel geeignet. Ether sollte man bei hohen Temperaturen nicht verwenden, da Ether-Spaltungen stören können. Außerdem können sich auch schwer spaltbare Etherate bilden. Tetrahydrofuran beschleunigt allerdings die Hydroborierung. Bei Temperaturen <65° werden Tetraalkylborate gebildet[11].

Besonders glatt verläuft die Herstellung von Natriumtetraethylborat aus Natrium-hydro-triethyl-borat (vgl. S. 806). Verunreinigungen, die dem technischen Natriumhydrid (z.B. metallisches Natrium) oft beigemengt sind, lassen sich bei der Herstellung des Eduktes[5] weitgehend abtrennen[6].

Natriumtetraethylborat[6]: 202 g (1,656 mol) Natrium-hydro-triethyl-borat werden in einem 500-*ml*-Autoklaven vorgelegt. Man preßt 80 at Ethen auf und erhitzt unter Schütteln 2 Stdn. auf 140–150°. Der Druck fällt nach anfangs 100 auf 30 at ab. Nach Abkühlen werden nochmals 60 at Ethen aufgepreßt, anschließend wird 2 Stdn. auf 140–150° erhitzt, wobei Druckkonstanz erreicht wird (Enddruck 30 at bei 20°). Nach Abblasen des überschüssigen Ethens erhält man schwachgelbes Borat, das aus Toluol umkristallisiert wird; Ausbeute: 232,8 g (93%); F: 145°.

Alkalimetall-alkyl-triethyl-borate sind aus Alkalimetall-hydro-triethyl-borat mit höheren Alkenen drucklos zugänglich. Aus Natrium-hydro-triethyl-borat erhält man beim 2stdgn. Erhitzen mit 1-Octen in Diglyme *Natrium-octyl-triethyl-borat*[2]. Im etherfreien Lösungsmittel (2-Cyclohexylpropan) muß auf 150–160° erhitzt werden[9].

Die Herstellung von *Lithium-subst.-benzyl-triethyl-boraten* aus Lithium-hydro-triethyl-borat mit Arylethenen verläuft in THF bei 0–65° verhältnismäßig zügig (~6 Stdn.). Man erhält z.B. durch Borierung des C^1-Atoms von 1-Phenylethen (Styrol) *Lithium-(1-phenylethyl)-triethyl-borat*[10]:

---

[1] R. Damico, J. Org. Chem. **29**, 1971 (1964).
[2] J.B. Honeycutt u. J.A. Riddle, Am. Soc. **83**, 369 (1961).
[3] DBP. 1121612 (1962), Ethyl Corp., Erf.: J.B. Honeycutt; C.A. **57**, 11232 (1962).
[4] Brit. P. 911387 (1962), K. Ziegler; C.A. **58**, 10236 (1963).
[5] US.P. 3163679 (1960/1964), K. Ziegler, Erf.: R. Köster; C.A. **58**, 10236 (1963).
[6] P. Binger u. R. Köster, Inorg. Synth. **15**, 136 (1974).
[7] F.W. Frey, P. Kobetz, G.C. Robinson u. T.O. Sistrunk, J. Org. Chem. **26**, 2950 (1961).
[8] DBP 1 217 380 (1959/1966), K. Ziegler, Erf.: R. Köster.
[9] US.P. 3 163 67 (1960/1964); vgl. Brit.P. 911387 (1959/1962), K. Ziegler, Erf.: R. Köster; C.A. **58**, 10236 (1963).
[10] R. Köster u. P. Binger, Mülheim a.d. Ruhr, unveröffentlicht 1964.
[11] H.C. Brown u. S.C. Kim, J. Org. Chem. **42**, 1842 (1977).

$$Li^+ [(H_5C_2)_3BH]^- \xrightarrow[\text{THF, 65°}]{+H_5C_6-CH=CH_2} Li^+ \left[(H_5C_2)_3B-\underset{}{\overset{CH_3}{\overset{|}{C}}}H-C_6H_5\right]^-$$

Nach der Methode sind auch Alkalimetall-alkandiyl-dialkyl-borate zugänglich. Aus Natrium-ethyl-hydro-(2-methyl-1,4-butandiyl)-borat erhält man mit Ethen in Xylol unter Druck bei 140–170° *Natrium-diethyl-(2-methyl-1,4-butandiyl)-borat*[1]:

$$Na^+ \left[H_3C\text{-}C_4H_7B(C_2H_5)(H)\right]^- + C_2H_4 \longrightarrow Na^+ \left[H_3C\text{-}C_4H_7B(C_2H_5)_2\right]^-$$

Natrium-diethyl-(2-methyl-1,4-butandiyl)-borat[1]**:** 9,5 g (58 mmol) Natrium-ethyl-hydro-(2-methyl-1,4-butandiyl)-borat werden in 32 g p-Xylol gelöst und nach Aufpressen von 7 g Ethen (22,5 at) ~ 5 Stdn. auf 140–170° erhitzt. Der Druck fällt von 40 at auf ~ 34 at (168°) ab. Nach Abkühlen und Abblasen der Gase (4 N*l* mit 95% Ethen, 4% Ethan und 1% Wasserstoff) und Abdestillieren des Lösungsmittels i. Vak. erhält man nach Trocknen i. Hochvak. eine wasserklare, hochviskose Verbindung; Ausbeute: 10,8 g (94%).

$\alpha\alpha_3$) aus Alkoxy-trialkyl-boraten

Alkalimetall-alkoxy-trialkyl-borate lassen sich mit Trialkylaluminium-Verbindungen in Alkalimetalltetraalkylborate überführen. In Sonderfällen sind auch Dismutationen der Alkoxy-trialkyl-borate beim Erhitzen präparativ brauchbar.

Aus Alkalimetall-alkoxy-trialkyl-boraten erhält man mit äquimolaren Mengen Trialkylaluminium in guter Ausbeute Alkalimetalltetraalkylborate[2]:

$$M^+[R_3B{-}OR^1]^- \quad + \quad AlR_3 \quad \xrightarrow[R_2Al-OR^1]{} \quad M^+[R_4B]^-$$

Die in aliphatischen Kohlenwasserstoffen meist schwer löslichen Alkalimetalltetraalkylborate werden von den löslichen Alkoxy-dialkyl-alanen abgetrennt[2].

Natriumtetrapropylborat[2]**:** Man mischt 70 g (0,36 mol) Natrium-methoxy-tripropyl-borat in 100 *ml* abs. Hexan und läßt bei 65–70° 56 g (0,36 mol) Tripropylaluminium zutropfen. Beim Abkühlen fällt das Salz aus. Man filtriert und wäscht gründlich mit Hexan; Ausbeute: 63,8 g (86,2%) farblose Kristalle; F: 160–164° (Zers.).

Auch in Kohlenwasserstoffen lösliche Alkalimetalltetraalkylborate wie z. B. *Natriumtetrabutylborat* können so hergestellt werden. Die Ausbeuten an reinen Verbindungen sind jedoch nicht so hoch wie bei den schwer löslichen Boraten. Das Abdestillieren der Alkoxy-dialkyl-aluminium-Verbindungen empfiehlt sich nicht, da Alkalimetall-tetraalkylborate mit langen Alkyl-Resten verhältnismäßig leicht Alken abspalten.

Natriumtetrabutylborat[2]**:** Aus 23,6 g (0,1 mol) Natrium-methoxy-tributyl-borat und 19,8 g (0,1 mol) Tributylaluminium erhält man bei 80–90° ohne Lösungsmittel nach dem Abkühlen, Filtrieren, Waschen mit kaltem Pentan und Trocknen 13,6 g (52%) farblose Kristalle; F: 118–120° (in Pentan leicht löslich); Zers.: >170°.

Unlösliche Alkalimetalltetraalkylborate wie z. B. *Natrium-* und *Kaliumtetraethylborat* erhält man quantitativ in reiner Form.

[1] H. C. Brown u. S. C. Kim, J. Org. Chem. **42**, 1842 (1977).
[2] H. Lehmkuhl, Mülheim a. d. Ruhr, unveröffentlicht 1962–1964.

Kaliumtetraethylborat[1]: Zur Suspension von 84 g (0,5 mol) Kalium-methoxy-triethyl-borat in 500 *ml* Toluol läßt man bei 20° 60 g (0,63 mol) Triethylalan tropfen. Anschließend wird ~2 Stdn. zum Rückfluß erhitzt, filtriert und mit heißem Toluol gewaschen; Ausbeute: 80,4 g (96,8%); F: 159°.

Alkalimetall-alkoxy-trialkyl-borate tauschen mit Trialkylboranen Alkoxy- und Alkyl-Reste aus. Man erhält Tetraalkylborate und Alkoxy-dialkyl-borane:

$$M^+[R^1_3B{-}OR^2]^- \quad + \quad R^1_3B \quad \longrightarrow \quad M^+[R^1_4B]^- \quad + \quad R^1_2B{-}OR^2$$

Der Ligandenaustausch ist zur Herstellung von Tetraorganoboraten mit Alkandiyl-Resten geeignet. Das aus 1,4-Bis[3,4-dimethyl-1-borolanyl]-2,3-dimethyl-butan mit Kaliummethanolat gewonnene Salz reagiert beim Erhitzen auf 120–140° quantitativ unter Bildung von 1-Methoxy-3,4-dimethyl-borolan und farblosem, glasartigem Salz:

K^+ [(3,4-Dimethylborolanyl)(OCH$_3$)B–CH$_2$–CH(CH$_3$)–CH(CH$_3$)–CH$_2$–B(3,4-dimethylborolanyl)]$^-$ ⟶ 3,4-Dimethyl-borolan-B–OCH$_3$ + K^+ [Spiro-bis(3,4-dimethylborolan)]$^-$

Kalium-bis[2,3-dimethyl-1,4-butandiyl]borat[2,3]: Auf 80° werden 54,8 g (0,2 mol) 1,4-Bis[3,4-dimethyl-1-borolanyl]-2,3-dimethyl-butan und 14 g (0,2 mol) in 100 *ml* Benzol suspendiertem Kaliummethanolat erwärmt. Danach werden aus der klaren Lösung Lösungsmittel und i. Vak. (12 Torr) 25 g (99%) 1-Methoxy-3,4-dimethyl-borolan abdestilliert (Bad: 120–140°). Als Rückstand verbleiben ~43 g farbloses, glasartiges Salz (in Wasser und Diglyme leicht löslich).

$\alpha\alpha_4$) aus Amino-trialkyl-boraten

Beim Herstellungsversuch von Lithium-amino-triethyl-borat aus Triethylboran mit Lithiumamid in etherfreien Lösungsmitteln erhält man durch Ligandenaustausch *Lithiumtetraethylborat* und Amino-diethyl-boran (vgl. S. 754)[4]. Bei erhöhter Temp. zersetzt sich entsprechend auch Lithium-dimethylborylamino-trimethyl-borat zu Lithiumtetramethylborat und 2,4,6-Trimethylborazin[5]:

$$Li^+\ [(H_3C)_3B{-}NH{-}B(CH_3)_2]^- \xrightarrow{\Delta} Li^+\ [(H_3C)_4B]^- \ + \ 1/3\ (H_3C\text{-}B\text{-}NH)_3$$

β) Aromatische Tetraorganoborate

Die Verbindungsklasse umfaßt Aryl-triorgano-, Diaryl-diorgano-, Triaryl-organo- und Tetraaryl-borate mit mono- und bifunktionellen aromatischen und aliphatischen Resten ohne Hetero-Atome und ohne ungesättigte Gruppierungen (vgl. Tab. 112, 113, S. 764, 771).

β_1) *Aryl-organo-borate*

Die Herstellung der Aryl-organo-borate erfolgt aus Triorganoboranen mit metallorganischen Verbindungen und aus Tetraorganoboraten mit Triorganoboranen[6].

$\beta\beta_1$) aus Triorganoboranen

Aus Tributylboran erhält man mit Phenyllithium in Benzol 91% *Lithium-phenyl-tributyl-borat*[7]:

---

[1] H. Lehmkuhl, Mülheim a.d. Ruhr, unveröffentlicht 1962–1964.
[2] R. Köster u. P. Binger, Mülheim a.d. Ruhr, unveröffentlicht 1962–1964.
[3] L. Weber, Mülheim a.d. Ruhr, Dissertation, Technische Hochschule Aachen 1967.
[4] R. Köster u. H. Voshege, Mülheim a.d. Ruhr, unveröffentlicht 1973.
vgl. H. Voshege, Mülheim a.d. Ruhr, Studienarbeit 1973.
[5] H. Fussstetter u. H. Nöth, B. **111**, 3596 (1978).
[6] *Gmelin*, 8. Aufl. **33**/8, 158–216 (1976).
[7] J.B. Honeycutt u. J.M. Riddle, Am. Soc. **83**, 369 (1961).

$$(H_9C_4)_3B \;+\; H_5C_6{-}Li \xrightarrow{C_6H_6} Li^+\,[H_5C_6{-}B(C_4H_9)_3]^-$$

Aus Triethylboran ist mit Phenylnatrium, das in situ aus Natrium-Metall mit Chlorbenzol erzeugt wird, in Diethylether *Natrium-phenyl-triethyl-borat* zugänglich[1]:

$$(H_5C_2)_3B \;+\; 2\,Na \;+\; H_5C_6Cl \xrightarrow[-NaCl]{(H_5C_2)_2O} Na^+\,[(H_5C_2)_3B{-}C_6H_5]^-$$

Auch Alkalimetall-organo-triphenyl-borate sind aus Triphenylboran mit alkalimetall-organischen Verbindungen zugänglich. Diese werden als solche oder als Stoffpaar mit Alken eingesetzt. Auch Pentaalkylarsen- oder Pentaalkylantimon-Verbindungen lassen sich verwenden (vgl. S. 763)[2].

Lithium-methyl-triphenyl-, Natrium-ethyl-triphenyl- oder *Natrium-butyl-triphenyl-borat* stellt man aus Triphenylboran mit Alkylalkalimetallen her[3–6]. Triphenylboran in Benzol reagiert mit Butyllithium in Hexan unter Bildung von *Lithium-butyl-triphenyl-borat* (59%; F: 325°, Zers.)[5]. Aus Triphenylboran erhält man mit Triphenylmethylnatrium thermisch instabiles *Natrium-triphenyl-triphenylmethyl-borat* (intensiv farbige Lösungen)[3,7].

$$(H_5C_6)_3B \;+\; (H_5C_6)_3C{-}Na \rightleftharpoons Na^+\,[(H_5C_6)_3B{-}C(C_6H_5)_3]^-$$

Wird die Reaktion in Gegenwart eines Alkens durchgeführt, so entsteht primär durch Addition des Carbanions an die C=C-Bindung eine neue metallorganische Verbindung, deren räumlicher Aufbau die Bildung eines nicht mehr dissoziierenden Borats erlaubt[2–9]; z.B.[9]:

$(H_5C_6)_3B$ + [Acenaphthylen] + $(H_5C_6)_3C{-}K$ ⟶ K^+ [$(H_5C_6)_3B$ / $C(C_6H_5)_3$ an Acenaphthen]$^-$

Kalium-triphenyl-(2-triphenylmethyl-1-acenaphthenyl)-borat[9]: In einem Schenkel eines abgedunkelten Doppel-Schlenk-Rohrs mit Fritte werden 0,57 g (3,7 mmol) Acenaphthylen in 100 *ml* Diethylether gelöst. Unter Rühren gibt man 0,9 g (3,7 mmol) Triphenylboran in 30 *ml* Benzol zu. Zu dieser Mischung läßt man 17 *ml* (2,9 mmol) einer 0,17 m Lösung von Triphenylmethylkalium in 1,2-Dimethoxyethan fließen. Die Lösung entfärbt sich, und das Borat fällt aus. Nach 2stdgm. Rühren im abgeschmolzenen Doppelrohr saugt man vom Komplex auf der Fritte ab und wäscht mit destilliertem Lösungsmittel. Das farblose Salz wird i. Vak. 4 Stdn. bei 50° getrocknet; Ausbeute: 1,6 g (64%); Zers.p.: 139–141°.

Aus cyclischen Aryl-dialkyl-boranen lassen sich mit Dialkylmagnesium-Verbindungen durch Alkyl/Aryl-Austausch Magnesium-bis[dialkyl-diaryl-borate] herstellen. 1-Propyl-1-boraindan reagiert z.B. mit Diethylmagnesium unter Abspaltung von Ethyl-propyl-boranen zu *Magnesium-bis[1-borataindan-⟨1-spiro-1⟩-1-borataindan]* in 44%-iger Ausbeute[10]:

4 [1-Propyl-1-boraindan, C_3H_7 an B] + $(H_5C_2)_2Mg$ $\xrightarrow[-2\;(H_7C_3)_2B-C_2H_5]{}$ Mg^{2+} [Spiro-borat, $B^{\ominus}$]$^-_2$

[1] J.B. Honeycutt, jr. u. J.M. Riddle, Am. Soc. **83**, 369 (1961).
[2] G. Wittig u. K. Torssell, Acta chim. scand. **7**, 1293 (1953).
[3] G. Wittig u. A. Rückert, A. **566**, 101 (1950).
[4] G.A. Razuvaer u. T. G. Brilkina, Ž. obšč. Chim. **24**, 1415 (1954); C.A. **49**, 15591 (1955).
[5] R. Damico, J. Org. Chem. **29**, 1971 (1964).
[6] *Gmelin*, 8. Aufl., **33**/8, 158–216 (1976).
[7] G. Wittig, H.G. Reppe u. T. Eicher, A. **643**, 47 (1961).
[8] G. Wittig, W. Tochtermann u. B. Knickel, Ang. Ch. **80**, 149 (1968); engl.: **7**, 139.
[9] W. Tochtermann u. B. Knickel, B. **102**, 3508 (1969).
[10] R. Köster u. G.W. Rotermund, Mülheim a.d. Ruhr, unveröffentlicht 1962.

Magnesium-bis[1-borataindan-⟨1-spiro-1⟩-1-borataindan][1]**:** 0,2 g (94%ig) Diethylmagnesium (0,117 mol) werden in 60 *ml* getrocknetem Benzol suspendiert und nach Zugabe von 83,2 g (0,526 mol) 1-Propyl-1-boraindan unter Rühren auf ~95° erwärmt. Aus der abfiltrierten, klaren Lösung erhält man nach ~2 Stdn. Abkühlen Kristalle. Nach Abdestillieren von einem Teil des Benzols i. Vak. wird der Kristallbrei mit Hexan versetzt, filtriert, mit Hexan gewaschen und getrocknet; Ausbeute: 24,4 g (44,3%); Zers.; >230° (wenig löslich in Aromaten).

Aus Triphenylboran erhält man mit Pentamethyl-arsen bzw. -antimon unter Methyl-Wanderung an das Bor-Atom *Tetramethylarsonium-* (Zers.: ~140°) bzw. *Tetramethylstibonium-methyl-triphenyl-borat* (82%; F: ~240°)[2]:

$$(H_5C_6)_3B \quad + \quad (H_3C)_5M \quad \longrightarrow \quad [(H_3C)_4M]^+[H_3C{-}B(C_6H_5)_3]^-$$

M = As, Sb

ββ₂) aus Tetraalkylboraten

Alkalimetalltetraalkylborate reagieren mit Aryl-dialkyl-boranen durch Ligandenaustausch zu Alkalimetall-aryl-trialkyl-boraten. Aus Lithiumtetraethylborat läßt sich mit 1-Ethyl-3-methyl-1-boraindan unter Abspalten von Triethylboran in ~80%iger Ausbeute kristallines *Lithium-1,1-diethyl-3-methyl-1-borataindan* herstellen[3,4]:

$$Li^+\,[(H_5C_2)_4B]^- \; + \; \text{1-Ethyl-3-methyl-1-boraindan} \xrightarrow[-B(C_2H_5)_3]{} Li^+\,[\text{1,1-Diethyl-3-methyl-1-borataindan}]^-$$

Lithium-1,1-diethyl-3-methyl-1-boraindanat[3]**:** 10 g (74,6 mmol) Lithiumtetraethylborat gelöst in 50 *ml* abs. Xylol, werden mit 30 g (190 mmol) 1-Ethyl-3-methyl-1-boraindan erwärmt, wobei die Lösung bei 50–60° klar wird. Unter Rühren wird bis ~150° erhitzt, so daß Triethylboran mit dem Lösungsmittel abdestilliert. Den Rest des Lösungsmittels vertreibt man i. Vak. Man erhält 18,5 g Rückstand, der in Toluol gelöst wird. Beim Versetzen mit Hexan kristallisieren 11,2 g (77,3%) aus; F: 140–143°.

Tetraalkylborate reagieren mit aromatischen Kohlenwasserstoffen unter Alkyl/Aryl-Austausch zu Aryl-trialkyl-boraten. Aus Natrium- bzw. Kalium-tetraethylborat erhält man bei ~180° mit Benzol unter Ethan-Abspaltung *Natrium-* bzw. *Kalium-phenyl-triethyl-borate*. Weitere Ethyl-Gruppen werden nicht ausgetauscht[5,6].

$$M^+[(H_5C_2)_4B]^- \quad + \quad C_6H_6 \quad \xrightarrow[-C_2H_6]{} \quad M^+[(H_5C_2)_3B{-}C_6H_5]^-$$

M = Na, K

β₂) *Tetraarylborate*

Die Herstellung von Metall- oder Ammonium-tetraarylboraten mit gleichen und verschiedenen Aryl-Resten[7] erfolgt aus Triarylboranen, Halogenboranen, Organooxyboranen, Lewisbase-Trihalogenboranen oder aus Tetrafluorboraten mit Arylmetall-Verbin-

---

1 R. Köster u. G. W. Rotermund, Mülheim a. d. Ruhr, unveröffentlicht 1962.
2 G. Wittig u. K. Torssell, Acta chem. scand. **7**, 1293 (1953).
3 R. Köster u. G. W. Rotermund, Mülheim a. d. Ruhr, unveröffentlicht 1963.
4 Vgl. R. Köster, Adv. Organometallic Chem. **2**, 257, 300f. (1964).
5 J. B. Honeycutt u. J. M. Riddle, Am. Soc. **83**, 369 (1961).
6 R. Köster, Mülheim a. d. Ruhr, unveröffentlicht 1960.
7 D. G. Borden, Photogr. Sci. and Eng. **16**, 300 (1972); Zusammenstellung von einheitlich und gemischt substituierten Tetraarylboraten.

dungen. Außerdem werden Kationen-Austauschreaktionen zur Präparation von Tetraphenylboraten und anderen Tetraarylboraten verwendet (vgl. Tab. 112).

Tab. 112: Tetraarylborate

Formel		Verbindungstyp	Herstellungsart	s. S.
$M^+[Ar_4B]^-$		$[Ar_4B]^-$		
	M = Na		aus $[Ar^1_2B{-}Ar^2]^-[MgHal]^+$ + NaX	765, 768
	M = K		aus $K^+[BF_4]^-$ + Ar–MgHal	772
	M = LM		aus $Na^+[Ar_4B]^-$ + LM-Hal	770
	M = $[R_3NH]$		+ $[R_3NH]^+$ Hal^-	769
$M^+[(H_5C_6)_4B]^-$		$[Ar_4B]^-$		
	M = Na		aus $BHal_3$ + Na/Ar–Cl	767
			aus $B(OR)_3$ + H_5C_6–MgHal	767
			aus Do–$BHal_3$ + Mg/H_5C_6–Br	768
	M = Cu		aus Ar^1_3B + Ar^1–Cu	766
	M = $[(H_5C_6)_4P]$, $[(H_5C_6]_4As]$ $[(H_5C_6)_4Sb]$		aus Ar^1_3B + Ar_5P(As, Sb)	756
	M = $[(H_5C_6)_3Te]$		aus Ar^1_3B + Ar^2–Te	765
$M^+[Ar^1_3B{-}Ar^2]^-$		$[Ar^1_3B{-}Ar^2]^-$	aus Ar^1_2B-Hal + Ar^2–M	766
	M = Li		aus Ar^1B + Ar^2–Li	764
	M = Na		aus Ar^1_3B + Ar^2–Na	764
			+ Ar–MgHal	765
	M = K, Rb, Cs		aus Ar^1_3B + Ar^2–M	765

$\beta\beta_1$) aus Triarylboranen

Zur Herstellung von Tetraarylboraten mit gleichen und ungleichen Aryl-Resten setzt man Triarylborane mit Arylmetall- bzw. bestimmten Arylelement-Verbindungen um.

Aus Triphenylboran wird mit Phenyllithium in Diethylether in >80%iger Ausbeute *Lithiumtetraphenylborat* hergestellt[1]:

$$(H_5C_6)_3B \quad + \quad H_5C_6{-}Li \xrightarrow{(H_5C_2)_2O} Li^+[(H_5C_6)_4B]^-$$

Lithiumtetraphenylborat[1]**:** Zu 4,17 g (17 mmol) Triphenylboran (F: 148°) in 20 *ml* trockenem Diethylether gibt man 19,1 *ml* einer 0,9 N Phenyllithium-Lösung (17 mmol), wobei der Ether zum Sieden kommt. Das sich abscheidende Öl erstarrt nach einiger Zeit. Man löst die Verbindung mit Diethylether, filtriert die Lösung und zieht den Ether ab. Wenn das Phenyllithium aus Brombenzol und Lithium hergestellt wurde, kann das Lithiumbromid durch Umkristallisieren des Rückstandes aus Ether abgetrennt werden. Man trocknet anschließend bei 100°/ 0,1 Torr; Ausbeute: 4,59 g (81%); F: >400°.

Entsprechend lassen sich zahlreiche Lithium-tetraarylborate gewinnen[1-3]; z.B.:

Lithium-tetrakis[2-methylphenyl]borat[2] 86%
Lithium-tris[2-biphenylyl]-phenyl-borat[2] 64%
Lithium-phenyl-tri-1-naphthyl-borat[3] 39%; F: 178° (Zers.)

Natriumtetraarylborate sind aus Triarylboranen mit z.B. Phenyllithium in Diethylether/Benzol nach Zugabe von gesättigter wäßr. Natriumchlorid- oder Natriumsul-

[1] G. WITTIG, G. KEICHER, A. RÜCKERT u. P. RAFF, A. **563**, 110 (1949).
[2] G. WITTIG u. W. HERWIG, B. **88**, 962 (1956).
[3] H. HOLZAPFEL, P. NENNING u. P. DOEPEL, Z. **5**, 515 (1965).

fat-Lösung zugänglich; z.B. *Natrium-phenyl-tri-1-naphthyl-borat* (65%)[1]. Entsprechend erhält man *Rubidium-* oder *Cäsium-phenyl-tri-1-naphthyl-borat*[1,2].

Triarylborane reagieren mit Arylmagnesiumhalogeniden unter Bildung von Halogenmagnesiumtetraarylboraten, die mit wäßr. Alkalimetallcarbonat-Lösung in Natrium-tetraarylborate überführt werden können; z.B.:[3]

$$Ar^1_3B + Ar^2{-}MgHal \longrightarrow \left\{ HalMg^+ \left[Ar^1_3B{-}Ar^2\right]^- \right\} \xrightarrow[\substack{-NaHCO_3 \\ -Hal{-}Mg{-}OH}]{+Na_2CO_3/H_2O} Na^+ \left[Ar^1_3B{-}Ar^2\right]^-$$

Kalium-, Rubidium- und Cäsiumtetraarylborate oder aromatische Octaorganodiborate lassen sich entsprechend herstellen[3-6]; z.B.:

Natrium(Kalium, Rubidium, Cäsium)-4-biphenylyl-triphenyl-borat[3]
Lithium(Rubidium, Cäsium)-phenyl-tri-1-naphthyl-borat[3]
Dinatrium(Dikalium, Dirubidium, Dicäsium)-1,4-bis-[triphenylboratyl]-benzol[4,5]

Triphenylboran reagiert mit Pentaphenylphosphor-, -arsen bzw. -antimon[6] unter Phenyl-Wanderung zum Bor-Atom zu *Tetraphenylphosphonium* (bzw. *-arsonium, -stibonium)-tetraphenylborat*[7].

Die Geschwindigkeit der Komplexierung nimmt vom Phosphor zum Antimon stark zu. *Tetraphenylstiboniumtetraphenylborat* [10%; F: 256–260° (Zers.)][7] fällt in Diethylether bei ~20° nach 6 Stdn. aus. Bis zur Abscheidung des *Tetraphenylphosphoniumtetraphenylborats* (7%; F: 309–311°)[8] werden 14 und mehr Tage benötigt. Die Arsonium-Verbindung läßt sich in 57%iger Ausbeute isolieren[7]:

$$(H_5C_6)_3B + (H_5C_6)_5As \longrightarrow [(H_5C_6)_4As]^+ [(H_5C_6)_4B]^-$$

Tetraphenylarsoniumtetraphenylborat[7]: 450 mg (0,9 mmol) Pentaphenylarsen in 100 *ml* abs. Diethylether und 230 mg (0,9 mmol) Triphenylboran in 9 *ml* Diethylether werden unter Stickstoff gemischt. Nach ~30 Min. beginnt eine Trübung, und nach 20 Stdn. haben sich in der wieder klaren Lösung Kristalle abgeschieden, deren Menge in den folgenden Tagen ständig zunimmt. Nach 20 Tagen werden die Kristalle isoliert und aus Nitromethan umkristallisiert; Ausbeute: 360 mg (57%); F: 293–294° (Zers.).

Triphenylboran reagiert in Diethylether rasch mit Tetraphenyltellur unter Bildung von *Triphenyltelluroniumtetraphenylborat*[9]:

$$(H_5C_6)_3B + (H_5C_6)_4Te \longrightarrow [(H_5C_6)_3Te]^+ [(H_5C_6)_4B]^-$$

Triphenyltelluroniumtetraphenylborat[9]: 435 mg (1 mmol) Tetraphenyltellur werden mit 242 mg (1 mmol) Triphenylboran in 100 *ml* abs. Diethylether vereinigt. Die Lösung trübt sich nach 1 Min., die vorher gelbe Farbe verschwindet. Nach 4 Tagen werden die Kristalle isoliert und aus Nitromethan umkristallisiert; Ausbeute: 200 mg (30%); F: 217–219°.

---

[1] J. Rabiant, J. Renault u. J.-A. Gautier, C. r. **254**, 1819 (1962).
[2] G.A. Razuvaev u. T.G. Brilkina, Doklady Akad. SSSR **91**, 861 (1953); C.A. **48**, 31 80 (1954).
[3] P. Nenning u. H. Holzapfel, Acta chim. Acad. Sci. hung. **61**, 421 (1969); C.A. **71**, 124558 (1969).
[4] H. Holzapfel, P. Nenning u. O. Wildner, Z. **6**, 34 (1966).
[5] H. Holzapfel, P. Nenning u. H. Stirn, Z. **6**, 435 (1966).
[6] *Gmelin*, 8. Aufl., Bd. **33**/8, S. 67–182, 193, 194, 212, 214 (1976).
[7] G. Wittig u. K. Clauss, A. **577**, 26 (1952).
[8] G. Wittig u. P. Raff, A. **573**, 195 (1951).
[9] G. Wittig u. H. Fritz, A. **577**, 39 (1952).

Aus Triphenylboran ist in Diethylether mit Phenylkupfer in 75%iger Ausbeute *Kupfertetraphenylborat* zugänglich[1]:

$$(H_5C_6)_3B \quad + \quad H_5C_6{-}Cu \quad \longrightarrow \quad Cu^+[(C_6H_5)_4B]^-$$

Kupfertetraphenylborat[1]: Eine klare Lösung von 4,7 g (19,45 mmol) Triphenylboran in 40 *ml* Diethylether wird tropfenweise bei 0° unter Rühren zu einer Lösung von 0,58 g (4,1 mmol) Phenylkupfer in 15 *ml* Diethylether gegeben. Man läßt auf 20° erwärmen und rührt noch 10 Stdn. Das farblose, voluminöse Produkt wird abfiltriert und mit Ether gewaschen, bis der Überschuß von Triphenylboran entfernt ist. Dann wird i. Vak. getrocknet; Ausbeute: 1,1 g (75%); F: 110°.

$\beta\beta_2$) aus Halogenboranen

Zur Herstellung von Tetraarylboraten eignen sich Diaryl-halogen-borane (vgl. Bd. XIII/3a, S. 382). Bisweilen werden auch Trihalogenborane eingesetzt. Aus Diaryl-halogen-boranen erhält man mit Arylalkalimetall-Verbindungen einheitlich oder gemischt substituierte Tetraarylborate.

Bis[2,6-dimethylphenyl]-fluor-boran reagiert mit Phenyllithium in siedendem Diethylether unter Bildung von *Lithium-bis*[*2,6-dimethylphenyl*]*-diphenyl-borat*, das mit wäßr. Kaliumchlorid-Lösung das *Kalium*-Salz liefert[2]:

$$[2,6\text{-}(CH_3)_2C_6H_3]_2B{-}F \;+\; 2\; H_5C_6{-}Li \xrightarrow[-\,LiF]{(H_5C_2)_2O} Li^+\left\{(H_5C_6)_2B[2,6\text{-}(H_3C)_2C_6H_3]_2\right\}^- \xrightarrow[-\,LiCl]{+\,KCl/H_2O} K^+\left\{(H_5C_6)_2B[2,6\text{-}(H_3C)_2C_6H_3]_2\right\}^-$$

Kalium-bis[2,6-dimethylphenyl]-diphenyl-borat[2]: Eine Phenyllithium-Lösung in 300 *ml* wasserfreiem Diethylether, hergestellt aus 32 g (0,2 mol) Brombenzol und 12,16 g (95 *ml* einer 2 M Lösung) Butyllithium, gibt man unter Rühren zu einer Lösung von 21 g (0,09 mol) Bis[2,6-dimethylphenyl]-fluor-boran in Diethylether. Man erhitzt 2 Stdn. am Rückfluß und gießt anschließend in 1 *l* Wasser. Nach Abtrennen und Trocknen der Ether-Phase wird der Ether abgezogen. Lösen des rohen Lithiumborats in Wasser, Waschen mit Hexan und Behandeln mit einer Kaliumchlorid-Lösung läßt das Kaliumborat ausfallen. Man filtriert ab, wäscht den Niederschlag mit Wasser und trocknet i. Vak.; Ausbeute: 38%.

Aus Chlor-diphenyl-boran ist mit 2-Biphenylyllithium *Lithium-bis*[*2-biphenylyl*]*-diphenyl-borat* zugänglich[3]:

$$(H_5C_6)_2B{-}Cl \;+\; 2\; 2\text{-}(C_6H_5)C_6H_4{-}Li \xrightarrow[-\,LiCl]{} Li^+\left\{(H_5C_6)_2B[2\text{-}(C_6H_5)C_6H_4]_2\right\}^-$$

---

[1] G. Costa, A. Camus, N. Marsich u. L. Gatti, J. Organometal. Chem. **8**, 339 (1967)
vgl. a. *Gmelin*, 8. Aufl., Bd. **33**/8, S. 160 (1976).

[2] P.J. Grisdale, J.L.R. Williams, M.E. Glokowski u. B.E. Babb, J. Org. Chem. **36**, 544 (1971).

[3] R. Köster u. G. Benedikt, Ang. Ch. **75**, 419 (1963).

Aus Trichlorboran läßt sich mit Natrium-Metall/Chlorbenzol *Natriumtetraphenylborat* herstellen[1]:

$$BCl_3 \quad + \quad 8\,Na \quad + \quad 4\,H_5C_6{-}Cl \quad \xrightarrow[-7\,NaCl]{} \quad Na^+[(H_5C_6)_4B]^-$$

$\beta\beta_3$) aus Oxyboranen

Alkalimetalltetraarylborate stellt man auch aus Trialkoxyboranen mit Arylmetall-Verbindungen unter Alkoxy/Aryl-Austausch und Komplexierung her. Aryllithium sowie Arylmagnesiumhalogenid werden als Arylierungs-Reagenzien verwendet. Bisweilen werden die in situ erzeugten metallorganischen Verbindungen eingesetzt.

Aus Trimethoxyboran ist mit 4-Brom-1-chlor-benzol/Lithium-Metall in Ether *Lithium-tetrakis[4-chlorphenyl]borat* zugänglich[2]. Trialkoxyborane reagieren mit Phenylmagnesiumbromid in Diethylether bzw. in Tetrahydrofuran unter Bildung von *Brommagnesiumtetraphenylborat*, das mit Natriumcarbonat in wäßr. Lösung *Natriumtetraphenylborat* liefert[2]:

$$B(OR)_3 \quad + \quad 4\,H_5C_6{-}MgBr \quad \xrightarrow[-3\,Br{-}Mg{-}OR]{} \quad \{BrMg^+[(H_5C_6)_4B]^-\}$$

$$\xrightarrow[-NaBr \;\; -MgCO_3]{+Na_2CO_3/H_2O} \quad Na^+[(H_5C_6)_4B]^-$$

$R = CH_3,\ CH(CH_3)_2,\ CH(CH_3){-}C_3H_7$

Die Ausbeuten an Natriumtetraarylboraten aus Tris[methoxyalkoxy]boranen bzw. aus Tris[1-alkoxyalkoxy]boranen mit Arylmagnesiumhalogeniden lassen sich deutlich (s.u.) erhöhen, wenn man nach Abtrennen der Biaryle in Benzol mit wäßr., gesättigter Ammoniumchlorid-Lösung die schwer löslichen Ammoniumtetraarylborate ausfällt und anschließend mit Natriummethanolat in Methanol in die Natriumtetraarylborate überführt[3].

Natriumtetraarylborate; allgemeine Arbeitsvorschrift[2]**:** Zu 0,11 mol Arylmagnesiumhalogenid in 20 *ml* Diethylether tropft man unter starkem Rühren eine Mischung aus 0,025 mol Trioxyboran in 50 *ml* Diethylether. Man kocht anschließend 15 Min. am Rückfluß und hydrolysiert mit einer Lösung von 50 g Natriumcarbonat in 300 *ml* Wasser. Zur Entfernung von Biarylen wird mit Benzol geschüttelt und die Benzol-Phase abgetrennt. Nach Zugabe von 50 *ml* ges. Ammoniumchlorid-Lösung zur wäßr. Phase fällt das Ammoniumtetraarylborat aus, das nach Isolieren, Waschen und Trocknen mit 25 *ml* abs. Methanol, 0,0245 mol Natriummethanolat enthaltend, behandelt wird. Das freiwerdende Ammoniak wird i. Vak. entfernt, die Mischung filtriert und das Filtrat zur Trokkene eingedampft.

So erhält man u.a.[3]:

aus	mit	Borat	Ausbeute [%]
$B(O{-}CH_2{-}CH_2{-}OCH_3)_3$	$H_5C_6{-}MgBr$	*Natriumtetraphenylborat*	96
$B[O{-}(CH_2)_2{-}O{-}(CH_2)_2{-}OCH_3]_3$	$H_5C_6{-}MgCl$	*Natriumtetraphenylborat*	95
$B[O{-}(CH_2)_3{-}OCH_3]_3$	$2{-}H_7C_{10}{-}MgBr$	*Natrium-tetra-2-naphthylborat*	96
B(O-Tetrahydrofuran-2-yl)$_3$	$H_3C{-}C_6H_4{-}MgBr$	*Natriumtetrakis[4-methylphenyl]borat*	94

[1] US.P. 3331662 (1967), American Potash & Chemical Corp., Erf.: R.M. Washburn u. F.A. Billig; C.A. **67**, 11577 (1967).

[2] H. Holzapfel u. C. Richter, J. pr. **26**, 15 (1964).

[3] Tschechosl. P. 115040 (1965), J. Vit.; C.A. **64**, 15921 (1966).

ββ₄) aus Diethylether-Trifluorboran

Lithium- und Natrium-tetraphenylborat sowie andere Alkalimetalltetraarylborate gewinnt man aus Ether-Trifluorboranen in Benzol/Ethern mit Aryllithium- bzw. mit Arylmagnesium-Verbindungen/ Alkalimetall-Salzlösungen in z.Tl. ausgezeichneten Ausbeuten[1-3].

Natriumtetraphenylborat erhält man aus Diethylether-Trifluorboran mit Phenylmagnesiumbromid in Tetrahydrofuran nach Aufnehmen in wäßr. Natriumchlorid[3]- oder Natriumcarbonat[1]-Lösung:

$$(H_5C_2)_2\overset{\oplus}{O}-\overset{\ominus}{B}F_3 + 4\ H_5C_6-MgBr \xrightarrow[-3\ FMgBr,\ -(H_5C_2)_2O]{THF} BrMg^+\ [(H_5C_6)_4B]^- \xrightarrow[-BrMgX]{+NaX\ /H_2O} Na^+\ [(H_5C_6)_4B]^-$$

Natriumtetraphenylborat[1]: Aus 27 g (1,1 mol) Magnesiumspänen und 160 g (1,0 mol) Brombenzol in 260 *ml* abs. Tetrahydrofuran stellt man das Grignard-Reagenz her und tropft eine Mischung aus 32 g (0,22 mmol) Diethylether-Trifluorboran in 50 *ml* Tetrahydrofuran zu (der Gilman-Test soll nur noch schwach positiv ausfallen). Man läßt das Gemisch zu einer Lösung aus 300 g reinstem Natriumcarbonat in 2 *l* Wasser fließen, sättigt mit Kochsalz, trennt die Tetrahydrofuran-Schicht ab und schüttelt den Rest 2mal mit Tetrahydrofuran aus. Der Extrakt wird zur Trockene eingedampft (am Ende i. Vak.), der Rückstand in 1 *l* dest. Wasser gelöst. Wenn sich in einer kleinen Probe das Borat beim Aussalzen noch schleimig abscheidet, muß das noch enthaltene Tetrahydrofuran abdestilliert werden. Man gibt Kochsalz zu, saugt ab und trocknet bei 50°. Das Rohprodukt wird durch 150 *ml* Essigsäureethylester (mit Calciumchlorid und entwässertem Carbonat getrocknet) ausgelaugt, mit 300 *ml* Benzol verdünnt, filtriert und eingeengt. Es fällt reines Natriumtetraphenylborat aus; Ausbeute: 65 g (83%).

Natriumtetraphenylborat läßt sich auch aus Diethylether-Trifluorboran nach der Reaktion mit Phenylmagnesiumbromid mittels wäßr. Ammoniumchlorid-Lösung über das schwer lösliche *Ammoniumtetraphenylborat* gewinnen. Man setzt anschließend das trokkene Salz mit Natriummethanolat in Methanol um[3].

Entsprechend ist *Trimethylammoniumtetraphenylborat* (72%; F: 165–166°) zugänglich[4].

ββ₅) aus Boraten

Zur präparativen Gewinnung von Tetraarylboraten geht man auch von Tetraorganoboraten aus, die durch Ligandenaustausch am Bor-Atom oder durch borfernen Kationen-Austausch umgewandelt werden können. Außerdem lassen sich Tetrafluorborate einsetzen.

i₁) aus Tetraorganoboraten

Aus Lithiumtetraethylborat ist mit Triphenylboran ohne Lösungsmittel in 92%iger Ausbeute *Lithiumtetraphenylborat* (F: >350°) zugänglich. Triphenylboran wird in ~50%igem Überschuß eingesetzt[5]:

$$3\ Li^+[(H_5C_2)_4B]^- + 4\,(H_5C_6)_3B \xrightarrow[-4\,(H_5C_2)_3B]{\sim 180°} 3\ Li^+[(H_5C_6)_4B]^-$$

Natriumtetraphenylborat erhält man in siedendem Xylol aus dem schwerer reagierenden Natriumtetraalkylborat mit Triphenylboran[5].

---

[1] H. Holzapfel u. C. Richter, J. pr. **26**, 15 (1964).
[2] G. Wittig u. P. Raff, A. **573**, 195 (1951).
[3] J. Myl, J. Kvapil u. P. Leman, Chem. Průmysl **9**, 77 (1959).
[4] K.E. Reynard, R.E. Sherman, H.D. Smith jr. u. L.F. Hohnstedt, Inorg. Synth. **14**, 52 (1973).
[5] M.A. Grassberger u. R. Köster, Ang. Ch. **81**, 261 (1969).

Die Pyrolyse der Lithium-bis[2-biphenylyl]-diorgano-borate liefert unter Alkan- bzw. Benzol-Abspaltung oberhalb ~150° *Lithiumbis[2,2'-biphenyldiyl]borat*[1]:

$$Li^+ \left[(2\text{-}C_6H_5C_6H_4)_2BR_2\right]^- \xrightarrow[-2\,RH]{\Delta} Li^+ \left[B(2,2'\text{-}C_{12}H_8)_2\right]^-$$

Durch Kationen-Austausch sind vor allem aus Natrium- oder Ammonium-tetraarylboraten in wäßr. Lösungen zahlreiche Tetraarylborate präparativ leicht zugänglich.

Das hydrolysestabile, lösliche Natriumtetraphenylborat reagiert in wäßriger Lösung mit Kalium-, Rubidium- oder Cäsium-Salzen (z.B. Chlorid) unter quantitativer Abscheidung der *Kalium-, Rubidium-* bzw. *Cäsiumtetraphenylborate*. Die Reaktion mit Kalium-Verbindungen ist eine analytische Methode zur quantitativen Bestimmung von Kalium.

Aus Ammonium- und Trimethylammonium-tetraphenylboraten erhält man in Diethylether, 1,3-Dioxolan oder 1,2-Dimethoxyethan mit Lithiumhydrid solvatisierte *Lithiumtetraphenylborate* (86%)[2]:

$$[NH_4]^+ \; [(H_5C_6)_4B]^- \quad + \quad LiH \xrightarrow[-H_2 \atop -NH_3]{+H_3CO-CH_2-CH_2-OCH_3} (Solvens)_3\, Li^+[(H_5C_6)_4B]^-$$

Aus Natriumtetraphenylborat lassen sich mit Alkylammoniumchloriden in wenig Wasser sehr leicht und in hohen Ausbeuten (>90%) *Alkylammoniumtetraphenylborate* herstellen[3]:

$$Na^+[(H_5C_6)_4B]^- \quad + \quad [R-NH_3]^+Cl^- \xrightarrow[-NaCl]{H_2O} [R-NH_3]^+ \; [(H_5C_6)_4B]^-$$

$R = C_3H_7,\ CH_2{-}CH(CH_3)_2,\ CH(CH_3){-}C_2H_5,\ C(CH_3)_3$

Entsprechend sind *Trimethylammonium*[4]-, *Tetraethylammonium*-[5,6] sowie *Tetrabutylammoniumtetraphenylborat*[5,6] zugänglich[4].

Aus Natriumtetraphenylborat erhält man mit Pyridin-N-oxiden in Gegenwart von Acetanhydrid *(1-Acetoxypyridinium)tetraphenylborate*[7]:

$$Na^+ \; [(H_5C_6)_4B]^- \; + \; 4\text{-}R\text{-}C_5H_4N^{\oplus}{-}O^{\ominus} \; + \; (H_3C-CO)_2O \xrightarrow{-NaOCOCH_3} [R{-}C_5H_4N^{\oplus}{-}O-CO-CH_3]^+ \; [(H_5C_6)_4B]^-$$

$R = H,\ CH_3,\ Br,\ OCH_3,\ N(CH_3)_2$

---

[1] R. Köster u. G. Benedikt, Ang. Ch. **75**, 419 (1963).
[2] US.P. 4224256 (1979/1980), Exxon Res. & Engng. Co., Erf.: L.P. Klemann u. E.L. Stogryn; C.A. **93**, 170469 (1980).
[3] B.R. Currell, W. Gerrard u. M. Khodacobus, J. Organometal. Chem. **8**, 411 (1967).
[4] K.E. Reynard, R.E. Sherman, H.D. Smith, jr. u. L.F. Hohnstedt, Inorg. Synth. **14**, 52 (1973).
[5] J.M. Burlitch, J.H. Burk, M.E. Leonowicz u. R.E. Hughes, Inorg. Chem. **18**, 1702 (1979).
[6] S.U. Sheikh, T. Mahmood u. M. Haq, Proc. Eur. Symp. Therm. Anal. 2nd **1981**, 446; C.A. **96**, 104332 (1982).
[7] E.V. Titov, K.Y. Choti u. V.I. Rybachenko, Ž. obšč. Chim. **51**, 682 (1981); C.A. **95**, 61937 (1981).

Natriumtetraphenylborat reagiert mit Triethylamin bzw. Triphenyl-arsen, -antimon oder -bismuth in Gegenwart von (1-Benzoyl-2-oxo-2-phenyl-ethyliden)-methyl-phenyl-seluran (Selenium-Ylid) unter Bildung von [*Methyl-triethyl-* (bzw. *triphenyl)-ammonium-* (bzw. *-arsonium, -stibonium-, bismuthonium)*]*-tetraphenylborat*[1]:

$$Na^+ [(H_5C_6)_4B]^- + R_3El + (H_3C)(H_5C_6)Se^{\oplus}-C^{\ominus}(CO-C_6H_5)_2 \xrightarrow[-H_5C_6Se-C(CO-C_6H_5)_2^{\ominus}Na^{\oplus}]{\geq 120°} [H_3C-ElR_3]^+ [(H_5C_6)_4B]^-$$

R = C_2H_5, C_6H_5
El = N, As, Sb, Bi

Aus Natriumtetraphenylborat sind mit Triorganotelluroniumchloriden in wäßr. Lösung *Trimethyltelluronium*[2]- bzw. *Triphenyltelluroniumtetraphenylborat*[2,3] zugänglich:

$$Na^+ [(H_5C_6)_4B]^- + R_3Te{-}Cl \xrightarrow[-NaCl]{H_2O} [R_3Te]^+ [(H_5C_6)_4B]^-$$

R = CH_3, C_6H_5

Auch 1-Organo-2,3-dihydro-1-benzotellurol-tetraphenylborat ist entsprechend zugänglich[4].

Die Verbindungen werden aus Dimethylformamid/Wasser-Gemischen umkristallisiert[2].

Aus Natriumtetraphenylborat lassen sich mit Ligand-Übergangsmetallhalogeniden zahlreiche Ligand-Übergangsmetall(1+)-tetraphenylborate herstellen (vgl. Tab. 113, S. 771):

$$Na^+[(H_5C_6)_4B]^- + LM{-}Hal \xrightarrow[-NaHal]{} LM^+[(H_5C_6)_4B]^-$$

Das Tetraphenylborat-Ion bildet dabei zwei Verbindungstypen, bei denen

① das Tetraphenylborat als getrenntes Anion dem Ligand-Übergangsmetall-Kation gegenüber steht oder

② das Tetraphenylborat Teil eines zwitterionischen Moleküls mit π-Bindung einer Phenyl-Gruppe ans Übergangsmetall gebunden ist[5] (vgl. S. 704f.).

Die Herstellung von Ligand-Übergangsmetalltetraphenylboraten durch borferne Reaktionen im Kation ist in breitem Umfang möglich. Als Beispiel wird die Reaktion eines Ligand-PdH-Kations mit Methylisothiocyanat angeführt[6]:

$$\{[(H_3C)_3P]_3 PdH\}^+[(H_5C_6)_4B]^- + 2\ H_3CN{=}CS \xrightarrow[-P(CH_3)_3,\ -CN-CH_3]{Aceton} [((H_3C)_3P)_2Pd(S_2C{=}N(H)CH_3)]^+[(H_5C_6)_4B]^-$$

{*Bis*[*trimethylphosphan*]*-(N-methyl-dithiocarbamidium)-palladium*}*-tetraphenylborat*

Auch Additionen von Lewissäuren sind im Kation ohne Veränderung des Anions möglich; z. B. beim *Bis*[*triphenylphosphan*]*-dicarbonyl-dihydro-iridium(1+)-tetraphenylborat*[7].

---

[1] B. A. Arbuzov, Y. V. Belkin, N. A. Polezhaeva u. G. E. Buslaeva, Izv. Akad. SSSR **1979**, 1146; engl.: 1072; C.A. **91**, 123 818 (1979).
[2] R. F. Ziolo u. J. M. Troup, Inorg. Chem. **18**, 2271 (1979).
[3] G. Wittig u. H. Fritz, A. **577**, 39 (1952).
[4] A. Z. Al-Rubaie, W. R. McWhinnie, P. Granger u. S. Chapelle, J. Organometal. Chem. **234**, 287 (1982).
[5] D. A. Owen, A. Siegel, R. Lin, D. W. Slocum, B. Conway, M. Moronski u. S. Duray, Ann. N. Y. Acad. Sci. **333**, 90 (1980).
[6] W. Bertleff u. H. Werner, B. **115**, 1012 (1982).
[7] T. G. Richmond, F. Basolo u. D. F. Shriver, Organometallics **1**, 1624 (1982).

Tab. 113: Ligand-Übergangsmetall(1+)-tetraphenylborate aus Natriumtetraphenylborat

Edukt	Bedingungen	Produkt	Kennzeichnung	Literatur
$[(R_2N)_2C_2H_4Cu{-}CO]^+ J^-$	LM–Hal/H_3COH	$[(R_2N)_2C_2H_4Cu{-}CO]^+ [(H_5C_6)_4B]^-$	Röntgen-Struktur	[1]
$(H_5C_6{-}CH_2)_3Cr(THF)_3$	in H_2O, 20°	$[(C_6H_5{-}CH_2{-}C_6H_4{-}CH_3)Cr(C_6H_5{-}CH_3)]^+ [(H_5C_6)_4B]^-$		[2,3]
(Norbornadien)RhCl	in $H_3C{-}CN$, $H_3C{-}OH$	$[(\text{Norbornadien})Rh]^+ [(H_5C_6)_4B]^-$		[4]
$[(H_3C)_3C]_2P{-}(CH_2)_3{-}CH(Rh(H)Cl){-}(CH_2)_3{-}P[C(CH_3)_3]_2$	+ CO, $H_3C{-}OH$	$[\{[(H_3C)_3C]_2P(CH_2)_3\}_2CH{-}Rh(H)(CO)]^+$		[5]
$\{[(H_5C_6)_2P]_2N{-}C_6H_4{-}CH_3\}_2IrCl$	+ H_2 in CH_2Cl_2, + H_3COH	$[\{(H_5C_6)_2P{-}N(R){-}P(C_6H_5)_2\}_2IrH_2]^+ [(H_5C_6)_4B]^-$	IR/Raman ^{31}P–NMR ^1H-NMR	[6]
$NiCl_2 \cdot (H_2O)_6$ + $LiN[CH_2{-}CH_2{-}P(C_2H_5)_2]_3$	in $H_5C_2{-}OH$	$[LNi{-}Cl]^+[(H_5C_6)_4B]^-$	Röntgenstruktur	[7]
$\{HPd[P(CH_3)_3]_3\}^+[(H_5C_6)_4B]^-$	in Aceton + COS	$[\{(H_3C)_3P\}_2Pd(OSC){-}P(CH_3)_3]^+ [(H_5C_6)_4B]^-$	NMR	[8]
$O_2Pt[(H_5C_6)_3P]_2$	in H_5C_2OH	$[\{(H_5C_6)_3P\}_2Pt(\mu{-}OH)_2Pt\{P(C_6H_5)_3\}_2]^{2+}$ 2 $[(H_5C_6)_4B]^-$		[9]

[1] M. Pasquali, C. Floriani u. A.G.M. Otti, Chem. Commun. **1978**, 921.
M. Pasquali, C. Floriani, G. Venturi, A. Gaetani-Manfredotti u. A. Chiesi-Villa, Am. Soc. **104**, 4092 (1982).
[2] M. Tsutsui u. M.N. Levy, Z. Naturf. **21b**, 823 (1966).
[3] R.P.A. Sneeden, F. Glockling u. H. Zeiss, J. Organometal. Chem. **6**, 149 (1966).
[4] L.A. Oro, E. Pinilla u. M.L. Tenajas, J. Organometal. Chem. **148**, 81 (1978).
[5] J. Ellermann, L. Mader u. K. Geibel, Z. Naturf. **36b**, 571 (1981).
[6] C. Crocker, R.J. Errington, R. Markham, C.J. Moulton u. B.L. Shaw, Soc. [Dalton Trans.] **1982**, 387.
[7] C. Bianchini, C. Mealli, A. Meli u. L. Sacconi, Inorg. Chim. Acta **43**, 223 (1980).
[8] H. Werner, W. Bertleff u. U. Schubert, Inorg. Chim. Acta **43**, 199 (1980).
[9] G.R. Hughes u. D.M.P. Mingos, Transition Met. Chem. **3**, 381 (1978).

Tab. 113 (Forts.)

Edukt	Bedingungen	Produkt[a]	Kenn-zeichnung	Lite-ratur
$[(H_5C_2O)_3P]_3Co–Cl$	in H_5C_2OH	$\overset{\oplus}{Co}[P(OC_2H_5)_3]_2$ / $-\overset{\ominus}{B}(C_6H_5)_3$	^{1}H-NMR	1
$Ru(CO)_2Cl$	in H_5C_2OH	$\overset{\ominus}{B}(C_6H_5)_3$ / $\oplus Ru$	IR	2
				3

[a] Metallhaltige zwitterionische Tetraorganoborate vgl. S. 713 f.; Tab. 106 (S. 704).

i_2) aus Tetrafluoroboraten

Aus Alkalimetalltetrafluoroboraten lassen sich mit Arylmagnesiumbromiden in Diethylether oder Tetrahydrofuran Alkalimetalltetraarylborate herstellen[3−7]:

$$M^+[BF_4]^- \quad + \quad 4\,R{-}MgBr \quad \xrightarrow[-4\,FMgBr]{(H_5C_2)_2O} \quad M^+[R_4B]^-$$

M = Li, Na, K
R = C_6H_5, 3-CH_3–C_6H_4, 4-CH_3–C_6H_4; –C_6H_4–C_6H_5

z. B.: M = Li; R = 4-C_6H_5–C_6H_4; *Lithiumtetrakis[4-biphenylyl]borat*[5]; 16%
M = Na; R = C_6H_5; *Natriumtetraphenylborat*[6]; 70%
M = K; R = 3-CH_3–C_6H_4; *Kaliumtetrakis[3-methylphenyl]borat*[7]; 51%
R = 4-CH_3–C_6H_4; *Kaliumtetrakis[4-methylphenyl]borat*[7]; 43%

γ) Tetraorganoborate mit ungesättigten Organo-Resten

Die Herstellungsmethoden der heteroatomfreien Organoborate mit ungesättigten Resten am Bor-Atom (vgl. Tab. 114, S. 773) werden in Abschnitte für Alkenyl- und Alkinyl-borate (vgl. S. 777) unterteilt. Zu den Alkenylboraten gehören z. B. Alkenyl-triorgano- und Alkendiyl-diorgano- sowie Alkadiendiyl-diorgano- und Tetraalkenyl-borate. Als acetylenische Tetraorganoborate sind hauptsächlich 1-Alkinyl-triorgano-borate bekannt (vgl. Tab. 114, S. 774).

[1] L. W. Gosser u. G. W. Parshall, Inorg. Chem. **13**, 1947 (1974).
[2] R. J. Haines u. A. L. du Preez, Am. Soc. **93**, 2820 (1971).
[3] A. N. Nesmeyanov, V. A. Sazonova, G. S. Liberman u. L. I. Emeliyanova, Izv. Akad. SSSR **1955**, 48; C. A. **50**, 1644 (1956).
[4] A. N. Kirgintsev u. V. P. Kozitskii, Ž. prikl. Chim. **43**, 596 (1970); C.A. **72**, 139078 (1970).
[5] H. Holzapfel u. C. Richter, J. pr. **26**, 15 (1964).
[6] A. N. Nesmeyanov u. V. A. Sazonova, Izv. Akad. SSSR **1955**, 187; Doklady Akad. SSSR **1955**, 167; C.A. **50**, 1646 (1956).
[7] D. W. Slocum, S. Duray u. K. Webber, Synth. React. Inorg. Metal-org. Chem. **10**, 261 (1980).

Tab. 114: Tetraorganoborate mit ungesättigten Organo-Resten

Formel	Verbindungstyp	Herstellungsart	s.S.
Alkenyl-triorgano- und Alkendiyl-diorgano-borate			
$Li^+ [R_3B{-}CH{=}CH_2]^-$ (in situ)	$[R_3B{-}R_{en1}]^-$	aus $R_3B + R_{en1}{-}Li$ (in situ)	775
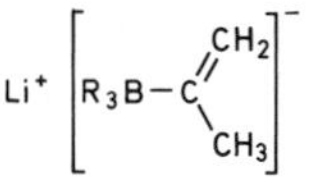 $Li^+ [R_3B{-}C({=}CH_2)CH_3]^-$ (in situ)	$[R_3B{-}R_{en1}]^-$	aus $R_3B + R_{en1}{-}Li$ (in situ)	775
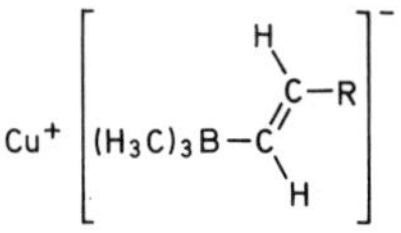 $Cu^+ [(H_3C)_3B{-}C(H){=}C(H){-}R]^-$	$[R_2B{-}R_{en1}]^-$	aus $R^1_{en1}{-}B(OR^2)_2 + R^3{-}Li + CuHal$	776
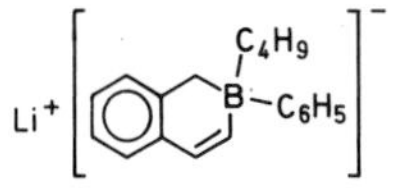 $Li^+ [\text{Benzo-boracyclus}{-}B(C_4H_9)(C_6H_5)]^-$	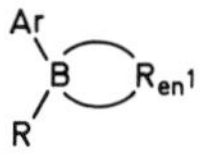 $(Ar)(R)B\frown R_{en1}$	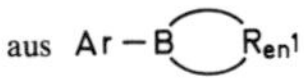 aus $Ar{-}B\frown R_{en1} + R{-}Li$	775
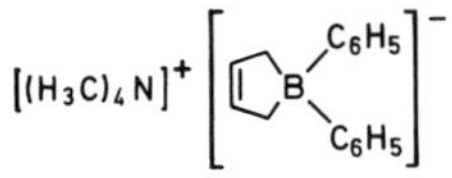 $[(H_3C)_4N]^+ [\text{Boracyclopenten}{-}B(C_6H_5)_2]^-$	 $[R_{en}\frown BAr_2]^-$	 aus $R_{en}\frown B{-}Ar + Li{-}Ar / [R_4N]^+$	775
$Li^+ [R_3B{-}CH_2{-}CH{=}CH_2]^-$	$[R_3B{-}R_{en2}]^-$	aus $R_3B + R_{en2}{-}Li$	775
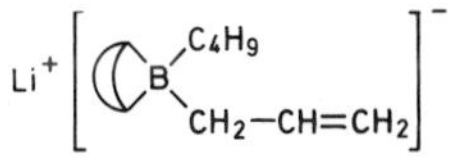 $Li^+ [\text{Borabicyclus}{-}B(C_4H_9)(CH_2{-}CH{=}CH_2)]^-$	$[R_3B{-}R_{en2}]^-$	aus $R_3B + R_{en2}{-}Li$	775
Alkadiendiyl-diorgano-borate			
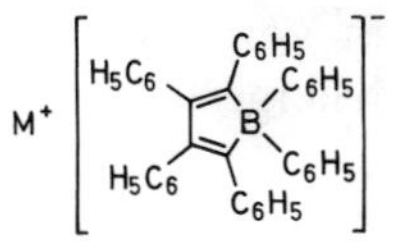 $M^+ [(H_5C_6)_4C_4B(C_6H_5)_2]^-$ M = Li	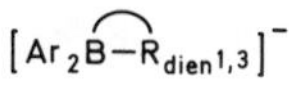 $[Ar_2\overset{\frown}{B{-}R}_{dien1,3}]^-$	aus $Ar_2B{-}Hal + Li_2R_{dien1,3}$	776
M = R_4N		aus $[Ar_2B{-}R_{dien1,3}]^- + [R_4N]^+$	777
Tetraalkenylborate			
$[Do_2B(R_{en2})_2]^+ + [(H_2C{=}CH{-}CH_2)_4B]^-$	$[(R_{en2})_4B]^-$	aus $(R_{en2})_3B$ + Do	775
$Na^+ \{[H_2C{=}C(CH_3){-}CH_2]_4B\}^-$	$[(R_{en2})_4B]^-$	aus $[R_4B]^- + (R_{en2})_3B$	776

Tab. 114 (Forts.)

Formel	Verbindungstyp	Herstellungsart	s. S.
Alkinyl-organo-borate			
$M^+[R^1_3B–C\equiv C–R^2]^-$	$[R^1_3B–R_{in}]^-$		
R^2 = H, Alkyl, Aryl; M = Li		aus $R^1_3B + R^2–C\equiv C–M$	777
M = Na		aus $R^1_3B + R^2–C\equiv C–M$	778 f.
M = K		aus $[R^1_3BH]^- + HC\equiv C–R^2$	781
$Na^+[(H_5C_2)_3B–C\equiv C–CH=C(R^1)(R^2)]^-$	$[R_3B–R_{in}]^-$	aus $[R_3BH]^-$ + $HC\equiv C–CH=C(R^1)(R^2)$	783
M^+ [cyclisches Borat mit R^1 und $C\equiv C–R^2$]	[cyclisches $R–B(R)–R_{in}$]$^-$	aus R–B(R) (cyclisch) + R_{in}–M	778
M^+ [bicyclisches Borat mit $C\equiv C–R^1$]	$[(R–B–R_{in})]^-$	aus (bicyclisches Boran) + R_{in}–M	778
$2M^+[R_3B–C\equiv C–BR_3]^{2-}$	$[R_3B–R_{in}–BR_3]^{2-}$	aus $R_3B + M_2C_2$	779
		aus $[R_3BH]^- + C_2H_2$	783
$2Na^+[R_3B–C\equiv C–R^1–C\equiv C–BR_3]^{2-}$	$[R_3B–R_{in}–R'–R_{in}–BR_3]^{2-}$	aus $[R_3BH]^- + HC\equiv C–R'–C\equiv CH$	784
$Li^+[R_2B(C\equiv C–R)_2]^-$	$[R_2B(R_{in})_2]^-$	aus $R_2B–R_{in} + R_{in}–Li$	778
$M^+[H_5C_2)_2B(C\equiv C–CH_3)_2]^-$; M = Na^+; M = $[Do_2BR_2]^+$	$(R_2B(R_{in})_2]^-$	aus Py–R_2B-Hal + R_{in}–M	781
$Na^+[H_5C_2–B(C\equiv C–CH_3)_3]^-$	$[R–B(R_{in})_3]^-$	aus Do–$RB(R_{in})_2$ + Na–R_{in}	780
$M^+[(R–C\equiv C)_4B]^-$	$[(R_{in})_4B]^-$	aus $BHal_3 + R_{in}$–M	780

γ_1) *Alkenyl-organo-borate*

Die Verbindungen werden aus Triorganoboranen mit Alkenyllithium-Verbindungen und aus Halogen- oder Alkoxy-organo-boranen sowie aus Organoboraten hergestellt (vgl. Tab. 114, S. 773).

$\gamma\gamma_1$) aus Triorganoboranen

Alkalimetallalkenylborate verschiedener Typen (vgl. Tab. 114, S. 773) erhält man aus Triorganoboranen mit chelatbildenden Basen oder mit metallorganischen Verbindungen.

Aus Tri-2-alkenylboran läßt sich mit 2,2′-Bipyridyl eine rote, in Kohlenwasserstoffen und Ethern gut lösliche 1:2-Verbindung herstellen, die als *[2,2′-Bipyridyl-(di-2-alkenyl)-bor(1+)]-tetra-2-alkenylborat* vorliegt[1]:

[1] K.H. Thiele, S. Schröder u. O. Trapolsi, Z. **13**, 141 (1973).

$$2\left[R^1-CH=C(R^2)-CH_2\right]_3B + \text{2,2'-Bipyridin} \longrightarrow \left[(\text{Bipyridin})B(CH_2-C(R^2)=CH-R^1)_2\right]^+ \left\{\left[R^1-CH=C(R^2)-CH_2\right]_4B\right\}^-$$

R^1; R^2 = H, CH_3

Mit Phenanthrolin reagiert Triallylboran analog zum [*Phenanthrolin-diallyl-bor(1+)*]-*tetraallylborat*[1].

Alkalimetall-1-alkenyl-triorgano-borate und Alkalimetall-2-alkenyl-triorgano-borate sind durch Komplexierung von Triorganoboranen mit Alkenylalkalimetall-Verbindungen zugänglich. Die Borate werden allerdings meist nur in situ gewonnen und nicht isoliert.

Aus Trialkylboranen erhält man mit 1-Alkenyllithium in Ethern (z.B. Diethylether, Tetrahydrofuran) Lithium-trialkyl-vinyl-borate[2-5]:

$$R^1_3B + (R^2)(R^3)C=CH-Li \xrightarrow{\text{Ether}} Li^+ \left[R^1_3B-CH=C(R^2)(R^3)\right]^-$$

z.B.: $R^1 = C_2H_5$; $R^2 = C_2H_5$; $R^3 = C_6H_{13}$; *Lithium-(2-ethyl-1-octenyl)-triethyl-borat*[3]
$R^1 = C_4H_9$; $R^2 = R^3 = H$; *Lithium-tributyl-vinyl-borat*[4]
$R^1 = C_5H_9$; $R^2 = H$; $R^3 = CH_3$; *Lithium-1-propenyl-tricyclopentyl-borat*[2]
$R^1 = C_6H_{11}$; $R^2 = C_2H_5$; $R^3 = C_6H_{13}$; *Lithium-(2-ethyl-1-octenyl)-tricyclohexyl-borat*[3]

Aus Trialkylboranen bilden sich mit 2-Alkenyllithium-Verbindungen in Ethern die lediglich in situ sich bildenden Lithium-2-alkenyl-trialkyl-borate[6]:

$$R^1_2B-R^2 + R^3-CH=CH-CH_2-Li \xrightarrow{\text{Ether}} Li^+ \left[R^1_2B(R^2)-CH_2-CH=CH-R^3\right]^-$$

$R^1 = C_4H_9$, $CH(CH_3)-C_2H_5$, (Bicyclo-Rest)
$R^2 = C_4H_9$
R^3 = H, CH_3

Aus ungesättigten Triorganoboranen lassen sich mit Butyllithium-Verbindungen z.B. Lithium-alkendiyl-diorgano-borate herstellen; z.B.[7]:

$$\text{2,4-Diphenyl-1,2-dihydro-benzo[c]borin} \xrightarrow[(H_5C_2)_2O]{+\,H_9C_4-Li} \left[(H_5C_2)_2O-Li\right]^+ \left[\text{2-Butyl-2,4-diphenyl-1,2-dihydro-benzo[c]boratin}\right]^-$$

Lithium-2-butyl-2,4-diphenyl-1,2-dihydro-⟨benzo[c]boratin⟩; hochviskos

Tetramethylammonium-(2-buten-1,4-diyl)-diphenyl-borat-1,1-diphenyl-2,5-dihydro-boratol (F: 177–178°) erhält man entsprechend aus 1-Phenyl-2,5-dihydro-borol mit Phenyllithium in Diethylether und nachfolgender Reaktion mit Tetramethylammonium-bromid in wäßriger Lösung (vgl. Tab. 114, S. 773)[8].

---

[1] K.H. Thiele, S. Schröder u. O. Trapolsi, Z. **13**, 141 (1973).
[2] M. Miyaura, H. Tagumi, M. Itoh u. A. Suzuki, Chem. Letters **1974**, 1411.
[3] N.J. Calina jr. u. A.B. Levy, J. Org. Chem. **43**, 1279 (1978).
[4] H.C. Brown, A.B. Levi u. M.M. Midland, Am. Soc. **97**, 5017 (1975).
[5] K. Utimoto, K. Uchida, M. Yamaha u. H. Nozaki, Tetrahedron **33**, 1945 (1977).
S.W. Slayden, J. Org. Chem. **47**, 2753 (1982).
[6] Y. Yamamoto, H. Yatagai u. K. Maruyama, Am. Soc. **103**, 1969 (1981).
[7] P.I. Paetzold u. H.G. Smolka, B. **103**, 289 (1970).
[8] G.E. Herberich, B. Hessner u. D. Söhnen, J. Organometal. Chem. **233**, C35 (1982).

Mit Vinyl-magnesiumbromiden sind aus Trialkylboranen Trialkyl-vinyl-borate zugänglich[1]; z.B.: *Brommagnesium-tripropyl-vinyl-borat*:

$$(H_7C_3)_3B \quad + \quad H_2C{=}CH{-}MgBr \quad \longrightarrow \quad BrMg^+\ [(H_7C_3)_3B{-}CH{=}CH_2]^-$$

$\gamma\gamma_2$) aus Halogen-organo-boranen

In speziellen Fällen werden zur Herstellung ungesättigter Tetraorganoborate Halogen-organo-borane verwendet. Aus Chlor-diphenyl-boran ist z.B. mit 1,4-Dilithio-1,2,3,4-tetraphenyl-1,3-butadien unter Lithiumchlorid-Abspaltung *Lithium-diphenyl-(1,2,3,4-tetraphenyl-1,3-butadien-1,4-diyl)-borat* zugänglich[2]:

$(H_5C_6)_2B{-}Cl$ + 1,4-Dilithio-1,2,3,4-tetraphenyl-1,3-butadien $\xrightarrow{-LiCl}$ Li^+ [Diphenyl-tetraphenyl-borol-Anion]$^-$

Das Lithium-Salz kann in das hochschmelzende (F: 227–230°) *Tetramethylammonium-Salz* übergeführt werden[2].

$\gamma\gamma_3$) aus 1-Alkenyl-oxy-boranen

Aus 2-(1-Alkenyl)-1,3,2-benzodioxaborolen erhält man mit Methyllithium in Ether/Tetrahydrofuran bei 0° nach Zusatz von Kupfer(I)-jodid Kupfer(I)-1-alkenyl-trimethyl-borat[3]:

R–CH=CH–B(O₂C₆H₄) $\xrightarrow[2.\ +CuJ,\ -30°/(H_5C_2)_2O\ /\ THF]{1.\ +H_3C-Li\ /\ (H_5C_2)_2O\ /\ THF;\ -0°}$ $Cu^+\ [R{-}CH{=}CH{-}B(CH_3)_3]^-$

R = C_4H_9; *Kupfer(I)-E-1-hexenyl-trimethyl-borat*
R = C_6H_{13}; *Kupfer(I)-E-1-octenyl-trimethyl-borat*

$\gamma\gamma_4$) aus Tetraorganoboraten

Ligandenaustausch am Bor-Atom und borferne Substitution des Kations liefern aus Tetraorganoboraten in z.Tl. sehr guten Ausbeuten ein- bis mehrfach ungesättigte Tetraorganoborate. Natriumtetraethylborat reagiert mit Tri-2-alkenylboranen bei 135–140° unter vollständigem Ethyl/Allyl-Austausch nach Abdestillieren von Triethylboran zu Natriumtetra-2-alkenylboraten in Ausbeuten von >80%[4]:

$$3\,Na^+[(H_5C_2)_4B]^- \quad + \quad 4\,(R_{en})_3B \quad \xrightarrow[-4(H_5C_2)_3B]{135-140°} \quad 3\,Na^+[R_4B]^-$$

R = $CH_2{-}CH = CH{-}CH_3$; *Natriumtetra-2-butenylborat*; 86%; F: 130°
R = $CH_2{-}C(CH_3) = CH_2$; *Natriumtetrakis[2-methylallyl]borat*; 85%; F: 166°

---

[1] K. Utimoto, K. Uchida, M. Yamaya u. H. Nozaki, Tetrahedron **33**, 1945 (1977).
[2] P.J. Grisdale u. J.L.R. Williams, J. Organometal. Chem. **22**, C 19 (1970).
[3] N. Miyaura, T. Yano u. A. Suzuki, Bl. chem. Soc. Japan **53**, 1471 (1980); C.A. **93**, 185654 (1980).
[4] M.A. Grassberger u. R. Köster, Ang. Ch. **81**, 261 (1969).

Durch Kationen-Austausch sind aus ungesättigten Tetraorganoboraten durch borferne Reaktionen andere Salze mit dem gleichen Anion zugänglich. Aus Lithium-diphenyl-(1,2,3,4-tetraphenyl-1,3-butadien-1,4-diyl)-borat gewinnt man mit Tetramethylammoniumbromid das in Aceton/Wasser schwer lösliche *Tetramethylammonium-diphenyl-(1,2,3,4-tetraphenyl-1,3-butadien-1,4-diyl)-borat* (F: 227–230°)[1]:

$$Li^+ [(H_5C_6)_2B(C_4(C_6H_5)_4)]^- \xrightarrow[-LiBr]{+[(H_3C)_4N]^+Br^-} [(H_3C)_4N]^+ [(H_5C_6)_2B(C_4(C_6H_5)_4)]^-$$

γ_2) *Alkinyl-organo-borate*

Zur Verbindungsklasse zählen die präparativ wichtigen Alkalimetall-1-alkinyl-triorgano-borate mit offenkettiger und cyclischer Struktur. Außerdem sind Di-1-alkinyl-diorgano- und Tetra-1-alkinyl-borate sowie Alkindiyl-hexaorgano- und Alkadiindiyl-hexaorgano-diborate bekannt. Nur wenige Alkeninyl-organo-borate wurden bisher beschrieben (vgl. Tab. 114, S. 774).

Die Herstellungsmethoden der 1-Alkinylborate gehen von Triorganoboranen, von Lewisbase-Trihalogenboranen oder von verschiedenen Organoboraten aus (vgl. Tab. 114, S. 774).

$\gamma\gamma_1$) aus Triorganoboranen

Aus Triorganoboranen stellt man mit Alkalimetall-1-alkinen durch Komplexierung Alkalimetall-1-alkinyl-triorgano-borate in guten Ausbeuten her. Trialkyl-, Triaryl-, Alkandiyl-alkyl- sowie Alkantriylborane lassen sich komplexieren. Als Lösungsmittel verwendet man Ether wie z. B. Diethylether oder Tetrahydrofuran sowie aromatische Kohlenwasserstoffe (Benzol, Toluol), aus denen die Salze im allgemeinen leicht isoliert werden können. In nichtpolaren Lösungsmitteln bilden sich Natrium- und Kalium-1-alkinyl-triorgano-borate meist leichter als die entsprechenden Lithium-Verbindungen[2].

Lithium-1-propinyl-triethyl-borat[2]: 4,6 g (0,1 mol) 1-Propinyllithium und 9,8 g (0,1 mol) Triethylboran werden in 50 *ml* Toluol 2 Stdn. bei 100° gehalten. Nach Filtrieren, Waschen mit Hexan und Trocknen i. Vak. erhält man 12,9 g (89%); Zers.p.: 229°.

Lithium-1-hexinyl-tributyl-borat läßt sich in situ aus Tributylboran mit 1-Hexinyllithium in Tetrahydrofuran gewinnen[3]. Aus Triphenylboran ist mit Phenylethinyllithium in Diethylether *Lithium-phenylethinyl-triphenyl-borat* zugänglich[3].

Lithium-phenylethinyl-triphenyl-borat[4]: 3,4 g (14 mmol) Triphenylboran, in 20 *ml* abs. Diethylether gelöst, werden mit 24 *ml* einer 0,6 M ether. Lösung (14 mmol) von Phenylethinyllithium[5] gemischt. Triphenylboran geht unter schwach exothermer Reaktion in Lösung. Nach dem Filtrieren entstehen 2 Phasen. Die beim Abkühlen auf −80° ausfallenden Kristalle werden mehrmals aus Diethylether umkristallisiert. Der Ether wird i. Vak. beim Erwärmen auf ~100° entfernt.

---

[1] P. J. Grisdale u. J. L. R. Williams, J. Organometal. Chem. **22**, C 19 (1970).
[2] P. Binger, G. Benedikt, G. W. Rotermund u. R. Köster, A. **717**, 21 (1968).
[3] E. Negishi, M. J. Idacavage, K.-W. Chiu, T. Yoshida, A. Abramovitch, M. E. Goettel, A. Silveira jr. u. H. D. Bretherick, Soc. [Perkin Trans. II] **1978**, 1225.
[4] G. Wittig u. P. Raff, A. **573**, 195 (1951).
[5] H. Gilman u. J. Swin, Am. Soc. **62**, 1847 (1940).

Ebenfalls in situ können Lithium-di-1-alkenyl-dialkyl-borate aus 1-Alkinyl-dialkyl-boranen mit 1-Alkinyllithium[1-3] hergestellt werden:

$$R^1_2B{-}C{\equiv}C{-}R^2 \quad + \quad R^2{-}C{\equiv}C{-}Li \quad \longrightarrow \quad Li^+\,[R^1_2B(C{\equiv}C{-}R^2)_2]^-$$

Mit 1-Alkinylnatrium erhält man Natrium-1-alkinyl-triorgano-borate[4]. So ist z. B. aus Triethylboran in Benzol mit 1-Propinylnatrium in 88%iger Ausbeute *Natrium-1-propinyl-triethyl-borat* (F: 89°) zugänglich[4]. Triphenylboran liefert in Ether mit Phenyl-ethinyl-natrium *Natrium-phenylethinyl-triphenyl*-borat[4]:

$$(H_5C_6)_3B \quad + \quad Na{-}C{\equiv}C{-}C_6H_5 \quad \xrightarrow{(H_5C_2)_2O} \quad Na^+\,[(H_5C_6)_3B{-}C{\equiv}C{-}C_6H_5]^-$$

Die Herstellung von Alkalimetall-1-alkinyl-triorgano-boraten aus cyclischen Triorganoboranen erfolgt entsprechend. Bisweilen haben sterische Faktoren Einfluß auf die Bildungsgeschwindigkeit der Borate. Beispielsweise reagiert *trans*-Perhydro-9b-bora-phenalen (Centrobor I) rascher mit 1-Propinylnatrium als das *all-cis*-Isomere (Centrobor II)[4,5]:

$$\text{(Centrobor)} \quad + \quad R_{in}{-}Na \quad \longrightarrow \quad Na^+\,[\text{Centrobor}{-}R_{in}]^-$$

R_{in} = C≡C–CH_3, C≡C–C_2H_5

Natrium-1-propinyl-1,5,9-cyclododecantriyl-borat[4]: 7,5 g (117 mmol) 1-Propinylnatrium und 41,4 g (234 mmol) *trans*-Perhydro-9b-boraphenalen (Centrobor I)[5] werden 2 Stdn. auf 50–60° erwärmt. Man gibt 60 *ml* Hexan zu, filtriert ab; Ausbeute: 28,1 g (100%); F: 250°.

Auch Alkalimetall-1-alkinyl-triorgano-borate mit verschiedenartigen Organo-Resten sind durch die einfache Komplexierung zugänglich; z. B. *Natrium-1-propinyl-1-propyl-1-boraindanat* (vgl. Tab. 114, S. 774):

$$\text{1-}C_3H_7\text{-1-boraindan} \quad + \quad Na{-}C{\equiv}C{-}CH_3 \quad \xrightarrow{\text{Benzol}} \quad Na^+\,[H_7C_3(H_3C{-}C{\equiv}C)B\text{-indan}]^-$$

Natrium-1-propinyl-1-propyl-1-borataindan[4]: Zu 9,3 g (0,15 mol) 1-Propinylnatrium in 80 *ml* Benzol tropft man bei ~20° 23,7 g (0,15 mol) 1-Propyl-1-boraindan. Man dampft ein und erhält einen glasartigen Rückstand; Ausbeute: 31,4 g (95%).

Auch Kaliumsalze sind aus den Komponenten leicht in Toluol zugänglich.

Kalium-ethinyl-trimethyl-borat[4]: Zur Suspension von 6,4 g (0,1 mol) Ethinyl-Kalium in 150 *ml* absol. Toluol werden bei ~20° unter starkem Rühren innerhalb 6 Stdn. 10 g (~14 *ml*) Trimethylboran eingeleitet (Tieftemperaturkühler und angeschlossene Waschflasche mit Pyridin). Nach Entfernen des überschüssigen Trimethylborans filtriert man von 10,8 g rohem Salz ab; das aus Diethylether umkristallisiert wird; Ausbeute: 8 g (67%); F: 136° (Zers.).

Kalium-1-propinyl-triethyl-borat (F: 163–164°) erhält man in 94%iger Ausbeute aus Triethylboran mit 1-Propinyl-Kalium in Toluol bei 20–100°[4].

---

[1] A. Pelter, K. Smith u. M. Tabata, Chem. Commun. **1975**, 857.
[2] A. Pelter, R. Hughes, K. Smith u. M. Tabata, Tetrahedron Letters **1976**, 4385.
[3] J. A. Sinclair u. H. C. Brown, J. Org. Chem. **41**, 1078 (1976).
[4] P. Binger, G. Benedikt, G. W. Rotermund u. R. Köster, A. **717**, 21 (1968).
[5] Korrekte Zuordnung der beiden stereoisomeren Perhydro-9b-boraphenalene (vgl. Bd. XIII/3a, S. 26): H. C. Brown u. W. C. Dickason, Am. Soc. **91**, 1226 (1969).

Lithium-alkenyl-alkinyl-dialkyl-borate sind aus Alkenyl-dialkyl-boranen mit 1-Alkinyllithium in Tetrahydrofuran zugänglich[1], und Natrium-(alk-3-en-1-inyl)-triphenyl-borate lassen sich aus Triphenylboran mit Alk-3-en-1-inylnatrium in Diethylether oder in Tetrahydrofuran in praktisch quantitativen Ausbeuten herstellen[2]:

$$(H_5C_6)_3B + R^2(R^2)C{=}C(R^1)-C{\equiv}C-Na \xrightarrow{(H_5C_2)_2O} Na^+ \left[(H_5C_6)_3B-C{\equiv}C-C(R^1){=}C(R^2)R^2\right]^-$$

...-triphenyl-borat

$R^1 = H$; $R^2 = CH_3$; *Natrium-(4-methylpent-3-en-1-inyl)-...*; 97%; F: >300°
$R^1 = CH_3$; $R^2 = H$; *Natrium-(3-methylbut-3-en-1-inyl)-...*; 94%; F: >300°

Mit Ethinylnatrium bzw. -kalium reagieren Trialkylborane deutlich unterschiedlich rasch. Aus Trimethyl- bzw. Triethylboran lassen sich mit Ethinylkalium in Toluol bei 20° Kalium-ethinyl-trialkyl-borate (vgl. Tab. 114, S. 774) herstellen[3]:

$$R_3B + HC{\equiv}C-K \xrightarrow{\text{Toluol, 20°}} K^+ [R_3B-C{\equiv}CH]^-$$

$R = CH_3$; *Kalium-ethinyl-trimethyl-borat*; 67%; F: 136° (Zers.)
$R = C_2H_5$; *Kalium-ethinyl-triethyl-borat*; 91%; F: 91–101°

Ethinylnatrium setzt sich erst beim Erwärmen um. Auch in siedendem Diethylether tritt keine glatte Reaktion ein. Man erhält zahlreiche Folge- und Nebenprodukte[3]. Die Herstellung von reinem *Natrium-ethinyl-triethyl-borat* (vgl. S. 783) aus Triethylboran mit Ethinylnatrium in Paraffinöl bei 85° wird lediglich in einer Patentschrift beschrieben[4].

Aus Trialkylboranen bilden sich mit Dilithiumethin in Ethern bei 0° Dilithium-bis[trialkylboratyl]ethine (in situ hergestellt)[5,6]:

$$2R_3B + Li-C{\equiv}C-Li \xrightarrow{(H_5C_2)_2O/THF,\ 0°,\ 1\ Stde.} [R_3B-C{\equiv}C-BR_3]^{2-} 2Li^+$$

$R = C_3H_7$; *Dilithium-bis[tripropylboratyl]ethin*
$R = C_5H_9$; *Dilithium-bis[tricyclopentylboratyl]ethin*

$\gamma\gamma_2$) aus Hydro-organo-boranen

Aus 9-Borabicyclo[3.3.1]nonan läßt sich mit Phenylmagnesiumbromid/Kupfer(I)-jodid in Diethylether bei 0 bis 20° 9-Phenyl-9-borabicyclo[3.3.1]nonan in situ gewinnen (vgl. Bd. XIII/3a, S. 156), das mit 1-Hexinyl-lithium in etherischer Lösung *9-(1-Hexinyl)-9-phenyl-borat* liefert[7].

---

[1] G. Zweifel u. S. J. Backlund, J. Organometal. Chem. **156**, 159 (1978).
[2] R. Köster u. G. Seidel, Mülheim a.d. Ruhr, unveröffentlicht 1978.
[3] P. Binger, G. Benedikt, G. W. Rotermund u. R. Köster, A. **717**, 21 (1968).
[4] US.P. 3137718 (1959/1964), Kali Chemie A. G., Erf.: H. Jenkner; C.A. **57**, 2255 (1962).
[5] N. Miyaura, S. Abiko, M. Itoh u. A. Suzuki, Synthesis **1975**, 669.
[6] K. Utimoto, Y. Yabuki, K. Okada u. H. Nozaki, Tetrahedron Letters **1976**, 3969.
[7] C. G. Whiteley, S. Afr. J. Chem. **35**, 9 (1982); C.A. **97**, 92355 (1982).

$\gamma\gamma_3$) aus Trihalogenboranen

Trichlor- bzw. Tribrom-boran reagieren in Alkanen bei −60° mit Phenylethinylnatrium unter Bildung von *Natriumtetrakis[phenylethinyl]borat*, das aus Tetrahydrofuran als Tris-Tetrahydrofuranat ausfällt. Die Ausbeuten betragen maximal 20%, da tiefrote, polymere Produkte gebildet werden[1]:

$$BHal_3 + 4\,H_5C_6{-}C{\equiv}C{-}Na \xrightarrow[-3\,NaHal]{} Na^{\oplus}\,[(H_5C_6{-}C{\equiv}C)_4B]^{\ominus}$$

X = Cl, Br

Bei Verwendung von Diethylether-Trifluorboran treten keine Verfärbungen ein[1].

$\gamma\gamma_4$) aus Lewisbase-Boranen

Die Herstellungsmethoden für verschiedenartige 1-Alkinyl-organo-borate sind besonders effizient, wenn man Ether- oder N-Basen-Organoborane mit 1-Alkinylalkalimetallen umsetzt. Eingesetzt werden Amin-1-Alkinyl-alkyl-, Pyridinbase-Dialkyl-halogen- und Ether-Trifluorborane, die jeweils mit 1-Alkinylalkalimetallen unter Bildung von 1-Alkinyl-alkyl-boraten reagieren. Nebenreaktionen lassen sich dabei weitgehend ausschließen.

Aus Trimethylamin-Diethyl-1-propinyl-boran (S. 445) erhält man mit 1-Propinylalkalimetallen durch Komplexierung unter Abspaltung von Trimethylamin in Ausbeuten von ~94% *Alkalimetall-diethyl-(di-1-propinyl)-borate*[2]:

$$(H_3C)_3\overset{\oplus}{N}{-}\overset{\ominus}{B}(C_2H_5)_2{-}C{\equiv}C{-}CH_3 + H_3C{-}C{\equiv}C{-}M \xrightarrow[-(H_3C)_3N]{(H_5C_2)_2O} M^+\left[(H_5C_2)_2B(C{\equiv}C{-}CH_3)_2\right]^-$$

M = Li, Na, K

Entsprechend sind aus Trimethylamin-Di-1-propinyl-ethyl-boran (S. 445) quantitativ *Alkalimetall-ethyl-(tri-1-propinyl)-borate* (~100%) zugänglich[2]:

$$(H_3C)_3\overset{\oplus}{N}{-}\overset{\ominus}{B}(C_2H_5)(C{\equiv}C{-}CH_3)_2 + H_3C{-}C{\equiv}C{-}Na \xrightarrow[-(H_3C)_3N]{(H_5C_2)_2O} Na^+\left[H_5C_2{-}B(C{\equiv}C{-}CH_3)_3\right]^-$$

Alkalimetall-diethyl-(di-1-propinyl)- und -ethyl-(tri-1-propinyl)-borate; allgemeine Arbeitsvorschrift[2]: Je 1 mol Trimethylamin-Ethyl-1-propinyl-boran und 1-Propinylalkalimetall werden in Diethylether zum Sieden erhitzt, bis kein Trimethylamin mehr entweicht (mit einem Argon-Strom in 2 N Schwefelsäure). Lösliche Borate werden nach Eindampfen i. Vak. mit Hexan gewaschen, aus 1,4-Dioxan umkristallisiert (Bis-1,4-Dioxanate), die bei ~100°/0,001 Torr das 1,4-Dioxan verlieren. Unlösliche Borate werden durch Filtrieren gewonnen (Dibutyletherate); etherfrei nach Trocknen bei ~70°/0,001 Torr.

Pyridin-Chlor-diethyl-boran reagiert mit 1-Propinylnatrium in Diethylether auf verschiedenen Wegen unter Bildung des in Wasser unzersetzt löslichen *{Bis[pyridin]-diethyl-bor(1+)}-diethyl-(di-1-propinyl)-borats* (F: 94–96°) (S. 692)[3]:

---

[1] U. Krüerke, Z. Naturf. **11b**, 364 (1956).
[2] P. Binger, G. Benedikt, G.W. Rotermund u. R. Köster, A. **717**, 21 (1968).
[3] R. Köster, H.-J. Horstschäfer u. P. Binger, A. **717**, 1 (1968).

$$\text{Py}^{\oplus}\!-\!\overset{\ominus}{B}(C_2H_5)_2\!-\!Cl \xrightarrow{(H_5C_2)_2O}$$

$$\xrightarrow[-\,NaCl]{+\,H_3C-C\equiv C-Na} \text{Py}^{\oplus}\!-\!\overset{\ominus}{B}(C_2H_5)_2\!-\!C\equiv C-CH_3 \xrightarrow[-\,Py]{+\,H_3C-C\equiv C-Na} Na^+\ [(H_5C_2)_2B(C\equiv C-CH_3)_2]^-$$

$$\xrightarrow{+\,Pyridin} \{[\text{Py}-]_2B(C_2H_5)_2\}^+\ Cl^- \xrightarrow{-\,NaCl} \{[\text{Py}-]_2B(C_2H_5)_2\}^+\ [(H_5C_2)_2B(C\equiv C-CH_3)_2]^-$$

Beim Zutropfen von Diethylether-Trifluorboran zur Phenylethinylmagnesiumbromid-Lösung in Benzol erhält man in bis zu 60%iger Ausbeute *Magnesiumbis[tetrakis[phenylethinyl]borat]*[1]:

$$2\ (H_5C_2)_2O-BF_3 \quad + \quad 8\ H_5C_6-C\equiv C-MgBr \xrightarrow[\substack{-4\,MgBr_2\\ -3\,MgF_2}]{\text{Benzol/Ether, }20^\circ} Mg[(H_5C_6-C\equiv C)_4B]_2$$

Die Verbindung läßt sich als Hexahydrat aus Wasser isolieren[1].

γγ₅) aus Organoboraten

Aus Tetramethylammonium-tetraethinylboraten lassen sich mit verschiedenen Ligand-Übergangsmetallhalogeniden in 40–80%iger Ausbeute Ligand-Übergangsmetall-tetraethinylborate (Übergangsmetall: Cobalt, Chrom; Ligand: 1,2-Diaminoethan) herstellen[2].

Natrium-hydro-trialkyl-borate reagieren mit 1-Alkinen unter Abspaltung von Wasserstoff zu Natrium-1-alkinyl-trialkyl-boraten. Die Reaktionen verlaufen bei 20° in aliphatischen oder aromatischen Kohlenwasserstoffen quantitativ[3-5].

$$Na^+\ [R^1_3BH]^- \quad + \quad HC\equiv C-R^2 \xrightarrow[-H_2]{} Na^+\ [R^1_3B-C\equiv C-R^2]^-$$

Natrium-1-alkinyl-triethyl-borate, *-tripropyl-borate* und *-tributyl-borate* fallen unmittelbar aus den Reaktionslösungen in reiner Form aus. Ether sollten wegen der Bildung von Nebenprodukten nicht als Lösungsmittel verwendet werden[6].

---

[1] U. KRÜERKE, Z. Naturf. **11b**, 606 (1956).
[2] Y.N. SHEVCHENKO, N.I. YASHINA, R.A. SVITSYN u. N.V. EGOROVA, Ž. obšč. Chim. **52**, 2560 (1982); C.A. **98**, 107470 (1983).
[3] P. BINGER u. R. KÖSTER, Inorg. Synth. **15**, 136 (1974).
[4] P. BINGER u. R. KÖSTER, Tetrahedron Letters **1965**, 1901.
[5] P. BINGER, G. BENEDIKT, G.W. ROTERMUND u. R. KÖSTER, A. **717**, 21 (1968).
[6] R. KÖSTER u. P. BINGER, Mülheim a.d. Ruhr, unveröffentlicht 1964.

Tab. 115: Natrium-1-alkinyl-trialkyl-borate aus Natrium-hydro-trialkyl-boraten mit 1-Alkinen

Ausgangsborat	1-Alkin	Reaktionsbedingungen	Produkt	Ausbeute [%]	F [°C]	Literatur
$Na^+[(H_3C)_3BH]^-$	$HC\equiv C-C_6H_5$	60°, Benzol	*Natrium-phenylethinyl-trimethyl-borat*[a]	91	146 (Zers.)	1
	$HC\equiv C-CH_3$	70°, Toluol	*Natrium-1-propinyl-trimethyl-borat*[a]	98	165 (Zers.)	1,2
$Na^+[(H_5C_2)_3BH]^-$	$HC\equiv C-CH_3$	25°, Hexan	*Natrium-1-propinyl-triethyl-borat*[b]	91	90	1–3
	$HC\equiv C-C_6H_{13}$	25°, Hexan, isolieren durch Abdest. von Hexan	*Natrium-1-octinyl-triethyl-borat*	96	–	1
	$HC\equiv C-$(1-Cyclohexenyl)	25°, Hexan	*Natrium-(1-cyclohexenylethinyl)-triethyl-borat*	89	117–118	3
	$HC\equiv C-CH=CH-C_2H_5$ (Z/E)	25°, Hexan	*Natrium-(hex-3-en-1-inyl)-triethyl-borat*	94	–	4
$Na^+[(H_7C_3)_3BH]^-$	$HC\equiv C-CH_3$	25°, Hexan	*Natrium-1- propinyl-tripropyl-borat*	95	126	1
	$HC\equiv C-C_3H_7$	25°, Hexan, isolieren durch Abdest. von Hexan	*Natrium-1-pentinyl-tripropyl-borat*	100	83	1
	$HC\equiv C-C_6H_5$	25°, Hexan	*Natrium-phenylethinyl-tripropyl-borat*	78	177	1,3

[a] aus Toluol umkristallisiert
[b] aus Cyclohexan umkristallisiert

[1] P. Binger, G. Benedikt, G.W. Rotermund u. R. Köster, A. **717**, 21 (1968).
[2] P. Binger u. R. Köster, Tetrahedron Letters **1965**, 1901.
[3] P. Binger u. R. Köster, Inorg. Synth. **15**, 136 (1974).
[4] R. Köster, A. Bussmann u. G. Schroth, A. **1975**, 2130.

Natrium-1-alkinyl-trialkyl-borate; allgemeine Arbeitsvorschrift[1]**:** In eine Lösung von 1 mol Natrium-hydro-trialkyl-borat in 300 *ml* Kohlenwasserstoff wird unter Rühren bei ~20° 1 mol 1-Alkin eingeleitet bzw. zugetropft. Ethin wird durch einen Calciumchlorid-Turm zur Befreiung von Aceton geleitet und mit Triethylaluminium getrocknet. Während 1 mol Wasserstoff entweicht, fällt das Borat aus. Es wird isoliert, mit wenig Hexan gewaschen und i. Vak. getrocknet; Ausbeute: ~100% (vgl. Tab. 115, S. 782).

Natrium-1-propinyl-triethyl-borat[2]**:** Ein 500-*ml*-Dreihalskolben mit Gaseinleitungsrohr, Rührer und Rückflußkühler (mit −78°-Kühlfinger) ist über eine auf −78° gekühlte Vorlage mit einem Gasometer verbunden. Die Apparatur wird bei 100° getrocknet und mit Inertgas (Argon oder Stickstoff) gefüllt. Bei ~20° leitet man unter Rühren in eine Lösung von 122 g (1 mol) Natrium-hydro-triethyl-borat in 150 *ml* über Natrium getrocknetem Benzol Propin ein, wobei unter leichter Wärmeentwicklung die Wasserstoff-Abspaltung beginnt. Die Gaseinleitung wird so reguliert, daß eine kontinuierliche Wasserstoff-Entwicklung beobachtet wird und kaum Propin austritt (~4,8 *l* Propin/Stde.). Nach 2 Stdn. (~16 g Propin) beginnt die Kristallisation des Borats. Nach ~5 Stdn. (22,6 *l* Wasserstoff sind entwickelt) ist die Reaktion beendet. Vom Niederschlag wird abfiltriert, dieser mit wenig Pentan gewaschen und i. Vak. (12 Torr) getrocknet; Ausbeute: 142 g (89%); F: 90°.

Weitere entsprechend hergestellte Natrium-1-alkinyl-trialkyl-borate sind in der Tab. 115 (S. 782) zusammengestellt.

Die Methode ist zur Herstellung von Natrium-1-alkinyl-triphenyl-boraten wegen der Schwerlöslichkeit des Natrium-hydro-triphenyl-borats nicht geeignet. Diese Salze werden daher aus Triphenylboran mit Alkalimetall-1-alkinen hergestellt (vgl. S. 778).

Kalium-hydro-trialkyl-borate reagieren mit 1-Alkinen in Kohlenwasserstoffen ähnlich wie die Natrium-Verbindungen.

Mit Alk-3-en-1-inen erhält man aus Alkalimetall-hydro-trialkyl-boraten in guten Ausbeuten Alkalimetall-(alk-3-en-1-inyl)-trialkyl-borate[3]:

$$Na^+ \left[(H_5C_2)_3BH\right]^- \xrightarrow[-H_2]{+HC\equiv C-CH=C(R^1)(R^2)} Na^+ \left[(H_5C_2)_3B-C\equiv C-CH=C(R^1)(R^2)\right]^-$$

...-triethyl-borat

$R^1 = R^2 = CH_3$; *Natrium-(4-methyl-pent-3-en-1-inyl)-...*; 93%
$R^1 = H$; $R^2 = C_2H_5$; *Natrium-(hex-3-en-1-inyl)-...*; 94%

Mit Ethin reagieren Natrium-hydro-trialkyl-borate in Benzol bei 20–25° unter Substitution beider Wasserstoff-Atome durch die Trialkylbor-Gruppierung zu *Dinatrium-bis[trialkylborato]ethinen*[2,4]:

$$Na^+ \left[R_3BH\right]^- \xrightarrow[-H_2]{+HC\equiv CH} \left\{Na^+ \left[R_3B-C\equiv CH\right]^-\right\} \xrightarrow[-H_2]{+Na^+ \left[R_3BH\right]^-} \left[R_3B-C\equiv C-BR_3\right]^{2-} \quad 2\ Na^+$$

Natrium-ethinyl-triethyl-borat läßt sich nur bei Verwendung von Ethin in großem Überschuß in meist verunreinigter Form gewinnen.

Dinatrium-bis[triethylborato]ethin[2]**:** Man leitet bei ~20° in eine Lösung von 52,3 g (0,428 mol) Natrium-hydro-triethyl-borat in 100 *ml* abs. Benzol solange Ethin ein, bis kein Wasserstoff (9,5 *l*) mehr entwickelt wird (Beendigung der Gasentwicklung hinter einer auf −180° gekühlten Falle). Anschließend wird ein Teil des Lösungsmittels abdestilliert, der Rückstand mit abs. Hexan versetzt. Von der Komplexverbindung wird abfiltriert. Nach Trocknen erhält man 46,7 g (80,8%) farbloses, kristallines Pulver (Zers. ~105°).

---

[1] P. BINGER u. R. KÖSTER, Inorg. Synth. **15**, 136 (1974).
[2] R. KÖSTER, A. BUSSMANN u. G. SCHROTH, A. **1975**, 2130.
[3] P. BINGER u. R. KÖSTER, Tetrahedron Letters **1965**, 1901.
[4] P. BINGER, G. BENEDIKT, G. W. ROTERMUND u. R. KÖSTER, A. **717**, 21 (1968).

Auf ähnliche Weise wird *Dinatriumbis[tripropylborato]ethin* erhalten.

Aus Kalium-hydro-triethyl-borat läßt sich mit Ethin in siedendem Benzol *Kalium-ethinyl-triethyl-borat* leicht herstellen[1], das erst oberhalb ~100° mit Kalium-hydro-triethyl-borat unter Bildung von *Dikaliumbis[triethylborato]ethin* (91%; F: 210°, Zers.)[1] reagiert.

$$2\,Na^+\,[R_3BH]^- \quad + \quad H{-}C{\equiv}C{-}(CH_2)_x{-}C{\equiv}C{-}H \quad \xrightarrow[-2\,H_2]{} \quad [R_3B{-}C{\equiv}C{-}(CH_2)_x{-}C{\equiv}C{-}BR_3]^{2-}\; 2\,Na^+$$

Dinatrium-1,4-bis[triethylborato]-1,3-butadiin (x = 0)[1]: Aus 15,5 g 1,4-Dichlor-2-butin frisch hergestelltes Butadiin leitet man durch eine Waschflasche mit 5 N Kalilauge und einen Calciumchlorid-Trockenturm in eine Lösung von 24 g (197 mmol) Natrium-hydro-triethyl-borat in 30 *ml* Benzol. Unter schwachem Erwärmen entwickelt sich Wasserstoff, gegen Ende fällt das Borat aus. Man saugt von den Kristallen ab (11,4 g), dampft das Filtrat i. Vak. ein und löst unumgesetztes Natrium-hydro-triethyl-borat aus dem Rückstand mit 40 *ml* Cyclohexan heraus. Der verbleibende Rückstand (8,1 g) wird mit dem bereits isolierten Borat vereinigt; Ausbeute: 19,5 g (67%); F: 113–114°.

Auf ähnliche Weise erhält man *Dinatrium-1,8-bis[triethylborato]-1,7-octadiin* (78%; F: 191–194°, Zers.)[1].

δ) Heteroatomhaltige Tetraorganoborate

Zu den Heteroatom-haltigen Tetraorganoboraten (vgl. Tab. 116, S. 785) gehören Verbindungen mit Halogen-Atomen sowie mit verschiedenen Sauerstoff-, Schwefel- und Stickstoff-Funktionen im Organo-Rest des Moleküls. Ferner sind zahlreiche metallierte Tetraorganoborate bekannt. Außer den silylierten und stannylierten Verbindungen gibt es Tetraorganoborate mit an einen oder mehrere Arylkerne π-gebundenen borfernen Übergangsmetallen, deren Herstellungsmethoden in diesem Abschnitt besprochen werden.

δ_1) *Halogenhaltige Tetraorganoborate*

Die Verbindungen werden aus Triorgano- bzw. Triorganooxy-boranen oder aus Boraten hergestellt. Die Halogen-Atome sind jeweils Bestandteile der am Bor-Atom vorhandenen oder einzuführenden Organo-Reste. Halogenierungen von Tetraorganoboraten sind noch unbekannt.

$\delta\delta_1$) aus Triorganoboranen

An Aryl-Reste gebundene Halogen-Atome (Fluor, Brom) sowie chlorierte Vinyl- und Ethinyl-Reste werden bei der Herstellung von Tetraorganoboraten aus Triorganoboranen mit metallorganischen Verbindungen nicht verändert.

Aus halogenierten Triorganoboranen lassen sich daher mit halogenhaltigen metallorganischen Verbindungen halogenierte Metalltetraorganoborate herstellen. Man erhält z. B. aus Tris[pentafluorphenyl]boran in Pentan mit Pentafluorphenyllithium in Diethylether in 43%iger Ausbeute *Lithiumtetrakis[pentafluorphenyl]borat*[2]:

$$(F_5C_6)_3B \quad + \quad F_5C_6{-}Li \quad \longrightarrow \quad Li^+\,[(F_5C_6)_4B]^-$$

---

[1] P. Binger, G. Benedikt, G. W. Rotermund u. R. Köster, A. **707**, 21 (1968).

[2] A. G. Massey u. A. J. Park, J. Organometal. Chem. **2**, 245 (1964).

Tab. 116: Heteroatomhaltige Tetraorganoborate

Formel	Verbindungstyp	Herstellungsart	s. S.
Halogenhaltige Tetraorganoborate			
$Li^+[(H_9C_5)_3B{-}C{\equiv}C{-}CH_2{-}Cl]^-$	$[R_3B{-}R^{Hal}_{in1}]^-$	aus R_3B + $R^{Hal}{-}Li$	787
$Li^+[(H_5C_6)_3B{-}CH_2{-}CH{=}CCl_2]^-$	$[Ar_3B{-}R^{Hal}_{en2}]^-$	aus Ar_3B + $R^{Hal}{-}Li$	787
$M^+[(F_5C_6)_4B]^-$ M = Na; M = K, $(H_5C_2)_4N$	$[(Ar^{Hal})_4B]^-$	aus $(Ar^F)_3B$ + $Ar^F{-}Li$ aus $[(Ar^F)_4B]^-$ (borfern)	784 788
$[NH_4]^+ \{[Cl{-}C_6H_4{-}]_4B\}^-$	$[(Ar^{Hal})_4B]^-$	aus $B(OR^1)_3$ + $Ar^{Hal}{-}Li/NH_4Cl$	787
$M^+ \{[Cl{-}C_6H_4{-}]_4B\}^-$	$[(Ar^{Hal})_4B]^-$	aus $[BF_4]^-$ + $R^{Hal}{-}MgHal$	788
Sauerstoffhaltige Tetraorganoborate			
Li^+ [Dibenzocycloheptenyl mit $(H_3CO)_2C$ und $B(C_6H_5)_3$]$^-$	$[Ar_3B{-}R^O_{en}]^-$	aus Ar_3B + $R^O_{en}{-}Li$	789
$Li^+ [R_3B{-}C({=}CH_2){-}OCH_3]^-$	$[R_3B{-}R^O_{en1}]^-$	aus R_3B + $R^O_{en1}{-}Li$ (in situ)	788
$Li^+ [R_3B{-}\text{2-Furyl}]^-$	$[R_3B{-}R^O_{dien1,3}]^-$	aus R_3B + $R^O_{dien1,3}{-}Li$	789
$Na^+ [(H_5C_2)_3B{-}C{\equiv}C{-}C{-}OX]^-$ X = $(H_5C_2)_2B$, $(H_3C)_3Si$	$[R_3B{-}R^O_{in}]^-$	aus $[R_3BH]^-$ + $R^O_{in}{-}Li$	789 f.
Schwefelhaltige Tetraorganoborate			
$Li^+[R_3B{-}CH_2{-}SCH_3]^-$	$[R_3B{-}R^S]^-$	aus R_3B + $R^S{-}Li$	790
$M^+ \{[\text{2-Thienyl}]_4B\}^-$	$[R^S B]^-$	aus Do–$BHal_3$ + $R^S{-}Li$	790
Stickstoffhaltige Tetraorganoborate			
$Li^+ [(H_5C_6)_3B{-}C_6H_4{-}N(CH_3)_2]^-$	$[Ar_3B{-}Ar^N]^-$	aus Ar_3B + $Ar^N{-}Li$	791
Li^+ [1-R^1-Indol-2-yl$-B(R^2)(R^3)_2$]$^-$	$[R_3B{-}R^N_{in}]^-$	aus $R^3_2B{-}R^2$ + $R^N_{en}{-}Li$	791

Tab. 116 (1. Forts.)

Formel	Verbindungstyp	Herstellungsart	s. S.
Stickstoffhaltige Tetraorganoborate			
$Na^+\ [(H_5C_2)_3B{-}C{\equiv}C{-}CH_2{-}N(C_2H_5)_2]^-$	$[R_3B{-}R_{in}^{N}]^-$	aus $[R_3BH]^- + HC{\equiv}C{-}CH_2{-}N(C_2H_5)_2$	793
$M^+[R_3B{-}CN]^-$	$[R_3B{-}CN]^-$	aus $R_3B + CN^-$ aus $[R_3B{-}CN]^- + M^+$(borfern)	791 793
$K^+[(H_3C)_3B{-}CN]^-$	$[R_3B{-}CN]^-$	aus $Do{-}BR_3 + CN^-$	792
$Na^+[(H_5C_6)_3B{-}CN]^-$	$[R_3B{-}CN]^-$	aus $[(H_3C)_3NH]^+\ [(H_5C_6)_4B]^- + CN^-$	793
$[L_6Mo(SnCl_3)]^+\ [(H_5C_6)_3\overset{\ominus}{B}{-}C{\equiv}\overset{\oplus}{N}{-}\overset{\ominus}{B}(C_6H_5)_3]^-$	$[R_3B{-}CN(BR_3)]^-$	aus $[R_3B{-}CN]^- + R_3B$	793
Metallhaltige Tetraorganoborate			
$Li^+[R_3B{-}C{\equiv}C{-}Li]^-$	$[R_3B{-}R_{1\text{-}in}^{Li}]^-$	aus $[R_3B{-}R_{1\text{-}in}]^- + R^2{-}Li$	797
$Li^+\ [(R^{El^{IV}})_4B]^-$	$[(R^{El^{IV}})_4B]^-$	aus $(R^{El^{IV}})_3B + R^{El^{IV}}{-}Li$	793
$M^+\ [(H_5C_2)_3B{-}C{\equiv}C{-}Si(CH_3)_3]^-$	$[R_3B{-}R_{1\text{-}in}^{Si}]^-$	aus $[R_3BH]^- + HC{\equiv}C{-}Si(CH_3)_3$	797
Li^+ 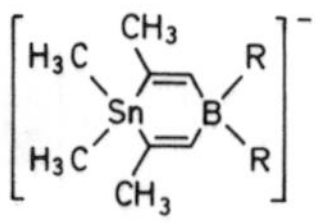 [1,1-$(H_3C)_2$-2,6-$(CH_3)_2$-Sn-B-Ring, B: R, R]$^-$	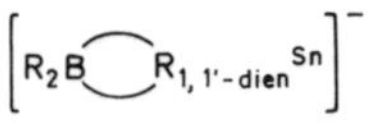 $[R_2B\frown R_{1,1'\text{-}dien}^{Sn}]^-$	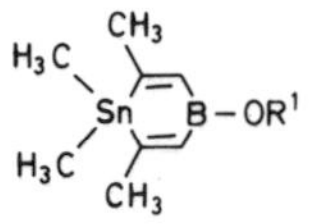 aus 1,1-$(H_3C)_2$-2,6-$(CH_3)_2$-Sn-Ring-$B{-}OR^1 + R^2{-}Li$	795
$[(H_3C)_4N]^+\ \{(H_5C_6)_2B[C_6H_5{-}M(CO)_3]_2\}^-$ 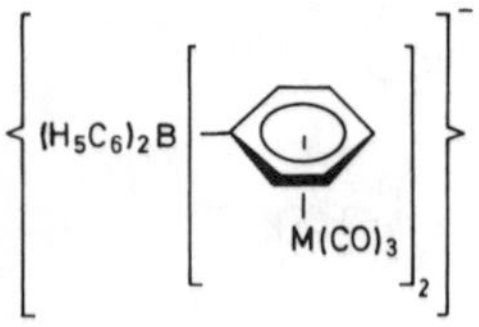	$[Ar_2B(Ar^M)_2]^-$	aus $[R_4B]^- + (CO)_6M$	796f.
$Li^+\ \{[C_5H_4{-}Fe{-}C_5H_5]_4B\}^-$ 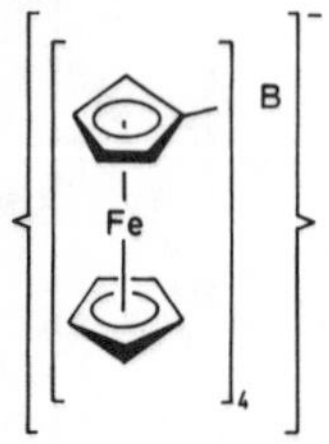	$[(R^{Fe})_4B]^-$	aus R_3B 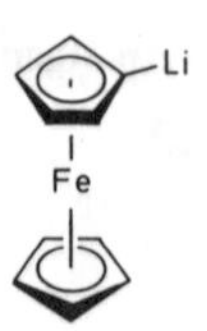 + $C_5H_5{-}Fe{-}C_5H_4{-}Li$	794
$Li^+\ \{[C_5H_4{-}Fe^{II}{-}C_5H_5]_3B{-}C_5H_4{-}Fe^{III}{-}C_5H_5\}^-$ 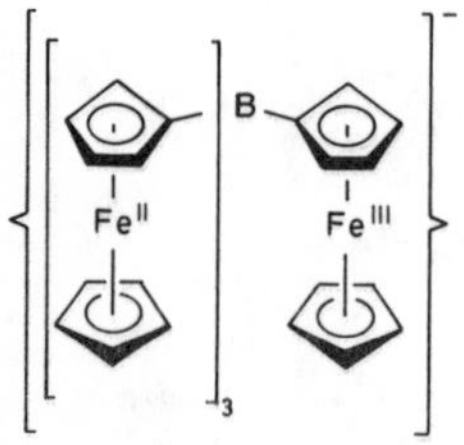	$[(R^{Fe^{II}})_3B{-}R^{Fe^{III}}]^-$	aus 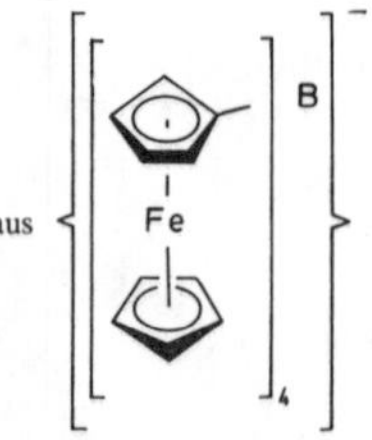 $\{[C_5H_4{-}Fe{-}C_5H_5]_4B\}^- + O_2$	708, 715

Tab. 116 (2. Forts.)

Formel	Verbindungstyp	Herstellungsart	s.S.
Metallhaltige Tetraorganoborate			
$[(H_5C_2)_4N]^+$ $[(H_5C_6)_3B\text{-}C_5H_4\text{-Fe}(CO)(\mu\text{-CO})_2\text{Fe}(CO)(C_5H_5)]^-$	$[Ar_3B-R^{Fe}]^-$	aus Ar_3B + $[R_4N]^+$ + $[(C_5H_5)Fe(CO)_2]^-$	794
M^+ $[(H_5C_6)_3B\text{-}C_5H_4\text{-Fe-}C_5H_4\text{-}R]^-$	$[Ar_3B-R^{Fe}]^-$	aus $R-B(OH)_2$ + $Ar-MgHal$	795
		aus $Do-Ar_2B-R^{Fe}$ + $Ar-MgHal$	796
$LM^+[H_5C_6-B(CN)_3]^-$	$[Ar-B(CN)_3]^-$	aus $(C_5H_5B^{\ominus}(R)\overset{\oplus}{N}H_3)M^{II}-L$ + CN^-	797

Aus Triphenylboran wird mit 3,3-Dichlorallyllithium in Tetrahydrofuran, anschließender Zugabe von Methanol und Tetramethylammonium-bromid in 35%iger Ausbeute *Tetramethylammonium-(3,3-dichlorallyl)-triphenyl-borat* (F: 207,5–209°) erhalten[1]:

$$(H_5C_6)_3B \xrightarrow[3.\ +[(H_3C)_4N]^+\ Br^-]{1.\ +Cl_2C=CH-CH_2-Li;\ 2.\ +CH_3OH} [(H_3C)_4N]^+\ [(H_5C_6)_3B-CH_2-CH=CCl_2]^-$$

Aus Tricyclopentylboran bildet sich mit Chlorpropargyllithium in situ *Lithium-chlorpropargyl-tricyclopentyl-borat*[2]. *Alkalimetall-(4-bromphenyl)-triphenyl-* und *-(4'-brom-4-biphenylyl)-triphenyl-borate* werden aus Triphenylboran mit den bromierten Arylmagnesiumhalogeniden erhalten[3] (vgl. Tab. 116, S. 785).

δδ₂) aus Oxyboranen

Die Substitution von Alkoxy-Resten am Bor-Atom durch halogenierte Aryl-Reste ist ohne Verlust des Halogen-Gehalts möglich. Aus Trimethoxyboran ist mit 4-Chlorphenyllithium (aus Lithium/4-Brom-1-chlor-benzol) nach Aussalzen der Reaktionslösung mit Ammoniumchlorid in 42%iger Ausbeute nahezu reines (~92,5%iges) *Ammoniumtetrakis[4-chlorphenyl]borat* zugänglich[4]:

$$(H_3CO)_3B \xrightarrow[2.\ +NH_4Cl/H_2O]{1.\ +4\ Cl-C_6H_4-Li} NH_4^+\ \{[Cl-C_6H_4]_4B\}^-$$

[1] D. Seyferth, G. J. Murphy u. R. A. Woodruf, J. Organometal. Chem. **141**, 71 (1977).
[2] T. Leung u. G. Zweifel, Am. Soc. **96**, 5620 (1974).
[3] P. Nenning u. H. Holzapfel, Acta chim. Acad. Sci. hung. **61**, 421 (1969); C.A. **71**, 124558 (1969).
[4] H. Holzapfel u. C. Richter, J. pr. **26**, 15 (1964).

$\delta\delta_3$) aus Boraten

Zur Herstellung von im Organo-Rest halogenierten Tetraorganoboraten verwendet man borferne Austauschreaktionen der Kationen. Außerdem lassen sich halogenierte Aryl-Reste in Tetrafluorborate einführen.

i_1) aus Tetraorganoboraten

Die Kationen-Substitution an halogenierten Tetraarylboraten gelingt durch großräumigere Ionen, z. B. von Lithium- oder Natrium-, durch Kalium-, Rubidium- oder Cäsium- sowie durch Ammonium-Kationen und andere kationische Stickstoffbasen.

Aus Lithiumtetrakis[pentafluorphenyl]borat ist in wäßr. Lösung mit Tetraethylammoniumchlorid das schwer lösliche *Tetraethylammoniumtetrakis[pentafluorphenyl]borat* (F: 244–246°) zugänglich[1]. Analog erhält man *Ammonium-*, *Kalium-*, *Rubidium-* sowie *Cäsium-tetrakis[4-chlorphenyl]borat* bzw. *-tetrakis[4-fluorphenyl]borat* aus den entsprechenden Natriumboraten[2]. Auch die 4-Trifluormethylphenyl-Gruppe bleibt beim Kationen-Austausch unverändert[3].

i_2) aus Tetrafluoroboraten

Der Fluor/Aryl-Austausch zwischen Tetrafluoroborat und Arylmagnesiumhalogeniden verläuft ohne Veränderung der Chlor-Substituenten an den Aryl-Gruppen. Aus Kaliumtetrafluoroborat ist z. B. mit 4-Chlorphenylmagnesiumbromid in siedendem Diethylether in 47%iger Ausbeute *Kaliumtetrakis[4-chlorphenyl]borat* zugänglich[4]:

$$K^+ \ [BF_4]^- + 4\ Cl\text{-}C_6H_4\text{-}MgBr \xrightarrow[-4\ FMgBr]{(H_5C_2)_2O} K^+ \left\{[Cl\text{-}C_6H_4]_4B\right\}^-$$

δ_2) *Sauerstoffhaltige Tetraorganoborate*

Ohne Veränderung der sauerstoffhaltigen Gruppierung lassen sich Tetraorganoborate mit Diarylacetyl-, Vinylether- und cyclischer Divinylether (Furan)- sowie Alkinylether-Funktion herstellen (vgl. Tab. 116, S. 785). Man geht von Triorganoboranen oder Tetraorganoboraten aus.

$\delta\delta_1$) aus Triorganoboranen

Aus Trialkylboranen sind mit 1-Methoxyvinyllithium bei −78° in Tetrahydrofuran ohne Abspaltung der Methoxy-Gruppe *Lithium-(1-methoxyvinyl)-trialkyl-borate* zugänglich[5]:

$$R_3B + H_2C{=}C(OCH_3)Li \xrightarrow{THF,\ -78°} Li^+ \left[R_3B\text{-}C({=}CH_2)OCH_3\right]^-$$

Die Borate werden nicht isoliert sondern in situ mit verschiedenen Reagenzien weiterverarbeitet[5].

---

[1] A. G. Massey u. A. J. Park, J. Organometal. Chem. **2**, 245 (1964).

[2] T. P. Cassaretto, J. J. McLafferty u. C. E. Moore, Anal. chim. Acta **32**, 376 (1965); C.A. **63**, 2392 (1965).
T. Omori, T. Sato, H. Ishizuka u. T. Shiokawa, J. Radioanal. Chem. **67**, 299 (1981); C.A. **96**, 111060 (1982).

[3] J. T. Vandeberg, C. E. Moore, T. P. Cassaretto u. H. Posvic, Anal. chim. Acta **44**, 175 (1969); C.A. **70**, 37866 (1969).

[4] H. Holzapfel u. C. Richter, J. pr. **26**, 15 (1964).

[5] A. B. Levy, S. J. Schwarz, N. Wilson u. B. Christie, J. Organometal. Chem. **156**, 123 (1978).

Trialkylborane (mit prim.- und sek.-Alkyl- sowie mit Cycloalkyl-Resten) reagieren mit in situ erzeugten 2-Furanyllithium-Verbindungen unter Bildung von Lithium-2-furanyl-trialkyl-boraten[1]:

R^1_3B + [2-Lithio-furan mit R^2] ⟶ Li^+ [R^1_3B-furanyl-R^2]$^-$

$R^1 = C_3H_7, C_4H_9, CH_2–CH(CH_3)_2, CH(CH_3)–C_2H_5, C_6H_{13}, C_5H_9$
$R^2 = H, CH_3$

Auch mit alkinylether[2,3]- sowie alkinylacetal[4]-haltigen lithiumorganischen Verbindungen lassen sich Trialkylborane komplexieren, ohne daß die funktionellen Gruppen umgewandelt werden.

Aus Triphenylboran erhält man mit 5,5-Dimethoxy-10-lithium-5H-⟨dibenzo[a;d]cycloheptatrien⟩ ohne Veränderung der Sauerstoff-Funktion *Lithium-(5,5-dimethoxy-10-triphenylboratyl)-5H-⟨dibenzo[a;d]cycloheptatrien⟩*[5,6]:

$(H_5C_6)_3B$ + [Li-Dibenzocycloheptatrien, H_3CO, OCH_3] ⟶ Li^+ [$B(C_6H_5)_3$-Dibenzocycloheptatrien, H_3CO, OCH_3]$^-$

$\delta\delta_2$) aus Hydro-triorgano-boraten

Alkalimetall-(3-oxy-1-alkinyl)-triorgano-borate sind aus Alkalimetall-hydro-triorgano-boraten mit sauerstoff-substituierten 1-Alkinen unter Wasserstoff-Abspaltung und Komplexierung zugänglich. Aus Natrium-hydro-triethyl-borat erhält man mit 3-Diethylboryloxy-3-methyl-1-butin bei 25° in Hexan *Natrium-(3-diethylboryloxy-3-methyl-1-butinyl)-triethyl-borat* (F: 103°) in 89%iger Ausbeute (vgl. S. 777f.)[7]:

$$Na^+\ [(H_5C_2)_3BH]^- + HC{\equiv}C{-}C(CH_3)(CH_3){-}O{-}B(C_2H_5)_2 \xrightarrow[-H_2]{\text{Hexan, } 25°} Na^+\ [(H_5C_2)_3B{-}C{\equiv}C{-}C(CH_3)(CH_3){-}O{-}B(C_2H_5)_2]^-$$

Vor allem Trimethylsilyloxy-Derivate sind leicht zugänglich[7]; z.B. erhält man aus Natrium-hydro-triethyl-borat und verschiedenen subst. 1-Propinyloxy-trimethyl-silanen *Natrium-triethyl-(trimethylsilyloxy-subst.-1-propinyl)-borate*[7]:

---

[1] I. Akimoto u. A. Suzuki, Synthesis **1979**, 146.
[2] B. M. Mikhailov, M. E. Gurskii, V. G. Kiselev u. M. G. Gverdtsiteli, Izv. Akad. SSSR **1977**, 2633; engl.: 2437; C.A. **88**, 74 420 (1978).
[3] B. M. Mikhailov, M. E. Gurskii u. M. G. Gverdtsiteli, Izv. Akad. SSSR **1977**, 1456; engl.: 1342; C.A. **87**, 101 884 (1977).
[4] P. A. Grieco u. J. J. Reap, Synth. Commun. **4**, 105 (1974).
[5] W. Tochtermann, U. Walter u. A. Mannschreck, Tetrahedron Letters **1964**, 2981.
[6] W. Tochtermann, G. Schnabel u. A. Mannschreck, A. **705**, 169 (1967).
[7] R. Köster u. G. Seidel, Mülheim a.d. Ruhr, unveröffentlicht 1975–1977.

$(H_3C)_3Si-O-CH_2-C\equiv CH$ → *Natrium-triethyl-(3-trimethylsilyloxy-1-propinyl)-borat*; 94%; F: 128–130°

$(H_3C)_3Si-O-C(CH_3)_2-C\equiv CH$ → *Natrium-(3-methyl-3-trimethylsilyloxy-1-butinyl)-triethyl-borat*; 95%; F: 174°

1-(Trimethylsilyloxy)-1-ethinyl-cyclohexan ($O-Si(CH_3)_3$, $C\equiv CH$) → *Natrium-triethyl-[(1-trimethylsilyloxy-cyclohexyl)ethinyl]-borat*; 95%; F: 149–150,5°

δ_3) *Schwefelhaltige Tetraorganoborate*

Lithiumtetraorganoborate mit Dialkyl- bzw. Divinylsulfan-Funktion sind aus Triorganoboranen oder Lewisbase-Trihalogenboranen mit den schwefelhaltigen lithiumorganischen Verbindungen durch Komplexierung bzw. Ligandaustausch zugänglich.

Trialkylborane reagieren mit Methylthiomethyl-lithium durch Komplexierung zu Lithium-methylthiomethyl-trialkyl-boraten[1]:

$$R_3B + H_3C{-}S{-}CH_2{-}Li \longrightarrow Li^+[H_3C{-}S{-}CH_2{-}BR_3]^-$$

R = C_4H_9; *Lithium-methylthiomethyl-tributyl-borat*
R = C_5H_9; *Lithium-methylthiomethyl-tricyclopentyl-borat*
R_3B = 9-Phenyl-9-borabicyclo[3.3.1]nonan ($B-C_6H_5$); *Lithium-1,5-cyclooctandiyl-methylthiomethyl-phenyl-borat*

Aus Diethylether-Trifluorboran lassen sich mit verschieden substituierten 5-Alkyl-2-thienyllithium-Verbindungen in Diethylether bei −70° *Lithiumtetrakis[5-alkyl-2-thienyl]borate* herstellen, die mit Cäsium-Salzen in schwer lösliche Cäsium-tetraorganoborate übergeführt werden[2,3]:

$$(H_5C_2)_2\overset{\oplus}{O}-\overset{\ominus}{B}F_3 + 4\ \text{R-(2-thienyl)-Li} \xrightarrow[-3\,LiF,\ -(H_5C_2)_2O]{(H_5C_2)_2O,\ -70°\ \text{bis}\ +25°} Li^+\left\{\left[\text{R-thienyl}\right]_4 B\right\}^- \xrightarrow{+Cs^+/H_2O} Cs^+\left\{\left[\text{R-thienyl}\right]_4 B\right\}^-$$

z.B.: R = CH_3; *Cäsiumtetrakis[5-methyl-2-thienyl]borat*
R = C_4H_9; *Cäsiumtetrakis[5-butyl-2-thienyl]borat*

Mit 5-Halogen-2-thienylmagnesiumhalogeniden erhält man entsprechend *Lithiumtetrakis[5-chlor* (bzw. *5-brom)-2-thienyl]borate*[2].

δ_4) *Stickstoffhaltige Tetraorganoborate*

Die Herstellung von Tetraorganoboraten mit gesättigten und ungesättigten Amin-Funktionen im Organo-Rest sowie mit Cyan-Gruppen am Bor-Atom erfolgt aus Triorganoboranen, Lewisbase-Organoboranen und aus Organoboraten (vgl. Tab. 116, S. 785).

[1] E. Negishi, T. Yoshida, A. Silveira u. B. L. Chiou, J. Org. Chem. **40**, 814 (1975).
[2] G. E. Pacey u. C. E. Moore, Anal. chim. Acta **105**, 353 (1979).
[3] G. E. Pacey, Dissertation Abstr. Int. B. **39**, 5345 (1979); C.A. **91**, 57086 (1979).

$\delta\delta_1$) aus Triorganoboranen

Aus Triorganoboranen erhält man mit stickstoffhaltigen metallorganischen Verbindungen unter Komplexierung Tetraorganoborate mit Amino- bzw. Nitril-Gruppierungen.

Aus Triphenylboran ist mit 4-Dimethylamino-phenyllithium *Lithium-(4-dimethylamino-phenyl)-triphenyl-borat* zugänglich[1]:

$$(H_5C_6)_3B + (H_3C)_2N\text{-}C_6H_4\text{-}Li \longrightarrow Li^+ \left[(H_3C)_2N\text{-}C_6H_4\text{-}B(C_6H_5)_3\right]^-$$

Trialkylborane reagieren mit 1-Methyl-2-indolyllithium unter Bildung von *Lithium-(1-methyl-2-indolyl)-trialkyl-boraten*, die in situ für Umwandlungen in 2- und 3-Stellung substituierter Indole verwendet werden[2]:

$$R^1_2B\text{-}R^2 + \text{(1-Methyl-2-indolyl)-Li} \longrightarrow Li^+ \left[\text{(1-Methyl-2-indolyl)-}B(R^1)_2R^2\right]^-$$

Trialkylborane reagieren mit Kaliumcyanid unter Komplexierung zu Kalium-cyan-trialkyl-boraten:

$$R_3B + KCN \longrightarrow K^+ [R_3B\text{—}CN]^-$$

Man läßt in Ethern (Diethylether, Tetrahydrofuran) reagieren und isoliert vielfach wegen der Luftempfindlichkeit der Kalium-Salze nach Zugabe von wäßr. Tetramethylammoniumchlorid-Lösung die Tetramethylammonium-cyan-trialkyl-borate. Meist werden die Salze aus ether. Lösung mit Pentan ausgefällt. Tetramethylammonium-cyan-trimethyl-borat läßt sich aus Wasser umkristallisieren. Hergestellt werden u.a.[3]:

Kalium-cyan-trimethyl-borat	92%; fest
Tetramethylammonium-cyan-trimethyl-borat	81%; Zers.p.: >180°
Kalium-cyan-triethyl-borat	99%; flüssig
Tetramethylammonium-cyan-triethyl-borat	73%; F: 52–53°
Kalium-cyan-tripropyl-borat	91%; fest
Tetramethylammonium-cyan-tripropyl-borat	71%; F: 80–85°

Tris[4-brombutyl]boran reagiert mit Kaliumcyanid unter Bildung von *Kalium-cyan-tris[4-brombutyl]-borat*[4]. Aus Tribenzylboran erhält man mit Natriumcyanid in Tetrahydrofuran in 97%iger Ausbeute *Natrium-cyan-tribenzyl-borat*[5].

Aus Triarylboranen werden mit Natriumcyanid stabile, salzartige Natrium-cyan-triaryl-borate erhalten[1,6-9]. Man erhitzt die Komponenten (Triphenylboran, Natriumcyanid) ohne Lösungsmittel auf ~150°[1].

---

[1] G. WITTIG u. K. HERWIG, B. **88**, 962 (1955).
[2] A.B. LEVY u. E.R. MARINELLI, Imeboron IV, Juli 1979; Salt Lake City, Abstr. of Papers S. 60/61.
[3] H. WITTE, E. BREHM u. G. HESSE, Z. Naturf. **22b**, 1083 (1967).
[4] J.E. HALLGREN u. G.M. LUCAS, Tetrahedron Letters **1980**, 951.
[5] L.E. MANZER u. M.F. ANTON, Inorg. Chem. **16**, 1229 (1977).
[6] G. WITTIG u. P. RAFF, A. **573**, 195 (1951).
[7] H. HOLZAPFEL, P. NENNING u. P. DOEPEL, Z. **5**, 315 (1965).
[8] H. HOLZAPFEL, O. WILDNER u. P. NENNING, Z. **5**, 467 (1965).
[9] *Gmelin*, 8. Aufl., Bd. **33**/8, S. 96, 97, 141–146 (1976).

Natrium-cyan-triphenyl-borat[1]**:** Eine Mischung aus 4,8 g (20 mmol) Triphenylboran und 3 g (60 mmol) Natriumcyanid wird in einem Schenkel eines Doppel-Schlenk-Rohres bei 150° erhitzt, bis die ursprünglich dünnflüssige Masse erstarrt ist. Nach eintägigem Schütteln mit 30 *ml* abs. Diethylether bleibt ein farbloses Pulver übrig, das aus Ether-Cyclohexan umkristallisiert wird und rautenförmige Kristalle bildet. Die Kristalle werden i. Vak. (bis 0,02 Torr) bei langsamem Erwärmen bis 100° getrocknet; Ausbeute: 2,9 g (50%).

Analog werden z. B. hergestellt[1]:

Natrium-cyan-tris[2-methylphenyl]-borat	66%; F: 120–130°
Natrium-cyan-tris[3-methylphenyl]-borat	40%
Natrium-cyan-tris[4-methylphenyl]-borat	45%
Natrium-cyan-tris[4-dimethylaminophenyl]-borat	84%; F: 107–110° (aus Wasser)

Natrium- [20%; F: 265° (Zers.)] und *Kalium-cyan-tri-1-naphthyl-borat* [44%; F: 280° (Zers.)] sind aus Tri-1-naphthylboran in siedendem Tetralin mit Natrium- bzw. Kaliumcyanid zugänglich[2]. Entsprechend erhält man *Cyan-tris[4-biphenylyl]-borate* des *Kaliums* (F: 220°), *Rubidiums* (F: 240°) und *Cäsiums* (F: 270°)[3].

$\delta\delta_2$) aus Lewisbase-Triorganoboranen

Mit Kaliumcyanid lassen sich Amine aus Amin-Triorganoboranen unter Bildung von Kalium-cyan-triorgano-boraten verdrängen. Aus Pyridin-Trimethylboran erhält man mit Kaliumcyanid in Wasser oder Tetrahydrofuran *Kalium-cyan-trimethyl-borat* (92%)[4]:

$$C_5H_5\overset{\oplus}{N}-\overset{\ominus}{B}(CH_3)_3 + KCN \xrightarrow[\text{-Pyridin}]{\text{THF}} K^+ \; [(H_3C)_3B-CN]^-$$

Aus Ammoniak-Tris[4-chlorphenyl]boran ist mit Natriumcyanid in Wasser und anschließend mit Ammoniumhydroxid *Cyan-tris[4-chlorphenyl]-borat* zugänglich, das mit Nickel(II)-chlorid-Hexakis-hydrat in konzentriertem Ammoniumhydroxid *Tetrakis[ammoniak]nickel(II)-bis[cyan-tris(4-chlorphenyl)-borat]* liefert[5]:

$$H_3\overset{\oplus}{N}-\overset{\ominus}{B}\left[-C_6H_4-Cl\right]_3 \xrightarrow{\text{1. +NaCN; 2. +NH}_4\text{OH; 3. +NiCl}_2\text{; 4. +NH}_3} [(H_3N)_4Ni]^{2+} \left\{NC-B\left[-C_6H_4-Cl\right]_3\right\}_2^{2-}$$

$\delta\delta_3$) aus Boraten

Zur Herstellung verschiedenartiger stickstoffhaltiger Tetraorganoborate werden Tetraorgano-, Cyan-triorgano- und Hydro-triorgano-borate eingesetzt.

Erhitzt man Trimethylammonium-tetraphenylborat mit Natriumcyanid unter Stickstoff auf ~300° (Entweichen von Trimethylamin und Benzol), so kann nach Abkühlen und Aufnehmen mit Diethylether in 47%iger Ausbeute *Natrium-cyan-triphenyl-borat* isoliert werden. In 48%iger Ausbeute soll das Produkt auch durch 90 Min. Kochen der Komponenten in Tetralin gebildet werden[6]:

---

[1] G. Wittig u. W. Herwig, B. **88**, 962 (1955).
[2] H. Holzapfel, P. Nenning u. P. Doepel, Z. **5**, 315 (1965).
[3] *Gmelin*, 8. Aufl., Bd. **33**/8, S. 96/97, 141–146 (1976).
[4] H. Witte, E. Brehm u. G. Hesse, Z. Naturf. **22b**, 1083 (1967).
[5] DOS 3015007 (1980), Du Pont, Erf.: H. E. Shook jr.; C.A. **94**, 103550 (1981).
[6] DDRP. 35253 (1965), C. Richter; C.A. **63**, 7042 (1965).

$$[(H_3C)_3NH]^+ [B(C_6H_5)_4]^- + NaCN \xrightarrow[-C_6H_6 \\ -(H_3C)_3N]{Tetralin} Na^+ [(H_5C_6)_3B{-}CN]^-$$

Durch einfachen Kationen-Austausch sind aus Cyan-triorgano-boraten zahlreiche neue Metall-cyan-triorgano-borate zugänglich. Mit Ligand-Übergangsmetallhalogeniden lassen sich aus Natrium-cyan-triaryl-boraten verschiedene Ligand-Übergangsmetall-cyan-triaryl-borate herstellen[1,2]. Oft handelt es sich dabei um Verbindungen, die wegen der Übergangsmetall-Cyan-Beziehung zu den metallhaltigen z.Tl. zwitterionischen Tetraorganoboraten (vgl. S. 704f.) zu rechnen sind[1].

Aus Natrium-cyan-triphenyl-borat ist in Gegenwart von Triphenylboran mit Chloro-hexakis [tert.-butylisocyanid]-molybdänchlorid und Zinn(II)-chlorid das *Hexakis[tert.-butylisocyanid]-trichlorstannyl-molybdän (1+)-triphenyl-(N-triphenylboran-cyan)-borat* in 56%iger Ausbeute zugänglich[3]:

$$Na^+ [(H_5C_6)_3B{-}CN]^- + (H_5C_6)_3B + \left\{[(H_3C)_3C{-}NC]_6MoCl\right\}^+ Cl^- + SnCl_2(H_2O)_2 \longrightarrow$$

$$\left\{[(H_3C)_3C{-}NC]_6Mo(SnCl_3)\right\}^+ \left[(H_5C_6)_3\overset{\ominus}{B}{-}C{\equiv}\overset{\oplus}{N}{-}\overset{\ominus}{B}(C_6H_5)_3\right]^-$$

Stickstoffhaltige 1-Alkinyl-triorgano-borate lassen sich aus Hydro-triorgano-boraten mit stickstoffhaltigen 1-Alkinen herstellen. Aus Natrium-hydro-triethyl-borat erhält man z.B. mit 3-Diethylamino-1- propin in Benzol bei ~35° unter Abspaltung von Wasserstoff in 93% iger Ausbeute *Natrium-(3-diethylamino-1-propinyl)-triethyl-borat*[4]:

$$Na^+ [(H_5C_2)_3BH]^- + HC{\equiv}C{-}CH_2{-}N(C_2H_5)_2 \xrightarrow[-H_2]{} Na^+[(H_5C_2)_3B{-}C{\equiv}C{-}CH_2{-}N(C_2H_5)_2]^-$$

Natrium-(3-diethylamino-1-propinyl)-triethyl-borat[4]: Zu 68,4 g (0,56 mol) Natrium-hydro-triethyl-borat in 200 *ml* Benzol tropft man bei ~35° innerhalb 4 Stdn. 64,2 g (0,58 mol) 3-Diethylamino-1-propin (12,6 N*l* (100%) Wasserstoff werden freigesetzt). Nach Abziehen des Benzols i. Vak. wird der feste Rückstand in 200 *ml* Pentan aufgenommen und filtriert; Ausbeute: 118,9 g (93%); F: 109–110°.

δ_5) *Metallhaltige Tetraorganoborate*

Zu den metallsubstituierten Tetraorganoboraten (vgl. Tab. 116, S. 786) gehören silylierte, germanylierte und stannylierte Verbindungen. Auch lithiierte Tetraorganoborate sind bekannt. Umfangreich ist die Verbindungsklasse der an das Tetraphenylborat π-gebundenen Ligand-Übergangsmetall-Gruppierungen, die z.Tl. allerdings den zwitterionischen Tetraorganoboraten (vgl. S. 704f.) zuzuordnen sind.

Zur Herstellung der verschiedenartigen Verbindungen werden Triorgano- bzw. Organo-oxy-borane, verschiedene Lewisbase-Borane sowie Organoborate verwendet (vgl. Tab. 116, S. 786).

$\delta\delta_1$) aus Triorganoboranen

Aus Triorganoboranen sind Tetraorganoborate mit Silyl-, Germanyl- und Stannyl-Gruppen sowie mit Eisen-Atomen im Organo-Rest hergestellt worden. *Tetrakis[tetrahydrofuranat]-Lithium-tetrakis[trimethylsilylmethyl]borat* ist aus Tris[trimethylsilyl-methyl]-boran mit Trimethylsilylmethyllithium und Tetrahydrofuran (4 mol) in Petrolether zugänglich[4]. Im Vak. zerfällt das kristalline Salz wieder vollständig in die Edukte[5]. Das *Di-*

---

[1] L.E. Manzer u. M.F. Anton, Inorg. Chem. **16**, 1229 (1979).
[2] DOS 3015007 (1980), Du Pont, Erf.: H.E. Shook jr.; C.A. **94**, 103550 (1981).
[3] L.M. Giandomenico, J.C. Dewan u. S.J. Lippard, Am. Soc. **103**, 1407 (1981).
[4] P. Binger u. R. Köster, B. **108**, 395 (1975).
[5] G.A. Artamkina, A.B. Tuzikov, I.P. Beletskaya u. O.A. Reutov, Izv. Akad. SSSR **1980**, 2429; C.A. **94**, 65778 (1981).

ethyletherat-Lithium-trimethylsilylmethyl-triphenyl-borat erhält man entsprechend aus Triphenylboran[1]:

$$(H_5C_6)_3B \quad + \quad (H_3C)_3Si{-}CH_2{-}Li \xrightarrow{+(H_5C_2)_2O/\text{Petrolether}} Li[OC_2H_5)_2]^+ \; [(H_5C_6)_3B{-}CH_2{-}Si(CH_3)_3]^-$$

Lithium-tetraorganoborate mit Trimethylgermylmethyl- bzw. Trimethylstannylmethyl-Resten lassen sich entsprechend herstellen[1]. Die in Wasser zugänglichen Tetramethylammonium-Salze sind nicht luftempfindlich[1].

Aus Triphenylboran läßt sich mit Tetraethylammonium-(η^5-cyclopentadienyl)-dicarbonyl-ferrat in Ether über das luftempfindliche Tetraethylammonium-(η^5-cyclopentadienyl)-dicarbonyl-triphenylboran-ferrat nach Zugabe von Tetrahydrofuran das *Tetraethylammonium-{μ,μ-dicarbonyl-bis[carbonyl-η^5-cyclopentadienyl-eisen]-yl}-triphenyl-borat* (54%; F: 210–212°) herstellen[2]:

$$(H_5C_6)_3B \; + \; [(H_5C_2)_4N]^+ \left[(C_5H_5)Fe(CO)_2\right]^- \xrightarrow{(H_5C_2)_2O}$$

$$[(H_5C_2)_4N]^+ \left\{\left[(C_5H_5)Fe(CO)_2[(H_5C_6)_3B]\right]\right\}^- \xrightarrow[-\,[(H_5C_2)_4N]^+\,[(H_5C_6)_3BH]^-]{THF}$$

$$[(H_5C_2)_4N]^+ \left[(C_5H_5)(OC)Fe(\mu\text{-}CO)_2Fe(CO)(C_5H_4{-}B(C_6H_5)_3)\right]^- \cdot 1/2\ THF$$

Aus Tributylboran (sowie aus Diethylether-Trifluorboran) entsteht mit Ferrocenyllithium im Überschuß über das rote Tris[ferrocenyl]boran (F: 162–163°)[3,4] *Lithiumtetrakis[ferrocenyl]borat*, das bei der Luftoxidation das zwitterionische *Ferrocenyl(1+)-tris[ferrocenyl]borat* (vgl. S. 715) bildet[5]:

$$(H_9C_4)_3B \; + \; 4\ (C_5H_4Li)Fe^{II}(C_5H_5) \longrightarrow Li^+ \left\{\left[(C_5H_5)Fe^{II}(C_5H_4{-})\right]_4 B\right\}^-$$

[1] G. A. Artamkina, A. B. Tuzikov, T. P. Beletskaya u. O. A. Reutov, Izv. Akad. SSSR **1980**, 2429; C.A. **94**, 65778 (1981).
[2] J. M. Burlitch, J. H. Burk, M. E. Leonowicz u. R. E. Hughes, Inorg. Chem. **18**, 1702 (1979).
[3] H. Rosenberg u. F. L. Hedberg, Abstr. 3. Int. Symp. Organometal. Chem. **1967**, S. 108.
[4] E. W. Post, R. G. Cooks u. J. C. Kotz, Inorg. Chem. **9**, 1670 (1970).
[5] D. O. Cowan, P. Shu, F. L. Hedberg, M. Rossi u. T. J. Kistenmacher, Am. Soc. **101**, 1304 (1979).

$\delta\delta_2$) aus Oxyboranen

Metallhaltige Triorganoborate sind aus metallhaltigen Diorgano-oxy-boranen bzw. aus Dioxy-organo-boranen mit metallorganischen Verbindungen durch Oxy/Organo-Austausch zugänglich.

i_1) aus Diorgano-oxy-boranen

Herstellen lassen sich z.B. zinnsubstituierte Tetraorganoborate. Aus 4-Methoxy-1,1,2,6-tetramethyl-1,4-dihydro-1,4-stannaborin erhält man mit Butyllithium in Hexan *Lithium-4,4-dibutyl-1,1,2,6-tetramethyl-1,4-dihydro-1,4-stannaboratin*[1]:

$$\xrightarrow[-2\ LiOCH_3]{+2\ H_9C_4-Li/Hexan}\ Li^+ [\ldots]^-$$

Analog bildet sich mit Methyllithium das *Lithium-1,1,2,4,4,6-hexamethyl-1,4-dihydro-1,4-stannaboratin*[2].

i_2) aus Dioxy-organo-boranen

Eisen-haltige Tetraorganoborate erhält man aus Dioxy-ferrocenyl-boran mit metallorganischen Verbindungen. Dihydroxy-ferrocenyl-boran reagiert mit Phenylmagnesiumbromid unter Bildung von *Brommagnesium-ferrocenyl-triphenyl-borat*, das sich durch Luftoxidation ins zwitterionische grüne *Ferroceniumtriphenylborat* (vgl. S. 708) überführen läßt[3]:

$$Fc-B(OH)_2 + 3\ H_5C_6-MgBr \xrightarrow[-Mg(OH)_2]{-MgBr_2} MgBr^+ [Fc-B(C_6H_5)_3]^-$$

$\delta\delta_3$) aus Lewisbase-Boranen

Aus Lewisbase-Boranen sind mit metallorganischen Verbindungen metallierte Tetraorganoborate zugänglich; z.B. aus Diethylether-Trifluorboran mit Ferrocenyllithium (vgl. S. 794)[3,4]. Aus Pyridin-Diphenyl-ferrocenyl-boran erhält man mit Phenylmagnesiumbromid *Brommagnesium-ferrocenyl-triphenyl-borat*, das durch Oxidation (z.B. mit 1,4-Benzochinon) ins zwitterionische, in Lösung instabile *Ferroceniumtriphenylborat* (vgl. S. 708) überführbar ist[5,6]:

---

[1] H.-O. Berger, H. Nöth u. B. Wrackmeyer, B. **112**, 2866 (1979).
[2] H.-O. Berger, H. Nöth, G. Rub u. B. Wrackmeyer, B. **113**, 1235 (1980).
[3] E.W. Post, R.G. Cooks u. J.C. Kotz, Inorg. Chem. **9**, 1670 (1970).
[4] D.O. Cowan, P. Shu, F.L. Hedberg, M. Rossi u. T.J. Kistenmacher, Am. Soc. **101**, 1304 (1979).
[5] A.N. Nesmeyanov, V.A. Sazonova u. V.A. Blinova, Doklady Akad. SSSR **198**, 848 (1971); engl.: 467; C.A. **75**, 63 636 (1971).
[6] A.N. Nesmeyanov, V.A. Sazonova, V.A. Blinova u. S.G. D'yachenko, Doklady Akad. SSSR **200**, 1365 (1971); engl.: 869; C.A. **77**, 34 672 (1972).

$$\text{Ferrocenyl}-B^{\ominus}(C_6H_5)_2-N^{\oplus}C_5H_5 \xrightarrow[-\text{ Pyridin}]{+ H_5C_6-MgBr} BrMg^+ [\text{Ferrocenyl}-B(C_6H_5)_3]^-$$

δδ₄) aus Boraten

Zur Herstellung von im Organo-Rest metallierten Tetraorganoboraten werden Tetraaryl-, Ethinyl-triorgano- und Hydro-triorgano-borate eingesetzt.

i₁) aus Tetraarylboraten

Tetraarylborate reagieren mit Ligand-Übergangsmetallen unter Bildung von übergangsmetallierten Tetraarylborat-Verbindungen mit z.Tl. zwitterionischem Aufbau (vgl. S. 714ff.).

Aus Tetraarylboraten sind mit Ligand-Übergangsmetall-Komplexen durch Ligand-Verdrängung an einem oder zwei Aryl-Resten Ligand-übergangsmetallierte Tetraarylborate zugänglich. Mit Hexacarbonylchrom oder -wolfram erhält man in 1,2-Dimethoxyethan aus Natriumtetraphenylborat durch Verdrängung von Kohlenmonoxid nach Versetzen mit Tetramethylammonium-Salzlösung Tetraphenylborate mit jeweils zwei π-komplexierten Tricarbonyl-Übergangsmetall-Gruppierungen[1]:

$$Na^+ [(H_5C_6)_4B]^- + 2\ M(CO)_6 \xrightarrow[2.\ +[(H_3C)_4N]^+\ (-Na^+)]{1.\ H_3CO-CH_2-CH_2-OCH_3\ (-6\ CO)} [(H_3C)_4N]^+ [((OC)_3M\text{-}C_6H_5)_2B(C_6H_5)_2]^-$$

Tetramethylammonium-...-diphenyl-borat

M = Cr; ...*-bis[η^6-tricarbonylchrom-phenyl]*-...; F: 111–112°

M = W; ...*-bis[η^6-tricarbonylwolfram-phenyl]*-...; F: 102–104°

In siedendem 1,2-Dimethoxyethan läßt sich entsprechend über das *Natrium-(η^6- tricarbonylmolybdän-phenyl)-triphenyl-borat* das *Tetraethylammonium*-Salz (56%; F. 161–162°) herstellen[2]:

---

[1] R.B. King u. K.C. Nainan, J. Organometal. Chem. **65**, 71 (1974).

[2] D.A. Owen, A. Siegel, R. Lin, D.W. Slocum, B. Conway, M. Moronski u. S. Duraj, Ann. N.Y. Acad. Sci. **333**, 90 (1980); C.A. **93**, 95307 (1980).

$$Na^+[(H_5C_6)_4B]^- + Mo(CO)_6 \xrightarrow[2.\ +[(H_5C_2)_4N]^+ Br^-/CH_2Cl_2/\ -NaBr]{1.\ +H_3CO-CH_2-CH_2-OCH_3,\ 85°\ (-3\ CO)} [(H_5C_2)_4N]^+ \left[(H_5C_6)_3B-C_6H_5 \cdot Mo(CO)_3\right]^-$$

Zur Herstellung weiterer Tetraphenylborato-π-Komplexe der Ligand-Übergangsmetalle (z.B. Eisen[1], Cobalt[2], Rhodium[3–5], Iridium[5]) aus Natriumtetraphenylborat und zur Herstellung von deren Umwandlungsprodukten wird auf die Originallit. verwiesen[1].

i_2) aus 1-Alkinyl-triorgano-boraten

Aus Lithium-ethinyl-trihexyl-borat läßt sich mit Butyllithium durch Alkin-Lithiierung in Hexan bei −78° *Lithium-(lithioethinyl)-trihexyl-borat* gewinnen, das in situ zur Umwandlung in *Lithium-1-alkinyl-trihexyl-borat* verwendet werden kann[6]:

$$Li^+[(H_{13}C_6)_3B-C{\equiv}CH]^- \xrightarrow[-C_4H_{10}]{+H_9C_4-Li} Li^+[(H_{13}C_6)_3B-C{\equiv}C-Li]^-$$

i_3) aus Hydro-triorgano-boraten

Die Reaktion der Alkalimetall-hydro-triorgano-borate mit 1-Alkinen (vgl. S. 781ff.) läßt sich auch zur Herstellung silylierter Tetraorganoborate verwenden.

Aus Natrium-hydro-triethyl-borat erhält man mit Ethinyl-trimethyl-silan unter Abspaltung von Wasserstoff in 88%iger Ausbeute *Natrium-triethyl-(trimethylsilylethinyl)-borat* (F: 150–152°)[7]:

$$Na^+[(H_5C_2)_3BH]^- + HC{\equiv}C-Si(CH_3)_3 \xrightarrow[-H_2]{} Na^+[(H_5C_2)_3B-C{\equiv}C-Si(CH_3)_3]^-$$

Natrium-triethyl-(trimethylsilylethinyl)-borat[7]: 18,7 g (0,19 mol) Ethinyl-trimethyl-silan tropft man innerhalb ~100 Min. bei ~20° zur Lösung von 21,6 g (0,177 mol) Natrium-hydro-triethyl-borat in 90 *ml* Toluol. [3,6 N*l* (91%) Wasserstoff werden frei] Man erhitzt die Suspension 1 Stde. zum Sieden, läßt langsam abkühlen, filtriert und trocknet den Rückstand; Ausbeute: 33,7 g (88%); F: 150–152°.

---

[1] D.A. OWEN, A. SIEGEL, R. LIN, D.W. SLOCUM, B. CONWAY, M. MORONSKI u. S. DURAJ, Ann. N.Y. Acad. Sci. **333**, 90 (1980); C.A. **93**, 95307 (1980).
[2] L.W. GOSSER u. G.W. PARSHALL, Inorg. Chem. **13**, 1947 (1974).
[3] M.J. NOLTE u. G. GAFNER, Chem. Commun. **1969**, 1406.
[4] R. USON, P. LAHUERTA, J. REYES u. L.A. ORO, Transition Metal Chem. **4**, 332 (1979).
[5] R.R. SCHROCK u. J.A. OSBORN, Inorg. Chem. **9**, 2339 (1970).
[6] K. UTIMOTO, Y. YABUKI, K. ONADA u. H. NOZAKI, Tetrahedron Letters **1976**, 3969.
[7] R. KÖSTER u. L.A. HAGELEE, Synthesis **1976**, 118.

2. Hydro-organo-borate

Zur Verbindungsklasse gehören

Hexaorgano-μ-hydro-diborate(1–)	$[R_6B_2H]^-$
Hydro-triorgano-borate(1–)	$[R_3BH]^-$
Dihydro-diorgano-borate(1–)	$[R_2BH_2]^-$
Organo-trihydro-borate(1–)	$[R{-}BH_3]^-$

mit Alkyl-, Aryl-, Alkandiyl- und Alkantriyl-Resten am Bor-Atom (vgl. Tab. 117). Auch ungesättigte Organo-Reste sind als Liganden der Hydro-organo-borate bekannt. Außerdem gibt es Hydro-organo-diborate(2–).

Die Organo-Gruppen der Organo-trihydro-borate sind vor allem Reste von Carbonsäure-Derivaten wie z.B. Cyan-, Carbonsäureestern und Carbonsäureamid-Gruppen.

Gegenionen der Hydro-organo-borate sind Alkalimetalle, Erdalkalimetalle sowie einige Schwermetalle. Außerdem gibt es Alkylammonium-hydro-organo-borate.

Tab. 117: Hydro-organo-borate

Formel	Verbindungstyp	Herstellungsart	s.S.
Hexaorgano-μ-hydro-diborate(1–)			
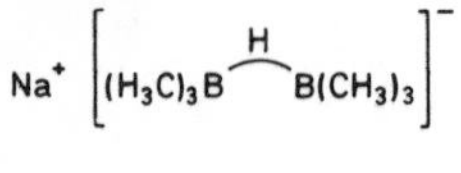 $Na^+[(H_3C)_3B{-}H{-}B(CH_3)_3]^-$	$[(R_3B)_2H]^-$	aus $R_3B + H^-$	802
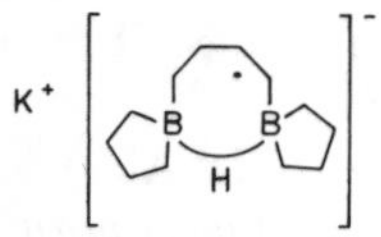 $K^+[\ldots B{-}H{-}B\ldots]^-$	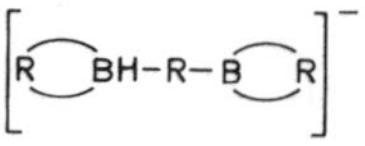 $[R\frown BH{-}R{-}B\frown R]^-$	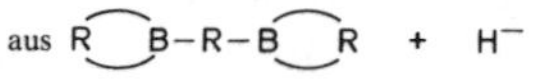 aus $R\frown B{-}R{-}B\frown R + H^-$	803
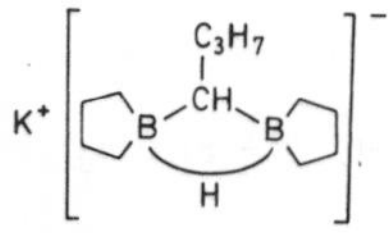 $K^+[\ldots B{-}CH(C_3H_7){-}B\ldots, \mu{-}H]^-$	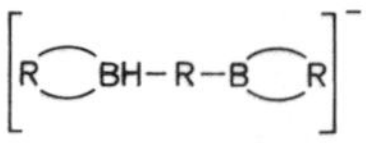 $[R\frown BH{-}R{-}B\frown R]^-$	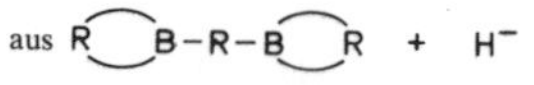 aus $R\frown B{-}R{-}B\frown R + H^-$	803
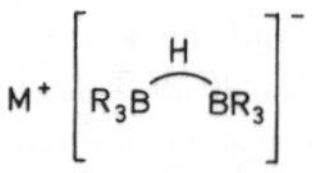 $M^+[R_3B{-}H{-}BR_3]^-$ M = Li, Na, K; R = CH_3, C_2H_5	$[(R_3B)_2H]^-$	aus $[R_3BH]^- + R_3B$ (in THF)	803
Hydro-triorgano-borate			
$M^+[R_3BH]^-$ $M^+[R_3BD]^-$ R = Alkyl, C_6H_5, Cycloalkyl; M = Li, Na, K	$[R_3BH]^-$	aus $R_3B + H^-$	804
		$+ [(R^1O)_3AlH]^-$	809
		$+ [AlH_4]^-$	809
$K^+[R_3BH]^-$	$[R_3BH]^-$	aus $K^+[HB(OR^2)_3]^- + R_3B$	813
$Na^+[Alkyl_3BH]^-$	$[R_3BH]^-$	aus $[Alkyl_4B]^-$, △	813
$Ba^{2+}[(H_5C_2)_3BH]_2^{2-}$	$[R_3BH]^-$	aus $[(H_5C_2)_4B]^-$, △	812

Tab. 117 (1. Forts.)

Formel	Verbindungstyp	Herstellungsart	s.S.
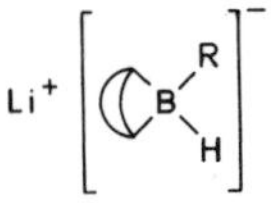 Li^+ [bicyclic (R)BH]$^-$	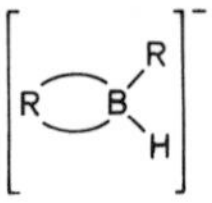 [cyclic R–B(R)H]$^-$	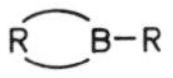 aus cyclic R–B–R + H^-	806
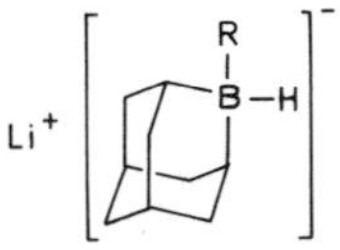 Li^+ [adamantane-type R–B–H]$^-$	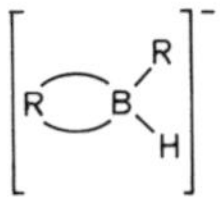 [cyclic R–B(R)H]$^-$	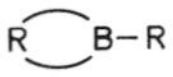 aus cyclic R–B–R + H^-	810
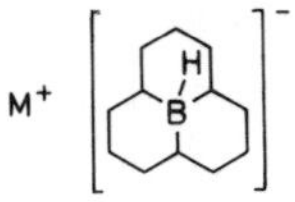 M^+ [tricyclic B–H]$^-$	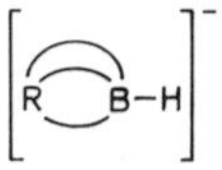 [bicyclic R–B–H]$^-$	 aus bicyclic R–B + H^-	806
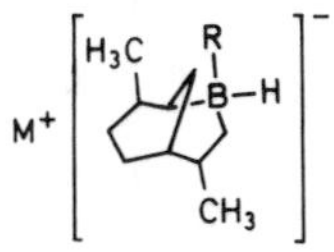 M^+ [H_3C, R–B–H, CH_3 bicyclic]$^-$	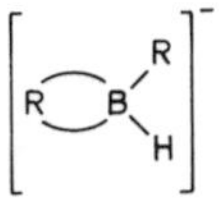 [cyclic R–B(R)H]$^-$	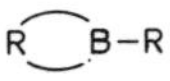 aus cyclic R–B–R + $(H_3C)_3C-Li$	810
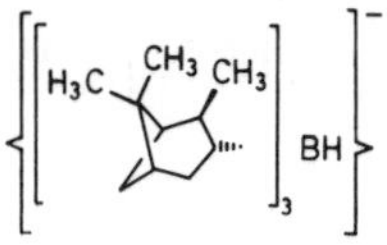 {[H_3C, CH_3, CH_3 pinanyl]$_3$BH}$^-$	$[R_3BH]^-$	aus R_2BH + R–Li	810
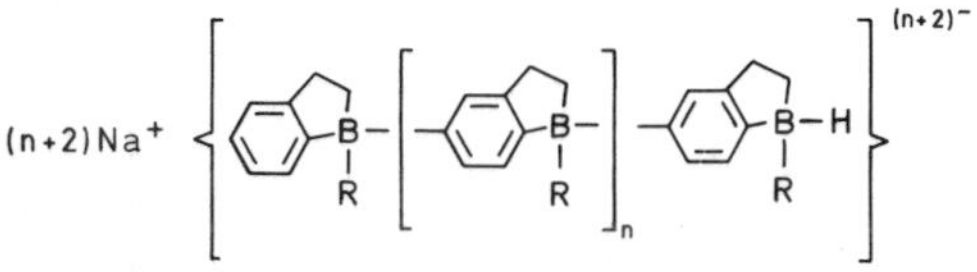 $(n+2)Na^+$ {benzoborole-B(R)–[benzoborole-B(R)]$_n$–benzoborole-B(R)–H}$^{(n+2)-}$	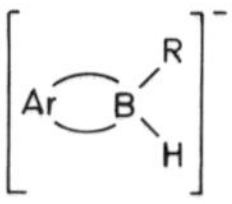 [Ar–B(R)H cyclic]$^-$	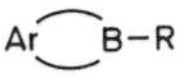 aus Ar–B–R cyclic + Na	811
$Na^+[(H_5C_6)_3BH]^-$	$[R_3BH]^-$	aus R_3B + Na–R–Na	810
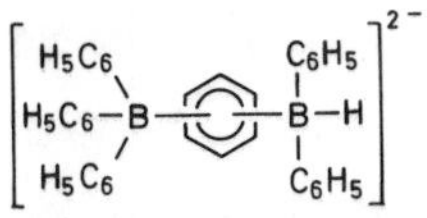 [$(H_5C_6)_3B$–C_6H_4–$B(C_6H_5)_2H$]$^{2-}$	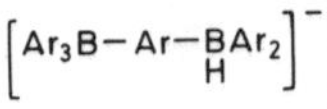 $[Ar_3B-Ar-B(H)Ar_2]^-$	aus Ar_3B + Na	811
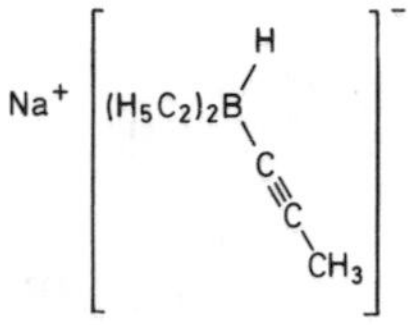 Na^+ [$(H_5C_2)_2B(H)-C\equiv C-CH_3$]$^-$	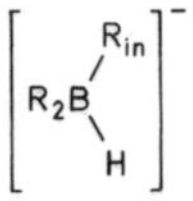 $[R_2B(R_{in})H]^-$	aus $[R_3B-R_{in}]^-$ + >BH	813
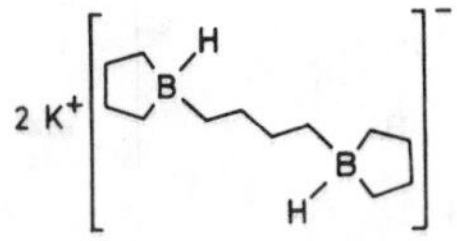 $2K^+$ [borolane-B(H)–$(CH_2)_4$–B(H)-borolane]$^-$	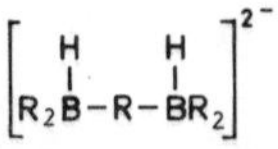 $[R_2B(H)-R-B(H)R_2]^{2-}$	aus $R_2B-R-BR_2$ + H^-	808

Tab. 117 (2. Forts.)

Formel	Verbindungstyp	Herstellungsart	s. S.
Dihydro-diorgano-borate			
$M^+[R_2BH_2]^-$	$[R_2BH_2]^-$		
M = Li		aus R_3B + $Li[AlH_4]$/THF	814
M = Na, K		aus R_2BH + H^-	814
$[(H_3C)_2B(NH_3)_2]^+$ $[(H_3C)_2BH_2]^-$	$[R_2BH_2]^-$	aus R_2BH + NH_3	818
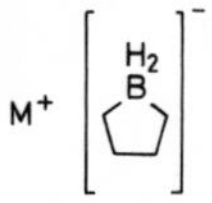 M^+ [Borolan-H_2]$^-$ M = Li	 [R⌒BH_2]$^-$	aus Do–R_2B-Hal + H^-	819
M = Na		aus 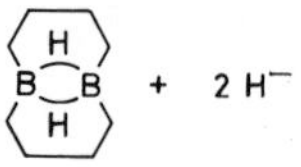 (H-verbrücktes Diboran, cyclisch) + 2 H^-	815
 M^+ [(bicyclisch)BH_2]$^-$ M = $(H_3C)_4N$	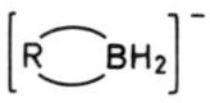 [R⌒BH_2]$^-$	aus $[R^1_2BH_2]^-$ (borfern) $[R^2_4N]^+$	820
M = Li		aus R^1_2BH + R^4–Li	817
		+ $LiNR^1_2$	817
		aus 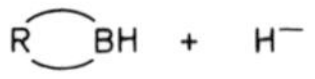 R⌒BH + H^-	815
		aus [R⌒B(R)(H)]$^-$ + >BH 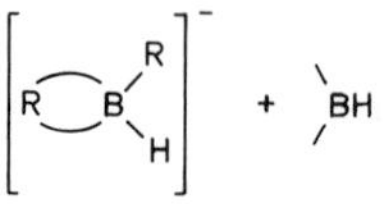	819
		aus [R⌒B(R)(R)]$^-$ + >BH 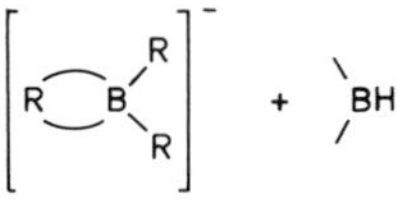	819
M = Na, K		aus R^1_2BH + M–OR^2	817
		aus 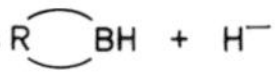 R⌒BH + H^-	816
M = Ca/$_2$		aus 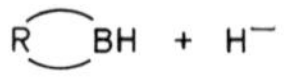 R⌒BH + H^-	816
$Li^+[Ar_2BH_2]^-$	$[Ar_2BH_2]^-$	aus Ar_2B-Hal + H^-	818
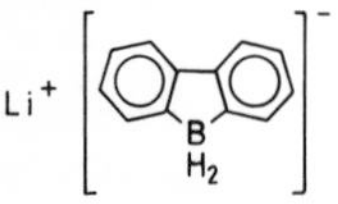 Li^+ [(Dibenzoborol)H_2]$^-$	 [Ar⌒BH_2]$^-$	aus $[R_3BH]^-$ + Ar⌒B–Hal 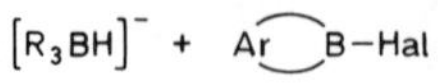	820
Organo-trihydro-borate			
$Li^+[H_3C–BH_3]^-$	$[R–BH_3]^-$	aus R_3B + $[AlH_4]^-$	821
$LM^+[H_3C–BH_3]^-$	$[R–BH_3]^-$	aus $[BH_4]^-$ + R_3B	828
$M^+[H_5C_2–BH_3]^-$	$[R–BH_3]^-$		
M = H_5C_2–Mg		aus BH_3 + R_2Mg	822
M = Na^+		aus $[R_3BH]^-$ + >BH	824
$Na^+[H_7C_3–BH_3]^-$	$[R–BH_3]^-$	aus $[R_3BH]^-$ + >BH	824
$Li^+[(H_3C)_2CH–CH(CH_3)–BH_3]^-$	$[R–BH_3]^-$	aus R–BH_2 + H^-	821

Tab. 117 (3. Forts.)

Formel	Verbindungstyp	Herstellungsart	s. S.
Heteroatomhaltige Organo-trihydro-borane			
$Li^+[H_5C_6{-}BH_3]^-$	$[R{-}BH_3]^-$	aus $R{-}BH_2 + H^-$	821
		aus $BH_3 + R{-}Li$	822
		aus $R{-}BCl_2 + H^-$	822
$[^-OOC{-}BH_3]^{2-}\ 2K^+$	$[R^{O_2}{-}BH_3]^{2-}$	aus $Do{-}BH_3 + 2\ MOH$	824
$NH_4^+\ [H_2N{-}C(=O){-}BH_3]^-$	$[R^{O,N}{-}BH_3]^-$	aus $Do{-}BH_3 + NH_3$	823
$M^+\ [H_3C{-}NH{-}C(=O){-}BH_3]^-$	$[R^{O,N}{-}BH_3]^-$	aus $Do{-}BH_3 + H_3C{-}NH_2$	823
$M^+\ [R_2N{-}C(=O){-}BH_3]^-$	$[R^{O,N}{-}BH_3]^-$	aus $[ROOC{-}BH_3]^- + R_2NH$	827
		+ HN(Morpholin, $HN\ \ O$)	827
		$+ R_2NH$	827
$[^{\ominus}OOC{-}CH_2{-}\overset{\oplus}{N}H_2{-}C(=O){-}\overset{\ominus}{B}H_3]^-\ K^+$	$[R^{O,N(O_2)}{-}BH_3]^-$	aus $Do{-}BH_3 + H_2N{-}CH_2{-}COOK$	824
$[^{\ominus}OOC{-}NH{-}C(=O){-}\overset{\ominus}{B}H_3]^{2-}\ 2K^+$	$[R^{O,N(O_2)}{-}BH_3]^-$	aus $[HOOC{-}NH{-}C(=O){-}BH_3]^- + 2\ KOH$	827
$M^+[ROOC{-}BH_3]^-$	$[R^{O_2}{-}BH_3]^-$	aus $Do{-}BH_3 + MOR^1$	823
		aus $[R^O{-}BH_3]^- + MX$	827
$M^+[NC{-}BH_3]^-$	$[R^N{-}BH_3]^-$	aus $Do{-}BH_3 + MCN$	822
		aus $[R^N{-}BH_3]^-$ (borfern)	825
		aus $[BH_4]^- + Do{-}BHal_3 + MCN$	829
$M^+[LM{-}NC{-}BH_3]^-$	$[R^{N,ML}{-}BH_3]^-$	aus $[R^N{-}BH_3]^-$ (borfern)	828
$Na^+[NC{-}BH_2{-}NC{-}BH_3]^-$	$[R^N{-}BH_2{-}R^N{-}BH_3]^-$	aus $[R^N{-}BH_3]^- + e$	826

α) Hexaorgano-μ-hydro-diborate

Die Herstellung von Hexaorgano-μ-hydro-diboraten erfolgt aus Trialkylboranen bzw. Trialkandiyldiboranen oder aus Hydrotriorgano-boraten (vgl. Tab. 117, S. 799).

Trialkylborane sind im Gegensatz zu den Trialkylaluminium-Verbindungen[1,2] weniger gute Komplexpartner für Alkalimetall-Salze. Mit Alkalimetallhydriden bilden Trialkylborane jedoch 1:1- und 1:2-Komplexverbindungen in Analogie zur Komplexierung der Trialkylaluminium-Verbindungen mit Alkalimetallfluoriden[1,2].

Die Komplexverbindungen aus zwei Molekülen Trialkylboran und einem Molekül Alkalimetallhydrid werden aus Trialkylboran oder aus Alkalimetall-hydro-trialkyl-boraten hergestellt.

---

[1] K. Ziegler, E. Holzkamp, R. Köster u. H. Lehmkuhl, Tagungsber. Chem. Ges. DDR, Okt. 1954 in Leipzig, Akademie-Verlag, Berlin 1955.

[2] K. Ziegler, R. Köster, H. Lehmkuhl u. K. Reinert, A. **629**, 33 (1960).

α_1) *aus Triorganoboranen*

Hexamethyl-μ-hydro-diborat(1–), das in Abhängigkeit vom Kation bei Temperaturen bis ~20° stabil ist, erhält man aus Trimethylboran mit Alkalimetallhydriden. Zur Herstellung von *Lithium-hexamethyl-μ-hydro-diborat(1–)* läßt man bei 0° in Tetrahydrofuran reagieren[1]:

$$2\ (H_3C)_3B + LiH \xrightarrow{THF,\ \sim 0°} [(THF)_2Li]^+ \left[(H_3C)_3B\overset{H}{\frown}B(CH_3)_3\right]^-$$

In Diethylether oder in Dibutylether bildet sich ausschließlich *Lithium-hydro-trimethyl-borat*[1,2]. In 1,2-Dimethoxyethan oder in Diglyme wird *Lithium-hexamethyl-μ-hydro-diborat(1–)* gebildet, wobei aber z. B. mindestens 3 mol Monoglyme pro mol Lithiumhydrid benötigt werden[1].

Lithium-hexaethyl-μ-hydro-diborat(1–)[3] erhält man in Tetrahydrofuran aus Triethylboran mit Lithiumhydrid[1]. Bei ~20° liegt in Diethylether aufgrund von ^{11}B-NMR-Messungen ein dynamisches Gleichgewicht zwischen der 1 : 1- und 1 : 2-Additionsverbindung vor.

$$Li^+ [(H_5C_2)_3B^1H]^- + (H_5C_2)_3B^2 \rightleftharpoons Li^+ \left[(H_5C_2)_3B^1\overset{H}{\frown}B^2(C_2H_5)_3\right]^- \rightleftharpoons (H_5C_2)_3B^1 + Li^+ [(H_5C_2)_3B^2H]^-$$

Trimethylboran liefert mit Natriumhydrid in Tetrahydrofuran *Natrium-hexamethyl-μ-hydro-diborat(1–)*[4]:

$$2\ (H_3C)_3B + NaH \longrightarrow Na^+ \left[(H_3C)_3B\overset{H}{\frown}B(CH_3)_3\right]^-$$

Mit Natriumhydrid reagiert Triethylboran unter Bildung von *Natrium-hydro-triethyl-borat* (vgl. 806) und *Natrium-hexaethyl-μ-hydro-diborat(1–)*. Die Bildung der 1 : 2-Verbindung erfolgt bereits in Kohlenwasserstoffen, wie aus IR-Messungen beim Natrium-hydro-triethyl-borat[5] abgeleitet werden kann.

Triethylboran reagiert mit Kaliumhydrid in Tetrahydrofuran unter Bildung von *Kalium-hexaethyl-μ-hydro-diborat(1–)*, das bei ~25° im raschen Austauschgleichgewicht mit Kalium-hydro-triethyl-borat und Triethylboran steht. Die Austauschgeschwindigkeit ist von der Art der Alkyl-Reste am Bor-Atom (z. B. prim.-Butyl-; sek.-Butyl-Rest) abhängig[6].

1,1- und 1,ω-Bis[alkandiylboryl]alkane reagieren mit Kaliumhydrid in Tetrahydrofuran zu salzartigen Verbindungen mit Tris[alkandiyl]-μ-hydro-diborat(1–)-Struktur. Aus 1,4-

---

[1] H. C. Brown, A. Khuri u. S. Krishnamurthy, Am. Soc. **99**, 6237 (1977).
[2] H. C. Brown, A. Khuri u. S. C. Kim, Inorg. Chem. **16**, 2229 (1977).
[3] Y. Matusi u. R. C. Taylor, Am. Soc. **90**, 1363 (1968).
[4] A. Khuri, Dissertation Abstr. **21**, 55 (1960).
vgl. H. C. Brown in H. Zeiss, Organometallic Chemistry **1960**, 188.
[5] P. Binger, G. Benedikt, G. W. Rotermund u. R. Köster, A. **717**, 21 (1968).
[6] C. A. Brown, J. Organometal. Chem. **156**, C 17 (1978).

Bis[borolanyl]butan erhält man *Kalium-1,1:2,2:1,2-tris[butan-1,4-diyl]-μ-hydro-dibo-rat(1–)*[1]:

$$\text{B}-(CH_2)_4-\text{B} \xrightarrow{+KH/THF} K^+ [\ldots]^-$$

Aus 1,1-Bis[borolanyl]butan wird mit Kaliumhydrid in Tetrahydrofuran *Kalium-1,1:2,2-bis[butan-1,4-diyl]-1,2-(butan-1,1-diyl)-μ-hydro-diborat(1–)* gebildet[1].

$$\text{B}_2\text{CH}-(CH_2)_2-CH_3 \xrightarrow{+KH/THF} K^+ [\text{H}\;\text{CH}-(CH_2)_2-CH_3]^-$$

α_2) *aus Hydro-trialkyl-boraten*

Hexaalkyl-μ-hydro-diborate(1–) sind aus Hydro-trialkyl-boraten mit Trialkylboranen in geeigneten Lösungsmitteln zugänglich. Tetrahydrofuran oder Benzol lassen sich, abhängig vom Kation, verwenden.

Lithium-hydro-trimethyl-borat reagiert in Tetrahydrofuran mit Trimethylboran unter Bildung von *Lithium-hexamethyl-μ-hydro-diborat(1–)* (vgl. S. 802)[2]:

$$Li^+ [(H_3C)_3BH]^- + (H_3C)_3B \overset{THF}{\rightleftharpoons} Li^+ [(H_3C)_3B\overset{H}{\frown}B(CH_3)_3]^-$$

Aus dem in Kohlenwasserstoffen gut löslichen Natrium-hydro-triethyl-borat bildet sich mit Triethylboran z.B. in Benzol *Natrium-hexaethyl-μ-hydro-diborat(1–)*[3].

Kalium-hydro-triethyl-borat reagiert in Tetrahydrofuran mit Triethylboran bei 25° unter Bildung des thermisch besonders labilen *Kalium-hexaethyl-μ-hydro-diborats(1–)*[4].

β) Hydro-triorgano-borate

Hydro-triorgano-borate mit offenkettigen und cyclischen Organo-Resten[5] stellt man aus Triorganoboranen, aus Hydro-organo-boranen oder aus verschiedenartigen Organoboraten her (vgl. Tab. 117, S. 800).

β_1) *aus Triorganoboranen*

Aus offenkettigen und cyclischen Triorganoboranen sind Alkalimetall-hydro-triorgano-borate mit Alkalimetallhydriden, mit Lithium-hydro-trimethoxy-aluminat oder mit Lithiumtetrahydroaluminat zugänglich. In Sonderfällen wird mit metallorganischen Verbindungen oder mit Alkalimetallen umgesetzt.

---

[1] D.J. SATURNINO, M. YAMACHI, W.R. CLAYTON, R.W. NELSON u. S.G. SHORE, Am. Soc. **97**, 6063 (1975).
[2] H.C. BROWN, A. KHURI u. S. KRISHNAMURTHY, Am. Soc. **99**, 6237 (1977).
[3] P. BINGER, G. BENEDIKT, G.W. ROTERMUND u. R. KÖSTER, A. **717**, 21 (1968).
[4] C.A. BROWN, J. Organometal. Chem. **156**, C 17 (1978).
[5] *Gmelin* **33**/8, S. 68–72 (1976).

$\beta\beta_1$) mit Alkalimetallhydriden

Aus Trialkyl-[1-4] bzw. Triarylboranen[5-8] erhält man mit äquimolaren Mengen Alkalimetallhydrid durch 1:1-Komplexierung Alkalimetall-hydro-triorgano-borate:

$$R_3B \quad + \quad MH \xrightarrow{\text{Ether, (KW)}} M^+[R_3BH]^-$$

M = Li, Na, K, Rb, Cs

Ether wie z.B. Diethylether, Tetrahydrofuran, 1,2-Dimethoxyethan, Diglyme sind als Lösungsmittel gut geeignet. Bei ~20° treten im allgemeinen keine Reaktionshemmungen auf. Das Trialkylboran wird bei Ansätzen in Toluol oder Heptan zur Vermeidung von spontan einsetzender, exothermer Komplexierung am besten bei ~100° zur Alkalimetallhydrid-Suspension getropft. Alkalimetall-hydro-tri-prim.-alkyl-borate lassen sich glatt, Alkalimetall-hydro-tri-sek.-alkyl-borate dagegen weniger komplikationslos herstellen. Entscheidend dafür sind jeweils das Alkalimetall, das verwendete Lösungsmittel sowie bestimmte Zusätze (vgl. Tab. 118, S. 805).

In Abwesenheit der geeigneten Lösungsmittel wie Ether reagieren Trialkylborane, falls Alkyl-Reste $>C_2$ vorliegen, mit Lithiumhydrid erst bei ~180°. Infolge Dehydroborierung und Alkyl-Austausch verlaufen die Reaktionen nicht einheitlich unter Bildung von Lithium-hydro-trialkyl-boraten. Man erhält Lithiumtetrahydroborat und Trialkylboran. In überschüssigem Triethylboran kann auch ohne Ether-Zusatz bei ~200° im Autoklaven *Lithium-hydro-triethyl-borat* in hoher Ausbeute gewonnen werden[9]:

$$(H_5C_2)_3B \quad + \quad LiH \xrightarrow{(H_5C_2)_3B} Li^+[(H_5C_2)_3BH]^-$$

Lithium-hydro-triethyl-borat[9]: In einem 200-*ml*-Autoklaven werden 4,7 g (0,59 mol) Lithiumhydrid und 102 g (1,04 mol) Triethylboran unter Schütteln 4 Stdn. auf ~200° erhitzt. Nach Abkühlen wird das Gas abgeblasen. Den festen Autoklaveninhalt spült man mit Benzol heraus, extrahiert anschließend mit Benzol, filtriert vom unlöslichen Lithiumhydrid ab und engt das Filtrat ein; Ausbeute: 58 g (93%).

Lithium-hydro-triethyl-borat ist auch in Ether unter vergleichsweise milden Temperaturbedingungen etherfrei zugänglich[10].

Lithium-hydro-triethyl-borat[10]: Man erhitzt eine Suspension von 2,4 g (300 mmol) Lithiumhydrid in 150 *ml* Diethylether und 19,6 g (28,4 *ml*; 200 mmol) Triethylboran 24 Stdn. zum Sieden. Nach Abkühlen und Abfiltrieren vom überschüssigen Lithiumhydrid wird die Suspension durch ein Feinstglasfilter gepreßt und die klare Lösung i. Vak. eingeengt. Man nimmt den farblosen Rückstand in Hexan (20 *ml*) auf, engt abermals ein und trocknet 24 Stdn. i. Vak. (0,2–0,1 Torr) bei ~20°. 21,2 g Produkt werden aus 50 *ml* Benzol umkristallisiert und i. Vak. getrocknet; Ausbeute: 19,35 g (91%); F: 78–83° (Zers.) (lösungsmittelfreie, farblose Nadeln).

Lithium-tri-sek.- alkylborate werden aus Tri-sek.-alkylboranen mit Lithium-hydro-trimethoxy-aluminat hergestellt[11].

---

[1] H.C. Brown, H.I. Schlesinger, I. Sheft u. D.M. Ritter, Am. Soc. **75**, 192 (1953).
[2] US.P. 3055943, 3055944 (1962), Ethyl Corp., Erf.: J.B. Honeycutt; C.A. **58**, 7974 (1963).
[3] P. Binger u. R. Köster, Inorg. Synth. **15**, 136 (1974).
[4] C.A. Brown, Am. Soc. **95**, 4100 (1973); J. Org. Chem. **39**, 3913 (1974).
[5] G. Wittig u. A. Rückert, A. **566**, 101 (1950).
[6] G. Wittig, G. Keicher, A. Rückert u. P. Raff, A. **563**, 110 (1949).
[7] G. Wittig, Ang. Ch. **62**, 231 (1950).
[8] J.M. Burlitch, J.H. Burk, M.E. Leonowicz u. R.E. Hughes, Inorg. Chem. **18**, 1702 (1979).
[9] R. Köster u. P. Binger, Mülheim a.d. Ruhr, unveröffentlicht 1962.
[10] H.C. Brown, A. Khuri u. S.C. Kim, Inorg. Chem. **16**, 2229 (1977).
[11] C.A. Brown, S. Krishnamurthy u. J.L. Hubbard, J. Organometal. Chem. **166**, 271 (1979).

Tab. 118: Alkalimetall-hydro-triorgano-borate aus Triorganoboranen mit Alkalimetallhydriden

Ausgangsverbindungen		Reaktionsbedingungen	Produkt	Ausbeute [%]	F [°C]	Literatur
Trialkylboran	Alkalimetallhydrid					
$(H_3C)_3B$	LiH	△, Ether	*Lithium-hydro-trimethyl-borat*	–	–	1,2
	NaH	60°, Toluol	*Natrium-hydro-trimethyl-borat*		78	3
		bei ~30° in Ampulle		–	76 (Zers. >130°)	2
$(H_5C_2)_3B$	LiH	Autoklav, ~200°			67	3
		$(H_5C_2)_2O$; ~40° i. Vak. bei ~20° trocknen	*Lithium-hydro-triethyl-borat*	91–3	78–83 (Zers.: >90°)	2
	NaH	Toluol oder Benzol ~20°	*Natrium-hydro-triethyl-borat*		30 (Zers.: >135°)	2–4
	KH	Benzol, ~20°	*Kalium-hydro-triethyl-borat*		95	2,3
	LiD	THF	*Lithium-deuterio-triethyl-borat*			5
$(H_7C_3)_3B$	NaH	Decan, 100–110°	*Natrium-hydro-tripropyl-borat*		58[3]	6
$(H_9C_4)_3B$	NaH		*Natrium-hydro-tributyl-borat*		62	
$[(H_3C)_2CH{-}CH_2]_3B$	KH	Pentan/THF	*Kalium-hydro-tris[2-methylpropyl]-borat*	nicht isoliert		7
$(H_{11}C_6)_3B$	KH	THF, 25°, <0,5 Stdn.	*Kalium-hydro-tricyclohexyl-borat*		96	7
[2-Methyl-cyclopentyl (CH_3 trans)]$_3$B	KH	THF, 25°, 72 Stdn.	*Kalium-hydro-tris[trans-2-methyl-cyclopentyl]-borat*		72	7
$[(H_3C)_2CH{-}CH(CH_3){-}]_3B$	KH	THF, + 5 mol% $B[O{-}CH(CH_3)_2]_3$ ~25°, 24 Stdn.	*Kalium-hydro-tris[1,2-dimethylpropyl]-borat*		100	7,8
$[H_3C{-}CH_2{-}CH(CH_3){-}]_3B$	KH	THF	*Kalium-hydro-tris[1-methylpropyl]-borat*	nicht isoliert		9
	KD		*Kalium-deutero-...*	nicht isoliert		10
$(H_5C_6)_3B$	NaH	$(H_5C_2)_2O$	*Natrium-hydro-triphenyl-borat*			11,12

[1] H.C. Brown, H.I. Schlesinger, I. Sheft u. D.M. Ritter, Am. Soc. **75**, 192 (1953).
[2] H.C. Brown, A. Khuri u. S.C. Kim, Inorg. Chem. **16**, 2229 (1977).
[3] P. Binger, G. Benedikt, G.W. Rotermund u. R. Köster, A. **717**, 21 (1968).
[4] P. Binger u. R. Köster, Inorg. Synth. **15**, 136 (1974).
[5] H.C. Brown u. S. Krishnamurthy, Am. Soc. **95**, 1669 (1973).
[6] DOS 1 138 051 (1962), Kali-Chemie AG, Erf.: H. Jenkner; C.A. **58**, 2181 (1963).
[7] C.A. Brown u. S. Krishnamurthy, J. Organometal. Chem. **156**, 111 (1978).
[8] C.A. Brown u. S. Krishnamurthy, 175. ACS Nat. Meeting Anaheim März 1978, ORGN–43.
[9] C.A. Brown, Inorg. Synth. **17**, 26 (1977); Am. Soc. **95**, 4100 (1973).
[10] W.R. Wagner u. W.H. Rastetter, J. Org. Chem. **48**, 294 (1983).
[11] G. Wittig, G. Keicher, A. Rückert u. P. Raff, A. **563**, 110 (1949).
[12] G. Wittig u. A. Rückert, A. **566**, 101 (1950).

Auch Alkyl-cycloalkandiyl-borane liefern mit Alkalimetallhydriden Alkyl-cycloalkandiyl-hydro-borate. Aus 9-Ethyl-9-borabicyclo[3.3.1]nonan erhält man mit Lithiumhydrid in siedendem Tetrahydrofuran in 93%iger Ausbeute das *Bis[tetrahydrofuranat]* des *Lithium-1,5-cyclooctandiyl-ethyl-hydro-borats* (F: 115°), das bei 100–110° i. Vak. das etherfreie Salz (F: 280°) liefert[1].

Lithium-1,5-cyclooctandiyl-ethyl-hydro-borat[1]: 24 g (160 mmol) 9-Ethyl-9-borabicyclo[3.3.1]nonan tropft man in 30 Min. zu 1,6 g (200 mmol) Lithiumhydrid in 50 *ml* siedendem THF. Nach 2 Stdn. Rückfluß-Kochen filtriert man vom überschüssigen Lithiumhydrid ab, destilliert ~20 *ml* THF i. Vak. (14 Torr) ab und gibt zum Rückstand 120 *ml* Hexan. Das Produkt fällt voluminös aus, wird nach 1 Stde. Rückfluß-Kochen abfiltriert, mit Hexan gewaschen und i. Vak. (0,1 Torr) getrocknet; Ausbeute: 45 g (93%); F: 115°. 7,7 g Borat liefern nach 4 Stdn. bei 100–110°/10^{-3} Torr 3,7 g (93%) THF-freies Borat (F: >280°).

Lithium-1-cis,5-cis,9-trans-cyclododecantriyl-hydro-borat ist aus *trans*-Perhydro-9b-boraphenalen (Centrabor I)[2] mit Lithiumhydrid in Ethern (z.B. Tetrahydrofuran) leicht zugänglich[2]:

B + LiH —THF→ Li^+ [B–H]$^-$

Das für stereoselektive Reduktionen verwendbare Lithium-cycloalkandiyl-hydro-thexyl-borat aus D-(+)-Limonen läßt sich aus dem Triorganoboran mit chiraler Cycloalkandiyl-Gruppe (vgl. Bd. XIII/3a, S. 79) mit Lithiumhydrid in Tetrahydrofuran herstellen[3]:

H_3C, B, CH_3 —+LiH / THF→ Li^+ [H_3C, B–H, CH_3]$^-$

Trialkylborane reagieren mit Natriumhydrid in etherfreiem Medium sehr viel glatter als mit Lithiumhydrid. Aus Triethylboran erhält man mit Natriumhydrid bereits in siedendem Benzol oder in Toluol ohne jeglichen Etherzusatz in 90%iger Ausbeute *Natrium-hydro-triethyl-borat* (F: 30°), das in aliphatischen und aromatischen Kohlenwasserstoffen sehr leicht löslich ist.

Natrium-hydro-triethyl-borat[4]: In einem 1-*l*-Dreihalskolben mit Tropftrichter, Rührer und Rückflußkühler (mit Gaseinleitungsrohr und T-Stück für die Inertgas-Zuleitung) werden 50,4 g (2,1 mol) Natriumhydrid-Pulver und 200 *ml* über Natrium getrocknetes Toluol vorgelegt. Zu der auf 80° erhitzten Mischung tropft man in 2 Stdn. unter starkem Rühren 196 g (2 mol) Triethylboran, erhitzt weitere 2 Stdn. zum Sieden und filtriert nach Erkalten von unlöslichen Teilen ab. Das Toluol wird aus dem Filtrat destilliert, die letzten Spuren entfernt man i. Vak. Der hellgelbe, viskose Rückstand (217 g, 89%) kristallisiert bei −15° langsam aus (F: 30°). Die hellgelbe bis oft braunschwarze Farbe des Salzes, abhängig von der Natriumhydrid-Qualität, spielt für weitere Reaktionen im allgemeinen keine Rolle[5].

Natrium-hydro-trimethyl-borat[5] (F: 78°) wird in Toluol durch Einleiten von Trimethylboran in einer Suspension von Natriumhydrid bei 80° (~5 Stdn.) und Ausfällen mit abs. Hexan aus der Reaktionsmischung hergestellt. – *Natrium-hydro-tripropyl-borat*[6] [F:

---

[1] R. Köster u. G. Seidel, Mülheim a.d. Ruhr, unveröffentlicht 1976.
[2] G.W. Rotermund u. R. Köster, A. **686**, 153 (1965).
Zuordnung der Stereoisomeren vgl. H.C. Brown u. W.C. Dickason, Am. Soc. **91**, 1226 (1969).
[3] H.C. Brown u. W.C. Dickason, Am. Soc. **92**, 709 (1970).
[4] vgl. Aldrichimica Acta **15**, 34 (1982).
[5] P. Binger u. R. Köster, Inorg. Synth. **15**, 136 (1974).
[6] P. Binger, G. Benedikt, G.W. Rotermund u. R. Köster, A. **717**, 21 (1968).
[7] R. Köster u. P. Binger, Mülheim a.d. Ruhr, unveröffentlicht 1970.

57–58° (aus Hexan)] entsteht beim Erhitzen der Komponenten in Isopropylcyclohexan (Perhydrocumol) auf 130° in 96%iger Ausbeute.

Das entsprechende *Natrium-1,5-cyclooctandiyl-ethyl-hydro-borat* (92%; F: 183–186°)[1] erhält man aus 9-Ethyl-9-borabicyclo[3.3.1]nonan mit Natriumhydrid in Toluol oder Xylol (1,5 Stdn. Rückflußkochen)[1,2].

Alkandiyl-alkyl-borane reagieren mit Alkalimetallhydriden analog zu den offenkettigen Trialkylboranen. Aus 1-Ethyl-3-methyl-borolan erhält man mit Natriumhydrid in Xylol bei 130° in ~30 Min. in 88%iger Ausbeute *Natrium-1-ethyl-1-hydro-3-methyl-boratolan* als gelbliches Öl[2]:

C_2H_5 B CH_3 + NaH —Xylol→ Na^+ [H C_2H_5 B CH_3]$^-$

Aus *all-cis*-Perhydro-9b-boraphenalen[3] (Centrobor II)[4] erhält man in Benzol nach kurzem Aufkochen *Natrium-1-cis,5-cis,9-cis- cyclododecantriyl-hydro-borat* (F: 217°, Zers.) in relativ bescheidener Ausbeute (47%)[2]. Demgegenüber reagiert *trans*-Perhydro-9b-boraphenalen[3] (Centrabor I)[4] mit Natriumhydrid in Benzol rascher und in hoher Ausbeute zum *Natrium-1-cis,5-cis, 9-trans-cyclododecantriyl-hydro-borat* (94%; F: 198–201°)[2]:

B + NaH —Benzol→ Na^+ [B–H]$^-$

Natrium-1-cis, 5-cis,9-trans- cyclododecantriyl-hydro-borat[2]: Nach kurzem Aufkochen eines Gemisches aus 19,6 g (112 mmol) Centrobor I[3,4] und 2,3 g (96 mmol) Natriumhydrid in 100 *ml* Benzol wird von Verunreinigungen abfiltriert. Die erhaltene klare Lösung wird eingeengt, filtriert und der Niederschlag mit Pentan gewaschen; Ausbeute: ~18 g (94%); F: 198–201°.

Mit Kaliumhydrid reagieren Tri-prim.-alkylborane in Kohlenwasserstoffen im allgemeinen bei ~20°. Aus Triethylboran erhält man mit Kaliumhydrid in Benzol bei ~20° *Kalium-hydro-triethyl-borat* (F: 95°)[2]. In Tetrahydrofuran reagieren auch Tri-sek.-alkylborane bei ~20° mit Kaliumhydrid. So erhält man z.B. *Kalium-hydro-triisopropyl-*[5,6], *-tris[1-methylpropyl]-*[6–8] sowie *-tricyclohexyl-borat*[6,7]. Der Zusatz von ~5 mol% Triisopropyloxyboran liefert auch bei der Reaktion des Tris[1,2-dimethylpropyl]borans mit Kaliumhydrid bei 25° in Tetrahydrofuran quantitative Ausbeuten an *Kalium-hydro-tris[1,2-dimethylpropyl]-borat*[9].

Kalium-1,5-cyclooctandiyl-ethyl-hydro-borat (85%; F: ~246°, Zers.) ist aus 9-Ethyl-9-borabicyclo[3.3.1]nonan mit Kaliumhydrid bei 80° in Toluol zu gewinnen[1].

Aus 1,4-Bis[1-borolanyl]butan ist mit der doppelten Menge Kaliumhydrid *Dikalium-1,4-bis[1-hydro-boratolanyl]butan* zugänglich[10]:

---

[1] R. Köster u. G. Seidel, Mülheim a.d. Ruhr, unveröffentlicht 1976.
[2] P. Binger, G. Benedikt, G.W. Rotermund u. R. Köster, A. **717**, 21 (1968).
[3] H.C. Brown u. W.C. Dickason, Am. Soc. **92**, 709 (1970).
[4] G.W. Rotermund u. R. Köster, A. **686**, 153 (1965).
Zuordnung der Stereoisomeren vgl. H.C. Brown u. W.C. Dickason, Am. Soc. **91**, 1226 (1969).
[5] C.A. Brown, Am. Soc. **95**, 4100 (1973).
[6] C.A. Brown u. S. Krishnamurthy, J. Organometal. Chem. **156**, 111 (1978).
[7] C.A. Brown, J. Org. Chem. **39**, 3913 (1974).
[8] C.A. Brown, Inorg. Synth., **17**, 26 (1977).
[9] C.A. Brown u. S. Krishnamurthy, 175. ACS Nat. Meeting, März 1978, ORGN–43.
[10] D.J. Saturnino, M. Yamachi, W.R. Clayton, R.W. Nelson u. S.G. Shore, Am. Soc. **97**, 6063 (1975).

$$\text{C}_4\text{H}_8\text{B}-(CH_2)_4-\text{BC}_4\text{H}_8 + 2\ KH \longrightarrow \left[\text{C}_4\text{H}_8\text{B(H)}-(CH_2)_4-\text{B(H)C}_4\text{H}_8\right]^{2-}\ 2\ K^+$$

Aus *cis*- und *trans*-Perhydro-9b-boraphenalen (vgl. Bd. XIII/3a, S. 26, 129)[1,2] lassen sich mit Kaliumhydrid die inneren *Kalium-1,5,9-cyclododecantriyl-hydro-borate* herstellen; z.B. *Kalium-1-cis,5-cis-9-cis-cyclododecantriyl-hydro-borat* (F: 169°)[3].

Triarylborane reagieren mit Lithium- bzw. mit Natriumhydrid in Ethern oder aromatischen Kohlenwasserstoffen unter Bildung der Alkalimetall-hydro-triaryl-borate[4,5]. Aus Triphenylboran erhält man in Diethylether *Lithium*- bzw. *Natrium-hydro-triphenylborat*[4,5].

$$(H_5C_6)_3B \quad + \quad MH \quad \xrightarrow{(H_5C_2)_2O} \quad M^+\ [(H_5C_6)_3BH]^-$$

Aus aromatischen B-Heterocyclen sind mit Alkalimetallhydriden Hydro-triorganoborate präparativ zugänglich. Aus dem flüssigen 3-Methyl-1-propyl-2,3-dihydro-⟨benzo[b]borol⟩ erhält man mit Natriumhydrid das hochschmelzende *Natrium-1-hydro-3-methyl-1-propyl-1-borataindan* (F: 184°)[6,7]:

$$\text{3-Methyl-1-propyl-2,3-dihydro-benzo[b]borol } (B-C_3H_7,\ CH_3) + NaH \longrightarrow Na^+ \left[\text{1-H-1-}C_3H_7\text{-3-}CH_3\text{-borataindan}\right]^-$$

2 K⁺

Aus Bis[2,4,6-trimethylphenyl]-methyl-boran ist mit Natriumhydrid *Natrium-bis-[2,4,6-trimethylphenyl]-hydro-methyl-borat* zugänglich, das als Zwischenprodukt für organische Synthesen verwendet wird[8].

Aus Alkenyl-dialkyl-boranen lassen sich mit Alkalimetallhydriden ohne Hydroborierung der C=C-Bindung Alkalimetall-alkenyl-dialkyl-hydro-borate herstellen; z.B.[9]:

$$(H_5C_2)_2B-C(C_2H_5)=C(CH_3)-CH_2-N(CH_3)_2 \xrightarrow[100°]{+NaH/Toluol} Na^+\left[(H_5C_2)_2B(H)-C(C_2H_5)=C(CH_3)-CH_2-N(CH_3)_2\right]^-$$

Natrium-diethyl-(3-dimethylamino-1-ethyl-2-methyl-1-propenyl)-hydro-borat

[1] G.W. Rotermund u. R. Köster, A. **686**, 153 (1965).
[2] H.C. Brown u. W.C. Dickason, Am. Soc. **92**, 709 (1970).
[3] P. Binger, G. Benedikt, G.W. Rotermund u. R. Köster, A. **717**, 21 (1968).
[4] G. Wittig u. A. Rückert, A. **566**, 101 (1950).
[5] G. Wittig, G. Keicher, A. Rückert u. P. Raff, A. **563**, 110 (1949).
[6] R. Köster u. K. Reinert, Mülheim a.d. Ruhr, unveröffentlicht 1959.
[7] R. Köster u. G.W. Rotermund, Mülheim a.d. Ruhr, unveröffentlicht 1962.
[8] A. Pelter, B. Singaram, L. Williams u. J.W. Wilson, Tetrahedron Letters **24**, 623 (1983).
[9] P. Binger u. R. Köster, B. **108**, 395 (1975).

$\beta\beta_2$) mit komplexen Metallhydriden

Trialkylborane reagieren mit Lithium-hydro-trialkoxy-aluminaten in Tetrahydrofuran unter Lithiumhydrid-Übertragung zu Lithium-hydro-trialkyl-boraten. Die Methode hat vor allem zur Herstellung von *Lithium-hydro-tri-sek.-alkyl-boraten* Bedeutung[1-4].

Aus Tris[1-methylpropyl]boran ist *Lithium-hydro-tris[1-methylpropyl]-borat* in quantitativer Ausbeute zugänglich[1,3]:

$$\left[H_5C_2-\underset{}{\overset{CH_3}{\overset{|}{C}}}H-\right]_3 B \; + \; Li^+[(H_3CO)_3AlH]^- \xrightarrow[-\,Al(OCH_3)_3]{THF} Li^+\left\{\left[H_5C_2-\overset{CH_3}{\overset{|}{C}}H-\right]_3 B-H\right\}^-$$

Lithium-hydro-tris[1,2-dimethylpropyl]-borat läßt sich entsprechend herstellen[3].

Aus Trialkylboranen lassen sich mit Lithiumtetrahydroaluminat in Diethylether in Gegenwart von Komplexbildnern für Aluminiumtrihydrid (z.B. 1,4-Diazabicyclo[2.2.2]octan) durch Lithiumhydrid-Übertragung bei 0° Lithium-hydro-trialkyl-borate in quantitativen Ausbeuten herstellen[5,6]. Zugänglich sind z.B. *Lithium-hydro-tris[1,2-dimethylpropyl]-borat*[5,6] oder *-hydro-tris(bicyclo[2.2.1]hept-exo-2-yl)-borat* sowie zahlreiche weitere *Hydro-triethyl-borate*[5,6]:

$$[\text{Norbornyl}]_3B \; + \; Li[AlH_4] \xrightarrow[-\,\text{DABCO}^{\oplus}\text{-}^{\ominus}AlH_3]{+\,\text{DABCO}} Li^+\left\{[\text{Norbornyl}]_3BH\right\}^-$$

1,4-Diazabicyclo[2.2.2]octan-Aluminiumtrihydrid fällt als feste Verbindung voluminös aus den Lösungen in Diethylether oder Tetrahydrofuran aus[5,6]. Daher ist zum Vermeiden eines weitergehenden Alkyl/Hydrid-Austauschs der Zusatz einer stöchiometrischen Menge an Komplexbildnern wesentlich[5,6].

$\beta\beta_3$) mit alkalimetallorganischen Verbindungen

Bestimmte lithium-, natrium- sowie kaliumorganische Verbindungen reagieren als potentielle Alkalimetallhydride. Aus Triorganoboranen lassen sich mit z.B. tert.-Butyllithium[7-10] bzw. mit 1,4-Dinatrium-1,1,4,4-tetraphenyl-butan[11-13] Alkalimetall-hydro-triorgano-borate gewinnen.

[1] H.C. Brown u. S. Krishnamurthy, Am. Soc. **94**, 7159 (1972).
[2] H.C. Brown u. S. Krishnamurthy, Chem. Commun. **1972**, 868.
[3] H.C. Brown, S. Krishnamurthy u. J.L. Hubbard, J. Organometal. Chem. **166**, 271 (1979).
[4] H.C. Brown, S. Krishnamurthy, J.L. Hubbard u. R.A. Coleman, J. Organometal. Chem. **166**, 281 (1979).
[5] H.C. Brown, J.L. Hubbard u. B. Singaram, J. Org. Chem. **44**, 5004 (1979).
[6] H.C. Brown, J.L. Hubbard u. B. Singaram, Tetrahedron **37**, 2359 (1981).
[7] DAS. 2207987 (1972), E.J. Corey; C.A. **77**, 152342 (1972).
[8] E.J. Corey, S.M. Albonico, U. Koelliker, T.K. Schaaf u. R.K. Varma, Am. Soc. **93**, 7319 (1971).
[9] S. Krishnamurthy, F. Vogel u. H.C. Brown, J. Org. Chem. **42**, 2534 (1977).
[10] H.C. Brown, G.W. Kramer, J.L. Hubbard u. S. Krishnamurthy, J. Organometal. Chem. **188**, 1 (1980).
[11] G. Wittig, G. Keicher, A. Rückert u. P. Raff, A. **563**, 110 (1949).
[12] G. Wittig u. A. Rückert, A. **566**, 101 (1950).
[13] G. Wittig, W. Stilz u. W. Herwig, A. **598**, 85 (1956).

Man erhält z.B. aus Triethylboran in Tetrahydrofuran mit tert.-Butyllithium in Pentan unter Abspalten von Isobuten in quantitativer Ausbeute eine Lösung von *Lithium-hydro-triethyl-borat*. Entsprechend sind *Lithium-hydro-tributyl-, -triisobutyl-* oder *-tris[1-methylpropyl]-borat* zugänglich[1]:

$$R_3B + (H_3C)_3C{-}Li \xrightarrow[-H_2C=C(CH_3)_2]{THF,\ Pentan,\ 0-20^\circ} Li^+[R_3BH]^-$$

$R = C_2H_5, C_4H_9, CH_2{-}CH(CH_3)_2, CH(CH_3){-}C_2H_5$

Analog erhält man aus Tricyclohexylboran[1], aus 9-(2-*endo*,6,6-Trimethylbicyclo[3.1.1]hept-3-*exo*-yl)-9-borabicyclo[3.3.1]nonan[1,2] oder aus 4,8-Dimethyl-2-thexyl-2-borabicyclo[3.3.1]nonan (aus Limonen)[3,4] mit tert. Butyllithium *Lithium-hydro-tricyclohexyl-borat, Lithium-9-hydro-9-(2-endo,6,6-trimethyl-bicyclo[3.1.1]hept-3-exo-yl)-9-borata-bicyclo[3.3.1]nonan* sowie *Lithium-4,8-dimethyl-2-hydro-2-thexyl-2-borata-bicyclo[3.3.1] nonan*, z.B.:

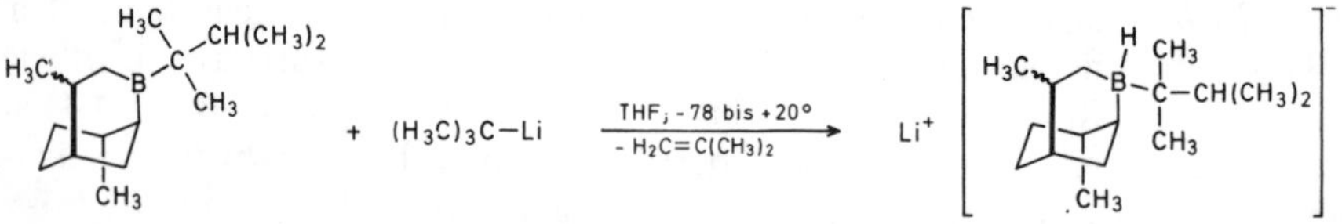

$$\text{(Borabicyclononan)} + (H_3C)_3C{-}Li \xrightarrow[-H_2C=C(CH_3)_2]{THF;\ -78\ bis\ +20^\circ} Li^+[\ldots]^-$$

Das aus 9-Borabicyclo[3.3.1]nonan durch Hydroborierung von Nopol-benzyl-ether zugängliche sauerstoffhaltige Triorganoboran reagiert mit tert.-Butyllithium entsprechend unter Bildung von *Lithium-benzyloxymethyl-(1,5-cyclooctandiyl)-hydro-isopinocampheyl-borat* (sog. *NB-Enantrid*)[2]:

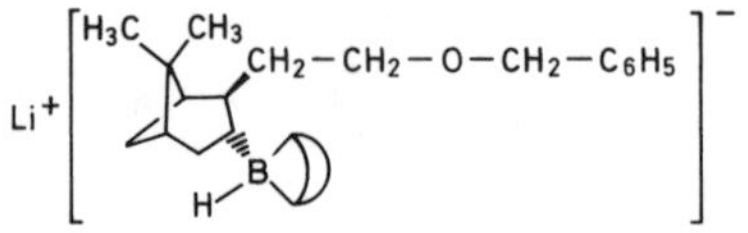

$Li^+[\ldots CH_2{-}CH_2{-}O{-}CH_2{-}C_6H_5\ldots]^-$

Aus Bis[2,4,6-trimethylphenyl]-methyl-boran erhält man mit tert.-Butyllithium *Lithium-bis[2,4,6-trimethylphenyl]-hydro-methyl-borat*[3].

Aus Triphenylboran bildet sich mit 1,4-Dinatrium-1,1,4,4-tetraphenyl-butan unter Abspaltung von 1,1,4,4-Tetraphenyl-1,3-butadien *Natrium-hydro-triphenyl-borat*[4-6]:

$$2\ (H_5C_6)_3B + (H_5C_6)_2C(Na){-}CH_2{-}CH_2{-}C(Na)(C_6H_5)_2 \xrightarrow[-(H_5C_6)_2C=CH-CH=C(C_6H_5)_2]{} 2\ Na^+\ [(H_5C_6)_3BH]^-$$

Zur Herstellung der Alkalimetall-hydro-triaryl-borate haben die Reaktionen mit den natrium- oder kalium-organischen Verbindungen wenig Bedeutung.

[1] H.C. Brown, G.W. Kramer, J.L. Hubbard u. S. Krishnamurthy, J. Organometal. Chem. **188**, 1 (1980).
[2] M.M. Midland u. A. Kazubski, J. Org. Chem. **47**, 2495 (1982); Nopol = 6,6-Dimethyl-2-(2-hydroxy-ethyl)-bicyclo[3.2.1]hept-2-en.
[3] A. Pelter, B. Singaram, L. Williams u. J.W. Wilson, Tetrahedron Letters **24**, 623 (1983).
[4] S. Krishnamurthy, F. Vogel u. H.C. Brown, J. Org. Chem. **42**, 2534 (1977).
[5] DAS 2207987 (1972), E.J. Corey; C.A. **77**, 152 342 (1972).
[6] E.J. Corey u. R.K. Varma, Am. Soc. **93**, 7319 (1971).

$\beta\beta_4$) mit Alkalimetallen

Triarylborane reagieren mit Alkalimetallen beim Erhitzen über deren Schmelzpunkt unter Bildung von Alkalimetallorganoboraten verschiedener Strukturen. Im allgemeinen erhält man Hydro-triorgano-borate wie z.B. aus 3-Methyl-1-(2-phenylpropyl)-1-boraindan mit metallischem Natrium[1]:

$$n+3 \quad \xrightarrow{+(n+3)\ Na\ /\ Benzol} \quad (n+2)\ Na^+$$

Triphenylboran reagiert mit metallischem Natrium in Ether unter Bildung einer orangegelben Verbindung, der man ursprünglich die Formel eines Triphenylboran-Natriums zuordnete[2]. Bei der Reaktion der Verbindung mit Methanol ließ sich *Natrium-hydro-triphenyl-borat* nachweisen[3]. Offensichtlich bildet sich aus Triphenylboran mit metallischem Natrium ein praktisch farbloses Salz, dem die Struktur eines in einem Phenyl-Kern substituierten *Dinatrium-(diphenyl-hydro-boratyl)-triphenylboratyl-benzol* zukommt[1,4].

$$2\,(H_5C_6)_3B \;+\; 2\,Na \;\longrightarrow\; \left[(H_5C_6)_3B-C_6H_4-BH(C_6H_5)-C_6H_5\right]^{2-}\;2\,Na^+$$

Trialkylborane reagieren mit metallischem Natrium nur in Gegenwart bestimmter Lösungsmittel wie z.B. von Bis[2-methoxyethyl]ether. Man erhält aus Triethylboran solvatisiertes *Natriumtetraethylborat* (vgl. S. 751f.).

β_2) *aus Hydro-organo-boranen*

Diorgano-hydro-borane reagieren mit alkalimetallorganischen Verbindungen in Ethern unter Bildung von Alkalimetall-hydro-triorgano-boraten:

$$R^1_2BH \;+\; R^2{-}M \;\longrightarrow\; M^+\,[R^1_2R^2BH]^-$$

---

[1] W. GRIMME, K. REINERT u. R. KÖSTER, Tetrahedron Letters **1961**, 624.
[2] E. KRAUSE u. R. NITSCHE, B. **59**, 780 (1926).
[3] G. WITTIG, G. KEICHER, A. RÜCKERT u. P. RAFF, A. **563**, 110 (1949).
[4] R. KÖSTER u. M. POLYCHRONU, Mülheim a.d. Ruhr, unveröffentlicht 1964.

Aus dem Hydroboran I ist mit Methyllithium durch Komplexierung *Lithium-bis(2-endo,6,6-trimethyl-bicyclo[3.1.1]hept-3-exo-yl)-hydro-methyl-borat* zugänglich[1]. Mit Butyllithium erhält man das entsprechende *Butyl*-Derivat[1-3].

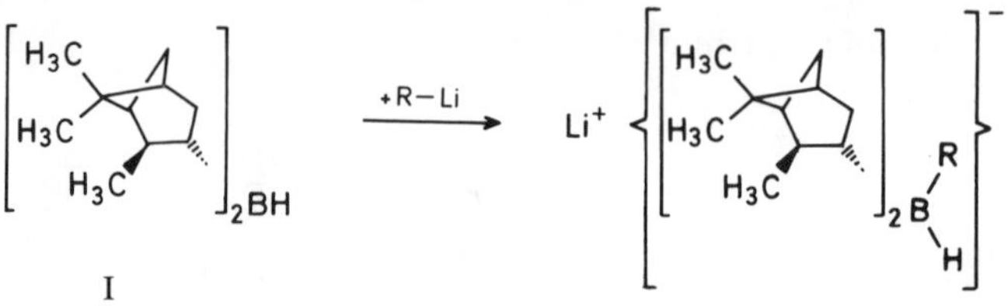

I

R = CH_3, C_4H_9

Mit Natriumcyanid in Tetrahydrofuran wird *Natrium-bis(2-endo,6,6-trimethyl-bicyclo[3.1.1]hept-3-exo-yl)-cyan-hydro-borat* erhalten[4].

Aus Bis(9-borabicyclo[3.3.1]nonan) lassen sich mit Alkyllithium-Verbindungen Lithium-alkyl-1,5-cyclooctandiyl-hydro-borate herstellen[5].

β_3) *aus Organoboraten*

Zur Herstellung von Hydro-triorgano-boraten eignen sich Tetraalkyl-, 1-Alkinyl-trialkyl- und Hydro-triorganooxy-borate. Hydro-triorgano-borate werden für borferne Umwandlungen eingesetzt.

$\beta\beta_1$) aus Tetraorganoboraten

Alkalimetalltetraalkylborate mit Alkyl-Resten $\geqq C_3$ spalten oberhalb ~120° durch Dehydroborierung langsam Alken ab, und man erhält Alkalimetall-hydro-trialkylborate; z.B.:

$$Na^+ \left[(H_{2x+1}C_x)_4B\right]^- \xrightarrow[-\ C_xH_{2x}]{>120\,°} Na^+ \left[(H_{2x+1}C_x)_3BH\right]^-$$

Die Dehydroborierung verläuft beim Lithium-1,5-cyclooctandiyl-diethyl-borat glatt zum *Lithium-1,5-cyclooctandiyl-ethyl-hydro-borat*[1]:

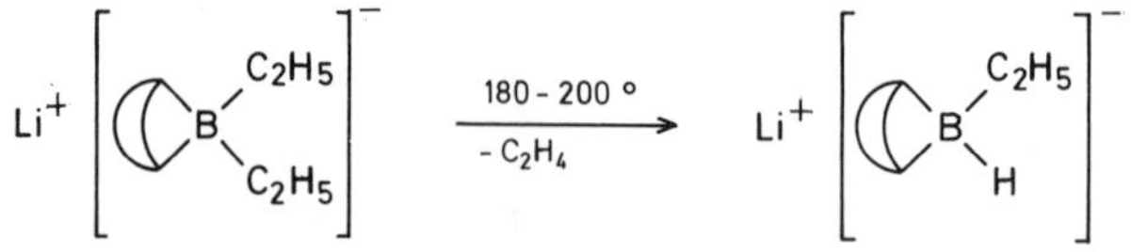

Lithium-1,5-cyclooctandiyl-ethyl-hydro-borat[6]: Beim Erhitzen von 5,2 g (28 mmol) Lithium-1,5-cyclooctandiyl-diethyl-borat auf 180–200° spalten sich in 2 Stdn. 601 N*ml* (96%) Gas (MS: 80% C_2H_4, 14% C_2H_6, 6% 1-Buten) ab; Ausbeute: 4,2 g (95%); F: <280°.

Barium-bis[hydro-triethyl-borat] ist aus Barium-bis[tetraethylborat] bei ~160° unter Ethen-Abspaltung zugänglich[7]:

---

[1] D.R. BOYD, M.F. GRUNDON u. W.R. JACKSON, Tetrahedron Letters **1967**, 2101.
[2] M.F. GRUNDON, W.A. KHAN, D.R. BOYD u. W.R. JACKSON, Soc. [C] **1971**, 2557.
[3] J.F. ARCHER, D.R. BOYD, W.R. JACKSON, M.F. GRUNDON u. W.A. KHAN, Soc. [C] **1971**, 2560.
[4] DOS 2257162 (1972/1974), G.D. SEARLE u. Co., Erf.: R.A. MUELLER; C.A. **81**, 25795 (1974).
[5] J.L. HUBBARD u. G.W. KRAMER, J. Organometal. Chem. **156**,(1972). 81 (1978).
[6] R. KÖSTER u. G. SEIDEL, Mülheim a.d. Ruhr, unveröffentlicht 1976.
[7] H. LEHMKUHL u. W. EISENBACH, A. **705**, 42, 45 (1967).

$$Ba^{2+}\{[(H_5C_2)_4B]^-\}_2 \xrightarrow[-2\,C_2H_4]{} Ba^{2+}\{[(H_5C_2)_3BH]^-\}_2$$

Die Herstellung der Verbindung aus Triethylboran mit Bariumhydrid gelingt nicht[1].

Durch Alkyl/Hydro-Austausch lassen sich aus Alkalimetall-1-alkinyl-trialkyl-boraten (vgl. S. 777ff.) mit Hydro-diorgano-boranen bei ~20° unter Abspaltung von Trialkylboran Alkalimetall-1-alkinyl-dialkyl-hydro-borate gewinnen. Aus Natrium-1-propinyl-triethyl-borat erhält man mit Tetraethyldiboran(6) unter Bildung und Verdrängung des schwach lewissauren Triethylborans *Natrium-diethyl-hydro-1-propinyl-borat* in 75%iger Ausbeute[2]:

$$Na^+\ [(H_5C_2)_3B-C\equiv C-CH_3]^- \xrightarrow[-\ (H_5C_2)_3B]{+\ 1/2\ (H_5C_2)_4B_2H_2,\ 20\ °} Na^+\ \left[(H_5C_2)_2\overset{H}{\overset{|}{B}}-C\equiv C-CH_3\right]^-$$

Etwa 25% der C≡C-Bindung werden hydroboriert[2].

ββ₂) aus Hydroboraten

Der Kationen-Austausch von Alkalimetall-hydro-triorgano-boraten gelingt mit Alkalimetall-Amalgamen. Aus Natrium-hydro-triethyl-borat läßt sich in Benzol mit Kalium-Amalgam in 68%iger Ausbeute *Kalium-hydro-triethyl-borat* (F: 95°) herstellen[3]:

$$Na^+\,[(H_5C_2)_3BH]^- \quad + \quad K(Hg)_x \quad \underset{-\,Na(Hg)_x}{\overset{Benzol}{\rightleftharpoons}} \quad K^+\,[(H_5C_2)_3BH]^-$$

In Tetrahydrofuran reagiert Kalium-hydro-triisopropyloxy-borat mit Trialkylboranen unter Boran-Austausch zu Kalium-hydro-trialkyl-boraten[4,5]:

$$K^+\{HB[OCH(CH_3)_2]_3\}^- \quad + \quad R^1_3B \quad \rightleftharpoons \quad K^+\,[R^1_3BH]^- \quad + \quad B[OCH(CH_3)_2]_3$$

$R^1 = C_2H_5,\ C_4H_9,\ CH(CH_3)-C_2H_5,\ CH_2-CH(CH_3)_2,\ C(CH_3)_3,\ CH(CH_3)-CH(CH_3)_2$

γ) Dihydro-diorgano-borate

Dialkyl-dihydro-, Alkandiyl-dihydro-, Cycloalkandiyl-dihydro- sowie Diaryl-dihydro- und Arendiyl-dihydro-borate sind aus Diorgano-hydro-boranen und aus Hydro-organo-boraten präparativ zugänglich. Triorgano-, Halogen-organo-, Lewisbase-Halogen-organo-borane und Tetraorganoborate werden weniger häufig eingesetzt (vgl. Tab. 117, S. 800)[6].

---

[1] H. Lehmkuhl u. W. Eisenbach, A. **705**, 42, 45 (1967).
[2] P. Binger u. R. Köster, Tetrahedron Letters **1965**, 1901.
[3] P. Binger, G. Benedikt, G.W. Rotermund u. R. Köster, A. **717**, 21 (1968).
[4] C.A. Brown u. J.L. Hubbard, Am. Soc. **101**, 3964 (1979).
[5] C.A. Brown u. J.L. Hubbard, Imeboron Juli 1979, Salt Lake City, Abstr. of Papers, S. 46/47.
[6] *Gmelin*, 8. Aufl., Bd. **33**/8, S. 67 (1976).

γ_1) *aus Triorganoboranen*

Die Herstellung von Dihydro-diorgano-boraten aus Triorganoboranen wird wenig angewandt. Aus Trialkylboranen bilden sich mit Lithium-tetrahydroaluminat in Tetrahydrofuran unter Alkyl/Hydro-Austausch Lithium-dialkyl-dihydro-borate, die bisher nur nachgewiesen (^{11}B-NMR) und nicht isoliert wurden[1].

$$R_3B \quad + \quad Li[AlH_4] \xrightarrow[-R{-}AlH_2]{THF,\ 25°} Li^+[R_2BH_2]^-$$

γ_2) *aus Hydro-organo-boranen*

Alkalimetall-dihydro-diorgano-borate unterschiedlichster Zusammensetzung sind aus Tetraorganodiboranen(6) mit verschiedenen Metall-Verbindungen präparativ gut zugänglich. Man verwendet einfache Metallhydride sowie komplexe Metallhydride. Außerdem lassen sich metallorganische Verbindungen, Metallalkanolate und Metallamide einsetzen. Dabei werden allerdings auch Organoborane verschiedener Zusammensetzung gebildet.

$\gamma\gamma_1$) mit Metallhydriden

Die Methode zur Herstellung von Metall-dihydro-diorgano-boraten aus Organodiboranen mit Metallhydriden läßt sich in breitem Umfang anwenden[2-12].

Aus Dialkyl-, Dicycloalkyl-, Alkandiyl-, Cycloalkandiyl- oder Diaryl-hydro-boranen bilden sich mit Alkalimetallhydriden in Ethern (z.B. Tetrahydrofuran, 1,2-Dimethoxyethan, Diglyme) in guten Ausbeuten *Lithium-, Natrium-, Kalium-* oder *Calcium*-dihydro-diorgano-borate. Man vermeidet bei Anwendung eines Unterschusses an Organodiboran(6) mit monofunktionellen Organo-Resten den zur Bildung anderer Hydro-organo-borate führenden Hydro/Organo-Austausch weitgehend und erhält reine Produkte.

Aus Tetraorganodiboranen(6) mit monofunktionellen aliphatischen oder aromatischen Resten erhält man in Ethern durch symmetrische Diboran(6)-Spaltung Alkalimetall-dihydro-diorgano-borate. Lithiumhydrid reagiert mit Tetrakis[2,4,6-trimethylphenyl]diboran(6) in 1,2-Dimethoxyethan (30 Min. Kochen) unter Bildung von *Bis[1,2-dimethoxyethan]-lithium-bis[2,4,6-trimethylphenyl]-dihydro-borat* (87%; F: 129–131°)[6]:

$$(2,4,6\text{-}(CH_3)_3C_6H_2)_2BH \quad + \quad LiH \xrightarrow{+2\ \text{Monoglyme}} [Li(CH_3OCH_2CH_2OCH_3)_2]^+ \; [(2,4,6\text{-}(CH_3)_3C_6H_2)_2BH_2]^-$$

---

[1] H.C. Brown, J.L. Hubbard u. B. Singaram, Tetrahedron **37**, 2359 (1981).
[2] R.C. Moews jr. u. R.A. Parry, Inorg. Chem. **5**, 1552 (1966).
[3] P. Binger, G. Benedikt, G.W. Rotermund u. R. Köster, A. **717**, 21 (1968).
[4] W.R. Clayton, D.J. Saturnino, P.W.R. Corfield u. S.G. Shore, Chem. Commun. **1973**, 377.
[5] C.A. Brown, Am. Soc. **95**, 4100 (1973).
[6] J. Hooz, S. Akiyama, F.J. Cedar, M.J. Bennett u. R.M. Tuggle, Am. Soc. **96**, 274 (1974).
[7] D.J. Saturnino, M. Yamauchi, W.R. Clayton, R.W. Nelson u. S.G. Shore, Am. Soc. **97**, 6063 (1975).
[8] R. Köster u. G. Seidel, Mülheim a.d. Ruhr, unveröffentlicht 1975–1977.
vgl. R. Köster u. G. Seidel, Inorg. Synth. **22**, im Druck (1983).
[9] M. Yamauchi, D.J. Saturnino u. S.G. Shore, Inorg. Synth. **19**, 243 (1979).
[10] J.L. Hubbard u. G.W. Kramer, J. Organometal. Chem. **156**, 81 (1978).
[11] H.C. Brown, B. Singaram u. C.P. Mathew, J. Org. Chem. **46**, 2712 (1981).
[12] H.C. Brown, B. Singaram u. C.P. Mathew, J. Org. Chem. **46**, 4541 (1981).

Lithium-1,5-cyclooctandiyl-dihydro-borat (F: >300°)[1] ist aus Bis(9-borabicyclo[3.3.1]nonan) mit Lithiumhydrid in Tetrahydrofuran in 96% Ausbeute zugänglich[1-3]:

$$\text{Bis(9-borabicyclo[3.3.1]nonan)} + 2\,LiH \xrightarrow{THF} 2\,Li^+ \left[\text{C}_8\text{H}_{14}BH_2\right]^-$$

Mit Natriumhydrid sind aus Tetramethyldiboran(6) in Diethylether offensichtlich keine Hydro-methyl-borate zugänglich. In Tetrahydrofuran lassen sich jedoch z.B. *Natrium-bis[1,2-dimethylpropyl]-, -dicyclohexyl-* oder *-bis(2-endo,6,6-trimethylbicyclo[3.1.1]hept-3-exo-yl)-dihydro-borat* zu gewinnen[3].

Die Herstellungen von Alkandiyl- und Cycloalkandiyl-dihydro-boraten verlaufen analog.

Aus 1 mol 1,2:1,2-Bis[2-methyl-1,4-butandiyl]diboran(6) erhält man mit 2 mol Natriumhydrid in Xylol bei 120° das feste, bis über 190° beständige *Natrium-dihydro-(2-methyl-1,4-butandiyl)-borat*[5]:

$$\text{1,2:1,2-Bis[2-methyl-1,4-butandiyl]diboran(6)} + 2\,NaH \xrightarrow{\text{Xylol, 120°}} 2\,Na^+ \left[(H_3C)C_4H_7BH_2\right]^-$$

Natrium-dihydro-(2-methyl-1,4-butandiyl)-borat[5]: Die Aufschlämmung von 4,8 g (0,2 mol) Natriumhydrid in 50 *ml* Xylol wird bei 120–130° mit 16,4 g (0,1 mol) 1,2:1,2-Bis[2-methyl-1,4-butandiyl]diboran(6) versetzt. Nach 2stdgm. Erhitzen filtriert man vom schwer löslichen Komplexsalz ab, wäscht wiederholt mit Pentan und erhält 18,3 g (86,4% Salz; Zers. bei 198°).

Aus Bis[9-borabicyclo[3.3.1]nonan) erhält man mit Natriumhydrid in Tetrahydrofuran quantitativ *Natrium-1,5-cyclooctandiyl-dihydro-borat*[1]:

$$\text{Bis(9-borabicyclo[3.3.1]nonan)} + 2\,NaH \xrightarrow{THF} 2\,Na^+ \left[\text{C}_8\text{H}_{14}BH_2\right]^-$$

Natrium-1,5-cyclooctandiyl-dihydro-borat[1]: Zu 6,7 g (279 mmol) Natriumhydrid in 200 *ml* THF gibt man 26,6 g (109 mmol) Bis(9-borabicyclo[3.3.1]nonan) und erhitzt 4 Stdn. zum THF-Rückfluß. Nach Abfiltrieren vom Natriumhydrid engt man das farblose, klare Filtrat i. Vak. (14 Torr) ein. Beim Erhitzen i. Vak. (10^{-3} Torr) auf 140° entweicht THF; Ausbeute: 31,5 g (99%); F: >250°.

Kaliumhydrid reagiert mit Tetrakis[1,2-dimethylpropyl]diboran(6) bei ~20° in Tetrahydrofuran lebhaft und in quantitativer Ausbeute unter Bildung von *Kalium-bis[1,2-dimethylpropyl]-dihydro-borat*[6].

---

[1] R. Köster u. G. Seidel, Mülheim a.d. Ruhr, unveröffentlicht 1975–1977. vgl. Inorg. Synth., **22**, im Druck (1983).
[2] J.L. Hubbard u. G.W. Kramer, J. Organometal. Chem. **156**, 81 (1978).
[3] H.C. Brown, B. Singaram u. C.P. Mathew, J. Org. Chem. **46**, 2712 (1981).
[4] P.C. Moews jr. u. R.W. Parry, Inorg. Chem. **5**, 1552 (1966).
[5] P. Binger, G. Benedikt, G.W. Rotermund u. R. Köster, A. **717**, 21 (1968).
[6] C.A. Brown, Am. Soc. **95**, 4100 (1973).

Kaliumhydrid (1 mol) bildet mit 1,2:1,2-Bis[1,4-butandiyl]diboran(6) in Tetrahydrofuran *Kalium-trihydro-1,2:1,2-bis[1,4-butandiyl]-diborat(1)*, das als 1,4-Dioxan-Addukt kristallin anfällt[1-3]:

$$\text{(9-BBN)}_2 + KH \xrightarrow{THF} K^+ [H{-}B(\mu\text{-}H)B{-}H]^-$$

Kalium-1,5-cyclooctandiyl-dihydro-borat (F: >250°) läßt sich aus Bis(9-borabicyclo[3.3.1]nonan) mit Kaliumhydrid in Tetrahydrofuran zu 98% herstellen[4].

Calcium-bis[1,5-cyclooctandiyl-dihydro-borat] ist als Bis-diglymat in ~70%iger Ausbeute in siedendem Diglyme mit Calciumhydrid zugänglich[4].

$$[BH]_2 + CaH_2 \xrightarrow{+2\ Diglyme} [(Diglyme)_2Ca]^{2+} [H_2B]^-_2$$

Bis[diglyme]-Calcium-bis[1,5-cyclooctandiyl-dihydro-borat][4]: 3,3 g (78 mmol) Calciumhydrid und 15,4 g (63 mmol) Bis(9-borabicyclo[3.3.1]nonan) erhitzt man 5 Stdn. in 60 *ml* Diglyme zum Rückfluß, wobei sich das Calciumhydrid langsam löst. Nach Abdestillieren von ~20 *ml* Diglyme bei 10^{-3} Torr (Bad bis 80°) hebert man ~100 *ml* Hexan zur farblos, klaren Lösung, wobei ein farbloses Produkt ausfällt. Nach Abhebern der überstehenden Lösung, Waschen des Salzes mit Hexan und Trocknen i. Vak. (0,1 Torr) erhält man 17,2 (49%) Borat [F: 207°; trübe Schmelze); 235–240° (klare Schmelze)] (gef. 7,27‰ H^-). Aus den Mutterlaugen werden weitere 6,2 g (~20%) Salz (gef. 8,27‰ H^-) erhalten.

$\gamma\gamma_2$) mit komplexen Metallhydriden

Aus Dialkyl-hydro-boranen lassen sich mit Lithiumtetrahydroaluminat[5-7] bei 0° in Diethylether unter stöchiometrischem Zusatz einer geeigneten Base wie z.B. 1,4-Diazabicyclo[2.2.2]octan Lithium-dialkyl-dihydro-borate herstellen[7]:

$$R_2BH + Li[AlH_4] \xrightarrow[-\ \text{DABCO}\cdot AlH_3]{+\ \text{DABCO},\ (H_5C_2)_2O,\ 0°} Li^+ [R_2BH_2]^-$$

z.B.: R = C_6H_{11}; *Lithium-dicyclohexyl-dihydro-borat*

R = (1,5-Cyclooctandiyl); *Lithium-1,5-cyclooctandiyl-dihydro-borat*

---

[1] W.R. Clayton, D.J. Saturnino, P.W.R. Corfield u. S.G. Shore, Chem. Commun. **1973**, 377.
[2] D.J. Saturnino, M. Yamauchi, W.R. Clayton, R.W. Nelson u. S.G. Shore, Am. Soc. **97**, 6063 (1975).
[3] M. Yamauchi, D.J. Saturnino u. S.G. Shore, Inorg. Synth. **19**, 243 (1979).
[4] R. Köster u. G. Seidel, Mülheim a.d. Ruhr, unveröffentlicht 1975–1977; Inorg. Synth. **22**, im Druck (1983).
[5] J.L. Hubbard u. G.W. Kramer, J. Organometal. Chem. **156**, 81 (1978).
[6] H.C. Brown, B. Singaram u. P.C. Mathew, J. Org. Chem. **46**, 2712 (1981).
[7] H.C. Brown, B. Singaram u. P.C. Mathew, J. Org. Chem. **46**, 4541 (1981).

$\gamma\gamma_3$) mit verschiedenen Metall-Verbindungen

Aus Tetraorganodiboranen(6) erhält man mit lithiumorganischen Verbindungen in Tetrahydrofuran Gemische von Lithium-dihydro-diorgano-boraten und -tetraorganoboraten[1]:

$$(R^1_2BH)_2 + 2\ R^2{-}Li \xrightarrow{THF} Li^+ \left[R^1_2BH_2\right]^- + Li^+ \left[R^1_2B{-}R^2_2\right]^-$$

$R^1 = C_6H_{11}$, $CH(CH_3){-}CH(CH_3)_2$,

$R^2 = CH_3$, C_4H_9, C_5H_6

Zur Herstellung von *Lithium-1,5-cyclooctandiyl-dihydro-borat* (93%) eignet sich die Reaktion des Bis(9-borabicyclo[3.3.1]nonans) mit tert.-Butyllithium in Hexan. Außerdem wird reines 9-tert.-Butyl-9-borabicyclo[3.3.1]nonan (89%) gebildet[2]:

$$\text{(9-BBN)}_2 \xrightarrow[-\ \text{9-BBN}{-}C(CH_3)_3]{+\ (H_3C)_3C{-}Li} Li^+ \left[\text{C}_8\text{H}_{14}BH_2\right]^-$$

Aus Bis(9-borabicyclo[3.3.1]nonan) sind mit Natrium- oder Kalium-alkanolaten in siedendem Hexan durch Komplexierung und Ligandenaustausch *Natrium-* bzw. *Kalium-1,5-cyclooctandiyl-dihydro-borat* und 9-Alkoxy-9-borabicyclo[3.3.1]nonane zugänglich[2]:

$$\text{(9-BBN)}_2 + M{-}OR \xrightarrow[-\ \text{9-BBN}{-}OR]{\text{Hexan}} M^+ \left[\text{C}_8\text{H}_{14}BH_2\right]^-$$

M = Na, K

$R = CH_3$, $C(CH_3)_3$

Natrium-1,5-cyclooctandiyl-dihydro-borat[2]**:** 3,1 g (57 mmol) Natriummethanolat in 250 *ml* Hexan und 14,2 g (58 mmol) Bis(9-borabicyclo[3.3.1]nonan) werden 3 Stdn. zum Rückfluß erhitzt. Man filtriert von der voluminösen Festsubstanz ab (D3-Fritte), wäscht wiederholt mit Hexan und trocknet i. Vak. (0,1 Torr); Ausbeute: 6,9 g (82%).

Das Filtrat wird bei Atmosphärendruck eingeengt: 8 g [92%; 99,1%ig (GC)] *9-Methoxy-9-borabicyclo[3.3.1]nonan* (Kp_{12}: 82°).

Mit Lithiumdimethylamid reagiert Bis(9-borabicyclo[3.3.1]nonan) in siedendem Hexan unter Komplexierung und Hydro/Amino-Austausch zu *Lithium-1,5-cyclooctandiyl-dihydro-borat* (96%) und 9-Dimethylamino-9-borabicyclo[3.3.1]nonan (87%)[2]:

$$\text{(9-BBN)}_2 + Li{-}N(CH_3)_2 \xrightarrow[-\ \text{9-BBN}{-}N(CH_3)_2]{\text{Hexan}} Li^+ \left[\text{C}_8\text{H}_{14}BH_2\right]^-$$

---

[1] J.L. HUBBARD u. G.W. KRAMER, J. Organometal. Chem. **156**, 81 (1978).

[2] R. KÖSTER u. G. SEIDEL, Mülheim a.d. Ruhr, unveröffentlicht 1975–1977.

Lithium-1,5-cyclooctandiyl-dihydro-borat[1]**:** Zu 4,8 g (94,1 mmol) Lithiumdimethylamid in 150 *ml* Hexan werden bei 60° 22,6 g (92,6 mmol) Bis(9-borabicyclo[3.3.1]nonan) gegeben und ~3 Stdn. auf 60–70° erhitzt. Nach Filtrieren und Waschen mit Hexan wird i. Vak. (0,1 Torr) getrocknet; Ausbeute: 11,5 g (95%).

Aus dem eingeengten (12 Torr) Filtrat gewinnt man 13,3 g [87%; 94,3%ig (GC)] *9-Dimethylamino-9-borabicyclo[3.3.1]nonan* ($Kp_{0,01}$: 30°).

$\gamma\gamma_4$) mit Lewisbasen

Mit Lewisbasen reagieren Organodiborane(6) im allgemeinen unter symmetrischer Spaltung der BH_2B-Brückenbindung zu Lewisbase-Hydro-organo-boranen (vgl. S. 477).

Aus Tetramethyldiboran(6) erhält man mit Ammoniak ohne Lösungsmittel bei −78° unter asymmetrischer BH_2B-Spaltung thermisch instabiles *Bis[ammoniak]-dimethylbor(1+)-dihydro-dimethyl-borat(1−)*[2]:

$$(H_3C)_2B(\mu\text{-}H)_2B(CH_3)_2 + 2\,NH_3 \longrightarrow [(H_3C)_2B(NH_3)_2]^+\,[(H_3C)_2BH_2]^-$$

Bis(ammoniak)-dimethylbor(1+)]-dihydro-dimethyl-borat(1−)[2]**:** 162 mg (1,93 mmol) reines Tetramethyldiboran(6) werden in das Reaktionsgefäß einkondensiert (−78°). Um Zersetzungsprodukte zu verhindern, werden 33,6 mg (0,4 mmol) wieder abgepumpt. In der Apparatur verbleiben so 1,53 mmol sehr reines Tetramethyldiboran(6). Es werden 425 mg (25 mmol) Ammoniak zugegeben. Man läßt den Inhalt schmelzen, hält dann 2 Stdn. bei −78° und entfernt überschüssiges Ammoniak durch 38stdgs. Abpumpen bei −78° und 2stdgs. Abpumpen bei −45°. Das zurückbleibende farblose Produkt verliert bei 0° Wasserstoff und schmilzt geringfügig bei <25°. In 1 Stde./25° ist es vollständig zu Amino-dimethyl-boran und Wasserstoff zersetzt.

γ_3) *aus Halogen-organo-boranen*

Bis[2,4,6-trimethylphenyl]-fluor-boran reagiert in 1,2-Dimethoxyethan mit Lithiumhydrid unter Fluor/Hydro-Austausch und Komplexierung zu *Bis[1,2-dimethoxyethan]-lithium-dihydro-bis[2,4,6-trimethylphenyl]-borat*[3]:

$$[2,4,6\text{-}(H_3C)_3C_6H_2]_2B{-}F + 2\,LiH \xrightarrow[-\,LiF]{+\,2\,H_3CO{-}CH_2{-}CH_2{-}OCH_3} [Li(H_3CO{-}CH_2{-}CH_2{-}OCH_3)_2]^+\,\{[2,4,6\text{-}(H_3C)_3C_6H_2]_2BH_2\}^-$$

γ_4) *aus Lewisbase-Organoboranen*

Aus Tetrahydrofuran-1-Chlorborolan ist in Tetrahydrofuran mit Lithiumhydrid unter Chlor/Hydro-Austausch und Lithiumhydrid-Komplexierung *Lithium-1,4-butandiyl-dihydro-borat* zugänglich[4]:

---

[1] R. Köster u. G. Seidel, Mülheim a. d. Ruhr, unveröffentlicht 1975–1977.

[2] P. C. Moews u. R. W. Parry, Inorg. Chem. **5**, 1552 (1966).

[3] J. Hooz, S. Akiyama, F. J. Cedar, M. J. Bennett u. R. M. Tuggle, Am. Soc. **96**, 275 (1974).

[4] H. C. Brown u. E. Negishi, Am. Soc. **93**, 6682 (1971).

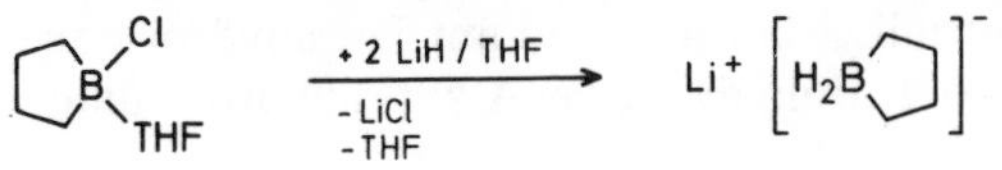

γ_5) *aus Bis[amin]-bor(1+)-Verbindungen*

Aus Bis[trimethylamin]-dihydro-bor(1+)-chlorid erhält man in Gegenwart von Triethylamin in Hexan/Pentan mit tert. Butyllithium bei ~20° unter Abspaltung von Isobutan (vgl. S. 499) u.a. in >40%iger Ausbeute *Lithium-μ-C,N-(Dimethylamino-methyl)-bis[dimethylamino-methyl]-dihydro-borat* (F: 118–120°)[1]:

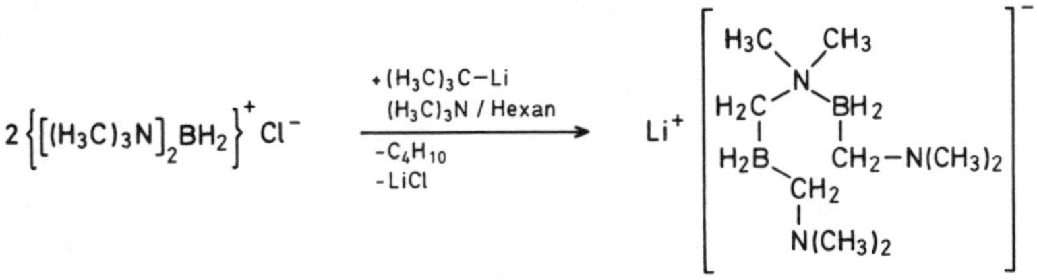

γ_6) *aus Organoboraten*

Bestimmte Alkalimetall-dihydro-diorgano-borate können aus anderen Organoboraten wie z.B. aus Tetraorgano- bzw. Hydro-triorgano-boraten oder durch borferne Reaktionen aus Dihydro-diorgano-boraten hergestellt werden.

$\gamma\gamma_1$) aus Tetraorganoboraten

Lithium-1,5-cyclooctandiyl-diethyl-borat reagiert mit Bis(9-borabicyclo[3.3.1]nonan) beim Erhitzen in Mesitylen unter Ethyl/Hydro-Austausch zu *Lithium-1,5-cyclooctan-diyl-dihydro-borat* und 9-Ethyl-9-borabicyclo[3.3.1]nonan[2]:

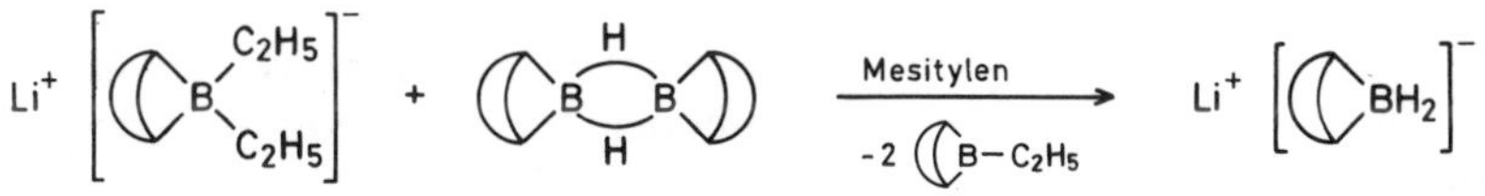

Lithium-1,5-cyclooctandiyl-dihydro-borat[2]: 5,1 g (27 mmol) Lithium-1,5-cyclooctandiyl-diethyl-borat und 6,7 g (27 mmol) Bis(9-borabicyclo[3.3.1]nonan) rührt man in 125 *ml* Mesitylen 2,5 Stdn. bei 120–130°. Von der aus der klaren Lösung ausgefallenen Festsubstanz wird abfiltriert. Nach Waschen mit Pentan und Trocknen i.Vak. (0,1 Torr) erhält man 3,3 g (94%); F: >300°.

$\gamma\gamma_2$) aus Hydro-triorgano-boraten

Aus Lithium-1,5-cyclooctandiyl-butyl-hydro-borat erhält man mit Bis-(9-borabicyclo[3.3.1]nonan) in Tetrahydrofuran *Lithium-1,5-cyclooctandiyl-dihydro-borat*[3]:

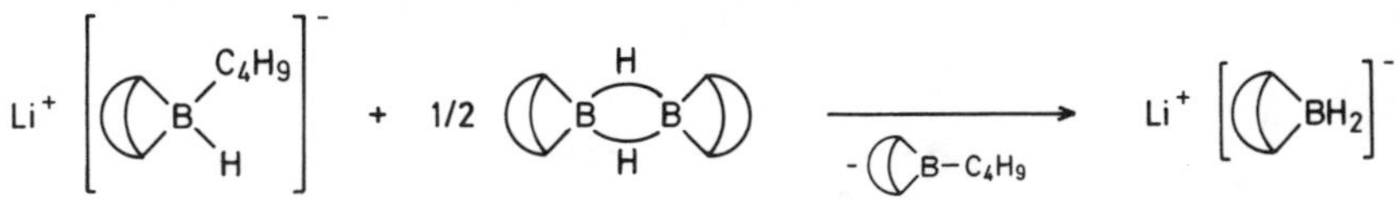

[1] N.E. MILLER, J. Organometal. Chem. **137**, 131 (1977).
[2] R. KÖSTER u. G. SEIDEL, Mülheim a.d. Ruhr, unveröffentlicht 1975–1977.
[3] J.L. HUBBARD u. G.W. KRAMER, J. Organometal. Chem. **156**, 81 (1978).

Aus Lithium-hydro-trialkyl-boraten sind mit Tetrahydrofuran-Trihydroaluminium bei ~25° unter Bildung von Tetrahydrofuran-Alkyl-dihydro-aluminium Lithium-dialkyl-dihydro-borate zugänglich[1]:

$$Li^+[R_3BH]^- \quad + \quad THF{-}AlH_3 \xrightarrow[-THF-AlH_2R]{\sim 25°} Li^+[R_2BH_2]^-$$

Natrium-hydro-triethyl-borat reagiert mit 9-Chlor-9-borafluoren in Benzol unter Abscheiden von Natriumchlorid und Abspalten von Triethylboran zu *Natrium-2,2'-biphenyldiyl-dihydro-borat*[2]:

$$2\ Na^+\ [(H_5C_2)_3BH]^- \quad + \quad \text{9-Chlor-9-borafluoren (B–Cl)} \xrightarrow[-NaCl,\ -2\ (H_5C_2)_3B]{C_6H_6} Na^+ \left[\text{Biphenyldiyl-}BH_2\right]^-$$

Natrium-2,2'-biphenyldiyl-dihydro-borat[2]**:** Man vereinigt 12 g (6 mmol) 9-Chlor-9-borafluoren in 50 *ml* Benzol mit 6,65 g (5,4 mmol) Natrium-hydro-triethyl-borat in ~50 *ml* Benzol. Nach Abfiltrieren vom Natriumchlorid werden weitere 6,65 g (5,4 mmol) Borat in 50 *ml* Benzol zugegeben. Nach Abdestillieren des Lösungsmittels wird in Hexan aufgenommen und vom Produkt abfiltriert.

Unter Austausch der Kationen lassen sich aus Dihydro-diorgano-boraten andere Salze herstellen. Aus Lithium- oder Kalium-1,5-cyclooctandiyl-dihydro-borat erhält man z.B. mit Tetramethylammoniumchlorid in Tetrahydrofuran in hoher Ausbeute *Tetramethylammonium-1,5-cyclooctandiyl-dihydro-borat*[3]:

$$M^+ \left[C_8H_{14}BH_2\right]^- \quad + \quad [(H_3C)_4N]^+\ Cl^- \xrightarrow[-MCl]{THF} [(H_3C)_4N]^+ \left[C_8H_{14}BH_2\right]^-$$

Tetramethylammonium-1,5-cyclooctandiyl-dihydro-borat[3]**:** Eine Lösung von 8,7 g (60 mmol) Natrium-1,5-cyclooctandiyl-dihydro-borat in 30 *ml* THF tropft man innerhalb 30 Min. zur Suspension von 6,5 g (59 mmol) Tetramethylammoniumchlorid in 60 *ml* THF. Nach 3 Stdn. Rühren bei ~20° und Filtration (3,6 g) destilliert man i.Vak. (14 Torr) THF ab und trocknet (10^{-3} Torr); Ausbeute: 10,7 g (92%) farbloses Salz (Zers.p.: ~100°).

Die Elektrolyse von Natrium-cyan-trihydro-borat in wäßriger Lösung zwischen Molybdän- oder Vanadin-Anoden und Platin-Kathoden liefert *Natrium-dicyan-pentahydro-diborat(1–)*[4]:

$$2\ Na^+[NC{-}BH_3]^- \xrightarrow[-1/2\ H_2\ \{-Na\}]{-e^-/Mo\text{-}Anode/H_3C-CN} Na^+[NC{-}\overset{\ominus}{B}H_3{-}C{\equiv}\overset{\oplus}{N}{-}\overset{\ominus}{B}H_3]^-$$

δ) Organo-trihydro-borate

Die Verbindungsklasse umfaßt Organo-trihydro-borate mit aliphatischen und aromatischen Resten am Bor-Atom. Organische Reste sind vor allem Carbonsäure-Derivate (vgl. Tab. 117, S. 800f.)[5]:

$$[H_3B{-}R]^-$$

R = CN, CO–NH–R¹, COOR¹, COOH, COO⁻

---

[1] H.C. Brown, J.L. Hubbard u. B. Singaram, Tetrahedron **37**, 2359 (1981).
[2] L. Weber u. R. Köster, Mülheim a.d. Ruhr, unveröffentlicht 1968.
[3] R. Köster u. G. Seidel, Mülheim a.d. Ruhr, unveröffentlicht 1975–1977.
[4] J.F. Kay, J.H. Morris u. D. Reed, Soc. [Dalton] **1980**, 1917.
[5] T. Wartik u. H.I. Schlesinger, Am. Soc. **75**, 835 (1953).

δ_1) *aus Triorganoboranen*

Aus Triisobutylboran erhält man mit Lithium- bzw. Natrium-hydrid beim Erhitzen unter Abspalten von Isobuten *Lithium-* bzw. *Natrium-isobutyl-trihydro-borat*[1]:

$$[(H_3C)_2CH-CH_2]_3B \quad + \quad MH \quad \xrightarrow[-2\,(H_3C)_2C=CH_2]{\Delta} \quad M^+\left\{[(H_3C)_2CH-CH_2]BH_3\right\}^-$$

Trialkylborane reagieren mit komplexen Metallhydriden wie z.B. mit Lithiumtetrahydroaluminat unter Bildung von Lithium-alkyl-trihydro-boraten. Aus Trimethylboran erhält man *Lithium-methyl-trihydro-borat*[2]:

$$(H_3C)_3B \quad \xrightarrow[-1/2\,[(H_3C)_2AlH]_2]{+\,Li^+[AlH_4]^-} \quad Li^+\,[H_3C-BH_3]^-$$

δ_2) *aus Hydroboranen*

Zur Herstellung von Organo-trihydro-boraten setzt man als borhaltige Edukte Dihydro-organo-borane und Diboran(6) ein.

$\delta\delta_1$) aus Dihydro-organo-boranen

Aus Dihydro-organo-boranen lassen sich mit Alkalimetallhydriden in Ethern durch Komplexierung Alkalimetall-organo-trihydro-borate herstellen.

1,2-Diphenyldiboran(6) liefert in Diethylether mit Lithiumhydrid *Bis[diethylether]-Lithium-phenyl-trihydro-borat*. I. Vak. kann bei 60–70° der Ether entfernt werden[2]:

$$1/2(H_5C_6-BH_2)_2 \quad + \quad LiH \quad \xrightarrow{+2\,(H_5C_2)_2O} \quad \{[(H_5C_2)_2O]_2Li\}^+[H_5C_6-BH_3]^-$$

Lithium-phenyl-trihydro-borat[2]**:** 1475 mg (8,2 mmol) 1,2-Diphenyldiboran(6) werden in 32 *ml* Diethylether gelöst und bei 20° mit einer Suspension aus 216 mg (27 mmol) Lithiumhydrid in 15 *ml* Diethylether versetzt. Das überschüssige Lithiumhydrid wird abzentrifugiert. Nach Abziehen des Diethylethers i. Hochvak. bei −30° bleibt das Bis-etherat zurück (F: 5–9°), das bei 60–70° i. Vak. vom Kristall-Ether befreit wird. Das verbleibende farblose Pulver ist leicht hygroskopisch.

Aus Dihydro-thexyl-boran erhält man mit Lithiumhydrid in Tetrahydrofuran *Lithium-thexyl-trihydro-borat*[3]. Entsprechend sind *Natrium-* und *Kalium-thexyl-trihydro-borat* zugänglich[3]. Auch läßt sich z.B. so *Kalium-isopinocampheyl-trihydro-borat* herstellen[3]:

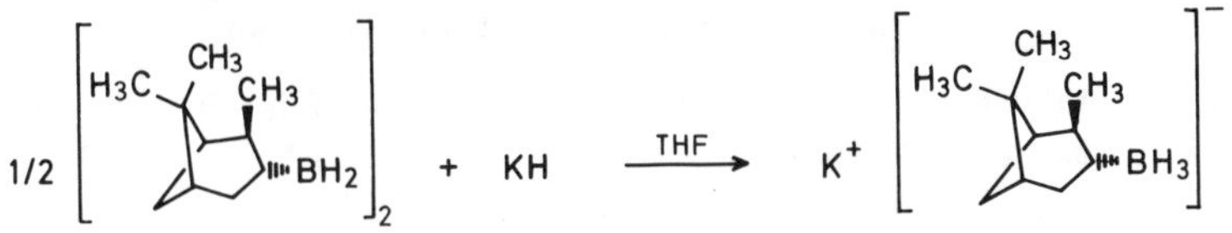

1/2 [Isopinocampheyl-BH_2 (H_3C, CH_3, CH_3)]$_2$ + KH $\xrightarrow{THF}$ K^+ [Isopinocampheyl-BH_3 (H_3C, CH_3, CH_3)]$^-$

$\delta\delta_2$) aus Diboran(6)

Aus Diboran(6) sind mit lithium- oder magnesium-organischen Verbindungen in Ether Metall-organo-trihydro-borate zugänglich.

---

[1] USSSR.P. 125548 (1960), L.I. Zakharkin; C.A. **54**, 14125 (1960).

[2] A. Wiberg, J.E.F. Evans u. H. Nöth, Z. Naturf. **13b**, 265 (1958).

[3] H.C. Brown, B. Singaram u. P.C. Mathew, J. Org. Chem. **46**, 2712 (1981).

Mit Phenyllithium erhält man *Lithium-phenyl-trihydro-borat*[1]:

$$B_2H_6 \quad + \quad 2\,H_5C_6Li \quad \longrightarrow \quad 2\,Li^+[H_5C_6{-}BH_3]^-$$

Diboran(6) reagiert mit Diethylmagnesium in Diethylether unter Bildung verschiedener Ethylmagnesium-borate, von denen das *Ethylmagnesium-ethyl-trihydro-borat* als feste, bis ~80° stabile Verbindung anfällt[2].

δ_3) *aus Halogen-organo-boranen*

Durch Halogen/Hydro-Austausch und Komplexierung können aus Dihalogen-organo-boranen mit Alkalimetallhydriden in Ethern Alkalimetall-organo-trihydro-borate gewonnen werden.

Lithium-phenyl-trihydro-borat kann aus Dichlor-phenyl-boran mit Lithiumhydrid hergestellt werden[1]:

$$H_5C_6{-}BCl_2 \quad + \quad 3\,LiH \quad \xrightarrow[-2\,LiCl]{} \quad Li^+[H_5C_6{-}BH_3]^-$$

δ_4) *aus Lewisbase-Boranen*

Zur Herstellung zahlreicher verschiedenartig zusammengesetzter Organo-trihydroborate werden Lewisbase-Trihydroborane, z. B. Ether-, Dimethylsulfan-, Trimethylamin- und vor allem Kohlenmonoxid-Trihydroboran eingesetzt. Ferner verwendet man Amin-Dihydro-organo-borane.

$\delta\delta_1$) aus Amin-Dihydro-organo-boranen

1,4-Diazabicyclo[2.2.2]octan-Alkyl-dihydro-borane mit sek.- und tert.-Alkyl-Resten reagieren mit Lithiumtetrahydroaluminat bei 65° in Tetrahydrofuran unter Abscheiden von 1,4-Diazabicyclo[2.2.2]octan-Trihydroaluminium zu Lithium-alkyl-trihydro-boraten[3]:

$$\text{N(C}_2\text{H}_4)_3\overset{\oplus}{\text{N}}{-}\overset{\ominus}{\text{B}}\text{H}_2{-}\text{R} \quad + \quad Li^+[AlH_4]^- \quad \xrightarrow[-\,\text{N(C}_2\text{H}_4)_3\overset{\oplus}{\text{N}}{-}\overset{\ominus}{\text{Al}}\text{H}_3]{\text{THF, } 65°} \quad Li^+[R{-}BH_3]^-$$

R = $CH(CH_3){-}CH(CH_3)_2$, $C(CH_3)_2{-}CH(CH_3)_2$, C_5H_9, C_6H_{11}, (Norbornyl), (Pinanyl)

$\delta\delta_2$) aus Tetrahydrofuran-Trihydroboran

Mit Natriumcyanid erhält man aus Tetrahydrofuran-Boran durch Verdrängung der Lewisbase *Natrium-cyan-trihydro-borat*[4,5]:

$$C_4H_8\overset{\oplus}{O}{-}\overset{\ominus}{B}H_3 \quad + \quad NaCN \quad \xrightarrow[-THF]{THF} \quad Na^+[NC{-}BH_3]^-$$

Natrium-cyan-trihydro-borat[5]**:** Zur Suspension von 101,2 g (2,06 mol) Natriumcyanid in 300 *ml* THF tropft man langsam unter Rühren innerhalb ~1,5 Stdn. 2 mol Natriumtetrahydroborat-stabilisiertes Tetrahydrofuran-Boran. Man läßt weitere 4 Stdn. bei 20–25° rühren. Danach wird 7 Stdn. zum Sieden erhitzt. Nach dem Abkühlen und Filtrieren vom nicht umgesetzten Natriumcyanid wird i. Vak. eingeengt (≤60°) und der Rückstand 1 Stde. bei 20° i. Vak. getrocknet; Ausbeute: 114 g (91%).

---

[1] E. Wiberg, J. E. F. Evans u. H. Nöth, Z. Naturf. **13b**, 265 (1958).
[2] R. Bauer, Z. Naturf. **16b**, 557 (1961).
[3] H. C. Brown, B. Singaram u. P. C. Mathew, J. Org. Chem. **46**, 4541 (1981).
[4] Europ. Pat.-Anm. 9382 (1978/1979), Thiokol Corp., Erf.: R. C. Wade u. B. C. Hui; C.A. **93**, 28733 (1980).
[5] B. C. Hui, Inorg. Chem. **19**, 3185 (1980).

$\delta\delta_3$) aus Kohlenmonoxid-Trihydroboran

Kohlenmonoxid-Boran, zugänglich aus Diboran(6) mit Kohlenmonoxid[1], reagiert mit Alkalimetall-Verbindungen sowie mit Ammoniak oder Aminen unter Bildung verschiedener heteroatomhaltiger Organo-trihydro-borate.

i_1) mit Ammoniak oder Aminen

Man gewinnt *Ammonium-* bzw. *Methylammonium-aminocarbonyl-trihydro-borate* aus Kohlenmonoxid-Boran in Ether mit Ammoniak bzw. mit prim. Aminen durch Ammonium-amid-Addition[2,3]:

$$\overset{\oplus}{O}\overset{\ominus}{C}-BH_3 \xrightarrow[\text{Ether}]{+2\,NH_3} NH_4^+ \left[H_2N-\overset{O}{\overset{\|}{C}}-BH_3\right]^-$$

$$\overset{\oplus}{O}\overset{\ominus}{C}-BH_3 \xrightarrow[\text{Ether}]{+2\,H_3C-NH_2} [H_3C-NH_3]^+ \left[H_3C-NH-\overset{O}{\overset{\|}{C}}-BH_3\right]^-$$

i_2) mit Alkalimetall-Verbindungen

Mit verschiedenen Alkalimetall-Verbindungen erhält man aus Kohlenmonoxid-Boran Alkalimetall-(heteroatom-subst.-organo)-trihydro-borate. Beispielsweise lassen sich mit Alkalimetallalkanolaten in Alkohol Alkoxycarbonyl-trihydro-borate herstellen[1,4]:

$$\overset{\oplus}{O}\overset{\ominus}{C}-BH_3 + MX \xrightarrow[-HX]{+R-OH} M^+ \left[RO-\overset{O}{\overset{\|}{C}}-BH_3\right]^-$$

$R=CH_3, C_2H_5$
$M=Na, K$
$X=OH, OR^1, NH\text{-}R^1$

Kohlenmonoxid-Boran reagiert mit der doppelten Menge Alkalimetallhydroxid unter Bildung von Dialkalimetall-carboxyl-trihydro-boraten[1]:

$$\overset{\oplus}{O}\overset{\ominus}{C}-BH_3 + 2\,MOH \xrightarrow[-H_2O]{\text{in ROH}} [OOC-BH_3]^{2-}\ 2\,M^+$$

Die Herstellung von *Kalium-(carboxylmethyl-amino)-trihydro-borat* erfolgt aus Kohlenmonoxid-Boran mit Kaliumaminoacetat[5]:

$$\overset{\oplus}{O}\overset{\ominus}{C}-BH_3 + H_2N-CH_2-COO^-\ K^+ \xrightarrow[-CO]{} K^+ \left[\overset{\ominus}{O}OC-CH_2-\overset{\oplus}{N}H_2-\overset{O}{\overset{\|}{C}}-\overset{\ominus}{B}H_3\right]^-$$

---

[1] J.C. CARTER u. R.W. PARRY, Am. Soc. **87**, 2354 (1965).
[2] L.J. MALONE u. R.W. PARRY, Inorg. Chem. **6**, 817 (1967).
[3] L.J. MALONE, Inorg. Chem. **7**, 1039 (1968).
[4] R.W. PARRY, C.E. NORDMAN, J.C. CARTER u. G. TERHARR, Advan. Chem. Ser. **42**, 302 (1964).
[5] M.J. ZETLMEISL u. L.J. MALONE, Inorg. Chem. **11**, 1245 (1972).

Kalium-(carboxylmethylamononiono-carbonyl)-trihydro-borat[1]**:** Zur Lösung von 25 g (240 mmol) Kalium-aminoacetat in 250 *ml* abs. Ethanol wird unter Rühren im Stickstoffstrom Kohlenmonoxid-Boran[2] bei ~20° eingeleitet. Durch einen Tropftrichter wird bei Verdampfungsverlusten neues Ethanol zugetropft. Anschließend destilliert man i. Vak. vom luftstabilen Niederschlag ab, wäscht mit abs. Ethanol und Ether und trocknet i. Vak.; Ausbeute: 12 g (55% bez. auf $OC–BH_3$).
In Wasser wird die Verbindung rasch zersetzt.

$\delta\delta_4$) aus Dimethylsulfan-Trihydroboran

Aus Dimethylsulfan-Boran in Tetrahydrofuran erhält man mit Butyllithium in Hexan eine Suspension von *Lithium-butyl-trihydro-borat* in Toluol/Hexan[2-4].

$\delta\delta_5$) aus Trimethylamin-Trihydroboran

Lithium-phenyl-trihydro-borat erhält man in 35%iger Ausbeute aus Trimethylamin-Boran mit 1,2-Bis[dimethylamino]ethan-Phenyllithium in Hexan/Benzol nach mehrstündigem Rückflußkochen als Additionsverbindung an 1,2-Bis[dimethylamino]ethan[4].

δ_5) *aus Boraten*

Alkalimetall-organo-trihydro-borate verschiedenartiger Typen sind aus Hydro-organo-boraten sowie aus Tetrahydroboraten mit Hydroboranen bzw. mit Metall-Verbindungen zugänglich.

$\delta\delta_1$) aus Hydro-trialkyl-boraten

Aus Natrium-hydro-tripropyl-borat läßt sich mit Tetrapropyldiboran(6) in Hexan durch Ligandenaustausch reines *Natrium-propyl-trihydro-borat* herstellen[5]:

$$Na^+ \left[(H_7C_3)_3BH\right]^- + (H_7C_3)_4B_2H_2 \xrightarrow[-2\ (H_7C_3)_3B]{} Na^+ \left[H_7C_3{-}BH_3\right]^-$$

Natrium-propyl-trihydro-borat[5]**:** Zu 16,4 g (0,1 mol) Natrium-hydro-tripropyl-borat in 50 *ml* Hexan werden unter Rühren bei ~20° 29,4 g (0,15 mol) Tetrapropyldiboran(6) (9,9‰ H^-) getropft. Sofort fällt unter schwacher Wärmeentwicklung ein farbloser Niederschlag aus. Man läßt ~30 Min. reagieren und filtriert; Ausbeute: 7,2 g (90%); F: 234° (Zers.).

Aus Natrium-hydro-triethyl-borat erhält man mit Tetraethyldiboran(6) bei ~20° *Natrium-ethyl-trihydro-borat*, das oberhalb ~100° in Natriumtetrahydroborat, Triethylboran und Ethyl-hydro-borane zerfällt[5].

$\delta\delta_2$) aus Organo-trihydro-boraten

Aus Cyan-trihydro-boraten sind durch Austausch des Kations oder der Hydrid-Wasserstoffatome neue Cyan-trihydro-borate zugänglich. Außerdem lassen sich durch borferne Reaktionen im Anion neue Organo-trihydro-borate herstellen.

---

[1] M. J. Zetlmeisl u. L. J. Malone, Inorg. Chem. **11**, 1245 (1972).
[2] S. Kim, Y. C. Moon u. K. H. Aha, J. Org. Chem. **47**, 3311 (1982).
Vgl. S. Kim u. Y. C. Moon, Bull. Korean Chem. Soc. **3**, 81 (1982); C. A. **97**, 181267 (1982).
[3] S. Kim, S. J. Lee u. H. J. Kang, Synth. Commun. **12**, 723 (1982).
[4] W. Biffar, H. Nöth u. D. Sedlak, Organometallics **2**, im Druck (1983).
[5] P. Binger, G. Benedikt, G. W. Rotermund u. R. Köster, A. **717**, 21 (1968).

i_1) mit Deuteriumoxid in saurer Lösung

Sämtliche Hydrid-Wasserstoffatome des Natrium-cyan-trihydro-borats können unter bestimmten Bedingungen ($p_H = 2{,}0 \pm 0{,}2$ bei 0°) in Dimethylsulfoxid mit Deuteriumoxid in Gegenwart verdünnter Schwefelsäure praktisch quantitativ gegen Deuterid-Atome ausgetauscht werden. Beim $p_H < 2{,}0$ tritt irreversible Wasserstoff-Abspaltung ein. Die H/D-Austauschvorgänge verlaufen beim $p_H > 2{,}0$ nur noch langsam und sind daher unvollständig[1].

Zur Herstellung von *Natrium-cyan-trideutero-borat s. Lit.*[1].

i_2) durch borferne Reaktionen

Kationen-Austausch mit Hauptgruppenmetall-Salzen oder mit Übergangsmetall-Verbindungen führen borfern zu neuen Organo-trihydro-boraten. Vor allem Sauerstoff- und Stickstoff-subst. Organo-trihydro-borate lassen sich leicht umwandeln.

ii_1) mit Metall- oder Ammonium-Salzen

Aus Lithium-cyan-trihydro-borat ist mit Kaliumfluorid in Wasser unter Lithiumfluorid-Abscheidung *Kalium-cyan-trihydro-borat* zugänglich[2].

Kalium-cyan-trihydro-borat[2]: 13,5 g (0,10 mol) 1,4-Dioxan-Lithium-cyan-trihydro-borat[3] in 50 *ml* Wasser gibt man zu 11,2 g (0,12 mol) Kaliumfluorid-Bis-hydrat in 25 *ml* Wasser. Nach dem Abkühlen im Eiswasserbad und Abfiltrieren vom Lithiumfluorid wird im Rotationsverdampfer eingeengt und der Rückstand i. Vak. getrocknet. Man löst in 10 *ml* getr. Nitromethan, filtriert ab und läßt unter gutem Rühren in ~ 100 *ml* Tetrachlormethan einfließen. Das abfiltrierte Salz wird mit Tetrachlormethan gewaschen und i. Vak. getrocknet; Ausbeute: 5,9 g (75%).

Tetraalkylammonium-cyan-trihydro-borate erhält man aus dem Natrium-Salz mit Tetraalkylammonium-hydroxiden in wäßr. Lösung[4-7]; z.B.:

Tetramethylammonium-cyan-trihydrido-borat[4]	81%; F: >270° (Zers.)
Tetraethylammonium-...[4]	53%; F: 120–125°
(Benzyl-trimethyl-ammonium)-...[4]	49%; Zers.p.: ~180°
Tetrabutylammonium-cyan-trihydro-borat[4,6]	78%; F: 144–145°

Aus Alkalimetall-cyan-trihydro-boraten sind auch mit Halogeniden von Ligand-Übergangsmetall-Verbindungen unter Bildung von Alkalimetallhalogenid Ligand-Übergangsmetall-cyan-trihydro-borate zugänglich[8-10].

Mit Ligand-Ruthenium(II)-carbonyl-chlorid-Lösungen erhält man in Gegenwart von 5-Phenyl-5H-⟨dibenzophosphol⟩ aus Natrium-cyan-trihydro-borat in Ethanol gelbes *Bis[5-phenyl-5H-⟨dibenzophosphol⟩]-dicarbonyl-hydro-ruthenium-cyan-trihydro-borat*[7]:

$$Na^+ \; [NC-BH_3]^- \; + \; RuH(CO)_2(DBP)_2Cl \xrightarrow[-NaCl]{H_5C_2OH} [RuH(CO)_2(DBP)_2]^+ \; [NC-BH_3]^-$$

DBP = (5-Phenyl-5H-dibenzophosphol; P–C_6H_5)

[1] T.M. LIANG u. M.M. KREEVOY, Inorg. Synth. **21**, 167 (1982); C.A. **97**, 192202 (1982).
[2] J.R. BERSCHEID jr. u. K.F. PURCELL, Inorg. Chem. **9**, 624 (1970).
[3] Ventron Corp.; aus Nitromethan umkristallisiert.
[4] R.O. HUTCHINS u. D. KANDASAMY, Am. Soc. **95**, 6131 (1975).
[5] J.E. REPASKY, C. WEIDIG u. H.C. KELLY, Synth. React. Inorg. Metal-org. Chem. **5**, 337 (1975).
[6] R.O. HUTCHINS u. D. KANDASAMY, J. Org. Chem. **40**, 2530 (1975).
[7] R.O. HUTCHINS u. M. MARKOWITZ, J. Org. Chem. **46**, 3571 (1981).
[8] D.G. HOLAH, A.N. HUGHES u. B.C. HUI, Canad. J. Chem. **54**, 320 (1976).
[9] S.J. HOLMES, D.N. CLARK, H.W. TURNER u. R.R. SCHROCK, Am. Soc. **104**, 6322 (1982).
[10] J.H. MORRIS u. D. REED, Inorg. Chim. Acta **54**, L 7 (1981).
s. S. 826.

Aus Natrium-cyan-trihydro-borat läßt sich mit Bis[pyridin]-cobalt-dichlorid in Acetonitril in 44%iger Ausbeute *Bis[acetonitril]-bis[cyan-trihydro-borat]-bis[pyridin]-cobalt* herstellen[1].

ii$_2$) mit Übergangsmetallen durch anodische Oxidation

Übergangsmetall-cyan-trihydro-borate erhält man aus Natrium-cyan-trihydro-borat mit Übergangsmetallen durch anodische Oxidation in Gegenwart von Komplexbildnern (z.B. Acetonitril, Pyridin). Mit einer Cobalt-Anode bilden sich Salze der Ligand-Cobalt(II)-Verbindungen; z.B.[1,2]:

$$2\ Na^+\ [NC{-}BH_3]^- + Co + 2\ \text{Pyridin} + 2\ H_3C{-}CN \xrightarrow[-2\ Na]{H_3C-CN;\ -2e} [(\text{Pyridin})_2Co(H_3C{-}CN)_2]^+\ [NC{-}BH_3]^-$$

Bis[acetonitril]-bis[cyan-trihydro-borato]-bis[pyridin]-cobalt[1]: Eine Lösung von 0,63 g (10 mmol) Natrium-cyan-trihydro-borat in 200 *ml* Acetonitril wird in einer Elektrolysierzelle mit 150 *ml* Anodenraum und 50 *ml* Kathodenraum durch eine Poly-tetrafluorethen-Membran getrennt. Man elektrolysiert zwischen Cobalt-Anode und Platin-Kathode nach Füllen des Anodenraums mit 0,79 g (10 mmol) Pyridin [Potential 0,0 Volt, bez. auf Ag/0,1 mol $AgNO_3$; 200 mA bis 40 mA (Endstrom)]. 295,5 mg (5 mmol) Cobalt gehen in Lösung. Man engt die Anoden-Lösung bis auf ~20 *ml* ein, fügt 50 *ml* Ether zu und erhält das Rohprodukt als Niederschlag. Nach Aufnehmen in ~15 *ml* Dichlormethan, Filtration, Zugabe von ~10 *ml* Acetonitril und erneutem Einengen wird mit Ether versetzt und der Niederschlag abfiltriert; Ausbeute: 0,79 g (42%).

Mit metallischem Nickel erhält man in Acetonitril aus Natrium-cyan-trihydro-borat um ~10° unter anodischer Oxidation *Bis[cyan-trihydro-borato]-tetrakis[acetonitril]-nickel* oder und *Dinatrium-bis[acetonitril]-tetrakis[cyan-trihydro-borato]-nickel*[2]; z.B.:

$$Na^+\ [H_3B{-}CN]^- + Ni \xrightarrow[-2e]{+H_3C-CN} \begin{cases} \xrightarrow{\sim 20°} Ni(H_3B{-}CN)_2(H_3C{-}CN)_4 \\ \longrightarrow [Ni(H_3B{-}CN)_4(H_3C{-}CN)_2]^{2-}\ 2\ Na^+ \end{cases}$$

Aus einer Lösung von Natrium-cyan-trihydro-borat in Acetonitril wird bei der Elektrolyse an einer Eisen-Anode *Bis[cyan-trihydro-borato]-tetrakis[acetonitril]eisen* in 27%iger Ausbeute erhalten[3]. Mit Molybdän- oder Vanadium-Anoden bildet sich ohne Oxidation der Übergangsmetalle *Natrium-dicyan-pentahydro-diborat(1–)*[3].

Durch Kationen-Austausch lassen sich Aminocarbonyl-trihydro-borate in wäßr. Lösung umwandeln. Aus Methylammonium-methylaminocarbonyl-trihydro-borat erhält man mit Natriumtetraphenylborat in wäßr. Lösung unter Ionen-Austausch und Ausfällen von Methylammoniumtetraphenylborat *Natrium-methylaminocarbonyl-trihydroborat*[4–6].

$$[H_3C{-}NH_3]^+\ [H_3C{-}NH{-}\overset{O}{\overset{\|}{C}}{-}BH_3]^- + Na^+\ [(H_5C_6)_4B]^- \xrightarrow[{[H_3C-NH_3]^+[(H_5C_6)_4B]^-}]{H_2O} Na^+\ [H_3C{-}NH{-}\overset{O}{\overset{\|}{C}}{-}BH_3]^-$$

[1] J.H. MORRIS u. D. REED, Inorg. Chim. Acta **54**, L 7 (1981).
[2] J.H. MORRIS u. D. REED, J. Chem. Res. **1980**, 378; C.A. **94**, 38598 (1981).
[3] J.F. KAY, J.H. MORRIS u. D. REED, Soc. [Dalton] **1980**, 1917.
[4] L.J. MALONE u. R.W. PARRY, Inorg. Chem. **6**, 817 (1967).
[5] L.J. MALONE, Inorg. Chem. **7**, 1039 (1968).
[6] J.C. CARTER u. R.W. PARRY, Am. Soc. **87**, 2354 (1965).

ii$_3$) mit nukleophilen Reagenzien

An der Carbonyl-Gruppe verschiedenartig substituierte Carbonyl-trihydro-borate („Boranocarboxylate")[1] lassen sich durch nucleophile Substitution im Borat-Ion herstellen.

$$\left[X-\overset{O}{\overset{\|}{C}}-BH_3\right]^-$$

X = OH, OR, NH_2, NH–R, NR_2

Aus Hydroxycarbonyl- oder Alkoxycarbonyl-trihydro-boraten sind mit Aminen unter Hydroxy- bzw. Alkoxy/Amino-Austausch Aminocarbonyl-trihydro-borate zugänglich. Die Reaktionen lassen sich auch umkehren[2–5].

$$M^+\left[R^1O-\overset{O}{\overset{\|}{C}}-BH_3\right]^- \underset{+R^1-OH}{\overset{+R^2_2NH}{\rightleftharpoons}} M^+\left[R^2_2N-\overset{O}{\overset{\|}{C}}-BH_3\right]^-$$

M = Na, K
R^1; R^2 = Alkyl; z.B. Morpholin[5], 1,2-Diaminoethan[5]

Präparativ zugänglich sind nach der Methode Borate mit Aminocarbonsäure-Gruppierungen im Organo-Rest. Aus der doppelten Menge *Kalium-ethoxycarbonyl-trihydro-borat* erhält man z.B. mit Glycin in Ethanol unter Austausch der Ethoxy-Gruppe gegen den Methylaminocarbonyl-Rest *Dikalium-(carboxylmethyl-aminocarbonyl)-trihydro-borat*[3]:

$$K^+\ [H_5C_2OOC-BH_3]^- \xrightarrow[\substack{-H_2 \\ -HO-CH_2-B(OC_2H_5)_2}]{+H_2N-CH_2-COOK} \left[OOC-CH_2-NH-\overset{O}{\overset{\|}{C}}-BH_3\right]^{2-}\ 2K^+$$

Der borferne Kationen-Austausch liefert aus Alkalimetall-alkoxycarbonyl-tricarbonyl-boraten mit Ligand-Übergangsmetall-Salzen Alkalimetall-alkoxycarbonyl-trihydro-borate: Aus Kalium-ethoxycarbonyl-trihydro-borat ist mit Bis[triphenylphosphan]-kupferchlorid in Dichlormethan, Chloroform oder in Ethanol *Bis[triphenylphosphan]-kupfer-ethoxycarbonyl-trihydro-borat* (83%; F: 112–114°) zugänglich[1]. Mit Ligand-Silbernitrat erhält man *Triphenylphosphan-silber-ethoxycarbonyl-trihydro-borat* (90%); F: 115–117°)[1,2].

$$K^+\ [H_5C_2OOC-BH_3]^- \xrightarrow[-KX]{+MX} M^+\ [H_5C_2OOC-BH_3]^-$$

M = $[(H_5C_6)_3P]_nCu$, $[(H_5C_6)_3P]Ag$
X = Cl, NO_3

Entsprechend sind z.B. *Bis[diphenyl-methyl-phosphan]-kupfer(I)-ethoxycarbonyl-trihydro-borat* (F: 110–111,5°)[8] sowie Bis[trialkoxyphosphan]-Kupfer-ethoxycarbonyl-trihydro-borate[9] zugänglich.

[1] *Gmelin*, 8. Aufl., Bd. **33**/8, S. 217–220 (1976).
[2] L.J. Malone, Inorg. Chem. **7**, 1039 (1968).
[3] M.J. Zetlmeisl u. L.J. Malone, Inorg. Chem. **11**, 1245 (1972).
[4] L.J. Malone u. R.W. Parry, Inorg. Chem. **6**, 817 (1967).
[5] B.D. Howe, L.J. Malone u. R.M. Manley, Inorg. Chem. **10**, 930 (1971).
[6] J.C. Bommer u. K.W. Morse, Am. Soc. **96**, 6222 (1974).
[7] J.C. Bommer u. K.W. Morse, Inorg. Chem. **18**, 531 (1979).
[8] J.C. Bommer u. K.W. Morse, Inorg. Chem. **19**, 587 (1980).
[9] J.C. Bommer u. K.W. Morse, Inorg. Chem. **22**, 592 (1983).

Natrium-cyan-trihydro-borat im doppelten Überschuß reagiert mit Hexacarbonylchrom in siedendem 1,2-Dimethoxyethan unter Abspaltung von 1 Äquivalent Kohlenmonoxid zu *Natrium-pentacarbonylchromcyan-trihydro-borat*, das nach Versetzen mit wäßr. Tetramethylammoniumchlorid-Lösung als gelbes Salz (Zers.: > 170°) isoliert wird[1]:

$$Na^+ \; [NC-BH_3]^- \; + \; Cr(CO)_6 \xrightarrow[-CO]{\text{Glyme, Sieden, 48 Stdn.}} Na^+ \; [(CO)_5Cr-N{\equiv}C-BH_3]^- \xrightarrow[H_2O]{+[(H_3C)_4N]^+ \, Cl^-} [(H_3C)_4N]^+ \; [(CO)_5Cr-N{\equiv}C-BH_3]^-$$

Entsprechend sind *Tetramethylammonium-pentacarbonylmolybdäncyan-trihydro-borat* und *-pentacarbonylwolframcyan-trihydro-borat* zugänglich[1].

$\delta\delta_3$) aus Tetrahydroboraten

Organo-trihydro-borate lassen sich aus Tetrahydroboraten[2] mit metallorganischen Verbindungen herstellen. Man verwendet Triorganoborane oder z.B. Alkalimetallcyanide als Reagenzien.

i_1) mit Triorganoboranen

Urantetrakis[tetrahydroborat] reagiert mit Trimethylboran bei 50–70° zu einer Mischung methylierter Verbindungen. Dabei lassen sich *Uran-(trihydro-methyl-borat)-tris[tetrahydroborat]* und *Urantetrakis[trihydro-methyl-borat]* isolieren[3]. Die Reaktion verläuft einheitlicher, wenn man von Triorganourantetrahydroboraten ausgeht, z.B.[4]:

$$[(H_5C_5)_3U]^+ \; [BH_4]^- \; + \; R_3B \longrightarrow [(H_5C_5)_3U]^+ \; [R{-}BH_3]^- \; + \; R_2BH$$

$R = C_2H_5, C_6H_5, C_5H_5$

Die Struktur der Verbindungen ist durch drei Brücken-H-Atome zwischen Bor- und Uran-Atom gekennzeichnet[5]:

$$(H_5C_5)_3U \underset{H}{\overset{H}{\langle H \rangle}} B{-}R$$

(Tris[cyclopentadienyl]uran)-ethyl-trihydro-borat[4]: 0,6 g (1,33 mmol) Tris[cyclopentadienyl]urantetrahydroborat werden in 25 *ml* Benzol gelöst und zu 0,23 g (2,3 mmol) Triethylboran gegeben. Die Mischung wird unter Stickstoff 34 Stdn. am Rückfluß gekocht, bis eine Probe im IR-Spektrum keine endständigen B–H-Bindungen mehr anzeigt[6]. Das Lösungsmittel wird i. Vak. entfernt und der Rückstand 2 Stdn. i. Vak. weiter abgezogen. Der Rückstand wird dann 2mal aus Pentan (−78°) umkristallisiert. Man erhält orange bis braune Nadeln, die an der Luft verbrennen; Ausbeute: 0,25 g (82%); F: 220–232°.

Analog wird das an der Luft rauchende *(Tris[cyclopentadienyl]uran)-phenyl-trihydroborat*[3] (75%; F: 222–232°) hergestellt.

---

[1] R.B. KING u. K.C. NAINAN, J. Organometal. Chem. **65**, 71 (1974).
[2] *Gmelin*, 8. Aufl., Bd. **33**/9, S. 66 (1976).
[3] H.I. SCHLESINGER, H.C. BROWN, L. HORVITZ, A.C. BOND, L.D. TUCK u. A.O. WALKER, Am. Soc. **75**, 222 (1953).
[4] T.J. MARKS u. J.R. KOLB, Am. Soc. **97**, 27 (1975).
[5] T.J. MARKS u. J.R. KOLB, Chem. Commun. **1972**, 1019.
[6] T.J. MARKS, W.J. KENNELLY, J.R. KOLB u. L.A. SHIMP, Inorg. Chem. **11**, 2540 (1972).

i$_2$) mit Alkalimetallcyaniden

Aus Natriumtetrahydroborat läßt sich in Tetrahydrofuran mit Tetrahydrofuran-Trifluorboran und anschließend mit Natriumcyanid in 85%iger Ausbeute *Natrium-cyan-trihydro-borat* herstellen[1-3]:

$$3\ Na^+\ [BH_4]^- \xrightarrow[2.\ +4\ NaCN/-4\ THF]{1.\ +4\ \overset{\oplus}{THF}-\overset{\ominus}{B}F_3/-3\ NaBF_4} 4\ Na^+\ [NC-BH_3]^-$$

Natrium-cyan-trihydro-borat[2]**:** Zur Suspension von 65,7 g (1,74 mol) Natriumtetrahydroborat in 810 *ml* THF tropft man bei Eiswasserkühlen und Rühren 305 g (2,18 mol) Tetrahydrofuran-Trifluorboran. Anschließend wird 1,5 Stdn. gerührt und dann portionsweise 112,7 (2,3 mol) Natriumcyanid zugegeben. Man läßt 4 Stdn. bei ~20° rühren und erwärmt 7 Stdn. zum Sieden. Nach Abkühlen und Filtrieren wird i. Vak. eingeengt; Ausbeute: 116,6 g (85%).

ε) Hydro-monoorgano-oligoborate

Die Herstellung von Cyan-hydro-oligoboraten(1–) erfolgt aus Cyan-trihydro-borat(1–) mit Halogen-hydro-triboraten(1–) durch Halogenid/Cyan-trihydro-borat-Austausch in Dichlormethan[4].

Tetrabutylammonium-cyan-heptahydro-triborat(1–) isoliert man z.B. in 30%iger Ausbeute als farblose, niedrig schmelzende Verbindung[4].

3. Halogen-organo-borate

Die Zahl der stabilen Halogen-organo-borate (vgl. S. 829–832) ist klein. Außer Organo-trihalogen-boraten (Halogen = Fluor, Chlor, Jod) gibt es einige Halogen-triorgano-borate bzw. Dihalogen-diorgano-borate.

In den drei Abschnitten bestimmen die borhaltigen Edukte die Reihenfolge der Herstellungsmethoden.

α) Halogen-triorgano-borate

Ammonium-halogen-triorgano-borate stellt man aus Triorganoboranen oder aus Lewisbase-Triorganoboranen her. Chlor-trialkyl-borate sind thermisch offensichtlich weniger stabil als Fluor-triaryl-borate.

Triethylboran reagiert in wasserfreiem flüssigen Chlorwasserstoff beim Einleiten von Nitrosylchlorid unter Bildung von hygroskopischem *Nitrosyl-chlor-triethyl-borat* (wird bei –36° fest)[5,6].

Triorganoborane reagieren im Gegensatz zu den Triorganoaluminium-Verbindungen[7] im allgemeinen nicht mit Alkalimetallhalogeniden. Aus Triarylboranen sind mit Ammoniumfluorid jedoch Ammonium-fluor-triaryl-borate zugänglich. Man geht von Amin-Triarylboranen aus. Aus Ammoniak-Triphenylboran erhält man mit Ammoniumfluorid in Ethanol unter Verdrängen von Ammoniak *Ammonium-fluor-triphenyl-borat*[8].

---

[1] Europ. Pat.-Anm. 9382 (1978/1979), Thiokol Corp., Erf.: R.C. Wade u. B.C. Hui; C.A. **93**, 28733 (1980).
[2] B.C. Hui, Inorg. Chem. **19**, 3185 (1980).
[3] vgl. DOS DE 3112170 (1981/1982), H. Mückter, F. Dallacker u. W. Müllners; C.A. **98**, 89645 (1983); *Natrium-cyan-trihydro-borat*[^{10}*B*] aus Natriumtetrahydroborat(^{10}B) mit Cyanwasserstoff (vgl. S. 492).
[4] G.B. Jacobsen u. J.H. Morris, Inorg. Chim. Acta **59**, 207 (1982); C.A. **97**, 48660 (1982).
[5] T.C. Waddington u. F. Klanberg, Naturwiss. **46**, 578 (1959).
[6] T.C. Waddington u. F. Klanberg, Z. anorg. Ch. **304**, 185 (1960).
[7] Bd. XIII/4, S. 117ff. (1970).
[8] D.L. Fowler u. C.A. Kraus, Am. Soc. **62**, 1143 (1940).

Analog sind *Tetramethylammonium-* (F: 175–177°) und *Tetrabutylammonium-fluor-triphenyl-borat* (F: 161–162°)[1] zugänglich.

β) Dihalogen-diorgano-borate

Lediglich Diaryl-dihalogen-borate und Bis[trifluormethyl]-difluor-borate sind bekannt. Die Herstellung erfolgt aus Halogenboranen oder aus Lewisbase-Organoboranen.

Zwei Äquivalente Chlor-diphenyl-boran reagieren bei ~ 70° mit einem Äquivalent 2,2′-Bipyridyl in Pentan unter Bildung von *[2,2′-Bipyridyl-diphenylbor(1+)]-dichlor-diphenyl-borat* (vgl. S. 687)[2]:

$$2\,(H_5C_6)_2B{-}Cl \;+\; \text{2,2'-Bipyridyl} \xrightarrow[-20\,°]{\text{Pentan}} [\text{(2,2'-Bipyridyl)}B(C_6H_5)_2]^+ \;[(H_5C_6)_2B{-}Cl_2]^-$$

Aus Trifluorboran erhält man mit Trifluormethyl-trimethyl-stannan in Tetrachlormethan bei 60° in abgeschmolzener Ampulle ein Produkt, das nach Versetzen mit einer wäßr. Kaliumfluorid-Lösung ein trennbares Gemisch von *Kalium-trifluor-trifluormethyl-borat* und *Kalium-bis[trifluormethyl]-difluor-borat* (60%) liefert.

Die Ausbeute an Kalium-bis[trifluormethyl]-difluor-borat hängt stark von der Reinheit des Trimethyl-trifluormethyl-stannans[3,4] ab.

Erhitzt man 2,2-Diphenyl-3-hydro-1,3,2-oxaazoniaboratolidin (vgl. S. 543) mit einem Überschuß an Kalium-hydrogendifluorid in Wasser, so erhält man nach Abkühlen und Umkristallisieren aus Benzol-Methanol (3:1) *Kalium-difluor-diphenyl-borat*[5] (F: 230°):

$$(H_5C_6)_2\overset{\ominus}{B}(O{-}CH_2{-}CH_2{-}\overset{\oplus}{N}H_2) \;+\; KHF_2 \xrightarrow[-HO-CH_2-CH_2-NH_2]{} K^+\,[(H_5C_6)_2BF_2]^-$$

Analog reagiert Ammoniumhydrogendifluorid unter Bildung von *Ammonium-difluor-diphenyl-borat*. Mit Natriumhydrogendifluorid werden wegen der guten Löslichkeit des *Natrium-difluor-diphenyl-borats* keine Kristalle erhalten. Aus der Lösung lassen sich jedoch die *Rubidium-* bzw. *Cäsium*-Salze ausfällen[6].

γ) Organo-trihalogen-borate

Die Herstellung von Metall- und Ammonium-organo-trihalogen-boraten erfolgt aus Dihalogen-organo-boranen oder aus Lewisbase-Trihalogenboranen.

γ₁) *aus Dihalogen-organo-boranen*

Organo-trihalogen-borate sind aus Dihalogen-organo-boranen mit Alkalimetallhalogeniden oder mit Jodiden resonanzstabilisierter Kationen (z.B. Tropylium-Ion) zugänglich.

---

[1] D.L. Fowler u. C.A. Kraus, Am. Soc. **62**, 1143 (1940).
[2] J.M. Davidson u. C.M. French, Soc. **1962**, 3364.
[3] G. Pawelke, F. Heyder u. H. Bürger, J. Organometal. Chem. **178**, 1 (1979).
[4] R.D. Chambers, H.C. Clark u. C.J. Willis, Am. Soc. **82**, 5298 (1960).
[5] D. Thierig u. F. Umland, Naturwiss. **54**, 563 (1967).
[6] S.L. Stafford, Canad. J. Chem. **48**, 3856 (1970).

Durch Komplexierung sind aus Dihalogen-organo-boranen mit Kalium- oder Ammonium-halogeniden Organo-trihalogen-borate (Halogen = Fluor, Chlor) zugänglich[1-7].

Kalium-methyl-trifluor-borat erhält man aus Difluor-methyl-boran mit Kaliumfluorid in wäßr. Lösung[2]:

$$H_3C{-}BF_2 \quad + \quad KF \xrightarrow{H_2O} K^+ [H_3C{-}BF_3]^-$$

Vor allem Kalium-aryl-trifluor-borate sind durch Komplexierung zugänglich. Einkondensieren von Difluor-(2-trifluormethylphenyl)-boran in eine wäßr. Kaliumfluorid-Lösung liefert nach Umkristallisieren des Niederschlags aus Wasser in 44%iger Ausbeute *Kalium-trifluor-(2-trifluormethylphenyl)-borat* [(F: 179–181° (Zers.)][3]. Entsprechend läßt sich *Kalium-pentafluorphenyl-trifluor-borat* (62%; F: 324°) gewinnen. Auch Kalium-organo-trifluor-borate mit ungesättigten Organo-Resten lassen sich herstellen[4]; z.B.:

$$H_2C{=}CH{-}BF_2 \quad + \quad KF \longrightarrow K^+ [H_2C{=}CH{-}BF_3]^-$$

Kalium-trifluor-vinyl-borat[5]**:** In eine Lösung von 2,59 g (27,5 mmol) Kaliumfluorid-Bis-hydrat in 3 *ml* Wasser werden 560 *ml* (25 mmol) gasförmiges Difluor-vinyl-boran (hergestellt aus Trifluorboran mit Tetravinylstannan) einkondensiert. Das Reaktionsgefäß wird verschlossen und 4 Stdn. in einem Eisbad gehalten. Die flüchtigen Anteile werden i. Hochvak. entfernt, der feste Rückstand mit siedendem Acetonitril extrahiert und das Acetonitril abdestilliert; Ausbeute: 1,84 g (55%); F: >225° (Zers.).

Aus Dichlor-phenyl-boran sind mit wasserfreien Alkylammonium-[6] bzw. Tetraalkylammonium-chloriden[7] in Dichlormethan kristalline Ammonium-trichlor-phenylborate in guten bis hohen Ausbeuten zugänglich:

$$H_5C_6{-}BCl_2 \quad + \quad [R^1_3N{-}R^2]^+ Cl^- \xrightarrow{H_2CCl_2} [R^1_3N{-}R^2]^+ [H_5C_6{-}BCl_3]^-$$

...-phenyl-trichlor-borat

z.B.: $R^1 = C_3H_7$; $R^2 = H$; *Tripropylammonium-...*; 93%
$R^1 = CH{-}CH(CH_3)_2$; $R^2 = H$; *(Tris[2-methylpropyl]-ammonium)-...*; 70%
$R^1 = C(CH_3)_3$; $R^2 = H$; *Tri-tert.-butylammonium-...*; 86%
$R^1 = R^2 = C_4H_9$; *Tetrabutylammonium-...*; 93%

Aus Dijod-phenyl-boran läßt sich mit Tropyliumjodid durch Komplexierung *Tropylium-phenyl-trijod-borat* [F: 121° (Zers.)] in 62%iger Ausbeute herstellen[8]:

$$H_5C_6{-}BJ_2 \quad + \quad [C_7H_7]^+ J^- \xrightarrow{H_2CCl_2} [C_7H_7]^+ [H_5C_6{-}BJ_3]^-$$

Die Verbindung ist auch aus Dijod-phenyl-boran mit Cycloheptatrien durch Jod/Hydro-Austausch und Komplexierung in 71%iger Ausbeute zugänglich[8]:

[1] A.B. Burg u. J.R. Spielmann, Am. Soc. **83**, 2667 (1961).
[2] S.L. Stafford, Canad. J. Chem. **41**, 807 (1963).
vgl. D.J. Brauer, H. Bürger u. G. Pawelke, J. Organometal. Chem. **238**, 267 (1982).
[3] T. Chivers, Canad. J. Chem. **48**, 3856 (1970).
[4] R.D. Chambers, T. Chivers u. D.A. Pyke, Soc. **1965**, 5144.
[5] F.E. Brinckman u. F.G.A. Stone, Chem. & Ind. **1959**, 254.
[6] B.R. Currell, W. Gerrard u. M. Khodabocus, J. Organometal. Chem. **8**, 411 (1967).
[7] S.U. Scheibh, J. Thermal Analysis, **18**, 299 (1980).
[8] W. Siebert, Ang. Ch. **82**, 699 (1970).

$$3\ H_5C_6{-}BJ_2 + 2\ \text{(Cycloheptatrien)} \xrightarrow[-1/2\ (H_5C_6{-}BH_2)_2]{} 2\ [\text{Tropylium}]^+\ [H_5C_6{-}BJ_3]^-$$

Tropylium-phenyl-trijod-borat[1]**:** Zu 8,87 g (26 mmol) Dijod-phenyl-boran in 100 *ml* Dichlormethan tropft man 7,38 g (80,2 mmol) Cycloheptatrien. Sofort bildet sich ein gelber Niederschlag, der nach 12 Stdn. Stehen durch Filtration und Waschen mit Dichlormethan isoliert wird; Ausbeute: 6,9 g (71,1%); F: 121° (Zers.).

Dimeres Dihydro-phenyl-boran läßt sich nicht isolieren[1].

γ_2) *aus Trihalogenboranen*

Aus Trifluorboran läßt sich mit Trifluormethyl-trimethyl-stannan in trockenem Tetrachlormethan nach Zugabe von wäßr. Kaliumfluorid-Lösung durch fraktionierende Kristallisation aus Methanol/Diisopropylether neben *Kalium-bis[trifluormethyl]-difluor-borat Kalium-trifluor-trifluormethyl-borat* gewinnen[2]:

$$BF_3 \xrightarrow{\text{1. }+F_3C{-}Sn(CH_3)_3/CCl_4\ \ \text{2. }+KF/H_2O\ [-(H_3C)_3Sn{-}F]} K^+\ [F_3C{-}BF_3]^-$$

γ_3) *aus Lewisbase-Trihalogenboranen*

Diethylether-Trifluorboran reagiert mit einer Lösung von Kupfer(I)-jodid und Butyllithium in Tetrahydrofuran bei −70° unter Bildung von *Kupfer-butyl-trifluor-borat*[3,4]:

$$(H_5C_2)_2\overset{\oplus}{O}{-}\overset{\ominus}{B}F_3 + \{H_9C_4{-}Cu\} \xrightarrow[-(H_5C_2)_2O]{THF/-70^\circ} Cu^+\ [H_9C_4{-}BF_3]^-$$

Die Verbindung wurde nur in situ erzeugt.

4. Organo-oxy-borate

Die Herstellungsmethoden der umfangreichen Verbindungsklasse mit nur relativ wenig definiert Borat sind in drei Abschnitte unterteilt:

Oxy-triorgano-borate vgl. Tab. 119, S. 833ff.
Diorgano-dioxy-borate vgl. Tab. 120, S. 840; Tab. 121, S. 845
Organo-trioxy-borate vgl. Tab. 122, S. 847f.

Organo-Gruppierungen sind Alkyl-, Aryl-, Alkenyl- und Alkinyl-Reste. Als Oxy-Reste kennt man Hydroxy-Gruppen sowie verschiedenartige Organooxy-Reste mit alkoholischen, acetalischen sowie carboxylischen und elementoxy-Gruppierungen. Organo- und Oxy-Reste können jeweils als voneinander getrennte monofunktionelle oder mehrfach funktionelle Gruppen auftreten. Außerdem gibt es cyclische Borate, die miteinander verknüpfte Organooxy-Gruppierungen (vgl. Tab. 122, S. 847) enthalten.

α) Oxy-triorgano-borate

Die Herstellungsmethoden sind in die Abschnitte über Hydroxy-triorgano- und Organooxy-triorgano-borate unterteilt. Das zweite Kapitel umfaßt auch Borate mit gesättigten und ungesättigten Organo-Resten. Außerdem gibt es einige (1-Oxyalkoxy)-triorgano-borate, d.h. Organoborate mit acetalischen Resten am Bor-Atom (vgl. S. 839).

Die Herstellungen erfolgen aus Triorganoboranen, Organo-oxy-boranen und aus verschiedenen Organoboraten.

---

[1] W. Siebert, Ang. Ch. **82**, 699 (1970).
[2] G. Pawelke, F. Heyder u. H. Bürger, J. Organometal. Chem. **178**, 1 (1979).
[3] Y. Yamamoto, S. Yamamoto, H. Yatagai u. K. Maruyama, Am. Soc. **102**, 2318 (1980).
[4] Y. Yamamoto, S. Yamamoto, H. Yatagai, Y. Ishihara u. K. Maruyama, J. Org. Chem. **47**, 119 (1982).

Tab. 119: Oxy-triorgano-borate

Formel	Verbindungstyp	Herstellungsart	s. S.
Hydroxy-triorgano-borate			
$M^+[R_3B–OH]^-$	$[R_3B–OH]^-$	aus R_3B + MOH	834
R = Alkyl, Aryl		aus $M^+[R_3BH]^-$ + R_2O	834
M = Na, K			
$Li^+[Ar_2B(R)(OH)]^-$	$[Ar_2B(R)(OH)]^-$	aus $Ar_2B–OH$ + R–Li	834
$Na^+[(H_5C_6)_3B–OH]^-$	$[R_3B–OH]^-$	aus $Do–R_3B$ + NaOH	834
Organooxy-triorgano-borate			
$M^+[R^1_3B–OR^2]^-$	$[R^1_3B–OR^2]^-$	aus R^1_3B + $M–OR^2$	835
M = Na, K		aus $[R^1_3BH]^-$ + $R^2–OH$	838
R^1 = Aryl			
$R^1;R^2$ = Alkyl		aus $[R^3_3B–OR^2]^+$ + R^1_3B	839
$Li^+[R^1_2B(R^2)–O–CH{=}CH–R^3]^-$	$[R^1_2R^2B–OR_{1\text{-}en}]^-$	aus $R^1_2B–OR_{1\text{-}en}$ + $R^2–Li$	836
$K^+[R^1_3B–O–C(R^2){=}CH_2]^-$	$[R^1_3B–O–R_{1\text{-}en}]^-$	aus R_3B + $KO–R_{1\text{-}en}$	835
$Na^+[R^1_2B(CH{=}CH–R^2)(OCH_3)]^-$	$[R^1_2B(R_{1\text{-}en})(OR^2)]^-$	aus $R^1_2B–R_{1\text{-}en}$ + $R^2–ONa$	836
Li^+ [cyclisches R_2B–O–CH=CH–Borat]	$[R_2\overset{\frown}{B–O–R_{en}}]^-$	aus $[R_3B–R_{in}]^-$ + Oxiran	838
$Li^+[Ar^1_2Ar^2B–OC_4H_9]^-$	$[Ar^1_2Ar^2B–OR]^-$	aus $Ar^1_2B–OR$ + $Ar^2–Li$	837
$Li^+[R^1_2B(C{\equiv}C–R^2)(OCH_3)]^-$	$[R^1_2B(R_{1\text{-}in})(OR^2)]^-$	aus $R^1_2B–OR^2$ + $R_{1\text{-}in}–Li$	837
Li^+[(cycl. R_2)B(C≡C–R)(OCH_3)]$^-$	$[\overset{\frown}{R\ B}(R_{1\text{-}in})(OR)]^-$	aus $\overset{\frown}{R\ B}–OR$ + $R_{1\text{-}in}–Li$	837
$Na^+[R^1_{4-n}B(OR^2)_n]^-$	$[R^1_{4-n}B(OR^2)_n]^-$	aus $R^1_{3-n}B(OR^2)_n$ + $Na/R^1–Hal$	837

α_1) *Hydroxy-triorgano-borate*

Alkalimetall-hydroxy-triorgano-borate sind aus Triorgano-, Diorgano-hydroxy-boranen, Lewisbase-Triorganoboranen und Hydro-triorgano-boraten zugänglich.

Aus Trialkylboranen erhält man mit Alkalimetallhydroxiden beim Erwärmen die meist amorphen Alkalimetall-hydroxy-trialkyl-borate[1,2]. Aus Triarylboranen lassen sich auch kristallisierte Verbindungen gewinnen[2,3]. Triphenylboran reagiert mit Natriumhydroxid beim Erhitzen auf 180° in 46%iger Ausbeute unter Bildung von *Natrium-hydroxy-triphenyl-borat*[4]:

$$(H_5C_6)_3B \quad + \quad NaOH \quad \longrightarrow \quad Na^+[(H_5C_6)_3B{-}OH]^-$$

Die Einwirkung von Alkalimetallhydroxid (z.B. Kaliumhydroxid) auf bestimmte offenkettige heteroatomsubstituierte Triorganoborane kann infolge Abspaltung von Kohlenwasserstoff zur Ringbildung (vgl. S. 850) führen[5].

Aus Diorgano-hydroxy-boranen (vgl. Bd. XIII/3a, S. 491) lassen sich mit metallorganischen Verbindungen durch einfache Komplexierung ohne Liganden-Austausch Hydroxy-triorgano-borate herstellen.

Setzt man Bis[2-methylphenyl]-hydroxy-boran mit Butyllithium in Hexan/Benzol um, so fallen *Lithium-bis[2-methylphenyl]-butyl-hydroxy-borat* und dessen Spaltprodukte aus. Beim Digerieren mit 1,4-Dioxan/Diethylether erhält man daraus reines *Lithium-bis[2-methylphenyl]- butyl-hydroxy-borat*[1]. Aus Bis[4-methylphenyl]- hydroxy-boran und 1,4-Dioxan-4-Methylphenyllithium wird in Diethylether/1,4-Dioxan *1,4-Dioxan-Lithium-hydroxy-tris[4-methylphenyl]-borat*[6] erhalten:

$$\left[H_3C{-}C_6H_4{-}\right]_2 B{-}OH \quad + \quad C_4H_8O_2{-}Li{-}C_6H_4{-}CH_3 \quad \xrightarrow[1,4\text{-Dioxan}]{(H_5C_2)_2O/}$$

$$\left[C_4H_8O_2{-}Li\right]^+ \left\{\left[H_3C{-}C_6H_4{-}\right]_3 B{-}OH\right\}^-$$

Aus Amin-Triorganoboranen lassen sich mit Alkalimetallhydroxiden Amine verdrängen. Man erhält Alkalimetall-hydroxy-triorgano-borate. Die Anwendbarkeit der Methode ist nicht untersucht worden.

Ammoniak-Triphenylboran reagiert mit Natriumhydroxid in Wasser beim Rückflußkochen unter Abspaltung von Ammoniak zu einer wäßr. Lösung von *Natrium-hydroxy-triphenyl-borat*[7]. Entsprechend wird eine wäßr. Lösung von *Natrium-hydroxy-tris[4-methylphenyl]-borat* hergestellt. Aus Methylamin-Triphenylboran erhält man mit wäßrigem Natriumhydroxid unter Abspaltung von Methylamin *Natrium-hydroxy-triphenyl-borat* in wäßr. Lösung[7].

Die partielle Hydrolyse von Hydro-triorgano-boraten liefert Hydroxy-triorganoborate. Alkalimetall-hydro-trialkyl- oder -triaryl-borate reagieren mit Wasser unter Ab-

[1] E. Frankland u. B.F. Duppa, A. **124**, 129 (1862).
[2] E. Krause, B. **57**, 813 (1924).
[3] D.L. Fowler u. C.A. Kraus, Am. Soc. **62**, 1143 (1940).
[4] G. Wittig u. P. Raff, A. **573**, 195 (1951).
[5] R. Köster u. G. Seidel, Mülheim a.d. Ruhr, unveröffentlicht 1982.
[6] B.M. Mikhailov u. V.A. Vaver, Ž. obšč. Chim. **29**, 2248 (1959); C.A. **54**, 10967 (1960).
[7] US.P. 4134923 (1977/1979), Du Pont, Erf.: R.A. Reimer; C.A. **90**, 121 791 (1979).

spaltung von Wasserstoff zu Alkalimetall-hydroxy-triorgano-boraten. Beispielsweise erhält man aus Natrium-hydro-triethyl-borat mit Wasser *Natrium-hydroxy-triethyl-borat*, aus dem beim Ansäuern Triethylboran freigesetzt wird[1].

α_2) *Organooxy-triorgano-borate*

Alkalimetall-organooxy-triorgano-borate verschiedenartiger Typen (vgl. Tab. 119, S. 833f.) sind aus Triorgano-, Diorgano-organooxy-boranen oder aus verschiedenen Organoboraten zugänglich.

$\alpha\alpha_1$) aus Triorganoboranen

Aus Trialkylboranen lassen sich mit Alkalimetallalkanolaten die meist gut kristallisierenden Alkalimetall-alkoxy-trialkyl-borate herstellen. Der Salzcharakter der Lithium-alkoxy-trialkyl-borate ist weniger stark ausgeprägt[1].

Aus Trialkylboranen bilden sich mit Lithiumenolaten in situ Lithium-alkenyloxy-trialkyl-borate, die präparativ zur selektiven Aldol-Addition verwendet werden[2]:

$$R_3B + (LiO)(R^1)C{=}C(H)(R^2) \longrightarrow Li^+ \left[R_3\overset{\ominus}{B}{-}O{-}C(R^1){=}C(H)(R^2)\right]^-$$

R: C_2H_5, C_4H_9

Die Herstellung der Natrium-Salze erfolgt durch Erhitzen des Trialkylborans mit Natriumalkanolat im Überschuß, wobei das Alkanolat in Lösung geht[1].

Natrium-methoxy-tripropyl-borat[3]**:** 32,3 g (0,6 mol) Natriummethanolat und 90 g (0,64 mol) Tripropylboran werden auf 60–70° erwärmt. Unter ständigem Rühren löst sich das Alkanolat in ~3 Stdn. auf. Beim Abkühlen kristallisiert die Mischung. Man kristallisiert aus abs. Hexan um; Ausbeute: 116 g (100%); F: 55–57°.

Entsprechend läßt sich *Natrium-* [F: 127–128° (aus Benzol)][3] oder *Kalium-methoxy-triethyl-borat* [F: 193° (Zers.)][3] herstellen.

Aus Trialkylboranen sind mit Kaliumenolaten in Tetrahydrofuran durch Komplexierung Kalium-alkenyl-oxy-trialkyl-borate zugänglich, die bisher allerdings nur in situ hergestellt und NMR-spektroskopisch nachgewiesen wurden[4]:

$$R^1_3B + (R^2)(KO)C{=}CH_2 \xrightarrow{THF} K^+ \left[R^1_3B{-}O{-}C(R^2){=}CH_2\right]^-$$

$R^1 = C_2H_5$, $CH_2{-}CH(CH_3)_2$, $CH(CH_3){-}C_2H_5$
$R^2 = H$, $C(CH_3)_3$

In aliphatischen oder aromatischen Kohlenwasserstoffen bzw. in Ethern werden aus Triarylboranen mit Alkalimetallalkanolaten die löslichen, jedoch im allgemeinen hoch schmelzenden Alkalimetall-alkoxy-triaryl-borate gewonnen[3].

[1] R. Köster u. P. Binger, Mülheim a.d. Ruhr, unveröffentlicht 1964.
[2] Y. Yamamoto, H. Yatagai u. K. Maruyama, Tetrahedron Letters **23**, 2387 (1982).
[3] R. Köster u. P. Binger, Mülheim a.d. Ruhr, unveröffentlicht 1962.
[4] M.J. Idacavage, E. Negishi u. C.A. Brown, J. Organometal. Chem. **186**, C 55 (1980).

Man kann auch Trialkylborane und bestimmte Alkalimetall-Verbindungen zum Borat reagieren lassen und dieses in situ mit einer geeigneten, auch potentiellen Hydroxy-Verbindung umsetzen. Aus Triethylboran und Kaliumhydrid bzw. Kalium-bis[trimethylsilyl]-amid erhält man mit Cyclohexanon *Kalium-cyclohexenyloxy-triethyl-borat*[1]:

$$(H_5C_2)_3B \xrightarrow[2.\ +\ \text{Cyclohexanon}]{1.\ +\ KH\ \text{bzw.}\ KN[Si(CH_3)_3]_2} K^+ \left[(H_5C_2)_3B{-}O{-}\text{Cyclohexenyl}\right]^-$$

Tetraethylammonium-methoxy-triphenyl-borat (F: 351–353°) läßt sich aus Triphenylboran mit Natriummethanolat in Methanol bei anschließender Zugabe von Tetraethylammoniumbromid in Tetrahydrofuran herstellen[2].

Aus Alkenyl-diorgano-boranen sind mit Alkalimetallalkanolaten unter Komplexierung Alkalimetall-alkenyl-alkoxy-diorgano-borate zugänglich.

(E)-9-(1-Hexenyl)-9-borabicyclo[3.3.1]nonan reagiert mit Natriummethanolat unter Bildung von *Natrium-1,5-cyclooctandiyl-(E-1-hexenyl)-methoxy-borat* (nur in situ erzeugt)[3]:

$$\text{(C}_8\text{H}_{14})B{-}CH{=}CH{-}C_4H_9 + NaOCH_3 \longrightarrow Na^+ \left[(C_8H_{14})B(OCH_3){-}CH{=}CH{-}C_4H_9\right]^-$$

Mit Kalium-1-tert.-butylethenolat bildet sich aus Dicyclohexyl-(E)-1-hexenyl-boran in Tetrahydrofuran *Kalium-(1-tert.-butylvinyloxy)-dicyclohexyl-(E)-1-hexenyl-borat*[4]:

$$(H_{11}C_6)_2B{-}CH{=}CH{-}C_4H_9 + KO{-}C(=CH_2){-}C(CH_3)_3 \xrightarrow{THF} K^+ \left[(H_{11}C_6)_2B(CH{=}CH{-}C_4H_9){-}O{-}C(=CH_2){-}C(CH_3)_3\right]^-$$

Diethyl-(1-ethyl-2-trimethylsilyl-1-propenyl)-boran (vgl. Bd. XIII/3a, S. 299) reagiert mit Kaliumhydroxid in Tetrahydrofuran bei ~20° nach Komplexierung unter spontaner quantitativer Methan-Abspaltung zum *Kalium-4,5,5-triethyl-2,2,3-trimethyl-2,5-dihydro-1,2,5-oxasilaborolat*[5].

$\alpha\alpha_2$) aus Organo-organooxy-boranen

Organo-organooxy-borane reagieren mit alkalimetallorganischen Verbindungen durch Komplexierung und/oder Liganden-Austausch unter Bildung von Alkalimetall-organooxy-triorgano-boraten.

Mit lithiumorganischen Verbindungen erhält man aus Diorgano-organooxy-boranen durch Komplexierung Lithium-organooxy-triorgano-borate.

Aus 2-Butyloxy-diphenyl-boran läßt sich mit 1-Naphthyllithium in Diethylether bei −10° bis +20° in 30%iger Ausbeute *Diethylether-Lithium-2-butyloxy-diphenyl-1-naph-*

---

[1] E. Negishi, H. Matsushita, S. Chatterjee u. R. A. John, J. Org. Chem. **47**, 3188 (1982).
[2] J. M. Burlitch, J. H. Burk, M. E. Leonowicz u. R. E. Hughes, Inorg. Chem. **18**, 1702 (1979).
[3] H. C. Brown u. J. B. Campbell jr., J. Org. Chem. **45**, 550 (1980).
[4] M. J. Idacavage, E. Negishi u. C. A. Brown, J. Organometal. Chem. **186**, C 55 (1980).
[5] R. Köster u. G. Seidel, Mülheim a. d. Ruhr, unveröffentlicht 1982.

thyl-borat gewinnen[1]. In 80%iger Ausbeute ist entsprechend *Lithium-2-butyloxy-diphenyl-(2-methylphenyl)-borat* zugänglich[1]:

$$(H_5C_6)_2B-O-CH(CH_3)-C_2H_5 + 2\text{-}CH_3C_6H_4\text{-}Li \longrightarrow Li^+ \left[(H_5C_6)_2B(C_6H_4\text{-}2\text{-}CH_3)(O-CH(CH_3)-C_2H_5)\right]^-$$

In Tetrahydrofuran erhält man aus Dialkyl-methoxy-boranen mit Lithium-1-alkinen bei −78° Lösungen von Lithium-1-alkinyl-dialkyl-methoxy-boraten[2]:

$$R^1_2B-OCH_3 + R^2-C{\equiv}C-Li \longrightarrow Li^+ \left[R^1_2B(C{\equiv}C-R^2)(OCH_3)\right]^-$$

Aus 9-Methoxy-9-borabicyclo[3.3.1]nonan lassen sich mit 1-Alkinyllithium-Verbindungen *Lithium-alkinyl-1,5-cyclooctandiyl-methoxy-borate* gewinnen:

$$(C_8H_{14})B-OCH_3 + R-C{\equiv}C-Li \longrightarrow Li^+ \left[(C_8H_{14})B(C{\equiv}C-R)(OCH_3)\right]^-$$

Aus Triorganooxyboranen oder Organooxy-organo-boranen unterschiedlicher Zusammensetzung lassen sich mit Natriummetall/Alkylhalogenid durch Organooxy/Alkyl-Austausch und Komplexierung Natrium-organooxy-triorgano-borate herstellen[3,4]:

$$R_{3-n}B(OR)_n + RCl + 2\,Na \xrightarrow[-NaCl]{} Na^+[R_{4-n}B(OR)_n]^- \quad n = 0-3$$

$\alpha\alpha_3$) aus Boraten

Zur Herstellung von Alkalimetall-organooxy-triorgano-boraten lassen sich 1-Alkinyl-triorgano-borate, vor allem aber Hydro-triorgano- sowie Alkoxy-triorgano-borate verwenden.

i_1) aus 1-Alkinyl-trialkyl-boraten

Lithium-1-alkinyl-trialkyl-borate reagieren mit Oxiranen unter Addition/Umlagerung (vgl. Bd. XIII/3a, S. 201)[5] zu cyclischen Lithium-alkenyl- alkoxy-dialkyl-boraten, die bisher jedoch nur in situ gewonnen wurden[6].

---

[1] B. M. Mikhailov u. V. A. Vaver, Doklady Akad. SSSR **109**, 94 (1956); C.A. **51**, 1874 (1957).
[2] H. C. Brown u. J. A. Sinclair, J. Organometal. Chem. **131**, 163 (1977).
[3] K. Ziegler u. H. Hoberg, Ang. Ch. **73**, 577 (1961).
[4] DBP. 1157622 (1963), K. Ziegler, Erf.: K. Ziegler u. H. Hoberg; C.A. **60**, 15908 (1964).
[5] P. Binger u. R. Köster, Tetrahedron Letters **1965**, 1901.
[6] M. Naruse, K. Utimoto u. H. Nozaki, Tetrahedron Letters **1973**, 2741.

$$Li^+ [R^1_3B-C{\equiv}C-R^2]^- + \text{(Epoxid mit } R^3) \longrightarrow Li^+ [\text{Oxaborinan-Ring mit } R^1, R^2, R^3]^-$$

i₂) aus Hydro-triorgano-boraten

Alkalimetall-hydro-trialkyl-borate reagieren mit Alkoholen unter Abspaltung von Wasserstoff zu Alkalimetall-alkoxy-trialkyl-boraten[1]:

$$M^+ [R^1_3BH]^- + R^2{-}OH \xrightarrow[-H_2]{} M^+ [R^1_3B{-}OR^2]^-$$

B–C_{alkyl}-Bindungen werden bei ~20° in Gegenwart von 1 Äquivalent Alkohol nicht gespalten. Man führt die Reaktionen in aliphatischen oder aromatischen Kohlenwasserstoffen durch. Der Alkohol wird entsprechend der Wasserstoff-Entwicklung zugetropft. Man erhält reine Alkalimetall-alkoxy-trialkyl-borate, die auch aus Trialkylboran mit Alkalimetallalkanolat (vgl. S. 835 f.) zugänglich sind[1].

Die thermische Stabilität der Alkalimetall-alkoxy-trialkyl-borate hängt von der Art der Organo-Reste und vom Alkalimetall ab. Zahlreiche Borate (z.B. Natrium-tert.-butyloxy-triethyl-borat) zerfallen bereits während der Bildung bzw. beim Aufarbeiten der Reaktionslösungen quantitativ in Trialkylboran und Alkalimetallalkanolat.

Aus Lithium-hydro-triethyl-borat wird mit Isopropanol ein 1:3-Gemisch von *Lithium-isopropyloxy-triethyl-borat* und Lithiumisopropanolat gebildet[2].

Natrium-isopropyloxy-triethyl-borat [100%; F: 89° (Zers.)], *-(4-aminophenoxy)-triethyl-borat* [98%; F: 142–144° (Zers.)] und *Natrium-(5-cholesten-3β-yloxy)-triethyl-borat* [100%; F: 124–125° (Zers.)] lassen sich in Toluol leicht herstellen.

Aus Natrium-hydro-triethyl-borat erhält man in Diethylether bei ~20° mit 1,2:3,4-Bis-O-[isopropyliden]galactopyranose praktisch quantitativ *Natrium-(1,2:3,4-bis-O-[isopropyliden]-6-O-galactopyranosyl)-triethyl-borat*[2]:

$$Na^+ [(H_5C_2)_3BH]^- + \text{(1,2:3,4-Bis-O-isopropyliden-galactopyranose, 6-OH)} \xrightarrow[-H_2]{(H_5C_2)_2O} Na^+ [\text{6-O}{-}B(C_2H_5)_3\text{-Derivat}]^-$$

Natrium-(1,2:3,4-bis-O-[isopropyliden]-6-O-galactopyranosyl)-triethyl-borat[2]: Zur Lösung von 14,28 g (54,86 mmol) 1,2:3,4-Bis-O-[isopropyliden]galactopyranosid in 30 *ml* Diethylether tropft man bei ~20° innerhalb ~2 Stdn. eine Lösung von 7,08 g (58 mmol) Natrium-hydro-triethyl-borat in 30 *ml* Diethylether. Bei schwach exothermer Reaktion werden 1150 *ml* Wasserstoff (96%) frei. Der Ether wird i. Vak. weitestgehend entfernt. I. Vak. (10^{-3} Torr) wird 4 Stdn. auf 30° erwärmt; Ausbeute: 22,7 g (~100%; 8,6% etherhaltig); F: 105° (>90° langsame Zers. unter Gelbfärbung); $[\alpha]^{20}_D = -35{,}4$ (c = 2, THF).

Auch Verbindungen mit acetalischen Hydroxy-Gruppen können in verschiedenen Fällen in Alkalimetall-(1-oxy-alkoxy)-trialkyl-borate übergeführt werden.

[1] R. Köster u. P. Binger, Mülheim a.d. Ruhr, unveröffentlicht 1964.
[2] W.V. Dahlhoff, A. Geisheimer u. R. Köster, Mülheim a.d. Ruhr, unveröffentlicht 1980.

Aus Natrium-hydro-triethyl-borat erhält man mit 2,3:5,6-Bis-O-[isopropyliden]mannofuranose in Toluol *Natrium-(2,3:5,6-bis-O-[isopropyliden]-1-O-mannofuranosyl)-triethyl-borate* [F: 125–127° (Zers.)] in >90%iger Ausbeute[1]:

$$Na^+ [(H_5C_2)_3BH]^- + \text{(2,3:5,6-Bis-O-isopropyliden-mannofuranose)-OH} \xrightarrow[-H_2]{\text{Toluol}} Na^+ [\text{(2,3:5,6-Bis-O-isopropyliden-mannofuranosyl)}-O-B(C_2H_5)_3]^-$$

(sehr wenig Überschuß)

Das aus Natrium-hydro-triethyl-borat mit 2,3:5,6-Bis-O-[ethylborandiyl]mannofuranose (s. Bd. XIII/3a, S. 731) gebildete Borat zerfällt bereits bei ~20° in Triethylboran und *Natrium-(2,3:5,6-bis-O-[ethylborandiyl] mannofuranose*[1].

i_3) aus Alkoxy-trialkyl-boraten

Alkalimetall-alkoxy-trialkyl-borate reagieren mit Trialkyl- bzw. Triaryl-boranen unter Austausch der Borane bzw. einzelner Organo-Reste unter Bildung neuer Alkalimetall-alkoxy-triorgano-borate[2]:

$$M^+ [R^1_3B{-}OR^2]^- \quad + \quad R^3_3B \quad \rightleftharpoons \quad M^+ [R^3_3B{-}OR^2]^- \quad + \quad R^1_3B$$

Bei genügend unterschiedlicher Affinität der Alkyl- bzw. Aryl-Reste zum Bor-Atom lassen sich sämtliche Organo-Reste austauschen. Andernfalls erhält man Mischungen verschieden substituierter Borate. Die Methode eignet sich zur Herstellung von Alkalimetall-alkoxy-triaryl-boraten aus Alkalimetall-alkoxy-trialkyl-boraten mit Triarylboranen. Mit bestimmten Bor-Heterocyclen werden ebenfalls Alkalimetall-alkoxy-triorgano-borate gebildet[2].

β) Diorgano-dioxy-borate

Zur Verbindungsklasse[3] gehören Dihydroxy-diorgano-, Diorgano-hydroxy-organooxy- und Diorgano-diorganooxy-borate mit verschiedenen Typen von Organo- und Organooxy-Resten (vgl. Tab. 120, S. 840f.). Der Abschnitt ist entsprechend in drei Unterabschnitte geteilt.

β_1) *Dihydroxy-diorgano-borate*

Alkalimetall-, Ammonium- oder Erdalkalimetall-dihydroxy-diorgano-borate stellt man aus Diorgano-oxy-boranen bzw. aus Dihydro-diorgano-boraten her.

$\beta\beta_1$) aus Diorgano-oxy-boranen

Man verwendet Diorgano-organooxy-borane sowie Tetraorganodiboroxane zur Herstellung von Dihydroxy-diorgano-boraten.

---

[1] W. V. Dahlhoff, A. Geisheimer u. R. Köster, Mülheim a. d. Ruhr, unveröffentlicht 1981.
[2] R. Köster u. P. Binger, Mülheim a. d. Ruhr, unveröffentlicht 1965.
[3] *Gmelin*, 8. Aufl., **33**/8, 146–149 (1976).

Tab. 120: Diorgano-dioxy-borate

Formel	Verbindungstyp	Herstellungsart	s. S.
Dihydroxy-diorgano-borate			
$M^+[R_2B(OH)_2]^-$ R = Alkyl M = Na, K	$[R_2B(OH)_2]^-$	aus $R_2B–OR + OH^-$ aus $R_2B–O–BR_2 + OH^-$	841 841
$M^+[Ar_2B(OH)_2]^-$ M = K, NH_4, Ba/2	$[Ar_2B(OH)_2]^-$	aus $Ar_2B–OR + MOH$ aus $Ar_2B–O–BAr_2 + OH^-$	841 841
$M^+ [\frown B(OH)_2]^-$ M = Li, Na, K	$[R\frown B(OH)_2]^-$	aus $[\frown BH_2]^-$ + H_2O	842
Diorgano-hydroxy-organooxy-borate			
$Na^+ [R^1_2B(OR^2)(OH)]^-$	$[R^1_2B(OR^2)(OH)]^-$	aus $R^1B–OR^2 + OH^-$	842
$Li^+ [Ar_2B(OCH_3)(OH)]^-$	$[Ar_2B(OR)(OH)]^-$	aus $Ar_2B–OLi + R–OH$	842
$H^+ \{[Cl_2C{=}C(Cl)–]_2B(OCH_3)(OH)\}^-$	$[(R^{Hal}_{en})_2B(OCH_3)(OH)]^-$	aus $(R^{Hal}_{en})_2B–Hal$ + $R–OH$	842
Diorgano-diorganooxy-borate			
$Li^+ [R^1R^2B(OCH_3)_2]^-$ R^1 = Vinyl, Aryl R^2 = Alkyl, Aryl	$[R^1R^2B(OR^3)_2]^-$	aus $R^1–B(OR^3)_2 + R^2–Li$	843
$Na^+ [\frown B(O)_2R]^-$	$[R\frown B(O)_2R]^-$	aus $[R\frown BH_2]^-$ + $HO–R–OH$	845
$Na^+ [(H_5C_6)_2B(OCH_3)(O–CH_2–P(C_6H_5)–CH_2–OH)]^-$	$[Ar_2B(OR^P)(OR)]^-$	aus $[R^1_2B(OR^2)_2]^- + R^3O^-$	844
$Na^+ [\frown B(O–CHO)_2]^-$	$[R\frown B(O–CHO)_2]^-$	aus $[R\frown BH_2]^-$ + CO_2	846

Alkoxy-dialkyl-borane lassen sich mit wäßr. Alkalimetallhydroxiden durch Alkoxy/Hydroxy-Austausch und Komplexierung in Alkalimetall-dialkyl-dihydroxy-borate überführen[1-4]:

$$R^1_2B{-}OR^2 \quad + \quad MOH \xrightarrow[-R^2{-}OH]{+H_2O} M^+[R^1_2B(OH)_2]^-$$

M = Na, K
R = CH_3, C_4H_9

Kalium- oder Ammonium-diaryl-dihydroxy-borate sind aus Alkoxy-diaryl-boranen mit wäßr. oder methanolischer Lösung von Kalium- bzw. Ammonium-hydroxid zugänglich[5-7]:

$$R^1_2B{-}OR^2 \quad + \quad NH_4OH \xrightarrow[-R^2{-}OH]{+H_2O} [NH_4]^+[R^1_2B(OH)_2]^-$$

R^1 = C_6H_5, 4-Cl–C_6H_4, 4-Br–C_6H_4, 1-Naphthyl
R^2 = CH_2–$CH(CH_3)_2$, 2-CH_3–C_6H_4, 4-CH_3–C_6H_4

z.B.: *Ammonium-dihydroxy-diphenyl-borat*[5] 87%; F: 109–110° (Zers.)
Ammonium-bis[4-bromphenyl]-dihydroxy-borat[7]; 87%; F: 134–135°
Kalium-bis[4-bromphenyl]-dihydroxy-borat[7]; 72%

Barium-bis[bis(4-chlorphenyl)-dihydroxy-borat] ist über das Natrium-Salz in 89%iger Ausbeute zugänglich[8].

Alkalimetall-alkyl-aryl-dihydroxy-borate erhält man aus 1,3-Dialkyl-1,3-diaryl-diboroxanen bei der Hydrolyse mit 20%iger Lauge in hohen Ausbeuten[8]:

$$(R^1R^2B)_2O \quad + \quad 2MOH \xrightarrow{+H_2O} 2M^+[R^1R^2B(OH)_2]^-$$

R^1 = C_2H_5, C_3H_7, C_6H_5
R^2 = C_6H_5
M = Na, K

z.B.: *Natrium-dihydroxy-ethyl-phenyl-borat*[9]; 96%
Natrium-dihydroxy-phenyl-propyl-borat[9]; 89%
Kalium-dihydroxy-diphenyl-borat[5]; F: 66–67°

$\beta\beta_2$) aus Organoboraten

Alkalimetall-dialkyl-dihydro-borate reagieren mit Wasser in Toluol unter Abspaltung von Wasserstoff zu Alkalimetall-dialkyl-dihydroxy-boraten, die in Ausbeuten >90% als feste Stoffe anfallen[10].

Aus Lithium-1,5-cyclooctandiyl-dihydro-borat (vgl. S. 817) ist bei 20–30° beim Eintragen in Toluol in Gegenwart stöchiometrischer Mengen Wasser reines *Lithium-1,5-cyclooctandiyl-dihydroxy-borat* (92%; F: >300°) zugänglich[10]:

---

1 J. GOUBEAU u. J.W. EWERS, Z. physik. Chem. **25**, 276 (1960).
2 D. ULMSCHNEIDER u. J. GOUBEAU, B. **90**, 2733 (1957).
3 J. GOUBEAU u. J.W. EWERS, Z. anorg. Ch. **304**, 230 (1960).
4 B.M. MIKHAILOV u. T.A. SHCHEGOLEVA, Ž. obšč. Chim. **29**, 3130 (1959); C.A. **54**, 13035 (1960).
5 B.M. MIKHAILOV u. V.A. VAVER, Doklady Akad. SSSR **102**, 531 (1955); C.A. **50**, 4813 (1956).
6 B.M. MIKHAILOV u. V.A. VAVER, Izv. Akad. SSSR **1958**, 419; C.A. **52**, 17148 (1958).
7 B.M. MIKHAILOV u. V.A. VAVER, Izv. Akad. SSSR **1956**, 451; C.A. **50**, 11964 (1956).
8 B.M. MIKHAILOV u. P.M. ARONOVICH, Ž. obšč. Chim. **29**, 1257 (1959); C.A. **54**, 8684 (1960).
9 B.M. MIKHAILOV, Ž. obšč. Chim. **29**, 1257 (1959); C.A. **54**, 8684 (1960).
10 R. KÖSTER u. G. SEIDEL, Mülheim a.d. Ruhr, unveröffentlicht 1978.

$$Li^+ \left[(C_8H_{14})BH_2\right]^- + 2\,H_2O \xrightarrow[-2\,H_2]{\text{Toluol, } 20-30°} Li^+ \left[(C_8H_{14})B(OH)_2\right]^-$$

Entsprechend gewinnt man das *Natrium-* (94%; F: >300°) bzw. *Kalium-Salz* (98%; F: 220–224°)[1].

Kalium-1,5-cyclooctandiyl-dihydroxy-borat[1]: 8,1 g (50 mmol) Kalium-1,5-cyclooctandiyl-dihydro-borat gibt man unter Rühren innerhalb ~70 Min. zu einer Mischung von 1,8 g (100 mmol) Wasser in ~50 *ml* Toluol (Temperaturanstieg bis ~28°). Innerhalb 3 Stdn. werden 2,16 N*l* (96%) Wasserstoff frei. Man gibt zur Suspension 100 *ml* Pentan, filtriert von der voluminösen Festsubstanz ab, wäscht diese wiederholt mit Pentan und trocknet i.Vak. (0,1 Torr); Ausbeute: 9,5 g (98%); F: 220–224°.

β_2) *Diorgano-hydroxy-oxy-borate*

Die gemischt substituierten Organooxy-borate werden aus Diorgano-halogen-, Diorgano-organooxy- und aus Diorgano-elementoxy-boranen gewonnen.

Beim Einwirken von Methanol auf Brom-bis[trichlorvinyl]-boran bildet sich *Bis[trichlorvinyl]-hydroxy-methoxy-borat-säure* (Ansolvosäure)[2]:

$$[Cl_2C{=}CCl{-}]_2B{-}Br + 2\,H_3C{-}OH \xrightarrow[-H_3C-Br]{} H^+ \left\{[Cl_2C{=}CCl{-}]_2B(OCH_3)(OH)\right\}^-$$

Mit Natriumhydroxid sind aus Dialkyl- oder Diaryl-alkoxy-boranen in wäßr. Lösung Natrium-alkoxy-diorgano-hydroxy-borate zugänglich[3,4]:

$$R_2B{-}OC_4H_9 + NaOH \xrightarrow{H_2O} Na^+ \left[R_2B(OC_4H_9)(OH)\right]^-$$

$R = C_4H_9$; *Natrium-butyloxy-dibutyl-hydroxy-borat*[4]
$R = C_6H_5$; *Natrium-butyloxy-diphenyl-hydroxy-borat*[3]

Das Lithiumsalz des Di-1-naphthyl-hydroxy-borans addiert in Diethylether innerhalb 15 Min. Methanol zum *Diethylether-Lithium-di-1-naphthyl-hydroxy-methoxy-borat*[4]:

$$(H_7C_{10})_2B{-}OLi + H_3C{-}OH \xrightarrow{(H_5C_2)_2O} \left[(H_5C_2)_2O \cdot Li\right]^+ \left[(H_7C_{10})_2B(OH)(OCH_3)\right]^-$$

β_3) *Diorgano-diorganooxy-borate*

Alkalimetall-diorgano-dioxy-borate werden aus Metalloxy-diorgano- bzw. Dialkoxy-organo-boranen, Dihydro-diorgano- und Diorgano-dioxy-boraten vom Zwitterion-Typ hergestellt. Bestimmte Diacyloxy-diorgano-borate gewinnt man aus Dihydro-diorgano-boraten.

---

[1] R. KÖSTER u. G. SEIDEL, Mülheim a.d. Ruhr, unveröffentlicht 1980.
[2] USSR.P. 185915 (1966), Sci. Res. Inst. of Plastics; Erf.: B.B. LEVIN u. N.I. TELEGINA; C.A. **67**, 3136 (1967).
[3] J. GOUBEAU u. J.W. EWERS, Z. anorg. Chem. **304**, 230 (1960).
[4] B.M. MIKHAILOV u. V.A. VAVER, Ž. obšč. Chim. **29**, 2248 (1959); C.A. **54**, 10967 (1960).

$\beta\beta_1$) aus Diorgano-metalloxy-boranen

Diphenyl-natriumoxy-boran reagiert mit Dihydroxy-Verbindungen durch Komplexierung unter Bildung von Natrium-dialkoxy-diphenyl-boraten; z. B.:

$$(H_5C_6)_2B{-}ONa \;+\; HO{-}CH_2{-}CH_2{-}OH \xrightarrow[-H_2O]{} Na^+ \left[(H_5C_6)_2B(OCH_2CH_2O) \right]^-$$

Natrium-2,2-diphenyl-1,3,2-dioxaboratolan

Beispielsweise lassen sich so verschiedene Natrium-diorganooxy-diphenyl-borate von Monosacchariden herstellen[1].

$\beta\beta_2$) aus Organo-organooxy-boranen

Aus Dialkoxy-organo-boranen sind mit lithiumorganischen Verbindungen durch Komplexierung Lithium-dialkoxy-diorgano-borate zugänglich:

$$R^1_2B{-}OR^2 \;+\; R^2{-}OLi \longrightarrow Li^+ [R^1_2B(OR^2)_2]^-$$

Mit Ethyllithium reagiert 2-Ethyl-1,3,2-dioxaborolan in Hexan unter Bildung von *Lithium-diethyl-1,2-ethandioxy-borat*[2]:

$$(OCH_2CH_2O)B{-}C_2H_5 \;+\; H_5C_2{-}Li \xrightarrow{Hexan} Li^+ \left[(OCH_2CH_2O)B(C_2H_5)_2 \right]^-$$

Aus 14,28-Diethyl-1,4,7,10,13,15,18,21,24,27-decaoxa-14,28-dibora-cyclooctaeicosan kann mit 2 Äquivalenten Ethyllithium das *Dilithium-14,14,28,28-tetraethyl-1,4,7,10,13,15,18,21,24,27-decaoxa-14,28-dibora-ta-cyclooctaeicosan* hergestellt werden[2].

$$H_5C_2{-}B(O{-}\ldots{-}O)_2B{-}C_2H_5 \xrightarrow[Hexan]{+2\ H_5C_2{-}Li} \left[(H_5C_2)_2B(O{-}\ldots{-}O)_2B(C_2H_5)_2 \right]^{2-}\ 2\ Li^+$$

Aus Dimethoxy-*trans*-(2-ethylcyclopentyl)-boran erhält man mit 2,2-disubst.-Vinyllithium das entsprechende Borat[3]:

$$C_2H_5{-}C_5H_8{-}B(OCH_3)_2 \;+\; R^1R^2C{=}CH{-}Li \longrightarrow Li^+ \left[C_2H_5{-}C_5H_8{-}B(OCH_3)_2{-}CH{=}CR^1R^2 \right]^-$$

Mit 1-tert.-Butylvinyllithium läßt sich aus Diisobutyloxy-phenyl-boran bei $-70°$ bis $+20°$ *Lithium-(1-tert.-butylvinyl)-diisobutyloxy-phenyl-borat* gewinnen[4].

---

[1] P. A. J. Gorin u. M. Mazurek, Canad. J. Chem. **51**, 3277 (1973).
[2] R. Köster u. G. Seidel, Mülheim a. d. Ruhr, unveröffentlicht 1979/1980.
[3] D. A. Evans, T. C. Crawford, R. C. Thomas u. J. A. Walker, J. Org. Chem. **41**, 3947 (1976).
[4] B. M. Mikhailov u. T. K. Kozminskaya, Izv. Akad. SSSR **1959**, 80; engl.: 72; C. A. **53**, 16128 (1959).

$\beta\beta_3$) aus Organoboraten

Zur Herstellung von Diorgano-diorganooxy-boraten lassen sich sehr gut Dihydro-diorgano-borate verwenden. Außerdem setzt man zwitterionische Diorgano-diorganooxy-borat-Verbindungen ein.

i_1) aus Dihydro-diorganooxy-boraten

Suspensionen von Natrium-1,5-cyclooctandiyl-dihydro-borat (vgl. S. 815) in Toluol oder Mesitylen reagieren mit Alkoholen, Alkandiolen sowie Alkantriolen oder -tetraolen unter Abspaltung von Wasserstoff zu Natrium-1,5-cyclooctandiyl-diorgano-boraten unterschiedlicher Strukturen[1].

Mit 1-Butanol erhält man *Natrium-1,5-cyclooctandiyl-dibutyloxy-borat* in 94%iger Ausbeute beim Zutropfen des Butanols zur Suspension des Edukts in Toluol[1]:

$$Na^+ \left[(C_8H_{14})BH_2 \right]^- + 2\ H_9C_4{-}O{-}H \xrightarrow[-2\ H_2]{Toluol} Na^+ \left[(C_8H_{14})B(OC_4H_9)_2 \right]^-$$

Natrium-1,5-cyclooctandiyl-dibutyloxy-borat[1]**:** Man tropft in ~15 Min. 3,25 g (44 mmol) Butanol zur Suspension von 3,2 g (22 mmol) Natrium-1,5-cyclooctandiyl-dihydro-borat in 60 *ml* Toluol. Unter Wasserstoff-Entwicklung steigt die Temp. bis ~30° an. Nach weiteren 3,5 Stdn. Rühren bei ~20° sind 961 N*ml* (98%) Wasserstoff freigesetzt. Zur voluminösen Suspension gibt man 100 *ml* Hexan, filtriert und trocknet i. Vak.; Ausbeute: 6 g (94%).

Die Reaktionen mit Alkandiolen verlaufen entsprechend; sie liefern nahezu quantitativ Wasserstoff und nach Abfiltrieren reines Salz (vgl. Tab. 121, S. 845)[1].

Natrium-alkandioxy-1,5-cyclooctandiyl-borate; allgemeine Arbeitsvorschrift[1]**:** Zu 100 mmol Natrium-1,5-cyclooctandiyl-dihydro-borat in ~150 *ml* Toluol (Suspension) gibt man bei unterschiedlichen Temp. 100 mmol Alkandiol (vgl. Tab. 121, S. 845). Nach dem Ende der Gasentwicklung wird mit 100 *ml* Hexan verdünnt, filtriert und nach wiederholtem Waschen mit Hexan i. Vak. (0,1 Torr) getrocknet.

Mit zwei Äquivalenten Alkantriolen erhält man aus drei Äquivalenten Natrium-1,5-cyclooctandiyl-dihydroborat unter Abspaltung von sechs Äquivalenten Wasserstoff Gemische von Natrium-alkandioxy-1,5-cyclooctandiyl-borate mit intra- und intermolekularen Alkandioxy-Verknüpfungen. Bei der Herstellung in Toluol oder Mesitylen muß zur quantitativen Wasserstoff-Abspaltung bis 80° erhitzt werden. Die Reaktionen verlaufen offensichtlich stufenweise (vgl. Tab. 121, S. 845)[1].

Aus zwei mol Natrium-1,5-cyclooctandiyl-dihydro-borat werden mit einem mol Alkantetraol in siedendem Toluol unter quantitativer Abspaltung von Wasserstoff Borat-Gemische erhalten (vgl. Tab. 121, S. 845)[1].

i_2) aus zwitterionischen Diorgano-dioxy-boraten

Cyclische zwitterionische Diorgano-dioxy-borate (vgl. S. 725) können mit Alkalimetallalkanolaten in ringgeöffnete Alkalimetall-alkoxy-diorgano-oxy-borate überführt werden. Aus 5-Hydroxymethyl-2,2,5-triphenyl-1,3,5,2-dioxaphosphoniaboratin erhält man mit Natriummethanolat durch Transalkoxylierung *Natrium-diphenyl-(hydroxymethyl-phenyl-phosphanylmethoxy)-methoxy-borat*[2]:

$$H_5C_6{-}P^{\oplus}(CH_2OH)(CH_2O)_2B^{\ominus}(C_6H_5)_2 \xrightarrow[-\ CH_2O]{+NaOCH_3} Na^+ \left[(H_5C_6)_2B(OCH_3){-}O{-}CH_2{-}P(CH_2{-}OH)(C_6H_5) \right]^-$$

---

[1] G. Seidel u. R. Köster, Mülheim a.d. Ruhr, unveröffentlicht 1979.

[2] B.A. Arbuzov, O.A. Erastov, G.N. Nikonov, A.A. Espenbetov, A.I. Yanovskii u. Y.T. Struchkov, Izv. Akad. SSSR **1981**, 1545; engl.: 1243; C.A. **95**, 149824 (1981).

Tab. 121: Natrium-alkandioxy-1,5-cyclooctandiyl-borate aus Natrium-1,5-cyclooctandiyldihydro-borat mit Alkanoligoolen[1]

Alkohole	Bedingungen	H_2(%)	*Natrium-1,5-cyclooctandiyl-... -borat*	Ausbeute [%]	F[°C]
Dihydroxy-Verbindungen					
$HO-CH_2-CH_2-OH$	~20°, 2 Stdn. Toluol	99	*...-(ethan-1,2-dioxy)-*	96	>300
$HO-CH(CH_3)-CH(CH_3)-OH$	≤40°, 2,5 Stdn. Toluol	98	*...-(butan-2,3-dioxy)-*	~95	<260
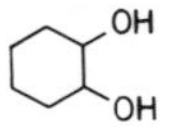 OH, OH *cis/trans*	~80°, 1,5 Stdn. Toluol	96	*...-(cyclohexan-1,2-dioxy)-...* *cis-/trans-*	96	285–291
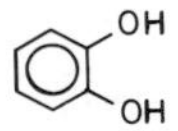 OH, OH	≤30°, 1 Stde. Toluol	98	*...-(benzol-1,2-dioxy)-*	97	<300
$HO-CH_2-CH_2-CH(CH_3)-OH$	≤32°, Toluol	96	*...-(butan-1,3-dioxy)...*	92	>300
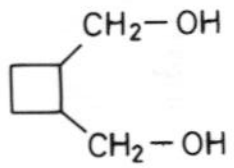 CH_2-OH, CH_2-OH	~20°, 3 Stdn. Mesitylen	98	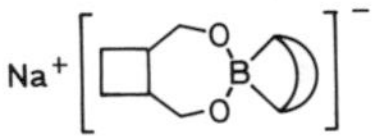 Na^+ [O, B, O]$^-$	~90	–
$HO-CH_2-C\equiv C-CH_2-OH$	Mesitylen, 100°, 2 Stdn.	100	*...-(2-butin-1,4-dioxy)-...*	~96	201
Alkantriol					
$HO-CH_2-CH(OH)-CH_2-OH$	1:1, Mesitylen, 35°, 4 Stdn.	~100	*...-(2-hydroxy-propan-1,3-dioxy)...*	~92	283–287
	3:2, Mesitylen, 30°, 2 Stdn. und 70°, 0,5 Stdn.	~66		92	257–266
		~33	Borat-Gemische		
Alkantetraol					
$HO-CH_2-CH(OH)-CH(OH)-CH_2-OH$ *(meso)*	2:1, Toluol ≤110°, 4 Stdn.	99	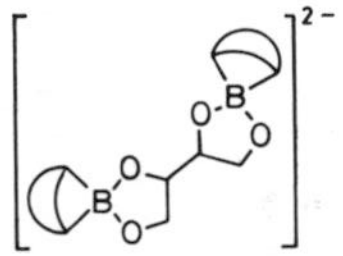 [O, B, O; O, B, O]$^{2-}$	94	>300
$C(CH_2-OH)_4$	2:1, Toluol, ≤110°, 4 Stdn.	100	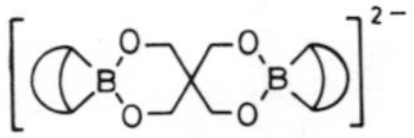 [O, B, O; O, B, O]$^{2-}$	97	295–298

[1] G. SEIDEL u. R. KÖSTER, Mülheim a.d. Ruhr, unveröffentlicht 1979.

β_4) *Diacyloxy-diorgano-borate*

Die Verbindungsklasse ist bisher kaum bekannt. Nach bisherigen Untersuchungen sind Alkalimetall-diacyloxy-diorgano-borate instabil und zerfallen thermisch oder unter den Herstellungsbedingungen wie z.B. bei der Reaktion von 1,5-Cyclooctandiylboraten mit Carbonsäuren[1] in Acyloxy-diorgano-borane und Alkalimetall-acylat.

Die Herstellung von Diformyloxy-diorgano-boraten gelingt aber z.B. aus Dihydro-diorgano-boraten mit Kohlendioxid. Aus Natrium-1,5-cyclooctandiyl-dihydro-borat in Toluol erhält man mit Kohlendioxid bei ~20° in 94%iger Ausbeute *Natrium-1,5-cyclooctandiyl-diformyloxy-borat* (F: 238°)[2]:

$$Na^+ \left[(C_8H_{14})BH_2\right]^- + CO_2 \xrightarrow{\text{Toluol, } \sim 20°} Na^+ \left[(C_8H_{14})B(O{-}CH{=}O)_2\right]^-$$

Natrium-1,5-cyclooctandiyl-diformyloxy-borat[2]**:** Zur Suspension von 1,8 g (12 mmol) Natrium-1,5-cyclooctandiyl-dihydro-borat in 50 *ml* Toluol werden im Autoklaven 39 bar Kohlendioxid aufgepreßt und 3 Tage bei ~20° gerührt. Der Druck fällt auf 36,8 bar ab. Nach Abblasen des Gases wird das Lösungsmittel i. Vak. (12 Torr) abdestilliert und der Rückstand i. Vak. (0,1 Torr) getrocknet; Ausbeute: 2,7 g (94%); F: 238°.

γ) Organo-trioxy-borate

Zur Verbindungsklasse zählen Alkalimetall-organo-trihydroxy-borate, Dihydroxy-organo-organooxy-, Diorganooxy-hydroxy-organo- und Organo-triorganooxy-borate (vgl. Tab. 122, S. 847). Die Besprechung der Herstellungsmethoden wurde entsprechend unterteilt.

Aus Dihydroxy-phenyl-boran bilden sich mit Oxalsäure[3] oder anderen Dicarbonsäuren[4] cyclische Diacyloxy-hydroxy-phenyl-borate im Gleichgewicht mit den Komponenten.

γ_1) *Organo-trihydroxy-borate*

Organo-trihydroxy-borate[5] werden aus Dihydroxy-organo- bzw. Diorganooxy-organo-boranen sowie aus Organo-triorganooxy-boraten hergestellt.

Dihydroxy-organo-borane reagieren mit Alkalimetall- oder Erdalkalimetall-hydroxiden unter Komplexierung zu Metall-organo-trihydroxy-boraten. Beispielsweise erhält man aus Butyl-dihydroxy-boran mit Natronlauge eine Lösung von *Natrium-butyl-trihydroxy-borat*, das bei Zugabe von Aceton ausgefällt wird[6].

Entsprechend lassen sich Aryl-dihydroxy-borane in Natrium-aryl-trihydroxy-borate überführen[5]; z.B.

Natrium-phenyl-trihydroxy-borat (62%)
Natrium-(2-methylphenyl)-trihydroxy-borat
Natrium-(4-methylphenyl)-trihydroxy-borat
Natrium- und *Kalium-(4-bromphenyl)-trihydroxy-borat*
Natrium-1-naphthyl-trihydroxy-borat

---

[1] B.A. ARBUZOV, O.A. ERASTOV, G.N. NIKONOV, A.A. ESPENBETOV, A.I. YANOVSKII u. Y.T. STRUCHKOV, Izv. Akad. SSSR **1981**, 1545; engl.: 1243; C.A. **95**, 149824 (1981).
[2] G. SEIDEL u. R. KÖSTER, Mülheim a.d. Ruhr, unveröffentlicht 1979.
[3] S. FRIEDMAN u. R. PIZER, Am. Soc. **97**, 6059 (1975).
[4] G. LORBER u. R. PIZER, Inorg. Chem. **15**, 978 (1976).
[5] *Gmelin*, 8. Aufl., **33**/8, S. 145f. (1976).
[6] B.M. MIKHAILOV, T.K. KOZMINSKAYA, A.N. BLOKHINA u. T.A. SHCHEGOLEVA, Izv. Akad. SSSR **1956**, 692; C.A. **51**, 1882 (1957).

Tab. 122: Organo-trioxy-borate

Formel	Verbindungstyp	Herstellungsart	s. S.
Organo-trihydroxy-borate			
$M^+[R-B(OH)_3]^-$ M = Na, K, 1/2 Ca, 1/2 Ba; R = Alkyl, Aryl	$[R-B(OH)_3]^-$	aus $R-B(OH)_2 + OH^-$	846
Na^+ [Adamantyl–$B(OH)_3$]$^-$	$[R-B(OH)_3]^-$	aus $R^1-B(OR^2)_2 + OH^-/H_2O$	848
Li^+ [2-Pyridyl–$CH_2-B(OH)_3$]$^-$	$[R^N-B(OH)_3]^-$	aus $[R^N-B(OR^1)_3]^-$ + H_2O	848
Dihydroxy-organo-organooxy-borate			
M^+ [Biphenyl-2-yl-2'-oxy–B(OH)–OH]$^-$ M = Li, Na, K, NH_4, 1/2 Mg, 1/2 Ca	$[R^1-B(OR^2)(OH)_2]^-$	aus $R^1-B(OR^2)(OH)$ + OH^-	848
Diorganooxy-hydroxy-organo-borate			
K^+ $[H_5C_6-B(OH)(OCH_3)_2]^-$	$[Ar-B(OH)(OR)_2]^-$	aus $(R^1-BO)_3 + R^2O^-$	848
K^+ [HO–CH$_2$-Furanosid(R)-2,3-O,O–B(Ar)(OH)]$^-$	$[Ar-B(OH)(OR)_2]^-$	aus $[Ar-B(OH)_3]^-$ + HO–R–OH	848
Organo-triorganooxy-borate			
$M^+[R^1-B(OR^2)_3]^-$ M = Li, Na; R^1 = Alkyl, Alkenyl, Alkinyl; R^2 = CH_3, $CH(CH_3)_2$	$[R^1-B(OR^2)_3]^-$	aus $B(OR)_3 + R^2M$	849
$HalMg^+$ $[R^1-CH=CH-B(OR^2)_3]^-$	$[R_{1-en}-B(OR^2)_3]^-$	aus $B(OR^2)_3$ + $R_{1-en}-MgHal$	849
Na^+ $[H_5C_2-B(OC_2H_5)_3]^-$	$[R^1-B(OR^2)_3]^-$	aus $B(OR^1)_3$ + Na/R^2–Hal	849

Calcium- und *Barium-bis[phenyl-trihydroxy-borat]*[1] entstehen nach 3stdgm. Kochen einer Mischung aus Dihydroxy-phenyl-boran, Metallhydroxid und Methanol, Filtrieren und Einengen der Lösung.

Die alkalische Hydrolyse von Diorganooxy-organo-boranen liefert Alkalimetall-organo-trihydroxy-borate. Aus 2-(1-Adamantanyl)-1,3,2-dioxaborinan erhält man mit wäßr. Natriumhydroxid das Bis-hydrat des *Natrium-1-adamantanyl-trihydroxy-borats*[2]:

$$\text{Adamantanyl-B(O-(CH_2)_3-O)} \xrightarrow[- HO-(CH_2)_3-OH]{+NaOH/H_2O} [(H_2O)_2Na]^+ [\text{Adamantanyl-}B(OH)_3]^-$$

Aus Lithium-2-pyridylmethyl-triisobutyloxy-borat erhält man mit Wasser *Lithium-2-pyridylmethyl-trihydroxy-borat* (vgl. Tab. 122, S. 847)[3].

Natrium-alkandiyldioxy-ethyl-methoxy-borate werden als Zwischenverbindungen bei der Brom-Substitution durch Methoxy-Gruppen an glykosidischen C-Atomen formuliert. Infolge Lenkung durch die Ethylborandiyldioxy-Gruppe in 2,3-Stellung läßt sich z.B. reines Methyl-β-D-mannofuranosid aus 2,3;5,6-Bis-O-ethylborandiyl-α-D-mannofuranosylbromid mit Natriummethanolat herstellen[4].

γ_2) *Dihydroxy-organo-organooxy-borate*

Die Addition von Alkalimetall- oder Tetraarylammonium-hydroxiden an bestimmte Hydroxy-organo-organooxy-borane führt zur Bildung von Dihydroxy-organo-organooxy-boraten.

Aus 6-Hydroxy-6H-⟨dibenzo-1,2-oxaborin⟩ erhält man mit Tetramethylammoniumhydroxid in methanolisch/benzolischer Lösung in praktisch quantitativer Ausbeute *Tetramethylammonium-6,6-dihydroxy-6H-⟨dibenzo-1,2-oxaborinat⟩* (F: 82–84°)[5]:

$$\text{6-Hydroxy-6H-⟨dibenzo-1,2-oxaborin⟩} + [(H_3C)_4N]^+ OH^- \longrightarrow [(H_3C)_4N]^+ [\text{6,6-Dihydroxy-6H-⟨dibenzo-1,2-oxaborinat⟩}]^-$$

Entsprechend sind in Wasser/Benzol das *Lithium-* (78%; F: 63–64°) und in Wasser das *Kalium*-Salz (96%; F: 93–95°) zugänglich[5].

γ_3) *Diorganooxy-hydroxy-organo-borate*

Die Verbindungen werden aus Triorganoboroxinen oder aus Organo-trihydroxy-boraten hergestellt (vgl. Tab. 122, S. 847).

Aus Triphenylboroxin erhält man mit Kaliummethanolat in wasserfreiem Methanol nach dem Konzentrieren der Lösung farbloses *Kalium-dimethoxy-hydroxy-phenyl-borat*[6]:

$$1/3\ (H_5C_6-BO)_3 + KOCH_3 + H_3C-OH \longrightarrow K^+ [H_5C_6-B(OCH_3)_2-OH]^-$$

---

[1] B. M. Mikhailov, T. K. Kozminskaya, A. N. Blokhina u. T. A. Shchegoleva, Izv. Akad. SSSR **1956**, 692; C.A. **51**, 1882 (1957).
[2] T. A. Shchegoleva, E. M. Shashkova u. B. M. Mikhailov, Izv. Akad. SSSR **1981**, 1098; engl.: 858; C. A. **94**, 15790 (1981); **95**, 169245 (1981).
[3] B.M. Mikhailov u. T.K. Kozminskaya, Izv. Akad. SSSR **1959**, 80; engl.: 82; C.A. **53**, 16128 (1959).
[4] W.V. Dahlhoff u. R. Köster, Heteroc. Sendai **18**, 421 (1982).
[5] B.M. Mikhailov u. M.E. Kuimova, J. Organometal. Chem. **116**, 123 (1976); C.A. **85**, 124128 (1976).
[6] C.J. Ludman u. T.C. Waddington, Soc. [A] **1966**, 1816.

γ_4) *Organo-triorganooxy-borate*

Man stellt die Komplexsalze aus Triorganooxyboranen mit alkalimetall- oder magnesiumorganischen Verbindungen her.

Aus Trimethoxyboran erhält man mit Butyllithium in Diethylether *Lithium-butyl-trimethoxy-borat* in 95%iger Ausbeute[1]:

$$B(OCH_3)_3 \quad + \quad H_9C_4{-}Li \quad \longrightarrow \quad Li^+ [H_9C_4{-}B(OCH_3)_3]^-$$

Lithium-butyl-trimethoxy-borat[1]: 14 g (2 mol) Lithium löst man bei −10° in 137 g (1 mol) Butylbromid, das mit 250 *ml* abs. Diethylether verdünnt ist. Vom ausgeschiedenen Lithiumbromid wird abfiltriert. Unter Kühlen auf −78° tropft man 104 g (1 mol) Trimethoxyboran zu. Der farblose Niederschlag wird filtriert, mit abs. Diethylether gewaschen und i. Vak. getrocknet; Ausbeute: 160 g (95%).

Analog entstehen aus Triisopropyloxyboran mit Isopropenyllithium *Lithium-isopropenyl-triisopropyloxy-borat*[2], aus Triisobutylboran und mit 2-Pyridyllithium *Lithium-2-pyridyl-triisobutyloxy-borat*[3] (57%) und mit 2-Pyridylmethyllithium *Lithium-(2-pyridylmethyl)-triisobutyloxy-borat*[3] (97%).

Mit potentiellen natriumorganischen Verbindungen sind aus Trialkoxyboranen Natrium-organo-trialkoxy-borate zugänglich. In Tetrahydrofuran läßt sich aus Triethoxyboran mit Natrium-metall und Einleiten von Chlorethan in 86%iger Ausbeute *Natrium-ethyl-triethoxy-borat* herstellen[4,5]. Die zunächst in Toluol durch Erhitzen auf ~100° aus einem mol metallischem Natrium hergestellte Natrium-Suspension wird durch Zugabe von 2–3 *ml* Triethylaluminium stabilisiert.

Natrium-ethyl-triethoxy-borat[5]: Die in Toluol hergestellte, stabilisierte Natrium-Suspension (23 g, 1 mol) wird vom Toluol befreit (Abhebern) und in 200 *ml* THF aufgenommen. Man gibt 85 *ml* (1 mol) Triethoxyboran zu, wobei die Natrium-Suspension etwas koaguliert. Unter intensivem Rühren leitet man so lange (~4 Stdn.) Chlorethan ein, bis 1 mol aufgenommen ist. Zunächst erwärmt sich die Mischung, wird durch Luftkühlung auf ~50° gehalten und schließlich (nach ~1,5 Stdn.) in ein Heizbad gestellt. Über Nacht läßt man bei 45° ausreagieren. Nach Filtration (Natriumchlorid 84%) wird eingedampft; Ausbeute: 85,2 g (86%).

Aus Triisopropyloxyboran erhält man mit Ethinylnatrium in Diglyme *Natrium-ethinyl-triisopropyloxy-borat*[6].

Aus Trialkoxyboranen können in der Kälte mit Vinylmagnesiumhalogeniden in Tetrahydrofuran ohne Ligandenaustausch Halogenmagnesium-alkenyl-triorganooxy-borate hergestellt werden[2,7]:

$$B(OR^2)_3 \quad + \quad HalMg{-}\overset{\overset{\displaystyle R^1}{|}}{C}H{=}CH_2 \quad \longrightarrow \quad HalMg^+ \left[H_2C{=}\overset{\overset{\displaystyle R^1}{|}}{C}{-}B(OR^2)_3\right]^-$$

X: Cl, Br
$R^1 = H; CH_3$
$R^2 = CH_3, CH(CH_3)_2$

---

[1] I. G. Hesse u. M. Maurer, A. **658**, 21 (1962).
[2] Brit. P. 856856 (1960), US. Borax & Chemical Corp.; C.A. **55**, 14310 (1961).
[3] B. M. Mikhailov u. T. K. Kozminskaya, Izv. Akad. SSSR **1959**, 80; engl.: 72; C.A. **53**, 16128 (1959).
[4] K. Ziegler u. H. Hoberg, Ang. Ch. **73**, 577 (1961).
[5] DBP 1157622 (1961/1964), K. Ziegler, Erf.: K. Ziegler u. H. Hoberg; C.A. **60**, 15908 (1964).
[6] Brit. P. 884547 (1961/1959), US Borax & Chem. Corp.; C.A. **57**, 7308f (1962).
[7] US.P. 3045039 (1962), US Borax & Chemical Corp., Erf.: G. W. Willcockson u. J. K. Sandie; C.A. **59**, 1680 (1963).

δ) Organo-1,3,2-diboroxanate

Anionische Organobor-Verbindungen mit BOB-Gruppierungen sind bisher kaum beschrieben worden. Hergestellt wurden Organo- und Halogen-organo-2,1,3-oxoniadiborate sowie Organo-1,2,5-oxaboraboratolate mit jeweils fünfgliedrigen Ringstrukturen.

δ_1) *Hexaorgano- und Pentaorgano-1,3,2-diboroxanate*

Aus cis-3,4-Bis[diethylboryl]-3-hexen (vgl. Bd. XIII/3a, S. 213) erhält man mit Kaliumhydroxid in Tetrahydrofuran in quantitativer Ausbeute das *Kalium-2,2,3,4,5,5-hexaethyl-1-hydro-1,2,5-oxoniadiboratolanat*[1]:

$(H_5C_2)_2B(C_2H_5)C=C(C_2H_5)B(C_2H_5)_2$ + KOH $\xrightarrow{THF}$ K^+ [cyclic anion with H_5C_2, C_2H_5 groups, B–O(H)–B ring]$^-$

Kalium-2,2,3,4,5,5-hexaethyl-1-hydro-1,2,5-oxoniadiboratolat[1]: 15,3 g (69,4 mmol) (Z)-Bis[3,4-diethylboryl]-3-hexen werden bei ~ –10° zur Suspension von 4 g (69,4 mmol) wasserfreiem Kaliumhydroxid in 125 *ml* Diethylether getropft. Man läßt bei –10° 4 Stdn. rühren und destilliert i. Vak. das Lösungsmittel ab; Ausbeute: 17,9 g (93%); Zers.: >100°.

Aus Alkalimetall-hexaalkyl-1-hydro-1,2,5-oxoniadiboratolanaten sind durch Erhitzen auf ~100° unter Alkan-Abspaltung Alkalimetall-pentaalkyl-1,2,5-oxaboraboratolanate zugänglich; z.B. *Kalium-pentaethyl-1,2,5-oxaboraboratolanat*[1]:

K^+ [hexaethyl-hydro-oxoniadiboratolanat]$^-$ $\xrightarrow[- C_2H_6]{Paraffinöl;\ \sim 100°}$ K^+ [pentaethyl-oxaboraboratolanat]$^-$

Kalium-pentaethyl-1,2,5-oxaboraboratolanat[1]: Man erhitzt 11,2 g (41 mmol) Kalium-hexaethyl-1-hydro-1,2,5-oxoniadiboratolanat in 80 *ml* Paraffinöl auf 95–105°. Nach ~1 Stde. sind 855 N*ml* (93%) Ethan freigesetzt. Man verdünnt mit Hexan, kocht kurz auf und filtriert vom Produkt ab. Nach Waschen mit Hexan wird i. Vak. getrocknet; Ausbeute: 9,2 g (91%); F: 117–119°.

Entsprechend läßt sich *Kalium-5,5-diphenyl-2,3,4-triethyl-1,2,5-oxaboratolanat* und *-5,5-(1,5-Cyclooctandiyl)-2,3,4-triethyl-1,2,5-oxaboraboratolanat* (F: 164–168°) herstellen[1].

δ_2) *Halogen-organo-1,3,2-diboroxanate*

Bestimmte Halogen-organo-2,1,3-oxoniadiborate(1–) sind aus Dihalogen-organo-boranen präparativ zugänglich.

1,2-Bis[difluorboryl]ethan reagiert mit Triphenylmethylethern durch Ether-Spaltung unter Bildung von *Triphenylcarbenium-difluor-organo-organooxy-boraten*. Mit Methyl-(triphenylmethyl)-ether erhält man das luftempfindliche *Triphenylcarbenium-1-methyl-2,2,5,5-tetrafluor-1,2,5-oxoniadiboratolan* (F: 113–114°)[2,3]:

[1] R. KÖSTER u. G. SEIDEL, Mülheim a.d. Ruhr, unveröffentlicht 1982.
[2] M.J. BIALLAS u. D.F. SHRIVER, Am. Soc. **88**, 375 (1966).
[3] D.F. SHRIVER u. M.J. BIALLAS, Am. Soc. **89**, 1078 (1967).

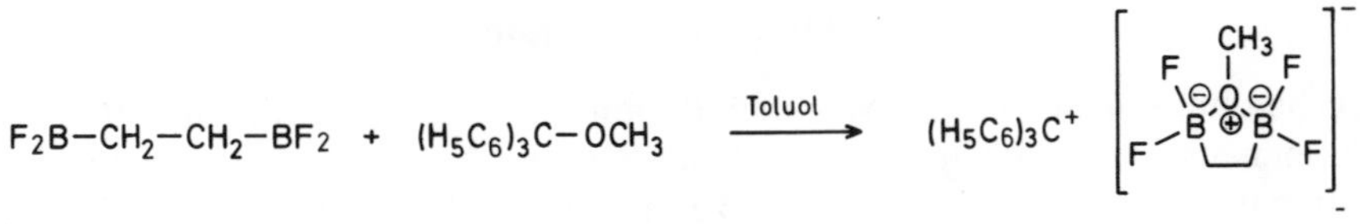

$$F_2B-CH_2-CH_2-BF_2 + (H_5C_6)_3C-OCH_3 \xrightarrow{\text{Toluol}} (H_5C_6)_3C^+ \left[\text{F}_2\overset{\ominus}{B}(CH_2CH_2)\overset{\ominus}{B}F_2 \cdot \overset{\oplus}{O}CH_3 \right]^-$$

Aus Triphenylcarbenium-1-methyl-2,2,5,5-tetrafluor-1,2,5-oxoniadiboratolan läßt sich in Dichlormethan mit Cycloheptatrien im Überschuß durch borfernen Kationen-Austausch *Tropylium(1+)-1-methyl-2,2,5,5-tetrafluor-1,2,5-oxoniadiboratolan* gewinnen[1].

δ_3) *Organo-1,3,5,2,4-triboradioxanate*

Aus dem Kalium-Salz des Dimethyl-hydroxy-borans (vgl. Bd. XIII/3a, S. 604) erhält man mit Dihydroxy-methyl-boran durch Komplexierung *Dikalium-1,5-dihydroxy-1,1,3,5,5-pentamethyl-2,4,1,3,5-dioxatriborat(2−)*[2]:

$$2\ (H_3C)_2B-OK + H_3C-B(OH)_2 \longrightarrow \left[(H_3C)_2\overset{OH}{\underset{\ominus}{B}}-O-\overset{CH_3}{B}-O-\overset{OH}{\underset{\ominus}{B}}(CH_3)_2 \right]^{2-} 2\ K^+$$

5. Organo-thio-borate

Die Verbindungsklasse ist kaum bekannt. Hergestellt wurden bisher Hydro-thio-trialkyl-borate aus Trialkylboranen mit Tetraalkylammonium-hydrogensulfid.

Aus Triethylboran erhält man mit verschiedenen Tetraalkylammoniumhydrosulfanen in flüssigem Schwefelwasserstoff *Tetraalkylammonium-hydrothio-triethyl-borate*[3]:

$$(H_5C_2)_3B + [R_4N]^+SH^- \xrightarrow{\text{in } H_2S} R_4N^+[(H_5C_2)_3-SH]^-$$

$R = CH_3, C_2H_5, C_3H_7$

Die Verbindungen fallen bei −78° als farblose Pulver an und zersetzen sich bereits bei ~20°[2].

Triphenylboran reagiert mit Alkalimetall-thiocyanaten in reinem 1,3-Dioxolan unter Bildung von Alkalimetall-thiocyanato-triphenyl-boraten[4,5]:

$$B(C_6H_5)_3 + MSCN \xrightarrow{\text{Dioxolan}} M^+[(H_5C_6)_3B\leftarrow SCN]^-$$

M: Li, Na, K

[1] R. Köster u. G. Seidel, Mülheim a.d. Ruhr, unveröffentlicht 1982.
[2] J. Goubeau u. J.W. Ewers, Z. anorg. Ch. **304**, 230 (1960).
[3] J.D. Cotton u. T.C. Waddington, Soc. [A] **1966**, 789.
[4] L.P. Klemann u. G.H. Newman, J. Elektrochem. Soc. **129**, 230 (1982); C.A. **96**, 76935 (1982).
[5] US.P. 4279976 (1981), L.P. Klemann u. G.H. Newman.

6. Amino-organo-borate

Die Verbindungsklasse umfaßt Alkalimetall-amino-triorgano-borate mit offenkettigen und cyclischen Strukturen sowie Diamino-diorgano- und Amino-organo-borate mit beliebigen dritten und vierten Substituenten am zentralen Bor-Atom. Außerdem gibt es Organo-triamino-borate (vgl. Tab. 123, S. 853).

Zur Verbindungsklasse gehören außerdem Organo-2,1,3-azadiborate mit BNB-Gruppierung, die in Analogie zum RBN-Kapitel (vgl. S. 291ff.) getrennt besprochen werden.

Der Abschnitt ist in die Herstellungsmethoden für Amino-triorgano- und Amino-diorgano-halogen-, Diamino-diorgano-, Amino-monoorgano-borate mit beliebigen dritten und vierten Liganden am Bor-Atom und für Organo-triamino-borate unterteilt.

Am Schluß sind die Herstellungsmethoden der Organo-2,1,3-azadiborate zusammengestellt.

α) Amino-triorgano-borate

Alkalimetall-amino-trialkyl-borate und -triaryl-borate[1] lassen sich vor allem aus Triorganoboranen und aus verschiedenartigen Organoboraten herstellen. Auch Amino-triorgano-borate mit ungesättigten Organo-Resten sowie Imino-trialkyl-borate sind so zugänglich (vgl. Tab. 123, S. 853).

α_1) *aus Triorganoboranen*

Triorganoborane reagieren mit Alkalimetallamiden verschiedener Typen in geeigneten Lösungsmitteln wie z.B. in Benzol, Diethylether oder Tetrahydrofuran durch 1:1-Komplexierung zu Alkalimetall-amino-triorgano-boraten[2,3]:

$$R_3B + M{-}NH_2 \xrightarrow{\text{Solvens}} M^+ [R_3B{-}NH_2]^-$$

Offenkettige Trialkylborane reagieren mit Lithiumamid in aromatischen Kohlenwasserstoffen (Benzol, Toluol) bei ~20° unter Bildung von Lithium-amino-trialkyl-boraten. Allerdings werden die Verbindungen in Abwesenheit von Ethern oft leicht in Lithium-tetraalkylborate und Amino-dialkyl-borane gespalten. Aus Triethylboran erhält man mit Lithiumamid in Benzol beim Erwärmen *Lithiumtetraethylborat* und Amino-diethylboran[4]:

$$(H_5C_2)_3B \xrightarrow{+LiNH_2} Li^+ [(H_5C_2)_3B{-}NH_2]^- \xrightarrow[-(H_5C_2)_2B{-}NH_2]{+(H_5C_2)_3B} Li^+ [(H_5C_2)_4B]^-$$

In Tetrahydrofuran oder in 1,2-Dimethoxyethan (Monoglyme) lassen sich Lithium-amino-trialkyl-borate problemlos gewinnen. Die Salze fallen allerdings als Etherate an; z.B. *Tetrahydrofuran-Lithium-amino-triethyl-borat*[4].

---

[1] *Gmelin*, 8. Aufl., **33**/8, S. 152–154 (1976).
[2] R. KÖSTER u. G. SEIDEL, Mülheim a.d. Ruhr, unveröffentlicht 1975–1977.
[3] R. KÖSTER u. M. M'HIRSI, Mülheim a.d. Ruhr, unveröffentlicht 1971.
[4] R. KÖSTER u. H. VOSHEGE, Mülheim a.d. Ruhr, unveröffentlicht 1973.

Tab. 123: Amino-organo-borate

Formel	Verbindungstyp	Herstellungsart	s. S.
Amino-triorgano-borate			
$M^+[R_3B–NH_2]^-$ R = Alkyl M = Li, Na, K (+ Solvens)	$[R_3B–NH_2]^-$	aus $R_3B + NH_2^-$ aus $Do–R_3B + NH_2^-$	852 858
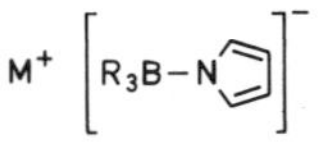 $M^+[R_3B–N(\text{Pyrrolyl})]^-$ M = Li, Na, K R = Alkyl, Aryl	$[R_3B–N_{1,3\text{-dien}}]^-$	aus R_3B 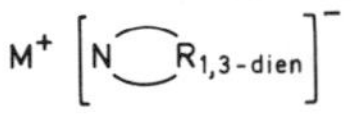 + $M^+[N\frown R_{1,3\text{-dien}}]^-$	856
$Li^+[(H_3C)_3B–NH–R]^-$	$[R^1_3B–NH–R^2]^-$	aus $R^1_3B + R^2–NH^-$ aus $R^1_3B–NH–R^2 + R^1–Li$	858 858
$Na^+[(H_5C_2)_3B–NH–C_6H_5]^-$	$[R^1_3B–NH–R^2]^-$	aus $[R^1_3BH]^- + R^2–NH_2$	859
$M^+[(H_5C_2)_3B–N{=}CH–R^2]^-$ M = Na, K $R^2 = C(CH_3)_3, C_6H_{11}$	$[R^1_3B–N{=}CH–R^2]^-$	aus $[R^1_3BH]^-$ $R^2–CN$	859
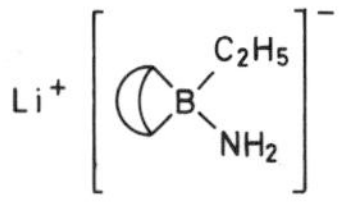 $Li^+[(\text{bicyclisch})B(C_2H_5)(NH_2)]^-$	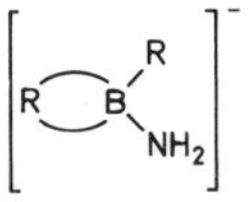 $[R\frown B(R)(NH_2)]^-$	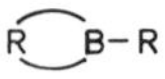 aus $R\frown B–R$ + NH_2^-	856
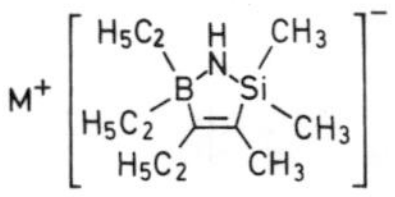 M^+[1-Aza-2-bora-5-sila-cyclopent-3-en: B(C_2H_5), NH, $Si(CH_3)_2$, C_2H_5, CH_3]$^-$ M = Na, K	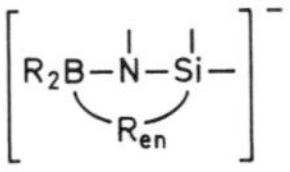 $[R_2B–N(–)–Si(–)–\frown R_{en}]^-$	aus $R_2B–R_{en}$ + NH_2^- aus $Do–R_2B–R_{en}$ (borfern)	857
Organo-2,1,3-azadiborate(1–)			
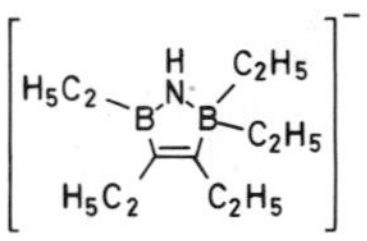 [Azadiborolen: NH, B(C_2H_5), $B(C_2H_5)_2$, H_5C_2, C_2H_5]$^-$	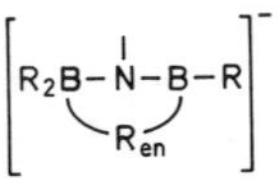 $[R_2B–N(–)–B–R \frown R_{en}]^-$	aus $[R_2B–R_{en}–N(–)–BR_2(R_{en})]^-$, △ 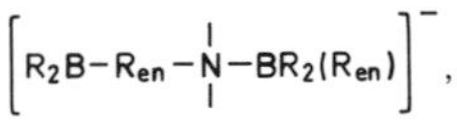	865
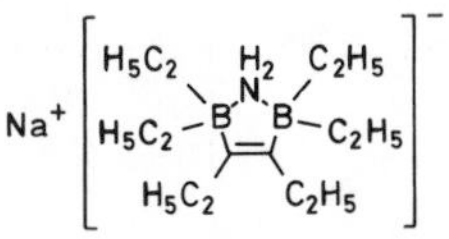 Na^+[Azadiborolen: NH_2, $B(C_2H_5)_2$, $B(C_2H_5)_2$, H_5C_2, C_2H_5]$^-$	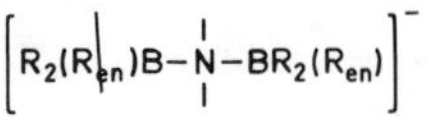 $[R_2(R_{en})B–N(–)–BR_2(R_{en})]^-$	aus $R_2B–R_{en}–BR_2$ + NH_2^-	865

Tab. 123 (1. Forts.)

Formel	Verbindungstyp	Herstellungsart	s. S.
Amino-dihydro-organo-borate			
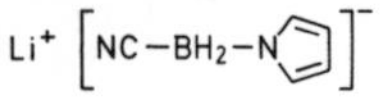	$\left[R^{N}_{in}-BH_2-N\langle\right]^-$	aus $Do-H_2B-N\langle$ + $Li-R^{N}_{in}$	862
Amino-dioxy-organo-borate			
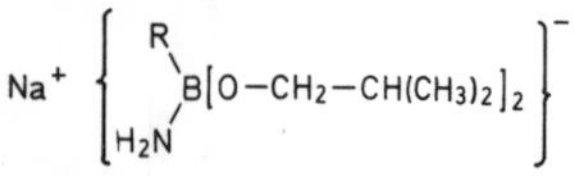	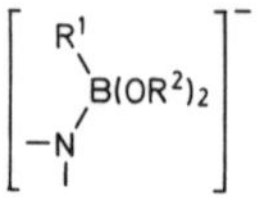	aus $R^1-B(OR^2)_2$ + $M-N\langle$	863
Halogen-organo-2,1,3-azadiborate(1–)			
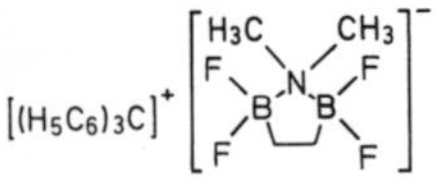	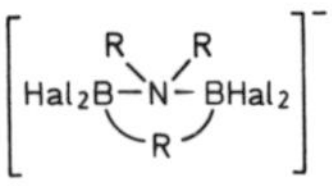	aus $Hal_2B-R-BHal_2$ + R_2N-R_{trien}	866
Diamino-diorgano-borate			
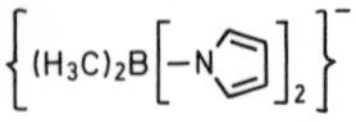	$\left[R_2B\left(-N\langle\right)_2\right]^-$	aus $R_2B-N\langle$	
		+ $M-OH$	861
		+ $M-N\langle$	861
		aus $[R_4B]^-$ + $HN\langle$	861
		aus $\left[R_3B-N\langle\right]^-$ + $HN\langle$	862
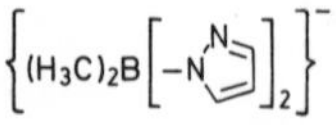	$\left[R_2B\left(-N\langle\right)_2\right]^-$	aus R_3B + $Na-N\langle$ / $HN\langle$	860
		+ MH/HN$\langle$	861
Diamino-hydro-organo-borate			
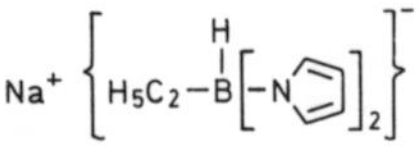	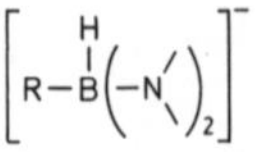	aus $R_2B-N\langle$ + M	862
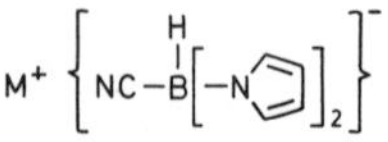	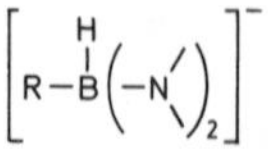	aus $Do-HB\left(N\langle\right)_2$ + $R^{N}_{in}-M$	862
		aus $M^+\left[HB\left(N\langle\right)_3\right]^-$ + $R^{N}_{in}-M$	862

Tab. 123 (2. Forts.)

Formel	Verbindungstyp	Herstellungsart	s. S.
Organo-triamino-borate			
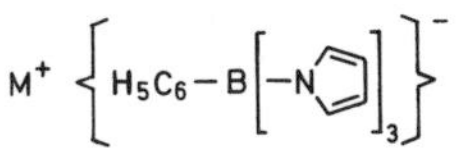	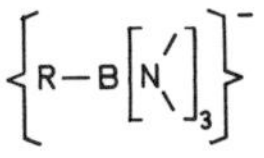	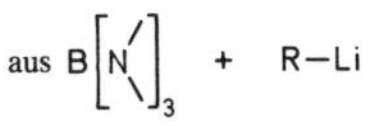	864
M = Li M = Na		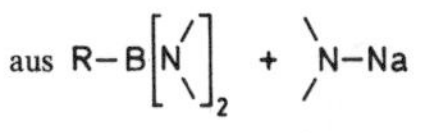	864
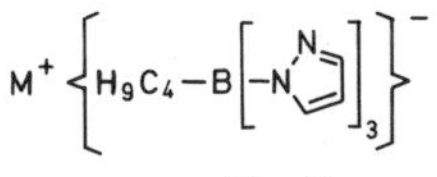	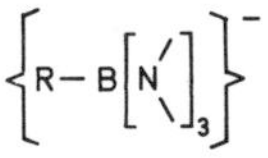	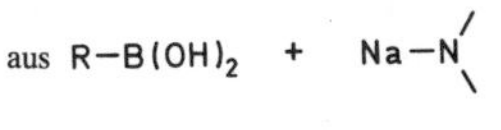	864
M = Na M = Mg, Mn, Fe, Cu, Co, Zn, Ni		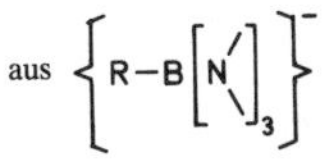 (borfern) + MHal	865
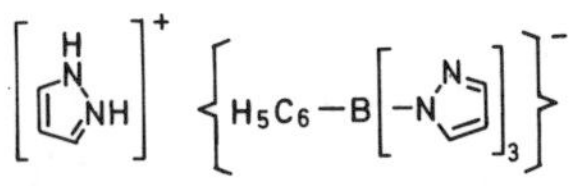	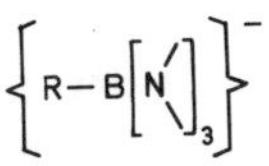	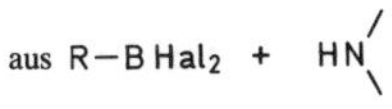	863

Lithium-amino-triethyl-borat[1]**:** Zur Aufschlämmung von 11,5 g (0,5 mol) Lithiumamid in 250 *ml* THF tropft man langsam 99,1 g (1,01 mol) Triethylboran (Erwärmung). Nach Filtration des schwach trüben Gemisches destilliert man das THF i. Vak. (14 Torr) ab und trocknet den zähflüssigen Rückstand bei 10^{-4} Torr; Ausbeute: 118,2 g (~ 100%) farbloses, schwach trübes, viskoses Borat · 1,5 THF (Zers.p.: ~ 70°).

Aus Trialkylboranen erhält man mit Natriumamid in Benzol bei 20–50° im allgemeinen glatt *Natrium-amino-trialkyl-borate* (vgl. Tab. 124, S. 856)[2].

Natrium-amino-trialkyl-borate; allgemeine Arbeitsvorschrift[2]**:** 100 mmol Trialkylboran läßt man innerhalb 2 Stdn. zu 100 mmol Natriumamid in ~ 200 *ml* Benzol (Temperaturanstieg bis ~ 50°) tropfen. Nach 1 Stde. Rühren bei 20° filtriert man von Verunreinigungen ab, engt das farblose Filtrat i. Vak. (14 Torr) ein und trocknet (0,1 Torr) die farblosen Natrium-amino-trialkyl-borate; Ausbeute: 90–98%.

Die Salze sind thermisch bis ~ 90° stabil. Oberhalb ~ 100° – im allgemeinen unterhalb des Schmelzpunktes – wird 1 Äquivalent Alkan abgespalten. Man erhält N-Natrium-dialkyl-imino-borane[3,4].

Mit Kaliumamid lassen sich aus Trialkylboranen in Analogie zu den Natrium-Verbindungen Kalium-amino-trialkyl-borate in Ausbeuten von ~ 90% glatt herstellen (vgl. Tab. 124, S. 856). Aromatische Kohlenwasserstoffe sind als Lösungsmittel gut geeignet[2,5].

Kalium-amino-trialkyl-borate haben meist keinen definierten Schmelzpunkt, sie spalten in 1,3,5-Trimethyl-benzol bei 120–140° zwei Äquivalente Alkan ab[2].

---

[1] R. Köster u. H. Voshege, Mülheim a. d. Ruhr, unveröffentlicht 1973.
[2] R. Köster u. G. Seidel, Mülheim a. d. Ruhr, unveröffentlicht 1975–1977.
[3] A. K. Holliday u. N. R. Thompson, Soc. **1960**, 2695.
[4] R. Köster, M. M'Hirsi u. G. Seidel, Mülheim a. d. Ruhr, unveröffentlicht 1975.
vgl. M. M'Hirsi, Thèse d'état, Strasbourg 1973.
[5] R. Köster u. M. M'Hirsi, Mülheim a. d. Ruhr, unveröffentlicht 1971.

Tab. 124: Alkalimetall-amino-triorgano-borate aus offenkettigen Triorganoboranen mit Alkalimetallamiden[1]

Triorganoboran	Alkalimetallamid	Lösungsmittel	Produkt	Ausbeute [%]
$(H_5C_2)_3B$	$LiNH_2$	THF	*Sesqui-Tetrahydrofuran-Lithium-amino-triethyl-borat*	–
	$NaNH_2$	Benzol	*Natrium-amino-triethyl-borat*	94
	KNH_2	Benzol	*Kalium-amino-triethyl-borat*	94
$(H_7C_3)_3B$	$NaNH_2$	Benzol	*Natrium-amino-tripropyl-borat*	89
$[(H_3C)_2CH]_3B$	KNH_2	Benzol	*Kalium-amino-triisopropyl-borat*	91
$[(H_3C)_2CH{-}CH_2]_3B$	$NaNH_2$	Benzol	*Natrium-amino-triisobutyl-borat*	93
$(H_9C_4)_3B$	$NaNH_2$	Benzol	*Natrium-amino-tributyl-borat*	91
$(H_5C_6)_3B$	$LiNH_2$	Benzol	*Lithium-amino-triphenyl-borat*	92
	$NaNH_2$	Diethylether	*Natrium-amino-triphenyl-borat*	93
	KNH_2	THF	*Tetrahydrofuran-Kalium-amino-triphenyl-borat*	>95

Aus Trialkylboranen erhält man mit Alkalimetall-pyrrolidid[2–4], -indolid[4] oder -imidazolid[4] in flüssigem Ammoniak[2,3] und in 1,3-Dioxolan/1,2-Dimethoxyethan[4] stabile Alkalimetall-pyrrolo(bzw. -indolo-, -imidazolo)-trialkyl-borate.

Beispielsweise reagiert Triethylboran mit Kalium-pyrrolidid in flüssigem Ammoniak unter Bildung von *Kalium-pyrrolo-triethyl-borat* in 90%iger Ausbeute[2,3]:

$$(H_5C_2)_3B + \text{K-pyrrolid} \xrightarrow{NH_3} K^+ \left[(H_5C_2)_3B{-}N\bigcirc\right]^-$$

Entsprechend erhält man *Kalium-pyrrolo-trimethyl-borat* [90–95%; F: 170–172° (Zers.)][2].

Aus Alkandiyl-organo-, Cycloalkandiyl-organo- sowie aus Alkantriyl-boranen sind mit Amiden des Lithiums, Natriums oder Kaliums die Alkalimetall-amino-triorgano-borate gut zugänglich[5].

Solvatfreies *Lithium-amino-1,5-cyclooctandiyl-ethyl-borat* läßt sich ohne komplexierende, etherische Lösungsmittel aus 9-Ethyl-9-borabicyclo[3.3.1]nonan mit Lithiumamid in Benzol oder in Diethylether herstellen[1]:

$$\text{(C}_8\text{H}_{14})B{-}C_2H_5 + Li{-}NH_2 \xrightarrow{\text{Ether}} Li^+ \left[(C_8H_{14})B(NH_2)(C_2H_5)\right]^-$$

Das entsprechende *Natrium*-Salz erhält man aus 9-Ethyl-9-borabicyclo[3.3.1]nonan mit Natriumamid in Benzol bei 20–40°.

---

[1] R. KÖSTER u. G. SEIDEL, Mülheim a.d. Ruhr, unveröffentlicht 1975–1977.
[2] P. SZARVAS, J. EMRI u. P. GYÖRI, Magyar chem. Folyóriat **74**, 142 (1968); C.A. **69**, 27470 (1968).
[3] P. SZARVAS, J. EMRI u. P. GYÖRI, Acta chim Acad. Sci. hung. **64**, 203 (1970); C.A. **73**, 35143 (1970).
[4] DOS 2833943 (1979/1978); vgl. a. US.P. Anm. 827132 (1977), 870622 (1978), Exxon Res. Eng. Co., N.J., Erf.: T.A. WHITNEY u. L.P. KLEMANN; C.A. **91**, 57173 (1979).
[5] R. KÖSTER, M. M'HIRSI u. G. SEIDEL, Mülheim a.d. Ruhr, unveröffentlicht 1975. vgl. M. M'HIRSI, Thèse d'état, Strasbourg 1973.

Kalium-amino-1,5-cyclooctandiyl-ethyl-borat[1]: 73,6 g (490 mmol) 9-Ethyl-9-borabicyclo[3.3.1]nonan tropft man in ~2 Stdn. zu 25,9 g (470 mmol) Kaliumamid in 350 *ml* Benzol (20–40°). Nach Abfiltrieren (Verunreinigungen) engt man i. Vak. ein und nimmt in ~400 *ml* Hexan auf. Nach 1 Stde. Rückfluß-Kochen filtriert man, wäscht das Salz mit Hexan nach und trocknet i. Vak. (0,1 Torr); Ausbeute: 87,8 g (91%) feines, farbloses Kalium-Salz.

Natrium-amino-1-cis,5-cis,9-cis-cyclododecantriyl-borat (F: 127°) erhält man in 91%iger Ausbeute aus *cis*-Perhydro-9b-boraphenalen (Centrobor II)[2] (vgl. S. 806f.) mit Natriumamid in Benzol[3]:

$$\text{(Centrobor II)} + NaNH_2 \xrightarrow{\text{Benzol}} Na^+ \left[\ldots B{-}NH_2 \ldots\right]^-$$

Natrium-amino-1-cis,5-cis,9-cis-cyclododecantriyl-borat[3]: Eine Lösung aus 18,2 g (103 mmol) *cis*-Perhydro-9b-boraphenalen (Centrobor II)[2] in 30 *ml* Benzol tropft man in 40 Min. zu 4,1 g (105 mmol) Natriumamid in 250 *ml* Benzol (Temperaturanstieg bis ~45°). Nach 1 Stde. Rühren bei ~20° filtriert man ab (Verunreinigungen), engt das Filtrat i. Vak. (14 Torr) ein und trocknet i. Vak. (0,1 Torr); Ausbeute: 20 g (91%); F: 127°.

Entsprechend läßt sich das *Kalium*-Salz herstellen[1]. Auch *trans*-Perhydro-9b-boraphenalen (Centrobor I)[2] (vgl. S. 806) liefert mit den Alkalimetallamiden die entsprechenden Amino-1,5,9-cyclododecantriyl-borate[1].

Triarylborane reagieren mit Alkalimetallamiden unter Bildung von Alkalimetall-amino-triaryl-boraten. Aus Triphenylboran sind mit Lithium-, Natrium- oder Kaliumamid *Lithium-, Kalium-* bzw. *Natrium-amino-triphenyl-borat* gleichermaßen gut in Benzol oder in Diethylether zugänglich (vgl. Tab. 124, S. 856)[1]:

$$(H_5C_6)_3B \quad + \quad MNH_2 \quad \xrightarrow{\text{Solvens}} \quad M^+\,[(H_5C_6)_3B{-}NH_2]^-$$

M = Li, Na, K

Lithium-amino-triphenyl-borat spaltet bei 170–200° 1–2 Äquivalente Benzol ab. Die Natrium- sowie Kalium-Salze reagieren im Lösungsmittel (Mesitylen) bei >160° bzw. >130° entsprechend unter Freisetzen von 2 Äquivalenten Benzol.

Aus Triphenylboran ist mit Kalium-pyrrolidid in 95%iger Ausbeute *Kalium-pyrrolo-triphenyl-borat* (Zers.: >250°) zugänglich[4,5].

Aus ungesättigten Triorganoboranen sowie aus heteroatomhaltigen Triorganoboranen lassen sich mit Alkalimetallamiden in geeigneten Lösungsmitteln Alkalimetall-amino-triorgano-borate herstellen. In Abhängigkeit von der Heteroatom-Substitution können allerdings Folgereaktionen eintreten[1,6].

Aus bestimmten trimethylsilyl-substituierten Triorganoboranen (vgl. Bd. XIII/3a, S. 299) erhält man mit Alkalimetallamiden unter 1:1 Komplexierung und spontan nachfolgender Methan-Abspaltung cyclische Alkalimetall-silylamino-triorgano-borate[6,7]:

$$R_2B(R)C{=}C(CH_3)Si(CH_3)_3 \xrightarrow[2.\ \gtrsim 25°\ (-CH_4)]{1.\ +MNH_2;\ \lesssim 0°,\ THF} M^+ \left[\ldots\right]^-$$

R = CH_3, C_2H_5, C_3H_7, C_6H_{11}
M = Na, K

---

[1] R. Köster u. G. Seidel, Mülheim a.d. Ruhr, unveröffentlicht 1975–1977.
[2] G.W. Rotermund u. R. Köster, A. **686**, 153 (1965).
[3] R. Köster u. M. M'Hirsi, Mülheim a.d. Ruhr, unveröffentlicht 1971.
[4] P. Szarvas, J. Emri u. P. Györi, Magyar chem. Folyóriat **74**, 142 (1968); C.A. **69**, 27470 (1968).
[5] P. Szarvas, J. Emri u. P. Györi, Acta chim Acad. Sci. hung. **64**, 203 (1970); C.A. **73**, 35143 (1970).
[6] R. Köster u. G. Seidel, Ang. Ch. **93**, 1009 (1981).
[7] G. Seidel u. R. Köster, Mülheim a.d. Ruhr, unveröffentlicht 1981.

Aus (E)-Diethyl-(1-ethyl-2-trimethylsilyl-2-propenyl)-boran erhält man mit Natriumamid in Tetrahydrofuran bei 0° bis +65° unter Abspaltung von Methan in >90%iger Ausbeute *Natrium-4,5,5-triethyl-2,2,3-trimethyl-2,5-dihydro-1,2,5-azasilaboratol* [F: >120° (Zers.)][1]. Das *Kalium*-Salz (F: 76°) läßt sich entsprechend in 94%iger Ausbeute herstellen.

Oberhalb ~100° spalten beide Alkalimetall-Salze definiert 1 Äquivalent Ethan ab und bilden cyclische N-metallierte Amino-diorgano-borane (vgl. S. 127)[1].

Aus Triorganoboranen sind nur mit bestimmten substituierten Alkalimetallamiden thermisch stabile Alkalimetall-subst.-Amino-triorgano-borate zugänglich. Mit Lithium-methylamid läßt sich zwar aus Trimethylboran in Diethylether *Lithium-methylamino-trimethyl-borat* gewinnen, doch wandelt sich die Verbindung unter Methan-Abspaltung bereits bei 20° ins Dimethyl-(N-lithiomethylamino)-boran (vgl. S. 127) um[2]:

$$(H_3C)_3B + H_3C{-}NH{-}Li \xrightarrow{\text{Ether}} Li^+ \left[(H_3C)_3B{-}NH{-}CH_3\right]^- \xrightarrow[-CH_4]{} (H_3C)_2B{-}N(Li)(CH_3)$$

α_2) *aus Amino-diorgano-boranen*

Die Herstellung von Amino-triorgano-boraten aus Amino-diorgano-boranen mit metallorganischen Verbindungen ist im allgemeinen nicht möglich, da der Komplexierung eine spontane Abspaltung von Kohlenwasserstoff folgt. Man erhält N-Metall-Amino-diorgano-borane (vgl. S. 124)[3,4]:

$$R^1_2B{-}NH{-}R^2 + R^3{-}Li \longrightarrow Li^+ \left[R^1_2B(R^3){-}NH{-}R^2\right]^- \begin{cases} \xrightarrow{-R^1H} R^1(R^3)B{-}N(R^2)(Li) \\ \xrightarrow{-R^3H} R^1_2B{-}N(Li)(R^2) \end{cases}$$

α_3) *aus Lewisbase-Triorganoboranen*

Alkalimetall-amino-triorgano-borate lassen sich unter schonenden Bedingungen aus Ammoniak-Triorganoboranen mit Alkalimetallamiden herstellen. Man läßt z. B. in flüssigem Ammoniak reagieren[5-7]:

$$H_3\overset{\oplus}{N}{-}\overset{\ominus}{B}R_3 + M{-}NH_2 \xrightarrow[-NH_3]{} M^+ [R_3B{-}NH_2]^-$$

In Gegenwart von Ammoniak-Trialkylboran werden im allgemeinen die Alkalimetallamide in flüssigem Ammoniak hergestellt.

Kalium-amino-trimethyl-borat ist bei −78° zugänglich[6]. *Natrium-amino-trimethyl-borat* und *Kalium-amino-tributyl-borat* werden entsprechend gewonnen[5].

---

[1] R. Köster u. G. Seidel, Ang. Ch. **93**, 1009 (1981).
[2] H. Fusstetter, R. Kroll u. H. Nöth, B. **110**, 3829 (1977).
[3] R. Köster u. G. Seidel, Mülheim a.d. Ruhr, unveröffentlicht 1975.
[4] H. Fussstetter u. H. Nöth, B. **111**, 3596 (1978).
[5] J.E. Smith u. C.A. Kraus, Am. Soc. **73**, 2751 (1951).
[6] A.K. Holliday u. N.R. Thompson, Soc. **1960**, 2695.
[7] R.R. Dewald u. R.V. Tsina, Am. Soc. **90**, 533 (1968).

Lithium-ethylamino-trimethyl-borat erhält man aus Ethylamin-Trimethylboran mit metallischem Lithium bei −33° in langsamer Reaktion[1]. Noch langsamer bildet sich *Lithium-ethylamino-tributyl-borat*[1].

α_4) *aus Organoboraten*

Alkalimetall-amino-triorgano-borate lassen sich aus Hydro-trialkyl-boraten oder aus bestimmten anderen Amino-triorganoboraten herstellen.

$\alpha\alpha_1$) aus Hydro-trialkyl-boraten

Hydro-trialkyl-borate reagieren mit NH-aciden Verbindungen unter >BH-Aminolyse zu Amino-trialkyl-boraten. Außerdem führt die Borat-Hydroborierung von Carbonsäurenitrilen zu Imino-trialkyl-boraten.

Natrium-hydro-triethyl-borat reagiert mit Anilin in Benzol bei 60–80° unter Aminolyse und Abspaltung von Wasserstoff zu *Natrium-anilino-triethyl-borat*[2]:

$$Na^+ [(H_5C_2)_3BH]^- \quad + \quad H_2N{-}C_6H_5 \xrightarrow[-H_2]{Benzol} Na^+ [(H_5C_2)_3B{-}NH{-}C_6H_5]^-$$

Im allgemeinen erhält man unter Borat-Spaltung Natriumamide und Triethylboran; z.B. mit den prim. Aminen 1-Aminonaphthalin oder 2-Aminobiphenyl sowie mit sek.-Aminen (N-Methylanilin, Diphenylamin, Diethylamin, Piperidin)[2].

Aus Natrium-hydro-triethyl-borat lassen sich mit Nitrilen durch Hydroborierung der C≡N-Bindung bei −20° bis ~+20° in Toluol in z.Tl. hohen Ausbeuten (~95%) *Natrium-alkylidenamino-triethyl-borate* herstellen[3]; z.B.:

$$Na^+ \left[(H_5C_2)_3BH\right]^- \quad + \quad H_{11}C_6{-}C{\equiv}N \xrightarrow{\text{Toluol, } -20 \text{ bis } +20°} Na^+ \left[(H_5C_2)_3B{-}N{=}C(H){-}C_6H_{11}\right]^-$$

Natrium-cyclohexylmethylenamino-triethyl-borat[3]**:** Zu 18,2 g (150 mmol) Natrium-hydro-triethyl-borat in 150 *ml* Toluol tropft man unter Rühren bei −20° in 4 Stdn. 16,3 g (150 mmol) Cyancyclohexan in 50 *ml* Toluol. Nach Erwärmen auf ~20° scheidet sich in ~40 Stdn. farblos kristallines Produkt ab, das abfiltriert wird; Ausbeute: 32,7 g (95%); F: 140°.

Analog erhält man *Natrium-benzylidenamino-* (66%; F: 120°) und *Natrium-(2,2-dimethyl-propylidenamino)-triethyl-borat* (75%; F: 82°)[3]. Die Herstellung der entsprechenden, allerdings viskos anfallenden Lithium-Salze (95–96%) erfolgt in Diethylether[3].

$\alpha\alpha_2$) aus Amino-triorgano-boraten

Durch Thermolyse lassen sich aus bestimmten cyclischen Alkalimetall-amino-triorgano-boraten unter intramolekularer Abspaltung von Kohlenwasserstoff kondensierte Alkalimetall-amino-triorgano-borate herstellen.

---

[1] J.E. Smith u. C.A. Kraus, Am. Soc. **73**, 2751 (1951).
[2] R. Köster u. H. Bellut, Mülheim a.d. Ruhr, unveröffentlicht 1972.
[3] H. Hoberg u. V. Götz, J. Organometal. Chem. **118**, C 3 (1976).

Alkalimetall-amino-diethyl-(1-ethyl-2-trimethylsilyl-1-propenyl)-borate sind oberhalb ~0° thermisch nicht stabil und bilden unter Abspaltung von Methan *Alkalimetall-4,5,5-triethyl-2,2,3-trimethyl-2,5-dihydro-1,2,5-azasilaboratolat*[1]:

M = Na, K

Natrium-4,5,5-triethyl-2,2,3-trimethyl-2,5-dihydro-1,2,5-azasilaboratolat[1]: Zur Suspension von 1,9 g (49 mmol) Natriumamid in 80 *ml* THF tropft man innerhalb ~30 Min. bei 0° 8 g (38 mmol) (*E*)-Diethyl-(1-ethyl-2-trimethylsilyl-1-propenyl)-boran. Nach 1 Stde. Rühren wird das Kühlbad entfernt. Beim Erwärmen des Salzes von 25° (bis zum Sieden des THF) werden innerhalb 90 Min. 852 *ml* Methan frei. Die Lösung wird filtriert, bei 12 Torr eingeengt und der Rückstand bei 10^{-3} Torr/60° getrocknet; Ausbeute: 8 g (90%).

β) Diamino-diorgano-borate

Zur Verbindungsklasse zählen Diorgano-dipyrrolo-borate sowie die chelatbildenden Bis[pyrazolo]-diorgano-borate[2-5] (vgl. Tab. 123, S. 854). Die Herstellung der Borate erfolgt aus Triorganoboranen oder aus Amino-diorgano-boranen. Zur Herstellung der Chelatbildner sind auch borferne Reaktionen bekannt.

β_1) *aus Triorganoboranen*

Trialkylborane reagieren mit Natriumpyrazolid in Tetrahydrofuran unter Bildung von Natrium-pyrazolo-trialkyl-boraten, die mit Pyrazol unter Alkan-Abspaltung Natrium-bis[pyrazolo]-dialkyl-borate liefern[3,4].

Aus Trimethylboran läßt sich mit Natriumpyrazolid in Tetrahydrofuran und anschließender Zugabe von Pyrazol *Natrium-bis[pyrazolo]-dimethyl-borat* herstellen[4]:

Natrium-dimethyl-bis[pyrazolo]-borat[4]: 4 g (71,7 mmol) Trimethylboran werden in eine auf −196° gekühlte Lösung von Natriumpyrazolid (6,45 g, 71,7 mmol) in THF geleitet. Man läßt auf 20° erwärmen und gibt 4,87 g (71,6 mmol) Pyrazol in THF zu. Es wird 24 Stdn. am Rückfluß erhitzt. Nach Zugabe von weiteren 6 g (88,2 mmol) Pyrazol wird das THF abdestilliert. Der Rückstand wird 24 Stdn. auf 200° erhitzt, anschließend überschüssiges Pyrazol durch Sublimation entfernt. Das Borat hinterbleibt als farbloser Rückstand.

Entsprechend sind *Natrium-bis[3,5-dimethylpyrazolo]-dimethyl-*[4], *Natrium-bis[pyrazolo]-diethyl*[3] und *Natrium-bis[pyrazolo]-dibutyl-borat*[3] zugänglich.

Die Herstellung von Alkalimetall-bis[pyrazolo]-dialkyl-boraten gelingt auch aus Trialkylboranen mit Alkalimetallhydrid/Pyrazol[3]:

---

[1] R. Köster u. G. Seidel, Ang. Ch. **93**, 1009 (1981).
[2] S. Trofimenko, Accounts Chem. Res. **4**, 17 (1971).
[3] S. Trofimenko, Am. Soc. **89**, 6288 (1967).
[4] K.R. Breakell, D.J. Patmore u. A. Storr, Soc. [Dalton Trans.] **1975**, 749.
[5] S. Trofimenko, Advan. Chem. Ser. **150**, 289 (1976).

$$R_3B + MH + 2\ \text{HN-Pyrazol} \xrightarrow[-H_2,\ -RH]{} M^+ \left\{ R_2B\left[-N\text{(Pyrazolyl)}\right]_2 \right\}^-$$

Natrium-bis[pyrazolo]-diethyl-borat[1]: Zu einer unter Stickstoff gehaltenen Suspension von 14 g (0,33 mol) 56%igem Natriumhydrid in 100 *ml* THF gibt man eine Lösung von 20,4 g (0,3 mol) Pyrazol in THF. Nach beendeter Wasserstoff-Entwicklung tropft man 42 *ml* (0,3 mol) Triethylboran langsam zu, erhitzt kurz zum Rückfluß und fügt portionsweise 68 g (1 mol) Pyrazol zu. Das THF wird bei 760 Torr abdestilliert. Man erhitzt den Rückstand 12 Stdn. auf 170° (ab 160° Ethan-Entwicklung), entfernt das Pyrazol i. Vak., kocht den Rückstand mit 1 *l* Heptan, filtriert und trocknet den Niederschlag; Ausbeute: 68 g (97%).

β_2) *aus Amino-diorgano-boranen*

Die Gewinnung bestimmter Alkalimetall-diamino-diorgano-borate ist aus Amino-diorgano-boranen mit Alkalimetallamiden möglich. Aus Diethyl-pyrrolo-boran ist mit Natriumhydroxid unter Abspaltung von Pyrrol und Tetraethyldiboroxan *Natrium-bis[pyrrolo]-diethyl-borat* zugänglich[2].

$$3\ (H_5C_2)_2B{-}N\text{(Pyrrolyl)} + M{-}OH \xrightarrow[-\ \text{Pyrrol (HN)},\ -\ [(H_5C_2)_2B]_2O]{} M^+ \left\{ (H_5C_2)_2B\left[-N\text{(Pyrrolyl)}\right]_2 \right\}^-$$

M = Na, K

Aus Diphenyl-pyrrolo-boran erhält man mit Natriumpyrrolid in Diethylether unter 1:1-Komplexierung *Natrium-bis[pyrazolo]-diphenyl-borat* in 88%iger Ausbeute[3]:

$$(H_5C_6)_2B{-}N\text{(Pyrrolyl)} + \text{Na-N(Pyrrolyl)} \xrightarrow{\text{Ether}} Na^+ \left\{ (H_5C_6)_2B\left[-N\text{(Pyrrolyl)}\right]_2 \right\}^-$$

β_3) *aus Organoboraten*

Alkalimetall-diamino-diorgano-borate lassen sich aus Tetraorganoboraten, aus Amino-triorgano-boraten oder aus Diamino-diorgano-boraten herstellen.

Aus Natriumtetraphenylborat erhält man mit Pyrazol beim Erhitzen unter Abspaltung von Benzol *Natrium-bis[pyrazolo]-diphenyl-borat*[1]:

$$Na^+\ [(H_5C_6)_4B]^- + 2\ \text{HN-Pyrazol} \xrightarrow[-\ C_6H_6]{} Na^+ \left\{ (H_5C_6)_2B\left[-N\text{(Pyrazolyl)}\right]_2 \right\}^-$$

[1] S. Trofimenko, Am. Soc. **89**, 6288 (1967).
[2] H. Bellut u. R. Köster, A. **738**, 86 (1970).
[3] J. Emri, B. Györi u. P. Szarvas, Z. anorg. Ch. **400**, 321 (1973).

Die bei der Reaktion der Trialkylborane mit Alkalimetallpyrazoliden anfallenden Alkalimetall-pyrazolo-trialkyl-borate reagieren mit Pyrazol unter Alkan-Abspaltung zu Alkalimetall-bis[pyrazolo]-dialkyl-boraten[1]:

$$Na^+ \left[R_3B{-}N\langle\text{pyrazol}\rangle\right]^- + \text{Pyrazol (NH)} \xrightarrow[-2\,RH]{} Na^+ \left\{R_2B\left[{-}N\langle\text{pyrazol}\rangle\right]_2\right\}^-$$

γ) Amino-dihydro-organo-borate

Bestimmte Alkalimetall-amino-dihydro-organo-borate lassen sich aus Lewisbase-Amino-dihydro-boranen mit Alkalimetall-cyaniden oder aus Cyan-trihydro-boraten herstellen.

Aus Tetrahydrofuran-Dihydro-1-pyrrolo-boran erhält man in Tetrahydrofuran mit Lithiumcyanid durch Verdrängung des Ethers und Komplexierung *Lithium-cyan-dihydro-pyrrolo-borat* in 41%iger Ausbeute[2]:

$$\text{THF}{\overset{\oplus}{O}}{-}H_2\overset{\ominus}{B}{-}N\langle\text{pyrrol}\rangle + LiCN \xrightarrow{THF} Li^+ \left[NC{-}BH_2{-}N\langle\text{pyrrol}\rangle\right]^-$$

Die *Kalium*-Verbindung läßt sich als 1,4-Dioxanat in 62%iger Ausbeute herstellen[2].

δ) Amino-diorganooxy-organo-borate

Die Komplexierung der Dialkoxy-organo-borane mit Alkalimetallamiden liefert Alkalimetall-amino-dialkoxy-organo-borate. Aus Diisobutyloxy-phenyl-boran erhält man mit Natriumamid in flüssigem Ammoniak bei −60° *Natrium-amino-diisobutyloxy-phenyl-borat*[3]:

$$H_5C_6{-}B\left[O{-}CH_2{-}CH(CH_3)_2\right]_2 + NaNH_2 \longrightarrow Na^+ \left\{H_5C_6{-}\overset{NH_2}{\overset{|}{B}}\left[O{-}CH_2{-}CH(CH_3)_2\right]_2\right\}^-$$

---

[1] S. Trofimenko, Am. Soc. **89**, 6288 (1967).

[2] B. Györi, J. Emri u. L. Szilagyi, J. Organometal. Chem. **152**, 13 (1978).

[3] B.M. Mikhailov u. P.M. Aronovich, Ž. obšč. Chim. **29**, 3124 (1959); C.A. **54**, 13035 (1960).

ε) Diamino-hydro-organo-borate

Aus Diethyl-pyrrolo-boran bildet sich in noch nicht näher untersuchter Reaktion mit metallischem Natrium oberhalb 130° unter Abspaltung von Ethan und Triethylboran *Natrium-bis[pyrrolo]-ethyl-hydro-borat*[1].

Pyridin-Dipyrrolo-hydro-boran reagiert mit Kaliumcyanid bei 150° unter Pyridin-Abspaltung zum *Kalium-bis[pyrrolo]-cyan-hydro-borat*[2]:

$$\text{C}_5\text{H}_5\overset{\oplus}{\text{N}}-\overset{\ominus}{\text{B}}\text{H}[-\text{NC}_4\text{H}_4]_2 + \text{KCN} \xrightarrow[-\text{C}_5\text{H}_5\text{N}]{150°} \text{K}^+ \{\text{N}\equiv\text{C}-\text{BH}[-\text{NC}_4\text{H}_4]_2\}^-$$

Mit Hydrogencyanid liefert Natrium-hydro-tris[pyrrolo]-borat in Diethylether unter Abspaltung von einem Äquivalent Pyrrol in 56%iger Ausbeute *Natrium-bis[pyrrolo]-cyan-hydro-borat*[2,3]:

$$\text{Na}^+ \{\text{HB}[-\text{NC}_4\text{H}_4]_3\}^- + \text{HCN} \xrightarrow[-\text{C}_4\text{H}_4\text{NH}]{(\text{H}_5\text{C}_2)_2\text{O}} \text{Na}^+ \{\text{N}\equiv\text{C}-\text{BH}[-\text{NC}_4\text{H}_4]_2\}^-$$

ζ) Organo-triamino-borate

Alkalimetall- und weitere Metall- sowie Ammonium- bzw. Immonium-Salze der Organo-triamino-borate sind bekannt. Amino-Reste sind Pyrrolo- und Pyrazolo-Gruppen. Die Herstellungsmethoden gehen von Halogen-organo-boranen, von Organo-oxy-boranen, von Amino-(organo)-boranen sowie von Amino-organo-boraten aus (vgl. Tab. 123, S. 855).

ζ₁) *aus Halogen-organo-boranen*

Dihalogen-organo-borane setzen sich mit bestimmten H-aciden N-Heterocyclen unter Abspaltung von Halogenwasserstoff zu Onium-organo-triamino-boraten um. Aus Dichlor-phenyl-boran erhält man mit Pyrazol in siedendem Toluol unter Chlorwasserstoff-Abspaltung eine Lösung von *Pyrazolonium-phenyl-tris[pyrazolo]-borat*[4,5]:

$$\text{H}_5\text{C}_6-\text{BCl}_2 + 4\ \text{C}_3\text{H}_3\text{N}_2\text{H} \xrightarrow[-2\,\text{HCl}]{\text{Toluol}} [\text{C}_3\text{H}_3\text{N}_2\text{H}_2]^+ \{\text{H}_5\text{C}_6-\text{B}[-\text{N}_2\text{C}_3\text{H}_3]_3\}^-$$

---

[1] H. BELLUT u. R. KÖSTER, A. **738**, 86, 90 (1970).

[2] B. GYÖRI, J. EMRI u. L. SZILÁGYI, J. Organometal. Chem. **152**, 13 (1978).

[3] B. GYÖRI, J. EMRI u. L. SZILÁGYI, J. Organometal. Chem. **238**, 159 (1982); aus Amin(Imin)-Cyan-hydro-pyrrolo-boranen (mit Alkalimetallhydriden).

[4] S. TROFIMENKO, Am. Soc. **89**, 6288 (1967).

[5] S. TROFIMENKO, Accounts Chem. Res. **4**, 17 (1971).

Die Lösung eignet sich zur Herstellung zahlreicher Übergangsmetall-phenyl-tris[pyrazolo]-borate (Ausbeuten: 20–49%, vgl. S. 865)[1].

ζ_2) *aus Organo-oxy-boranen*

Aus Butyl-dihydroxy-boran läßt sich mit Natriumpyrazolid und Pyrazol in Tetrahydrofuran nach Abdestillieren aller flüchtigen Anteile eine Schmelze herstellen, die nach dem Abkühlen eine wäßr. Lösung von *Natrium-butyl-tris[pyrazolo]-borat* liefert[1-3]:

$$H_9C_4{-}B(OH)_2 + \text{(Na-pyrazolid)} + 2\ \text{(Pyrazol)} \xrightarrow[-2\,H_2O]{THF,\,\Delta} Na^+ \left\{H_9C_4{-}B\left[-N\text{(pyrazolyl)}\right]_3\right\}^-$$

In Wasser erhält man mit Übergangsmetall-Salzen die entsprechenden, im allgemeinen zwitterionischen *Übergangsmetall-butyl-tris[pyrazolo]-borate* (vgl. S. 865)[1].

Aus (4-Bromphenyl)-dihydroxy-boran läßt sich mit Natriumpyrazolid (aus Natriumhydrid und Pyrazol) beim Erhitzen in Diglyme *Natrium-(4-bromphenyl)-tris[pyrazolo]-borat* in 25%iger Ausbeute gewinnen[4]. Die Verbindung ist Edukt für zwitterionische, übergangsmetallhaltige (Cobalt) Organo-triamino-borate (vgl. S. 749)[4].

ζ_3) *aus Amino-organo-boranen*

Dipyrrolo-phenyl-boran reagiert mit Natriumpyrrolid in siedendem Diethylether unter Bildung von *Natrium-phenyl-tris[pyrrolo]-borat*[5]:

$$H_5C_6{-}B\left[-N\text{(pyrrolyl)}\right]_2 + \text{(Na-pyrrolid)} \xrightarrow{(H_5C_2)_2O} Na^+ \left\{H_5C_6{-}B\left[-N\text{(pyrrolyl)}\right]_3\right\}^-$$

ζ_4) *aus Triaminoboranen*

Aus Tripyrroloboran erhält man mit Phenyllithium in Diethylether durch 1:1-Komplexierung ein Lithium-Salz, das in Wasser aufgenommen wird und mit wäßr. Kaliumchlorid-Lösung versetzt in ~80%iger Ausbeute *Kalium-phenyl-tris[pyrrolo]-borat* liefert[6]:

$$B\left[-N\text{(pyrrolyl)}\right]_3 \xrightarrow[\substack{2.\ +\,H_2O\\ 3.\ +\,KCl}]{1.\ +\,H_5C_6{-}Li/(H_5C_2)_2O} K^+ \left\{H_5C_6{-}B\left[-N\text{(pyrrolyl)}\right]_3\right\}^-$$

ζ_5) *aus Organo-triamino-boraten*

Der Kationen-Austausch der Alkalimetall-organo-tris[pyrazolo]borate mit Metallhalogeniden liefert in wäßr. Lösung neue Metall-organo-tris[pyrazolo]borate[1,2].

Aus Natrium-butyl-tris[pyrazolo]borat sind zahlreiche *Metall-butyl-tris[pyrazolo]-borate* präparativ zugänglich[1,2]:

---

[1] S. Trofimenko, Am. Soc. **89**, 6288 (1967).
[2] S. Trofimenko, Accounts Chem. Res. **4**, 17 (1971).
[3] D.L. Reger u. M.E. Tarquini, Inorg. Chem. **21**, 840 (1982).
[4] D.L. White u. J.W. Faller, Am. Soc. **104**, 1548 (1982).
[5] J. Emri, B. Györi u. P. Szarvas, Z. anorg. Ch. **400**, 321 (1973).
[6] P. Szarvas, B. Györi u. J. Emri, Acta chim. Acad. Sci. Hung. **70**, 1 (1970); C.A. **75**, 140610 (1971).
P. Szarvas, B. Györi, J. Emri u. G. Kovács, Magyar chem. Folyóriat **77**, 495 (1971).

$$2\,Na^+ \left\{ \left[H_9C_4{-}B\left[{-}N\langle pyrazolyl\rangle\right]_3 \right] \right\}^- \xrightarrow[-\ 2\ NaHal]{+\ MHal_2/H_2O} M^{2+} \left\{ \left[H_9C_4{-}B\left[{-}N\langle pyrazolyl\rangle\right]_3 \right]^- \right\}_2$$

M = Mg^{2+}, Mn^{2+}, Fe^{2+}, Co^{2+}, Ni^{2+}, Cu^{2+}, Zn^{2+}

η) Organo-2,1,3-azadiborate

Von der Verbindungsklasse sind bisher nur wenige gesättigte und ungesättigte Organo-1,5,2-azaboraboratolate hergestellt worden. Man geht von bestimmten Triorganoboranen oder von Halogen-organo-boranen aus. Außerdem lassen sich fünfgliedrige 2,1,3-Azadiborate in andere 2,1,3-Azadiborate überführen.

η_1) *1,3-Hexaorgano-2,1,3-azadiborate*

Aus *cis*-1,2-Bis[diethylboryl]-1-alkenen sind in Benzol bei ~20° mit Alkalimetallamiden unter 1:1-Komplexierung Alkalimetall-2,2,5,5-tetraethyl-1,2,5-trihydro-1,2,5-azoniadiboratolate zugänglich[1]; z.B.:

$$(H_5C_2)_2B(C_2H_5)C{=}C(C_2H_5)B(C_2H_5)_2 \xrightarrow{+MNH_2/Benzol} M^+ \left[(H_5C_2)_2B{-}NH_2{-}B(C_2H_5)_2,\ C(C_2H_5){=}C(C_2H_5) \right]^-$$

M = Li, Na, K

Lithium-, Natrium-, Kalium-2,2,3,4,5,5-hexaethyl-1,2,5-trihydro-1,2,5-azoniadiboratolat

Kalium-2,2,3,4,5,5-hexaethyl-1,2,5-trihydro-1,2,5-azoniadiboratolat[1]**:** 12,5 g (57 mmol) 3,4-Bis[diethylboryl]-3-hexen tropft man bei 0° innerhalb 30 Min. zu 3,4 g (62 mmol) Kaliumamid in 100 *ml* Toluol. Nach 2,5 Stdn. Rühren bei 0° wird vom überschüssigen Kaliumamid abfiltriert, das Filtrat i. Vak. (10^{-3} Torr) bei 0° (!) eingeengt und nach Zugabe von 200 *ml* Pentan filtriert. Der Rückstand wird bei 0,1 Torr getrocknet; Ausbeute: 13,7 g (88%); F: 134–138°.

η_2) *1,3-Pentaorgano-2,1,3-azadiborate*

Kalium-2,2,3,4,5,5-hexaethyl-1,2,5-trihydro-1,2,5-azoniadiboratolat reagiert beim trockenen Erhitzen auf > 140° unter Abspaltung von 1 Äquivalent Ethan in quantitativer Ausbeute zu *Kalium-2,2,3,4,5-pentaethyl-2,5-dihydro-1,5,2-azaboraboratolat*[2]:

$$K^+ \left[(H_5C_2)_2B{-}NH_2{-}B(C_2H_5)_2,\ C(C_2H_5){=}C(C_2H_5) \right]^- \xrightarrow[-C_2H_6]{140-180°} K^+ \left[(H_5C_2)B{-}NH{-}B(C_2H_5)_2,\ C(C_2H_5){=}C(C_2H_5) \right]^-$$

Kalium-2,2,3,4,5-pentaethyl-2,5-dihydro-1,5,2-azaboraboratolat[2]**:** 4,8 g (17,4 mmol) Kalium-2,2,3,4,5,5-hexaethyl-1,2,5-trihydro-1,2,5-azoniadiboratolat werden 1 Stde. auf 140–180° erhitzt (385 *ml* Ethan entweichen); Ausbeute: 4,4 g (~100%).

Die entsprechende *Lithium*-Verbindung ist thermisch bis ~130° stabil, spaltet allerdings > 130° zügig 2 Äquivalente Ethan ab[2].

[1] G. Seidel u. R. Köster, Mülheim a.d. Ruhr, unveröffentlicht 1981.
[2] R. Köster u. G. Seidel, Mülheim a.d. Ruhr, unveröffentlicht 1981.

η_3) *Amino-halogen-2,1,3-azadiborate*

Aus 1,2-Bis[difluorboryl]ethan läßt sich in Dichlormethan mit Dimethyl-triphenyl-methyl-amin durch Addition und Isomerisierung *Triphenylcarbenium-1,1-dimethyl-2,2,5,5-tetrafluor-1,2,5-azoniadiboratolidinat* herstellen[1]:

$$F_2B-CH_2-CH_2-BF_2 + (H_3C)_2N-C(C_6H_5)_3 \xrightarrow{H_2CCl_2} (H_5C_6)_3\overset{+}{C}\left[\begin{matrix} H_3C \quad CH_3 \\ F \quad \backslash N / \quad F \\ F-B \quad B-F \end{matrix}\right]^-$$

Mit Dimethyl-(cycloheptatrien-7-yl)-amin erhält man aus 1,2-Bis[difluorboryl]ethan in Kohlenwasserstoffen (nicht Dichlormethan!) *Tropylium-(1,1-dimethyl-2,2,5,5-tetra-fluor-1,2,5-azoniadiboratolidinat)* als farblosen Niederschlag[1]:

$$F_2B-CH_2-CH_2-BF_2 + (H_3C)_2N-C_7H_7 \longrightarrow [C_7H_7]^+ \left[\begin{matrix} H_3C \quad CH_3 \\ F \quad \backslash N / \quad F \\ F-B \quad B-F \end{matrix}\right]^-$$

7. Phosphino-organo-borate

Nur wenige Organoborate mit Phosphino-Resten am zentralen Bor-Atom sind bisher bekannt. Die Herstellung erfolgt aus Triorganoboranen oder aus Diorgano-halogen-boranen.

Aus Trimethylboran im Überschuß erhält man mit Kalium-dimethyl-phosphan in Diethylether *Kalium-bis[trimethylboratyl]-dimethyl-phosphid*[2, s.a.3]:

$$2\,(H_3C)_3B + KP(CH_3)_2 \xrightarrow{(H_5C_2)_2O} K^+ \left[(H_3C)_3B-\underset{CH_3}{\overset{CH_3}{P}}-B(CH_3)_3\right]^-$$

Aus *(Z)*-Bis[3,4-diethylboryl]-3-hexen lassen sich mit Lithium-organo-phosphanen Lithiumsalze der Hexaethyl-1-organo-1,2,5-phosphoniadiboratolanate(1–) oder der ... 1,2,5-phosphadiboratolanate(2–) herstellen[4]:

$$(H_5C_2)_2B(H_5C_2)C=C(C_2H_5)B(C_2H_5)_2 \xrightarrow{+\,LiP(C_6H_5)_2\,/\,Toluol} Li^+\left[\begin{matrix} H_5C_6 \quad C_6H_5 \\ H_5C_2 \quad \ominus \; P \; \ominus \quad C_2H_5 \\ H_5C_2-B \quad \oplus \quad B-C_2H_5 \\ H_5C_2 \quad C_2H_5 \end{matrix}\right]^-$$

$$(H_5C_2)_2B(H_5C_2)C=C(C_2H_5)B(C_2H_5)_2 \xrightarrow{+\,Li_2P-C_6H_5\,/\,THF} [(THF)_4Li_2]^{2+}\left[\begin{matrix} C_6H_5 \\ H_5C_2 \quad P \quad C_2H_5 \\ H_5C_2-B \quad B-C_2H_5 \\ H_5C_2 \quad C_2H_5 \end{matrix}\right]^{2-}$$

---

[1] M.J. Biallas, Am. Soc. **91**, 7290 (1969).
[2] N.R. Thompson, Soc. **1965**, 6290.
[3] G.E. Coates u. J.G. Livingstone, Soc. **1961**, 1000.
[4] G. Seidel u. R. Köster, Mülheim a.d. Ruhr, unveröffentlicht 1981.

Lithium-1,1-diphenyl-hexaethyl-1,2,5-phosphoniadiboratolanat(1–)[1]**:** 5,95 g (27 mmol) (Z)-Bis[3,4-diethylboryl]-3-hexen tropft man in 25 Min. zu 5,2 g (27 mmol) Lithiumdiphenylphosphan in 100 *ml* Toluol. Nach 2 Stdn. bei 40° wird i. Vak. (12 Torr) eingeengt und getrocknet (10^{-3} Torr); Ausbeute: 10,8 g (97%); F: 134–136°.

Tetrakis[Tetrahydrofuran]-Lithium-1-phenyl-hexaethyl-1,2,5-phosphadiboratolanat (2–)[1]**:** Man tropft 3,6 g (16 mmol) (Z)-Bis[3,4-diethylboryl]-3-hexan in 10 Min. zu 2 g (16 mmol) Dilithiumphenylphosphan in 50 *ml* THF. Nach dem Temperaturanstieg (bis ~ 40°) wird 1 Stde. zum Sieden erhitzt und dann i. Vak. (14 Torr) eingeengt. Man trocknet den Rückstand i. Vak. (10^{-3} Torr); Ausbeute: 10 g (97%).

Chlor-diphenyl-boran reagiert mit Diphenylphosphan durch 1:1-Komplexierung unter Bildung von Diphenylphosphan-Chlor-diphenyl-boran (vgl. S. 518f.), aus dem mit Triethylamin in Benzol *Triethylammonium-chlor-diphenyl-diphenylphosphino-borat* (77%; F: 152–153°) gewonnen wird[2]:

$$(H_5C_6)_2B{-}Cl \xrightarrow{+HP(C_6H_5)_2} (H_5C_6)_2\overset{\oplus}{P}(H){-}\overset{\ominus}{B}(Cl)(C_6H_5)_2 \xrightarrow{+(H_5C_2)_3N} [(H_5C_2)_3NH]^+ \left[(H_5C_6)_2B(Cl)P(C_6H_5)_2\right]^-$$

Bis[trimethylphosphan]-dimethyl-bor(1+)-bromid (vgl. S. 688) liefert mit Butyllithium und anschließend mit Bis[trimethylphosphan]nickeldichlorid *Bis[bis(dimethyl-methylen-phosphoranyl)borato(1–)]nickel* (62%; gelbe Nadeln; Zers. >150°)[3]:

$$2\left\{[(H_3C)_2P]_2B(CH_3)_2\right\}^+ Br^- \xrightarrow[2.\ +NiCl_2\ [-2\ LiCl_2]]{1.\ +4\ (H_3C)_3C{-}Li\ [-2\ LiBr]} [(H_3C)_2B(CH_2\overset{\oplus}{P}(CH_3)_2)_2]^{\ominus}_2 Ni^{\ominus\ominus}$$

8. Element(IV)-organo-borate

Organo-silyl-borate unterschiedlichen Silylierungsgrades sind hergestellt worden. Nur wenige Germanyl-organo-borate und Organo-stannyl-borate wurden beschrieben.

Zur Herstellung der Element(IV)-triorgano-borate geht man von Triorganoboranen aus. Höher silylierte Organoborate wurden aus Hydro-, Organooxy- und Organothio-organo-boranen gewonnen (vgl. Tab. 125, S. 868). Lithium-triorganosilane dienen jeweils als Silylierungsmittel.

α) Organo-silyl-borate

α_1) *Silyl-triorgano-borate*

Alkalimetall-triorgano-triorganosilyl-borate werden aus Triorganoboranen hergestellt. Weniger gebräuchlich sind Gewinnungsmethoden aus Organo-oxy-boranen oder borferne Reaktionen der Triorgano-silyl-borate.

$\alpha\alpha_1$) aus Triorganoboranen

Triorganoborane reagieren mit Triorganosilyllithium durch 1:1-Komplexierung zu Lithium-triorgano-triorganosilyl-boraten[4–6]:

$$R^1_3B \quad + \quad Li{-}SiR^2_3 \quad \longrightarrow \quad Li^+[R^1_3B{-}SiR^2_3]^-$$

$R^1 = CH_3$[6], C_2H_5[6], C_6H_5[5]
$R^2 = CH_3$[6], C_2H_5[5,6], C_6H_5[5]

[1] G. Seidel u. R. Köster, Mülheim a. d. Ruhr, unveröffentlicht 1981.
[2] G.E. Coates u. J.G. Livingstone, Soc. **1961**, 1000.
[3] G. Müller, D. Neugebauer, W. Geike, F.H. Köhler, J. Pebler u. H. Schmidbaur, Organometallics **2**, 257 (1983).
[4] D. Seyferth, G. Raab u. S.O. Grim, J. Org. Chem. **26**, 3034 (1961).
[5] W. Biffar u. H. Nöth, Ang. Ch. **92**, 65 (1980).
[6] W. Biffar, Dissertation, Universität München 1981.

Tab. 125: Element(IV)-organo-borate

Formel	Verbindungstyp	Herstellungsart	s. S.
Organo-silyl-borate			
$Li^+[R^1_3B{-}SiR^2_3]^-$ $R^1 = CH_3, C_2H_5, C_6H_5$ $R^2 = CH_3, C_6H_5$	$[R^1_3B{-}SiR^2_3]^-$	aus $R^1_3B + Li{-}SiR^2_3$	867
$Li^+[(\text{C})B(CH_3)(Si[Si(CH_3)_3]_3)]^-$	$[R\,B(R^1)(Si{-})]^-$	aus $(\text{C})B{-}R^1$ + $Li{-}Si{-}$	869
$M^+[(H_5C_6)_3B{-}Si(C_6H_5)_3]^-$ $M = K, (H_3C)_4N, H_3C{-}P(C_6H_5)_3$	$[R_3B{-}Si{-}]^-$	aus $[R_3B{-}Si{-}]^-$ + M (borfern)	869
$Li^+[(\text{C})B[Si(CH_3)_3]_2]^-$	$[R\,B(Si{-})_2]^-$	aus $(\text{C})BH$ + $Li{-}Si{-}$	869
		aus $(\text{C})B{-}OCH_3$ + $Li{-}Si{-}$	870
$Li^+[(\text{C})B(H)(Si(Si{-})_3)]^-$	$[R\,B(H)(Si(Si{-})_3)]^-$	aus $(\text{C})B{-}H$ + $Li{-}Si(Si{-})_3$	870
$Li^+\{H_3C{-}B[Si(CH_3)_3]_3\}^-$	$[R{-}B(Si{-})_3]^-$	aus $R^1_2B{-}OR^2$ + $Li{-}Si{-}$	871
Germanyl-organo-borate			
$M^+[(H_5C_6)_3B{-}Ge(C_6H_5)_3]^-$ M = Li $M=(H_3C)_4N, H_3C{-}P(C_6H_5)_3$	$[R^1_3B{-}GeR^2_3]^-$	aus $R^1_3B + M{-}GeR^2_3$ aus $R^1_3B{-}GeR^2_3]^- + M^+$ (borfern)	871
Organo-stannyl-borate			
$Li^+[R^1_3B{-}SnR^2_3]^-$	$[R^1_3B{-}SnR^2_3]^-$	aus R_3B + $Li{-}Sn{-}$	871

Zur Herstellung von *Lithium-triphenyl-triphenylsilyl-borat* verwendet man Tetrahydrofuran als Verdünnungsmittel[1].

Lithium-triphenyl-triphenylsilyl-borat[1]: 150 *ml* einer Lösung von Triphenylsilyllithium in Tetrahydrofuran, hergestellt aus 15 g (0,029 mol) Hexaphenyldisilan mit 3 g (0,43 mol) Lithiumdraht, fügt man zu 11,3 g (0,045 mol) Triphenylboran in 50 *ml* Tetrahydrofuran. Die exotherme Reaktion führt zur raschen Entfärbung des Gemischs. Nach 2 Stdn. Rühren bei ~20° fallen farblose Kristalle aus. Nach Stehen über Nacht und teilweisem Einengen wird abfiltriert. Man löst erneut in Tetrahydrofuran, fügt Hexan zu und erhält 13,6 g noch unreines Borat als farblose Nadeln.

Lithium-trimethyl-trimethylsilyl-borat[2,3]: Zu 0,83 g (10,35 mmol) Trimethylsilyllithium in 13,9 *ml* Hexan werden bei ~ −196° i. Hochvak. 0,58 g (10,35 mmol) Trimethylboran einkondensiert. Nach dem Auftauen fällt ein farbloser Niederschlag aus. Man dekantiert bei ~20° das Hexan ab, wäscht den Feststoff mit Pentan, löst in Benzol und fällt mit Hexan langsam aus; Ausbeute: 1,21 g (86%); F: 125–128° (Zers.) (selbstentzündlich).

---
1 D. Seyferth, G. Raab u. S. O. Grim, J. Org. Chem. **26**, 3034 (1961).
2 W. Biffar, Dissertation, Universität München 1981.
3 W. Biffar u. H. Nöth, B. **115**, 934 (1982).

Entsprechend wird (beginnend bei ~ – 78°) selbstentzündliches *Lithium-triethyl-trimethylsilyl-borat* (85,5%; F: 85–87°) gewonnen.

Außerdem läßt sich aus 9-Methyl-9-borabicyclo[3.3.1]nonan mit Trimethylsilyllithium in Hexan bei ~20° in 94%iger Ausbeute *Lithium-1,5-cyclooctandiyl-methyl-trimethylsilyl-borat* herstellen[1,2]:

$$\text{(C}_8\text{H}_{14})\text{B–CH}_3 + \text{Li–Si(CH}_3)_3 \xrightarrow{\text{Hexan; } \sim 20°} \text{Li}^+ \left[(\text{C}_8\text{H}_{14})\text{B}(\text{Si(CH}_3)_3)(\text{CH}_3)\right]^-$$

Mit Tris[trimethylsilyl]silyllithium ist aus Trimethylboran in Toluol quantitativ *Lithium-trimethyl-tris[trimethylsilyl]silyl-borat* zugänglich[3].

$\alpha\alpha_2$) aus Organo-oxy-boranen

Dimethyl-methoxy-boran reagiert mit Trimethylsilyllithium unter Abspaltung von Dimethoxy-methyl-boran und Komplexierung zu *Lithium-trimethyl-trimethylsilyl-borat*[1,4]:

$$2\,(H_3C)_2B\text{—}OCH_3 + Li\text{—}Si(CH_3)_3 \xrightarrow[-H_3C\text{—}B(OCH_3)_2]{} Li^+\,[(H_3C)_3B\text{—}Si(CH_3)_3]^-$$

Die Methode ist für präparative Zwecke noch nicht ausgearbeitet.

$\alpha\alpha_3$) aus Organo-silyl-boraten

Durch Kationen-Austausch lassen sich aus Lithium-triorgano-triorganosilyl-boraten mit Alkalimetall-, Tetraalkylammonium- bzw. Tetraorganophosphoniumhalogeniden andere Triorgano-triorganosilyl-borate gewinnen[5]. In Methanol erhält man z.B. aus Lithium-triphenyl-triphenylsilyl-borat mit Kaliumfluorid das entsprechende *Kalium*-Salz[5]. Mit Tetramethylammoniumbromid wird *Tetramethylammonium-triphenyl-triphenylsilyl-borat* gebildet[5]. Entsprechend reagiert Methyl-triphenyl-phosphonium-bromid[5] zum *Methyl-triphenyl-phosphonium*-Salz.

α_2) *Hydro-organo-silyl-borate*

Diorgano-hydro-silyl-borate sind aus Diorgano-hydro-boranen mit speziellen Lithium-silanen zugänglich. Der Ligandenaustausch unterbleibt beispielsweise bei der Vereinigung von Bis(9-borabicyclo[3.3.1]nonan) mit Lithium-tris[trimethylsilyl]silan.

Aus Bis(9-borabicyclo[3.3.1]nonan) erhält man daher in Hexan mit dem Tetrahydrofuranat des Lithium-tris[trimethylsilyl]silans in 74%iger Ausbeute *Tris[tetrahydrofuran]-Lithium-1,5-cyclooctandiyl-hydro-(tris[trimethylsilyl]silyl)-borat*[1,3]:

$$1/2\ [(\text{C}_8\text{H}_{14})\text{B(}\mu\text{-H)}]_2 + \{THF\}\ Li\text{–}Si[Si(CH_3)_3]_3 + 2\ THF \xrightarrow{\text{1. Hexan; 2. }(H_5C_2)_2O} \{(THF)_3\}\ Li^+ \left\{(\text{C}_8\text{H}_{14})\text{B}(Si[Si(CH_3)_3]_3)(H)\right\}^-$$

---

[1] W. Biffar, Dissertation, Universität München 1981.
[2] W. Biffar u. H. Nöth, B. **115**, 934 (1982).
[3] W. Biffar u. H. Nöth, Z. Naturf. **36b**, 1509 (1981).
[4] W. Biffar u. H. Nöth, Ang. Ch. **92**, 65 (1980).
[5] D. Seyferth, G. Raab u. S.O. Grim, J. Org. Chem. **26**, 3034 (1961).

Tris[tetrahydrofuran]-Lithium-1,5-cyclooctandiyl-hydro-(tris [trimethylsilyl]-silyl)-borat[1]: Bei ~20° werden 1,33 g (5,45 mmol) Bis(9-borabicyclo[3.3.1]nonan) und 5,15 g (10,9 mmol) Tris[tetrahydrofuran]-Lithium-tris[trimethylsilyl]silan in 40 *ml* Hexan gerührt. Der voluminöse Niederschlag wird mit Hexan abgefrittet, in Diethylether aufgeschlämmt und abermals filtriert. Nach Abziehen des Ethers (~ 20°; ~ 100 Torr) wird der Rückstand getrocknet; Ausbeute: 4,8 g (74%).

α_3) *Diorgano-disilyl-borate*

Die Herstellung von Lithium-diorgano-disilyl-boraten erfolgt aus Diorgano-hydro-boranen oder aus Alkoxy-diorgano-boranen mit Trimethylsilyllithium.

$\alpha\alpha_1$) aus Diorgano-hydro-boranen

Bis(9-borabicyclo[3.3.1]nonan) reagiert in Hexan mit Trimethylsilyllithium durch Hydro/Trimethylsilyl-Austausch und Komplexierung zu *Lithium-bis[trimethylsilyl]-1,5-cyclooctandiyl-* bzw. *-1,5-cyclooctandiyl-dihydro-borat*[2-4]:

$$(9\text{-BBN-H})_2 + 2\,Li{-}Si(CH_3)_3 \xrightarrow{\text{Hexan}} Li^+ \left[C_8H_{14}B(Si(CH_3)_3)_2 \right]^- + Li^+ \left[C_8H_{14}BH_2 \right]^-$$

Die Methode ist wegen der nicht einfachen Trennung der beiden Borate präparativ nicht zu empfehlen. Das Bis[trimethylsilyl]borat läßt sich besser aus 9-Methoxy-9-borabicyclo[3.3.1]nonan herstellen[2].

$\alpha\alpha_2$) aus Organo-oxy-boranen

Die Methode eignet sich gut zur Herstellung von Lithium-diorgano-disilyl-boraten aus Methoxy-diorgano-boranen mit Trimethylsilyllithium.

Aus Dimethyl-methoxy-boran erhält man in Hexan in 58%iger Ausbeute *Lithium-bis[trimethylsilyl]-dimethyl-borat*[2-4]:

$$(H_3C)_2B{-}OCH_3 + 2\,Li{-}Si(CH_3)_3 \xrightarrow[-LiOCH_3]{\text{Hexan}} Li^+ \{(H_3C)_2B[Si(CH_3)_3]_2\}^-$$

Lithium-bis[trimethylsilyl]-dimethyl-borat[4]: Aus 1,08 g (15 mmol) Dimethyl-methoxy-boran in 25 *ml* Hexan und 2,4 g (30 mmol) Trimethylsilyllithium in ~ 50 *ml* Hexan erhält man nach Vereinigen bei −75° und Auftauen auf ~ 20° einen Niederschlag, aus dem man das Borat mit Hexan extrahiert (36 Stdn., 30°, 175 Torr) und aus Pentan umkristallisiert; Ausbeute: 1,57 g (58%).

Lithium-bis[trimethylsilyl]-1,5-cyclooctandiyl-borat ist in 70%iger Ausbeute entsprechend zugänglich[2-4]:

$$C_8H_{14}B{-}OCH_3 + 2\,Li{-}Si(CH_3)_3 \xrightarrow[-LiOCH_3]{} Li^+ \left[C_8H_{14}B(Si(CH_3)_3)_2 \right]^-$$

Lithium-bis[trimethylsilyl]-1,5-cyclooctandiyl-borat[2,3]: Zu 2,13 g (14 mmol) 9-Methoxy-9-borabicyclo[3.3.1]nonan in 25 *ml* Hexan tropft man bei −70° unter gutem Rühren in 1 Stde. 2,24 g (28 mmol) Trimethylsilyllithium in ~ 40 *ml* Hexan. Der durch Filtration abgetrennte Niederschlag wird nach Extrahieren mit Hexan (48 Stdn., 30° in Umlauffritte) aus heißem Hexan umkristallisiert; Ausbeute: 2,7 g (70%).

---

[1] W. Biffar u. H. Nöth, Z. Naturf. **36b**, 1509 (1981).
[2] W. Biffar, Dissertation, Universität München 1981.
[3] W. Biffar u. H. Nöth, B. **115**, 934 (1982).
[4] W. Biffar u. H. Nöth, Ang. Ch. **92**, 65 (1980).

α_4) *Organo-trisilyl-borate*

Lithium-methyl-tris[trimethylsilyl]-borat läßt sich aus Dimethoxy-methyl-boran mit Trimethylsilyllithium unter Methoxy/Trimethylsilyl-Austausch und Komplexierung in 60%iger Ausbeute in Hexan herstellen[1,2]:

$$H_3C{-}B(OCH_3)_2 \;+\; 3\,Li{-}Si(CH_3)_3 \xrightarrow[-2\,LiOCH_3]{Hexan} Li^+\{H_3C{-}B[Si(CH_3)_3]_3\}^-$$

Lithium-methyl-tris[trimethylsilyl]-borat[2]**:** Zu 5,5 g (68,8 mmol) Trimethylsilyllithium in ~80 *ml* Hexan werden bei −75° langsam 2 g (22,7 mmol) Dimethoxy-methyl-boran in 20 *ml* Hexan getropft. Nach Erwärmen auf ~20° wird der Niederschlag abgetrennt, mit kaltem Hexan gewaschen, und die Filtrate werden weitgehend eingeengt; Ausbeute: 3,42 g (60%); Subl.p.: 95°/10^{-3} Torr.

β) Germanyl-organo-borate

Aus Triphenylboran läßt sich in Tetrahydrofuran mit Triethylgermanyllithium in Phosphorsäuretris[dimethylamid] *Tetrakis[phosphorsäuretris(dimethylamid)]-Lithium-triethylgermanyl-triphenyl-borat* (F: 156–159°) herstellen[3]:

$$(H_5C_6)_3B \;+\; Li{-}Ge(C_2H_5)_3 \xrightarrow{OP[N(CH_3)_2]_3/THF} \{OP[N(CH_3)_2]_3\}_4\,Li^+\,[(H_5C_6)_3B{-}Ge(C_2H_5)_3]^-$$

Lithium-triethylgermanyl-triphenyl-borat[3]**:** Man vereinigt langsam eine Lösung von 17 mmol Triethylgermanyl-lithium in 24 *ml* Phosphorsäuretris[dimethylamid] mit einer Lösung von 4,8 g (19,8 mmol) Triphenylboran in 50 ml Tetrahydrofuran. Nach Entfernen des Tetrahydrofurans i. Vak. hinterbleibt ein gelbes Flüssig/Festprodukt. Nach dem Abfiltrieren vom Niederschlag, wiederholtem Waschen mit Pentan und Trocknen i. Vak. bei 30–40° erhält man das Borat als Tetrakis-Phosphorsäuretris[dimethylamid] (F: 156–159°).

γ) Organo-stannyl-borate

Die Herstellung stabiler Alkalimetall-organo-stannyl-borate ist noch nicht beschrieben worden. Die aus Trialkylboranen mit Triorganostannyllithium durch 1 : 1-Komplexierung nachweisbaren Lithium-trialkyl-triorganostannyl-borate zerfallen leicht in Dialkyl-triorganostannyl-borane und Lithiumalkan[4]:

$$R^1_3B \;+\; Li{-}SnR^2_3 \longrightarrow \{Li^+\,[R^1_3B{-}SnR^2_3]^-\} \xrightarrow{-R^1{-}Li} R^1_2B{-}SnR^2_3$$

9. (Ligand)Übergangsmetall-organo-borate

Organoborate mit unmittelbar am Bor-Atom gebundenen Übergangsmetall sind kaum bekannt. Aus Triphenylboran läßt sich mit Tetraethylammonium-η^5-Cyclopentadienyl-dicarbonyl-ferrat(1–) in Diethylether in 84%iger Ausbeute *[η^5-Cyclopentadienyl-dicarbonyl-ferratyl]-triphenyl-borat* (F: 213–216°) herstellen[5]:

$$(H_5C_6)_3B \;+\; [(H_5C_2)_4N]^+\,[(C_5H_5^-){-}Fe(CO)_2]^- \xrightarrow{(H_5C_2)_2O} [(H_5C_2)_4N]^+\,[(C_5H_5^-){-}Fe(CO)_2{-}B(C_6H_5)_3]^-$$

Tetraethylammonium-[η^5-cyclopentadienyl-dicarbonyl-ferratyl]-triphenyl-borat[5]**:** Zu 0,355 g (1,47 mmol) Triphenylboran und 0,451 g (1,47 mmol) Tetraethylammonium-(η^5-cyclopentadienyl)-dicarbonyl-ferrat(1–) gibt man 20 *ml* Diethylether, rührt ~23 Stdn., entfernt nach Absitzen des Niederschlags die überstehende Flüssigkeit und gibt bei 0° 12 *ml* THF zum Rückstand. Nach Filtration wird der Rückstand 2mal mit je 5 *ml* Diethylether gewaschen und i. Vak. getrocknet; Ausbeute: 0,676 g (84%); F: 213–216° (Zers.).

---

[1] W. BIFFAR u. H. NÖTH, Ang. Ch. **92**, 65 (1980).
[2] W. BIFFAR, Dissertation, Universität München 1981.
[3] E. J. BULTEN u. J. G. NOLTES, J. Organometal. Chem. **29**, 409 (1971).
[4] H. NÖTH, unveröffentlicht, Universität München 1978.
[5] J. M. BURLITCH, J. H. BURK, M. E. LEONOWICZ u. R. E. HUGHES, Inorg. Chem. **18**, 1702 (1979).

Bibliographie

(Abschnittsweise chronologisch geordnet)

1. Historische Bearbeitung, allgemeine Eigenschaften, Standardliteratur und tabellarische Zusammenstellungen von Organobor-Verbindungen

Beilstein, 4. Aufl., C-Bor-Verbindungen **4**, 641–642, Springer-Verlag, Berlin 1922.

A. STOCK, *Hydrides of Boron and Silicon – Reactions with Organic Substances*, in *Hydrides of Boron and Silicon*, S. 150; Cornell University Press, Ithaka, New York 1933 (Neudruck 1957).

E. KRAUSE u. A. VON GROSSE, *Die Chemie der Metallorganischen Verbindungen, Bor,* 194–219.
(a) Originalausgabe: Borntraeger, Berlin 1937;
(b) Photo-Lithoprint Reproduction, Edward Brothers Inc. Publ., Ann Arbor, Michigan 1943;
(c) Weitere Nachdrucke der Ausgabe von 1937: Dr. M. Sändig oHG, Wiesbaden 1965.

Beilstein, 4. Aufl., C-Bor-Verbindungen **3** und **4**, 1022–1023, Springer Verlag, Berlin 1942.

F. RUNGE, *Borverbindungen* S. 633–634, in *Organo-Metallverbindungen – Die organische Synthese mit Hilfe von Organometallverbindungen*, Wissenschaftliche Verlagsgesellschaft m.b.H., Stuttgart 1944.

J. GOUBEAU, *Bor-Verbindungen* in W. KLEMM, FIAT, **23**, 215–238, Dieterich'sche Verlagsbuchhandlung, Wiesbaden 1948.

Kirk-Othmer, 1. Aufl., *Boron Hydrides*, **2**, 593–600 (1948).

D.T. HURD, *Chemistry of the Hydrides – The Hydrides of the Group III Elements – Boron – The Reactions of Diborane with Hydrocarbons*, 86–88 (*Alken-Hydroborierung und Aren-Borylierung*), J. Wiley & Sons, New York 1952.

Kirk-Othmer, 1. Aufl., *Compounds of Group III*; Metal: Boron, **9**, 629 (1952).

Ullmann, 3. Aufl., *Organische Borverbindungen* **4**, 605–612, Verlag Chemie, Weinheim 1953.

Gmelin, 8. Aufl., Bor-Ergänzungsband, System Nr. 13, Organobor-Verbindungen, S. 215–227, 235–253 (Lit. bis Ende 1949), Verlag Chemie, Weinheim 1954.

G.E. COATES, *Group III – Boron*, in *Organo-Metallic Compounds*, 1. Aufl., 55–72 und 102–104, Methuen & Co. Ltd., London 1956.

M.F. LAPPERT, *Organic Compounds of Boron*, Chem. Reviews **56**, 959–1064 (1956).

E. WIBERG, *Neuere Entwicklungslinien der Borchemie*, Experientia Suppl. **7**, 183–212 (1957).

R.M. ADAMS, *Organoboron Compounds*, in *ACS Metal-Organic Compounds*, Advan. Chem. Ser. **23**, 87–101 (1959).

B.M. MIKHAILOV, *Organic Compounds of Boron*, Uspechi Chim. **28**, 1450–1487 (1959).

H.C. BROWN, *Organoboranes* in *Organometallic Chemistry*, ACS Monogr. Ser., S. 147, 150–193, Reinhold Publ. Corp., 1960.

G.E. COATES, *Group III – Boron,* in *Organo-Metallic Compounds*, 2. Aufl., S. 88–126, Methuen & Co Ltd., London 1960.

Kirk-Othmer, 1. Aufl., *Boron Compounds*, 2. Suppl., 109–126 (1960).

H.D. KAESZ u. F.G.A. STONE, *Vinyl Compounds of Boron*, in H. ZEISS, *Organometallic Chemistry*, ACS Monogr. Ser. **147**, S. 103–113, Reinhold Publ. Corp., New York 1960.

G.E. COATES, *Group III, Boron – Organo-Metallic Compounds,* 2. Aufl., S. 88–126, Methuen & Co. Ltd., London; J. Wiley & Sons Inc. New York 1960.

S.H. BAUER, *Kinetics and Mechanism for Acid-Base Reactions Involving Boranes, Borax to Boranes*, Advan. Chem. Ser. **32**, 88–106 (1961).

W.L. RUIGH, W.R. DUNNAVANT, F.C. GUNDERLOY jr., N.G. STEINBERG, M. SEDLAK u. A.D. OLIN, *Research on Boron Polymers*, in R.F. GOULD, *Borax to Boranes*, Advan. Chem. Ser. **32**, 241–246 (1961).

F.G.A. STONE, *Chemical Reactivity of the Boron Hydrides and Related Compounds*, Adv. Inorg. Chem. Radiochem. **2**, 279–313 (1961).

Borax to Boranes, Advan. Chem. Ser. **32**, ACS Washington 1961.

W. GERRARD, *The Organic Chemistry of Boron*, Academic Press, New York 1961.

H.C. BROWN, *Hydroboration*, W.A. Benjamin Inc., New York 1962.

P.M. MAITLIS, *Heterocyclic Organic Boron Compounds*, Chem. Reviews **62**, 223 (1962).

Beilstein, 4. Aufl., *C-Bor-Verbindungen*, 3 EW, **4**/2, 1955–1968, Springer Verlag, Heidelberg 1963.

Houben-Weyl, 4. Aufl., Organische Derivate der Borsäuren, Bd. VI/2, S. 171–324 (1963).

W.N. LYSCOMP, *Boron Hydrides*, W.A. BENJAMIN, Inc., New York 1963.

R. M. ADAMS, *Boron, Metallo-Boron Compounds and Boranes*, J. Wiley & Sons (Interscience), New York 1964.
Kirk-Othmer, 2. Aufl., *Organic Boron Compounds* **3**, 707–737 (1964).
R. KÖSTER, *Heterocyclic Organoboranes*, Adv. Organometallic Chem. **2**, 257–324 (1964).
R. KÖSTER, *Organoboron Heterocycles*, *Progr. Boron Chem.*, Bd. **1**, 289–344 (1964).
H. STEINBERG u. A. L. MCCLOSKEY, *Progr. Boron Chem.*, Bd. **1**, Pergamon Press, Oxford 1964.
J. C. LOCKHART, *Redistribution and exchange reactions in Groups IIB–VIIB,* Chem. Reviews **65**, 131 (1965).
H. STEINBERG u. R. J. BROTHERTON, *Organoboron Chemistry*, Bd. **2**, J. Wiley & Sons (Interscience), New York 1966.
G. E. COATES u. K. WADE, *The Main Group Elements* in G. E. COATES, M. L. H. GREEN u. K. WADE, *Organometallic Compounds*, 3. Aufl.; Bd. **1**, S. 177ff., Methuen and Co., Ltd., London 1967.
R. L. HUGHES, I. C. SMITH u. E. W. LAWLESS in R .T. HOLZMANN, *Production of the Boranes and Related Research*, Academic Press, New York 1967.
M. F. LAPPERT, *Boron-carbon compounds*, in E. L. MUETTERTIES, *The Chemistry of Boron and its Compounds*, 443, J. Wiley & Sons, New York 1967.
H. C. MILLER u. L. MUETTERTIES, *Boron Compounds*, Inorg. Synth. **10**, 81–128 (1967).
E. L. MUETTERTIES, *The Chemistry of Boron and Its Compounds*, J. Wiley & Sons, New York 1967.
A. N. NESMEYANOV u. R. A. SOKOLIK, *Organoboron compounds in Methods of elemento-organic Chemistry* **1**, 1–362, North-Holland Publ. Comp., Amsterdam 1967.
K. MOEDRITZER, *Redistribution Equilibria of Organometallic Compounds – Group III – Boron* , S. 206–214, Academic Press, New York 1968.
E. L. MUETTERTIES u. W. H. KNOTH, *Polyhedral Boranes*, Marcel Dekker, Inc., New York 1968.
H. C. BROWN, *Organoborane-carbon monoxide reactions. A new versatile approach to the synthesis of carbon structure*, Accounts Chem. Res. **2**, 65–72 (1969).
R. KÖSTER, *Redistribution reactions of organoboranes and organoalanes*, Ann. N. Y. Acad. Sci. **159**, 73–88 (1969).
R. KÖSTER, *Organoborane in der präparativen Chemie*, Chimia **23**, 196–199 (1969).
D. S. MATTESON, *Neighboring-group Effects of Boron in Organoboron Compounds*, in R. J. BROTHERTON u. H. STEINBERG, Progr. Boron Chem. **3**, 117–176 (1970).
R. J. BROTHERTON u. H. STEINBERG, *Progr. Boron Chem.*, Bd. **3**, Pergamon Press, Oxford 1970.
J. C. LOCKHART, *Redistribution Reactions – Group III*, Boron, 77–93, Academic Press, New York 1970.
H. C. BROWN, *The Versatile Organoboranes*, Chem. Britain **7**, 458–465 (1971).
M. GRASSBERGER, *Organische Borverbindungen*, Chemische Taschenbücher, **15**, Verlag Chemie, Weinheim 1971.
K. MOEDRITZER, *The redistribution reactions*, Organometal. Reactions **2**, 1 (1971).
H. C. BROWN, *Boranes in Organic Chemistry*, Cornell University Press, Ithaca, London 1972.
R. H. CRAGG, *Aspects of Boron Chemistry*, Inorganic Chemistry Series One **1**, 185–220 (1972).
A. G. DAVIES u. B. P. ROBERTS, *Bimolecular Homolytic-Substitution at a Metal Center*, Accounts Chem. Res. **5**, 387 (1972).
K. NIEDENZU, *Boron*, Inorganic Chemistry Series One, **4**, 73–103 (1972).
G. M. L. CRAGG, *Organoboranes in Organic Synthesis*, Marcel Dekker, New York 1973.
W. N. LIPSCOMB, *Three-Center Bonds in Electron-Deficient Compounds. The Localized Molecular Orbital Approach*, Accounts Chem. Res. **6**, 257–262 (1973).
Beilstein, 4. Aufl., *C-Bor-Verbindungen*, 3. EW **16**/2, 1271–1288, Springer-Verlag, Heidelberg 1974.
D. S. MATTESON, *Polar 1,2-Additions and Eliminations*, in *Organometallic-Reaction Mechanisms*, S. 195–252, Academic Press, New York 1974.
Ullmann, 8. Aufl., *Borane und Organobor-Verbindungen*, S. 649–656, Verlag Chemie, Weinheim 1974.
H. NÖTH, *New results and aspects of boron chemistry*, Pure Appl. Chem. **4**, 13–23 (1974); C.A. **85**, 160194 (1976).
H. C. BROWN, *Footsteps on the boron trail*, J. Organometal. Chem. **100**, 3–16 (1975).
H. C. BROWN, *Organic Syntheses via Boranes*, J. Wiley & Sons, New York 1975.
K. NIEDENZU, *Organo-derivatives of boron*, MTP, Int. Rev. Sci., Inorg. Chem. Ser. Two **4**, 41–80 (1975).
Houben-Weyl, 4. Aufl., *Photochemie von Organobor-Verbindungen*, Bd. IV/5b, S. 1399–1406 (1975).
T. ONAK, *Organoborane Chemistry*, Academic Press, New York 1975.
P. PAETZOLD, *Neues vom Bor und seinen Verbindungen*, Chemie in unserer Zeit **9**, 67–78 (1975).
Methodicum Chimicum, Nichtionische Bor-Verbindungen, Bd. **7**, S. 111–163, Thieme Verlag, Stuttgart 1976.
B. M. MIKHAILOV u. Y. N. BUBNOV, *Bororganische Verbindungen in der organischen Synthese* (russ.), Verlag Nauka, Moskau 1977.
H. NÖTH, *Boron Chemistry – 3*, 3. Int. Meeting on Boron Chemistry 1976, Pergamon Press, London 1977.
H. NÖTH u. B. WRACKMEYER, *Nuclear Magnetic Spectroscopy of Boron Compounds*, Springer Verlag, Heidelberg 1978.
A. PELTER u. K. SMITH, *Organic Boron Compounds* in *Comprehensive Organic Chemistry*, **3**, S. 687–913, Pergamon Press, London 1979.

Kirk-Othmer, 3. Aufl., *Boron Compounds*, **4**, 67–201 (1979).
Kirk-Othmer, 3. Aufl., *Hydroboration*, **12**, 793–826 (1980).
W. Kliegel, *Bor in Biologie, Medizin und Pharmazie*, Springer-Verlag, Heidelberg 1980.
R. W. Parry u. G. Kodama, *Boron Chemistry-4*, IUPAC, Inorganic Chem. Div. 1979, Salt Lake City; Pergamon Press, 1980.
B. M. Mikhailov, *Boraheterocycles from Allylboranes*, Sov. Scientific Reviews, Sect. B, Chem. Reviews **2**, 283–355 (1980).
V. V. Ramana Rao, *Organoboranes in Organic Synthesis*, Indian J. Chem. **6**, 17–21 (1979); C.A. **93**, 71827 (1980).
A. Pelter, *Rearrangements Involving Boron* in P. de Mayo, *Rearrangements in Ground and Excited States*, Bd. **2**, 95–147 (1980), [Organic Chemistry Bd. **42**], Academic Press, New York 1980.
R. F. Porter u. L. J. Turbini, *Photochemistry of Boron Compounds*, Topics Curr. Chem. **96**, 1–42 (1981).
Y. N. Bubnov, *Use of Organoboron Compounds in Synthesis*, Khimiya Nashimi Glazami **1981**, 237–254 (russisch); C.A. **97**, 55860 (1982).
Comprehensive Organometallic Chemistry; Boron in Ring Systems, **1**, 311–380; *Compounds with Bonds between a Transition Metal and Either Boron, Aluminium, Gallium, Indium or Thallium,* **6**, 947–982; *Organoboron Compounds in Organic Synthesis*, **7**, 111–142, Pergamon Press, London 1982.
B. Wrackmeyer, *Alkynyl Tin(IV) Compounds-Versatile Reagents to form New Carbon-Carbon-Bonds in Organoboratin Reactions*, Revs. Silicon, Germanium Tin, Lead Compounds **6**, 75–148 (1982).

2. Zur Handhabung luft- und feuchtigkeitsempfindlicher Verbindungen nebst Sicherheitsbestimmungen

A. Stock, *High-Vacuum Methods and Apparatus*, Kap. 30, in *Hydrides of Boron and Silicon*, 173–214. Cornell University Press, Ithaka, New York 1933; Neudruck 1957.
K. Ziegler, H.-G. Gellert, H. Martin, K. Nagel u. J. Schneider, *Reaktionen der Aluminium-Wasserstoff-Bindung mit Olefinen*, A. **589**, 91–121 (1954).
D. F. Shriver, *Manipulation of Air-Sensitive Compounds*, McGraw Hill, New York 1969.
Houben-Weyl, *Allgemeine Eigenschaften und Handhabung aluminiumorganischer Verbindungen*, Bd. XIII/4, S. 19–21 (1970).
Houben-Weyl, *Bibliographie, Sicherheitsbestimmungen und Handhabungsvorschriften (mit aluminiumorganischen Verbindungen)*, Bd. XIII/4, S. 312–313 (1970).
G. W. Kramer, A. B. Levy u. M. M. Midland, *Laboratory Operations with Air-Sensitive Substances* in *Organic Syntheses via Boranes*, 191–261, J. Wiley & Sons, New York 1975.
G. W. Kramer, A. B. Levy u. M. M. Midland, *Sources of Technical Literature – Reagents, Equipment* in *Organic Syntheses via Boranes*, S. 263–264, J. Wiley & Sons, New York 1975.
W. Haubold, *Stock'sche Hochvakuumtechnik*, Chem. Exp. Didakt. **2**, 343–346 (1976).
Callery Chemical Company, Division of Mine Safety Appliances Company, *Trialkylboranes, Technical Handling Bulletin*, 1978.
Ethyl Corporation, *Handling Procedures for Aluminium Alkyl Compounds*, 1978.
Texas Alkyls Inc., Stauffer Chemical Company, *Triethylborane, Triisobutylborane*, 1978.
Schering A.G., Industriechemikalien, *Triaethylbor – Handhabung und Sicherheitsratschläge* –, Merkblätter 1981.

3. Herstellung und Eigenschaften von Organobor-Verbindungen

a) Organobor-Verbindungen mit zweifach koordinierten Bor-Atomen

Bd. XIII/3a, S. 899

b) Organobor-Verbindungen mit dreifach koordinierten Bor-Atomen

α) Triorganobor-Verbindungen **Bd. XIII/3a, S. 900f.**
β) Organobor-Wasserstoff-Verbindungen **Bd. XIII/3a, S. 901f.**
γ) Organobor-Halogen-Verbindungen **Bd. XIII/3a, S. 902f.**
δ) Organobor-Sauerstoff-Verbindungen **Bd. XIII/3a, S. 903f.**
ε) Organobor-Schwefel- und -Selen-Verbindungen **Bd. XIII/3a, S. 904**

ζ) Organobor-Stickstoff-Verbindungen

Allgemein

Gmelin, 8. Aufl., *Bor-Ergänzungsband*, System-Nr. 13, *Organobor-Stickstoff-Verbindungen*, S. 239–247, (Literatur bis Ende 1949), Verlag Chemie, Weinheim 1954.
G. E. COATES, *'Internal' Co-ordination Compounds (RBN-Verbindungen)*, in *Organo-Metallic Compounds*, 1. Aufl., S. 64–66, Methuen & Co. Ltd., London 1956.
M. F. LAPPERT, *Preparation of aminoborines and derivatives*, S. 1041–1045; *Trialkylborons and aminodialkylborons*, 1051–1052, in *Organic Compounds of Boron*, Chem. Reviews **56**, 959–1064 (1956).
W. GERRARD, *Boron-Nitrogen Compounds*, S. 161–186; *Miscellaneous Ring System*, S. 197–208 in *The Organic Chemistry of Boron*, Academic Press, New York 1961.
M. F. LAPPERT, *Polymers containing Boron and Nitrogen*, in *Developments in Inorganic Polymer Chemistry*, S. 20–56, Elsevier, Amsterdam 1962.
Boron-Nitrogen Chemistry, Advan. Chem. Ser. **42**, 1–330 (1964), Berichte vom Int. Symp. Durham, N. C. USA, April 1963; veranstaltet vom U. S. Army Research Office, Chairman K. NIEDENZU, Duke University, Durham, N. C. April 1963.
H. NÖTH, *Some recent Developments in Boron-Nitrogen Chemistry*, in R. J. BROTHERTON u. H. STEINBERG, Progr. Boron Chem. **1**, 211–311 (1964).
Kirk-Othmer, 2. Aufl., *Boron Nitrogen and other Boron Ring Systems*, in Organic Boron Compounds **3**, 728–737 (1964).
K. NIEDENZU, *Neuere Entwicklungen in der Chemie der Aminoborane*, Ang. Ch. **76**, 168–175 (1964).
K. NIEDENZU u. J. W. DAWSON, *Boron-Nitrogen Compounds, Anorganische und allgemeine Chemie in Einzeldarstellungen*, Bd. VI, Springer-Verlag, Heidelberg 1965.
R. A. GEANANGEL u. S. G. SHORE, *Boron-Nitrogen Compounds, Preparative Inorganic Reactions* **3**, 123–238, Intersci. Publ., New York 1966.
W. GERRARD, *Studies in Boron Chemistry: Organic Analogues of Heterocycles*, Chem. & Ind. **1966**, 832–840; C. A. **65**, 3895 (1966).
H. STEINBERG u. R. J. BROTHERTON, *Aminoboranes*, in *Organoboron Chemistry* **2**, 45–70, J. Wiley & Sons, Inc. New York 1966.
G. E. COATES u. K. WADE, *Organoboron-nitrogen Compounds*, in *The Main Group Elements, Organometallic compounds*, 3. Aufl., **1**, 258–286, Methuen & Co. Ltd, London 1967.
A. FINCH, J. B. LEACH u. J. H. MORRIS, *Boron-Nitrogen-Systems*, Organometal. Chem. Rev., Sect. A 4, 1–45 (1969); C. A. **70**, 106580 (1969).
A. MELLER, *Preparative Aspects of Boron-Nitrogen Ring Compounds*, Fortschr. chem. Forsch. **15**, 146–190 (1970).
K. NIEDENZU u. C. D. MILLER, *1,3,2-Diazaboracycloalkanes*, Fortschr. chem. Forsch. **15**, 191–205 (1970).
H. NÖTH, *The Chemistry of Simple Boron-Nitrogen Compounds – Aminoboranes*, S. 249–284; *Unusual Oxidation States of Boron in B-N Compounds*, S. 284–287; Progr. Boron Chem. **3**, 211–311 (1970).
H. NÖTH, *Über Hydride, Stickstoff- und Metall-Verbindungen des Bors sowie Phosphor-Stickstoff-Verbindungen*, in *„20 Jahre Fonds der Chemischen Industrie 1950–1970"*, S. 121–127 (1970); C. A. **76**, 67495 (1972).
R. JEFFERSON u. M. F. LAPPERT, *Chloroboration and Related Reactions of unsaturated Compounds*, Intra-Sci. Chem. Rep. **7**, 123–131 (1973).
K. NIEDENZU, *Neuere Untersuchungen an Bor-Stickstoff-Verbindungen*, Ch. Z. **98**, 487–493 (1974).
Kirk-Othmer, 3. Aufl., *Organic Boron-Nitrogen Compounds*, **4**, 188–201 (1978).
A. PELTER u. K. SMITH, *Boron-Nitrogen Compounds* in *Comprehensive Organic Chemistry* **3**, 925–932, Pergamon Press, London 1979.
J. H. MORRIS, *Boron in Ring Systems* in *Comprehensive Organometallic Chemistry* **1**, 312–380, Pergamon Press, London 1982.

Diorganobor-Stickstoff-Verbindungen

Gmelin, 8. Aufl., *Bor-Ergänzungsband*, System-Nr. 13, *Amino-diorgano-borane*, S. 239–240 (Literatur bis 1949), Verlag Chemie, Weinheim 1954.
R. KÖSTER u. K. IWASAKI, *New Compounds with Boron-Nitrogen Bonds*, Advan. Chem. Ser. **42**, 148–165 (1964).
H. NÖTH u. W. REGNET, *Preparation and Properties of Some Hydrazinoboranes*, Advan. Chem. Ser. **42**, 166–182 (1964).
M. J. S. DEWAR, *Heteroaromatic Boron Compounds*, Advan. Chem. Ser. **42**, 227–250 (1964.
M. J. S. DEWAR, *Heteroaromatic Boron Compounds*, Progr. Boron Chem. **1**, 235–262 (1964).

Y. Nomura u. Y. Takeuchi, *Borazaverbindungen*, J. Soc. org. Synth. Chem. Japan **22**, 704–715 (1964); C. **1966**, 49-0560.
K. Niedenzu u. J. W. Dawson, *Boron-Nitrogen Compounds* in *Anorganische und Allgemeine Chemie in Einzeldarstellungen* Bd. VI, Springer-Verlag, Heidelberg 1965.
R. A. Geanangel u. S. G. Shore, *Cyclic Compounds Containing Aminoborane Linkages*, S. 195–202; *Heteroaromatic Boron-Nitrogen Compounds*, S. 200–202, in *Preparativ Inorganic Reactions* **3**, 123–238, Intersci. Publ., New York 1966.
K. Niedenzu, *1,2-Azaboracycloalkane* in *Azaboracycloalkane*, Allg. prakt. Chem. **17**, 596–599 (1966).
H. Steinberg u. R. J. Brotherton, *Organoboron Chemistry*, Bd. 2, J. Wiley & Sons, Inc., New York 1966.
P. Paetzold, *Mechanismus der thermischen Borazid-Umlagerung*, S. 462–467, in *Darstellung, Eigenschaften und Zerfall von Boraziden*, Fortschr. chem. Forsch. **8**, 437–469 (1967).
J. Casanova, jr., *The Reactions of Isonitriles with Boranes*, Organic Chemistry **20**, 109–131, Academic Press, New York 1971.
A. Meller, *The Chemistry of Iminoboranes*, Fortschr. chem. Forsch. **26**, 37–76 (1972).
A. Haag u. G. Hesse, *Reactions of Organoboranes with Cyanides and Isocyanides*, Intra-Sci. Chem. Rep. **7**, 105–121 (1973).
Gmelin, 8. Aufl., **13**/1, *Azaboracycloalkane*, S. 94–116 (verstreut), Springer-Verlag, Heidelberg 1974.
Gmelin, 8. Aufl., **22**/4, *(Amino)diorganylborane* [*Amino-diorgano-borane*], S. 161–217, Springer-Verlag, Heidelberg 1975.
Gmelin, 8. Aufl., **22**/4, *(Hydrazino)diorganylborane*, S. 254–259; Springer-Verlag, Heidelberg 1975.
Gmelin, 8. Aufl., **22**/4, *(Azido)-diorganylborane*, S. 262–265, Springer-Verlag, Heidelberg 1975.
Gmelin, 8. Aufl., **22**/4, *Verschiedene RBN-Heterocyclen*, S. 294–320, Springer-Verlag, Heidelberg 1975.
Gmelin, 8. Aufl., **22**/4, *Imidoborane*, S. 245–248, Springer-Verlag, Heidelberg 1975.
K. Niedenzu, *Neuere Untersuchungen an Bor-Stickstoff-Verbindungen*, Ch. Z. **98**, 487–493 (1974).
S. Gronowitz, *Recent work on aromatic boron-containing Heterocycles*, Lect. Heterocycl. Chem. **3**, 17–32 (1976); C. A. **85**, 123985 (1976).
A. J. Fritsch, *Borazaromatic Compounds Chemistry*, Heterocyclic Comp. **30**, 381–440 (1977).
H. Wolter, *Cyclische Verbindungen mit Boratomen*, Prax. Naturwiss. Teil **3**, **26**, Nr. 2, 53–55 (1977).
Gmelin, 8. Aufl., **46**/15, *Amin-borane und verwandte Verbindungen*, 34–39, verstreut; Springer Verlag, Heidelberg 1977.
Gmelin, Boron Compounds 1st Suppl. **2**, *Amino-diorgano-borane*, S. 163–174 (verstreut); Springer-Verlag, Heidelberg 1980.
R. F. Porter u. L. J. Turbini, *Boron-Nitrogen Compounds*, in *Photochemistry of Boron Compounds*, S. 23–27; Topics in Current Chemistry **96**, 1–41 (1981); C. A. **95**, 15846 (1981).
J. H. Morris, *Rings Involving a Nitrogen Heteroatom Bonded to Boron in Addition to a Boron-Carbon Ring Bond (CBN-Rings)*, S. 337–349, in *Boron in Ring Systems*, Comprehensive Organometallic Chemistry **1**, 312–380, Pergamon Press, London 1982.

Organobor-Stickstoff-Wasserstoff-Verbindungen

K. Niedenzu, *Neuere Untersuchungen an Bor-Stickstoff-Verbindungen*, Ch. Z. **98**, 487–493 (1974).
Gmelin, 8. Aufl., **22**/4, *Amino(hydro)organylborane*, S. 146–149, Springer-Verlag, Heidelberg 1975.
S. Gronowitz, *Recent Work on Aromatic Boron-containing Heterocycles*, Lect. Heterocycl. Chem. **3**, 17–32 (1976); C. A. **85**, 123985 (1976).

Organobor-Stickstoff-Halogen-Verbindungen

Gmelin, 8. Aufl., *Bor-Ergänzungsband*, System-Nr. 13, *Chlor-methyl-methylamino-borane*, S. 247–253 (Literatur bis Ende 1949), Verlag Chemie, Weinheim 1954.
Gmelin, 8. Aufl., **22**/4, *Amino(halogen- und pseudohalogen)-organylborane*, S. 149–157, Springer-Verlag, Heidelberg 1975.

Organobor-Stickstoff-Sauerstoff-Verbindungen

Gmelin, 8. Aufl., *Bor-Ergänzungsband*, System-Nr. 13, *Hydroxy-methyl-methylamino-borane*, S. 246; (Literatur bis Ende 1949); Verlag Chemie, Weinheim 1954.
M. J. S. Dewar, *Heteroaromatic Boron Compounds*, vgl. S. 229, 230 usw., Advan. Chem. Ser. **42**, 227–250 (1964).
M. J. S. Dewar, *Heteroaromatic Boron Compounds*, Progr. Boron Chem. **1**, 235–262 (1964).
R. J. Brotherton u. A. L. McCloskey, *Hydrolysis of some Boron-Nitrogen Derivatives*, Advan. Chem. Ser. **42**, 131–138 (1964).

W. GERRARD, *Boron-Oxygen-Nitrogen Rings* (S. 834), in *Studies in Boron Chemistry: Organic Analogues of Heterocycles*, Chem. & Ind. **1966**, 832–840.

Gmelin, 8. Aufl., **13**/1, *BNC-Heterocyclen mit RB(N)O-Verbindungen*, S. 191 (verstreut), Springer-Verlag, Heidelberg 1974.

Gmelin, 8. Aufl., **22**/4, *Amino(organyloxy)organylborane Amino-organo-oxy-borane*, S. 158–161, Springer-Verlag, Heidelberg 1975.

S. GRONOWITZ, *Recent Work on Aromatic Boron-containing Heterocycles*, Lect. Heterocycl. Chem. **3**, 17–32 (1976); C.A. **85**, 123985 (1976).

A.J. FRITSCH, *Borazaromatic Compounds*, Chemistry Heterocyclic Compounds **30**, 381–440 (1977); C.A. **87**, 201607 (1977).

Gmelin, 8. Aufl. **48**/16, *Oxygen-Boron-Nitrogen Heterocycles*, S. 92–123 (verstreut), Springer-Verlag, Heidelberg 1977.

H. WOLTER, *Cyclische Verbindungen mit Boratomen*, Prax. Naturwiss. Teil **3**, **26**, 53–55 (1977); C.A. **87**, 23347 (1977).

Gmelin, 8. Aufl., *Boron Compounds* 1st. Suppl. **2**, *Amino-organo-oxy-borane*, S. 172ff. (verstreut), Springer-Verlag, Heidelberg 1980.

J.H. MORRIS, *Boron in Ring Systems, RB(N)-O-Verbindungen* (verstreut), Comprehensive Organometallic Chemistry **1**, 312–380, Pergamon Press, London 1982.

Organobor-Stickstoff-Schwefel-Verbindungen

Gmelin, 8. Aufl., *Boron Compounds* 1st Suppl. **2**, *Amino-organo-thio-borane*, S. 179 u. verstreut, Springer-Verlag, Heidelberg 1980.

Gmelin, 8. Aufl., *Boron Compounds* 1st Suppl. **3**, S. 59, *Organyl(organylthio)organylamino- oder -hydrazino-borane; Organyl(organylamino)hydrothioborane R_2N-BR-SH*, S. 63 *(Organylthio)di- und triborylamino- und -hydrazino-borane*, S. 64–65; *Thiaazaboracycloalkane*, S. 77 (Literatur bis 1977), Springer Verlag, Heidelberg 1981.

Organobor-Stickstoff-Stickstoff-Verbindungen

T.L. HEYING u. H.D. SMITH, jr., *Some Reactions of Dialkyl-aminoborons*, Advan. Chem. Ser. **42**, 201–207 (1964).

R.J. BROTHERTON u. A.L. MCCLOSKEY, *Hydrolyses of some Boron-Nitrogen Derivatives*, Advan. Chem. Ser. **42**, 131–138 (1964).

R. KÖSTER u. K. IWASAKI, *New Compounds with Boron-Nitrogen Bonds*, Advan. Chem. Ser. **42**, 148–165 (1964).

H. NÖTH u. W. REGNET, *Preparation and Properties of Some Hydrazinoboranes*, Advan. Chem. Ser. **42**, 166–182 (1964).

M.J.S. DEWAR, *Heteroaromatic Boron Compounds*, Advan. Chem. Ser. **42**, 227–250 (1964).

M.J.S. DEWAR, *Heteroaromatic Boron Compounds*, Progr. Boron Chem. **1**, 235–262 (1964).

K. NIEDENZU u. J.W. DAWSON, *σ-Bonded Cyclic Systems of Boron and Nitrogen (other than Borazines)*, 126–132. – *Heterocyclic σ-Bonded Systems Containing Boron and Nitrogen*, 132–147, in *Boron-Nitrogen Compounds, Anorganische und Allgemeine Chemie in Einzeldarstellungen*, Bd. VI, Springer-Verlag, Heidelberg 1965.

W. GERRARD, *Rings Containing NBO, NBN, BON, NBC* (835–837), in *Studies in Boron Chemistry: Organic Analogues of Heterocyclics*, Chem. & Ind. **1966**, 832–840.

K. NIEDENZU, *1,3,2-Diazaboracycloalkane* in *Azaboracycloalkane*, Allg. prakt. Chem. **17**, 596–599 (1966).

H. STEINBERG u. R.J. BROTHERTON, *Miscellaneous Heterocyclic Boron-Nitrogen Compounds*, in *Organoboron Chemistry* **2**, S. 435–451, J. Wiley & Sons, New York 1966.

A. MELLER, *Preparative Aspects of Boron-Nitrogen Ring Compounds*, Fortschr. chem. Forsch. **15**, 146–190 (1970); C.A. **74**, 119475 (1971).

Gmelin, 8. Aufl., **13**/1, *Diazaboracycloalkane*, S. 116–191, Springer-Verlag, Heidelberg 1974.

K. NIEDENZU, *Neuere Untersuchungen an Bor-Stickstoff-Verbindungen*, Ch.Z. **98**, 487–493 (1974).

Gmelin, 8. Aufl., **22**/4, *Bis(aminoborane $XB(NRR')_2$ [Diamino-organoborane]*, S. 66–89, Springer-Verlag, Heidelberg 1975.

Gmelin, 8. Aufl. **46**/15, *Cyclische Amino-diorgano-borane und Diamino-organo-borane*, verstreut, S. 34–39, Springer-Verlag, Heidelberg 1977.

K. NIEDENZU, *The Aminoboronation Reaction*, Pure Appl. Chem. **1977**, 49(6), 745–748; C.A. **88**, 135734 (1978).

M.F. LAPPERT, P.P. POWER, A.R. SANGER u. R.C. SRIVASTAVA, *Amides of Boron, Aluminium and the Group 3 B Metals, Synthesis, Physical Properties and Structures*, 68–234, in *Metal and Metalloid Amides*, Ellis Horwood Ltd. u. J. Wiley & Sons, New York 1980.

Gmelin, 8. Aufl., *Boron Compounds* 1st Suppl. **2**, *Heteroelementhaltige Bor-Stickstoff-Cyclen*, S. 131–140, Springer-Verlag, Heidelberg 1980.

L. KOMOROWSKI, *Chemie und Eigenschaften der 1,3,2-Diazaboracycloalkane*, Wiad. Chem. **34**, 375–393 (1980); C.A. **94**, 139866 (1981).

J. H. MORRIS, *Rings Involving two Nitrogen Atoms bonded to Boron (NBN Rings containing Carbon)*, S. 354–357, in *Boron in Ring Systems, Comprehensive Organometallic Chemistry* **1**, 312–380, Pergamon Press, London 1982.

Diboryl- und Triborylamine (1,3,2-Diborazane)

R. KÖSTER u. K. IWASAKI, *New Compounds with Boron-Nitrogen Bonds*, Advan. Chem. Ser. **42**, 148–165 (1964).

K. NIEDENZU u. J. W. DAWSON, *Aminoboranes*, in *Boron-Nitrogen Compounds, Anorganische und Allgemeine Chemie in Einzeldarstellungen*, Bd. VI, 48–79, Springer-Verlag, Heidelberg 1965.

K. NIEDENZU, *1,3,2-Diboraazacycloalkane*, Allg. prakt. Chem. **17**, 596–599 (1966).

R. A. GEANANGEL u. S. G. SHORE, *Diborylamines and Triborylamines in Boron-Nitrogen Compounds*, 215–218, *Preparative Inorganic Reactions* **3**, 123–238, Intersci. Publ., New York 1966.

H. NÖTH, *The Chemistry of Simple Boron-Nitrogen Compounds* in *Some Recent Developments in Boron-Nitrogen Chemistry – Diborylamines* (287–291), *Triborylamines* (291–292), *Progr. Boron Chem.* **3**, 211–311, Pergamon Press, London 1970.

A. MELLER, *Cyclic Systems of Alternating BN-Units,* (S. 147–175) in *Preparative Aspects of Boron-Nitrogen Ring Compounds*, Fortschr. chem. Forsch. **15**, 146–190; C.A. **74**, 119475 (1971).

K. NIEDENZU u. C. D. MILLER, *1,3,2-Diazaboracycloalkanes*, in *New Results in Boron Chemistry*, Fortschr. chem. Forsch. **15**, 191–205, Springer-Verlag, Heidelberg 1970.

Gmelin, 8. Aufl., **22**/4, *Triborylamine*, 288–289, Springer-Verlag, Heidelberg 1975.

Gmelin, 8.Aufl., **22**/4, *Diborylamine [Bis-diorganoboryl-amine und Bis(diorganoboryl)-hydrazine]*, 282–288, Springer-Verlag, Heidelberg 1975.

Gmelin, 8. Aufl., *Boron Compounds* 1st Suppl. **2**, 124ff, 174, 179, Springer-Verlag, Heidelberg 1980.

A. NECKEL, H. POLESAK u. P. G. PERKINS, *The Stabilities and Geometries of Triborylamines and of Compounds Containing the B_6 Moiety*, Inorg. Chim. Acta **70**, 255–259 (1983).

B-Organoborazine

A. STOCK, $B_3N_3H_6$, in *Hydrides of Boron and Silicon*, S. 92–98, Cornell University Press, Ithaka, New York 1933; Neudruck 1957.

E. KRAUSE u. A. v. GROSSE, *B-Methyl-Derivate von Stocks* $B_3N_3H_6$ in *Die Chemie der metallorganischen Verbindungen*, S. 199, Borntraeger, Berlin 1937.

Gmelin, 8. Aufl., *Bor Ergänzungsband*, System-Nr. 13, *B-Organoborazine*, S. 241–245 (Literatur bis Ende 1949), Verlag Chemie, Weinheim 1954.

B. M. MIKHAILOV, *Borazole and its Derivatives*, Uspechi Chim. **29**, 972–992 (1960); Russian Chem. Reviews **29**, 459–469 (1960); C.A. **55**, 347 (1961).

J. C. SHELDON u. B. C. SMITH, *The Borazoles*, Quart. Rev. **14**, 200–219 (1960); C.A. **54**, 17135 (1960).

G. E. COATES, *Borazines*, in *Organo-Metallic Compounds*, 2. Aufl., 121–124, Methuen & Co. Ltd., London 1960.

L. F. HOLMSTEDT u. G. W. SCHAEFFER, *Borazin Chemistry*, Advan. Chem. Ser. **32**, 232–240 (1961); C.A. **56**, 8331 (1962).

E. K. MELLON jr. u. J. J. LAGOWSKI, *The Borazines*, Adv. Inorg. Chem. Radiochem. **5**, 259–305 (1963).

H. BEYER, H. JENNE, J. B. HYNES u. K. NIEDENZU, *Chemie B-fluorierter Borazine*, Advan. Chem. Ser. **42**, 266–272 (1964); C. **1966**, 19-0571.

Kirk-Othmer, 2. Aufl., *Borazines*, **3**, 729–932 (1964).

R. J. BROTHERTON u. A. L. MCCLOSKEY, *Hydrolyses of Some Boron-Nitrogen Derivatives*, Advan. Chem. Ser. **42**, 131–138 (1964).

A. W. LAUBENGAYER u. T. BEACHLEY jr., *The Formation and Behavior of Polycyclic Borazines*, Advan. Chem. Ser. **42**, 281–289 (1964).

D. SEYFERTH, H. P. KÖGLER, W. R. FREYER, M. TAKAMIZAWA, H. YAMAZAKI u. Y. SATO, *Synthesis of B-Organofunctional Borazine Derivatives. A Review of Recent work at the Massachusetts Institute of Technology*, Advan. Chem. Ser. **42**, 259–265 (1964).

H. S. TURNER u. R. J. WARNE, *A New Boron-Nitrogen Ring System. The Tetrameric Borazynes*, Advan. Chem. Ser. **42**, 290–300 (1964).

V. GUTMANN u. A. MELLER, *Substitution Reactions of Borazines*, Öst. Chemiker-Ztg. **66**, 324–329 (1965).

K. NIEDENZU u. J. W. DAWSON, *The Borazines*, S. 85–126, in *Boron-Nitrogen Compounds, Anorganische und Allgemeine Chemie in Einzeldarstellungen*, Bd. VI, Springer-Verlag, Heidelberg 1965.

R. A. GEANANGEL u. S. G. SHORE, *Borazines*, in *Boron-Nitrogen Compounds, Preparative Inorganic Reactions* **3**, 123–138, Wiley & Sons, Interscience, New York 1966.

W. GERRARD, *The Borazine (Borazole) Systems* (S. 837–838), in *Studies in Boron Chemistry: Organic Analogues of Heterocycles*, Chem. & Ind. **1966**, 832–840.

H. Steinberg u. R. J. Brotherton, *B-Trialkyl- and B-Triaryl-borazines*, S. 202–209; *B-Trialkyl- (or -aryl)-N-Trialkyl-(or -aryl)borazines*, S. 244–266; *Unsymmetrical Borazines*, S. 295–320; *Diborazines and Polyborazines*, S. 320–340; *Linear Boron-Nitrogen Polymers*, S. 542–547, in *Organoboron Chemistry* **2**, J. Wiley & Sons, Inc., New York 1966.
G. E. Coates u. K. Wade, *Borazines*, in *The Main Group Elements, Organometallic Compounds*, 3. Aufl., **1**, 267–272, Methuen & Co. Ltd., London 1967.
J.-C. Rosso, *Le borazène et ses dérivés*, Chim. et. Ind. **98**, 389–396 (1967); C. **1968**, 41-0637.
A. Meller, *Preparative Aspects of Boron-Nitrogen Ring Compounds, New Results in Boron Chemistry*, Fortschr. chem. Forsch. **15**, 146–190 (1970).
K. Niedenzu, *Boron-Nitrogen Chemistry – Aminoboranes, Boron-Nitrogen-Carbon Heterocycles, Borazine Chemistry*, J. Organometal. Chem. **75**, 193–261 (1974).
Gmelin, 8. Aufl., **22**/4, *Borazines*, S. 321–349, Springer-Verlag, Heidelberg 1975.
G. A. Kline u. R. F. Porter, *Free-Radical Intermediates* in *The Photochemistry of Alkylborazines*, Synth. Appl. Inorg. Chem. **16**, 11–15 (1977).
Gmelin, 8. Aufl., **51**/17, *N-Triorganyl-B-triorganylborazine*, S. 129–159, 175–225 (verstreut), Springer-Verlag, Heidelberg 1978.
Kirk-Othmer, 3. Aufl., *Borazines*, **4**, 195–201 (1978).
Gmelin, 8. Aufl., *Boron Compounds* 1st Suppl. **2**, *B-Triorganyl-N-triorganyl-borazines*, S. 115 ff. (Literatur bis 1977), Springer-Verlag, Heidelberg 1980.

η) Organobor-Phosphor-Verbindungen

G. E. Coates, *Organo-phosphino-borane*, in *Organo-Metallic Compounds*, 2. Aufl., 108–109, Methuen & Co. Ltd., London 1960.
W. Gerrard, *Boron-Phosphorus Compounds*, in *The Organic Chemistry of Boron*, S. 187–193, Academic Press, New York 1961.
H. Steinberg u. R. J. Brotherton, *Boron-Phosphorus, Boron-Arsenic and Boron-Antimony Compounds*, in *Organoboron-Chemistry* **2**, 479–515, John Wiley & Sons, Inc., New York 1966.
G. E. Coates u. K. Wade, *Organoboron-phosphorus compounds*, in *The Main Group Elements, Organometallic Compounds*, 3. Aufl., **1**, 286–289, Methuen & Co. Ltd., London 1967.
V. I. Spitzin, I. D. Colley, T. G. Sevastjanova u. E. M. Sadykova, *Anorganische Polymere mit Bor-Stickstoff- und Bor-Phosphor-Bindungen*, Z. **14**, 459–463 (1974). – Keine BC-Verbindungen.
Gmelin, 8. Aufl., **19**/3, *Phosphinoborane*, S. 106–117, Springer-Verlag, Heidelberg 1975.

ϑ) Organobor-Bor-Verbindungen [Organodiborane(4)]

Gmelin, 8. Aufl., *Bor Ergänzungsband*, System-Nr. 13, *Organodiborane*(4), S. 220; *Dibortetramethyl* $B_2(CH_3)_4$, S. 220 (Literatur bis Ende 1949), Verlag Chemie, Weinheim 1954.
W. Gerrard, Kap. 15, *Other Boron-Halide Systems*, *Reactions with Diboron Tetrachloride and -tetrafluoride*, in *The Organic Chemistry of Boron*, S. 213–217, Academic Press, New York 1961.
A. K. Holliday u. A. G. Massey, *Boron Subhalides and Related Compounds with Boron-Boron Bonds*, Chem. Reviews **62**, 303–318 (1962).
R. J. Brotherton, *The Chemistry of Compounds which Contain Boron-Boron Bonds*, Progr. Boron Chem. **1**, 1–81 (1964).
K. Niedenzu u J. W. Dawson, *Amin Derivatives of Diborane(4)*, in *Boron-Nitrogen Compounds, Anorganische und Allgemeine Chemie in Einzeldarstellungen*, Bd. VI, S. 79–84, Springer-Verlag, Heidelberg 1965.
G. E. Coates u. K. Wade, *Miscellaneous organoboron compounds*, in *The Main Group Elements, Organometallic Compounds*, 3. Aufl., **1**, 289–292, Methuen & Co. Ltd., London 1967.
T. D. Coyle u. J. J. Ritter, *Organometallic Aspects of Diboron Chemistry*, Adv. Organometallic Chem. **10**, 237–272 (1972).
K. G. Hancock, A. K. Uriarte u. D. A. Dickinson, *Photochemistry of Tetrakis(dimethylamino)diboran(4)*, Am. Soc. **95**, 6980–6986 (1973).
Gmelin, 8. Aufl., **22**/4, *Amino-organyl-diborane(4)*, S. 276–279, Springer-Verlag, Heidelberg 1975.
A. G. Massey, *The Subhalides of Boron*, Adv. Inorg. Chem. Radiochem. **26**, im Druck (1983).

ι) Organobor-σ-Metall-Verbindungen

H. Nöth u. G. Schmid, *Koordinationsverbindungen mit Metall-Bor-Bindung*, J. pr. **17**, 610–618 (1966).
G. Schmid, *Metall-Bor-Verbindungen – Probleme und Aspekte*, Ang. Ch. **82**, 920–930 (1970); engl.: **9**, 819 (1970).

K. Niedenzu, *Boron-Metal Derivatives*, J. Organometal. Chem. **75**, 193–261 (1974).
K. B. Gilbert, S. K. Boocock u. S. G. Shore, *Units Containing one Boron Atom – Boryl Derivatives* (S. 886–889), in *Compounds with Bonds between a Transition Metal and Boron, Comprehensive Organometallic Chemistry*, **6**, 879–945, Pergamon Press, London 1982.
G. Schmid, *The Formation of the Group III B-I B and II B Element Bond*, in *Inorganic Reactions and Methods*, Bd. R_1–R_4, im Druck, Verlag Chemie, Weinheim 1983.

c) Organobor-Verbindungen mit vierfach koordinierten Bor-Atomen

W. B. Jensen, *The Lewis Acid-Base Concepts – An Overview*, J. Wiley & Sons, New York 1980.

α) Lewisbase-Organoborane

Allgemein

Gmelin, 8. Aufl., *Bor Ergänzungsband*, System-Nr. 13, *Verschiedene N-Basen-Organoborane*, S. 217–251 (verstreut) (Literatur bis Ende 1949), Verlag Chemie, Weinheim 1954.
G. E. Coates, *Alkyl derivatives of boron*, in *Organo-Metallic Compounds*, S. 56–66, Methuen & Co. Ltd., London 1956.
T. D. Coyle u. F. G. A. Stone, *Some Aspects of the Coordination Chemistry of Boron*, Progr. Boron Chem. **1**, 83–166 (1964).
K. Niedenzu u. J. W. Dawson, *Amine-Boranes and Related Structures*, in *Boron-Nitrogen Compounds, Anorganische und Allgemeine Chemie in Einzeldarstellungen*, Bd. VI, S. 8–41, Springer-Verlag, Heidelberg 1965.
G. E. Coates u. K. Wade, *Lewisbase-Organoborane*, in *The Main Group Elements, Organometallic Compounds*, 3. Aufl., Bd. 1, 200ff., 247ff., verstreut, Methuen & Co. Ltd., London 1967.
H. Nöth, *The Coordinate Boron-Nitrogen-Bond – Amine-Organoboranes*, S. 229–232; *B–N–N- and Pyrazabole Chemistry*, S. 296–299, in *Some Recent Developments in Boron-Nitrogen Chemistry*, Progr. Boron Chem. **3**, 211–311 (1970).
M. Grassberger, *Organische Borverbindungen – Komplexsalze mit vierbindigem Bor*, Chem. Taschenbücher **15**, 89–98, Verlag Chemie, Weinheim 1971.
K. Niedenzu, *Neuere Untersuchungen an Bor-Stickstoff-Verbindungen*, Ch. Z. **98**, 487–493 (1974).
Gmelin, 8. Aufl., **37**/10, *Verbindungen mit vierfach koordiniertem Bor*, Springer-Verlag, Heidelberg 1976.
J. D. Odom, *Organoborane Lewis Acid – Lewis Base Adducts*, S. 298–301, in *Non-cyclic Three and Four Coordinated Boron Compounds, Comprehensive Organometallic Chemistry* **1**, 254–310, Pergamon Press, London 1982.
J. H. Morris, *Rings Involving a Nitrogen Heteroatom Bonded to Boron*, in *Addition to a Boron-Carbon Ring Bond (CBN Rings)*, S. 337–347, in *Boron in Ring Systems, Comprehensive Organometallic Chemistry* **1**, 312–380, Pergamon Press, London 1982.

Lewisbase-Triorganoborane

E. Krause u. A. von Grosse, *Additionsverbindungen der Bor-aryle an Stickstoffbasen*, S. 206–207, *Additionsverbindungen der Bor-alphyle*, S. 198–199, in *Die Chemie der metallorganischen Verbindungen*, Borntraeger, Berlin 1937.
Gmelin, 8. Aufl., *Bor Ergänzungsband*, System-Nr. 13, *N-Lewisbase-Triorganoborane*, S. 217–220, 237–238 (*N-Basen: Ammoniak, Amine, Pyridin*) (Literatur bis Ende 1949), Verlag Chemie, Weinheim 1954.
G. E. Coates, *Coordination Compounds of Boron*, in *Organo-Metallic Compounds*, 60–64, Methuen & Co. Ltd., London 1956.
M. F. Lappert, *Coordination compounds of Alkylborons and Arylborons*, in *Organic Compounds of Boron*, Chem. Reviews **56**, 1031–1034 (1956).
G. E. Coates, *Coordination Compounds of Boron*, in *Organo-Metallic Compounds*, 2. Aufl., S. 104–107, 114, Methuen & Co. Ltd., London 1960.
J. P. Oliver, *Addition Compounds – BF_3-Base and BR_3-Base Systems*, in *Fast Exchange Reactions of Group I, II and III Organometallic Compounds*, Adv. in Organometallic Chem. **8**, 199–201 (1970).
J. Casanova jr., *Imin-Triorganoborane*, in *The Reaction of Isonitriles with Boranes*, Organic Chemistry **20**, 109–131 (1971).
A. Haag u. G. Hesse, *Reactions of Organoboranes with Cyanides and Isocyanides*, Intra-Sci. Chem. Rep. **7**, 105–121 (1973).
B. M. Mikhailov, *The Chemistry of Boron-cage Compounds*, Pure Appl. Chem. **52**, 691–704 (1980).

Lewisbase-Organobor-Wasserstoff-Verbindungen

E. KRAUSE u. A. VON GROSSE, *Additionsverbindungen der Bor-alphyle*, S. 198–199, in *Die Chemie der metallorganischen Verbindungen*, Borntraeger, Berlin 1937.

Gmelin, 8. Aufl., *Bor Ergänzungsband*, System-Nr. 13, *N-Lewisbase-Hydro-methyl-borane* (*N-Basen: Ammoniak, Methylamine*), S. 222, 235–237, (Literatur bis Ende 1949), Verlag Chemie, Weinheim 1954.

Gmelin, 8. Aufl., **46**/15, *Amin-Addukte von (Monohydro)-diorganylboranen*, S. 65–74, Springer-Verlag, Heidelberg 1977.

Gmelin, 8. Aufl., **46**/15, *Addukte von Dihydropseudohalogenboranen (* BH_2CN*-Addukte)*, S. 15–19, Springer-Verlag, Heidelberg 1977.

Gmelin, 8. Aufl., **46**/15, *Amin-Addukte von Organyldihydroboranen*, S. 24–45 (Literatur 1950–1975), Springer-Verlag, Heidelberg 1977.

B. F. SPIELVOGEL, *Synthesis and Biological Activity of Boron Analogues of the α-Amino Acids and Related Compounds*; *Boron Chemistry-4* (IUPAC 1979), 119–129, Pergamon Press, London 1980.

Gmelin, 8. Aufl., *Boron Compounds* 1st Suppl. **2**, *Lewisbase-Cyano-dihydro-borane* (*Lewisbase: Amin, Imin*), S. 189–195 (Literatur bis 1977), Springer-Verlag, Heidelberg 1980.

Gmelin, 8. Aufl., *Boron Compounds* 1st Suppl. **2**, *Lewisbase-Diorgano-hydro-borane* (*Lewisbase: Amin, Imin*), S. 196–197 (Literatur bis 1977), Springer-Verlag, Heidelberg 1980.

Lewisbase-Organobor-Halogen-Verbindungen

Gmelin, 8. Aufl., *Bor-Ergänzungsband*, System-Nr. 13, *N-Lewisbase-Diorgano-halogen-borane*, S. 251–252; *N-Lewisbase-Dihalogen-organo-borane* [*Halogen: Fluor, Chlor; Organo-Rest: Methyl; N-Lewisbasen: Ammoniak, Methylamine, N-Dimethylanilin*], S. 251 (Literatur bis Ende 1949), Verlag Chemie, Weinheim 1954.

M. F. LAPPERT, *Properties of Alkyl (and Aryl)boron Dihalides and Dialkyl (and Diaryl)boron Halides, Physical constants of amine complexes*, S. 1055, in *Organic Compounds of Boron*, Chem. Reviews **56**, 959–1064 (1956).

Gmelin, 8. Aufl., **46**/15, *Amin-Addukte gemischter Trihalogenborane* (*incl. Pseudohalogen*), S. 165 (Literatur 1950–1975), Springer-Verlag, Heidelberg 1977.

Gmelin, 8. Aufl., *Boron Compounds*, 1st Suppl. **2**, *Amin-Addukte von Cyano-dihalogen-boranen*, S. 207–208, Springer-Verlag, Heidelberg 1980.

Lewisbase-Organobor-Sauerstoff-Verbindungen

Gmelin, 8. Aufl., *Bor Ergänzungsband*, System-Nr. 13, *N–Lewisbase-Triorganoboroxine*, S. 223 (Literatur bis Ende 1949), Verlag Chemie, Weinheim 1954.

M. INATOME u. L. P. KUHN, *Reaction of Nitric Oxide with Tri-n-butylborane*, Advan. Chem. Ser. **42**, 183–191 (1964).

H. K. ZIMMERMAN, *Relations between Structure and Coordination Stability in Boroxazolidines, N–Lewisbase-Diorgano-oxy-borane* (*Lewisbase: Amin*), Advan. Chem. Ser. **42**, 23–34 (1964).

W. GERRARD, *Boron-Oxygen-Nitrogen Rings*, S. 834–835, in *Studies in Boron Chemistry: Organic Analogues of Heterocyclics, N–Lewisbase-Diorgano-organooxy-borane* (*Lewisbase: Amin, Imin*), Chem. & Ind. **1966**, 832–840.

F. UMLAND u. E. HOHAUS, *Untersuchungen über borhaltige Ringsysteme vom Chelattyp*; *N–Lewisbase-Diorgano-organooxy-borane* (*Lewisbase: Imin*); *Forschungsbericht des Landes Nordrhein-Westfalen Nr. 2538*, Fachgruppe Chemie, Westdeutscher Verlag, Opladen 1976.

Gmelin, 8. Aufl., **48**/16, *(Organyloxy)diorganylborane Chelates*, S. 153–167 (Literatur 1950–1975), Springer-Verlag, Heidelberg 1977.

B. M. MIKHAILOV, *The Cyclic Coordination of Boron Compounds*, Pure Appl. Chem. **49**, 749–764 (1977).

Gmelin, 8. Aufl., **46**/15, *Monohydroborane mit NB-Donorbindung im Ring*, S. 72–74, Springer-Verlag, Heidelberg 1977.

Gmelin, 8. Aufl., *Boron Compounds* 1st Suppl. **1**, *Pyridin-Diboryloxide*, S. 295, Springer-Verlag, Heidelberg 1980.

Gmelin, 8. Aufl., *Boron Compounds*, 1st Suppl. **2**, *Cyclische Stickstoffaddukte von Dioxyorganylboranen*, S. 244–251, Springer-Verlag, Heidelberg 1980.

W. KLIEGEL, *Borinsäuren und Derivate – Anwendungen in der Arznei- und Naturstoffchemie, Diorgano-organooxy-borane* (*Lewisbase: Amine, Imine*), S. 474–480; – *Biologische Wirkungen*, S. 481–489, in *Bor in der Biologie, Medizin und Pharmazie*, Springer-Verlag, Heidelberg 1980.

Lewisbase-Organobor-Schwefel-Verbindungen

A. HAAG u. G. HESSE, *Reactions of Organoboranes with Cyanides and Isocyanides*; *Lewisbase-Diorgano-organothio-borane* (*Lewisbase: Imin*); Intra-Sci. Chem. Rep. **7**, 105–121 (1973).

Gmelin, 8. Aufl., **19**/3, *Bor-Schwefel Donor-Akzeptor-Verbindungen*, S. 51–74, Springer-Verlag, Heidelberg 1975.
Gmelin, 8. Aufl., *Boron Compounds*, 1st Suppl. **3**, *Addukte aus Thioboranen und Aminen*, S. 89–90 (Literatur bis 1977), Springer-Verlag, Heidelberg 1981.

Lewisbase-Organobor-Stickstoff-Verbindungen

M. F. LAPPERT, *Physical properties of aminoborines and derivatives*, S. 1042–1043, in *Organic Compounds of Boron*, Chem. Reviews **56**, 959–1064 (1956).
H. NÖTH u. W. REGNET, *Preparation and Properties of Some Hydrazinoboranes*, Advan. Chem. Ser. **42**, 166–182 (1964).
H. WATANABE, J. NAGASAWA, T. TOTANI, T. YOSHIZAKI u. T. NAKAYAMWA, *Tris(dialkylboryl-2-pyridylamino)borane*, Advan. Chem. Ser. **42**, 116–130 (1964).
A. HAAG u. G. HESSE, *Reactions of Organoboranes with Cyanides and Isocyanides*, Intra-Sci. Chem. Rep. **7**, 105–121 (1973).
Gmelin, 8. Aufl., **23**/5, *Bor-Pyrazol-Derivate und Spektroskopie trigonaler BN-Verbindungen*, S. 1–277, Springer-Verlag, Heidelberg 1975.

β) Ionische Organobor-Verbindungen mit vierfach koordinierten Bor-Atomen

Kationische Organobor-Verbindungen

G. E. COATES u. K. WADE, *Boronium Salts*, in *The Main Group Elements, Organometallic Compounds*, 3. Aufl., **1**, 265–267, Methuen & Co. Ltd., London 1967.
H. NÖTH, *Amin-Boron Cations*, in *Some Recent Developments in Boron-Nitrogen Chemistry – Diorganobis(amine)boron cations*, S. 241–247, Progr. Boron Chem. **3**, 211–311 (1970).
H. D. JOHNSON, II u. S. G. SHORE, *Recent Developments in the Chemistry of the lower Boron Hydrides – Boronium Ions*, Fortschr. chem. Forsch. **15**, 112–116 (1970).
O. P. SHITOV, S. L. IOFFE, V. A. TARTAKOVSKII u. S. S. NOVIKOV, *Cationic Complexes of Boron*, Uspechi Chim. **39**, 1913–1949 (1970); C.A. **74**, 42396 (1971).
G. E. RYSCHKEWITSCH, *Boron Cations*, in *Boron Hydride Chemistry*, S. 223–239, Academic Press, New York 1975.
Gmelin, 8. Aufl., **37**/10, *Mono- and Diorganoboronium(1+) Salts* [*Mono- und Diorganobor(1+)-Salze*], S. 126–141, Springer-Verlag, Heidelberg 1976.
J. D. ODOM, *Organoboronium Ions*, S. 296, in *Non-cyclic Three and Four Coordinated Boron Compounds, Comprehensive Organometallic Chemistry* **1**, 254–310, Pergamon Press, London 1982.

Zwitterionische Organobor-Verbindungen

M. F. LAPPERT, *Tetracovalent boron complexes (Zwitterion aus Triphenylboran und 4-Dimethylaminophenyl-lithium)*, 1037, in *Organic Compounds of Boron*, Chem. Reviews **56**, 959–1064 (1956).
H. ZIMMER u. G. SINGH, *Reactions of Triphenylphosphinimines with Boron Compounds*, Advan. Chem. Ser. **42**, 17–22 (1964).
W. KLIEGEL, *Bor-Stickstoff-Betaine*, Organometal. Chem. Rev. A **8**, 153–181 (1972); C.A. **78**, 14004 (1972).
A. SHAVER, *Metal Complexes of Polypyrazolylborates: Recent Developments*, Organometal. Chem. Rev. **3**, 157–188 (1977).
Gmelin, 8. Aufl., *Boron Compounds*, 1st Suppl. **2**, *Verbindungen mit Betainstruktur*, S. 251–254, Springer-Verlag, Heidelberg 1980.
R. P. HUGHES, *Rhodium-tetraphenylborat-π-Komplexe*, *Comprehensive Organometallic Chem.* **5**, 489–490, Pergamon Press, London 1982.

Anionische Organobor-Verbindungen mit vierfach koordinierten Bor-Atomen

Anionische Tetraorganobor-Verbindungen

Gmelin, 8. Aufl., *Bor Ergänzungsband*, System-Nr. 13, *Tetraarylborate*, S. 220 (Literatur bis Ende 1949), Verlag Chemie, Weinheim 1954.
A. J. BARNARD, *Sodium tetraphenylboron* 1949–1955, *A comprehensive bibliography*, Chem. Anal. **44**, 104 (1955).
M. F. LAPPERT, *Tetracovalent boron complexes*, S. 1035–1039, in *Organic Compounds of Boron*, Chem. Reviews **56**, 959–1064 (1956).
G. WITTIG, *Komplexbildung und Reaktivität in der Metallorganischen Chemie*, Ang. Ch. **70**, 65–71 (1958).
A. J. BARNARD u. H. BUECHL, *Sodium tetraphenylboron*, 1958, *A Bibliography*, Chem. Anal. **48**, 44 (1959).

G. E. Coates, *Tetraorganoborates* in *Organo-Metallic Compounds*, 2. Aufl., S. 111–116, Methuen & Co. Ltd., London 1960.
W. Gerrard, *Literatur über Tetraphenylborate*, in *The Organic Chemistry of Boron*, S. 234–251, Academic Press, New York 1961.
G. Wittig, *Über at-Komplexe als reaktionslenkende Zwischenprodukte*, in *Arbeitsgemeinschaft für Forschung des Landes Nordrhein-Westfalen*, Heft 160, S. 7–39, Westdeutscher Verlag, Opladen 1966.
W. Tochtermann, *Struktur und Reaktionsweise organischer at-Komplexe*, Ang. Ch. **78**, 355–375 (1966).
G. E. Coates u. K. Wade, *Triarylboranes with Alkalis*, in *The Main Group Elements, Organometallic Compounds*, 3. Aufl., Bd. **1**, S. 212–214, Methuen & Co. Ltd., London 1967.
A. N. Nesmeyanov u. R. A. Sokolik, *The Organic Compounds of Boron, Aluminium, Gallium, Indium and Thallium – Synthesis of MBR_4 compounds*, in *Methods of elemento-organic Chemistry, Bd.* **1**, S. 72–74, verstreut, North-Holland Publ. Comp., Amsterdam 1967.
P. Binger, G. Benedikt, G. W. Rotermund u. R. Köster, *Alkalimetall-alkyl-1-alkinylboranate*, A. **717**, 21–40 (1968).
D. G. Borden, *Review of light-sensitive Tetraarylborates*, Photographic Science and Engineering **16**, 300–312 (1972).
T. Onak, *Four Coordinate Organoboranes*, in *Organoborane Chemistry*, S. 136–163, Academic Press, New York 1975.
Methodicum Chimicum, Salzartige Bor-Verbindungen, Bd. **7**, S. 165–173, Thieme Verlag, Stuttgart 1976.
E. Negishi, *Chemistry of Organoborates*, J. Organometal. Chem. **108**, 281–324 (1976).
Gmelin, 8. Aufl., **33**/8, *Tetraorganylborate Ions*, S. 158–216, Springer-Verlag, Heidelberg 1976.
G. M. L. Cragg u. K. R. Koch, *Organoborates in Organic Synthesis: The Use of Alkenyl-, Alkynyl- and Cyano-borates as Synthetic Intermediates,* Chem. Soc. Rev. **6**, 393–412 (1977); C. A. **89**, 109624 (1978).
J. P. Oliver, *Structures of Main Group Organometallic Compounds Containing Electron Deficient Bridge Bonds, Lithium Alkyl-Group III Metalates*, S. 263–265, Adv. Organometallic Chem. **15**, 234–271 (1977).
A. Pelter u. J. Smith, *Organoborate Salts, Comprehensive Organic Chemistry* Bd. **3**, S. 883–904, Pergamon Press, London 1979.
W. Kliegel, *Tetraphenylborat(1-) und verwandte Verbindungen*, in *Bor in Biologie, Medizin und Pharmazie*, S. 446–474, Springer-Verlag, Heidelberg 1980.
W. Kliegel, *Toxikologie – Organobor-Verbindungen* [*Tetraarylborat(1-)*], in *Bor in Biologie, Medizin und Pharmazie*, S. 781, Springer-Verlag, Heidelberg 1980.
M. M. Midland u. D. C. McDowell, *The Chemistry of Lithium Alkynylorganoborates*; *Novel Routes to Acetylenes*, Prepr., Div. Pet. Chem., Am. Chem. Soc. **24**, 176–184 (1979); C.A. **94**, 156589 (1981).
A. Pelter, *Some Aspects of Organoborate Chemistry*, in *Boron Chemistry-4*, S. 49–72, Pergamon Press, London 1980.
Solubility Data of Tetraphenylborates of Na, K, Rb, Cs, NH_4, Ag, Tl(I), $(H_3C)_4N$, $(H_5C_2)_4N$, $(H_9C_4)_4N$, $(H_7C_3)_4N$; Tris-(o-phenanthrolin)-ruthenium; *$(H_5C_6)_4As$*; Solubility Data Ser. **18**, 4–222 (1981); C.A. **94**, 198355–198433 (1981).
J. D. Odom, *Anionic Organoboranes*, S. 296–298, in *Non cyclic Three and Four Coordinated Boron Compounds, Comprehensive Organometallic Chemistry* **1**, 254–310, Pergamon Press, London 1982.
A. Suzuki, Fundam. Res. Organomet. Chem., Proc. China-Jpn.-U.S. Trilateral Semin. Organomet. Chem., 1980 (publ. 1982), 281–303; C.A. **97**, 127674 (1982).
A. Suzuki, *Boron-synthethic applications of 4-coordinated organic boron compounds*, Kagaku, Zokan **1982**, 11–23; C.A. **97**, 161843 (1982).
A. Suzuki, *Organoborates in New Synthetic Reactions*, Accounts Chem. Res. **15**, 178–184 (1982).

Anionische Organobor-Wasserstoff-Verbindungen

Hydro-triorgano-borate

Gmelin, 8. Aufl., *Bor Ergänzungsband*, System-Nr. 13, *Hydro-triphenyl-borat*, S. 220 (Literatur bis 1949), Verlag Chemie, Weinheim 1954.
M. F. Lappert, *Tetracovalent boron complexes*, S. 1035–1039, in *Organic Compounds of Boron*, Chem. Reviews **56**, 959–1064 (1956).
R. M. Adams u. A. R. Siedle, *The Hydroboron Ions (Ionic Boron Hydrides), Substituted Hydromonoborates, Trialkylhydroborates*, S. 462–463, in R. M. Adams, *Boron, Metallo-Boron Compounds and Borans*, Intersci. Publ., New York 1964.
G. E. Coates u. K. Wade, *Hydro-organo-borate*, in *The Main Group Elements, Organometallic Compounds*, 3. Aufl., Bd. **1**, S. 233, Methuen & Co. Ltd., London 1967.
P. Binger, G. Benedikt, G. W. Rotermund u. R. Köster, *Alkalimetall-trialkylboranate*, in *Alkalimetall-alkyl-1-alkinyl-boranate*, S. 27–30, 37–39; A. **717**, 21–40 (1968).
J. A. Gladysz, *Trialkylborohydrides in Organometallic Synthesis*, Aldrichim. Acta **12**, Nr. 1, 13–18 (1979).
H. C. Brown, „*Super Hydrides*“, Final Report U.S. Army Research Office 1976–1979, Grant-Nr. DAAG 29 76 G 0218; C.A. **92**, 68730 (1980).

J. A. GLADYSZ, *Transition Metal Formyl Complexes*, Adv. Organometallic Chem. **20**, 1 (1982) [*Reaktion von Übergangsmetallcarbonylen mit R_3BH^--Verbindungen*].

H. C. BROWN, B. SINGARAM u. S. SINGARAM, *Investigations in the Synthesis of Alkyl-Substituted Borohydrides*, J. Organometal. Chem. **239**, 43–64 (1982).

Dihydro-diorgano-borate

R. M. ADAMS u. A. R. SIEDLE, *The Hydroboron Ions (Ionic Boron Hydrides), Substituted Hydromonoborates – Dialkyldihydroborates*, S. 463, in R. M. ADAMS, *Boron, Metallo-Boron Compounds and Boranes*, Intersci. Publ., New York 1964.

H. C. BROWN, B. SINGARAM u. S. SINGARAM, *Investigations in the Synthesis of Alkyl-Substituted Borohydrides*, J. Organometal. Chem. **239**, 43–64 (1982).

Organo-trihydro-borate

M. F. LAPPERT, *Tetracovalent boron complexes*, 1035–1039, in *Organic Compounds of Boron*, Chem. Reviews **56**, 959–1064 (1956).

R. M. ADAMS u. A. R. SIEDLE, *The Hydroboron Ions (Ionic Boron Hydrides), Substituted Hydromonoborates – Alkyltrihydroborates*, S. 463–464, in R. M. ADAMS, *Boron, Metallo-Boron Compounds and Boranes*, Intersci. Publ., New York 1964.

R. W. PARRY, C. E. NORDMAN, J. C. CARTER u. G. TERTTAAR, *Amine Addition Compounds of H_3BCO and B_4H_8CO*; Advan. Chem. Ser. **42**, 302–311 (1964).

C. F. LANE, *Sodium Cyanoborohydride, A Highly Selective Reducing Agent*, Aldrichim. Acta **8**, Nr. 1, 3–10 (1975).

Gmelin, 8. Aufl., **33**/8, *Boranocarboxylate Ions*, S. 217–220, Springer-Verlag, Heidelberg 1976.

B. F. SPIELVOGEL, *Synthesis and Biological Activity of Boron Analogues of the α-Amino Acids and Related Compounds*, in *Boron Chemistry-4*, S. 119–129, Pergamon Press, London 1979.

R. O. HUTCHINGS u. N. R. NATALE, *Cyanoborohydrides, Utility and Applications in Organic Synthesis*, Org. Prep. & Proced. **11**, 201–246 (1979); C.A. **92**, 40740 (1980).

H. C. BROWN, B. SINGARAM u. S. SINGARAM, *Investigations in the Synthesis of Alkyl-substituted Borohydrides*, J. Organometal. Chem. **239**, 43–64 (1982).

W. BIFFAR, H. NÖTH u. D. SEDLAK, *The Reaction of Organyl Lithium Compounds with Borane Donors, Preparation and Isolation of Lithium Monoorganyl Trihydroborates*, Organometallics **2**, im Druck (1983).

Anionische Organobor-Halogen-Verbindungen

Gmelin, 8. Aufl., *Bor Ergänzungsband*, System-Nr. 13, *Halogen-triphenyl-borat*, S. 220 (Literatur bis 1949), Verlag Chemie, Weinheim 1954.

Anionische Organobor-Sauerstoff-Verbindungen

E. KRAUSE u. A. VON GROSSE, *Additionsverbindungen der Bor-alphyle*, S. 199, *Trimethylboran und Alkalimetallhydride,* in *Die Chemie der metallorganischen Verbindungen*, Borntraeger, Berlin 1937.

Gmelin, 8. Aufl., *Bor Ergänzungsband*, System-Nr. 13, *Hydroxy-triphenyl-borat*, S. 220 (Literatur bis 1949), Verlag Chemie, Weinheim 1954.

M. F. LAPPERT, *Tetracovalent boron complexes*, S. 1035–1039, in *Organic Compounds of Boron*, Chem. Reviews **56**, 959–1064 (1956).

Gmelin, 8. Aufl., **33**/8, *(Oxy)organylborate and some related Ions*, S. 141–149, Springer-Verlag, Heidelberg 1976.

W. VOELTER, *Borat-Komplexe von Kohlenhydraten, Themen zur Chemie des Bors*, S. 141–158, Hüthig-Verlag, Heidelberg 1976 (ohne BC-Verbindungen).

Anionische Organobor-Stickstoff-Verbindungen

G. E. COATES, *Amino-organo-borate* in *Organo-Metallic Compounds*, 2. Aufl., S. 103, Methuen & Co. Ltd., London 1960.

S. TROFIMENKO, *Polypyrazolylborates, a New Class of Ligands*, Accounts Chem. Res. **4**, 17–22 (1971).

S. TROFIMENKO, *Some Recent Advances in Polypyrazolylborate Chemistry*, Advan. Chem. Ser. **150**, 289–301 (1976).

Gmelin, 8. Aufl., **33**/8, *Aminoborate Ions and Related Species*, S. 150–158, Springer-Verlag, Heidelberg 1976.

A. SHAVER, *Metal Complexes of Polypyrazolylborates: Recent Developments*, Organometal. Chem. Rev. **3**, 157–188 (1977).

H. C. CLARK u. S. GOEL, *Rhodium(I) Derivatives of Diethylbispyrazolylborate*, J. Organometal. Chem. **165**, 383–389 (1979).

Gmelin, 8. Aufl., *Boron Compounds* 1st Suppl. **2**, *Diamino-diorgano-borate und Organo-triamino-borate*, S. 218–228, Springer-Verlag, Heidelberg 1980.

Tabellenregister

Zeichenerklärung zu den Tabellen

Organobor-Verbindungen

R_3B; Ar_3B	Triorganoboran, Triarylboran
$(R_{en})_3B$	Trialkenylboran
$R_2B–R_{dien}$	Alkadienyl-diorgano-boran
$Ar_2B–R$	Diaryl-organo-boran
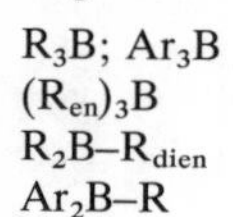	Organodiyl-organo-boran
	Cycloorganodiyl-organo-boran
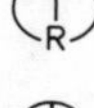	Organotriylboran
 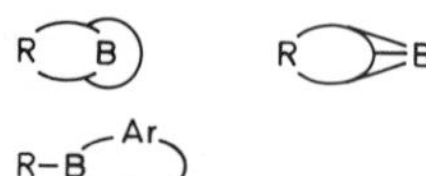	Cycloorganotriylborane
	Aralkandiyl-organo-boran
$R_2B–R^{1\text{-}Br}$	1-Bromorgano-diorgano-boran
$Ar–B\frown Ar^{O_2}$	Aryl-dioxyarendiyl-boran
$R_{2\text{-}en}–B\frown R^{4'\text{-}Hal}_{3\text{-}en}$	Allyl-(4′-halogen-3-alkendiyl)-boran

Borfreie Verbindungen

En^X; $Dien^X$	Substituierte Alkene oder Alkadiene mit Funktion X (X = Hal, OR, CN usw.)
En-in	Alken-in
In	Alkin
En-Ar	Alkenylaren

Borfreie Reste bzw. Reaktanden

El^+; R^+	Elektrophil, kationischer Rest
$R^{1\text{-}Cl}$	Organo-Rest mit Chlor in 1-Position
$R_{5\text{-}en}$	Ungesättigter Rest mit C=C-Bindung zwischen C^5- und C^6-Atom
$R^{3\text{-}O}$	Gesättigter O-haltiger-Rest
$R^{2\text{-}O,\ 3\text{-}Sn}_{1,3\text{-}dien}$	Alka-1,3-dienyl-Rest mit Sauerstoff-Funktion **am** C^2- und Zinn-Funktion **am** C^3-Atom
Hal^1_2	Zwei Halogen-Atome **in** Position 1
L–M, Cp–M	Ligand-Metall, Cyclopentadienyl-Metall

Stoffklassenregister

Band XIII/3a

c_5) Organobor-Schwefel-Verbindungen

c_6) Organobor-Selen-Verbindungen

Band XIII/3b

c_7) Organobor-Stickstoff-Verbindungen

c_8) Organobor-Phosphor-Verbindungen

c_9) Organobor-Arsen-Verbindungen

c_{10}) Organobor-Element(IV)-Verbindungen

c_{11}) Organobor-Element(III)-Verbindungen

c_{12}) Organobor-σ-Metall-Verbindungen

c_{13}) Kationische Organobor(3)-Verbindungen

d) Organobor(4)-Verbindungen

d_1) Lewisbase-Organobor(4)-Verbindungen

d_2) Ionische Organobor(4)-Verbindungen